ベイツ診察法

第3版

Bates' Guide to Physical Examination and History Taking

13th Edition

日本語版監修

有岡宏子
聖路加国際病院一般内科 部長

井部俊子
長野保健医療大学 教授
聖路加国際大学 名誉教授

山内豊明
放送大学大学院 教授
名古屋大学 名誉教授

Lynn S. Bickley, MD, FACP
Clinical Professor of Internal Medicine
School of Medicine
University of New Mexico
Albuquerque, New Mexico

Peter G. Szilagyi, MD, MPH
Professor of Pediatrics and Executive Vice-Chair
Department of Pediatrics
University of California at Los Angeles (UCLA)
Los Angeles, California

Richard M. Hoffman, MD, MPH, FACP
Professor of Internal Medicine and Epidemiology
Director, Division of General Internal Medicine
University of Iowa Carver College of Medicine
Iowa City, Iowa

Guest Editor
Rainier P. Soriano, MD
Associate Professor of Medical Education,
Geriatrics and Palliative Medicine
Brookdale Department of Geriatrics and Palliative Medicine
Associate Dean of Curriculum and Clinical Competence
Icahn School of Medicine at Mount Sinai
New York, New York

メディカル・サイエンス・インターナショナル

進化の著しい医学のアート（技術）とサイエンス（科学）を
学習し，指導し，実践しつづける読者に
本書を捧げる

Authorized translation of the original English edition,
"Bates' Guide to Physical Examination and History Taking", Thirteenth Edition
by Lynn S. Bickley, Peter G. Szilagyi, Richard M. Hoffman and Rainier P. Soriano

Copyright © 2021 Wolters Kluwer.
All rights reserved.

Published by arrangement with Wolters Kluwer Health Inc., USA

Wolters Kluwer Health did not participate in the translation of this title and
therefore it does not take any responsibility for the inaccuracy or errors of this translation.

© Third Japanese Edition 2022 by Medical Sciences International, Ltd., Tokyo

Printed and Bound in Japan

監修者・監訳者・訳者一覧

監修

有岡　宏子	聖路加国際病院一般内科　部長	
井部　俊子	長野保健医療大学　教授 / 聖路加国際大学　名誉教授	
山内　豊明	放送大学大学院　教授 / 名古屋大学　名誉教授	

監訳

石松　伸一	聖路加国際病院　院長	
岸本　暢将	杏林大学医学部腎臓・リウマチ膠原病内科　准教授	

訳

柳井　敦	聖路加国際病院一般内科	1章
大久保暢子	聖路加国際大学大学院看護学研究科　教授	2,5章
髙橋　理	聖路加国際大学公衆衛生学研究科　教授	3,9章
福井　翔	杏林大学医学部総合医療学教室　助教	4,7章
柳井真梨子	聖路加国際病院一般内科	6章
仲里　信彦	沖縄県立南部医療センター・こども医療センター　内科部長	8,15章
中野　敏明	聖路加国際病院皮膚科　医長	10章
本村　和久	まどかファミリークリニック	11〜14章,18章
戴　哲皓	東京大学医学部附属病院循環器内科	16章
後藤　耕策	東京大学医学部附属病院循環器内科	16章
池田　行彦	聖路加国際病院 Immuno-Rheumatology Center	17章
伊藤　俊之	滋賀医科大学医学・看護学教育センター　教授	19章
植村　昌代	熊本赤十字病院消化器内科	19章
小西　竜太	元・関東労災病院救急総合診療科	20,22章
伊東　宏晃	浜松医科大学医学部医学科産婦人科学教室　教授	21,26章
松家まどか	浜松医科大学医学部医学科産婦人科学教室	21,26章
岸本　暢将	杏林大学医学部腎臓・リウマチ膠原病内科　准教授	23章
前田　啓造	杏林大学医学部腎臓・リウマチ膠原病内科	23章
竹見　敏彦	聖路加国際病院神経内科 / 竹見クリニック　院長	24章
上原　正嗣	沖縄県立南部医療センター・こども医療センター小児腎臓内科　医長	25章
吉村　博	聖マリアンナ医科大学小児科学　特任教授	25章
岡本　武士	がん研究会有明病院肝胆膵内科　副医長	27章

翻訳協力：浜松医科大学医学部医学科産婦人科学教室　21,26章

監修者序文

"O God, give us
serenity to accept what cannot be changed,
courage to change what should be changed,
and wisdom to distinguish the one from the other."
　　　　　　　　Reinhold Niebuhr

　医療専門職としてアプローチし介入を行う場合，まずはクライアントである患者を把握するところからはじまる．特に「からだ」についての把握なしには医療専門職の活動は十分に展開できない．これはOSCE（オスキー）として身体診察技能が求められていることからも明白である．

　クライアントのヘルスアウトカムの質を向上させるためには，アセスメント段階での情報の共有化は医療チーム活動に不可欠である．一人のクライアントに対して複数の医療専門職が関わることになる場合，専門職同士での適切な情報交換はクライアントに安心と利益をもたらす．このためには共有すべきアセスメント技能の体系は，共通言語に基づくことを目指して行われるべきである．それぞれの医療専門職が各自の活動の特徴をもつということと，その活動の基盤となる情報を共有できるということは，相補的でこそあれ，決して相矛盾することではないと考える．

　本書は米国で最も信頼されている身体診察に関する書籍である．米国の大多数の医学部や看護学部で全国標準の教科書として採用されている．身体の把握方法について，施設を越え，また専門領域を越えて共有していこうということの現れであろう．

　原書はフィジカルアセスメントについての1974年に初版が登場した古くからある書籍であり，なおかつ今回で13版となる実に新しい書籍である．

　ヒトに限らず生命体は常に「変化」をしている．いや，「変化」を続けなければ存続が危うくなる．この「変化」というものは生命体に限らず，企業や組織にとっても存続のためには不可欠な要件である．実際，老舗といわれている企業ほど，常に最先端を追求しており，柔軟な対応や変化ができなくなったときには，その先の存続が危うくなる．

　しかし一方で老舗が老舗たる所以は，変えないことは変えないという頑なな面も持ち合わせているところにあろう．確固たる変わりなきことを守り，変わるべきことについては果敢に挑戦していくという姿勢が存続の要件であろう．これは，生命体という個体，企業や組織という集団に限らず，人知の集積である知識体系についても演繹できうる考え方であろう．

　フィジカルアセスメントに関しては，歴史という篩に耐え確立している古くからの手技・技能を維持し伝承する一方で，各種ガイドラインなどの整備やアップデートなど，おもに思考過程の共有化のために不可欠となるものを刷新し続けるという不断の努力も不可欠である．守るべきことを守りつつそれに甘んじることなく進化を続けていく必要がある．本書が50年近くにわたる歴史的評価に耐えつつ，なおかつ弛まぬ改訂を頻繁に繰り返していることがそれを物語っている．

　本書では，今回の改訂でもこれまでの改訂を経て確立されてきた項目や記載方法を維持継続し，変わらぬ伝統を守り通している．その一方で，(1)編著者を2名から4名へと編集体制を強化し，(2)最前線の知識体系を提供できるように査読者の刷新を図り，(3)12版では20章

構成であったものを新たに7つの章を追加して27章とすることで綿密に構成を改良し，（4）各種ガイドラインを新たに取り入れるとともに最新版とし，（5）文中の重要語をわかりやすく表示し，（6）重要事項を「チェックリスト」として新設し，（7）補足としてのBoxの利便性を向上させる，など各所にわたるさまざまな刷新が行き届いている。

　「変化」は必ずしもプラスに働くだけとは限らないが，まずは挑戦をしてその「変化」についての評価を受けることが不可欠であり，そのうえで条件に適い時代に適合したものを次へとつなげていくことが重要であろう。原書第5版から本書を変わらず愛読する者としては，原書の編集陣や著者らの，変わらざるべきことを死守する忍耐力と現状に甘えないチャレンジ精神にいつも驚かされるばかりでなく，それらを広く世に問う姿勢に敬意を払いたい。

　その「伝統」と「変化」を含めた最新の成果をわが国の多くの医療者の細心な目で吟味していただき，臨床実践の一助となれば訳者・監訳者・監修者・出版社としてもこのうえもなく幸甚である。わが国でも，医療専門職の間の共通言語として，本書がその橋渡し役を担うことを心より願っている。

監修者を代表して
山内豊明

謝辞

　本書『ベイツ診察法』は，現在第13版を数え，半世紀にわたる進化を遂げている．本書の初版は1974年，Barbara Bates博士とRobert Hoekelman博士により，医師やナースプラクティショナーを目指し，成人および小児の部位別の診察技術を学ぶ学生向けの実践的なマニュアルとして刊行された．初版から，黒字で本文，赤字で異常例，各章末には異常例の比較表という，現在まで続く基本的な記載形式が採用された．第7版からはLynn S. Bickley博士が編集長兼執筆者を務め，第8版からPeter L. Szilagyi博士が加わった．Bickley博士とSzilagyi博士は，身体診察と病歴聴取を学ぶ学生や指導者にとって明確で最新の教科書を提供できるよう，各版で継続的に改革を続けており，「健康増進とカウンセリング」の項，カラー写真とイラスト，臨床推論・バイタルサイン・行動と精神状態・高齢者に関する章，臨床的根拠を示す豊富な文献一覧の導入はその例である．さらに第12版では，Richard M. Hoffman博士が執筆陣に加わり，健康増進とカウンセリングにおける臨床的エビデンスや臨床ガイドラインの評価に関わる複雑な概念について，専門的な解説が追加されることとなった．

　第13版では，マウントサイナイ医科大学准教授でカリキュラム・臨床能力担当副学部長のRainier Soriano博士をゲスト編集者としてお迎えした．ここに喜びと敬意を込めて紹介したい．Soriano博士は，『ベイツ診察法』を学生や指導者にとってより有用なものにするという私たちの変わらぬ目標に寄り添い，患者評価の熟達に不可欠な臨床技術を網羅するため，今版を再構成し，内容を大幅に拡充してくれた．UNIT I「健康アセスメントの基礎」では，「診察へのアプローチ」「面接，コミュニケーション，対人関係スキル」「病歴」「身体診察」「臨床推論，アセスメント，計画」「健康維持とスクリーニング」「エビデンスの評価」をそれぞれ独立した章で扱った．特筆すべきは，ジェンダー代名詞の使用，発展的なコミュニケーションスキル，動機づけ面接といった患者へのアプローチや，臨床推論と診療記録作成の手順を明確にする疾患スクリプトの紹介，さらに健康維持とスクリーニングのガイドラインに関する章が新たに加わったことである．臨床的なエビデンスを評価するためのツールや，病歴と身体診察を診断テストとして使用するためのツールもアップデートかつ整理された．UNIT II「部位別の診察」では，各章の内容，表，参考文献をアップデートするとともに，参照しやすい一貫した形式を採用した．特に，学生が学習しやすいよう，頭部と頸部，眼，耳と鼻，咽喉と口腔の診察に関する章がそれぞれ独立して設けられ，精神状態および筋骨格系の評価方法が改訂された．

　UNIT III「特定の集団の診察」では，小児の発達段階，米国産婦人科学会（ACOG）および米国予防医療専門委員会（USPSTF）による健康な妊娠のための勧告，高齢者の評価のための包括的な情報などが追加された．医学教育の先導者であるSoriano博士は，MedEdPORTALの『Journal of Teaching and Learning Resources』の副編集長，医学生向けに症例ベースで書かれた『Fundamentals of Geriatric Medicine』の著者，臨床技能コース，臨床クラークシップ，免許取得技能準備コースの主幹であり，本書にも大いに才能を発揮していただいた．

　本書の各版は，広範なレビューにもとづいて制作されており，ここに改めて感謝の意を表したい．全米の保健医療大学や学術医療センターの教員から，各章の徹底的な批評と最新の知見を得ることができた．レビューは，各分野の専門家であるだけでなく，患者を直接治療する最

謝辞

前線に身を置き，学生に対する現在の臨床技能教育に精通している方々にお願いした．George A. Alba, MD（第1章「診察へのアプローチ」），Catherine Bigelow, MD（第26章「妊娠女性」），Julia Chen, MD（第19章「腹部」），Suzanne Brooks Coopey, MD（第16章「心血管系」），Christopher T. Doughty, MD（第24章「神経系」），Ralph Parker Fader, MD（第10章「皮膚，毛髪，爪」），Raisa Gao, MD（第21章「女性生殖器」），Sarah Gustafson, MD（第25章「小児：新生児から青年期まで」），Alexander Lloyd, MD（第23章「筋骨格系」），Christopher Lo, MD（第12章「眼」），S. Andrew McCullough, MD（第17章「末梢神経系とリンパ系」，第18章「乳房と腋窩」），Matthew Pollard, MD（第22章「肛門，直腸，前立腺」），Katelyn Ostendorf Stepan, MD（第13章「耳と鼻」，第14章「咽喉と口腔」），Joseph Truglio, MD（第5章「臨床推論，アセスメント，計画」）に心より感謝申し上げる．

本書の構成・制作には，「職人技」が必須である．新しく改訂された章を見直し，著者からの質問があればそれに答え，写真やイラストが学習しやすいか，そして正確であるかを何度も確認しなければならない．本文，Box，異常例，写真などの配置も慎重に行い，各ページは，読者を惹きつけ，重要なポイントを強調し，学習しやすいようにデザインする必要がある．特に，制作編集者のKelly Horvathは，そのたゆまぬ努力と献身的な働きにより，多くの要素を一貫した模範的な形にまとめあげてくれた．加えて，Aptara社は複雑なテキストを出版に適した校正刷りに組み上げてくれた．あわせてここに謝意を表したい．

つぎの方々にも謝意を表したい．Wolters Kluwer社の制作編集者であるAndrea Vosburghと編集コーディネータのEmily Buccieriは，今版の発行まで素晴らしいサポートをしてくれた．Wolters Kluwer社のアートディレクター，Jennifer Clementsは詳細なイラストを作成，更新してくれた．またCrystal Taylorはベイツシリーズの教材，契約，マーケティングに関する企画編集者として素晴らしい役割を果たしてくれた．出版にあたり，このチームは，『ベイツ診察法』を，患者のアセスメントとケアのための由緒ある技術を学ぶ学生向けに，最高の教科書として長きにわたり世に送り出してきた伝統に，類まれなる才能を新たに寄せてくれたといえよう．

査読者および寄稿者

George A. Alba, MD
Instructor, Pulmonary and Critical Care Medicine
Department of Medicine
Massachusetts General Hospital
Harvard Medical School
Boston, Massachusetts

Catherine A. Bigelow, MD
Maternal-Fetal Medicine Subspecialist
Minnesota Perinatal Physicians
Allina Health
Minneapolis, Minnesota

Y. Julia Chen, MD
Clinical Fellow
Department of Pediatric Surgery
Johns Hopkins University School of Medicine
Baltimore, Maryland

Suzanne B. Coopey, MD
Assistant Professor, Harvard University
Faculty of Medicine Division of Surgical Oncology
Massachusetts General Hospital
Boston, Massachusetts

Christopher T. Doughty, MD
Instructor, Neurology
Department of Neurology, Division of Neuromuscular Disorders
Harvard Medical School/Brigham and Women's Hospital
Boston, Massachusetts

Ralph P. Fader, MD
Child and Adolescent Psychiatry Fellow
Department of Psychiatry
New York-Presbyterian
New York, New York

Raisa Gao, MD, FACOG
Assistant Professor
Department of Obstetrics, Gynecology, and Reproductive Science
Icahn School of Medicine at Mount Sinai
New York, New York

Sarah Gustafson, MD
Assistant Clinical Professor, Pediatrics
Division of Pediatric Hospital Medicine, Harbor-UCLA
David Geffen School of Medicine at UCLA
Los Angeles, California

Alexander R. Lloyd, MD
Resident Physician
Department of Physical Medicine and Rehabilitation
University of Pittsburgh Medical Center
Pittsburgh, Pennsylvania

Christopher C. Lo, MD
Instructor
Stein and Doheny Eye Institutes, Department of Orbital and Oculofacial Plastic Surgery
University of California at Los Angeles
Los Angeles, California

S. Andrew McCullough, MD
Assistant Professor, Clinical Medicine
Assistant Director, Graphics Laboratory
Department of Medicine, Division of Cardiology
Weill Cornell Medicine
New York, New York

Matthew E. Pollard, MD
Fellow, Male Reproductive Medicine and Surgery
Scott Department of Urology
Baylor College of Medicine
Houston, Texas

Katelyn O. Stepan, MD
Fellow, Head and Neck Surgical Oncology and Microvascular Reconstruction
Otolaryngology — Head and Neck Surgery
Washington University School of Medicine in St. Louis
St. Louis, Missouri

Joseph M. Truglio, MD, MPH
Assistant Professor of Internal Medicine, Pediatrics and Medical Education
Program Director, Internal Medicine and Pediatrics Residency
Departments of Internal Medicine and Pediatrics
Icahn School of Medicine at Mount Sinai
New York, New York

査読者および寄稿者

寄稿していただいた方々

Paul J. Cummins, PhD
Assistant Professor, Medical Education
Department of Medical Education, The Bioethics Program
Icahn School of Medicine at Mount Sinai
New York, New York

Rocco M. Ferrandino, MD, MSCR
Resident Physician
Department of Otolaryngology — Head and Neck Surgery
Icahn School of Medicine at Mount Sinai
New York, New York

David W. Fleenor, STM
Director of Education, Center for Spirituality and Health
Icahn School of Medicine at Mount Sinai
New York, New York

Beverly A. Forsyth, MD
Associate Professor of Medicine, Infectious Diseases and Medical Education
Medical Director of the Morchand Center for Clinical Competence
Division of Infectious Diseases and Department of Medical Education
Icahn School of Medicine at Mount Sinai
New York, New York

Nada Gligorov, PhD
Associate Professor, Medical Education
Department of Medical Education, The Bioethics Program
Icahn School of Medicine at Mount Sinai
New York, New York

Joanne R. Hojsak, MD
Professor, Pediatrics and Medical Education
Director, Pediatric LifeLong Care Team
Pediatric Critical Care/Mount Sinai Kravis Children's Hospital
Icahn School of Medicine at Mount Sinai
New York, New York

Scott Jelinek, MD, MEd, MPH
Resident Physician
Department of Pediatrics
Icahn School of Medicine at Mount Sinai
New York, New York

Giselle N. Lynch, MD
Resident Physician
Department of Ophthalmology
New York Eye and Ear Infirmary of Mount Sinai
New York, New York

Anthony J. Mell, MD, MBA
Resident Physician
Boston Combined Residency Program
Boston Children's Hospital and Boston Medical Center
Boston, Massachusetts

Ann-Gel S. Palermo, DrPH, MPH
Associate Professor
Associate Dean for Diversity and Inclusion in Biomedical Education
Department of Medical Education
Office for Diversity and Inclusion
Icahn School of Medicine at Mount Sinai
New York, New York

Katherine A. Roza, MD
Staff Physician
Northwell Health House Calls Program
Zucker School of Medicine at Hofstra/Northwell
New Hyde Park, New York

Annetty P. Soto, DMD
Clinical Assistant Professor and Team Leader
Division of General Dentistry
Department of Restorative Dental Sciences
University of Florida College of Dentistry
Gainesville, Florida

Mitchell B. Wice, MD
Integrated Geriatric and Palliative Care Fellow
Brookdale Department of Geriatrics and Palliative Medicine
Icahn School of Medicine at Mount Sinai
New York, New York

寄稿してくれた学生たち

Emily N. Tixier, BA
Medical Student
Icahn School of Medicine at Mount Sinai
New York, New York

Isaac Wasserman, MPH
Medical Student
Icahn School of Medicine at Mount Sinai
New York, New York

原著序文

　本書『ベイツ診察法』は，40年以上にわたり，医学，看護学，リハビリテーション学を学ぶ学生や，効果的，安全，かつ効率的に臨床における患者とのやりとりを学ぶ人々にとって，唯一無二の権威ある情報源であり続けている。また，米国の臨床技能プログラムの責任者や教育者から高く評価されてきた教科書でもある[1]。1974年にBarbara Bates博士とRobert Hoekelman博士によって上梓されて以来，身体診察と医療面接に関するテーマは，臨床技能を教え，学ぶための教科書である本書の中核をなしてきた。本書第13版では，扱う範囲を大幅に拡大し，臨床現場における重要な要素や特徴を加筆した結果，27章構成となった。今版でも，読者が診察，面接，健康増進，疾病予防の技術を裏づける新たな数多くのエビデンスに遭遇した際，それらを理解するために必要な概念と枠組みを提供することに，引き続き注力した。

新たな内容・特徴

　本書第13版では，内容の充実を図るとともに，学生の学習や臨床技能教育を促進するための要素を追加した。

- 新たに7章を追加し，臨床技能研修・教育のあらゆる側面をより深く掘り下げた。

- 冒頭の章では，診察のはじめ方に焦点をあて，患者の希望する呼び方，ジェンダー代名詞，身体障害者を含む特別な集団へのアプローチ，LGBTQの患者に関する医療倫理や医療における人種差別に関する議論などの重要な要素を盛り込んだ。

- SPIKESプロトコルなどを用いた重大な知らせの開示，患者とのコミュニケーションにおける動機づけ面接やティーチバック，多職種コミュニケーションにおけるSBARなど，コミュニケーションや対人関係に関する発展的なスキルのフレームワークを充実させた。

- 臨床推論を行う際の段階的なアプローチとして，具体例をあげながら，疾患スクリプトとセマンティック・クオリファイアの使用，要約文作成の重要性について強調した。

- 部位別の診察のなかでも重要な頭頸部については，各部位とその病態生理的な相互関係をより深く理解できるよう，章を細分化した。

- 健康維持のためのスクリーニングとカウンセリングの一般的なトピックを1つの章にまとめ，最新の推奨事項に関する情報を盛り込んだ表を掲載した。

- 部位別の診察の章は，重要な情報をみつけやすくするため，すべて統一されたテンプレートに沿って構成した。

1：Uchida T, Achike FI, Blood AD, et al. Resources used to teach the physical exam to preclerkship medical students: results of a national survey. *Acad Med*. 2018; 93(5): 736-741.

- 回診や診療科ローテーションでよく使われる用語は太字で表示し，その定義を電子版（訳注：英語版のみ発行）の用語集に収録した。

- 学習に役立つよう，身体診察の重要なステップをまとめたチェックリストを部位別の診察の章に掲載した。

- 豊富な図版を新規作成，詳細な説明を付して掲載した。

- 参照しやすくなるよう，印刷版と電子版の両方でBoxに番号を付記した。

構成

　本書は，「健康アセスメントの基礎」「部位別の診察」「特定の集団の診察」の3つのユニットから構成されている。

　UNIT I「健康アセスメントの基礎」では，診察のはじめに患者と対面する際の要点を概観した後，臨床エビデンスの評価と意思決定における重要な概念を解説する章が続く論理的な構成をとっている。

- 第1章「診察へのアプローチ」では，Calgary-Cambridge Guides改訂版に沿って，診察の重要な要素を解説する。この章では，異なる年齢層や身体・感覚障害のある人々とラポールを確立するための一般的なアプローチも学習する。また，健康の社会的決定要因，医療倫理，医療における偏見に関する基礎的な概念も紹介する。

- 第2章「面接，コミュニケーション，対人関係スキル」では，熟練した高度な面接技術を紹介する。今版では，インフォームド・コンセント，医療通訳との連携，事前指示書に関する議論，重大な知らせの開示などのトピックが新たに追加された。本章では，対応が困難な患者に遭遇した際のアプローチも紹介する。

- 第3章「病歴」では，病歴の構成要素と，病歴を引き出すための効果的な面接方法について解説する。また，包括的病歴聴取と限定的病歴聴取の違いについても述べる。また，面接で得た情報を構造化された書式としての病歴に変換する技術も解説する。性行動歴や，行動変容のためのSBIRT（スクリーニング，簡易介入，治療への紹介）プログラムについても，個々の患者の状況に応じて病歴を記録するための一般的なアプローチと同様に詳述する。第3章では，「現病歴」の記録に役立つテンプレートなど，明確かつ簡潔で，系統だった診療記録を作成するためのガイドラインも紹介する。

- 第4章「身体診察」では，患者の不快感を最小限にとどめるための身体診察の技術と理論を解説する。この新しい章では，必要な機器とその説明，およびケアを行うさまざまな環境や状況に応じて診察の手順を変更するための方針も示す。

- 第5章「臨床推論，アセスメント，計画」は，Rainier Soriano博士とJoseph Truglio博士によって今版用に加筆・修正されたものである。この章では，疾患スクリプトとセマンティック・クオリファイアの使用，要約文の作成（問題の特定）などの重要な概念を紹介しながら，臨床推論プロセスの基本ステップについて解説する。また，面接や身体診察から得られた情報を総合的に解釈してアセスメントや計画につなげるという複雑なスキルを習得するうえで役立つ記憶法や具体例を紹介する。さらに，患者とその身体所見について口頭でプレゼンテーションを行う際のガイダンスも提供する。

- 第6章「健康維持とスクリーニング」は，Richard Hoffman博士とRainier Soriano博士が今版のために新たに執筆した章の1つで，米国予防医療専門委員会(USPSTF)によるスクリーニングやカウンセリングに関する数多くの一般的な推奨を簡潔に整理して示す。

- 第7章「エビデンスの評価」は，Richard Hoffman博士によって今版のために構成され，診断テストとしての病歴と身体診察の使用，感度，特異度，陽性・陰性適中度，尤度比などの診断テストを評価するのに用いられる概念，健康増進のための推奨の根拠となる研究の種類，臨床文献の批判的吟味のアプローチとバイアスの種類などについて，学生が理解しやすい形で明示する。

UNIT II「部位別の診察」は，部位別の診察方法を頭からつま先まで解説する。UNIT IIの17章は，再編成および大幅にアップデートされ，解剖と生理の復習，病歴聴取でよく遭遇する症状，診察技術の詳細な説明と写真，診療記録の例，異常例を盛り込み，最近の臨床文献を豊富に取り入れた文献一覧で締めくくられる。健康増進とカウンセリングに関する重要事項を章の最後に移動し，より集中的に理解できるようにした。重要な改訂を行った章を以下に示す。

- 第8章「全身の観察，バイタルサイン，疼痛」では，家庭および病院での血圧測定に関する最新情報をまとめた。身長，体重，体温測定に関する図も新たに掲載した。

- 第9章「認知，行動，精神状態」を大幅に改訂し，プライマリケアにおけるメンタルヘルスに関する一般的な懸念に焦点をあてた。また，DSM-5(Diagnostic and Statistical Manual of Mental Disorders, 5th Edition)をもとに，神経認知障害の最新情報を示した。

- 第10章「皮膚，毛髪，爪」では，旧版に引き続き，一般的な病変や異常を評価するためのフレームワークを掲載し，新たに主病変のイラストを追加した。

- 第11章「頭部と頸部」，第12章「眼」，第13章「耳と鼻」，第14章「咽喉と口腔」は，旧版の第7章を細分化して新たに生まれた章である。これらの章により，各部位とその病態生理的な相互関係について，より深く理解することができる。

- 第23章「筋骨格系」では，より体系的な筋骨格系の診察方法を紹介し，IPROMSに

沿って各関節について解説する。

その他の重要な改訂には，乳癌，前立腺癌，大腸癌の検診ガイドラインのアップデートや，性感染症やその予防に関する情報のアップデートなどがある。

UNIT Ⅲ「特定の集団の診察」では，人生の各ステージ（新生児期から青年期，妊娠期，高齢期）に特有の診察方法を解説する。

- 第25章「小児：新生児から青年期まで」は，小児の発達段階を解説するために再編成された。また，LGBTQの青少年に対する評価や考察，重要な概念をまとめた多くの図やBoxを追加した。

- 第26章「妊娠女性」では，米国産婦人科学会（ACOG）やUSPSTFが発表した健康増進やカウンセリングに関する重要な情報（栄養，薬物依存，親密なパートナーからの暴力，周産期うつ病など）について詳しく解説する。

- 第27章「老年」では，フレイル，スクリーニングの時期，予防接種と癌のスクリーニング，認知機能の低下とそのスクリーニング，3つのD（せん妄，認知症，うつ病）の鑑別，米国老年医学会（AGS）による最新のBeers Criteria® for Potentially Inappropriate Medication Use in Older Adultsに関する情報をアップデートした。

その他の教材

- **ベイツ診察法ポケットガイド**（訳注：2023年日本語版刊行予定）

本書とともに，『ベイツ診察法ポケットガイド』をおすすめする。このポケットガイドは，本書を簡略化したもので，携帯性と臨床現場での利便性を考慮して構成されている。より包括的な学習と理解が必要な場合は，本書『ベイツ診察法』を参照するとよい。

ポケットガイドには，臨床推論や治療計画に役立つ，一般的な懸念事項に対する「臨床アルゴリズム」が新たに追加された。

- **Bates' Visual Guide to Physical Examination**（訳注：英語版のみ）

『Bates' Visual Guide to Physical Examination』（www.batesvisualguide.com）は，身体診察の多くのテクニックを習得するための重要な補助教材で，頭からつま先までの臓器系ごとの身体診察ビデオ18本と，客観的臨床能力試験（OSCE）に向けた臨床技術ビデオ15本を収録している。本書とビデオを並行して，何度も繰り返し学習することを推奨する。

身体診察ビデオでは，経験豊富な診察者が各部位の診察を行う様子を収録し，各部位の診察や特定の集団における視診，触診，打診，聴診のさまざまな技術を視覚的に紹介する。

OSCEの準備をする学生のため，15本の臨床技術ビデオには，一般的な臨床問題をもつ

患者を標準的なOSCEフォーマットで評価する学生が登場し，重要事項を学習するための質問が散りばめられている。臨床技術ビデオでは，以下の診察を扱う。

1. 胸部痛
2. 腹痛
3. 喉の痛み
4. 膝の痛み
5. 咳
6. 嘔吐
7. 無月経
8. 転倒
9. 背中の痛み
10. 息切れ
11. 肩の痛み
12. 小児・思春期喘息
13. 頭痛
14. 小児・思春期肥満症
15. 記憶障害

初診時の面接方法や効果的なコミュニケーションに関するビデオなど，新規ビデオも追加されている。

本書の使い方

『ベイツ診察法第3版』は医療面接と身体診察を効果的に行うための包括的な手引き書である。ここでは，健康アセスメント，部位別の診察，特定の集団の診察を成功へと導くための特徴と学習ツールを紹介する。

各章の冒頭には(訳注：日本語版では文献末に)，本書の内容を補完するための追加学習資料の一覧を掲載しており，医療面接と身体診察に関する知識と自信を深めることができるだろう。ビジュアルガイドである『Bates' Visual Guide to Physical Examination』は，ビデオコンテンツを8時間以上にわたって提供し，「頭からつま先まで」の系統だった身体診察の方法を提示する。本書と併用すれば，専門医試験や診察に向けて包括的な対策ができるだろう。

重要語

太字(訳注：日本語版では**太ゴシック体**)で表示している用語は，回診や診療科ローテーションで頻繁に問われるものであり，覚えておくと便利で価値あるものといえる。これらの「知っておくべき」用語は，電子版に収録されている「用語集」にまとめられている。

クリニカルパール

青字(訳注：日本語版では**太明朝体**)で表示しているクリニカルパールに注目してほしい。臨床的に重要なこれらの内容は，実践的な「パール(診察のポイント)」として提示している。患者アセスメントの理解をより深めることができるだろう。

本書の使い方

異常例

旧版同様に，『ベイツ診察法』では，身体診察と病歴聴取をわかりやすく解説している。本文は2列で構成しており，左側に診察の手順，右側には赤字で異常例および鑑別診断を記載している。スキルアップに応じて，よくみられる身体所見上の異常例を学習し，重要な症状に関する知識を深めてほしい。

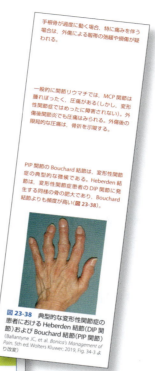

さらに臨床的センスを磨くには，章末の表（主に疾患と症状をまとめている）をぜひとも参照し，症状を比較検討してほしい。表は写真やイラストを添えた学習しやすい形式で掲載している。

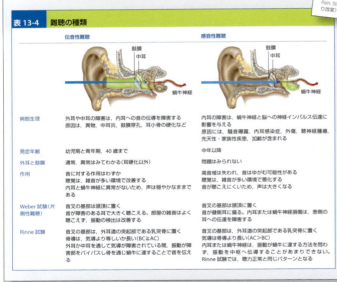

図10-17 前額の病変をダーモスコピーで視診

図10-18 顔面と耳を視診

図10-19 前頸部の病変をダーモスコピーで視診

つぎに，患者に前傾姿勢になってもらい，了承を得てからガウンを開けて上背部を視診する（図10-20）。

つぎに，肩，腕，手を視診する（図10-21）。手の爪を色，形，病変に注意して視診，触診する（図10-22）。爪甲の縦方向の色素線条は，皮膚の色が濃い人では正常である。

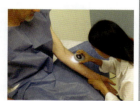
図10-21 上肢の病変をダーモスコピーで視診

診察の技術

本項では，日常的に行う重要で適切な診察について学べる。「特殊な技術」では，珍しい症状や特殊な状況での診察法を紹介する。

診察の重要項目── NEW！

「診察の技術」の項へ移行する前に，診察に必要な重要項目をまとめている。チェックリストとして，また診察の手引きとして利用してほしい。

診察の技術

心血管系の診察の重要項目

- 全身状態に注意し，血圧と心拍数を測定する
- 頸静脈圧を測定する
- 頸動脈（血管雑音）を片側ずつ聴診する
- 頸動脈拍動を触診し，立ち上がり（強さ，波形，タイミング）と振戦の有無を確認する
- 前胸壁（心尖拍動，前胸部の動き）を視診する
- 前胸部を触診し，隆起，振戦，触知できる心音がないか確認する
- 触診し，PMIまたは心尖拍動の位置を同定する
- 触診し，胸壁上の右室・肺動脈・大動脈流出路に対応する部位で心臓の収縮によって生

(続く)↗

健康増進とカウンセリング：エビデンスと推奨

健康増進とカウンセリングの重要事項
- 口腔衛生
- 口腔癌，咽頭癌

口腔衛生

口腔衛生は，個人の健康と幸福に不可欠であり，医療者は口腔の健康を促進するために積極的な役割を果たすべきである。5〜19歳小児の最大19％が，また20〜64歳成人の約91％が未治療の齲歯を有している。35〜64歳成人の齲歯を

健康増進とカウンセリング：エビデンスと推奨

一般的な健康維持のためのスクリーニング，カウンセリング，および予防接種の項目は，各章の最後に記載し，探しやすくなっている。最新の推奨事項については読みやすいように囲み記事として提示している。

本書の使い方

写真とイラスト

詳細なカラー写真，イラスト，概略図は，本文に記載されている重要なポイントをさらに詳しく説明するために，新規または改訂している。これらの図版は，正確かつ具体的に表現されており，学習効果をいっそう高めてくれるだろう。

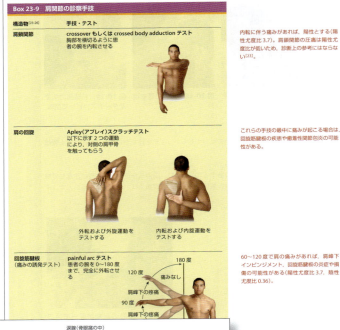

各図には，図番号と説明を新たに付記することで探しやすく，より理解しやすいものとなっている。

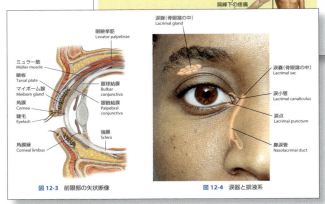

Box（番号付き）── NEW！

囲み記事の他にBoxを設けて本文の補足情報をまとめた。各Boxには番号を付記しており，参照しやすくなっている。

所見の記録

整理された診療記録を仕上げるには，重要な臨床情報，臨床推論，計画を簡潔に記載することが重要である。この記載法を身につけるには，身体所見を説明するための用語の習得が必要となるが，それらは「部位別の診察」と「特定の集団の診察」の各章（第8章〜第27章）の「所見の記録」で学ぶことができる。

所見の記録

一般的に，妊娠中の患者の情報は，年齢，妊娠分娩歴，妊娠週数，妊娠週数の特定方法（最終月経か超音波検査か），主訴，合併症，病歴，身体所見の順で記録する。以下に，2つの記録を提示する。

妊娠アウトカムに関する用語を参照（p.1113）

妊婦の診察の記録

32歳，G3P1102，妊娠18週（最終月経により特定）の女性が妊婦健診のために受診。妊娠高血圧腎症のため人工早産，帝王切開の既往があり，その後短い間隔での妊娠である。胎動の自覚はまだなく，子宮収縮や子宮出血，破水感の自覚もない。診察にて，下腹部に横切開による帝王切開の手術痕あり。胸骨直下に子宮底部を触知。内診では，外子宮口が開いていることを指先で確認でき，内子宮口は閉じている。子宮頸管は3cm。子宮は妊娠18週様の増大を示す。腟鏡診では，Chadwick徴候陽性を伴う白帯下を認める。Doppler聴診器による胎児心拍数は140〜145回/分である

これらの所見は妊娠18週の正常な診察所見である。

または

21歳，G1P0，妊娠33週（妊娠19週で超音波検査により特定）。胎動低下を主訴として受診。これまで妊婦健診受診がほとんどなく，また生活はホームレス状態である。直近の24時間の胎動の自覚はほとんどない。子宮収縮，子宮出血，破水感の自覚はない。診察

これらの所見は妊娠33週のより複雑な診察所見である。

（続く）

文献一覧

重要な症状に関する知識を深めるために，各章末にある文献を参照してほしい。気になった文献を検索する習慣は，読者であるあなたや，あなたの患者のためにきっと役立つだろう。

文献一覧

1. Minami Y, Kajimoto K, Sato N, et al. Third heart sound in hospitalised patients with acute heart failure: insights from the ATTEND study. *Int J Clin Pract*. 2015; 69(8): 820-828.
2. Shah SJ, Nakamura K, Marcus GM, et al. Association of the fourth heart sound with increased left ventricular end-diastolic stiffness. *J Card Fail*. 2008; 14(5): 431-436.
3. O'Gara P, Loscalzo J. Chapter 267: Physical examination of the cardiovascular system. In: Kasper DL, Fauci AS, Hauser SL, et al. *Harrison's Principles of Internal Medicine*. 19th ed. New York: McGraw-Hill; 2015.
4. Yancy CW, Jessup M, Bozkurt B, et al. 2013 AACF/AHA Guideline for the Management of Heart Failure. *J Am College Cardiol*. 2013; 62: e148.
5. Vinayak AG, Levitt J, Gehlbach B, et al. Usefulness of the external jugular vein examination in detecting abnormal central venous pressure in critically ill patients. *Arch Int Med*. 2006; 166(19): 2132-2137.
6. Schorr R, Johnson K, Wan J, et al. The prognostic significance of asymptomatic carotid bruits in the elderly. *J Gen Intern Med*. 1998; 13(2): 86-90.
7. McConaghy JR, Oza RS. Outpatient diagnosis of acute chest pain in adults. *Am Fam Physician*. 2013; 87(3): 177-182.
8. Mozaffarian D, Benjamin EJ, Go AS, et al. Heart disease and stroke statistics — 2016 update: a report from the American Heart Association. *Circulation*. 2016; 133(4): e38-e360.
9. O'Gara P, Kushner FG, Ascheim DD, et al. 2013 ACCF/AHA Guideline for the management of ST-elevation myocardial infarction: a report of the American College of Cardiology Foundation/American Heart Association Task Force on Practice Guidelines. *J Am College Cardiol*. 2013; 61(4): e78-e140.
10. Abrams J. Chronic stable angina. *N Engl J Med*. 2005; 352(24): 2524-2533.
11. al. American Heart Association Statistics Committee; Stroke Statistics Subcommittee. Executive Summary: Heart Disease and Stroke Statistics — 2016 Update: A Report from the American Heart Association. *Circulation*. 2016; 133(4): 447-454.
16. Wilson JF. In the clinic. Stable ischemic heart disease. *Ann Intern Med*. 2014; 160(1): ITC1-16; quiz ITC1-16.
17. Ashley KE, Geraci SA. Ischemic heart disease in women. *South Med J*. 2013; 106(7): 427-433.
18. Cho S, Atwood JE. Peripheral edema. *Am J Med*. 2002; 113(7): 580-586.
19. Clark AL, Cleland JG. Causes and treatment of oedema in patients with heart failure. *Nat Rev Cardiol*. 2013; 10(3): 156-170.
20. Shah MG, Cho S, Atwood JE, et al. Peripheral edema due to heart disease: diagnosis and outcome. *Clin Cardiol*. 2006; 29(1): 31-35.
21. Clark D 3rd, Ahmed MI, Dell'italia LJ, et al. An argument for reviving the disappearing skill of cardiac auscultation. *Cleve Clin J Med*. 2012; 79(8): 536-537, 544.
22. Markel H. The stethoscope and the art of listening. *N Engl J Med*. 2006; 354(6): 551-553.
23. Vukanovic-Criley JM, Hovanesyan A, Criley SR, et al. Confidential testing of cardiac examination competency in cardiology and noncardiology faculty and trainees: a multicenter study. *Clin Cardiol*. 2010; 33(12): 738-745.
24. Wayne DB, Butter J, Cohen ER, et al. Setting defensible standards for cardiac auscultation skills in medical students. *Acad Med*. 2009; 84(10 Suppl): S94-S96.
25. Marcus G, Vessey J, Jordan MV, et al. Relationship between accurate auscultation of a clinically useful third heart sound and level of experience. *Arch Intern Med*. 2006; 166(6): 617-622.
26. Johri AM, Durbin J, Newbigging J, et al. Canadian Society of Echocardiography Cardiac Point of Care Ultrasound Committee. Cardiac Point-of-Care Ultrasound: State of the Art in Medical School Education. *J Am Soc Echocardiogr*. 2018; 31(7): 749-760.
27. McGee S. *Evidence-based Physical Diagnosis*. 4th ed. Philadelphia, PA: Saunders; 2018.
28. The Rational Clinical Examination Series. *JAMA*.

目次

UNIT I 健康アセスメントの基礎

第1章 診察へのアプローチ ―― 3

- **診察に必要な基礎的スキル** ―― 3
- **診察へのアプローチ** ―― 4
- **診察の枠組みと流れ** ―― 5
  - ステージ1：診察の開始 ―― 6
  - ステージ2：情報収集 ―― 13
  - ステージ3：身体診察 ―― 17
  - ステージ4：説明と計画 ―― 17
  - ステージ5：診察の終了 ―― 19
- **医療における格差** ―― 20
  - 健康の社会的決定要因 ―― 20
  - 人種差別とバイアス ―― 21
  - 文化的謙虚さ ―― 23
- **その他のおもな注意点** ―― 25
  - スピリチュアリティ ―― 25
  - 医療倫理 ―― 27
  - 診療内容の記録 ―― 32

表1-1 診療記録の例：患者MNの場合 ―― 36

第2章 面接，コミュニケーション，対人関係スキル ―― 45

- **熟練した面接の基礎** ―― 46
  - 積極的傾聴 ―― 46
  - 支援的な質問 ―― 46
  - 共感的な応答 ―― 49
  - 話を要約する ―― 50
  - 話題を変える ―― 50
  - 協力関係（相互に自律的かつ対等な関係） ―― 51
  - 承認 ―― 51
  - 患者を励ます ―― 51
  - 安心感を与える ―― 52
  - 適切な言語的コミュニケーション ―― 52
  - 適切な非言語的コミュニケーション ―― 54
- **コミュニケーションと対人関係のスキルにおけるその他の注意事項** ―― 55
  - デリケートな話題を切り出す ―― 55
  - インフォームド・コンセント ―― 56
  - 医療通訳者との連携 ―― 57
  - 事前指示書 ―― 58
  - 重大な知らせの開示 ―― 60
  - 動機づけ面接 ―― 61
  - 多職種コミュニケーション ―― 62
- **対応が難しい患者の状況と行動** ―― 63
  - 沈黙する患者 ―― 63
  - 饒舌な患者 ―― 64
  - 混乱した語り口の患者 ―― 64
  - 精神状態または認知能力に変化がある患者 ―― 65
  - 情緒不安定な患者 ―― 66
  - 怒っている患者，攻撃的な患者 ―― 66
  - 思わせぶりな患者 ―― 67
  - 差別的な態度をとる患者 ―― 67
  - 聴覚障害がある患者 ―― 68
  - 低視力または視覚障害がある患者 ―― 69
  - 知的障害がある患者 ―― 69
  - 個人的な問題に悩む患者 ―― 70
  - アドヒアランスが低い患者 ―― 70
  - 識字能力が低い患者 ―― 70
  - ヘルスリテラシーが低い患者 ―― 70
  - 言葉の壁がある患者 ―― 71
  - 終末期にある患者や死期が近い患者 ―― 71
- **コンピュータ化された臨床環境における患者中心の面接** ―― 72
- **標準模擬患者からコミュニケーション技術を学ぶ** ―― 73

表2-1 動機づけ面接：臨床例 ―― 75
表2-2 SBAR：多職種コミュニケーションのためのツール ―― 76

第3章 病歴 ―― 81

- **病歴** ―― 81
  - 病歴の種類 ―― 82
  - 患者アセスメントの範囲を決定する：包括的か限定的か？ ―― 82
  - 主観的情報と客観的情報 ―― 83
- **成人期の包括的病歴聴取** ―― 84
  - 初期情報 ―― 85
  - 主訴 ―― 85

現病歴 —— 86
既往歴 —— 91
家族歴 —— 94
個人歴と社会歴 —— 94
システムレビュー —— 104
■ 所見の記録 —— 106
■ 臨床環境に応じた面接の調整 —— 109
外来診療所(科) —— 109
救急外来 —— 109
集中治療室 —— 110
介護施設 —— 110
自宅 —— 110

表3-1 現病歴の記録のためのテンプレート —— 112

第4章 身体診察 —— 117

■ テクノロジーの時代における
身体診察の役割 —— 117
■ 身体診察の範囲の決定：
包括的か局所的か？ —— 118
成人における包括的身体診察 —— 118
■ 頭からつま先までの身体診察 —— 129
全身の観察 —— 129
バイタルサイン —— 130
皮膚 —— 130
頭部・眼・耳・鼻・咽喉(HEENT) —— 130
頸部 —— 130
背部 —— 130
胸郭(後面)と肺 —— 130
乳房，腋窩 —— 131
胸郭(前面)と肺 —— 131
心血管系 —— 131
腹部 —— 131
下肢 —— 132
神経系 —— 132
その他の診察 —— 133
■ 特定の患者状態に合わせた身体診察 —— 133
寝たきりの患者 —— 134
車椅子を使用している患者 —— 134
外科処置後の患者 —— 134
肥満患者 —— 135
疼痛のある患者 —— 135
特殊な感染予防策 —— 135

■ 所見の記録 —— 136

第5章 臨床推論，アセスメント，計画 —— 139

■ 臨床推論：プロセス —— 140
臨床推論プロセスの基本構造 —— 140
臨床推論における認知エラー —— 148
■ 臨床推論：記録 —— 149
問題提示を記録する(要約文) —— 150
アセスメントと計画 —— 151
■ 所見の記録 —— 155
電子健康記録(EHR)上の経過記録と
プロブレムリスト —— 155
■ プレゼンテーション —— 157

表5-1 EHRに記載する経過記録の例：患者MNの場合
―1カ月後に経過観察のため再診 —— 160

第6章 健康維持とスクリーニング —— 165

■ 予防医療の概念 —— 165
■ ガイドラインの推奨事項 —— 166
米国予防医療専門委員会の
アプローチ —— 166
GRADEシステム —— 168
■ スクリーニング —— 168
スクリーニングのための
基本的アプローチ —— 168
■ 行動カウンセリング —— 171
動機づけ面接 —— 172
■ 予防接種 —— 173
■ 成人に対するスクリーニングの
ガイドライン —— 173
不健康な体重および糖尿病の
スクリーニング —— 173
処方薬の誤用や違法薬物を含む物質使用障害の
スクリーニング —— 174
IPV，DV，高齢者虐待，社会的弱者への虐待の
スクリーニング —— 175
■ 成人に対するカウンセリングの
ガイドライン —— 176
体重の減量 —— 176

健康的な食事と身体活動 ──────── 178
■ 成人に対するスクリーニングとカウンセリングの
　　ガイドライン ──────── 180
　　不健康な飲酒 ──────── 180
　　喫煙や他のタバコ製品の使用 ──────── 182
　　性感染症のスクリーニングと
　　　カウンセリング ──────── 184
■ 成人に対する予防接種の
　　ガイドライン ──────── 187
　　インフルエンザワクチン ──────── 187
　　肺炎球菌ワクチン ──────── 188
　　水痘ワクチン ──────── 189
　　帯状疱疹ワクチン ──────── 190
　　破傷風・ジフテリア・
　　　百日咳ワクチン ──────── 190
　　ヒトパピローマウイルスワクチン ──────── 191
　　A型肝炎ワクチン ──────── 191
　　B型肝炎ワクチン ──────── 192
■ 特別な集団における予防医療 ──────── 192
■ 疾患別推奨事項 ──────── 192

第7章　エビデンスの評価 ──────── 197

■ 診断テストとしての病歴と
　　身体診察の活用 ──────── 198
■ 診断テストの評価 ──────── 199
　　妥当性 ──────── 199
■ スクリーニングへの応用 ──────── 204
　　Faganのノモグラム ──────── 204
　　自然頻度 ──────── 206
　　再現性 ──────── 206
■ エビデンスの批判的吟味 ──────── 208
　　結果は妥当であるか？ ──────── 209
　　結果はどうなったか？ ──────── 210
　　どのように結果を診療に
　　　応用するか？ ──────── 211
■ 患者へのエビデンスの伝達 ──────── 212

UNIT II
部位別の診察

第8章　全身の観察，バイタルサイン，疼痛 ──────── 217

■ 病歴：一般的なアプローチ ──────── 217
　　疲労感と脱力 ──────── 217
　　発熱，悪寒，寝汗 ──────── 218
　　体重変化 ──────── 218
　　疼痛 ──────── 220
■ 身体診察：一般的なアプローチ ──────── 220
■ 診察の技術 ──────── 220
　　全身の観察 ──────── 221
　　バイタルサイン ──────── 226
　　急性疼痛と慢性疼痛 ──────── 239
　　疼痛の種類 ──────── 239
　　急性疼痛と慢性疼痛のアセスメント ──────── 240
■ 所見の記録 ──────── 242
■ 健康増進とカウンセリング：
　　エビデンスと推奨 ──────── 242
　　高血圧のスクリーニング ──────── 243
　　血圧とナトリウム摂取 ──────── 244

表8-1　高血圧の患者：食事変更の推奨 ──────── 245

第9章　認知，行動，精神状態 ──────── 249

■ 解剖と生理 ──────── 249
■ 病歴：一般的なアプローチ ──────── 252
　　不安，過度の心配 ──────── 253
　　抑うつ気分 ──────── 255
　　認知障害 ──────── 257
　　医学的に説明のつかない症状 ──────── 258
■ 身体診察：一般的なアプローチ ──────── 258
■ 診察の技術 ──────── 259
　　外見と行動 ──────── 259
　　話し方と言語 ──────── 261
　　気分 ──────── 262
　　思考 ──────── 263
　　知覚 ──────── 265
　　認知機能 ──────── 266

高次認知機能 ──────── 268
■ 所見の記録 ──────── 270
■ 健康増進とカウンセリング：
　　エビデンスと推奨 ──────── 271
　　うつ病のスクリーニング ──────── 271
　　自殺リスクの評価 ──────── 272
　　神経認知障害のスクリーニング ──────── 272
　　物質使用障害のスクリーニング
　　　（アルコール，処方薬，違法薬物の
　　　誤用を含む） ──────── 275

表9-1　中枢神経系の構造と精神疾患 ──────── 276
表9-2　精神疾患に関連する神経回路 ──────── 278
表9-3　神経認知障害：せん妄と認知症 ──────── 279
表9-4　身体症状症と関連疾患 ──────── 280
表9-5　うつ病スクリーニング：Geriatric Depression Scale
　　　（Short Form） ──────── 281
表9-6　うつ病スクリーニング：Patient Health Questionnaire
　　　（PHQ-9） ──────── 282
表9-7　認知症スクリーニング：Mini-Cog ──────── 284
表9-8　認知症スクリーニング：Montreal Cognitive Assessment
　　　（MoCA） ──────── 285

第10章　皮膚，毛髪，爪 ──────── 291

■ 解剖と生理 ──────── 291
　　皮膚 ──────── 291
　　毛髪 ──────── 292
　　爪 ──────── 292
　　脂腺と汗腺 ──────── 293
■ 病歴：一般的なアプローチ ──────── 293
　　部位 ──────── 294
　　発疹と瘙痒 ──────── 294
　　脱毛と爪の変化 ──────── 295
■ 皮膚病変の記録 ──────── 295
　　主病変 ──────── 296
　　大きさ ──────── 298
　　数 ──────── 298
　　分布 ──────── 298
　　配列 ──────── 298
　　表面の性状 ──────── 299
　　色調 ──────── 299
■ 身体診察：一般的なアプローチ ──────── 299
　　照明，機器，ダーモスコピー ──────── 299

　　ガウン ──────── 300
　　手洗い ──────── 300
■ 診察の技術 ──────── 301
　　標準的な手技：患者の姿勢
　　　―座位から立位 ──────── 301
　　代替手技：患者の姿勢―仰臥位から
　　　腹臥位 ──────── 304
　　皮膚診察を普段の身体診察に
　　　組み込む ──────── 304
■ 特殊な技術 ──────── 305
　　皮膚の自己検診を指導する ──────── 305
　　脱毛の診察 ──────── 306
　　寝たきりの患者の評価 ──────── 306
■ 所見の記録 ──────── 308
■ 健康増進とカウンセリング：
　　エビデンスと推奨 ──────── 309
　　疫学 ──────── 309
　　皮膚癌の予防 ──────── 310
　　皮膚癌のスクリーニング ──────── 311
　　メラノーマのスクリーニング：
　　　ABCDE-EFG法 ──────── 312

表10-1　主病変の記録：平坦な病変，隆起性病変，
　　　液体で満たされた病変 ──────── 314
表10-2　その他の主病変：膿疱，せつ（フルンケル），結節，囊胞，
　　　膨疹，疥癬トンネル ──────── 318
表10-3　皮膚病変を探す：良性病変 ──────── 320
表10-4　表面粗造な病変：日光角化症，扁平上皮癌および
　　　類似病変 ──────── 321
表10-5　ピンク色の病変：基底細胞癌と
　　　類似病変 ──────── 322
表10-6　褐色病変：メラノーマと類似病変 ──────── 324
表10-7　皮膚の血管病変，紫斑病変 ──────── 328
表10-8　脱毛 ──────── 330
表10-9　爪とその周囲の所見 ──────── 333
表10-10　全身性疾患と関連する皮膚症状 ──────── 335
表10-11　尋常性痤瘡：主病変および
　　　二次性病変 ──────── 337
表10-12　日光（紫外線）による損傷の所見 ──────── 338
表10-13　褥瘡 ──────── 339

第11章　頭部と頸部 ——— 343

- **解剖と生理** ——— 343
  - 頭部 ——— 343
  - 頸部 ——— 345
- **病歴：一般的なアプローチ** ——— 349
  - 頸部腫瘤（首のしこり）——— 349
  - 甲状腺腫瘤，結節，甲状腺腫 ——— 350
- **身体診察：一般的なアプローチ** ——— 350
- **診察の技術** ——— 350
  - 毛髪 ——— 350
  - 頭皮 ——— 351
  - 頭蓋骨 ——— 351
  - 顔 ——— 351
  - 皮膚 ——— 351
  - 頸部リンパ節 ——— 351
  - 気管 ——— 353
  - 甲状腺 ——— 354
  - 頸動脈と頸静脈 ——— 356
- **所見の記録** ——— 356
- **健康増進とカウンセリング：エビデンスと推奨** ——— 357
  - 甲状腺機能障害のスクリーニング ——— 357
  - 甲状腺癌のスクリーニング ——— 358

表11-1　甲状腺疾患の症状と徴候 ——— 359
表11-2　特徴的な顔貌 ——— 360
表11-3　甲状腺の腫脹 ——— 361

第12章　眼 ——— 363

- **解剖と生理** ——— 363
  - 視野 ——— 366
  - 視覚路 ——— 367
  - 眼の自律神経支配 ——— 368
  - 外眼筋運動 ——— 368
- **病歴：一般的なアプローチ** ——— 369
  - 視力の変化 ——— 370
  - 眼痛，充血，流涙 ——— 371
  - 複視 ——— 372
- **身体診察：一般的なアプローチ** ——— 372
- **診察の技術** ——— 373
  - 視覚 ——— 373
  - 視野 ——— 374
  - 色覚 ——— 376
  - コントラスト感度 ——— 376
  - 眼の位置と配列 ——— 376
  - 眉 ——— 377
  - 眼瞼 ——— 377
  - 涙器 ——— 377
  - 結膜と強膜 ——— 378
  - 角膜と水晶体 ——— 378
  - 虹彩 ——— 378
  - 瞳孔 ——— 379
  - 外眼筋 ——— 380
  - 検眼鏡検査（眼底検査）——— 382
- **特殊な技術** ——— 386
  - 眼球突出 ——— 386
  - 鼻涙管閉塞 ——— 387
  - 上眼瞼を反転させて異物を探す ——— 387
  - 交互対光反射試験 ——— 388
- **所見の記録** ——— 389
- **健康増進とカウンセリング：エビデンスと推奨** ——— 389
  - 視覚障害 ——— 390
  - 緑内障のスクリーニング ——— 390
  - 紫外線による眼障害 ——— 391

表12-1　眼の充血 ——— 392
表12-2　視野欠損 ——— 394
表12-3　眼瞼の変化と異常 ——— 395
表12-4　眼とその周囲の腫瘤と腫脹 ——— 396
表12-5　角膜と水晶体の混濁 ——— 397
表12-6　瞳孔の異常 ——— 398
表12-7　共同注視障害 ——— 399
表12-8　視神経乳頭の正常変化 ——— 400
表12-9　視神経乳頭の異常 ——— 401
表12-10　網膜動脈と動静脈交差：正常と高血圧 ——— 402
表12-11　眼底の赤色斑と線条 ——— 403
表12-12　眼底の明るい色の斑 ——— 404

第13章　耳と鼻 ——— 407

- **解剖と生理** ——— 407
  - 耳 ——— 407
  - 鼻と副鼻腔 ——— 410
- **病歴：一般的なアプローチ** ——— 411

難聴 —— 412
　　耳痛, 耳漏 —— 412
　　耳鳴 —— 413
　　浮動性めまい, 回転性めまい —— 413
　　鼻汁, 鼻閉 —— 413
　　鼻出血 —— 414
■ 身体診察：一般的なアプローチ —— 414
■ 診察の技術 —— 415
　　聴力検査 —— 417
　　伝音性難聴と感音性難聴に対する検査：
　　　音叉検査 —— 418
　　鼻の表面 —— 420
　　鼻腔と粘膜 —— 420
　　鼻中隔 —— 421
　　副鼻腔 —— 421
■ 所見の記録 —— 422
■ 健康増進とカウンセリング：
　　エビデンスと推奨 —— 422
■ 難聴のスクリーニング —— 423

表13-1　浮動性めまい dizziness と
　　　　回転性めまい vertigo —— 424
表13-2　耳とその周囲の腫瘤 —— 425
表13-3　鼓膜の異常 —— 426
表13-4　難聴の種類 —— 428

第14章　咽喉と口腔 —— 431

■ 解剖と生理 —— 431
　　口, 歯肉, 歯 —— 431
　　舌 —— 433
　　咽頭 —— 433
■ 病歴：一般的なアプローチ —— 434
　　咽頭痛 —— 435
　　歯肉出血, 歯肉腫脹 —— 435
　　嗄声 —— 435
　　口臭 —— 436
■ 身体診察：一般的なアプローチ —— 436
■ 診察の技術 —— 437
　　口唇と口腔粘膜 —— 437
　　歯肉と歯 —— 437
　　口蓋, 口腔底, 舌 —— 438
　　咽頭 —— 439
■ 所見の記録 —— 440

■ 健康増進とカウンセリング：
　　エビデンスと推奨 —— 440
　　口腔衛生 —— 440
　　口腔癌, 咽頭癌 —— 441

表14-1　口唇の異常 —— 442
表14-2　咽頭, 口蓋, 口腔粘膜の所見 —— 444
表14-3　歯肉と歯の所見 —— 448
表14-4　舌と舌下面の所見 —— 450

第15章　胸郭と肺 —— 453

■ 解剖と生理 —— 453
　　胸部所見 —— 454
　　呼吸 —— 460
■ 病歴：一般的なアプローチ —— 461
　　息切れ（呼吸困難）と喘鳴 —— 461
　　咳嗽 —— 462
　　喀血 —— 463
　　胸痛 —— 463
　　日中の眠気, いびき, 睡眠障害 —— 464
■ 身体診察：一般的なアプローチ —— 464
■ 診察の技術 —— 465
　　呼吸と胸郭の初期観察 —— 465
　　胸部後面 —— 466
　　胸部前面 —— 475
■ 特殊な技術 —— 477
　　肺機能の臨床的評価 —— 477
　　努力呼気時間検査 —— 478
　　肋骨骨折部位の確認 —— 478
■ 所見の記録 —— 478
■ 健康増進とカウンセリング：
　　エビデンスと推奨 —— 478
　　肺癌 —— 479
　　潜在性結核 —— 480
　　閉塞性睡眠時無呼吸 —— 481

表15-1　呼吸困難 —— 484
表15-2　咳嗽と喀血（血痰）—— 486
表15-3　胸痛 —— 488
表15-4　呼吸数と呼吸リズムの異常 —— 490
表15-5　胸郭の変形 —— 491
表15-6　呼吸音, 声音振盪の正常と異常 —— 492
表15-7　副雑音：原因と特徴 —— 493

表15-8　特定の胸部疾患における身体所見 ———————— 494

第16章　心血管系 ———————— 499

- **解剖と生理** ———————— 499
  - 体表から観察できる心臓と大血管 ———————— 499
  - 心腔, 弁, 循環 ———————— 500
  - 心周期現象 ———————— 502
  - 心音の分裂 ———————— 505
  - 心雑音 ———————— 506
  - 胸壁上の部位と聴診所見の関連 ———————— 507
  - 刺激伝導系 ———————— 508
  - ポンプとしての心臓 ———————— 508
  - 脈拍と血圧 ———————— 509
  - 頸静脈圧と頸静脈拍動 ———————— 510
  - 加齢に伴う変化 ———————— 511
- **病歴：一般的なアプローチ** ———————— 511
  - 胸痛 ———————— 512
  - 動悸 ———————— 514
  - 息切れ ———————— 514
  - 浮腫 ———————— 515
  - 失神 ———————— 515
- **身体診察：一般的なアプローチ** ———————— 515
- **診察の技術** ———————— 516
  - 血圧と心拍数 ———————— 517
  - 頸静脈圧 ———————— 517
  - 頸動脈 ———————— 521
  - 心臓 ———————— 524
- **特殊な技術：心雑音や心不全を特定するための ベッドサイドでの診察手技** ———————— 538
  - 立位と蹲踞 ———————— 538
  - Valsalva 手技 ———————— 538
  - 等尺性掌握（ハンドグリップ） ———————— 539
  - 一時的動脈圧迫 ———————— 539
- **所見の記録** ———————— 539
- **健康増進とカウンセリング： エビデンスと推奨** ———————— 540
  - 心血管疾患予防における課題 ———————— 541
  - 心血管疾患における健康格差 ———————— 542
  - 心血管疾患危険因子の スクリーニング ———————— 544
  - 生活習慣と危険因子の改善を促す ———————— 548

表16-1　心拍数とリズムの鑑別 ———————— 550
表16-2　不規則なリズムの鑑別 ———————— 551
表16-3　失神および類似疾患 ———————— 552
表16-4　動脈拍動と動脈圧波形の異常 ———————— 554
表16-5　心室拍動の変化と異常 ———————— 555
表16-6　第1心音（S_1）の変化 ———————— 556
表16-7　第2心音（S_2）の変化 ———————— 557
表16-8　収縮期過剰心音 ———————— 558
表16-9　拡張期過剰心音 ———————— 559
表16-10　収縮中期雑音 ———————— 560
表16-11　全収縮期（汎収縮期）雑音 ———————— 562
表16-12　拡張期雑音 ———————— 563
表16-13　収縮期と拡張期の両方で聴取される 心血管系雑音 ———————— 564

第17章　末梢血管系とリンパ系 ———————— 571

- **解剖と生理** ———————— 571
  - 動脈系 ———————— 571
  - 静脈系 ———————— 574
  - リンパ系 ———————— 576
  - 毛細血管床を通した体液交換 ———————— 577
- **病歴：一般的なアプローチ** ———————— 578
  - 末梢動脈疾患 ———————— 579
  - 末梢静脈疾患（または静脈血栓症） ———————— 580
- **身体診察：一般的なアプローチ** ———————— 581
- **診察の技術** ———————— 581
  - 上肢 ———————— 582
  - 腹部 ———————— 584
  - 下肢 ———————— 584
- **特殊な技術** ———————— 590
  - 末梢動脈疾患の評価 ———————— 590
  - 手の動脈還流の評価 ———————— 591
- **所見の記録** ———————— 593
- **健康増進とカウンセリング： エビデンスと推奨** ———————— 593
  - 下肢における PAD のスクリーニング ———————— 593
  - 腹部大動脈瘤のスクリーニング ———————— 594

表17-1　末梢性浮腫の種類 ———————— 595
表17-2　痛みを伴う末梢血管系疾患と その類似疾患 ———————— 596
表17-3　動脈・静脈の慢性機能不全 ———————— 598
表17-4　足首と足の一般的潰瘍 ———————— 599

第18章　乳房と腋窩 ── 603

- **解剖と生理** ── 603
  - 女性乳房 ── 603
  - 腋窩 ── 605
  - 男性乳房 ── 607
- **病歴：一般的なアプローチ** ── 607
  - 乳房のしこり，腫瘤 ── 607
  - 乳房の不快感，痛み ── 608
  - 乳頭からの分泌物 ── 608
- **身体診察：一般的なアプローチ** ── 608
- **診察の技術** ── 609
  - 女性乳房 ── 609
  - 腋窩 ── 615
  - 男性乳房 ── 616
- **特殊な技術** ── 617
  - 乳房切除術・乳房再建術後の診察 ── 617
- **所見の記録** ── 617
- **健康増進とカウンセリング：
  エビデンスと推奨** ── 618
  - 女性の乳癌 ── 618
  - 男性の乳癌 ── 621

表18-1　よくみられる乳房腫瘤 ── 622
表18-2　乳癌の視覚的徴候 ── 623

第19章　腹部 ── 627

- **解剖と生理** ── 627
  - 腹腔と腹腔内臓器 ── 628
  - 骨盤腔と骨盤内臓器 ── 630
- **病歴：一般的なアプローチ** ── 632
  - 腹痛 ── 633
  - 腹痛と関連する消化器症状 ── 638
  - 嚥下困難(嚥下障害)，
    嚥下時の痛み(嚥下痛) ── 639
  - 腸機能の変化 ── 640
  - 下痢 ── 640
  - 便秘 ── 641
  - 黄疸 ── 642
  - 尿路系症状 ── 643
  - 側腹部痛と尿管仙痛 ── 646
- **身体診察：一般的なアプローチ** ── 646
- **診察の技術** ── 647
  - 腹部 ── 647
  - 肝臓 ── 652
  - 脾臓 ── 655
  - 腎臓 ── 658
  - 膀胱 ── 658
  - 大動脈 ── 659
- **特殊な技術** ── 660
  - 腹水 ── 660
  - 虫垂炎 ── 661
  - 急性胆嚢炎 ── 662
  - 腹壁ヘルニア ── 662
  - 腹壁腫瘤 ── 662
- **所見の記録** ── 662
- **健康増進とカウンセリング：
  エビデンスと推奨** ── 663
  - ウイルス性肝炎 ── 663
  - 大腸癌 ── 665

表19-1　腹痛 ── 668
表19-2　嚥下困難 ── 670
表19-3　下痢 ── 671
表19-4　便秘 ── 674
表19-5　黒色便と血便 ── 675
表19-6　頻尿，夜間多尿，多尿 ── 676
表19-7　尿失禁 ── 677
表19-8　局所的な腹壁の隆起 ── 679
表19-9　腹部の隆起 ── 680
表19-10　腹部の音 ── 681
表19-11　腹部の圧痛 ── 682
表19-12　肝腫大：所見と病態 ── 684

第20章　男性生殖器 ── 689

- **解剖と生理** ── 689
  - 生殖器 ── 689
  - 鼠径部 ── 690
  - リンパ管 ── 691
  - 男性の性的発達と機能 ── 691
- **病歴：一般的なアプローチ** ── 692
  - 陰茎からの分泌物や病変，陰嚢や精巣の痛み，
    腫脹や病変 ── 692
  - 性感染症 ── 693
- **身体診察：一般的なアプローチ** ── 693
- **診察の技術** ── 694

陰茎 ──── 694
　　陰嚢と陰嚢内容物 ──── 696
■ 特殊な技術 ──── 697
　　鼠径ヘルニアの評価 ──── 697
　　精巣自己検診の指導 ──── 700
■ 所見の記録 ──── 700
■ 健康増進とカウンセリング：
　　エビデンスと推奨 ──── 701
　　精巣癌 ──── 701

表20-1　男性生殖器の性感染症（STI） ──── 702
表20-2　陰茎と陰嚢の異常 ──── 703
表20-3　精巣の異常 ──── 704
表20-4　精巣上体と精索の異常 ──── 705
表20-5　鼠径部付近のヘルニアにおける経過，位置，
　　　　鑑別 ──── 706

第21章　女性生殖器 ──── 709

■ 解剖と生理 ──── 709
　　外陰 ──── 709
　　腟 ──── 710
　　子宮 ──── 711
　　子宮付属器（付属器） ──── 711
　　骨盤底 ──── 712
　　リンパ管 ──── 713
■ 病歴：一般的なアプローチ ──── 714
　　初経と月経 ──── 715
　　不正子宮出血 ──── 716
　　閉経 ──── 716
　　骨盤痛（急性および慢性） ──── 717
　　外陰腟症状 ──── 718
■ 身体診察：一般的なアプローチ ──── 718
　　位置決め（ポジショニング） ──── 719
　　診察に必要な器具 ──── 719
■ 診察の技術 ──── 721
　　外性器の診察 ──── 721
　　内性器の診察 ──── 722
　　ヘルニア ──── 728
■ 特殊な技術 ──── 728
　　尿道炎の評価 ──── 728
■ 所見の記録 ──── 728
■ 健康増進とカウンセリング：
　　エビデンスと推奨 ──── 729

　　子宮頸癌 ──── 729
　　閉経とホルモン補充療法 ──── 731
　　卵巣癌 ──── 732

表21-1　外陰の病変 ──── 733
表21-2　外陰，腟，尿道の隆起と腫脹 ──── 734
表21-3　腟分泌物 ──── 735
表21-4　子宮頸部表面の変化 ──── 736
表21-5　外子宮口の形状 ──── 737
表21-6　子宮頸部の異常 ──── 737
表21-7　子宮の位置 ──── 738
表21-8　子宮の異常 ──── 739
表21-9　子宮付属器の腫瘤 ──── 740

第22章　肛門，直腸，前立腺 ──── 743

■ 解剖と生理 ──── 743
■ 病歴：一般的なアプローチ ──── 745
　　排便習慣の変化 ──── 745
　　排便時の痛み ──── 746
　　肛門の疣贅，裂肛 ──── 746
　　尿勢が弱い ──── 746
■ 身体診察：一般的なアプローチ ──── 747
■ 診察の技術 ──── 747
　　前立腺のある患者 ──── 747
　　前立腺のない患者
　　　（女性，前立腺摘除後男性） ──── 751
■ 所見の記録 ──── 751
■ 健康増進とカウンセリング：
　　エビデンスと推奨 ──── 752
　　前立腺癌 ──── 752

表22-1　米国泌尿器科学会（AUA）による
　　　　前立腺肥大症状スコア ──── 755
表22-2　肛門，その周囲の皮膚，直腸の異常 ──── 756
表22-3　前立腺の異常 ──── 758

第23章　筋骨格系 ──── 761

■ 解剖と生理 ──── 761
　　関節 ──── 761
　　滑液包 ──── 764
　　関節構造と関節外構造 ──── 764
■ 病歴：一般的なアプローチ ──── 764

関節痛 ──────── 765
　頸部痛 ──────── 768
　腰痛 ──────── 768
■ **身体診察：一般的なアプローチ** ──────── 770
　視診 ──────── 771
　触診 ──────── 771
　可動域 ──────── 772
　特殊な診察手技 ──────── 772
　その他の診察技術 ──────── 772
■ **関節別の診察** ──────── 772
　顎関節 ──────── 773
　肩関節 ──────── 775
　肘関節 ──────── 787
　手首および手の関節 ──────── 789
　脊椎 ──────── 799
　股関節 ──────── 807
　膝関節 ──────── 817
　足首および足の関節 ──────── 827
■ **特殊な技術** ──────── 833
　下肢長の測定 ──────── 833
　関節可動域制限の記録 ──────── 834
■ **所見の記録** ──────── 835
■ **健康増進とカウンセリング：
　　エビデンスと推奨** ──────── 835
　腰痛 ──────── 836
　骨粗鬆症 ──────── 836
　転倒の予防 ──────── 840

表23-1　関節とその周囲の痛み ──────── 842
表23-2　筋骨格系疾患の全身症状 ──────── 844
表23-3　頸部痛 ──────── 845
表23-4　腰痛 ──────── 846
表23-5　肩痛 ──────── 848
表23-6　肘の腫脹と圧痛 ──────── 850
表23-7　手の関節炎 ──────── 851
表23-8　手の腫脹と変形 ──────── 852
表23-9　腱鞘，手掌間隙，手指の感染症 ──────── 853
表23-10　足と足趾の異常 ──────── 854
表23-11　足趾と足底の異常 ──────── 855

第24章　神経系 ──────── 859

■ **解剖と生理** ──────── 859
　中枢神経系 ──────── 859
　末梢神経系 ──────── 863
　運動系 ──────── 865
　感覚系 ──────── 867
　脊髄反射：筋伸張反射 ──────── 869
■ **病歴：一般的なアプローチ** ──────── 870
　頭痛 ──────── 871
　めまい感，ふらつき ──────── 874
　脱力 ──────── 874
　しびれ感，感覚異常，感覚低下 ──────── 875
　失神，眼前暗黒感 ──────── 876
　てんかん発作 ──────── 876
　振戦，その他の不随意運動 ──────── 877
■ **身体診察：一般的なアプローチ** ──────── 878
■ **診察の技術** ──────── 879
　脳神経 ──────── 881
　運動系 ──────── 886
　感覚系 ──────── 900
　筋伸張反射 ──────── 906
　皮膚反射，表在反射 ──────── 913
■ **特殊な技術** ──────── 915
　髄膜徴候 ──────── 915
　腰仙部の神経根障害：
　　下肢伸展挙上テスト ──────── 917
　固定姿勢保持困難（羽ばたき振戦） ──────── 918
　昏睡患者の診察 ──────── 918
■ **所見の記録** ──────── 925
■ **健康増進とカウンセリング：
　　エビデンスと推奨** ──────── 925
　脳血管障害の予防 ──────── 926
　無症候性頸動脈狭窄の
　　スクリーニング ──────── 928
　糖尿病性末梢神経障害の
　　スクリーニング ──────── 928

表24-1　中枢神経系障害と末梢神経系障害 ──────── 929
表24-2　言語障害 ──────── 931
表24-3　歩行と姿勢の異常 ──────── 932
表24-4　一次性頭痛 ──────── 933
表24-5　二次性頭痛と脳神経痛 ──────── 934
表24-6　脳卒中の分類 ──────── 936
表24-7　てんかん発作 ──────── 938
表24-8　振戦と不随意運動 ──────── 940
表24-9　眼振 ──────── 942
表24-10　顔面麻痺の種類 ──────── 944

表24-11 姿勢の異常	945
表24-12 筋緊張の異常	946
表24-13 Glasgow Coma Scale（GCS）	947
表24-14 代謝性昏睡と器質性昏睡	948
表24-15 昏睡患者の瞳孔	949

UNIT III
特定の集団の診察

第25章　小児：新生児から青年期まで ——— 955

- ■ 小児発達における一般原則 ——— 956
- ■ 発達評価 ——— 957
  - 身体的発達 ——— 957
  - 知的発達 ——— 957
  - 言語発達 ——— 957
  - 社会情緒的発達 ——— 957
  - 発達指数 ——— 958
- ■ 小児における健康増進の重要項目 ——— 958
- ■ 新生児と乳児 ——— 960
- ■ 病歴：一般的なアプローチ ——— 960
- ■ 発達評価 ——— 963
  - 身体的発達 ——— 963
  - 知的発達と言語発達 ——— 964
  - 社会情緒的発達 ——— 964
- ■ 身体診察：一般的なアプローチ ——— 965
  - 新生児 ——— 965
  - 乳児 ——— 967
- ■ 診察の技術：乳児 ——— 968
  - 出生時評価 ——— 968
- ■ 所見の記録 ——— 1014
- ■ 健康増進とカウンセリング：
  エビデンスと推奨 ——— 1015
- ■ 就学前および学童期の子どもの病歴：
  一般的なアプローチ ——— 1016
  - ラポールの確立 ——— 1016
  - 家族とのやりとり ——— 1017
  - さまざまな診察の進め方 ——— 1017
  - 家族の協力を得る ——— 1018
  - 隠された真実に対する診察の
    進め方 ——— 1018
- ■ 発達評価：幼児期，1〜4歳 ——— 1019
  - 身体的発達 ——— 1019
  - 知的発達と言語発達 ——— 1019
- ■ 発達評価：学童期，5〜10歳 ——— 1021
  - 身体的発達 ——— 1021
  - 知的発達と言語発達 ——— 1022
  - 社会情緒的発達 ——— 1022
- ■ 身体診察：一般的なアプローチ ——— 1022
  - 幼児の評価 ——— 1023
  - 学童期の評価 ——— 1024
- ■ 診察の技術 ——— 1025
  - 身体の成長 ——— 1026
  - バイタルサイン ——— 1027
  - 皮膚 ——— 1029
  - 頭部 ——— 1030
  - 眼 ——— 1030
  - 耳 ——— 1032
  - 鼻と副鼻腔 ——— 1036
  - 口腔と咽頭 ——— 1037
  - 胸郭と肺 ——— 1041
  - 心臓 ——— 1043
  - 腹部 ——— 1045
  - 男児生殖器 ——— 1047
  - 女児生殖器 ——— 1048
  - 直腸と肛門 ——— 1051
  - 筋骨格系 ——— 1052
  - 神経系 ——— 1054
- ■ 所見の記録 ——— 1056
- ■ 健康増進とカウンセリング：
  エビデンスと推奨 ——— 1060
  - 1〜4歳児 ——— 1060
  - 5〜10歳児 ——— 1061
- ■ 思春期・青年期：病歴 ——— 1063
  - HEEADSSS アセスメント ——— 1064
- ■ 発達評価：11〜20歳 ——— 1066
  - 身体的発達 ——— 1066
  - 精神発達と言語発達 ——— 1066
  - 社会情緒的発達 ——— 1066
  - 思春期・青年期におけるジェンダー・
    アイデンティティ（性自認）とセクシャル・
    アイデンティティ（性的指向）の
    形成 ——— 1068
- ■ 身体診察：一般的なアプローチ ——— 1069
- ■ 診察の技術 ——— 1070

身体の成長：身長と体重 ——— 1070
　　バイタルサイン ——— 1070
　　皮膚 ——— 1070
　　頭部・眼・耳・鼻・咽喉・頸部 ——— 1070
　　胸郭と肺 ——— 1071
　　乳房 ——— 1071
　　心臓 ——— 1072
　　腹部 ——— 1073
　　男性生殖器 ——— 1073
　　女性生殖器 ——— 1075
　　直腸と肛門 ——— 1078
　　筋骨格系 ——— 1078
　　神経系 ——— 1083
■ 所見の記録 ——— 1083
■ 健康増進とカウンセリング：
　　エビデンスと推奨 ——— 1083

表25-1　不整脈と高血圧 ——— 1085
表25-2　新生児・乳児によくみられる皮疹と
　　　　皮膚所見 ——— 1086
表25-3　疣贅（いぼ），疣贅に類似する病変，
　　　　その他の隆起病変 ——— 1087
表25-4　小児期によくみられる皮膚病変 ——— 1088
表25-5　頭部の異常 ——— 1089
表25-6　乳幼児における疾患の診断の決め手となる
　　　　特有の顔貌 ——— 1090
表25-7　眼，耳，口腔の異常 ——— 1092
表25-8　乳児の異常な啼泣（持続する場合） ——— 1093
表25-9　歯，咽頭，頸部の異常 ——— 1094
表25-10　小児のチアノーゼ ——— 1095
表25-11　先天性心疾患による心雑音 ——— 1096
表25-12　性的虐待の身体徴候 ——— 1098
表25-13　よくみられる男児泌尿生殖器系の
　　　　 異常 ——— 1099
表25-14　幼児によくみられる筋骨格系所見 ——— 1099
表25-15　疾病予防の効力：予防接種によって
　　　　 予防可能な疾患 ——— 1100

第26章　妊娠女性 ——— 1105

■ 解剖と生理 ——— 1105
　　生理学的なホルモン変化 ——— 1105
　　解剖学的変化 ——— 1106
■ 病歴：一般的なアプローチ ——— 1109
　　初回の妊婦健診時の病歴 ——— 1110
　　今後の妊婦検診 ——— 1114
■ 身体診察：一般的なアプローチ ——— 1115
■ 診察の技術 ——— 1115
　　体位 ——— 1116
　　診察器具 ——— 1116
　　全身の診察 ——— 1117
　　身長，体重，バイタルサイン ——— 1117
　　頭部と頸部 ——— 1118
　　胸郭と肺 ——— 1118
　　心臓 ——— 1119
　　乳房 ——— 1119
　　腹部 ——— 1120
　　生殖器 ——— 1121
　　肛門（直腸，直腸腟中隔） ——— 1124
　　四肢 ——— 1124
■ 特殊な技術 ——— 1124
　　Leopold 触診法 ——— 1124
■ 所見の記録 ——— 1127
■ 健康増進とカウンセリング：
　　エビデンスと推奨 ——— 1128
　　栄養 ——— 1128
　　体重増加 ——— 1129
　　運動と身体活動 ——— 1130
　　タバコ，アルコール，違法薬物などの
　　　物質使用 ——— 1130
　　パートナーからの暴力の
　　　スクリーニング ——— 1131
　　周産期うつ病のスクリーニング ——— 1132
　　予防接種 ——— 1133
　　出生前のスクリーニング検査 ——— 1133
　　遺伝子検査と染色体異数性検査 ——— 1137
　　出生前のサプリメント ——— 1137
　　意図しない妊娠 ——— 1138

表26-1　正常な妊娠における解剖学的および
　　　　生理学的変化 ——— 1140

第27章　老年 ——— 1147

■ 解剖と生理 ——— 1148
　　バイタルサイン ——— 1148
　　皮膚，爪，毛髪 ——— 1149
　　眼 ——— 1150

耳 ———————— 1151
　鼻，口，歯，リンパ節 ———————— 1151
　胸郭と肺 ———————— 1151
　心血管系 ———————— 1152
　末梢血管系 ———————— 1153
　乳房と腋窩 ———————— 1153
　腹部 ———————— 1154
　男性および女性泌尿器系，前立腺 ———————— 1154
　筋骨格系 ———————— 1155
　神経系 ———————— 1156
■ **病歴：一般的なアプローチ** ———————— 1157
　高齢者との効果的な
　　コミュニケーション ———————— 1157
　診察の内容と頻度を決める ———————— 1158
　症状を聞き出す ———————— 1159
　高齢者の文化的側面に配慮する ———————— 1160
　日常生活動作や手段的日常生活動作の
　　機能障害 ———————— 1162
　薬物管理 ———————— 1162
　喫煙 ———————— 1163
　アルコール ———————— 1163
　栄養 ———————— 1164
■ **高齢者ケア特有のトピックス** ———————— 1164
　フレイル（虚弱） ———————— 1164
　事前指示書と緩和ケア ———————— 1165
■ **身体診察：一般的なアプローチ** ———————— 1166
■ **診察の技術** ———————— 1166
　機能評価 ———————— 1166
　全身の観察 ———————— 1167
　バイタルサイン ———————— 1167
　皮膚，爪，毛髪 ———————— 1169
　眼 ———————— 1170
　耳 ———————— 1171
　口と歯 ———————— 1172
　頸部 ———————— 1172
　胸郭と肺 ———————— 1172
　心血管系 ———————— 1172
　乳房と腋窩 ———————— 1173
　末梢血管系 ———————— 1173
　腹部 ———————— 1173
　女性生殖器と内診 ———————— 1173
　男性生殖器と前立腺 ———————— 1175
　筋骨格系 ———————— 1175
　神経系 ———————— 1176

■ **所見の記録** ———————— 1176
■ **健康増進とカウンセリング：**
　　エビデンスと推奨 ———————— 1178
　いつスクリーニングを行うか ———————— 1178
　視覚・聴覚障害のスクリーニング ———————— 1180
　運動と身体活動 ———————— 1180
　家庭内の安全と転倒予防 ———————— 1181
　予防接種 ———————— 1182
　癌スクリーニング ———————— 1182
　「3つのD」の発見（せん妄，認知症，
　　うつ病） ———————— 1184
　高齢者虐待 ———————— 1186

表27-1　加齢に伴う正常な解剖学的・生理学的変化と関連する
　　　　疾患の転帰 ———————— 1187
表27-2　高齢者の医療面接：文化的に適切な医療を
　　　　めざして ———————— 1190

索引 ———————— 1197

注意

　本書に記載した情報に関しては，正確を期し，一般臨床で広く受け入れられている方法を記載するよう注意を払った．しかしながら，著者(訳者)ならびに出版社は，本書の情報を用いた結果生じたいかなる不都合に対しても責任を負うものではない．本書の内容の特定な状況への適用に関しての責任は，医師各自のうちにある．

　著者(訳者)ならびに出版社は，本書に記載した検査機器，薬物の選択・用量については，出版時の最新の推奨，および臨床状況に基づいていることを確認するよう努力を払っている．しかし，医学は日進月歩で進んでおり，政府の規制は変わり，薬物療法や薬物反応に関する情報は常に変化している．読者は，薬物の使用に当たっては個々の薬物の添付文書を参照し，適応，用量，付加された注意・警告に関する変化を常に確認することを怠ってはならない．これは，推奨された薬物が新しいものであったり，汎用されるものではない場合に，特に重要である．

凡例

　日本語版『ベイツ診察法』の記述は，下記の事項を基本として編集されている．
- 医学用語の翻訳は原則として『日本医学会 医学用語辞典(英和) 第3版』に準じた．ただし，極力用語間の整合性を取りつつ，各専門学会での用語の変更を反映するなど，現在幅広い領域で用いられている用語も多く取り入れた．また，一部の領域の記述については，専門領域の用語集および辞典に準じたものもある．したがって，各領域の学会用語とは異なる用語が使われている場合もある．
- 人名などの固有名詞は原則として欧文とし，疾患名・検査機器名などの表記に固有名詞が含まれる場合にはその部分を欧文とし，各章の初出で欧文部分の読み仮名をカッコで記した〔例：Alzheimer(アルツハイマー)病，Snellen(スネレン)視力表〕．読み仮名は，原則として『日本医学会 医学用語辞典』に準じた．また，地名はカタカナとした(例：ライム病)．
- 単位はCGS表記を基本とした(例：cm，g，L)．
- 原注は本文中に*として，訳者による注は[訳注]とし訳注自体は頁の下に記した．

UNIT 1

健康アセスメントの基礎

- 第1章 診察へのアプローチ
- 第2章 面接,コミュニケーション,対人関係スキル
- 第3章 病歴
- 第4章 身体診察
- 第5章 臨床推論,アセスメント,計画
- 第6章 健康維持とスクリーニング
- 第7章 エビデンスの評価

第 1 章　診察へのアプローチ

> 女性が，男性のもとを訪れ，神父さまにも言わないようなことを告白し，それどころか，服を脱ぎ，肌に触れるのを許すのですから……医師は，その信頼にみあうだけの技能を有するべきです
> Abraham Verghese（エイブラハム・バルギーズ），MD,
> *A Doctor's Touch*, TEDGlobal, 2011

診察に必要な基礎的スキル

臨床トレーニングをはじめると，長い歴史のなかで確立されてきた，さまざまな技能を身につけ，患者との関係をより深め，診察に関する洞察力を高めていくことになる。診察のはじめから終わりに至るまで，1つひとつの行動自体が**臨床技能**と呼べるものである[1]。このような臨床技能を駆使することを，臨床能力という。患者を前にして，目的をもって臨床技能を選びそれを駆使していくことが，診察の基本である。医師患者関係の構築からはじまり，病歴の聴取，身体および精神の診察，検査や処置，そして診断的あるいは治療的介入を，患者1人ひとりに実践し，これを積み重ねることで，臨床技能は磨かれていく。

臨床技能の習得とそれを効果的に実践する力は，自ずと磨かれ，時間をかけて洗練されていく[2]。技量のある臨床家（医療者）になるためには，専門家として現在の生物医学的知見にもとづきつつ，患者の個人的，文化的，社会的背景に配慮した診察を実践することが求められている。

学生としてはじめは徐々に臨床技能を身につけ，そのうちに自信とノウハウを得て，積極的に患者アセスメントを行うようになり，そして臨床能力を獲得していく。そのためには，実践を継続し，誠実に自己を評価していくよう心がけなければならない[2]。

UNIT Iの最初となる本章では，患者ケアの要点，特に信頼（治療における患者との協力関係の土台となるもの）を得る方法について説明する（図1-1）。誰でも最初は情報を収集することに気を取られるものだが，経験を積み，患者の訴えを共感しながら聞くようにすれば，患者の話をリアルにかつ詳細に聞き取ることができるようになる。こうした技能に習熟し，患者と互いに敬意のある信頼関係を築くことこそが，臨床のやりがいであり，決して色あせることはない。これは，

図 1-1　医師と患者の治療における協力関係

すべての診療に共通する本質的な特性である[2]。

本章の内容

- 診察へのアプローチ
- 特定の患者層へのアプローチ：身体もしくは感覚障害のある患者，LGBTQ（レズビアン，ゲイ，バイセクシャル（両性愛者），トランスジェンダー（性同一性障害），クィア・クエスチョニング）を含む
- 医療における格差
- その他のおもな注意点
- 診察の記録（電子健康記録を含む）

診察へのアプローチ

診察へのアプローチには，医療者主導のアプローチと，患者中心のアプローチの両面がある。**医療者主導**の場合，より症状に焦点を絞ったものとなり，医療者は「症状およびその詳細，その他診断に資すると思われる内容を主体的に問診していく」が，もしそれに終始するならば，往々にして，病気に関連する患者の個人的背景などは触れられずに終わってしまう[3,4]。疾患の病理学的側面に重きを置くあまり，患者の個人的な要望や患者目線の考え方を無視してしまう恐れがある。その結果，患者の問題を理解し，解決する糸口となる情報がいつまでたっても引き出されないということが起こりうる。

一方，**患者中心**のアプローチは「患者が不安に思っている内容，気持ち，感情の表出を最重要なもの」と捉え，「患者にとってつらい症状や疾患における個人的背景」を探り出していくものである[3]。専門家は，患者中心の問診を，「患者の考え，不安や要望を理解する際に，医師の見立てや考えなど余計な情報を与えずに，患者のペースに合わせること」と定義している[3]。

疾患と病気とを区別すると，医師と患者それぞれの視点が異なるものでありながら，同時に相互補完的なものであることが理解しやすい[5]。**疾患 disease** とは，**医療者**が臨床診断にもとづいて症状を整理，説明したものである。**病気 illness** とは，**患者**が疾患によってどのような経験をしているかを説明する1つの形であり，人間関係，（生活，社会において果たす）自分の役割，幸福感への影響も含んだ概念である。患者の経験は，病前の個人・家族の健康状態，日常生活への影響，今後の見通し，対処法，医療への期待といった，多くの要素によって修飾される。**現状や病気，疾患に関して，医師と患者双方の視点を踏まえて問診を進めていく必要がある。**

例えば，咽頭痛の患者をみる場合，注目するのは，他の原因から連鎖球菌性咽頭炎を鑑別することかもしれないし，ペニシリンアレルギーを疑わせる病歴かもしれない。しかし，患者にとっての問題点は，痛みや飲み込みづらさ，仕事を休まなければいけないことかもしれないし，あるいは以前いとこが喉の痛みを訴えて，

その後咽頭癌と診断されたことを思い出して心配しているのかもしれない。つまり，咽頭痛という一見単純な症状が，さまざまな不安を生じうるのである[3,6]。**こうしたことからも，有効かつ熟練した診察のためには，患者中心，医療者主導の両方のアプローチを行う必要がある。**

この2つのアプローチを組み合わせることで，患者の病気をより正確に把握でき，また医療者側の"尊重，共感，謙虚さ，気遣い"がより伝わりやすくなるという報告がある[3,7]。また，患者，医師の満足度が上がり，そのうえ，期待された健康状態を達成するうえでも有効であるというエビデンスもある[8,9]。患者の診察にこのアプローチを用いることは，患者の抱える問題を，あなた自身と患者双方の視点から評価することに他ならない。**効果的な問診は，この2つの視点をうまく使いこなせるかどうかにかかっている。**

このような枠組みの好例として，**Calgary-Cambridge Guides**（図 1-2）がある。これは，生物医学的視点と患者視点の両方から見た病状経過について問診を進めていくことに主眼を置いて，診察の流れを時間軸に沿って体系的に整理したものである。5つの段階，すなわち**診察開始，情報収集，身体診察，説明と計画，診察終了**に分けられる[10-12]。

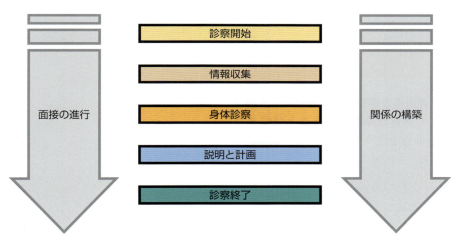

図 1-2 Calgary-Cambridge Guides 改訂版：診察の枠組みと流れ〔Kurtz S et al. *Acad Med*. 2003; 78(8): 802-809 より掲載〕

診察の枠組みと流れ

一般的に，優れた診察は論理的な流れに沿って行われる（Box 1-1）[13]。本章では，診察開始時と終了時の振る舞い，および患者視点での病気の認識を探ることに焦点を絞る。その後の章では，医療者の視点から疾患および患者背景や現状について問診を行う方法（第3章「病歴」），身体診察（第4章「身体診察」），鑑別診断と計画の説明（第5章「臨床推論，アセスメント，計画」）を扱う。さまざまな言語的，非言語的コミュニケーションのスキル，患者診察の質を高めるための方策

については，第2章「面接，コミュニケーション，対人関係スキル」で扱う。

> **Box 1-1　診察の枠組みと一連の流れ**
>
> 1. 診察の開始
>   - 準備と環境の調整
>   - 挨拶とラポール構築
> 2. 情報収集
>   - 情報収集の開始
>   - 病気に対する患者視点の確認
>   - 背景・現状を含めた，疾患に対する生物医学的視点の確認
> 3. 身体診察
> 4. 説明と計画
>   - 適切な内容と量での提供
>   - 方針の相談
>   - 共同意思決定
> 5. 診察の終了
>
> 注意：診察では，これとは別に2つの枠組みが同時に進められていく。すなわち，関係の構築と，面接の進行である（図1-2参照）。

出典：Kurtz S et al. *Acad Med*. 2003; 78(8): 802-809; van de Poel K et al. *Communication Skills for Foreign and Mobile Medical Professionals*. Springer; 2013: xvii, 145; de Haes et al. *Patient Educ Couns*. 2009; 74: 287-294. より掲載

ステージ1：診察の開始

患者との関係を構築する段階である。**医師患者関係を育むことは重要で，よい関係を築けなければ，その他の部分においても適切な診察を行うことはできない**[14]。尊重，信頼，そして**ラポール rapport**（共感を伴う信頼関係）は，これからはじまる治療における関係に必須の要素である。

準備

問診の準備をする。身だしなみを整える。患者にとって心地よく，すぐにでもプライベートな内容を話せるような環境であるように気を配る。相手によって問診のリズムや流れが変わってくることに気がつくだろう。これから説明する各段階に習熟すること。すると問診における重要な社会的側面がみえてくる。あなた自身の患者への対応の仕方や治療における協力関係に影響するようなバイアスがかかっていなかったかどうか，自身を振り返る。

環境の調整

問診する環境を，なるべく落ち着いた，居心地のよい場所にする。2人部屋で患者と話すこともあれば，慌ただしい救急外来の廊下で話をしなければいけないこともあるかもしれないが，可能な限り，外に話がもれない環境にするほうが，コミュニケーションをとりやすくなる。プライバシーを保てるカーテンがあれば，

医療におけるバイアスについてはp.148〜149を参照。

閉めるようにする。待合室で話をはじめず，空いている部屋への場所の移動を提案する。可能なら，患者にあわせて室温を調節する。**患者が快適に過ごせるように気を配ることは，医療者の仕事の1つであり**，時間をかける価値は十分ある。

診察室内の配置をどのようにするのがふさわしいか，患者との距離をどの程度とるべきかを意識しておく。文化的背景や個人的好みなどさまざまな要因によって，望ましい対人距離は変わってくる。会話がしやすく，視線を合わせやすい距離がよい。また，互いの声がはっきりと聞こえる程度の，遠くない距離が望ましい。椅子の高さを調整し，可能であれば患者と目線の高さを合わせるようにする。ベッドの手すりやベッドサイドテーブルなどの物理的な障害物は，邪魔にならない場所に移動させる（図1-3）。外来では，例えばキャスター付きの椅子に座っていれば，患者の反応をみつつ距離を変えることができる。内診台に乗っている女性に問診する，トイレのドア越しに話す，背を向けて手洗いしながら会話する，といった不愉快な印象を与える状況は避ける。患者と互いに顔がみえるように，パソコンのモニターは邪魔にならないよう配置する。また，X線画像や他の検査結果を患者にみせられるように，モニター台を動かせる位置にしておくとよい。照明にも注意が必要で，明るい光や窓を背にして患者と対面すると，患者は目を細めなければならず，尋問されているかのように錯覚することもある。

図 1-3　物理的な障害物を取り除き，目線の高さを合わせて座る（Monkey Business Images より Shutterstock の許可を得て掲載）

診療記録の見直し

診察の前に，過去の診療記録の見直しを行う（図1-4）。それにより，重要な患者背景の情報が得られ，問診すべき内容のヒントが得られる。年齢，性別，住所，保険などの個人情報に目を通し，**患者のプロブレムリスト**，薬歴やアレルギー情報を確認する。既往歴と治療歴の記載については，診察時に改めて情報を確認し，自分自身で評価を行わなければならない。診療記録の情報は，多くの診察者によって作成されたもので，不完全であったり，患者の話と食い違うこともある。こうした記録の不一致を調整することも，診療にとって重要である。特に，電子健康記録（訳注）では，今後，本人の希望する名前やジェンダー代名詞を記録・表示できるようになるため，これらの記録が一致しない可能性もあらかじめ念頭に置く必要がある。

患者のプロブレムリストについては，第5章「臨床推論，アセスメント，計画」（p.156）を参照。

電子健康記録については，第2章「面接，コミュニケーション，対人関係スキル」（p.72）を参照。

図 1-4　診察前に診療記録を確認する（wavebreakmedia より Shutterstock の許可を得て掲載）

目標の設定

患者と話す前に，問診の目的を明確にする。学生であれば，ローテーション時の到達目標である包括的な病歴聴取を適切に行うことが最初の目標となるだろう。上級生や研修医であれば，新たな問題点の評価，治療のフォローアップ，書類の記入など，目標はさまざまである。**医療者は，これらの医療者側の目標と，患者側の目標の両方のバランスをとって実践する必要がある**。患者やその家族，医療機関や施設，それぞれの必要性から生じる複数の課題を考慮していく。はじめに

訳注：個人の生涯にわたる診療情報の電子記録で，各医療機関で共有できる仕組みになっているもの。わが国にはまだこのようなシステムはない。

少し時間をとって，目標を整理しておくと，医療者側の優先順位と患者の要望について，調整しやすくなる[15]。

患者への挨拶とラポール構築

第一印象は，その後の関係性に大きく影響する。診察室内で，患者，同伴者へどのように挨拶するか，快適に過ごせるように部屋が整っているか，室内インテリアの配置，これらすべてが第一印象に影響する(図1-5)。患者との関係構築は，診察における最も重要なスキルの1つである。患者にとって，「つながることができたという感覚，話をしっかり聞いてもらい，理解してもらったという感覚は，まさに治療の核心となるものである」[16]。医療者にとっても，こうした関係を深めていくと，患者ケアに対してよりやりがいを感じられるのである[17-19]。

患者を迎え入れる際には，まずはじめにフルネームで**自己紹介**をし，できれば患者と握手をする。初対面なら，自分の役割や，学生なのか研修医なのか自分の立場，今後診療にどうかかわっていくかについて説明をする。

図 1-5　患者を迎え入れ，ラポールを築く(wavebreakmedia より Shutterstock の許可を得て掲載)

患者の肩書き，名前，希望するジェンダー代名詞の確認

可能な限り，患者が希望する名前の呼び方を確認する(Box 1-2)。受診する患者全員に，来院時や問診票の段階で，**名前とジェンダー代名詞(性別代名詞)**についての希望をたずねておくのが理想的である。これには，さん(Mr., Mrs., Ms.)といった敬称のほかに，先生(Professor や Doctor)のような肩書きも含む。患者の個人的背景に関する重要な情報が得られるだけでなく，ラポールを築き，敬意を示すためにも重要である。そうすることで，特に，社会通念と異なる肩書きや名前で呼ばれたい人々にとっては，快適な環境(関係)であると感じられるだろう。

Box 1-2　患者が希望する名前の呼び方を確認する

例：
学生：「おはようございます。私はスザンナ・ベラスケスです。臨床実習3年目の学生で，あなたの治療を担当する医療チームの一員です。どのような方針で治療するのが最適かチームが決めていくなかで，サポートする役割を担っています。あなたは，リチャード・クラークソンさんですか？」
患者：「はい，そうです」
学生：「なんとお呼びすればよいでしょうか？」
患者：「クラークソンさんか，たんにリチャードと呼んでください」

希望する呼び方は，ニックネーム(例：ウィリアムをビルと呼ぶなど)，ミドルネーム，その他の名前の場合もある。まずこちらから名乗り，それから患者にどのように呼ばれたいか質問する。患者の氏名の発音がわからない場合も，ためらわずに質問する。「お名前の発音を間違うといけないので，もう一度おっしゃっていただけますか？」とたずねる。そして，正しく聞き取れたかどうか確認のため，一度その名前を声に出してみる。トランスジェンダーや，自分を男性とも女

性とも異なると認識している患者であれば、呼んでほしい名前は、生まれたときの性別ではなく自己認識上の性別にあったものとなる[20]。

子どもや若年者を除き、患者から了承のない限りファーストネームで呼ぶことは控える。患者を親しみを込めて「ディア dear」「スウィーティー sweetie」と呼んだり、過度に砕けた呼び方は、相手を尊重しておらず、品位に欠けるものである[21]。

ジェンダーの概念は進化しており、性別の自己認識も進化している。どういった性別の自己認識があろうとも、すべての患者は代名詞を使っている。患者に代名詞についてたずねる際には、例えば「私は he と him・she と her・they と theirs を使います」といった具合にまず自分自身の代名詞を提示してから、「どのジェンダー代名詞を使いますか？」と質問するとよいだろう（Box 1-3）。一般的でない代名詞を使う患者もなかにはいるかもしれない。

Box 1-3　患者のジェンダー代名詞を確認する

例：
学生：「おはようございます。私はスザンナ・ベラスケスです。臨床実習3年目の学生です。あなたの治療を担当するチームの一員です。どのような方針で治療するのが最適かチームが決めていくなかで、これをサポートする役割を担っています。あなたはリチャード・クラークソンさんですか？」
患者：「はい、そうです」
学生：「なんとお呼びすればよいでしょうか？」
患者：「クラークソンさんか、たんにリチャードと呼んでください」
学生：「お会いできて光栄です、クラークソンさん。私のことはスージーと呼んでください。まずはじめに、基本的なことをいくつか質問させてください」
患者：「どうぞ」
学生：「お互いが受容的で尊重しあえる関係であるために、私たちは自分自身が希望する代名詞で呼び合うことが望ましいと考えています。私は、自分については"she"と"her"を使ってもらいたいと考えています。あなたはいかがですか？　どのような代名詞を希望されますか？」
患者：「私は"he"と"him"ですね」

このときに患者が提示した肩書き、名前、代名詞は、患者との会話だけでなく、他の医師やスタッフと話す際にも用いることが重要である。名前や代名詞を間違えると、患者は尊重されていない、不当に扱われている、疎外されている、あるいは不快である、と感じるだろう。**呼び方を間違えることもあるかもしれないが、そういった場合、率直に謝罪をすることが重要である**。例えば「間違った代名詞や呼び方でお呼びしたことをお詫びします。あなたを軽んじる意図はありませんでした」と言うとよいだろう。申し訳ない気持ちを伝えるとしても、やりすぎは禁物である。性別を間違えられた患者はより気まずさを感じ、また、逆にあなたを「なだめないといけない」という気にさせてしまいかねない。

特定の患者層とのラポールの築き方

新生児と乳児

新生児(生後30日以内)と乳児(生後1カ月から1歳まで)は,年長児のようにコミュニケーションをとることはできないが,ラポールを築くことが大切であることに変わりはない。子どもが産まれることは,多くの人にとって人生の大きな節目であり,状況が許せば,家族にお祝いを伝える。診察前や診察中にも,子どもにミルクを与えるようすすめる。そうすると,子どもを落ち着かせ,リラックスさせられるだろう。また,子どもの哺乳が良好かどうか確認する機会となる。新生児は,話はできなくとも,あなたの感情や体の動きには敏感に反応するため,穏やかな声で話すことを心がける。また可能であれば,診察中,抱っこしている人が楽な姿勢をとれるように配慮する。新生児や乳児の診察の際には,まず保護者の体調を気遣う質問からはじめるとうまくいくことが多い。あなたが子どもだけでなく保護者も気遣っていることが伝われば,保護者の緊張がほぐれ,その流れで家族の健康に関する簡単な問診を行いながらスクリーニングすることができる。

新生児と乳児については,第25章「小児:新生児から青年期まで」(p.960〜1015)を参照。

幼児期と学童期の子ども

幼児期(1〜4歳)と学童期(5〜10歳)の子どもは,最も扱いが難しい患者ともいえる。学童期は,自律性,社会性,好奇心が育っていく時期であり,医療者はこれらすべてに注意を払わなければならない(図1-6)。幼児のなかには,あなたが診察室に入ったときに,診察する前から泣き叫んでいることもあるだろう。児の気をそらしたり,気分を変えることが大切である。施設によっては臨床道化師を雇用するところもある[22,23]。遊ぶところから診察をはじめると,子どもや親とのラポールを築くのに役立つ。幸いなことに,この年齢層の重要な指標の多くは,誰もがするような,ジャンプ,お絵かき,模倣,ボール投げなどの遊び方をみることで評価できる。自己紹介は,まず患児に,その後,家族に行う。患児が落書きや,ぬいぐるみ遊び,お絵かきなどをしている間に,保護者から健康状態について情報を得る。学童期の子どもの場合は,可能であれば年齢に応じた質問をして診察に加わってもらう[24,25]。そして,必要に応じて保護者に確認や補足をしてもらう。最後に,幼児期,学童期の患児に対応する際のコツは,子どもたちの間で流行っているもの,人気のあるものについて,よく学んでおくことである。衣服やリュックサックに描かれているキャラクターが何かわかると,子どもとの関係に大いに役立つ。

幼児期と学童期の子どもについては,第25章「小児:新生児から青年期まで」(p.1016〜1062)を参照。

図1-6 子どもや親とのラポールの構築(VGstockstudioよりShutterstockの許可を得て掲載)

思春期・青年期

一般的に,思春期・青年期の若者は大人と同じように尊重され,意見を聞いてもらいたいと考えている。診察では,家族の要望と患者の自主性との折り合いをつけるのに難渋することがよくある。思春期の患者に質問し,答えてもらいつつ,同時に家族や保護者が居心地よく感じ,また心配事がきちんと聞いてもらえたと思えるように,話を進めていくことが重要である。先に家族の要望について一言伝えておくとよい場合もある。家族に,あなたと後で直接話す機会があることを説明しておくのは有効である。ただし,まず初めに患者本人に問診することが望ましい。自由回答方式の質問を幅広く行い,患者の疑問や不安を共有できるよう

思春期・青年期については,第25章「小児:新生児から青年期まで」(p.1063〜1084)を参照。

に注力する[26-28]。さらに，重要な点は，家族が同席せずに，患者と1対1でやりとりする時間をなるべく増やすことである。そして，その時間，その場所で聞いた内容を信じること，また外部に漏らさないと約束することが重要である。

高齢者

学生であるあなたは，この年齢層の患者よりもずっと若いはずである（図1-7）。患者が好む呼び方を忘れずにたずねるようにする。先に述べたように，高齢の患者を過度に親密な名前で呼ぶことは，人格を軽視し，貶めていると受け取られかねない[21]。高齢の患者が快適に過ごせるように，診療所，病院，または介護施設の環境調整には時間をかける。加齢に伴う生理的変化を思い出すとよい。明るい照明で，適度に温度管理された静かな環境と，肘かけ椅子を用意し，診察室を訪れやすいものにする。診察室内のスペースを十分に確保し，特に杖や歩行器などの補助具を使用している場合には，安全に移動できるようにしておく。特に患者に認知障害がある場合などは，必要であれば家族や介護者を交えるなどして，自由回答方式の質問や，回顧のために時間をとるようにする。

身体障害および感覚障害がある患者

患者から特に要望のない限り，障害のある患者を呼称する際には，人（people, person）を最初に置いた表現 **"people-first" language**（訳注）を用いる（例えば，person who is blind，person who uses a wheelchair，person with hearing loss など）。身体障害や感覚障害がある患者においても，本人が自身の医療ケアを行うことができるという前提で対応する。患者がどのような支援を必要とするかをこちらから推測することは避け，患者本人に必要な支援をたずね，その答えを尊重する。介助者がいても，必ず患者本人と直接話す。患者が1人で入室した場合は，同伴者の有無をたずねてはいけない。Box 1-4 に，障害のある患者とラポールを築くための指針を記載した。

このトピックについては，第27章「老年」（p.1157〜1164）を参照。

図 1-7　高齢患者の診察では，記憶をたどる時間を十分に確保する
（Rocketclips, Inc より Shutterstock の許可を得て掲載）

「○○の人」という言葉については，第2章「面接，コミュニケーション，対人関係スキル」（p.53〜54）を参照。

Box 1-4　身体障害や感覚障害がある患者とラポールを築く

- 2010年の世界人口推計によると，10億人以上（世界人口の15%）が何らかの障害をもって生活していると推定されている[29]
- 米国では，2016年の障害者率は人口の12.8%と推定されている[30]

目の不自由な患者や弱視の患者
- 近づく際には必ず口頭で名乗り，部屋にいる他の人を紹介する
- 立ち去る際には，必ず患者に一声かける
- 手助けをする前にたずねる。患者がどのような介助を希望するか，逐一確認する
- 書面の内容については，聴覚や触覚あるいは電子データ（音声ファイル，点字，大活字）で，患者の希望する形で提供できるように準備する
- 診察の前に，これからの流れを説明し，何か質問がないかたずねる
- 身の回りの物（衣服やその他の持ち物）が部屋のどこにあるか患者に伝える。それらを無

（続く）↗

訳注：blind person ではなく，person who is blind という語順とすることで，「障害があること」よりもまず「一人の人であること」を強調した表現。

↘(続き)
> 断で動かさない
> - スタッフは歓迎の意を表すとともに，物理的環境（ドア，段差，傾斜，トイレの場所など）について説明する
> - 飼い主に断りなく介助動物の気を引いたり，触ったりしない
>
> **耳があまり聞こえない患者**
> - どのようなコミュニケーション方法がよいか，たずねる
> - 主たるコミュニケーション形式がない場合を除き，筆記具を渡すようにする
> - 手話通訳や同時音声文字変換サービスが利用できることを患者に伝える
> - 効果的なコミュニケーションのために，要望があれば速やかに手話通訳または同時音声文字変換サービスを提供する
> - 患者に対し，遠くから話しかけたり，別の部屋から話をしないこと
> - 真正面から患者に話しかけ，口元がみえるようにする
> - 普段通りの口調ではっきりと話す。大声を出したり，口を大げさに動かしたり，早口で話すようなことは避ける
> - 周囲の騒音や眩しい光源を最小限に抑える
>
> **耳が聞こえない患者**
> - どのようなコミュニケーション方法がよいか，たずねる
> - 手話通訳や同時音声文字変換サービスが利用できることを患者に伝える
> - 効果的なコミュニケーションのために，要望があれば速やかに手話通訳または同時音声文字変換サービスを提供する
> - 家族に通訳をしてもらうことは避ける
> - 通訳者ではなく，患者に話しかける
> - 主たるコミュニケーション形式がない場合を除き，筆記具を渡すようにする
>
> **車椅子の患者**
> - 部屋に入るための通路を確保する
> - 車椅子や補助器具も，個人的空間に含まれるものとして配慮する
> - 頼まれない限り，車椅子を押さない
> - 必要に応じて補助器具を提供する
> - 必要に応じて行く先の障害物を取り除いたり，通れなければ別の機器に移乗する手助けをするといったサポートを行う
> - 患者と車椅子の距離が離れないようにする

出典：Access to Medical Care: Adults with Physical Disabilities. Berkeley: World Institute on Disability; 2016. より許可を得て掲載。https://worldinstituteondisabilityblog.files.wordpress.com/2016/01/access-to-medical-care-curriculum-pdf-format.pdf（Accessed April 30, 2019）より入手可能

LGBTQの成人

LGBTQやセクシャルマイノリティ（性的少数者）の患者は，しばしば，診察の際に，自分を受け入れてもらえるか強い不安を感じている。自分の性行動について話をしたくない，あるいはまだ性的アイデンティティが揺れ動いている場合もある（図1-8）。偏見や差別を経験すると，自らの性的アイデンティティや健康上の不安について話さなくなるだろう[31-33]。さらに，妊孕性やトランスジェンダーに関する質問，例えばホルモン療法や性別適合手術について，医療者側に答える準備ができていないことが多いという報告もある。レズビアン，ゲイ，バイセクシャル，トランスジェンダーの健康に関する知識と臨床スキルを高め，患者と話し合い，できるだけ多くのリソースを活用することが重要である（Box 1-5）[34]。

図1-8 LGBTQの患者を受け入れる準備を整える（yacobchukよりistockphotoの許可を得て掲載）

Box 1-5 レズビアン，ゲイ，バイセクシャル，トランスジェンダーの健康

最近行われたいくつかの調査から，レズビアン，ゲイ，バイセクシャル，トランスジェンダー(LGBT)の人々に関する国別データがはじめて得られた

- 2013年の米国国民健康調査では，はじめて性的指向に関する調査が行われた。3万4,000人以上の成人が対象となり，1.6%がゲイまたはレズビアン，0.7%がバイセクシャル，1.1%が「その他」または「わからない」と回答した。ゲイとレズビアンの回答者の多くは18〜64歳で，バイセクシャルの回答者は18〜44歳の割合が高かった[35]
- Gallup Daily Tracking Surveyは，米国におけるLGBT人口の分布に関して，単体としては最大規模の調査を2012年より開始した[36, 37]。LGBT自己認識に関する質問が追加され，12万件の回答が得られた。LGBTとして認識しているかという質問に「はい」と答えた人は3.4%。LGBTであると答えた人のうち，53%が女性で，6.4%が18〜29歳であった。13%近くが，ドメスティック・パートナーシップ(法的に届出を行った同棲関係)を結んでいるか，あるいは同棲関係にあった。LGBTであると答えた人は，アフリカ系米国人4.6%，アジア系4.3%，ヒスパニック系4.9%，非ヒスパニック系白人3.2%と，非白人のほうが多かった
- 米国統計局が行った2013年国勢調査では，同性カップル世帯は72万6,000世帯以上，その34%が同性婚カップルであると報告された[38]。2011年のLGBTの健康格差に関する報告書のなかで，米国医学研究所は，多様なLGBT集団の健康行動や医療需要の違いを明らかにするために，医療格差のより詳細な評価が必要だとしている[39]
- LGBTの患者は，うつ病，自殺，不安，薬物使用，性的被害の割合や，HIV感染や性感染症のリスクが高い[40, 41]
- 過去1年間に医療機関を受診したトランスジェンダーの1/3(33%)が，治療を拒否された，言葉による嫌がらせを受けた，身体的・性的な暴行を受けた，適切な治療を受けるために医療機関に対してトランスジェンダーについて説明しなければならなかったなど，トランスジェンダーであることに関連した負の体験が少なくとも1回あったという報告があり，有色人種や障害者ではその割合が高かった[42]
- 米国医学研究所は，LGBTの成人が質の高い医療を受けるうえでの障壁として，「LGBTの健康上の需要に精通した医療提供者の不足，および医療現場での差別に対する恐怖」をあげている[39]

ステージ2：情報収集

この段階は，**情報の収集**と**情報の提供**という2つの役割がある[14]。医療者は，診断し，治療計画を立てるために，患者から症状や経緯および希望する事柄について情報を収集する。一方で患者は，健康上の問題を明らかにし，不安を軽減し，対処するのに有用となる情報を必要としている。この段階は，その後の診察で行われていく共同意思決定 shared decision making にとっても必要不可欠である。

情報収集をはじめる

ラポールを構築したら，患者の医療を求めて来院した理由，すなわち**主訴 chief complaint** を確認する段階に入る。外来では，来院した理由が3〜4つあることが多いのだが，「受診理由(presenting problem)」と表現するほうがよいだろう。これは，患者を「訴える人，不平を言う人」と表現しないという利点がある。ま

主訴に関する情報収集については，第3章「病歴」(p.89)を参照。

診察の枠組みと流れ

たこの段階から，質問し，患者の回答を聞き取り，記録していく必要がある。はじめは，問診内容の大半を書き留めないといけないかもしれない（図1-9）。経験を積めば，メモがなくても問診内容の多くを思い出せるようになるが，包括的な病歴の詳細をすべて覚えていることはできない（Box 1-6）。

> **Box 1-6　メモをとるための「メモ」**
> - 短いフレーズや特定の日付，単語形式でメモあるいは入力をする。ただし，キーボードやコンピュータの画面，あるいはメモを書くことに気をとられて，患者から注意がそれてしまっては本末転倒である
> - 適度にアイコンタクトをとりつつ，患者にとってデリケートなことや，気になっている内容を聞くときは，ペンを置く，あるいはキーボードから手を離す
> - メモをとられることに抵抗感をもつ患者には，どのように気になるのかをたずね，正確な診療記録の作成のためにメモをとる必要があることを説明しておくとよい
> - 電子健康記録を使っている場合でも，まっすぐ患者のほうを向いて適切にアイコンタクトをとり，話を聞きながら，言葉とは別に振る舞いや挙動についても観察する。今回の来院理由の本題に入る前からモニターに目を向けてはいけない
> - 必要に応じてモニターや自分の位置を調整し，なるべく患者のほうを向くようにする[43]

異常例

図 1-9　良好なアイコンタクト
（eggeegg より Shutterstock の許可を得て掲載）

診察の目標を設定する

自由回答方式の質問からはじめる。「今日，特に気になることは何ですか？」「どうされましたか？」「どのような心配事があって本日受診されたのでしょうか？」というように質問すると，医療に限らずさまざまな心配事について患者が話しやすくなる。患者が最初に口にした問題が，最も重要な問題とは限らないことに注意する[44]。しばしば患者は，医療チームのメンバーに伝えた理由とは別の内容を伝えてくることもある。特別な問題を抱えてはおらず，たんに「検診」目的で受診することもありうる。

はじめに患者の懸念事項を1つひとつ確認しておくと，どれを最優先し，どれを次回以降の受診に先送りできるかを患者と相談できる。「他に何かありますか？」「これですべてですか？」「何かまだ話せていないことはありませんか？」と質問し，患者の受診理由をよく確かめておくとともに，受診の「本当の理由」を明らかにする。血圧が高いことや，検査値異常など，こちらから別の内容を話したい場合もあるだろう。面接する内容についてあらかじめ決めておけば，最も重要な問題に時間をとれる。とはいえ，はじめに面接内容について相談しておいたとしても，最後になって突然「そういえば」と別の心配がはじまることは避けようがない。

患者の話を引き出す

面接内容に優先順位をつけたら，一番の懸念事項について「○○について教えてください」とたずね，患者に話をするよう促す。**自由回答方式の質問で，患者に自分の言葉で話をしてもらう**。新しい情報を与えたり，話を遮ることなく，ありのままの患者の話を聞くようにする。前傾姿勢で話を聞き，うなずいたり，「そ

相づちについては，第2章「面接，コミュニケーション，対人関係スキル」（p.48～49）を参照。

診察の枠組みと流れ

うですね」「それで」「なるほど」などと相づちを打ちながら話の続きを促していく，積極的傾聴の手法を用いる。話の流れを患者のペースに委ねることを習慣づける。性急に具体的な質問を行うと，詳細を患者自身の言葉で聞けずに終わってしまうかもしれない。医療者はわずか18秒で患者の話を中断してしまうという研究結果がある[44]。そして，いったん話を遮られてしまうと，患者がその話の続きに戻って話しはじめることはまずない。最初に患者の話を聞き，その後その話を深く掘り下げていく。「どのような痛みでしたか？」「つぎに何が起こりましたか？」「他に気になったことは？」とたずね，重要な部分の内容について患者の言葉でより詳細な情報を得るようにする。

患者の病気についての考えを知る

患者は，純粋に症状があるというだけで受診することはない。症状について，自分の健康観や判断基準にもとづいた，何かしらの見解があって受診する。医療者も，その人特有の判断基準をもっており，それは患者と同様，家族の価値観，文化的背景，個人的経験などにより形成されたものである。医療者と患者の間には，この判断基準に違いがあるため，誤解や考え違いを防ぐために，患者がもつ病気に対する認識を確かめておく。診察中に，患者の視点を明らかにする手がかりを探すとよい（Box 1-7）。

Box 1-7　患者の病気の捉え方についての手がかり

- 病気の解釈，感情，期待，影響についての患者自身の言葉
- 病名がつく前の段階における，病気についての感情表現
- 症状をどのように理解し，解釈しようとしたか
- 話し方にみられる手がかり（例：何度も同じ内容を繰り返す，長時間考え込む）
- 個人的な話をする
- 懸念や不満，あるいは満たされていない要望が隠れていることを示唆する，行動上の手がかり（こちらの提案の受け入れを渋る，セカンドオピニオンを求める，予約を早める，など）

出典：Lang F et al. *Arch Fam Med*. 2000; 9: 222.

患者の視点を探るためには，形式を変えて質問してみるとよい。FIFE（Feeling, Idea, effect on Function, and Expectation：感情，考え，役割への影響，期待）を覚えておくと役に立つ（Box 1-8）。不安と期待の両方が組み合わさることで，患者の気持ちは医療機関の受診へ大きく傾くことが実証されている。

Box 1-8　患者の考えを知る（FIFE）

- 問題に関する恐れや不安といった患者の感情（Feeling）
- 問題の性質と原因についての患者の考え（Idea）
- 問題が患者の生活や，（生活，社会のなかで担う）役割（Function）に及ぼす影響
- 病気，医療者，医療に対する患者の期待（Expectation）。これは個人または家族の過去の経験にもとづいていることが多い

患者の気持ちを知るために，「痛みについて，最も心配なことは何ですか？」あるいは「あなたは，どのように思いましたか？」とたずねるとよい。

問題の原因についてどう考えるか質問する際には，「何が原因で，これ（腹痛）があると思いますか？」とたずねる。「痛みを和らげるために，どのようなことをしましたか？」と質問すれば，何をしたかによって，患者が何を原因と考えていたかうかがい知ることができる。自分の痛みが重大な病気の症状ではないかと心配する患者もいれば，ただ痛みをとってほしい患者もいる。

病気が患者の生活にどのような影響を与えているかを知るため，特に慢性の経過をたどる場合，「以前はできていたのに，今できなくなっていることは何ですか？　それ（腰痛，息切れなど）はあなたにどのような影響を与えていますか？　家での生活に影響はありましたか？　社会的活動には？　親としてのあなたの役割には？　親しい人との関係には？　自分自身を1人の人間としてみたときに印象に変化がありましたか？」とたずねる。

患者が医療者や診療に期待する内容を知るために，「痛みがほとんどなくなってよかったですね，具体的に今お困りのことはありますか？」とたずねる。痛みがなくなっても，患者は雇用主へ提出する休養申請の書類が必要なこともある。

感情のサインをみつけ，対応する

病気は精神的苦痛を伴うことが多く，プライマリケアの現場では，患者の30〜40％が不安や抑うつを抱えている[45]。医療者がこうした感情のサインを見過ごしてしまうと，診察時間が長くなる傾向がある。救急受診患者のうち最大75％は真の懸念事項を伝えていない可能性があるとされるが，その場合でも患者は，直接的，間接的，言語的，非言語的な形でサインを出しているか，またはそれにまつわる気持ちや感情といった別の形で伝えてくる[46]。これらの手がかりや気持ちを，「そのときの気持ちはどうでしたか？」や「多くの人がこのようなことで不満を感じているでしょう」などの質問で確認してみる。有用なテクニックについては Box 1-9 を参照。

> 感情のサインに対応するための具体的な方策については，第2章「面接，コミュニケーション，対人関係スキル」（p.46〜55）を参照。

Box 1-9　NURSE を用いて感情のサインに対応する[47,48]

反映 reflection，フィードバック feedback，相づち continuers といった手法で相手の意に寄り添っていることを伝え，相手が抱く心情に注意深く対応する。対応方法の覚え方として「NURSE」がある

命名（**N**ame）：「それは怖い思いをしましたね」
理解（**U**nderstand）を示す，あるいは承認する：「そのように感じるのは理解できます」
敬意（**R**espect）：「あなたはこの件に関して，普通よりもうまくやっています」
支持（**S**upport）：「一緒にこの問題に取り組んでいきましょう」
質問（**E**xplore）：「他にどのように感じていましたか？」

生物医学的視点から情報を収集する

病歴の形式は，書類あるいは口頭で得た患者の情報を整理する体系的枠組みといえる。この形式では，必要な情報の1つひとつに注目することで臨床推論が進めやすくなり，診察にかかわる他の医療者とのやりとりを標準化できる。

病歴の形式については，第3章「病歴」（p.86～91）を参照。

重要な背景情報と，受診までの経緯について情報収集する

既往歴，家族歴，個人歴・社会歴，そしてシステムレビューにより，患者の病歴を詳細に把握する。医療者は，個人歴・社会歴を確認することで患者を1人の人間として認識し，考え方や背景をより深く理解する機会を得る。患者の生活環境，心の健康状態，医療に対する認識，健康に関する行動，医療サービスの利用状況を確認すれば，治療における協力関係がより盤石なものとなり，健康アウトカムの向上につながる[49]。

患者の背景情報と受診までの経緯については，第3章「病歴」（p.84～86）を参照。

■ ステージ3：身体診察

身体診察を行うと，同時に患者との関係も深まる（図1-10）。身体所見は疾患の有無を示し，患者の認識や状態をよりよく知る機会となる。たいていの場合，病歴聴取に続いて身体診察を行うため，患者がより深刻な問題や不安について話しやすい場面でもある。患者が不快な思いや恥ずかしさを感じないよう配慮し，また手慣れた診察手技をみせることも，診察における患者の満足度を高めるために重要である[50]。

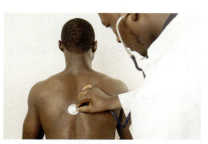

図 1-10 身体診察を行う（jeannelight01よりShutterstockの許可を得て掲載）

第4章「身体診察」（p.117～129），および部位別の診察の各章を参照。

■ ステージ4：説明と計画

ここでは，疾患，病気という観点から患者の主訴を考察していく必要がある。患者に必要な情報を把握し，それに応えていくことが目標となる。同じ認識を共有するためには，わかりやすくて覚えやすい説明を行い，一方的でなく，対話を交えた説明を心がけることが重要である。そのなかで，患者は，臨床での意思決定を共有していくプロセスを理解し，どの程度そこに関与するかを決めていき，うまくいけば，決まった方針についてより真剣に取り組んでもらえる。

臨床推論のプロセスについては，第5章「臨床推論，アセスメント，計画」（p.140～148）を参照。アセスメントと計画については，同章のp.151～155を参照。

有用な情報を提供し，患者の認識を確認する

患者は，診察中に説明された医学的情報の40～80％をすぐに忘れ，また記憶した情報の半分近くは不正確なものであるという研究がある[51]。患者に，治療方針について自分の言葉で説明してもらう「**ティーチ・バック teach back**」という

第2章「面接，コミュニケーション，対人関係スキル」の「ヘルスリテラシーが低い患者」（p.70～71）を参照。

手法は，患者の理解度の確認に有用である（Box 1-10）[52, 53]。「ティーチ・バック」は，患者の知識を試すものではないことに留意する。むしろ，患者が理解できるように適切に説明できているかどうかを確認するものである。関連する「ショウ・ミー show-me」は，患者が特定の指示（例：吸入器の使用方法）に従えるかどうかを医療スタッフが確認する手法である。

> **Box 1-10　ティーチ・バックの手法**
>
> - **アプローチを計画する**
>   どのようにして情報をティーチ・バックしてもらうか考える。例えば，「今日はたくさんのことを話しました。私が正確にお伝えできたか確認させていただきたいので，今日話したことを復習しておきましょう。糖尿病をコントロールするために，あなたがすると決めたことを3つ教えていただけますか？」
> - **小分けにして確認する**
>   ティーチ・バックを診察の最後にまとめてする必要はない。内容を小分けにし，患者に1つずつ説明してもらう。これを診察中に何度か繰り返す
> - **説明し直し，もう一度確認する**
>   ティーチ・バックで認識の誤りが判明した場合は，別の方法でもう一度説明する。患者が自分の言葉で正しく説明できるまで，ティーチ・バックを繰り返す。こちらの説明をそっくりそのままオウム返しをしてくる患者は，理解できていないかもしれない
> - **少しずつはじめ，習慣化する**
>   はじめは，1日の最後の患者にティーチ・バックを試してみるとよい。これに習熟したら，毎回，全員にティーチ・バックを用いるようにする
> - **実践する**
>   少し時間はかかるが，ティーチ・バックを日常的に行うことで，違和感はなくなり，診察時間も長びかせずに済むようになる
> - **ショウ・ミーの手法を使う**
>   新しく処方を追加する，あるいは用量を変更する際，患者が用法，用量を正確に答えたとしても，内服する量を実際にその場でみせるよう求められると，間違う人が多いという研究結果がある
> - **ティーチ・バックの際に資料を渡す**
>   患者が自宅で指示を思い出せるように，重要な情報は書き留めておく。紙をみせながら重要な情報を指し示していくと，患者の理解は深まる。ティーチ・バックの際に患者が資料をみてもかまわないが，患者には，自分の言葉で表現し，資料をそのまま読み上げることがないようにしてもらう

出典：Use the Teach-Back Method: Tool #5. Content last reviewed February 2015. Agency for Healthcare Research and Quality, Rockville, MD. http://www.ahrq.gov/professionals/quality-patient-safety/quality-resources/tools/literacy-toolkit/healthlittoolkit2-tool5.html（Accessed March 30, 2019）より入手可能

共同意思決定を通して行動計画を練る

対話形式で病歴聴取を行うと，患者と一緒に患者の問題点を共有することができる。精査・治療方針を練るために，多角的に理解しておくことが必要である。

共同意思決定は，患者中心の医療の完成形といわれている[54]。専門家は3段階のプロセスを推奨している。すなわち，（1）選択肢を提示し，患者のための意思決定支援ツールがあればそれを用いて選択肢を説明する，（2）患者の希望をたず

ねる，(3)意思決定の際には，患者に意思決定の準備ができているか確認し，必要ならば時間を延長する，ことである[55]。特に，「正しい」方針が1つに定まらずさまざまな選択肢，オプションがあることはよくあることであり，共同意思決定により，最適な治療，アドヒアランスや患者満足の向上につながっていく。今後の見通しについて患者が同意し理解していることを，繰り返し説明を行って確かめていくこともときには必要となる。

ステージ5：診察の終了

問診を終え，その内容をまとめることは難しく感じられるかもしれない。たいていの場合，患者は多くの質問をしてくるが，それらに適切に対応していった結果，患者は満足感と肯定感を得ているだろう。問診，診察がもうすぐ終わることを伝え，最後に何か質問がないかたずねるとよい。

最後の質問をする機会は設けるべきだが，残り時間が少ない状況で新しい内容を扱うべきではない。その場合，命にかかわるようなものでなければ，その内容に関心があることを伝えるにとどめ，その件については別の日に予約をとるようにする。「その膝の痛みは気になりますね。来週予約をとって，お話を聞かせてください」 引き続き患者の健康状態をみていく姿勢を改めて示すことは，相手への尊重，関与を表明することに他ならない。

相談して決めた計画を，患者が把握していることを確かめておく。例えば，書類をまとめたり，席を立つ前に，「そろそろ終わりになりますが，私たちが話してきた内容について，何かご質問はありますか？」と質問する。最後に，今後の検査予定，治療方針，再診予定をまとめておくとよい。

時間をとって内省する

臨床での共感力を育むうえで，自分自身を振り返ること，すなわちマインドフルネスが果たす役割は，いくら強調してもしすぎることはない。**マインドフルネス mindfulness** とは，「自分自身の経験，思考，感情について，目的意識をもちつつ偏見なく気を配っている」状態のことである[56]。さまざまな年齢，性別，社会階級，人種，民族の人々を診察していくなかで，1人ひとりの違いを尊重し，受け入れることを，繰り返し実践していくことになる。自分の価値観，思い込み，偏見を完全になくすことは不可能であり，自らの思考や感情が，聴取する内容や，自身の振る舞いにどう影響するか，内省しなければならない。内省を繰り返していくことが，臨床におけるプロフェッショナルとしての成長につながり，患者とかかわる仕事における自分自身について認識が深まっていく。こうした自己についての認識というものも，患者ケアで最もやりがいを感じる部分の1つである[57]。

医療における格差

疾患リスク，罹患率，死亡率が，人種や集団によって大きく異なることは広く知られており，これは，医療へのアクセス，所得水準，保険の種類，教育水準，言語の習熟度，医療提供者の意思決定に関する不公平性を反映している[58,59]。ここでは，臨床現場で治療の不平等につながる重要な要因と，それを軽減するための手法に焦点を絞る。

医療における格差

- 健康の社会的決定要因
- 人種差別とバイアス
- 文化的謙虚さ

健康の社会的決定要因

社会環境と，**健康の社会的決定要因 social determinant of health(SDOH)**として知られる事柄が，健康に大きな影響を及ぼすことが明らかになってきている。世界保健機関(WHO)は，健康の社会的決定要因(図1-11)を「人が生まれ，成長し，働き，生活し，年齢を重ねる環境，および日常生活の環境を形作る，より大きな一連の情勢とシステム」と定義し，「これらの情勢とシステムには，経済政策・制度，開発計画，社会規範，社会政策，政治体制などが含まれる」としている。簡単にいえば，個人や集団の健康に影響を与える社会的，経済的，政治的要因である(Box 1-11)[60]。個々の遺伝的感受性よりも，健康の社会的決定要因，すなわちストレス，幼少期の生育歴，社会的疎外，労働環境，失業，社会的支援，依存症，健康的な食事，交通政策などが患者の健康に強く影響することのほうが圧倒的に多い，ということがすぐにわかるだろう。

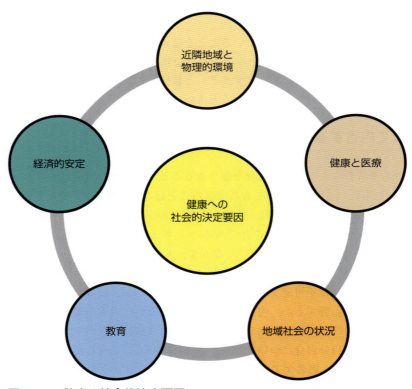

図 1-11　健康の社会的決定要因(HealthyPeople2020 at https://www.healthypeople.gov より掲載)

医療における格差

> **Box 1-11　健康の社会的決定要因の主要項目**
>
> - 経済的安定（雇用，食料不安，住居の不安定さ，貧困）
> - 教育（幼児の教育と発達，高等教育への入学，高校卒業，言語と読み書き能力）
> - 地域と社会の状況〔市民参加，差別，収容（刑務所，施設など），社会的結束力〕
> - 健康と医療（医療へのアクセス，プライマリケアへのアクセス，ヘルスリテラシー）
> - 近隣地域と物理的環境（健康的な食事習慣を支える食品の入手のしやすさ，犯罪と暴力，環境条件，住宅の質）

出典：Secretary's Advisory Committee on Health Promotion and Disease Prevention Objectives for 2020. Healthy People 2020: An Opportunity to Address the Societal Determinants of Health in the United States. July 26, 2010. http://www.healthypeople.gov/2010/hp2020/advisory/SocietalDeterminantsHealth.htm（Accessed. March 30, 2019）より入手可能

政策を決定する人々と公衆衛生に携わる人々の双方にとって能力が試されるところではあるが，「健康の社会的決定要因に対処する，すなわち問題が生じる前に不健康の原因を排除していくことが，健康増進のための政策・方針を策定する際に肝要である」[61]。患者個人，診療所，コミュニティの各レベルにおいて，医療者にとって指針となるような，健康増進と不公平性解消のためのエビデンスが蓄積されてきている。**患者レベル**では，医療者は，臨床徴候に注意を払うとともに，繊細な配慮のうえで社会的課題を患者にたずねたり，給付金や支援サービスを利用するための患者支援を行うことができる。**診療所レベル**では，文化の違いを尊重し，不利益を生じることのない形でサービスを提供し，また patient navigator（医療サービスを案内する人材）の活用により，必要な人が必要な医療を受けられるようにする。**コミュニティレベル**では，地域の行政，保健所と連携し，健康増進計画の策定にかかわり，健康を取り巻く環境を改善することができる[62]。

人種差別とバイアス

暗黙のバイアス implicit bias とは，ある個人が所属する集団のアイデンティティに対する認識に影響され，その個人に対しても否定的な印象をもつような，一連の無意識の固定観念や連想のことである[63]。**研究によると，医療者が暗黙のバイアスをもつことで患者ケアに悪影響を及ぼし，さまざまな人種間の医療格差へとつながっていくことが示されている**[64]。患者が初対面の女性医師を看護師だと思い込んだり，医師が患者の物質使用障害について不満げにため息をついたりするのも，暗黙のバイアスである。これらは，個人のもつ知識，信念，期待から生まれる無意識のステレオタイプともいえる[65]。このような**無意識のバイアス unconscious bias** は，診療の場においては，視線を合わせない，言い間違いなどの非言語的行動や，ちょっとした回避行動といった形で現れ，相手に不信感や嫌悪感を与えてしまう[66]。さらに重要なことは，これらの暗黙のバイアスは，1つひとつは大したものではなくとも，他のバイアスと同様，積み重なることで，権益構造の構築（**制度的バイアス institutional bias**）と，医療の不公平な配分につながり，これは，特に社会的に疎外された集団において顕著である[67]。ゆえに，格差是正のためには，患者ケアにおいて暗黙のバイアスがどのように影響しているか，掘り下げる必要がある[68, 69]。

医療における暗黙のバイアスを扱う際に問題となるのは，明示的バイアスとの関係性である。**明示的バイアス explicit bias** とは，相手の所属している集団に対する認識からくる思い込み，決めつけ，連想にもとづいて，意識的または意図的な意思決定や，贔屓をすることである。例えば，「資格のある医師にみてもらいたい」という理由でアフリカ系米国人医師の診察を拒否する患者や，「ゲイの男性は全員HIVに感染している」と思い込んでいる医療者は，明示的バイアスの例である。暗黙のバイアスは潜在意識のなかにあるものだが，明示的バイアスは，それにもとづいた意識的な行動に表れる。

患者の特徴（人種，性別，性的指向，年齢など）が，例えば問診の際の質問内容，診断に関する方針決定，対症療法，治療に関する提案，専門医への紹介，非言語的行動（視線のずれ，言い間違いなど）など，患者ケアのさまざまな面でどのような影響を与えるかについて知見が集積されてきている[66]。これが特に問題になるのは，ある特徴をもつ患者集団に対するバイアスのために，他の患者集団のときとは異なる情報を提供したり，異なるコミュニケーションスタイルを用いる場合である。

臨床での暗黙のバイアスを取り扱うにあたり，まずはじめにこうしたバイアスがどのようにして生じるかを理解する必要がある。無数の情報を処理する際には，無意識の精神的プロセスのなかでパターン分類や整理が行われ，認知的効率を高めている。このような無意識のプロセスは，処理した情報をもとに，起こりうる出来事を予測し，備えるのに役立つ。このような認知システムであるがゆえに，その副産物として，暗黙のバイアスが生じることになる。私たちは社会のなかで，さまざまな人種にまつわるイメージや価値観，メディア，感情などに常にさらされている。特にこうした環境下で暗黙のバイアスがどのように形成されるかは想像に難くない。

医療者が診察におけるバイアスの影響を軽減するためにいくつかの有用なスキルがある（Box 1-12）。

Box 1-12　診察におけるバイアスを軽減するためのスキルと実践[68-70]

感情や行動のパターンを振り返る	異なるアイデンティティをもつ患者のいる状況で，自分がどのように感じ，どのような行動をとるかに注意を払う。認識したパターンは，患者とのやりとりや臨床推論に影響するようなバイアスを表している可能性がある。こうしたバイアスへの気づきが，患者ケアに与える影響を軽減するための最初のステップである
診察の開始前には一呼吸を置き，バイアスがかかる可能性がある場合に備えておく	自分の潜在的なバイアスを認識したら，それを引き起こす可能性のある状況に気をつける。バイアスを認識しておくだけでも，その影響を最小限に抑えることができる。バイアスの影響を軽減する意図をもった行動をとってもよい
患者行動に関するバイアスについて，代替仮説を立てる	多くのバイアスは，医療者が，患者の行動（非アドヒアランス，物質使用など）から立てた憶測に根ざしている。どのような構造的圧力（社会経済的地位，人種/人種差別，同性愛嫌悪など）が患者の行動に影響を与えているのか，また，それが自分自身の患者に関する考えに対してどのように影響しうるかを考える癖をつけるようにする

（続く）

↘(続き)	
ユニバーサル・コミュニケーションと対人関係の技術を磨く	医療者は多くの場合，診察中にバイアスがかかっていることを自分では認識できない。本書で説明されているコミュニケーションと対人関係の基本的な技術（第2章「面接，コミュニケーション，対人関係スキル」，p.45を参照）により，医療者が患者とやりとりする際に生じている無意識のバイアスによる影響を減らすことができる
患者のアイデンティティを確認する	バイアスの多くは患者のアイデンティティに対する医療者の思い込みによって生じる。患者のアイデンティティが，本人にとってどのような意味をもつのか質問し，明らかにすることで，医療者は思い込みを取り払い患者をより理解できるようになる。患者のアイデンティティを確認するためのアプローチは本書で紹介されている（p.4〜5を参照）
バイアスに関する体験を患者にたずねる	患者がこれまでに医療の場で経験した暗黙，あるいは明示的バイアスは診察に影響を与える。こうした経験についてたずね，理解することで，患者のよりよいパートナーとなりえる。例えば「残念ながら，私の出会った多くの患者さんが医療に関連したつらい経験をなさっています。あなたの経験についてもお聞かせ願えますか？」

文化的謙虚さ

文化的謙虚さの実践は，暗黙のバイアスを軽減し，共感を促し，医療者が患者の個性を認め，尊重するのに役立つ[71]。**文化的謙虚さ cultural humility** とは，「個人が生涯を通して学び続ける思慮深い実践者として，謙虚さをもって自己反省と自己批判を繰り返していくプロセス」と定義される。権力の不均衡に対処し，他者への擁護，配慮を目的とするものである[71]。このプロセスは，「患者と医療者双方の文化的価値観と文化的体系を検証し，患者の健康アウトカムに影響する文化的不協和音あるいは相乗効果が現れるポイントを見出していく，困難を伴う作業」でもある[72]。**医療における格差を是正するために，医療者が実際に多様性を経験するなかで，自己反省，批判的思考，文化的謙虚さに取り組むことが推奨されている**[73-75]。このプロセスでは，医療者は「（医療者と）患者との間のコミュニケーションにおける関係性に，力の不均衡がないかを確認」し，患者や地域社会と互いに尊重し合える動的な結びつきを維持することが求められる（Box 1-13）[76-80]。

Box 1-13　文化的謙虚さの3要素

1. **自己認識**：自分がもっているバイアスを知る。バイアスのない人間はいない
2. **相手に敬意を払う**：「普通はこうである」という思い込みをなくし，患者から直接学ぶ。彼らこそ，自身の文化と病気についての専門家である
3. **協調的関係の構築**：互いに相手を尊重しながら，双方の納得のいく方針を立てる

自己認識

文化的謙虚さは，自分自身の文化的アイデンティティを確認することからはじまる。民族，階級，出身地，宗教，政治的思想などの観点から，自分はどのように表現されるだろうか？　特に多数派に属する場合は，性別の自己認識，人生の役割，性的指向，身体能力，人種的アイデンティティなど，自分が当たり前と感じている特性も忘れてはいけない。自分が生まれ育った家族と，どういった部分に一体感を感じ，どのような違いを感じるだろうか？　これらのアイデンティティは，自分の信念や行動にどう影響を与えているだろうか？

さらに難しいのは，自分の価値観やバイアスを自覚することである。**価値観 value** とは，自分や他人の信念，行動を評価する基準となるものであり，**バイアス bias** とは，違いを認識した際に表れる感情や態度のことである。違いに敏感であることは当然で，事実，はるか昔には，違いに反応することが生存しやすさにつながっていただろう。直感的に自分と同類の人間を嗅ぎ分けることは生存本能であり，社会の成熟に伴い不要になりつつも，いまだに残っているのである。

相手に敬意を払う

グローバル社会は複雑であり，すべての文化，サブカルチャーの健康に関する信念や習慣に精通している人間はいない。**患者を，独自の文化的視点をもつ専門家として扱うとよい**。自分の価値観や信念を説明するのが得意でない患者も，具体的な質問には答えられることが多い。患者の文化的背景を知るように努める。好意的で，敬意を払い，興味をもって接する。「どのような希望があって受診されましたか？」ラポールと信頼を得られれば，患者は進んで教えてくれるだろう。想定にもとづいた質問には注意しなければならない。いかなるときも，自分の無知やバイアスを認める姿勢をもつようにする。

患者の固有の文化を知ることは，医療者として探求すべき領域を広げてくれる。自分の地域に住む民族的あるいは人種的集団の人生経験に関する本を読めば，医療者や医療への信頼が失われた歴史的な理由がみつかることもある[80]。さまざまな消費者団体が主張している健康に関する提言について学んだり，また医師以外のさまざまな治療者と対話し，彼らの実践している内容について学ぶとよい。最も重要なことは，患者から学んだ内容を，偏見なく受け入れることである。ある文化に対する自分の印象が，目の前にいる患者にもあてはまると思ってはいけない。

協調的関係の構築

医療者は，自己認識と，他者という「レンズ」を通してみることを繰り返していくなかで，患者の健康にとって最適な協力関係の礎を築いていく。信頼し，敬意を払い，そして自分の考えを柔軟に見直していく姿勢でコミュニケーションをとれば，患者は文化的多数派に反するような考えであっても打ち明けやすくなる。患者は，怒りや恥じらいなど強い感情をもっているかもしれない。医療者として，これらの感情に耳を傾け，受け入れることが大切であり，例えば個人的に不快感を感じたり，あるいは時間に追われているからといって，こうした話を避けてはいけない。自分が「適切な診療の進め方」と思っているやり方も，与えられた状況に合わせて見直していく姿勢をもち，患者にとっての最善の利益を反映し，患者の信念と効果的な臨床ケアの両方に合致しているような診療方針を患者と協力して決めていけるよう，柔軟に対応するように注力する。**患者が話を聞かなくなったり，助言に従わなくなったり，あるいは再診しないとなれば，それは自分の診療がうまくいかなかったのだということを忘れてはならない**。

文化的謙虚さの5R（reflection, respect, regard, relevance, resiliency。**内省する，敬意を払う，大切にする，関連性，自己回復力**）は，コーチングツールであり（Box 1-14），医療者に具体的な目標とわかりやすい枠組みを提示し，医療における暗黙のバイアスを減らしうる技能の習得に役立つ[81]。

Box 1-14　文化的謙虚さの5R

	目的	質問
内省する	常に患者から何かしら学ぶことがあるという理解，謙虚さをもって毎回の診療にあたる	今回の診療で，1人ひとりからそれぞれ何を学んだか？
敬意を払う	誰と接するときも，常に最大限の敬意を払い，尊厳を保つように努める	今回の診療にかかわった全員を尊重して接したか？
大切にする	すべての人を大切に思い，いかなるやりとりにおいても無意識のバイアスをもたないようにする	無意識のうちにバイアスはなかったか？
関連性	すべての診療において，文化的謙虚さとかかわり（関連性）があることを期待してこれを実践する	今回の診療で，文化的謙虚さはどのようにかかわっていたか？
自己回復力	文化的な謙虚さを体現することで，自己回復力を高め，自分以外の世界に対する慈みを育む	やりとりのなかで，自己回復力はどのような影響を受けたか？

出典：The 5Rs of Cultural Humility. Society of Hospital Medicine より許可を得て掲載。https://www.hospitalmedicine.org/practicemanagement/the-5-rs-of-cultural-humility/（Accessed May 10, 2019）より入手可能

その他のおもな注意点

その他のおもな注意点

- スピリチュアリティ
- 医療倫理
  - 意思決定能力
  - 臨床倫理のジレンマへのアプローチ
- 診療内容の記録（電子健康記録も含めて）

スピリチュアリティ

スピリチュアリティと宗教という言葉は，同義語として扱われることもあるが，この2つは区別したほうがよい。**スピリチュアリティ spirituality** とは，宗教を包含する，より広い概念であり，人生の意味や目的，対人関係における，あるいは内面的な（葛藤からの）超越，他者とのつながりといった，より大きな普遍的テーマを扱うものである。意味や目的を探求し表現する方法や，瞬間，自己，他者，自然，そして偉大で神聖な存在とのつながりを経験する方法を求める，人間性の一側面ともいえる[82]。**宗教 religion** とは，ある集団内で広まっている，自身よりも偉大な存在（神，聖なる存在，超越した存在，超常的な力など）への特別な信念，活動，教本，儀式などを指している。

その他のおもな注意点

患者の宗教やスピリチュアリティに関心を抱くことは，医療における異文化適応能力の1つの形である（Box 1-15）[83]。重要なのは，患者に対して，勝手な想像や思い込みをしないことである。

- **患者に宗教的な信仰があると仮定してはいけない。** 米国では，「スピリチュアルなものに関心はあるが，無宗教である」と自認する人が増加しており，米国の成人の27％がこれに該当し，2012年から2017年の間に8％増加している[84]。非宗教的な信念や活動，コミュニティを通じて，（人生の）意味や目的，つながりを見出す患者は多い。例えば，ある患者は，孫の世話や，クロスフィットのようなフィットネス団体とのつながりやかかわりを通じて，人生の目的を見出すかもしれない[85]。
- **患者が無宗教であると仮定してはいけない。** 米国成人の約3/4は宗教を信仰しており，その大半はキリスト教を信仰している[86]。
- **ある患者がある宗教を信仰，あるいはスピリチュアリティについて自認している場合も，それが本人にとってどのような意味をもつのかは人それぞれであり，あなたが考えた通りとは限らない。** 患者の認識がどうであろうと，宗教的またはスピリチュアルな活動や信念は，個人のなかでは自分なりの形に改変されやすく，ゆえにスピリチュアリティの中身についてもたずねる必要がある。
- **宗教やスピリチュアリティが，健康に無関係もしくは影響がないと考えてはならない。** 宗教やスピリチュアリティは健康の社会的決定要因であると考えられ，健康に対し良くも悪くも影響を及ぼす[87]。例えば，セブンスデー・アドベンチスト教会員は，宗教上の理由から菜食主義をとるが，一般的な米国人よりも平均10年長生きである[88]。逆に，神に見捨てられたと思い悩む高齢者は，死亡リスクが高い[89]。

Box 1-15　患者のもつスピリチュアリティが果たす役割に関する問診の指針

- 患者はどのような価値観にもとづいて医療に関する意思決定をしているか？
  - 健康に関する重大な判断を宗教的・精神的指導者に相談しているか？
  - 血液製剤や豚由来の人工物について，特定の宗教的あるいは精神的な信条をもっているか？[90]
- 患者のスピリチュアリティに関する信念や習慣は，患者自身による病気への対処やケアにどのように影響するか？
  - 病気の際に助けてくれるようなきちんとしたコミュニティが存在するか？
  - 治癒の助けとなるようなヨガや瞑想などのスピリチュアルな行動をしているか？
- 患者が精神的な葛藤や悩みを抱えていて，チャプレン（聖職者）の紹介が必要か？
  - 精神的な葛藤とは，「神聖な事柄について，自己や他者，そして神に対して生じる緊張や対立，疑問」と定義される[91]。例えば，神や，宗教団体から見放されたと感じたり，宇宙から狙われていると信じ込んだり，あるいは自分の基本的な信念や価値観に疑問を感じたりすることである
  - 精神的な葛藤は，抑うつ症状，精神的苦痛，死亡リスクを高めるとともに，身体の健康状態や生活の質を低下させ，自立した日常生活への復帰の妨げとなることが示されている[92]

医療倫理

医療者は，たいてい，どのような行動が倫理的であるかを知っているものだが，臨床現場は複雑であり，また不確実性をはらんでいるために，一般的な道徳観に頼っていても対応できないことが多々ある．自分のなかの善悪の判断だけで十分な場合もある一方で，学生の立場でも，倫理の原則の適用なしには判断をつけられない状況に直面することもある（Box 1-16）．

Box 1-16 医療倫理の基本的価値観

- **無危害 nonmaleficence**（何よりもまず，害をなすなかれ first, do no harm）：医療者が患者に害を与えることを避け，治療の悪影響を最小限に抑えるべきであるという指針
- **利益 beneficence**：医療者は病気の予防や治療によって，患者の利益のために行動すべきであるとする宣言
- **自律性の尊重 respect for autonomy**：意思決定能力のある患者においては，治療方針の選択について，治療しないことも含めその判断が尊重されるという誓約．この考え方が医療倫理に取り入れられるようになり，医師患者関係は父権的なものから，より対等な協力関係へと変化した
- **意思決定能力 decisional capacity**：自律的な選択を行う能力であり，医療者が尊重すべきもの[93]
- **守秘義務 confidentiality**：患者の個人情報が，許可のない範囲で開示されてしまうことがないように防止する義務
- **インフォームド・コンセント informed consent**：医療者は，病気や怪我のために検査や治療を行う際に，患者の自発的かつ十分な情報にもとづいた同意を得なければならないという原則．患者は，自分が何のために治療を受けるのかを知らずに治療に同意することはできないため，この原則は，診断，予後，および治療の選択肢について患者に情報を提供する責任を包含している
- **真実を伝えること truth telling**：医療者は患者からインフォームド・コンセントを得るために必要な情報だけでなく，患者に関連する可能性のある情報を開示するべきである（例：同様の処置について医師が扱った症例数）
- **公平性 justice**：どのような患者かにかかわらず，必要とする医療にもとづいて同等の医療が受けられるべきであり，医療者による治療は公平でなければならないという価値観

医療倫理 medical ethics は，哲学の一分野である応用倫理学の下位分野であり，診療の指針となり，臨床での意思決定の助けとなる規範体系である．医療倫理は，Hippocrates（ヒポクラテス）の時代から続く長い歴史があり，利益 beneficience，守秘義務，そして無危害 nonmaleficence は，ヒポクラテスの誓いにもみられる[94]．ヒポクラテスが築いた医学は父権主義的であるが，この倫理的志向は，医療の専門化が進む 18 世紀となり，エジンバラ大学出身の医師である，John Gregory（ジョン・グレゴリー）と Thomas Percival（トーマス・パーシバル）が，患者の福祉と公共の利益を優先する職業倫理の発展に貢献する時代になってもなお，主流であり続けた[95]．

20 世紀に入り，医学において主流の倫理であった父権主義が見直されるようになってきた．シュレンドルフ対ニューヨーク病院協会の訴訟の判決から，医療者は患者から治療に関して**インフォームド・コンセント**を得なければならないという原則が確立した[96]．20 世紀半ばには，ナチスの医師や米国のタスキギー梅毒実験のような医師の違法行為が明らかになり，また一方で，人工呼吸器など技術の進歩により，不可逆的な昏睡状態の人を無期限に生かし続けることができるようになったことで，医療倫理を見直す必要性が生じた[97, 98]．米国医師会の対応は限定的で，また教育カリキュラムにも倫理学がなかったことから，その後に行われた「生命倫理革命」は哲学者や神学者によって牽引され，ヒポクラテス的価値観

や職業的価値観を引き継ぎつつ，**自律性の尊重**が医療における中核的価値観に組み込まれた[99, 100]。これにより，患者は自らの健康に関して，自分の価値観を反映した選択を行えるようになった。自律性の尊重は，古典的原則である利益，無危害，公平性とともに，医療倫理における普遍的原則として確立し，医療者の職業規範に組み込まれるようになった。

意思決定能力

能力 capacity は臨床的な用語であり，医師による評価が可能である。一方，**権限 competence** は法律的に定義され，裁判所のみが判断できる。自分の病状を伝えることができる患者であっても，十分な情報にもとづいて医療に関する意思決定を行う能力がないこともあるため，医療者は，患者に**意思決定能力 decisional capacity** があるかどうかを判断する必要がある。意思決定能力とは，選択肢に関する意思を伝える能力，関連情報を理解する能力，状況とその結果を理解する能力，治療法の選択肢について判断する能力である（Box 1-17）[93]。

> **Box 1-17　意思決定能力を構成する要素**
>
> 患者は以下のことを行えることが必要である
> - 提示されている検査や治療に関して，関連する情報を理解する
> - （自分の価値観や現在の病状を含めて）自分の置かれている状況を理解する
> - 理性的に判断する
> - 自分の選択を伝える

出典：Sessums LL et al. *JAMA*. 2011; 306: 420.

患者に医療に関する意思決定を行う能力がない場合は，医療委任状，あるいは医療に関して委任されている代理人を確認する。患者が代理意思決定者を決めていない場合，その役割は配偶者や家族ということになるだろう。意思決定能力は，タイミングや状況によって変化することを忘れてはならない[101]。患者の置かれている状況や判断の複雑さによって，意思決定能力は揺れ動くものであり，病状が重いときに治療方針の意思決定ができない患者も，病状が改善したら意思決定能力を取り戻せるかもしれない。また，複雑な判断ができない患者でも，単純な意思決定ならできるかもしれない。

Aid to Capacity Evaluation（ACE）[102]は，実際の患者の臨床シナリオを用いて，患者の意思決定能力を評価する支援ツールであり，ゴールドスタンダードである支援法との比較によりその効果が実証されている。オンライン上で無料で利用でき，所要時間は30分以内である。

臨床倫理のジレンマへのアプローチ

臨床において毎回，倫理的に考察するということはないにしても，あらゆる診療の場で医療倫理はその役割を果たしている。学生の立場でも，医療者として将来遭遇するであろう倫理的な課題を経験していくはずである。実習を通して，こう

した倫理的価値観にもとづいた対応を，医療者の素養として身につけていく。一方で，非常に複雑な患者ケアでは，倫理的な判断を行う際に，批判的考察を必要とする場合もある。臨床状況の倫理的考察が必要な場合に，倫理的ジレンマをどう判断するかについて指針となりえる手法がある(Box 1-18)[103, 104]。**この実践による発見的手法(ヒューリスティック)は，必ずしも最適あるいは万能とは限らないものの，当面の目標を達成するには十分である。**最適な解決策をみつけることが不可能または非現実的な場合に，この手法を用いることで，満足できる解決策に至るまでの流れをより効率的に進めることができる[105]。

Box 1-18　臨床倫理のジレンマに対する解決方法

1. 倫理的問題を明確にする
2. 関連情報を収集する
   - 医学的事実
   - 患者の要望や興味(例：文化，宗教，社会的支援，経済的問題，生活の質など)
     - 患者に(意思決定)能力はあるか？
     - 患者は事前指示書を用意しているか，または代理人がいるか？
   - 関係者の要望
3. 倫理的原則とガイドラインを確認する
   - このケースに適用される法的ガイドラインはあるか？
   - このケースに適用される制度上のガイドラインはあるか？
   - どのような倫理的価値観が今回のケースに関連しているか？
4. 価値観や原則にもとづいて選択肢を明確にする
   - それぞれの倫理的価値観ごとに，それを優先した場合の行動指針を確定する
   - 例：原則 X を第一義とするならば，行動指針 Y は正当である
5. さまざまな選択肢を評価する
   - 法律，制度，および倫理に関するガイドラインにもとづいて最も重要な原則を特定し，これにもとづいた行動指針を最善なものとみなす
6. 行動計画の立案

ステップ1：倫理的問題を明確にする

倫理的に複雑な臨床状況で直面する課題をまとめ，倫理的問題を定式化する。倫理は本質的に，何が正しい行為で，何が間違った行為なのかをテーマとしているため，問題は，その状況下で人が何をすべきかという問いかけの形で定式化される必要がある。例えば，看護師は，患者が包帯を交換する時間を後にしてほしいと希望した場合，看護師の都合が悪くても承諾すべきか？

ステップ2：関連情報を収集する

医療者は，不十分な情報からでは複雑な状況での解決方法を決めることはできない。このステップでは，医療者は，そのケースに関連すると思われるすべての情報を収集することが求められる。その情報には，患者に関連する臨床情報，つまり診断，予後，治療を行わない場合を含めた代替案の利点とリスクも含まれる。また，患者に関する事実や，患者の志向や関心事も含まれるだろう。患者が考える治療のゴールも知りたいところである。例えば，末期症状の患者は，副作用のある延命治療よりも，充実した生活が続けられる治療を希望するかもしれない。

また，患者には文化あるいは宗教上の制約があって，選択に影響を与えるかもしれない。エホバの証人は，宗教上の理由から，救命目的の輸血さえも拒否することで知られている。さらに，希望する治療法を選べるだけの経済的資源をもっている患者もいれば，そうでない患者もいる。家族や介護者など関係者の利益や関心事も重要である。例えば，リハビリテーションを必要とする患者が，自宅に退院して外来でのリハビリテーションを希望しても，配偶者や子どもが自宅で患者を介助したくない，あるいはできない場合，この治療計画を実行することはできない。関連する情報を網羅するには，創造的な思考が必要となる。

ステップ3：倫理的原則とガイドラインを確認する

専門職は，自身の行動と構成員を統制する広範な裁量権を社会的に認められた立場にあるが，それでも許容される行為の基準を定めた法律を遵守しなければならない。組織は，行動の規定あるいは禁止事項に関する方針やガイドラインを策定し，構成員がこれを遵守することを求める。医療者は法律や組織の方針を遵守し，倫理的に複雑な状況においてもこれらを考慮に入れる必要がある。法律や組織の方針は，一般的には医療者の「選択すべきでない」事項について規定しているが，倫理の目的は，最良の選択肢を選ぶための指針となることである。最良の決定を行うには，関連する倫理的概念がどういったものであるか，ブレーンストーミングをする必要がある。

ステップ4：価値観や原則にもとづいて選択肢を明確にする

このステップで医療者は，前のステップで確認した関連原則を踏まえて，今回のケースでどのような対応をとることになるか検討する。状況がなぜ倫理的に複雑なのかを明確にしていく。多くの場合，複雑さの原因は，関連する複数の倫理的概念から，互いに矛盾した方針が導き出されることにある。医療者は未成年の患者の性的活動を親に開示しない守秘義務があるが，性行動をとる原因に個人的問題が潜んでいる疑いがあれば，害を最小限にとどめるために開示することも妥当と解釈されるかもしれない。このステップによって，倫理的なジレンマがないと判断できることもある。というのは，倫理的な概念の指針が確定すれば，とれる行動は自ずと1つに決まってくるからである。

ステップ5：さまざまな選択肢を評価する

医療者は最終的に行動しなければならないが，倫理的ジレンマを含んでいる臨床状況を解決するということは，すなわち，その症例でどの倫理的概念を最も優先すべきかを決め，それに従うことといえる。医療者は，症例に関する事実を十分に聴取し，対立する倫理的概念を天秤にかけ，他より優先すべき倫理的価値観がどれなのか論理的に導き出さなければならない。

ステップ6：行動計画を立案する

倫理的な行動指針を決定した後，医療者は具体的な行動計画を決めていく。正しいことを，正しいやり方で行わなければならない。そのためには，患者や家族あるいは同僚にとって必ずしも好ましくない行動決定をどのように伝えるか計画を練る必要がある。その決定を肯定的に受け入れてもらえないことが予想される場

その他のおもな注意点

合には，医療者は倫理コンサルタントや倫理委員会による組織的なサポートを受けることが望ましい。患者が多岐にわたるサポートを必要としているのであれば，ソーシャルワーカーによる支援が必要なのかもしれない。

臨床研修で遭遇する可能性のある倫理的ジレンマの一例をみてみよう(Box 1-19)。自分ならこのジレンマにどのようにアプローチするか考えてみるとよい。先に述べた発見的手法を用いた問題解決のアプローチも示しておく。

Box 1-19　倫理的な症例分析

症例提示

あなたは臨床ローテーション中で，指導医からRG(30歳男性)を診察するよう言われた。RGは2カ月前に腱板断裂の手術を受けて退院した後，経過観察のために来院した。RGの話では，体調はよく，痛み止めもいらなくなり，理学療法も順調ということだった。ただ，自宅でときどき，高校時代に幻覚剤を試したときと似た視覚症状があるという。病歴聴取の間，RGは自分の症状を熱心に説明し，LSD，シロシビン，アヤワスカ，ケタミン，フェンシクリジンなどの複数の薬物使用歴を臆面もなく話してくれた。診察で神経学的異常所見は認められず，あなたはRGの視覚症状の原因が過去の薬物使用のせいなのかどうか判別できないと考えた。診察の終わりに，RGは電子健康記録に薬物使用の履歴を記録してほしくないと話した。彼は，10年以上前の高校時代以降，薬物を試したことはなく，地元の警察署への就職に応募しようと考えているということだった。RGは，過去の薬物使用歴から採用してもらえないかもしれないと心配しており，地元の警察が電子健康記録を違法にハッキングして彼の情報を閲覧するのではないかと妄想している

　　あなたのとるべき行動は？

倫理的な症例分析

ステップ1：倫理的問題を明確にする
本人から記録しないように言われた薬物体験の告白を，健康記録に記載すべきか？

ステップ2：関連情報を収集する
症例に関する記載は，関連する医学的事実をまとめたものである。患者は，薬物体験の既往を記載しないことを求めており，その理由は，希望する職種に就職できないことによる経済的損失への恐れである。患者は自分の健康記録が外部に漏れるリスクを過剰に見積もっているようであるが，だからといって患者の意思決定能力が損なわれているとは考えにくい。今後RGを診療する医師の立場からすると，鑑別診断を進めるために，詳細で正確な病歴が重要であり，これはRGが既往歴を自分で説明できない状況にある場合には特にそうである

ステップ3：倫理的原則とガイドラインを確認する
米国では，医療保険の相互運用性と説明責任に関する法律 Health Insurance Portability and Accountability Act(HIPAA)により，患者が自分の健康記録のコピーを入手し，誤った情報の訂正を要求する権利を有することが定められている。しかし，患者がその記録内容についてコントロールする権利までは定められていない。健康記録は，特定の状況下で裁判所から提出を求められることがあり，法的手続きにおいて法的文書として機能する。**一般的なルールとして，文書化されていなければ，それは起こらなかったこととして扱われる**。また，保険審査担当者が保険請求内容と健康保険の適用範囲が一致しているかどうか判断する際に，健康記録が不備なく正確である必要がある。このケースでは，医療倫理の原則のうち，**利益**，**守秘義務**，**自律性の尊重**などが適用される

ステップ4：価値観や原則に照らし合わせて選択肢を明確にする
RGの薬物使用歴を健康記録に記載することは，**利益**という倫理的概念によって支持される。医療者が不足のない正確な病歴にもとづいて臨床に関する意思決定を行うことは，患者にとって利益となる。患者は過去の病歴の詳細をいつまでも覚えているとは限らず，また，そのなかのどれが診療に関係しているかわからないかもしれない。また，病状によっては患者が自分の病歴を伝える能力が損なわれることもあるが，そのときに過去の記録が情報源となる。**守秘義務**を守るならば，この情報を記録せず，RGとあなただけが知りえることにとどめることになるかもしれない。また，**自律性の尊重**にもとづくならば，RGに，自分の記録に記載する内容について決定権を認めることになるだろう

　守秘義務や自律性の尊重をこのケースの主要な価値観と判断する場合，RGの薬物使用歴を記録すべきでないが，患者の利益が最も重要と判断するならば，記録に残すべきである

ステップ5：さまざまな選択肢を評価する
このジレンマを解決するには，おもに，守秘義務と自律性の尊重の両方が及ぶ範囲を正確に理解することが必要である。ステップ4で述

(続く)

(続き)

べたような守秘義務のあり方は，チームで協力して診療を行っていく現代の医療のあり方とは相容れないものである。多職種チームにおいては，治療計画の立案を適切に進めるために，同僚が記入した正確な健康記録が必要である。患者ケアに携わるすべての医療専門職は，職務遂行にあたって，チーム内部で情報共有を行うことを，守秘義務の範囲内として許可されているのである。チームおよび所属施設は，健康記録への不正なアクセスの防止対策が講じられていることを保証する責任がある。また，医療者は，担当でない患者の健康記録にアクセスしてはいけない。自律性の尊重は，患者が自分の診療に関する臨床的判断を下すことを許可するという意味ではなく，患者が，十分な説明を受けたうえで，医療者が示した治療法のうち，どの提案が患者の意向に最も沿うものかを決定する権限を患者自身に与えるものである。医療者は，治療法を提案する際に，エビデンスにもとづいた医療や標準的治療を参考にする義務があり，患者はそれらから逸脱した治療を要求することはできない

　これらの考察から，守秘義務や自律性の尊重は，このケースで中心に据えるべき価値観ではないことが示唆される。このケースでは，利益の倫理的価値観を適用するのが妥当であり，RG の薬物使用歴を記載すべきである。さらに，健康記録が法的文書として機能する可能性や組織の方針からも，文書化の徹底が強く求められる

ステップ6：行動計画を立案する
あなたは RG の薬物使用歴を健康記録に記載し，RG にもその旨を伝えるべきである。電子健康記録への不正アクセスに対する RG の懸念を受け止めたうえで，防止策として施設が導入しているセキュリティプロトコルを説明する。さらに，警察署が電子健康記録をハッキングすることは違法であることを伝える。最後に，RG の健康記録の正確性を確保する最終責任はあなたの指導医にあるため，こうしたやりとりは，指導医の立ち会い，サポートのもとで行うようにする

診療内容の記録

よく整理された，わかりやすい健康記録は，患者ケアの最も重要なツールといえる。重要所見が記載され，自分自身が行ったアセスメントを担当医，対診を行った医師，その他の医療チームメンバーに要領よく伝達できるような明確，簡潔かつ包括的な報告であることが求められる。これには2つの目的がある。1つは，患者の健康状態とその経過についての分析を記載することであり，もう1つは，病歴，診察，検査結果，アセスメント，方針に関する特記すべき点を書面にすることである。患者記録は，臨床推論に役立ち，患者ケアに従事する専門家間のコミュニケーションと協調を促進するほか，患者のプロブレムや患者管理に関する記録として，医療における法的側面に対応する役割も果たしている。

経験の有無にかかわらず，よい記録をまとめるのに役立つ一定の原則がある。記録する**順序と読みやすさ，どの程度の詳細な情報が必要か**を特に意識することである。どの程度の詳細な記載が求められているかは，トレーニングの段階によって変わってくる。学生のうちは，かなり詳細に記録したいという欲求に駆られる（あるいは，要求される）だろうが，そうすることで描写力，語彙力，そしてスピードを養うのに役立つ。トレーニングが進むと，仕事量や時間管理のプレッシャーから，分量を減らし，より焦点を絞った記載をするようになる。優れた記録とは常に，病歴，診察所見，検査所見のなかから，すべての問題，確定のついた診断の裏づけとなる十分な情報を得ることができるものである。

診療内容の記録の例は表1-1を参照。その要素については，第3章「病歴」，第4章「身体診察」，第5章「臨床推論，アセスメント，計画」を参照。その他の例については，部位別の診察の各章内の「所見の記録」に記載がある。

その他のおもな注意点

診療記録は，患者を診察した後，所見を忘れてしまう前に，できるだけ早く作成する。はじめのうちはメモをとるかもしれないが，できれば問診中に病歴を各項目ごとに記録するようにする。また，各項目ごとにスペースをとり，後で詳細を記入できるようにする。血圧，心拍数，おもな異常所見を電子健康記録にメモまたは入力しておくと，後で記録を完成させる際に思い出しやすい。

どの臨床情報も，間違いが1つもないということはない。患者は，症状を言い忘れたり，既往歴について記憶を混同したり，恥ずかしくて事実を言わなかったりするものであり，あるいは，患者が，医療者はきっとこれを聞きたいに違いない，と自分で考えて，それに寄せるように話をしてしまう場合もある。医療者は，患者の発言を誤解したり，情報を見過ごしたり，「鍵となる質問」をしなかったり，結論や診断を早合点したり，頭痛を訴える女性における眼底検査のような，重要な診察が抜けてしまったりするが，これらは診断エラーにつながる[106-114]。Box 1-20 にまとめられている習慣を身につけることで，こうしたエラーはある程度，回避可能である。

> 認知エラーについては，第5章「臨床推論，アセスメント，計画」(p.148〜149)を参照。

Box 1-20　質の高い診療記録のためのチェックリスト

わかりやすく整理されているか？
情報の整理は必須である。読み手が求める情報がすぐにみつけられるようにする。例えば，病歴の主観的な事項は病歴内にとどめ，身体所見の項目に紛れ込まないようにする
- わかりやすい見出しをつけたか？
- インデントや空白を用いて構成にメリハリをつけたか？
- **現病歴を時間経過に従って記載しているか？**　現在のエピソードからはじめ，つぎに関連する情報を記載する

記載された情報は，アセスメントに直接つながる内容か？
それぞれの問題や診断について，裏付けとなる支持的・否定的根拠を両方記述する。鑑別診断と診療方針の十分な根拠となるように詳細を記載する

関連する陰性所見が具体的に記述されているか？
病歴や検査所見を列挙していくことで，異常がある・発症しうる原因が絞られていくことが多い。例えば，ひどいあざのある患者の場合，怪我や暴力がなく，家族性の出血性障害もなく，薬物治療や栄養不足がない，などの「**診断に関連のある陰性所見**」を記録しておく。抑うつ状態にある患者では，自殺願望がないことは，あわせて記録すべき重要な所見である。一方，一過性の気分変動では，自殺についてのコメントは不要である

一般化されすぎていないか？　重要なデータが抜けていないか？
情報を記録しないということは，情報が失われるということである。当日にどれだけ鮮明かつ詳細に覚えていたとしても，数カ月後には思い出すことはできないだろう。「神経学的に異常所見を認めない」という表現は，たとえ自分の手書きで残したとしても，数カ月後には「**自分は本当に反射を検査したか**」確信がもてなくなるだろう

情報が詳細すぎないか？
情報が過剰，あるいは冗長ではないか？　細かい情報が多すぎて，目を皿のようにして読まないと重要な情報がみつけられないということはないか？　わかりやすい記述を心がける。「**子宮頸部はピンク色で平滑**」は，発赤，潰瘍，結節，腫瘤，嚢胞，その他の疑わしい病変がみられなかったことを同時に示しており，簡潔で読みやすい。重要性の低い部分，例えば，正常な眉毛やまつ毛などについては，診察したとしても省略してよい。主訴や鑑別診断に関係しない陰性所見ではなく，「心雑音なし」などの**重要な陰性所見に絞って記載する**

(続く)

> 第3章「病歴」の「現病歴」(p.86〜91)を参照。

> 関連のある陰性所見と陽性所見については，第5章「臨床推論，アセスメント，計画」(p.90)を参照。

その他のおもな注意点

↘（続き）

> **文章表現は簡潔か？　言い回し，短い単語，略語を適切に使用しているか？　内容の無意味な繰り返しはないか？**
> 文章形式の代わりに単語や短いフレーズを使用することは一般的だが，略語や記号は，容易に理解できるものに限って使用する．可能であれば短い単語に置き換える，例えば，「触知する」は「触れる」，「聴取する」は「あり」など．不要な単語は省略する．これは貴重な時間とスペースの節約になる．例えば，以下のかっこ内の単語は省略する．「子宮頸部（の色）はピンク色」「肺は（打診上）清音」「肝臓に（触診上）圧痛あり」「（左右）両耳に耳垢あり」「Ⅱ/Ⅳ収縮期駆出雑音（を聴取）」「胸郭は（両側）対称である」．何の診察をしたかではなく，何の所見を得たかを記載する．「視神経乳頭を認める」は「視神経乳頭は辺縁明瞭」と比べて情報量が少ない
>
> **1つひとつにわかりやすい描写や画像があるか？**
> 正確な評価を行い，後からでも比較ができるように，所見を十分に描写する．大きさは果物，ナッツ，野菜にたとえるのではなく，cm 単位で表記する
> - 「豆粒大のリンパ節」ではなく，「1×1 cm 大のリンパ節」
> - 「クルミ大の前立腺腫瘤」ではなく，「前立腺左葉に 2×2 cm 大の腫瘤」
>
> 図があると，記録が非常にわかりやすくなる．可能であれば，写真や，描写した所見を取り込んで，電子健康記録にアップロードするとよい
>
> **文体は中立的で専門的か？**
> 客観的な記載でなければならない．患者記録には，敵意を含んでいたり否定的な意見が含まれてはならない．煽ったり，貶めるような言葉や記号も用いてはならない
> 「患者は酔っ払い，クリニックにまた遅れてきた!!」といったコメントは専門家によるものとはいえず，カルテを閲覧する他の医療者に対しても悪い手本となる．さらに，法的な場での弁明も困難になるであろう

電子健康記録に臨床情報を記載する

診療記録の記載に紙カルテを使わなくなって久しい．以前は，紙カルテやファイルを探す手間でいらいらしたり，患者のオーダーがカルテに挟まれたまま読まれずに放置されていたり，チーム内の文書やオーダーの手書き文字が解読不能で伝達されず，医療ミスの温床となっていた．また業務の流れが滞って，時間や労力の無駄が患者ケアに悪影響を及ぼしていた[115, 116]．現在，医療機関では**電子健康**

図 1-12　EHR 使用時も患者中心の診察を心がける(didesign021 より Shutterstock の許可を得て掲載)

記録 electronic health record（EHR）が広く普及しており，患者ケアおよびコミュニケーションの正確性の向上に役立っている．EHR の使用は，診療の質，安全，効率の向上を後押しした[115, 116]．また，健康情報のプライバシー面でも強化され，患者が自分の健康記録を参照しやすくなった（図 1-12）．

その他のおもな注意点

EHRには多くの機能があり，診療の効率化の一助となっている（例：チェックボックス，病歴・診察所見の自動作成機能，用語の登録，テンプレート，コピー&ペースト，記載内容の転送）。その一方で，これらの機能は乱用される危険もはらんでいる[117]。初心者である学生は，責任リスクが潜んでいること，そして自分と自分のチームが提供する診療内容へ悪影響を及ぼしうることをよく理解して，これらの機能を慎重に活用していかなければならない。例えば，診療の際に使用しなかった空欄まで自動的に入力されてしまっているテンプレートは，誤解を生じうる。また，過去の記載をコピー&ペーストすると，患者の現在の状態と異なるものになる可能性がある。診療に効果を発揮するEHR使用法について，一連のスキルを習得するとよい（Box 1-21）[118]。

異常例

EHRを用いた診療中に患者中心のアプローチを維持することについては，第2章「面接，コミュニケーション，対人関係スキル」(p.72)を参照。

Box 1-21　電子健康記録（EHR）の効率的な使用に求められるスキル

- テンプレートやチェックリストを用いて，定型的な診療記録の重要事項を網羅する
- オーダーセットの使用や，薬局・処方内容の入力といった，オーダー入力の重要・必須ポイントに精通しておく
- 処方確認を，いつ，どのように行うかを把握しておく
- 基本的な検査項目の結果や放射線画像の閲覧方法を把握しておく
- バイタルサイン，与薬や採血，看護師や他の医療職種の記録など，医療者による入力内容の検索とその見方を把握しておく
- 経過記録，入院記録，診察レポート，処置記録，退院サマリーなどといった，過去の入院や外来記録の履歴の検索方法とその見方を把握しておく
- 連絡先を含む患者の属性情報の確認方法を把握しておく

出典：Hammoud MM et al. *Teach Learn Med.* 2012; 24(3): 257-266. Taylor & Francis Ltd, http://www.tandfonline.com より許可を得て掲載

表 1-1　診療記録の例：患者 MN の場合

2020/8/25　11:00AM
MN，54 歳女性，販売員
情報源と信頼性：自己申告，信頼性あり

主訴
「この 3 カ月間ずっと頭が痛い」

現病歴
MN は販売員をしている 54 歳女性で，以前にもときどき頭痛があったが，「この 3 カ月間ずっと頭が痛い」ということであった。受診の 3 カ月前に症状がはじまるまでは元気だった。額の両側がズキズキする，放散のない，軽度から中等度（疼痛評価スケールは 10 点中 3〜6 点）の頭痛で，これまでは 1 カ月に 1〜2 回あり，4〜6 時間で治まっていたが，ここ最近は平均週 1 回発症。ストレスと関連性があり，睡眠や湿らせた冷たいタオルを額にあてると和らぐ。アセトアミノフェンではほとんど効果がない

悪心を伴い，ときに嘔吐で何度か欠勤した。視覚変化，運動障害，意識消失や感覚異常はない。15 歳で悪心・嘔吐を伴う頭痛がはじまった。20 歳代半ばまで繰り返し出現し，その後 2〜3 カ月に一度まで減少，やがてほぼ寛解した。彼女は頭痛は以前のものと同様だと感じているが，母親が頭痛を訴えた後に脳卒中で亡くなったことを懸念している。また，頭痛により仕事に支障がでること，いらいらして家族にあたってしまうことで困っている。上司が厳しく，仕事でのプレッシャーが増しており，また娘のことも心配である。食事は 1 日 3 回，コーヒーは 1 日 3 杯，夜は紅茶を飲む習慣がある。頭痛の頻度が増しているため，本日受診した

アレルギー：アンピシリンで発疹。環境・食物アレルギーなし
内服：アセトアミノフェン頓用，1 回 1〜2 錠，4〜6 時間おき

既往歴
小児期：麻疹，水痘。猩紅熱やリウマチ熱の既往なし
成人期：内科：2016 年に腎盂腎炎（発熱，右側腹部痛を伴う。アンピシリン開始数日後に全身に瘙痒感を伴う発疹あり。その後再発なし）
最後の歯科受診は 2 年前
外科：6 歳時に扁桃摘出術。13 歳時に虫垂切除術。2012 年にガラスを踏み裂傷を縫合
産婦人科：G3P3(3-0-0-3)，正常経腟分娩。子どもは 3 人とも存命。初経は 12 歳。最終月経は 6 カ月前
精神科：なし
健康管理：予防接種：予防接種登録情報 immunization registry によると，年齢相応の予防接種済み
スクリーニング検査：2018 年パップスメア検査正常，2019 年マンモグラフィ正常

家族歴
父親は 43 歳時に列車事故で死亡。母親は静脈瘤，頭痛があり，67 歳時に脳卒中で死亡。61 歳の兄は高血圧があるのみ。58 歳の兄は軽度の関節炎があるのみ。妹は生後まもなく亡くなったが原因不明
夫は 54 歳時に心臓発作で死亡。娘は 33 歳，片頭痛があるのみ。31 歳の息子には頭痛がある。27 歳の息子は特記事項なし
糖尿病，心疾患，腎疾患，悪性腫瘍，てんかん，精神疾患の家族歴はない

個人歴・社会歴
ラス・クルーセスで生まれ育つ。出生時の性別，現在の性自認はともに女性。高校卒業後，19 歳で結婚。販売員として 2 年働き，夫とともにエスパニョーラに移り，3 人の子どもを出産。15 年前に経済的理由から販売員の仕事を再開。子どもは全員既婚。4 年前に，ほとんど蓄えのないまま夫が心臓発作で突然死去し，娘のイザベルの自宅近くにある小さなアパートに転居。イザベルの夫ジョンはアルコール依存で，イザベルとその 2 人の子ども（ケビン 6 歳とルシア 3 歳）は，MN のアパートを避難場所にしていて，MN は彼らの支えになりたいと思っている。緊張を感じ，神経をとがらせているが，うつ病ではないと申告。友人はいるが，家族の問題を話すような間柄ではなく，「こうした問題は，自分のなかに留めておきたい。噂話は好きではない」と話した。スピリチュアルアセスメント（FICA）では，子どもの頃からカトリック教徒であるが，夫の死後，教会に通っていないとのこと。信仰心は今も大切にしている一方，特定の信仰団体には属しておらず，精神的支援サービスの利用もしていない。教会に行かないことが不安感につながっていると認識しており，チャプレンとの面会を了承している。
毎朝 7 時に起床し，9 時から夕方の 5 時 30 分まで働き，夕食は 1 人でとる
運動と食事：運動習慣はほとんどない。食事は高炭水化物食である
安全対策：シートベルト着用の習慣はある。日焼け止めを使用している。薬は鍵のかかっていない棚に，洗剤はシンクの下の鍵のない棚に置いてあり，拳銃は寝室の鍵のないドレッサーにしまってある
タバコ：18 歳から 1 日 1 箱を 36 年間（36 pack-years）
アルコールや薬物：ワイン機会飲酒。違法薬物使用歴なし

性行動歴：性交渉にはほとんど興味がなく，また行為もない。性的パートナーは死別した夫のみ。性感染症に関しては，罹患歴はなく，検査をしたことがあるかどうか思い出せないという。HIV 感染については心配していない

システムレビュー
全般：最近 4 年で 4.5 kg の体重増加あり
皮膚：発疹その他の異常なし
頭部・眼・耳・鼻・咽頭(HEENT)：現病歴を参照。頭部：外傷歴なし。眼：5 年前から老眼鏡を使用。最後の検査は 1 年前。症状なし。
耳：聴力に問題なく，耳鳴，めまい，感染なし。**鼻・副鼻腔**：花粉症・副鼻腔症状なし。**咽喉**(口腔，咽頭)：歯痛や歯肉出血なし
頸部：しこり，甲状腺腫，疼痛なし。唾液腺腫大なし
乳房：しこり，疼痛，分泌物なし
呼吸器：咳，喘鳴，息切れなし
心血管系：息切れ，起座呼吸，胸痛，動悸なし
消化器：食欲良好。悪心・嘔吐，消化不良なし。排便は 1 日 1 回，ただし，ストレスがあると 2〜3 日硬い便が続く。下痢，出血なし。疼痛，黄疸，胆嚢や肝臓の問題なし
泌尿器：頻尿，排尿障害，血尿，最近の側腹部痛なし。咳でときどき尿失禁あり
生殖器：外陰部・骨盤に感染なし。性交疼痛なし
末梢血管系：静脈炎や下肢痛なし
筋骨格系：軽い腰痛があり，仕事の終わりに感じることが多いが，下肢への放散はない。以前は背筋を強化する運動をしていたが，今はしていない。その他の関節痛なし
精神：うつ病の既往なし，精神疾患治療歴なし
神経：失神，痙攣，運動・感覚低下なし。記憶障害なし
血液：易出血性なし，紫斑なし
内分泌：暑がりや寒がりでない。多尿，多飲なし

身体診察
全身状態：MN は小柄で過体重の中年女性で，快活で質問への反応もよい。髪は手入れが行き届き，顔色はよく，問題なく臥位をとることができる
バイタルサイン：身長(靴を脱いだ状態で)157 cm，体重(衣服あり)65 kg，BMI 26。血圧 164/98 mmHg(右腕・仰臥位)，160/96 mmHg(左腕・仰臥位)，幅広いカフ使用で 152/88 mmHg(右腕・仰臥位)。心拍数 88 回/分，整。呼吸数 18 回/分。体温(口腔)37℃
皮膚：手のひらは冷たく湿潤だが，色調はよい。体幹上部に老人性血管腫が散在する。ばち状指，チアノーゼなし
頭部・眼・耳・鼻・咽頭(HEENT)：頭部：髪質はふつう。頭皮に病変なし。頭は正常大，外傷なし。**眼**：視力 20/30(0.6)(両眼とも)，視野異常なし(対座法)。眼瞼結膜はピンク色，強膜は白色。瞳孔は 4 mm 大，2 mm まで縮瞳あり，円形，整，対光反射左右差なし。眼球運動異常なし。視神経乳頭辺縁は整で，出血や滲出なし。細動脈狭小化や網膜動静脈交叉現象なし。**耳**：耳垢のため右鼓膜は一部不明瞭。左外耳道は異常なく，鼓膜は正常な光錐を認める。囁語も聴取可能。Weber(ウェーバー)試験では正中線上。気導＞骨導。**鼻**：粘膜はピンク色，中隔は正中にあり。副鼻腔に圧痛なし。**口腔**：粘膜はピンク色。歯列異常なし。舌は正中で，扁桃の腫脹なし。咽頭に滲出液なし
頸部：項部硬直なし。気管偏位なし。甲状腺峡部をわずかに触知，葉部は触知しない
リンパ節：頸部・腋窩・滑車上(内側上顆)リンパ節は触知せず
胸郭と肺：胸郭は左右対称で広がり良好。打診音は清音。呼吸音清，副雑音なし。横隔膜は両側で 4 cm 下降
心血管系：頸静脈拍動は，30 度半座位にて胸骨角より 1 cm 上方。頸動脈の立ち上がりは正常で，血管雑音なし。心尖拍動は，胸骨中線より 8 cm 外側，左第五肋間，間欠的に軽く叩く感じでわずかに触知。S_1，S_2 良好，S_3，S_4 は聴取しない。右第 2 肋間に中音調で強さⅡ/Ⅵ度の収縮中期雑音を聴取するが，頸部に放散なし。拡張期雑音なし
乳房：左右対称で下垂。腫瘤なし，乳頭分泌なし
腹部：膨隆。右下腹部に治癒良好な瘢痕あり。腸蠕動音は活発。圧痛・腫瘤なし。季肋部肝臓長は右鎖骨中線上で 7 cm。辺縁は平滑で，右肋骨縁から 1 cm 下で触知。脾臓は触知せず，肋骨脊柱角に圧痛なし
生殖器：外性器に病変なし。息んだときに腟口部に軽度膀胱瘤あり。腟粘膜はピンク色。子宮頸部もピンク色，経産で，分泌物なし。子宮は前方で正中にあり，平滑で，腫大なし。付属器は肥満と弛緩不足のため触知せず。頸部と付属器に圧痛なし。パップスメア検査は施行ずみ。直腸腟壁に異常なし
直腸：外痔核なし，肛門括約筋は正常。直腸内腔に腫瘤なし。便は茶色で便潜血反応陰性
四肢：温かく浮腫なし。ふくらはぎは軟らかく，圧痛なし
末梢血管系：足関節にわずかに浮腫あり。下肢静脈瘤なし。うっ滞性の色素沈着や潰瘍なし。拍動(2＋＝活発あるいは正常)

表1-1　診療記録の例：患者 MN の場合（続き）

	橈骨動脈	大腿動脈	膝窩動脈	足背動脈	後脛骨動脈
右	2+	2+	2+	2+	2+
左	2+	2+	2+	2+	2+

筋骨格系：視診，触診上，関節変形・腫脹なし。手，手首，肘，肩，脊椎，股関節，膝，足関節の可動性良好
神経系：**精神状態**：意識清明，協力的である。思考に一貫性があり，理解力も良好。人，場所，時間の認識良好。**脳神経**：第Ⅱ〜Ⅻ異常所見なし。**運動**：筋肉量，筋緊張は良好。**筋力**：三角筋，上腕二頭筋，上腕三頭筋，握力，腸腰筋，ハムストリングス，大腿四頭筋，前脛骨筋，腓腹筋で左右差なく5/5。**小脳**：急速変換運動および2点間認知の運動に異常なし。歩行は安定し，滑らか。**感覚**：痛覚，触覚，位置覚，振動覚，立体識別覚に異常なし。Romberg（ロンベルグ）徴候陰性
腱反射：

アセスメントと計画

MN は54歳の販売員で，小児期より片頭痛の既往歴があり，現在は慢性的かつ間欠性の拍動性頭痛が増悪傾向にあり，頭痛は以前からの症状と似た特徴をもち，現在の生活上のストレスで促進される。頭痛は悪心・嘔吐を伴う。血圧の上昇がみられるものの，それ以外は，心血管系検査，神経学的検査ともに正常

1. **頭痛**
   鑑別診断としては，以下の通り
   a. 患者には片頭痛の既往があり，現在の頭痛も同じようなものだと説明していることから，片頭痛の可能性が最も高い。拍動性，4〜72時間の持続時間，随伴する悪心・嘔吐，日常生活に支障をきたしている点から片頭痛の診断を支持できる。また，神経学的検査で正常であることからも診断がつく
   b. 片頭痛ではあまりみられない両側性頭痛であることから，緊張型頭痛の可能性もある。54歳女性で，小児期から片頭痛があり，ズキズキした血管関連性のもので，悪心・嘔吐を頻繁に伴う。頭痛はストレスと関連しており，睡眠と冷湿布で緩和される。乳頭浮腫はなく，神経学的検査でも運動障害や感覚障害を認めない
   c. 他の重篤な疾患である可能性は低い。髄膜炎を疑うような発熱や項部硬直，局所症状はなく，長期間繰り返すことから，くも膜下出血ではなさそうである（通常，「人生最悪の頭痛」と表現される）。神経学的検査と眼底検査で正常であることから，腫瘍などの占拠性病変の可能性も低い

   計画：
   - 片頭痛と緊張型頭痛の特徴を比較し検討する。また緊急検査の適応となる危険な徴候がないかも調べる
   - バイオフィードバック療法(訳注)や，ストレスへの対処法を検討する
   - コーヒー，コーラ，その他の炭酸飲料など，カフェインを含むものを避けるよう指導する
   - 非ステロイド性抗炎症薬（NSAID）の頓用を開始する
   - 週2回あるいは月8回以上頭痛があれば，予防的投薬を開始する

2. **血圧上昇**
   収縮期血圧と拡張期血圧の上昇を認める。胸痛や息切れはなく，受診時は無症状であり，高血圧緊急症は考えにくい
   計画：
   - 血圧の評価基準について話をする
   - ヘモグロビン A_{1c}（HbA_{1c}）を検査し，糖尿病の有無を確認する。これによって目標血圧が変わってくる
   - 2週間後に血圧を再検査する
   - 減量と運動プログラムについて話し合う（4を参照）
   - 減塩指導をする

訳注：血圧，心拍数といった不随意の生理的活動を測定し，本人にフィードバックすることで，こうした活動を意識的に制御できるようにすること。

3. 腹圧性尿失禁を伴う膀胱瘤
内診で認めた膀胱瘤からは，膀胱の弛緩が示唆される。患者は閉経周辺期である。咳嗽時に尿失禁がみられ，膀胱頸部の構造的変化が疑われる。排尿困難，発熱，側腹部痛はなく，影響のある薬物の内服もない。普段の尿は少量で尿漏れもないため，切迫性・溢流性尿失禁は疑われない

計画：
- 腹圧性尿失禁の原因を説明する
- 尿検査の結果を確認する
- Kegel(ケーゲル)体操(骨盤底筋体操)をすすめる
- 再診時に改善がみられなければ，陰部へのエストロゲンクリーム塗布を考慮する

4. 過体重
身長157 cm，体重65 kg，BMI はおよそ26

計画：
- 食事内容をたずね，食べたものを日記に記録するよう指導する
- 減量する意欲を探り，次回受診時までの減量目標を設定する
- 栄養指導の予約をとる
- 運動プログラムを具体的に話し合う。特に，1週間ほぼ毎日30分間の歩行を検討する

5. ストレスと住居の不安
義理の息子がアルコールの問題を抱えており，娘や孫が患者のアパートに避難してくるため，このような人間関係が患者に緊張を強いている。また，患者は経済的にも厳しい境遇にあり，社会的支援や心の支えがなく，精神的に追い詰められているという。ストレスはこうした現在の状況からきている。現時点で明らかな抑うつは認めない(PHQ-2＝0)

計画：
- ストレスへの対処法について，患者の意向をたずねる
- 患者には生活相談，娘にはAl-Anon(アラノン)訳注の紹介など，社会支援を受けられるよう検討する
- 精神的支援を相談するためにチャプレンを紹介する
- 抑うつの徴候がみられないか経過観察を行う

6. 腰痛
長時間の立位により起こる。外傷や交通事故の既往はない。痛みの放散はなく，診察上，圧痛や運動感覚障害もない。椎間板や神経根の圧迫，転子部滑液包炎，仙腸関節炎は考えにくい

計画：
- 減量や，運動をして腰部の筋肉を強化することが有効であることを伝える

7. 喫煙習慣
1日1箱を36年間(36 pack-years)。本日の診察では口腔内に悪性腫瘍の所見は認めない。複数のストレス要因があり，頭痛が悪化しているのが現状で，禁煙についてはまだ考えていない段階(前熟考期)である

計画：
- 外来での呼吸機能検査でピークフローもしくは FEV_1/FVC を調べ，閉塞性肺疾患の有無を評価する
- 低線量CT肺癌検診について相談する
- 今は禁煙への関心はみられないが，気持ちが変わったら，今後も継続してサポートすることを提案し，ニコチン置換療法や服薬に関する資料を提供する。生活上のストレス要因が改善し，頭痛が軽減した後で再度禁煙について扱う

8. 心雑音
Ⅱ/Ⅵ度の収縮中期雑音が，大動脈弁領域であり，年齢から大動脈弁硬化または狭窄が疑われる。重度の大動脈弁狭窄を示唆するような，息切れ，胸痛，失神はみられない。経過観察し，雑音が大きくなったり，何らかの症状を認めた場合，経胸壁心エコーを検討する

9. 健康の維持
2018年にパップスメア検査，2019年にマンモグラフィ。大腸内視鏡検査の施行歴なし

計画：
- 大腸内視鏡検査を指示。前処置薬を処方し，使用方法を説明する。説明書類を渡し，ティーチ・バック法を用いて説明する
- 喫煙歴を考慮し，口腔癌スクリーニングのため歯科受診を指示する
- 薬物やアルカリ性洗剤は，可能なら肩より高い位置にある鍵のかかる棚へ移すようアドバイスする。拳銃は弾薬を抜いて安全装置をかけ鍵のかかる保管庫にしまうよう，また弾薬は拳銃とは別の場所に施錠して保管するよう強くすすめる

訳注：アルコール依存者の家族，友人の自助グループ。

文献一覧

1. Athreya BH. *Handbook of Clinical Skills: A Practical Manual.* New Jersey: World Scientific; 2010.
2. Students TFotCSEoM. Recommendations for Clinical Skills Curricula for Undergraduate Medical Education. Association of American Medical Colleges. Available at https://members.aamc.org/eweb/upload/Recommendations%20for%20Clinical%20Skills%20Curricula%202005.pdf. Published 2005. Updated November 2005. Accessed March 29, 2019.
3. Fortin AV, Dwamena FC, Frankel RM, Smith RC. *Smith's Patient-Centered Interviewing: An Evidence-Based Method;* 2012.
4. Smith RC. An evidence-based infrastructure for patient-centered interviewing. In: Frankel RM, Quill TE, McDaniel SH, eds. *The Biopsychosocial Approach: Past, Present, and Future.* Rochester, NY: University of Rochester Press; 2003: 148.
5. Kleinman A, Eisenberg L, Good B. Culture, illness, and care: clinical lessons from anthropologic and cross-cultural research. *Ann Intern Med.* 1978; 88: 251-258.
6. Mauksch L, Farber S, Greer HT. Design, dissemination, and evaluation of an advanced communication elective at seven U.S. medical schools. *Acad Med.* 2013; 88: 843-851.
7. Haidet P, Paterniti DA. "Building" a history rather than "taking" one: a perspective on information sharing during the medical interview. *Arch Intern Med.* 2003; 163: 1134-1140.
8. Stewart M. *Patient-Centered Medicine: Transforming the Clinical Method.* Abingdon, U.K.: Radcliffe Medical Press; 2003. Print.
9. Atlas SJ, Grant RW, Ferris TG, et al. Patient-physician connectedness and quality of primary care. *Ann Intern Med.* 2009; 150: 325-335.
10. Kurtz S, Silverman J, Benson J, et al. Marrying content and process in clinical method teaching: enhancing the Calgary-Cambridge guides. *Acad Med.* 2003; 78(8): 802-809.
11. Kurtz SM, Silverman J, Draper J, et al. *Teaching and Learning Communication Skills in Medicine.* Abingdon, Oxon, UK: Radcliffe Medical Press; 1998.
12. Kurtz SM, Silverman JD. The Calgary-Cambridge Referenced Observation Guides: an aid to defining the curriculum and organizing the teaching in communication training programmes. *Med Educ.* 1996; 30(2): 83-89.
13. Poel Kvd, Vanagt E, Schrimpf U, et al. *Communication Skills for Foreign and Mobile Medical Professionals.* Heidelberg; New York: Springer; 2013.
14. de Haes H, Bensing J. Endpoints in medical communication research, proposing a framework of functions and outcomes. *Patient Educ Couns.* 2009; 74(3): 287-294.
15. Tomsik PE, Witt AM, Raddock ML, et al. How well do physician and patient visit priorities align? *J Fam Pract.* 2014; 63: E8-E13.
16. Suchman AL, Matthews DA. What makes the patient-doctor relationship therapeutic? Exploring the connexional dimension of medical care. *Ann Intern Med.* 1988; 108: 125-130.
17. Matthews DA, Suchman AL, Branch WT. Making "connexions": enhancing the therapeutic potential of patient-clinician relationships. *Ann Intern Med.* 1993; 118: 973-977.
18. Larson EB, Yao X. Clinical empathy as emotional labor in the patient-physician relationship. *JAMA.* 2005; 293: 1100-1106.
19. Krasner MS, Epstein RM, Beckman H, et al. Association of an educational program in mindful communication with burnout, empathy, and attitudes among primary care physicians. *JAMA.* 2009; 302: 1284-1293.
20. Deutsch MB, Buchholz D. Electronic health records and transgender patients — practical recommendations for the collection of gender identity data. J Gen Intern Med. 2015; 30(6): 843-847.
21. Makoul G, Zick A, Green M. An evidence-based perspective on greetings in medical encounters. *Arch Intern Med.* 2007; 167: 1172-1176.
22. Meiri N, Ankri A, Hamad-Saied M, et al. The effect of medical clowning on reducing pain, crying, and anxiety in children aged 2-10 years old undergoing venous blood drawing — a randomized controlled study. *Eur J Pediatr.* 2016; 175(3): 373-379.
23. Meiri N, Ankri A, Ziadan F, et al. Assistance of medical clowns improves the physical examinations of children aged 2-6 years. *Isr Med Assoc J.* 2017; 19(12): 786-791.
24. Damm L, Leiss U, Habeler U, et al. Improving care through better communication: understanding the benefits. *J Pediatr.* 2015; 166(5): 1327-1328.
25. Drutz JE. The Pediatric Physical Examination: General Principles and Standard Measurements. UpToDate. Available at www.uptodate.com/contents/the-pediatric-physical-examination-general-principles-and-standard-measurements?-search=pediatric%2Bphysical%2Bexam&source=search_result&selectedTitle=1~150&usage_type=default&display_rank=1. Published 2019.
26. Berlan ED, Bravender T. Confidentiality, consent, and caring for the adolescent patient. *Curr Opin Pediatr.* 2009; 21(4): 450-456.
27. Gilbert AL, Rickert VI, Aalsma MC. Clinical conversations about health: the impact of confidentiality in preventive adolescent care. *J Adolesc Health.* 2014; 55(5): 672-677.
28. Lewis Gilbert A, McCord AL, Ouyang F, et al. Characteristics associated with confidential consultation for adolescents in primary care. *J Pediatr.* 2018; 199: 79-84.e1.
29. World Health Organization. World Bank. *World Report on Disability.* Geneva, Switzerland: World Health

Organization; 2011.
30. Kraus L, Lauer E, Coleman R, et al. *2017 Disability Statistics Annual Report*. Durham, NH: University of New Hampshire; 2018.
31. Friedman MR, Dodge B, Schick V, et al. From bias to bisexual health disparities: attitudes toward bisexual men and women in the United States. *LGBT Health*. 2014; 1(4): 309-318.
32. Polek CA, Hardie TL, Crowley EM. Lesbians' disclosure of sexual orientation and satisfaction with care. *J Transcult Nurs*. 2008; 19(3): 243-249.
33. Durso LE, Meyer IH. Patterns and predictors of disclosure of sexual orientation to healthcare providers among lesbians, gay men, and bisexuals. *Sex Res Social Policy*. 2013; 10(1): 35-42.
34. Strutz KL, Herring AH, Halpern CT. Health disparities among young adult sexual minorities in the U.S. *Am J Prev Med*. 2015; 48(1): 76-88.
35. Ward BW, Dahlhamer JM, Galinsky AM, et al. Sexual orientation and health among U.S. adults: national health interview survey, 2013. *Natl Health Stat Reports*. 2014; (77): 1-10.
36. Gates GJ. Demographics and LGBT health. *J Health Soc Behav*. 2013; 54(1): 72-74.
37. Ahmad F, Hogg-Johnson S, Stewart DE, et al. Computer-assisted screening for intimate partner violence and control: a randomized trial. *Ann Intern Med*. 2009; 151: 93-102.
38. Bureau USC. Same sex couples. 2013. U.S. Census Bureau. Available at https://www.census.gov/topics/families/samesex-couples.html. Published 2013. Accessed March 29, 2019.
39. Institute of Medicine (U.S.). Committee on Lesbian Gay Bisexual and Transgender Health Issues and Research Gaps and Opportunities. *The Health of Lesbian, Gay, Bisexual, and Transgender People: Building a Foundation for Better Understanding*. Washington, DC: National Academies Press; 2011.
40. Tomczyk S, Bennett NM, Stoecker C, et al. Use of 13-valent pneumococcal conjugate vaccine and 23-valent pneumococcal polysaccharide vaccine among adults aged ≥ 65 years: recommendations of the Advisory Committee on Immunization Practices (ACIP). *MMWR Morb Mortal Wkly Rep*. 2014; 63(37): 822-825.
41. Prevention CfDCa. Lesbian and bisexual women. Centers for Disease Control and Prevention. Available at http://www.cdc.gov/lgbthealth/women.htm. Published 2014. Updated March 25, 2014. Accessed March 29, 2019.
42. James SE, Herman JL, Rankin S, et al. *The Report of the 2015 U.S. Transgender Survey*. Washington, DC: National Center for Transgender Equality; 2016.
43. Ventres W, Kooienga S, Vuckovic N, et al. Physicians, patients, and the electronic health record: an ethnographic analysis. *Ann Fam Med*. 2006; 4: 124-131.
44. Beckman HB, Frankel RM. The effect of physician behavior on the collection of data. *Ann Intern Med*. 1984; 101: 692-696.
45. Jackson JL, Passamonti M, Kroenke K. Outcome and impact of mental disorders in primary care at 5 years. *Psychosom Med*. 2007; 69: 270-276.
46. Lang F, Floyd MR, Beine KL. Clues to patients' explanations and concerns about their illnesses. A call for active listening. *Arch Fam Med*. 2000; 9: 222-227.
47. Communication: what do patients want and need? *J Oncol Pract*. 2008; 4: 249-253.
48. Pollak KI, Arnold RM, Jeffreys AS, et al. Oncologist communication about emotion during visits with patients with advanced cancer. *J Clin Oncol*. 2007; 25: 5748-5752.
49. Behforouz HL, Drain PK, Rhatigan JJ. Rethinking the social history. *N Engl J Med*. 2014; 371: 1277-1279.
50. Robbins JA, Bertakis KD, Helms LJ, et al. The influence of physician practice behaviors on patient satisfaction. *Fam Med*. 1993; 25(1): 17-20.
51. Quality AfHRa. Use the teach-back method: Tool #5. Available at https://www-ahrq-gov.eresources.mssm.edu/professionals/quality-patient-safety/quality-resources/tools/literacytoolkit/healthlittoolkit2-tool5.html. Published 2015. Updated February 2015. Accessed March 30, 2019.
52. Kripalani S, Jackson AT, Schnipper JL, et al. Promoting effective transitions of care at hospital discharge: a review of key issues for hospitalists. *J Hosp Med*. 2007; 2: 314-323.
53. Kemp EC, Floyd MR, McCord-Duncan E, et al. Patients prefer the method of "tell back-collaborative inquiry" to assess understanding of medical information. *J Am Board Fam Med*. 2008; 21: 24-30.
54. Barry MJ, Edgman-Levitan S. Shared decision making—pinnacle of patient-centered care. *N Engl J Med*. 2012; 366: 780-781.
55. Elwyn G, Frosch D, Thomson R, et al. Shared decision making: a model for clinical practice. *J Gen Intern Med*. 2012; 27: 1361-1367.
56. Epstein RM. Mindful practice. *JAMA*. 1999; 282: 833-839.
57. Beach MC, Roter D, Korthuis PT, et al. A multicenter study of physician mindfulness and health care quality. *Ann Fam Med*. 2013; 11: 421-428.
58. Care CoUaERaEDiH. *Unequal Treatment: Confronting Racial and Ethnic Disparities in Health Care*; 2003.
59. Quality AfHRa. *2013 National Healthcare Disparities Report*. U.S. Department of Health and Human Services.
60. Lucyk K, McLaren L. Taking stock of the social determinants of health: A scoping review. *PLoS One*. 2017; 12(5): e0177306.
61. Wilkinson RaM, Michael M. *The Solid Facts: Social Determinants of Health*. Copenhagen: Centre for Urban Health, World Health Organization; 2003.
62. Andermann A; CLEAR Collaboration. Taking action on the social determinants of health in clinical practice: a framework for health professionals. *CMAJ*. 2016; 188(17-18): E474-E483.
63. FitzGerald C, Hurst S. Implicit bias in healthcare professionals: a systematic review. *BMC Med Ethics*. 2017;

18(1): 19.
64. United States. Congress. House, Committee on Government Reform. Subcommittee on Criminal Justice Drug Policy and Human Resources. *Racial disparities in health care: confronting unequal treatment: hearing before the Subcommittee on Criminal Justice, Drug Policy, and Human Resources of the Committee on Government Reform, House of Representatives, One Hundred Seventh Congress, second session, May 21, 2002.* Washington: U.S. G.P.O.: For sale by the Supt. of Docs., U.S. G.P.O. Congressional Sales Office; 2003.
65. Chapman EN, Kaatz A, Carnes M. Physicians and implicit bias: how doctors may unwittingly perpetuate health care disparities. *J Gen Intern Med.* 2013; 28(11): 1504-1510.
66. Gordon HS, Street RL Jr., Sharf BF, et al. Racial differences in doctors' information-giving and patients' participation. *Cancer.* 2006; 107(6): 1313-1320.
67. Penner LA, Blair IV, Albrecht TL, et al. Reducing racial health care disparities: a social psychological analysis. *Policy Insights Behav Brain Sci.* 2014; 1(1): 204-212.
68. Burgess DJ, Fu SS, van Ryn M. Why do providers contribute to disparities and what can be done about it? *J Gen Intern Med.* 2004; 19(11): 1154-1159.
69. Stone J, Moskowitz GB. Non-conscious bias in medical decision making: what can be done to reduce it? *Med Educ.* 2011; 45(8): 768-776.
70. van Ryn M, Burgess DJ, Dovidio JF, et al. The impact of racism on clinician cognition, behavior, and clinical decision making. *Du Bois Rev.* 2011; 8(1): 199-218.
71. Tervalon M, Murray-Garcia J. Cultural humility versus cultural competence: a critical distinction in defining physician training outcomes in multicultural education. *J Health Care Poor Underserved.* 1998; 9(2): 117-125.
72. Tervalon M. Components of culture in health for medical students' education. *Acad Med.* 2003; 78: 570-576.
73. Like RC. Educating clinicians about cultural competence and disparities in health and health care. *J Contin Educ Health Prof.* 2011; 31: 196-206.
74. Boutin-Foster C, Foster JC, Konopasek L. Viewpoint: physician, know thyself: the professional culture of medicine as a framework for teaching cultural competence. *Acad Med.* 2008; 83: 106-111.
75. Teal CR, Street RL. Critical elements of culturally competent communication in the medical encounter: a review and model. *Soc Sci Med.* 2009; 68: 533-543.
76. Smith WR, Betancourt JR, Wynia MK, et al. Recommendations for teaching about racial and ethnic disparities in health and health care. *Ann Intern Med.* 2007; 147: 654-665.
77. National Center for Cultural Competence (NCCC), Georgetown University Center for Child and Human Development (GUCCHD). *Embedding Cultural Diversity and Cultural and Linguistic Competence: A Guide for UCEDD Curricula and Training Activities.* Available at: http://uceddclctraining.org/. Accessed March 1, 2020.
78. Juarez JA, Marvel K, Brezinski KL, et al. Bridging the gap: a curriculum to teach residents cultural humility. *Fam Med.* 2006; 38: 97-102.
79. Labib MA, Abou-Al-Shaar H, Cavallo C. Minimally invasive cranial neurosurgery in the 21st century. *J Neurosurg Sci.* 2018; 62(6): 615-616.
80. Jacobs EA, Rolle I, Ferrans CE, et al. Understanding African Americans' views of the trustworthiness of physicians. *J Gen Intern Med.* 2006; 21: 642-647.
81. Masters C, Robinson D, Faulkner S, et al. Addressing biases in patient care with the 5rs of cultural humility, a clinician coaching tool. *J Gen Intern Med.* 2019; 34(4): 627-630.
82. Puchalski C, Ferrell B, Virani R, et al. Improving the quality of spiritual care as a dimension of palliative care: the report of the Consensus Conference. *J Palliat Med.* 2009; 12(10): 885-904.
83. Whitley R. Religious competence as cultural competence. *Transcult Psychiatry.* 2012; 49(2): 245-260.
84. Pew Research Center. More Americans now say they're spiritual but not religious. Available at https://www.pewresearch.org/fact-tank/2017/09/06/more-americans-now-say-they-re-spiritual-but-not-religious/. Published 2017, September 06. Accessed.
85. Oppenheimer M. When Some Turn to Church, Others Go to CrossFit. *The New York Times.* 2015, November 27.
86. Pew Research Center. Religious landscape study. Available at https://www.pewforum.org/religious-landscape-study/. Published 2019.
87. Idler EL. *Religion as a Social Determinant of Public Health.* Oxford University Press; 2014.
88. Fraser GE, Shavlik DJ. Ten years of life: is it a matter of choice? *Arch Intern Med.* 2001; 161(13): 1645-1652.
89. Pargament KI, Koenig HG, Tarakeshwar N, et al. Religious struggle as a predictor of mortality among medically ill elderly patients: A 2-year longitudinal study. *Arch Intern Med.* 2001; 161(15): 1881-1885.
90. Puchalski C, Romer AL. Taking a spiritual history allows clinicians to understand patients more fully. *J Palliat Med.* 2000; 3(1): 129-137.
91. Exline JJ, Rose E. Religious and spiritual struggles. *Handbook of the Psychology of Religion and Spirituality.* 2005; 2: 380-398.
92. Fitchett G, Risk JL. Screening for spiritual struggle. *J Pastoral Care Counsel.* 2009; 63(1-2): 4-1-12.
93. Appelbaum PS. Clinical practice. Assessment of patients' competence to consent to treatment. *N Engl J Med.* 2007; 357(18): 1834-1840.
94. Baker R, McCullough LB. What is the history of medical ethics? In: Baker R, McCullough LB, eds. *The Cambridge World History of Medical Ethics.* New York: Cambridge University Press; 2009: 3-15.
95. McCullough LB. Contributions of ethical theory to pediatric ethics: pediatricians and parents as co-fiduciaries of pediatric patients. In: Miller G, ed. *Pediatric Bioethics.* New York: Cambridge University Press; 2010: 11-21.
96. Mary E. Schloendorff v. The Society of the New York

文献一覧

Hospital. In: Appeals NYCO, ed. *105 N.E. 92, 211 N.Y. 125*1914.

97. White BD, Shelton WN, Rivais CJ. Were the "pioneer" clinical ethics consultants "outsiders"? For them, was "critical distance" that critical? *Am J Bioeth*. 2018; 18(6): 34-44.
98. Fox RC, Swazey JP. *Observing Bioethics*. New York: Oxford University Press; 2008.
99. Baker R. *Before Bioethics: A History of American Medical Ethics from the Colonial Period to the Bioethics Revolution*. New York: Oxford University Press; 2013.
100. Jonsen AR. *The Birth of Bioethics*. New York: Oxford University Press; 1998.
101. Sessums LL, Zembrzuska H, Jackson JL. Does this patient have medical decision-making capacity? *JAMA*. 2011; 306: 420-427.
102. Joint Centre for Bioethics — Aid To Capacity Evaluation (ACE). Available at http://www.utoronto.ca/jcb/disclaimers/ace.htm. Accessed March 1, 2020.
103. Force ACCUT. Core competencies for healthcare ethics consultation. American Society for Bioethics and Humanities Glenview, IL; 2011.
104. Shamoo AE, Resnik DB. *Responsible Conduct of Research*. 2nd ed. New York: Oxford University Press; 2009.
105. DeLamater JD, Myers DJ. *Social Psychology*. 7th ed. Belmont, CA: Wadsworth Cengage Learning; 2010.
106. Monteiro SM, Norman G. Diagnostic reasoning: where we've been, where we're going. *Teach Learn Med*. 2013; 25 Suppl 1: S26-S32.
107. Ely JW, Graber ML, Croskerry P. Checklists to reduce diagnostic errors. *Acad Med*. 2011; 86(3): 307-313.
108. Reilly JB, Ogdie AR, Von Feldt JM, et al. Teaching about how doctors think: a longitudinal curriculum in cognitive bias and diagnostic error for residents. *BMJ Qual Saf*. 2013; 22(12): 1044-1050.
109. Dubeau CE, Voytovich AE, Rippey RM. Premature conclusions in the diagnosis of iron-deficiency anemia: cause and effect. *Med Decis Making*. 1986; 6(3): 169-173.
110. Kuhn GJ. Diagnostic errors. *Acad Emerg Med*. 2002; 9(7): 740-750.
111. Graber ML, Franklin N, Gordon R. Diagnostic error in internal medicine. *Arch Intern Med*. 2005; 165(13): 1493-1499.
112. Redelmeier DA. Improving patient care. The cognitive psychology of missed diagnoses. *Ann Intern Med*. 2005; 142(2): 115-120.
113. Berner ES, Graber ML. Overconfidence as a cause of diagnostic error in medicine. *Am J Med*. 2008; 121(5 Suppl): S2-S23.
114. Newman-Toker DE, Pronovost PJ. Diagnostic errors — the next frontier for patient safety. *JAMA*. 2009; 301(10): 1060-1062.
115. Nurses NAoS. Electronic health records: An essential tool in keeping students healthy (Position Statement). Available at https://www.nasn.org/advocacy/professional-practice-documents/position-statements/ps-electronic-health-records. Published 2019. Accessed April 3, 2019.
116. Shachak A, Reis S. The impact of electronic medical records on patient-doctor communication during consultation: a narrative literature review. *J Eval Clin Pract*. 2009; 15(4): 641-649.
117. Heiman HL, Rasminsky S, Bierman JA, et al. Medical students' observations, practices, and attitudes regarding electronic health record documentation. *Teach Learn Med*. 2014; 26(1): 49-55.
118. Hammoud MM, Dalymple JL, Christner JG, et al. Medical student documentation in electronic health records: a collaborative statement from the Alliance for Clinical Education. *Teach Learn Med*. 2012; 24(3): 257-266.

本章の学習効果を高め、理解を助けるために一連の補助教材がある。

- 『ベイツ診察法ポケットガイド第4版』
- Bates' Visual Guide to Physical Examination
- thePoint® online resources, for students and instructors: http://thepoint.lww.com

第 2 章 面接，コミュニケーション，対人関係スキル

医療者への道を選んだ理由はさまざまだろう。しかし，それがどのような理由であれ，治療につながる効果的な人間関係を築くことが最も重要であることは間違いない[1]。本章では，医療面接の基本的な技術について解説する。この技術の習得には終わりがなく，患者のケアを通して磨き続けていく必要がある。また自分の習熟度を確認するためには，実践および指導者からのフィードバックも必要である。経験を積めば，患者とかかわるうちに，その振る舞いが刻々と変化するのに応じて，自分がどう対応すべきかを判断できるようになるだろう。

第 1 章で述べたように，臨床現場での**面接（問診）**は，単なる質問の羅列ではなく，患者の感情や行動を察知する高度な感性が求められる（図 2-1）。面接は，状況によって変化する患者の語りを引き出すプロセスで，患者のしぐさ，感情，懸念に効果的に対応するためのさまざまなコミュニケーションスキルが必要とされる[2]。また前章で，面接では**標準化された病歴聴取**とはまったく異なる技術が必要であることを強調した。標準化された病歴聴取のフォーマットは，患者の話を，現在，過去，家族の健康に関連するさまざまなカテゴリーに整理するための重要な枠組みである。面接のプロセスと標準化された病歴聴取には，それぞれ異なるが補完し合う目的がある。本章では，これらの違いを念頭に置いて，熟練した面接のテクニックを学ぶ。

標準化された病歴聴取については，第 3 章「病歴」（p.84〜106）を参照。

図 2-1 効果的なコミュニケーションスキルを用いた面接 (Monkey Business Images より Shutterstock の許可を得て掲載)

本章の内容

- 熟練した面接の基礎
- その他のおもな注意事項
  - デリケートな話題を切り出す
  - インフォームド・コンセント
  - 医療通訳者との連携
  - 事前指示書
  - 重大な知らせの開示
  - 動機づけ面接
  - 多職種コミュニケーション
- 対応が難しい患者の状況と行動
- コンピュータ化された臨床環境における患者中心の面接
- 標準模擬患者からコミュニケーション技術を学ぶ

熟練した面接の基礎

診察には，**診察開始**，**情報収集**，**身体診察**，**説明と計画**，**診察終了**という構造および順序があることは，すでに学んでいるだろう[3-5]。この項では，診察のすべての段階で活用できるグローバルなコミュニケーションと対人関係のスキルを紹介する（Box 2-1）。

> 診察の構造については，第1章「診察へのアプローチ」(p.5)を参照。

Box 2-1　熟練した面接技術

- 積極的傾聴
- 支援的な質問
- 共感的な応答
- 話を要約する
- 話題を変える
- 協力関係（相互に自律的かつ対等な関係）
- 承認
- 患者を励ます
- 安心感を与える
- 適切な言語的コミュニケーション
- 適切な非言語的コミュニケーション

積極的傾聴

積極的傾聴 active listening（attentive listening）は，面接の中心となるものである。これは，患者との対話を容易にし，方向性を与え，組み立てるための，いくつかの異なる技術にもとづいて，患者が伝えようとしていることに注意深く耳を傾け，患者の感情の状態を把握し，言語的・非言語的コミュニケーションスキルを用いて，患者が自分の感情や懸念について話してくれるように促す方法である。積極的傾聴により，患者の生活においてさまざまなレベルで生じる懸念に共感することができる[6]。これには経験が必要で，つぎの質問や可能性のある診断について考えが及んでしまい，患者の話に集中できなくなってしまいがちである。患者が伝えることに言語的にも非言語的にも集中する。ときにボディランゲージから言葉とは別の情報を得られることもある。

支援的な質問

患者の話の流れを変えずに，より多くの情報を引き出す方法はいくつかある。目標は，話を遮らずに，患者自身の言葉による十分なコミュニケーションを促すことである。支援的な質問は，患者の感情や心の奥にあることに，あなたが関心を抱いていることを示すものであり（Box 2-2）[7]，患者の話の流れを事前につくったり，遮ったりすることを避ける手立てとなる。「はい・いいえ」で答える質問は，患者を受け身にさせ，詳細な情報が大幅に失われることにつながる。代わりに，患者の話を十分に把握するため，支援的な質問を用いる。

熟練した面接の基礎

> **Box 2-2　支援的な質問のテクニック**
>
> - 自由回答方式の質問からはじめ，的を絞った質問へと移る
> - 程度のわかる答えを引き出す
> - 一度にたくさん質問せず，1つずつ質問する
> - 答えやすいように複数の選択肢を示す
> - 患者が伝えたいことを確かめる
> - 相づちを打って話を促す
> - 患者の言葉を繰り返す

自由回答方式の質問からはじめ，的を絞った質問へと移る

質問は，一般的なものから具体的なものへ順に進めるべきである。上部が広く，下部は中心に向かって先細っていく円錐を思い浮かべてみてほしい(図2-2)。まず，「どうされました？」や「本日はいかがされましたか？」といった最も一般的な質問からはじめる。つぎに「薬を内服したときに何が起きたか教えていただけますか？」のような一般的ではあるがもう少し焦点を絞った質問をし，その後「新しい薬を使ってみて何か問題は起きましたか？」のようなより的を絞った質問を投げかける。

例えば以下のように，答えを予想させない真の自由回答方式の質問からはじめる。

「胸の違和感について教えてください」(間を置く)
「他に何かありますか？」(間を置く)
「どこが痛みましたか？」(間を置く)「示してみてください」
「他にどこが痛みましたか？」(間を置く)「痛みは他の部位に移動しましたか？」(間を置く)「どちらの腕ですか？」

回答や答え方を**誘導する質問**は避ける(「痛みは改善していますか？」「便に血が混じっていませんよね」など)。「あなたの痛みは圧迫感のようなものですか？」

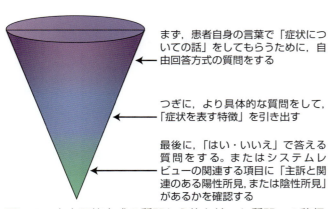

図 2-2　自由回答方式の質問から的を絞った質問への移行

「症状を表す特徴」については，第3章「病歴」のBox 3-4「症状を表す特徴」(p.86)を参照。

とたずね，患者が「はい」と答えた場合，患者の回答からは，経験したことについての詳細が切り捨てられてしまう．より中立的に「あなたの痛みを説明してください」とたずねる．

程度のわかる答えを引き出す

「はい・いいえ」の答えではなく，程度がわかる答えを引き出す質問をする．「階段をのぼると息切れしますか？」よりも「階段を何段のぼると息切れしますか？」のほうがよい．

一度にたくさん質問せず，1つずつ質問する

質問は一度に1つだけにする．例えば「家族に結核，糖尿病，喘息，心臓病，高血圧の人はいませんか？」とたずねると，とまどって「いいえ」と答えてしまうかもしれない．代わりに「これからあげる病気にかかったことがありますか？」とたずねる．それぞれの病気をあげる際には，必ず間を置いてアイコンタクトをとるようにする．

答えやすいように複数の選択肢を示す

患者が自分の症状を説明するのに手助けが必要な場合がある．先入観を最小限にするために，複数の選択肢を用意する．「あなたの痛みを最もよく表す言葉はどれですか？ ズキズキした痛み？ 鋭い痛み？ 押されるような痛み？ 焼けるような痛み？ 撃たれたような痛み？ またはこのどれとも違う痛み？」つぎのような具体的な質問のほぼすべてに，「はい・いいえ」両方の回答が考えられる．「咳をすると痰が出ますか？ それとも咳をしても何も出ないですか？」

患者が伝えたいことを確かめる

ときに，患者の話を理解するのが難しいことがある．話をわかっているふりをするより，混乱していることを認めたほうがよい．患者が何を伝えたいのかを理解するためには，つぎのように**説明を求める**必要がある．「『インフルエンザ』とおっしゃいましたが，もっと詳しく教えてください」あるいは「お母様のように行動したということですが，それはどのような意味ですか？」とたずねる．確かめるための時間をとることで，患者は自分の話を理解しようとしてもらえているとわかり安心し，治療上の関係を築くことにつながる．

相づちを打って話を促す

こちらから話をしなくても，患者が話を続けやすいように，身ぶりや手ぶり（非言語的な励まし），もしくは言葉（中立的な相づち）を工夫することはできる．間を置いたり，うなずいたり，黙っていても気を配ってリラックスしていれば，**患者にとって話を続ける合図になる**．前傾姿勢をとり，アイコンタクトをとり，

「適切な非言語的コミュニケーション」(p.54)を参照．

「なるほど」「続けてください」「よくわかります」などのフレーズを使うと，患者が話しやすくなる。

患者の言葉を繰り返す

患者の最後の言葉を単に繰り返す(echoing)ことで，詳細や感情を話してくれるようになる。同じ言葉を使うことは，注意深く耳を傾けていること，患者との間に微妙なつながりがあることを示す効果もある。以下に例を示す。

患者：「痛みがひどくなり，広がりはじめました」(間を置く)
医師：「広がりはじめたのですか？」(間を置く)
患者：「ええ，肩から左腕を通って，指まで広がってきました。死ぬんじゃないかと思うくらいつらいです」(間を置く)
医師：「死ぬんじゃないかと思うくらいですか？」
患者：「ええ，父が心臓発作を起こしたときの痛みと同じで，自分にも同じことが起こっているのではないかと思いました」

上記の例で，言葉を繰り返す手法は，痛みの部位や程度だけでなく，患者の感じ方やなぜそのように感じたのかを明らかにするのに役立っている。この手法は，先入観をもって話を誘導したり，患者の思考を途切らせることもない。

共感的な応答

共感的な応答は，患者との信頼関係(ラポール rapport)と治療に不可欠である[8,9]。**共感 empathy** は，「患者と自分を同一視し，患者の痛みを自分の痛みとして感じ，患者を支援できるよう応答する能力」と説明される[10]。共感には，「癒しに不可欠な苦しみを分かち合うなかで，患者の痛みの一部を共有しようとする意思が必要である」[11]。患者があなたと話をしているときに，言葉や表情で，自分では意識していない感情をみせることがある。このような感情は，患者の疾患を理解するうえで非常に重要である。

共感を表現するためには，まず患者の気持ちを認識したうえで，積極的にその気持ちの内側にあるものに近づき，引き出す必要がある[12,13]。このように感情を探らなくてはならず，最初は居心地悪く感じるかもしれないが，あなたの共感的な対応は，相互の信頼を深めることができるだろう。患者の表情，声，行動，言葉などから，隠れている感情を感じとったら，つぎのように優しく問いかける。「そのことについてどう思いますか？」「それはお困りのようですね，もっと話していただけますか？」

患者の反応は，最初の想定とは異なることがある。親の死はつらいことでしょう，と患者に答えても，実際にはその死によって患者が重い感情的負担から解放されたのであれば，それはあなたの解釈を述べただけであって，患者が感じていることではない。その代わりに「お父様を亡くされていますが，あなたはどう感じて

いますか？」とたずねる．自分が理解していると思い込むのではなく，患者に話を広げてもらったり，ポイントを明確にしてもらったりするほうがよい．共感には，患者の腕に手を置いたり，患者が泣いているときにティッシュを差し出したりといった非言語的なものもある．あなたが患者を心配していることを示さない限り，患者の経験における重要な側面は診療に反映できない．

患者が気持ちを打ち明けてくれたら，理解と受容をもって答える．返答は以下のように簡単なものでかまわない．「それがあなたにとってどのくらいつらいものか私には想像がつきません」「それは動揺されたことでしょう」「きっとさみしいと感じられたでしょうね」といった具合に．**共感的な応答をするためには，患者が感じているようにあなたが感じていることを伝えなければならない．**

話を要約する

面接中に患者の話を要約して伝えることには，いくつかの目的がある．何より，あなたが注意深く話を聞いていたことを示すことができる．そして，何を理解でき，何を理解できなかったのかを伝えることができる．「さて，あなたのお話をきちんと理解できたか確認させてください．あなたは，3日前から咳をしていて，特に夜にひどく，黄色い痰が出るようになったとおっしゃいました．発熱や息切れはありませんが，鼻づまりがあり，鼻で息をするのが困難だともうかがいました」と伝え，患者への配慮を保ちながら間を置いた後，「他に何かありますか？」とたずねると，患者は他の情報を追加したり，誤解を修正したりすることができる．

さらに，面接のさまざまな場面で話を要約することで，特に話題を変えるきっかけをつくるときなどに，面接の方向性をコントロールしやすくなる．また，この技術により自分の予測を整理し，それを伝えることで，患者とより協力的な関係を築くことができる．さらには，経験の浅い面接者がつぎに何を聞けばいいのかわからないときにも役立つ．

話題を変える

患者は医療機関を受診する際に不安を感じることがある．そのような患者に安心してもらうために，面接中に話題を変えるときはその旨を伝える．道路標識のように，「道しるべ」となる一言を入れると，患者がつぎの段階に進む準備をするのに役立つ．病歴聴取から身体診察に移る際には「あなたの過去の健康状態についていくつか質問したいと思います」など，簡潔な表現で患者に方向性を示す．患者につぎに何をする段取りなのか，何をしてほしいかも明確に示す．「すべての薬を確認する前に，過去の健康問題について他に何かありますか？」「それでは，あなたの身体を診察したいと思います．少し外に出ていますので，服を脱いでこのガウンに着替えてください」と伝えるとよい．

協力関係（相互に自律的かつ対等な関係）

患者とのラポールを築くためには，関係を継続的なものにする意思を伝える。何が起きてもあなたがケアを提供し続けると患者に感じてもらう。学生であっても，特に総合病院では，このようなサポートが大きな違いをもたらす。

承認

患者を肯定するためには，患者が抱いた感情が正当なものであったと承認する方法もある。交通事故に遭った患者は，たとえ怪我をしていなくても，とても苦しい思いをする。「あのような事故に遭われて恐ろしかったでしょう。交通事故は，人がいかに傷つきやすいかを思い知らされるので，不安になるものです。あなたがまだ動揺しているのも無理のないことだと思います」と言えば，患者の反応は正当で，理解できるものだと伝えられる。

患者を励ます

医療者と患者の関係は本質的に不平等である。学生時代には自分の未熟さを感じることがあるだろうが，臨床経験を積むにつれて気持ちは変化していくものである。しかし，患者には不安を感じる理由がたくさんある。患者は，痛みを感じていたり，症状を心配していたりする。また，あなたは当たり前のように行っているかもしれないが，診察のスケジュールを立てることにも圧倒されている可能性がある。性別，民族，人種，社会経済的地位などの違いが，この不平等な関係を助長する。しかし，最終的に患者のケアに責任をもつのは患者自身である[14]。**質問をしたり，心配事を伝えたり，提案を吟味したりするよう奨励すれば，患者はあなたのアドバイスを受け入れ，ライフスタイルを変えて，処方された薬物を服用する可能性が高くなる**[12]。

Box 2-3 に，患者と対等な関係を築くために用いるべきテクニックをあげる。すでに多くの議論がなされているが，患者が自分の健康に対して責任をもって行動するよう促すことは必要不可欠なことであるため，改めてここに整理する。

Box 2-3　患者を励ます：対等な関係を築くためのテクニック

- 患者の考えを引き出す
- 健康問題だけではなく，その人自身への関心を伝える
- 患者のペースで話を進める
- 患者の感情を引き出し，それを承認する
- 患者と情報を共有する。特に診察中に話題を変える際には気を配る
- 患者にわかりやすくあなたの予測を説明する
- 自分の知識に限界があることを隠さない

安心感を与える

患者が不安や動揺を感じているときは，つい「大丈夫，すべてがうまくいくから」と安心感を与えたくなる。これは一般的な人間関係においてはよくあることだが，医療者がこのように話すと，時期尚早であり，逆効果となる可能性がある。実際の状況によっては，誤解を招き，患者からさらに話を聞き出すことを妨げることにもなりかねない。あるいは患者は，あなたが不安に対処するのが苦手だと感じたり，苦痛の深さを理解していないと感じるかもしれない。

効果的に安心感を与える第一歩は，患者の気持ちを感じとり，それを伝えることである。例えば「今日のあなたは動揺しているようにみえます(どうしましたか？)」と言ってみる。そうすることで，患者が人間的なつながりを感じられるようになる。面接，身体診察，そして検査の必要があればそれを終えた後に安心感を与えられるとよい。その際に，何が起きていると考えられるかを説明し，心配事があれば率直に対処することができる。安心感を与える行為は，問題を十分に理解し対処してもらえたと患者が感じたときに，より適切なものとなる。

適切な言語的コミュニケーション

医療者として，何を話すかに注意することは重要だが，同様に，どのように話すかにも留意する必要がある。面接がうまくいくかどうかは，適切な言葉の使用にかかっている。また，患者とのラポールを高め，満足のいく関係を築くことにもつながる。

わかりやすい言葉を使う

わかりやすい言葉とは，シンプルで明確な言葉のことである。これは，患者のヘルスリテラシーのレベルにかかわらず，患者と話す際に必要なコミュニケーションスキルである。短い文章や単語を使い，必要な情報だけを伝えることが重要である。医学用語や略語，複雑な単語やフレーズの使用を避ける。例えば「痛みは放射状に広がりますか？」という聞き方は避け，簡単に「痛みは移動していきますか？」とたずねる。もし自分が医学用語や複雑な単語を使っていることに気づいたら，そのことを謝り，患者が知っているような，より簡単で複雑でない単語やフレーズを使って，すぐに説明し直す。また「少し」「よくある」「可能」「珍しい」などの曖昧な言葉ではなく，明確で具体的な言葉を使うようにする。すべての患者に対して，学歴や社会経済的地位，文化的バックグラウンドに関係なく，平易な言葉でコミュニケーションを図ることが重要である。

平易な言葉を使っていても，患者は一度に多くの情報を与えられると圧倒されてしまうことがある。面接では，ポイントを1～3つに絞って，あなたがそのポイントを何度も繰り返すことが理想的である。重要なポイントを絞る方法の1つとして「Ask Me Three(3つの質問)」というアプローチがある[15]。このアプ

「識字能力が低い患者」と「ヘルスリテラシーが低い患者」の項(p.70)を参照。

熟練した面接の基礎

ローチは，患者が医療チームの一員として，より積極的に参加できるようにすることを目的としている。患者が面接のたびに3つの質問をし，それに面接者が答えることを促すものである。

1. 私のおもな問題は何か？
2. 私は何をしなければならないのか？
3. なぜそれをすることが私にとって重要なのか？

このアプローチを「Tell Them Three（3つの回答）」に変更することで，面接者はメッセージを簡単で的を絞ったものに保つことができる。患者が説明を理解できたかどうかを確認するためのアプローチには，他に「ティーチ・バック（teach back）」（面接者が話したことを，患者に自分の言葉で説明してもらうこと）がある[16,17]。繰り返しになるが，この方法は患者の知識を試すものではなく，患者が理解できるようにどれだけうまく説明できたかを確認するものだということを忘れてはならない。

ティーチ・バックについては，第1章「診察へのアプローチ」（p.17〜18）を参照。

差別的でない言葉の使用

ときには面接の際に，患者に人間性を否定されたと感じさせたり，**スティグマ stigma**（訳注）を助長したり，患者を支援ではなく疎外するような言葉やフレーズを意図せずに使ってしまうことがある[18]。人に向けて使用する言葉は，相手のアイデンティティ全体を反映し，その人が変化し，成長する能力をもっていることを踏まえた言葉であるべきである。意図せずに汚名を着せるような言葉を使うと，患者の心は遠ざかり，傷ついて，患者が助けを求めたり治療を受ける際の障害がうまれ，否定的な固定観念を永続させてしまう[19]。例えば「あなたは今でも自分が薬物中毒者だと思っていますか？」や「車椅子ですか？」とは言わずに，「あなたは今でも自分を薬物中毒がある人だと思いますか？」や「あなたは毎日車椅子を使う方ですか？」と言う。

スティグマを避けるための言葉の使い方として「○○の人」という表現の選択があげられる。例えば「薬物乱用者」というと，薬物乱用という問題がその人のすべてであると暗に示してしまう。代わりに「薬物を使用している人」や「薬物またはアルコール依存症のある人」といえば，その人が特定の症状や慢性疾患を抱えていることを示すが，それがその人の一側面にすぎないことも示唆される[20]（Box 2-4）。

訳注：ギリシア語の烙印，刻印を指す言葉に由来し，差別や偏見を意味する。

Box 2-4 スティグマを助長する言葉とその言い換え例

避けたほうがよい言葉	言い換え例
元犯罪者，凶悪犯，犯人，元重罪人，重罪人，前科者，受刑人，収容者，犯罪者，囚人	収監されていた・されている人，かつて収監された人
仮釈放者，保護観察者	仮釈放中の人，保護観察中の人
薬物乱用者，中毒者，ジャンキー	薬物を使用している人，薬物の注射をしている人，依存症の人
統合失調症，うつ	統合失調症やうつ病と診断されたことのある人
AIDSまたはHIV患者，HIVに罹患している人，AIDS被害者	HIV・AIDSとともに生きる人
売春婦，娼婦，街娼	セックスワーカー，transactional sex（金銭や物品などの授受を前提とした性行為）・survival sex（生きるために極度の必要に迫られた，食料，寝る場所や薬物を得るための性行為）を行う人
レイプ被害者	性的暴行を受けたサバイバー，レイプからのサバイバー
障害者	障害（障がい）のある人
ふつうの人，健康な人，元気な人，典型的な人	障害のない人
ドワーフ，小人	身長の低い人，小さい人
車椅子に縛られている	車椅子や電動車椅子を使っている人

出典：People First Language. Texas Council for Developmental Disabilities. http://www.tcdd.texas.gov/resources/people-first-language/ (Accessed March 30, 2019) より入手可能

適切な非言語的コミュニケーション

あなたが患者を注意深く観察するように，患者もあなたをみている。意識していてもいなくても，あなたは言葉と行動の両方でメッセージを送っている。姿勢，身ぶり・手ぶり，アイコンタクト，声のトーンなどから，あなたの関心，注意，受容，理解の度合いが伝わる（図2-3）。

熟達した面接者は，時間が限られていても，落ち着いていて，あわてていないようにみえる。患者は，あなたが他のことに気をとられていればそれに気づく。集中力を高め，患者に全神経を向けることが重要である。また患者は，表に出ない嫌悪感，困惑，焦り，退屈や，見下す，固定観念で捉える，批判する，軽視するなどの行動にも敏感である。プロフェッショナリズムには，治療のための人間関係を育むのに必要な平常心と「無条件の肯定的配慮」が要求される[21]。

面接者も患者も，常に非言語的コミュニケーションを行っており，それは潜在的な感情を知るための重要な手がかりとなる。非言語的な手がかりに敏感になることで，より効果的に「患者を読む」ことができ，あなた自身のメッセージを伝えられる。アイコンタクト，顔の表情，姿勢，頭の位置，振る・うなずくといっ

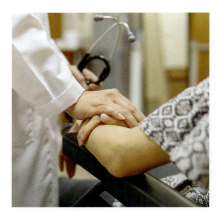

図2-3 非言語的コミュニケーションを通して共感を伝えられる
（nuiza11よりShutterstockの許可を得て掲載）

た頭の動き，対人距離，腕や脚の位置（組む，自然に並べる，開く）などに注意する。非言語的コミュニケーションには，世界共通のものもあるが，文化に結びついているものも多いので注意が必要である。

患者があなたの姿勢を繰り返すことが，あなたへの一体感を暗に示すように，自分の姿勢を患者に合わせることでラポールを高めることができる。患者に近づいたり，患者の肩に手を置いたりして身体的に接触することで，共感が伝わり，患者が動揺した感情をコントロールできるようになる。実際，非言語的な行動は，共感を伝えるうえで言語的なメッセージよりも重要な場合があり[22]，感情を表現するための主要な手段として機能する[23]。この重要なテクニックを使うための最初のステップは，非言語的な行動を認識し，それを意識して行えるようにすることである（Box 2-5）。

Box 2-5　非言語的コミュニケーションの形態

- 患者への身体の向き，対人距離*[24]
- 患者に対する視線の向き（アイコンタクト）*[25, 26]
- 表情のあるうなずき*[27]
- 身ぶり・手ぶりを伴ううなずき*[28]
- 姿勢
- 声のトーンと使い方
- 間を置く
- タッチング（手をあてる，さするなど）や**ハプティクス haptics** の利用

*患者・医療者間のラポール強化との相関関係を示す研究結果がある。

コミュニケーションと対人関係のスキルにおけるその他の注意事項

デリケートな話題を切り出す

この項では，医療者がさまざまなデリケートな事柄について患者と話す際の注意事項を学ぶ。経験が浅い場合や，よく知らない患者を診察している場合には，このような話し合いは気まずいものになる。熟練した医療者であっても，社会的な制約から，アルコールや薬物の乱用，性行為，死と終末期，経済的な問題，人種や民族的な偏見，家庭内暴力，精神疾患，身体的な変形，排泄行為など，特定のテーマについて話すことは難しく感じる。これらの話題の多くは，家族，文化，社会に関連した価値観にもとづいた，個人的で強い反応をもたらす。いくつかの基本原則を学んでおくと，デリケートな話題への対応を選びやすくなるだろう。

デリケートなことを話すときに，より気持ちが楽になる方法を考えてみたい（Box 2-6）。例えば，こうした話題を扱った医学書および一般書を読むこと，同僚や指導者と心配事について話すこと，自分の感情や反応を探るのに役立つ研修

を受けること，そして最終的には自分の人生経験を振り返ることなどがある。こうした手段をすべて活用する。可能であれば，経験豊富な医療者が患者とこれらの問題に取り組んでいる様子を聞き，同じようなテクニックをとり入れてみる。経験を積めば，自信もついてくるだろう。

> **Box 2-6　デリケートな話題を切り出すときのガイドライン[29]**
> - **最も重要なポイントは，患者に対して中立的な態度をとることである。**あなたの役割は，患者から学び，患者がよりよい健康状態に至る手助けをすることである。患者を受容することが目標を達成するための最良の方法である
> - なぜそれを知る必要があるのか理由を説明する。これにより患者の不安が軽減されるからである。例えば「あなたのケアをよりよくするために，あなたの性生活についていくつか質問させてください」と患者に伝える
> - デリケートな話題を切り出すきっかけとなる質問を用意し，患者とともに評価と計画を行うにはどのような情報が必要なのか学ぶ
> - 気づまりに感じていることについては，それを意識的に認識するようにする。その感覚を否定すると，関連する話題をすべて避けるようになってしまう可能性がある

インフォームド・コンセント

手技や治療に対する患者の同意とは，単に書類にサインすることだけではない。**インフォームド・コンセント informed consent** とは，医療者が患者に対して，所定の処置や介入のリスク，利益，代替案について伝えるコミュニケーションプロセスである[30]。

以下は，インフォームド・コンセントを得る前の話し合いを記録するのに必要な要素である。

- 処置または治療の性質
- 処置や治療の有益性と有害性
- 合理的な代替案
- 代替案の有益性と有害性
- 上記の4つの要素に対する患者の理解度の評価

医療者には，中核となる要素を省くことなく，同意を得るためのプロセスを経る法的・倫理的義務がある。

インフォームド・コンセントを得るまでの過程は，患者ごとに異なる。患者は，それぞれ異なる状況下にあり，それがインフォームド・ディシジョンを行う（情報を理解して決定する）能力に影響を与えることは明らかである。患者に**意思決定能力があることを確認**し，それがない場合は，患者が**医療代理人 healthcare proxy** として指定した人と相談する。患者の人生のあらゆる側面を考慮し，最適なコミュニケーションの方法を検討する。横柄でなく，理解しやすい言葉を使い，医学用語は避ける。ティーチ・バック法を用いて，患者への説明が適切だったか

意思決定能力の評価については，第1章「診察へのアプローチ」(p.27～28)を参照。

を評価するとよいだろう。可能であれば，パンフレット，ウェブサイト，ビデオなど，患者が自分で調べられるように他の情報源を提供する。「何か質問はありますか？」とたずね，最初の会話の後も，どんな質問にも答えられるようにしておく。意思決定能力のある患者は，適切な説明を受けた後，処置や治療に同意するかどうかを決める権利がある。

医療通訳者との連携

患者にとって最も馴染みのある言語でいくつかの単語を話せばラポールを築くことができるかもしれないが，面接全体をその言語で行うことにはリスクがある。たとえあなたが流暢であっても，特定の単語のもつ重要なニュアンスを見落とす可能性はある[31]。家族を通訳者として採用することも同程度に危険である。守秘義務が侵され，情報が不完全に省略され，誤解を招くような，または患者の害となるような伝え方をしてしまう可能性がある。また，長々とした患者の説明が数語に短縮され，重要な内容が省略されてしまうこともある。理想的な通訳者は，言語と文化の両方について訓練を受けた中立的な「文化的ナビゲーター」でなくてはならない[32,33]。しかし，訓練を受けた通訳者であっても，多くの社会に存在するさまざまなマイノリティの文化に精通していない場合がある。

通訳者を介して面接するときは，まず患者とのラポールを築き，最も重要な情報を整理することからはじめる（Box 2-7）。通訳者には，省略や要約はせず，すべてを通訳するように依頼する。**質問は明確で，短く，わかりやすいものにする。**面接におけるあなたの目標を説明しておくと，通訳者にとって助けとなる。計画を確認した後，患者と目が合いやすいように席を配置する。そして通訳者に「患者はいつから体調が悪いのですか？」とたずねるのではなく「あなたはいつから体調が悪いのですか？」と患者に直接話しかける。通訳者を患者の近くや，あなたの後ろに座らせれば，首をいったりきたりさせないで済む。

2カ国語で書かれた質問票があれば，特にシステムレビューに有効である。ある場合でも，まずは患者が自分の言語で読めるかどうかを確認し，そうでなければ，通訳者に支援を求める。状況によっては，音声翻訳機があればそれを利用する。

Box 2-7 通訳者を介して面接する際のガイドライン："INTERPRET"

Introduction	**紹介**：部屋にいるすべての人を必ず紹介する。その際に各人の役割についても説明する
Note goals	**目標を明確にする**：面接の目標を明確にする。どのような診断がつくのか？　どのような治療が必要か？　経過観察はあるか？
Transparency	**透明性**：すべての発言が通訳されることを患者に伝える
Ethics	**倫理**：面接中は，資格のある通訳者（家族，特に子どもではない）が通訳を行う。資格のある通訳者を採用することで，患者が自律性を維持し，自分のケアについて十分な情報を得たうえで意思決定を行うことが可能になる

（続く）↗

↘（続き）

Respect beliefs	信念の尊重：英語が不自由な患者が，考慮すべき文化的な信念をもっている場合，通訳者は文化的な仲介者として，患者が自分の信念を説明するのをサポートできることがある
Patiens focus	患者中心：患者が面接の中心であり続けるべきである．面接者は，通訳者ではなく患者と接する．面接を終える前に，患者が疑問に思っていることを必ず聞いて対処する．トレーニングを受けた通訳者が常駐していない場合は，患者が質問できないことがある
Retain control	主導権を握る：面接者は，患者や通訳者が会話の方向性を決めることのないよう，主導権を握ることが重要である
Explain	説明する：通訳者を介して診察するときは，簡単な言葉と短い文章を使う．そうすることで，対応する訳語をみつけやすくなり，すべての情報を明確に伝えることができる
Thanks	感謝：通訳者と患者に時間を割いてくれたことを感謝する．カルテには，患者が通訳を必要としていることと，今回誰が通訳したかを記入する

出典：Administration for Children and Families. U.S. Department of Health and Human Services. INTERPRET tool: working with interpreters in cultural settings. https://www.acf.hhs.gov/sites/default/files/otip/hhs_clas_interpret_tool.pdf (Accessed March 30, 2019) より入手可能

電話による通訳

電話通訳を通して，基本的なサービスを提供できる．特にめったに接することのない言語の通訳が求められるときや匿名性を守る必要がある場面で役立つ．通常，電話通訳では，同じ言語を話さない2人以上の人に向けて，別の場所にいる通訳者が電話で通訳を行う．電話通訳も対面通訳も医療現場では重要な役割を担っているが，この2つのタイプの通訳はまったく別のものであり，電話通訳は対面通訳の代わりとして使えるものではない．非言語的情報の多くは，声のトーン，抑揚，息継ぎのパターン，ためらい，その他の聴覚的情報を通して認識される．一方，身ぶり・手ぶりや顔の表情など，視覚的に伝達される情報は，電話通訳者には認識することができない[34]．以下の状況では，電話通訳ではなく対面通訳が最適である．

- 深刻な診断やその他の重大な知らせ
- 患者に聴覚障害がある場合
- 家族会議やグループディスカッション
- 視覚的要素を必要とするやりとり
- 複雑で個人情報を守る必要がある医療行為や知らせ

事前指示書

一般的には，すべての成人，特に高齢者や慢性疾患をもつ成人に対して，**事前指示書 advance directive** を作成し，患者の健康上の意思決定者として行動できる医療代理人を定め，**医療委任状 healthcare proxy（healthcare power of attorney）**を作成するようすすめることが重要である．面接でこうした内容に踏みこむことで，患者にとって何が重要で，何が生きがいなのか，どんなときに生きがいがな

コミュニケーションと対人関係のスキルにおけるその他の注意事項

くなるのかを明らかにする「価値観の聴取」ができる。患者が毎日どのように過ごしているのか，何を楽しんでいるのか，何を心待ちにしているのかをたずねる。患者の真意を確かめるために「ご家族に負担をかけたくないとおっしゃっていましたが，具体的にはどういうことですか？」「病気や痛み，治療法などについて心配されているのではないでしょうか」とたずねる。要求された情報を提供し，療養中継続して患者のケアをサポートし，調整するという姿勢を示す。あなたと患者が医療に関する最も適切な決定を行えるように，患者の宗教的またはスピリチュアルな信念を探る。

死期の近い患者が，面接のたびに自分の病気のことを話したがったり，会う人すべてに打ち明けたがったりすることはめったにない。もし，患者が社会生活を送れる状態を保ちたいと思っているなら，その希望を尊重する。微笑み，タッチング，家族についての質問，その日の出来事についてのコメント，あるいは穏やかなユーモアでも，あなたが患者を気遣い，いつでも患者の希望に対応する用意があることが伝わる。

終末期の治療に関する患者の希望を明確にすることは，重要な責務である。終末期の意思決定を支援できないことは，臨床ケアの欠陥として広く認識されている。患者の健康状態や医療環境によって，何を話し合うべきかが決まることが多い。末期的な病状の患者や終末期(余命が1年以下)の患者には，**Physician Orders for Life Sustaining Treatment(POLST)**〔**Medical Orders for Life-Sustaining Treatment(MOLST)** とも呼ばれる〕フォームが推奨される[35, 36]。POLST/MOLSTフォームは，生命維持治療に関する患者の希望を，他の医療者に伝えるための実践的な医療指示書であり，米国ではさまざまな場面で利用されている[37]。このフォームの作成は，患者が「自分の価値観，信念，ケアの目標について振り返り，医療者が患者の診断，予後を説明し，生命維持治療の有益性と有害性を説明したうえで治療法の選択肢を提示することからはじまる。そして，患者が十分に説明を理解した状態で，患者の価値観・信念・ケアの目標にもとづいて，どのような治療法を希望するか患者と医療者が共同して意思決定する」[35]。

急性疾患のある患者や入院中の患者とは，心停止や呼吸停止にどう対応すべきかを必ず話し合わなくてはならない。患者との関係を築けておらず，患者が疾患をどのように捉えているかを把握できていなければ，**蘇生拒否 Do Not Resuscitate (DNR)** や**自然死の容認 allow natural death status** について確認するのは困難であろう。メディアの影響もあり，多くの患者は蘇生に非現実的なほど高い期待を寄せる。「親しい友人や親族の死に際して，どのような経験をされましたか？」「**心肺蘇生 cardiopulmonary resuscitation(CPR)** について，どのようなことをご存じですか？」とたずねる。特に慢性疾患がある，もしくは末期的な病状にある患者に対しては，CPRが成功する見込みを説明する。痛みを取り除く処置や，スピリチュアルな問題，身体的な問題へのケアは優先されることを保証する。

重大な知らせの開示

生存率の低い疾患，疾患の再発，治療の失敗など，重大な知らせを患者に伝えるという複雑な課題には，高度なコミュニケーションスキルが必要である．実際にこうした知らせを伝えるには，言語的な配慮に加えて，患者の感情的な反応への対応，**共同意思決定 shared decision making**，患者の期待と現実とのギャップにより生まれるストレスへの対応，複数の家族の関与，見通しの暗い状況にもかかわらず希望を与える方法などが必要である[38]．こうしたコミュニケーションは複雑であり，深刻な問題につながる可能性が高いため，重大な知らせを開示する際の医療者の指針として SPIKES プロトコルが推奨されている．SPIKES プロトコルは，面接の準備，患者の理解度の評価，患者に何を伝えてよいかの確認，患者への知識と情報の提供，患者の感情への共感的な対応，戦略とまとめ，の 6 ステップから構成されている (Box 2-8)[38, 39]．

Box 2-8　SPIKES：重大な知らせを伝えるための 6 ステップのプロトコル

ステップ	内容
1. 面接の準備（Setting）	● プライバシーを確保する ● 患者にとって大切な人に同席してもらう ● 座って話す ● 患者との信頼関係を築く ● 十分な時間を確保し，中断を避ける 例：「必要なものを確認するために，少し時間をください」
2. 患者の理解度（Perception）の評価	● 患者が状況をどのように認識しているかを合理的かつ正確に把握するため，自由回答方式の質問を用いる 例：「生検後，どのような考えをお持ちですか？」「MRI を行った理由について，どのように理解されていますか？」
3. 患者に何を伝えてよいかの確認（Invitation）	● 患者がどの程度まで知りたいと思うかを確認する ● 重大な知らせについての会話で真に問題となるのは「知りたいか」ではなく，「どのレベルまで知りたいか」である 例：「もし何か重大なことがわかったら，あなたはそれを詳細に知りたいと思いますか？」
4. 患者への知識（Knowledge）と情報の提供	● 患者の理解度，アドヒアランス，情報開示の希望などを評価したうえで情報を提示する ● 警告のメッセージではじめる（「残念ながら悪いニュースをお伝えします」または「残念ですが……」） ● 主要な情報を伝えた後，一度間を置いてからつぎへ進む ● 専門用語の使用を避ける
5. 患者の感情（Emotion）への共感的（Empathic）な対応	● 患者の最初の反応が感情的であることを予測する ● その感情を明確に認める準備をする 例：「これがあなたをどれだけ動揺させているかわかります」「このような結果を予想されていなかったことと思います」「このようなことをお伝えするのは心苦しいです」「私もよい結果を希望していました」
6. 戦略（Strategy）とまとめ（Summary）	● つぎのステップについて話す前に，まず提供された情報を患者が理解していることを確認する ● 患者が重要な話し合いをする準備ができている場合 例：「話し合いを少しでもやりやすくするために私ができることはありますか？」「つぎのステップに移る準備をしていただきたいのですが，説明してもよろしいでしょうか？」

出典：Baile WF et al. *Oncologist*. 2000; 5(4): 302-311. VitalTalk. Serious News. https://www.vitaltalk.org/guides/serious-news/ (Accessed April 3, 2019) より入手可能

コミュニケーションと対人関係のスキルにおけるその他の注意事項

動機づけ面接

診察の最後には，健康増進や治療のために必要な行動変容について話し合うことが多いだろう。これらの行動変容には，食生活および運動習慣の改善，喫煙や飲酒の中止，投薬計画の遵守，自己管理戦略などが含まれる[40]。動機づけ面接は，特に薬物もしくはアルコール依存症の患者の健康状態を改善するための，十分に立証されたテクニックであり[41]，患者が自分の行動を振り返り，変えようとするのを手助けするための方法である。面接者が自分の態度や考え，コミュニケーションや対人関係のスタイルを自己認識する際に役立つ注意事項をBox 2-9に示した。

表2-1「動機づけ面接：臨床例」を参照。動機づけ面接に関する詳細は，第6章「健康維持とスクリーニング」を参照。

Box 2-9　動機づけ面接：この方法でよいのだろうか？

- 話をするよりも聞くほうが多いか？
  それとも，聞くよりも話すほうが多くなってはいないだろうか？
- 患者の問題が何であれ，敏感に感じとり受け入れる姿勢でいるか？
  それとも，自分が問題だと思うことを話していないだろうか？
- 患者に，行動変容のための自分のアイデアについて話し，検討するよう促しているか？
  それとも，結論や可能な解決策に飛びついていないだろうか？
- 患者に，行動を変えない理由を話すよう促しているか？
  それとも，変えることを前提で話すように強要していないだろうか？
- 患者にフィードバックをする許可を得ているか？
  それとも，自分の考えを患者が本当に聞きたがっていると思い込んでいないだろうか？
- 患者に，行動を変えようとする気持ちと変えたくないという気持ちが共存するのは自然なことだと安心させているか？
  それとも，行動を変えて解決に向けて突き進むように押しつけていないだろうか？
- 患者が過去の成功や課題を思い起こし，これから行動変容のために努力するうえで支えにできるよう手助けしているか？
  それとも，昔の話を無視したり，逆にこだわったりするように促していないだろうか？
- 患者を理解しようとしているか？
  それとも，自分や自分の考えを理解してもらうために多くの時間を費やしていないだろうか？
- 患者の話を要約し，自分の理解に間違いがないか確認しているか？
  それとも，自分の考えだけをまとめていないだろうか？
- 患者の意見を自分の意見よりも大切にしているか？
  それとも，自分の視点に，より価値を置いていないだろうか？
- 患者が自分で選択する能力があることを念頭に置いているか？
  それとも，患者にはよい選択ができないと思い込んでいないだろうか？

出典：The Institute for Research, Education and Training in Addictions (IRETA). MI Reminder Card (Am I Doing This Right?). https://www.centerforebp.case.edu/client-files/pdf/miremindercard.pdf (Accessed May 7, 2019) より入手可能

多職種コミュニケーション

研修医は臨床現場で，他の研修医や，医師，看護師，歯科医師，高度実践看護師，ソーシャルワーカー，足病医 podiatrist，リハビリテーション技士など，さまざまな分野の専門家と一緒に患者のケアにあたることが多い（図2-4）。効率的で質の高いケアを提供し，優れた転帰をもたらすためには，効果的なコミュニケーション技術を用いてチームとして働くことが重要であることは間違いない[42]。また，患者ケアにおけるエラーのリスクを最小限に抑えるためには，職種を超えた協力が不可欠である[43]。しかし，このようなチームベースのアプローチには，多くの障壁が存在する。例えば，スキルの違い，知識，専門性の違い，職種間の異文化コンピテンスの欠如，力関係，専門領域中心のロールモデルがあげられる[44-46]。多職種コミュニケーションには，相互の尊重が不可欠である。なぜなら，相互の尊重は，共通の目標を設定し，協力して計画を立て，意思決定を行い，責任を共有するための前向きな環境整備を促進するからである[47]。

図 2-4　職種の違うスタッフ同士の効果的なコミュニケーションが患者安全の鍵である（Faces of Healthcare より Comstock の許可を得て掲載）

多職種コミュニケーションとチームワークを改善するためのフレームワークの1つが，SBAR（**S**ituation-**B**ackground-**A**ssessment-**R**ecommendation）で，明確かつ簡潔で整理された，職種を超えて共有可能なメンタルモデルである（Box 2-10）。このフレームワークは，積極的な傾聴を促進し，専門領域の異なるチームメンバー全員が，患者の問題，特に患者安全にかかわる問題を率直に話し合うための建設的で標準的な方法を提示する[48]。

表 2-2「SBAR：多職種コミュニケーションのためのツール」を参照。

Box 2-10　SBAR：多職種コミュニケーションを促進するツール

SBAR	例
Situation（状況）	「私は……です。電話した理由は……」 「患者の……さんが……」
Background（背景）	「患者が入院した理由は……」
Assessment（アセスメント）	「この患者はおそらく……」
Recommendation（提言）	「移動させましょうか」 「モニタリングを開始し，その後……しましょうか」

出典：Agency for Health Research and Quality (AHRQ). TeamSTEPPS. http://teamstepps.ahrq.gov/（Accessed May 8, 2019）より入手可能

対応が難しい患者の状況と行動

本項では，以下の特徴をもつ患者の対応方法を学ぶ。

対応が難しい患者

- 沈黙
- 饒舌
- 混乱した語り口
- 精神状態または認知能力に変化がある
- 情緒不安定
- 怒っている，または攻撃的
- 思わせぶりな態度
- 差別的
- 聴覚障害がある
- 低視力または視覚障害がある
- 知的障害がある
- 個人的な問題に悩んでいる
- アドヒアランスが低い
- 識字能力が低い
- ヘルスリテラシーが低い
- 言葉の壁がある
- 終末期または死期が近い

患者の話を聞いていると，なかには面接するのが難しい患者がいることに気がつく。無口な患者のほうが面接しづらく感じる人もいれば，自己主張の強い患者のほうが難しく感じる人もいるだろう。自分の反応を意識することは，臨床技術の向上につながる。経験を積めばさまざまなタイプの患者から病歴を聞き出すことができるようになるが，疲弊，気分，過労などの自分自身のストレス要因も考慮する。セルフケアは，他者をケアするためにも欠かすことができない。**たとえ対応が困難な患者であっても，患者の話に耳を傾けることと，患者の抱える問題を明確にすることの重要性を常に念頭に置く。**

沈黙する患者

経験が浅いうちは，沈黙の時間に耐えられず，会話を続けがちである。沈黙にはさまざまな意味がある。患者が沈黙するのは，自分の考えをまとめるため，詳細を思い出すため，あるいはあなたに特定の情報を任せられるかどうかを判断するためである。沈黙の時間は，通常，患者よりも面接者のほうが長く感じるものである。気配りと尊敬の念をもって「あなたはあまりお話されませんね。何を考えていらっしゃるのですか？」のように，準備ができたら話を続けるよう促す。感情のコントロールが難しいなど，非言語的な手がかりを注意深く観察する。沈黙の時間に身構えずにいることは，患者がより深い感情を明らかにすることを促す，治療的な意味をもつことがある。

場合によっては，沈黙はあなたの質問の仕方に対する患者の反応かもしれない。短文で答える質問をあまりにもたくさん，連続して行っていないか？　非難や批判をして患者を怒らせていないか？　痛み，吐き気，息切れなどの会話を妨げる症状を見逃しているのではないか？　もしそうなら，患者に直接「あなたはあまりお話されませんね。何か気に障るようなことを言ってしまいましたか？」と問う必要がある。

饒舌な患者

おしゃべりな患者の対応も難しい。限られた時間のなかで「すべての話を聞く」必要に迫られると，焦ったり，いらだったりするかもしれない。この問題には完璧な解決策はないが，いくつかのテクニックが役に立つ。最初の5～10分は，患者に自由に話してもらい，注意深く話を聞く。患者は単に聞き上手な人を必要としているのかもしれないし，たまっていた不安を吐露しているのかもしれないし，話をすることを楽しんでいるのかもしれない。患者は何かにこだわっているようにみえるか？　患者は過度に心配したり，不安になったりしていないか？　思考障害を示唆するような，アイデアの飛躍や思考プロセスの乱れはないか？

患者にとって最も重要と思われることに注目する。その分野について質問することで，あなたの関心を示す。必要な場合にのみ，礼儀正しく口を挟む。患者の健康に関する貴重な情報を得るために面接をコントロールすることも面接者の役割なので，必要に応じて患者が話し進めるのに制限をかけるようにする。簡単に話を要約することで，話題を変えつつ心配事を確認することができる。例えば「私が理解できているかを確認させてください。あなたは多くの心配事を話してくれました。特に，2つの異なる種類の痛みについて聞きました。1つは左側のみぞおちの痛みで，かなり新しいものです。もう1つは食後の上腹部の痛みで，何カ月も続いているものですね。まず，みぞおちの痛みに注目してみましょう。どのように感じているか教えてください」と確認する。あるいは，患者に「今日一番気になることは何ですか？」とたずねてみるのもよいだろう。

「話を要約する」の項(p.50)を参照。

最後に，焦りを見せないようにする。時間がない場合は，再診の必要性を説明し，制限時間を設けて患者に準備しておいてもらう。「まだまだお話ししたいことがあるのはわかっています。来週も来ていただけますか？　次回は30分間を予定しています」と伝えるとよい。

混乱した語り口の患者

患者によっては，混乱していて，意味が理解しかねる語り方をすることがある。現在の症状から鑑別診断を行うときと同じように，なぜ話が混乱しているのかを評価する際には，いくつかの可能性を念頭に置く。患者にとってはそれが通常の話し方であって，質問をして患者が話すのを促したり，話を明確にしたり，要約したりするスキルを使えば，話の全体像をつかむことができるかもしれない。何が混乱の原因なのかに注意する。ただし，原因を探ることで円滑なコミュニケー

| 対応が難しい患者の状況と行動 | 異常例 |

ションが妨げられることがある。

なかには，複数の症状が併存する患者もいる。質問したすべての症状があるようにみえたり，システムレビューですべて陽性のようにみえたりする。このような患者との面接では，症状の背景に焦点をあて，患者の視点に寄り添って(p.46～52)，心理社会的評価を行う。

また，病歴が曖昧であったり，患者の話す内容に脈絡がなく，理解するのが難しいことから，戸惑いや不満を感じることもあるだろう。慎重に言葉を選んでも，質問に対する明確な答えが得られないこともある。患者の態度は，風変わりで，よそよそしく，不適切にみえるかもしれない。また「指の爪がすごく重く感じる」「胃が蛇のようにもつれている」など，症状の説明が奇妙に思えることがある。こうした場合には，精神病やせん妄のような精神状態の変化，統合失調症などの精神疾患，あるいは神経疾患があるかもしれない。急性期や酩酊時にみられる急性錯乱状態やせん妄，高齢者の認知症なども疑う。これらの疾患を抱える患者の病歴には一貫性がなく，日付を追うのも困難である。なかには記憶の欠落を埋めるために作話（記憶障害を背景に，事実と異なる話をそうであると気づかず，また相手をだます意図なく語ること）する人もいる。

精神疾患や神経疾患が疑われる場合，詳細な病歴を収集しようとすると，あなたと患者の双方を消耗させ，苛立たせることになる。精神状態の診察に移行し，意識レベル，見当識，記憶，理解力を評価する。「最後にクリニックを受診したのはいつですか？　どれくらい前になりますか？」「あなたの今の住所は……？　電話番号は……？」などと質問することで，移行が容易になる。質問に対する回答をカルテと照合したり，家族や友人に話を聞く許可を得て，彼らから話を聞いたりしてもよい。

■ 精神状態または認知能力に変化がある患者

せん妄，認知症，精神疾患などにより，自分の病歴を語ることができない患者がいる。また，熱性疾患や発作に関連する出来事など，病歴の特定の部分を思い出せない患者もいる。このような状況では，家族や介護者など患者以外の情報源から病歴を聴取する必要がある。常に最善の情報源を探す。親族や友人と会う際には，面接の基本原則を適用し，プライバシーを守れる場所で話をする。自己紹介をし，目的を述べ，この状況下で相手がどのように感じているかをたずね，気がかりな点を確かめ受け入れる。彼らの話を聞きながら，患者との関係の質に照らして，その信憑性を評価し，彼らがどのように患者を捉えているかを確認する。例えば，子どもが診察のために連れてこられた場合，付き添いの大人は親ではなく，子どもの診察に付き添うことができる最も都合のよい人であるかもしれない。病歴に関する情報を収集している間は，相手が医療代理人であるか，永続的な医療委任状をもっているか，または患者から許可を得ている場合を除き，患者に関する情報を開示してはならない。**なかには，病歴を伝えることはできても，十分に情報を理解したうえで医療上の意思決定を行うことができない患者もいる。**そ

意思決定能力については，第1章「診察へのアプローチ」(p.28～31)を参照。

の場合，患者が「意思決定能力」をもっているかどうかを判断する必要がある。意思決定能力とは，健康に関連する情報を理解し，各選択肢とその結果を比較検討し，選択肢について徹底的に考えて決断を下し，どのような決断をしたか人に伝える能力のことである。

情緒不安定な患者

泣くことは，悲しみから怒りや不満に至る強い感情の発露である。間を置くか，穏やかに気持ちを探るか，共感をもって対応することで，患者は遠慮せずに泣くことができる。通常，泣くことや，あなたが患者の苦痛を静かに受け入れることには治療的な意義がある。ティッシュを渡して，患者が落ち着くのを待つ。「あなたが自分の気持ちを外に出せてよかったと思います」というようなサポートの言葉をかける。ほとんどの患者はすぐに気を取り直して話を再開する。患者が泣くのを前にすると，多くの医療者は気まずく感じる。あなたもそう感じるのであれば，このように情緒が乱れた重要な場面で患者をサポートできるよう，表出された感情を受け入れる方法を学んでほしい。

怒っている患者，攻撃的な患者

多くの患者には，怒る理由がある。病気であること，損失を被ったこと，自分の健康をコントロールできなくなったこと，医療制度に困惑したことなどである。その怒りの矛先が，あなたに向けられることもある。あなたへの怒りが正当なものである可能性もある。あなたは予約時間に遅れたり，思いやりがなかったり，無神経であったり，いらいらしていないだろうか。もしそうであれば，その状況を認め，謝罪する。しかし，患者が自分のフラストレーションや痛みの反映として，怒りを医療者にぶつけることも多い。

患者の怒りに対し，怒りで応じることなく，また患者の感情から逃げずに受け入れる方法を学ぶ[49]。たとえ自分が共感していても，他の医療者や臨床現場，病院に対する批判を助長しないようにする。患者の主張に同意しなくても，患者の感情を認めることはできる（図2-5）。例えば「同じ質問に何度も答えることにいらいらされるのももっともです。チームのメンバーに同じ話を繰り返すことは，病気のときには不要に思えるものです」と伝える。患者が落ち着いた後，怒りの感情を解消して他の心配事の聴取に移れるよう手助けする。

図 2-5 患者の抱える感情を認める
（Syda Productions より Shutterstock の許可を得て掲載）

怒っている患者のなかには，あからさまに破壊的，好戦的で，手に負えない状態になる人もいる。そのような患者に近づく前には，警備員に一報を入れる。安全な環境を確保することは，あなたの責任の1つである。落ち着いて，対立的な態度は避ける。リラックスした姿勢をとり，威圧感を与えないようにする。最初は，破壊的な患者の声を小さくさせようとしたり，あなたやスタッフを脅すのをやめさせようとしたりしない。注意深く聞き，相手の言っていることを理解しようとする。ラポールが築けたら，よりプライバシーを守れる場所への移動を穏やかに提案する。

思わせぶりな患者

医療者はときおり，患者に身体的な魅力を感じていることに気づくことがある。同様に，患者が性的な働きかけや気があるそぶりをみせることもある。医療者と患者の関係は心理的にも身体的にも距離が近いため，このような性的感情が生じることがある。そのような感情に気づいた場合は，自分の専門家としての行動に影響することのないよう，その感情を自覚し，認める。否定すると，不適切な対応をしてしまうリスクが高まる。**患者とのいかなる性的接触や恋愛関係も非倫理的であり，患者との関係は専門家としてのかかわりにとどめ，必要な場合は助けを求める**[50-53]。

患者が思わせぶりであると，あなたはその意図に確信がもてずに無視したり，早く過ぎ去って欲しいと思ったりするかもしれない。冷静に，しかし明確に，患者との関係は個人的なものではなく，仕事上のものであることを示す。必要であれば，面接を続ける前に部屋を出て，立ち会ってくれるスタッフを探す。自分の行動をよく振り返る。あなたの服装や態度は不適切ではなかったか？　過度に丁寧に接しなかったか？　患者を評価することと，誤解を招くようなシグナルを送らないようにすることはあなたの責務である。

差別的な態度をとる患者

患者による人種差別的またはその他の差別的な扱いに遭遇した場合，患者をケアする義務，病院や診療所に対する医療者としての義務，そして自分自身をケアする義務のために，どう行動すべきか葛藤することがある。**差別的な患者とのやりとりは，医療者のレジリエンスを損なう可能性があるため，具体的に指摘して適切に処理する必要がある**。しかし，医療者，特に研修医は，「過剰に反応している」「非共感的である」というレッテルを貼られることを恐れて，ひどい扱いや差別に関する懸念を話そうとしないことがある。さらに，差別的なやりとりを指導者に報告すること自体がストレスになり，伝えることを躊躇してしまうこともある。研修医や医療者に対する差別的な行動が認識されないまま蓄積していくと，不安の増大，特定の患者の忌避，離職につながる[54]。このような患者の行動に直面したときに個人的な対処法を検討するには，組織的なサポートが必要であり，メンターとして認定された指導者がいて，その人と一緒にデブリーフィングができる環境が必要である。差別的な患者と研修医との遭遇に気づき，予測し，報告するための，所属機関における指導者に対する教育やプログラムをよく理解しておくこと。

研修医や医療者に対する人種差別的，またはその他の差別的な患者の行動に対処するための戦略が考案されている[55]。

- まず，患者の疾患の重症度を評価する必要がある。この面接は「重要な意味」をもつものか？（例えば，患者があなたの援助を必要としているか，患者を治

療するために特定の情報を得る必要があるか，あるいはこの面接が重要なものであるか）。選択肢としては，患者へのケアを継続する，他のチームメンバーに支援を求める，またはその状況から完全に離れるなどがある。**あなたは，差別的な患者を面接し続けることに不快感を覚えていることを指導者に伝える権利を与えられるべきである。**

- つぎに，患者と治療をするうえでの関係を築くことをめざす。患者のケアを続けるつもりであれば，患者の心配事を聞いて，患者とかかわっていくべきである。これには，指導者の助けが必要であり，研修医の場合は，面接の際に指導者の立ち会いのもと，「私はあなたの医療チームの一員として働いています」と伝える権利が与えられる。患者の差別的な行動は，患者のもつ疾患，根底にあるせん妄，または自己コントロール能力の欠如が原因かもしれない。これらの要因が判明しても，その行動が容認されたり，管理しやすくなるわけではない。指導者は，患者に対して「あなたはこの研修医を肌の色・性別・宗教・その他の理由で差別していますか？」とたずね，**その行動について具体的に言及するべきである。**

- 最後に，指導者が臨床チームのなかで**あなたを支え，学習しやすい環境を整える**。このような経験をした後は，再び差別的な事例に遭遇した際に誰にどのように報告すればよいかについて追加の研修を受けるべきである。また，患者のケアをする際にさらに差別を受けた場合に一段階上のより適切な対応ができるように備えておく。

聴覚障害がある患者

世界保健機関（WHO）によると，世界人口の5％以上（4億6,600万人）の成人が，聴力のよいほうの耳で40 dB以下が聞きとれない状態と定義される**聴覚障害**を抱えている[56]。米国では，人口の約10％に聴覚障害がみられ，彼らは「さまざまな程度の聴覚障害をもち，異なる言語を使用し，多様な文化に属する人々を含む異質な集団である。ある集団内の1グループに医療を提供するための方法が，別のグループにも適用できるとは限らない。聴覚障害のある患者に対して考慮しなければならない要素としては，聴覚障害の程度，聴覚障害が生じた年齢，使用する言語，心理的な問題などがある」[57]。コミュニケーションと信頼関係の構築は特に難しい課題であり，誤解が生じるリスクも高くなる[58]。聴覚障害者が英語を使っていても，標準的な英語とは異なる使い方をしている場合がある。

患者の希望するコミュニケーション方法を確認する。**会話や言語の発達に関連して，患者は聴覚障害が生じたときに聾文化に属していたのか，聴覚文化に属していたのか，また患者が通っていた学校の種類は何かをたずねる。**書面で質問し，患者の回答を確認する。なお患者は，独自の文法をもつアメリカ手話American Sign Language（ASL）を使用することがある。このような患者は一般的に，英語の読解が難しく，面接時には認定されたASL通訳者の同席を希望する[57]。手話と会話を組み合わせて使用する患者もいる。通訳者を介する場合は，前述の原則

を採用する。また時間はかかるが、手書きで質問し、回答を得るのが唯一の解決策となる場合もある。

聴覚障害の程度はさまざまである。患者が補聴器をもっている場合は、それを使用しているかどうかを確認し、それが機能しているかどうかも確認する。片側だけ障害がある場合は、聞こえる側に座る。聴覚障害者は自分に障害があることを認識していない可能性があるので、機転を利かせて対応する。また、テレビや廊下からの雑音は排除する。唇の動きを読める患者には、よくみえるように十分に明るい場所で直接向き合う。患者には、あなたの話を理解するための手がかりがみえるよう、必要であれば眼鏡をかけてもらう。通常の音量と速度で話し、文章の最後で声を小さくしたり、話している間に口を覆ったり、書類に視線を落としたりしない。最初に重要なポイントを強調して話す。唇を読むのが得意な人でも、話の一部しか理解できていないことがあるので、「ティーチ・バック」をしてもらうことが大切である。最後に、指示を書いた紙を持ち帰ってもらう。

低視力または視覚障害がある患者

低視力または視覚障害がある患者には、握手をして接触をはかり、自分が誰なのか、なぜそこにいるのかを説明する。慣れない部屋の場合は、患者に周囲の状況を説明し、他の人がいるかどうかを伝える。必要に応じて、照明を調整する。視覚障害のある患者には、可能な限り眼鏡をかけるようすすめる。姿勢や身ぶり・手ぶりは見えないので、言葉での説明に時間をかける。

知的障害がある患者

中程度の知的障害をもつ患者は、通常、適切に病歴を説明することができる。障害が疑われる場合には、学校での成績や自立して行動する能力に特別な注意を払う必要がある。このような患者では、学校でどの程度まで勉強したか、卒業していない場合、それはなぜか、どのようなコースを履修していたのか、成績はどうだったか、知的障害に関するテストは行われたか、1人暮らしか、移動や買い物などの活動に援助が必要か、を確認する。性行動歴も同様に重要であるが、見落とされがちである。患者に性的活動があるかどうかを確認し、必要に応じて妊娠や性感染症に関する情報を提供する。

患者の知的障害について確信がもてない場合は、精神状態の評価に移行し、簡単な計算、語彙、記憶、抽象的思考を調べる。重度の知的障害の場合は、家族や介護者に病歴をたずねるが、必ず最初に患者に対する関心を示す。ラポールを築き、アイコンタクトをとり、簡単な会話をする。子どもの場合と同様に、「上から目線」や見下したような態度は避ける。患者、家族、介護者、友人は、あなたの敬意を求めている。

個人的な問題に悩む患者

患者から，医療者としての専門性の範囲を超えた個人的な問題について，助言を求められることがある。例えば「ストレスの多い仕事を辞めるべきか」「州外に引っ越すべきか」などである。返事をする代わりに，他にどのような選択肢があると思うか，それぞれの選択の長所と短所，アドバイスをしてくれた他の人についてたずねる。あなたの意見を言うよりも，患者に問題を話してもらうほうが治療効果が高い。

アドヒアランスが低い患者

患者が提案された治療に協力しない場合，必ず患者に非があると考えるのは公平ではないため，**コンプライアンスではなくアドヒアランスという言葉が好まれる**。研究により，患者の認知能力，感情，社会経済的な状況，文化的な態度や信念のほか，病状，治療法，医療提供システムなど，いくつかの要因が患者のアドヒアランスを阻害することがわかっている[59, 60]。アドヒアランス向上のための戦略としては，説明書類の使用，Eメールや手紙を使った通知やリマインダー，患者へのポジティブなフィードバック，投与スケジュールの簡略化など不快感や不便さを最小限に抑えるための措置，管理を変更するための疾患モニタリング，必要に応じたカウンセリングの提供などがあげられる[61]。

識字能力が低い患者

文書による指示を出す前に，患者の**識字能力を評価する**。米国人の14％以上，つまり3,000万人が基本的な文書を読むことができない[62]。識字能力の低さが，患者が薬を飲まなかったり，指示に従わなかったりする理由かもしれない。

識字能力を確認するには，学校に通った年数をたずねたり，「読むのに困ることはありませんか？」とたずねるとよい。あるいは「問診票の記入にどれくらい抵抗がありますか？」とたずねたり，患者が書かれた指示をどれくらい読めるかを確認するのもよい。手っ取り早いスクリーニング法は，書面を上下逆に渡すという方法であり，ほとんどの人はすぐに正しい向きに直す。多くの患者は，うまく読めないことを恥ずかしいと思っている。患者の苦悩に配慮し，識字能力の程度と知能水準を混同しないようにする。加えて，識字能力が低い理由を探る。言語の壁，学習障害，視力の低下，教育を受けていないことなどがあげられる。

ヘルスリテラシーが低い患者

調査によると，ヘルスリテラシーの低さは8,000万人の米国人に影響を与え，健康状態の悪化や医療サービスの利用障害につながることがわかっている[63]。ヘルスリテラシーとは，単に文字を読むことだけではなく，患者が自身の医療環境を改善するために必要な実用的なスキルも含まれる。それは，活字リテラシー

（文書中の情報を解釈する能力），数字リテラシー（食品ラベルの理解や服薬アドヒアランスなどに必要な，定量的な情報を利用する能力），そして会話リテラシー（効果的に話す・聞く能力）である。

言葉の壁がある患者

患者とのコミュニケーションがとれないときほど，病歴の重要性を痛感するものだが，そのような事例はますます増えている。2011年に米国国勢調査局が発表したところによると，6,000万人以上の米国人が家庭で英語以外の言語を話している。そのうち20%以上は英語の能力に制限がある。英語以外の言語としてはスペイン語が代表的で，3,700万人が使用している[64]。これらの人々は，定期的なプライマリケアや予防医療を受ける機会が少なく，医療ミスによる不満や有害な転帰を経験しやすい。最適な転帰と効率のよいケアを提供するためには資格のある通訳者と連携する方法を学ぶのが不可欠である[65-69]。専門家はさらに踏み込んで，「文化的，言語的に適切でなければ，それはヘルスケアではない」と明言している[70]。

「医療通訳者との連携」(p.57)を参照。

終末期にある患者や死期が近い患者

医療教育の現場では，死期の近い患者とその家族に対するケアの改善がますます重要視されている（図2-6）。多くの研究により，緩和ケアへの理解が深められ，質の高いケアの基準が設定された[71,72]。**人生の最期を迎えるあらゆる年齢層の患者と接することになるので，初学者であっても，死と終末期に関する自分自身の感情を整理し，優れたコミュニケーションを実現するために必要なスキルを身につけなくてはならない。**

図 **2-6** 死期が近い患者のケアを改善する方法を学ぶ(Photographee.eu よりShutterstockの許可を得て掲載)

事前指示書については，p.58を参照。終末期の意思決定，死別については，第27章「老年」(p.1165〜1166)を参照。

医療者が症状の管理方法やケアに関する希望について，患者や家族といまだに効果的なコミュニケーションをとれていないことを示唆する研究がある。症状を改善し入院を回避するための医療者の介入は，死別による悲嘆を軽減し，転帰とケアの質を向上させ，コストを削減し，ときには生存期間を延長することもある[72-74]。死に直面している人やその家族は，**予期的悲嘆 anticipatory grief** と **死別 bereavement** の段階を経験するが，この2つの段階は重なり，ときには長引くことがある[75]。Kübler-Ross（キューブラー＝ロス）により，喪失に対する反応や，死を目前にして生じる予期的悲嘆において，つぎのような段階が生じることが説明された。すなわち**否認と孤立**，**怒り**，**取引**，**抑うつや悲しみ**，そして**受容**である[76]。これらの段階は，連続して起こることもあれば，任意の順序や組み合わせで起こることもある。患者や家族が自分の気持ちを話し，質問することができる機会を設ける。WHOが定義しているように，あなたの目標は「痛みやその他の身体的，心理社会的，精神的問題を早期に発見し，見落としなく評価と治療を行うことで，苦痛を予防し，緩和する」ことである[77]。

コンピュータ化された臨床環境における患者中心の面接

一般的な臨床現場における最も普遍的な変化の1つは，**電子健康記録 electronic health record（EHR）** の導入である[78]。以前から，面接の場にコンピュータがあると，患者・医師の1対1の関係が，患者・医師・コンピュータの三者の相互作用に変化することが指摘されてきた（図 2-7）[79]。

経験の浅いうちは，正確に記録しつつ情報漏洩に配慮するのと同時に患者と向き合うことが特に難しいと感じるかもしれない[80]。EHR を使用する際に，悪影響を及ぼしうるコミュニケーション方法として，患者と面接者の会話の流れを中断すること，視線の移動やマルチタスクの増加，あまり患者とコンピュータ画面を共有しないことなどがあげられる。しかし，効果的な EHR の使用は，コミュニケーション，説明，議論や，患者を中心としたコミュニケーションにつながる行動（例：画面共有，話題変更の合図，デリケートな議論の際の入力作業の中止）を促進することも示されている[81]。多くの研究により，患者とのラポールを維持し，コンピュータ化された臨床環境で，コミュニケーションに対する EHR の悪影響を最小限に抑えるための戦略やテクニックが開発されている（Box 2-11）[82, 83]。

図 2-7　患者と画面を共有しながら EHR を使用する

Box 2-11　コンピュータ化された臨床環境で患者を中心に面接を行うための戦略

- 患者を診察室に呼び出す前に，患者の EHR を確認する
- コンピュータに向かう前に，患者の心配事をたずね，ラポールを築くことから面接をはじめる
- EHR を使用する際には，コミュニケーションを円滑にするために，コンピュータを移動したり，患者の居場所を変えたりする（すなわち，面接者・患者・コンピュータの三角形をつくる）（図 2-7 参照）[84]
- EHR を使用していても，体の向きを患者に向けたままにし，患者とのアイコンタクトを維持する
- 患者とのかかわりを維持し，沈黙が続かないように，コンピュータでの作業中にも会話する
- コンピュータの使用について説明し（例：使用目的），コンピュータ上で何をしているか説明する（例：何を探しているか説明する），入力しながら声に出して読む
- 患者と EHR の画面や情報を視覚的に，または口頭で共有し（図 2-7 参照），患者をカルテ作成に参加させる
- 特にラポールを築くときや治療方法について話し合うときには，患者とのやりとりと画面操作を同時に行わない。患者とコンピュータの間で注意が切り替わることを言葉や身ぶり・手ぶりで示す
- コンピュータ上の作業は，患者とのやりとりの合間を利用して行う（例：患者が身体診察後に着替えているとき）
- 診察後，患者の EHR に診察内容を記録する

出典：Crampton NH et al. *J Am Med Inform Assoc*. 2016; 23(3): 654-665; Biagioli FE et al. *Acad Med*. 2017; 92(1): 87-91.

標準模擬患者からコミュニケーション技術を学ぶ

William Osler（ウィリアム・オスラー）は1905年に，「教科書となる患者がいなければ教育はできないと考えるのが安全であり，患者が最良の教師である」と有名な言葉を残している[85]。臨床トレーニングは伝統的に患者との接触に依存してきたが，学習上求められる病態の患者がいない，患者が予測できない行動をとる，教育に不適切な状況にある，など多くの理由から，「本物」の患者に代わり**標準模擬患者 standardized patient(SP)**を用いるアプローチが臨床トレーニングを強化するために採用される。教育，学習，アセスメントへのSPの導入は，学生が安全な学習環境で技術を磨けるように，幅広い臨床例と，各状況下で予測される行動を，信頼性をもって繰り返し再現可能であることを前提としている[86]。SPは，教育とアセスメントのための例を提供するだけでなく，学生のパフォーマンスを評価し，フィードバックを提供するように訓練することもできる[87]。SPは，学生が単純および複雑なコミュニケーションスキルを訓練する際に最も有用である（Box 2-12）[88-90]。

Box 2-12　SPから最大限の学習効果を得るためのヒント

「患者」を真剣に診察する	SPは，架空のシナリオを演じる役者ではあるが，実際の患者に接するのと同じようにSPに接すること。この診察の目的は，あなたが実際の臨床現場でよりよい患者ケアを提供できるようになることである。シナリオのなかのSPを1人の患者として，また1人の人間としてみることができれば，より多くを得ることができる。SPは，あなたが最高の医療者になるために献身的にサポートしてくれるので，その貢献に敬意を払う
「患者」を信じる	SPは，数時間から数日かけてケースシナリオを作成することもある。患者背景を考案したり，質問の答え方を統一して練習したりする。SPは，あなたの回答を妨害しようとしているのではなく，むしろあなたを指導し，より効果的に質問し，批判的思考能力を高める手助けをしている
具体的な質問をする	トレーニングプログラムの教員は，あなたが具体的に質問することを望んでいる。そのため，一般的な質問をしても，SPは曖昧な答えをすることが多い。面接前や面接時には，より具体的な質問の仕方を練習する。そうすることで，より早く，より効率的に患者のアセスメントをすることができる
「患者」の快適さに配慮する	実際の患者と同じように，SPを安心させる練習をする。これは，面接や身体診察で恥ずかしい思いをしたり，不快な思いをする可能性のある患者を実際に診察するときに役立つ。SPの服を動かしたり下げたりする必要がある場合は許可を得て，身体診察は丁寧に行い，診察全体を通して丁寧に対応する
ラポールの構築	診察を成功させるためには，忍耐力，共感力，そして人とのつながりを築く能力が重要である。SPとの対話をより効果的に行うためには，リラックスして自分らしくいられるようにする。そうすることで，診察中にSPが心を開き，あなたと個人的なレベルでかかわってくれるようになり，より実りある診察につながる
冷静さを保つ	SPはときおり，対応が難しい患者への対処能力を試してくる。例えば，患者は混乱したり，疑心暗鬼になったり，あるいは敵意をもって行動することがある。このような行動は，あなたにストレスや不安，混乱を感じさせるかもしれない。感情をコントロール

（続く）

↘(続き)

	し，冷静さを保つ方法を学ぶこと。攻撃的にならずに自分の意見を主張することで，多くの場合は状況を打開できる
要約する	原則として，診察の最後には，話し合った要点を簡単にまとめる。これにより診察中に注意深く耳を傾けていたことを示すことができる。また，SPがあなたの要約に欠けている部分を補ったり，間違いを正したりすることもできる
楽しむ	SPの診察を楽しむことが大切である。これらの演習は，安全でコントロールされた環境で新しいことを試す機会を与えてくれる。実際の患者を相手にする前に，失敗から学ぶことができるまたとない機会である

出典：Brown E. Eight Tips for Standardized Patient Encounters. https://www.codeblueessays.com/standardized-patient/ (Accessed April 19, 2019) より改変

表 2-1	動機づけ面接：臨床例

アルコール依存症に対する精神科医の典型的なアプローチは，患者への指導とそれが招く反発の連続である。精神科医は患者にアルコール依存症の危険性を説明し，アルコール治療センターのリストを渡して，治療を受けるようにすすめることが多い。
これに対して，実際の動機づけ面接での会話は，つぎのように進められた。

40歳女性が酒に酔ってパートナーを殺害し，自殺すると脅したため，警察官により精神科救急室に連れてこられた。彼女はこれまで，暴力を振るったことも，法律上や精神上の問題もなかった。翌日，酔いが覚めると「自分はアルコール依存症であるが，暴力的ではなく，自分を傷つけるつもりもない」と冷静に報告し，退院を希望した

患者：私はアルコール依存症で，変わりたいとは思いません。私は危険ではないので，もう家に帰らせてください
精神科医：わかりました。そのように計らいます。私たちはあなたに変わることを強制することはできません。いくつか質問に答えてもらってから，帰っていただいてもいいですか？
ポイント：自律性の尊重―精神科医は個人の行動を変える権利，変えない権利を尊重する
　　　　　　協力―精神科医と患者の力関係は対等であり，追加の質問をする場合は許可を得る

患者：わかりました
精神科医：あなたの飲酒について，少し知りたいと思っています。あなたが変化を望まないことは理解しています。だから，お酒はあなたの人生にとって，たいていの場合はよい影響をもたらすものだと思っています。あなたの生活のなかで，お酒について何かよくないことがあるかどうか知りたいのです
ポイント：アンビバレンスを引き出す

患者：肝臓が悪くなっているといわれました。お酒をやめないと壊れてしまうそうです
精神科医：そうですか。それはお酒のよくない部分ということのようですね
ポイント：アンビバレンスを探る

患者：その通りです
精神科医：でも，あなたが変わりたいと思うほど重要なことではないようですね。肝臓が壊れても，壊れなくても，それほど気にされていないのではないでしょうか？
ポイント：まったく皮肉を込めず，彼女の自律性を十分に尊重する

患者：まあ，肝臓がないと生きていけませんよね
精神科医：そうですか。でしたら，生きるか死ぬかをあまり気にされていないようですね
ポイント：繰り返しになるが，決して皮肉ではなく，単純に内容を反映し，自律性を尊重する

患者：まさか！　私は人生を愛しています！
精神科医：そうですか。私にはよく理解できないのですが，あなたはお酒をやめるつもりはないと断言しているのに，人生を愛していて，肝臓が壊れるのは望んでいない
ポイント：矛盾点をみつける。チェンジトーク（変化に前向きな発言）を引き出す

患者：いつかは減らしたりやめたりしなければならないとは思っています。ただ，今ではないということです
精神科医：わかりました。肝臓や命を守るためにいつかはやめたいけれど，それは今ではないということですね
ポイント：耳を傾け，理解し，共感を示し，気持ちを振り返る。自律性を尊重する

患者：そうです
精神科医：では，もう1つ2つ質問してもいいですか？　もし，いつかはお酒をやめようと思っているのであれば，いつ，どのようにしてやめるか，何か考えていることはありますか？　お酒を減らしたり，やめようと決めたときに，何か助けがあったほうがよいですか，もしくは必要ですか？
ポイント：患者を理解するために自由回答方式の質問をする。チェンジトークを促す

出典：Cole S et al. *Focus IX*. 2011: 42-52.

表 2-2　SBAR：多職種コミュニケーションのためのツール

SBAR：状況・背景・アセスメント・提言

SBAR(**S**ituation-**B**ackground-**A**ssessment-**R**ecommendation)は，医療チームのメンバーが患者の状態についてコミュニケーションをとるための枠組みである．覚えやすく，具体的なツールであり，あらゆる会話，特に医師の即時の注意と行動を必要とする重要な会話の組み立てに役立つ．またこの方法をとることで，チームのメンバー間で何がどう伝達されるかを簡単かつ端的に予想できるようになる．これはチームワークを高め，患者安全文化を醸成するために不可欠である

このツールには，以下が含まれる

- SBAR ガイドライン(Guidelines for Communicating with Physicians Using the SBAR Process)：SBAR 技法の実施方法を詳細に説明している
- SBAR ワークシート：重症患者に関する医師とのコミュニケーションに備えて，医療者が情報を整理するために使用するワークシート(スクリプト)

ワークシートとガイドラインの両方とも，例として医師とのコミュニケーションをあげているが，他のすべての医療者にも適用できる

SBAR ガイドライン

1) 医師の希望がわかっていれば，それに合わせて以下の手段を用いる．電話をかけ直す際は，5 分以内にかける
   - 連絡用アプリケーション(わかっている場合)
   - 当直のオンコール
   - 平日は診察室に直接連絡
   - 休日や平日の時間外には医師の自宅に電話をかける
   - 携帯電話

   医師に連絡をしても応答は得られないと判断する前に，あらゆる手段を駆使する．緊急時には，必要に応じてリソースナース(専門的な知識や技術を修得し，資格を得た看護師)や当直などの常駐サービスを適切に利用し，患者ケアの安全性を確保する．まずは，問題の最初と最後の状況を明確にする．そうすることで，あなたが対応している問題が，どのようにはじまり，どのように終わったかを全員が共有できる

2) 医師に電話する前に，以下の手順を踏む
   - 電話をかける前に，自分で患者を見てアセスメントしたか？
   - 状況をリソースナースやプリセプター(指導者)に相談したか？
   - 適切な医師を呼ぶためにカルテを確認したか？
   - 入院時の診断名と入院日を確認したか？
   - 最新の医師の経過観察表と前のシフトの看護師のメモを読んだか？
   - 医師と話す際に以下のものを用意しておく
     - 患者のカルテ
     - 現在服用している薬，アレルギー，輸液，検査のリスト
     - 直近のバイタルサイン
     - 検査結果：直近の検査が行われた日時と，比較のために以前の検査結果を提示
     - コードステータス(医療処置に対する事前指示書．特に心停止時の患者の希望)

出典：Institute for Healthcare Improvement. SBAR Tool: Situation-Background-Assessment-Recommendation. Institute for Healthcare Improvement, ©2019 の許可を得て www.IHI.org より掲載

3)医師を呼ぶときは，SBAR のプロセスに従う
(S)**状況**：どのような状況か？
- 自分の名前，ユニット，患者名，部屋番号を伝える
- 問題を簡潔に伝える。問題は何であるか，それがいつ起こったか，あるいははじまったか，そしてどの程度深刻であるかを述べる

(B)**背景**：状況に関連する重要な背景情報には以下のものがある
- 入院時の診断名と入院日
- 現在服用している薬，アレルギー，輸液，検査のリスト
- 直近のバイタルサイン
- 検査結果：直近の検査が行われた日時と，比較のために以前の検査結果を提示
- その他の臨床情報
- コードステータス

(A)**アセスメント**：看護師は状況をどうアセスメントしているのか？
(R)**提言**：看護師からの提言，または看護師が連絡をとった目的は何か？
例：
- 患者が入院したという医師への通知
- 患者は今すぐ診察を受ける必要がある
- オーダー変更

4)患者の状態の変化と医師の見解を記録する

	例：SBAR に則った危機的状況での医師への連絡
S	**状況** ジョーンズ先生，こちらは CCU のシャロン・スミスです。217 号室のホロウェイさんについて連絡です。55 歳の男性で，顔色が悪く，汗をかいています。混乱，脱力がみられ，胸の圧迫感を訴えています
B	**背景** - 高血圧の既往があります - 消化管出血で入院し，2 単位の輸血をしました - 直近で 2 時間前のヘマトクリット値は 31 でした - バイタルサインは血圧 90/50，脈拍 120 です
A	**アセスメント** 激しい出血があると思われ，心筋梗塞の可能性も否定できないと思いますが，トロポニンや最近のヘモグロビン・ヘマトクリット値の記録はありません
R	**提言** 心電図検査と採血をしたいと思います。すぐにアセスメントをお願いします

文献一覧

1. Matthews DA, Suchman AL, Branch WT Jr. Making "connexions": enhancing the therapeutic potential of patient-clinician relationships. *Ann Intern Med.* 1993; 118(12): 973-977.
2. Haidet P. Jazz and the 'art' of medicine: improvisation in the medical encounter. *Ann Fam Med.* 2007; 5: 164-169.
3. Kurtz S, Silverman J, Benson J, et al. Marrying content and process in clinical method teaching: enhancing the Calgary-Cambridge guides. *Acad Med.* 2003; 78(8): 802-809.
4. Kurtz SM, Silverman J, Draper J, et al. *Teaching and Learning Communication Skills in Medicine.* Abingdon, Oxon, UK: Radcliffe Medical Press; 1998.
5. Kurtz SM, Silverman JD. The Calgary-Cambridge Referenced Observation Guides: an aid to defining the curriculum and organizing the teaching in communication training programmes. *Med Educ.* 1996; 30(2): 83-89.
6. Coulehan JL, Block ML. *The Medical Interview: Mastering Skills for Clinical Practice.* 5th ed. Philadelphia, PA: FA Davis; 2005.
7. Fortin AV, Dwamena F, Frankel R, et al. *Smith's Patient-Centered Interviewing: An Evidence-Based Method.* 3rd ed. McGraw-Hill Education; 2012.
8. Halpern J. Empathy and patient-physician conflicts. *J Gen Intern Med.* 2007; 22: 696-700.
9. Halpern J. What is clinical empathy? *J Gen Intern Med.* 2003; 18: 670-674.
10. Buckman R, Tulsky JA, Rodin G. Empathic responses in clinical practice: intuition or tuition? *CMAJ.* 2011; 183: 569-571.
11. Egnew TR. Suffering, meaning, and healing: challenges of contemporary medicine. *Ann Fam Med.* 2009; 7: 170-175.
12. Batt-Rawden SA, Chisolm MS, Anton B, et al. Teaching empathy to medical students: an updated, systematic review. *Acad Med.* 2013; 88: 1171-1177.
13. Epner DE, Baile WF. Difficult conversations: teaching medical oncology trainees communication skills one hour at a time. *Acad Med.* 2014; 89: 578-584.
14. Lipkin MJ, Putnam SM, Lazare A, et al. *The Medical Interview: Clinical Care, Education, and Research.* Springer-Verlag; 1995.
15. Tervalon M, Murray-García J. Cultural humility versus cultural competence: a critical distinction in defining physician training outcomes in multicultural education. *J Health Care Poor Underserved.* 1998; 9: 117-125.
16. Kripalani S, Jackson AT, Schnipper JL, et al. Promoting effective transitions of care at hospital discharge: a review of key issues for hospitalists. *J Hosp Med.* 2007; 2: 314-323.
17. Kemp EC, Floyd MR, McCord-Duncan E, et al. Patients prefer the method of "tell back-collaborative inquiry" to assess understanding of medical information. *J Am Board Fam Med.* 2008; 21: 24-30.
18. Ashford RD, Brown AM, Curtis B. Substance use, recovery, and linguistics: the impact of word choice on explicit and implicit bias. *Drug Alcohol Depend.* 2018; 189: 131-138.
19. Kelly JF, Wakeman SE, Saitz R. Stop talking 'dirty': clinicians, language, and quality of care for the leading cause of preventable death in the United States. *Am J Med.* 2015; 128(1): 8-9.
20. Ashford RD, Brown AM, McDaniel J, et al. Biased labels: an experimental study of language and stigma among individuals in recovery and health professionals. *Subst Use Misuse.* 2019; 54(8): 1376-1384.
21. Makoul G, Zick A, Green M. An evidence-based perspective on greetings in medical encounters. *Arch Intern Med.* 2007; 167: 1172-1176.
22. Brugel S, Postma-Nilsenova M, Tates K. The link between perception of clinical empathy and nonverbal behavior: the effect of a doctor's gaze and body orientation. *Patient Educ Couns.* 2015; 98(10): 1260-1265.
23. Graves JR, Robinson JD. Proxemic behavior as a function of inconsistent verbal and nonverbal messages. *J Couns Psychol.* 1976; 23(4): 333-338.
24. Buller DB, Street RL Jr. Physician-patient relationships. In: Feldman R, ed. *Applications of Nonverbal Behavior Theories and Research.* Hillsdale, NJ: Erlbaum; 1992: 119-141.
25. van Dulmen AM, Verhaak PF, Bilo HJ. Shifts in doctor-patient communication during a series of outpatient consultations in non-insulin-dependent diabetes mellitus. *Patient Educ Couns.* 1997; 30(3): 227-237.
26. Verhaak PF. Detection of psychologic complaints by general practitioners. *Med Care.* 1988; 26(10): 1009-1020.
27. Duggan AP, Bradshaw YS, Swergold N, et al. When rapport building extends beyond affiliation: communication overaccommodation toward patients with disabilities. *Perm J.* 2011; 15(2): 23-30.
28. Weinberger M, Greene JY, Mamlin JJ. The impact of clinical encounter events on patient and physician satisfaction. *Soc Sci Med E.* 1981; 15(3): 239-244.
29. Van de Poel K, Vanagt E, Schrimpf U, et al. *Communication Skills for Foreign and Mobile Medical Professionals.* Heidelberg; New York: Springer; 2013.
30. Gossman W, Thornton I, Hipskind JE. *Informed Consent.* Treasure Island, FL: StatPearls Publishing, 2019. Available at https://www.ncbi.nlm.nih.gov/books/NBK430827/. Published 2019. Updated January 19, 2019. Accessed April 30, 2019.
31. Brady AK. Medical Spanish. *Ann Intern Med.* 2010; 152: 127-128.
32. Gregg J, Saha S. Communicative competence: a framework for understanding language barriers in health care. *J Gen Intern Med.* 2007; 22 Suppl 2: 368-370.
33. Saha S, Fernandez A. Language barriers in health care. *J Gen Intern Med.* 2007; 22: 281-282.
34. Eissa M, Patel AA, Farag S, et al. Awareness and attitude of university students about screening and testing for hemoglobinopathies: case study of the Aseer Region, Saudi Arabia. *Hemoglobin.* 2018; 42(4): 264-268.

35. Program NP. National POLST Paradigm Overview. Available from https://polst.org/wp-content/uploads/2020/03/2020.02.28-POLST-Handout.pdf. Accessed April 30, 2019.
36. Moss AH, Ganjoo J, Sharma S, et al. Utility of the "surprise" question to identify dialysis patients with high mortality. *Clin J Am Soc Nephrol*. 2008; 3(5): 1379-1384.
37. MOLST. General instructions for the legal requirements checklists for adult patients and glossary. Available from https://www.health.ny.gov/professionals/patients/patient_rights/molst/docs/general_instructions_and_glossary.pdf. Published 2018. Updated December 2018. Accessed April 30, 2019.
38. Baile WF, Buckman R, Lenzi R, et al. SPIKES — A six-step protocol for delivering bad news: application to the patient with cancer. *Oncologist*. 2000; 5(4): 302-311.
39. Rosenzweig MQ. Breaking bad news: a guide for effective and empathetic communication. *Nurse Pract*. 2012; 37(2): 1-4.
40. Rollnick S, Butler CC, Kinnersley P, et al. Motivational interviewing. *BMJ*. 2010; 340: c1900.
41. Cole S, Bogenschutz M, Hungerford D. Motivational interviewing and psychiatry: use in addiction treatment, risky drinking and routine practice. *FOCUS*. 2011; 9: 42-54.
42. Scotten M, Manos EL, Malicoat A, et al. Minding the gap: interprofessional communication during inpatient and post discharge chasm care. *Patient Educ Couns*. 2015; 98(7): 895-900.
43. Edwards S, Siassakos D. Training teams and leaders to reduce resuscitation errors and improve patient outcome. *Resuscitation*. 2012; 83(1): 13-15.
44. Pecukonis E, Doyle O, Bliss DL. Reducing barriers to interprofessional training: promoting interprofessional cultural competence. *J Interprof Care*. 2008; 22(4): 417-428.
45. Whitehead C. The doctor dilemma in interprofessional education and care: how and why will physicians collaborate? *Med Educ*. 2007; 41(10): 1010-1016.
46. Gilbert JH. Interprofessional learning and higher education structural barriers. *J Interprof Care*. 2005; 19 Suppl 1: 87-106.
47. Authority WRH. Competency 5: Interprofessional communication. Available from http://www.wrha.mb.ca/professionals/collaborativecare/files/Competencies-5.pdf. Updated August 16, 2018. Accessed May 7, 2019.
48. (AHRQ) AfHRaQ. TeamSTEPPS. Available from http://teamstepps.ahrq.gov/. Accessed May 8, 2019.
49. Markowitz JC, Milrod BL. The importance of responding to negative affect in psychotherapies. *Am J Psychiatry*. 2011; 168: 124-128.
50. Committee on Ethics, American College of Obstetricians and Gynecologists. ACOG Committee Opinion No. 373: Sexual misconduct. *Obstet Gynecol*. 2007; 110: 441-444.
51. Nadelson C, Notman MT. Boundaries in the doctor-patient relationship. *Theor Med Bioeth*. 2002; 23: 191-201.
52. Gabbard GO, Nadelson C. Professional boundaries in the physician-patient relationship. *JAMA*. 1995; 273: 1445-1449.
53. Sexual misconduct in the practice of medicine. Council on Ethical and Judicial Affairs, American Medical Association. *JAMA*. 1991; 266: 2741-2745.
54. Dvir Y, Moniwa E, Crisp-Han H, et al. Survey of threats and assaults by patients on psychiatry residents. *Acad Psychiatry*. 2012; 36(1): 39-42.
55. Whitgob EE, Blankenburg RL, Bogetz AL. The discriminatory patient and family: strategies to address discrimination towards trainees. *Acad Med*. 2016; 91(11 Association of American Medical Colleges Learn Serve Lead: Proceedings of the 55th Annual Research in Medical Education Sessions): S64-S69.
56. Organization WH. Deafness and hearing loss. Available from https://www.who.int/news-room/fact-sheets/detail/deafness-and-hearing-loss. Published 2019. Updated March 20, 2019. Accessed April 30, 2019.
57. Meador HE, Zazove P. Health care interactions with deaf culture. *J Am Board Fam Pract*. 2005; 18: 218-222.
58. Barnett S, Klein JD, Pollard RQ, et al. Community participatory research with deaf sign language users to identify health inequities. *Am J Public Health*. 2011; 101: 2235-2238.
59. Jin J, Sklar GE, Min Sen Oh V, et al. Factors affecting therapeutic compliance: a review from the patient's perspective. *Ther Clin Risk Manag*. 2008; 4(1): 269-286.
60. Vermeire E, Hearnshaw H, Van Royen P, et al. Patient adherence to treatment: three decades of research. A comprehensive review. *J Clin Pharm Ther*. 2001; 26(5): 331-342.
61. Athreya BH. *Handbook of Clinical Skills: A Practical Manual*. New Jersey: World Scientific; 2010.
62. National Center for Education Statistics (NCES). *Health Literacy of America's Adults: Results of the National Assessment of Adult Literacy (NAAL)*. 2003. Available at https://nces.ed.gov/naal/multimedia.asp. Accessed March 1, 2020.
63. Berkman ND, Sheridan SL, Donahue KE, et al. Low health literacy and health outcomes: an updated systematic review. *Ann Intern Med*. 2011; 155: 97-107.
64. Ryan C. *Language Use in the United States: 2011. American Community Survey Reports*. United States Census Bureau; 2013.
65. Karliner LS, Jacobs EA, Chen AH, et al. Do professional interpreters improve clinical care for patients with limited English proficiency? A systematic review of the literature. *Health Serv Res*. 2007; 42: 727-754.
66. Thompson DA, Hernandez RG, Cowden JD, et al. Caring for patients with limited English proficiency. *Acad Med*. 2013; 88: 1485-1492.
67. Schyve PM. Language differences as a barrier to quality and safety in health care: The Joint Commission perspective. *J Gen Intern Med*. 2007; 22 Suppl 2: 360-361.
68. Jacobs EA, Sadowski LS, Rathouz PJ. The impact of an enhanced interpreter service intervention on hospital costs and patient satisfaction. *J Gen Intern Med*. 2007; 22 Suppl 2: 306-311.

69. Hardt E, Jacobs EA, Chen A. Insights into the problems that language barriers may pose for the medical interview. *J Gen Intern Med*. 2006; 21: 1357-1358.
70. Office of Minority Health DoHaHS. Think Cultural Health. *CLAS Standards, Communication Tools*.
71. Care NCPfQP. Clinical practice guidelines for quality palliative care, 4th edition. 2013.
72. Dy SM, Aslakson R, Wilson RF, et al. Closing the quality gap: revisiting the state of the science (vol. 8: improving health care and palliative care for advanced and serious illness). *Evid Rep Technol Assess (Full Rep)*. 2012; (208.8): 1-249.
73. Bakitas M, Lyons KD, Hegel MT, et al. Effects of a palliative care intervention on clinical outcomes in patients with advanced cancer: the Project ENABLE II randomized controlled trial. *JAMA*. 2009; 302: 741-749.
74. Casarett D, Pickard A, Bailey FA, et al. Do palliative consultations improve patient outcomes? *J Am Geriatr Soc*. 2008; 56: 593-599.
75. Maciejewski PK, Zhang B, Block SD, et al. An empirical examination of the stage theory of grief. *JAMA*. 2007; 297: 716-723.
76. Kübler-Ross E. *On Death and Dying*. New York: Scribner Classics; 1997.
77. WHO. *WHO Definition of Palliative Care*. Available at https://www.who.int/cancer/palliative/definition/en/. Accessed March 1, 2020.
78. Swinglehurst D, Roberts C, Greenhalgh T. Opening up the 'black box' of the electronic patient record: a linguistic ethnographic study in general practice. *Commun Med*. 2011; 8(1): 3-15.
79. Margalit RS, Roter D, Dunevant MA, et al. Electronic medical record use and physician-patient communication: an observational study of Israeli primary care encounters. *Patient Educ Couns*. 2006; 61(1): 134-141.
80. Biagioli FE, Elliot DL, Palmer RT, et al. The electronic health record objective structured clinical examination: assessing student competency in patient interactions while using the electronic health record. *Acad Med*. 2017; 92(1): 87-91.
81. Alkureishi MA, Lee WW, Lyons M, et al. Impact of electronic medical record use on the patient-doctor relationship and communication: a systematic review. *J Gen Intern Med*. 2016; 31(5): 548-560.
82. Crampton NH, Reis S, Shachak A. Computers in the clinical encounter: a scoping review and thematic analysis. *J Am Med Inform Assoc*. 2016; 23(3): 654-665.
83. LoSasso AA, Lamberton CE, Sammon M, et al. Enhancing student empathetic engagement, history-taking, and communication skills during electronic medical record use in patient care. *Acad Med*. 2017; 92(7): 1022-1027.
84. Morrow JB, Dobbie AE, Jenkins C, et al. First-year medical students can demonstrate EHR-specific communication skills: a control-group study. *Fam Med*. 2009; 41(1): 28-33.
85. Berlan ED, Bravender T. Confidentiality, consent, and caring for the adolescent patient. *Curr Opin Pediatr*. 2009; 21(4): 450-456.
86. Ker JS, Dowie A, Dowell J, et al. Twelve tips for developing and maintaining a simulated patient bank. *Med Teach*. 2005; 27(1): 4-9.
87. Cleland JA, Abe K, Rethans JJ. The use of simulated patients in medical education: AMEE Guide No 42. *Med Teach*. 2009; 31(6): 477-486.
88. Haist SA, Wilson JF, Pursley HG, et al. Domestic violence: increasing knowledge and improving skills with a four-hour workshop using standardized patients. *Acad Med*. 2003; 78(10 Suppl): S24-S26.
89. Haist SA, Griffith IC, Hoellein AR, et al. Improving students' sexual history inquiry and HIV counseling with an interactive workshop using standardized patients. *J Gen Intern Med*. 2004; 19(5 Pt 2): 549-553.
90. Halbach JL, Sullivan L. To err is human 5 years later. *JAMA*. 2005; 294(14): 1758-1759; author reply 1759.

本章の学習効果を高め，理解を助けるために一連の補助教材がある。

- 『ベイツ診察法ポケットガイド第4版』
- Bates' Visual Guide to Physical Examination
- thePoint® online resources, for students and instructors: http://thepoint.lww.com

第3章 病歴

病歴

診察の過程で行われる面接は、目的と優先順位をもつ対話である（図3-1）[1]。第1章「診察へのアプローチ」では、診察の各過程がもつ目的や、各過程を論理的に進める方法を解説した[2-4]。第2章「面接、コミュニケーション、対人関係スキル」では、患者と治療のための関係を築くために、面接の各過程で利用できる基本的なコミュニケーションと対人関係スキル（病歴聴取のプロセスまたは流れ）の説明に焦点をあてた。本章では、病歴聴取のフォーマットを紹介した後、内容を体系的に整理する方法を解説する。これは、患者から聴取した内容を、現病歴、既往歴、家族歴といったさまざまなカテゴリーに分類するために重要な枠組みである。病歴を構成するさまざまな要素とその関連性を把握することで、今回の受診理由や、患者とともに設定した健康目標に、最も関連する要素はどれなのかを判断することができる。

面接で集めるべき具体的な情報に注目する前に、あえて病歴を明らかにする過程を解説したい。しばしば、特に経験が浅いうちは、患者の症状に関する具体的な情報（主訴から患者の社会歴、職歴といった広範囲の情報に至るまで）を追い求めるあまり、患者からの合図や心情、不安に効果的に対応するための関連技術をないがしろにしてしまう[5]。フォーマットに沿った形で病歴を聴取しつつも、患者中心に面接するよう意識すること。

図3-1　面接（StockLiteよりShutterstockの許可を得て掲載）

身体診察のフォーマットについては、第4章「身体診察」（p.129〜135）と、UNIT Ⅱの各部位の診察の章を参照。

本章の内容

- 病歴の種類
- 患者アセスメントの範囲を決定する
- 主観的情報と客観的情報
- 成人期の包括的病歴聴取
  - 初期情報（日付と時間、個人情報、情報源とその信頼性）
  - 主訴
  - 現病歴
  - 既往歴
  - 家族歴
  - 個人歴と社会歴
  - システムレビュー

（続く）

（続き）
- 所見の記録
- 臨床環境に応じた面接の調整

病歴の種類

必要となる情報の範囲や詳しさの度合いは，患者の希望や懸念，診察の目的，医療を行う状況（入院患者か外来患者か，時間はどのくらいさけるか，プライマリケアか専門医療か）によって異なる。

- 特別な例外を除いて，初診患者の場合は**包括的病歴 comprehensive health history** を聴取する。

- 咳や排尿時痛など特定の訴えを抱えて受診した患者には，その症状に焦点を合わせた面接を行う。これは**限定的病歴 focused history**，または**問題指向型病歴 problem-oriented history** の聴取として知られている。

- 現在症状のある疾患，または慢性疾患への治療を求めている患者に対しては，患者の自己管理，治療への反応，身体機能，生活の質に的を絞った面接が非常に有効である[6]。

- 健康管理のために頻繁に受診する患者に対しては，スクリーニング検査の計画や喫煙，体重減少または性行動に関する懸念の相談に的を絞った面接を行う。

- 専門医の診察においても，原因が複数存在する可能性のある問題を評価するため，より包括的な病歴聴取が必要になることがある。

患者アセスメントの範囲を決定する：包括的か限定的か？

毎回面接のはじめに，「どこまで行うべきか」「包括的アセスメント，限定的アセスメントのどちらを行うべきか」と自問することになるだろう。診療所や病院で初診患者を診察する場合は，通常は病歴のすべての要素を聴取し，遺漏のない身体診察を行う**包括的アセスメント comprehensive assessment** を選ぶことが多い。一方それ以外の多くの場合では，特に状況を把握できている再診患者を診察する場合や，咽頭痛や膝関節痛など特定の応急処置が必要な患者の場合は，より柔軟な**限定的アセスメント focused assessment** すなわち**問題指向型アセスメント problem-oriented assessment** が適当である。目の前の状況に応じて病歴聴取や身体診察の範囲を調整するが，その際に，患者の問題の大きさと重症度，どれくらい詳細に行うべきか，入院患者か外来患者か，プライマリケアか専門医療か，どれくらいの時間がさけるのか，といった要素に留意する。包括的アセスメントのすべての要素を習得することで，患者の懸念に最も適した要素を選択すること

| 病歴 | 異常例 |

が可能になり，最善の診察と正確な診断を実現できる。

Box 3-1 に示す通り，包括的アセスメントは臓器系の評価にとどまるものではない。このアセスメントは患者についての基本的かつ個別的な情報の源であり，医師患者関係を深めてくれる。また，ケアを求める多くの人が特定の懸念や症状を抱えているが，包括的アセスメントはそういった懸念を評価し，患者の質問に答えるためのより網羅的な土台にもなる。限定的アセスメントでは，注目する問題を詳細に評価するのに見合った方法を選択する。疾患の自然経過に関する知識だけではなく，患者の症状，年齢，病歴も限定的アセスメントを行う部位を決めるうえで参考になる。

臨床的な決断の基盤・指針となるプロセスについては，第5章「臨床推論，アセスメント，計画」(p.140〜148)を参照。

Box 3-1　患者アセスメント：包括的 vs. 限定的

包括的アセスメント	限定的アセスメント
● 診療所や病院の初診患者に適している	● 定期診察の患者や外来患者などに適している
● 患者に関する基本的で個別的な知識を得られる	● 特定の懸念や症状に対処する
● 医師患者関係を強化する	● 特定の臓器系に限定した症状を評価する
● 患者の懸念に関与する身体的な原因の同定や除外に役立つ	● できるだけ詳細かつ慎重に，問題や懸念の評価に適した診察法を適用する
● 以降のアセスメントの基準となる	
● 指導とカウンセリングを通じて健康促進の土台を築ける	
● 重要な身体診察技術の上達につながる	

主観的情報と客観的情報

病歴聴取や身体診察の技術を習得する際には，以下にまとめた**主観的情報 subjective information** と**客観的情報 objective information** の重要な違いに留意する必要がある。主観的情報には症状，つまり患者があなたに訴える健康上の懸念が含まれる。例えば，咽頭痛，頭痛やその他の痛みなどの訴えである。また，面接で聴取した患者の心情，認識，不安なども含まれる。客観的情報の一例としては，診察で特定された身体所見または徴候がある。すべての診断テストや画像所見も客観的情報とみなされる。例えば，「胸痛」は主観的情報で，一方「前胸部触診による圧痛」は客観的情報である。これらの違いを知っておくことで，患者情報を分類できるようになる。また，こうした違いは，患者について文章や口頭で論理的かつ理解しやすい形で説明する場合にも重要である。**システムレビューで得られた主訴の診療記録は主観的情報とみなされ，一方，すべての身体所見，検査情報，評価結果は客観的情報である。**

病歴聴取のフォーマットについては，p.84〜106を参照。

成人期の包括的病歴聴取

この項では，病歴の主要要素に焦点をあてる（Box 3-2）。各要素，例えば**現病歴 history of present illness（HPI）**や**既往歴 past medical history（PMH）**をどのようにまとめ，診療記録として記載するかを例をあげながら解説する。

Box 3-2　成人期の包括的病歴を構成する要素

- 初期情報（日付と時間，個人情報，情報源とその信頼性）
- 主訴
- 現病歴
- 既往歴
- 家族歴
- 個人歴と社会歴
- システムレビュー

第1章「診察へのアプローチ」にあるように，患者と話をする際に Box 3-2 の順番通りに情報を引き出せることはまれである。面接はより流動的なものであり，診察者は患者からの合図を細かく観察して疾患に関する話を引き出し，共感を示してラポールを強化するように努める必要がある。患者の話から得たさまざまな情報を，より正式な形，例えば口頭でのプレゼンテーションや文章による記録のなかのどのセクションで提示すべきかはすぐに判断できるようになるだろう。また，患者の言葉や会話を医療チームの全員になじみのある病歴の構成要素へと変換する必要がある。この変換作業によって臨床推論は整理され，診察者が技能を活用し診断に至るまでの土台が築かれるだろう。

病歴聴取をはじめるにあたっては，成人期の包括的病歴を構成する要素（Box 3-2 参照）を見直してから，各要素の詳細（Box 3-3）を学習するとよい。

Box 3-3　成人期の包括的病歴を構成する要素の詳細

個人情報	● **個人に関する情報**：例えば患者のイニシャル，年齢，性別
情報源とその信頼性	● **病歴の情報源**：通常は患者本人だが，家族，介護者，友人，または診療記録の場合もある ● **信頼性**は患者の記憶，察者への信頼度や気分に左右される
主訴	● 患者が受診する理由となったおもな症状や懸念。1つか2つのことが多いが，まれにそれ以上のこともある
現病歴	● **主訴**に関する詳しい情報。各症状がどのように出現したかに沿って，発生したイベントを時系列順にまとめる ● 疾患に対する患者本人の考えや思い ● **システムレビュー**で得た現病歴に関連する所見（**関連する陽性所見，関連する陰性所見**と呼ばれる）(p.90)

（続く）↗

新生児，小児，および青年期の患者の包括的病歴聴取と身体診察については，第25章「小児：新生児から青年期まで」(p.960〜1083)を参照。

UNIT I　第3章　病歴

成人期の包括的病歴聴取　　　　　　　　　　　　　　　　　　　　　　　　異常例

↘（続き）

既往歴	● **成人期**の病歴を，少なくとも内科，外科，産婦人科，精神科に分類して，日付をつけてリスト化する ● **小児期**の病歴を含めることもある ● 予防接種，スクリーニング検査，生活習慣，家での安全対策など，**健康の維持**のために実践していること ● **処方**や**アレルギー**を含めることもある
家族歴	● 兄弟姉妹，両親，祖父母それぞれの年齢と健康状態，死亡年齢と死亡原因を概説または図式化する ● 家族が高血圧，糖尿病，癌といった特定の疾患に罹患しているかを含む
個人歴と社会歴	● 喫煙歴，飲酒歴，違法薬物使用歴 ● 性行動歴 ● 学歴，家系，現在の家族構成，個人的な趣味，生活習慣
システムレビュー	● 各臓器系に関連する症状の有無

初期情報

日付と時間

日付は常に重要である。特に外来受診時，救急時，入院時の診察であれば，必ず診察した**時間**を記録すること。

個人情報

年齢や性別を含む。患者の名前はしばしばイニシャルに省略される。

性自認については p.95〜96 ページを参照。

情報源とその信頼性

病歴の情報源は，患者本人のこともあれば，家族や友人，専門医，診療記録のこともある。必要に応じて患者の**信頼性**について記録する。情報源の信頼性は通常面接の最後に，得られた情報の質にもとづいて評価する。例えば「患者は症状の伝え方が不明瞭で詳細がわかりづらい」または「患者の配偶者は情報提供者として信頼できる」と記載する。

主訴

情報を集める

主訴 chief complaint(CC)/presenting complaint は，患者が受診する理由となった主要な問題または状態（受診理由）を指して使用される用語である。より中立的

な用語「おもな懸念(chief concern)」が用いられることもある。

主訴は，診察者が情報収集をはじめるきっかけとなるものである。主訴を確認するまでに，患者が主訴と病歴について進んで詳しく説明できるよう，患者とのラポールを築いていることが望ましい。まず「今日はどうなさいましたか？」とたずねてみる。1つの主要な症状とそれに関連する軽微な症状があることが多い。例えば，主要な症状として胸痛があり，それに関連して動悸と呼吸困難という軽微な症状があるかもしれない。

記録

主訴を記録するとき，患者の言葉が症状を的確に描写しており，一般的でなく特異的であるときは特に，その言葉を可能な限りそのまま記載すること。例えば「胃が痛くて最悪の気分です」「尿が濁っていて変なにおいがします」「胸の上にゾウが座っているような感じです」といった言葉である。複数の症状がある場合は，そのうちの1つが特に重要なものと判断できるかもしれない。上述の例では，胸痛を主訴として記載し，現病歴のセクションで詳しく説明する。動悸や呼吸困難は関連症状として現病歴に記載する。もし同じくらい重要な症状が複数ある場合は，主訴としてその症状をリスト化し，現病歴に記載して詳細な説明を加える。主訴がない場合は，受診理由を「定期診察で来ました」のように記載する。

現病歴

情報を集める

現病歴は，時系列に沿って簡潔で明確に，受診の理由となった問題を説明したもので，発症した時期，発症時の状況，症状，治療歴を含む。**最も基本的な形式の現病歴は患者が抱える問題の説明であり，症状に対する患者自身の反応や，その疾患が患者の生活に及ぼす影響について明確に聴取しなければならない。**なお，**情報は患者から伝えられるものだが，それを口頭あるいは文書の系統だった形式に落としこむのは診察者の役割であることを忘れてはならない。**

現病歴では，主訴の特徴を整理するために，その特徴を1つずつ明記する(Box 3-4)。特徴を記載して主訴を説明する方法は，痛みの伴う症状に対して特に有効だが，適宜調整すれば呼吸困難や咳，下痢といった症状を説明する際にも使用できる。

Box 3-4 症状を表す特徴		
特徴	説明	質問例
部位	問題，症状または痛みが生じる，または移動する部位	「痛みはどこからはじまりましたか？」「痛みは他の場所に移動しますか？」

(続く)

成人期の包括的病歴聴取

↘(続き)

性質	問題，症状または痛みの質を説明する表現	「どのような痛みなのか説明していただけますか？」 「○○（痛みの質を説明する患者の言葉）とはどのような感じなのでしょうか？」
程度または重症度	問題，症状または痛みの程度や範囲に関する患者の非言語的な行動または言語的表現（疼痛評価スケール0〜10，現在の問題，症状，または痛みを以前のものと比較）	「0〜10段階で，10を最悪の痛みとしたら，今の痛みはどの値になりますか？」 「呼吸はどのくらい苦しいですか？ 少し，中程度，もしくはかなりの苦しさでしょうか？」 「全体的にみて，痛みはだんだんよくなっている，悪くなっている，または変わらないでしょうか？」
発症時期	問題，症状または痛みが最初に生じた時期	
● 状況	発症時の状況。どのような行動や状況がその問題，症状または痛みを発症，悪化もしくは改善させるか	「症状はいつはじまりましたか？」 「症状が出たときに何をしていたか教えてください」 「症状が出たとき，あなたの生活でいつもと違うことが何か起こっていましたか？」
● 時期・期間	問題，症状または痛みはどのくらいの期間残るか，持続するか	「頭痛はどのくらい持続しますか？」
● 頻度	問題，症状または痛みはどのくらいの頻度で起こるか	「昨日何度嘔吐しましたか？」 「今日はめまいの回数が普段より多いですか？」
増悪または改善因子	問題，症状または痛みとそれらの及ぼす影響を改善するためにとられた行動または習慣	「どのようなことが症状を悪化させますか？」 「どのようなことが症状を軽くしますか？」
関連症状	問題，症状または痛みと同時に生じる他の症状または徴候	「めまいがあるときは吐き気も感じますか？」 「この問題が生じるときに他に起きることはありますか？」

これらの特徴を記憶するのに役立つ略語を示す（Box 3-5）。

Box 3-5　症状の特徴を記憶するのに役立つ略語

OPQRST	OLD CARTS
Onset（発症様式）	**O**nset（発症様式）
Precipitating and **P**alliating factors（増悪または改善因子）	**L**ocation（部位）
Quality（性質）	**D**uration（期間）
Region or **R**adiation（部位または放散）	**C**haracter（性質）
Severity（重症度）	**A**ggravating or **A**lleviating factors（増悪または改善因子）
Timing or **T**emporal characteristics（発症時期または現在の症状）	**R**adiation（放散）
	Timing（発症時期）
	Setting（状況）

また，関連症状の有無やその他の関連する情報を確認することも重要である。例えば，胸痛をもつ患者の冠動脈疾患の危険因子や失神患者の最近の服薬状況といった情報である。これらは患者の問題や状況の原因と思われる病態（**鑑別診断 differential diagnosis**）のリストを作成するのに役立つだろう。このリストには，**最も可能性が高い病態**と，場合によっては可能性が低いものの**最も重大な病態**を含める。患者から病歴を聴取するとき，どのような説明が可能か推測を続け，患者の返答を踏まえて，つぎに何を質問すれば論理的に原因を絞りこめるか検討する。**質問を通して原因を絞りこむ過程は，仮説を検証していく過程と似ている**。質問

を重ねることで，可能性の低い鑑別診断を含んだ比較的長い鑑別診断（仮説）のリストに対して絞りこみを行い，より可能性の高い鑑別診断のみを残す。

患者情報を収集するこのプロセスには，経験と患者とのやりとり，および臨床知識が必要なため，難しいと感じるかもしれない。経験を積めば，主訴に応じてどのような質問をすべきか，また一般的な原因として何が考えられるかを判断できるようになる。

臨床推論のプロセスについては，第5章「臨床推論，アセスメント，計画」を参照（p.140〜148）。

記録

診療記録に現病歴を記載する方法を身につけるのは，初学者にとって最も困難な課題の1つである。収集した情報をもとに患者の話を文章化する方法や，面接に至るまでのイベントを時系列に沿って簡潔かつ明確に整理する方法を学ぶ必要がある。Box 3-6に，診療記録の現病歴のセクションをまとめる際に役立つフレームワークを示す。

> **Box 3-6　現病歴の記録にあたって推奨されるステップ**
> - 導入文からはじめる
> - イベントの発生順に着目して，主訴の特徴をさらに明確にする
> - つぎに，関連症状（関連のある陽性所見）やそれが鑑別診断にどう影響するかを記載する
> - 関連症状がみられないこと（関連のある陰性所見）やそれが鑑別診断にどう影響するかを記載する
> - 現病歴と関連があれば，病歴の他のセクションからの情報を加える

導入文

病歴の最初に置かれる導入文は，読み手が患者の抱える問題の原因として考えられるものを推定するための基礎となる（Box 3-7）。この導入文では，患者をめぐる臨床状況（問題の原因を示唆する，主訴に最も関連した重要な病歴など）を示したうえで，主訴を説明する。

> **Box 3-7　現病歴の記録例1：導入文**
> MNは販売員をしている54歳女性で，以前にもときどき頭痛があったが，「この3カ月間ずっと頭が痛い」ということであった

例えば「JMは48歳男性，コントロール不良の糖尿病があり3日間の発熱後受診」という導入文が考えられる。この導入文は，発熱が糖尿病と何らかの関連があるかもしれないことを警告している。つまり，読み手に発熱の原因として最も一般的で可能性が高いものとして，糖尿病患者に生じることが多い感染症を想起させるのである。

もう1つの例として「RPは23歳男性，メキシコへの最近の渡航歴あり。1カ月続く微熱と夜間の寝汗を理由に受診」をあげる。この導入文も，最近メキシコ

成人期の包括的病歴聴取

に渡航した患者に発熱と寝汗がみられる原因の手がかりとなる。導入文を読むだけで、症状の原因として、渡航先の地域に固有の感染症を疑うことになるだろう。

時系列に着目して主訴を説明する

すでに解説したように，現病歴のセクションでは主訴の特徴を明示する。質問に対する患者の回答に応じ，明確に文章化できているか特に注意を払いながら情報を記録する。その際，イベントを時系列に沿って説明するため，症状の発生した時期に着目する（Box 3-8）。

1. **部位**：（例）体の領域，両側性・片側性，左側・右側，前面・後面，上部・下部，びまん性・限局性，固定・移動性，他の部分へ放散

2. **性質**：（例）鈍い・鋭い，拍動性，持続的・間欠的，むずがゆい，穿刺性，急性・慢性，改善性または増悪性，発赤または浮腫を伴う，痙攣性，電撃性，ヒリヒリする

3. **程度または重症度**：（例）疼痛評価スケール（最大の痛みが 10）で 8，中程度のめまい，カップに半分程度の血尿

4. **発症時期**：
   a. 状況：（例）起立時に増悪，座位で改善，食事で増悪，階段から落ちたとき，サッカーの試合中
   b. 時期・期間：（例）今朝，昨夜，6 日前，昨夜から，過去 1 週間，今日までずっと，2 時間継続
   c. 頻度：（例）6 時間おき，毎日，ときどき

5. **増悪または改善因子**：（例）アセトアミノフェンで改善，イブプロフェンで改善なし，○○すると改善・増悪

6. **関連症状**：（例）全身症状，頻尿や尿意切迫，かすみ目を伴う頭痛，しびれや脚のうずきにつながる腰痛

患者の話を明確に記録する方法の 1 つは，基準となる時点を 1 つ設定して，各イベントを時系列順に並べる方法である。例えば入院時を基準として「入院の 2 日前に，数回の非血性水様下痢を認め，その翌日に非血性嘔吐を 2 回認めた。入院の 6 時間前に患者は重度の心窩部痛を自覚した」と記載する。陥りやすい失敗ではあるが，基準となる時点を設定せずに記述するのは避ける。例えば「6 月 12 日，患者は○○を発症……その後，入院の 3 日前に……そのあと，月曜日に……」のような書き方は避ける。基準となる時点を設定して記述することで，各イベントの時系列を追いやすくなる。

> **Box 3-8　現病歴の記録例 2：主訴の詳細**
>
> MN は販売員をしている 54 歳女性で，以前にもときどき頭痛があったが，「この 3 カ月間ずっと頭が痛い」ということであった
> →受診の 3 カ月前に症状がはじまるまでは元気だった。額の両側がズキズキする，放散のない，軽度から中等度（疼痛評価スケールは 10 点中 3～6 点）の頭痛で，これまでは 1 カ月に 1～2 回あり，4～6 時間で治まっていたが，ここ最近は平均週 1 回発症。ストレスと関連性があり，睡眠や湿らせた冷たいタオルを額にあてると和らぐ。アセトアミノフェンではほとんど効果がない

関連する陽性所見と陰性所見

つぎに，診察中に特定され，主訴に関連していると思われる症状（**関連する陽性所見 pertinent positive**）を説明する（Box 3-9）。関連する陽性所見とは「問題の原因として立てた仮説が真実であれば認められるはずの症状または徴候であり，もしみつかれば鑑別診断を裏づけるもの」である[7]。例えば，息切れを呈している患者の場合，「……さらに約 1 分未満，"鼓動がとても速い"と患者が表現する動悸もあり，その後，激しい顔面紅潮が続いた」と記載する。

また，主訴に関連する症状の欠如（**関連する陰性所見 pertinent negative**）にも注意する。関連する陰性所見とは「存在すると予想されていたものの，実際には認められない症状や徴候，つまり問題の原因として立てた仮説が真実であれば認められたはずの所見であり，認められない場合には診断を否定するもの」である[7]。上述の息切れを呈している患者の例では「……発熱，喀痰を伴う咳，胸痛，悪心または嘔吐はなし。冠動脈疾患や不安症の既往歴なし」と記載する。この例で，息切れの原因として予想されていた病歴は，肺感染症（発熱，喀痰を伴う咳），心臓発作（冠動脈疾患の病歴，胸痛），および不安症である。**関連する所見，特に関連する陰性所見を手がかりにして，問題の原因として可能性のある病態を明確にするだけでなく，より可能性の低い病態を除外することができる。**

> **Box 3-9　現病歴の記録例 3：関連する陽性所見と陰性所見**
>
> MN は販売員をしている 54 歳女性で，以前にもときどき頭痛があったが，「この 3 カ月間ずっと頭が痛い」ということであった。受診の 3 カ月前に症状がはじまるまでは元気だった。額の両側がズキズキする，放散のない，軽度から中等度（疼痛評価スケールは 10 点中 3～6 点）の頭痛で，これまでは 1 カ月に 1～2 回あり，4～6 時間で治まっていたが，ここ最近は平均週 1 回発症。ストレスと関連性があり，睡眠や湿らせた冷たいタオルを額にあてると和らぐ。アセトアミノフェンではほとんど効果がない
> →悪心を伴い，ときに嘔吐で何度か欠勤した。視覚変化，運動障害，意識消失や感覚異常はない

追加関連情報

主訴に関連する追加情報があれば，それが通常は現病歴に含めないような内容でも，必要に応じて記載するべきである（Box 3-10）。例えば，肺炎を疑っている患者に発熱や咳がみられれば，現病歴に患者の喫煙歴を加えるとよいだろう。発

成人期の包括的病歴聴取

熱と体重減少を認め，結核を疑っているのなら，ホームレス保護施設での生活歴や肺結核患者への接触の可能性を含めるとよいだろう。こうした情報は一般的には社会歴に記載されるが，主訴の原因と思われるものをリスト化するにあたって考慮すべき情報であるため，上述の2例では現病歴に組みこむ。ただし，同じ情報を2回記載しないように注意する。例えば上述の喫煙歴のある患者の診療記録では，さらにつけ加える情報がない場合，社会歴の「喫煙」の項目には簡単に「現病歴の通り」と記載すればよい。

現病歴の最後に，患者がどのように，そしてなぜ受診したかを記録するとよい。この記載は，症状の重症度と患者がケアを求めた動機に関する手がかりとなる（例：「発熱があり，アセトアミノフェンで解熱しなかったため主治医の診察を受けた」「地下鉄で失神しそうになったため，救急車で救急外来に搬送された」）。

> 現病歴の記録に使用する別のテンプレートと代表例は，表 3-1「現病歴の記録のためのテンプレート」を参照。

Box 3-10　現病歴の記録例 4：追加関連情報

MN は販売員をしている 54 歳女性で，以前にもときどき頭痛があったが，「この 3 カ月間ずっと頭が痛い」ということであった。受診の 3 カ月前に症状がはじまるまでは元気だった。額の両側がズキズキする，放散のない，軽度から中等度（疼痛評価スケールは 10 点中 3〜6 点）の頭痛で，これまでは 1 カ月に 1〜2 回あり，4〜6 時間で治まっていたが，ここ最近は平均週 1 回発症。ストレスと関連性があり，睡眠や湿らせた冷たいタオルを額にあてると和らぐ。アセトアミノフェンではほとんど効果がない。悪心を伴い，ときに嘔吐で何度か欠勤した。視覚変化，運動障害，意識消失や感覚異常はない

→ 15 歳で悪心・嘔吐を伴う頭痛がはじまった。20 歳代半ばまで繰り返し出現し，その後 2〜3 カ月に一度まで減少，やがてほぼ寛解した。彼女は頭痛は以前のものと同様だと感じているが，母親が頭痛を訴えた後に脳卒中で亡くなったことを懸念している。また，頭痛により仕事に支障がでること，いらいらして家族にあたってしまうことで困っている。上司が厳しく，仕事でのプレッシャーが増しており，また娘のことも心配である。食事は 1 日 3 回，コーヒーは 1 日 3 杯，夜は紅茶を飲む習慣がある。頭痛の頻度が増しているため，本日受診した

既往歴

情報を集める

既往歴は，現在活動性があるかどうかにかかわらず，患者の医学的問題すべてを含む。**小児期の疾患，成人期の疾患（内科，外科，産婦人科，精神科の 4 領域に分類）に関する健康情報を聴取する。**さらに予防接種状況や，大腸内視鏡検査やマンモグラフィなど年齢に応じた予防措置に関する情報も確認して記録する。全般的な健康状態を既往歴に含める場合もある。患者には「生まれてから今日までの健康状態について教えていただけますか？」とたずねるとよいだろう。

- **小児期**：麻疹，風疹，流行性耳下腺炎，百日咳，水痘，リウマチ熱，猩紅熱，ポリオについてたずねる。また，喘息や糖尿病など小児慢性疾患に関する情報

- **成人期**：患者につぎの4領域に関して質問する。

  - **内科**：糖尿病，高血圧，心筋梗塞，肝炎，喘息，**ヒト免疫不全ウイルス human immunodeficiency virus(HIV)**，てんかん発作，関節炎，結核，癌などの疾患について，経過や入院状況も含めて確認する。

  - **外科**：手術または手技の種類と実施日を確認する。手術や手技の名前を思い出せない場合は，手術した理由（手術適応）をたずねる。

  - **産婦人科**：妊娠・出産歴，月経歴，避妊法，性機能について確認する。

  - **精神科**：うつ病，不安症，自殺念慮・企図などについてたずねる。経過，診断，入院，および治療も含めて確認する（Box 3-11）。

- **健康管理**：予防接種とスクリーニング検査について記載する。破傷風，百日咳，ジフテリア，ポリオ，麻疹，風疹，流行性耳下腺炎，インフルエンザ，水痘，**B型肝炎 hepatitis B virus(HBV)**，**ヒトパピローマウイルス human papillomavirus(HPV)**，髄膜炎菌感染症，インフルエンザ菌b型，肺炎球菌，帯状疱疹の予防接種歴を確認する。スクリーニング検査に関しては，ツベルクリン検査，Papanicolaou（パパニコロー）塗抹検査（パップスメア），マンモグラフィ，便潜血検査，大腸内視鏡検査，コレステロール測定の有無について，結果と最終実施日を確認する。

避妊方法については26章「妊娠女性」（p.1138〜1139）参照。

うつ病，自殺傾向，精神疾患については，第9章「認知，行動，精神状態」（p.255〜256, 262〜263, 271〜272）を参照。

Box 3-11　メンタルヘルス

精神疾患や身体疾患に対する文化的な目線は多種多様で，その受けとめ方や感じ方は社会によって大きな違いがある。患者にとって糖尿病やインスリン注射について話すことは，統合失調症や向精神薬の服用について話すことよりどれほど簡単か，考えてみるとよい。最初は自由回答方式の質問，例えば「これまで何か情動的もしくは精神的な疾患にかかったことがありますか？」と質問することからはじめてみる

　それから具体的に「カウンセラーや臨床心理士に相談に行ったことがありますか？」「メンタルヘルスの問題で薬を服用したことはありますか？」「情動の問題やメンタルヘルスの問題で入院されたことがありますか？」「ご家族はどうですか？」とたずねる

　うつ病や，統合失調症のような思考障害のある患者には，症状と経過に関する注意深い病歴聴取を行う。気分の変化や，倦怠感，異常なほどの涙もろさ，食欲や体重の変化，不眠症，ぼんやりした身体の不調といった症状に注意する

　うつ病のスクリーニングには，つぎの2つの質問の有効性が実証されている。「この2週間で，落ちこんだり，ふさぎこんだり，絶望的になったりしましたか？」「この2週間で，何かするときに興味や楽しみを感じないときがありましたか？」[8]

　うつ病が疑われたら，自殺念慮に関してもたずねるようにする（「これまでに自分を傷つけようとしたり，自殺を考えたことはありますか？」）。胸痛を訴える患者の場合，うつ病と狭心症の重症度を評価する必要がある。なぜなら，どちらも命にかかわる問題だからである

（続く）

UNIT I 第3章 病歴

成人期の包括的病歴聴取

異常例

↘（続き）
> 統合失調症やその他の精神疾患患者の多くは地域社会のなかで生活しており，自分で病名，症状，入院経験，現在の服用薬について話ができる。症状と身体機能レベルが安定しているかどうかを精査し，サポート体制とケアプランを確認する

記録

患者の既往に関する情報を収集した後，通常は小児期，成人期（内科，外科，産婦人科，および精神科）という異なる見出しの下に整理する。以下に例を示す。

- **小児期**：麻疹，水痘。猩紅熱やリウマチ熱の既往なし

- **成人期**：
  - 内科：2016 年に腎盂腎炎（発熱，右側腹部痛を伴う。アンピシリン開始数日後に全身に瘙痒感を伴う発疹あり。その後再発なし）
    最後の歯科受診は 2 年前
  - 外科：6 歳時に扁桃摘出術。13 歳時に虫垂切除術。2012 年にガラスを踏み裂傷を縫合
  - 産婦人科：G3P3（3-0-0-3），正常経腟分娩。子どもは 3 人存命。初経は 12 歳。最終月経は 6 カ月前
  - 精神科：なし

- **健康管理**：予防接種—経口ポリオワクチン（時期は不明）。1982 年破傷風 2 回，1 年後にブースター接種。2000 年インフルエンザワクチン，副反応なし
  スクリーニング検査— 2018 年パップスメア検査正常，2019 年マンモグラフィ正常

> Gravida（G）：妊娠の回数，Parity（P）：出産回数〔満期産，早産，流産（自然流産および妊娠中絶），生存している子ども〕。第 26 章「妊娠女性」（p.1113）を参照。

> 患者の予防接種およびスクリーニング検査などの年齢に応じた予防措置に関する情報は，この「健康管理」のセクションに含める。

アレルギー

各薬物に対する特定の反応について質問する。また，食品，昆虫，または環境要因に対するアレルギーをたずねる。有害薬物反応，アレルギー反応，および薬物の副作用という用語の違いを理解すること。**有害薬物反応 adverse drug reaction** とは，疾患の予防，診断，治療，または生理機能の改善のために通常使用する用量で発生する，薬物に対する有害で意図しない反応のこと[9]。**アレルギー反応 allergic reaction** とは，免疫反応による有害薬物反応のことである（例：全身性の発疹，喘鳴，または蕁麻疹）。**副作用 side effect** は，治療のために意図された効果とは別の，薬物がもつ想定の範囲内で既知の効果である（例：悪心，便秘）。患者は薬物の副作用を「アレルギー」として報告することが多い。例えば，過去にペニシリン系抗菌薬を服用した後に悪心を感じた経験を，ペニシリンアレルギーとして報告する可能性がある。これにより選択肢が制限され，今後の抗菌薬の投与に関する決定に悪影響を及ぼす可能性がある。

処方

処方は，薬剤名，投与量，投与方法，使用頻度を含め注意深く記録する。また，処方せんなしで購入できる**市販薬(OTC医薬品)over-the-counter medication**，ビタミン剤，ミネラルまたはハーブのサプリメント，点眼薬，軟膏，経口避妊薬，民間療法，家族や友人からもらった薬剤もリスト化する。患者にすべての薬剤を持参してもらい，服用しているものを正確に確認できるようにする(図3-2)。

家族歴

家族歴 family historyは患者やその近親者についての健康情報の記録である。両親，祖父母，兄弟姉妹，子ども，孫を含めた近親者一人ひとりについて，年齢と健康状態，または死亡年齢と死亡原因をリスト化もしくは図示する。高血圧，冠動脈疾患，コレステロール高値，脳卒中，糖尿病，甲状腺疾患や腎疾患，関節炎，結核，喘息や肺疾患，頭痛，てんかん，精神疾患，自殺，薬物依存，アレルギー，患者から報告されたその他の症状について，近親者にみられるか確認し，記録する。乳癌，卵巣癌，大腸癌，または前立腺癌の家族歴についてもたずねる。概略図または医療家系図は，遺伝性の病態を明確に示すことができるが，これは**電子健康記録 electronic health record(EHR)**上では記録として残せない場合がある。

個人歴と社会歴

社会歴 social historyには，患者の性格や関心，問題への対処方法，強み，懸念にわたる患者の**個人歴 personal history**が含まれる。社会歴の聴取を通して，患者とあなたの関係がより密接になり，ラポールの構築につながる。なお，この個人歴には，**性的指向と性自認**，出生地，および個人的な環境要因(**職業と教育**，重要な**人間関係**とその**安全性**，家族・世帯構成を含む**家庭環境**，兵役・職歴・経済状況・退職といった**重要な経験**，**趣味**，**セクシュアリティ**，**スピリチュアリティと社会支援システム**)を含む。平時の身体機能レベル，つまり**日常生活動作**の把握は特に高齢者または障害者で重要である(Box 3-12)。

図 3-2 処方を見直し調整する
(Burlinghamより Shutterstockの許可を得て掲載)

高齢者の日常生活動作については27章「老年」(p.1162)を参照。

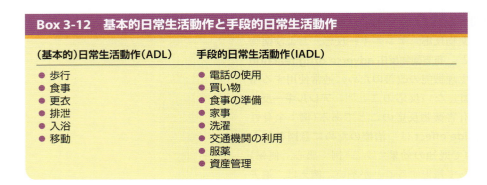

Box 3-12 基本的日常生活動作と手段的日常生活動作

(基本的)日常生活動作(ADL)	手段的日常生活動作(IADL)
● 歩行	● 電話の使用
● 食事	● 買い物
● 更衣	● 食事の準備
● 排泄	● 家事
● 入浴	● 洗濯
● 移動	● 交通機関の利用
	● 服薬
	● 資産管理

社会歴は他に**喫煙**，**違法薬物**，**飲酒**も含む。また，運動や食事内容など，**個人の健康を増進したり，逆に害する可能性のある生活習慣**についても聴取する。例えば，運動の頻度，1日の食事量，サプリメント，食事制限，コーヒー・紅茶・その他

成人期の包括的病歴聴取

のカフェイン入り飲料の摂取などがこれに含まれる。安全対策には、シートベルトの着用、自転車に乗る際のヘルメットの着用、日焼け止めの使用、煙探知機の設置、銃器や特定の危険につながる器具の扱い方などがある。

性的指向と性自認

性的指向と性自認 sexual orientation and gender identification（SOGI）について話をすることは、患者の人生における重要で多面的な核心部分に触れるきっかけになる（Box 3-13）。まずは患者からの申告や懸念に対して医療の専門家として対応する際の妨げとならないよう、自分がもっているかもしれない偏見について熟考する。加えて、患者の健康と幸福（well-being）を探求するためには、患者に共感を寄せ、批評を控えたアプローチをとることが不可欠である[10]。患者にSOGIをたずねることで、患者中心で適切な言葉にもとづいた、的確で、一人ひとりに合わせた、思いやりのあるケアを提供できる。

SOGIは特に青年期には移ろいやすいため、診察のたびに聞いておくべき質問がいくつかある。医療者は、多くの患者が性自認にそぐわない扱いを受けている可能性があることに気を配る必要がある[11]。**医療者は、患者のSOGIが以前の診察時と同じであると決めつけてはならないし、また患者の行動、外見やパート**

Box 3-13　用語と定義

割り当てられた性別 assigned sex	通常、生殖器の外観のみにもとづいて、出生時に割り振られた生物学的性別
性的指向 sexual orientation	他の人に対する肉体的、恋愛的、感情的な嗜好
性自認 gender identity	自分は男性、女性、もしくはその他の存在であるという個人の内的感覚。これは必ずしも他者からみてわかるものではない
ジェンダー表現 gender expression	名前、代名詞、服装、髪型、行動、声、身体の特徴による性別の表現
トランスジェンダー（トランス） transgender (trans)	性自認、ジェンダー表現、または行動が、出生時に割り当てられた性別に関連づけられているものとは異なる人
トランスジェンダーの男性（トランスマン） transgender man (transman)	現在男性であるが、出生時に女性に割り当てられた人
トランスジェンダーの女性（トランスウーマン） transgender woman (transwoman)	現在女性であるが、出生時に男性に割り当てられた人
シスジェンダー cisgender	性自認、表現、または行動が出生時に割り当てられた性別に関連づけられているものと一致する人
ジェンダーノンバイナリー・ジェンダークィア gender nonbinary/genderqueer	自分は完全に男性でも完全に女性でもないと捉えている人
性別移行（トランジション） transition	出生時に割り当てられた性別ではなく、自分で適切だと思える性別で生活をはじめる期間。この期間に、名前の変更、服装や身だしなみの変更が行われることが多い。ホルモン剤の服用、手術、身分証明書の変更など、医学的および法的な対応がとられる場合ととられない場合がある

出典：National Center for Transgender Equality. https://transequality.org/issues/resources/tips-journalists (Accessed April 23, 2019) より許可を得て掲載

ナーの性別にもとづいて推定するべきでない。例えば、同性のパートナーがいる男性で、自身を同性愛者(ゲイ)ではないと捉えている人は多くいる。またある調査によると、同性愛者の女性の81％が、男性との性的体験があると報告している[12]。代わりに、患者がいつ何を伝えるか決断しやすくなるよう、自由回答方式の質問や特定の人を排除することのない言葉を用いる。

以下に患者への質問例を示す。

- 「あなたの性的指向はどのようなものですか？」回答の範囲には、異性愛者またはストレート、レズビアン、ゲイ、バイセクシャル、パンセクシャル、クィア、クエスチョニング(性的指向や性自認を定めていない)などが含まれる。

- つぎに「あなたの性自認はどのようなものですか？」とたずねる。回答には、男性、女性、トランスジェンダー、トランスマン、トランスウーマン、クィア、ノンバイナリー、不明またはクエスチョニング、さらには「答えたくない」が含まれる。

- 性自認に関する追加情報を求めて「出生届の性別は何ですか？」と質問すると、より詳細にジェンダー歴を聞きとることができる。この質問をきっかけに、患者がどの臓器をもっているかを把握することができ、性感染症および癌検診を推奨する際の指針が得られる。

家族と社会的関係

社会的関係は、メンタルヘルス、保健行動、および身体的健康に短期的および長期的に影響を及ぼす[13]。多くの研究から、社会的なつながりが健康を促進し、疾病を予防する保健行動(例：運動、栄養バランスのとれた食事、医療方針へのアドヒアランス)や健康を損なう行動(例：喫煙、過度の体重増加、薬物乱用、大量のアルコール摂取)に影響を与えることが立証されている[13,14]。

両親や子ども、パートナー、友人、知り合いや遠い親戚についてたずねる。患者が、血の通った人間関係でつながり、社会的な支えになっていると感じる相手や、自分が愛され、気遣われ、気持ちを尊重してもらっていると感じる相手を特定する[15,16]。

安全を脅かす関係に気づく

社会的関係はほとんどの患者にとっては心の支えの中核となるが、ストレス、負担、緊張、葛藤、虐待につながる場合もあり、ひいては患者の健康を損なう可能性がある(Box 3-14)[13]。専門家は「虐待を受けている患者さんは多いので、いつも同じようにうかがうことにしているのですが」と、一般的なことを聞くように切り出すことを推奨している。大まかな質問からはじめ、その後さらに具体的で直接的な質問をすると、打ち明けてくれることが多い。「殴ったり脅迫したりする人との関係がありますか？」と聞いて間を置き、患者の答えを促す。患者が

「いいえ」と答えたら，「誰かに不当に扱われたり，やりたくないことを強要されたことはありませんか？」「怖いと思う人はいますか？」「知り合いに叩かれたり，蹴られたり，殴られたり，怪我をさせられたことはありませんか？」などと続ける。打ち明けられたら，共感を示し受け入れることと批評を控えた対応をとることが重要であるが，現時点ではそこまで至る例は半分にも満たない。

Box 3-14 身体的・性的虐待の手がかり

米国や他の国々で性的搾取を目的とした人身売買の犠牲者が増え続けていることを念頭に置き（米国だけで年間5万人の女性と子どもが犠牲になっていると推測される），虐待に関する暗黙の手がかりに注意を払う必要がある[17, 18]
- 怪我の理由が不明で，患者の話と矛盾があり，原因を隠そうとしているようにみえたり，困っているようにみえる
- 傷の手当を受けるのを渋る
- 傷害や「事故」の既往が繰り返されている
- 患者やパートナーがアルコールや薬物依存症である
- 患者のパートナーが面接の主導権を握ろうとしたり，診察室から離れようとしなかったり，ひどく不安げで気をもんでいるようにみえる
- 若年妊娠や複数のパートナー
- 腟感染症と性感染症を繰り返している
- 生殖器や肛門の痛みのために歩きづらかったり座りづらかったりする
- 腟の裂傷や打撲傷
- 骨盤診察（内診）や身体的接触に対する恐怖
- 診察室を退室することへの恐怖

虐待を疑ったら，診察中に患者と1対1で話をする時間を設けることが重要である。身体診察に移るという名目で，他の人には退室してもらうとよい。患者がそれに抵抗したら，実際に虐待を受けており，危険にさらしてしまう可能性もあるので，無理強いしてはならない。

> パートナーからの暴力と家庭内暴力については，第6章「健康維持とスクリーニング」のp.175～176，第25章「小児：新生児から青年期まで」の表25-12「性的虐待の身体徴候」(p.1098)を参照。妊娠中のパートナーからの暴力については，第26章「妊娠女性」(p.1131～1132)を参照。

飲酒歴

患者の平均の飲酒量だけでなく，飲酒の仕方について確認することが重要である。まずは「飲酒状況について教えてください」など，簡単に「はい」「いいえ」では答えられない自由回答方式の質問を行う。「これまで飲酒で問題が生じたことはありますか？」「最近飲酒したのはいつですか？」という質問に肯定的に答える，特に後者の質問に「前の晩」と答える場合は問題のある飲酒をしている疑いが非常に濃い[19]。

スクリーニングに最も広く用いられているのは，減酒の必要性（**C**utting down），他者からの批判の煩わしさ（**A**nnoyance when criticized），飲酒への罪悪感（**G**uilty feeling），朝の迎え酒（**E**ye-opener）について質問する**CAGE質問法**である[20]。2つ以上あてはまる場合，生涯アルコール乱用およびアルコール依存症，アルコー

ル使用障害 alcohol use disorders(AUD)が疑われ，その感度は43〜94％，特異度は70〜96％の範囲である[21, 22]。さらに使用しやすく，十分に検証された簡易スクリーニングテストは**簡易アルコール使用障害同定テスト Alcohol Use Disorders Identification Test-Concise(AUDIT-C)**である[23]。それによって，CAGE質問法で指摘される有害飲酒者だけでなく，危険飲酒者(危険性が有害飲酒者より低く，飲酒量を減らす介入が奏功する可能性が比較的高い者)も同定できる[24]。

患者が問題のある飲酒をしていると判断したら，記憶喪失(飲酒中の記憶がない)，痙攣，飲酒中の事故や怪我，仕事上の問題，人間関係のトラブルを起こしたことがあるかについてたずねる。

> アルコール誤用のスクリーニングの詳細については，第6章「健康維持とスクリーニング」のp.180〜182を参照。

喫煙歴

タバコの種類(紙巻タバコ，噛みタバコ)を含め，喫煙状況を確認する。「喫煙しますか？」「喫煙したことがありますか？」「どのタバコを吸いますか？」「1日に何本のタバコを吸いますか？ 何年間続けていますか？」「噛みタバコは使用しますか？」と質問する。なお，**喫煙歴は喫煙指数(pack-years)で示すことが多い**。これは，ある期間の喫煙量を測定する方法で，**1日あたりの喫煙本数(箱)に喫煙年数を掛けて計算される**[25]。例えば，1日1.5箱(30本)を12年間喫煙した人の喫煙指数は18となる。禁煙した場合は，いつから禁煙しているかを記載し，元喫煙者と付記する。

> タバコ誤用のスクリーニングの詳細については，第6章「健康維持とスクリーニング」のp.182〜184を参照。

違法薬物使用歴

国立薬物乱用研究所 National Institute on Drug Abuseは，最初に感度と特異度の非常に高い質問，すなわち「過去1年間に，違法薬物または非臨床的な目的で処方薬を使用したことがありますか？」と質問することを推奨している[26, 27]。使用を認める回答があった場合は，違法薬物および処方薬の非臨床的使用について具体的に質問する。「今までマリファナ，コカイン，処方覚せい剤，メタンフェタミン，鎮静剤や睡眠薬，LSD・エクスタシー(MDMA)・マッシュルームといった幻覚剤，ヘロインやアヘンなどの非臨床目的のオピオイド，フェンタニル・オキシコドン・ヒドロコドンなどの処方オピオイド，その他の薬物を使ったことはありますか？」とたずね，「はい」と答えた人に対しては，一連の追加質問をすることが推奨されている[26]。

> 物質使用障害のスクリーニングの詳細については，第6章「健康維持とスクリーニング」のp.174〜175を参照。

性行動歴

性行動歴の聴取が生死を分けることがある。性行動は，妊娠，性感染症，HIV感染のリスクを左右する。適切に面接することで，これらのリスクを予防または軽減し，健康を促進および維持できる[28, 29]。また性行動は，患者の症状に直接関連し，診断と治療の両方において鍵となる要素であろう。性に関する健康状態をこちらから質問することで，患者は率直に話ができるようになる。さらに，性機能障害が投薬または臨床上の問題によって生じている場合は，それがわかれば

すぐに対処できることもある。

特に批判や差別を受けた経験があれば，性に関する健康についての質問に答えることを不快に感じる患者もいる。こうした患者の感情や経験を尊重し，すべての患者に一律にこうした質問をしていると伝え，安心感を与えることは，理解と尊敬のある関係を構築するのに役立つ。

性行動歴を確認するきっかけは面接中のさまざまなタイミングにある。主訴に泌尿生殖器症状が含まれる場合は，患者の話を詳細に，そして明確に聴取する一環として，性的健康に関する質問をする。腟のある患者の場合，既往歴の産婦人科のセクションでこれらの質問をしてもよい。または健康管理や社会歴に関連して，生活習慣の問題および重要な人間関係を確認する際，もしくは包括的病歴聴取において，システムレビュー中にたずねてもよい。高齢の患者，障害や慢性疾患のある患者の性行動歴を聴取することも忘れない。

1，2文できっかけとなる言葉をかけるとよい。「よりよいケアができるよう，性生活についておたずねしたいのですが」「患者さんの性機能についていつもたずねさせていただいているのですが」と伝えるとよいだろう。もっと限定的な主訴に対しては，「なぜ分泌物が出るのか，どう対処すればよいのかを考えていくうえで，性生活についていくつか質問させてください」と伝える。直接的な問いかけをしたほうが，患者に指示に従ってもらいやすい。

適切で直接的な，しかし配慮のある質問を通してこのデリケートなトピックを扱ううえで，性的な問題や懸念についての質問を含む性行動歴スクリプトが役立つことが多い[30]。性行動歴スクリプトを用いることで，性行動歴を聴取する技術を学生が習得しやすくなると報告されている[31]。最も一般的な性行動歴スクリプトは，米国疾病対策センター（CDC）が提案する5つのP（パートナー **P**artner，方法 **P**ractice，性感染症の予防 **P**rotection from STIs，性感染症の既往歴 **P**ast history of STIs，妊娠計画 **P**regnancy plan）であり，性的リスク評価の重要な要素を示したものである（Box 3-15）[32,33]。さらに6番目のPとして「追加質問 **P**lus」を加えることも推奨される。追加質問には，外傷，暴力，性的満足，性に関する健康上の懸念・問題の評価，およびSOGIに関する支援を含める[30]。

これらのスクリプトは，患者の懸念を明確に把握できるよう考案されたもので，**結婚しているかどうか，性的指向，妊娠や避妊に対する患者の見解についての仮定を避けた質問から構成されている。**患者の答えをよく聞き，必要な質問を続ける。性行動に関する情報を引き出すには，他の面接事項以上に具体的な，的を絞った質問が必要になる。

具体的な言葉を使う

生殖器について明確な言葉で言及する。患者が理解できて，あなたが伝えたいことを適切に伝えられる言葉を選択する。特にトランスジェンダーやノンバイナリーの患者の場合，現在の性自認とはそぐわず不快感を抱かせる可能性のある言

「個人歴と社会歴」の項のSOGIに関する質問例（p.95〜96）を参照。

葉で身体の部位に言及することは避ける。例えば，トランスマンの患者は，腟を表すために「フロントホール」または「ボトム」，乳房ではなく「胸」という用語を使用する場合がある。可能な限り，またそれ以上に，性別を問わない言葉で身体の部位に言及するようにし，患者に自分の身体の部位にどのような用語を使用するかたずねた後は，診察が終わるまでそれらの用語を使用する必要がある[34]。性行為中のアダルトグッズ(性的玩具)やその他のものの使用についても質問する。患者がアナルセックスを行っている場合，彼らが挿入(「上」)または受容(「下」)，あるいはその両方を行っているかどうかを明確にする必要がある。

Box 3-15　性行動歴：5つのPと追加質問

全般的 general	・「あなたの性に関する健康や性行動について，最初に話すべき具体的な心配事や質問がありますか？」
パートナー Partner	・「最近，肉体関係をもったのはいつですか？　そのときは性行為に及びましたか？」「性的に活発」といった曖昧な言葉を用いると，患者は「私はただ一緒に寝ただけです」と答えることがある ・「男性，女性，またはその両方と性行為を行いますか？」とたずねるのではなく，「あなたの性的パートナーの性別は何ですか？」のように，性別的に中立で，幅広い回答を見込んだ自由回答方式の質問をし，割り当てられた性別(生物学的性別)と性自認に多様性があることを認めることで，患者が性行動歴をより正確に申告できるようになる。患者に同性のパートナーがいても，自身をゲイ，レズビアン，またはバイセクシャルとはみなしていないこともある。また，ゲイやレズビアンのなかには，異性と性交渉をもつ人もいる ・「この6カ月間で何人と性交渉をもちましたか？　直近5年ではどうですか？　生涯では？」これらの質問によって患者が複数のパートナーがいることを申告しやすくなる ・「この6カ月間で新しいパートナーは増えましたか？」と質問する。患者がこの情報が重要である理由をたずねる場合，新しいパートナーまたは生涯で多くのパートナーがいることが性感染症のリスクを高めうることを説明する
方法 Practice	・「あなたはどのように性行為をしますか？」または「あなたはどのような性行為をしていますか？(例：オーラルセックス，腟セックス，アナルセックス，アダルトグッズの共有)」 ・「体のどの部分を使用しますか？」または「あなたが性的に活発であるとき，体のどの部分がどこに行くのですか？」(陰茎，口，肛門，腟，手，アダルトグッズ，その他の物)
性感染症の予防 Protection from STIs	・「HIVや性感染症からご自身を守るために何を行っていますか？」 ・普段のコンドームの使用についてたずねる。「いつコンドームを使うのか教えていただけますか？　どのパートナーのときですか？」は回答を限定していない自由回答方式の質問である。使用していない場合は「コンドームを使用しない理由はたくさんありますが，あなたが性行為でそれを使用しない理由を教えていただけますか？」 ・感染は危険因子がないときでも起きるので，すべての患者に対して「HIVやAIDSについて何か心配事はありますか？」と聞くことが重要である

(続く)↗

成人期の包括的病歴聴取

↘(続き)

性感染症の既往歴 Past history of STIs	● 「性感染症(淋病，クラミジア，ヘルペス，性器疣贅，梅毒など)に感染したことはありますか？」と質問し，はいと答えた場合は「どの病気に感染しましたか？」「いつ感染しましたか？」「どのように治療されましたか？ どのような薬を服用しましたか？」とたずねる ● 「何らかの性感染症検査を受けたことがありますか？」と質問し，はいと答えた場合は「いつ検査を受け，結果はどうでしたか？」とたずねる
妊娠計画 Pregnancy plan	● すべての患者に対して「あなたは(さらに)子どもをもつ予定または希望がありますか？」 ● パートナーが異性である場合は「妊娠すること，またはパートナーが妊娠することについて不安はありますか？」「あなた自身またはパートナーが妊娠するのを防ぐために何かしていますか？」「避妊に関する情報が必要ですか？」「避妊について質問や不安はありますか？」とたずねる
追加質問 Plus	● 「追加質問」には，外傷，暴力，性的満足，性に関する健康上の懸念・問題の評価，およびSOGIに関する支援を含める

出典：U.S. Department of Health and Human Services: Centers for Disease Control and Prevention.*Taking a Sexual History: A Guide to Taking a Sexual History. CDC Publication 99-8445.* Centers for Disease Control and Prevention; 2005. https://www.cdc.gov/std/treatment/sexualhistory.pdf. (Accessed April 30, 2019) より入手可能
National LGBT Health Education Center. Taking routine histories of sexual health: a system-wide approach for health centers. https://www.lgbthealtheducation.org/publication/taking-routine-histories-of-sexual-health-a-system-wide-approach-for-health-centers. (Accessed April 30, 2019) より入手可能
Rubin ES et al. *J Sex Med*. 2018; 15: 1414-1425.

スピリチュアル歴

スピリチュアル歴の聴取は，患者の信仰，またはスピリチュアリティにとって何が必要で，何をよりどころとしているのかをよりよく理解するために必要な面接の過程である[35]。患者の多くは医療者から信仰上の，またはスピリチュアルな信念について確認をとってほしいと考えているが[36-41]，大半の医療者がこうした内容に関する質問をしていないのが現状である[42]。スピリチュアリティについてたずねることで，患者に思いやりを示して希望を与え，医療者に理解されているという感覚を強めることができる[41]。

包括的病歴聴取の一環として，個人歴および社会歴を確認する際に，スピリチュアル歴の聴取を行う。スピリチュアル歴は，初診，毎年の定期検査，または再診時に聴取するとよい。患者中心に聴取を進め，積極的に耳を傾ける[43]。FICA，HOPE，Open Inviteなど，スピリチュアル歴の聴取方法にはいくつかのフォーマットがある[44]。最も広く使用されているのは，FICAスピリチュアル歴確認ツール **FICA Spiritual History Tool** であり，信仰または信念(**F**aith or Belief)，重要性と影響(**I**mportance and Influence)，コミュニティ(**C**ommunity)，対応(**A**ddress)の頭文字をとったものである(Box 3-16)[35,43,45]。スピリチュアルな問題について相談をはじめるための補助としてFICAを使用する。通常，ほんの2分程度で聴取できる[45]。

Box 3-16　FICA スピリチュアル歴確認ツール

信仰または信念 Faith or Belief	●「あなたの信仰または信念はどのようなものですか？」 ●「あなたはスピリチュアルな，または宗教的な信念をおもちですか？」 ●「あなたの人生に意味を与える何かを信じていますか？」 患者が「いいえ」と答えた場合，「何があなたの人生に意味を与えますか？」のように聞くとよい ●上記の質問に，患者は例えば「家族」「仕事」または「自然」と答えるだろう。具体的にどのようなことを指しているのか，もし患者が「はい」と答えたとしても，質問すべきである
重要性と影響 Importance and Influence	●「それはあなたの人生で重要なものですか？」 ●「スピリチュアリティにはあなたの人生においてどのような重要性がありますか？」 ●「スピリチュアリティはあなたが自分自身や健康をどのように扱うかに影響を与えていますか？」 ●「それはどのような影響ですか？」 ●「あなたの信念はこの病気にかかっている間，どのようにあなたの行動に影響を与えていますか？」 ●「あなたのスピリチュアリティは健康に関する決断（事前指示書や治療など）に影響を及ぼしますか？」 ●「あなたの健康を回復するうえであなたの信念はどのような役割を果たしていますか？」
コミュニティ Community	●「あなたはスピリチュアルな，または宗教的なコミュニティの一員ですか？　そのコミュニティはあなたにとって支えとなるものですか？　どのような支えでしょうか？」 ●「あなたが本当に愛する，または大切な人たちがいますか？」
対応 Address	●「私（あなたに医療を提供する人間）に，ヘルスケアにおいて，どのようにあなたのスピリチュアリティの問題を扱ってほしいですか？」

出典：Borneman T et al. *J Pain Symptom Manage*. 2010; 40(2): 163-173; Puchalski C, Romer AL. *J Palliat Med*. 2000; 3(1): 129-137. Christina Puchalski, MD より許可を得て掲載

スピリチュアルな葛藤が確認された場合，病院のチャプレン（聖職者）に紹介するべきである。チャプレンは多職種チームのメンバーであり，あらゆる宗教，スピリチュアリティをもつ患者，または特定の信仰をもたない患者にスピリチュアルケアを提供するよう専門的な研修を受けている。チャプレンは，患者のスピリチュアリティにとって何が必要か，何を求めているか，また何をよりどころとしているか包括的に評価し，医師の計画全体に沿ったケア計画を作成して患者のスピリチュアルなニーズと向き合う。

社会歴のまとめ

Box 3-17に社会歴のさまざまな項目に関する質問をまとめる。経験を積めば，このような質問を面接に織り交ぜることで，患者をよりリラックスさせ，ラポールを築くことができるようになるだろう。

成人期の包括的病歴聴取

Box 3-17　社会歴：質問例

社会歴項目	質問例
性的指向と性自認（SOGI）	● あなたの性的指向について教えていただけますか？ ● あなたの性自認について教えていただけますか？ ● あなたの出生届の性別は何ですか？
個人的地理履歴	● ご出身はどちらですか？ ● あなたは米国で暮らして何年になりますか？　ニューヨークに住んで何年ですか？ ● 今はどこで暮らしていますか？
重要な人間関係	● 人生のパートナー，配偶者，その他大切な人がいますか？ ● お子さんはいますか？ ● 不安または危険を感じた人間関係はありましたか？
身近な支援体制	● 誰と同居していますか？ ● 近くに友達や家族がいますか？ ● 1日を誰と過ごしますか？
職歴・職業	● 今，働いていますか？ ● 過去にどんな仕事をしていましたか？ ● 一度に複数の仕事をしていましたか？ ● 退職する前に何をしていましたか？　それはずっと続けていた仕事ですか？ ● 仕事はあなたにとってどのようなものかを教えてください。仕事をしている時間はどのようなものですか？ ● 安心して働けていますか？ ● 仕事に関連するものが，気分を悪くさせる，または症状に影響を与えることはありますか？
教育	● 最終学歴を教えていただけますか？ ● どこの学校に通っていましたか？
生活習慣	● 仕事，もしくは学校に行っていないときは何をしていますか？ ● 典型的な1日の過ごし方を教えていただけますか？ ● 旅行をしますか？
日常生活動作（ADL）	● 家の中をどのように移動していますか？ ● 着替えまたは入浴で介助が必要ですか？ ● 家の外ではどのように移動していますか？
栄養	● あなたの食生活について教えてください ● 生の果物や野菜を食べますか？ ● 同じ体重を維持していますか？ ● 体重に満足していますか？ ● 普段何を食べますか？ ● 家で料理をしますか？　外食をしますか？
運動	● 運動する機会はありますか？ ● 定期的に運動しますか？ ● どのくらいの頻度で運動しますか？ ● どのような運動を楽しんでいますか？
飲酒	● 飲酒について教えてください ● 過去に飲酒に関する問題はありましたか？ ● 最後に飲酒したのはいつですか？
喫煙	● 現在喫煙していますか？ ● 今までに喫煙したことはありますか？ ● どのようなタバコを吸いますか？ ● 1日何本吸いますか？　何年続けていますか？　噛みタバコを使用しますか？
違法薬物使用	● 過去1年間に，違法薬物を使用したり，非臨床的な理由で処方薬を使用したりしたことは何度ありますか？

（続く）↗

↘(続き)

社会歴項目	質問例
安全対策	● 重傷を負ったことはありますか？　どのように重傷を負いましたか？　あなたのお知り合いはどうですか？ ● いつもシートベルトを着用していますか？ ● 銃器をもっていますか？　あなたが一緒に住んでいる人は銃器をもっていますか？　どのようにして安全に保管していますか？ ● 薬はどこに保管していますか？　洗剤はどうですか？ ● どのようにして日差しから身を守っていますか？
スピリチュアリティ	● あなたの信仰や信念はどのようなものですか？ ● あなたは自分自身をスピリチュアルな人間または信心深い人間だと思いますか？ ● 人生に意味と目的を与えるものは何だと思いますか？ ● 宗教的コミュニティで活動していますか？ ● 宗教的またはスピリチュアルなグループの一員ですか？ ● 信仰・信念を日常生活で実践するために必要または欲しいものがありますか？ ● あなたの信念のいずれかが治療と矛盾しますか？
性行動歴	● あなたの性に関する健康や性行動について，私たちが最初に話すべき具体的な懸念や質問はありますか？ ● 最後に誰かと肉体関係をもったのはいつですか？ ● どのように性行為を行いますか？ ● あなたの性的パートナーの性別はどのようなものですか？

システムレビュー

システムレビュー review of systems にもとづいた質問をすることで，特に主訴と関連がない領域で，診察者や患者が見逃していた問題や症状を明らかにできることがある。これは，さまざまな臓器系の機能障害に関する質問をする**スキャニング scanning**[7]と呼ばれる質問法である。システムレビューは面接の最後に，「はい」「いいえ」で答える質問を用いて行う。この手法は臨床推論が暗礁に乗り上げたとき役に立つ。システムレビューで明らかになった事実により，患者の問題の原因として新たな説明が可能であることが示されるかもしれない。

患者には「ずいぶんたくさん質問するものだと思われるでしょうが，何も見逃していないことを確認するのも重要なのです。質問に"はい"か"いいえ"で回答してください」のように説明して，心構えをしてもらうとよい。**頭からつま先まで順を追って一連の質問をすることを意識する**。各臓器系に関する質問をする際には，まずその臓器系に対する一般的な質問からはじめる。その後，気がかりな臓器系に関する具体的な質問に移る。最初に行う質問の例としては「耳の調子や聞こえ方はどうですか？」「肺や呼吸の具合は？」「心臓に不具合はありませんか？」「胃は丈夫なほうですか？」「腸の調子は？」といったものがある。

システムレビュー（Box 3-18）を理解し，利用することは一見難しそうにみえるかもしれない。この手法に則りつつ，臨機応変な対応ができるように心がける。追加質問をすべきかどうかは，患者の年齢，主訴，健康状態全般，診察者の臨床

鑑別診断を立てるうえでの関連する陽性所見と陰性所見の役割については，p.90を参照。

成人期の包括的病歴聴取

推論をもとに判断する。システムレビューで特定された，患者の主訴に関与している可能性のあるおもな症状（関連する陽性所見）は，診療記録の現病歴のセクションに記載する。

Box 3-18　システムレビュー

各部位のシステムレビューでは「……はありますか？」と質問する
- **全般**：普段の体重，最近の体重変化，倦怠感，疲労感，発熱など
- **皮膚**：発疹，腫瘤，潰瘍，瘙痒感，乾燥，変色，毛髪や爪の変化，ほくろの大きさと色の変化
- **頭部・眼・耳・鼻・咽喉**(head, eyes, ears, nose, throat：HEENT)
  頭部：頭痛，頭部外傷，めまい，立ちくらみ
  眼：視力，眼鏡やコンタクトレンズの使用，痛み，充血，涙目，複視やかすみ，斑点，飛蚊症，閃光，緑内障，白内障
  耳：聴力，耳鳴，めまい，耳痛，感染，耳漏(耳だれ)。聴力が低下している場合は，補聴器使用の有無
  鼻・副鼻腔：風邪をひきやすい，鼻づまり，鼻水，瘙痒感，花粉症，鼻血，副鼻腔の異常
  咽喉(口腔，咽頭)：歯や歯肉の状態，歯肉の出血，義歯がうまく合っているか，舌痛，口渇，繰り返す咽頭痛，嗄声
- **頸部**：リンパ節腫脹，甲状腺腫，腫瘤，疼痛，項部硬直
- **乳房**：腫瘤，疼痛，不快感，乳頭分泌物
- **呼吸器**：咳嗽，痰(色，量，血痰または喀血)，息切れ(呼吸困難)，喘鳴，深呼吸時の痛み(胸膜痛)
- **心血管系**：心臓の異常，高血圧，リウマチ熱，心雑音，胸痛や胸部不快感，動悸，息切れ，呼吸を楽にするために夜間に枕で上半身をあげる必要がある(起座呼吸)，呼吸を楽にするために夜間に座位をとる必要がある(発作性夜間呼吸困難)，手・足首・足のむくみ(浮腫)
- **消化器**：嚥下困難，胸やけ，食欲，悪心，腸の機能・便の色と量・排便習慣の変化，排便時の痛み，肛門の出血や黒色便・タール便，痔核，便秘，下痢，腹痛，食物不耐性，過剰なガス(げっぷや放屁)，黄疸，肝機能異常や胆嚢障害
- **末梢血管系**：間欠性跛行，下肢の痙攣，静脈瘤，静脈血栓の既往，ふくらはぎや下肢の浮腫，寒い場所での指先やつま先の蒼白，発赤や圧痛を伴った腫脹
- **泌尿器**：頻尿，多尿，夜間多尿，尿意切迫，排尿時の痛みや灼熱感，血尿，尿路感染症，腎痛や側腹部痛，腎結石，尿管仙痛，恥骨上部痛，失禁。男性では，尿線細小，尿勢低下，排尿困難，排尿後滴下
- **生殖器**
  男性：ヘルニア，陰茎からの分泌物や陰茎の潰瘍，精巣痛や腫瘤，陰嚢痛や腫脹，性感染症歴や治療歴，性的欲求(リビドー)・機能・満足感
  女性：月経の規則性，月経周期，月経期間，出血量，月経期以外の出血または性交後出血，月経困難，月経前緊張。更年期症状，閉経後出血。腟分泌物，瘙痒感，潰瘍，腫瘤，性感染症歴や治療歴。性的欲求，満足感，性交時の痛みを含むあらゆる問題(性交疼痛症)
- **筋骨格系**：筋肉痛や関節痛，硬直，関節炎，痛風，背部痛。もしあれば，障害のある関節や筋肉の部位，浮腫，発赤，疼痛，圧痛，硬直，筋力低下，運動や行動の制限について，その症状の起こる時間帯(朝や夕方)，持続時間，外傷歴を含め確認する。頸部痛や腰痛。発熱，悪寒，発疹，食欲不振，体重減少，筋力低下などの全身症状を伴う関節痛
- **精神**：神経質，緊張感，不安。もしあれば，うつ病や記憶力低下，自殺企図・未遂につ

(続く)↗

> （続き）
>
> 　いても確認する
> - **神経**：気分・注意力・会話の変化，見当識・記憶力・洞察力・判断力の変化，頭痛，浮遊感，めまい，失神，倦怠感，麻痺，しびれや感覚障害，ひりひりまたはチクチクした感じ，振戦やその他の不随意運動，痙攣
> - **血液**：貧血，あざになりやすい，出血しやすい
> - **内分泌**：熱または寒冷不耐症，過度の発汗，過度の喉の渇き（多飲症），空腹感（多食症），または尿量（多尿症）

経験豊富な診察者のなかには，例えば耳を検査するときに耳についてたずねるなど，身体診察中にシステムレビューに関連した質問をする人もいる。患者の症状が少ない場合はこの方法が効果的である。ただし，複数の症状がある場合は，病歴聴取と身体診察の両方の流れが乱れやすくなり，必要なメモをとりづらくなる。

Box 3-19 に示したシステムレビューの記録例を参照。

所見の記録

目標は，重要な所見が記録され，あなたが下した評価を簡潔な形式で他の医療者，専門医，その他の医療チームのメンバーに伝えることができる，明瞭かつわかりやすい包括的な報告書を作成することである（Box 1-20「質の高い診療記録のためのチェックリスト」，p.33〜34）。Box 3-19 で，病歴情報の記録方法を綿密に確認すること。情報源とその信頼性を含む初期情報からシステムレビューの結果までを記録した診療記録の標準的な形式を把握してほしい。

患者 MN の身体診察の記録については，第 4 章「身体診察」の「所見の記録」（p.136〜137）の項を参照。要約文，アセスメント，計画については，第 5 章「臨床推論，アセスメント，計画」の「臨床推論：記録」（p.149〜155）の項を参照。

> **Box 3-19　患者 MN の症例：病歴**
>
> 2020/8/25 11:00 AM
> MN，54 歳女性，販売員
> 情報源と信頼性：自己申告，信頼性あり
>
> - **主訴**
> 「この 3 カ月間ずっと頭が痛い」
>
> - **現病歴**
> MN は販売員をしている 54 歳女性で，以前にもときどき頭痛があったが，「この 3 カ月間ずっと頭が痛い」ということであった。受診の 3 カ月前に症状がはじまるまでは元気だった。額の両側がズキズキする，放散のない，軽度から中等度（疼痛評価スケールは 10 点中 3〜6 点）の頭痛で，これまでは 1 カ月に 1〜2 回あり，4〜6 時間で治まっていたが，ここ最近は平均週 1 回発症。ストレスと関連性があり，睡眠や湿らせた冷たいタオルを額にあてると和らぐ。アセトアミノフェンではほとんど効果がない
> 悪心を伴い，ときに嘔吐で何度か欠勤した。視覚変化，運動障害，意識消失や感覚異常はない。15 歳で悪心・嘔吐を伴う頭痛がはじまった。20 歳代半ばまで繰り返し出現し，その後 2〜3 カ月に一度まで減少，やがてほぼ寛解した。彼女は頭痛は以前のものと同様だと感じているが，母親が頭痛を訴えた後に脳卒中で亡くなったことを懸念している。また，
>
> （続く）

UNIT I 第3章 病歴

所見の記録　　　　　　　　　　　　　　　　　　　　　　　　　　**異常例**

↘(続き)

頭痛により仕事に支障がでること，いらいらして家族にあたってしまうことで困っている。上司が厳しく，仕事でのプレッシャーが増しており，また娘のことも心配である。食事は1日3回，コーヒーは1日3杯，夜は紅茶を飲む習慣がある。頭痛の頻度が増しているため，本日受診した

アレルギー：アンピシリンで発疹。環境・食物アレルギーなし
内服：アセトアミノフェン頓用，1回1〜2錠，4〜6時間おき

● **既往歴**
　小児期：麻疹，水痘。猩紅熱やリウマチ熱の既往なし
　成人期：
　内科：2016年に腎盂腎炎（発熱，右側腹部痛を伴う。アンピシリン開始数日後に全身に瘙痒感を伴う発疹あり。その後再発なし）
　　　　　最後の歯科受診は2年前
　外科：6歳時に扁桃摘出術。13歳時に虫垂切除術。2012年にガラスを踏み裂傷を縫合
　産婦人科：G3P3(3-0-0-3)，正常経腟分娩。子どもは3人とも存命。初経は12歳。最終月経は6カ月前
　精神科：なし
　健康管理：予防接種—予防接種登録情報 immunization registry によると，年齢相応の予防接種済み
　　　　　　　スクリーニング検査—2018年パップスメア検査正常，2019年マンモグラフィ正常

● **家族歴**
父親は43歳時に列車事故で死亡。母親は静脈瘤，頭痛があり，67歳時に脳卒中で死亡。61歳の兄は高血圧があるのみ。58歳の兄は軽度の関節炎があるのみ。妹は生後まもなく亡くなったが原因不明。夫は54歳時に心臓発作で死亡。娘は33歳，片頭痛があるのみ。31歳の息子には頭痛がある。27歳の息子は特記事項なし。
糖尿病，心疾患，腎疾患，悪性腫瘍，てんかん，精神疾患の家族歴はない

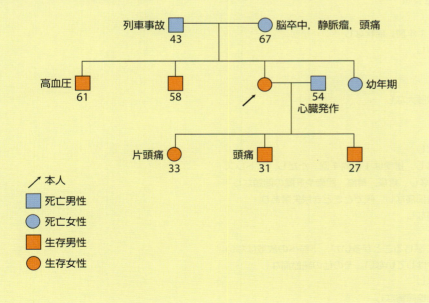

(続く)↗

家族歴は医療家系図，もしくは文章で記録する。EHRの登場により使用頻度は低くなっているが，遺伝的疾患をたどる場合は，文章よりも家系図のほうが便利である。家族歴の陰性所見については，どちらの形式であってもたどらなければならない。

↘(続き)

- **● 個人歴・社会歴**

ラス・クルーセスで生まれ育つ。出生時の性別，現在の性自認はともに女性。高校卒業後，19歳で結婚。販売員として2年働き，夫とともにエスパニョーラに移り，3人の子どもを出産。15年前に経済的理由から販売員の仕事を再開。子どもは全員既婚。4年前に，ほとんど蓄えのないまま夫が心臓発作で突然死去し，娘のイザベルの自宅近くにある小さなアパートに転居。イザベルの夫ジョンはアルコール依存で，イザベルとその2人の子ども（ケビン6歳とルシア3歳）は，MNのアパートを避難場所にしていて，MNは彼らの支えになりたいと思っている。緊張を感じ，神経をとがらせているが，うつ病ではないと申告。友人はいるが，家族の問題を話すような間柄ではなく，「こうした問題は，自分のなかに留めておきたい。噂話は好きではない」と話した。スピリチュアルアセスメント（FICA）では，子どもの頃からカトリック教徒であるが，夫の死後，教会に通っていないとのこと。信仰心は今も大切にしている一方，特定の信仰団体には属しておらず，精神的支援サービスの利用もしていない。教会に行かないことが不安感につながっていると認識しており，チャプレンとの面会を了承している。毎朝7時に起床し，9時から夕方の5時30分まで働き，夕食は1人でとる

運動と食事：運動習慣はほとんどない。食事は高炭水化物食である
安全対策：シートベルト着用の習慣はある。日焼け止めを使用している。薬は鍵のかかっていない棚に，洗剤はシンクの下の鍵のない棚に置いてあり，拳銃は寝室の鍵のないドレッサーにしまってある
タバコ：18歳から1日1箱を36年間（36 pack-years）
アルコールや薬物：ワイン機会飲酒。違法薬物使用歴なし
性行動歴：性交渉にはほとんど興味がなく，また行為もない。性的パートナーは死別した夫のみ。性感染症に関しては，罹患歴はなく，検査をしたことがあるかどうか思い出せないという。HIV感染については心配していない

- **● システムレビュー**

全般：最近4年で4.5 kgの体重増加あり
皮膚：発疹その他の異常なし
頭部・眼・耳・鼻・咽頭（HEENT）：現病歴を参照
頭部：外傷歴なし
眼：5年前から老眼鏡を使用。最後の検査は1年前。症状なし
耳：聴力に問題なく，耳鳴，めまい，感染なし
鼻・副鼻腔：花粉症・副鼻腔症状なし
咽喉（口腔，咽頭）：歯痛や歯肉出血なし
頸部：しこり，甲状腺腫，疼痛なし。唾液腺腫大なし
乳房：しこり，疼痛，分泌物なし
呼吸器：咳，喘鳴，息切れなし
心血管系：息切れ，起座呼吸，胸痛，動悸なし
消化器：食欲良好。悪心・嘔吐，消化不良なし。排便は1日約1回。ただし，ストレスがあると2〜3日硬い便が続く。下痢，出血なし。疼痛，黄疸，胆嚢や肝臓の問題なし
泌尿器：頻尿，排尿障害，血尿，最近の側腹部痛なし。咳でときどき尿失禁あり
生殖器：外陰部・骨盤に感染なし。性交疼痛なし
末梢血管系：静脈炎や下肢痛なし
筋骨格系：軽い腰痛があり，仕事の終わりに感じることが多いが，下肢への放散はない。以前は背筋を強化する運動をしていたが，今はしていない。その他の関節痛なし
精神：うつ病の既往なし，精神疾患治療歴なし
神経：失神，痙攣，運動・感覚低下なし。記憶障害なし

(続く)↗

第4章「身体診察」のBox 4-9「患者MNの症例：身体診察」（p.136〜137）を参照。

↘(続き)
> **血液**：易出血性なし，紫斑なし
> **内分泌**：暑がりや寒がりでない。多尿，多飲なし

臨床環境に応じた面接の調整

外来，入院病棟，せわしない救急部を含め，さまざまな環境で患者の診察を行うことになる。これまでは，静かで，時間に制限がなく，妨げになるものが最小限に抑えられている理想的な環境で病歴聴取を行う方法について説明してきた。周知の通り，診察を行う環境は現実には理想からほど遠いものである。以下，さまざまな臨床環境に応じて病歴聴取のやり方を調整する方法に焦点をあてる。

外来診療所(科)

外来診療所(科)ambulatory care clinic はおそらく，病歴を聴取するための最も理想的な臨床環境の1つである。診察室は静かでプライバシーを確保でき，妨げになるものが少ないことが多いため，特に経験の浅い診察者にとっては理想的である。また，患者は自分で移動することができ，介助を必要とせず，受診理由も頭痛，皮膚の発疹，咳，または喉の痛みなどの急性度の低い疾患であることが多い。さらに入院患者と比較して，情報を容易に診察者に伝えられる可能性が高い。患者は外来で定期的に診察を受けるため，情報収集では主訴(ある場合)だけでなく，慢性的な健康問題や前回の診察以降の患者の変化にも注意を払う。また，特にプライマリケアに焦点をあてた外来環境では，定期的な健康管理について質問する必要がある。

救急外来

救急外来 emergency department での病歴聴取は，症状の緊急性，迅速な対応の必要性，および24時間体制といった特徴のために，経験豊富な診察者にとってさえ難しいことがある。詳細で焦点を絞った面接を開始する前に，患者が臨床的に安定していることを確認する必要がある(図3-3)[46]。患者の問題を引き起こしていると考えられる病態に関連する症状について質問し，まずは生命を脅かす疾患を除外する[47]。場合によっては，面接が断続的に中断され(例えば，患者が検査のために一時的に移動する必要がある場合)，後で完了させなければならない場合がある[46]。また患者が混乱や精神状態の変化のために病歴を伝えられない場合もある。このような場合，家族，介護者，他の医療者，救急隊，または可能であるならば患者の診療記録から病歴を取得する必要がある[48]。

図 3-3　救急外来での病歴聴取
(SantypanよりShutterstockの許可を得て掲載)

集中治療室

集中治療室 intensive care unit(ICU)では，他の臨床環境では遭遇することのない特有の課題が数多くある。ICUで病歴聴取する際に直面する最大の障壁は，ほとんどの患者が，疾患の重症度，精神状態の変化，鎮静，人工呼吸器の使用のいずれか1つ，もしくは複数の原因により，コミュニケーション能力が制限されていることである。こうした場合には，病歴を家族や他の医療者，またはEHR上の記録から取得する必要がある[48,49]。病院でその患者を診察するのがはじめての場合は，可能であれば，集中治療に至る原因となったイベントの推移に焦点を合わせて，包括的病歴聴取を行うべきである。さらに申し送りの一環として，前任の医療者は，一般病棟からICUへの転入に至るまでの臨床経過を記録しておくべきである。患者がコミュニケーションをとれる場合，面接では患者がどのようなケアを希望しているかも確認する必要がある。その際，治療に関する希望，蘇生処置，および必要に応じて生命維持治療に関する一連の質問をする必要がある[48,49]。

介護施設

介護施設 nursing home で最初に気づく他の施設との違いは，患者が一時的または恒久的にそこに住んでいるため，入所者と呼ばれることであろう[50,51]。入所者のなかにはリハビリによる機能改善後に自宅に戻る人もいれば，日常生活を送るうえで部分的または包括的な支援が必要なため，地域で自立して生活することができず，長期間入所を続ける人もいる。認知症，難聴，視力低下も一般的にみられる。まずは入所者自身から病歴を聴取する。認知機能に障害があると思われる場合は，家族やスタッフに必要な情報を確認する必要がある。その際，日常生活動作 activities of daily living(ADL)と手段的日常生活動作 instrumental activities of daily living(IADL)など，入所者が自分自身をどれだけ適切にケアできるかに関する情報を必ず確認する。ADLは食事，着替え，排泄などの基本的なニーズに焦点をあてているが，IADLは日用品の買い物，洗濯，料理，電話の使用，支払い，運転などの活動における自立性に焦点をあてている[50]。医学的な内容だけでなく身体機能や社会的な内容まで網羅する詳細な病歴聴取は，フレイルな状態にある入所者の負担となるかもしれない。一度に病歴のすべてを聴取する必要はない。入所者は施設に住んでいるため，数日かかったとしても，再訪してより包括的な病歴を得ればよい[50]。

認知障害のある患者については，第2章「面接，コミュニケーション，対人関係スキル」(p.65〜66)，認知障害の評価については，第9章「認知，行動，精神状態」(p.266〜270)を参照。

自宅

米国では，患者の自宅での診察は，おもに慢性疾患の患者と，補助具または他の人の介助なしに自宅を離れることが困難な慢性機能障害のある患者(homeboundまたはhome-limited status)に対して提供される[52,53]。病歴を聴取する際は，身体機能レベルに焦点をあてる。自宅で患者がどの程度身体機能を行使できるかは，患者の健康状態全般に大きな影響を及ぼす。加えて，患者周辺の環境を評価する。

臨床環境に応じた面接の調整

患者の自宅に入ると，環境に潜む危険，清潔さや維持のレベル，利用可能な食品，服薬状況など，環境に関して多くの詳細な情報が明らかになる。また，患者の近くに，必要なときに支援してくれる友人や家族がいるかどうか把握しておくことも有用である[54]。

表 3-1	現病歴の記録のためのテンプレート

以下は，現病歴を体系的に整理するための提案である．テンプレートは，現病歴の流れを明確にするだけでなく，患者の問題の原因に関する手がかりを読み手に提供する．テンプレートにはいくつか種類があり，以下にそのうちの 3 例を示す．

現病歴テンプレート（基本型：主訴が 1 つのとき）
- 導入文：患者の臨床状況を踏まえて主訴を記載する
- 主訴を詳細に説明する
- 関連する陽性所見
- 関連する陰性所見
- 関連する既往歴，家族歴，社会歴
- 最終文：患者がどのような方法で受診したか

主訴：「3 時間前から胸の痛みがあります」
現病歴：FS は 58 歳男性で，高血圧と喫煙歴（30 pack-years）があり，3 時間前から胸痛を認める．診察の 3 時間前まで通常の健康状態であったが，テレビをみているときに前胸部に痛みを自覚した．彼は，最初の胸痛は，突然で前触れのない，締めつけられるような痛みで，強さは 10 段階のうち 7，左腕に放散すると説明した．胸痛は 1〜2 分続き，休息することで軽減した．過去に同様の胸痛はなかったが，最初の胸痛の後さらに 4 回の胸痛あり．直近の胸痛（1 時間前）に伴い，軽度の息切れと顔面紅潮がみられた．悪心，動悸，発汗，または頭痛は認めなかった．彼は 2 年前に高血圧症と診断され，現在ヒドロクロロチアジドを服用している．父親は明らかな心臓発作によって 48 歳で死亡．繰り返し胸痛が自覚されるため，自ら自動車を運転して受診

現病歴テンプレート（主訴が慢性疾患の増悪を疑わせるとき）
- 導入文：患者の臨床状況を踏まえて主訴を記載する
- 慢性疾患の状態や症状管理状況を説明する
  - 診断または症状
  - いつ診断されたか
  - 合併症
  - 治療
  - 今回の症状が出現する前の最近の症状管理状況
- 主訴を詳細に説明する
- 関連する陽性所見
- 関連する陰性所見
- 関連する既往歴，家族歴，社会歴
- 最終文：患者がどのような方法で受診したか

主訴：「今朝から息切れします」
現病歴：AJ は 28 歳女性で，今朝から息切れを伴う気管支喘息を認める．AJ は 8 歳で気管支喘息と診断され，通常は 2〜3 カ月ごとに，ほこりや煙などのアレルゲンへの曝露を原因とした喘息発作がある．気温変化が発作を誘発することもある．毎回の発作は「空気を求めて喘ぐ」と患者が表現する，突然の息切れを特徴とする．発作が出たら気管支拡張薬吸入器を使用するとほぼ軽快する．気管支拡張薬吸入器に加えて，吸入ステロイド薬も使用．現在慢性的には全身性ステロイド薬を使用しておらず，これまでに救急外来への受診，喘息発作による気管挿管はない．今朝，クライアントの自宅を訪ねていると，これまでの喘息発作と同じように突然息切れを感じた．「空気を求めて喘ぐような感覚で，呼吸しづらかった」とのこと．その後，クライアントがペットとして猫を飼っていることに気づき，いったん席を離れて吸入器を使用した．何度か吸入したが，息切れは継続，さらに悪化した．発熱，鼻水，動悸，胸痛は認められなかった．彼女はクライアントに救急車を呼ぶよう依頼し，救急車で緊急外来に早急に運ばれた

| UNIT I　第3章　病歴 |

表 3-1　現病歴の記録のためのテンプレート(続き)

現病歴テンプレート(主訴がないとき)
- 導入文：患者や健康上の問題について簡単に記載する
- 慢性疾患または病態の現状を説明する
  - 関連する陽性所見
  - 関連する陰性所見
  - 最近の治療とその効果
  - 関連する過去の検査結果
- 最終文：患者がどのような方法で受診したか

主訴：「検査に来ました」
現病歴：ELさんは72歳女性。高血圧，変形性関節症，便秘のためクリニックに定期受診。前回の受診は三カ月前で，今日は症状なし。12年前に高血圧と診断され，ヒドロクロロチアジドでコントロール良好である。心筋梗塞または脳卒中の既往はなし。平均家庭血圧は約 110/80 mmHg。現在，胸痛，動悸，頭痛，意識消失，めまい，または下肢浮腫の自覚なし。
10年前に肩と膝の変形性関節症を診断された。アセトアミノフェンを内服しており，内服後すぐに痛みは軽快する。また，地域の高齢者センターでヨガや太極拳を行っており，痛みが和らぐと報告した。最後の腰仙部のX線撮影は，3年前バスへの乗車時に滑って転倒した後に行っており，広範囲の変形性関節症様変化を認めた。最近は転倒はなく，痛む部位もないと申告した。
便秘があり，センナを内服することがある。通常は毎日，息みや便潜血を伴わない排便がある。定期診察に来るよう連絡を受けて来院

文献一覧

1. Walker HK, Hall WD, Hurst JW. *Clinical Methods: The History, Physical, and Laboratory Examinations*. 3rd ed. Boston, MA: Butterworths; 1990.
2. Kurtz S, Silverman J, Benson J, et al. Marrying content and process in clinical method teaching: enhancing the Calgary-Cambridge guides. *Acad Med*. 2003; 78(8): 802-809.
3. Kurtz SM, Silverman J, Draper J, et al. *Teaching and Learning Communication Skills in Medicine*. Abingdon, Oxon, UK: Radcliffe Medical Press; 1998.
4. Kurtz SM, Silverman JD. The Calgary-Cambridge Referenced Observation Guides: an aid to defining the curriculum and organizing the teaching in communication training programmes. *Med Educ*. 1996; 30(2): 83-89.
5. Haidet P. Jazz and the 'art' of medicine: improvisation in the medical encounter. *Ann Fam Med*. 2007; 5: 164-169.
6. Wagner EH, Austin BT, Von Korff M. Organizing care for patients with chronic illness. *Milbank Q*. 1996; 74: 511-544.
7. Barrows HS, Pickell GC. *Developing Clinical Problem-Solving Skills: A Guide to More Effective Diagnosis and Treatment*. 1st ed. New York: W.W. Norton; 1991.
8. U.S. Preventive Services Task Force. Screening for depression: recommendations and rationale. *Ann Intern Med*. 2002; 136(10): 760-764.
9. Nebeker JR, Barach P, Samore MH. Clarifying adverse drug events: a clinician's guide to terminology, documentation, and reporting. *Ann Intern Med*. 2004; 140(10): 795-801.
10. Barbara AM, Doctor F, Chaim G. Asking the right questions 2: talking about sexual orientation and gender identity in mental health, counselling and addiction settings. In: Canada: Centre for Addiction and Mental Health; 2007: Available at https://www.rainbowhealthontario.ca/resources/asking-the-right-questions-2-talking-with-clients-about-sexual-orientation-and-gender-identity-in-mental-health-counselling-and-addiction-settings. Accessed March 29, 2019.
11. Marcell AV, Burstein GR. Sexual and reproductive health care services in the pediatric setting. *Pediatrics*. 2017; 140(5): e20172858.
12. Diamant AL, Schuster MA, McGuigan K, et al. Lesbians' sexual history with men. *Arch Intern Med*. 1999; 159(22): 2730-2736.
13. Umberson D, Montez JK. Social relationships and health: a flashpoint for health policy. *J Health Soc Behav*. 2010; 51(Suppl): S54-S66.
14. Umberson D, Crosnoe R, Reczek C. Social relationships and health behavior across life course. *Annu Rev Sociol*. 2010; 36: 139-157.
15. Cohen S. Social relationships and health. *Am Psychol*. 2004; 59(8): 676-684.
16. Uchino, Bert N. Social Support and Physical Health: Understanding the Health Consequences of Relationships. NEW HAVEN, LONDON: Yale University Press; 2004. Available at www.jstor.org/stable/j.ctt1nq4mn. Accessed March 20, 2020.
17. Hossain M, Zimmerman C, Abas M, et al. The relationship of trauma to mental disorders among trafficked and sexually exploited girls and women. *Am J Public Health*. 2010; 100: 2442-2449.
18. Logan TK, Walker R, Hunt G. Understanding human trafficking in the United States. *Trauma Violence Abuse*. 2009; 10: 3-30.
19. Cyr MG, Wartman SA. The effectiveness of routine screening questions in the detection of alcoholism. *JAMA*. 1988; 259: 51-54.
20. Mayfield D, McLeod G, Hall P. The CAGE questionnaire: validation of a new alcoholism screening instrument. *Am J Psychiatry*. 1974; 131(10): 1121-1123.
21. Moyer VA; Preventive Services Task Force. Screening and behavioral counseling interventions in primary care to reduce alcohol misuse: U.S. preventive services task force recommendation statement. *Ann Intern Med*. 2013; 159(3): 210-218.
22. Ewing JA. Detecting alcoholism. The CAGE questionnaire. *JAMA*. 1984; 252: 1905-1907.
23. Friedmann PD. Clinical practice. Alcohol use in adults. *N Engl J Med*. 2013; 368: 365-373.
24. McCusker MT, Basquille J, Khwaja M, et al. Hazardous and harmful drinking: a comparison of the AUDIT and CAGE screening questionnaires. *QJM*. 2002; 95(9): 591-595.
25. Institute NC. NCI dictionary of cancer terms. Available at https://www.cancer.gov/publications/dictionaries/cancerterms/def/pack-year. Accessed April 2, 2019.
26. Abuse NIoD. Screening for drug use in general medical settings. 2012.
27. Smith PC, Schmidt SM, Allensworth-Davies D, et al. A single-question screening test for drug use in primary care. *Arch Intern Med*. 2010; 170: 1155-1160.
28. Coverdale JH, Balon R, Roberts LW. Teaching sexual history-taking: a systematic review of educational programs. *Acad Med*. 2011; 86: 1590-1595.
29. Shindel AW, Ando KA, Nelson CJ, et al. Medical student sexuality: how sexual experience and sexuality training impact U.S. and Canadian medical students' comfort in dealing with patients' sexuality in clinical practice. *Acad Med*. 2010; 85: 1321-1330.
30. Rubin ES, Rullo J, Tsai P, et al. Best practices in North American pre-clinical medical education in sexual history taking: consensus from the summits in medical education in sexual health. *J Sex Med*. 2018; 15(10): 1414-1425.
31. O'Keefe R, Tesar CM. Sex talk: what makes it hard to learn sexual history taking? *Fam Med*. 1999; 31(5): 315-316.
32. Centers for Disease Control and Prevention. *A guide to taking a sexual history*. 2005. Available at http://www.cdc.gov/lgbthealth/. Accessed April 30, 2019.
33. National LGBT Health Education Center. Taking Routine Histories of Sexual Health: A System-Wide Approach for Health Centers. The Fenway Institute, Fenway Health.

Available at https://www.lgbthealtheducation.org/publication/takingroutine-histories-of-sexual-health-a-system-wide-approachfor-health-centers/. Published 2014. Accessed April 30, 2019.
34. Samuel L, Zaritsky E. Communicating effectively with transgender patients. *Am Fam Physician*. 2008; 78(5): 648, 650.
35. Puchalski C, Ferrell B. *Making Health Care Whole: Integrating Spirituality into Patient Care*. West Conshohocken, PA: Templeton Foundation Press; 2011.
36. Banin LB, Suzart NB, Guimarães FAG, et al. Religious beliefs or physicians' behavior: what makes a patient more prone to accept a physician to address his/her spiritual issues? *J Relig Health*. 2014; 53(3): 917-928.
37. Ehman JW, Ott BB, Short TH, et al. Do patients want physicians to inquire about their spiritual or religious beliefs if they become gravely ill? *Arch Intern Med*. 1999; 159(15): 1803-1806.
38. King DE, Bushwick B. Beliefs and attitudes of hospital inpatients about faith healing and prayer. *J Fam Pract*. 1994; 39(4): 349-353.
39. Kristeller JL, Sheedy Zumbrun C, Schilling RF. 'I would if I could': how oncologists and oncology nurses address spiritual distress in cancer patients. *Psychooncology*. 1999; 8(5): 451-458.
40. MacLean CD, Susi B, Phifer N, et al. Patient preference for physician discussion and practice of spirituality. *J Gen Intern Med*. 2003; 18(1): 38-43.
41. McCord G, Gilchrist VJ, Grossman SD, et al. Discussing spirituality with patients: a rational and ethical approach. *Ann Fam Med*. 2004; 2(4): 356-361.
42. Rasinski KA, Kalad YG, Yoon JD, et al. An assessment of US physicians' training in religion, spirituality, and medicine. *Med Teach*. 2011; 33(11): 944-945.
43. The GW Institute for Spirituality and Health. FICA Spiritual History Tool ©™. Available at https://smhs.gwu.edu/gwish/clinical/fica/spiritual-history-tool. Published 2019. Accessed.
44. Saguil A, Phelps K. The spiritual assessment. *Am Fam Physician*. 2012; 86(6): 546-550.
45. Puchalski C, Romer AL. Taking a spiritual history allows clinicians to understand patients more fully. *J Palliat Med*. 2000; 3(1): 129-137.
46. Ellis G, Marshall T, Ritchie C. Comprehensive geriatric assessment in the emergency department. *Clin Interv Aging*. 2014; 9: 2033-2043.
47. Linzer M, Yang EH, Estes NA 3rd, et al. Diagnosing syncope. Part 1: value of history, physical examination, and electrocardiography. Clinical Efficacy Assessment Project of the American College of Physicians. *Ann Intern Med*. 1997; 126(12): 989-996.
48. Hamill-Ruth RJ, Marohn ML. Evaluation of pain in the critically ill patient. *Crit Care Clin*. 1999; 15(1): 35-54, v-vi.
49. Gelinas C, Fillion L, Puntillo KA. Item selection and content validity of the critical-care pain observation tool for nonverbal adults. *J Adv Nurs*. 2009; 65(1): 203-216.
50. King MS, Lipsky MS. Evaluation of nursing home patients. A systematic approach can improve care. *Postgrad Med*. 2000; 107(2): 201-204, 207-210, 215.
51. Kanter SL. The nursing home as a core site for educating residents and medical students. *Acad Med*. 2012; 87(5): 547-548.
52. Smith KL, Ornstein K, Soriano T, et al. A multidisciplinary program for delivering primary care to the underserved urban homebound: looking back, moving forward. *J Am Geriatr Soc*. 2006; 54(8): 1283-1289.
53. Ornstein KA, Leff B, Covinsky KE, et al. Epidemiology of the homebound population in the United States. *JAMA Intern Med*. 2015; 175(7): 1180-1186.
54. Josephson KR, Fabacher DA, Rubenstein LZ. Home safety and fall prevention. *Clin Geriatr Med*. 1991; 7(4): 707-731.

本章の学習効果を高め，理解を助けるために一連の補助教材がある。
- 『ベイツ診察法ポケットガイド第4版』
- Bates' Visual Guide to Physical Examination
- thePoint® online resources, for students and instructors: http://thepoint.lww.com

第4章 身体診察

テクノロジーの時代における身体診察の役割

熟練した病歴聴取と注意深い身体診察は，古くから診療を支えてきた（図4-1）。歴史的にも，患者の話を聞くことと診察して所見をとることは，症状の原因を特定するための方法として主要なものであった。これは今日でも，緊急時や医療資源に乏しい環境においてあてはまることが多いだろう。

新たなリソースやテクノロジーは診療を変化させ，従来の臨床技術を強化し，ときには取って代わるかのようにみえた[1,2]。こうした技術により解剖学的，生理学的異常を特定する能力が向上し，医療の役割が広がったのである[1]。しかしながら，これら先進の代替手段も，診断に至るための注意深い身体診察に取って代わることはないだろう。診断能力を最大限に高めるためには，これらのテクノロジーがもたらす情報を，身体診察から得られる所見と合わせて評価すべきである[3]。検査に頼りすぎると，ベッドサイドでの評価に頼りすぎるのと同様に患者のケアを損ねてしまう[4]。**重要なのは，身体診察がテクノロジーに優っているか否かではなく，この2つのアプローチを融合したときに，1つしか用いない場合と比べて患者のアウトカムを改善させられるか否かである**[4]。

最近の研究では，身体診察を診断テストの1つとみなし，その特性を同定することで，身体所見の価値が立証されはじめている[5,6]。現在，身体所見の多くに対して，他の診断テストと同様に，その妥当性や疾患を確定または除外する能力に関する検証が進んでいる[2]。特に身体診察技術の優れた教育方法や国内での実績がより理解されるようになるにつれて，合理的な身体診察が診断における意思決定を徐々に改善させることが期待されている[7,8]。他方で身体診察は，患者とより長い時間コミュニケーションをとることによる目にみえない利益[8]や，患者に合わせた個別の治療関係，より正確な診断，より的を絞った評価や治療計画にも貢献する[2,7,9]。

図4-1　身体診察の技術

第7章「エビデンスの評価」（p.198〜203）を参照。

身体診察の範囲の決定：包括的か局所的か？　　　　　　　　　　　　　　　　　　　　異常例

本章の内容

- 身体診察の準備
  - 患者へのアプローチ
  - 照明や環境の調整
  - 必要な診察器具
  - 患者にとって快適な状況の整備
  - 標準・感染経路別予防策
  - 身体診察の範囲や順序，体位の決定
- 成人における包括的身体診察の流れ（頭からつま先までの身体診察）
- 特定の患者状態に合わせた身体診察
- 所見の記録

身体診察の範囲の決定：包括的か局所的か？

包括的または局所的な身体診察のどちらを行うかは，患者の不安や，医療面接で得た情報，時間などの多くの要素から判断する。**包括的身体診察 comprehensive examination** は基本的な「頭からつま先までの診察」であるが，臓器系の評価以上のことを行う。この診察により，患者についての基本的で個別的な知識が得られ，診察者と患者の関係が深められる。ケアを求める多くの人は特定の心配事や症状をもっており，包括的身体診察はそのような心配事を評価し，患者の疑問に答えるためのより網羅的な基盤となる。**局所的身体診察 focused examination** では，特定の問題を徹底的に評価するのに適切な方法を選択する。疾患様式の知識だけではなく，患者の症状，年齢，病歴が，どの範囲に的を絞って診察を行うべきかを決める手助けになる。

臨床判断の基礎，かつ指標となる臨床推論については，第5章「臨床推論，アセスメント，計画」（p.140〜148）を参照。

成人における包括的身体診察

成人の身体診察をはじめる前に，十分に準備の時間をとる（Box 4-1）。患者へのアプローチ，専門家としての振る舞い，患者が安心し，リラックスできる方法について，十分に検討すること。患者が身体的により快適でいられる方法を振り返り，必要に応じて環境を整備する。

小児の包括的身体診察については，第25章「小児：新生児から青年期まで」（p.965〜968）を参照。

Box 4-1　身体診察の準備

1. 患者へのアプローチについて振り返る
2. 照明や環境を調整する
3. 診察器具を確認する
4. 患者にとって快適な状況を整える
5. 標準・感染経路別予防策を遵守する
6. 身体診察の順序や範囲，体位を決める

身体診察の範囲の決定：包括的か局所的か？

患者へのアプローチについて振り返る

患者に挨拶をしたら，自分が学ぶ立場であると認識することが重要である。仮に，自分が経験不足だと感じても，落ち着いて理路整然としていなければならない。特に最初の頃は，診察の一部を忘れることはよくある。順番通りでなくても，単純に忘れた箇所に戻って診察すればよい。後で患者のところに戻って，自分が見落としていたかもしれないことを1つ2つ確認することは珍しいことではない。

経験が浅いうちは，眼底検査や心音の聴診など特定の診察に，経験豊富な診察者よりも多くの時間が必要である。患者を不安にさせないために，例えば「心音の聴診に長めに時間をかけようと思いますが，心音に異常があるというわけではありません」と，前もって伝えておくとよい。

患者の多くは，多少の不安をもちつつ診察を見守る。不安を抱え，身体的にも無防備で，痛みが伴うことを恐れ，何か異常がみつかるのではないかと心配に感じているのである。同時に，あなたの健康への気づかいに感謝し，配慮に応えてくれる。これを心に留めて，**熟練者は，無駄な時間をかけずにとりこぼしなく，体系的でありながら柔軟かつ丁寧に，必要であれば不快感を抱かせる手技をも避けず診察する**。また熟練者は身体の各部位を診察しつつ，同時に患者全体の状況を感じとって，怖がり不安そうにする表情を気にかけ，患者が落ち着き，状況がわかり，安心できるような情報を伝える。

経験が浅いうちは，得られた所見を解釈することは避けるべきである。あなたが患者への最終責任をもっているわけではないし，見立ては未熟で間違っている可能性もある。経験を積んで責任をもつようになれば，患者に所見を伝えてもよいだろう。もし患者が特定の懸念を抱いているときは，あらかじめ指導者と相談するのがよい。悪性の可能性が高い腫瘍や深い潰瘍といった異常をみつけることもあるかもしれない。そのようなときでも，顔をしかめたり，驚いた様子をみせたり，その他患者が否定的に受けとるような反応をすることは常に避けなければならない。

照明や環境を調整する

いくつかの環境要因が診察の正確性や信頼性に影響する。正しい所見を得るには，診察者と患者の双方が快適と感じる環境整備が重要である。無理な姿勢はあなたにとっても，患者にとっても診察をより困難にする。ベッド（診察台）を適切な高さに調節し（診察後はもとに戻すことを忘れない），特定の部位の診察をしやすくするために，患者に依頼して近づいてもらったり，向きや体位を変えてもらったりする。

適度な照明と静かな環境は診察を成功させる鍵である。この調整は難しいこともあるが，最善を尽くす。照明は，面接中に患者があなたを問題なくみることができて，あなたも患者の表情がしっかりとわかるように調整する。天井やベッドサ

イドの照明をつけ，カーテンやブラインドを開けて，身体診察の際に患者がしっかりとみえるようにする。必要があれば，口腔内や頸静脈怒張の観察など，特定の部位の診察では，局所を適切な向きから照らせるようにペンライトなど追加の照明も用いるべきである。もしテレビの音が心音の聴取を邪魔していたら，近くの患者にテレビの音量を下げるように丁寧にお願いし，退室時には忘れずに感謝の気持ちを伝える。

診察器具を確認する

身体診察に必要な器具を Box 4-2 に示す。専門的な診察のための追加器具や消耗品もあわせて示す。

Box 4-2　身体診察のための器具や消耗品

- **聴診器**(A)：以下を満たすものを使用する
  - しっかりと痛みなくフィットするイヤーチップ。フィット感を得るには，適切なサイズのイヤーチップを選ぶ。イヤーチップを耳の穴の角度に合わせて，バイノーラル(耳管部)を動かし適度な締めつけとなるよう調整する
  - 音の伝達を最大化するための，可能な限り短く(可能であれば 30 cm 程度，できれば 38 cm 以下)，管壁の厚いチューブ
  - ベル部と膜部の切り替えが容易
- **血圧計**(B)
- **検眼鏡**(C)
- **視力検査表**(D)
- **耳鏡**(E)：小児の診察には気密耳鏡検査ができるものがよい
- **音叉**(F)：128 Hz および 256 Hz
- **体温計**(G)
- **神経反射用ハンマー(打腱器)**(H)
- **腟鏡**(I)
- **ダーモスコピー**(J)
- 細胞学的検査および細菌学的検査のための検体採取器具
- 触覚と 2 点識別テスト用の綿棒，安全ピン，その他の使い捨ての器具
- 舌圧子
- 定規または巻尺(単位は cm のものがよい)
- 使い捨てマスク
- 使い捨てガウン
- 口腔，腟，直腸検査用の手袋と潤滑剤
- 照明
- 秒針つきの時計(タイマー)
- 手指消毒液
- 紙とペンまたは鉛筆
- 小型の超音波装置
- 電子健康記録(EHR)にアクセスできるデスクトップパソコンまたはノートパソコン

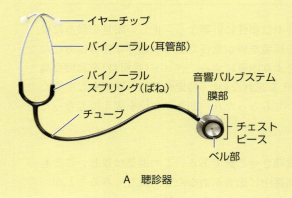

A　聴診器

(続く)

UNIT I 第4章 身体診察

身体診察の範囲の決定：包括的か局所的か？

↘（続き）

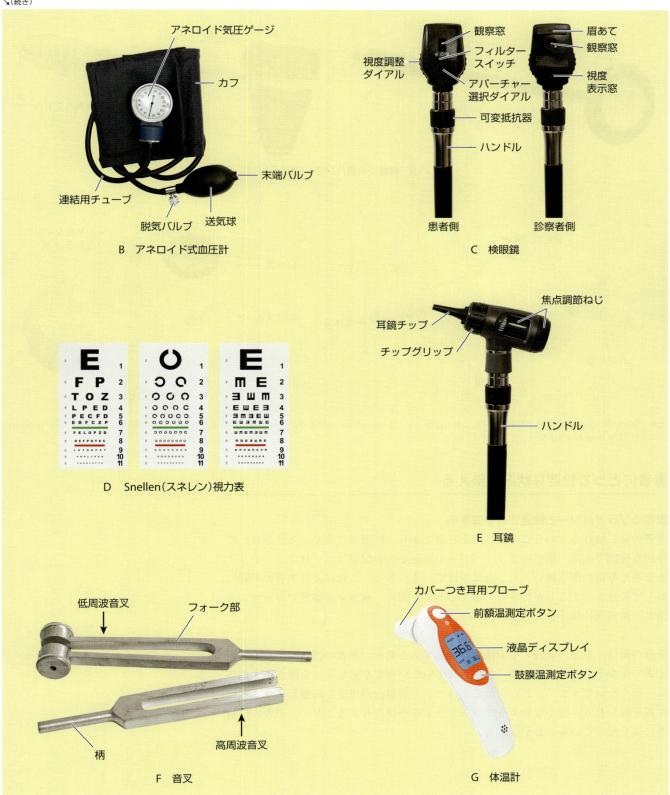

B アネロイド式血圧計

C 検眼鏡

D Snellen（スネレン）視力表

E 耳鏡

F 音叉

G 体温計

（続く）↗

121

\(続き）

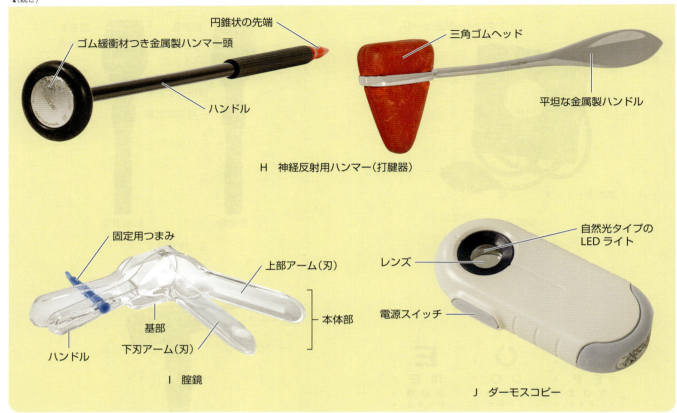

出典：Shutterstock の許可を得て掲載（A — Paul Maguire より，B — LeventeGyori より，D — tuulijumala より，F — Duntrune Studios より，G — doomu より，I — New Africa より）

患者にとって快適な状況を整える

患者のプライバシーと快適さを確保する

患者の体に触れるということは特別な行為であり，医療者に古くから許された特権的な役割である．患者のプライバシーや羞恥心への配慮は，プロフェッショナルな当たり前の振る舞いとして身につけているべきで，これにより患者の不安に対して敬意を示すことができる．近くのドアを閉め，病室や診察室でカーテンを閉じ，診察前には手を入念に洗う．

診察の間は，患者の気持ちや不快感に対して気を配る．患者の表情に応じて「大丈夫ですか？」とたずねたり，表出されていない不安や痛む部位を聞き出すために「痛くないですか？」とたずねる．ベッドや診察台の角度を調整したり，枕の位置を直したり，寒くないようブランケットをかけたりすることで，患者の快適さに気を配っていることが伝わる．

患者の体位とドレーピング

患者に適切な体位をとってもらうことは，体の各部位を診察するのに大いに役立ち，診察をより容易にする．Box 4-3 に，身体診察時や特定の手技〔例えば，留置カテーテルの挿入，座薬投与，Papanicolaou（パパニコロー）塗抹検査〕をする際の患者の体位を示す．また，さまざまな診察や手技においてベッドや診察台の角度をどのように調整しておくかも示す．

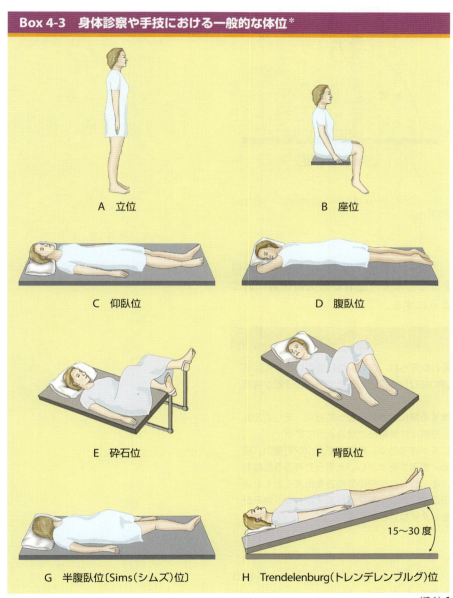

Box 4-3　身体診察や手技における一般的な体位*

A　立位
B　座位
C　仰臥位
D　腹臥位
E　砕石位
F　背臥位
G　半腹臥位〔Sims（シムズ）位〕
H　Trendelenburg（トレンデレンブルグ）位　15〜30度

（続く）

身体診察の範囲の決定：包括的か局所的か？

↘（続き）

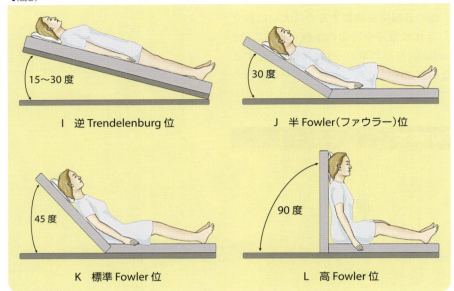

I　逆 Trendelenburg 位　　　J　半 Fowler（ファウラー）位

K　標準 Fowler 位　　　L　高 Fowler 位

＊体位がわかるよう患者にかけるドレープは省略してある。
出典：A〜G — Taylor C et al. *Fundamentals of Nursing: The Art and Science of Person-Centered Care.* 8th ed. Wolters Kluwer; 2015，Figs.25-2-1〜25-2-7 より改変

この先の章で各部位の身体診察を学ぶと，ガウンやシーツの正しい使い方も習得できるだろう（Box 4-4）。診断を犠牲にすることなく，患者が最大限快適に過ごせるよう，一度に身体の一部位が見えるようにする。

Box 4-4　ドレーピングのヒント

- 配慮のあるドレーピングにより，患者の羞恥心が守られ，診察部位に集中しやすくなる
- 例えば，座っている患者では，ガウンの背側の結び目をほどくことで肺音の聴取が容易になる
- 仰臥位の患者の乳房診察では，右乳房を診察する際には左側は覆っておく。そして左乳房や心臓を診察するときには，右側を覆い，左側だけを露出させるようにする
- 腹部の診察では，腹部のみが露出するようにすべきである。胸部までガウンで覆い，鼠径部までシーツやドレープで覆うべきである。患者が恥ずかしいと思うであろう部位を診察する際には，心の準備ができるように，あらかじめ診察の進め方を伝えておくとよい。例えば「今から鼠径部の脈拍を診察するので，ガウンをずらしますね」や「痛みがあるとおっしゃったので，直腸周囲の診察をしますね」と伝える

丁寧で明確な指示を行う

診察の各段階で，患者への指示を明確かつ礼儀正しく行えているかどうかに留意する。例えば「今から心臓を診察したいと思いますので，横になっていただけますか」や「今から腹部の診察を行います」と指示する。恥ずかしさや不快感を感じる可能性がある診察をするときは，そのことをあらかじめ患者に知らせておく。

患者に情報を伝える

診察を進めている間，患者との会話から，診察所見について知りたいと考えているかどうかを判断する。患者は，肺の所見と肝臓や脾臓の診察方法のどちらを気にしているのだろうか？

診察の終了

知識が増え手技が上達したら，診察終了後に，全体的な印象や今後の見通しを患者に伝えるかどうかを検討する。入院患者には，患者が快適に過ごせているか確認し，患者が満足するよう，周囲の環境を整える。**転倒リスクを減らすために，ベッドを低くし，ベッド柵を上げる**。退出するときには，手や診察器具を洗い，使用済みの消耗品は処分する。

標準・感染経路別予防策を遵守する

患者と医療者を感染症の拡大から守るため，米国疾病対策センター（CDC）はガイドラインをいくつか発表している。診察を行うにあたって，CDCのウェブサイトでこれらの予防策を学び遵守することが望ましい。標準予防策，メチシリン耐性黄色ブドウ球菌（MRSA）予防策，感染経路別予防策に関する推奨を以下に整理する[10-14]。

標準予防策とMRSA予防策

標準予防策は，血液，体液，分泌物，汗以外の排泄物，損傷を受けた皮膚，粘膜のすべてが感染性物質を含むという原則にもとづいている。標準予防策は，いかなる場合でもすべての患者に適用され，手指消毒（図4-2），個人防護具（手袋，ガウン，口・鼻・眼の防護具）（図4-3），安全な注射処置の実践，汚染された器具や部位の取り扱い，呼吸器系の衛生と咳エチケット，患者隔離基準，器具・玩具・環境表面・洗濯の取り扱いが含まれる。白衣やスクラブ，聴診器にも細菌が付着するため，頻回に消毒しなければならない[15,16]。手指衛生には，多剤耐性菌，特にMRSAやバンコマイシン耐性腸球菌（VRE）の拡散を減らす効果があることが示されている[10]。Box 4-5にCDCの手指衛生に関する推奨を示す。

図4-2 手洗いを含めた正しい標準予防策をとる

図4-3 個人防護具

Box 4-5　CDC の手指衛生に関する推奨

アルコール含有手指消毒液の使用
- 患者に触れる直前
- 無菌操作の実施前（留置デバイスの挿入など），侵襲的医療器具の使用前
- 同じ患者の汚染された部位での作業から，清潔な部位に移行する前
- 患者または患者周囲の環境に触れた後
- 血液，体液，または汚染された箇所に触れた後
- 手袋を外した直後

石鹸と水での洗浄
- 手がみた目にも明らかに汚染したとき
- 感染性下痢のある，または疑いのある患者のケア後
- 芽胞への曝露やその疑いのあるとき〔炭疽菌（*Bacillus anthracis*）やクロストリディオイデス・ディフィシル *Clostridioides difficile* の流行〕

出典：CDC. *Introduction to Hand Hygiene*. April 29, 2019. https://www.cdc.gov/ handhygiene/providers/index.html (Accessed May 10, 2019) より入手可能

感染経路別予防策

普遍的予防策は，ヒト免疫不全ウイルス（HIV）や B 型肝炎ウイルス（HBV）といった血液を介して感染する病原体に対する医療者の非経口，粘膜，非接触曝露を防ぐためにつくられた一連のガイドラインである。血液への曝露がある医療者に対する HBV ワクチンは普遍的予防策に付随した重要な予防策である（Box 4-6）。血液，血液を含んだ体液，精液，腟分泌液，脳脊髄液，関節液，胸水，腹水，心膜液，羊水には感染の可能性があると考えられ，手袋，ガウン，エプロン，マスク，ゴーグルなどが防護具として用いられる。すべての医療者は，安全な注射処置の実践，そして針，メス，その他の鋭利な器具による怪我を防ぐための予防策を遵守すべきである。もしこれらの怪我があった場合，直ちに所属する医療機関に報告する。

Box 4-6　医療施設における感染経路別予防策

予防策の種類	説明	必要となる個人防護具の種類			
		手袋	ガウン	マスク	レスピレータ
接触予防策	MRSA や *C. difficile* などの接触を介して感染する病原体に対する予防策	✓	✓		
飛沫予防策	特に感染者が咳やくしゃみをしたとき，口腔・鼻・肺からの分泌物に接触することで感染する病原体に対する予防策。感染性のある飛沫は通常約 1 m しか拡散しない（インフルエンザや百日咳など）。ただし，COVID-19 の飛沫は最大約 2 m まで拡散する	✓	✓	✓	

（続く）

身体診察の範囲の決定：包括的か局所的か？

(続き)

予防策の種類	説明	必要となる個人防護具の種類			
		手袋	ガウン	マスク	レスピレータ
空気予防策	結核や水痘といった空気中に長距離にわたり拡散する病原体に対する予防策。患者は廊下に空気が流出することを防ぐように設計された**陰圧室**に入室させる	✓	✓		✓
逆隔離予防策	医療者や来訪者が持ち込む病原体から患者を守るための予防策。通常，化学療法により免疫抑制状態となった患者が隔離される	✓	✓	✓	

出典：CDC. *Guideline for Isolation Precautions: Preventing Transmission of Infectious Agents in Healthcare Settings* (2007). Updated November 14, 2018. https://www.cdc.gov/infectioncontrol/pdf/guidelines/isolation-guidelines-H.pdf (Accessed April 4, 2019)

身体診察の順序や範囲，体位を決める

診察の主要な手法

身体診察をはじめるにあたり，4つの主要な診察手法を学ぶこと。診察の順序や範囲，患者の体位をどのようにするか計画する。

身体診察は，視診，触診，打診，聴診の4つの基本的な技術により行われる（Box 4-7）。後続の章では，例えば大動脈弁閉鎖不全症の心雑音を検出しやすくするために患者の上体を前傾させる，または関節液の有無を調べるために膝蓋骨の跳動を確認するなど，身体診察による診断を強化するのに重要な追加の手技についても学ぶことができる。

Box 4-7　主要な診察手法

手法	説明
視診	表情や雰囲気，体格，身体の状態，点状出血や斑状出血などの皮膚の状態，眼球運動，咽頭の色調，胸郭の対称性，頸静脈拍動の高さ，腹部の輪郭，下腿浮腫，歩容といった患者の外見や行動，動きを詳細に観察する
触診	指や指先の手掌側で触れて圧迫する。それによって皮膚のふくらみ，へこみ，温かさ，痛み，リンパ節，拍動，臓器や腫瘤の輪郭や大きさ，関節の摩擦音などを評価する
打診	通常は右手の第3指を**打診指**として用い，腹部や胸部の体表面に置いた左手の**打診板となる指**（通常は第3指）の第1関節を素早く軽く，もしくはやや強めに叩いて，その下にある組織や臓器から共鳴音や濁音を出す。この音は，打診板となる指を通して振動として触知できる

(続く)

手法	説明
聴診	部位，タイミング，持続時間，高さ，強さといった心音，呼吸音，腸蠕動音の特徴を聴取するために，聴診器の膜部とベル部を用いる．心音には，4つの弁の閉鎖音，心室や心房へ血液が流入する音や心雑音が含まれる．また聴診によって動脈中の雑音や乱流を発見することも可能である

診察の順序

包括的で正確な身体診察を行うための鍵は，体系的な診察の手順を踏むことである．以下の3つの点を念頭に置いて，包括的または局所的身体診察を行う．

- 患者が最大限快適であること
- 不要な体位変換を避けること
- 臨床的な効率を高めること

患者を右側から診察し，必要に応じてベッドもしくは診察台の反対側や足側に移動するとよい．これは身体診察を行ううえでの標準的な位置であり，左側からの診察に比べいくつか利点がある．例えば，頸静脈圧を推定する際の信頼性がより高い，心尖拍動を触診する際に手を置きやすい，右腎は左腎よりも触知しやすいことが多い，診察台は右利きの人を想定して置かれていることが多い，といったことである．

最初は苦労するかもしれないが，可能であれば，左利きの研修医も右側から診察することが推奨される．打診時や，耳鏡や打腱器などの器具をもつ際は左手を使ってもよいだろう．Box 4-8 にまとめた，患者の快適さ，最小限の体位変換，効率性という3つの目標を満たす身体診察の手順について学習してほしい．

包括的身体診察では，一般に頭からつま先に向かって診察を行う．例えば顔や口腔内の診察を行う前に足の診察を行うことは避ける．いくつかの部位の診察，例えば，頭頸部や胸郭，肺の診察などは，患者が座っていると最も評価しやすいことがすぐにわかるだろう．一方，他の部位，例えば心血管系や腹部の診察などは仰臥位で最も所見をとりやすい．

つぎの「頭からつま先までの身体診察」の項で，診察者によってどのタイミングでどの部位の診察を行うかが，特に筋骨格系や神経学的診察で異なることがわかるだろう．これらの違いのいくつかは本文中で説明する．また，各部位の診察における患者体位の推奨についても，右欄に赤文字で示す．

身体診察中の患者の体位については，Box 4-3 を参照．

Box 4-8 身体診察：推奨される手順と体位

- 全身の観察
- バイタルサイン
- 皮膚（上半身の腹側と背側）
- 頭頸部（甲状腺とリンパ節を含む）
- 必要に応じて：神経系（精神状態，脳神経所見，上肢の筋力・筋肉量・筋緊張，小脳機能）
- 胸郭と肺
- 乳房
- 必要に応じて：筋骨格系（上肢）
- 心血管系〔頸静脈圧，頸動脈の立ち上がりや雑音，最強拍動点，第1心音（S₁），第2心音（S₂），心雑音など〕
- 心血管系〔第3心音（S₃），僧帽弁狭窄雑音〕
- 心血管系（大動脈弁閉鎖不全雑音）
- 必要に応じて：胸郭と肺（腹側）
- 乳房と腋窩
- 腹部
- 末梢血管系
- 必要に応じて：皮膚（下半身と四肢）
- 神経系〔下肢の筋力・筋肉量・筋緊張，感覚，反射，Babinski（バビンスキー）反射〕
- 必要に応じて：筋骨格系
- 必要に応じて：皮膚（腹側と背側）
- 必要に応じて：神経系（歩容を含む）
- 必要に応じて：筋骨格系（包括的な診察）
- 女性：内診と直腸診
- 男性：前立腺と直腸診

患者の体位を示す記号

- 座位
- 仰臥位
- 頭部30度挙上の仰臥位
- 立位
- 上記と同じ姿勢で左側へ体を向ける
- 仰臥位で，股関節を屈曲・外転・外旋し，膝関節は屈曲（砕石位）
- 前かがみの座位
- 左側臥位（左向きの臥位）

つぎの記号が出てくるまでは同じ体位で診察を続ける。2つの記号の間にスラッシュが入っている場合はどちらか一方，もしくは両方の体位で診察する

臨床経験を重ねるにつれ，自分の診察手順が確立されるが，診察に漏れがないこと，患者が快適であることに常に留意すべきである。最初は，どのような所見を探す必要があるのか思い出すためにメモが必要かもしれない。しかし時間が経つにつれて，この手順は習慣化されるため，飛ばしてしまった部位があってもその診察に戻り，漏れなく診察を終えやすくなるだろう。

頭からつま先までの身体診察

全身の観察

全身の健康状態，体格，性的発育を観察する。身長と体重を測定する。姿勢・運動・歩容，服装・身だしなみ・個人衛生，体臭や口臭に注意する。表情を観察し，周囲の人や物事に対する態度・感情・反応について見落とさないようにする。患者の話に耳を傾け，意識状態や意識レベルについても注意する。

全身の詳細な観察は，患者と対面した時点から開始し，病歴聴取と身体診察の間継続する。

■ バイタルサイン

血圧を測定する。脈拍と呼吸数を数える。必要に応じて，体温を測定する。

患者には診察台の端に**座ってもらう**。患者の正面に立ち，必要に応じ左右に移動する。

■ 皮膚

顔の皮膚やその特徴を観察する。肌の保潤や乾燥具合と温かさを評価する。病変を特定し，その部位，広がり，配列，型，色調に注意する。毛髪と爪を視診，触診する。手の両面も調べる。他の部位を診察するときにも皮膚の評価を行う。

■ 頭部・眼・耳・鼻・咽喉（HEENT）

頭部：毛髪，頭皮，頭蓋，顔を診察する。
眼：視力と視野を調べる。眼位と眼の位置の左右差にも注意する。眼瞼部を観察し，両眼の強膜と結膜を視診する。光を斜めからあてて，角膜，虹彩，水晶体を視診する。瞳孔を比較し，対光反射を調べる。外眼運動を評価する。検眼鏡で眼底を視診する。
耳：耳介，外耳道，鼓膜を視診する。聴力を検査する。聴力低下を認めた場合は，左右差をみる検査〔Weber（ウェーバー）試験〕を行い，気導音と骨導音を比較する〔Rinne（リンネ）試験〕。
鼻・副鼻腔：鼻の外観を調べる。ライトや鼻鏡を使って，鼻粘膜，鼻中隔，鼻甲介を視診する。前頭洞や上顎洞の圧痛を触診する。
咽喉（口腔と咽頭）：口唇，口腔粘膜，歯肉，歯，舌，口蓋，扁桃，咽頭を視診する。この部位の診察中に，脳神経の評価を行ってもよい。

検眼鏡での診察時には部屋は暗くしておくべきである。そうすることで瞳孔が開き，眼底の観察が容易になる。

■ 頸部

頸部リンパ節を視診，触診する。頸部の腫脹や拍動異常に注意を払う。気管の偏位を触知する。呼吸音を聴取し，努力呼吸を観察する。甲状腺を視診，触診する。

甲状腺の触診，背部，胸郭後面や肺の診察の際には，座っている患者の背側にまわる。

■ 背部

脊椎と背部の筋群を視診，触診する。肩の高さの左右差を観察する。

■ 胸郭（後面）と肺

脊椎と上背部の筋群を視診，触診する。胸郭を視診，触診，打診する。左右両側で横隔膜濁音の位置を同定する。呼吸音を聴取し，あらゆる副雑音を確認し，必要があれば声音振盪を確認する（p.474参照）。

| UNIT I　第4章　身体診察 |

| 頭からつま先までの身体診察 | 異常例 |

筋骨格系の診察における注意点

ここまでの診察で，筋骨格系の予備的な観察は済んでいる。両手と上背部の診察も終わっている。必要があれば，**患者を座らせたままで**，手，腕，肩，頸部，顎関節をさらに診察する。関節を視診，触診し，可動域を確認する。このときに上肢の筋肉量・筋緊張・筋力・反射を調べてもよいし，後で行うことにしてもよい。

■ 乳房，腋窩

女性患者の場合，腕を横に下ろした姿勢，つぎに腕を頭の上に置いた姿勢，さらに手を腰にあてた姿勢で乳房を視診する。男女とも，腋窩の視診を行い，腋窩リンパ節を触知する。

患者はまだ**座っている状態**。再び正面にまわる。

視診を続けながら乳房の触診を行う。

患者は仰臥位。患者に横になってもらい，診察台の**右側**に立つ。

■ 胸郭（前面）と肺

胸郭を視診，触診，打診する。呼吸音と副雑音を聴取し，必要があれば声音振盪を確認する。

■ 心血管系

頸静脈拍動を観察し，頸静脈圧を胸骨角からの高さを用いて測定する。頸動脈拍動を視診，触診する。頸動脈雑音を聴取する。

心血管系の診察のためには，**診察台の頭側を約30度上げる**。頸静脈の拍動を確認するときなど必要に応じて調整する。

前胸部を視診，触診する。心尖拍動の部位，径，強さ，拍動時間に注意する。聴診器の膜部を用いて各部位で心音を聴取する。心尖部や胸骨下端ではベル部を用いて聴診する。S_1，S_2 や S_2 の生理的分裂を聴取する。その他の異常心音や心雑音を聴取する。

S_3 と**僧帽弁狭窄雑音**を心尖部で聴診するときは，必要に応じて患者に少し体を左側に傾けてもらう。**大動脈弁閉鎖不全雑音**を聴取するときは，座位で前かがみになり，息を吐いてもらう。

■ 腹部

腹部を視診，聴診，打診する。触診はまず軽く触れて行い，その後より強めに行う。肝臓や脾臓を打診し，つぎに触診をして評価する。腎臓，大動脈とその拍動を探して触診する。感染症による腎臓の炎症が疑われる場合は，背部から肋骨脊柱角を打診する。

ベッドの頭側を下げて患者の体位を水平にし，患者を**仰臥位**にする。

■ 下肢

下肢を診察し，仰臥位のままで以下の3つを評価する．これらは，患者が立位の状態でもさらに評価する．

- **末梢血管系**：大腿動脈の拍動を触診する．必要があれば膝窩動脈の拍動も確認する．鼠径リンパ節を触診する．下肢の浮腫，蒼白，潰瘍がないか視診する．圧痕浮腫を触診する．静脈瘤がないか視診する．　　　　　患者は**仰臥位**．

- **筋骨格系**：変形または腫脹した関節に注意する．必要があれば，関節の触診を行い，可動域を確認し，特別な手技を用いて診察する．

- **神経系**：下肢の筋肉量，筋緊張，筋力を評価する．また感覚や反射も評価する．あらゆる異常な動きを観察する．患者の歩容を観察し，踵-つま先歩行（直線上を一方の足のつま先ともう一方の足の踵を接触させて歩く），つま先歩行，踵歩行ができるか確認する．Romberg（ロンベルグ）試験を行う．

立位でつぎの評価を行う．

- **筋骨格系**：脊椎の配列とその可動域を診察する．下肢と足部も同様に診察する．　　　患者は**立位**．

■ 神経系

詳細な神経系の診察は身体診察の最後に行ってもよい．この診察は，**精神状態**，**脳神経**（眼底検査を含む），**運動系**，**感覚系**，**反射**の5項目から構成される．　　　患者は**座位か仰臥位**．

精神状態

評価の必要があるのに面接中に評価できなかった場合は，患者の見当識，気分，思考過程，思考内容，認知異常，病識と判断，記憶と注意，情報と語彙，計算能力，抽象的思考，構成能力について評価を行う．

脳神経

まだ診察していなければ，嗅覚，側頭筋や咬筋の筋力，角膜反射，顔面の動き，咽頭反射，僧帽筋や胸鎖乳突筋の筋力を確認する．まだ行われていなければ，眼底検査を行う．

運動系

主要な筋群の筋肉量，筋緊張，筋力を評価する．
小脳機能の評価：急速変換運動，2点間の運動（指鼻試験，踵膝試験など），歩容

特定の患者状態に合わせた身体診察

を確認する。

感覚系

痛覚，温度覚，触覚，振動覚，2点識別覚を評価する。左右差や四肢の近位と遠位を比較する。

反射

二頭筋，三頭筋，腕橈骨筋，膝蓋腱，アキレス腱の深部腱反射を評価する。また足底反射や Babinski 反射も評価する（p.137 参照）。

その他の診察

生殖器と**直腸**の診察は最後に行うことが多い。患者の体位は右欄に示した通りである。

男性の生殖器と直腸の診察

仙尾部や肛門周囲を視診する。肛門管，直腸，前立腺を触診する。陰茎と陰嚢内容物を診察し，間接ヘルニア（外鼠径ヘルニア）の有無を確認する。患者が立てない場合は，直腸診を行う前に生殖器を診察する。

直腸診の際は患者の**左側を下**（左側臥位または Sims 体位，p.123 参照）にする（または立位で前かがみの姿勢でもよい）。

女性の生殖器と直腸の診察

必要があれば女性介助者についてもらい，外性器，腟，子宮頸部を診察する。Papanicolaou 塗抹検査を行う。子宮と付属器を双手診する。必要があれば直腸診を行う。

患者は**砕石位**（p.123）。診察者は，腟鏡を用いる際は座り，子宮，付属器（必要があれば直腸）を双手診する際は立つ。

特定の患者状態に合わせた身体診察

臨床トレーニングを進めると，患者の状態に応じて診察方法を変更する必要が出てきて，最終的に診察の順序を入れ替えなければならないと気づくだろう。このような状況は以下の患者で起こる。

- 寝たきり
- 車椅子を使用している
- 外科処置後
- 肥満
- 疼痛がある
- 特殊な感染予防策をとっている

特定の患者集団に対する診察手技の選択や変更については，第25章「小児：新生児から青年期まで」(p.965〜1014)，第26章「妊娠女性」(p.1109〜1112)，そして第27章「老年」(p.1157〜1164)を参照されたい。

寝たきりの患者

寝たきりの患者は，外傷や外科処置後の合併症予防のために，体重負荷や特定の動きを避ける必要があることが多い。そのため，仰臥位で前頭部，前頸部，前胸部の診察しかできないことがよくある。患者がベッドの上で体を横に向けても安全であれば，胸部後面の聴診など，背部の診察を行うことができる。寝たきりの患者には褥瘡が生じる危険があるが，体を横に向けることで，背中の皮膚全体，特に仙骨部などベッドと常に接触している部分を診察することも可能となる。

> 寝たきりの患者の皮膚評価については，第10章「皮膚，毛髪，爪」(p.306)を参照。

車椅子を使用している患者

2013年の調査では，医療者の76％が車椅子を使用している患者の診察経験があると報告しており，44％が診察での障害に遭遇した際に診察の一部を省略したと認めている[17]。頭頸部，心血管，肺などにおける特定の診察手技は，車椅子に座っている患者でも，必要に応じて前傾姿勢をとってもらうことで簡単に行うことができる。しかし，腹部の診察のように仰臥位で行わなければならない場合は，患者に車椅子から診察台に移ってもらわなければならない。その際患者には，車椅子を診察台に接触させて平行に配置してもらう。そして，可能であれば，立ち上がって，体を診察台に向けてもらう。必要に応じて介助を行う。車椅子に座っている時間が長いので，褥瘡がないか皮膚を詳しく診察すべきである。おもに仙骨，踵，ふくらはぎ，肘，背骨などの圧迫されやすい部位を診察する。

外科処置後の患者

外科処置後の患者の診察は経験がないと戸惑うことが多い。患者は麻酔の効果からまだ回復しておらず，指示に従うことが困難な場合も珍しくない。また患者に特定の制限があるため，一部の診察手技が行えない場合もある。外科処置後の患者を診察する前には，動きを制限するべきか指導者に確認をとる必要がある。動きの制限は，脊椎や整形外科手術，バスキュラーアクセスを使用した処置の後に求められることが最も多い。バスキュラーアクセスを使用した処置の場合，患者は術後最大4時間までは仰臥位でいなければならない。手術部位とその創部処置，腹部の腸管機能の回復，そして手術によっては末梢血管や神経の診察を特に注意深く行う必要がある。これらの診察は，短時間ではあるが，患者の回復を確認するために定期的に行われる。その際，ドレッシング材が清潔で乾燥しているか確認しなければならない。さらに可能であれば，一次治癒（縫合した創傷の治癒），二次治癒（縫合していない創傷の治癒）が良好であるかを評価するために，ドレッシング材の下の創部も確認すべきである。また，手術部位からの持続的な出血がないか，そして紅斑，熱感，創部からの分泌物，過剰な排液など感染の徴候がないかも確認する。さらには，チェストチューブ，留置カテーテル，太い静

脈ラインなどのドレーン類，ライン類，チューブ類も評価する。

肥満患者

肥満は，重大な罹患や死亡をもたらす一般的な疾患である[18, 19]。肥満患者では，脂肪組織のために診察領域が不明瞭になり，脂肪組織の下に隠れた構造物を触診しづらくなるため，身体診察の際に独特の問題が生じる。肥満患者を診察する際には，患者の脂肪分布に注意しておく。もし脂肪が骨盤よりも腹部に集中している場合，その患者は心血管疾患や糖尿病などのメタボリックシンドロームに関連する疾患のリスクが高くなる。皮膚を診察する際には，脂肪による皺の内側を診察する必要がある。これらの部位は湿っていて温かく，患者が毎日の衛生管理で見落としてしまうことが多いため，皮膚構造が壊れて感染症に罹患しがちである。また下肢についても，肥満の慢性的な徴候である皮膚破壊，腫脹，血管性変化がないかを確認する。加えて，乳癌（脂肪組織のエストロゲンへの変換が増加することによる），心不全，低換気といった障害は肥満と関連するので，乳房（男性を含む），心血管，肺の徹底した診察が非常に重要となる[18, 19]。

疼痛のある患者

疼痛のある患者では，重要な身体所見を評価する必要性と，診察そのものが患者の疼痛を増悪させる可能性とのバランスをとらなければならないが，これは経験が浅いうちは難しいだろう。疼痛のある患者を診察する最初のステップは観察することである。呼吸数の増加，発汗，流涙，顔をゆがめる，歯を食いしばるなど，苦痛のサインがないか探す。さらに，疼痛は血圧や心拍数を上昇させることが多いため，バイタルサインを評価する[20-22]。診察前に患者に疼痛がある場合，または重要な診察が疼痛を増悪させると考えられる場合は，診察をはじめる前に疼痛のコントロールを行うことを検討すべきである。患者に特定の手技を行えない場合は，原因を判断するために，その疼痛の他の特徴を利用する。言葉が話せない患者や昏睡状態の患者であっても，特に外科処置後や寝たきりの状態，集中治療室にいるような場合は，痛みを感じる。バイタルサイン，表情，興奮の徴候，離脱症状に注意し，疼痛評価とその後の疼痛管理に役立てるとよい[20-22]。

特殊な感染予防策

感染症に罹患している，またはその罹患リスクがある患者を診察する際には，特別な個人防護具を着用しなければならないが，それを使用することで診察の一部が妨げられるかもしれない。例えば，感染予防策としてヘッドカバーを着用しなければいけない場合，聴診器を使って聴診することはできなくなる。また，手袋を着用しなければならない場合は，皮膚を触診することはできない。こうした場合は診察の一部を省略し，そのことを記録に残す。

感染経路別予防策については，p.126を参照。

所見の記録

目標は，重要な所見が記載され，簡潔な形式であなたの評価を，他の医療者や専門医，その他の医療チームメンバーに伝えることができる，明瞭でわかりやすく，かつ包括的な記録の作成である（Box 1-20「質の高い診療記録のためのチェックリスト」を参照）。Box 4-9 で，身体所見の記録方法を学習し，全身状態の観察から神経系の診察までの記録の標準的な形式を確認すること。なお UNIT II の各部位の診察の章に，記録例が追加されている。

患者 MN の病歴の記録については，第 3 章「病歴」の「所見の記録」の項（p.106〜109）を参照。要約文，アセスメント，計画については，第 5 章「臨床推論，アセスメント，計画」の「アセスメントと計画」の項（p.151〜155）を参照。

Box 4-9 患者 MN の症例：身体診察

全身状態：MN は小柄で過体重の中年女性で，快活で質問への反応もよい。髪は手入れが行き届き，顔色はよく，問題なく臥位をとることができる

バイタルサイン：身長（靴を脱いだ状態で）157 cm，体重（衣服あり）65 kg，BMI 26。血圧 164/98 mmHg（右腕・仰臥位），160/96 mmHg（左腕・仰臥位），幅広いカフ使用で 152/88 mmHg（右腕・仰臥位）。心拍数 88 回/分，整。呼吸数 18 回/分。体温（口腔）37℃

皮膚：手のひらは冷たく湿潤だが，色調はよい。体幹上部に老人性血管腫が散在する。ばち状指，チアノーゼなし

頭部・眼・耳・鼻・咽頭（HEENT）：頭部：髪質はふつう。頭皮に病変なし。頭は正常大，外傷なし。眼：視力 20/30（0.6）（両眼とも），視野異常なし（対座法）。眼瞼結膜はピンク色，強膜は白色。瞳孔は 4 mm 大，2 mm まで縮瞳あり，円形，整，対光反射左右差なし。眼球運動異常なし。視神経乳頭辺縁は整で，出血や滲出なし。細動脈狭小化や網膜動静脈交叉現象なし。耳：耳垢のため右鼓膜は一部不明瞭。左外耳道は異常なく，鼓膜は正常な光錐を認める。囁語も聴取可能。Weber（ウェーバー）試験では正中線上。気導＞骨導。鼻：粘膜はピンク色，中隔は正中にあり。副鼻腔に圧痛なし。口腔：粘膜はピンク色。歯列異常なし。舌は正中で，扁桃の腫脹なし。咽頭に滲出液なし

頸部：項部硬直なし。気管偏位なし。甲状腺峡部をわずかに触知，葉部は触知しない

リンパ節：頸部・腋窩・滑車上（内側上顆）リンパ節は触知せず

胸郭と肺：胸郭は左右対称で広がり良好。打診音は清音。呼吸音清，副雑音なし。横隔膜は両側で 4 cm 下降

心血管系：頸静脈拍動は，30 度半座位にて胸骨角より 1 cm 上方。頸動脈の立ち上がりは正常で，血管雑音なし。心尖拍動は，胸骨中線より 8 cm 外側，左第五肋間，間欠的に軽く叩く感じでわずかに触知。S_1，S_2 良好，S_3，S_4 は聴取しない。右第 2 肋間に中音調で強さ II/VI度の収縮中期雑音を聴取するが，頸部に放散なし。拡張期雑音なし

乳房：左右対称で下垂。腫瘤なし，乳頭分泌なし

腹部：膨隆。右下腹部に治癒良好な瘢痕あり。腸蠕動音は活発。圧痛・腫瘤なし。季肋部肝臓長は右鎖骨中線上で 7 cm。辺縁は平滑で，右肋骨縁から 1 cm 下で触知。脾臓は触知せず，肋骨脊柱角に圧痛なし

生殖器：外性器に病変なし。息んだときに腟口部に軽度膀胱瘤あり。腟粘膜はピンク色。子宮頸部もピンク色，経産で，分泌物なし。子宮は前方で正中にあり，平滑で，腫大なし。付属器は肥満と弛緩不足のため触知せず。頸部と付属器に圧痛なし。パップスメア検査は施行ずみ。直腸腟壁に異常なし

直腸：外痔核なし，肛門括約筋は正常。直腸内腔に腫瘤なし。便は茶色で便潜血反応陰性

四肢：温かく浮腫なし。ふくらはぎは軟らかく，圧痛なし

末梢血管系：足関節にわずかに浮腫あり。下肢静脈瘤なし。うっ滞性の色素沈着や潰瘍なし。拍動（2＋＝活発あるいは正常）

（続く）

所見の記録

↘(続き)

	橈骨動脈	大腿動脈	膝窩動脈	足背動脈	後脛骨動脈
右	2+	2+	2+	2+	2+
左	2+	2+	2+	2+	2+

筋骨格系：視診，触診上，関節変形・腫脹なし。手，手首，肘，肩，脊椎，股関節，膝，足関節の可動性良好

神経系：**精神状態**：意識清明，協力的である。思考に一貫性があり，理解力も良好。人，場所，時間の認識良好。**脳神経**：第Ⅱ～Ⅻ異常所見なし。**運動**：筋肉量，筋緊張は良好。

筋力：三角筋，上腕二頭筋，上腕三頭筋，握力，腸腰筋，ハムストリングス，大腿四頭筋，前脛骨筋，腓腹筋で左右差なく5/5。**小脳**：急速変換運動および2点間認知の運動に異常なし。歩行は安定し，滑らか。**感覚**：痛覚，触覚，位置覚，振動覚，立体識別覚に異常なし。Romberg(ロンベルグ)徴候陰性

腱反射：

文献一覧

1. Zoneraich S, Spodick David H. Bedside science reduces laboratory art. Appropriate use of physical findings to reduce reliance on sophisticated and expensive methods. *Circulation*. 1995; 91(7): 2089-2092.
2. Elhassan M. Physical examination checklist for medical students: can less be more? *Int J Med Educ*. 2017; 8: 227-228.
3. Patel N, Ngo E, Paterick TE, et al. Should doctors still examine patients? *Int J Cardiol*. 2016; 221: 55-57.
4. Elder A, Chi J, Ozdalga E, et al. A piece of my mind. The road back to the bedside. *JAMA*. 2013; 310(8): 799-800.
5. Herrle SR, Corbett EC Jr, Fagan MJ, et al. Bayes' theorem and the physical examination: probability assessment and diagnostic decision making. *Acad Med*. 2011; 86: 618-627.
6. McGee S. *Evidence-based Physical Diagnosis.* 3rd ed. Philadelphia, PA: Saunders; 2012: 233-234.
7. Mookherjee S, Pheatt L, Ranji SR, et al. Physical examination education in graduate medical education — a systematic review of the literature. *J Gen Intern Med*. 2013; 28(8): 1090-1099.
8. Smith MA, Burton WB, Mackay M. Development, impact, and measurement of enhanced physical diagnosis skills. *Adv Health Sci Educ Theory Pract*. 2009; 14(4): 547-556.
9. Verghese A, Horwitz RI. In praise of the physical examination. *BMJ*. 2009; 339: b5448.
10. (CDC) CfDCaP. Guidelines for isolation precautions: preventing transmission of infectious agents in healthcare settings. https://www.cdc.gov/infectioncontrol/guidelines/isolation/index.html. Published 2007. Accessed 13 November 2018.
11. Prevention CfDCa. Guide to infection prevention in outpatient settings. Minimum expectations for safe care. http://www.cdc.gov/HAI/settings/outpatient/outpatientcare-guidelines.html. Published 2011. Accessed 13 November 2018.
12. Prevention CfDCa. Hand Hygiene in Healthcare Settings. Available at http://www.cdc.gov/handhygiene/. Published 2015. Updated 3 May 2018. Accessed 13 November 2018.
13. Prevention CfDCa. Precautions to prevent the spread of MRSA in healthcare settings. Available at http://www.cdc.gov/mrsa/healthcare/clinicians/precautions.html. Published 2007. Updated 24 March 2016. Accessed 13 November 2018.
14. Prevention CfDCa. Bloodborne infectious diseases: HIV/AIDS, Hepatitis B, Hepatitis C. Available at http://www.cdc.gov/niosh/topics/bbp/universal.html. Published 2007. Updated 6 September 2016. Accessed 13 November 2018.
15. Bearman G, Bryant K, Leekha S, et al. Healthcare personnel attire in non-operating-room settings. *Infect Control Hosp Epidemiol*. 2014; 35(2): 107-121.
16. Treakle AM, Thom KA, Furuno JP, et al. Bacterial contamination of health care workers' white coats. *Am J Infect Control*. 2009; 37(2): 101-105.
17. Pharr JR. Accommodations for patients with disabilities in primary care: a mixed methods study of practice administrators. *Glob J Health Sci*. 2013; 6(1): 23-32.
18. Greenway F. Clinical evaluation of the obese patient. *Prim Care*. 2003; 30(2): 341-356.
19. Blackburn GL, Kanders BS. Medical evaluation and treatment of the obese patient with cardiovascular disease. *Am J Cardiol*. 1987; 60(12): 55G-58G.
20. Hamill-Ruth RJ, Marohn ML. Evaluation of pain in the critically ill patient. *Crit Care Clin*. 1999; 15(1): 35-54, v-vi.
21. Manfredi PL, Breuer B, Meier DE, et al. Pain assessment in elderly patients with severe dementia. *J Pain Symptom Manage*. 2003; 25(1): 48-52.
22. Gelinas C, Fillion L, Puntillo KA. Item selection and content validity of the critical-care pain observation tool for nonverbal adults. *J Adv Nurs*. 2009; 65(1): 203-216.

本章の学習効果を高め，理解を助けるために一連の補助教材がある。

- 『ベイツ診察法ポケットガイド第4版』
- Bates' Visual Guide to Physical Examination
- thePoint® online resources, for students and instructors: http://thepoint.lww.com

第5章 臨床推論，アセスメント，計画

病歴聴取と身体診察を終えた後は，**鑑別診断 differential diagnosis**という重要な過程に入る。合理的に臨床推論を行って所見を分析し，患者の問題を引き起こしている可能性のある病態をリスト化しなければならない。リストにあがる病態が多いということは，目の前の問題をどう説明できるか，確信がないことの表れである。この鑑別診断リストでは，最初に最も可能性の高い病態をあげるが，他の妥当な病態，特に診断・治療がなされていない場合に深刻な影響を及ぼす病態も含める。そのうえで，それぞれの病態に対して，どのくらい適切に問題を説明できるかに応じて，真の原因である確率を推定することになる。

経験が浅いうちは，臨床推論のプロセスは不透明で，謎めいたものに感じるかもしれない。経験豊富な医療者は瞬時に考え，意識的で傍からみてわかるような努力をほとんど必要としない。また，人によって診察のスタイル，コミュニケーションスキル，臨床研修，経験，専門性はそれぞれ大きく異なる。なかには臨床推論を論理的に説明するのは困難だという医療者もいるが，積極的に学ぶためには，指導者や他の医療者に，彼らの臨床推論や意思決定について詳細にたずねるべきである[1, 2]。経験を積むにつれて，患者とのやりとりの終盤ではなく，はじめから臨床推論を進められるようになる。最初に対面するとき，すべての患者に対して「心配事の原因は何か」「所見，問題，診断はどうなるか」を判断することに集中すること[3, 4]。

本章の内容

- 臨床推論：プロセス
  - 臨床推論プロセスの基本構造
  - 臨床推論における認知エラー
- 臨床推論：記録
  - 問題提示を記録する（要約文）
  - アセスメントと計画
- 所見の記録
  - 電子健康記録（EHR）上の経過記録とプロブレムリスト
- プレゼンテーション

臨床推論：プロセス

Kahneman（カーネマン）は，意思決定を行う際の2つの異なる思考プロセスを二重過程理論 dual processing で説明している[5]。**システム1（直感的推論 intuitive system）**は，ヒューリスティック heuristic（すでに形成されている習慣に依拠した，定型的な反応パターン）と呼ばれる思考のショートカットにもとづいた，情報への速く，自動的な反応である。この反応パターンは変更や操作が困難である。**システム2（仮説演繹法 hypotheticodeductive system）**は，より調整され，コントロールされた思考プロセスである。意識的な判断や態度を前提とし，論理や確率を用いて結論を導き出す。このプロセスは時間と判断材料，そしてより多くの認知的努力を必要とする[6]。認知心理学者は，医療者が臨床上の問題解決のために，システム1とシステム2の両方を含むいくつかの思考法を使用することを指摘している[7-14]。これらの思考法は併用することが可能で，医療者は症例に応じて臨床推論アプローチをさまざまに組み合わせて利用している（図5-1）。

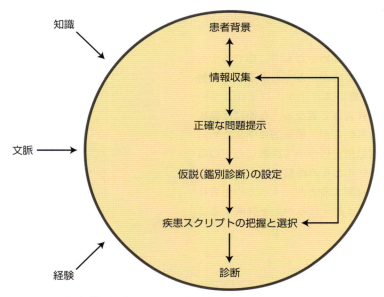

図5-1　臨床推論プロセスの主要要素（出典：Bowen JL. *N Engl J Med.* 2006; 355(21): 2217-2225. Copyright © 2006 Massachusetts Medical Society. Massachusetts Medical Society より許可を得て掲載）

臨床推論プロセスの基本構造

臨床推論の基本的なプロセス（Box 5-1）は，患者から集めた情報をもとに展開される[10, 15]。この情報には，病歴，身体所見，予備的な診断・検査結果が含まれる。さらに，他の医療者から得た情報や，患者の過去の診療記録から得た情報も含まれる。これらについては，これまでの章に詳しい解説がある。つぎのステップは，こうした情報を整理して解釈し，簡潔で適切な**問題提示 problem representation**（要約文 summary statement として診療記録に記載する）を行う

情報収集の詳細については，第3章「病歴」（p.85〜93），第4章「身体診察」（p.129〜133）を参照。

臨床推論：プロセス

ことである．臨床推論におけるこの重要なステップを具体的に示す（思考過程を声に出す）よう，指導者に依頼することを習慣づけるとよい．経験豊富な医療者は，この認知的ステップを無意識に行うことがよくある[10]．この問題提示の検討段階から，患者の問題を最も適切に説明できる**暫定的な診断**を選択するまで，患者の問題を引き起こしている可能性がある病態のリストを作成し，順位をつけ，検証する．暫定的な診断は，治療計画を選択する際の基礎となる．

> **Box 5-1　臨床推論プロセスの基本構造**[10, 15]
> - 初期の患者情報の収集（病歴と身体所見）
> - 問題を要約するための患者情報の整理と解釈（問題提示）
> - 患者の問題に対する仮説（鑑別診断）の設定
> - 暫定的な診断が選択されるまでの仮説の検証
> - 診断・治療計画の立案

初期の患者情報の収集（病歴と身体所見）

病歴聴取と身体診察から情報を収集するプロセスは，第3章「病歴」と第4章「身体診察」で幅広く説明した．また，診察の前後に，過去の診療記録や，家族，介護者，医療者，その他患者を知る人からの報告などにより，追加の情報が得られる場合もある．他にも，病歴聴取で特定された患者の**症状 symptom**，身体診察で観察された**徴候 sign**，および入手可能な検査結果やその他の報告書も参照する．異常所見や想定外の所見をすべて特定できるよう，体系的で整理された手法で情報を集めること．臨床推論は，技術が向上するにつれて診察と並行して進められるようになる．それでも，異常な所見を見逃していないかどうかを確認するために，診察終了時に情報を再確認することが有用であるのは間違いない．異常所見を洗い出せたら，これらの所見の原因となりうる病態のリストを絞りこむために，整理をはじめる．

患者情報の整理と解釈

患者情報から，診断を1つに絞りこめるのか，それともいくつか診断の可能性が残るのかを判断するのは，多くの場合困難である．症状や徴候が比較的多く，原因として可能性のある病態のリストもそれに応じて長くなる場合，1つの方法として，所見をいくつかのグループに分け，一度に1つのグループずつ分析する方法がある．このとき，鑑別基準や主要な臨床的特徴のいくつかが役に立つだろう[10]．経験豊富な医療者は，収集した患者情報から所見をほぼ即座に自動的に整理することが多いが，経験が浅いうちは，以下のようなアプローチの1つまたは複数を用いることからはじめるとよい．

解剖学的部位
解剖学的な観点から所見を関連づけると情報を整理でき，問題の発生源を特定できるかもしれない．例えば，いがいがした喉の痛みの症状と後咽頭の炎症性発赤の徴候があれば，明らかに咽頭の問題であると絞りこむことができる．頭痛の訴

えがあれば，頭蓋と脳の問題がすぐに思い浮かぶ。しかし，他の症状ではそう簡単にはいかないかもしれない。例えば，胸痛は，冠動脈，胃や食道，あるいは胸郭の骨や筋肉が原因の可能性がある。その痛みが労作性に生じ，安静によって和らぐものならば，心臓か胸壁の筋骨格系のどちらかが原因だろう。左腕で買い物袋をもつときにだけ痛みを感じるならば，筋骨格系が原因かもしれない。症状に関与する解剖学的部位を示すときには，患者情報をもとにできる限り具体的に特定する。しかし，「胸部」のように大まかな領域，もしくは「筋骨格系」のように臓器系しか示せないこともある。一方で，「左胸筋」のように厳密に部位を限定できることもある。発熱や疲労感のように，部位を限定できない全身の症状や徴候もある。さらに，内分泌疾患や毒素への曝露によるものなど，原因が共通しているにもかかわらず，解剖学的には関連性のない徴候や症状がみられることもある。

年齢
患者の年齢が参考になることがある。若年で健康な患者は単一の疾患，高齢の患者は複数の疾患を抱えていることが多い。

発症時期
発症時期も手がかりになる。例えば6週間前に発症した咽頭炎は，今日診察した発熱，悪寒，胸部痛，咳とはおそらく無関係である。発症時期を効果的に診断に活かすには，さまざまな疾患や病態の自然経過を知る必要がある。黄色い陰茎分泌物に続いて，3週間後に痛みのない陰茎潰瘍ができた場合，淋病と梅毒性下疳の2つの問題が考えられる。対照的に，陰茎潰瘍に続いて6週間後に斑状皮疹と全身のリンパ節腫がみられる場合は，1つの疾患の進行，つまり梅毒性下疳（第1期梅毒）と第2期梅毒を示唆している。

異なる臓器系の関与
異なる臓器系が関与していると想定することで，患者情報を関連づけやすくなる。症状や徴候が単一の臓器系で起こる場合は，それらを1つの疾患で説明できる。一見，無関係にみえる異なる臓器系が関与する場合は，複数の病態が問題の原因であることが多い。この場合も，疾患の自然経過に関する知識が必要である。例えば，ある患者の高血圧と持続的な心尖拍動，火炎状の網膜出血を循環器系の症状として分類し，「高血圧性網膜症を伴う高血圧性心血管疾患」とみなしたとする。その場合，この疾患では説明できない患者の微熱，左下腹部の圧痛，下痢については別の原因を探すことになるだろう。

複数の臓器系に影響する単一の疾患
経験を積めば，複数の臓器系に影響する疾患を認識し，一見無関係にみえる症状を結びつける合理的な説明ができるようになるだろう。40年間喫煙を続けてきた60歳の配管工の咳，喀血，体重減少を説明するためには，肺癌を鑑別診断の上位にあげるだろう。この患者のチアノーゼ状の爪床を観察することで，診断を裏づけることができるかもしれない。経験を積み，文献から知識を得ることで，患者の他の症状や徴候も同じ診断に分類されることがわかるようになるだろう。

臨床推論：プロセス

例えば，嚥下障害は癌の食道への転移を反映しており，瞳孔の左右差は頸部交感神経幹の圧迫を示唆し，黄疸は肝臓への転移によるものである。複数の臓器系に影響する疾患の別の例として，嚥下痛，発熱，体重減少，紫がかった皮膚病変，白板症，全身性リンパ節腫，慢性下痢を呈する若年男性は，**後天性免疫不全症候群 acquired immune deficiency syndrome（AIDS）**の可能性が高い。関連する危険因子を速やかに調査する必要がある。

患者情報の要約と問題提示

診察中に患者情報を収集して整理すると同時に，これらの情報を要約して，問題提示（その時点で臨床像がどう捉えられるか）にまとめる。通常，問題提示には，患者の初期情報（主訴，疫学，危険因子），病歴と身体所見のおもな特徴，および検査結果が含まれる。問題提示は，診療記録に要約文として記載する。Box 5-2 に例示されているように，問題提示は追加の情報が収集されるにつれて，より詳細になっていく[16]。

問題提示を要約文として文章化する方法については，p.149〜151 を参照。

> **Box 5-2　症例：問題提示の検討**
>
> **1. 57歳男性が，2時間前から続く胸の痛みを主訴に，救急外来を受診した**
> この情報を要約し，問題提示としてまとめるには，まず主要な患者情報を特定する必要がある。最初の問題提示はつぎのようになるだろう
> "急性の胸痛を訴える 57 歳男性"
>
> **2. 家の前の雪かきをしていたところ，突然，胸の中央，胸骨の真後ろにかなり強い痛みが走ったという。痛みは約 1〜2 分続き，他の部位には移動しなかった。痛みとともに息切れがあったという。彼は過去 35 年間，1 日 1 箱のタバコを吸っており，うっ血性心不全の既往がある**
> 患者からより多くの情報を得て要約し，主要な病歴と身体所見を追加することで，以下のような問題提示が可能になる
> "うっ血性心不全の既往があり，1 日 1 箱 35 年間（35 pack-years）の喫煙歴のある 57 歳男性が，急性で重度の労作性胸骨後痛とそれに伴う息切れを訴えている"
>
> **3. 身体診察では，新たに第 3 心音（S_3）が出現した奔馬調律を認める心血管所見，肺基部の両側に crackle を認める胸部所見，両脚の腫れが顕著である**
> 最終的に，この症例の問題提示はつぎのようになる
> "うっ血性心不全の既往があり，1 日 1 箱 35 年間（pack-years）の喫煙歴のある 57 歳男性が，急性で重度の労作性胸骨後痛とそれに伴う息切れを訴えている。身体診察では，新規の S_3 奔馬調律，両側性肺基部の crackle，両側性下肢浮腫がめだつ"

問題提示の検討は，臨床推論のプロセスにおいて重要なステップである。**よく練られた簡潔な問題提示をまとめておけば，仮説（鑑別診断）を立てやすくなる**。問題提示には，不必要な情報を含めたり，重要な情報を入れ忘れてはならない。また，正確な問題提示により，どの疾患スクリプトを想起すべきか把握しやすくなる（Box 5-5，p.146 参照）。

所見の原因を追求して仮説を立てる

経験の浅いうちや，新たな，または困難な臨床上の問題に遭遇したとき，認知エラーを避けるためには，整理された段階的なアプローチが重要である（Box 5-3）。特定された問題や問題群に対して，仮説を立てる。自分の知識や経験を十分に活用し，幅広く文献にあたること。このとき，疾患や異常に関する文献を読むことが最も有効である。文献を参考にすることで，エビデンスにもとづいた意思決定と医療の実践という終わりのない目標に向けて，一歩踏み出すことができる[17-21]。最初のうちは，あまり具体的な仮説は立てられないかもしれないが，もっている知識と利用可能な情報にもとづいてできる限り追究する。

> **Box 5-3　所見を引き起こした可能性のある疾患を追究するアプローチ**
>
> - 網羅的なリストを作成する
> - 仮説を裏づける最も具体的で重要な所見をみつける
> - 所見を，その原因と思われるすべての病態のスクリプトと照合する
> - 所見を説明できない仮説を除外する
> - 競合する仮説を比較し，最も可能性の高い仮説を選択する
> - 生命を脅かす可能性のある病態に特別な注意を払う

網羅的なリストを作成する

経験が浅い場合には，これが最もよく知られている方法で，対象となる疾患スクリプトの根本的な機序を理解していることを前提としている。この方法では，可能な限りの質問をし，利用可能なあらゆる情報を収集して整理し，診断につなげる。原因として可能性のあるものとしては，臓器系や身体構造の疾患を含む病理学的問題や，心不全や片頭痛のような生物学的機能の障害を反映した病態生理学的問題があげられる。また，うつ病のような気分障害や，身体症状症による頭痛のように，精神病理学的な問題もある。Box 5-4 で，この方法での診断に役立つツールを紹介する[16, 22]。こうした網羅的な方法は研修初期には有用であるが，経験を積んだ後は，すべての患者に適用する時間や労力の余裕はないかもしれない。

> **Box 5-4　診断のための記憶補助ツール（網羅的な方法）**
>
> **Tom G. Prince, MD, Psychiatrist, General Hospital**
> （トム・G・プリンス医学博士，総合病院の精神科医）
> **T**oxin/Trauma including medications（薬物を含む毒素・外傷）
> **O**ncologic（腫瘍）
> **M**usculoskeletal/Rheumatologic（筋骨格系・リウマチ系）
> **G**astrointestinal（消化器系）
> **P**ulmonary（呼吸器系）
> **R**enal（腎臓）
> **I**nfectious（感染症）
> **N**eurologic（神経系）
> **C**ardiovascular（心血管系）
> **E**ndocrine（内分泌系）

（続く）↗

↘（続き）

> Metabolic/Genetic（代謝・遺伝）
> Dermatologic（皮膚）
> Psychiatric（精神）
> Genitourinary/Gynecologic（泌尿器科・産婦人科）
> Hematologic（血液）
>
> VINDICATE[22]
> Vascular（血管系）
> Infectious（感染症）
> Neoplastic（腫瘍）
> Drug related（薬物関連）
> Inflammatory/Idiopathic/Iatrogenic（炎症性・特発性・医原性）
> Congenital（先天性）
> Autoimmune/Allergic（自己免疫・アレルギー性）
> Trauma/Toxic（外傷・毒性）
> Endocrine/Metabolic（内分泌系・代謝）

仮説を裏づける最も具体的で重要な所見をみつける

共通の特徴をもつ病態同士を区別するのに役立つ手がかりを探す。手がかりになるのは，病態を定義する症状（**定義的特徴 defining feature**），またはその病態に特有で，他の病態から見分けるのに有用な特徴（**識別的特徴 discriminating feature**）である（図 5-2）[10]。

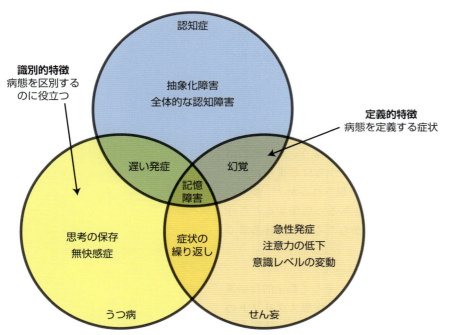

図 5-2 定義的特徴と識別的特徴：記憶障害の場合

例えば，患者が「人生最悪の頭痛」や悪心，嘔吐を訴えており，かつ精神状態の変化や乳頭浮腫，髄膜症を認めたら，消化管障害ではなく頭蓋内圧亢進に関係した仮説を立てる。

所見を，その原因と思われるすべての疾患スクリプトと照合する

この方法では，病態や疾患の手がかりや臨床的特徴のパターン（**疾患スクリプトillness script**）と，すでに収集した患者情報とを照らし合わせる（Box 5-5）。患者の問題が疾患スクリプトのいずれかに一致するかどうかを，診察中に確認する。一般的に，経験が浅い場合，疾患スクリプトの知識は，典型的な，あるいは「教科書通りの」症状に限定されるかもしれない。臨床経験を積み，経験豊富な医療者や専門家からさらに学ぶことで，時間をかけてこれを洗練させていく。

Box 5-5　疾患スクリプト　例：急性冠症候群	
疫学・病態生理学	高齢者，危険因子として糖尿病，高血圧，脂質異常症，家族歴，喫煙歴
発症の仕方	急性発症，必ずしも労作性狭心症が先行しているわけではない
症状	漸増して最大の強さに達する胸痛，腕や肩へ放散するしばしば鈍い胸骨下部の痛み，発汗，呼吸困難，悪心・嘔吐，診察時の頻脈
診断に必要な検査	心筋バイオマーカーの上昇，心電図でのST上昇・下降，T波の変化，心エコーにおける局所的な壁運動の異常

このプロセスを身近な例で説明しよう。「典型的な消防車を思い浮かべてください」と言われたら，おそらく，ライト，はしご，ホースを備えた大きくて赤い車両を思い浮かべるだろう。これは，本やメディア，実体験にもとづいた典型的で教科書的な消防車の「スクリプト」である。ほとんどの子どもが，これを説明し，街中の消防車を認識することができるだろう。しかし，より多くの実体験をもつ大人たちには，はしごとフックを備えた黄色い大型車両も消防車と認識できるだろう。ごく一般的な乗り物の，あまり一般的でない型である。

臨床研修の初期段階では，すでに一般的な病態のスクリプトは学んでいる。急性虫垂炎の患者を例にあげる。患者が救急部にいると仮定してみよう。この患者は何歳か？　どんな症状を訴えているか？　その症状はいつからはじまったか？　患者の外見はどのようなもので，どのような身体所見が予想されるか？　多くの医療者は，若年で，腹痛があり，おそらく悪心や嘔吐もあると想像するだろう。腹痛がはじまったのは，先月などではなく，1～2日前からだろう。身体診察では，患者は不快感を覚え，腹部に圧痛を感じるだろう。

疾患スクリプトは，素因となる条件，病態生理学的な障害，そして臨床的な結果という予測可能な構造から成り立っている[10]。**具体的には，疾患スクリプトの要素として，疾患の病態生理，疫学，自然経過，顕著な症状や徴候，診断方法，治療などが含まれることが多い**[23]。Box 5-5は，急性冠症候群を発症した患者の最も一般的な特徴を示す典型的な疾患スクリプトの例である。

臨床推論：プロセス

臨床研修を受けて経験を積むにつれ，疾患スクリプトに関する知識は数，詳細，ニュアンスのいずれも充実していく[14]。一般的な疾患をより早く認識できるようになるだけでなく，各疾患に特徴的で微妙なニュアンスを理解できるようになる。例えば，特定の患者において，あまり一般的でない形で現れる疾患も認識できるようになる。

所見を説明できない仮説を除外する

例えば，患者MN(Box 5-10, p.152～155)の頭痛の原因として群発頭痛を疑うかもしれないが，この仮説は痛みの拍動性や両前頭部への局在とそれに伴う悪心や嘔吐を説明できないため，取り下げる。またこの患者の痛みのパターンは，群発頭痛としては非典型的である。つまり，片側性・穿刺痛でないうえ，数日間にわたって同時刻に繰り返し起こるわけでなく，流涙や鼻漏を伴っていない。

競合する仮説を比較し，最も可能性の高い仮説を選択する

実際に患者に認められている症状と疾患スクリプトが合致するかを検討する。他の手がかりも，この選択に役立つ。年齢，性別，人種，習慣，生活様式，地理的特性などの統計学的傾向が，診断に大きく影響を与える。

例えば，背部痛のある70歳男性では骨関節症と転移性前立腺癌の可能性を考慮すべきであるが，25歳女性では同様の主訴でもそれらを考慮する必要はない。発症時期も重要である。発熱，発疹，項部硬直を伴い，24時間以内に突然発症した頭痛は，ストレス，視覚暗点，休息によって緩和される悪心と嘔吐を伴う，何年も続いている反復性の頭痛とはまったく違う問題があることを示唆する。

生命を脅かす可能性のある病態に特別な注意を払う

実用的なのは，診断の選択肢に必ず「最悪のケース」を含め，得られた所見とアセスメントにもとづいて，その可能性を除外していく方法である。目標は，一般的でなく，あまり遭遇しないものの特に重大な病態，例えば髄膜炎菌性髄膜炎，細菌性心内膜炎，肺塞栓症，硬膜下血腫などを見逃すリスクを最小限に抑えることである。

立てた仮説を検証し，暫定的な診断をする

患者の問題について仮説を立てたら，その**仮説を検証する**。仮説を確定あるいは除外するために，また可能性の高い2, 3の仮説のうちどれが最もふさわしいかを明らかにするために，追加の病歴聴取，身体診察，検体検査，X線検査などの必要性を考える。仮説に疑いの余地がないなら(例えば，単純な上気道感染や蕁麻疹の場合)，このステップは必要ないだろう。

すでに得た患者情報を踏まえて，最も明白で可能性の高いと思われる**暫定的な診断**を選ぶ。場合によっては「原因不明の緊張型頭痛」としか判断できないこともあるだろう。一方で，解剖学的部位，経過，原因にもとづいて，より具体的に問題を定義することができるかもしれない。例えば「肺炎球菌による細菌性髄膜

炎」「左側頭-頭頂葉のくも膜下出血」あるいは「左室拡大を伴う高血圧性心血管疾患と心不全」といったようにである。診断は，主として器質的異常，経過，症候にもとづいて下されるが，なかには医学的に説明がつかないこともある。「疲労」や「食欲不振」などの簡単な表現にとどまるものもあるかもしれない。失業や家族との離別など，私生活で生じたストレスの原因となる出来事が，疾患を引き起こすリスクを高めることもある。患者に何が起こったのかを明らかにし，その出来事に対処する方法を確立できるよう手助けすることは，頭痛や十二指腸潰瘍を治療することと同じぐらい重要である。

診断・治療計画の立案

診断・治療計画は，暫定的な診断をもとに，論理的に立案される。計画はしばしば広範囲に及び，暫定的な診断および推奨する治療的介入，患者教育，投薬の変更，必要な検査，他の医療者への紹介，カウンセリングやサポートのための再診などが組み込まれる。さらに，患者の問題へのアプローチ以外の内容も盛りこまれる。効果的に計画を立てるためには，優れた対人関係スキルに加え，患者の目標，経済的な余裕，責任の所在，家族構成や力関係への配慮が必要である。**可能な限り，患者の同意と意思決定への参加を得ることが重要である。計画に向けた話し合いでは，入手可能な最善のエビデンス，医療者の判断，患者の価値観を盛り込んで，エビデンスにもとづく医療を実践するべきである**[24]。特に，さまざまな方法や選択肢が存在し，唯一の「正しい」計画が存在しないとき，このような方法をとることで最適な治療，治療へのアドヒアランス，患者の満足度を高めることができる。計画を最終的に決定し，さらなる検査やアセスメントを行う前に，患者と現時点でのアセスメントについて話し合い，治療計画に積極的に参加するよう誘導することが重要である。

さまざまな場面における患者とのコミュニケーション方法については，第2章「面接，コミュニケーション，対人関係スキル」（p.63～71）を参照。

臨床推論における認知エラー

臨床推論のプロセスを学ぶ一方で，このプロセスにおける一般的なエラーの原因を考慮することも重要である[16, 25-27]。Box 5-6 に，臨床推論における一般的な認知エラーを示す[28, 29]。

Box 5-6　臨床推論における認知エラーの種類

認知エラー	説明	例
投錨バイアス anchoring bias	臨床推論プロセスの初期段階で，初期症状の顕著な特徴に固執し，後から得た情報に応じて診断を調整することができないこと	頭痛の前に前兆があるという患者の説明を片頭痛を示すものとして固執してしまい，頭蓋内圧亢進の危険信号を見逃した結果，神経画像診断につなげることができなかった
利用可能性ヒューリスティック availability heuristic	ある診断がより容易に思い浮かぶ場合，より可能性が高い，またはより頻繁に発生すると思いこんでしまうこと	最近，急性虫垂炎の患者を何人かみた診察者が，右下腹部の急性腹痛を呈した思春期の少女の卵巣捻転を考慮しなかった

（続く）

↘(続き)

認知エラー	説明	例
確証バイアス confirmation bias	ある診断を支持する証拠を求め，それを否定する，より説得力のある情報を無視すること	咳，鼻漏，発熱を伴う顔色のよい患者に対し，上気道感染症と推定し，検査での非対称な胸壁の動きと胸部打診での濁音を認めても肺炎を考慮しなかった
診断モメンタム diagnostic momentum	他の診察者が先に下した診断を優先し，別の診断につながるエビデンスを無視すること	最近，逆流性食道炎と診断された患者が，急性心筋梗塞と似た症状を呈していても，急性心筋梗塞を考慮しなかった
フレーミング効果 framing effect	患者の問題に関する情報の解釈は，それがどう提示されるか（フレーム）に大きく影響されること	ある患者が「服薬アドヒアランス不良による喘息増悪のため，頻繁に救急外来を受診している」と説明される。診察者は，服薬アドヒアランスを促進するためにどのような体制を整えるべきか，また現在の増悪に別の原因があるか探ろうとしなかった
表象エラー representation error	診断の確率を推定する際に有病率を考慮していないこと	高齢の患者をみることが多い診察者が，思春期の患者の直腸出血を評価する際に，憩室出血を鑑別診断の上位に置いた
本能的バイアス visceral bias	感覚的な印象（患者に対する否定的，肯定的な感情）が判断を誤らせること	ホームレスの患者が複雑な治療計画に対応できないと想定し，患者と相談せずに，よりシンプルだが最適ではない治療計画を立ててしまった

出典：Croskerry P. *Acad Med*. 2003; 78(8): 775-780; Weinstein A et al. *MedEdPORTAL*. 2017; 13: 10650.

意思決定に使われる認知プロセスを意識することで，不適切な決定に至る可能性を減らすことができる[29]。こうした決定をしないよう注意し，意思決定プロセスを改善するためにいくつかの一般的なルールに従う必要がある（Box 5-7）。

Box 5-7　優れた意思決定のための推奨ルール[7, 29]

- 時間をかけて考える
- 診断基準を把握しておく
- 真に考慮すべきなのはどの情報なのか検討する
- 別の診断の可能性を積極的に模索する
- 現在の仮説を裏づけるのではなく，反証するための質問をする
- 自分が間違えることも多いと認識し，もし自分が間違っているとしたら診断にどう影響するか考える

臨床推論：記録

病歴や身体所見に関する記録はすべて，あなたの情報収集能力を反映したものだが，以下に説明する「要約文」「アセスメントと計画」は，あなたの臨床推論と情報解釈の能力を最も強く反映したものである。病歴などの主観的な情報と，身体所見や検査結果などの客観的な情報は，事実を記述したものであるが，アセスメントに移ると，記述や観察を超えて，分析や解釈を行うことになる。関連する情報を選択してまとめ，その意味を分析し，生物心理社会モデルや生物医学の原則を用いて論理的に説明を行う。臨床推論のプロセスは，患者の病歴や身体所見をどのように解釈するか，アセスメントで特定された問題のうちどれに着目するか，それぞれの問題からどのように計画立案に移行するかに大きな影響を与える。

また適切に記録をとることで，臨床推論が容易になるだけでなく，患者ケアにあたるスタッフの職種を超えたコミュニケーションと調整が促進される．医療法上必要な，患者の問題と管理の記録にもなる．

問題提示を記録する（要約文）

問題提示とは，暫定的な診断を裏づけるため，主要な情報だけを抽出して要約することである．これは患者の診療記録で「アセスメントと計画の前」に**要約文 summary statement** として記載される．要約文は，単に事実を列挙するものではない．効果的な要約文は，患者の主訴とその臨床的背景，重要な病歴，身体所見，および検査結果を含み，診断の手がかりとなる症状に関して，疾患スクリプトに沿って記述する．目標は，要約文を読んだ人が疾患スクリプトと照らし合わせて，診断にたどり着けるようにすることである．

要約文は，以下のように記述する．

- 主訴を患者の健康状態全体を踏まえて記載する．

- 必要に応じて，病歴，身体所見，および検査結果を含める．

- 簡潔で短い文章（2〜3文以下）にまとめる．

- 臨床推論の技術を用いて記載する．

- 診断の根拠となる情報を示す．

- 症例に関する理解を端的にまとめた内容にする．

つぎの文は要約文の一例である．
「うっ血性心不全の既往があり，タバコ1日1箱を35年間続けている（35 pack-years）57歳男性が，急性で重度の労作性胸骨後痛とそれに伴う息切れを訴えている．身体診察では，新規の S_3 奔馬調律，両側性肺基部の crackle，両側性下肢浮腫がめだつ」

よく練られた要約文には，**セマンティック・クオリファイア semantic qualifier** と呼ばれる，状態を示す重要な形容詞が含まれていることが多い．セマンティック・クオリファイアとは，診断上の要点を比較または対比するために用いられる，二元的な（対になる）意味をもつ用語である（Box 5-8）．

Box 5-8 セマンティック・クオリファイアの例

- 急性，慢性
- 安静時，活動時（労作性）
- 持続的，間欠的

（続く）↗

臨床推論：記録

↘（続き）

- びまん性，限局性
- 軽度，重度
- 既存，新規
- 鋭い，鈍い
- 片側性，両側性
- 若年，高齢

前述の要約文例にも，「急性」「重度」「労作性」「新規」「両側性」など，いくつかのセマンティック・クオリファイアが含まれていることに気づくだろう。セマンティック・クオリファイアを用いると，これらの用語に直接関連する病態を中心にして，仮説（鑑別診断）のリストを作成しやすい。**よい要約文にはセマンティック・クオリファイアがより頻繁に使用され，効果的な臨床推論に寄与することを示す研究がある**[30-32]。

アセスメントと計画

要約文のつぎに，診察で特定された患者の問題をすべてリスト化する。このとき，既知の診断，症状，異常，心理社会的問題を含めてリスト化すること。なお，この**問題リスト problem list** は，臨床推論プロセスの初期段階に作成した鑑別診断リストと関連しているが，これに所見に対する診察者の分析や解釈を反映させてまとめたものである。

簡潔にまとめると，問題リストはつぎのようなものである。

- 診察時にみられたすべての異常および予期せぬ所見を解釈したもの。

- 既知の診断および新規または未診断の症状や徴候を含む。

- 食糧や居住環境に関する不安をはじめとした，健康に影響を与える重要な社会的要因を含む。

- 患者の主訴を最優先にして順位づけされている。

「アセスメントと計画」のセクションは，診察で特定された問題のリストで構成される。それぞれの問題を優先度の高い順にリスト化し，所見の補足や鑑別診断を追加した後，その問題に対する計画まで記録する。一般的に，アセスメントと計画には，診断に関するもの，治療に関するもの，またはその両方がある（Box 5-9）。症状の原因を特定できない場合（例：食欲不振や疲労），アセスメントには，原因の可能性が高いもの（鑑別診断）の簡単な説明を記載し（診断に関するアセスメント），計画には，診断を確定するまでの手順を記載する（診断に関する計画）。また，管理や治療の要素を含めることもある。既知の診断や慢性疾患の場合，アセスメントではその疾患の現在の状態を記載し（治療に関するアセスメ

ト），計画では今後の管理方法を説明する（治療に関する計画）。現在の状態として記載すべきものには，症状や疾患のコントロール，合併症，治療へのアドヒアランスや副作用などの管理方法を含む。

Box 5-9 診断・治療に関するアセスメントと計画の例

要約文：糖尿病と高血圧を有する 62 歳男性が，最近の長距離フライト中に急性労作性胸痛を呈した。診察では，頻脈はあるが脚の浮腫はみられない

アセスメントと計画
1. **胸痛**
患者の心血管危険因子である糖尿病と高血圧，および胸痛の急性発症と労作性から，急性労作性胸痛の診断が最も可能性が高い。息切れや片側性下肢浮腫がみられないため，肺塞栓症の可能性は低い。しかし，頻脈があり，最近長距離フライトを経験している

計画
- 急性冠症候群を評価するための心電図とトロポニン値の連続測定
- D ダイマー検査。肺塞栓症の可能性が低いため，陰性であれば，胸痛の原因として肺塞栓症は除外されるだろう

2. **2 型糖尿病**
糖尿病は現在，HbA_{1C} が 9.0％とコントロール不良で，メトホルミン 1,000 mg を 1 日 2 回服用している。副作用はなく，自己申告では服薬アドヒアランス良好

計画
- 患者と話し合った結果，経口薬を追加しても HbA_{1C} を目標値に近づけることができそうにないため，持効型溶解インスリンを開始する。インスリンペンの使用方法と起こりうる合併症について患者に指導し，ティーチ・バック（teach back）で患者の十分な理解を確認

要約文の例。

診断に関するアセスメントの例。鑑別診断を裏づけるエビデンスを示す必要がある。

診断に関する計画の例。鑑別診断を評価する方法を示す必要がある。

治療に関するアセスメントの例。慢性疾患の状態や既知の診断を提示する必要がある。

治療に関する計画の例。慢性疾患や既知の疾患を今後どのように管理するかを，何を根拠に決定したか示す必要がある。

ティーチ・バックについては第 1 章 Box 1-10「ティーチ・バックの手法」（p.18）を参照。

問題リストのなかで，もう 1 つますます重要視されるようになってきた項目は**健康の維持**である。予防接種，マンモグラフィや大腸内視鏡検査などのスクリーニング検査，栄養や精巣の自己検診に関する指導，運動やシートベルトの使用に関する推奨，重要なライフイベントへの対応など，健康の維持に関する項目を定期的にリスト化しておくと，健康上の重大な懸念事項をより効果的に追跡することができる。「アセスメントと計画」内の健康の維持の項目については，Box 5-10 を参照。

Box 5-10 患者 MN の症例：要約文，アセスメントと計画

要約文：MN は 54 歳の販売員で，小児期より片頭痛の既往歴があり，現在は慢性的かつ間欠性の拍動性頭痛が増悪傾向にあり，頭痛は以前からの症状と似た特徴をもち，現在の生活上のストレスで促進される。頭痛は悪心・嘔吐を伴う。血圧の上昇がみられるものの，それ以外は，心血管系検査，神経学的検査ともに正常

（続く）↗

記載すべき主要な特徴は，患者情報（年齢）と主訴（期間，質，関連する症状）である。顕著な特徴のみ記載する。例えば，症状が 3 カ月持続していると明記すれば，慢性疾患を想定でき，髄膜炎，くも膜下出血，脳卒中など，生命を脅かす多くの急性疾患を除外できる。この例における臨床背景は小児期からの片頭痛の既往である。

臨床推論：記録

↘(続き)

アセスメントと計画

1. 頭痛

鑑別診断としては，以下の通り

a. 片頭痛：患者には片頭痛の既往があり，現在の頭痛も同じようなものだと説明していることから，片頭痛の可能性が最も高い。拍動性，4〜72時間の持続時間，随伴する悪心・嘔吐，日常生活に支障をきたしている点から片頭痛の診断を支持できる。また，神経学的検査で正常であることからも診断がつく

b. 緊張型頭痛：片頭痛ではあまりみられない両側性頭痛であることから，緊張型頭痛の可能性もある。54歳女性で，小児期から片頭痛があり，ズキズキした血管関連性のもので，悪心・嘔吐を頻繁に伴う。頭痛はストレスと関連しており，睡眠と冷湿布で緩和される。乳頭浮腫はなく，神経学的検査でも運動障害や感覚障害を認めない

c. 他の重篤な疾患である可能性は低い。髄膜炎を疑うような発熱や項部硬直，局所症状はなく，長期間繰り返すことから，くも膜下出血ではなさそうである（通常，「人生最悪の頭痛」と表現される）。神経学的検査と眼底検査で正常であることから，腫瘍などの占拠性病変の可能性も低い

計画

- 片頭痛と緊張型頭痛の特徴を比較し検討する。また緊急検査の適応となる危険な徴候がないかも調べる
- バイオフィードバック療法や，ストレスへの対処法を検討する
- コーヒー，コーラ，その他の炭酸飲料など，カフェインを含むものを避けるよう指導する
- 非ステロイド性抗炎症薬（NSAID）の頓用を開始する
- 週2回あるいは月8回以上頭痛があれば，予防的投薬を開始する

2. 血圧上昇

収縮期血圧と拡張期血圧の上昇を認める。胸痛や息切れはなく，受診時は無症状であり，高血圧緊急症は考えにくい

計画

- 血圧の評価基準について話をする
- ヘモグロビン A_{1c}（HbA_{1c}）を検査し，糖尿病の有無を確認する。これによって目標血圧が変わってくる
- 2週間後に血圧を再検査する
- 減量と運動プログラムについて話し合う（4を参照）
- 減塩指導をする

3. 腹圧性尿失禁を伴う膀胱瘤

内診で認めた膀胱瘤からは，膀胱の弛緩が示唆される。患者は閉経周辺期である。咳嗽時に尿失禁がみられ，膀胱頸部の構造的変化が疑われる。排尿困難，発熱，側腹部痛はなく，影響のある薬物の内服もない。普段の尿は少量で尿漏れもないため，切迫性・溢流性尿失禁は疑われない

計画

- 腹圧性尿失禁の原因を説明する
- 尿検査の結果を確認する
- Kegel（ケーゲル）体操（骨盤底筋体操）をすすめる
- 再診時に改善がみられなければ，腟内へのエストロゲンクリーム塗布を考慮する

(続く)↗

異常例

身体診察で重要なのは，関連のある陽性所見（頭痛の原因となる高血圧を疑わせる血圧上昇）および関連のある陰性所見（正常な神経学的検査結果）である。神経学的検査が正常なので，頭蓋内圧の上昇を引き起こす深刻な占拠性病変の可能性は低い。

悪心と嘔吐は，問題リストの「1. 頭痛」で議論されている。悪心と嘔吐は，解剖学的部位が異なるにもかかわらず，共通の診断に関連する臨床所見として捉えられる。

1回の血圧上昇のみでは，高血圧と診断できない。したがって，この身体診察上の異常所見は，問題リストでは「血圧上昇」として報告する。

腹圧性尿失禁という症状と，膀胱瘤という身体所見は，因果関係があるため，1つにまとめて議論されることがほとんどである。

↘(続き)

4. 過体重
身長 157 cm，体重 65 kg，BMI はおよそ 26

計画
- 食事内容をたずね，食べたものを日記に記録するよう指導する
- 減量する意欲を探り，次回受診時までの減量目標を設定する
- 栄養指導の予約をとる
- 運動プログラムを具体的に話し合う。特に，1 週間ほぼ毎日 30 分間の歩行を検討する

5. ストレスと住居の不安
義理の息子がアルコールの問題を抱えており，娘や孫が患者のアパートに避難してくるため，このような人間関係が患者に緊張を強いている。また，患者は経済的にも厳しい境遇にあり，社会的支援や心の支えがなく，精神的に追い詰められているという。ストレスはこうした現在の状況からきている。現時点で明らかな抑うつは認めない(PHQ-2＝0)

第 9 章「認知，行動，精神状態」，表 9-6「うつ病スクリーニング：Patient Health Questionnaire（PHQ-9）」(p.282)を参照。

計画
- ストレスへの対処法について，患者の意向をたずねる
- 患者には生活相談，娘には Al-Anon（アラノン）訳注 の紹介など，社会支援を受けられるよう検討する
- 精神的支援を相談するためにチャプレンを紹介する
- 抑うつの徴候がみられないか経過観察を行う

6. 腰痛
長時間の立位により起こる。外傷や交通事故の既往はない。痛みの放散はなく，診察上，圧痛や運動感覚障害もない。椎間板や神経根の圧迫，転子部滑液包炎，仙腸関節炎は考えにくい

計画
- 減量や，運動をして腰部の筋肉を強化することが有効であることを伝える

7. 喫煙習慣
1 日 1 箱を 36 年間(36 pack-years)。本日の診察では口腔内に悪性腫瘍の所見は認めない。複数のストレス要因があり，頭痛が悪化しているのが現状で，禁煙についてはまだ考えていない段階(前熟考期)である

行動変容の段階については，第 6 章「健康維持とスクリーニング」，(p.171)を参照。

計画
- 外来での呼吸機能検査でピークフローもしくは FEV_1/FVC を調べ，閉塞性肺疾患の有無を評価する
- 低線量 CT 肺癌検診について相談する
- 今は禁煙への関心はみられないが，気持ちが変わったら，今後も継続してサポートすることを提案し，ニコチン置換療法や服薬に関する資料を提供する。生活上のストレス要因が改善し，頭痛が軽減した後で再度禁煙について扱う

(続く)↗

訳注：アルコール依存者の家族，友人の自助グループ。

| UNIT I 第5章 臨床推論, アセスメント, 計画 |

| 所見の記録 | 異常例 |

↘(続き)

8. 心雑音
Ⅱ/Ⅵ度の収縮中期雑音が, 大動脈弁領域であり, 年齢から大動脈弁硬化または狭窄が疑われる。重度の大動脈弁狭窄を示唆するような, 息切れ, 胸痛, 失神はみられない。経過観察し, 雑音が大きくなったり, 何らかの症状を認めた場合, 経胸壁心エコーを検討する

9. 健康の維持
2018年にパップスメア検査, 2019年にマンモグラフィ。大腸内視鏡検査の施行歴なし

計画
- 大腸内視鏡検査を指示。前処置薬を処方し, 使用方法を説明する。説明書類を渡し, ティーチ・バック法を用いて説明する
- 喫煙歴を考慮し, 口腔癌スクリーニングのため歯科受診を指示する
- 薬物やアルカリ性洗剤は, 可能なら肩より高い位置にある鍵のかかる棚へ移すようアドバイスする。拳銃は弾薬を抜いて安全装置をかけ, 鍵のかかる保管庫にしまうよう, また弾薬は拳銃とは別の場所に施錠して保管するよう強くすすめる

所見の記録

目標は, 重要な所見が記録され, 簡潔な形式であなたの評価を他の医療者, 専門医, その他の医療チームのメンバーに伝えることができる, 明瞭でかつわかりやすく包括的な報告書を作成することである。Box 5-10に記載された, 身体所見の記録を精読すること。診療記録の標準的なフォーマットは, **要約文**から**健康の維持**を含む**アセスメントと計画**へと続くことに注意する。要約文は, 前述のp.150〜151で説明した問題提示を文章化したものである。また, 患者情報は, あなたの臨床推論に沿う形で問題リストに組みこむこと。解剖学的部位, 症状の分類, 経過, および患者の特徴を踏まえた鑑別診断が問題リスト作成の基礎となる(p.141〜143)。p.140〜148では, 「アセスメントと計画」のセクションに記載する問題リストを, 前述の臨床推論プロセスの最初のステップで収集された初期の臨床情報からどのように作成するか解説している。

第3章「病歴」の「所見の記録」の項でとり上げた患者MNの病歴の記録(p.106〜109), および第4章「身体診察」の「所見の記録」の項でとり上げた身体診察の記録(p.136〜137)を参照。

電子健康記録(EHR)上の経過記録とプロブレムリスト

診療所や病院で使われる経過記録の形式は非常に多様であるが, どんな形式であっても初期アセスメントと同じ基準で所見をとる必要がある。記録は明確で, 十分に詳細であり, フォローしやすいものでなければならない。また臨床推論を反映し, アセスメントと計画を明確に示すものでなければならない。経過記録に記すべき情報の詳細度や種類に影響を与える可能性があるため, 所属機関で定められた医療費請求のために記録すべき情報を必ず把握しておくこと。経過記録は多くの場合, SOAP形式(**S**ubjective data:主観的情報, **O**bjective data:客観的情報, **A**ssessment:アセスメント, **P**lan:計画)に則っている。「患者中心」の経過記録など, 他にも多くの形式があるだろう[33]。

経過観察のために受診した患者の経過記録の例は, 表5-1「EHRに記載する経過記録の例:患者MNの場合―1カ月後に経過観察のため再診」を参照。

プロブレムリスト

診察した患者の診療記録を作成した後，電子健康記録 electronic health record（EHR）のサマリーページに記載する．患者の問題を包括的にまとめた**プロブレムリスト Patient Problem List** を作成するとよい．このリストは，診察ごとにまとめられる診療記録とは別で，患者の重要な問題のすべてを含む．対照的に，診察のたびにアセスメントと計画を記載して作成する**問題リスト problem list** には，その診察で特定または対処された問題のみを含める．プロブレムリストを作成する際には，最も活動性があり，深刻な問題をあげ，それが生じた日を記録する．診察者によって活動性疾患とそれ以外とに分けてリスト化する方法や，重要な順に1つのリストにまとめて整理する方法がある．適切にプロブレムリストを作成することで，患者に合わせたケアが可能になる．

再診時にプロブレムリストを参照することで，患者の病歴を簡単に振り返ったり，患者が言及していない問題の経過を確認し忘れるのを防ぐことができる．正確なプロブレムリストがあれば，患者をより効果的に集団管理できる．例えば，EHRを使って特定の問題を抱える患者を追跡したり，再診が遅れている患者に予約をとるよう促したり，特定の問題をフォローすることができる．また，医療チームの他のメンバーが，患者の健康状態を一目で把握することも可能になる．

Box 5-11 に，患者 MN のプロブレムリストを示す．それぞれの問題に番号をつけておき，経過記録上で同じ問題を確認するときには，番号をみて探すとよい．

Box 5-11　患者 MN のプロブレムリスト

日付	プロブレム番号	症状
2020/8/25	1	頭痛（おそらく片頭痛）
	2	血圧上昇
	3	腹圧性尿失禁を伴う膀胱瘤
	4	過体重
	5	ストレスと住居の不安
	6	腰痛
	7	喫煙習慣
	8	心雑音
	9	アンピシリンアレルギー
	10	健康の維持

同じ患者のものであっても，診察者によって作成するプロブレムリストは異なる．症状，徴候，入院や手術といった健康に関する過去の出来事や診断を問題としてあげる場合もあるし，これら以外のものを含める場合もある．一口によいプロブレムリストといっても，診察者が立脚する考え方，専門性，臨床上の役割によって，強調する箇所，長さ，詳細度に違いがある．Box 5-11 のプロブレムリストが長すぎると感じる人もいるだろうし「ストレス」や「腰痛」についてより詳しい記述を求める人もいるだろう．

プレゼンテーション

Box 5-11 のリストには，頭痛のような現在注意を要する問題とともに，血圧上昇や膀胱瘤など，今後注意して観察すべき問題も含まれている。アンピシリンアレルギーを記載しておけば，ペニシリン系抗菌薬を処方するのを防ぐための注意喚起になる。いくつかの症状を載せていないのは，今のところ深刻な問題ではなく，注意する必要がないからである。あまり重要ではない項目までリストに並べると煩雑になってしまう。そういった症状が重要性を増してきたら，その時点でリストに追加すればよい。

プレゼンテーション

プレゼンテーション oral presentation は，患者とその病歴に関する，体系的かつ正確で，個々の患者に即した説明である。これは，医療者間の主要なコミュニケーション手段となる。これがうまくいけば，患者ケアの効率が向上し，グループ学習の場としても機能する[34]。またプレゼンテーションは，臨床推論を伝えるものでもある。あなたの思考プロセスや診断を，聞き手が理解できるよう，盛り込む情報を取捨選択する必要がある[35]。

診察中には必要な情報以外の情報もメモするが，プレゼンテーションでは，主訴の診断と管理方法に最も関連する情報以外は省略する。つまり，プレゼンテーションとは，メモに書かれた情報から必要な情報を抽出して伝達することである（図 5-3）。

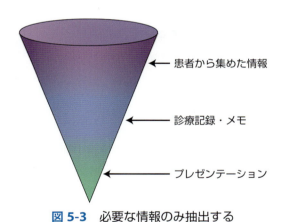

図 5-3　必要な情報のみ抽出する

新規入院患者の情報をメモする際には，必ず包括的な病歴を得る必要がある。しかしプレゼンテーションでは，得られた情報のうち，診断に関係のないものは省略するか，あるいは単にこれらの情報は「関与しない」と報告する。特にシステムレビューの結果は，関係のある症状はすべて「現在の病状」のセクションで関連する陽性所見として説明するので，関連しない症状は適宜省略する[36]。また，プレゼンテーションの内容は，聞き手が求める情報，プレゼンテーションの長さ（時間），専門性（例：内科系と外科系），および臨床環境によって調整する必要が

ある[36-37]。Box 5-12は新規患者についての包括的なプレゼンテーションのフレームワークの例である[34]。

このフレームワークは，新規患者の包括的なプレゼンテーションに最も適している。しかし，情報の種類や詳細度のレベルは，状況に応じて変える必要がある。例えば，毎日の回診で行われるプレゼンテーションでは，まず夜間に起きたことと重要な最新情報に焦点をあて，つぎにその日行われた身体診察と新しい検査結果，そして最後に現段階でわかることのまとめおよびアセスメントと計画（問題リスト）が続く。救急外来の患者に関するプレゼンテーションでは，ほぼ主訴のみに焦点をあてる。また，専門医を対象としたプレゼンテーションでは，専門医に事前に質問された内容を中心に説明する。いずれの場合も，プレゼンテーションの構造はその目的に直接左右される。

Box 5-12　プレゼンテーションのフレームワーク：新規患者

重要な問題，診断，計画について説得力のある主張をする。3〜5分で終わるように，体系的に整理し，範囲を絞る

導入
- 主訴と入院理由を簡潔に述べる
- 診察で特定された，診断に関連する病歴を述べる

情報源
- 必要に応じて，患者から信頼できる病歴を得られない場合は，その理由を簡潔に述べる
- 患者以外の情報源を明示する
- 患者以外の情報源についてコメントしない限り，患者の説明は信頼できるものとみなされる

現在の病状
- 自分で下した診断をもとに，何を盛りこむかを決めること
- つぎのようにはじめるとよい。「患者は○○までは通常の健康状態でした」
- 分析せず，時系列順に整理する
- 症状を表す特徴に留意する
- 特に現在の病状の原因となっている過去の病歴（検査結果や治療的介入を含む），薬歴，家族歴，社会歴（心理社会的要因を含む）を説明する
- 診断を理解してもらうために，関連のある陽性所見と陰性所見を説明する
- 救急搬送の場合は，患者があなたの元に到着する前のトリアージや差し迫った治療方針の決定に著しく影響を与える，または変化させる病状のみ含める

その他の病歴
- 重要な過去の病歴（補足・データを含む）を説明する
- 現在のケアに影響のない軽微な診断は省略する
- 重要な薬物とその投与量を明示する。重要でない薬物は省略する
- アレルギーを明示する
- 重要な家族歴，社会歴，システムレビューの結果を説明する。すでに説明した情報を繰り返さないこと

（続く）

第3章「病歴」のBox 3-4「症状を表す特徴」（p.86〜87）を参照。

プレゼンテーション

↘(続き)

身体診察
- 全身の状態と具体的なバイタルサインを必ず説明する
- 関連する身体所見と異常所見を説明する
- それ以外は「重要性が低い」と伝える

検査結果
- 関連する，または重要な検査結果を明示する
- まず，基本的な血液検査からはじめる
- その他の検査については「正常」であると伝える

まとめ
- つぎのようにはじめるとよい．「以上をまとめると……」
- 情報をそのまま繰り返すのではなく，評価し，総合的に判断した結果を伝える
- 診断に関するあなたの所感を示す
- 複数の問題がある場合は，最後にあげる問題リストに比較的小さな問題を盛りこみ，議論する

問題リスト
- 最も重要な問題からはじめる
- できる限り具体的な名称で問題を明示する
- 臓器系のみで問題を分類することは避ける
- あなたが問題の原因と考えているものを示す
- 問題を解決するための具体的な診断および治療に関する計画を示す

出典：Green EH et al. Developing and Implementing Universal Guidelines for Oral Patient Presentation Skills. *Teach Learn Med*. 2005; 17(3): 263-267. Taylor & Francis Ltd (http://www.tandfonline.com) より許可を得て改変

表 5-1　EHR に記載する経過記録の例：患者 MN の場合—1 カ月後に経過観察のため再診

2020/10/25　1:00PM
情報源/信頼性：患者/信頼性あり
主訴：片頭痛の経過観察

54 歳女性で，片頭痛の既往歴があり，1 カ月前に受診したときには片頭痛の再発と思われる症状があった。カフェイン摂取量を減らし，ストレス解消法をとり入れるよう指導した。カフェイン摂取を制限した結果，頭痛の回数が減った。紅茶を避け，ノンカフェインコーヒーを飲用。自助グループに入り，ストレス軽減のため運動を開始。いまだに月に 1，2 回ほど吐き気を伴う頭痛があるが軽度で，400 mg のイブプロフェン服用により多くは和らぐ。発熱，項部硬直，関連する視覚異常，運動障害，感覚異常はないとのこと

血圧上昇については，自宅で血圧を測定（およそ 150/90）。週に 3 回，近所を 30 分間歩行し，1 日のカロリー摂取量を制限。禁煙はできていない。Kegel（ケーゲル）体操を行っているが，咳が出たり笑ったりするとまだ失禁する

内服：頭痛があり必要な場合は 1 日 3 回までイブプロフェン 400 mg を服用
アレルギー：アンピシリンで発疹
タバコ：18 歳の頃から 1 日 1 箱

身体診察
全身状態：過体重の中年女性。意識清明で，やや体調が悪いようにみえる
バイタルサイン：身長 157 cm，体重 63 kg，BMI 26。血圧 150/90。心拍数は 86 回/分で整。呼吸数は 16 回/分。体温は 36.8℃
皮膚：疑わしい母斑なし
頭部・眼・耳・鼻・咽頭（HEENT）：頭部は正常大で，外傷なし。咽頭に滲出液なし。眼底検査で乳頭浮腫なし
頸部：柔軟，甲状腺肥大なし
リンパ節：リンパ節腫脹なし
胸郭と肺：両側とも共鳴良好で，聴診では明瞭である
心血管系：頸動脈の立ち上がりは正常，血管雑音なし。S_1，S_2 良好。本日は心雑音なし。S_3，S_4 は認めず
腹部：腸蠕動音活発。軟，圧痛なし，肝肥大なし
四肢：浮腫なし
脳神経：第 II～XII 脳神経は正常

検査結果
2020 年 8 月 25 日の生化学検査と尿検査に異常なし。HbA$_{1c}$ 5.5％，尿中アルブミン/クレアチニン比 15

アセスメントと計画
1. 片頭痛：カフェイン摂取量とストレスが減ったことで，月に 1〜2 回に減少した。イブプロフェンが頭痛に効果あり
   - 片頭痛の回数が月に 2 回以下に減り，体調がよくなっているため，毎日の予防薬は一時中止する
   - 禁煙と運動プログラムを続ける必要性を確認する
   - ストレス軽減のため自助グループへの参加を継続することを確認する
2. 高血圧症：2 回目の測定で 150/90 と目標値を超えた
   - 運動量の増加にもかかわらず，血圧は上昇したままであったため，薬物療法の開始を検討した
   - ACE 阻害薬の適応はなく，サイアザイド系利尿薬は排尿症状を悪化させる可能性があるため，カルシウム拮抗薬から開始する
   - 血圧を自宅で週に 3 回測定し，次回診察時に記録を持参してもらう
3. ときに腹圧性尿失禁を伴う膀胱瘤：腹圧性尿失禁は Kegel 体操により改善しているが，まだ尿漏れあり。前回診察時の尿検査では感染症や血尿の徴候なし
   - Kegel 体操を継続し，産婦人科に紹介して追加の選択肢を検討する
4. 過体重：約 1.8 kg 減量
   - 運動を継続
   - 栄養歴の振り返り：減量を継続することを確認する
5. ストレスと住居の不安：自助グループに参加してからストレスが軽減されたと話し，チャプレンおよびソーシャルワーカーチームの支援に感謝している
   - うつ病の徴候を引き続き監視する
6. 腰痛：本日は訴えなし
7. 喫煙習慣：前回の訪問時に渡した資料を確認しておらず，まだ検討していない
   - 肺機能検査の予定あり
   - 低線量 CT による肺癌スクリーニングの同意が得られ，紹介状を作成した
8. 健康の維持
   - 前回のパップスメア検査は 2019 年で結果は正常であった
   - マンモグラフィは 2019 年に実施し，結果は BI-RADS2（良性所見）
   - 来月に大腸内視鏡検査を予定
   - 歯科医院の予約あり

文献一覧

1. Peterson MC, Holbrook JH, Von Hales D, et al. Contributions of the history, physical examination, and laboratory investigation in making medical diagnoses. *West J Med.* 1992; 156(2): 163-165.
2. Hampton JR, Harrison MJ, Mitchell JR, et al. Relative contributions of history-taking, physical examination, and laboratory investigation to diagnosis and management of medical outpatients. *Br Med J.* 1975; 2(5969): 486-489.
3. McGee S. *Evidence-based Physical Diagnosis*. 3rd ed. Philadelphia, PA: Elsevier Saunders; 2012.
4. Schneiderman H, Aldo JP. *Bedside Diagnosis. An Annotated Bibliography of Literature on Physical Examination and Interviewing*. 3rd ed. Philadelphia, PA: American College of Physicians; 1997.
5. Kahneman D. *Thinking, Fast and Slow*. 1st ed. New York: Farrar, Straus and Giroux; 2011.
6. Cabrera D, Thomas JF, Wiswell JL, et al. Accuracy of 'My Gut Feeling:' comparing system 1 to system 2 decision-making for acuity prediction, disposition and diagnosis in an Academic Emergency Department. *West J Emerg Med.* 2015; 16(5): 653-657.
7. Kassirer J, Kopelman R WJ. *Learning Clinical Reasoning*. 2nd ed. Baltimore, MD: Lippincott Williams & Wilkins; 2010.
8. Kassirer JP. Teaching clinical reasoning: case-based and coached. *Acad Med.* 2010; 85(7): 1118-1124.
9. Norman GR, Eva KW. Diagnostic error and clinical reasoning. *Med Educ.* 2010; 44(1): 94-100.
10. Bowen JL. Educational strategies to promote clinical diagnostic reasoning. *N Engl J Med.* 2006; 355(21): 2217-2225.
11. Coderre S, Mandin H, Harasym PH, et al. Diagnostic reasoning strategies and diagnostic success. *Med Educ.* 2003; 37(8): 695-703.
12. Elstein AS, Schwartz A. Clinical problem solving and diagnostic decision making: selective review of the cognitive literature. *BMJ.* 2002; 324(7339): 729-732.
13. Norman G. Research in clinical reasoning: past history and current trends. *Med Educ.* 2005; 39(4): 418-427.
14. Mengel MB, Fields SA. *Introduction to Clinical Skills: A Patient-Centered Textbook*. New York, London: Plenum Medical Book; 1997.
15. Barrows HS, Pickell GC. *Developing Clinical Problem-Solving Skills: A Guide to More Effective Diagnosis and Treatment*. 1st ed. New York: W. W. Norton; 1991.
16. Weinstein A, Gupta S, Pinto-Powell R, et al. Diagnosing and remediating clinical reasoning difficulties: a faculty development workshop. *MedEdPORTAL.* 2017; 13: 10650.
17. Sackett DL. The rational clinical examination. A primer on the precision and accuracy of the clinical examination. *JAMA.* 1992; 267(19): 2638-2644.
18. Simel DL, Rennie D. *The Rational Clinical Examination: Evidence-Based Clinical Diagnosis*. New York: McGraw-Hill; 2009.
19. Guyatt G, Rennie D, Meade MO, et al. *Users' Guides to the Medical Literature: A Manual for Evidence-Based Clinical Practice*. 2nd ed. New York: McGraw-Hill; 2008.
20. Fletcher RH, Fletcher SW, Fletcher GS. *Clinical Epidemiology: The Essentials*. 5th ed. Baltimore, MD: Lippincott Williams & Wilkins; 2014.
21. Sharon SE. *Evidence-Based Medicine: How to Practice and Teach Ebm*. Edinburgh: Elsevier/Churchill Livingstone; 2005. Print.
22. Collins RD. *Dynamic Differential Diagnosis*. Philadelphia, PA: Lippincott; 1981.
23. Schmidt HG, Rikers RM. How expertise develops in medicine: knowledge encapsulation and illness script formation. *Med Educ.* 2007; 41(12): 1133-1139.
24. Barry MJ, Edgman-Levitan S. Shared decision making—pinnacle of patient-centered care. *N Engl J Med.* 2012; 366(9): 780-781.
25. Croskerry P. When I say … cognitive debiasing. *Med Educ.* 2015; 49(7): 656-657.
26. Croskerry P, Singhal G, Mamede S. Cognitive debiasing 1: origins of bias and theory of debiasing. *BMJ Qual Saf.* 2013; 22(Suppl 2): ii58-ii64.
27. Croskerry P, Singhal G, Mamede S. Cognitive debiasing 2: impediments to and strategies for change. *BMJ Qual Saf.* 2013; 22(Suppl 2): ii65-ii72.
28. Croskerry P. The importance of cognitive errors in diagnosis and strategies to minimize them. *Acad Med.* 2003; 78(8): 775-780.
29. Klein JG. Five pitfalls in decisions about diagnosis and prescribing. *BMJ.* 2005; 330(7494): 781-783.
30. Bordage G. Prototypes and semantic qualifiers: from past to present. *Med Educ.* 2007; 41(12): 1117-1121.
31. Bordage G. Why did I miss the diagnosis? Some cognitive explanations and educational implications. *Acad Med.* 1999; 74(10 Suppl): S138-S143.
32. Nendaz MR, Bordage G. Promoting diagnostic problem representation. *Med Educ.* 2002; 36(8): 760-766.
33. Donnelly WJ. Viewpoint: patient-centered medical care requires a patient-centered medical record. *Acad Med.* 2005; 80(1): 33-38.
34. Green EH, Hershman W, DeCherrie L, et al. Developing and implementing universal guidelines for oral patient presentation skills. *Teach Learn Med.* 2005; 17(3): 263-267.
35. Williams DE, Surakanti S. Developing oral case presentation skills: peer and self-evaluations as instructional tools. *Ochsner J.* 2016; 16(1): 65-69.
36. Green EH, DeCherrie L, Fagan MJ, et al. The oral case presentation: what internal medicine clinician-teachers expect from clinical clerks. *Teach Learn Med.* 2011; 23(1): 58-61.
37. Edwards JC, Brannan JR, Burgess L, et al. Case presentation

文献一覧

format and clinical reasoning: a strategy for teaching medical students. *Med Teach*. 1987; 9(3): 285-292.

本章の学習効果を高め，理解を助けるために一連の補助教材がある。
- 『ベイツ診察法ポケットガイド第4版』
- Bates' Visual Guide to Physical Examination
- thePoint® online resources, for students and instructors: http://thepoint.lww.com

第6章 健康維持とスクリーニング

予防医療の概念

この50年間における予防医療の進歩によって，コモンディジーズの発生頻度は劇的に減少した。知識の普及および患者による健康維持や疾患予防対策の受け入れが進んだことから，医療者による医療の提供は大幅に促進し，改善した。自身の臨床経験が蓄積されるにつれて，多くの臨床症状が予防可能であることにじきに気づくだろう。健康的な食事，定期的な運動，禁煙や，癌検診，健康診断，予防接種などの予防医療サービスについて患者に説明することは，患者が健康と幸福を維持・増進するためにできることの一例である。

世界保健機関（WHO）が**健康づくりのためのオタワ憲章 Ottawa Charter for Health Promotion** のなかで述べているように，健康の増進とは「患者が自身の健康管理を向上させ，健康状態が改善すること」である[1]。

> 第1章「診察へのアプローチ」の「健康の社会的決定要因」(p.20〜21)を参照。

本章の内容

- ガイドラインの推奨事項
  - 米国予防医療専門委員会のアプローチ
  - GRADEシステム
- スクリーニング
  - スクリーニングのための基本的アプローチ
- 行動カウンセリング
  - 動機づけ面接
- 予防接種
- 成人に対するスクリーニングのガイドライン
  - 不健康な体重および糖尿病のスクリーニング
  - 処方薬の誤用や違法薬物を含む物質使用障害のスクリーニング
  - 親密なパートナーからの暴力(IPV)，家庭内暴力(DV)，高齢者虐待，社会的弱者への虐待のスクリーニング
- 成人に対するカウンセリングのガイドライン
  - 体重の減量
  - 健康的な食事と身体活動
- 成人に対するスクリーニングとカウンセリングのガイドライン
  - 不健康な飲酒

（続く）↗

(続き)↘

- 喫煙や他のタバコ製品の使用
- 性感染症のスクリーニングとカウンセリング
- 成人に対する予防接種のガイドライン
  - インフルエンザワクチン
  - 肺炎球菌ワクチン
  - 水痘ワクチン
  - 帯状疱疹ワクチン
  - 破傷風・ジフテリア・百日咳ワクチン
  - ヒトパピローマウイルスワクチン
  - A 型肝炎ワクチン
  - B 型肝炎ワクチン
- 特別な集団における予防医療
- 疾患別推奨事項

本章では，米国予防医療専門委員会 U.S. Preventive Services Task Force（USPSTF）などの専門機関によって発行されたガイドラインにもとづいた健康増進のための推奨事項を記載している。USPSTF は，予防医学とエビデンスにもとづく医療の専門家で構成された独立した任意の委員会であり，ピアレビューされた既存のエビデンスを厳密に検討したうえで推奨事項を決定している[2]。USPSTF のガイドラインはエビデンスの質を考慮し，予防医療サービスの有益性と有害性のバランスを評価し，また推奨の強さを評価している。疾患を予防するための介入である**一次予防**の推奨がなされており[2]，一次予防には予防接種，予防薬，医療行為，行動カウンセリングなどがある。本章では，**二次予防**の推奨事項についても触れる。二次予防とは，患者にまだ症状が現れていない（**無症状の** asymptomatic）段階における，疾患やそのプロセスを早期に発見するための介入（スクリーニング検査）である。二次予防をすすめる理論的根拠は，疾患の早期段階での治療は，進行段階で治療するよりも効果的であることが多いことである。

ガイドラインの推奨事項

ガイドラインは，専門機関が発表する診療上の推奨事項であり，厳密に作成され，信頼されるべきものである[3]。推奨の強さを評価するアプローチは数多くあるが，ここでは，予防医療サービスの有益性と有害性を評価するための最高レベルといえる科学的エビデンスにもとづいた推奨を作成する，いくつかの評価システムについて検討する。

米国予防医療専門委員会のアプローチ

USPSTF は 5 段階の推奨グレードを割り当てている（Box 6-1）。

ガイドラインの推奨事項

Box 6-1　米国予防医療専門委員会(USPSTF)の格付け：グレードの定義と実践への示唆 [4]

グレード	定義	実践のための提案
A	USPSTFはこのサービスを推奨している。純利益が大きいことに高い確実性がある*	このサービスを提供する、または提供を検討する
B	USPSTFはこのサービスを推奨している。純利益が中程度であることに高い確実性がある、または純利益が中程度以上であることに中程度の確実性がある	このサービスを提供する、または提供を検討する
C	USPSTFは、専門家の判断と患者の好みにもとづいて、個々の患者にこのサービスを選択的に提供する、または提供を検討することを推奨している。純利益が小さいことに少なくとも中程度の確実性がある	個々の状況に応じて、選択した患者にこのサービスを提供する、または提供を検討する
D	USPSTFはこのサービスを推奨していない。純利益をもたらさない、または有害性が有益性を上回ることに中程度または高い確実性がある	このサービスの利用を控える
I	USPSTFは、このサービスの有益性と有害性のバランスを評価するには現在のエビデンスでは不十分であると結論づけている。エビデンスが不足している、質が低い、または矛盾しているため、有益性と有害性のバランスの判断が困難	このサービスを提供する場合、患者は有益性と有害性のバランスについての不確実性を理解する必要がある

*確実性とは、「ある予防医療サービスの純利益に関するUSPSTFの評価が正しい可能性」と定義され、純利益とは、「一般的なプライマリケア集団において実施された予防医療サービスの有益性から有害性を引いたもの」と定義される。

USPSTFはまた、純利益(実質的な利益)に関する確実性の度合も割り当てている(Box 6-2)。USPSTFは、医学文献を追跡し、定期的に体系的なエビデンスの統合を行い、推奨を更新する必要があるかどうか判断している。

Box 6-2　USPSTFの利益に関する確実性の度合

確実性	概要
高	利用可能なエビデンスには、通常、代表的なプライマリケア集団を対象とした、デザイン性が高く完成度の高い研究から得られた一貫性のある結果が含まれる。これらの研究では、健康アウトカムに対する予防医療サービスの効果が評価されている。したがって、この結論は今後の研究結果の影響を強く受ける可能性は低い
中	利用可能なエビデンスは、健康アウトカムに対する予防医療サービスの効果を判断するのに十分であるが、推定する際の信頼性は以下のような要因によって制約される ● 個々の研究の数、規模、または質 ● 個々の研究で得られた知見の不一致 ● 日常的なプライマリケアの実践に対する知見の一般化が困難であること

(続く)↗

↘(続き)

確実性	概要
中	● 一連のエビデンスにおける一貫性の欠如 より多くの情報が得られるようになるにつれて，観察された効果の程度や方向性が変化する可能性がある．この変化は結論を変えるのに十分なものである
低	利用可能なエビデンスは，健康アウトカムへの影響を評価するには不十分である．エビデンスが不十分なのは，以下の理由による ● 研究の数や規模が限られている ● 研究のデザインや方法に重大な欠陥がある ● 個々の研究における知見の不一致 ● 一連のエビデンスにおけるギャップ ● 日常的なプライマリケアの実践に一般化できない知見 ● 重要な健康アウトカムに関する情報の不足 より多くの情報を得ることで，健康アウトカムへの効果を評価できる可能性がある

GRADE システム

Grading of Recommendations, Assessment, Development, and Evaluation (GRADE) システムとは，臨床ガイドラインにおけるエビデンスの質を評価し，推奨の強さを格付けするものである[5]．ガイドライン作成者とエビデンス専門家の国際的なグループによって開発された GRADE システムのおもな目標は，(1) エビデンスの質と推奨の強さを明確に分けること，(2)「強い推奨」と「弱い推奨」を明確かつ実用的に解釈すること，である．

介入の有益性が有害性を上回るという質の高いエビデンスは「強い推奨」を意味し，さらなる研究によって推定される効果の信頼性が変化する可能性が低いことを示唆する．一方，有益性と有害性の間のトレードオフが不確かな場合（例：質の低いエビデンスのため，有益性と有害性のバランスがとれていないため）は，「弱い推奨」となる．

スクリーニング

スクリーニングのための基本的アプローチ

スクリーニングとは，早期の疾患や病気の前兆があり，早期治療の効果が期待できる無症状の患者を特定するための検査である．スクリーニングプログラムを実施するかどうかを検討するための基準の一部は，WHO のモノグラフ（研究報告）にもとづいており，後に他機関によって修正されたものを Box 6-3 に示す[6-8]．ほとんどのスクリーニングプログラムは，癌，糖尿病，慢性ウイルス感染症，物質乱用，心血管疾患といった，相当数の罹患率と死亡率を伴う一般的な疾患を対象としている．しかし，ときには新生児のフェニルケトン尿症のような

スクリーニング

稀少疾患を対象としたスクリーニングプログラムもある。これは、簡単な血液検査で発見でき、フェニルアラニンを含む製品を避けることで疾患の合併症を予防できるからである。疾患が臨床的に発見される場合と比較して、スクリーニングにより疾患が早期に発見され、治療が効果的かつ容易に行える期間は十分に長いものとなるはずである。スクリーニング検査は、広く利用可能なものであるべきで、安全性、利便性、コストの点で患者に受け入れられ、かつ正確でなければならない。第7章「エビデンスの評価」では、感度、特異度、**予測値（適中度）**、尤度比、信頼性など、検査の正確性に関する詳細な情報が述べられている。臨床的に発見された疾患に対する効果的な治療法は、広く利用かつ容認できるものであるべきである。

Box 6-3　どのような場合に疾患や病状のスクリーニングを検討するか？

- 疾患や病状が公衆衛生上の相当な負担となる場合
- 自然史（疾患のなりゆき）がよく理解されていて、潜伏期や初期症状の段階が認められる場合
- スクリーニング検査が可能で、容認され、かつ正確である場合
- 臨床的に発見された疾患に対する治療が、スクリーニング診断時に実施でき、かつ容認されうるもので、より効果的である場合
- スクリーニングプログラムが費用対効果に優れている場合
- スクリーニングによる健康上の純利益が有害性を上回る場合

スクリーニングプログラムを推奨するかどうかを決定する際、USPSTFなどの組織は、有益性と有害性に関するエビデンスを比較検討する（Box 6-4）。最も強力なエビデンスは、患者をスクリーニングと通常の治療のいずれかにランダムに割り当て、多くの場合何年にもわたって追跡調査を行い、疾患の生存率の違いを調べるランダム化比較試験から得られる（図6-1）。

Box 6-4　スクリーニングの有益性と有害性[9]

有益性	有害性
● 死亡率の低減 ● 罹患率の低減 ● 安心感の提供	● 偽陽性となった場合、不安感をあおり、追加検査につながりやすい ● 臨床的な問題を生じない一方で、過剰治療につながる可能性のある低リスク疾患の過剰診断 ● 偽陰性の検査結果から得られる誤った安心感 ● 診断のための検査による痛みや不快感 ● 追加の検査や治療につながる偶発的な疾患の発見 ● 疾患の治療に伴う合併症

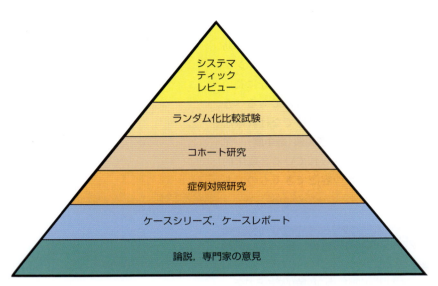

図 6-1 研究タイプの強さを示すエビデンスピラミッド(出典：Sackett DL et al. *Evidence-Based Medicine: How to Practice and Teach EBM*. 2nd ed. Churchill Livingstone; 2000 より許可を得て掲載。Copyright © 2000 Elsevier)

スクリーニングを受けた患者と受けなかった患者のアウトカムを比較する観察研究には，大きなバイアスがかかりやすい(Box 6-5)。

エビデンスに影響を与えるバイアスについては，第7章「エビデンスの評価」(p.209)を参照。

Box 6-5　スクリーニングを評価した研究の潜在的なバイアス

バイアス	バイアスの説明
選択バイアス selection bias	自発的にスクリーニングを受ける人と受けない人との間には違いがある可能性がある。受けない人は，一般の人よりも健康で，スクリーニングを受けなくても生存率が高い可能性がある（健康な被験者）
リード・タイム・バイアス lead-time bias	スクリーニング検査によって疾患が早期に発見されたにもかかわらず，早期治療によって実際には寿命が延びない場合にバイアスが生じる。「生存」という利益は，早期発見による人工産物といえる
レングス・タイム・バイアス length-time bias	スクリーニングでは進行の遅い無症状の患者が優先的に発見されるのに対し，進行の速い患者は臨床症状を呈する可能性が高いためにバイアスが生じる。治療成績を比較すると，スクリーニングで発見された疾患は，臨床現場で発見された疾患よりも進行が緩徐な可能性が高いため，生存率が高くなりうる

行動カウンセリング

行動カウンセリング

有能な医療者の最も重要な技能の1つは，患者の行動変容を手助けできることである。患者に運動や健康的な食事についてアドバイスし，喫煙や飲酒，薬物，危険な性行為などに関連した不健康な生活を避けることで，健康的なライフスタイルをサポートすることができる。しかし，行動変容は困難であることが多く，重要な最初のステップは，患者が変化についてどのように考えているかを理解することである。健康的な行動をとるべき患者や不健康な行動をやめるべき患者を特徴づける有用なモデルとして，Box 6-6 に示す Prochaska（プロチャスカ）と DiClemente（ディクレメント）による**トランスセオレティカルモデル（行動変容段階モデル）**がある[10]。このモデルでは，行動変容は，時間をかけて展開されるプロセスとして概念化されており，一連の5つの段階（**前熟考期，熟考期，準備期，実行期，維持期**）を経て進行する（図6-2）[11]。患者は変容段階を直線的に進むとは限らず，動機や自己効力感のレベルに応じて戻ったり進んだりする。例えば，維持期にある患者は，より健康的な新しい行動を実践しようと懸命に努力するが，以前の行動に戻ってしまうこともある（**再発**）[12]。患者がこの連続性のなかでどの段階にいるのか確認し，ライフスタイルを変えるための準備と自己効力感に合わせた介入を行う必要がある。

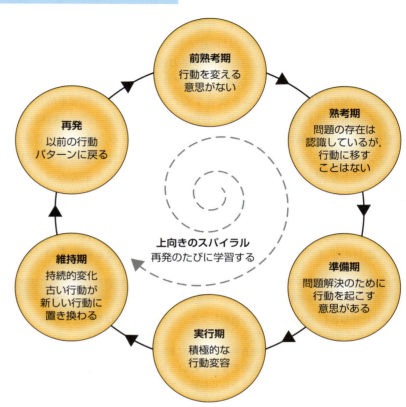

図 6-2 トランスセオレティカルモデル（出典：Prochaska JO, DiClemente CC. *J Consult Clin Psychol*. 1983; 51(3): 390-395 より許可を得て掲載。Copyright © 1983 American Psychological Association）

Box 6-6　トランスセオレティカルモデル [11-13]

段階	説明	患者の主張
前熟考期	患者は，当面の間行動を変えるつもりはなく，自分の問題に気づいていないことが多い	「何か行動を変える必要があるとは思っていません」
熟考期	患者は問題があることを認識しており，克服しようと真剣に考えている。行動に移すことは約束されていない	「自分の行動に不安を感じていますが，まだ変える準備はできていません」
準備期	患者はすぐに行動を起こす意思を示し，小さな行動の変化を報告する	「今すぐ行動を変えるつもりです」
実行期	患者は自分の問題を克服するために行動を変える	「今，自分の行動を変えているところです」
維持期	患者は行動変容のための行動を継続し，再発防止に努める	「自分の行動を変えました」
再発*	行動の変化が止まり，患者が以前の行動に戻ってしまう	「以前の行動に戻ってしまいました」

*「再発」それ自体はステージ（段階）には含まれないが，実行や維持以前の段階に戻ることを指す[14]。

動機づけ面接

前熟考期や熟考期の患者に有効な戦略は，**動機づけ面接 motivational interviewing** である。「動機づけ面接とは，その人自身のモチベーションと変化へのコミットメントを強化するための協力的な会話スタイルである」と，その創始者によって定義されている[15]。このアプローチは，血糖管理，体重管理，身体活動などの健康アウトカムを改善するための行動変容を効果的にサポートすることができ，特に物質使用障害の分野で効果を発揮する[16]。動機づけ面接とは，「変化に対する両価性という一般的な問題に対処するための，患者を中心としたカウンセリングスタイル」である。動機づけ面接では，患者自身が自らの専門家であることを彼ら彼女らに認識させ，ある行動に対する患者の視点を理解することでモチベーション（やる気）を喚起し，前向きな行動の変化をもたらすための計画を導き出そうとする。動機づけ面接のスタイルは，誘導的かつ協調的であり，「**指示的**と**追従的**の中間に位置し，それらの要素を取り入れている」。Box 6-7 では，患者のアイデアや解決策を引き出すための核となる技術をいくつか紹介する。

Box 6-7　動機づけ面接の誘導法 [17]

- 「**たずねる**」：自由回答方式の質問をする。患者になぜ変わるべきなのか，どのように変わるべきなのかを考えさせる
- 「**話を聞く**」：患者の経験を理解するために聞く。「今のところ禁煙は自分とは関係ないことと考えていらっしゃるのですね」といった要約や聞いたことを振り返る言葉によって，彼らの弁明を捉える。こうして共感を示すことで患者にさらに詳しい話をするよう促すことができる一方，否定的な反応への最善の対応策となることが多い
- 「**知らせる**」：情報提供を行ってもよいかをたずね，患者が何を実践できそうかたずねる

基本的な動機づけ面接で用いられる，自由回答方式の質問の使用，内省的な傾聴，共感的な発言の使用，要約などの具体的なコミュニケーションや対人関係のテクニックについては，第2章「面接，コミュニケーション，対人関係スキル」（p.73〜74）で説明している。動機づけ面接で使用される高度な技法については，本書の範囲外である。

さまざまな疾患や病状に対する**カウンセリング**については，「健康増進とカウンセリング」の項目が本書の随所にあるので参考にしてほしい。

リスクが高い患者をみつけるためのスクリーニング用の質問や検査をいつ行い，効果的な**行動カウンセリング**と**予防策**を提供するかについては，p.180 を参照。

予防接種

ワクチンは公衆衛生の要であり，世界中の感染症の予防と制御に大きく貢献している[18]。**免疫化 immunization とは，免疫生物学的製剤を投与**することで，免疫を誘導または獲得することを意味する。免疫化には，能動的なものと受動的なものがある。予防接種 vaccination と免疫化という言葉は，しばしば同じ意味で使われるが，同義ではない。免疫生物学的製剤を投与することと，十分な免疫を獲得することを自動的に同一視することはできない[19]。免疫化のメリットは，予防接種を受けた人だけでなく，非接種者や免疫力が低下している人，あるいは以前の予防接種で十分な効果が得られなかった人を含め，**大きな集団の免疫力を高めることにも寄与する**[20]。

予防接種の推奨事項については，部位別の診察の各章を参照。

成人に対するスクリーニングのガイドライン

成人に対するスクリーニングのガイドラインは以下の通りである。

- 不健康な体重および糖尿病
- 処方薬の誤用や違法薬物を含む物質使用障害
- HIV 感染症
- 親密なパートナーからの暴力（IPV），高齢者虐待，社会的弱者への虐待のスクリーニング

不健康な体重および糖尿病のスクリーニング

Box 6-8 は，不健康な体重と糖尿病に関する統計である。

Box 6-8　不健康な体重と糖尿病に関する事実 [21]

- 米国の成人の約 38%が肥満であり，そのうち約 8%が高度肥満である
- 肥満の割合が最も高いのは非ヒスパニック系黒人女性（56.9%）とヒスパニック系女性（45.7%）で，最も低いのはアジア人男性（11.2%）とアジア人女性（11.9%）である
- 過体重と肥満は，全原因による死亡リスクを 20%増加させるといわれている
- 米国の成人のうち，糖尿病と診断されている人は 2,340 万人，診断されていない人は 760 万人と推定されている。有病率は性別や人種・民族によって異なる
- 糖尿病は心血管疾患の主要な危険因子であり，2015 年には 33 万人以上の死亡の要因または一因となっている

体重を身長の二乗で割った肥満指数 body mass index（BMI）は，プライマリケアの受診時に定期的に（ルーチンで）測定される。BMI は，過体重のスクリーニングによく使われる（Box 6-9）[21]。

Box 6-9　肥満指数（BMI）による体重の分類 [22]

BMI(kg/m²)	体重の状態
＜18.5	低体重
18.5〜24.9	適正体重（正常または健康的）
25.0〜29.9	過体重
30.0〜34.9	肥満Ⅰ
35.0〜39.9	肥満Ⅱ
≧40	肥満Ⅲ（高度）

BMI は体脂肪を直接測定するものではないが，より直接的な測定法である体脂肪率および体脂肪量と相関している。さらに，BMI 高値は睡眠時無呼吸，非アルコール性脂肪性肝疾患，変形性関節症，心血管疾患，脂質異常症や 2 型糖尿病などの代謝異常と関連している。糖尿病は，心血管疾患の重要かつ改善可能なリスク要因であることから，USPSTF は 40〜70 歳の過体重または肥満の成人に対して，血糖値の異常をスクリーニングするようグレード B の推奨を行っている[23]。2 型糖尿病の診断は，HbA1c 値が 6.5 ％ 以上，空腹時血糖値が 126 mg/dL 以上，または経口ブドウ糖負荷試験の結果が 200 mg/dL 以上であることを繰り返し測定することで行うことができる。

処方薬の誤用や違法薬物を含む物質使用障害のスクリーニング

Box 6-10 は，物質使用障害に関する統計である。

Box 6-10　物質使用障害に関する事実

- 2017 年の全米薬物使用と健康に関する調査（NSDUH）の報告書によると[24]，調査前の 1 カ月間に違法薬物を使用した米国人は 3,050 万人と推定されている
  - マリファナ使用者 2,600 万人
  - 非医療目的の処方薬使用者 320 万人
  - コカイン使用者 220 万人
- 推定 750 万人が，少なくとも 1 つの違法薬物障害をもつという DSM-IV の基準を満たしていた
- 2017 年の薬物過剰摂取による死亡者は 7 万 237 人で，そのうち 2/3 以上がオピオイドによるものであった[25]
- 12 歳以上の 3,600 万人（13.6％）が，生涯で鎮痛薬を誤用したことがある
- オピオイド関連の死亡率は近年増加しているが，そのほとんどはフェンタニルやヘロインなどの合成オピオイドによるもので，処方された麻薬による死亡率は横ばいである

『精神疾患の診断・統計マニュアル第 5 版』（DSM-5）によると，物質使用障害の特徴は，「健康，社会的機能の障害，また物質使用の制御障害が臨床的に顕著であり，認知的，行動的，心理的な症状を評価することで診断される」こととしている[26]。米国国立薬物乱用研究所（NIDA）は，まず，非常にセンシティブかつ具体的な質問をすることを推奨している：「過去 1 年間に何回，違法薬物を使用

したり，非臨床的な理由で処方薬を使用したことがありますか？」[27, 28]。回答が肯定的であった場合，非医療目的での違法薬物や処方薬の使用について具体的にたずねる。「あなたは今までに，マリファナ，コカイン，処方された興奮剤，メタンフェタミン，鎮静薬や睡眠薬，リゼルグ酸ジエチルアミド（LSD），エクスタシー，マッシュルームなどの幻覚剤，ヘロインやアヘンなどのストリートオピオイド（路上で入手できる違法なもの），フェンタニル，オキシコドン，ヒドロコドンなどの処方されたオピオイド，その他の物質を使用したことがありますか？」 使用したことがあると答えた人には，さらに一連の質問をすることがすすめられる。

薬物乱用が判明した場合には，以下のような質問で詳細を調べる。「薬物の使用をいつもコントロールできていますか？」「何か悪い反応がありましたか？」「何が起こったのでしょうか……薬物に関連した事故，怪我，逮捕などは？ 仕事や家族の問題は？」「やめようとしたことはありますか？ そのことについて教えてください」 患者のリスクレベルに応じて，さらなる治療を目的とした紹介が必要となる場合がある。

しかし，USPSTFは2008年に，違法薬物使用のスクリーニングを推奨するにはエビデンスが不十分であると結論づけた。利用可能な標準化された質問票は有効で信頼性が高いが，プライマリケアの現場でこれらを使用することの臨床的有用性は不確かである。USPSTFによるガイドラインは現在，見直しと更新が行われている。

IPV，DV，高齢者虐待，社会的弱者への虐待のスクリーニング

Box 6-11は，IPVと他の種類の虐待に関する統計である。

> **Box 6-11　IPVと，高齢者や弱い立場にある人への虐待に関する事実**
> - 米国疾病対策センター（CDC）の報告によると，生涯において米国女性の3人に1人以上，米国男性の3人に1人がIPVを経験する[29]
> - 全体では，女性の21％が生涯で深刻な身体的暴力を経験したのに対し，男性では15％であった
> - 殺人は，45歳以下の女性の主要な死因の1つである。状況が判明している女性の殺人事件の半数以上（55.3％）がIPVに関連していた[30]
> - 2008年に60歳以上を対象に行われた調査では，10人に1人が過去1年間に虐待や，ネグレクトの可能性を報告していることが判明した[31]

IPVと高齢者や社会的弱者に対する虐待は，米国では一般的な問題であるが，発見されないことも多い。USPSTFによる**IPV（intimate partner violence，親密なパートナーからの暴力）**の定義は，「配偶者，ボーイフレンド，ガールフレンド，デート相手，カジュアルな「付き合い」を含む，恋愛または性的パートナーからの身体的暴力，性的暴力，心理的攻撃（金融資産へのアクセスを制限するなどの強制的な方法を含む），またはストーカー行為」である[32]。**高齢者虐待**とは，信

頼できる人（介護者など）が高齢者に危害を加えたり，危害を加える危険性を生じさせたりする「行為」を指す[33]。**社会的弱者**の定義は一般的に，「虐待を受けている，または受ける可能性があり，年齢，障害，またはその両方を理由とし，自分自身を守ることができない人」である。

上手に質問しても，虐待の経験を話してくれる患者は25％に過ぎないため，こまやかに配慮された聞き取り（問診）が不可欠である[34, 35]。IPVのスクリーニングは，一般的な「常態化させる（ふつうに行う）」質問からはじめるとよい。「虐待は私の患者さんの多くが経験していることなので，みなさんに聞くようにしています」「人間関係のなかで，危険や恐怖を感じることはありますか？」「知り合いに叩かれたり，蹴られたり，殴られたり，傷つけられたりしたことはありますか？」など。

USPSTFは，Humiliation, Afraid, Rape, Kick（HARK），Hurt, Insult, Threaten, Scream（HITS），Extended-HITS（E-HITS），Partner Violence Screen（PVS），Woman Abuse Screening Tool（WAST）などのスクリーニング尺度を推奨している。これらの検査の感度は64～87％，特異度は80～95％であった。スクリーニングでIPVが検出された後の効果的な介入として，カウンセリングや家庭訪問などの支援サービスを継続的に提供することがあげられる。USPSTFは，生殖可能年齢の女性を対象にIPVのスクリーニングを行い，スクリーニングで陽性となった人には支援サービスを紹介することを，グレードBの推奨としている[32]。しかし，すべての高齢者や社会的弱者に対して，虐待やネグレクトのスクリーニングを推奨するかどうかを判断するには，十分なエビデンスがないことが判明した（グレードI）。

妊婦に対するIPVについては，第3章「病歴」のBox 3-14「身体的・性的虐待の手がかり」（p.97），第25章「小児：新生児から青年期まで」の表25-12「性的虐待の身体徴候」（p.1098），および第26章「妊娠女性」（p.1131～1132）を参照。

成人に対するカウンセリングのガイドライン

成人に対するカウンセリングのガイドラインは以下の通りである。

- 体重の減量
- 健康的な食事と身体活動

体重の減量

USPSTFは，BMI≧30の成人と，BMI 25～30で心血管疾患危険因子（高血圧症，脂質異常症，血糖値異常）を有する成人を対象に，心血管疾患を予防するための集中的で多要素の行動介入を支持（推奨グレードB）した（Box 6-12）[36]。USPSTFは，食生活の改善と運動量の増加を組み合わせた効果的な集中的行動介入により，5％以上の減量が得られるとしている。これらの介入は多くの場合，1～2年の期間にわたって行われ，体重の自己管理，減量を支援・維持するためのツール（歩数計，体重計，運動ビデオなど），動機づけのためのカウンセリングセッションなどの要素が含まれていた。

成人に対するカウンセリングのガイドライン

Box 6-12　USPSTFによる減量のための行動カウンセリングに関する推奨事項

BMI (kg/m²)	併存疾患		
	高血圧症，脂質異常症，血糖異常いずれもなし	高血圧症か脂質異常症または両方あり	血糖異常または糖尿病あり
適正体重（BMI 18.5〜＜25）	行動カウンセリングを行うかどうかの判断を個別に行う	行動カウンセリングを行うかどうかの判断を個別に行う	集中的な行動カウンセリングの提供または紹介
過体重（BMI 25〜＜30）	行動カウンセリングを行うかどうかの判断を個別に行う	集中的な行動カウンセリングの提供または紹介	集中的な行動カウンセリングの提供または紹介
肥満（BMI≧30）	集中的な行動カウンセリングの提供または紹介	集中的な行動カウンセリングの提供または紹介	集中的な行動カウンセリングの提供または紹介

出典：U.S. Preventive Services Task Force; et al. *JAMA*. 2018; 320(11): 1163-1171.

患者の体重適正化と適切な栄養摂取を推進するために，Box 6-13に概要を示したアプローチを採用する。

Box 6-13　適正体重を推進するためのステップ

1. BMIと腹囲（ウエスト周囲径）を測定する
   - BMI≧25の成人，ウエスト周囲径＞102 cmの男性，＞89 cmの女性は，心臓病や肥満関連疾患のリスクが上昇する
   - 75歳以上の高齢者では，ウエスト/ヒップ比（ウエスト周囲径÷ヒップ周囲径）を測定することで，よりよいリスク予測が可能となりうる。男性では＞0.95，女性では＞0.85でリスク上昇と判断する
2. 喫煙，高血圧症，高コレステロール，運動不足，家族歴など，心血管疾患のさらなる危険因子を把握する
3. 食事摂取量を評価する
4. 患者の変化へのモチベーションを評価する
5. 栄養と運動に関するカウンセリングを行う

効果的なカウンセリングの重要な要素は，患者と一緒に合理的な目標を設定することである（Box 6-14）。現実的な目標は5〜10％の減量であり，糖尿病やその他の肥満に関連した健康問題のリスクを減らすことが証明されている。減量を持続的に進めるうえで障害となるものとしては，身体の恒常性を維持する生理学的システムのフィードバックによる停滞，体重の減少に伴い空腹感が増すことによる減量の継続性の低下，脂肪細胞に分泌・蓄積され空腹感を調整する蛋白質サイトカインであるレプチンの抑制などがあり，これらの一般的な問題について患者を教育する。減量の安全な目標は，1週間に0.2〜0.9 kgである。

> **Box 6-14　減量を進めるための戦略**
>
> - 最も効果的な減量方法は，現実的な減量目標と運動や行動の強化を組み合わせたものである
> - 30～60分程度のウォーキングを週5日以上，あるいは合計で週150分以上行うよう患者に促す
> - 一般的には食事内容の検討よりも，1日500～1,000 kcalの総カロリー減を目標とすることが重要である。さまざまな食事内容が研究されてきたが，いずれもおおむね同様の結果であることから，合理的である限り患者の希望を支持する
> - 食事の量をコントロールする，食事計画を立てる，食事日記をつける，活動記録をつけるなど，実績のある行動習慣を奨励する
> - 従来の治療に反応しない高度な体重過剰や病的状態にある患者に対しては，専門家のガイドラインに従って薬物療法や外科手術を行う
> - 体重の5～10％を減量することで，血圧，脂質レベル，耐糖能が改善し，糖尿病や高血圧症のリスクが低下する

米国国立心臓・肺・血液研究所と米国医療研究品質局は，集中的な行動介入に反応しない成人の過体重および肥満の管理について，薬物療法や外科手術を含め，エビデンスにもとづく推奨を発表した[37,38]。

健康的な食事と身体活動

心血管疾患のリスクを低減するために，過体重または肥満で，他に1つ以上の既知の心血管疾患の危険因子を有する成人に対して，健康的な食事と身体活動を推進する行動カウンセリングを行う必要がある。しかし，心血管疾患の特定の危険因子をもたない非肥満患者に行動カウンセリングを行うことの是非については個別に判断すべきである。

健康的な食事

特に一般的な報道では矛盾した食事方法が数多く取り上げられていることから，過体重の患者をカウンセリングする際には，食事や栄養について十分な知識を得ておく必要がある。**心臓によい食事とは，野菜・果物・食物繊維・全粒穀物を豊富に含み，塩分・赤身の肉や加工肉・飽和脂肪を抑えたものである**。米国農務省は，医療者と患者がより効果的に肥満の急増に対処できるよう，『食事療法ガイドライン 2015-2020』を発表した[39]。おもな推奨事項は以下の通りである。

- ナトリウムの過剰摂取は，心血管疾患の主要な危険因子である高血圧症を引き起こす可能性があるため，ナトリウムの摂取量を 2,300 mg/日未満に制限する。

- 添加糖分と飽和脂肪をそれぞれ総カロリーの10％以下に抑える。

- アルコールを摂取する場合は，適度な量とする。

> 高血圧症と食事からのナトリウム摂取については，第8章「全身の観察，バイタルサイン，疼痛」(p.243～244)を参照。不健康な飲酒については，p.180～182を参照。

成人に対するカウンセリングのガイドライン

米国農務省はまた，食生活の指針として「10 Tips：Choose MyPlate」も発表した（Box 6-15 および図 6-3）[40]。

Box 6-15　10 Tips：Choose MyPlate

1. 自分なりの健康的な食事スタイルをみつける
2. お皿（食事）の半分を野菜と果物にする
3. 果物はまるごと食べる
4. 野菜の種類を増やす
5. 穀物の半分を全粒穀物にする
6. 低脂肪または無脂肪の牛乳やヨーグルトに切り替える
7. 蛋白質はいろいろな食品から摂取する
8. ナトリウム，飽和脂肪酸，糖分の少ない飲料や食品を摂取する
9. 甘い飲み物の代わりに水を飲む
10. 食べるもの，飲むもの，すべてが重要である

出典：ChooseMyPlate. USDA Center for Nutrition Policy & Promotion. https://www.choosemyplate.gov/ (Accessed May 10, 2019) より入手可能

図 6-3　お皿（食事）を評価する

身体活動

2018 年版「米国人のための身体活動ガイドライン」は，早期死亡，心血管疾患，高血圧症，2 型糖尿病，乳癌・大腸癌，肥満，骨粗鬆症，転倒，うつ病といったリスクを軽減するなど，身体活動のメリットをエビデンスにもとづいて紹介している（Box 6-16）[41]。体を動かすことは，高齢者の認知力や機能的能力の向上にも役立つ。2015 年には，18 歳以上の約 50％が有酸素運動で連邦政府の身体活動ガイドラインを満たしていたが，有酸素運動と筋力トレーニングの両方でガイドラインを満たしていたのは約 21％に過ぎなかった[42]。

Box 6-16　米国人のための身体活動ガイドライン[41]

- 成人は，毎週少なくとも 150〜300 分の中強度の有酸素運動，または 75〜150 分の強強度の有酸素運動を行うべきである[41]
- すべての主要筋群を使う中強度または強強度の筋力トレーニングを週 2 日以上行う
- 身体活動の頻度，期間，強度を高めることで，より大きな健康上のメリットが得られる
- 成人は長時間の座位を避けるべきである。中強度から高強度の運動をどれだけ行っても健康上のメリットが得られる
- 高齢者は，バランストレーニングを行うことも大切である

この報告書には，座りがちな生活をしている人が，階段をいくつか上ったり，職場や買い物先から離れた場所に駐車するといった短時間の運動から徐々に活動レベルを上げていくためのガイドラインが記載されている。運動不足の人は，強度の低い活動からはじめて，活動の頻度や時間を徐々に増やしていく"Start low and Go slow"を実践すべきである。医療者は，慢性肺疾患，心疾患，筋骨格系疾患をもつ患者を評価し，適切な活動の種類と量を決定する必要がある。

USPSTFは，BMI 30以上の成人を，集中的で多要素の行動介入に紹介することを推奨している（グレードB）[36-43]。しかし，心血管リスクのない成人に身体活動を促進するための行動カウンセリングを紹介するかどうかは，個別に判断することを推奨しており，行動を変える意欲のある人にはカウンセリングが有効であることを示唆している（Box 6-6 参照）[43]。

成人に対するスクリーニングとカウンセリングのガイドライン

成人を対象としたスクリーニングとカウンセリングのガイドラインは以下の通りである。

- 不健康な飲酒
- 喫煙や他のタバコ製品の使用
- 性感染症（STDまたはSTI）（クラミジア，淋病，梅毒）
- HIV/AIDS

不健康な飲酒

Box 6-17は，不健康な飲酒に関する統計である。

> **Box 6-17　不健康な飲酒についての事実**
> - 2017年のNSDUHでは，過去30日間のアルコール飲料の消費状況から，12歳以上の米国人1億4,000万人以上が現在飲酒をしていると推定された
> - 1,670万人が「大量飲酒家」，6,660万人が「ビンジ飲酒家」と分類された[24]
> - 推定1,600万人の米国人が，『精神疾患の診断・統計マニュアル第4版（DSM-IV）』の定義によるアルコール使用障害の基準を満たした[44]

アルコール：スクリーニング

リスクのある行動の早期発見は困難である可能性が高いため，USPSTFは，妊婦を含むプライマリケアを受診するすべての成人に対して，リスクのあるまたは危険な飲酒のスクリーニングと，適応となる場合には簡単な行動カウンセリングによる介入を推奨している（グレードB）[45]。

患者の飲酒歴を聴取した場合，簡単な質問をすることで，不健康な飲酒のスクリーニングをはじめることができる（Box 6-18）。Single Alcohol Screening Question（SASQ）では，「過去1年間に，1日に5杯以上（男性）または4杯以上（女性）のお酒を飲んだことが何回ありますか？」と質問する[46]。SASQの不健康な飲酒の検出感度は0.73〜0.88，特異度は0.74〜1.00である[45]。Alcohol

成人に対するスクリーニングとカウンセリングのガイドライン

Use Disorders Identification Test-Consumption（AUDIT-C）は，飲酒の頻度，1日の標準的な飲酒量，1回の飲酒で6杯以上飲む頻度をたずねる質問である[47]。AUDIT-C は 0〜12 のスコアで，カットオフ値を 3 以上（女性）または 4 以上（男性）とすると，感度は 0.73〜1.00 となり，これに対応する特異度は 0.28〜0.94 であった[45]。広く使われている CAGE ツールは，**C**utting down（飲酒量の減量），**A**nnoyance when criticized（他人から批判されることへのいらだち），**G**uilty feelings（罪悪感），**E**ye-openers（朝の迎え酒）について質問をするもので，アルコール依存症の検出に最も適している[48]。

Box 6-18　不健康な飲酒

基準飲酒量の換算：基準飲酒量 1 ドリンクとは，通常のビールまたはワインクーラー（カクテル）>12 オンス（約 350 mL），モルトリカー 8 オンス（約 240 mL），ワイン 5 オンス（約 150 mL），80 プルーフ（アルコール度数，80 度）のスピリッツ 1.5 オンス（約 45 mL）に相当する

成人の飲酒量の定義──米国アルコール乱用・アルコール症研究所[49]

	女性	男性
適度な飲酒量	≦1 ドリンク/日	≦2 ドリンク/日
安全でない飲酒量（アルコール使用障害の発症リスクの増加）*	>3 ドリンク/日かつ>7 ドリンク/週	>4 ドリンク/日かつ>14 ドリンク/週
ビンジ飲酒**	≧4 ドリンク/回	≧5 ドリンク/回

*妊婦や，飲酒によって悪化する可能性のある健康上の問題を抱えている人は，一切の飲酒を控えるべきである。
**通常 2 時間以内に血中アルコール濃度が 0.08% になる。

不健康な飲酒のスクリーニングが陽性の患者に対しては，一時的な記憶喪失（飲酒中の出来事の記憶喪失），発作，飲酒中の事故や怪我，失業，夫婦喧嘩，法的問題，運転中や機械操作中の飲酒についてたずねるなど，さらなる評価を行う必要がある。医療者は，不健康な飲酒が確認された患者を適切なケア計画に取り組ませる必要があるだろう。

アルコール：カウンセリング

最近，USPSTF はプライマリケア医に対し，不健康な飲酒をしている成人に行動カウンセリングをするよう，グレード B の推奨を行った[45]。上述のスクリーニングツールは，リスクのある，あるいは危険な飲酒をしている成人の特定に利用可能である。USPSTF は，多くの効果的な行動介入をあげており，その内容は，要素（フィードバック，動機づけ面接，飲酒日記，認知行動療法，飲酒に関する行動計画），提供方法（対面，オンライン，1 対 1，グループ），頻度（少なくとも 4 回のセッション），強度（2 時間以下の介入時間）など多岐にわたる[48]。

飲酒量やアルコール関連の合併症を効果的に減少させる一般的なアプローチとして，Screening, Brief Intervention, and Referral to Treatment（SBIRT）プログラムがある[50,51]。このプログラムは，物質乱用の専門家ではない医療者が，アルコール依存症ではない患者の飲酒の有害性を軽減し予防するために行う一連の診

察のなかで実施されるようにデザインされている。「ブリーフインターベンション（さっと行える介入）」は，不健康な飲酒のリスクが低い人を対象に，飲酒量の上限を超えた場合の有害性について教育し，必要に応じて，飲酒と他の健康問題との関連性をみつけることである。不健康な飲酒のリスクが中〜高度の患者，特に高リスクのスクリーニング結果が出た患者に対して，節酒をさせ，追加治療につなげる際に動機づけのテクニックを用いる。他の政府刊行物も，不健康な飲酒をしている患者のカウンセリングや治療に役立つ指針を提供している。例えば米国アルコール乱用・アルコール症研究所が発行している"Helping Patients Who Drink Too Much. A Clinician's Guide"[52] や"Medication for the Treatment of Alcohol Use Disorder: A Brief Guide"[53] などがある。

喫煙や他のタバコ製品の使用

Box 6-19 は，喫煙に関する統計である。

Box 6-19　喫煙に関する事実

- 過去数十年にわたって喫煙率が低下しているにもかかわらず，2017 年には 18 歳以上の米国成人のうち 4,740 万人（19%）がタバコ製品を使用しており，そのうち 4,110 万人が燃焼式タバコ製品を使用していた[54]
- 2011 年から 2017 年にかけて，タバコ製品使用者は，高校生では 24.2%から 19.6%へ，中学生では 7.5%から 5.6%へと減少した
- しかし，電子タバコや電子ニコチン送達システム（ENDS）は，若者の間で最も頻繁に使用されるタバコ製品となっており，その多くが 2 種類以上のタバコ製品を使用している。これらのデバイスの使用は，「ベイピング（電子タバコの煙を吸う行為）」と呼ばれている
- 米国では，喫煙が原因で毎年 48 万人以上が死亡しており，これは全死亡者数の約 1/5 を占める[55]
- 副流煙に曝露した非喫煙者では，肺癌，耳や呼吸器の感染症，喘息のリスクが増加する

タバコ：スクリーニング

USPSTF は，すべての成人，特に妊婦を対象に喫煙状況をスクリーニングし，全喫煙者に禁煙のための行動介入や薬物療法を行うことを，グレード A の推奨としている[56]。

未成年者は，成人よりもニコチン中毒になりやすいといわれている。高校生の喫煙者は 5 人に 1 人以下だが，その約 4/5 は，数年後に禁煙するつもりであっても，成人後も喫煙を続けている[57]。喫煙者は非喫煙者に比べ，心血管疾患，肺気腫，肺癌を発症しやすい。喫煙は，呼吸器系の癌のほか，膀胱，子宮頸部，結腸・直腸，腎臓，口腔咽頭，喉頭，食道，胃，肝臓，膵臓などの癌や，急性骨髄性白血病の原因となりうる。長期喫煙者の半数は，喫煙に関連する病気で死亡し，平均寿命が 10 年短縮する。喫煙は，糖尿病，白内障，関節リウマチの発症に関連し，不妊症，早産，低体重児出産，乳幼児突然死症候群のリスクを増加させる。

成人に対するスクリーニングとカウンセリングのガイドライン

診察で毎回たずねる質問として，「タバコ（紙巻きタバコ・葉巻，噛みタバコ，電子タバコ）やベイパー製品を使用したことがありますか？」などがある。非喫煙者の場合は，家庭や職場の人の喫煙状況や，受動喫煙についてたずねる。

タバコ：カウンセリング

USPSTFは，すべての成人患者に喫煙状況をたずね，喫煙者には禁煙をすすめ，さらに行動支援や薬物療法を行うことを推奨している（グレードA）[56]。妊婦にも同様にスクリーニングを行い，禁煙についてアドバイスし，行動面でのサポートを行うべきである（グレードA）。妊婦への薬物療法の推奨に関しては，エビデンスが不十分である（グレードI）。禁煙の準備ができているかどうかを評価するために，「5Aアプローチ」またはトランスセオレティカルモデル（行動変容段階モデル）を使用する（Box 6-20）[11, 56]。

異常例

トランスセオレティカルモデル（p.171）を参照。

Box 6-20　禁煙への準備を評価する：ブリーフインターベンションモデル

5Aアプローチ	トランスセオレティカルモデル
● Ask：喫煙状況をたずねる	● 前熟考期：「禁煙するつもりはありません」
● Advise：禁煙をすすめる	● 熟考期：「心配ではありますが，今はまだ禁煙の準備ができていません」
● Assess：禁煙の意思を確認する	● 準備期：「禁煙しようと思います」
● Assist：禁煙を支援する	● 実行期：「禁煙しました」
● Arrange：フォローアップを計画する	● 維持期：「半年前に禁煙しました」

薬物療法としては，パッチ，ガム，トローチ，吸入器などのニコチン置換療法や，バレニクリン，ブプロピオンSRなどがよく使われる[56]。複数のニコチン置換療法を組み合わせることで付加的な効果が得られ，また薬物療法と行動カウンセリングを組み合わせることで，どちらか一方のみの治療よりも高い効果が得られる。効果的な行動介入には，医療者やその他のプライマリケアスタッフが行う最小限かつ集中的な個人またはグループカウンセリング，訓練を受けた専門家が行う電話カウンセリング（全米禁煙ホットライン：1-800-QUIT-NOW），カスタマイズされた印刷ベースの自助用資料，またはアプリやウェブ，モバイル端末による自助用ツールなどがある（Box 6-21）[58]。禁煙の準備ができていない患者には，動機づけ面接も有効である[59]。電子タバコについては，すべてのタバコ製品を完全に置き換えることができれば，成人の喫煙者にメリットがある可能性があるものの，これはまだ研究中の分野である[60]。

> **Box 6-21　医療者に役立つ情報源**
>
> - Centers for Disease Control and Prevention fact sheet on smoking cessation（CDCによる禁煙に関する概況報告書）(https://www.cdc.gov/tobacco/data_statistics/fact_sheets/cessation/quitting/index.htm)
> - U.S. Department of Health and Human Services（米国保健福祉省）のウェブサイト
> - BeTobaccoFree (https://betobaccofree.hhs.gov/quit-now/index.html)
> - SmokeFreeWomen (https://women.smokefree.gov/pregnancymother-hood)

性感染症のスクリーニングとカウンセリング

Box 6-22 は，ヒト免疫不全ウイルス（HIV）と後天性免疫不全症候群（AIDS）を含む性感染症に関する統計である。

> **Box 6-22　クラミジア，淋病，梅毒，HIV/AIDS に関する事実[61-64]**
>
> - 2017 年に新たに報告された約 240 万件の STI 症例のうち，約 72％がクラミジア，24％が淋病，4％が梅毒（全病期）であった。近年，これらの 3 つの感染症の割合は増加傾向にある
> - これらの症例のほぼ半数は，15〜24 歳の年齢層である
> - CDC は，これらの数字は STI の「真の国家負担」を過小評価していると指摘している。淋病，クラミジア，梅毒の症例の多くは報告されておらず，ヒトパピローマウイルス（HPV），トリコモナス症，性器ヘルペスなどの感染症については報告義務がない
> - 2017 年，米国では 3 万 8,730 人が HIV 感染症と診断された
> - 最もリスクが高いのは，男性と性交渉をもつ男性（MSM）（男性の新規感染者の 82％），アフリカ系米国人（新規感染者の 43％），ヒスパニック/ラテン系米国人（新規感染者の 26％）で，注射薬物使用者は新規 HIV 感染者の 6％を占めている
> - 現在，13 歳以上の米国人のうち 110 万人以上が HIV に感染しているが，最大 18％が診断されていない。HIV 感染者のうち，抗レトロウイルス療法 antiretroviral therapy（ART）で加療されている人は 32.5％と推定されているが，そのうちウイルスを抑制できている人の割合は約 3/4 に過ぎない。ほとんどの HIV 感染は，自身の感染に気づいていないか，または未加療の HIV 陽性者によって生じている
> - AIDS と診断され死亡した米国人はおよそ 67 万 5,000 人である

クラミジア，淋病，梅毒：スクリーニング

USPSTF は，24 歳以下の性行動歴のある女性に対するクラミジア・淋病スクリーニングの推奨度をグレード B としているが，性行動歴のある男性に対する推奨を行うにはエビデンスが不十分であるとしている[65]。USPSTF は，高リスクの非妊娠成人および若者の梅毒感染のスクリーニングについて，グレード A の推奨とした[66]。危険因子としては，MSM，HIV 感染者，投獄歴やセックスワーカーなどをあげている。USPSTF は，すべての妊婦に梅毒感染のスクリーニングを行うことを，グレード A の推奨とした[67]。CDC は，25 歳未満のすべての性行動歴のある女性，および 25 歳以上で性的パートナーが新規または複数

である女性，または性的パートナーが性感染症感染者であるなどの危険因子をもつ女性に対して，クラミジアと淋病のスクリーニングを毎年行うことを推奨している[68]。性的に活発な同性愛者（ゲイ），両性愛者（バイセクシャル），その他のMSMに対しては，少なくとも年1回，クラミジア，淋病，梅毒のスクリーニングを行うことが推奨される。複数または不特定のパートナーをもつMSMは，より頻繁に（3〜6カ月間隔で）性感染症検査を受けるべきである。

HIV：スクリーニング

HIV感染は，その発見と治療の進歩にもかかわらず，特に若い米国人，MSM，注射薬物使用者にとって，依然として公衆衛生上の大きな脅威である。早期にHIV感染を発見し，複数の薬物を使ったARTを行うことで，AIDSに移行するリスクを低減することができる。また，治療によって，HIVに感染していない異性のパートナーへの感染や，母子感染のリスクを低減できる。現在のスクリーニングの推奨事項をBox 6-23に要約した。

Box 6-23　HIVに関するスクリーニングの推奨事項の要約

- USPSTFは，15〜65歳の思春期および成人のHIVスクリーニングと，すべての妊婦のスクリーニングについて，グレードAの推奨をしている[69]。また，感染リスクが高い若年層や高齢者に対してもスクリーニングを推奨している
- CDCは，医療機関を受診した13〜64歳の全員を対象としたHIV検査と，すべての妊婦を対象とした出生前HIV検査を推奨している[70]
- CDCでは，HIV検査のオプトアウト方式を推奨している。これは，患者が拒否しない限り検査の実施について口頭または書面で通知するもので，別途，書面での同意は必要ではない[70]
- 患者および新規の性的パートナーは，新しく性的関係をもつ前に検査を受けるべきである[70]
- 低リスクの患者には1回限りの検査が妥当だが，MSM，複数の性的パートナーをもつ者，過去または現在の注射薬物使用者，性行為を金銭や薬物と交換する者，HIV感染者の性的パートナー，両性愛者（バイセクシャル）といった高リスク群に対しては，少なくとも年1回の検査が推奨される。結核の治療を開始した患者や，STI患者，STI検査希望者は，HIVの重複感染の有無を調べる必要がある[70]

HIV感染症を含む性感染症：カウンセリング

USPSTFは，性行動歴のあるすべての若者と，HIV/AIDSを含む性感染症（STI）のリスクが高い成人に対する行動カウンセリングを，グレードBの推奨とした[71]。高リスクの成人とは，現在または過去のSTIの既往がある，性的パートナーが新規または複数である，性的パートナーが最近STIの治療を受けたことがある，セックスワーカーとの性的接触がある，性行為を金銭や薬物と交換している，現在または過去に静脈内薬物を使用したことがある，夫または妻以外の相手との性行為でコンドームを使用しないことがある成人である。USPSTFは，行動カウンセリングによってSTIに感染するリスクを低減できるとし，成功した介入は，「STIとSTIの伝播に関する基本的な情報を提供し，その伝播リスク

を評価し，コンドームの使用，安全な性行為に関するコミュニケーション，問題解決，目標設定などの適切なスキルのトレーニングを提供すること」と述べている[71]。CDC は，コンドームの使用，性的パートナーの数を減らすこと，B 型肝炎や HPV の予防接種を受けること，性行為は夫婦間に限ること，禁欲などを推奨している[72]。

医療者は，性行動歴を聞き出し，性行為について率直かつ機転の利いた質問をする技術を習得しなければならない。おもな情報としては，過去 1 カ月間のパートナーの数，STI の既往歴，性的パートナーの性別，性行為の際に使用する体の部位，などがある。それによって，カウンセリング，STI スクリーニング，予防の推奨を，アイデンティティや思い込みではなく性行動にもとづいて行うことができる。

第 3 章「病歴」の Box 3-15「性行動歴：5 つの P と追加質問」を参照(p.100〜101)。

例えば，女性と性交渉をもつ女性(WSW)は，異性愛者と比較すると，自らが STI のリスクにさらされていると認識する可能性は 20 倍低く，性交経験がある可能性はほぼ同等，妊娠率は 2 倍，2 回以上の妊娠を経験する可能性が高い，とされている[73]。

性行為について話し合う際には，コミュニケーションや意思決定といった性行為の性質やパターン，コンドームの使用や STI 予防〔曝露前予防 pre-exposure prophylaxis(PrEP)〕についてたずねることも重要である。医療者は，アダルトグッズ(性的玩具)やその他の物を使っての性行為についても質問すべきである。

カウンセリングは，対話形式で，是非の判断は避けて，一般的なリスク低減に関する情報と，患者の個人的なリスク行動にもとづいた個別のメッセージを組み合わせて行う必要がある。カウンセリングを行う際には，性器の病変や陰茎からの分泌物に適切な注意を払うよう患者に促す。強調すべき高リスク行動としては，コンドームを使用しない(特にアナルセックスで)，複数の性的パートナーをもつ，抑制がきかなくなる可能性のあるアルコールや薬物を併用する，STI の治療中に性行為を行う，などがある。「望んでいないときに誰かと性行為をしたことがありますか？」「性行為をするときにアルコールや薬物を使用しますか？」「性行為をお金や薬物，または宿泊場所と交換したことがありますか？」とたずねる。患者がアダルトグッズやその他の物を性行為に使用している場合や，それらを他人と共有している場合は，コンドームの使用および，アダルトグッズを適切に洗浄することの重要性を強調する。「コンドームを使うことについてどう思いますか？」「どのような場面でコンドームを使う必要があると感じますか？」「以前，性行為をしてコンドームを使わなかったときのことを教えてください」とたずねる。

コンドームの適正な使用は，HIV，HPV，その他の STI 感染予防に非常に有効である[74]。おもな指示内容は以下の通りである。

- 性行為のたびに新しいコンドームを使用する。

成人に対する予防接種のガイドライン

- 性行為の前にコンドームを装着する。

- 水性の潤滑剤のみを加える。

- 性行為中にコンドームが破損した場合はすぐに引き抜き，引き抜く際にはコンドームがずれないようにする。

HIV感染を予防するための標準的な推奨事項は，低リスクな性行動を選択すること，注射薬物使用の治療を受けること，滅菌器具を使用すること，パートナーと一緒にHIV検査を受けること，コンドームを正しく使用すること，である。もう1つのHIV感染予防策は，2種類の抗レトロウイルス薬(テノホビルとエムトリシタビン)を含有する錠剤を毎日服用するPrEPである[75, 76]。PrEPは，性交渉や違法薬物の注射によってHIVに感染するリスクがあるHIV陰性者に推奨されている。継続的に使用することで，HIV感染のリスクを低減できることがわかっている。

成人に対する予防接種のガイドライン

米国成人に対する予防接種のガイドラインは以下の通りである訳注1, 2)。

- インフルエンザワクチン：不活化ワクチン(IIV)，遺伝子組み換えワクチン(RIV)，弱毒生ワクチン(LAIV)
- 13価肺炎球菌結合型ワクチン(PCV13)と23価肺炎球菌莢膜多糖体ワクチン(PPSV23)
- 水痘ワクチン(VAR)
- 帯状疱疹ワクチン：遺伝子組み換えワクチン(RZV)または生ワクチン(ZVL)
- 破傷風・ジフテリア(Td)ワクチンまたは破傷風・ジフテリア・無細胞百日咳(Tdap)ワクチン
- ヒトパピローマウイルス(HPV)ワクチン
- A型肝炎ワクチン
- B型肝炎ワクチン

HPV感染の予防については，本章のp.191，第21章「女性生殖器」(p.729〜731)を参照。

インフルエンザワクチン

インフルエンザシーズンには，慢性肺疾患の患者，高齢者施設の入居者，家庭内接触者，医療者を中心とした生後6カ月以上の全員を対象にインフルエンザの予防接種を行う。妊婦も妊娠時期に関係なく接種する。

訳注1：わが国の推奨する予防接種については，各種予防接種スケジュールを参照されたい。小児期からの接種はいうまでもなく，社会状況に応じた接種が必要である。
訳注2：わが国では幼児期のBCG接種によりツベルクリン反応検査で陽性，結核と判断され，渡航(米国留学時)の要件を満たさないことが常にある。

インフルエンザは高い罹患率と死亡率をもたらす可能性がある。インフルエンザシーズンは通常，晩秋から春まで続き，12月〜2月にピークを迎える[77]。インフルエンザに関連する年間死亡者数は，ウイルスの種類やサブタイプによって異なり，近年では1万2,000〜8万人にのぼる[78]。

CDCの予防接種実施に関する諮問委員会（ACIP）は，毎年，予防接種の推奨事項を更新している（Box 6-24）。利用可能なワクチンには2種類ある[79]。「インフルエンザ予防接種」は，死滅したウイルスを含む不活化ワクチンで，65歳未満には標準量，65歳以上には高用量を投与する。弱毒化生ウイルスを含む鼻腔スプレーワクチンは，2〜49歳の健康な人にのみ承認されており，毎年推奨されるものではない。インフルエンザウイルスは年々変異するため，各ワクチンには3〜4種類のワクチン株が含まれており，毎年変更される。なお，6カ月以上の全人口に対して年1回の接種が推奨されている。

Box 6-24　成人と小児に対するインフルエンザワクチン推奨事項の概要（CDC，2019年）

生後6カ月以上の全人口，特に以下のグループには年1回の接種が推奨される[79]
- 慢性肺疾患，心血管疾患（高血圧症を除く），腎疾患，肝疾患，神経疾患，血液疾患，代謝疾患（糖尿病を含む）を有する成人および小児，何らかの原因で免疫抑制状態にある者，病的な肥満のある者
- 50歳以上の成人
- インフルエンザシーズン中に妊娠している，または妊娠する可能性のある女性
- 高齢者施設や長期介護施設の入居者
- アメリカ先住民およびアラスカ先住民
- 医療者
- 家庭内接触者，5歳以下の子ども（特に6カ月以下の乳児）および50歳以上の成人の介護者で，インフルエンザの合併症のリスクが高いと思われる病態にある者

肺炎球菌ワクチン

65歳以上の成人，喫煙者，19〜64歳の肺炎球菌性肺炎の高リスク群に，肺炎球菌ワクチンを推奨する。2種類の肺炎球菌ワクチンが推奨されており，PCV13（結合型ワクチン）を1回接種後，PPSV23（多糖体ワクチン）を1回接種する。

肺炎レンサ球菌は，肺炎，菌血症，髄膜炎の原因となる。2015年の侵襲性肺炎球菌感染症の患者数は2万9,382人，死亡者数は3,254人であった[80]。しかし，2000年に乳幼児と小児を対象とした7価の肺炎球菌ワクチンが導入されたことで，直接的また間接的にも（集団免疫を介して）小児と成人の肺炎球菌感染症が減少した。

2010年以降，2歳未満の児には13価のPCV13を定期的に接種している。2014年，ACIPは65歳以上の成人に対して，PCV13を接種した後に，23価の不活化PPSV23を接種することを推奨した[81]。これらのワクチンは同時接種しては

成人に対する予防接種のガイドライン

ならない。PPSV23 接種歴のない 65 歳以上の成人は，まず PCV13 を接種し，12 カ月後に PPSV23 を接種すべきである[82]。PPSV23 接種歴のある 65 歳以上の成人は，直近の PPSV23 接種後 1 年以内に PCV13 を接種する。ACIP では，Box 6-25 に記載されている高リスク群に対して，PCV13 と PPSV23 の接種を推奨している。

Box 6-25　高リスク成人に対する肺炎球菌ワクチンの推奨事項[83]

リスク群	状態	PCV13 推奨	PPSV23 推奨	初回接種から 5 年後の再接種
免疫能の正常な患者	慢性心疾患		✓	
	慢性肺疾患		✓	
免疫能の正常な患者	糖尿病		✓	
	髄液漏	✓	✓	
	人工内耳	✓	✓	
	アルコール依存症		✓	
	慢性肝疾患，肝硬変		✓	
	喫煙		✓	
機能的または解剖学的無脾症の患者	鎌状赤血球症	✓	✓	✓
	先天性または後天性無脾症	✓	✓	✓
免疫不全患者	先天性または後天性免疫不全	✓	✓	✓
	HIV 感染症	✓	✓	✓
	慢性腎不全	✓	✓	✓
	ネフローゼ症候群	✓	✓	✓
	白血病	✓	✓	✓
	リンパ腫	✓	✓	✓
	Hodgkin（ホジキン）病	✓	✓	✓
	一般的な悪性疾患	✓	✓	✓
	医原性免疫抑制	✓	✓	✓
	固形臓器移植	✓	✓	✓
	多発性骨髄腫	✓	✓	✓

水痘ワクチン

1980 年以降に米国で生まれた成人で，水痘ワクチンを 2 回接種していない，または水痘罹患歴がない人に水痘ワクチンを推奨する。

水痘(水疱瘡)は，通常，小児期に発症し，瘙痒感を伴う発疹を引き起こす。成人でも感染することがあり，特に免疫不全状態の患者では播種性疾患のリスクが増加する。米国では 2006 年に水痘ワクチン接種プログラムが導入されたが[訳注1]，それ以前は毎年推定 400 万人の患者が罹患していた[84]。2014 年までに，水痘の年間発生率は約 85% 減少した。

13 歳未満の小児と，13 歳以上で水痘ワクチン接種歴がなく免疫を証明できない人には，水痘ワクチンの 2 回接種が推奨されている。生ワクチンは，妊婦や，免疫力が著しく低下している人(HIV 感染者や CD4 数が 200 未満の人)には接種すべきではない[85]。

帯状疱疹ワクチン

帯状疱疹の既往がある，または帯状疱疹ワクチン接種歴がある成人を含む 50 歳以上の成人に，RZV を接種する(2〜6 カ月の間隔で 2 回接種)。

帯状疱疹は，感覚神経節内に潜伏していた水痘ウイルスの再活性化により生じるもので，通常，痛みを伴う片側性の小水疱性発疹が皮膚分節に沿って生じる[86]。帯状疱疹の生涯発症リスクは約 3 人に 1 人で，男性よりも女性のほうが高いといわれている。帯状疱疹後神経痛(発疹部位の持続的な痛み)，皮膚細菌感染症，眼合併症，脳神経および末梢神経障害，脳炎，肺炎，肝炎など，成人の最大 4 人に 1 人が感染後に合併症を経験している。帯状疱疹のリスクは，癌，HIV 感染，骨髄や臓器の移植，免疫抑制療法など，免疫不全状態で増加する。また年齢の上昇も帯状疱疹および帯状疱疹後神経痛の発症に強く関連している。

帯状疱疹ワクチンは，50 歳以上の成人における帯状疱疹と帯状疱疹後神経痛の短期的なリスクを効果的に低減する[87,88]。ACIP は現在，免疫能が正常である 50 歳以上の成人に RZV を 2 回接種することを推奨している[89]。接種は 2〜6 か月間隔で行う必要がある。

破傷風・ジフテリア・百日咳ワクチン

Td ワクチン接種の既往にかかわらず，1 回接種を推奨する。Td ワクチンは 10 年ごとにブースター接種(追加接種)する。妊婦は，妊娠の度に Tdap ワクチンを接種する必要がある。

米国では毎年約 30 件の破傷風が報告されている[訳注2]。破傷風は，嫌気性細菌である Clostridium tetani クロストリジウム・テタニを原因菌とし，皮膚の損傷部位から体内に侵入する[90]。破傷風 tetanus(俗名は "lockjaw"，痙攣により口が開かないことから)は，強い痛みを伴う筋肉の収縮を引き起こし，嚥下や呼吸に影響

訳注 1：わが国では 2014 年に定期接種開始。
訳注 2：わが国では年間約 100 人発症。

成人に対する予防接種のガイドライン

を与える神経疾患である。ジフテリア diphtheria は *Corynebacterium diphtheriae* コリネバクテリウム・ジフテリアエが原因菌で，通常，呼吸器系の飛沫を介して感染する[91]。ジフテリアは，死んだ呼吸器組織である「偽膜」をつくり，それが気道全体に広がる可能性がある。合併症としては，肺炎，心筋炎，神経学的毒性，腎不全などがあげられるが，米国では2004～2017年の間に2人しか報告されていない。百日咳 pertussis（俗名は"whooping cough"）は，*Bordetella pertussis* ボルデテラ・パーツッシスが原因菌の伝染性呼吸器疾患で，2012年，CDCは4万8,000人以上の症例を報告している[92]。予防接種により，これらの疾患は劇的に減少した。

Tdapワクチン未接種の19歳以上のすべての成人は，1回接種した後，10年ごとにTdワクチンのブースター接種をする必要がある[85]。

ヒトパピローマウイルスワクチン

男女とも，11歳または12歳から（早ければ9歳から）HPVワクチンの接種を推奨する。13～26歳の女性および13～21歳の男性で，ワクチン接種歴がない，または一連のワクチン接種を完了していない人，および22～26歳のMSM，または免疫不全の男性に対して接種する。

HPVは米国で最も一般的なSTIで，新規感染者の約半数は15～24歳の年齢層である[93]。HPVは，女性では子宮頸癌，外陰癌，腟癌，男性では陰茎癌，女性と男性で肛門癌，口腔咽頭癌と関連している[94]。

ACIPでは，11歳または12歳の全員に9価のHPVワクチン接種を推奨している（ただし，9歳からの接種も可能）。初回接種時の年齢に応じて，6～12カ月の間に2回接種（9～14歳）または3回接種（15歳以上）のいずれかを行う。免疫不全の人や，性的虐待や暴行を受けたことがある人には，3回接種が推奨される[95]。ガイドラインでは，26歳までの成人にHPVワクチンを接種することが推奨されているが[96]，米国食品医薬品局は最近，27～45歳の男女に対する9価のワクチン接種を承認した[97]。

男性の場合，ワクチンはHPV関連疾患（性器疣贅，肛門癌，陰茎癌）を予防し，中咽頭癌のリスクを低減し，性的パートナーである女性へのHPV感染を減少させる可能性がある。

A型肝炎ワクチン

慢性肝疾患や凝固因子障害のある人，MSM，注射・非注射の薬物使用者，ホームレス，A型肝炎が高または中流行国を旅行する人，A型肝炎が高または中流行国からの養子と個人的に密接に接触する人など，A型肝炎感染のリスクがある人には2回接種を推奨する。A型肝炎のリスクはないがA型肝炎の感染予防を希望する人も，2回の接種を完了する必要がある。

女性のHPV感染については，第21章「女性生殖器」（p.729～731）を参照。

女性におけるHPVワクチンの有益性については，第21章「女性生殖器」（p.730）を参照。

A型肝炎については，第19章「腹部」（p.663～664）を参照。

B型肝炎ワクチン

C型肝炎感染，慢性肝疾患，HIV感染，性的曝露リスク，現在または最近の注射薬物使用，皮膚や粘膜が血液に触れるリスクのある人，B型肝炎が高または中流行国に投獄されているか旅行する人など，B型肝炎感染のリスクがある人には2回接種または3回接種を推奨する。リスクはないがB型肝炎の感染予防を希望する人も，2回接種または3回接種を受ける必要がある。

B型肝炎については，第19章「腹部」(p.664)を参照。

特別な集団における予防医療

小児，高齢者，妊婦に対するスクリーニング，カウンセリング，予防接種の推奨事項は，UNIT Ⅲ「特定の集団の診察」に記載している。

疾患別推奨事項

疾患や病状に対するスクリーニングおよび予防の推奨事項は，本書の構成に従って各部位の診察の章にて解説する。

文献一覧

1. Potvin L, Jones CM. Twenty-five years after the Ottawa Charter: the critical role of health promotion for public health. *Can J Public Health*. 2011; 102(4): 244-248.
2. U.S. Preventive Services Task Force. https://www.uspreventiveservicestaskforce.org/. Published 2019. Accessed April 7, 2019.
3. Institute of Medicine of the National Academies. Clinical Practice Guidelines We Can Trust. 2011. http://www.nationalacademies.org/hmd/~/media/Files/Report%20Files/2011/Clinical-Practice-Guidelines-We-Can-Trust/Clinical%20Practice%20Guidelines%202011%20Insert.pdf. Accessed May 5, 2019.
4. U.S. Preventive Services Task Force. Grade Definitions. U.S. Department of Health & Human Services. http://www.uspreventiveservicestaskforce.org/uspstf/grades.htm. Published 2018. Accessed April 7, 2019.
5. Guyatt GH, Oxman AD, Vist GE, et al. GRADE: an emerging consensus on rating quality of evidence and strength of recommendations. *BMJ*. 2008; 336(7650): 924-926.
6. Wilson JMG, Jungner G. *Principles and Practices of Screening for Disease*. Geneva: World Health Organization; 1968.
7. Harris R, Sawaya GF, Moyer VA, et al. Reconsidering the criteria for evaluating proposed screening programs: reflections from 4 current and former members of the U.S. Preventive services task force. *Epidemiol Rev*. 2011; 33: 20-35.
8. Andermann A, Blancquaert I, Beauchamp S, et al. Revisiting Wilson and Jungner in the genomic age: a review of screening criteria over the past 40 years. *Bull World Health Organ*. 2008; 86(4): 317-319.
9. Armstrong K, Moye E, Williams S, et al. Screening mammography in women 40 to 49 years of age: a systematic review for the American College of Physicians. *Ann Intern Med*. 2007; 146(7): 516-526.
10. Prochaska JO, DiClemente CC. Stages and processes of selfchange of smoking: toward an integrative model of change. *J Consult Clin Psychol*. 1983; 51(3): 390-395.
11. Norcross JC, Prochaska JO. Using the stages of change. *Harv Ment Health Lett*. 2002; 18(11): 5-7.
12. Prochaska JO. Staging: a revolution in helping people change. *Manag Care*. 2003; 12(9 Suppl): 6-9.
13. Hashemzadeh M, Rahimi A, Zare-Farashbandi F, et al. Transtheoretical model of health behavioral change: a systematic review. *Iran J Nurs Midwifery Res*. 2019; 24(2): 83-90.
14. Prochaska JO, Velicer WF. The transtheoretical model of health behavior change. *Am J Health Promot*. 1997; 12(1): 38-48.
15. Miller WR, Rollnick S. *Motivational Interviewing*. 3rd ed. New York: The Guilford Press; 2013.
16. Miller WR, Rollnick S. *Motivational Interviewing: Helping People Change*. The Guilford Press; 2012.
17. Rollnick S, Butler CC, Kinnersley P, et al. Motivational interviewing. *BMJ*. 2010; 340: c1900.
18. Public Health Agency of Canada. Canadian Immunization Guide. https://www.canada.ca/en/public-health/services/canadian-immunization-guide.html. Published 2018. Updated January 28, 2018. Accessed May 3, 2019.
19. Centers for Disease Control and Prevention. General Best Practice Guidelines for Immunization: Best Practices Guidance of the Advisory Committee on Immunization Practices (ACIP). https://www.cdc.gov/vaccines/hcp/acip-recs/general-recs/glossary.html. Published 2017. Updated July 12, 2017. Accessed May 2, 2019.
20. Nicolas CI, Mary LP, Lindsey RB. Immunizations. In: Singh AK, Loscalzo J, eds. *The Brigham Intensive Review of Internal Medicine*. 2nd ed. Oxford, UK: 2014.
21. Centers for Disease Control and Prevention, About Adult BMI. https://www.cdc.gov/healthyweight/assessing/bmi/adult_bmi/index.html. Published 2017. Accessed April 25, 2019.
22. Centers for Disease Control and Prevention. Defining Adult Overweight and Obesity. https://www.cdc.gov/obesity/adult/defining.html. Accessed April 25, 2019.
23. Siu AL; U.S. Preventive Services Task Force. Screening for abnormal blood glucose and type 2 diabetes mellitus: U.S. Preventive Services Task Force recommendation statement. *Ann Intern Med*. 2015; 163(11): 861-868.
24. Substance Abuse and Mental Health Services Administration, Center for Behavioral Health Statistics and Quality. *Key Substance Abuse and Mental Health Indicators in the United States: Results from the 2017 National Survey on Drug Use and Health*. Rockville, MD: Center for Behavioral Health Statistics and Quality, Substance Abuse and Mental Health Services Administration; 2018.
25. Centers for Disease Control and Prevention. Opioid Overdose: Understanding the Epidemic. https://www.cdc.gov/drugoverdose/epidemic/index.html. Published 2018. Accessed April 12, 2019.
26. American Psychiatric Association. *Diagnostic and Statistical Manual of Mental Disorders*. 4th ed. Washington, DC: 2000.
27. Strazzullo P, D'Elia L, Kandala NB, et al. Salt intake, stroke, and cardiovascular disease: meta-analysis of prospective studies. *BMJ*. 2009; 339: b4567.
28. Smith PC, Schmidt SM, Allensworth-Davies D, et al. A single-question screening test for drug use in primary care. *Arch Intern Med*. 2010; 170(13): 1155-1160.
29. Smith SG, Zhang X, Basile KC, et al. *The National Intimate Partner and Sexual Violence Survey (NISVS): 2015 Data Brief-Updated Release*. Atlanta, GA: National Center for Injury Prevention and Control, Centers for Disease Control and Prevention; 2018. https://www.cdc.gov/violenceprevention/pdf/2015data-brief508.pdf. Accessed May 4, 2019.
30. Petrosky E, Blair JM, Betz CJ, et al. Racial and ethnic differences in homicides of adult women and the role of

intimate partner violence—United States, 2003-2014. *MMWR Morb Mortal Wkly Rep.* 2017; 66(28): 741-746.

31. Acierno R, Hernandez MA, Amstadter AB, et al. Prevalence and correlates of emotional, physical, sexual, and financial abuse and potential neglect in the United States: the National Elder Mistreatment Study. *Am J Public Health.* 2010; 100(2): 292-297.

32. U.S. Preventive Services Task Force; Curry SJ, Krist AH, et al. Screening for intimate partner violence, elder abuse, and abuse of vulnerable adults: US Preventive Services Task Force Final recommendation statement. *JAMA.* 2018; 320(16): 1678-1687.

33. Hall J. *Elder Abuse Surveillance: Uniform Definitions and Recommended Core Data Elements. Version 1.0.* Atlanta, Georgia: Centers for Disease Control and Prevention, National Center for Injury Prevention and Control, Division of Violence Prevention; 2016.

34. Alpert EJ. Addressing domestic violence: the (long) road ahead. *Ann Intern Med.* 2007; 147: 666-667.

35. World Health Organization. Responding to intimate partner violence and sexual violence against women. *WHO clinical and policy guidelines.* 2013.

36. U.S. Preventive Services Task Force; Curry SJ, Krist AH, et al. Behavioral weight loss interventions to prevent obesityrelated morbidity and mortality in adults: US Preventive Services Task Force recommendation statement. *JAMA.* 2018; 320(11): 1163-1171.

37. U.S. Department of Health and Human Services. *Managing Overweight and Obesity in Adults.* National Heart, Lung, and Blood Institute; 2013. https://www.nhlbi.nih.gov/sites/default/files/media/docs/obesity-evidence-review.pdf. Accessed May 4, 2019.

38. LeBlanc ES, Patnode CD, Webber EM, et al. Behavioral and pharmacotherapy weight loss interventions to prevent obesityrelated morbidity and mortality in adults: updated evidence report and systematic review for the US Preventive Services Task Force. *JAMA.* 2018; 320(11): 1172-1191.

39. United States Department of Agriculture. Dietary Guidelines for Americans. 2015-2020. https://health.gov/dietaryguidelines/2015/resources/2015-2020_Dietary_Guidelines.pdf. Published 2015. Accessed April 30, 2019.

40. United States Department of Agriculture. 10 Tips: Choose MyPlate. https://www.choosemyplate.gov/ten-tips-choosemyplate. Published 2017. Accessed April 30, 2019.

41. U.S. Department of Health and Human Services. *Physical Activity Guidelines for Americans.* 2nd ed. Washington, DC; 2018. https://health.gov/paguidelines/second-edition/pdf/Physical_Activity_Guidelines_2nd_edition.pdf. Accessed May 4, 2019.

42. Benjamin EJ, Virani SS, Callaway CW, et al. Heart Disease and Stroke Statistics—2018 Update: A Report From the American Heart Association. *Circulation.* 2018; 137(12): e67-e492.

43. U.S. Preventive Services Task Force; Grossman DC, Bibbins-Domingo K, et al. Behavioral counseling to promote a healthful diet and physical activity for cardiovascular disease prevention in adults without cardiovascular risk factors: US Preventive Services Task Force recommendation statement. *JAMA.* 2017; 318(2): 167-174.

44. American Psychiatric Association. *Diagnostic and Statistical Manual of Mental Disorders (DSM-5).* 5th ed. Arlington, VA: American Psychiatric Publishing; 2013.

45. U.S. Preventive Services Task Force; Curry SJ, Krist AH, et al. Screening and behavioral counseling interventions to reduce unhealthy alcohol use in adolescents and adults: US Preventive Services Task Force recommendation statement. *JAMA.* 2018; 320(18): 1899-1909.

46. Smith PC, Schmidt SM, Allensworth-Davies D, et al. Primary care validation of a single-question alcohol screening test. *J Gen Intern Med.* 2009; 24(7): 783-788.

47. Bush K, Kivlahan DR, McDonell MB, et al. The AUDIT alcohol consumption questions (AUDIT-C): an effective brief screening test for problem drinking. Ambulatory Care Quality Improvement Project (ACQUIP). Alcohol use disorders identification test. *Arch Intern Med.* 1998; 158(16): 1789-1795.

48. O'Connor EA, Perdue LA, Senger CA, et al. Screening and behavioral counseling interventions to reduce unhealthy alcohol use in adolescents and adults: updated evidence report and systematic review for the US Preventive Services Task Force. *JAMA.* 2018; 320(18): 1910-1928.

49. National Institute on Alcohol Abuse and Alcoholism (NIAAA). Helping Patients Who Drink Too Much: A Clinician's Guide. https://www.niaaa.nih.gov/guide. Published 2005. Accessed April 11, 2019.

50. American Public Health Association and Education Development Center I. Alcohol Screening and Brief Intervention. A guide for public health practitioners. National Highway Traffic Safety Administration, US Department of Transportation. https://www.integration.samhsa.gov/clinical-practice/alcohol_screening_and_brief_interventions_a_guide_for_public_health_practitioners.pdf. Published 2008. Accessed April 26, 2019.

51. Substance Abuse and Mental Health Services Administration. SBIRT: Screening, Brief Intervention, and Referral to Treatment. US Department of Health and Human Services Health Resources and Services Administration. https://www.integration.samhsa.gov/clinical-practice/sbirt. Accessed April 27, 2019.

52. National Institute on Alcohol Abuse and Alcoholism (NIAAA). *Helping Patients Who Drink Too Much. A Clinician's Guide*: US Department of Health and Human Services; 2016. https://www.niaaa.nih.gov/sites/default/files/publications/guide.pdf. Accessed May 4, 2019.

53. National Institute on Alcohol Abuse and Alcoholism (NIAAA). *Medication for the Treatment of Alcohol Use Disorder: A Brief Guide.* Rockville, MD: Substance Abuse and Mental Health Services Administration and National Institute on Alcohol Abuse and Alcoholism; 2015.

54. Wang TW, Asman K, Gentzke AS, et al. Tobacco Product Use Among Adults—United States, 2017. *MMWR Morb*

文献一覧

Mortal Wkly Rep. 2018; 67(44): 1225-1232.

55. Centers for Disease Control and Prevention. Health Effects of Cigarette Smoking. https://www.cdc.gov/tobacco/data_statistics/fact_sheets/health_effects/effects_cig_smoking/index.htm. Published 2018. Accessed April 12, 2019.
56. Siu AL; U.S. Preventive Services Task Force. Behavioral and pharmacotherapy interventions for tobacco smoking cessation in adults, including pregnant women: U.S. Preventive Services Task Force recommendation statement. *Ann Intern Med*. 2015; 163(8): 622-634.
57. Talking to Teens About Tobacco Use. Preventing Tobacco Use Among Youth and Young Adults: A Report of the Surgeon General Web site. http://www.cdc.gov/tobacco/data_statistics/sgr/2012/pdfs/physician_card508.pdf. Published 2012. Accessed April 21, 2019.
58. Patel MS, Steinberg MB. In the Clinic. Smoking cessation. *Ann Intern Med*. 2016; 164(5): ITC33-ITC48.
59. Rigotti NA. Strategies to help a smoker who is struggling to quit. *JAMA*. 2012; 308(15): 1573-1580.
60. Centers for Disease Control and Prevention. Electronic cigarettes. What's the bottom line? https://www.cdc.gov/tobacco/basic_information/e-cigarettes/pdfs/Electronic-Cigarettes-Infographic-p.pdf. Published 2019. Accessed April 019.
61. Centers for Disease Control and Prevention. *Sexually Transmitted Disease Surveillance, 2017*. Atlanta, GA: U.S. Department of Health and Human Services; 2018. https://www.cdc.gov/std/stats17/2017-STD-Surveillance-Report_CDC-clearance-9.10.18.pdf. Accessed February 29, 2020.
62. Centers for Disease Control and Prevention. HIV in the United States and Dependent Areas. https://www.cdc.gov/hiv/statistics/overview/ataglance.html. Published 2019. Accessed April 12, 2019.
63. Skarbinski J, Rosenberg E, Paz-Bailey G, et al. Human immunodeficiency virus transmission at each step of the care continuum in the United States. *JAMA Intern Med*. 2015; 175(4): 588-596.
64. Centers for Disease Control and Prevention. CDC Fact Sheet. Today's HIV/AIDS Epidemic. https://www.cdc.gov/nchhstp/newsroom/docs/factsheets/todaysepidemic-508.pdf. Published 2016. Accessed April 12, 2019.
65. LeFevre ML; U.S. Preventive Services Task Force, Screening for Chlamydia and gonorrhea: U.S. Preventive Services Task Force recommendation statement. *Ann Intern Med*. 2014; 161(12): 902-910.
66. U.S. Preventive Services Task Force; Bibbins-Domingo K, Grossman DC, et al. Screening for syphilis infection in nonpregnant adults and adolescents: US Preventive Services Task Force recommendation statement. *JAMA*. 2016; 315(21): 2321-2327.
67. U.S. Preventive Services Task Force; Curry SJ, Krist AH, et al. Screening for syphilis infection in pregnant women: US Preventive Services Task Force Reaffirmation recommendation statement. *JAMA*. 2018; 320(9): 911-917.
68. Centers for Disease Control and Prevention. Screening Recommendations and Considerations Referenced in Treatment Guidelines and Original Sources. https://www.cdc.gov/std/tg2015/screening-recommendations.htm. Published 2015. Accessed April 12, 2019.
69. Moyer VA; U.S. Preventive Services Task Force, Screening for HIV: U.S. Preventive Services Task Force recommendation statement. *Ann Intern Med*. 2013; 159(1): 51-60.
70. Branson BM, Handsfield HH, Lampe MA, et al. Revised recommendations for HIV testing of adults, adolescents, and pregnant women in health-care settings. *MMWR Recomm Rep*. 2006; 55(RR-14): 1-17; quiz CE11-14.
71. LeFevre ML; U.S. Preventive Services Task Force. Behavioral counseling interventions to prevent sexually transmitted infections: U.S. Preventive Services Task Force recommendation statement. *Ann Intern Med*. 2014; 161(12): 894-901.
72. Centers for Disease Control and Prevention. How you can prevent sexually transmitted diseases. https://www.cdc.gov/std/prevention/default.htm. Published 2016. Accessed April 30, 2019.
73. Saewyc EM, Bearinger LH, Blum RW, et al. Sexual intercourse, abuse and pregnancy among adolescent women: does sexual orientation make a difference? *Fam Plann Perspect*. 1999; 31(3): 127-131.
74. Centers for Disease Control and Prevention. Condom Fact Sheet in Brief. https://www.cdc.gov/condomeffectiveness/brief.html. Published 2103. Accessed April 30, 2019.
75. Centers for Disease Control and Prevention. Pre-exposure Prophylaxis (PrEP) for HIV prevention. https://www.cdc.gov/hiv/pdf/library/factsheets/pre-exposure-prophylaxishiv-prevention.pdf. Published 2014. Accessed April 16, 2019.
76. Centers for Disease Control and Prevention. *Preexposure prophylaxis for the prevention of HIV infection in the United States—2017 Update: a clinical practice guideline*. 2018, US Public Health Service. https://www.cdc.gov/hiv/pdf/library/factsheets/pre-exposure-prophylaxis-hiv-prevention.pdf. Accessed May 4, 2019.
77. Centers for Disease Control and Prevention. The flu season. US Department of Health and Human Services. https://www.cdc.gov/flu/about/season/flu-season.htm. Published 2015. Accessed April 7, 2019.
78. Centers for Disease Control and Prevention. Past Seasons Estimated Influenza Disease Burden. US Department of Health and Human Services. https://www.cdc.gov/flu/about/burden/past-seasons.html. Published 2018. Accessed April 7, 2019.
79. Grohskopf LA, Sokolow LZ, Broder KR, et al. Prevention and control of seasonal influenza with vaccines: recommendations of the Advisory Committee on Immunization Practices-United States, 2018-19 influenza season. *MMWR RecommRep*. 2018; 67(3): 1-20.
80. Gierke R, McGee L, Beall B, et al. Pneumococcal. In: Roush SW, Baldy LM, Hall MAK, eds. *Manual for the Surveillance of Vaccine-Preventable Diseases*. Atlanta, GA: Centers for Disease Control and Prevention, Department of Health and Human Services; 2018.
81. Tomczyk S, Bennett NM, Stoecker C, et al. Use of 13-valent

pneumococcal conjugate vaccine and 23-valent pneumococcal polysaccharide vaccine among adults aged >/= 65 years: recommendations of the Advisory Committee on Immunization Practices (ACIP). *MMWR Morb Mortal Wkly Rep*. 2014; 63(37): 822-825.
82. Kobayashi M, Bennett NM, Gierke R, et al. Intervals between PCV13 and PPSV23 vaccines: recommendations of the Advisory Committee on Immunization Practices (ACIP). *MMWR Morb Mortal Wkly Rep*. 2015; 64(34): 944-947.
83. Centers for Disease Control and Prevention (CDC). Use of 13-valent pneumococcal conjugate vaccine and 23-valent pneumococcal polysaccharide vaccine for adults with immunocompromising conditions: recommendations of the Advisory Committee on Immunization Practices (ACIP). *MMWR Morb Mortal Wkly Rep*. 2012; 61(40): 816-819.
84. Lopez AS, Zhang J, Marin M. Epidemiology of varicella during the 2-dose varicella vaccination program—United States, 2005-2014. *MMWR Morb Mortal Wkly Rep*. 2016; 65(34): 902-905.
85. Centers for Disease Control and Prevention. Recommended adult immunization schedule for ages 19 years or older, United States, 2019. https://www.cdc.gov/vaccines/schedules/hcp/imz/adult.html. Published 2019. Accessed April 2, 2019.
86. Centers for Disease Control and Prevention. Shingles (Herpes Zoster). US Department of Health and Human Services. https://www.cdc.gov/shingles/hcp/clinical-overview.html. Published 2017. Accessed April 7, 2019.
87. Lal H, Cunningham AL, Godeaux O, et al. Efficacy of an adjuvanted herpes zoster subunit vaccine in older adults. *N Engl J Med*. 2015; 372(22): 2087-2096.
88. Cunningham AL, Lal H, Kovac M, et al. Efficacy of the herpes zoster subunit vaccine in adults 70 years of age or older. *N Engl J Med*. 2016; 375(11): 1019-1032.
89. Dooling KL, Guo A, Patel M, et al. Recommendations of the Advisory Committee on Immunization practices for use of Herpes Zoster vaccines. *MMWR Morb Mortal Wkly Rep*. 2018; 67(3): 103-108.
90. Centers for Disease Control and Prevention. Tetanus. https://www.cdc.gov/tetanus/index.html. Published 2019. Accessed April 8, 2019.
91. Centers for Disease Control and Prevention. Diphtheria. https://www.cdc.gov/diphtheria/. Published 2018. Accessed April 8, 2019.
92. Centers for Disease Control and Prevention. Pertussis (Whooping Cough). https://www.cdc.gov/pertussis/clinical/index.html. Published 2017. Accessed April 8, 2019.
93. Van Dyne EA, Henley SJ, Saraiya M, et al. Trends in human papillomavirus-associated cancers—United States, 1999-2015. *MMWR Morb Mortal Wkly Rep*. 2018; 67(33): 918-924.
94. Human Papillomavirus (HPV). Immunization Action Coalition (IAC). http://www.immunize.org/askexperts/experts_hpv.asp#vaccine. Updated March 28, 2019. Accessed April 21, 2019.
95. Centers for Disease Control and Prevention. Recommended Child and Adolescent Immunization Schedule for ages 18 years or younger, United States, 2019. https://www.cdc.gov/vaccines/schedules/hcp/imz/child-adolescent.html. Published 2019. Accessed April 9, 2019.
96. Kim DK, Hunter P. Advisory Committee on Immunization Practices Recommended Immunization schedule for adults aged 19 years or older—United States, 2019. *MMWR Morb Mortal Wkly Rep*. 2019; 68(5): 115-118.
97. U.S. Food and Drug Administration. *FDA approves extended use of Gardasil 9 to include individuals 27 through 45 years old*. 2018, U.S. Department of Health and Human Services. [cited 2019 May 4] Available at https://www.fda.gov/NewsEvents/Newsroom/PressAnnouncements/ucm622715.htm.

本章の学習効果を高め，理解を助けるために一連の補助教材がある。

- 『ベイツ診察法ポケットガイド第4版』
- Bates' Visual Guide to Physical Examination
- thePoint® online resources, for students and instructors: http://thepoint.lww.com

第7章 エビデンスの評価

臨床における意思決定では，専門的な知識，患者の希望，そして入手可能で最適なエビデンスを総合的に評価することが求められる（図7-1）[1]。これら3つの要素に対応する技能を習得することは，優れた患者ケアを提供するために必要不可欠である。自分の専門領域で研鑽を積むことで専門的知識が身につき，より効率的に診断したり，どのような介入が有効か判断できるようになるだろう。患者の個々の希望や不安，期待などをそのような意思決定にどう組み込むべきかも学んでゆくことになる。最終的には，アセスメントや推奨を行う根拠として，幅広い研究から現時点での最もよいエビデンスを選択できるようになる[2]。UNIT Ⅱの部位別の診察の章で，臨床推論に病歴や身体所見を活用するための最新のエビデンスを紹介している。本章ではそれらのエビデンスを評価するための基準について，基本的な知識を提示する。

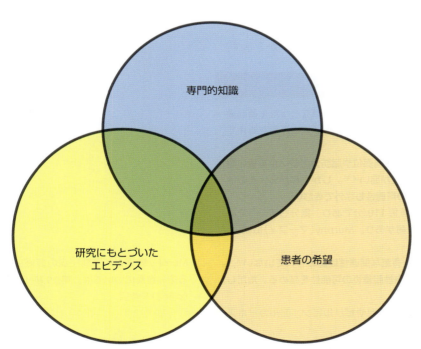

図7-1 エビデンスにもとづく診療のベン図（Haynes RB et al. *ACP J Club*. 1996; 125 (3): A14-A16. より掲載）

本章の内容

- 診断テストとしての病歴と身体診察の活用
- 診断テストの評価
- スクリーニングへの応用
- エビデンスの批判的吟味
- 患者へのエビデンスの伝達

診断テストとしての病歴と身体診察の活用

第5章で述べた通り，臨床推論のプロセスは，患者の問題を引き起こしている可能性のあるものをリスト化することからはじまる（**鑑別診断 differential diagnosis**）。患者のことをより詳しく知ると，追加検査や治療開始の必要性を判断するために，可能性のある多くの選択肢のなかから，どの診断が患者の問題を最もよく説明できるか比較検討できるようになる[3]。

病歴から得られる要素，特に現病歴にあげられる事項（前胸部痛，めまい，起座呼吸など）が，この臨床推論のプロセスにおける最初の手がかりである。また，視診，触診，打診，聴診などの基本的な診察や，その他の特殊な手技により得られる身体所見も同様に重要である。

Box 7-1 に臨床推論において病歴や身体所見をどのように活用できるかを示す。

> 診断の可能性については，第5章「臨床推論，アセスメント，計画」(p.140〜148)を参照。

Box 7-1　臨床推論における病歴や身体所見の活用例

患者は急性の右上腹部痛のある43歳女性である。疼痛は油っぽい食事をとった1時間後に発症し，持続して強く，4時間以上続いている。患者は悪心・嘔吐，食欲不振を訴えている

→病歴の適中度を評価した研究によれば，この患者の疼痛部位や脂肪分の多い食事後の発症といった病歴を踏まえると，胆嚢炎である可能性が高い[4,5]。しかしながら，その他の鑑別診断として，胆石仙痛，急性胆管炎，肝炎の可能性も除外できない

身体診察では，体温38℃，血圧145/90 mmHg，脈拍110/分であり，気分も悪そうである。黄疸はないが，右上腹部に反跳痛を伴わない圧痛があり，Murphy（マーフィ）徴候（胆嚢の炎症を示唆する）[6]が陽性であった

→黄疸や反跳痛の有無と，急性胆嚢炎との一貫した有意な関連性は認められていない[4,5]。しかし，発熱，右上腹部痛，Murphy徴候陽性は急性胆嚢炎の可能性を高める。ただし，まだその他の鑑別疾患にも留意しておく必要がある

血液検査では，白血球の増加があり，トランスアミナーゼやビリルビン，アルカリホスファターゼといった肝機能検査は正常だった

→これらの結果は，急性胆嚢炎の可能性は大きく変えないものの，急性肝炎の可能性は低下させる。実際のところ，病歴や身体所見，血液検査所見のどれか1つだけでは，急性胆嚢炎の治療に踏み切ることはできない。胆嚢に問題がある可能性が高いため，この症例でのつぎのステップは，画像検査を用いて視覚的に胆嚢の異常を確認することである

右上腹部のベッドサイドでの超音波検査では胆石と胆嚢壁の肥厚を認め，Murphy徴候陽

（続く）

> Murphy徴候と，腹部圧痛の評価におけるその意義については，第19章「腹部」(p.662)を参照。

↘（続き）

性が再確認された。これらの結果から急性胆嚢炎の診断が確定し，患者は入院して抗菌薬治療と手術を受けることとなった

診断テストの評価

臨床文献を参考にすることで，検体検査，画像検査，処置の他，病歴や身体所見といった診断を目的とした広義の「テスト」の結果しだいで，ある状態を引き起こしうる原因（**鑑別診断**）として推定されている疾患が，真にその原因である可能性がどの程度増減するか定量的に判断することができる。診断テストの評価は，所見の**妥当性 validity** と検査結果の**再現性 reproducibility** の2つの観点から行う。

妥当性

診断テストを評価する最初のステップは，そのテストが妥当な結果を示しているか否か判断することである。**そのテストは，患者に疾患があるか正確に特定できているだろうか？** このプロセスでは評価したいテストと**ゴールドスタンダード**（疾患があるか判断するための最良の基準）とで結果の比較を行う。ゴールドスタンダードには，肺結節評価のための生検，うつ病を評価するための精神科専門医による体系的な診察，便潜血検査が陽性であった患者に対する大腸内視鏡検査などが相当する。

2×2表は，診断テストの診断能を評価するための基本的なフォーマットであり，テストの結果が疾患がある確率にどれだけ影響するかを示す（Box 7-2）。2つの列はそれぞれ，疾患のある患者と，ない患者を表している。疾患の有無はゴールドスタンダードの検査にもとづいて判断される。2つの行は，懸念される疾患を示唆する病歴や身体所見の有無（陽性または陰性）に対応している。したがって4つのセル（a, b, c, d）は，病歴や身体所見の結果がそれぞれ真陽性，偽陽性，偽陰性，真陰性であることを示す[7]。

Box 7-2　2×2表の設定

病歴や身体所見	ゴールドスタンダード：疾患あり	ゴールドスタンダード：疾患なし
あり（陽性）	a 真陽性	b 偽陽性
なし（陰性）	c 偽陰性	d 真陰性

感度と特異度

疾患の有無を推定するため、最初に参照すべき統計量は**感度 sensitivity** と**特異度 specificity** である（Box 7-3）。

> **Box 7-3　感度と特異度**
>
> - **感度**は、疾患のある人がテストで陽性になる確率である。これは2×2表において疾患ありの列で a/(a+c) と表される
>   感度は「真陽性率」とも呼ばれる
> - **特異度**は、疾患のない人がテストで陰性になる確率である。これは2×2表において疾患なしの列で d/(b+d) と表される
>   特異度は「真陰性率」とも呼ばれる

感度や特異度を知ることが必ずしも臨床判断に役立つわけではない。なぜならばこれらの統計量は、患者が罹患しているか否か判明していることを前提に算出されているからである。しかしながら2つの例外がある。非常に高い感度をもつ（つまり偽陰性率が非常に低い）テストが陰性であった場合、疾患を除外できることが多い。これは SnNOUT という語呂で表される〔感度の高い（Sensitive）テストが陰性（Negative）であれば、疾患を除外できる（rule OUT）〕。反対に、特異度が高い（つまり偽陽性率が非常に低い）テストが陽性であった場合、基本的には疾患があることを意味する。これは SpPIN という語呂で表される〔特異度の高い（Specific）テストが陽性（Positive）であれば、疾患はあると判断できる（rule IN）〕[8]。

例えば、もし患者の腰痛の原因として腰部椎間板ヘルニアの可能性が高いと疑っているならば、その診断を裏づける身体診察を行おうとするだろう。**下肢伸展挙上テスト**は椎間板ヘルニアに対して、約92%の感度をもつが[9]、特異度は約28%である。反対に、**交差下肢伸展挙上テスト**は感度が約28%であるが、特異度は約80%である。したがって、交差下肢伸展挙上テストが陽性であれば椎間板ヘルニアの可能性は高くなり、下肢伸展挙上テストが陰性であればその可能性は低くなる。

残念なことに、単独の身体所見や病歴では、高い感度や特異度を欠くことが多い。

適中度

患者に本当に疾患があるのかテストの陽性、陰性にもとづいて判断しなければならないことは多い。あるテストが疾患の有無を判断するのにどれだけ有用か？これを**適中度 predictive value** と呼び、テストの感度や特異度を、その疾患が特定の集団内でどれだけ広がっているか（**有病率**）と関連づけるものである。適中度には**陽性適中度**と**陰性適中度**がある[7]。

- **陽性適中度 positive predictive value（PPV）** とは、テストが陽性であった患者に

> これらの痛みを誘発するテストについては、第23章「筋骨格系」(p. 814～817)を参照。

診断テストの評価

疾患がある確率のことであり，2×2表の上の行（テスト陽性者）を用いて a/(a＋b) の式で算出される。

例えば，手根管症候群を疑う症状のある患者に行う身体診察に Phalen（ファーレン）テストがあり，陽性適中度は76％である。これは，Phalen テストが陽性である患者の76％が，手根管症候群診断のゴールドスタンダード（例えば，神経伝導速度検査の異常所見）によって陽性となるという意味である[10]。

- **陰性適中度 negative predictive value（NPV）** とは，テストが陰性であった患者に疾患がない確率のことで，2×2表の下の行（テスト陰性者）を用いて d/(c＋d) の式で算出される。

先ほどの例のように，Phalen テストの陰性適中度が56％というとき，Phalen テストが陰性である患者の56％が，神経伝導速度検査によって，手根管症候群ではないと診断されることを意味する[10]。

有病率

適中度は一見非常に有用にみえるが，**有病率 prevalence of disease**（疾患がある患者の割合）により大きく左右される。有病率は患者集団の特徴と臨床背景に関連する。例えば，高齢者，専門クリニックや高次病院で診察される患者では，多くの疾患の有病率は高くなる。

ここで，有病率がどれくらい診断テストの適中度を変えるのかみてみたい。例えば，感度，特異度ともに90％の身体所見について取り上げる。この診察手技を有病率が10％の患者集団1,000人に行うこととした。Box 7-4 はこの状況を表した2×2表である。

Box 7-4 適中度：有病率が10％，感度・特異度ともに90％の場合

	疾患あり	疾患なし	合計
テスト陽性	a 90	b 90	180
テスト陰性	c 10	d 810	820
合計	100	900	1,000

感度＝a/(a＋c)＝90/100＝90％
特異度＝d/(b＋d)＝810/900＝90％

陽性適中度は，この表のテスト陽性の行から計算され，90/180＝50％となる。これはテストが陽性であった患者の半数に疾患があることを意味する。

しかしながら，感度と特異度が同じでも，有病率が1％になってしまうと，表の

中身は大きく異なってくる(Box 7-5)。

Box 7-5　適中度：有病率が1%，感度・特異度ともに90%の場合

	疾患あり	疾患なし	合計
テスト陽性	a 9	b 99	108
テスト陰性	c 1	d 891	892
合計	10	990	1,000

感度 = a/(a+c) = 9/10 = 90%
特異度 = d/(b+d) = 891/990 = 90%

テスト陽性の行から計算される陽性適中度は，9/108 = 8.3%となる。

結果，テスト陽性者の大多数は偽陽性，つまりこのテストが陽性であった患者の大半に疾患がないということになる。そうであったとしても，疾患のない人が偽陽性の結果を得たと結論づけるには，より確定的な(つまりゴールドスタンダードの)検査を受ける必要があるだろう。しかし，それらの検査は侵襲的であったり，高価であったり，潜在的に害があることも多い。これは，患者安全や医療資源の分配に関する問題であり，実際には疾患がないのにゴールドスタンダードの検査を受ける患者の数を減らす必要がある。

しかしながら，有病率がわからない限り，特定の集団において診断テストがどれほどの適中度を有するのか判断できないのである。

尤度比

幸いなことに，病歴や身体診察，検体検査，画像検査，診断手技といった診断テストの性能を，集団によって有病率が異なることを考慮して評価する方法がある。1つの方法は**尤度比 likelihood ratio(LR)**であり，疾患のある患者で，ある検査結果が得られる確率を，疾患のない患者でその結果が得られる確率で割ったものである[7.11]。尤度比は，患者に疾患のある確率が，診断テストを行う前(**検査前確率 pre-test disease probability**)と結果が判明した後(**検査後確率 post-test disease probability**)でどの程度変化するか示している[12]。なお，一般人口において，病歴聴取や身体診察をしていない場合の検査前確率は，その集団での**有病率**である。

単純に，診断テストの結果は陽性か陰性のどちらかであると仮定する。したがって，**陽性尤度比**は，疾患のある患者でテストが陽性になる確率を，疾患のない患者でテストが陽性になる確率で割ったものである。2×2表でいうと，これは真陽性率(感度)を偽陽性率(1−特異度)で割ったものといえる。**高値(1より大きい数)**であれば，陽性の結果は疾患のない人より，ある人から得られる可能性が高

診断テストの評価

いということを示しており，陽性であった人に疾患がある確信が強まる．

陰性尤度比は，疾患のある患者でテストが陰性になる確率を，疾患のない患者でテストが陰性になる確率で割ったものである[11]．2×2 表でいうと，これは偽陰性率（1－感度）を真陰性率（特異度）で割ったものといえる．低値（1 より小さい数）であれば，陰性の結果は疾患のある人より，ない人から得られる可能性が高いということを示しており，陰性であった人に疾患がない確信が強まる．

尤度比の大きさは，テストの結果が疾患のある確率をどの程度上げる，または下げるかに関する，直感的な指標となる[12]．Box 7-6 は，テスト前後で疾患のある確率がどのくらい変化するかにもとづいて，尤度比を解釈する方法を示している[7]．

Box 7-6　尤度比の解釈

尤度比*	テストが疾患のある確率に与える影響
＞10 または＜0.1	大きな変化を生む
5〜10 または 0.1〜0.2	中等度の変化を生む
2〜5 または 0.2〜0.5	小さな（ときに重要な）変化を生む
1〜2 または 0.5〜1	確率をわずかしか変化させない（重要であることはめったにない）

*尤度比が 1 を超える場合，結果が陽性のとき，疾患のある可能性は高い．尤度比が 1 未満の場合，結果が陰性のとき，疾患のある可能性は低い．尤度比が 1 の検査では，疾患の可能性についての追加情報は得られない．

腹痛の評価に利用する

p.198 の胆嚢炎の例では，病歴や身体診察，検体検査や画像検査で得た情報を手がかりに，どのように診断を絞りこむべきか一般的な用語を使って説明した．しかしながら，これらの情報の 1 つひとつを診断テストとしての性能の観点から評価することができる．Box 7-7 はそれぞれの身体所見がみられるとき，みられないときの尤度比を示している[13]．

Box 7-7　腹痛患者または急性胆嚢炎疑いの患者における胆嚢炎の診断に対する各種身体所見の尤度比

所見	感度（%）	特異度（%）	尤度比 所見が陽性のとき	尤度比 所見が陰性のとき
発熱	2〜44	37〜83	有意でない	有意でない
右上腹部の圧痛	60〜98	1〜97	2.7	0.4
Murphy 徴候	48〜97	48〜98	3.2	0.6
右上腹部の腫瘤	2〜23	70〜99	有意でない	有意でない

出典：McGee S, ed. Abdominal pain and tenderness. In: *Evidence-Based Physical Diagnosis*. 4th ed. Elsevier; 2018.

スクリーニングへの応用

図7-2はこれらの身体所見の有無が，どの程度診断確率を変えるか示したものである[13]。病歴や検体検査，画像検査の結果もまた，これらの確率を修正するのに用いることができる。

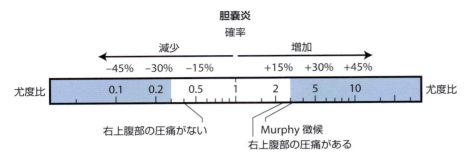

図 7-2　急性胆嚢炎に対する診断確率の修正（McGee S, ed. Abdominal pain and tenderness. In: *Evidence-Based Physical Diagnosis*. 4th ed. Elsevier; 2018: 445-456. e444. Copyright © 2018 Elsevier より許可を得て掲載）

スクリーニングへの応用

UNIT Ⅱの部位別の診察の章に，健康増進のための介入，特にスクリーニングや予防について，エビデンスにもとづいた推奨を示しているが，これらの推奨もまた，本章で示されているような基準に則って評価された臨床文献からのエビデンスにもとづいている。Box 7-8 に，乳癌スクリーニングの例を用いて，診断確率の修正に尤度比がどのように用いられるかを示す。

> **Box 7-8　マンモグラフィで異常を指摘された女性にはどれくらいの確率で乳癌があるだろうか？**
>
> **症例**：平均的な乳癌リスクのある57歳女性がマンモグラフィで異常を指摘された。患者は乳癌である確率を知りたがっている。文献によると，患者自身のリスク（有病率）は1%であり，マンモグラフィの感度は90%，特異度は91%である。**どのように患者に説明すべきだろうか？**

Fagan のノモグラム

Fagan（フェイガン）のノモグラムは診断確率を修正するのに尤度比を用いる簡単な方法を示したものである（図7-3）[14]。このノモグラムでは，まず左側の縦線にある検査前確率から，真ん中の縦線上にある検査結果がもつ尤度比に直線を引くと，右側の縦線にある検査後確率が判明する。

スクリーニングへの応用

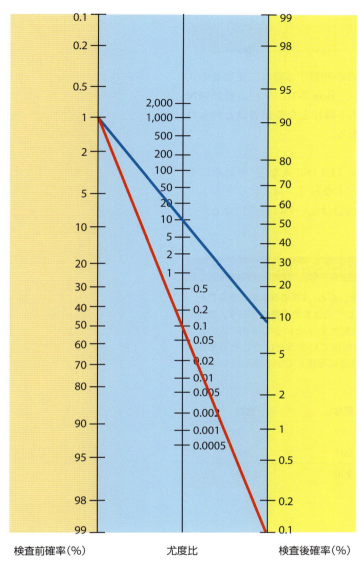

図 7-3 Fagan のノモグラム (Fagan TJ. *N Engl J Med*. 1975; 293 (5): 257. Copyright © 1975 Massachusetts Medical Society. Massachusetts Medical Society より許可を得て掲載)

Box 7-9 に先ほどのマンモグラフィ異常の症例にどのようにノモグラムを用いるかを示す。

Box 7-9　マンモグラフィに関する質問に答えるための Fagan のノモグラムの使用法

検査前確率（有病率）＝1％であり，検査の陽性尤度比〔感度/(1−特異度)〕＝10である。青い線は検査が陽性（マンモグラフィで異常あり）であった場合に該当し，検査後確率は約9％となる。赤い線は検査が陰性（マンモグラフィで異常なし）であった場合に該当し，検査の陰性尤度比〔(1−感度)/特異度〕＝0.11であるため，乳癌の検査後確率は約0.1％となる

自然頻度

診断テストの結果がどれだけ診断確率を変化させるか判断する際に，尤度比の代わりに，より直感的な自然頻度を用いてもよい(Box 7-10)[15, 16]。**自然頻度 natural frequency** とは，疾患のある患者数とテスト陽性となる患者数といった，2つの事象を組み合わせて算出する頻度のことである。

まず，多人数の集団(有病率に応じて100人あるいは1,000人など)を対象にして，その数を自然頻度に分けることからはじめる(すなわち，何人に疾患があり，そのうちの何人がテストで陽性になるか，何人が疾患はないのに陽性になるか分類する)。

Box 7-10　マンモグラフィに関する質問に答えるための自然頻度の使用法

1,000人の女性の集団で2×2表を作成するところからはじめる。1%の有病率であることから10人の女性に乳癌があるとわかる。感度が90%というのは乳癌患者のうち9人がマンモグラフィで異常がみられるということである。特異度が91%というのは990人の乳癌のない女性のなかの89人にマンモグラフィで異常が出てしまうということである。よって，マンモグラフィで異常が出た女性が，実際に乳癌に罹患している確率は9/(9+89)=約9%となる

マンモグラフィの結果	乳癌あり	乳癌なし	合計
陽性	9	89	98
陰性	1	901	902
合計	10	990	1,000

出典：Gigerenzer G. *BMJ*. 2011; 343: d6386 のデータより作成

再現性

その他の診断テストの特性として**再現性 reproducibility** がある[17]。病歴や身体所見を評価するために重要なのは，診断するうえで，所見に再現性があるか判断することである。

例えば，急性胆嚢炎疑いの患者に，2人の診察者がMurphy徴候の診察を行った場合，必ずしも徴候の有無について意見が一致するとは限らない。このことが，急性胆嚢炎を診断する際にこの所見が有用であるのかという問題を提起するのである。多くの患者が診察された場合には，偶然2人の間で見解の一致した所見が一定数得られることもあるだろう。しかし，この一致が偶然以上のものであるかどうか理解することが，臨床判断の根拠として十分有用な所見か知るうえで重要である。

カッパ値

カッパ値 κ score とは，偶然でない所見の一致が，どのくらい発生しているか測定するものである[17]。図 7-4 にあるように，ある異常な身体所見の有無が，診察者間で偶然一致する可能性を 50％ とする（すなわち，ある異常な身体所見について，診察者が偶然に「あり」，もしくは「なし」と答える確率がそれぞれ 50％ ずつであったとする）。この例では異常な身体所見は Murphy 徴候陽性である。胆嚢炎を疑う患者が Murphy 徴候陽性かどうか，もし 2 人の診察者が 75％ の割合で同意した場合，偶然を超えた真の一致が生じる可能性があるのは，50％ で，実際にそのなかの 25％ で偶然を超えて一致したと考えられる。

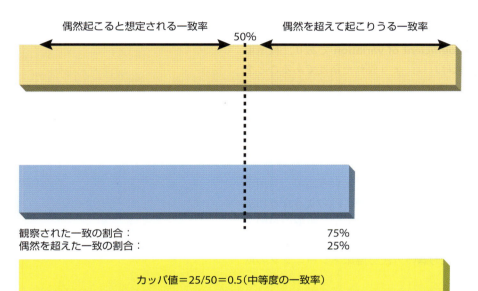

図 7-4 カッパ値（McGinn T et al. *CMAJ*. 2004; 171 (11): 1369-1373. より許可を得て掲載）

カッパ値は 25％（偶然を超えた一致の割合）/50％（100％ − 偶然起こると想定される一致率，つまり偶然を超えて起こりうる一致率）= 0.5 と計算され，これは中等度の一致率と解釈される。Box 7-11 に，どのようにカッパ値を解釈すればよいかを示す。

Box 7-11　カッパ値の解釈

カッパ値	一致の程度
<0.20	わずかな一致率
0.21〜0.40	平均的な一致率
0.41〜0.60	中等度の一致率
0.61〜0.80	優れた一致率
0.81〜1.00	非常に優れた一致率

日常的に得られる所見の一致の程度にはかなりの変動がある。例えば，心音聴診での第3心音（S_3）奔馬調律検出のカッパ値は 0.18[18]，末梢動脈疾患での触知可能な脈拍の検出では 0.80 である[19]。

精度

再現性に関連して，精度 precision は，「同じテストを変化のない同一の人に適用して同じ結果を得られるか」を示す[8]。精度は検体検査結果についてよく用いられる。例えば，心筋虚血に対してトロポニンレベルを測定する際，冠疾患集中治療室（CCU）に入院させるか判断するために，一定のカットオフ値が用いられるだろう。もし検査結果が精度に乏しいものであれば，心筋虚血がない人を入院させたり，虚血イベントが起きている人を家に帰してしまいかねない。精度を計算するために使われる統計量は**変動係数 coefficient of variation** であり，標準偏差を平均値で割ったものである。これが低ければ，より優れた精度であることを意味する。

エビデンスの批判的吟味

本書の各章にある「健康増進とカウンセリングの重要事項」という項で，米国予防医療専門委員会 U.S. Preventive Services Task Force（USPSTF）のような専門機関から発行されているガイドライン[20]にもとづいた推奨を示す。医療の専門家として，キャリアを通じて遭遇することになる新規の研究や推奨，ガイドラインなどを解釈できるように，臨床文献の**批判的吟味**の方法を臨床トレーニングの期間に学ばなくてはならない。

一般的に受け入れられている臨床文献の批判的吟味の方法は，Users' Guides to the Medical Literature[21]に記載があり，疫学（特定の集団における疾患の研究）の専門家たちにより，研究を評価するための厳格で標準化された手法が提示されている。この手法は，治療や予防のための試験，診断テスト，メタ分析，経済分析，診療ガイドラインなどの幅広い臨床トピックに応用されており，以下の3つの基本的な問いにもとづく。

1. 結果は妥当であるか？（結果を信じられるか？）

2. 結果はどうなったか？（臨床への影響力の大きさと精度）

3. どのように結果を診療に応用するか？（一般化可能性）

結果は妥当であるか？

バイアスを理解する

研究結果を評価する際には，研究の実施中に生じ，その結果の妥当性を脅かす系統誤差である**バイアス bias** を十分に理解することが重要である。バイアスリスクの低い研究からは，臨床での意思決定や健康増進のための介入に関する最も有効なエビデンスを得ることができる。臨床研究における重大なバイアスとして，選択バイアス，実行バイアス，検出バイアス，減少バイアスがある（Box 7-12）[22]。

Box 7-12　エビデンスに影響を与えるバイアスの種類

選択バイアス selection bias
- 各群に参入する人を選ぶ際に，群間によって系統誤差が生じ，アウトカムに影響を与えてしまう場合に発生する
- 得られた結果の違いが，介入に起因するのか，各群が本来もつ違いに起因するのかわからないため，解釈に問題が生じる
- 被検者をランダムに各群に割りつけることが，このバイアスを最小化するための最善の方法である

実行バイアス performance bias
- 試験での介入以外で受けた治療について群間で系統誤差がある場合に生じる
- アウトカムの差を解釈する際に問題となる
- 被検者と検者を介入に対して盲検化する（被検者が介入を受けたかどうか，被検者と検者にわからないようにする）ことが，このバイアスを最小化する最善の方法である

検出バイアス detection bias
- アウトカムを診断，確認するための取り組みに系統誤差がある場合に生じる
- アウトカムの評価者を盲検化する（評価者に対し，被検者が受けた介入がわからないようにする）ことが，このバイアスを最小化する最善の方法である

減少バイアス attrition bias
- 研究を完遂しない患者の数に，比較する群間で系統誤差がある場合に生じる
- この差を考慮しないと，介入の効果を不適切に評価してしまう可能性がある
- 介入を受けたか，または完遂したかに関係なく，各群に当初割りつけられた患者全員を対象とする **intention-to-treat（ITT）解析**を行うことで，このバイアスを最小化することが可能である

結果はどうなったか？

治療・予防介入の効果を評価する

これまで診断テストの研究で得られる結果について議論してきたが，健康増進のガイドラインは治療・予防介入を評価した臨床試験にもとづいて作成される。これらの試験の結果も 2×2 表を用いて計算することができる。列は被検者にアウトカムが発生したか，行は被検者が介入を受けた（または曝露した）かに対応している（Box 7-13）。

Box 7-13　治療・予防介入を評価するための 2×2 表

	アウトカムの発生あり	アウトカムの発生なし	合計
介入群	a	b	a+b
対照群	c	d	c+d

治療・予防介入の効果を示すのに使われる統計量は，**相対リスク** relative risk，**相対リスク差** relative risk difference（減少と増加があり，それぞれ有益，有害であることを示す），**絶対リスク差** absolute risk difference（減少と増加があり，それぞれ有益，有害であることを示す），**治療必要数** number needed to treat（**NNT**），**害必要数** number needed to harm（**NNH**）などである（Box 7-14）[23]。

これらの統計量を 2×2 表で計算するには，まずアウトカムの発生率を同定する。

Box 7-14　治療・予防介入の効果を示すのに使われる統計量

- **介入群イベント発生率(EER)** は，介入群でアウトカムが発生する確率のことであり，2×2 表の上の行（介入群）を用いて a/(a+b) で算出される
- **対照群イベント発生率(CER)** は，対照群でアウトカムが発生する確率のことであり，2×2 表の下の行（対照群）を用いて c/(c+d) で算出される
- **相対リスク**は，対照群と比較した介入群でのアウトカム発生率のことであり，EER/CER で表される
- **相対リスク差**は，(CER－EER)/CER または 1－相対リスクで定義され，本来のアウトカム発生率が介入によってどの程度低下または上昇するか示す
- **絶対リスク差**は，比較している群間でのアウトカム発生率差であり，CER－EER で表される
- **治療必要数(NNT)** とは，絶対リスク差の逆数（分数で示される）であり，一定期間で 1 つのアウトカム発生を防ぐのに何人の被検者が治療される必要があるか示す。治療介入が実際には有害なアウトカムのリスクを上げているとき，この統計量は**害必要数(NNH)** となる

エビデンスの批判的吟味

Box 7-15は，National Lung Screening Trialの結果を用いて上述の計算を行った例である。この試験では，55～74歳の重喫煙者において，肺癌を検出する2つの方法〔低線量CT（LDCT）と標準の胸部X線撮影法（CXR）〕を比較している。アウトカムは肺癌による死亡である[24]。3回の年次スクリーニングと約7年間のフォローアップの後，LDCT群（介入群）でのアウトカム発生率は0.018，CXR群（対照群）では0.021であった。

LDCTによるスクリーニングをCXRによるものと比較したとき，肺癌死の相対リスクは0.018/0.021＝0.86であった。相対リスク差は，1－0.86＝0.14であり，LDCT群の肺癌死亡リスクはCXR群に比べて14％低かったことを意味する。LDCTにより肺癌死が減少したため，絶対リスク差を計算すると，0.021－0.018＝0.003であった。この値の逆数（1/0.003）は，スクリーニング必要数が333であり，333人の患者をLDCTでスクリーニングすると1人の肺癌死亡を防ぐことができることを意味する。治療（スクリーニング）必要数は常に一定の期間にもとづいて計算される。したがって，その後の7年間で1人の肺癌死を防ぐためには，333人の患者を3年にわたって合計3回LDCTでスクリーニングする必要があると捉えるべきである。

Box 7-15　肺癌スクリーニング評価のための2×2表

スクリーニング検査	肺癌死あり	肺癌死なし	合計
LDCT	18	982	1,000
CXR	21	979	1,000

出典：National Lung Screening Trial Research Team et al. *N Engl J Med*. 2011; 365 (5): 395-409.

どのように結果を診療に応用するか？

一般化可能性

臨床文献の質を評価する際に考慮する最後のポイントは，結果を一般化できるかどうか（例えば，自分の患者に研究結果を応用できるかどうか）ということである。この判断をするためには，まず**被検者の背景情報**（例えば，年齢，性別，人種・民族，社会経済状況，健康状態）を確認する必要がある。つぎに，結果を自分の患者に応用可能か判断するために，被検者と患者の背景情報が十分似ているかどうか判断する必要がある。またその介入を**実行可能な状況**にあるかどうかも判断しなければならない。**介入を行うための専門知識，設備，余裕があるだろうか？** そして最も重要なことは，介入により起こりうる**有益性と有害性の範囲**を想定し，自分の患者に対してその介入を行うことが許容されるか判断することである。

患者へのエビデンスの伝達

患者が疾患のリスクや治療の選択肢を理解できるよう，医療者には予後，治療，診断テスト，予防についてのエビデンスを効果的に患者に伝える力が必要である。しかし，情報の伝え方によっては，患者の選択を誤った方向に誘導してしまったり，根拠のないものにしてしまうことがよくある。ある研究では，被検者に癌の3つのスクリーニング検査について説明を行った[25]。実際は3つの検査の利益は同等であり，異なる表現で説明されただけだった。検査の利益が相対リスク差を用いて伝えられた場合，80%の患者が検査を受けたいと希望した。絶対リスク差を用いて伝えられた場合は53%のみ，治療必要数を用いて伝えられた場合は43%のみが検査に同意した。したがって，医療者はこうした情報のフレーミング効果を低減する形で，十分に情報提供したうえで共同意思決定を推進すべきである[16]。このような課題に対するアプローチとして5A(Ask：たずねる，Advise：助言する，Assess：評価する，Assist：支援する，Arrange：その後の手配をする)やFRAMES(Feedback：個々の患者に対するリスクを説明する，Responsibility：患者に決定権があることを明確にする，Advice：変化を促す助言をする，Menu of strategies：選択肢の提示，Empathetic style：共感する，Self-efficacy：自己効力感を高める)がある[26]。意思決定支援とは，患者の知識を増やし，医療者とのコミュニケーションを円滑にすることで，意思決定における自信を高めて，治療や予防方法を選択しなければならない患者を支援するものである[27]。

共同意思決定については，第1章「診察へのアプローチ」(p.18〜19)を参照。

文献一覧

1. Haynes RB, Sackett DL, Gray JM, et al. Transferring evidence from research into practice: 1. The role of clinical care research evidence in clinical decisions. *ACP J Club*. 1996; 125 (3): A14-A16.
2. Geyman JP. Evidence-based medicine in primary care: an overview. *J Am Board Fam Pract*. 1998; 11 (1): 46-56.
3. Richardson WS, Wilson M. The process of diagnosis. In: Guyatt G, Rennie D, Meade M, et al., eds. *User's Guides to the Medical Literature: A Manual for Evidence-Based Clinical Practice*. 3rd ed. New York: McGraw-Hill Education; 2015.
4. Jain A, Mehta N, Secko M, et al. History, physical examination, laboratory testing, and emergency department ultrasonography for the diagnosis of acute cholecystitis. *Acad Emerg Med*. 2017; 24 (3): 281-297.
5. Trowbridge RL, Rutkowski NK, Shojania KG. Does this patient have acute cholecystitis? *JAMA*. 2003; 289 (1): 80-86.
6. Musana K, Yale SH. John Benjamin Murphy (1857-1916). *Clin Med Res*. 2005; 3 (2): 110-112.
7. Furukawa TA, Strauss SE, Bucher HC, et al. Diagnostic tests. In: Guyatt G, Rennie D, eds. *Users' Guides to the Medical Literature: A Manual for Evidence-Based Clinical Practice*. 3rd ed. New York: McGraw-Hill Education; 2015.
8. Sackett DL, Haynes RB, Guyatt GH, et al. *Clinical Epidemiology. A Basic Science for Clinical Medicine*. 2nd ed. Boston, MA: Little, Brown and Company; 1991.
9. van der Windt DA, Simons E, Riphagen II, et al. Physical examination for lumbar radiculopathy due to disc herniation in patients with low-back pain. *Cochrane Database Syst Rev*. 2010; (2): CD007431.
10. MacDermid JC, Wessel J. Clinical diagnosis of carpal tunnel syndrome: a systematic review. *J Hand Ther*. 2004; 17 (2): 309-319.
11. Richardson WS, Wilson MC, Keitz SA, et al. Tips for teachers of evidence-based medicine: making sense of diagnostic test results using likelihood ratios. *J Gen Intern Med*. 2008; 23 (1): 87-92.
12. Parikh R, Parikh S, Arun E, et al. Likelihood ratios: clinical application in day-to-day practice. *Indian J Ophthalmol*. 2009; 57 (3): 217-221.
13. McGee S. Abdominal pain and tenderness. In: *Evidence-Based Physical Diagnosis*. 4th ed. Philadelphia, PA: Elsevier; 2018.
14. Fagan TJ. Nomogram for Bayes theorem. *N Engl J Med*. 1975; 293: 257.
15. Gigerenzer G. What are natural frequencies? *BMJ*. 2011; 343: d6386.
16. Gigerenzer G, Gaissmaier W, Kurz-Milcke E, et al. Helping doctors and patients make sense of health statistics. *Psychol Sci Public Interest*. 2007; 8 (2): 53-96.
17. McGinn T, Guyatt G, Cook R, et al. Measuring agreement beyond chance. In: Guyatt G, Rennie D, Meade MO, et al, eds. *Users' Guides to the Medical Literature: A Manual for Evidence-Based Clinical Practice*. 3rd ed. New York: McGraw-Hill Education; 2015.
18. Lok CE, Morgan CD, Ranganathan N. The accuracy and interobserver agreement in detecting the 'gallop sounds' by cardiac auscultation. *Chest*. 1998; 114 (5): 1283-1288.
19. Khan NA, Rahim SA, Anand SS, et al. Does the clinical examination predict lower extremity peripheral arterial disease? *JAMA*. 2006; 295 (5): 536-546.
20. U.S. Preventive Services Task Force. Home. Available at https://www.uspreventiveservicestaskforce.org. Accessed May 23, 2019.
21. Guyatt G, Rennie D, Meade M, et al. *Users' Guides to the Medical Literature: A Manual for Evidence-Based Clinical Practice*. 3rd ed. New York: McGraw-Hill Education; 2015.
22. Higgins JPT, Altman DG, Sterne JAC. Assessing risk of bias in included studies. Cochrane Collaboration. Cochrane Handbook for Systematic Reviews of Interventions Website. Available at https://handbook-5-1.cochrane.org/chapter_8/8_assessing_risk_of_bias_in_included_studies.htm. Published 2011. Accessed April 1, 2019.
23. Alhazzani W, Walter SD, Jaeschke R, et al. Does treatment lower risk? Understanding the results. In: Guyatt G, Rennie D, Meade M, et al., eds. *Users' Guides to the Medical Literature: A Manual for Evidence-Based Clinical Practice*. 3rd ed. New York: McGraw-Hill Education; 2015.
24. National Lung Screening Trial Research Team; Aberle DR, Adams AM, Berg CD, et al. Reduced lung-cancer mortality with low-dose computed tomographic screening. *N Engl J Med*. 2011; 365 (5): 395-409.
25. Sarfati D, Howden-Chapman P, Woodward A, et al. Does the frame affect the picture? A study into how attitudes to screening for cancer are affected by the way benefits are expressed. *J Med Screen*. 1998; 5 (3): 137-140.
26. Searight R. Realistic approaches to counseling in the office setting. *Am Fam Physician*. 2009; 79 (4): 277-284.
27. Stacey D, Legare F, Lewis K, et al. Decision aids for people facing health treatment or screening decisions. *Cochrane Database Syst Rev*. 2017; 4: CD001431.

本章の学習効果を高め、理解を助けるために一連の補助教材がある。

- 『ベイツ診察法ポケットガイド第4版』
- Bates' Visual Guide to Physical Examination
- thePoint® online resources, for students and instructors: http://thepoint.lww.com

UNIT II

部位別の診察

第 8 章　全身の観察，バイタルサイン，疼痛
第 9 章　認知，行動，精神状態
第10章　皮膚，毛髪，爪
第11章　頭部と頸部
第12章　眼
第13章　耳と鼻
第14章　咽喉と口腔
第15章　胸郭と肺
第16章　心血管系
第17章　末梢血管系とリンパ系
第18章　乳房と腋窩
第19章　腹部
第20章　男性生殖器
第21章　女性生殖器
第22章　肛門，直腸，前立腺
第23章　筋骨格系
第24章　神経系

UNIT II

細胞の世界

第8章 全身の観察，バイタルサイン，疼痛

病歴：一般的なアプローチ

本章では**全身症状**と呼ばれる，多くの疾患において生じる患者の健康問題に焦点をあてる。こうした一般的な症状の根底にある病因は，ほとんどの場合には1つの臓器に限定されず，患者の「体質」，つまり患者の活力，健康，体力に関する身体状況が幅広く影響している[1]。症状としては，**倦怠感**，**脱力感**，**発熱**，**悪寒**，**寝汗**，**体重の増減**，**疼痛**がある。患者の抱える病態を診断，または少なくとも治療するために最大限の努力ができるよう，これらの症状について必ず患者に質問するべきである。たとえ病因をみつけることができなくても，症状をコントロールするための積極的な方策により，健康に関連した生活の質への影響を減らすことができるだろう[2]。

よくみられる，または注意すべき症状

- 疲労感と脱力
- 発熱，悪寒，寝汗
- 体重変化
- 疼痛

疲労感と脱力

疲労感 fatigue は多様な原因によって生じる非特異的な症状である。疲労感や消耗感についての患者の主訴はさまざまな形で表現される。朝起きるのがつらい，元気がでない，1日が長く感じられる，職場に行くだけで1日の仕事が終わったような気がする，など。疲労感は重労働，長期ストレス，悲嘆への正常な反応であり，原因となる生活環境を聞き出すようにする。このような状況に関連しない疲労感については，さらに精査する必要がある。

患者が直面している事柄をすべて話してもらえるように自由回答方式の質問をすること。原因に関する重要な手がかりは，心理社会的な病歴，睡眠状態の調査，綿密なシステムレビューから明らかになる。

疲労感はうつ病や不安障害によくみられる症状であるが，以下の場合でもみられる。感染症（肝炎，伝染性単核球症，結核など），内分泌疾患（甲状腺機能低下症，副腎不全，糖尿病），心不全，慢性肺疾患，慢性腎疾患，慢性肝疾患，電解質異常，中等度から重度の貧血，悪性腫瘍，栄養失調，薬物。

脱力 weakness は疲労感とは異なり，筋力の低下を意味するものだが，その他の神経学的症状と一緒に後の章で述べる（第 24 章「神経系」，p.929〜930 を参照）。

脱力は，特に神経解剖学的な分布で局在を示す場合，ニューロパチーやミオパチーを示唆する。

発熱，悪寒，寝汗

発熱 fever とは体温の異常な上昇のことである（正常体温については p.236 参照）。患者に急性もしくは慢性の疾患がある場合は，発熱について質問するようにする。体温を測ったかどうかも確認する。患者には熱感があったのか，それとも異常に暑く感じたのか？　大量の発汗があったか，それとも悪寒や冷感を感じたのか？ **悪寒**と，全身がふるえて歯がガチガチ鳴る**悪寒戦慄**を区別できるようにする。

繰り返す悪寒戦慄は，極端な体温変動や全身性の菌血症を示唆する。

悪寒，鳥肌，ふるえは体温の上昇時に生じるが，熱感や発汗は体温低下時のものである。通常，体温は日中に上昇し，夜間に下降する。発熱のためこの変動が増強されると**寝汗**がでる。発熱に伴って倦怠感，頭痛，筋肉痛，関節痛がしばしば生じる。

熱感や発汗は閉経にも関連する。寝汗は結核や悪性腫瘍で起こる。

発熱には多くの原因がある。発症時期やその関連症状に焦点をあてる。患者の健康に影響している可能性のある感染症の症状を熟知しておく。旅行歴，罹患中の人との接触歴，その他の罹患する可能性を高める通常とは異なる曝露歴についてたずねる。薬物による発熱も考えられる。一方，アスピリン，アセトアミノフェン，ステロイド薬，非ステロイド性抗炎症薬の最近の使用によって発熱が明らかにならず，外来受診時の体温記録に影響することもある。

免疫不全患者における敗血症では発熱がない。微熱，もしくは正常体温以下（**低体温 hypothermia**）となる。

体重変化

体重変化は体組織や体液の変化で起こる。「どのくらいの頻度で体重を測定しますか？」「1 年前と比べて体重は変化していますか？」といった質問からはじめるとよい。体重の変化があれば，「なぜ変化したと思いますか？」「体重はどのくらいが適切だと思いますか？」などとたずねるとよい。体重の増加や減少に問題があるならば，変化の程度，タイミング，起きた状況，他の関連する症状についてもたずねる。

体重の急激な変化（数日）は，体組織ではなく体液の変化を示唆する。

体重増加

体重増加 weight gain はカロリー摂取がその消費を上回る場合に起こり，通常は体脂肪の増加として顕在化する。特に体重増加が非常に急速に起きるときには，体液の異常な蓄積を反映していることもある。

血管外液貯留による浮腫は，心不全，ネフローゼ症候群，肝不全，静脈うっ滞においてみられる。

肥満指数 body mass index（BMI）が≧25〜29 の場合を**過体重**，BMI が 30 以上の場合を**肥満**と定義する。過体重もしくは肥満の患者に対して，罹患や死亡のリスクを避けるために徹底した評価を計画すべきである。

身長，体重，BMI 計算については p.223〜226 を参照。

病歴：一般的なアプローチ | 異常例

体重増加の時期やその展開を明確にする。患者の体重増加は小児期からあったのか？　両親も過体重なのか？　出生時，幼児期，高校・大学卒業時，除隊時，妊娠時，閉経時，退職時などの人生の節目となる時期の体重についても質問する。最近，体重変化に影響するような障害や手術があったのか？　うつ病や不安障害についてはどうなのか？　睡眠時無呼吸を疑わせるような，睡眠のパターンや昼間の眠気の変化はあったか[3]？　身体活動レベルやこれまでの減量の試みがどのような結果に終わったかを評価する。また，食事の摂取形式や嗜好についても評価する。

薬歴を確認する。

多くの薬物が体重増加に関連している。三環系抗うつ薬，インスリンやスルホニル尿素製剤，避妊薬，グルココルチコイド製剤やプロゲステロン製剤，ミルタザピン，シタロプラムやパロキセチン，ガバペンチンやバルプロ酸，メトプロロール，アテノロール，プロプラノロールなど。

体重減少

臨床的に重要な**体重減少 weight loss** は「普段の体重と比べて5％以上の減少が，6カ月を超えて持続すること」と定義され，その原因を精査すべきである。体重減少の機序には食欲不振，うつ病，嚥下困難，嘔吐，腹痛，経済的な問題から引き起こされる食事摂取の減少があり，また消化管の炎症や吸収不良，さらには代謝必要量の増加などがあげられる。アルコール，コカイン，アンフェタミンやオピオイドなどの乱用やマリファナからの離脱も体重減少と関連しているため，質問すべきである。大量喫煙もまた，食欲を抑える。

体重減少の原因には，消化管疾患，内分泌疾患（糖尿病，甲状腺機能亢進症，副腎不全），慢性感染症・ヒト免疫不全ウイルス（HIV）/後天性免疫不全症候群（AIDS），悪性疾患，慢性心不全・慢性呼吸不全・慢性腎不全，うつ病，神経性食欲不振症・過食症などがある。

食事摂取量を評価する。食事摂取量は正常か？　低下しているのか？　それとも増加しているのか？

比較的多量の食事を摂取しているにもかかわらず体重が減少する場合は，糖尿病，甲状腺機能亢進症，吸収不良症候群を示唆する。嘔吐を繰り返す過食症も考慮すべきである。

心理社会的な背景を徹底的に確認する。患者のために誰が料理や買い物をするのか？　どこで，誰と食事をするのか？　食物の入手，保存，準備，咀嚼に問題があるのか？　患者は医学的，宗教的，もしくは他の理由で食事制限をしていないか？

貧困，高齢，社会的孤立，身体障害，感情や精神の障害，歯の欠損，義歯不適合，アルコール依存，薬物乱用では栄養失調のリスクが高まる。

薬歴を確認する。

体重減少をきたす薬物としては，抗痙攣薬，抗うつ薬，レボドパ，ジゴキシン，メトホルミン，甲状腺治療薬がある[4]。

第6章「健康維持とスクリーニング」（p.173～176）を参照。

栄養失調 malnutrition の症状や徴候に注意を払う。症状は脱力，易疲労，寒冷不耐症，カサカサした皮膚の炎症，足首の腫脹など，軽微で非特異的である。食事の習慣や食事量に関する聴取は必須である。1日のあらゆる時間の摂食について一般的な質問をすることが重要である。「昼食にはいつもどのようなものを食べていますか？」「間食には何を食べていますか？」「それはいつですか？」

疼痛

疼痛 pain は外来診療において最も一般的に表現される症状の1つである。最もよくみられる疼痛には腰痛，頭痛（片頭痛），そして膝痛や頸部痛があるが，人種や社会経済的な状況によってその有病率は異なる。症状のある部位の特定，「症状を表す特徴」，そして心理社会的な状況の聴取は身体診察，アセスメント，包括的な治療計画に関してきわめて重要となる。

> 疼痛のアセスメントについては「急性疼痛と慢性疼痛」の項(p.239)を参照。

身体診察：一般的なアプローチ

アセスメントは患者と出会った瞬間からはじまる。優秀な医師は患者と接するときの観察力や説明能力を常に磨いている。患者に話しかけ，診察するときには，患者の雰囲気，体格，振る舞いに対して注意する必要がある。細部にまで気を配ることで臨床的印象が豊かになり，深められていく。目標は，同僚が人混みのなかからその患者をみつけることができるくらい明確に，患者の際だった特徴を表現することである。「中年紳士」のような決まり文句や「患者には急性の訴えはなし」など有益でない表現は避けるべきである。

診察の技術

全身の観察，バイタルサイン，疼痛評価の重要項目

- 全身の観察（外見・みた目の健康状態，不快感や苦痛，皮膚の色，服装・身だしなみ・衛生状態，表情，体臭と口臭，姿勢・歩行・動作）
- 身長および体重測定，BMI計算
- 血圧計を用いた血圧測定
  - 適切な血圧計の選択
  - 患者と環境の準備
  - 適正なカフの選択
  - 腕とカフの適切な位置決め
  - 収縮期血圧を測定（橈骨動脈が触れなくなる圧の使用）
  - 聴診器の膜部もしくはベル部を上腕動脈上に置く
  - カフを目標圧力まで急速に加圧し，その後ゆっくりと減圧する
  - 収縮期血圧と拡張期血圧を確定する
  - 2回以上の測定の平均を出す
  - 少なくとも一度は，両腕とも血圧を測定すべきである
- 起立時の血圧測定（適応がある場合）
- 脈拍，心拍数，リズム
- 呼吸数，リズム，深さ，努力呼吸について観察する
- 中核体温の測定（口腔内，鼓膜，直腸，側頭部）
- 急性疼痛と慢性疼痛について評価する（必要な場合）

診察の技術

全身の観察

外見，身長，体重などの**全身の観察**は，患者と出会った瞬間からはじまる。しかし，身体診察をはじめると，多くの場合患者の外見の観察をより具体的に行えるようになる。

患者の体質にはさまざまな要因が関連している。社会経済的地位，栄養状態，遺伝的要因，体力，心理状態，幼少時の疾患，性別，居住地域，年齢といったものである。とりわけ栄養状態は，身体的特徴（例：身長・体重，血圧，姿勢，心理状態や意識状態，顔色，歯の状態，舌や歯肉の状態，爪床の色，筋肉量）の多くに影響している。診療の際にはすべての患者に対して身長，体重，BMI，肥満リスクの評価を行うこと。

患者との出会いの瞬間から，アセスメントが終わるまで観察を続けて得た情報を思い出してみよう。待合室や診察室で挨拶したとき患者にはあなたの声が聞き取れるだろうか？　容易に立ち上がれるか？　歩行はスムーズか，それともぎこちないか？　患者が入院しているなら，あなたが顔をみせたとき何をしているか？（座ってテレビをみているのか，ベッドで横になっているのか？）　部屋に何が置かれているか？（雑誌……チョコレートバーやポテトチップス？……愛する人の写真？……宗教画やオブジェ？……複数の飲料容器？　それとも何もないのか？）　細かく観察することで，アセスメントを行う際に考慮すべき疑問や仮説が明らかになってくる。

全身状態

外見の健康状態
患者との面接を通して，観察にもとづいた全身的なアセスメントを行うようにする。その際，重要な情報を詳細に確認して，アセスメントの根拠とすること。

異常例

急性疾患もしくは慢性疾患があるのか？　フレイルか？　発作はあるか？　足腰は丈夫か？

意識状態
患者は覚醒しているか，注意力はどうか，あなたの呼びかけや周囲の状況に反応するか？　反応しなければ，すぐに意識状態をアセスメントする。

第24章「神経系」の「意識レベル」（p.919～920）を参照。

外見上の訴えや苦痛
患者は以下に記す問題の徴候を示しているか？

- 胸痛あるいは呼吸困難
- 疼痛
- 不安障害あるいはうつ病

胸部絞扼感，蒼白，発汗，努力呼吸，喘鳴，咳嗽はあるか？

診察の技術	異常例
痛みにたじろぐ様子，発汗，痛む部位をかばう様子，しかめ面，四肢や体の一部をいたわるような不自然な姿勢があるか？　不安そうな表情，落ち着きのない動き，冷たく湿った手掌，無表情もしくは平坦な感情，視線が合わない，精神運動の遅延があるか？	認知機能，行動と精神状態については第9章「認知，行動，精神状態」(p.253〜258)を参照。

皮膚の色と明らかな病変

皮膚の色，傷跡，斑，母斑における変化を観察すること。	蒼白，チアノーゼ，黄疸，発疹，打撲，四肢の網状皮斑は持続しているか？　皮膚，毛髪，爪については第10章「皮膚，毛髪，爪」の p.291〜295 を参照。

服装，身だしなみ，個人の衛生状態

患者の服装はどうか？　気温や天候に合っているか？　衣服は清潔で状況に合っているか？	過剰に着こんだ衣類は，甲状腺機能低下症に伴う寒冷不耐症，生活様式の個人的な嗜好などを示唆する。皮疹，注射針の跡，または食欲不振に伴うやせを隠すこともある。
患者の靴に注意を払う。破れていたり，穴が開いていないか？　ぼろぼろではないか？	穴の開いた靴やスリッパは，痛風，バニオン(腱膜瘤)，浮腫，その他の足の疼痛を示唆している。ぼろぼろの靴は，足や背部の疼痛，胼胝(たこ)，転倒，感染症を示す。
患者は一般的でない装身具を身につけていないか？　ボディピアスをしているか？	銅製ブレスレットや磁気リストストラップは関節痛を示唆する[5]。刺青やピアスは成人におけるリスクを負うような行為と関連があるかもしれない[6]。
患者の毛髪，爪，化粧に注目する。患者の性格，気分，生活様式，自己評価などの手がかりとなる。	爪の噛み痕はストレスを反映しているかもしれない。
患者の衛生状態や身だしなみは，患者自身の年齢，生活様式，職業に合っているか？	だらしない身だしなみはうつ病や認知症を示唆する。この外見は患者の普段の様子と比較する必要がある。

表情

安静時，会話時，人との交流時，身体診察時の患者の表情を観察すること。アイコンタクトにも注意してみる。アイコンタクトは自然か？……目を開いたままで瞬きせずにいるのか？……急に視線をそらすのか？……それとも目を合わせようとしないのか？	甲状腺機能亢進症での凝視するような表情，Parkinson(パーキンソン)症候群の無表情，うつ病の感情に乏しい平坦もしくは悲しげな表情に注目する。アイコンタクトの減少は文化的なものなのか，不安，恐怖，悲しみを示すものなのか見極める[7]。

体臭と口臭

糖尿病患者の甘酸っぱい果実臭やアルコール臭のように，体臭は診断の手がかりとなる。	呼気からアルコール臭，アセトン臭(糖尿病)，肺感染症，尿毒症，肝不全の存在が示される。

診察の技術	異常例
アルコール臭があるからといって，患者の精神状態や神経所見の変化がアルコールによるものだと決めつけてはならない。	これらの変化には重篤ではあるが治療可能な原因がある。例えば低血糖，硬膜下血腫，痙攣後の意識障害（てんかん発作終了後から正常の状態に戻るまでの期間で生じる）などがある。

姿勢，歩行，動作

患者が好むのはどのような姿勢か？	左心不全の患者は上体を起こして半座位から起座位の姿勢をとることが多く，**慢性閉塞性肺疾患 chronic obstructive pulmonary disease(COPD)**または急性心膜炎の患者は座位で上半身を腕で支えながら前かがみになる姿勢（**三脚肢位 tripod position**）を好む傾向がある。
患者は落ち着きがないのか，それとも落ち着いているのか？ 体位を変える頻度は？	不安障害の患者は興奮して落ち着きがない。疼痛のある患者は動きたがらない。
不随意運動はないか？ 動かない部位はあるか？ それはどこなのか？	振戦，その他の不随意運動，麻痺を探す。第24章「神経系」の表24-8「振戦と不随意運動」(p.940～941)を参照。
スムーズに，快適に，自信をもって，バランスよく歩行しているか？ 足の引きずり，転倒への恐れ，バランスの欠如，その他の運動異常はないか？	歩行障害は転倒のリスクを上げる。第24章「神経系」の表24-3「歩行と姿勢の異常」(p.932)を参照。

身長と体重

時間の経過に伴う身長や体重変化に注意を払う。

患者の身長は顕著に低いか，高いか？ やせているか，筋肉質か，ずんぐりしているか？ 体型は対称的か？ 全身の体型に注意する。	非常に身長が低い場合は，Turner(ターナー)症候群，小児期における腎不全，軟骨形成不全性小人症，下垂体性小人症を考える。体幹と比べて四肢が長い場合は，性腺機能低下症やMarfan(マルファン)症候群を疑う。身長低下は骨粗鬆症や脊椎圧迫骨折を示唆する。
患者はやせすぎなのか，やせているのか，太り気味なのか，肥満なのか？ 仮に患者が肥満であれば，脂肪組織は全身に一様に広がっているのか，上半身に偏っているのか，それとも腰周りについているのか？	単純肥満では脂肪は全身についている。Cushing(クッシング)症候群やメタボリック症候群では体幹の脂肪に比べて四肢がやせている。
体重の変化を記録する。	体重減少の原因には悪性腫瘍，糖尿病，甲状腺機能亢進症，慢性感染症，うつ病，利尿薬の使用や減量の成功などが考えられる。

身長と体重の測定

身長や体重は栄養状態のスクリーニングだけでなく，薬物投与量，体液の増減，

図 8-1 身長計を用いた身長測定(Springhouse. *Lippincott's Visual Encyclopedia of Clinical Skills*. Wolters Kluwer Health/Lippincott Williams & Wilkins; 2009: 232. より)

図 8-2 体重計を用いた体重測定(Springhouse. *Lippincott's Visual Encyclopedia of Clinical Skills*. Wolters Kluwer Health/Lippincott Williams & Wilkins; 2009: 232. より)

水分の必要量を適正化する治療のための介入においても重要な情報である[8]。

BMIを決定するために,身長,体重を測定する(図8-1,8-2)。定期的に調整され,精度の確保された機器を使用し,適切な方法で測定する(Box 8-1,8-2)。

BMIの計算

測定した身長と体重からBMIを計算する。体脂肪はおもに中性脂肪で形成される脂肪組織からなり,それは直接測定することが困難な皮下や,腹腔内・筋肉内の脂肪沈着として蓄積される。BMIによって,概算だが体重のみよりも正確な体脂肪量を把握できる。ただし,米国国立衛生研究所 National Institutes of Health(NIH)は,非常に筋肉質な人はBMIが高くても健康的であり,同様に高齢者や筋肉量が少ない人では不適切にBMIが正常と示されることを警告している。

最適な体重,栄養,食事に関しては,第6章「健康維持とスクリーニング」(p.176〜179)を参照。

診察の技術

Box 8-1　身長測定[9]

- 身長計は身長を正確に測定するために特別に設計された機器である。患者に身長計の上で腕の力を抜き，できるだけ背筋をのばしてしっかり前を向いて立つように伝える
- 足を身長計の床板にしっかりとつけ，バランスを取るために少し足先を開いて踵と腰が一直線になるように立つ
- 膝はしっかりとのばし，殿部と肩が身長計に接していること
- 頭部を正面に向け，側面からみると外耳孔の中心から眼窩下縁を結ぶ仮想線が水平になるようにする
- ヘッドプレートをしっかりと頭頂部まで下げる
- 測定値を読む。その際には測定者の目を目盛りの高さに合わせ，1 mm 単位で測定値を読み取る
- 測定値を記録し，患者が身長計から降りるときに補助する
- 別の日に身長を再測定するときには，可能なら同じ時間帯に測定するほうがよい。なぜなら1日を通して身長は脊椎の圧迫によって縮むからである

Box 8-2　体重測定[10]

- 患者に靴と上着を脱いでもらう。人工肛門や尿バッグをつけた患者の体重測定を行うときには，それらを前もって空にしておく
- 体重測定前に体重計の目盛りがしっかりとゼロを示していることを確認する
- 体重測定中，患者は可能な限り動かないでいること
  以下の点を確認する
  - 患者の着衣が体重計の固定部や周囲に触れないようにすること
  - 体重測定中に患者が杖を使用したり，壁で体を支えないようにすること。車椅子用の体重計を使用するときには患者の足が床から離れていること
- 体重計の目盛りが体重を示したら，測定結果を適切な書類に記録する
- 正確な体重を測定した後，患者を体重計から補助しながら降ろす。測定終了時には患者が適切に着衣を済ませ，落ち着いた状態に戻れるよう配慮する
- 定期的に体重変化をモニタリングするときには，患者に同じ重さの服を着用してもらう

BMI 計算を行うときには自身の診療に適した方法を選択すること。標準 BMI 表を用いるか自動で BMI の計算結果を示してくれる医療記録ソフトウェアを使用する[11]。以下に示すように，体重(kg)，身長(m)を使用して BMI を計算することもできる。

$$BMI = 体重(kg)/身長(m^2)$$
換算式：1 ポンド = 0.45 kg，1 インチ = 2.54 cm，100 cm = 1 m

米国国立衛生研究所と米国国立心臓・肺・血液研究所 National Heart, Lung, and Blood Institute(NHLBI)のオンライン BMI 計算機[12]を使用することもできる (https://www.nhlbi.nih.gov/health/educational/lose_wt/BMI/bmicalc.htm)。

診察の技術

計算後，米国ガイドラインによって BMI を分類する（Box 8-3）^{訳注}。

Box 8-3　BMI による過体重と肥満の分類[13]

肥満区分		BMI(kg/m²)
低体重		<18.5
適正体重		18.5〜24.9
過体重		25.0〜29.9
肥満	I	30.0〜34.9
	II	35.0〜39.9
高度肥満	III	≧40

■ バイタルサイン

バイタルサイン vital sign（血圧，心拍数，呼吸数そして体温）は，アセスメントの速さおよび方向性を左右する重要な初期情報である。診療スタッフによってすでにこれらが測定されているなら，診察のはじめにまずこれらの情報を確認すること。バイタルサインが異常を示す場合は，外来診察中に測定し直すことが多くなるだろう。バイタルサインを正確に測定する方法については以下に述べているので学んでほしい。

血圧

血圧の測定

血圧測定の精度はどのように測定されるかで変わってくる。手動式や自動式カフを使用した診察室スクリーニングが一般的であるが，血圧の上昇があれば家庭血圧計や携帯型血圧計を用いた血圧モニタリングによる確認が必要である（Box 8-4）。

適切な血圧計の選択

血圧計 sphygmomanometer を使用して血圧を測定する。時間を十分にかけて適切な測定を行う。適切に測定することで患者や測定者，機器，手技による測定値の変動を減少させることができる[14]。

訳注：わが国における BMI の分類方法は以下の通り。
　　　<18.5（低体重），18.5≦〜<25（普通体重），25≦〜<30〔肥満（1度）〕，30≦〜<35〔肥満（2度）〕，35≦〜<40〔肥満（3度）〕，40≦〔肥満（4度）〕（日本肥満学会．肥満症診療ガイドライン 2016．東京：ライフサイエンス出版；2016．）

異常例

BMI が 25 以上の場合では，心疾患や関連疾患の他の危険因子〔高血圧，高 LDL コレステロール血症，低 HDL コレステロール血症，高トリグリセリド血症，高血糖，早発性心臓病の家族歴，運動不足，喫煙〕についてアセスメントする。

第 16 章「心血管系」の表 16-4「動脈拍動と動脈圧波形の異常」（p.554）を参照。

「診察室外での血圧測定と自己血圧測定」の項（p.233〜235）を参照。

第 4 章「身体診察」の Box 4-2「身体診察のための器具や消耗品」（p.120〜122）を参照。

診察の技術

> **Box 8-4　診察室での血圧測定方法**
>
> | 方法 | 特徴 |
> |------|------|
> | 水銀式やアネロイド式を用いた聴診法（手動式血圧測定） | ● 一般的，費用がかからない
● 患者が不安を感じることがある（診察室高血圧もしくは白衣高血圧），測定者の技術が必要，カフの定期的な調整を6カ月ごとに行う
● 数回の受診にわたって血圧の測定を繰り返す必要がある
● 仮面高血圧をみつけるために血圧の24時間測定や自宅での測定が必要である
● 24時間測定と比較して単回の血圧測定の感度・特異度は75%である[14] |
> | オシロメトリー法（自動式血圧測定） | ● 最適な患者の体位，カフの大きさとその配置，機器の調整が必要である
● 短い時間で数回の血圧測定を行う必要がある
● 誤診を減らすために確認測定が必要である
● 手動式血圧測定と同等の感度・特異度がある[14] |

血圧を測定するためには正確な機器を使う必要がある。どの血圧計を選択するとしても，必ず精度を保ち，臨床現場での継続した信頼性のある使用のために国際的プロトコルを用いて定期的に調整（キャリブレーション）されたものを使用する[15, 16]。

手動式もしくは自動式血圧計の2つのタイプが血圧測定のために現在使用されている。**手動式血圧計**（水銀式もしくはアネロイド式）では，収縮期および拡張期血圧両方を聴診するために聴診器が必要である。**水銀式血圧計**はいまだにゴールドスタンダードであるが，水銀を含むガラス柱の偶発的な破損に対する安全性の観点から，ほとんどの臨床現場においてアネロイド式血圧計に置き換わっている。**アネロイド式血圧計**（アネロイドとは「液体を使用していない」という意味）はカフ部分の圧を目盛板に伝達するための機械部品を用いている。しかし，アネロイド式血圧計は水銀式血圧計よりも精度が狂いやすいため，継続的に精度を保つために6カ月ごとに調整が必要である[17]。

自動式（デジタル式）血圧計は血圧を測定するためにオシロメトリー法を利用している[18]。この方法は聴診器を必要としない。カフが電気で自動的に加圧膨張および減圧脱気される。そして，装置のトランスデューサが上腕動脈によって生じる圧波を検出する。収縮期および拡張期血圧は電子的に算出され，デジタル表示される。

下記の血圧測定の技術は，おもに手動式血圧計を使用する際に用いられる。

患者と環境の準備

診察室は静かで快適な暖かさにする。患者は背もたれのついた椅子に力を抜いて座り，足は組まない。患者は測定前30分間は喫煙，カフェイン摂取および運動を避ける（Box 8-5）。測定前5分間は安静にする[19]。

Box 8-5　臨床現場における成人の血圧測定の正確性に影響を及ぼす要因[20]

	収縮期血圧への影響	拡張期血圧への影響
患者に関連した要因		
食事直後	↓	↓
飲酒直後	↓	↓
カフェイン摂取直後	↑	↑
喫煙（ニコチン摂取）直後やタバコ煙への曝露直後	↑	↑
膀胱充満	↑	↑
寒冷曝露	↑	↑
上腕麻痺	↑	↑
白衣高血圧	↑	↑
手技に関連した要因		
不十分な安静時間	↑	↑
足を組んだ状態	↑	↑
測定側の腕が支持されていない	↑	↑
測定側の腕の位置が心臓の位置より低い	↑	↑
測定中の会話	↑	↑
カフサイズが不適切に小さい	↑	↑
カフサイズが不適切に大きい	↓	↓
聴診器がカフの下に置かれている	↑	↓
カフの減圧脱気速度が速い（＞3 mmHg/秒）	↑	↓
背もたれのない椅子	影響なし	↑
聴診器ヘッドによる過剰な圧迫	影響なし	↑

血圧測定エラーに影響するその他の要因には以下のものが含まれる。
- **測定機器に関連した要因**（測定機器の精度，品質，調整など）
- 単回測定への依存，両腕間の血圧の変動
- **測定者に関連した要因**〔測定者の聴覚障害，Korotkoff 音の解釈の違い（例えば，第Ⅴ相の代わりに第Ⅳ相を使用すると拡張期血圧が上昇することになる）〕
- 血圧測定値の1の位の数字に0を好む，つまり血圧測定値の1の位を切りのよい数字（一般的に0）へまとめる傾向（例えば血圧計が117〜122 mmHg の値を示すときに120 mmHg と記録する）

適正なカフの選択

医師や患者にとって患者の腕に合うカフを使用することは重要なことである。正しいサイズのカフを選択するためのガイドラインに従う。

- 標準のカフは 12×23 cm であり，腕の太さに合わせて 28 cm まで長くしてよい。

- カフの加圧バッグの幅は上腕周囲径の約 40％（平均的成人で約 12〜14 cm）。

カフが**小さすぎる**と血圧は**高め**に測定される。逆にカフが**大きすぎる**と細い腕では血圧は**低く**測定され，太い腕では**高め**に測定される。

診察の技術

- カフの加圧バッグの長さは上腕周囲径の約80％（腕に巻くのに十分な長さ）。

腕周りの太い患者に対しては，16 cm幅のカフを使用する[21]。上腕周囲径が大きいが，上腕が短い場合には大腿用のカフもしくは非常に長いカフを使用する。もし上腕周囲径が50 cmを超える場合や大腿用のカフが使用できない場合は，適切なサイズのカフを使用して前腕に巻き，心臓の高さまで前腕をもち上げ，橈骨動脈の拍動を触知して血圧を測定する[22]。**腕周りの非常に細い患者**に対しては，小児用カフを使用する。他の方法として橈骨動脈にDoppler（ドプラ）式プローブを使用するか，自動式血圧計を利用する方法もある。

腕とカフの適切な位置

血圧を測定する腕には着衣，透析用の動静脈瘻，腋窩リンパ節の切除や放射線治療によるリンパ浮腫がない状態であること。血圧測定が可能な脈拍を確認するために**上腕動脈 brachial artery**を触知する。そして肘窩の上腕動脈が心臓と同じ高さになるように腕の位置を決定する。もし患者が座っていれば，その腕を患者の腰の位置より少し高い机の上に置くこと，もしくはおおよそ第4肋間胸骨縁の高さになるようにする。立位であれば，胸部の中心の高さで患者の腕を支えるようにする。腕を適切な高さにして，加圧バッグを上腕動脈の上部中心に置く。カフの下端が肘窩の約2.5 cm上にくるようにし，ぴったりと固定する。患者の肘をわずかに屈曲させる。

橈骨動脈拍動が触知できなくなるまでカフを膨張させ，収縮期血圧を推定する

カフ圧をどの程度かけるかを決定するために，最初に**橈骨動脈 radial artery**の触知によって収縮期血圧を推定する[13]。片手の指で患者の橈骨動脈に触れた後，脈拍に触れなくなるまで，すばやくカフを膨張させる。アネロイド式血圧計を使用する場合はダイヤルが直接，測定者に向くように保持する。血圧を読み，**30 mmHgを加える**。この合計の圧力を記憶する。引き続きカフを膨張させる際の**目標圧力**としてこの圧力を使用する。これにより不必要なカフへの加圧から生じる患者の不快感を最小限にできる。カフからすばやく，完全に空気を抜き，15〜30秒待つ。

また，この方法により**聴診間隙 auscultatory gap**（収縮期血圧と拡張期血圧の間にみられる無音の間隙。さらに圧を下げていくと，一度聞き取れなくなった血管音がふたたび聞き取れるようになることがある）によって起こりうる誤りを避けることができる（図8-3）。

異常例

カフがゆるい場合や加圧バッグが外側まで膨らんだ場合，誤って血圧が高く測定される。

聴診間隙に気づかないと，収縮期血圧を過小評価（左図に示すように200を150と誤る）したり，あるいは拡張期血圧を過大評価してしまう。

聴診間隙に気づいたら所見を遺漏なく記録する（記録例：血圧200/98 mmHgで170〜150 mmHgに聴診間隙あり）。

聴診間隙は動脈の硬さや動脈硬化症と関連している[23]。

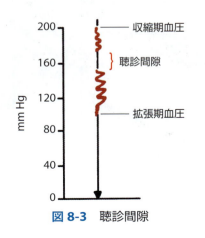

図8-3　聴診間隙

上腕動脈上での聴診器の膜部またはベル部の適切な位置決め

聴診器の膜部またはベル部の縁を密着させるのに注意を払いながら上腕動脈の上に軽くあてる（図 8-4）。カフの下縁と肘窩の間に聴診器を置くために 2～3 cm の間隔を開ける[18]。

目標圧力への急速なカフの加圧と緩徐な減圧

目標圧力までカフを再び急速に加圧し，2～3 mmHg/秒より早くならないようにゆっくりとカフを減圧する。ゆっくり加圧したり，繰り返し加圧することは静脈のうっ滞をきたし，誤った測定となりかねないので避けるべきである。

静脈うっ滞により，音がよく聞き取れない場合，誤って収縮期血圧は低く，拡張期血圧は高く読み取られてしまう。

収縮期血圧および拡張期血圧の確定

少なくとも 2 回連続した心音の間に徐々に強くなり，かすかで，繰り返し，トントンと叩くような **Korotkoff（コロトコフ）音**の**第Ⅰ相**が聞き取れるときの位置を記録する。そこが**収縮期血圧 systolic blood pressure（SBP）**である。収縮期血圧を測定するために血圧計の針や水銀柱の上向きのふれを使用してはいけない。つぎに短い相である**第Ⅱ相**と**第Ⅲ相**が続く。第Ⅱ相では Korotkoff 音はソフトなザーザーする音（濁音）になる。その後第Ⅲ相では，第Ⅰ相と同等かそれ以上の，強くてはっきりとしたドンドンする音（清音）になる。

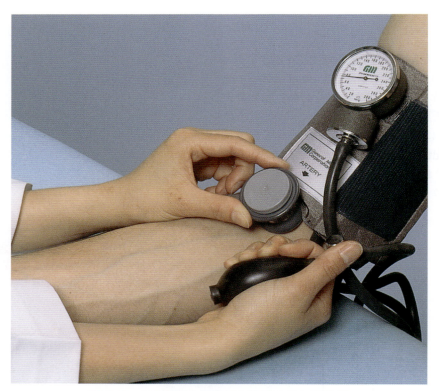

図 8-4　上腕動脈上に適切に配置された聴診器

診察の技術

さらにKorotkoff音がこもったような音になる**第Ⅳ相**と音が消失する**第Ⅴ相**になるまでカフをゆっくりと減圧し続ける。消失点を確認するために，さらに10〜20 mmHg減圧するまで聴診する。その後，カフ圧が0になるまで急速に減圧する。音が消えかかるカフ圧の約2〜3 mmHg下が消失点(第Ⅴ相)であり，成人の**拡張期血圧 diastolic blood pressure(DBP)**を最もよく評価できる(図8-5)。

成人の血圧は収縮期血圧＜120 mmHgかつ拡張期血圧＜80 mmHgを正常血圧と分類する[14]。

Korotkoff音が弱いときは，聴診器のあて方が正しくない，聴診器のベル部を皮膚にしっかりと密着させていない，カフの加圧を繰り返すことで腕が静脈うっ滞しているなどの可能性を考慮する。もしKorotkoff音をまったく聴取できないときには，Doppler式プローブや観血的動脈圧測定などの代替法が必要になることもある。

収縮期血圧と拡張期血圧の両方を読む。少なくとも1分以上の間隔をあけて再度血圧を測定する。その測定値の平均を計算する。この一連の血圧測定において最初の測定値が一般的に最も高い。最初の2回の測定値に5 mmHg以上の違いがみられる場合にはさらに追加して血圧を測定すべきである[18]。

異常例

大動脈弁閉鎖不全症 aortic regurgitationでは消音しないこともある。第Ⅳ相と第Ⅴ相の差が10 mmHg以上であれば両方記載する(例：154/80/68)。

血圧120〜129/＜80 mmHgは血圧上昇，130〜139/80〜89 mmHgはステージ1高血圧，≧140/90 mmHgはステージ2高血圧と分類される[14]。

Korotkoff音が聴取できない場合は，重篤な血管疾患やショック状態の可能性も考慮すること。

まれではあるが，**高安動脈炎 Takayasu arteritis**，**巨細胞性動脈炎 giant cell arteritis**，**動脈硬化症 atherosclerosis**といった四肢の動脈閉塞性疾患による脈拍の消失がみられることがある。

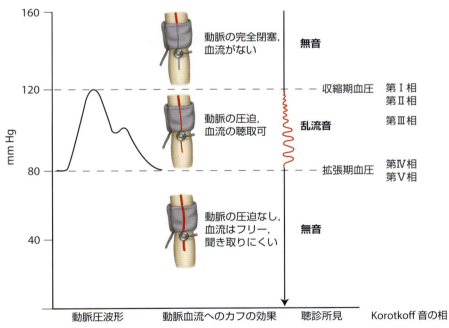

図8-5 収縮期(第Ⅰ相)と拡張期(第Ⅴ相)のKorotkoff音の聴診

診察の技術

通常，左右の腕の血圧には 5 mmHg ほどの差がみられるが，10 mmHg まで違っていることもある。**少なくとも一度は，両腕とも血圧測定を行う**。測定を続けて行う場合は血圧の高いほうの腕で行うようにする。

正常血圧と異常血圧の分類

2013 年に第 8 回米国合同委員会 Joint National Committee（JNC 8）が臨床試験データの厳格な科学的レビューにもとづいた JNC 8 ガイドラインを発行した[14]。このガイドラインは血圧を 4 つの区分に分類することを推奨している（Box 8-6）訳注）。収縮期血圧と拡張期血圧がそれぞれ異なる区分に入る場合は，より高い区分のほうに分類する。例えば，170/88 mmHg はステージ 2 の高血圧に分類され，136/78 mmHg はステージ 1 の高血圧に分類される。

低血圧

比較的低い血圧は，過去の血圧や患者の臨床症状に応じて評価する。

起立時血圧測定

必要に応じて，高齢者に多い**起立性低血圧 orthostatic hypotension** または**体位性低血圧 postural hypotension** を評価するために起立時の血圧測定を行うこと。血圧を**仰臥位**と**立位**の 2 つの体位で測定する。仰臥位での 3～10 分間の安静の後に血圧測定し，起立後 3 分以内に血圧測定を行う。通常は水平の体位から起立すると収縮期血圧はわずかに低下もしくは変化はみられないが，拡張期血圧はわずかに上昇する。

異常例

10～15 mmHg 以上の血圧差は，鎖骨下動脈盗血症候群，大動脈弁狭窄症や大動脈解離で起こり，精査されなければならない。

110/70 mmHg の血圧は通常では正常であるが，高血圧の既往がある場合は有意な血圧低下である。

起立性低血圧は起立後 3 分間以内に収縮期血圧で少なくとも 20 mmHg，拡張期血圧で少なくとも 10 mmHg の持続的な血圧低下である[24-26]。

起立性低血圧の原因には薬物，中等度から重度の出血，長期臥床，自律神経障害などが考えられる。

第 27 章「老年」（p.1168）を参照。

Box 8-6　成人高血圧の分類（JNC 8）[14]

区分*	収縮期（mmHg）		拡張期（mmHg）
正常血圧	＜120	かつ	＜80
血圧上昇	120～129	かつ	＜80
ステージ 1 高血圧	130～139	または	80～89
ステージ 2 高血圧	≧140	または	≧90

2 つの血圧区分に収縮期血圧と拡張期血圧が分かれる患者では，より高いほうの区分を採用すべきである。

＊ 2 回以上の機会に 2 回以上の注意深い血圧測定を行い，その結果の平均値を血圧の基準とする。

訳注：わが国における血圧の分類については，『高血圧治療ガイドライン 2019』（日本高血圧学会．東京：ライフサイエンス出版；2019.）を参照。

診察の技術

臨床的評価として血圧測定を利用するその他の診察に関しては，個々の身体診察の章で解説する〔例えば，足関節上腕血圧比，奇脈，交互脈〕。

患者に関連した特殊な状況

白衣高血圧

診察室血圧が 140/90 以上かつ昼間平均血圧 135/85 未満を**白衣高血圧 white coat hypertension**（病院でのみ観察される高血圧）と定義する。この現象は診察室で血圧が上昇している患者の 20％ までにみられると報告され，心血管リスクを正常からわずかに上昇させるが治療の必要がないので，しっかりと特定することが大切である[27,28]。これは条件つき不安反応に起因している。1 の位を 0 にするよう端数を四捨五入することを含む不十分な血圧測定技術，医師や看護師の同席，そして以前の高血圧の診断もまた診療室内での血圧測定結果にかなり影響を与える。手動式血圧計を自動式血圧計に置き換え，静かな部屋で患者が 1 人で何回か測定できるようにすることで「白衣高血圧」を減らすことができる[29]。しかし，家庭血圧測定や携帯型血圧測定（24 時間自由行動下血圧測定）における収縮期血圧/拡張期血圧よりも診察室における収縮期血圧/拡張期血圧が 20/10 mmHg より高い場合には，白衣高血圧に病的意義があることが多い。

仮面高血圧

診察室血圧が 140/90 未満であるが家庭血圧測定や 24 時間自由行動下血圧測定で昼間平均血圧が 135/85 より高い状態と定義される**仮面高血圧 masked hypertension** はより重要である。治療されていない成人の仮面高血圧患者は一般人口の 10〜30％ いると見積もられ，心血管疾患や，脳，腎臓，網膜などの血管床における標的臓器障害のリスクを上昇させる[27,28]。このため家庭血圧測定または 24 時間自由行動下血圧測定を考慮すべきである。

不整脈の合併

不整脈 arrhythmia は血圧を変化させるため，測定値が信頼できない。偶発的な期外収縮の影響は考慮しなくてよい。頻繁に起こる期外収縮や心房細動では，数回の測定値の平均を近似値として記録する。携帯式心電図モニタリングを 2〜24 時間行うことを推奨する[22]。

診察室外での血圧測定と自己血圧測定

自己血圧測定は診察室以外の場所で患者自身が定期的に血圧測定値を取得することをいう。自宅で行われる場合には，**家庭血圧測定 home blood pressure monitoring（HBPM）**と呼ばれる。一方で **24 時間自由行動下血圧測定 ambulatory blood pressure monitoring（ABPM）**は事前に設定された間隔で診察室外での血圧測定値を取得するために使用され，通常，患者が日常生活を行っている間に，24 時間にわたる血圧測定値を取得するようにプログラムされている。ABPM は一般的に診察室外における血圧測定の最適な方法として受け入れられているが，HBPM は実臨床においてはより現実的な測定方法といわれている（Box 8-7）[30]。基本的に診察室での血圧 140/90 mmHg（高血圧）は以下に相当する。

異常例

第 17 章「末梢血管系とリンパ系」（p.590〜591）を参照。

絶対的不整の脈拍リズムの検出は心房細動を示唆する。不整リズムに気づいたら，リズムの型を特定するために心電図検査を行う。

- 家庭血圧：135/85 mmHg[27]
- 24時間血圧[28]：
  - 24時間平均血圧：130/80 mmHg
  - 昼間（覚醒時）平均血圧：135/85 mmHg
  - 夜間（睡眠時）平均血圧：120/70 mmHg

Box 8-7　診察室外における血圧測定方法

方法	特徴
家庭血圧測定（HBPM）	● 患者自身で使用できる正確な自動式血圧計を使用。使いやすく，ABPMよりも安価である ● ABPMができないときには代用として利用可能である。診察室内での血圧測定よりも心血管系のリスクを正確に予測可能である[27] ● 患者の正確な測定技術，繰り返しの測定（1週間にわたり1日朝2回，夕2回の血圧測定）が必要。夜間の測定は記録されない[27] ● 白衣高血圧の検出（20%に存在）[27] ● 仮面高血圧の検出（10%に存在）[27] ● ABPMと比較して感度85%，特異度62%[31]
24時間自由行動下血圧測定（ABPM）	● 自動化されている。臨床および研究でのゴールドスタンダードである ● 24時間平均血圧，昼間平均血圧，夜間平均血圧，収縮期および拡張期血圧を測定する ● 夜間血圧の下降（正常型），非下降（心血管疾患の危険因子）を示す ● 費用がかかる（保険適応されていない場合がある）訳注

Box 8-8　診察室，家庭，昼間，夜間，24時間自由行動下の血圧測定における血圧測定値（mmHg）の対応表[52]

診察室	HBPM	昼間ABPM	夜間ABPM	24時間ABPM
120/80	120/80	120/80	100/65	115/75
130/80	130/80	130/80	110/65	125/75
140/90	135/85	135/85	120/70	130/80
160/100	145/90	145/90	140/85	145/90

出典：Whelton PK et al. *Hypertension*. 2018; 71(6): 1269-1324.

訳注：わが国では保険適用されている。

診察の技術

通常 ABPM, HBPM はいずれも血圧の推定に有用で、高血圧の確認と治療に役に立つ (Box 8-8)。ABPM を推奨する場合は、家庭での血圧測定のために最も適している上腕の血圧計用のカフの選択や再調整の仕方について指導する。手首や指先で血圧を測定する方法は手軽だが正確ではないことを患者に伝えること。末梢側の動脈では収縮期血圧はより上昇し、一方で拡張期血圧は低下する。そして、静水圧効果が心臓に対しての高さの違いによる測定エラーを引き起こす。

脈拍または心拍数と心拍リズム

動脈拍動、心拍数とそのリズムを確認すること。橈骨動脈拍動の触知は、心拍数を評価するのによく使われる (図 8-6)。示指と中指の指腹で、橈骨動脈を最大拍動を触知するまで圧迫する。心拍リズムが規則的で脈拍数が正常ならば 30 秒間脈拍を数えて 2 倍する。心拍リズムが異常に速いか遅い場合は、60 秒間脈拍を数える。正常範囲内は 60〜90 もしくは 100 回/分である[32]。

心拍リズム

橈骨動脈拍動を触知することからはじめる。心拍リズムは規則的か、それとも不規則か? 不整が感じられれば、聴診器を使用して心尖部での心拍リズムを評価する。心拍リズムが不規則であれば、そのパターンを確認する。(1) 基本的には規則的なリズムだが、その中で早期収縮が現れるのか? (2) その不整はいつも呼吸に伴って変動しているか? (3) 完全に不規則 (絶対的不整) なのか?

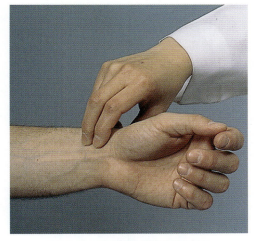

図 8-6 橈骨動脈拍動の触知

心拍リズムを鑑別するために必ず心電図をとる。

呼吸数と呼吸リズム

呼吸数、リズム、深さ、努力呼吸について観察する。頭頸部や胸部の診察の間に、視診または聴診器で気管の注意深い聴診を行い、呼吸数を 1 分間測定する。正常では、成人は安静時に約 12〜20 回/分の呼吸数である。ときどきみられるため息は正常である。呼気が延長しているか確認すること。

異常例

家庭血圧計の正しい使用方法に関する患者教育が大切である。本章で詳しく示したように、家庭での正確な血圧測定をするためのすべての手順を患者が理解しているかどうかを確認すること。

安静時心拍数の増加と心血管疾患のリスクおよび死亡率の上昇は関連がある[33]。

振幅の小さい期外収縮は末梢動脈への拍動として伝わらず、心拍数を過小評価してしまう。

第 16 章「心血管系」の表 16-1「心拍数とリズムの鑑別」(p.550)、および表 16-2「不規則なリズムの鑑別」(p.551) を参照。

安静時の呼吸数が 12 回/分以下もしくは 25 回/分以上は異常である。

呼気延長は COPD において一般的である。

診察の技術

体温

中核体温を測定する。体内で測定される中核体温は約37℃であり，約1℃の日内変動がある。体温は早朝に最も低く，午後と夕方に最も高くなる。女性のほうが男性に比べて正常体温の幅が広い[34]。

中核体温測定のゴールドスタンダードは肺動脈における血液温であるが，臨床の場では非侵襲的な測定方法である口腔，直腸，腋窩，鼓膜，側頭動脈における体温測定に依存している[21]。鼓膜や側頭動脈での体温測定には赤外線体温計を利用する。

- **口腔温**や**直腸温**測定が一般的である。口腔温は一般的には中核体温と比較すると低い。口腔温は直腸温よりも平均して0.4〜0.5℃低く，腋窩温よりは約1℃高い。

- **腋窩温**は測定結果が出るまでに5〜10分必要であり，さらに他の体温測定方法よりも精度が低い。

- **鼓膜温**は口腔温や直腸温と比べて変動が大きい。

- 研究の方法により異なるが，成人では**口腔温**と**側頭動脈温**が肺動脈温と最も密接に相関している。ただし，口腔温と側頭動脈温のほうが0.5℃ほど低い[35-37]。

口腔温測定

口腔温測定には電子体温計やガラス体温計が用いられる。ガラス体温計は破損や水銀汚染の危険があるため，ほとんどが電子体温計へ置き換わっている。**電子体温計**を使用するときは注意しながら使い捨てカバーをプローブに装着し，体温計を舌下に挿入する。体温計の先端は舌小帯の一方の側のできるだけ後方に置く。患者には静かに口を閉じてもらい，デジタル表示を注意してみる（図8-7）。通常，正確な体温を測るのに約10秒かかる。

ガラス体温計を使用する場合，体温計を振って35℃未満まで下げる。そして舌下

異常例

発熱とは体温の上昇をいう。**異常高熱 hyperpyrexia**とは41.1℃を超えて体温が上昇することである。**低体温 hypothermia**とは異常に低い体温を意味しており，直腸温で35℃未満である。

発熱の原因には感染症，圧挫傷や手術に伴う外傷，悪性腫瘍，薬物反応，膠原病などの免疫疾患がある。

低体温のおもな原因は寒冷曝露である。その他の原因には麻痺による運動低下，敗血症やアルコールの過剰摂取に伴う血管収縮との関連，飢餓，甲状腺機能低下症，低血糖がある。高齢者は特に低体温になりやすく，発熱しにくい。

診察の技術

異常例

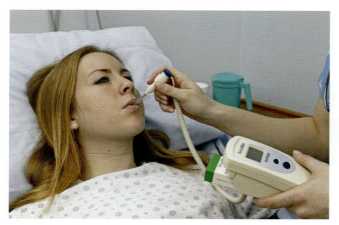

図 8-7　電子体温計を用いた口腔温測定 (Taylor C et al. *Fundamentals of Nursing: The Art and Science of Person-Centered Nursing Care.* 8th ed. Wolters Kluwer; 2015: 605, Fig. 24-1-2. より)

へ挿入し，口を閉じ，3〜5分間待つよう患者に指示する．体温を記録した後，もう一度1分間挿入し，再度記録する．体温がまだ上昇を示しているなら，測定値が安定するまで，操作を繰り返す．冷水や温水だけでなく喫煙も体温測定に影響を及ぼすことに注意する．このような状況では，10〜15分経過してから体温測定する．

直腸温測定

直腸温測定では，患者に股関節を屈曲させ側臥位になってもらう．太くて先端の短い直腸体温計を選び，表面に潤滑剤を塗って，臍部に向けながら肛門管の中へ約3〜4 cm挿入する．3分後に取り出し，測定値を読む．あるいは電子体温計に潤滑剤を塗ったプローブカバーをかぶせて使用する．体温が表示されるまで約10秒待つ（図8-8）．

頻呼吸は口腔温と直腸温の乖離を増大させる傾向にある．この場合は直腸温のほうが信頼性が高い．

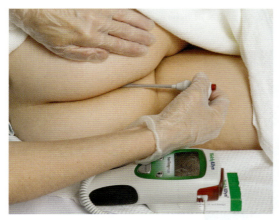

図 8-8　電子体温計を用いた直腸温測定 (Craven RF et al. *Fundamentals of Nursing: Human Health and Function.* 8th ed. Wolters Kluwer; 2017, Fig. 18-16. より)

診察の技術

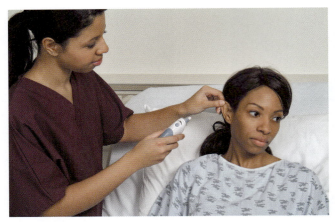

図 8-9　鼓膜体温計を用いた体温測定(Springhouse. *Lippincott's Visual Encyclopedia of Clinical Skills*. Wolters Kluwer Health/Lippincott Williams & Wilkins; 2009: 519. より)

鼓膜温測定

鼓膜は体温調節を行う脳の視床下部と同じ血液供給を受けている。正確な体温測定には，鼓膜に近づけて行うことが必要である。耳垢があると鼓膜温は低めに測定される可能性があるので，外耳道にある耳垢は取り除いておく。患者の頭部を安定させる。そして1歳までの幼児では耳介を後方へ優しく引っ張り，1歳以上の小児と成人では上後方へ引き上げる。赤外線ビームが鼓膜に向くようにプローブを外耳道に置く（そうしないと測定不能となってしまう）。体温の表示に2〜3秒かかる（図8-9）。

側頭動脈温

この方法では側頭動脈を利用する。側頭動脈は外頸動脈から分枝し，前額部，頬部，耳介後部の皮膚表面から1mm以内に位置している。体温測定用のプローブを前額部の中央にあて，赤外線ボタンを押す。さらに装置を前額部から横切るように頬部に向けて下ろし，そして耳介後部へと側頭動脈を走査するように移動させる（図8-10）。最も高い温度をディスプレイから読み取る。企業情報による

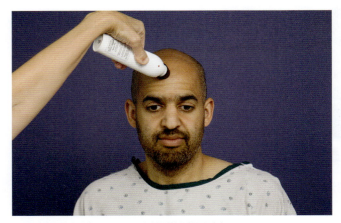

図 8-10　側頭動脈体温計を用いた側頭動脈温測定(Lynn P. *Taylor's Clinical Nursing Skills: A Nursing Process Approach*. 5th ed. Wolters Kluwer; 2019: 46, Fig. 2-9. より)

と前額部と耳介後部の接触を組み合わせた温度測定は前額部単独での測定に比べて正確である。

急性疼痛と慢性疼痛

国際疼痛学会 International Association for the Study of Pain は**疼痛**を組織損傷に関連した「不快な感覚および情動体験」と定義している。疼痛は複合的でさまざまな原因によって起こるが，感覚，情動，認知の処理過程に関連してはいるものの，特定の身体的な原因を欠くことがある[38]。

急性疼痛は有害な化学的，熱性，または機械的刺激によって生じる，予測可能で正常な生理的反応であり，典型的には3〜6カ月以内には治まるとされ，おもに手術，外傷，急性疾患と関連している[39, 40]。それは有益で生命を維持するための機能ともいえる（保護機能）。症状は数時間，数日，数週間と持続するが，損傷した組織が回復するにつれ徐々に軽快する。

慢性疼痛の定義は，3〜6カ月持続する非癌性疼痛もしくは他の疾患にも関連しない疼痛，急性疾患や外傷後に1カ月以上持続する疼痛，月単位もしくは年単位の間隔で繰り返す疼痛と，さまざまである。

疼痛の種類

疼痛の診断や管理のために，疼痛の種類について要点を確認してほしい（Box 8-9）。

Box 8-9 疼痛の種類[41, 42]

侵害受容性疼痛（体性痛）	● 侵害受容性疼痛は皮膚や筋骨格系の組織障害や内臓（内臓痛）と関連しており，関節炎や脊柱管狭窄のように感覚神経系の障害はみられない。急性疼痛も慢性疼痛もある。感覚神経系の求心性Aδ線維とC線維によって影響を受ける。影響を受けた求心性侵害受容器は炎症性メディエータにより感受性が高まり，心理的作用と神経伝達物質（エンドルフィン，ヒスタミン，アセチルコリン，セロトニン，ノルアドレナリン，ドパミン）の両方によって調節される ● 鈍痛，圧痛，牽引痛，拍動痛，穿刺痛，痙性の疼痛，仙痛などと表現される
神経因性疼痛	● 神経因性疼痛は，体性感覚系に影響する病変や疾患に直接起因する。時間が経つにつれて，神経因性疼痛は疼痛を誘発した障害とは無関係になってくる。最初の障害部位が治癒した後でも，痛みは持続することがある。発生機序には，血管障害や外傷による脳や脊髄の中枢神経系障害，脊髄神経・神経叢・末梢神経の絞扼や圧迫を引き起こす末梢神経系の疾患，疼痛を誘発する刺激に対して過剰もしくは遷延する疼痛反応をきたす関連痛症候群が考えられる。これらの原因により，神経の可塑性を介した疼痛シグナル作用の変化をきたし，最

（続く）↗

> （続き）
> 初の障害から回復した後も疼痛が継続することになる
> - 電気が走るような痛み，刃物で刺されるような痛み，灼熱感，ピリピリする感覚などと表現される

出典：Institute of Medicine. *Relieving Pain in America: A Blueprint for Transforming Prevention, Care, Education, and Research (2011)*. https://www.nap.edu/catalog/13172/relieving-pain-in-america-a-blueprint-for-transforming-prevention-care より入手可能（Accessed October 28, 2018）

急性疼痛と慢性疼痛のアセスメント

病歴聴取

集学的な目線をもって，各種スケールを使用した疼痛評価法をとり入れ，患者の病歴，疼痛のさまざまな特徴，疼痛の要因を注意深く聴取すること[42, 43]。疼痛に関する病歴をすべて聞き出し，各患者の経験に合わせてアプローチの仕方を工夫する。患者に痛みがどのようなもので，かつどのように起こったかをたずねる。外傷部位に関連しているのか，動きに伴うものなのか，1日のうちいつ起こるのか？　痛みの質についてもたずねる。鋭い痛み，鈍い痛み，焼けるような痛みなのか？　痛みは放散するのか，周期的に起こるのかをたずねる。痛みを改善させるもの，増悪させるものは何か？　症状を表す特徴と同様に，疼痛の特徴を追求していく。言葉での疼痛の説明は不正確になりがちなので，疼痛の場所を指し示すように依頼する。

処方，理学療法，代替療法など，これまでに行った治療についてたずねる。薬歴を包括的に聴取することで，鎮痛薬との相互作用やその効果の減弱に関連した薬物が明らかになってくる。

慢性疼痛は機能障害や仕事における能力低下の主要な原因となる。疼痛が患者の日常活動，気分，睡眠，仕事，性的活動に与える影響についてもたずねる。

疼痛の程度を評価する

疼痛の強さ（程度）を評価するためには，一貫した方法を用いるべきである。**視覚的アナログスケール Visual analog Scale（VAS），数値評価スケール Numeric Rating Scale（NRS），表情尺度スケール Wong-Baker FACES® Pain Rating Scale** の3つの疼痛評価スケールが一般的である（図8-11）。VASは通常，言葉で左端に「痛みなし」，右端に「最大の痛み」と書かれた横線で示される。患者は痛みの強さに対応した横線上の場所に印をつける。NRSは，0～10の数字が付され，0は痛みなし，10は最大の痛みを表す段階的スケールである。患者は痛みの強さを数

異常例

多数の検証済みの疼痛評価スケールが診察において利用可能である[42, 43]。

第3章「病歴」のBox 3-4「症状を表す特徴」（p.86～87）を参照。

関節炎，糖尿病，HIV/AIDS，薬物乱用，鎌状赤血球症，精神疾患など，合併しているすべての疾患に関しても精査する。これらの疾患は患者が経験する疼痛にかなり影響を与える。

うつ病，身体表現性障害，不安障害は，疼痛への患者の対処方法に影響を与えるため，急性疼痛や特に慢性疼痛を効果的に治療するために，これらの状態を特定する必要がある[45]。

診察の技術

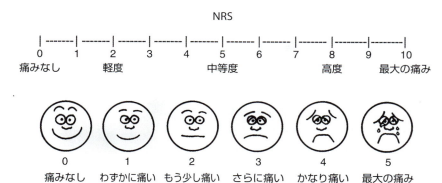

図 8-11　数値評価スケール(NRS)と表情尺度スケール(Wong-Baker FACES® Pain Rating Scale) (King MS, Lipsky MS. *Step-Up to Geriatrics*. Wolters Kluwer; 2017, Fig. 5-5. より)

字で示す。Wong-Baker FACES® Pain Rating Scale は小児，言葉の壁や認知機能障害のある患者に用いられる[45]。6種類の表情が描かれており，にこやかな表情から非常に具合の悪い表情によって疼痛の強さの段階が示されている。NRS の 0 は Wong-Baker FACES® Pain Rating Scale の「笑顔」，10 は「泣き顔」にそれぞれ相当する。患者は痛みの程度や強さを最もよく表す顔の絵を指し示す。国際疼痛学会の Faces Pain Scale-Revised(FPS-R)もまたよく利用される[47]。簡易疼痛質問票(Brief Pain Inventory)や McGill Pain Questionnaire(MPQ)などの詳細な多次元評価ツールも多数あるが，施行するのに時間がかかる[46]。

病歴や身体所見を補うための質問票，疼痛日記，疼痛評価スケールは，すべての疼痛治療計画において情報収集のために必要不可欠なものである[44]。

痛みの健康格差

疼痛評価，疼痛治療，治療の提供における健康格差はよく知られている。それはアフリカ系米国人やヒスパニック系米国人の患者に対して救急の現場で鎮痛薬があまり使用されないことから，癌患者・術後患者・腰痛患者に対する鎮痛薬使用時の格差まで多岐にわたる[42]。意思決定において医療者の固定観念，言語障壁，無意識の偏見といったものが，これらの格差を生み出すことが研究で示されている[48]。均一で効果的な疼痛管理を達成するための一歩として，コミュニケーション法を自己評価して疼痛に関する知識およびそれに関する最良の基準を学び，患者を教育して力づける技術を向上させなければならない。

異常例

米国医学研究所 Institute of Medicine (IOM) の報告である，Unequal Treatment：Confronting Racial and Ethnic Disparities in Health Care, 2002[49]を参照。

所見の記録

身体所見の記録は，全身の観察にもとづき，患者の外見の全体的な描写からはじめる。所見を記録する際，最初は文章を用いるかもしれないが，慣れてくれば慣用的な記述を用いるようになる。言葉を使って絵を描くように，目にみえるような明確な形容詞を選択する。「発達のよい」「栄養状態のよい」「急性の症状はない」などの絞切り型の表現は避けること。これらの表現はあらゆる患者に用いられる一般的なものであり，目の前にいる患者の特徴を伝えるものではないからである。バイタルサインは診察の前ではなく，診察時点の値を記載すること〔BP（血圧），HR（心拍数），RR（呼吸数）といった略語が一般的であり，一目瞭然である〕。多くの診療記録によく用いられる表現法を以下に示す。

全身の観察とバイタルサインの記録

> Cortez 夫人は若く，健康的で，身だしなみはよく，丈夫で，快活。身長 163 cm，体重 61 kg，BMI 24，BP 120/80 mmHg（両上肢），HR 72 回/分で整，RR 16 回/分，体温 37.5℃
>
> または
>
> Robinson 氏は顔色が悪く，慢性的な疾患がある，高齢の男性。意識は清明，良好なアイコンタクトあり，息切れがひどく一度に 2〜3 語以上話すことができない。呼吸時に肋間筋の陥凹がみられ，ベッドに背すじをのばして座っている。やせて，全身の筋肉が落ちている。身長 188 cm，体重 79 kg，BP 160/95 mmHg（右上肢），HR 108 回/分で不整，RR 32 回/分で努力呼吸，体温 38.4℃

これらの所見は COPD の増悪を示唆する。

健康増進とカウンセリング：エビデンスと推奨

健康増進とカウンセリングの重要事項

- 高血圧のスクリーニング
- 血圧とナトリウム摂取

その他の関連するトピックはつぎの項目で詳述する
- 理想体重（第 6 章「健康維持とスクリーニング」，p.176〜178）
- 栄養，食事（第 6 章「健康維持とスクリーニング」，p.178〜179）
- 運動と身体活動（第 6 章「健康維持とスクリーニング」，p.179〜180）

健康増進とカウンセリング：エビデンスと推奨

高血圧のスクリーニング

疫学

高血圧 hypertension は米国における重要な公衆衛生上の問題である。20歳以上の成人の1/3以上が**高血圧（収縮期血圧140 mmHg以上，または拡張期血圧90 mmHg以上）**であり，これらは9,000万人近くの人口に相当する(Box 8-6参照)[50]。男女間での高血圧の有病率は同等である。しかし，有病率は加齢とともに上昇し，30〜39歳では12％，40〜59歳では37％，60歳以上では67％以上に達する。米国では非ヒスパニック系黒人における高血圧の有病率が最も高く(42％)，白人(28％)，ヒスパニック系(26％)，アジア系(25％)と続く[51]。2014年の米国国民健康栄養調査 National Health and Nutrition Examination Survey (NHANES)のデータによると**高血圧を合併している米国成人の84％が診断され，76％が治療を受けている**ことが示されていた。しかし，**54％だけがコントロール良好**という状況であった。コントロールされていない高血圧は虚血性心疾患，脳血管疾患，うっ血性心不全そして慢性腎臓病の主要なリスク因子である[50]。2015年において高血圧は米国の40万件の死亡に関与し，その他の修正可能な心血管疾患のリスク因子よりも多くの数の心血管関連死亡の原因であった。

- **本態性高血圧**が高血圧の主要な原因である。危険因子には年齢，遺伝的素因，黒人，肥満や過体重，過量な塩分摂取，運動不足，過量なアルコール摂取があげられる。

- **二次性高血圧**は高血圧症例の5％未満を占める。その原因には閉塞性睡眠時無呼吸，慢性腎臓病，腎動脈狭窄症，薬物，甲状腺疾患，副甲状腺疾患，Cushing症候群，アルドステロン症，褐色細胞腫，大動脈縮窄症などがある。

スクリーニング

米国予防医療専門委員会 U.S. Preventive Services Task Force (USPSTF)は40歳以上の成人および高血圧のリスクの高い成人に毎年の血圧スクリーニングを行うことを強く推奨するグレードAの推奨を発表した[51]。高リスクの判断要因には血圧130〜139/85〜89 mmHg，過体重や肥満，アフリカ系米国人が含まれる。18〜39歳の平均リスクの成人は3〜5年ごとにスクリーニングを行うべきである。USPSTFはスクリーニングが心血管疾患のイベント減少に大きく寄与するという質の高いエビデンスを一貫して示してきた。スクリーニングのもつ最も重大な潜在的危険性は過剰診断による不必要な投薬である。しかし，最新のガイドラインでは診察室での血圧値の上昇がABPMやHBPMで確定されるまでは，薬物治療を原則開始しないことの重要性が強調されている。緊急の薬物治療は特に急性の心臓・脳・大血管・腎臓・網膜の血管床に対する標的臓器障害を伴うような重症高血圧の患者に対してはまだ推奨されている。2017年に米国心臓病学会

American College of Cardiology（ACC）と米国心臓協会American Heart Association（AHA）は成人高血圧の予防・発見・診断・治療ガイドライン（Guideline for the Prevention, Detection, Evaluation, and Management of High Blood Pressure in Adults）を発表した[3]。このガイドラインでは診察室での自動式血圧計による測定やABPM，HBPMで高血圧を確定することを推奨している。また，高血圧を収縮期血圧130 mmHg以上もしくは拡張期血圧80 mmHg以上と定義した。収縮期血圧が120〜129 mmHgで，拡張期血圧が80 mmHg未満の成人は血圧上昇と分類された。正常血圧の成人は1年後の再評価，一方で血圧上昇の成人は3〜6カ月以内に再評価することを推奨している。

血圧とナトリウム摂取

2012年の米国における推定6万7,000例の循環代謝死亡（心疾患，脳卒中，2型糖尿病が原因）は塩分過剰摂取が原因とされた[50]。AHAは理想1日ナトリウム摂取量を1,500 mg以下[訳注]としているが[50]，米国医学研究所（IOM）はナトリウム2,300 mgの1日食事摂取は成人での許容可能な上限レベルであるとした[53]。しかし，米国人の平均ナトリウム摂取量は3,400 mg/日で，成人の90％以上が推奨の上限レベルを超過摂取している[54]。ナトリウム摂取量を1,500 mg/日まで減量すると血圧コントロールは良好となるとされるが[55]，IOMはナトリウム2,300 mg/日以下の摂取での健康全体に対する利益を示すエビデンスを示せていない。モデル研究では全米国民が1日ナトリウム摂取量を1,200 mg/日にすると米国内の心臓発作の件数を5万4,000〜9万9,000件，脳卒中の数を3万2,000〜6万6,000件減少できることが示唆された[56]。

1日に摂取されるナトリウムの70％以上が加工食品に由来するため，AHAとIOMが共同して，製造業者，レストラン，食品サービス事業に対して政府主導の基準を設け，国家レベルでの減塩方法を提唱した[57, 58]。ガイドラインに記載されているナトリウム摂取2,300 mg/日を守るために，患者に対して食品の栄養内容表示をしっかり読むように指導するべきである。DASHダイエット（Dietary Approaches to Stop Hypertension）やAHA Healthyダイエットはナトリウム，飽和脂肪，砂糖，乳製品を多く含む食品を制限し，野菜，果物，全粒穀物の摂取を奨励する。これらの食事計画は心血管疾患のリスクを低下させる[50, 52, 55]。

表8-1「高血圧の患者：食事変更の推奨」を参照。

訳注：ナトリウム（mg）×2.54÷1000＝食塩相当量（g），つまりナトリウム1,500 mgは食塩3.8 g相当。

表 8-1　高血圧の患者：食事変更の推奨[59-61]

食事変更	食物
カリウムを多く含んだ食品を増やす	焼いたジャガイモやサツマイモ，白インゲン豆，ビーツの葉，大豆，ホウレンソウ，レンズ豆，インゲン豆 ヨーグルト トマトペースト，トマトジュース，トマトピューレ，トマトソース バナナ，プランテイン（調理用バナナ），ドライフルーツ，オレンジジュース
ナトリウムを多く含んだ食品を減らす	缶詰類（スープ，ツナ） プレッツェル，ポテトチップス，ピザ，ピクルス，オリーブ 加工食品（冷凍食品，ケチャップ，マスタード） 揚げ物 食卓塩（調理用も含む）

文献一覧

1. Merriam-Webster Dictionary. https://www.merriam-webster.com/dictionary/constitution. Accessed October 21, 2018.
2. Cunningham WE, Shapiro MF, Hays RD, et al. Constitutional symptoms and health-related quality of life in patients with symptomatic HIV disease. *Am J Med*. 1998; 104(2): 129-136.
3. Balachandran JS, Patel SR. In the clinic. Obstructive sleep apnea. *Ann Intern Med*. 2014; 161(9): ITC1-15; quiz ITC16.
4. Bray GA, Wilson JF. In the clinic. Obesity. *Ann Intern Med*. 2008; 149: ITC4-1-15; quiz ITC4-16.
5. Richmond SJ, Gunadasa S, Bland M, et al. Copper bracelets and magnetic wrist straps for rheumatoid arthritis—analgesic and anti-inflammatory effects: a randomized double-blind placebo controlled crossover trial. *PLoS One*. 2013; 8(9): e71529.
6. Heywood W, Patrick K, Smith AM, et al. Who gets tattoos? Demographic and behavioral correlates of ever being tattooed in a representative sample of men and women. *Ann Epidemiol*. 2012; 22(1): 51-56.
7. Fernández-Dols JM, Russell JA, eds. *Oxford Series in Social Cognition and Social Neuroscience. The Science of Facial Expression*. New York: US: Oxford University Press; 2017.
8. Clarkson DM. Patient weighing: standardisation and measurement. *Nurs Stand*. 2012; 26(29): 33-37.
9. National Nurses Nutrition Group. *Good Practice Guideline—For Accurate Body Weight Measurement Using Weighing Scales in Adults and Children*. Available at http://www.nnng.org.uk/wp-content/uploads/2017/02/Accurate-Body-Weight-Measurement-GPG-Final-draft-Feb17.pdf. Accessed October 21, 2018.
10. NIHR Southampton Biomedical Research Centre. *Procedure for Measuring Adult Height*. Available at http://www.uhs.nhs.uk/Media/Southampton-Clinical-Research/Procedures/BRCProcedures/Procedure-for-adult-height.pdf. Accessed October 21, 2018.
11. National Heart Lung Blood Institute, National Institutes of Health. *Body Mass Index Tables 1 and 2*. Available at http://www.nhlbi.nih.gov/health/educational/lose_wt/BMI/bmi_tbl.htm. Accessed October 21, 2018.
12. National Institutes of Health-National Heart, Lung, and Blood Institute. *Calculate Your Body Mass Index*. Available at http://www.nhlbi.nih.gov/health/educational/lose_wt/BMI/bmicalc.htm. Accessed October 21, 2018.
13. National Institutes of Health and National Heart, Lung, and Blood Institute. *Clinical Guidelines on the Identification, Evaluation, and Treatment of Overweight and Obesity in Adults: The Evidence Report*. NIH Publication 98-4083; June 1998. Available at http://www.nhlbi.nih.gov/guidelines/obesity/ob_gdlns.pdf. Accessed October 30, 2018.
14. James PA, Oparil S, Carter BL, et al. 2014 evidence-based guideline for the management of high blood pressure in adults: report from the panel members appointed to the Eighth Joint National Committee (JNC 8). *JAMA*. 2014; 311(5): 507-520.
15. O'Brien E, Asmar R, Beilin L, et al. European Society of Hypertension recommendations for conventional, ambulatory, and more blood pressure measurement. *J Hypertens*. 2005; 21: 821.
16. O'Brien E, Pickering T, Asmar R, et al. Working Group on Blood Pressure Monitoring of the European Society of Hypertension International protocol for validation of blood pressure measuring devices in adults. *Blood Press Monit*. 2002; 7(1): 3-17.
17. Murray A. In praise of mercury sphygmomanometers: appropriate sphygmomanometer should be selected. *BMJ*. 2001; 322(7296): 1248-1249.
18. Smith L. New AHA Recommendations for Blood Pressure Measurement. *Am Fam Physician*. 2005; 72(7): 1391-1398.
19. Buchanan S. *The Accuracy of Alternatives to Mercury Sphygmomanometers*. Available at https://noharm-uscanada.org/sites/default/files/documents-files/827/Accuracy_Alts_Mercury_Sphyg_rev10-09.pdf. Accessed October 21, 2018.
20. Kallioinen N, Hill A, Horswill MS, et al. Sources of inaccuracy in the measurement of adult patients' resting blood pressure in clinical settings: a systematic review. *J Hypertens*. 2017; 35(3): 421-441.
21. Weber MA, Schiffrin EL, White WB, et al. Clinical practice guidelines for the management of hypertension in the community a statement by the American Society of Hypertension and the International Society of Hypertension. *J Hypertens*. 2014; 32(1): 3-15.
22. Pickering TG, Hall JE, Appel LJ, et al. Recommendations for blood pressure measurement in humans and experimental animals. Part 1: blood pressure measurement in humans: a statement for professionals from the Subcommittee of Professional and Public Education of the American Heart Association Council on High Blood Pressure Research. *Circulation*. 2005; 111(5): 697-716.
23. Cavallini MC, Roman MJ, Blank SG, et al. Association of the auscultatory gap with vascular disease in hypertensive patients. *Ann Intern Med*. 1996; 124(10): 877-883.
24. Freeman R. Clinical practice. Neurogenic orthostatic hypotension. *N Engl J Med*. 2008; 358(6): 615-624.
25. Carslon JE. Assessment of orthostatic blood pressure: measurement technique and clinical applications. *South Med J*. 1999; 92(2): 167-173.
26. Freeman R, Wieling W, Axelrod FB, et al. Consensus statement on the definition of orthostatic hypotension, neurally mediated syncope and the postural tachycardia syndrome *Auton Neurosci*. 2011; 161(1-2): 46-48.
27. Pickering TG, Miller NH, Ogebegbe G, et al. Call to action on use and reimbursement for home blood pressure monitoring: Executive Summary. A joint scientific statement from the American Heart Association, American Society of Hypertension, and Preventive Cardiovascular

Nurses Association. *Hypertension*. 2008; 52(1): 1-9.
28. O'Brien E, Parati G, Stergiou G, et al. European Society of Hypertension position paper on ambulatory blood pressure monitoring. *J Hypertens*. 2013; 31(9): 1731-1768.
29. Myers MG, Godwin M, Dawes M, et al. Conventional versus automated measurement of blood pressure in primary care patients with systolic hypertension: randomised parallel design controlled trial. *BMJ*. 2011; 342: d286.
30. Piper MA, Evans CV, Burda BU, et al. Diagnostic and predictive accuracy of blood pressure screening methods with consideration of rescreening intervals: an updated systematic review for the U.S. Preventive Services Task Force. *Ann Intern Med*. 2014; 162(3): 192.
31. Hodgkinson J, Mant J, Martin U, et al. Relative effectiveness of clinic and home blood pressure monitoring compared with ambulatory blood pressure monitoring in diagnosis of hypertension: systematic review. *BMJ*. 2011; 342: d3621.
32. Mason JW, Ramseth DJ, Chanter DO, et al. Electrocardiographic reference ranges derived from 79,743 ambulatory subjects. *J Electrocardiol*. 2007; 40(3): 228-234.
33. Aladin AI, Whelton SP, Al-Mallah MH, et al. Relation of resting heart rate to risk for all-cause mortality by gender after considering exercise capacity (the Henry Ford Exercise Testing Project). *Am J Cardiol*. 2014: 114(11): 1701-1706.
34. Sund-Levander M, Forsberg C, Wahren LK. Normal oral, rectal, tympanic and axillary body temperature in adult men and women: a systematic literature review. *Scand J Caring Sci*. 2002; 16(2): 122-128.
35. Jeffries S, Wetherall M, Young P, et al. A systematic review of the accuracy of peripheral thermometry in estimated core temperatures among febrile critically ill patients. *Crit Care Resusc*. 2011; 13(3): 194-199.
36. Lawson L, Bridges EJ, Ballou I, et al. Accuracy and precision of noninvasive temperature measurement in adult intensive care patients. *Am J Crit Care*. 2007; 16(5): 485-496.
37. McCallum L, Higgins D. Measuring body temperature. *Nurs Times*. 2012; 108(45): 20-22.
38. International Association for the Study of Pain. *IASP Taxonomy*. Updated December 14, 2017. Available at http://www.iasp-pain.org/Education/Content.aspx?ItemNumber=1698#Pain. Accessed October 28, 2018.
39. Federation of State Medical Boards of the United States Model guidelines for the use of controlled substances for the treatment of pain, The Federation, Euless, TX, 1998.
40. Zeller JL, Burke AE, Glass RM. JAMA patient page. Acute pain treatment. *JAMA*. 2008; 299(1): 128.
41. Haanpaa M, Attal N, Backonja M, et al. NeuPSIG guidelines on neuropathic pain assessment. *Pain*. 2011; 152(1): 14-27.
42. Institute of Medicine. *Relieving Pain in America: A Blueprint for Transforming Prevention, Care, Education, and Research*. (2011). Available at https://www.nap.edu/catalog/13172/relieving-pain-in-america-a-blueprint-for-transforming-prevention-care. Accessed October 28, 2018.
43. Washington State Agency Medical Directors' Group. *Interagency Guideline on Opioid Dosing for Chronic Non-Cancer Pain: An Education Aid to Improve Care and Safety With Opioid Treatment*. Olympia, Washington: Washington State Department of Labor and Industries, 2010. Available at http://www.agencymeddirectors.wa.gov/Files/OpioidGdline.pdf. Accessed October 28, 2018.
44. European Pain Federation EFIC® Core Curriculum for Medical Students. Available at http://www.europeanpainfederation.eu/core-curriculum/pain-management-core-curriculum-european-medical-schools. Accessed October 21, 2018.
45. Keller S, Bann CM, Dodd SL, et al. Validity of the brief pain inventory for use in documenting the outcomes of patients with noncancer pain. *Clin J Pain*. 2004; 20(5): 309-318.
46. Bieri D, Reeve R, Champion GD, et al. The Faces Pain Scale for the self-assessment of the severity of pain experienced by children: development, initial validation and preliminary investigation for ratio scale properties. *Pain*. 1990; 41(2): 139-150.
47. International Society for the Study of Pain. *Faces Pain Scale — Revised Home*. Updated September 2014. Available at http://www.iasp-pain.org/Education/Content.aspx?ItemNumber=1519&navItemNumber=577. Accessed October 28, 2018.
48. Green CR, Anderson KO, Baker TA, et al. The unequal burden of pain: confronting racial and ethnic disparities in pain. *Pain Med*. 2003; 4(3): 277-294.
49. Smedley BR, Stith AY, Nelson AR, eds. *Committee on Understanding and Eliminating Racial and Ethnic Disparities in Health Care. Unequal Treatment: Confronting Racial and Ethnic Disparities in Health Care*. Washington, DC: National Academies Press; 2002.
50. Benjamin EJ, Virani SS, Callaway CW, et al. Heart Disease and Stroke Statistics — 2018 Update: a report from the American Heart Association. *Circulation*. 2018; 137(12): e67-e492.
51. Siu AL; U.S. Preventive Services Task Force. Screening for high blood pressure in adults: U.S. Preventive Services Task Force recommendation statement. *Ann Intern Med*. 2015; 163(10): 778-786.
52. Whelton PK, Carey RM, Aronow WS, et al. 2017 ACC/AHA/AAPA/ABC/ACPM/AGS/APhA/ASH/ASPC/NMA/PCNA Guideline for the Prevention, Detection, Evaluation, and Management of High Blood Pressure in Adults: Executive Summary: a report of the American College of Cardiology/American Heart Association Task Force on Clinical Practice Guidelines. *Hypertension*. 2018; 71(6): 1269-1324.
53. IOM (Institute of Medicine). *Sodium Intake in Populations: Assessment of Evidence. Report Brief*. Washington, DC: The National Academies Press; 2013.
54. Jackson SL, King SM, Zhao L, et al. Prevalence of excess sodium intake in the United States — NHANES, 2009-2012. *MMWR Morb Mortal Wkly Rep*. 2016; 64(52): 1393-1397.
55. Eckel RH, Jakicic JM, Ard JD, et al. 2013 AHA/ACC guideline on lifestyle management to reduce cardiovascular

risk: a report of the American College of Cardiology/American Heart Association Task Force on Practice Guidelines. *Circulation*. 2014; 129(25 Suppl 2): S76-S99.

56. Bibbins-Domingo K, Chertow GM, Coxson PG, et al. Projected effect of dietary salt reductions on future cardiovascular disease. *N Engl J Med*. 2010; 362(7): 590-599.

57. Appel LJ, Frohlich ED, Hall JE, et al. The importance of population- wide sodium reduction as a means to prevent cardiovascular disease and stroke: a call to action from the American Heart Association. *Circulation*. 2011; 123(10): 1138-1143.

58. IOM (Institute of Medicine). *Strategies to Reduce Sodium Intake in the United States*. Washington, DC: The National Academies Press; 2010.

59. U.S. Department of Agriculture and U.S. Department of Health and Human Services. *Dietary Guidelines for Americans, 2010*. Washington, DC: U.S. Government Printing Office; 2010; ChooseMyPlate.gov. Available at http://www.choosemyplate.gov/index.html. Accessed November 12, 2018.

60. Office of Dietary Supplements, National Institutes of Health. *Dietary Supplement Fact Sheets: Calcium; Vitamin D*. Available at http://ods.od.nih.gov/factsheets/list-all. Accessed November 12, 2018.

61. Ong T, Allen M, Fancher T. Chapter 15. Weight Loss. In: Henderson MC, Tierney LM Jr, Smetana GW, eds. *The Patient History: An Evidence-Based Approach to Differential Diagnosis*. New York: McGraw-Hill; 2012. Available at http://accessmedicine.mhmedical.com.eresources.mssm.edu/content.aspx?-bookid=500&sectionid=41026558. Accessed November 29, 2018.

本章の学習効果を高め，理解を助けるために一連の補助教材がある。

- 『ベイツ診察法ポケットガイド第4版』
- Bates' Visual Guide to Physical Examination
- thePoint® online resources, for students and instructors: http://thepoint.lww.com

第9章 認知，行動，精神状態

解剖と生理

精神症状を引き起こす解剖学的・生理学的要因は，身体の主要な臓器系の症状ほど明確になっていない。例えば，心臓の刺激伝導系や消化管での消化過程では，一般的に原因と結果の関係がかなり明確だが，人間の脳は複雑であるため，精神疾患の原因を特定の要素に絞りこむことは非常に困難である。しかし，何十年にもわたる神経科学研究を通して，特定の脳領域が精神疾患において果たす役割が明確になってきた。

中枢神経系 central nervous system（CNS）は，**脳 brain** と **脊髄 spinal cord** で構成されている。脊髄は，運動機能と感覚機能に関しては重要だが，精神疾患とはあまり関連性がない。脳はさらにつぎのように細分化される。

- 脳の最大の領域であり，**大脳皮質 cortical structure**（前頭葉，側頭葉，頭頂葉，および後頭葉）からなる **大脳 cerebrum**（**大脳半球 cerebral hemisphere**）
- **皮質下構造 subcortical structure**（脳弓，帯状皮質，大脳基底核，および前脳基底部）
- **間脳 diencephalon**（視床，視床上部，視床下部，および視床腹部）
- **小脳 cerebellum**
- **中脳 midbrain**，**橋 pons**，および **延髄 medulla** からなる **脳幹 brainstem**[1]

中枢神経系の奥深くで，調節系として組織化された**神経細胞（ニューロン neuron）**群（**核 nucleus**）は，高次の中枢神経系機能に不可欠な**神経伝達物質 neurotransmitter** を合成する（Box 9-1）[2]。

- **セロトニン作動性広汎性調節系（セロトニン神経系）serotonergic diffuse modulatory system** は **縫線核 raphe nuclei** から生じる。縫線核は脳幹の正中線に沿って集まっており，中枢神経系のすべてのレベルに広範囲に投射している。縫線核は，気分，覚醒，認知の調節を助ける神経伝達物質である**セロトニン serotonin** を産生する（図9-1）。

神経系の解剖について，詳細は第24章「神経系」の「解剖と生理」（p.859〜870）を参照。

解剖と生理　　　　　　　　　　　　　　　　　　　　　　　　　　　　　　　　　　異常例

Box 9-1　精神疾患に関与する主要な神経伝達物質[2]

神経伝達物質	合成部位	調節機能
セロトニン	脳幹の縫線核	気分，覚醒，認知の調節を補助
ノルアドレナリン	脳幹の青斑核	気分，覚醒，注意，認知を調節
ドパミン	脳幹の黒質	気分，覚醒，認知，運動制御を調節
アセチルコリン	前脳基底部のMeynert基底核	睡眠，覚醒，注意を調節

セロトニン，ノルアドレナリン，およびドパミンの不足は，抑うつ症状と関連している。ノルアドレナリン濃度が上昇し，セロトニン濃度が低下すると，不安症状が誘発される。脳の特定の領域でセロトニン濃度が低下し，ドパミンが過剰に増えると，精神病性障害や躁病の症状を引き起こす。認知症では，アセチルコリンの濃度が低いのが特徴的である[2]。

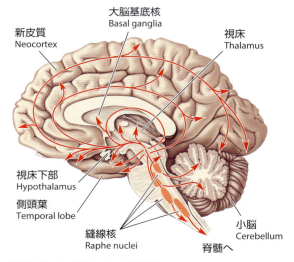

図 9-1　セロトニン神経系(Bear MF et al. *Neuroscience*. 4th ed. Wolters Kluwer; 2016, Fig. 15-13.より)

- **ノルアドレナリン作動性広汎性調節系（ノルアドレナリン神経系）norepinephrine diffuse modulatory system** は青斑核から生じる（図 9-2）。青斑核ニューロンの小さな集団は，脊髄，小脳，視床，大脳皮質など，中枢神経系の広大な領域を神経支配する軸索を投射し，気分，覚醒，注意，認知を調節する**ノルアドレナリン norepinephrine (noradrenaline)** を産生する。

- **ドパミン作動性広汎性調節系（ドパミン神経系）dopaminergic diffuse modulatory system** は，**黒質**と**腹側被蓋野**から生じ，気分，覚醒，認知，運動制御を調節する神経伝達物質である**ドパミン dopamine** を産生する（図 9-3）。黒質と腹側被蓋野は中脳で近接しており，黒質は**線条体**（**尾状核**と**被殻**），腹側被蓋野は**大脳辺縁系**と**前頭葉**に投射する。

- **コリン作動性広汎性調節系（コリン神経系）cholinergic diffuse modulatory system** は，**前脳基底部**と**脳幹**から生じる。**Meynert（マイネルト）基底核**と**内側中隔核**は，**海馬**を含む大脳皮質に広く投射する。Meynert基底核は，中枢神経系におけるアセチルコリン産生の中心である。アセチルコリンは，睡眠，覚醒，注意の調節を助ける（図 9-4）。

解剖と生理

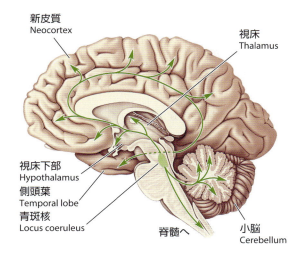

図 9-2 ノルアドレナリン神経系（Bear MF et al. *Neuroscience*. 4th ed. Wolters Kluwer; 2016, Fig. 15-12. より）

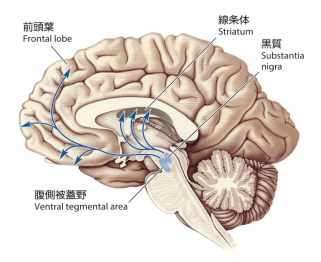

図 9-3 ドパミン神経系（Bear MF et al. *Neuroscience*. 4th ed. Wolters Kluwer; 2016, Fig. 15-14. より）

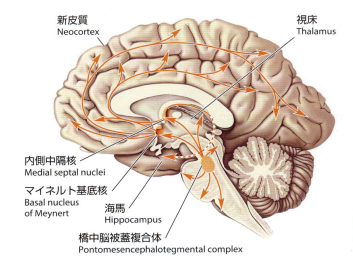

図 9-4 コリン神経系（Bear MF et al. *Neuroscience*. 4th ed. Wolters Kluwer; 2016, Fig. 15-1. より）

上述した中枢神経系内の構造は，**神経回路 circuit** または**ネットワーク network** と呼ばれる多様で複雑な経路を介して互いに接続されている[1]。これらのネットワークは，大量の情報を処理し，それに応じてタスクを調整，実行する。なお，ネットワークは複雑であるため，精神疾患や症状を脳の特定の領域に帰することは困難である。ネットワーク内での複数の欠損が発症の原因であることも考えられる。ネットワークに関する研究はまだ包括的な理解とはほど遠く，発展の途上にあるといえるだろう。

本章では，基準となる状態からどのくらい逸脱しているかという観点から測定され，社会的，職業的，または日常生活におけるその他の重大な苦痛または障害につながる可能性のある，認知，情動調節，または行動における重大な問題を指して，**精神疾患 mental disorder** という用語を用いる。この用語は，米国の精神科医やその他のメンタルヘルス専門家が使用する診断マニュアルである，最新版の『精神疾患の診断・統計マニュアル（第5版）Diagnostic and Statistical Manual of Mental Disorders（DSM-5）』で使用されている[3]。ただし，この用語には固有の問題があるため，**mental illness** や **psychiatric illness** などの用語が好まれる場合がある。実際 DSM-5 では，精神疾患という用語は精神と身体の障害を区別することにつながりかねず，誤解を招く表現であると説明されているが，現在まで代わりとなる適切な用語がないため，引き続き使用されている。

> 表9-1「中枢神経系の構造と精神疾患」，表9-2「精神疾患に関連する神経回路」に示す，精神症状や疾患にかかわる中枢神経系の領域，ネットワーク，それらの機能および役割についての解説を参照。

病歴：一般的なアプローチ

2016年の米国成人における精神疾患の有病率は18.3%で，4,470万人にも及ぶ（Box 9-2）[4]。精神疾患と有害行動の手がかりは，個々の患者に合わせた共感的な聞き取りと綿密な観察を行って特定する用意ができていてもなお，見落とされることが多い。一方で，家族から患者の行動のあやふやさ，または行動の変化が報告され，手がかりとなることがある。また診察者が，患者の行動の微妙な変化，例えば指導された通りの服薬が困難，家事参加や買い物での支払いが困難，日常的に行っていた活動への興味の喪失，手術後や急性疾患での失見当識に気づく場合もある。

Box 9-2　プライマリケアで遭遇する精神疾患

- プライマリケア外来患者の約20%が精神疾患に罹患しているものの，そのうちの50〜75%は診断，治療をされていない[8, 9]
- プライマリケアにおける各精神疾患の有病率はおよそ以下の通りである[9-12]
  - 不安障害：20%
  - 気分変調症，抑うつ症状，双極性障害を含めた気分障害：25%
  - うつ病：10%
  - 身体症状症：10〜15%
  - アルコールや薬物依存：15〜20%

| 病歴：一般的なアプローチ | 異常例 |

精神疾患は他の病態によって隠されてしまうことがあるため，慎重で注意深い面接が必要となる。必要に応じ，特定の分野の質問を追加して面接を補足し，適応があれば精神状態の標準的な検査を行う。精神疾患を特定することは，その高い有病率と罹患率，治療可能性が高いこと，メンタルヘルスの問題に対応する医療者の不足，さらに患者の苦痛を最初に診察するプライマリケア医の重要性を踏まえると重要である[5,6]。また，こうした疾患は家族関係や就職状況に影響を与え，何らかの障害を引き起こす可能性があるため，迅速に特定することが非常に重要である。

精神疾患患者は，診断によって重大な偏見に直面することがある[7]。彼らは脆弱で，症状に対する自己責任があるなど不当な偏見をもたれ，家庭，地域社会，職場での差別に遭遇することが多い。精神医学的診断について話し合うときは，患者の診断に対する理解を促すことが重要である。特に，患者は疾患について思いこみや間違った信念をもっている可能性があるため，それに対処することが必要である。**心臓や肺の疾患と同様，精神の疾患も実際に存在し，治療可能であることを強調することは，偏見による悪影響を軽減するために重要である。**

よくみられる，または注意すべき症状

- 不安，過度の心配
- 抑うつ気分
- 認知障害
- 医学的に説明のつかない症状

不安，過度の心配

不安障害 anxiety disorder には，**全般性不安障害，社交恐怖（社交不安障害），パニック障害，心的外傷後ストレス障害（PTSD）や急性ストレス障害**が含まれる[13-16]。これらは最も一般的な精神疾患であり，生涯有病率は31％にも達するが，慢性化する可能性や身体に障害を起こす可能性があることは著しく過小評価されがちである[17]。

- 神経質になり，制御できないほど心配を抱え，おびえている，またはいらいらすると感じている患者の場合，「最近の調子はいかがですか？」のような自由回答方式の質問をする。これにより，状況を自分の言葉を使って説明する機会を患者に与えることができる（Box 9-3）。

不安障害および関連疾患をもつ患者に共通する危険因子は，不安障害の家族歴[16]，不安障害または気分障害の既往歴[18,19]，小児期の過度なストレスのかかる体験または心的外傷[11,20]，女性[17,21]，慢性身体的疾患[18,22]，および行動抑制である[4,23]。

Box 9-3　外来診療で使用できる効果的なスクリーニング質問：不安障害[13-16]

- ここ2週間で，神経質になったり，不安になったり，いらいらすることがありましたか？
- ここ2週間で，心配するのを止められなかったり，コントロールできないことがありましたか？
- ここ4週間で，急な恐怖心やパニックなどの不安発作を経験しましたか？

病歴：一般的なアプローチ	異常例
● どのような性質の不安かたずねる。それは，**心配，回避，強迫観念**なのか？	患者の主訴として，「心配」が顕著である場合，全般性不安障害またはパニック障害を疑う。恥をかく可能性のある状況や活動（人と話すなど）に不釣り合いな恐怖感を抱き，回避する症状は，社交不安障害を示唆する[24]。
●「あなたは，どのようなことを心配または不安に感じますか？」とたずねる。一般的な回答として，家族，経済的な事情，健康，仕事，人間関係などがある。**強迫観念 obsession** には，他人を傷つけるという考え，性的な考え，汚染・病原菌・病気に関する過度の不安などがある。**強迫行為 compulsion** は，過度な手洗い，掃除，確認（ドア，鍵，電化製品など），物の配置へのこだわり，反復行為や精神的な儀式（数を数える，触れる，祈るなど），買いだめ，収集，節約などとして現れることがある。	特定の行動や習慣（強迫行為）につながり得る，繰り返し生じる望まない思考（強迫観念）は，**強迫性障害(OCD)**を示唆する[25]。
● 不安や心配を感じはじめた時期と持続期間についてたずねる。「このような過度の心配はどのくらい続いていますか？」	4週間にわたって過度の心配が続く場合は，全般性不安障害を疑う[3]。
● 発症したのはこれがはじめてか，それとも再発か？	パニック障害は，予期せぬ激しい恐怖や不快感の突然のエピソード・発作の繰り返しや，つぎの発作または発作の結果に直面することへの恐怖や不安を感じて生活する期間を伴うことが多い[25]。
● 心配は，日常生活のさまざまな場面で生じ，思考や行動の繰り返しを伴うか？ 睡眠に問題はないか？ 頭痛，胃の問題，または倦怠感で体調を崩していると感じるか？	強迫性障害は，侵入的思考と儀式的行動が特徴である。
● ライフイベントまたは心的外傷との関連を調べる。不安を感じるようになる前に，きっかけとなる出来事はあったのか？	PTSDの可能性を検討する。PTSDは，再体験症状，回避，認知と気分の持続的な陰性変化，覚醒および反応性の変化が特徴である。また，人前で恥をかくことを予想して不安を感じる，社交不安障害を考慮する。
● 他に症状の原因となりうるものがないか特定することが重要である。市販薬（OTC医薬品）や処方薬，違法薬物，カフェイン，アルコール，その他の身体的および精神医学的併存疾患などが含まれる。	甲状腺機能亢進症，心肺疾患，外傷性脳損傷は，過度または制御不能な不安に伴う一般的な併存疾患である[3]。不安は薬物使用や気分障害でしばしば認められる[17]。
● 症状が患者の現在の生活と身体機能に与えた影響について必ずたずねる。	

病歴：一般的なアプローチ

異常例

抑うつ気分

抑うつ症状を伴う気分障害には，**大うつ病性障害（うつ病）（MDD）**，**持続性抑うつ障害（PDD）**，**双極性障害**，**重篤気分調節症（DMDD）**，および**月経前不快気分障害（PMDD）**が含まれる。米国における大うつ病性障害の12カ月有病率は約7％であり，重大な苦痛と機能障害の原因となる[3]。

うつ病には多くの危険因子があるが，最も一般的なのは抑うつ症状の既往歴，うつ病の家族歴（第1度近親者），ストレスの強い最近の出来事または小児期のつらい体験，慢性疾患，身体障害のある疾患，女性である[3]。

患者が自分の症状を医療者と共有することを躊躇したり，うつ病に苦しんでいることに気づいていない場合があるため，うつ病の評価が困難な場合がある。しかし，うつ病は治療可能な自殺の危険因子であるため，スクリーニングは非常に重要である。効果的な質問をいくつか用いることで，抑うつ症状の存在を明らかにし，他の原因を除外できる可能性がある（Box 9-4）。

うつ病のスクリーニング（p.271）も参照。

Box 9-4　外来診療で使用できる効果的なスクリーニング質問：うつ病

- ここ2週間で，落ち込んだり，ふさぎこんだり，絶望的になったりしましたか[8, 26, 27]？
- ここ2週間で，何かするときに興味や楽しみを感じないことがありましたか（無快感症）？
- ここ2週間で，眠りにつきづらい，またはすぐに目を覚ましてしまうといった問題はありましたか？　または寝すぎてしまうことはありましたか？
- ここ2週間で，自己嫌悪に陥ったり，自分は失敗作だと感じたり，家族を失望させたと感じることがありましたか？
- ここ2週間で，倦怠感を感じ，活力を失うことはありましたか？
- ここ2週間で，食欲不振や食べすぎは経験しましたか？
- ここ2週間で，新聞を読んだりテレビを見るときなど，物事に集中しづらいことはありましたか？
- ここ2週間で，動作や会話が緩慢だと他の人から指摘されることはありましたか？　または，そわそわしたり落ち着きがなく，いつもより動きが多くなることはありましたか？
- ここ2週間で，死んだほうがましである，または何らかの方法で自分自身を傷つけようと思ったことがありましたか？

- 不安に関してたずねる際は，自由回答方式の質問ではじめるのが重要である。「調子はいかがですか？」または「気分はいかがですか？」といった質問がうつ病のスクリーニングを開始するのに役立つ。患者がこれらの質問に答えるのに苦労している場合は，「3つの言葉で最近のあなたの気分を説明してください」といったより指示的なアプローチをとる。

抑うつ症状のある患者は，「悲しい」または「落ち込んでいる」以外の回答をするかもしれない。一般的な応答には「罪悪感がある」「いらいらする」「怒っている」「絶望している」などがある。

愛する人を失った直後の悲しみは普遍的で想定可能なもので，うつ病ではなく通常の死別の過程である可能性がある。

病歴：一般的なアプローチ	異常例

患者が自分の気分を上記のように表現する場合，さらなる精査が重要である。このように感じる原因は何だと患者は考えているだろうか？

ストレスを感じた直後にいらいらしたり，怒ったり，悲しんだりすることは，特に他の抑うつ症状がない場合，抑うつ障害ではなく**適応障害**の症状の一部である可能性がある。

女性患者の月経周期と同期して抑うつ症状が悪化した場合は月経前不快気分障害の可能性がある[17]。

- つぎに，症状の経過を理解することが重要である。患者はいつからこのように感じているだろうか？ ほぼ毎日，1日の大半このように感じているのだろうか？

大うつ病性障害は，少なくとも2週間の抑うつ，易刺激性気分を特徴とし，無快感症，不眠症または過眠症，自己評価の低下，活力の低下，集中力または決断力の低下，食欲の変化，てきぱきと動けない，落ち着きがない，自殺企図のうち少なくとも4つを伴う[17]。

持続性抑うつ障害は，少なくとも2年の抑うつ，易刺激性気分を特徴とし，上述の抑うつ症状のうち少なくとも2つを伴う[17]。

- 今回が患者にとってはじめての気分症状であるか，または過去に同様の経験をしたかを評価することが重要である。再発性の抑うつ症状の場合は，はじめて抑うつ症状を呈している患者よりも予後が悪い可能性がある。「これまでにこのように落ち込むことはありましたか？」「興奮する，エネルギーにあふれているように感じる，おしゃべりになる，落ち着きがなくなるといったことが何日も続けて起こり，この間ほとんど睡眠をとる必要がなかったことがありますか？」とたずねる。

双極性障害は，大うつ病性障害でみられるような抑うつ症状と，躁病エピソードまたは軽躁病エピソードの両方を伴う。躁病エピソードの症状には，多幸感・易刺激性気分，万能感，睡眠の必要性低下，饒舌，制御不可能なめまぐるしく押し寄せる思考，注意散漫，目標指向性の行動または焦燥感，および無謀な快楽追求（無防備な性行為，散財，無分別な投資）がある[17]。

- 抑うつ症状は，他の病態や物質使用に似ていることがある。心臓病，脳卒中，糖尿病，甲状腺の問題，およびアルコール・薬物使用のスクリーニングは，診断のうえで重要である。

Parkinson（パーキンソン）病，外傷性脳損傷，最近の心筋梗塞または脳卒中，および甲状腺機能低下症の症状は，抑うつ症状に似ていることがある。さらに，アルコール使用と最近の薬物使用は，抑うつ症状と似た症状を呈することがある[3]。

うつ病，特に再発性または慢性うつ病は，不安，パーソナリティ障害，および物質使用と併存することがしばしばある[3]。

- 不安と同様に，抑うつ症状が患者の生活に与える影響を評価することは，患者の全体的なアセスメントに不可欠である。

| 病歴：一般的なアプローチ | 異常例 |

認知障害

DSM-5 では，専門家グループとの検討の結果，せん妄と認知症が新たな**神経認知障害 neurocognitive disorder** というカテゴリーの下に分類し直された[3]。DSM-5 では，dementia に対応する用語として，**major neurocognitive disorder** を採用するという方針が明記されている(訳注)。なお，比較的深刻ではないレベルの認知障害は，**軽度認知障害 mild neurocognitive disorder** として分類され，これは外傷性脳損傷または**ヒト免疫不全ウイルス human immunodeficiency virus(HIV)** 感染による障害のある若年患者にも適用される。とはいえ，dementia という用語は臨床で広く使用されているため，DSM-5 でも依然として用いられている。表 9-3 に，日常生活に関連する症状やその評価方法を含め，せん妄と認知症の暫定的な定義を示す。

表 9-3 「神経認知障害：せん妄と認知症」を参照。

認知障害を評価するにあたっては，患者自身が記憶に問題があることを認識しているとは限らないため，家族や患者のことを知る近しい人からの情報が役に立つ。配慮，思いやりをもち，患者への関心を示して質問することで，患者は自覚している記憶に関連する問題について話しやすくなるだろう。

- はじめに「自分の記憶に関する不安はありますか？ または誰かから指摘されたことはありますか？」といった大まかな質問をする。

軽度認知障害の患者は，自分の物忘れを認識できるかもしれない。認知症の患者は，物忘れそのものより，知人が自分の物忘れを心配していることを記憶している可能性が高い。

- 患者や家族，知人が物忘れを実感している場合は，その発症時期と期間についてたずねる。「物忘れに最初に気づいたのはいつですか？」「時間の経過とともに起こったのですか，それとも突然でしたか？」

急性発症記憶障害では，血管閉塞のため記憶にとって重要な構造に障害を与える，重度の血管性認知症が危惧される。頭部外傷後の急性発症記憶障害では，外傷性脳損傷による認知症が疑われる。
他のほとんどの認知症は潜行性（または緩徐進行性）である。

- 患者や家族，知人が物忘れの進行が遅いと報告した場合は，記憶の問題を引き起こす可能性のある別の原因を検討する必要がある。「他に変化はありませんでしたか？」「体が制御できない，異常な動きをすることはありませんか？」

片側手指振戦がある，または動作開始が困難といった症状を認めたら，Parkinson 病を考慮する。異常な四肢運動がみられた若年患者の場合は，Huntington（ハンチントン）病の家族歴を評価するべきである。

「他の人との交流の仕方に変化がありましたか？」「性格に変化はありましたか？」「（家族，知人に質問して）患者はそこにいない人や物をみたと不満を口にしていましたか？」

家族，知人や介護者が患者の人格変化を認めた場合，前頭側頭型認知症を考慮するべきである。幻覚を認めた場合は Lewy（レビー）小体型認知症に罹患している可能性がある。

訳注：日本語版では，major neurocognitive disorder を「認知症」，dementia を「認知症(dementia)」と訳している（日本精神神経学会監修．『DSM-5 精神疾患の診断・統計マニュアル』東京：医学書院；2014.）。

- 記憶の問題による身体機能障害の評価では，安全にかかわる**日常生活動作 activities of daily living(ADL)**への影響を特定する必要がある。患者は自立して食事，入浴，歩行ができるか？ できない場合，どのくらいの介助が必要だろうか？ 支払い，日用品の買い物，家の掃除をすることができるか？ できない場合，何が障壁になっているのか？ 道に迷ったり，家から離れたところで徘徊していたことはあるか？ コンロやオーブンをつけたままにしたことがあるか？ 薬の飲み方を間違えたことはあるか？

こうした情報は，家族や患者が安全かつ快適に生活するために必要なサポートの種類を判断するのに必要であるため，重要である。

第24章「神経系」および第27章「老年」も参照。

医学的に説明のつかない症状

患者が外来診察で訴える症状のうち，およそ半数を身体症状が占める。こうした症状の約25%は遷延性または再発性の症状で，診断が確定せず，改善に至っていない[28,29]。一般的に，身体症状の30%は医学的に説明がつかないと考えられている。説明のつかない症状は，選択的障害からDSM-5診断基準を満たす身体症状症まで，さまざまに分類される[29,30]。例えば，一般的に最もよくみられる精神疾患である不安障害やうつ病の症状を訴えず，身体的な問題を報告する患者は多い。例えば，うつ病患者の2/3が身体的主訴を有しており，そのうちの半数に複合的で説明のつかない症状または身体症状症がみられる[29]。さらにいくつもの機能的な症候群がほぼ同時に起こり，鍵となる症状や特定の異常所見も併発する[31]。53の臨床研究を分析した結果，34〜70%の患者が線維筋痛症と慢性疲労症候群を合併していた。

身体症状と機能性身体症候群，一般的な精神疾患(不安障害やうつ病，説明のつかない身体症状症，物質依存)が合併して現れることを認識していないと，不十分な治療や生活の質(QOL)低下など，患者の負担が増えることになる。

表9-4「身体症状症と関連疾患」を参照。

身体診察：一般的なアプローチ

メンタルヘルスの評価は難しく，かつ複雑である。メンタルヘルスにおける変化があれば，その根底にある病理学的，薬理学的要因を注意深く評価する必要がある。患者の性格，精神力動，家族歴や生活歴，文化的背景のすべてがメンタルヘルスにかかわる。病歴聴取や身体診察から得られた所見をもとに，さらなる精査を行うため精神状態の標準的な検査のすべて，もしくは一部を選択する。精神状態の検査はメンタルヘルスを測定するのに重要であり，神経系の評価やその記録においてまず評価すべき重要な要素である。患者の気分，話し方，行動，認知状態の記録方法や，これらの所見を脳神経，運動系や感覚系，反射の診察に活かす方法を学習すること。

第24章「神経系」(p.878〜879)，および本章の「所見の記録」(p.270〜271)を参照。

診察の技術

以下のフォーマットは，診察の手順を考える際に役立つよう設計されたものだが，厳密に従うよう意図されたものではない。臨機応変に，かつ包括的に診察すること。ただし，順序が重要となる状況もある。患者の意識，注意，言葉の理解力および会話能力に障害があるなら，まずこれらの障害について評価を行う。患者が信頼できる病歴を伝えることができない場合は，他のほとんどの精神機能を検査することは困難であり，急性の原因を評価する必要がある。

診察の技術

精神状態の診察の重要項目

- **意識レベル**（清明，傾眠，昏蒙，昏迷，昏睡）を含めた**外見と行動**，**姿勢**，**運動行動**（motor behavior）（リラックス，落ち込んでいる，落ち着きがない，そわそわする，いらいらする，誇大性がある），**服装**，**身だしなみ**，**衛生意識**，**表情**（不安，抑うつ，無気力，怒り，高揚感，無表情），**感情**（適切，平坦，鈍麻，不安定，不適切），**態度**（怒り，敵意，疑念，回避，無気力，孤立，無関心，不安，抑うつ）を評価する
- 会話の多さ，**速さ**（速い，遅い），**声量**（大きい，小さい），**明瞭さ**（明快，鼻声），**流暢さ**（躊躇，抑揚，遠回しな表現，錯語）を含む**話し方と言語**を評価する
- **気分**を評価する（悲しみ，憂鬱，満足，喜び，多幸感，高揚感，怒り，憤怒，不安，心配，孤立，無関心）
- **思考**（論理，関連性，組織，一貫性）
- **知覚**（錯覚，幻覚）を評価する
  - **病識**（あり，なし）と**判断**（適切，不十分）を評価する
- **見当識**，**注意**（数字記憶範囲検査，7の引き算，語の末尾から綴りを言う検査），**記憶**（遠隔，近時，新しい内容の学習），および**高次認知機能**（知識量と語彙，計算能力，抽象的思考，構成能力）を含む認知機能を評価する

精神状態の評価は6つの要素〔外見と行動，話し方と言語，気分，思考，知覚（病識と判断も含む），および認知機能〕からなる。それぞれの内容は以下の項で詳述する。

外見と行動

以下の要素を含め，病歴聴取と身体診察で得た所見をまとめる。

意識レベル

患者は覚醒していて意識清明か？ 患者は質問を理解し，適切に，合理的に，そして迅速に対応できるか，それとも内容を見失ったり，沈黙したり，眠りにつく傾向があるか？ 質問に対して患者の反応がなかったら，段階的に刺激を強くする（Box 9-5）。

Box 9-5　意識レベル	
意識レベル	患者の反応
清明 alertness	目は開いており，通常の声のトーンで話しかけられたときにあなたをみて，刺激に完全かつ適切に反応する
傾眠 lethargy	眠気を催しているようにみえるが，大きな声で話しかけると目を開けてあなたをみて，質問に答えるが，その後眠りに落ちる
昏蒙 obtundation	触覚刺激が加えられると目を開けてあなたをみるが，反応は遅く，やや混乱している
昏迷 stupor	痛みを伴う刺激の後にのみ覚醒する。言葉による返答は遅いか，まったくない。刺激を止めると，無反応状態になる
昏睡 coma	目を閉じて覚醒しない。体内の生理的な必要性や外部からの刺激に対する明らかな反応はない

姿勢と運動行動

患者は静かに座っている，もしくは横になっているか，それとも歩き回ろうとするか？　患者の姿勢とリラックスできているかを観察する。動きの速さ，範囲，および性質に注意する。動作は随意運動か，不随意運動か？　動かない四肢はないか？　姿勢や動作は，会話の内容，行為，または部屋にいる人によって変わるか？

緊張した姿勢，落ち着きのなさ，そわそわとした不安感に注意する。特に，泣く，足踏みする，手をもむ（焦燥感を伴ううつ病や不安），絶望し落ち込んだ姿勢，動作の鈍化（うつ病），アイコンタクトの欠如，腕や足を組むなど相手への拒否感を示唆する姿勢（精神病性障害），興奮した大げさな動き（躁病エピソード）に注目する。

服装，身だしなみ，衛生意識

患者はどのような服を着ているか？　服は清潔で見苦しくないか？　患者の年齢や帰属する集団において適切な服装か？　患者の頭髪，爪，歯，皮膚，あれば髭などの身だしなみを観察する。身だしなみや衛生状態は，年齢やライフスタイル，社会経済的に患者と同等な人と比べて違いがあるか？　体の左右で状態の違いがないか比較する。

身だしなみや衛生意識は，うつ病，統合失調症，認知症で悪化する可能性がある。過度の潔癖さは強迫性障害でみられる。半側空間無視は，反対側の頭頂葉皮質障害（通常は非優位半球）により生じることがある。

表情

安静時と会話中の表情を観察する。表情の変化に注意すること。表情は会話の内容にふさわしいものだろうか，もしくは終始比較的乏しくみえないか？

不安，うつ病，無気力，怒り，高揚を示唆する表情，Parkinson病による無表情に注意する。

診察の技術

感情，態度，人や物との関係

患者の**感情 affect** や観察可能な行動の変動パターンを評価する。声色，表情，行動に着目すると，患者の感情や情動がみえてくるだろう。これらは，患者が内に抱えている情動の表出である。会話の内容にふさわしいものだろうか，感情が不安定であったり，鈍麻，平板化したりしていないか？ 特定の点で，誇張されていないか？ その場合，どのように誇張されているだろうか？ 他者に対する受容性，親しみやすさ，周囲の人や状況への反応を観察する。患者は，存在しないものを見聞きしたり，その場にいない人と会話したりするか？

話し方と言語

言語は，言葉を使って表現し，受けとめ，理解するための複雑な記号体系であり，意識レベル，注意，記憶と同様に，精神機能を評価するのに必須である。面接全般を通して，患者の話し方について以下の特徴に注意する。

会話の多さ

患者はよく話をするか，異常に寡黙か？ 発言は自発的か，または質問への直接的な回答に限定されているか？

速さと声量

速く話すか，ゆっくり話すか？ 話す声は大きいか，小さいか？

発語の明瞭さ

発語は明瞭で聞き取りやすいか？ 鼻声ではないか？

会話の流暢さ

流暢さは，会話の速さ，流れ，抑揚，内容や言葉使いに左右される。自然な会話のなかで，以下の異常に注意する。

- 言葉の流れやリズムにためらいや途切れがみられる。

- 単調になるなど，抑揚の障害がある。

- 遠回しな表現：思いつかない単語が，文や句に置き換わる。例えば，「ペン」

異常例

妄想性障害に特有の怒り，敵意，疑い深さ，ごまかしについて観察する。躁病に特有の高揚感と多幸感。統合失調症に特有の平板化した感情と疎外感。認知症に特有の無感情（孤立や無関心を伴う鈍い感情）。不安や抑うつ症状。幻覚は統合失調症，アルコール離脱，全身毒性で生じる。

うつ病のゆっくりとした話し方，躁病の速く，声の大きな話し方に注意する。

構音障害は調音（明瞭な発語）の障害，**失語症**は言語機能の障害である。**音声障害**は声量，声質，高さの障害である。第24章「神経系」の表24-2「言語障害」(p.931)を参照。

という代わりに「書くときに使うもの」など。

- 錯語：単語(pen)を変形したり(「denを使って書く」)，間違えたり(「barを使って書く」)，作語したりする(「darを使って書く」)。

患者の話が要領を得ない，または流暢でない場合は，Box 9-6にまとめた検査を行う。患者の反応に影響を与えると思われる視力，聴力，知能の障害や教育を評価する。**正確な文が書ける人は失語症ではない。**

Box 9-6	失語症の検査
単語理解力	患者に「あなたの鼻を指さしてください」といった1段階のみの指示をする。つぎに，「口を指さし，つぎに膝を指さしてください」のように，2段階の指示をする
復唱	患者に1音節の単語からなる句を繰り返すよう伝える（最も繰り返しにくい課題）。例えば，"No ifs, ands, or buts"訳注
呼称	患者に時計の1部品の名称をあげてもらう
読解力	患者に文章の1段落を声に出して読んでもらう
書字	患者に文章を1文書いてもらう

これらの検査は失語症の種類を同定するのに役立つ。2種類の失語症が一般的で，1つは**表出性失語 expressive aphasia** または **Broca（ブローカ）失語**であり，会話はゆっくりで非流暢性だが，理解は保たれている。もう一方は，**受容性失語 receptive aphasia** または **Wernicke（ウェルニッケ）失語**と呼ばれ，会話は流暢だが，理解に障害がある。第24章「神経系」の表24-2「言語障害」(p.931)に示した，2種類の失語症の比較も参照。

気分

気分 mood は，人が世界をどう知覚するかを左右する，広範で持続的な情動である。この用語は**感情 affect** と混同されやすい。端的に説明すると，感情と気分の関係は，天気と気候の関係と同じである。**普段の気分や，それが重要な出来事によってどう変動するかなど，気分について説明するように患者に依頼する。** 例えば，「あなたはそれについてどのように感じますか？」や，より一般的に「全体的にあなたの気分はどうですか？」などである。家族や友人からの情報が役立つ可能性もある。気分に名前をつけることに苦労する患者（**失感情症 alexithymia**）には，選択肢として気分をリスト化して提示するとよい。気分は悲しみ・憂鬱，満足・喜び・多幸感・高揚，怒り・憤怒，不安・心配，孤独感・無関心などさまざまである。

訳注：わが国では，単語，単文，複数文の順に繰り返してもらう。
　　　例　単語：雨，雪だるま
　　　　　単文：青い空，今日はよい天気です
　　　　　複数文：大雨なので今日は出かけません

診察の技術

気分は激しいものか，変化がないか，または不安定か？　どのくらい続くか？　患者をめぐる状況に照らし合わせてふさわしいものであるか？　抑うつ症状がある場合は，双極性障害を思わせるような，気分の高揚はみられるか？

うつ病を疑う場合はつぎのようにたずね，その重症度と自殺の危険性を評価する。

- あなたは，落胆したり，落ち込んだりしていますか？

- どの程度，落ち込んでいるのですか？

- 将来をどのように考えていますか？

- 死について考えたことがありますか？

- 人生には生きる価値がない，または死にたいと考えたことはありますか？

- 自殺について考えたことがありますか？

- 自殺の方法や時期について考えたことがありますか？　自殺の計画はありますか？

- あなたの死後，何が起こると思いますか？

あなたには，自殺についての考えを直接たずねる責任がある。これが，自殺念慮や企図を明らかにし，すぐに介入や治療を開始する唯一の方法だろう。リスクのある患者に自殺を考えているかどうかをたずねることは，その後の自殺や自殺念慮を助長しないことを示す研究がある[32]。

思考

思考過程

思考過程は，特定の目標に向かって思考を展開する際の，思考の論理，構造，一貫性，および関連性（どのように考えるか）のことである。**面接中は常に患者の思考過程を評価する。**

患者の話は目標に向けて論理的に展開されているか？　Box 9-7 に示すような，思考過程の障害を示唆する会話の傾向に気を配る。

異常例

うつ病および双極性障害の標準診断基準については，DSM-5[3]を参照。

診察の技術		異常例

Box 9-7 思考過程の変化と異常所見[3]

思考途絶 blocking	文の途中もしくは考えを伝え終える前に，急に中断する話し方。「思考が止まってしまう」ことによる。健康な人でも起こりうる	思考途絶は，統合失調症で著しい。
迂遠 circumstantiality	不必要に詳細で，遠回しな表現を用いた，目標になかなか到達しない話し方を特徴とする最も軽度の思考障害。内容に関連性がみられることもある。精神疾患がなくても，このような話し方をすることはある	迂遠は，強迫観念をもつ患者にみられる。
音連合 clanging	韻や語呂合わせのように，意味ではなく音にもとづいて単語を選択する話し方（例：Look at my eyes and nose, wise eyes and rosy nose. Two to one, the ayes have it!）	音連合は，統合失調症，躁病でみられる。
作話 confabulation	質問に答える際，損なわれた記憶の隙間を埋めるために，事実や出来事をつくりあげること	作話は，アルコール依存症を原因とするKorsakoff（コルサコフ）症候群でみられる。
脱線 derailment（連合弛緩 loosening of associations）	関連性が低い，または無関係な話題へ移行する話し方。患者は関連性の欠如には気づいていない	脱線は，統合失調症，躁病，その他の精神病性障害でみられる。
反響言語 echolalia	他人の言葉や語句を繰り返すこと	反響言語は，統合失調症，躁病でみられる。
観念奔逸 flight of ideas	話題がつぎからつぎへ突然変化し，速い口調でとめどなく話し続けること。話題の変化は理解可能な関連性にもとづく場合や，言葉遊びや刺激に左右される場合があるが，思考には一貫性がない	観念奔逸は，躁病でしばしばみられる。
滅裂思考 incoherence	意味のある会話の流れの欠如，話題の突然の変化，または一貫性のない文法や単語の使用を伴う，理解不能で非論理的な会話。観念奔逸が重症のときは，滅裂思考になる場合もある	滅裂思考は，重度の精神疾患（通常，統合失調症）でみられる。
言語新作 neologism	言葉をつくったり，一部を改変すること。または言葉に新しく非常に奇妙な意味をもたせること	言語新作は，統合失調症，精神病性障害，失語症でみられる。
思考保続 perseveration	言葉や考えを執拗に繰り返すこと	思考保続は，統合失調症，その他の精神病性障害でみられる。

思考内容

思考内容とは，何を考えているかということである。思考内容を評価するためには，直接的な質問をするよりも，患者の話の流れに乗って得られた手がかりをもとに判断するほうがよい。例えば「隣人があなたの病気の原因だとおっしゃいましたが，そのことについて詳しく教えていただけますか？」とたずねる。他の状況では「このような場合にはあなたはどう考えますか？」などと質問する。さらに具体的な質問の場合には，患者が受け入れやすいように配慮する。「人はこのように混乱したとき，自分の心からそうした考えを払いのけることができないものです」「それは現実的ではないように思われますが，あなたは今までにこのような経験をしたことがありますか？」これらの方法を用いて，Box 9-8 に示す思考内容の異常がないか確認する。

診察の技術

Box 9-8 思考内容の異常[3]

不安 anxiety	心配，苦痛，緊張に由来する身体症状症を伴う，将来の危険または不幸への恐れ
強迫行為 compulsion	不安や恐ろしい出来事や状況を予防または軽減することを目的とし，強迫観念から逃れるために実行するよう駆り立てられているように感じる行動の反復。こうした行動は過度なものであり，きっかけとなる出来事との現実的な関連はない
妄想 delusion	矛盾する証拠があっても修正できない，個人的で誤った固定信念。以下の種類がある ● 被害妄想 ● 誇大妄想 ● 嫉妬妄想 ● 被愛妄想：相手が自分に恋愛感情をもっているという思いこみ ● 身体妄想：身体機能や感覚に影響する ● 特定不能妄想：顕著な被害妄想や誇大妄想の要素のない関係妄想，または外部の出来事，物，または人々（例：ラジオやテレビからの情報）が自分に関して特別で普通以上の重要性をもっているという思いこみなど
離人感 depersonalization	自分自身やアイデンティティが変更され，本物ではないと感じること，または自分の心や体から切り離された感覚
現実感消失 derealization	周囲の環境が奇妙で，非現実的に感じ，疎隔感があるという感覚
強迫観念 obsession	侵入的で望まないものとして経験される，持続的な思考，イメージ，衝動の繰り返し。患者は他の考えや行動によって，強迫観念を無視，抑制，または中和しようとする（例：強迫行為を行う）
恐怖症 phobia	特定の状況や対象を避けたいという強い衝動を喚起する，持続性の不合理な恐怖

異常例

強迫行為，強迫観念，恐怖症，不安は不安障害でしばしばみられる。DSM-5[3]を参照。

妄想，現実感消失もしくは離人感は，精神病性障害と関連がある。精神病性障害の標準診断基準については，DSM-5[3]を参照。

妄想は，せん妄，重度の気分障害，認知症で起こることもある。

知覚

知覚 perception とは，周りの事物や事物同士の関連（外的刺激）を五感を通して捉えることで，夢や幻覚などの内的刺激も含む。知覚異常がないか調べる。例えば「誰かがあなたに話しかける声を聞いたとき，何と言われたと思いましたか？どのように感じましたか？」または「たくさんお酒を飲んだ後，実際にそこにないはずのものをみたことがありますか？」「今回のような大手術の後では，奇妙で怖い音や声が聞こえることがあります。このようなことはありましたか？」とたずねる。このような質問を用いて，以下にまとめた知覚異常がみられるか確認する（Box 9-9）。

Box 9-9　知覚異常[3]

幻覚 hallucination	現実のように感じられる，知覚に似た体験だが，錯覚と違って外的刺激が実在しない．本人が現実でないと認識できる場合とできない場合がある．幻覚には聴覚性，視覚性，嗅覚性，味覚性，触覚性，身体性のものがある．ただし，夢，入眠時，起床時の誤った知覚は，幻覚として分類されない	幻覚はせん妄，認知症（一般的ではない），PTSD，統合失調症，物質使用でみられることがある．
錯覚 illusion	葉ずれの音を人の声と間違えるなど，実在する外部刺激の間違った解釈	錯覚は悲嘆反応，せん妄，急性ストレス障害およびPTSD，統合失調症でみられることがある．

病識

病識 insight とは，症状あるいは行動が正常か異常かを自覚することで，例えば，白日夢と現実のように思える幻覚を区別することである．患者への最初の2，3の質問，例えば「今日はどのような理由で来院されましたか？」「何に困っていますか？」「どこが悪いと思われますか？」とたずねることで，病識についての重要な情報が得られる．特定の気分，思考，知覚が異常であること，または症状が疾患によるものであることに患者が気づいているかどうか注意する．

精神病性障害の患者は，病識が欠如している．患者が障害を否定する場合，いくつかの神経障害，特に頭頂葉に影響を与える障害が発生している可能性がある．

判断

判断 judgment は，行動決定の際に，選択肢を比較し評価する過程であり，現実や社会的慣習・社会的規範にもとづいていることもあれば，いないこともある．家庭環境，仕事，お金の使い方，人間関係などに関する患者の対応に注目して評価する．「退院後は，どのように援助を求めていくおつもりですか？」「仕事を辞めたら，どうされるおつもりですか？」「ご主人がまた暴力を振るってきたら，どうなさいますか？」「介護施設に入るとしたら，誰が経済的な面倒をみてくれますか？」

せん妄，認知症，知的障害，精神病性障害では判断が困難になる．

不安，気分障害，知能，教育，収入，文化的価値観なども，判断に影響を与える．

患者の判断や行動が現実にもとづいているか，あるいは衝動，願望実現の欲求，ゆがんだ思考内容によるのか注意すること．判断と行動の根底にはどのような病識や価値観があるのか？　文化的多様性を考慮したうえで，患者の判断と行動は同年代の成人と比較して妥当だといえるか？　判断は患者の成熟度を反映するので，青年期においてはばらつきがあり，推測が困難なことがある．

認知機能

認知 cognition とは，知識と理解を得ることに関係する精神的過程を指す．認知機能には，見当識，注意，記憶（遠隔，近時，新しい内容の学習）の他，知識量や語彙，計算能力，抽象的思考，構成能力などのより高度な認知機能も含む．

診察の技術	異常例

見当識

見当識 orientation は，人，場所，時間に関する認識で，記憶と注意の 2 つを要する。通常，面接中に見当識を評価できる。例えば，日時，患者の住所，電話番号，家族の名前，病院までの道筋についてはごく自然にたずねることができるだろう。「今，何時か教えてください」「今日は何曜日ですか？」など，より具体的な質問が必要になることもある。

失見当識は，せん妄など注意が障害されたときによくみられる。

注意

注意 attention とは，特定の刺激や活動に集中または注目し続ける能力である。注意が十分でないと，気が散りやすく，病歴を伝えたり質問に答えたりするのが難しくなる。以下の検査が一般的に用いられている。

数字記憶範囲検査

患者に注意に関する検査を行うことを説明する。このとき必要に応じて，患者に痛みがある場合や罹患している場合，検査は難しく感じられる可能性があることを伝える。一連の数字（一度に 2 つの数字からはじめる）を，1 秒に 1 つずつの速さで明確に声に出し，それを患者に復唱してもらう（順唱）。正確に繰り返せるようであれば，数字を 3 つに増やす。それができれば，4 つ，5 つと患者が正確に復唱できる間は数字を増やしていく。あなたが唱えた数字は，確認できるように書きとめておく。患者が間違えたときは，同数の他の数字を試してみる。2 回間違えたら，そこで終了する。

うまく施行できない原因は，せん妄，認知症，知的障害，パフォーマンス限局型社交不安症などである。

数字は，番地，郵便番号，電話番号や，検者になじみのある数字を選ぶ。続き数字，患者になじみがある数字，すぐに連想できる日付は避けること。

つぎに，2 つの数字から再開し，逆の順番で復唱してもらう（逆唱）。

正常であれば，少なくとも 5 つの数字を順唱し，4 つの数字を逆唱することが可能である。

7 の引き算

患者に「100 から 7 を引き算し，そこからまた 7 を引き，さらに 7 を引き……と繰り返す」よう伝える。努力の様子，反応速度，正確さに注意する。あらかじめ手元に答えの数を控えておけば，確認するのに役立つであろう。正常な場合は，1 分半のうちに最後まで計算でき，間違いは 4 回以下である。患者が 7 でできなかった場合は，3 を引く方法や，大きい数から小さい数へ逆唱する方法を試してみる。

うまく施行できない原因は，せん妄，認知症末期，知的障害，不安，うつ病などである。評価する際は教育レベルを考慮する。

語の末尾から綴りを言う検査

上述の 7 の引き算の代わりになる。最初に 5 文字の単語を発音し，その綴りを声に出す（例えば，W-O-R-L-D）。そして，患者にその単語の綴りを逆から

言ってもらう。

記憶

記憶 memory は，情報を記録する過程で，言葉をすぐに復唱してもらうことでテストすることができる。その後に，情報の保持や蓄積が行われる。**近時記憶**あるいは**短期記憶**は数分から数時間または数日までの保持，**遠隔記憶**あるいは**長期記憶**は数年レベルの保持をいう。

遠隔(長期)記憶
誕生日や記念日，通った学校の名前，就いていた仕事，患者の過去に関連する歴史的な出来事など，重要な日付についてたずねる。

> 遠隔記憶は通常認知症の早期では保たれることが多いが，後期では損なわれる可能性がある。

近時(短期)記憶
ここには，その日の出来事が含まれる。記憶障害を補うために患者が作話しているのか確認できる情報を，患者以外の情報源から得たうえで質問する。例えば，その日の天気，予約時間，最近の処方またはその日のうちに行った血液検査などをたずねるとよい。

> 近時記憶は，認知症やせん妄で障害される。健忘性障害は記憶または新しい内容を学習する能力を障害し，社会的または職業的機能を損なうが，せん妄や認知症のその他の特徴を呈することはない。不安，うつ病，知的障害においても近時記憶が障害されることがある。

新しい内容を学習する能力

患者に3つか4つの単語，例えば「83，ウォーター通り，青」，「机，花，緑色，ハンバーガー」と伝え，それを繰り返してもらい，情報がきちんと聴取され，記憶されているかを確認する。この方法で，数字記憶範囲検査と同様に，即時記憶 (immediate recall) を確認できる。その後，つぎの段階として，3～5分後に，患者に先ほどの単語を繰り返してもらう。

回答は正確か，それが正しいかどうか理解しているか，作話の傾向はないかに注意する。正常であれば，言葉を記憶することができる。

高次認知機能

高次認知機能は，**知識量 fund of information**，**語彙 vocabulary**，**計算能力 calculation**，**抽象的思考 abstract thinking**，二次元または三次元の対象の**構成能力 construction** によって評価される。

診察の技術 | 異常例

知識量と語彙

文化的および教育的背景を踏まえて臨床的に観察すれば，知識量と語彙を通して患者の平時の能力をおおむね評価できる。まず，面接で知識量や語彙を評価する。仕事や趣味，読書，好きなテレビ番組，または最近の出来事についてたずねるとよい。簡単な質問からはじめ，その後複雑な質問に進む。情報の理解度，思考の複雑さ，語彙の選択に注意する。

以下のような具体的な事実を質問してもよい。

- 大統領，副大統領，州知事の名前
- 過去4〜5代の大統領の名前
- 米国内の大都市名を5つ

> 知識量と語彙は，重度の場合を除いて，精神疾患の影響を比較的受けない。検査は，生涯にわたる知的障害（情報と語彙が限られている）と軽度または中程度の認知症（情報と語彙がかなり保たれている）を区別するのに役立つ。

計算能力

計算能力の検査をする。まず，簡単な足し算（4＋3は？　8＋7は？）や，掛け算（5×6は？　9×7は？）からはじめる。つぎに，より難易度の高い2桁計算（15＋12は？　25×6は？）や，紙に書かれた長い数式へと移る。

また，実生活に即した，機能的に重要な質問を提示する方法もある。「178円のものを買って，200円を店員に払ったとすると，おつりはいくらですか？」

> 低成績は認知症または失語症を示唆するが，患者の知識量と教育レベルに照らして評価する必要がある。

抽象的思考

2つの方法で抽象的に考える能力を検査する。

ことわざ
つぎのことわざの意味を患者にたずねる。

- 今日の1針，明日の10針（転ばぬ先の杖）
- 卵からかえらぬうちに，ひなを数えるな（とらぬ狸の皮算用）
- プディングがうまくできたかどうかは，食べてみなければわからない（論より証拠）
- 転石苔むさず
- きしむ車輪が油をさしてもらえる

回答の妥当性，具体性，抽象性の程度に注意する。例えば「裂け目が大きくなる前に，それを縫いあわせるべきだ」は具体的，「迅速な対応が，問題を解決する」は抽象的な回答である。標準的な患者は，抽象的か半抽象的な回答をする。

> 具体的な回答は，知的障害，せん妄，または認知症の人によくみられるが，教育レベルを反映している場合もある。統合失調症の場合は具体的，または独特で奇妙な回答をすることがある。

類似性

つぎに示すものの類似点を患者に答えてもらう。

- オレンジとリンゴ
- 教会と映画館
- ネコとネズミ
- ピアノとバイオリン
- 子どもとこびと
- 木と石炭

解答の正確性と妥当性について，また，具体性と抽象性の程度について注意する。例えば「ネコとネズミは両方とも動物である」は抽象的，「どちらも尻尾がある」は具体的な回答であり，「ネコがネズミを追いかける」は妥当ではない。

構成能力

構成能力は，線のない白い紙に図形を模写してもらうことで検査する。図形はしだいに複雑なものにする。一度に1つずつ図形をみせて，なるべく正確にそれを模写するよう伝える（図9-5，9-6）。

視覚や運動能力に問題がない場合，構成能力の欠如からは，認知症や頭頂葉の障害が考えられる。知的障害でも低成績となる。

図 **9-5** 患者にこれらの図を1枚の紙に書き写してもらう（左からはじめる）

図 **9-6** 患者が描いた図：（左から）よくない，まずまず，よい結果の例[33]

数字と針のある時計の文字盤を描くように患者に依頼する方法もある（図9-7，9-8）。

図 **9-7** 患者が描いた文字盤，針と数字：優れた結果の例

図 **9-8** 患者が描いた文字盤：（左から）よくない，まずまず，よい結果の例[33]

所見の記録

行動や精神状態の診察の記録

精神状態：患者は意識清明，身だしなみよく，活気あり。会話は流暢で言葉も明瞭。思考過程に一貫性があり，病識もある。人，場所，時間に対する見当識は保たれている。7の引き算は正確。近時記憶と遠隔記憶は異常なし，計算能力は異常なし

（続く）

UNIT II 第9章 認知，行動，精神状態

健康増進とカウンセリング：エビデンスと推奨　　　　　　　　　　　　　　　　　　異常例

↘（続き）

または

精神状態：患者は悲しそうで，疲れてみえる。衣服はアイロンがけされておらず，話し方はゆっくりで，言葉は不明瞭。思考過程に一貫性はあるが，最近の日常生活で経験する問題に関する病識は限定的。人，場所，時間に対する見当識は保たれている。数字記憶範囲検査，7の引き算，計算能力に異常はないが，反応が遅い。時計の描写はよい

これらの所見はうつ病を示唆する。

健康増進とカウンセリング：エビデンスと推奨

健康増進とカウンセリングの重要事項

- うつ病のスクリーニング
- 自殺リスクの評価
- 神経認知障害のスクリーニング（認知症とせん妄）
- 物質使用障害のスクリーニング（アルコール，処方薬，違法薬物の誤用を含む）

アルコール，タバコ，処方薬の誤用を含む物質使用障害に関する詳細は，第6章「健康維持とスクリーニング」（p.174～175，180～184）を参照。

精神疾患は患者にかなりの苦痛をもたらす[23]。米国では1年間で成人の約5人に1人（2016年には4,470万人）が精神疾患を，約25人に1人（1,040万人）が深刻な精神疾患（統合失調症，大うつ病性障害，または双極性障害）を経験する。米国では，うつ病と不安障害が入院の一般的な原因であり，精神疾患は，身体的な病態の慢性化，余命の低下，障害，物質乱用，および自殺のリスクの上昇と関連している。

第3章「病歴」（p.92～93）を参照。

うつ病のスクリーニング

米国では約1,600万人の成人（およそ7％）が大うつ病性障害に罹患しており，しばしば不安障害や物質使用障害も合併している[34]。うつ病のリスクは，女性では男性のほぼ2倍で，産後うつ病は母親の約13％が罹患する[35]。うつ病はしばしば慢性身体的疾患に伴って発症する。高リスクの患者は，自己評価の低下，日常生活における喜びの喪失（**無快感症 anhedonia**），睡眠障害，集中力の低下や意思決定の困難など，うつ病の微妙な初期徴候を示すことがある。罹患しやすい人の特徴として，特に若者，女性，独身，離婚または別居，重度または慢性の疾患への罹患，家族との死別，物質使用障害など他の精神疾患への罹患などがあげられ，高リスク集団に属する患者の抑うつ症状を注意深く観察する必要がある。うつ病の既往歴や家族歴を有する患者もリスクが高い。

米国予防医療専門委員会 U.S. Preventive Services Task Force（USPSTF）は，「正確な診断，効果的な治療，および適切なフォローアップ」を提供できる臨床現場でのうつ病スクリーニングについて，2016 年にグレード B の勧告を行っている[36]。気分と無快感症に関するつぎの 2 つの簡単な質問に「はい」と答えた場合，大うつ病性障害を検出する感度は 83％，特異度は 92％であり，より詳細なツールを使用するのと同程度有効だとみられている[37]。

- 「過去 2 週間で，ふさぎ込んだり，落ち込んだり，絶望したことはありましたか？」とたずね，抑うつ気分をスクリーニングする。

- 「過去 2 週間で，何か行うことにほとんど興味や喜びを感じないことはありましたか？」とたずね，無快感症をスクリーニングする。

「ふさぎ込んだり，落ち込んだり，絶望したことはありましたか？」と 1 つだけ質問する場合の感度は 69％，特異度は 90％である。スクリーニング結果がどちらも陽性であれば，診断のためにより詳細な面接をする必要がある。

自殺リスクの評価

自殺は，米国で 10 番目に多い死因であり，年間 4 万 5,000 人近くが死亡している。これは，10 万人あたり約 13 人が自殺していることを意味する[37-39]。15～24 歳では，自殺は 2 番目に多い死因である。自殺率は 45～54 歳で最も高く，つぎに高いのは 85 歳以上の高齢者である。男性の自殺率は女性のほぼ 4 倍であるが，女性は男性より自殺未遂の可能性が 3 倍高い。男性は自殺するために銃器を使用する可能性が最も高く，女性は毒物を使用する可能性が最も高い。全体として，非ヒスパニック系白人の自殺は全自殺の約 90％を占めているが，15～24 歳のアメリカ先住民およびアラスカ先住民の男性は，人種・民族群のなかで最も自殺率が高い。自殺による死亡の 1 例ごとに推定 25 回の自殺企図があり，若年成人の比率は 100～200 対 1 である。2017 年には，米国の高校生の 17％が前年に真剣に自殺を考えたと報告した[40]。

自殺の公衆衛生上の負担は大きいものの，USPSTF は，現在のエビデンスはプライマリケアでの自殺リスクのスクリーニングの有益性と有害性のバランスを評価するには不十分であると結論づけた（グレード I）[41]。しかし，医療者は患者の示す手がかりや危険因子に注意する必要がある。

神経認知障害のスクリーニング

認知症

dementia（認知症）は「社会的または職業的能力に影響を与えるほど深刻な，少なくとも 2 つの認知領域（例：記憶，注意，言語，視空間認知または実行機能の

異常例

表 9-5「うつ病スクリーニング：Geriatric Depression Scale（Short Form）」，表 9-6「うつ病スクリーニング：Patient Health Questionnaire（PHQ-9）」を参照。

高齢者のうつ病についての詳細は，第 27 章「老年」（p.1185）も参照。また，周産期うつ病については第 26 章「妊娠女性」（p.1132～1133）を参照。

喪失)の障害を特徴とする後天性の病態」である。認知症患者には，行動的および心理的症状が生じる。DSM-5では，dementiaは**認知症 major neurocognitive disorder**に包摂されるものと定義されている[3,42]。主要な認知症には，Alzheimer(アルツハイマー)病，血管性認知症，前頭側頭型認知症，Lewy(レビー)小体型認知症，Parkinson病による認知症，複数の病因による認知症がある。なかでも罹患する頻度が高いのはAlzheimer病で，65歳以上の米国人の10％，およそ550万人が罹患し，そのほぼ3分の2が女性である[43]。2050年までに，約1,400万人の米国人がAlzheimer病に罹患すると予想されている。危険因子には，加齢，家族歴，および遺伝子変異アポリポ蛋白(APOE-ε4)が含まれる。第1度近親者にAlzheimer病の家族歴があれば，リスクが2倍以上になる。リスクは，APOE-ε4対立遺伝子が1つあれば2倍に，2つあれば5倍以上に上昇するが，この遺伝子をもっているのは人口の2％だけである[44]。

Alzheimer病の診断は困難である。疾患の機序はいまだ徹底的な研究中であり，疾患に一貫し，標準化された定義がないため，危険因子の調査が難しい。2010年の米国国立衛生研究所 National Institutes of Health(NIH)のレビューでは「現在，何らかの修正可能な要因とAlzheimer病のリスク低下との関連を裏づける中程度以上の質のエビデンスは存在しない」と結論づけられている[45]。また，Alzheimer病と診断するためには，認知と機能の変化の原因としてせん妄とうつ病を除外する必要性があるため，診断までの過程がより複雑になることがある[46,47]。Box 9-10に，加齢に伴う認知機能低下，軽度認知障害，およびAlzheimer病の違いを示す。

精神状態短時間検査 Mini-Mental State Examination は，認知症のスクリーニングテストとして最も広く知られているが商用利用を制限する著作権があり，あまり利用しやすくはない。現在，推奨されるスクリーニング検査には，Mini-Cog(表9-7)およびMontreal Cognitive Assessment(MoCA)(表9-8)がある。研究によると，Mini-Cogは，感度が91％，特異度が86％であり，また実施には3分程度しかかからない[42,48,49]。また最近の研究では，MoCAの感度と特異度はそれぞれ91％と81％でMini-Cogと同等であり，実施時間は10分であることが示された[50-53]。しかし，USPSTFは，薬理学的または非薬理学的介入が軽度から中程度の認知症の患者に利益をもたらすかどうかに関するエビデンスが不十分であることから，認知症のスクリーニングに関する勧告をグレードIと設定した[42]。

表9-3「神経認知障害：せん妄と認知症」，表9-7「認知症スクリーニング：Mini-Cog」，表9-8「認知症スクリーニング：Montreal Cognitive Assessment(MoCA)」を参照。

せん妄

多因子症候群である**せん妄 delirium**は，突然の発症を特徴とする急性の混乱状態である。変動する経過，注意の欠如，ときに意識レベルの変化を伴う。せん妄の発症リスクは，感受性を高める素因と急性増悪因子の両方に依存する。せん妄は入院中の一般病棟患者によくみられ，大規模な待機的手術後はさらに高くなる。集中治療室への入院は，年齢に関係なくせん妄の発症率を高める。

Box 9-10　認知機能低下の範囲

加齢に伴う認知機能低下
- 軽度の物忘れ，名前の想起が困難，および軽度の集中力の低下がみられる
- 上記の症状は散発的にみられ，日常生活に必要な機能に影響を与えない

軽度認知障害
- 日常生活に必要な機能は維持されるが，患者，情報提供者，医療者または臨床的テストから得られた情報を裏づける形で，客観的評価が可能な検査の結果から，1つ以上の認知領域（複雑性注意，実行機能，学習および記憶，言語，知覚-運動，または社会的認知）に中程度の認知機能低下が認められる[3, 54, 55]
- （せん妄とは異なり）意識清明で，注意は維持される
- その他の認知機能低下（以下に示す）を伴っていないことが多い
- Alzheimer病は軽度認知障害患者でより発症頻度が高い。軽度認知障害患者のうち，年間で6～15%がAlzheimer病に進行することが報告されている[56, 57]

Alzheimer病
- DSM-5[3]の診断基準では，2つ以上の認知領域において潜行性に発症し，緩徐に進行する障害があり，つぎのどちらかを満たす場合，確実なAlzheimer病による認知症とする〔つぎの(1)，(2)をいずれも満たさない場合，疑いのあるAlzheimer病とする〕
(1) 家族歴または遺伝子検査からAlzheimer病の原因となる遺伝子変異の証拠を確認
(2) 以下(a)～(c)の3つの特徴をすべて満たす
　　(a) 学習および記憶の他に少なくとも1つの領域における認知機能低下を示す明確な根拠がある
　　(b) 認知機能の安定状態が続かず，確実に，徐々に悪化する
　　(c) 混合性の病因の証拠がない（認知機能障害の原因となりそうな他の神経変性疾患，脳血管疾患，神経，精神，全身疾患がない
- 意識清明と注意は維持される
- その他の認知機能低下（以下に示す）を伴っていないことが多い
- 記憶障害は，質問を繰り返す，目的がわからなくなる，または買い物などで混乱する，といった形で現れることがある。後期には，判断力の低下と失見当識がみられ，失語症，失行症，左右の混乱に進行し，最終的には手段的日常生活動作に介助が必要になる。精神病性障害と焦燥を伴うこともある
- 認知症と軽度認知障害の違いは，仕事や日常生活で必要な機能に重大な支障があるかどうかである[58]

その他の認知機能低下[46, 56]
- **血管性認知症 vascular dementia** は，認知症に関連する動脈硬化危険因子または脳血管疾患によって示唆される。特に実行機能の段階的な衰退は，脳血管イベントの発症と相関するが，危険因子が存在するだけの場合でも，この認知症を考慮する。歩行の変化と巣症状を認めることがある
- Parkinson病と診断されている場合は，**Lewy小体型認知症**を考慮する。幻覚，妄想，歩行障害は初期の手がかりである。錐体外路症状，精神状態の変動，および抗精神病薬に対する感受性を認めることがある
- **前頭側頭型認知症 frontotemporal dementia** は，衝動性，攻撃性，無関心などの性格の変化を伴う，顕著な行動障害または言語障害によって示唆される。過度の飲食がみられることがある。記憶力と視空間認知は比較的保存されている。60歳より前に発症する場合がある

表9-7「認知症スクリーニング：Mini-Cog」，表9-8「認知症スクリーニング：Montreal Cognitive Assessment (MoCA)」を参照。

Confusion Assessment Method(CAM)(Box 9-11)がリスクの高い患者をスクリーニングするために推奨される。この方法では，ベッドサイドですばやく正確にせん妄を特定することができる[59]。NIHはせん妄を予防するガイドラインを発表し，せん妄のおもな原因を対象に，多職種チームによって多面的な介入を行うよう強調している[60]。

Box 9-11　CAM診断アルゴリズム[59]

つぎの1と2の両方を満たし，さらに3と4のどちらかを満たす場合，せん妄と診断する
1. 急性発症と変動性の経過：患者さんの精神状態は，ベースライン時と比べて急激な変化が見られましたか？　異常な行動が日内で変動しますか？
2. 注意散漫：患者さんは集中することが困難ですか？
3. 支離滅裂な思考：とりとめのない話や無関係な話をする，不明瞭，または筋の通らない考え方をする，意図が予測できず，変化についていけない
4. 意識レベルの変化：全体的に見て，この患者さんの意識レベルをどう評価しますか？
（意識清明，過覚醒，傾眠，昏迷，昏睡）

〔質問文の日本語訳は，渡邊明. The Confusion Assessment Method(CAM)日本語版の妥当性. 総合病院精神医学. 2013；25(2)：165-170. より許可を得て引用〕

物質使用障害のスクリーニング（アルコール，処方薬，違法薬物の誤用を含む）

精神障害と物質使用障害には有害な相互作用があり，公衆衛生上の大きな問題となっている。2017年の薬物使用と健康に関する全国調査では，12歳以上の米国人口の24.5％(6,660万人)がビンジ(過)飲酒を報告し，約6％が大量飲酒を報告したと推定されている[4]。3,000万人を超える米国人(人口の11.2％)が調査の前月に違法薬物を使用したことを報告し，そのうち約2,600万人はマリファナ，220万人はコカインを使用，600万人は向精神薬を誤用していた。DSM-Ⅳ基準にもとづいて，12歳以上の約2,000万人が物質使用障害に分類された[3]。これらのうち，違法薬物またはアルコールの問題に対して，専門施設で治療を受けたのは約250万人のみであった。薬物の過剰摂取による死亡率は，フェンタニルなど違法に製造された合成オピオイドに牽引されて上昇し続けており，白人とアメリカ先住民，アラスカ先住民の間で最も高くなっている[61]。

すべての患者に，アルコールの使用，薬物乱用，処方薬の誤用についてたずねる。USPSTFは，妊娠中の女性を含む18歳以上の成人を対象にアルコールの誤用についてスクリーニングし，リスクの高い，または危険な飲酒をしている人には簡単な行動カウンセリングを実施することをグレードBで推奨している[62]。一方で，12～17歳に対するスクリーニングと行動カウンセリング介入を推奨するには証拠が不十分であると結論づけた（グレードⅠ）。USPSTFは同様に，小児および青年に対して，違法薬物使用を対象としたプライマリケアでの行動介入を実施するためのスクリーニングに関する勧告をグレードⅠとした[63]。

第6章「健康維持とスクリーニング」のスクリーニングツールに関する解説（p.180～181）を参照。

表 9-1　中枢神経系の構造と精神疾患

構造	役割	機能障害
大脳皮質[*]		
頭頂葉	視空間認知，注意，および運動に関与する[1, 64]	頭頂葉の機能障害は，注意欠如・多動性障害（ADHD），強迫性障害，および統合失調症に関連している[65-68]
側頭葉：一次聴覚野	聴覚処理を担当	統合失調症では，音がなくても一次聴覚野が活性化し，幻聴を経験することがよくある[68, 69]
側頭葉：海馬	記憶と学習に不可欠[70-72]。海馬には高濃度のコルチゾール受容体も存在する	海馬の機能障害は，Alzheimer 病および統合失調症における認知障害の一因となる可能性がある[73, 74] 大うつ病性障害と心的外傷後ストレス障害（PTSD）はどちらもコルチゾールの有意な増加を引き起こし，記憶と認知の問題を引き起こす可能性がある[75-78] 海馬の機能障害も不安症状の一因と考えられている[72]
側頭葉：扁桃体	情動を引き起こす大脳皮質の機能に関与。闘争・逃走反応（fight-or-flight response），または恐怖反応は，扁桃体により促進される	PTSD では，扁桃体が過剰に活性化され，簡単には元に戻らない[78]。また驚愕反応を経験しやすく，不安やパニックに苦しむ 過剰な扁桃体活動は，双極性障害の人々にも認められ，易刺激性気分や不安定な気分に寄与すると考えられている[79]
前頭葉	実行機能（記憶，認知，行動制御，注意を含む）と情動に不可欠	前頭葉の機能障害は，双極性障害，統合失調症，ADHD，大うつ病性障害，強迫性障害，PTSD，Alzheimer 病などのほとんどの精神疾患に関連している[80-92]
皮質下		
帯状皮質	注意，情動，記憶を管理[81, 90-98]	ADHD，強迫性障害，全般性不安障害，大うつ病性障害，および統合失調症でみられる機能障害[93, 94, 99-104]
前脳基底部		
Meynert 基底核	中枢神経系におけるアセチルコリン産生の中心部であり，睡眠，覚醒，注意の調節に寄与する[105]	神経認知障害における，認知機能の低下に関与する
側坐核	報酬ネットワークの機能に不可欠[77]	過剰な活性化は一般的に中毒で認められる[106]

[*]最近の研究によると，後頭葉は，精神疾患において大脳皮質および皮質下の構造のように重要な役割を果たしていない。

表9-1　中枢神経系の構造と精神疾患（続き）

構造	役割	機能障害
大脳基底核	側坐核と連携して報酬を制御	依存症[77, 106]，強迫性障害，大うつ病性障害，ADHD，統合失調症，双極性障害でみられる機能障害[77, 107-109]
視床上部：松果体	睡眠を調節するメラトニンを生成[1]	大うつ病性障害，強迫性障害，PTSD，および Alzheimer 病でみられる睡眠障害に関与する[81-92]
視床上部：手綱核	生殖行動，痛み，栄養，睡眠，ストレス，学習の調整を補助する[110, 111]	手綱核の活動増加は，うつ病の無快感症を引き起こす可能性がある[112]。手綱核の活動低下は，精神病性障害と中毒に関連する[113]
視床下部	ストレスが増加すると，視床下部・下垂体・副腎系の活動が亢進し，コルチゾール（ステロイドホルモン）の放出を引き起こすコルチコトロピン放出因子の放出が増える	コルチゾールの増加は，抑うつ症状を引き起こす可能性がある[114]
乳頭体	記憶に重要	乳頭体の損傷は，アルコール使用障害を伴うビタミン B_1（チアミン）欠乏症でみられる。これは，重度の記憶障害を特徴とする Wernicke-Korsakoff（ウェルニッケ・コルサコフ）症候群 syndrome につながる可能性がある[1]
小脳	運動協調性と運動学習を調節	飲酒は小脳機能を損ない，**運動失調 ataxia** や運動協調性の喪失につながる可能性がある[115]

表 9-2　精神疾患に関連する神経回路

系・ネットワーク	関連する中枢神経系構造	活性化したときの役割	精神疾患
大脳辺縁系	海馬，扁桃体，脳弓，視床下部，視床，乳頭体，前頭葉，側頭葉，帯状回	情動と共感に関与[1, 116, 117]	統合失調症，大うつ病性障害，双極性障害，不安障害，PTSDなど大多数の精神疾患でみられる機能障害[118-122]
恐怖ネットワーク（大脳辺縁系の一部）	視床，前頭葉，扁桃体		不安障害，PTSD，双極性障害でみられる機能障害[78, 79]
注意ネットワーク	前頭葉と頭頂葉	注意を制御することに関与	ADHDでみられる機能障害[67]
顕著性ネットワーク	扁桃体，大脳基底核，側頭葉，および帯状皮質間の接続	内的状態（ホメオスタシス，情動，痛み）と外的状態（体の位置，環境）の管理に関与。顕著性ネットワークでの活動は，自己認識，社会的行動，およびコミュニケーションに関連する	統合失調症，気分障害，不安障害，認知症，および物質使用に関連する機能障害[123, 124]
報酬ネットワーク	扁桃体，海馬，前頭葉，帯状皮質，脳幹，前脳基底部，大脳基底核で構成	快感を伴う報酬感を引き起こし，学習に貢献	中毒およびADHDでみられる機能障害[1, 67]
デフォルトモードネットワーク	前頭葉，帯状皮質，頭頂葉，側頭葉	休息と覚醒に関与	統合失調症でみられる妄想や，大うつ病性障害でみられる否定的思考につながる機能障害[125]
エグゼクティブネットワーク	前頭葉と帯状皮質	記憶と計画に関与	PTSD，大うつ病性障害，統合失調症など，多くの精神障害でみられる機能障害[126]

表 9-3　神経認知障害：せん妄と認知症

せん妄と認知症は一般的で重要な疾患であり，精神状態に多面的な影響を与える。どちらにも多くの原因がある。これら2つの病態の臨床的特徴と精神状態への影響を，以下の表で比較する。認知症患者がせん妄を併発することもある。

	せん妄	認知症
臨床的特徴		
発症	急性	緩徐
経過	意識清明期を伴う変動，夜間増悪	ゆっくり進行
期間	数時間から数週間	数カ月から数年
睡眠・覚醒サイクル	常に不規則	中途覚醒が増える
一般的臨床疾患または薬物毒性	どちらかまたは両方発生	特に Alzheimer 病では，みられないことが多い
精神状態		
意識レベル	低下。環境を明確に認識できるほど意識清明ではなく，注意を集中，維持，またはそらす能力が低下する	通常，疾患後期までは正常である
行動	活動はしばしば異常に減少（傾眠）または増加（不穏，過覚醒）	正常もしくは緩慢な動作。適切でない行動をとる場合がある
会話	ときにためらいがち，遅いまたは速い，一貫性がない	言葉が出てこない，失語症
気分	恐怖感または易刺激性気分から正常または抑うつ気分まで，変動が多く不安定	多くの場合，起伏がみられない，抑うつ気分
思考過程	まとまりがない，一貫性がないことがある	貧弱。会話にほとんど情報がない
思考内容	妄想が起きやすい，しばしば一過性	妄想がみられることがある
知覚	錯覚，幻覚（ほとんどの場合視覚的）	幻覚が起こることがある
判断	障害される（程度はさまざま）	疾患の進行とともに障害が増悪
見当識	通常，特に時間に関する見当識が失われる。知っている場所が見知らぬ場所のように思える	かなりの程度保たれるが，疾患が進行すると障害される
注意	変動が多く，注意は欠如。気が散りやすく，特定の課題に集中できない	通常，疾患の後期まで影響を受けない
記憶	即時および近時記憶障害	近時記憶と新しい内容の学習は特に障害される
原因の例	振戦せん妄（アルコール離脱による） 尿毒症 急性肝障害 急性脳血管炎 アトロピン中毒	可逆性：ビタミン B_{12} 欠乏症，甲状腺疾患 不可逆性：Alzheimer 病，血管性認知症（多発梗塞），頭部外傷性認知症

表 9-4　身体症状症と関連疾患

障害の種類	診断的特徴
身体症状症	身体症状症は，非常に苦痛で，機能に重大な混乱を引き起こすだけでなく，身体症状に関連する過度かつ不均衡な思考，感情，および行動の原因となる。おもな身体症状が痛みである場合，その痛みは限局的であることが多い
病気不安症	深刻な疾患にかかっている，またはかかるのでは，という考えにとらわれる。身体症状がある場合でも，その症状は軽度である
変換症・転換性障害	精神的因子が重要な要因だと考えられるような，神経学的または身体的疾患に似た一連の症状による症候群
他の身体的疾患に影響する心理的要因	苦痛，死亡，または機能障害のリスクを高め，身体的疾患に悪影響を与える臨床的に重要な心理的または行動的要因が 1 つ以上ある
作為症・虚偽性疾患	身体的または心理的徴候または症状のねつ造。または傷害や疾患を誘発するための行動をとり，それを隠すために虚偽の説明を行う。患者は，外的報酬がなくても，自身に疾患，障害，または外傷があると主張する
他の関連する障害または行動	
身体醜形障害	他人には観察できない，またはわずかにしか観察できない，外見上の 1 つまたは複数の短所や欠陥へのこだわりがみられる
解離性障害	意識，記憶，アイデンティティ，情動，知覚，身体表象，運動制御，および行動の正常な統合における破綻または不連続がみられる

表 9-5　うつ病スクリーニング：Geriatric Depression Scale(Short Form)[127-130]

方法
過去 1 週間にどのように感じたかについて，患者に 15 の質問をする。「はい」または「いいえ」のいずれかで回答するよう依頼する。また，自己評価フォームに記入するように患者に依頼してもよい

スコアリング
うつ病を示唆する回答を太字で示す。太字を選択するごとに 1 点とする(最大スコアは 15 点)
0〜4 点：正常(年齢，教育，主訴に応じて判断)，5〜8 点：軽度，9〜11 点：中程度，12〜15 点：重度

過去 1 週間であなたが感じたことについて最も適切な回答を選択してください

1. Are you basically satisfied with your life？	はい/**いいえ**
2. Have you dropped many of your activities and interests？	**はい**/いいえ
3. Do you feel that your life is empty？	**はい**/いいえ
4. Do you often get bored？	**はい**/いいえ
5. Are you in good spirits most of the time？	はい/**いいえ**
6. Are you afraid that something bad is going to happen to you？	**はい**/いいえ
7. Do you feel happy most of the time？	はい/**いいえ**
8. Do you often feel helpless？	**はい**/いいえ
9. Do you prefer to stay at home, rather than going out and doing new things？	**はい**/いいえ
10. Do you feel you have more problems with memory than most？	**はい**/いいえ
11. Do you think it is wonderful to be alive now？	はい/**いいえ**
12. Do you feel pretty worthless the way you are now？	**はい**/いいえ
13. Do you feel full of energy？	はい/**いいえ**
14. Do you feel that your situation is hopeless？	**はい**/いいえ
15. Do you think that most people are better off than you are？	**はい**/いいえ

訳注：ここでは現場での混乱を招く恐れがあるため，質問は原文のままで掲載している。標準化された日本語版検査については，検査キットを参照いただきたい。

表 9-6　うつ病スクリーニング：Patient Health Questionnaire（PHQ-9）[11, 37]

回答を「全くない＝0点」,「数日＝1点」,「半分以上＝2点」,「ほとんど毎日＝3点」として総得点を算出したものが，PHQスコアとする。その範囲は0〜27点である。この得点は，症状レベルの指標として用いられる。プライマリケア医が，簡単に記憶できるように，5点，10点，20点を症状レベルのカットオフポイントとしている。0〜4点はなし，5〜9点は軽微〜軽度，10〜14点は中等度，15〜19点は中等度〜重度，20〜27点は重度の症状レベルであると評価する。

出典：村松公美子．Patient Health Questionnaire 日本語版シリーズ（PHQ，GAD）うつと不安のメンタルヘルスアセスメント．2021．https://n-seiryo.repo.nii.ac.jp/?action=pages_view_main&active_action=repository_view_main_item_detail&item_id=2014&item_no=1&page_id=27&block_id=90

PHQ-9（Patient Health Questionnaire-9）日本語版（2018）

この2週間，次のような問題にどのくらい頻繁（ひんぱん）に悩まされていますか？		全くない	数日	半分以上	ほとんど毎日
(A)	物事に対してほとんど興味がない，または楽しめない	☐	☐	☐	☐
(B)	気分が落ち込む，憂うつになる，または絶望的な気持ちになる	☐	☐	☐	☐
(C)	寝付きが悪い，途中で目がさめる，または逆に眠り過ぎる	☐	☐	☐	☐
(D)	疲れた感じがする，または気力がない	☐	☐	☐	☐
(E)	あまり食欲がない，または食べ過ぎる	☐	☐	☐	☐
(F)	自分はダメな人間だ，人生の敗北者だと気に病む，または自分自身あるいは家族に申し訳がないと感じる	☐	☐	☐	☐
(G)	新聞を読む，またはテレビを見ることなどに集中することが難しい	☐	☐	☐	☐
(H)	他人が気づくぐらいに動きや話し方が遅くなる，あるいは反対に，そわそわしたり，落ちつかず，ふだんよりも動き回ることがある	☐	☐	☐	☐
(I)	死んだ方がましだ，あるいは自分を何らかの方法で傷つけようと思ったことがある	☐	☐	☐	☐

あなたが，いずれかの問題に1つでもチェックしているなら，それらの問題によって仕事をしたり，家事をしたり，他の人と仲良くやっていくことがどのくらい困難になっていますか？

全く困難でない	やや困難	困難	極端に困難
☐	☐	☐	☐

©kumiko. muramatsu「PHQ-9日本語版2018版」
PHQ-9日本語版（2018）の無断複写，転載，改変を禁じます。

〔Muramatsu K, Miyaoka H, Kamijima K, et al. Performance of the Japanese version of the Patient Health Questionnaire-9 (J-PHQ-9) for depression in primary care. *Gen Hosp Psychiatry*. 2018; 52: 64-69.〕

表 9-7　認知症スクリーニング：Mini-Cog[48]

方法
つぎのように実施する
1. 患者に，3 つの関連のない言葉を注意して聞き取り，覚えるように依頼する．つぎに，記憶した言葉を繰り返してもらう
2. 白紙か，すでに輪郭として円が描かれた紙に，時計の文字盤を描いてもらう．患者に時間を示す数字を描いてもらった後，特定の時間の針を描いてもらうようにお願いする
3. 1．で聞き取った 3 つの言葉を繰り返すよう依頼する

スコアリング
時計描画テストの後に思い出した単語 1 つにつき 1 点とする
3 つの単語のいずれも思い出せない場合，認知症として分類する（0 点）
3 つの単語すべてを思い出せる場合，認知症ではない，と分類する（3 点）
1〜2 語の単語を思い出せる場合，時計描画テストにもとづいて分類する*（描画テストに異常あり：認知症，正常：認知症ではない）

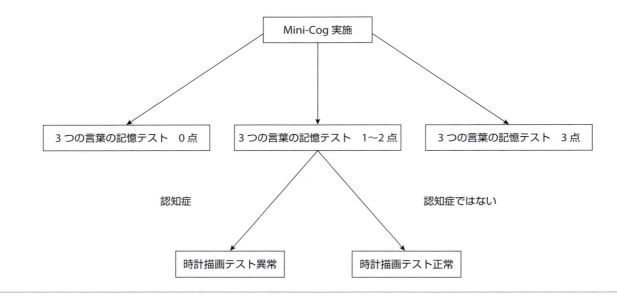

*すべての数字が正しい順序，位置に並び，針が要求された時間を明確に，正しく示す場合は，時計描画テストの結果を正常とみなす．

表9-8　認知症スクリーニング：Montreal Cognitive Assessment(MoCA)[131]

方法
Montreal Cognitive Assessment(MoCA)は軽度認知障害を簡便にスクリーニングするツールとして作成された。注意と集中，実行機能，記憶，言語，視空間認知，抽象的思考，計算，見当識といった異なる認知領域を評価することが可能である。測定時間は約10分である

スコアリング
右欄に記載した点数を合計する。就学期間が12年以下であれば1点を加え，最大30点となる。合計点が26点以上であれば正常とする

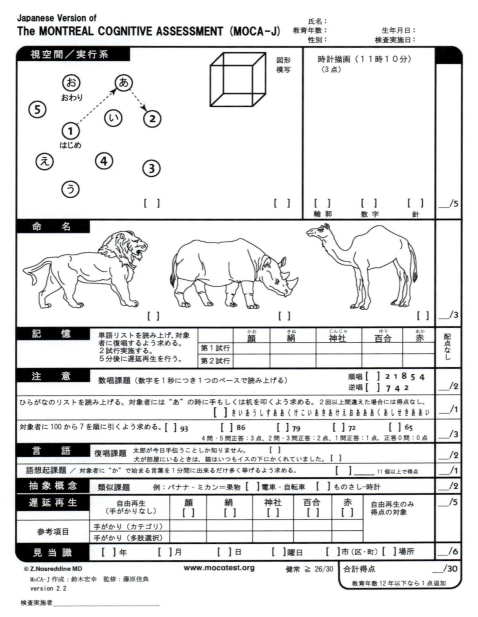

〔日本語訳は，鈴木宏幸，藤原佳典．Montreal Cognitive Assessment(MoCA)の日本語版作成とその有効性について．老年精神医学雑誌．2010；21(2)：198-202．より許可を得て掲載〕

文献一覧

1. Purves D, Augustine GJ, Fitzpatrick D, et al. *Neuroscience*. 4th ed. Sinauer Associates, Inc.; 2008.
2. Stahl SM. *Stahl's Essential Psychopharmacology: Neuroscientific Basis and Practical Applications*. 4th ed. Cambridge University Press; 2013.
3. American Psychiatric Association. *Diagnostic and Statistical Manual of Mental Disorders*. 5th ed. Washington, DC: American Psychiatric Press; 2013.
4. Substance Abuse and Mental Health Services Administration. *Key Substance Use and Mental Health Indicators in the United States: Results From the 2017 National Survey on Drug Use and Health (HHS Publication No. SMA 18-5068, NSDUH Series H-53)*. Rockville, MD: Center for Behavioral Health Statistics and Quality, Substance Abuse and Mental Health Services Administration; 2018. Available from https://www.samhsa.gov/data/. Accessed November 11, 2018.
5. Olfson M, Kroenke K, Wang S, et al. Trends in office-based mental health care provided by psychiatrists and primary care physicians. *J Clin Psychiatry*. 2014; 75(3): 247-253.
6. Cannarella Lorenzetti R, Jacques CH, Donovan C, et al. Managing difficult encounters: understanding physician, patient, and situational factors. *Am Fam Physician*. 2013; 87(6): 419-425.
7. Oexle N, Corrigan PW. Understanding mental illness stigma towards persons with multiple stigmatized conditions: implications of intersectionality theory. *Psychiatr Serv*. 2018; 69(5): 587-589.
8. Staab JP, Datto CJ, Weinreig RM, et al. Detection and diagnosis of psychiatric disorders in primary medical care settings. *Med Clin North Am*. 2001; 85(3): 579-596.
9. Ansseau M, Dierick M, Buntinkxz F, et al. High prevalence of mental disorders in primary care. *J Affect Disord*. 2004; 78(1): 49-55.
10. Kroenke K, Spitzer RL, deGruy FV, et al. A symptom checklist for screen for somatoform disorders in primary care. *Psychosomatics*. 1998; 39(3): 263-272.
11. Spitzer RL, Kroenke K, Williams JB, et al. Validation and utility of a self-report version of PRIME-MD: the PHQ Primary Care Study. Primary care evaluation of mental disorders. Patient health questionnaire. *JAMA*. 1999; 282(18): 1737-1744.
12. Kroenke K, Sharpe M, Sykes R. Revising the classification of somatoform disorders: key questions and preliminary recommendations. *Psychosomatics*. 2007; 48(4): 277-285.
13. Kroenke K, Spitzer RL, Williams JB, et al. An ultra-brief screening scale for anxiety and depression: the PHQ-4. *Psychosomatics*. 2009; 50(6): 613-621.
14. Spitzer RL, Kroenke K, Williams JB, et al. A brief measure for assessing generalized anxiety disorder: the GAD 7. *Arch Int Med*. 2006; 166(10): 1092-1097.
15. Kroenke K, Spitzer RL, Williams JB, et al. Anxiety disorders in primary care: prevalence, impairment, comorbidity, and detection. *Ann Int Med*. 2007; 146(5): 317-325.
16. Lowe B, Grafe K, Zipfel S, et al. Detecting panic disorder in medical and psychosomatic outpatients — comparative validation of the Hospital Anxiety and Depression Scale, the Patient Health Questionnaire, a screening question, and physicians diagnosis. *J Psychosom Res*. 2003; 55(6): 515-519.
17. Kessler RC, Chiu WT, Demler O, et al. Prevalence, severity, and comorbidity of 12-month DSM-IV disorders in the National Comorbidity Survey Replication. *Arch Gen Psychiatry*. 2005; 62(6): 617-627.
18. Conradt M, Cavanagh M, Franklin J, et al. Dimensionality of the Whiteley Index: assessment of hypochondriasis in an Australian sample of primary care patients. *J Psychosom Res*. 2006; 60(2): 137-143.
19. Pilowsky U. Dimensions of hypochondriasis. *Br J Psychiatry*. 1967; 113(494): 89-93.
20. Compton WM, Thomas YF, Stinson FS, et al. Prevalence, correlates, disability, and comorbidity of DSM-IV drug abuse and dependence in the United States — results from the national epidemiologic survey on alcohol and related conditions. *Arch Gen Psychiatry*. 2007; 64(5): 566-576.
21. Hepner KA, Rowe M, Rost K, et al .The effect of adherence to practice guidelines on depression outcomes. *Ann Int Med*. 2007; 147(5): 320-329.
22. Gunderson JG. Clinical practice. Borderline personality disorder. *N Engl J Med*. 2011; 364(21): 2037-2042.
23. National Institutes of Mental Health. Any Mental Illness (AMI) Among Adults. 2017. Available at http://www.nimh.nih.gov/health/statistics/prevalence/any-mental-illness-amiamong-adults.shtml. Accessed November 11, 2018.
24. Connor K, Kobak K, Churchill L, et al. Mini-SPIN: a brief screening assessment for generalized social anxiety disorder. *Depress Anxiety*. 2001; 14(2): 137-140.
25. Mancini C, Van Ameringen M, Pipe B, et al. Development and validation of self-report psychiatric screening tool: MACSCREEN [poster]. Anxiety Disorders Association of America 23rd Annual Conference; March 27-30; Toronto, Canada. 2003.
26. U.S. Preventive Services Task Force. Screening for depression in adults: recommendations and rationale. 2016. Available at https://www.uspreventiveservicestaskforce.org/Page/Document/UpdateSummaryFinal/depression-in-adults-screening1. Accessed November 11, 2018.
27. Whooley MA, Avins AL, Miranda J, et al. Case-finding instruments for depression. Two questions are as good as many. *J Gen Intern Med*. 1997; 12(7): 439-445.
28. Kroenke K. Patients presenting with somatic complaints: epidemiology, psychiatric comorbidity, and management. *Int J Methods Psychiatr Res*. 2003; 12(1): 34-43.
29. Kroenke K. The interface between physical and psychological symptoms. Primary Care Companion. *J Clin*

Psychiatry. 2003; 5(Suppl 7): 11.

30. Dwamena FC, Lyles JS, Frankel RM, et al. In their own words: qualitative study of high-utilising primary care patients with medically unexplained symptoms. *BMC Fam Pract.* 2009; 10: 67.

31. Aaron LA, Buchwald D. A review of the evidence for overlap among unexplained clinical conditions. *Ann Intern Med.* 2001; 134(9 Pt 2): 868-881.

32. Mathias CW, Michael Furr R, Sheftall AH, et al. What's the harm in asking about suicidal ideation? *Suicide Life Threat Behav.* 2012; 42(3): 341-351.

33. Strub RL, Black FW. *The Mental Status Examination in Neurology.* 2nd ed. Philadelphia, PA: FA Davis; 1985.

34. National Institutes of Mental Health. Major Depression. Available at https://www.nimh.nih.gov/health/statistics/major-depression.shtml. Accessed November 26, 2018.

35. Gaillard, A, Le Strat Y, Mandelbrot L, et al. Predictors of postpartum depression: prospective study of 264 women followed during pregnancy and postpartum. *Psychiatry Res.* 2014; 215(2): 341-346.

36. Siu AL; US Preventive Services Task Force (USPSTF), Bibbins-Domingo K, et al. Screening for depression in adults: US Preventive Services Task Force Recommendation Statement. *JAMA.* 2016; 315(4): 380-387.

37. Kroenke K, Spitzer RL, Williams JB. The patient health questionnaire-2: validity of a two-item depression screener. *Med Care.* 2003; 41(11): 1284-1292.

38. American Association of Suicidology. *Suicide in the USA—2016 Data.* Washington, DC; 2014. Available at https://www.suicidology.org/Portals/14/docs/Resources/FactSheets/2016/2016http://suicideprevention.nv.gov/uploadedFiles/suicidepreventionnvgov/content/SP/CRSF/Mtgs/2018/2016_AAS_USA_data.pdf. Accessed November 11, 2018.

39. Centers for Disease Control and Prevention. *Suicide: Facts at a Glance.* Atlanta, GA; 2015. Available at http://www.cdc.gov/ViolencePrevention/pdf/Suicide-DataSheet-a.pdf. Accessed November 28, 2018.

40. Kann L, McManus T, Harris WA, et al. Youth risk behavior surveillance — United States, 2017. *MMWR Surveill Summ.* 2018; 67(8): 1-114.

41. U.S. Preventive Services Task Force. Final recommendation statement. Suicide risk in adolescents, adults, and older adults: screening. Available at https://www.uspreventiveservicestaskforce.org/Page/Document/RecommendationStatementFinal/suicide-risk-in-adolescentsadults-and-older-adults-screening. Accessed November 26, 2018.

42. Moyer VA; U.S. Preventive Services Task Force. Screening for cognitive impairment in older adults: U.S. Preventive Services Task Force recommendation statement. *Ann Intern Med.* 2014; 160(11): 791-797.

43. Alzheimer's Association. 2018 Alzheimer's disease: facts and figures. Available at http://www.alz.org/facts/#prevalence. Accessed November 26, 2018.

44. Mayeux R. Clinical practice. Early Alzheimer's disease. *N Engl J Med.* 2010; 362(23): 2194-2201.

45. Daviglus ML, Bell CC, Berrettini W, et al. National Institutes of Health State-of-the-Science Conference statement: preventing Alzheimer disease and cognitive decline. *Ann Intern Med.* 2010; 153(3): 176-181.

46. Rabins PV, Blass DM. In the clinic. Dementia. *Ann Intern Med.* 2014; 161(3): ITC1.

47. Marcantonio ER. In the clinic. Delirium. *Ann Intern Med.* 2011; 154(11): ITC6-1.

48. Borson S, Scanlan JM, Chen P, et al. The Mini-Cog as a screen for dementia: validation in a population-based sample. *J Am Geriatr Soc.* 2003; 51(10): 1451-1454.

49. Tsoi KK, Chan JY, Hirai HW, et al. Cognitive tests to detect dementia: a systematic review and meta-analysis. *JAMA Intern Med.* 2015; 175(9): 1450-1458.

50. Langa KM, Levine DA. The diagnosis and management of mild cognitive impairment: a clinical review. *JAMA.* 2014; 312(23): 2551-2561.

51. Montreal Cognitive Assessment. 2015. Available at http://www.mocatest.org/. Accessed November 26, 2018.

52. Liew TM, Feng L, Gao Q, et al. Diagnostic utility of Montreal Cognitive Assessment in the Fifth Edition of Diagnostic and Statistical Manual of Mental Disorders: major and mild neurocognitive disorders. *J Am Med Dir Assoc.* 2015; 16(2): 144-148.

53. Roalf DR, Moberg PJ, Xie SX, et al. Comparative accuracies of two common screening instruments for classification of Alzheimer's disease, mild cognitive impairment, and healthy aging. *Alzheimers Dement.* 2013; 9(5): 529-537.

54. Lin JS, O'Connor E, Rossom RC, et al. Screening for cognitive impairment in older adults: an evidence update for the U.S. Preventive Services Task Force. 2013. Evidence Syntheses No. 107. Available at http://www.ncbi.nlm.nih.gov/books/NBK174643/. Accessed November 12, 2018.

55. Albert MS, DeKosky ST, Dickson D, et al. The diagnosis of mild cognitive impairment due to Alzheimer's disease: recommendations from the National Institute on Aging-Alzheimer's Association workgroups on diagnostic guidelines for Alzheimer's disease. *Alzheimers Dement.* 2011; 7(3): 270-279.

56. Markwick A, Zamboni G, Jager CA. Profiles of cognitive subtest impairment in the Montreal Cognitive Assessment (MoCA) in a research cohort with normal Mini-Mental State Examination (MMSE) scores. *J Clin Exp Neuropsychol.* 2012; 34(7): 750-757.

57. Peters ME, Rosenberg PB, Steinberg M, et al. Neuropsychiatric symptoms as risk factors for progression from CIND to dementia: The Cache County Study. *Am J Geriatr Psychiatry.* 2013; 21(11): 1116-1124.

58. McKhann GM, Knopman DS, Chertkow H, et al. The diagnosis of dementia due to Alzheimer's disease: recommendations from the National Institute on Aging-Alzheimer's Association workgroups on diagnostic

guidelines for Alzheimer's disease. *Alzheimers Dement.* 2011; 7(3): 263-269.
59. Wong CL, Holroyd-Leduc J, Simel DL, et al. Does this patient have delirium?: value of bedside instruments. *JAMA.* 2010; 304(7): 779-786.
60. O'Mahony R, Murthy L, Akunne A, et al.; Guideline Development Group. Synopsis of the National Institute for Health and Clinical Excellence guideline for prevention of delirium. *Ann Intern Med.* 2011; 154(11): 746-751.
61. Seth P, Scholl L, Rudd RA, et al. Overdose deaths involving opioids, cocaine, and psychostimulants — United States, 2015-2016. *MMWR Morb Mortal Wkly Rep.* 2018; 67(12): 349-358.
62. US Preventive Services Task Force, Curry SJ, Krist AH, et al. Screening and behavioral counseling to reduce unhealthy alcohol use in adolescents and adults: US Preventive Services Task Force Recommendation Statement. *JAMA.* 2018; 320(18): 1899-1909.
63. Moyer VA; U.S. Preventive Services Task Force. Primary care behavioral interventions to reduce illicit drug and nonmedical pharmaceutical use in children and adolescents: U.S. Preventive Services Task Force recommendation statement. *Ann Intern Med.* 2014; 160(9): 634-639.
64. Yang Y, Cui Y, Sang K, et al. Ketamine blocks bursting in the lateral habenula to rapidly relieve depression. *Nature.* 2018; 554(7692): 317-322.
65. Hugdahl K, Løberg EM, Nygård M. Left temporal lobe structural and functional abnormality underlying auditory hallucinations in schizophrenia. *Front Neurosci.* 2009; 3(1): 34-45.
66. Olabi B, Ellison-Wright I, McIntosh AM, et al. Are there progressive brain changes in schizophrenia? A meta-analysis of structural magnetic resonance imaging studies. *Biol Psychiatry.* 2011; 70(1): 88-96.
67. Lenet AE. Shifting focus: from group patterns to individual neurobiological differences in attention-deficit/hyperactivity disorder. *Biol Psychiatry.* 2017; 82(9): e67-e69.
68. Li B, Mody M. Cortico-striato-thalamo-cortical circuitry, working memory, and obsessive-compulsive disorder. *Front Psychiatry.* 2016; 7: 78.
69. Ikuta T, DeRosse P, Argyelan M, et al. Subcortical modulation in auditory processing and auditory hallucinations. *Behav Brain Res.* 2015; 295: 78-81.
70. Eichenbaum H. The hippocampus and declarative memory: cognitive mechanisms and neural codes. *Behav Brain Res.* 2001; 127(1-2): 199-207.
71. Ofen N, Kao YC, Sokol-Hessner P, et al. Development of the declarative memory system in the human brain. *Nat Neurosci.* 2007; 10(9): 1198-1205.
72. Bannerman DM, Rawlins JN, McHugh SB, et al. Regional dissociations within the hippocampus — memory and anxiety. *Neurosci Biobehav Rev.* 2004; 28(3): 273-283.
73. Hampel H, Bürger K, Teipel SJ, et al. Core candidate neurochemical and imaging biomarkers of Alzheimer's disease. *Alzheimers Dement.* 2008; 4(1): 38-48.
74. Campbell S, MacQueen G. The role of the hippocampus in the pathophysiology of major depression. *J Psychiatry Neurosci.* 2004; 29(6): 417-426.
75. Joëls M. Functional actions of corticosteroids in the hippocampus. *Eur J Pharmacol.* 2008; 583(2-3): 312-321.
76. Karl A, Schaefer M, Malta LS, et al. A meta-analysis of structural brain abnormalities in PTSD. *Neurosci Biobehav Rev.* 2006; 30(7): 1004-1031.
77. Kempton MJ, Salvador Z, Munafò MR, et al. Structural neuroimaging studies in major depressive disorder. Meta-analysis and comparison with bipolar disorder. *Arch Gen Psychiatry.* 2011; 68(7): 675-690.
78. Bremner JD. Traumatic stress: effects on the brain. *Dialogues Clin Neurosci.* 2006; 8(4): 445-461.
79. Chen CH, Suckling J, Lennox BR, et al. A quantitative meta-analysis of fMRI studies in bipolar disorder. *Bipolar Disord.* 2011; 13(1): 1-15.
80. Gusnard DA, Akbudak E, Shulman GL, et al. Medial prefrontal cortex and self-referential mental activity: relation to a default mode of brain function. *Proc Natl Acad Sci U S A.* 2001; 98(7): 4259-4264.
81. Meyer-Lindenberg AS, Olsen RK, Kohn PD, et al. Regionally specific disturbance of dorsolateral prefrontal-hippocampal functional connectivity in schizophrenia. *Arch Gen Psychiatry.* 2005; 62(4): 379-386.
82. Pia L, Tamietto M. Unawareness in schizophrenia: neuropsychological and neuroanatomical findings. *Psychiatry Clin Neurosci.* 2006; 60(5): 531-537.
83. Potkin SG, Turner JA, Brown GG, et al. Working memory and DLPFC inefficiency in schizophrenia: The FBIRN study. *Schizophr Bull.* 2009; 35(1): 19-31.
84. Bush G. Attention-deficit/hyperactivity disorder and attention networks. *Neuropsychopharmacology.* 2010; 35(1): 278-300.
85. Keener MT, Phillips ML. Neuroimaging in bipolar disorder: a critical review of current findings. *Curr Psychiatry Rep.* 2007; 9(6): 512-520.
86. Koenigs M, Grafman J. The functional neuroanatomy of depression: distinct roles for ventromedial and dorsolateral prefrontal cortex. *Behav Brain Res.* 2009; 201(2): 239-243.
87. Schmidt CK, Khalid S, Loukas M, et al. Neuroanatomy of anxiety: a brief review. *Cureus.* 2018; 10(1): 2055.
88. Maia TV, Cooney RE, Peterson BS. The neural bases of obsessive compulsive disorder in children and adults. *Dev Psychopathol.* 2008; 20(4): 1251-1283.
89. Aupperle RL, Allard CB, Grimes EM, et al. Dorsolateral prefrontal cortex activation during emotional anticipation and neuropsychological performance in posttraumatic stress disorder. *Arch Gen Psychiatry.* 2012; 69(4): 360-371.
90. Kaufman LD, Pratt J, Levine B, et al. Executive deficits detected in mild Alzheimer's disease using the antisaccade task. *Brain Behav.* 2012; 2(1): 15-21.
91. Kringelbach ML. The human orbitofrontal cortex: linking reward to hedonic experience. *Nat Rev Neurosci.* 2005;

文献一覧

92. Etkin A, Wager TD. Functional neuroimaging of anxiety: a meta-analysis of emotional processing in PTSD, social anxiety disorder and specific phobia. *Am J Psychiatry*. 2007; 164(10): 1476-1488.
93. Leech R, Sharp DJ. The role of the posterior cingulate cortex in cognition and disease. *Brain*. 2014; 137(1): 12-32.
94. Mayberg HS, Liotti M, Brannan SK, et al. Reciprocal limbic-cortical function and negative mood: converging PET findings in depression and normal sadness. *Am J Psychiatry*. 1999; 156(5): 675-682.
95. Hamani C, Mayberg H, Stone S, et al. The subcallosal cingulate gyrus in the context of major depression. *Biol Psychiatry*. 2011; 69(4): 301-308.
96. Maddock RJ, Garrett AS, Buonocore MH. Remembering familiar people: the posterior cingulate cortex and autobiographical memory retrieval. *Neuroscience*. 2001; 104(3): 667-676.
97. Maddock RJ, Garrett AS, Buonocore MH. Posterior cingulate cortex activation by emotional words: fMRI evidence from a valence detection task. *Hum Brain Mapp*. 2003; 18(1): 30-41.
98. Bush G, Frazier JA, Rauch SL, et al. Anterior cingulate cortex dysfunction in attention-deficit/hyperactivity disorder revealed by fMRI and counting stroop. *Biol Psychiatry*. 1999; 45(12): 1542-1552.
99. McGovern RA, Sheth SA. Role of the dorsal anterior cingulate cortex in obsessive-compulsive disorder: converging evidence from cognitive neuroscience and psychiatric neurosurgery. *J Neurosurg*. 2017; 126(1): 132-147.
100. Milad MR, Furtak SC, Greenberg JL, et al. Deficits in conditioned fear extinction in obsessive-compulsive disorder and neurobiological changes in the fear circuit. *JAMA Psychiatry*. 2013; 70(6): 608-618; quiz 554.
101. McClure EB, Monk CS, Nelson EE, et al. Abnormal attention modulation of fear circuit function in pediatric generalized anxiety disorder. *Arch Gen Psychiatry*. 2007; 64(1): 97-106.
102. Fornito A, Yücel M, Dean B, et al. Anatomical abnormalities of the anterior cingulate cortex in schizophrenia: bridging the gap between neuroimaging and neuropathology. *Schizophr Bull*. 2009; 35(5): 973-993.
103. Mundy P. The neural basis of social impairments in autism: the role of the dorsal medial-frontal cortex and anterior cingulate system. *J Child Psychol Psychiatry*. 2003; 44(6): 793-809.
104. Goard M, Dan Y. Basal forebrain activation enhances cortical coding of natural scenes. *Nat Neurosci*. 2009; 12(11): 1444-1449.
105. Di Chiara G, Bassareo V, Fenu S, et al. Dopamine and drug addiction: the nucleus accumbens shell connection. *Neuropharmacology*. 2004; 47 Suppl 1: 227-241.
106. Aylward EH, Reiss AL, Reader MJ, et al. Basal ganglia volumes in children with attention-deficit hyperactivity disorder. *J Child Neurol*. 1996; 11(2): 112-115.
107. Perez-Costas E, Melendez-Ferro M, Roberts RC. Basal ganglia pathology in schizophrenia: dopamine connection and anomalies. *J Neurochem*. 2010; 113(2): 287-302.
108. Welter ML, Burbaud P, Fernandez-Vidal S, et al. Basal ganglia dysfunction in OCD: subthalamic neuronal activity correlates with symptoms severity and predicts high-frequency stimulation efficacy. *Transl Psychiatry*. 2011; 1(5): e5.
109. Maletic V, Raison C. Integrated neurobiology of bipolar disorder. *Front Psychiatry*. 2014; 5:98.
110. Andres KH, Düring MV, Veh RW. Subnuclear organization of the rat habenular complexes. *J Comp Neurol*. 1999; 407(1): 130-150.
111. Matsumoto M, Hikosaka O. Lateral habenula as a source of negative reward signals in dopamine neurons. *Nature*. 2007; 447(7148): 1111-1115.
112. Hikosaka O. The habenula: from stress evasion to value-based decision-making. *Nat Rev Neurosci*. 2010; 11(7): 503-513.
113. Luo J. Effects of ethanol on the cerebellum: advances and prospects. *Cerebellum*. 2015; 14(4): 383-385.
114. Ropper AH, Samuels MA, Klein JP. *Adams and Victor's Principles of Neurology*. 10th ed. McGraw-Hill Education; 2014.
115. Phan KL, Wager T, Taylor SF, et al. Functional neuroanatomy of emotion: a meta-analysis of emotion activation studies in PET and fMRI. *NeuroImage*. 2002; 16(2): 331-348.
116. Tamminga CK, Thaker GK, Buchanan R, et al. Limbic system abnormalities identified in schizophrenia using positron emission tomography using fluorodeoxyglucose and neocortical alterations with deficit syndrome. *Arch Gen Psych*. 1992; 49(7): 522-530.
117. Pandya M, Altinay M, Malone Jr DA, et al. Where in the brain is depression? *Curr Psychiatry Rep*. 2012; 14(6): 634-642.
118. Blond BN, Fredericks CA, Blumberg HP. Functional neuroanatomy of bipolar disorder: structure, function, and connectivity in an amygdala-anterior paralimbic neural system. *Bipolar Disord*. 2012; 14(4): 340-355.
119. Martin EI, Ressler KJ, Binder E, et al. The neurobiology of anxiety disorder: brain imaging, genetics, and psychoneuroendocrinology. *Psychiatr Clin North Am*. 2009; 32(3): 549-575.
120. Sherin JE, Nemeroff CB. Post-traumatic stress disorder: the neurobiological impact of psychological trauma. *Dialogues Clin Neurosci*. 2011; 13(3): 263-278.
121. Menon V. Salience Network. In: Toga AW, ed. *Brain Mapping: An Encyclopedic Reference*. Academic Press: Elsevier; 2015: 597-611.
122. Taylor KS, Seminowicz DA, Davis KD. Two systems of resting state connectivity between the insula and cingulate cortex. *Hum Brain Mapp*. 2009; 30(9): 2731-2745.
123. Whitfield-Gabrieli S, Ford JM. Default mode network activity and connectivity in psychopathology. *Annu Rev Clin Psychol*. 2012; 8: 49-76.

124. Yehuda R, Hoge CW, McFarlane AC, et al. Post-traumatic stress disorder. *Nat Rev Dis Primers.* 2015; 1: 15057.
125. Manoliu A, Meng C, Brandl F, et al. Insular dysfunction within the salience network is associated with severity of symptoms and aberrant inter-network connectivity in major depressive disorder. *Front Hum Neurosci.* 2014; 7: 930.
126. Manoliu A, et al. Aberrant dependence of default mode/central executive network interactions on anterior insular salience network activity in schizophrenia. *Schizophr Bull.* 2014; 40(2): 428-437.
127. Yesavage JA, Brink TL, Lum O, et al. Screening tests for geriatric depression. *Clinical Gerontologist.* 1982; 1: 37-44.
128. Yesavage JA, Brink TL, Rose TL, et al. Development and validation of a geriatric depression screening scale: a preliminary report. *J Psychiatr Res.* 1983; 17(1): 37-49.
129. Sheikh JI, Yesavage JA. Geriatric Depression Scale (GDS): Recent evidence and development of a shorter version. *Clinical Gerontology: A Guide to Assessment and Intervention.* New York: The Haworth Press; 1986: 165-173.
130. Sheikh JI, Yesavage JA, Brooks JO 3rd, et al. Proposed factor structure of the Geriatric Depression Scale. *Int Psychogeriatr.* 1991; 3(1): 23-28.
131. Nasreddine ZS, Phillips NA, Bédirian V, et al. The Montreal Cognitive Assessment, MoCA: a brief screening tool for mild cognitive impairment. *J Am Geriatr Soc.* 2005; 53(4): 695-699.

本章の学習効果を高め，理解を助けるために一連の補助教材がある。
- 『ベイツ診察法ポケットガイド第4版』
- Bates' Visual Guide to Physical Examination
- thePoint® online resources, for students and instructors: http://thepoint.lww.com

第10章 皮膚，毛髪，爪

解剖と生理

皮膚は日々環境が変化するなかで生体の恒常性を維持し，微生物や有害物質，放射線などから皮下組織を保護して体液を保持する役割を担っている。さらに体温調節とビタミンDの合成も行う。毛髪，爪，脂腺，汗腺は皮膚の付属器であり，皮膚とその付属器は加齢とともに変化する。

加齢による皮膚変化については，第27章「老年」(p.1169～1170)を参照。

皮膚

皮膚は生体の単一臓器としては最も重く，体重の約16％を占め，体表面積は約1.2～2.3 m² である。皮膚は表皮，真皮，皮下脂肪組織の3層からなる（図10-1）。

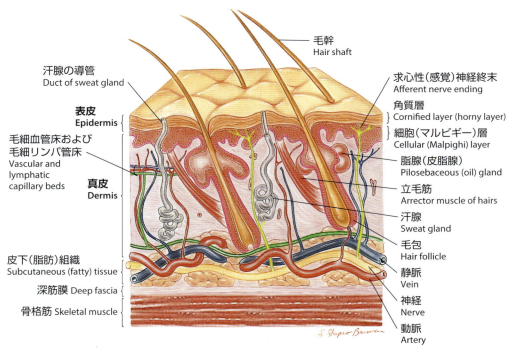

図10-1　皮膚および皮下組織の構造

| 解剖と生理 | 異常例 |

表皮 epidermis は皮膚の最も浅層に存在し，薄く血管組織のない2層の角化した上皮細胞から構成される。外側には死滅したケラチノサイトからなる**角質層 cornified layer(horny layer)**がある。内側の細胞層は**基底層 basal layer** と**有棘層 spinous layer**（この2層をあわせて**マルピギー層 Cellular(Malpighi) layer** と呼ぶ）で，メラニンとケラチンが形成される。内側の細胞層から外層への移動には約1カ月かかる。

表皮の栄養は，その下層にあり血管を有する**真皮 dermis** に依存する。真皮は，**脂腺(皮脂腺)pilosebaceous (oil) gland**，**汗腺 sweat gland**，**毛包 hair follicle** および皮神経終末などの皮膚付属器が存在し，膠原線維と弾性線維が相互に接続する密な層である。真皮は下層で**皮下脂肪組織 subcutaneous fatty tissue** と接する。

正常な皮膚の色は，**メラニン melanin** の量と種類により異なるが，下床の血管構造，血行動態の変化，カロテンやビリルビンの変化などにも影響される。

褐色色素であるメラニンの量は遺伝的に決定されており，日光曝露で増加する。赤血球中のヘモグロビンは，酸素を**オキシヘモグロビン oxyhemoglobin** の形で輸送する。オキシヘモグロビンは鮮赤色の色素で，動脈や毛細血管を通過し，皮膚を発火させる。その後，毛細血管床を通過して組織に酸素を放出し，暗赤色の色素である**デオキシヘモグロビン deoxyhemoglobin** となって静脈を循環する。皮膚または血管の不透明な浅層を介した光の散乱も，静脈がその内部を循環する静脈血の本来の色調より青色調にみえることに寄与している。

黄色の色素である**カロテン carotene** は，皮下脂肪，手掌，足底など角化の強い部位に存在する。黄褐色の色素である**ビリルビン bilirubin** は，赤血球におけるヘムの分解によって生じる。

蒼白 pallor は，貧血を示唆する。

チアノーゼ cyanosis（皮膚や粘膜の青色調変化）は，寒冷環境に反応して血液中の酸素濃度，または血流が低下したことを示唆する。

黄疸 jaundice（皮膚の黄色調変化）は，ビリルビン増加の結果生じる。

毛髪

成人には2種類の毛髪がある。**軟毛(うぶ毛)vellus hair** は短く，細く，めだたず，一般に無色素性であるが，**終毛 terminal hair** は粗く，太く，めだち，一般に有色素性である。例えば，頭髪や眉毛は終毛である。

爪

爪は手指・足趾の遠位端を保護している。硬く，長方形で，一般に弯曲している**爪甲 nail plate** は，血管に富んだ**爪床 nail bed**（爪甲が密着している部分）の影響でピンク色にみえる（図10-2, 10-3）。**爪半月 lunule(whitish moon)**，爪甲の遊離縁に注意を払う。爪甲の約1/4は**爪根 nail root** であり，**後爪郭 proximal nail fold** によって覆われている。後爪郭から**爪上皮 cuticle** がのびる。爪上皮は，爪郭と爪甲のすき間を封をするように覆うことで，外気の湿度変化から守っている。**側爪郭 lateral nail fold** は爪甲の側面を覆っている。後爪郭と爪甲との角度は正常では180度以下である。

手指の爪は，1日に約 0.1 mm のび，足趾のほうがのびは遅い。

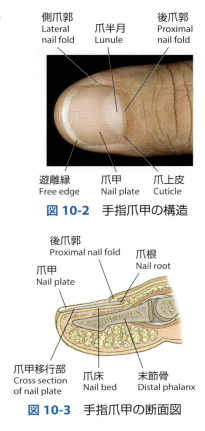

図 10-2　手指爪甲の構造

図 10-3　手指爪甲の断面図

脂腺と汗腺

脂腺（皮脂腺）は，皮脂を産生し，毛包を介して皮膚表面に分泌する。手掌と足底を除く全身の皮膚表面に存在する。

汗腺には，エクリン腺とアポクリン腺の2種類がある。**エクリン腺 eccrine sweat gland** は，全身の皮膚に分布し，皮膚の表面に直接開口する。そして汗の産生により体温を調節する。これに対して，**アポクリン腺 apocrine sweat gland** は，おもに腋窩と陰部に存在し，通常は毛包に開口する。細菌によるアポクリン汗の分解が，成人の体臭に関与する。

病歴：一般的なアプローチ

他臓器の疾患と同様に，皮膚疾患の診断には詳細な病歴聴取と診察が重要である。瘙痒や痛みといった皮膚病変に伴う症状を理解することも，診断に役立つ場合がある。皮膚科では臨床症状にもとづいた診断が重要であるため，病歴を注意深く聴取することで，診断の精度を高めることができ，追加精査の決定や治療・管理において重要な問題への対処もしやすくなる[1]。発症時期，増悪，周期性，先行

病歴：一般的なアプローチ

症状といった皮膚疾患における重要な要素は患者自身がよく把握していることが多い。したがって，これらの情報を確認するための慎重な病歴聴取が重要である。同様に，病変がみえない場合も患者の説明と記憶を手がかりに診断することになるだろう。さらに全身性疾患でも皮膚症状を有する場合があるため，この観点からも患者の病歴を聴取することは重要である。病歴聴取の対象期間中に発生したあらゆる曝露（例えば食料品，化粧品，職業関連化学物質，日光，薬物，海外旅行）が，皮膚疾患の主要な原因となった可能性がある。

よくみられる，または注意すべき症状

- 部位
- 発疹と瘙痒
- 脱毛と爪の変化

部位

病変 lesion は健常皮膚からの変化がみられる部位で，単発または多発する場合がある。患者の皮膚の色に関係なく，皮膚診察全体を通して**メラノーマ（黒色腫）melanoma**，**基底細胞癌 basal cell carcinoma（BCC）**，または**扁平上皮癌 squamous cell carcinoma（SCC）**を示唆する病変を探す。早期に皮膚癌を発見できれば，治療の成功率は上昇する。まずは，患者に新たな病変に関する不安がないかたずねる。例えば「皮膚，毛髪，爪に何か変化はありますか？」「何かが大きくなっていたり，痛み，しこりがあったりしますか？」と質問するとよい。患者が新たな病変を報告した場合，皮膚癌の既往や家族歴を聴取する。過去の皮膚癌の種類，部位，発症時期を確認し，定期的な皮膚の自己検診と日焼け止めの使用について質問する。また「ご家族に皮膚癌を切除した人はいますか？　もしいれば，どなたですか？　皮膚癌の種類（メラノーマ，基底細胞癌または扁平上皮癌）はわかりますか？」とたずねる。患者がどの種類の皮膚癌かわからない場合でも回答を記録し，皮膚癌の予防について患者に指導する。

> 皮膚癌の予防については「健康増進とカウンセリング：エビデンスと推奨」の項を参照。

発疹と瘙痒

発疹 rash は広範囲に広がる皮膚の病変である。患者が発疹を訴える場合は，その評価で最も重要な症状であるかゆみ（**瘙痒 pruritus**）について質問する。瘙痒は発疹が現れる前と後のどちらで発症したか？　瘙痒を伴う発疹があれば，瘙痒や涙目，喘息，またはしばしば肘や膝の屈側に発疹を伴う小児期のアトピー性皮膚炎など，季節性アレルギーについて質問する。患者は一晩中眠ることができるか，もしくは瘙痒で目が覚めるか？　発疹の病歴聴取では，使用した保湿剤の種類や市販薬を確認することも重要である。

> 明らかな発疹がないのに全身に瘙痒がある原因としては，皮膚の乾燥，妊娠，尿毒症，黄疸，リンパ腫や白血病，薬疹，まれであるが真性赤血球増加症や甲状腺疾患が考えられる。

特にアトピー性皮膚炎のある小児や高齢者では，表皮の天然保湿バリア機能の低下による乾燥肌（瘙痒や発疹の原因となる）があるかどうかも確認する。

> 天然保湿バリア機能の低下を改善するため，保湿剤の使用を奨励する[2]。

UNIT II　第10章　皮膚，毛髪，爪

皮膚病変の記録　　　　　　　　　　　　　　　　　　　　　　　　　　　　異常例

脱毛と爪の変化

患者はしばしば脱毛や爪の変化を自発的に訴える。脱毛については，頭髪が薄くなったか，または抜け毛が多くなったかたずね，もしそうなら部位を確認する。頭髪が抜ける場合，頭髪は毛根から抜けるか毛幹で千切れるか？　シャンプーの頻度や毛染め，縮毛矯正剤，ヘアアイロンの使用など，普段行っているヘアケアについても質問する。男性と女性の脱毛の正常パターンについては表10-8「脱毛」を参照。脱毛のみられる患者には適切な指導を行う。

爪真菌症や爪甲損傷癖・習慣性チック（爪変形），爪甲色素線条などの一般的な爪の変化（表10-9「爪とその周囲の所見」）を理解すること。

びまん性に頭髪が薄くなる最も一般的な原因は，男性型または女性型脱毛症である。

毛根からの脱毛は，休止期脱毛症と円形脱毛症で認めることが多い。毛幹で頭髪が千切れる場合は，ヘアケアまたは頭部白癬による損傷を示唆する。

皮膚病変の記録

皮膚病変や発疹の記録には専門用語を使用する。適切に記録するため，数，大きさ，色調，形状，表面の性状，主病変，部位，配列を明示する。

例えば脂漏性角化症の場合，「背部と腹部に，多発性，5 mm～2 cm大，淡褐色～褐色，楕円形で一部癒合し，表面平坦で疣贅状の結節が皮膚割線に沿って分布する」のように記録する。上述の要素，つまり**数**（多発性），**大きさ**（5 mm～2 cm大），**色調**（淡褐色～褐色），**形状**（楕円形），**表面の性状**（表面平坦で疣贅状），**主病変**（結節），**部位**（背部と腹部），**配列**（皮膚割線に沿って）が記録されていることがわかるだろう。

図10-4　メラノーマの典型的な特徴：ABCDE-EFG法 — Asymmetry（非対称），Border irregularity（境界不整），Color variation（色調変化），Diameter ＞6 mm（直径＞6 mm）(DeVita VT, et al. *DeVita, Hellman, and Rosenberg's Cancer: Principles & Practice of Oncology.* 11th ed. Wolters Kluwer; 2019, Fig. 92.3, part c より)

メラノーマがないか，ほくろ（黒子）をスクリーニングする。記録する際は，しばしばABCDE-EFG法が用いられる。**A**symmetry（非対称：ほくろの片側と反対側の比較），**B**order irregularity（境界不整：特にギザギザ，鋸歯状，不明瞭な場合），**C**olor variation（色調変化：3色以上，特に青黒色，白色，赤色），**D**iameter（直径：＞6 mm），**E**volving（進行：大きさ，症状，形態が急速に進行・変化する），**E**levation（隆起），**F**irmness（触診で硬く触れる），**G**rowing（数週間で進行する）に注意する。

ABCDE-EFG法と病変の写真については，Box 10-4および表10-6「褐色病変：メラノーマと類似病変」を参照。これらは，良性の褐色病変とメラノーマの比較・識別に有用である（図10-4）。また「健康増進とカウンセリング：エビデンスと推奨」の項にある「皮膚癌のスクリーニング」も参照。

| 皮膚病変の記録 | 異常例 |

主病変

主病変は，その疾患過程の直接の結果として発生し，その疾患を最も特徴づける病変である。主病変を特定できるよう，その特徴を理解すること（図10-5～10-13）。主病変は平坦，隆起，または液体で満たされていることがある。

表10-1「主病変の記録：平坦な病変，隆起性病変，液体で満たされた病変」，表10-2「その他の主病変：膿疱，せつ（フルンケル），結節，囊胞，膨疹，疥癬トンネル」，表10-3「皮膚病変を探す：良性病変」，表10-7「皮膚の血管病変，紫斑病変」を参照。

macule（小さな斑）は，直径1 cm未満の，色調変化をきたした平坦で境界明瞭な病変を指す。

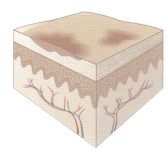

図10-5 macule（小さな斑）(Kronenberger J, Ledbetter J. *Lippincott Williams & Wilkins' Comprehensive Medical Assisting*. 5th ed. Wolters Kluwer; 2016; Fig. 28-2. より改変)

例として，そばかす（雀卵斑），平坦なほくろ，ポートワイン母斑，およびリケッチア感染症・風疹・麻疹などの発疹がある[3]。

patch（大きな斑）は，直径1 cmを超える，色調変化をきたした平坦で境界明瞭な病変を指す。

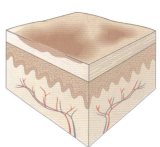

図10-6 patch（大きな斑）(Kronenberger J, Ledbetter J. *Lippincott Williams & Wilkins' Comprehensive Medical Assisting*. 5th ed. Wolters Kluwer; 2016, Fig. 28-2. より改変)

丘疹 papule は，直径1 cm未満で充実性の隆起性病変を指す。

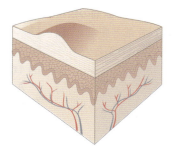

図10-7 丘疹(Kronenberger J, Ledbetter J. *Lippincott Williams & Wilkins' Comprehensive Medical Assisting*. 5th ed. Wolters Kluwer; 2016, Fig. 28-2. より改変)

例として，母斑，疣贅，扁平苔癬，虫刺症，脂漏性角化症，日光角化症，一部の痤瘡，皮膚癌などがある[3]。

局面 plaque は，大きく平坦な隆起性病変を指し，丘疹が癒合して形成されることもある。

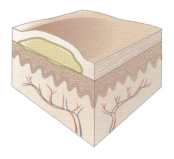

図10-8 局面(Kronenberger J, Ledbetter J. *Lippincott Williams & Wilkins' Comprehensive Medical Assisting*. 5th ed. Wolters Kluwer; 2016, Fig. 28-2. より改変)

乾癬や環状肉芽腫の皮膚病変は通常局面を形成する[3]。

| 皮膚病変の記録 | | 異常例 |

結節 nodule は，直径 1 cm を超える皮膚の硬い隆起性病変を指し，通常，皮膚のより深い層に及ぶ。

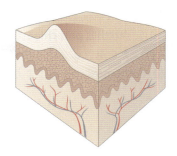

図 10-9　結節(Kronenberger J, Ledbetter J. *Lippincott Williams & Wilkins' Comprehensive Medical Assisting*. 5th ed. Wolters Kluwer; 2016, Fig. 28-2. より改変)

例として，囊腫，脂肪腫，線維腫などがある[3]。

膿疱 pustule は，膿で満たされた小さく境界明瞭な表皮の隆起性病変を指す。

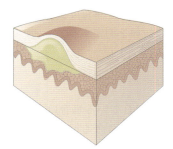

図 10-10　膿疱(Kronenberger J, Ledbetter J. *Lippincott Williams & Wilkins' Comprehensive Medical Assisting*. 5th ed. Wolters Kluwer; 2016, Fig. 28-2. より改変)

膿疱は，細菌感染症や毛包炎で好発する[3]。

小水疱 vesicle は，直径 1 cm 未満の，透明な液体成分を有する，表皮の境界明瞭な隆起性病変である。

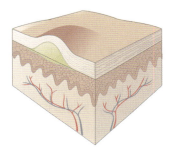

図 10-11　小水疱(Kronenberger J, Ledbetter J. *Lippincott Williams & Wilkins' Comprehensive Medical Assisting*. 5th ed. Wolters Kluwer; 2016, Fig. 28-2. より改変)

小水疱は，ヘルペス感染症や急性アレルギー性接触皮膚炎，疱疹状皮膚炎など一部の自己免疫性水疱症で特徴的に認められる[3]。

水疱 bulla は，直径 1 cm を超える，透明な液体成分を有する，表皮の境界明瞭な隆起性病変である。

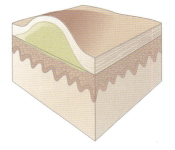

図 10-12　水疱(Kronenberger J, Ledbetter J. *Lippincott Williams & Wilkins' Comprehensive Medical Assisting*. 5th ed. Wolters Kluwer; 2016, Fig. 28-2. より改変)

典型的な自己免疫性水疱症として，尋常性天疱瘡や水疱性類天疱瘡がある[3]。

膨疹 wheal は，真皮の浮腫により生じる限局性かつ隆起性病変で，**蕁麻疹 hives**(**urticaria**)の主病変としても知られる。通常，膨疹は 24 時間以上は持続しない。

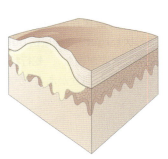

図 10-13　膨疹(Kronenberger J, Ledbetter J. *Lippincott Williams & Wilkins' Comprehensive Medical Assisting*. 5th ed. Wolters Kluwer; 2016, Fig. 28-2. より改変)

膨疹は，薬物過敏症や虫刺症，自己免疫疾患で一般的に認められる。温熱や圧，日光により誘発されることもある[3]。

| 皮膚病変の記録 | 異常例 |

その他の主病変として，**びらん erosion**（表皮または粘膜上皮の欠損），**潰瘍 ulcer**（表皮の深層や真皮の少なくとも上層の欠損），**点状出血 petechiae**〔圧迫により退色しない点状の出血巣〕，**紫斑 purpura**（圧迫により退色しない，隆起性で触知可能なこともある），および**斑状出血（溢血斑）ecchymosis**（圧迫により退色しない，紫斑より広範囲に広がる病変）がある。

大きさ

定規を使用してミリメートルまたはセンチメートル単位で測定する。楕円形の病変では長軸を測定し，次いで長軸に垂直に短軸を測定する。

数

病変は単発または多発する場合があり，多発している場合はその数を記録する。また記録している病変が何種類あるかを評価することも検討する。

分布

分布 distribution とは，皮膚病変がどの程度散在または拡大しているかを示す用語である。どの部位が罹患しているかどうかに注意する（例えば，手掌・足底，頭皮，粘膜，屈曲部・皺襞などの間擦部位，伸展部）。分布は，無秩序なのかパターンがあるか，対称か非対称か，発生した部位は露光部か非露光部かを確認し，できるだけ具体的に記録する。病変が1つのみの場合，他の目印となる部位からの距離を測定する（例：左口角外側1 cm）。

乾癬は，頭皮や肘や膝などの伸展部，臍，殿裂部に好発する。
扁平苔癬は，手首，前腕，陰部，下腿に好発する。
尋常性白斑は，斑状で単発の場合と，四肢末端や顔面の特に眼囲や口囲に多発する場合がある。
円板状エリテマトーデスは，顔面，特に前額や鼻，耳介など露光部に出現することが特徴的である。
化膿性汗腺炎は，腋窩，鼠径部，乳房下などアポクリン腺の多い領域に発症する。

配列

配列 configuration は，病変の形状と病変群の広がり方を示す用語である。病変を記録するにあたって学ぶべき表現には，**線状 linear**（線条 striate），**環状 annular**（中心の空いた輪状，ドーナツ状），**貨幣状 nummular** または **円板状 discoid**（中心が空いていないコイン状），**標的状 target・牛の目状 bull's eye・虹彩状 iris**（中心にあるぼやけた円状の病変を輪状の病変が囲む），**蛇行状 serpiginous** または **旋回状 gyrate**（線状，分枝状，および弯曲した部分がある）がある。

例として，皮膚分節（デルマトーム）に沿って出現する小水疱を伴う帯状疱疹，紅暈を伴う小水疱ないし膿疱をきたす単純ヘルペス，環状病変を伴う足白癬，線状病変を伴うツタウルシによるアレルギー性接触皮膚炎などがある。

表面の性状

病変表面が滑らかか，弾力があるか，疣贅状か，または鱗屑を伴うか（枇糠状，角化性，脂性）を触診する。

鱗屑は，脂漏性皮膚炎や脂漏性角化症のように脂性であったり，足白癬のように乾燥して細かかったり，日光角化症や扁平上皮癌のように硬くて角化していることがある。

色調

想像力を駆使し，創造的に判断すること。必要に応じて色見本を参照する。淡褐色と褐色には色合いがたくさんあるが，色合いの比較が難しい場合は，まずカラーパレットの淡褐色，褐色，暗褐色と病変を比較する。

- 患者の健康な皮膚と病変部の色が同じであれば「健常皮膚色（skin-colored）」と記載する。

- その他頻用される色調として，黒色，オレンジ色，黄色，紫色，青色，銀色，灰色などがある。

- 赤色の病変や発疹（**紅斑 erythema**）では，指またはスライドガラスをしっかりと押しあて，一時的に病変が白く退色し赤みが薄くなった後，血行とともに赤みが戻るかどうかを確認する。

圧迫により退色する（blanchable）病変は紅斑性で，炎症性病変の可能性がある。点状出血や紫斑，血管構造異常（老人性血管腫，血管奇形）などの圧迫しても退色しない（non-blanchable）病変は，紅斑とは異なり明るい赤色から紫色または青紫色を呈する。こうした病変は，血液が毛細血管から周囲の組織に漏出しているために退色しない。

表面粗造な病変，ピンク色の病変，褐色病変と，それらの類似病変については，表10-4「表面粗造な病変：日光角化症，扁平上皮癌および類似病変」，表10-5「ピンク色の病変：基底細胞癌と類似病変」，表10-6「褐色病変：メラノーマと類似病変」を参照。

表10-7「皮膚の血管病変，紫斑病変」を参照。

身体診察：一般的なアプローチ

皮膚病変が認められたら，すべての病変を視触診する。前述の用語を使用して，各病変を正確に記録すること。ほくろの変化，皮膚癌の病歴，その他の危険因子などがあれば，全身の皮膚を診察する。

照明，機器，ダーモスコピー

適切な照明があることを確認する。通常は天井の照明や窓からの自然光で十分である。部屋が暗い場合は，強力な照明を追加するとよい。小さな定規や巻尺も必要になる。さらに，小型の拡大鏡を使用すると，病変をより詳細に診察することができる。これらの器具は，大きさや形状，色調，質感など，皮膚病変の重要な特徴を記録するのに役立つ。

身体診察：一般的なアプローチ

ダーモスコピー dermoscopy は，メラノサイト系病変が良性か悪性かを判断するうえで，ますます有用性が増している。ダーモスコピーは携帯型の機器で，交差偏光型または非偏光型のものがあり，色素沈着または血管構造パターンを可視化することができる（図 10-14）。

異常例

適切な研修を受ければ，ダーモスコピーの使用により，メラノーマと良性病変を区別する感度と特異度が向上する[4, 5]。

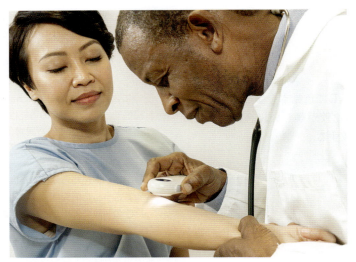

図 10-14　ダーモスコピーを使用した皮膚病変の診察

ガウン

患者に，下着以外の服を脱いで，背中に開口部がついたガウンに着替えてもらう（図 10-15）。これが皮膚診察の最初に患者に行ってもらうことである。ガウンをずらして各部位を視診する前に，患者から検査する部位を露出する許可をもらう。「これからガウンを開けて背中を診察したいと思いますが，よろしいですか？」とたずねる。身体の全部位において同様に行う。特に外陰部の診察を行う場合には，患者に付添人の立ち会いを希望するかたずねる。

図 10-15　背中で開口するガウンを使用する

手洗い

診察をはじめる前に手を十分に洗うか，手指消毒を行う。病変を触診して，質感，硬さ，鱗屑を確認することが重要である。なお，頻繁な手洗いは刺激性接触皮膚炎のリスクを高めるため，皮膚科医は石鹸や水よりも乾燥しにくい手指消毒薬の使用を推奨している。手洗いもしくは手指消毒により，衛生的で最適な診察ができることを患者に説明する。患者が診察者に受け入れてもらえたと感じられるように，検査中常にではなく，傷に触れるときにのみ手袋を使用するのが理想である。特に乾癬やヒト免疫不全ウイルス（HIV）感染のような差別を受けやすい疾患のある患者にとって，専門的で思いやりのある触れ方は，治療的な効果をもたらすことがある。

第 4 章「身体診察」の「感染経路別予防策」の項（p.126〜127）を参照。

診察の技術 | 異常例

診察の技術

全身の皮膚診察における重要項目

患者の姿勢：座位
- 頭髪と頭皮を視診する（分布，質感，量）
- 前額，眉毛，眼瞼，睫毛，結膜，強膜，鼻，耳，頬，唇，口腔，下顎，顎髭など頭頸部を視診する
- 上背部を視診する
- 手の爪の触診を含め，肩，腕，手を視診する
- 胸部と腹部を視診する
- 大腿と下腿の前面を視診する
- 足底，趾間，足の爪を含む足と足趾を視診する

患者の姿勢：立位
- 腰背部を視診する
- 大腿と下腿の後面を視診する
- 腋毛と陰毛を含む乳房，腋窩および生殖器を視診する

患者に仰臥位，腹臥位の順で体位を変えてもらう方法もあるが，頭から足，前方から後方という体系的な診察の流れは変わらない

標準的な手技：患者の姿勢―座位から立位

全身の皮膚診察を行うために，患者にどのような姿勢をとってもらうか検討する。座位の後に立位，もしくは仰臥位の後に腹臥位をとる方法のいずれでもよい。**毎回同じ順序で皮膚を診察するように心がける**。この方法により，診察の取りこぼしをする可能性を低くできる。患者に診察台へ座ってもらい，その前に立って診察台を適切な高さに調整する。まずは頭髪と頭皮の診察を行う（図10-16）。頭髪の分布，質感，量に注意する。つぎに指ま

図10-16 頭皮を露出させるために頭髪を分ける

たは綿棒を使用して，頭髪を左右に分けながら，頭皮を片側から反対側まで診察する。

前額，眼（眼瞼，結膜，強膜を含む），鼻，耳，頬，唇，口腔，下顎を含む**頭頸部**を視診する（図10-17〜10-19）。眉毛，睫毛，顎髭の終毛も含め視診する。

脱毛症 alopecia は，びまん性，斑状または頭皮全体に及ぶことがある。男性型脱毛症と女性型脱毛症は加齢による正常な変化である。円形脱毛症では，突然巣状に頭髪が抜けることがある[6]。瘢痕性脱毛症が認められた場合は皮膚科に紹介する。

薄毛は甲状腺機能低下症で，細い絹のような頭髪は甲状腺機能亢進症で認める。表10-8「脱毛」を参照。

顔面の基底細胞癌の徴候を探す。表10-5「ピンク色の病変：基底細胞癌と類似病変」を参照。

診察の技術　　　　　　　　　　　　　　　　　　　　　　　　　　異常例

図 10-17　前額の病変をダーモスコピーで視診

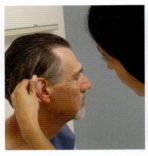
図 10-18　顔面と耳を視診

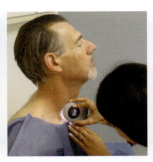
図 10-19　前頸部の病変をダーモスコピーで視診

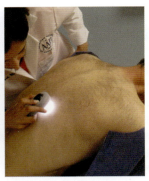
図 10-20　前傾姿勢で上背部の病変を視診

つぎに，患者に前傾姿勢になってもらい，了承を得てからガウンを開けて上背部を視診する（図 10-20）。

つぎに，肩，腕，手を視診する（図 10-21）。手の爪を色，形，病変に注意して視診，触診する（図 10-22）。爪甲の縦方向の色素線条は，皮膚の色が濃い人では正常である。

表 10-9「爪とその周囲の所見」を参照。

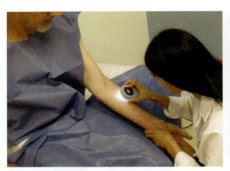
図 10-21　上肢の病変をダーモスコピーで視診

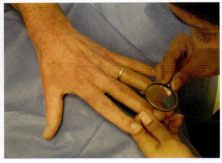
図 10-22　拡大鏡による手の視診と爪の触診

つぎに，胸部と腹部を視診する（図 10-23，10-24）。患者に「胸と胃のあたりを診察しましょう」と伝えて，準備をしてもらう。このように伝えると，患者は自分でガウンをずらしてこれらの部位を露出させ，診察が終わったらもとに戻してくれることが多い。この時点で腋窩を診察してもよいし，女性患者の場合は後の乳房の診察時にまとめて行ってもよい。

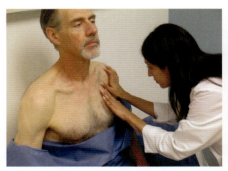
図 10-23　胸部の視診

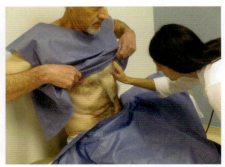
図 10-24　腹部の視診

診察の技術

異常例

つぎに，**大腿と下腿の前面**を診察することを患者に伝える（図10-25）。患者と一緒に，これらの部位の皮膚を足・足趾まで露出する（図10-26）。爪甲を視診および触診し，足底と趾間を視診する（図10-27，10-28）。

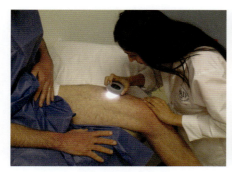

図 10-25　大腿前面の病変をダーモスコピーで視診

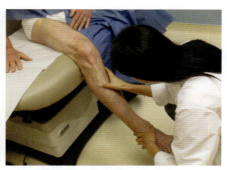

図 10-26　下腿前面の視診

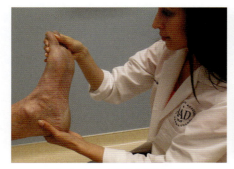

図 10-27　足底と踵の視診

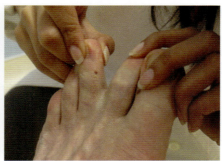

図 10-28　趾間の視診

つぎに患者に立位になってもらい，**腰背部および大腿と下腿の後面**を視診する（図10-29，10-30）。必要に応じて，患者に殿部のガウンと下着をずらしてもらう（図10-31）。乳房と生殖器の診察は最後にしてもよい。これらの部位の診察にあたっては，患者の快適さ，羞恥心に配慮することや，付添人の必要性を検討することが重要である（詳細は他章を参照）。腋窩と陰毛の視診も行う。

第18章「乳房と腋窩」（p.609〜616），第20章「男性生殖器」（p.694〜697），第21章「女性生殖器」（p.721〜728）を参照。

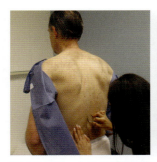

図 10-29　立位で腰背部を視診

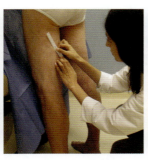

図 10-30　大腿後面の病変の大きさを定規で測定

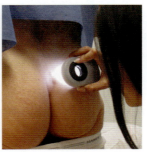

図 10-31　殿部の病変を視診

代替手技：患者の姿勢—仰臥位から腹臥位

見落としなく診察するため，仰臥位を好む診察者もいるが，患者はより「病院らしい」と感じるかもしれない。診察を重ね，患者から反応を得ることで，患者が何を好むかわかってくる。この方法ではまず，患者に診察台で仰臥位になってもらう。座位のときと同様に，**前頭部，顔面，前頸部**の視診からはじめる。つぎに**肩，腕，手**に移り，それから**胸部と腹部，大腿と下腿の前面，足**へと進み，必要に応じて生殖器も診察する。前述したように，ガウンをずらして診察部位を露出させる際は，別の部位に移るたびに患者から許可をとり，つぎにどの部位を診察するか説明して，患者を尊重していることが伝わるように配慮する。

つぎに顔が下になるように腹臥位の姿勢をとってもらう。**後頭部，後頸部，背部，大腿と下腿の後面，足底，**（必要があれば）**殿部**を診察する。

皮膚診察を普段の身体診察に組み込む

全身の皮膚診察を普段の身体診察に組み込む。皮膚の診察を一般的な身体診察に統合することで，特に背部や下肢後面など患者自身でみづらい部位にあるメラノーマやその他の皮膚癌を特定する重要なきっかけとなる。また診察時間を節約し，皮膚癌を治療が容易な早期段階で発見することにつながる。臨床研修の早い段階から，外来もしくは入院患者かを問わず，診察する各患者に対してこのアプローチを実践する。**皮膚に存在しないものではなく，存在するものを記録する。**これは健常皮膚を，異常な皮膚病変や皮膚癌の可能性のある病変と区別する方法を学ぶために最良の方法である。なお前述のように，全身性疾患に関連する皮膚症状も多くある。

表10-10「全身性疾患と関連する皮膚症状」を参照。

例えば，身体診察中のつぎのような段階で，皮膚も診察するとよい。

- **頭頸部を診察するとき**：瘢痕化する可能性のある痤瘡などの一般的な良性病変だけでなく，皮膚癌がないか注意深く診察するよう心がける。

表10-11「尋常性痤瘡：主病変および二次性病変」を参照。

- **腕や手などの露光部を診察するとき**：健常所見だけでなく，紫外線によるダメージや日光角化症，扁平上皮癌がないか精査する。日光黒子や脂漏性角化症などの所見について患者に説明する。

表10-12「日光（紫外線）による損傷の所見」を参照。

- **肺を後方から聴診するとき**：シャツを脱ぐかガウンを開き，背部全体を視診して良性のほくろなのか，メラノーマの可能性があるか確認する。

メラノーマの危険因子については，Box 10-3を参照。

特殊な技術 | 異常例

特殊な技術

皮膚の自己検診を指導する

米国皮膚科学会 American Academy of Dermatology（AAD）は，Box 10-1 に図示した方法で定期的に皮膚の自己検診を行うことを推奨している。自己検診には，全身が映る十分な大きさの鏡と手鏡，そしてプライバシーを保てる明るい部屋が必要である。患者にはほくろを評価するための **ABCDE-EFG 法**を説明する。アクセスしやすいウェブサイト，配布資料，または本章の表を使って良性および悪性病変の写真をみせながら，患者がメラノーマを特定できるように指導する。

ABCDE-EFG 法については，p.312～313 を参照。

Box 10-1　皮膚の自己検診[7]

鏡で体の前面と後面を観察し，さらに上肢を上げて左右を観察する

肘を曲げ，前腕，腋窩，手掌を丁寧に観察する

下肢後面，足，趾間，足底を観察する

手鏡を使い，後頸部と後頭部を観察する。詳細に観察するため，頭髪を左右に分けて行う

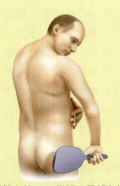

最後に手鏡を使って背部と殿部を観察する

脱毛の診察

まずは患者の病歴にもとづいて，脱毛または薄毛の型を総合的に判断するために頭髪を診察する。頭皮に紅斑，鱗屑，膿疱，圧痛，浮腫，瘢痕がないか調べる。頭皮のさまざまな部位における分け目の幅を確認する。

頭髪が根元から抜けないか確認するため，母指と示指と中指で50〜60本をやさしくつかみ，しっかりと引っ張る（hair pull test）（図10-32）。すべての頭髪に休止期の毛球がみられる場合，最も可能性の高い診断は**休止期脱毛症 telogen effluvium** である。

図 10-32　頭髪が根元から抜けるか確認する（hair pull test）

図 10-33　頭髪の脆弱性を確認する（tug test）

頭髪の脆弱性を調べるには，片方の手で頭髪の束をもち，もう一方の手で毛幹に沿って引っ張る（tug test）（図10-33）。頭髪が千切れたら異常である。ほとんど（97％）の脱毛では瘢痕はきたさないが，拡大鏡で詳細に視診した際に瘢痕（毛包のない光沢のある斑状病変）がみられれば，皮膚生検のため皮膚科へ紹介する。

若年女性のびまん性の非瘢痕性脱毛症で考えられる内科的要因は，鉄欠乏性貧血と甲状腺機能亢進症または甲状腺機能低下症である。

寝たきりの患者の評価

寝たきりの患者で，特にやせ細った患者，高齢患者，神経障害のある患者では，皮膚障害や潰瘍をきたしやすい。**褥瘡（圧迫性潰瘍）pressure injury（pressure ulcer）** は，持続的な圧により皮膚への動脈や毛細血管の流れが途絶えたり，体動によりせん断応力が生じることで発生する。例えば，患者がベッド上で座位から殿部を滑らせて仰臥位になるときや，仰臥位の姿勢のまま体を抱き上げられずに引きずられるときなど，手荒な移動時には殿部の軟部組織が歪み，動脈や細動脈が閉鎖する。摩擦や多湿は，擦り傷や痛みのリスクをさらに上昇させる。褥瘡は，組織損傷の程度と，圧迫またはせん断応力によって生じた損傷の外観にもとづいた評価法によって病期分類し，記録する（Box 10-2）。

褥瘡を起こしやすい患者の仙骨部や殿部，大転子，膝蓋，踵の皮膚を注意深く診察する。腰背部と殿部を診察しやすくするため，側臥位をとってもらう。皮膚の亀裂や傷がないか丁寧に視診する。すべての褥瘡を視診し，感染徴候（排膿，悪臭，蜂巣炎，壊死）がないか確認する必要がある。

局所の発赤は壊死の可能性を示唆するが，深部損傷褥瘡では発赤が先行しない場合もある。

発熱，悪寒，疼痛は，骨髄炎の可能性を示唆する。

表 10-13「褥瘡」を参照。

> **Box 10-2　改訂褥瘡病期分類[8]**
>
> 改訂された病期分類では，pressure injury の代わりに pressure ulcer という用語を使用し，ローマ数字ではなくアラビア数字を用いて病期を表す（図10-34）
> - **ステージ1**：圧迫しても退色しない紅斑が局在する健常皮膚。ただし，色素沈着の強い皮膚では外観が異なる場合がある
> - **ステージ2**：真皮の露出を伴う部分的な皮膚の損傷
> - **ステージ3**：皮膚の全層が損傷された結果，潰瘍内に脂肪組織が露出し，肉芽組織やエピボール（上皮化した創傷辺縁の創内への巻き込み）をしばしば認める
> - **ステージ4**：皮膚および組織の全層が損傷され，筋膜，筋肉，腱，靱帯，軟骨，骨が潰瘍内に露出し直接触知できる状態
> - **病期分類不能**：皮膚全層および組織が損傷されているが，痂皮 slough や焼痂 eschar で覆い隠されているため潰瘍内の組織損傷の程度を評価できない状態
> - **深部損傷褥瘡**：持続性の，圧迫しても退色しない，暗紅色，栗色，紫色調の病変

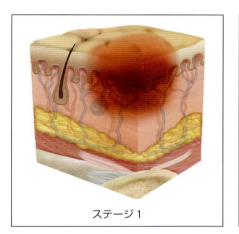
ステージ1

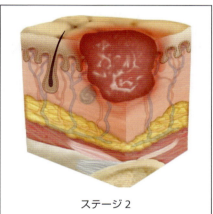
ステージ2

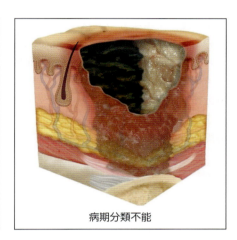
病期分類不能

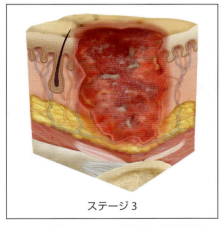
ステージ3

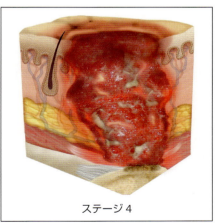
ステージ4

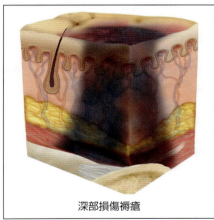
深部損傷褥瘡

図 10-34　褥瘡の病期分類（Nettina SM, *Lippincott Manual of Nursing Practice*. 11th ed. Wolters Kluwer; 2019, Fig9-3. より改変）

所見の記録

所見を記録する際，最初は文章を用いるかもしれないが，慣れてくれば慣用的な記述を用いるようになる。多くの診療記録によく用いられる表現法を以下に示す。

適切な用語を使ってつぎの要素について説明し，皮膚病変や発疹を記録する。

これらの用語の詳細については「皮膚病変の記録」の項(p.295～299)を参照。

- **数**：単発または多発。総数を評価する
- **大きさ**：ミリメートルまたはセンチメートル単位で測定する
- **色調**：圧迫により退色する場合は紅斑が，退色しない場合は老人性血管腫，血管奇形，点状出血，紫斑が考えられる
- **形状**：円形，楕円形，環状，貨幣状，多角形など
- **表面の性状**：滑らか，弾力感，疣贅状，角質性，（鱗屑があれば）脂性
- **主病変**：平坦なものでは，macule(小さな斑)ないしpatch(大きな斑)。隆起性のものでは，丘疹ないし局面，または液体で満たされた小水疱ないし水疱〔びらん，潰瘍，結節，斑状出血(溢血斑)，点状出血または触知可能な紫斑の場合もある〕
- **分布・部位**：必要に応じ，病変の周囲にある目印になる部位から測定した距離を含む
- **配列**：集簇，環状，線状など

皮膚，毛髪，爪の診察の記録

皮膚は温かく，乾燥している。爪にはばち状指もチアノーゼも認められない。上背部から胸部，上肢に約20個の褐色の丸い斑状病変があり，色調はすべて対称性で，悪性を疑う病変はない。発疹や点状・斑状出血はない

これらの所見からは発疹や疑わしい病変が認められず，正常な母斑と血行状態と判断できる。

または

著明な顔面蒼白と口囲のチアノーゼ。手掌は冷たく湿潤。指趾の爪床にチアノーゼあり。両側下腿に触知可能な紫斑が多発する

これらの所見は，中枢性チアノーゼおよび血管炎を示唆している。

または

背部と腹部に疣贅性局面が散在。背部・胸部・上肢に，対称的な色素沈着を伴う小さな丸い褐色斑が30個以上多発。左上腕に紅斑を伴う境界不整，左右非対称な1.2×1.6 cm大で暗褐色および黒色調の単発局面

これらの所見は，良性の脂漏性角化症や母斑を示唆するが，悪性のメラノーマの可能性も考慮する。

または

顔面潮紅。黄疸あり。胸腹部に多数の毛細血管拡張病変。左頬骨上に辺縁が盛りあがった5 mm大の真珠様丘疹性単発病変。ばち状指あり，爪にチアノーゼなし

これらの所見は，末期肝疾患の疑いを強め，偶発性の基底細胞癌を示唆する。

UNIT II　第10章　皮膚，毛髪，爪

健康増進とカウンセリング：エビデンスと推奨　　　　　　　　　　　　　　　　　　　　異常例

健康増進とカウンセリング：エビデンスと推奨

健康増進とカウンセリングの重要事項

- 皮膚癌の予防
- メラノーマを含む皮膚癌のスクリーニング

疫学

皮膚癌は，米国人では最も一般的に診断される癌であり，生涯リスクは約5人に1人と推定されている[9]。最も一般的な皮膚癌は基底細胞癌で，次いで扁平上皮癌，メラノーマの順である。年間300万人以上の米国人が，非メラノーマ皮膚癌と診断され[10]，2018年には推定9万1,270人がメラノーマと診断された[11]。なお，メラノーマは男性で5番目，女性で6番目に多く診断される癌である。メラノーマと診断される推定生涯リスクは2.3%（44人に1人）で，白人で最もリスクが高く，次いでヒスパニック，アフリカ系米国人の順である[12]。非メラノーマ皮膚癌が致命的となることはまれで，年間の死亡数は約2,000人である[10]。メラノーマは皮膚癌のわずか1%を占めるにすぎないが，最も致命的であり，2018年には推定9,320人が死亡に至った。

日光と紫外線曝露は，非メラノーマ皮膚癌発症の最も強い危険因子である[13]。あまり日焼けをしていない人や，そばかすのある人，日光を浴びると赤く日焼けしやすい人が，最もリスクが高い。他の危険因子には，臓器移植のための免疫抑制療法，ヒ素曝露などがある。Box 10-3にメラノーマの危険因子を示す。なお，国立癌研究所 National Cancer Instituteによって開発されたメラノーマリスク評価ツールはhttp://www.cancer.gov/melanomarisktoolから入手できる。このツールで，地理的情報，性別，人種，年齢，水疱を伴う重度の日焼けの病歴，皮膚の色，ほくろの数と大きさ，そばかす，および日焼けによる損傷にもとづき，5年間のメラノーマ発症リスクを評価することができる。ただしこのツールは，皮膚

皮膚癌の種類とその例については，表10-4「表面粗造な病変：日光角化症，扁平上皮癌および類似病変」，表10-5「ピンク色の病変：基底細胞癌と類似病変」，および表10-6「褐色病変：メラノーマと類似病変」を参照。

Box 10-3　メラノーマの危険因子

- 以前のメラノーマの個人歴または家族歴
- 一般的なほくろが50個以上存在
- 非定型または大きなほくろ（特に形成異常の場合）
- 髪色が赤褐色または明るい色
- 日光黒子（日光曝露部位に発生する後天性の褐色斑）
- そばかす（遺伝性の褐色斑）
- 強い日光曝露や太陽灯または日焼けマシンによる紫外線曝露
- 瞳や皮膚の色が明るい（特にそばかすがある人，赤く日焼けしやすい人）
- 小児期の水疱を伴う重度の日焼け
- HIVまたは化学療法による免疫抑制状態
- 非メラノーマ皮膚癌の個人歴

癌の個人歴またはメラノーマの家族歴がある患者は対象としていない。

皮膚癌の予防

日光曝露と日焼けマシンの使用を避ける

生涯における総紫外線曝露量の増加は，皮膚癌リスクの上昇と直接相関する。特に小児期および青年期では，断続的な日光曝露は慢性曝露よりも有害であると考えられている[13]。皮膚癌に対する最善の予防策は，日光にあたる時間を制限する，真昼の日光を避ける，日焼け止めを使用する，長袖の服やつばの広い帽子など日光から皮膚を守る衣類を着用するなどの方法で紫外線曝露を避けることである。特に小児や10代，若年成人に対し，日焼けマシンの使用を避けるように指導する。

国際癌研究機関 International Agency for Research on Cancer は，紫外線を照射する日焼けマシンを「人に対して発癌性がある」と分類している[14]。ベッド型日焼けマシンの使用は，特に35歳未満では，すべての皮膚癌の発症リスク上昇と相関する。また日焼け回数が増えると，メラノーマの発症リスクも上昇する[15]。米国予防医療専門委員会 U.S. Preventive Services Task Force（USPSTF）は，6カ月から24歳の皮膚の色が明るい人に対して，紫外線曝露を最小限に抑えるための行動カウンセリングをグレードBで推奨している[16]。また，必要に応じて個別に行動カウンセリングを行っている24歳以上の皮膚の色が明るい成人に対し，皮膚癌の危険因子を考慮するよう推奨している（グレードC）。

日焼け止めの定期的な使用

オーストラリアのクイーンズランド州で行われたランダム化比較試験では，頭頸部と腕に毎日日焼け止めを塗ることで，非メラノーマ皮膚癌と浸潤性メラノーマの発症を予防できたと報告されている[17,18]。また米国の症例対照研究では，日焼け止めの使用と日光曝露を避けることが，メラノーマの発症リスク低下と相関していた[19]。

少なくとも**紫外線防御指数 sun protection factor（SPF）**が30または幅広い波長の紫外線から皮膚を保護できる日焼け止めを使用するよう患者に指導する。2011年の米国食品医薬品局 U.S. Food and Drug Administration（FDA）の新しいガイドラインで，すべての日焼け止めの容器でこうした性能を簡単に確認できるよう，表示に関する要件がまとめられた[20]。米国皮膚科学会は，曇りの日でも外出時は必ず日焼け止めを使用して，露出するすべての皮膚を覆うことを推奨している。日焼け止めは，屋外および水中に入った後，2時間ごとに塗り直す必要がある[21]。

慢性的な日焼けによる損傷の徴候には，肩や上背部にできる多数の**日光黒子**や色素性母斑，日光弾性線維症（黄色調で隆起，皺または深い溝のある肥厚した皮膚），項部菱形皮膚（後頸部の革様肥厚を呈した皮膚），日光紫斑がある。表10-12「日光（紫外線）による損傷の所見」を参照。

特に35歳未満の屋内でのベッド型日焼けマシンの使用により，メラノーマのリスクが75%上昇する。

健康増進とカウンセリング：エビデンスと推奨

皮膚癌のスクリーニング

USPSTF は，皮膚癌，特にメラノーマをスクリーニングするうえで，視診のもつ有益性と有害性を判断するにはエビデンスが不十分であると結論づけた（グレード I）[22]。ドイツの大規模な生態学的研究では，特定の集団に対してスクリーニングをすることで，その集団における 10 年後のメラノーマによる死亡率が相対リスクで 48％減少した。ただし，スクリーニングを受けたのは対象集団の 19％のみで，10 万人にスクリーニングを行って 1 人のメラノーマによる死亡を予防できた，という結果であった[23]。USPSTF はさらに，成人に対する自己検診の指導に関するエビデンスも不十分であると結論づけた（グレード I）[16]。米国皮膚科学会はこの結論に対して，USPSTF は自己検診を推奨するエビデンスが確定的でないと結論づけただけで，実施に反対しているわけではないことを強調した[24]。一方で USPSTF は，24 歳以上の皮膚の色の明るい成人に対し，必要に応じて皮膚癌のリスクを減らすため紫外線曝露を最小限にするよう指導を行うことを推奨している（グレード C）[16]。米国皮膚科学会は，メラノーマのリスクが高い患者に対し，皮膚の診察をどのくらいの頻度で受けるべきか皮膚科医にたずねるよう推奨した。さらに個人で定期的に自己検診を行い，新規または疑わしい病変や，変化のある，または瘙痒や出血を伴う病変があれば，皮膚科医の診察を受けるよう推奨した[21]。米国癌協会 American Cancer Society（ACS）は皮膚癌のスクリーニングガイドラインを提示してはいないが，皮膚癌のリスクが高い人が定期的に皮膚診察を受けることの重要性を強調している[25]。さらに，多くの医療者が定期的な皮膚診察を実施し，自己検診を指導していることに言及している。

メラノーマの診断以前 3 年以内に皮膚診察を受けた患者は，受けなかった患者よりもメラノーマの厚みが薄い[26]。メラノーマの少なくとも半数が，もともと存在する母斑から生じたものではなく，孤発性のメラノサイトから生じるため，新規および変化を伴う母斑は念入りに診察すべきである。また，紫外線曝露量が多い患者や 50 歳以上で過去に皮膚診察を受けていない患者，1 人暮らしの患者では，包括的な身体診察の一部として皮膚の任意型検診を検討する。

メラノーマを検出するには，良性の母斑が時間経過とともにどのように変化するか把握しておく必要がある。多くの場合，最初は平坦であるが，その後隆起するか，色調が褐色になる。なお，オンライン研修により，プライマリケアに携わる医療者の皮膚癌診断および管理技術が向上することが示されている[27,28]。

異常例

表面粗造な病変，ピンク色の病変，褐色病変，およびそれらの類似病変について，表 10-4～10-6 を参照。

メラノーマのスクリーニング：ABCDE-EFG法

メラノーマがないかほくろをスクリーニングする際にはABCDE-EFG法（Box 10-4）を用いる（これは脂漏性角化症のような非メラノサイト系病変には適用されない）。メラノーマを検出するためのABCDE-EFG法の感度は43〜97%，特異度は36〜100%である。診断精度は，対象の病変がいくつの基準を満たすかによって異なる[29]。基準を2つ以上満たす場合は，皮膚生検を検討する必要がある。最も感度が高いのは，Eの基準（進行）である。客観的に評価を行い，急速に変化する母斑に細心の注意を払う。

Box 10-4に示すABCDE-EFG法の概要と写真を参照。識別に役立つその他の特徴や良性の褐色病変とメラノーマの比較については，表10-6「褐色病変：メラノーマと類似病変」を参照。

Box 10-4　ABCDE-EFG法

- ABCDE法は，メラノーマを疑うべき病変について医療者や患者が学ぶうえで長年役立てられてきた[30〜32]。つぎの特徴のうち2つ以上が認められる場合，メラノーマのリスクが高まり，皮膚生検を検討する必要がある。急性結節型メラノーマの検出に役立つEFGを追加すべきという意見もある[33]
- 隆起（**E**levation）
- 触診で硬く触れる（**F**irmness）
- 数週間で進行する（**G**rowing）

	メラノーマ	良性母斑
非対称（**A**symmetry）ほくろの片側と反対側の比較		
境界不整（**B**order irregularity）特にギザギザ，鋸歯状，不明瞭な場合		
色調変化（**C**olor variation）3色以上，特に青黒色や白色（圧迫により退色），赤色（異常細胞に対する炎症反応）		

（続く）

青色母斑の均一な青色を除いて，より大きな色素性病変内の青または黒色は，メラノーマに関連している可能性が特に高い。

| 健康増進とカウンセリング：エビデンスと推奨 | 異常例 |

↘（続き）

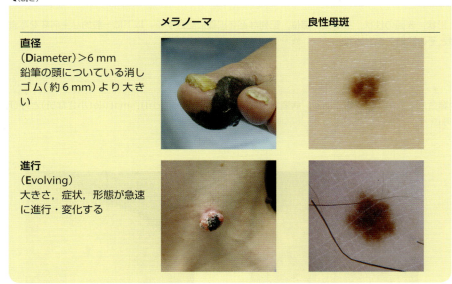

	メラノーマ	良性母斑
直径（Diameter）>6 mm 鉛筆の頭についている消しゴム（約6 mm）より大きい		
進行（Evolving）大きさ，症状，形態が急速に進行・変化する		

初期のメラノーマは6 mm未満である場合がある。6 mmを超える良性病変も多い。

進行・変化は，これらの基準のなかで最も感度が高い。進行・変化を示す信頼できる病歴があれば，病変が良性にみえても皮膚生検を検討する。

患者によるスクリーニング：皮膚の自己検診

米国皮膚科学会と米国癌協会は，専門家の意見にもとづき，定期的な皮膚の自己検診を推奨している[21, 24]。皮膚癌やメラノーマの危険因子のある患者，特に頻回の日光曝露の既往やメラノーマの既往または家族歴，50個以上のほくろまたは5～10個の非典型的なほくろがある患者に対し，定期的な皮膚の自己検診を行うよう指導する。

Box 10-1「皮膚の自己検診」を参照。

メラノーマの約半数は，患者またはパートナーによって最初に発見される。

| 表 10-1 | 主病変の記録：平坦な病変，隆起性病変，液体で満たされた病変 |

皮膚病変の数，大きさ，色調，形状，表面の性状，主病変，部位，配列などを正確に記録する．以下に一般的な主病変を写真で示し，各病変の典型的な特徴とその診断をまとめる．

平坦な病変

病変上で指を滑らせても隆起を触知できない場合，その病変は**平坦**である．病変が平坦で小さい場合（＜1 cm），macule（小さな斑）と呼び，大きい場合（＞1 cm）は，patch（大きな斑）と呼ぶ

macule（平坦，小型）

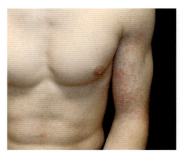

胸部，背部，上肢に多発する 3〜8 mm 大の癒合性の丸い小紅斑．**麻疹様の薬疹**

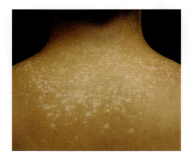

頸部から上背部，上胸部，腕に，低〜高色素性ないし黄褐色調，円形〜楕円形，2〜5 mm 大の斑が多発し，掻くと細かい鱗屑が生じる．**癜風**

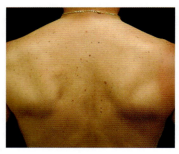

胸背部に左右対称的に色素沈着を伴う，2〜4 mm 大，円形〜楕円形の褐色斑が多発散在し，ダーモスコピーで網状パターンを呈する．**良性の色素性母斑**

上背部に 6 mm 大，円形で左右対称性，単発の暗褐色斑が生じる．**良性の色素性母斑**

右前腕に，境界不整で色素の指様突出を伴う，暗褐色〜青灰色，赤色の 7 mm 大の単発性斑状病変．**メラノーマ**

patch（平坦，大型）

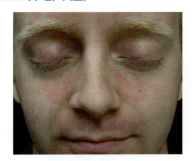 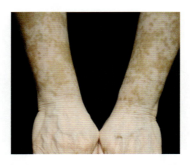 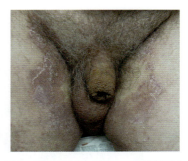

左右の頬部と眉毛に対称性に広がる大型の紅斑を認め，脂性の鱗屑が覆う。**脂漏性皮膚炎**

手背と遠位前腕に，癒合傾向を伴う大型の完全色素脱失斑。**白斑**

両側大腿内側（陰囊以外）に，膜様鱗屑を伴い地図状に広がる紅斑を認める。**股部白癬**

隆起性病変

病変上で指を滑らせ，皮膚で触知できる場合，**隆起性病変**である。隆起性病変が小さい場合（< 1 cm）は**丘疹**と呼び，大きい場合（> 1 cm）は**局面**と呼ぶ

丘疹（隆起性，小型）

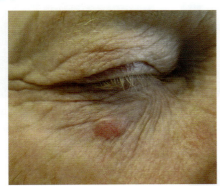 

右の目元の皺に毛細血管拡張を伴う単発の 7 mm 大，楕円形，ピンク色の真珠様丘疹。**基底細胞癌**

頸部外側および腋窩の皺襞に，2～4 mm 大，軟性，健常皮膚色～淡褐色の丘疹が多発。**懸垂性線維腫 skin tag**

| 表 10-1 | 主病変の記録：平坦な病変，隆起性病変，液体で満たされた病変(続き) |

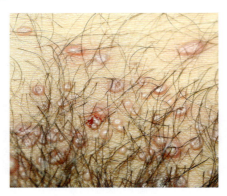

恥丘と陰茎に，3〜5 mm 大，表面平滑で中心臍窩を伴う，ピンク色で硬いドーム状丘疹が多発。**伝染性軟属腫**

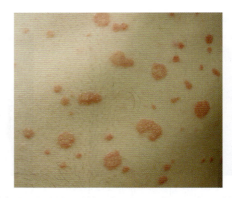

体幹に散在する紅斑性の滴状，表面平坦，境界明瞭な，鱗屑を伴う丘疹および局面。**滴状乾癬**

局面（隆起性，大型）

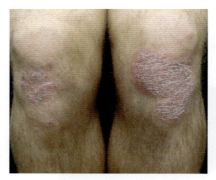

膝と肘の伸側に，銀白色の鱗屑に覆われた，赤色ないし明るいピンク色の境界明瞭な表面平坦の局面が散在。**局面型乾癬**

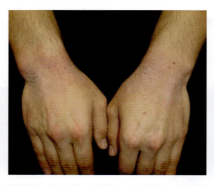

手関節・肘・膝の屈側に，両側性，紅斑性，境界不明瞭な苔癬化（摩擦で厚くなる）局面。**アトピー性皮膚炎**

右腹部に，単発，楕円形の表面平坦で淡い赤色〜健常皮膚色の局面。**Gibert（ジベル）バラ色粃糠疹のヘラルドパッチ**

腹部と背部に，多発する円形〜楕円形の鱗屑を伴う紫色調局面。**Gibert バラ色粃糠疹**

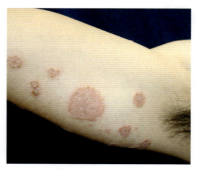

上肢，下肢，腹部に，滲出液が乾燥した痂皮で覆われた多数の円形，貨幣状の湿疹性局面がみられる。**貨幣状湿疹**

液体で満たされた病変

隆起し，液体が貯留した小さい病変（＜1 cm）を**小水疱**と呼び，大きい病変（＞1 cm）は**水疱**と呼ぶ

小水疱（液体貯留，小型）

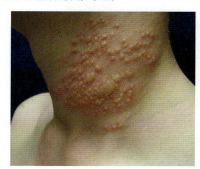

紅暈を伴う 2〜4 mm 大の小水疱と膿性小水疱が左頸部に集簇。**単純ヘルペス**

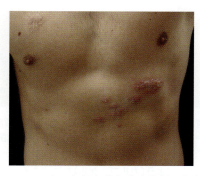

2〜5 mm 大の紅暈を伴う小水疱が，左上腹部から腹部中央にかけて正中線まで皮膚分節（デルマトーム）にそって集簇。**帯状疱疹**

前腕，頸部，腹部に，滲出液が乾燥した痂皮のある 2〜5 mm 大の紅斑性丘疹ないし小水疱が散在（一部線状につながっている）。ツタウルシによる**ウルシ皮膚炎**もしくは**アレルギー性接触皮膚炎**

水疱（液体貯留，大型）

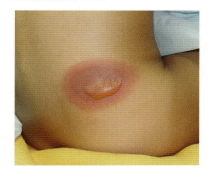

右腰部に 8 cm 大の黒ずんだ楕円形局面を認め，その内側により小さい紫色の斑と中央に 3.5 cm 大の緊満性水疱がみられる。**水疱型固定薬疹**

下肢に散在する緊満性水疱。**虫刺症**

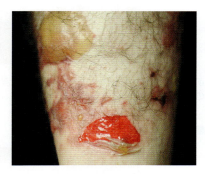

両側下肢の膝下（下腿上 1/3 程度）まで，4 cm 大までの多発する小水疱と緊満性水疱を認め，いくつかは天蓋が破れ大型（4 cm）のびらんを残す。**遺伝性の皮膚脆弱性疾患**

表 10-2　その他の主病変：膿疱，せつ(フルンケル)，結節，嚢胞，膨疹，疥癬トンネル

膿疱：白くみえる好中球またはケラチンが集積した小さく触知可能な病変

両側頬部から耳下腺周囲に，約15～20個の膿疱および痤瘡様丘疹。**尋常性痤瘡**

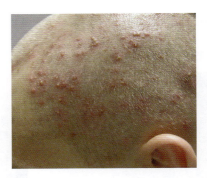

前頭，側頭，頭頂部の頭皮に，約30個の2～5 mm大の紅斑性丘疹および膿疱。**細菌性毛包炎**

せつ(フルンケル)：毛包の炎症。複数のせつが集合し，**よう(カルブンケル)** を形成する

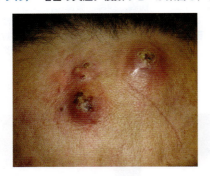

前額に2個の大型(2 cm)のせつがあり，波動なし。せつ腫症(波動のある深部感染病変は膿瘍である)

結節：丘疹より大きく深い

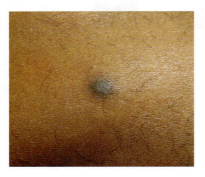

左側大腿に，孤立性の青褐色調，1.2 cm大の硬い結節を認める。dimple sign 陽性(周囲皮膚を引っ張ってくぼむ)で，周囲に色素沈着を伴う。**皮膚線維腫**

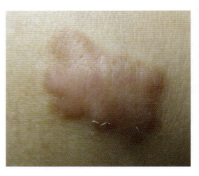

胸部中央の外傷歴のある部位に，単発性の4 cm大のピンク色～褐色調，瘢痕様の結節。**ケロイド**

皮下腫瘤・皮下囊胞：囊胞とは，可動性の有無にかかわらず，液体または半固体成分が上皮で覆われたものである

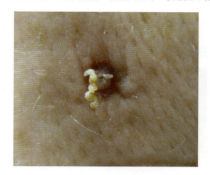
単発，固着性の2 cm大の皮下囊胞で，悪臭を伴うチーズ様の黄白色物質を排出する。**表皮囊腫**

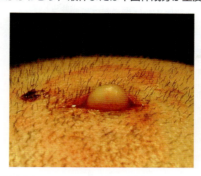
頭頂部に，6〜8 mm大，可動性のある皮下囊胞。切除すると真珠様の白い球状物質を認める。**外毛根鞘性囊腫**

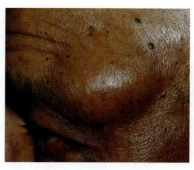
左こめかみに，9 cm大，可動性のあるゴム様硬の皮下腫瘤。**脂肪腫**

膨疹：1〜2日以内に消退する（1〜2日のうちに発生，消失する）真皮の境界明瞭な浮腫。これは蕁麻疹の本質的な主病変である。

疥癬トンネル：ヒゼンダニの侵入により形成された表皮の小さな線状または蛇行状病変

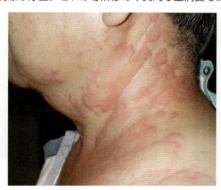
側頸部，肩，腹部，腕，下腿にさまざまな大きさの（1〜10 cm）膨疹を多数認める。**蕁麻疹**

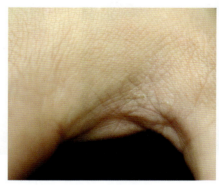
腹部，殿部，陰嚢，陰茎基部と亀頭部に，小さな（3〜6 mm）紅斑性丘疹が多発し，指間に4つの疥癬トンネルを認める。**疥癬**

表 10-3　皮膚病変を探す：良性病変

継続は力なり―臨床ローテーション中にこれらの一般的な皮膚病変を探す。できるだけ多くの患者の皮膚診察を行う。病変の特定に確信がもてない場合は，上級医または指導医に質問する。

老人性血管腫
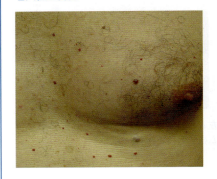

脂漏性角化症
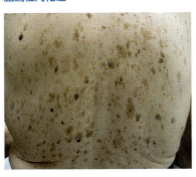

日光黒子
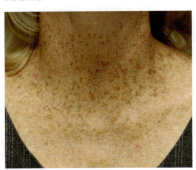

良性色素性母斑
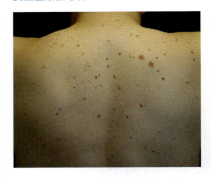

皮膚線維腫
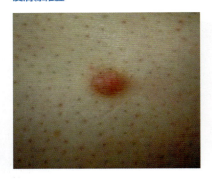

ケロイド
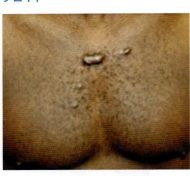

表皮嚢腫
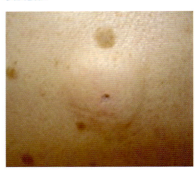

外毛根鞘性嚢腫
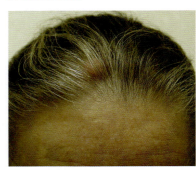

脂肪腫
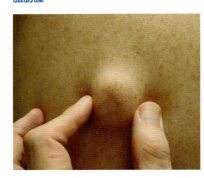

| 表 10-4 | 表面粗造な病変：日光角化症，扁平上皮癌および類似病変 |

患者は病変の表面がざらざらしていると報告することが多い。多くは脂漏性角化症や疣贅のように良性であるが，扁平上皮癌やその前駆病変である日光角化症でも表面は粗造で角化している。扁平上皮癌は，最も一般的には，頭部や頸部，腕，手の伸側などの露光部に発生し，治療せずに放置すると転移する可能性がある。この癌は通常，表皮有棘層のような分化度の高い細胞で構成され，皮膚癌の約16％を占める。日光角化症は，治療せずに放置すると，年間1,000人に1人の割合で扁平上皮癌に進行する。日光角化症が認められる患者には，日差しを避け，日焼け止めを使用するよう指導し，扁平上皮癌への進行を防ぐための治療を提案する。

日光角化症と扁平上皮癌

日光角化症

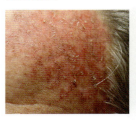 

- フルオロウラシル（5-FU）による治療後の日光角化症（左写真）
- 多くの場合，視診より触診のほうが特定しやすい
- 紫外線でダメージを受けた皮膚に出現した表在性の角化性丘疹が短期間で発生・消失する

皮角・角化性鱗屑

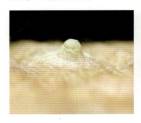 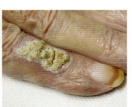

- 日光角化症および扁平上皮癌の典型的な角化性鱗屑は，ケラチンで形成され，皮角になることがある
- 原則として，皮角は扁平上皮癌を除外するために皮膚生検する

扁平上皮癌

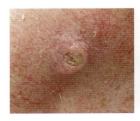 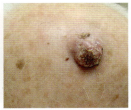

- ケラトアカントーマは扁平上皮癌の一種で，急速に発生し，中央がクレーター状を呈する
- 多くの場合，辺縁は平滑で，硬い
- 扁平上皮癌は治療せずに放置すると，非常に大きくなることがある（最も転移しやすい部位は頭皮，唇，耳である）

類似病変

表在性の乾皮症または脂漏性皮膚炎

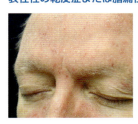

- 前額および顔面中央に一定の密度で発生することがある
- 鱗屑は角質が少なく，保湿剤や弱いステロイドの外用で改善する

疣贅

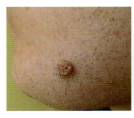 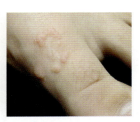

- 通常は，健常皮膚色〜ピンク色を呈し，表面の質感は通常の角化とは異なる疣贅状の隆起を認める
- 糸状を呈することがある
- 拡大鏡やダーモスコピーで，しばしば点状出血を認める

脂漏性角化症

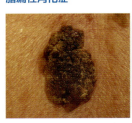 

- 多くの場合，質感は疣贅と同様である
- 皮膚に「くっついた」または「潰された」蝋球のような外観を呈する
- つまむと崩れたり出血したりすることがある
- 稗粒腫様の嚢胞や面皰様の開口部など，ダーモスコピーで特徴的所見が認められれば，脂漏性角化症の可能性が高い
- 炎症がある場合，紅斑のようにみえることがある

| 表 10-5 | ピンク色の病変：基底細胞癌と類似病変 |

基底細胞癌は，世界で最も一般的な癌である。幸運にもこの癌が皮膚以外に転移することはまれである。しかし，周辺の組織への湿潤と組織の破壊が進み，目や鼻，脳に重大な影響を及ぼす可能性がある。基底細胞癌は，表皮の基底層に存在する細胞に類似した未分化な細胞から構成され，皮膚癌の約80％を占める。治療前に基底細胞癌であるか確認するため皮膚生検を行う必要がある。以下に基底細胞癌の特徴を示し，良性の類似病変との違いを概説する。

基底細胞癌

表在性基底細胞癌

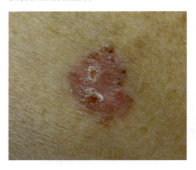

- 非治癒性のピンク色の斑状病変
- 局所的に鱗屑を伴うことがある

結節型基底細胞癌

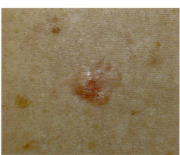

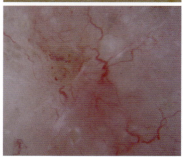

- ピンク色の丘疹で（上），しばしば半透明または真珠様外観を呈し，表面に毛細血管拡張を伴う
- 局所的に色素沈着を伴うことがある
- ダーモスコピーでは（下），樹枝状の血管や局所的な色素小球など，特徴的なパターンを呈する

類似病変

日光角化症および上皮内扁平上皮癌

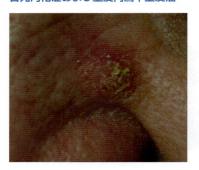

- 角化性鱗屑を伴うことが多い

脂腺増殖症

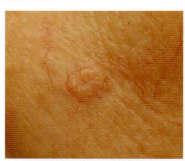

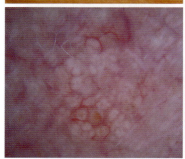

- 前額と頬部に，しばしば中心陥凹を伴う黄色調の球状丘疹を呈する（上）
- ダーモスコピーでは（下），基底細胞癌のように病変の表面ではなく，周囲に毛細血管拡張を伴う

基底細胞癌

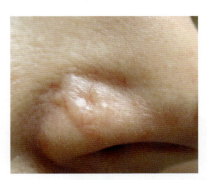

- 鼻翼に中心陥凹を伴う 1 cm 大の真珠様でピンク色の局面を呈し，表面に樹枝状の毛細血管拡張を伴う

類似病変

鼻部線維性丘疹

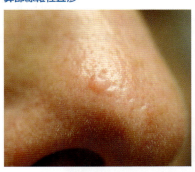

- 鼻の健常皮膚色〜ピンク色の丘疹で，毛細血管拡張を伴わない
- 表面に小傷を伴うことがある

潰瘍型基底細胞癌

- 非治癒性の潰瘍病変で，辺縁が盛りあがる

扁平上皮癌

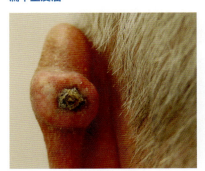

- 潰瘍化することもある
- 基底細胞癌よりも辺縁が硬い

表 10-6	褐色病変：メラノーマと類似病変
	注意深く観察すると，ほとんどの患者の体表には褐色の斑点がある。これらは通常，そばかすや良性母斑，日光黒子，または脂漏性角化症であるが，診察者および患者は，めだつものがないか注意深く観察し，メラノーマの可能性を検討する必要がある。メラノーマを特定するための最良の方法は，皮膚診察の経験を積むことで，これにより良性の褐色病変を見分けられるようになる。十分に経験を積めば，メラノーマが目に入った際にそれを判別できるようになる。以下の表にない識別・比較方法については，p.312〜313のABCDE-EFG法と写真を確認すること。

メラノーマ	類似病変
無色素性メラノーマ	**懸垂性線維腫または真皮内母斑**
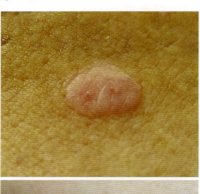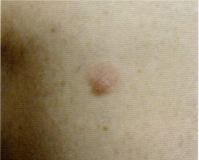	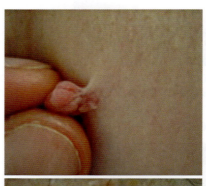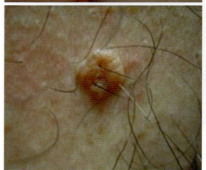
●通常，皮膚色がかなり明るい人に好発する ●無色素性メラノーマでは色調のむらや色素沈着がみられないため，特定する手がかりとして最も重要なのは**進行もしくは急速な変化**である	●軟らかくて弾力がある ●首周囲や腋窩または背部に好発する ●無茎性母斑では，褐色色素沈着が特定のための手がかりになることもある

メラノーマ

表皮内メラノーマ

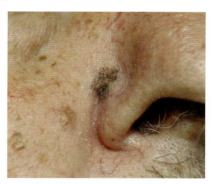

- 露光部でも非露光部でも生じる
- ABCDE-EFG の特徴をみつける

メラノーマ

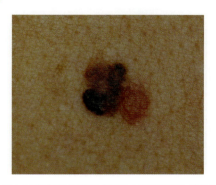

- 新規に，または既存の母斑から発生する可能性があり，ABCDE-EFG の特徴を示す
- 異形成母斑が多くある患者は，メラノーマのリスクが高い

メラノーマ

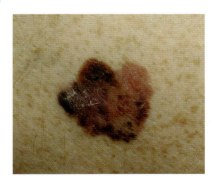

- 色調のむら（褐色や赤色）がみられる場合がある
- ダーモスコピーでメラノサイト系病変の特徴がみられる

類似病変

日光黒子

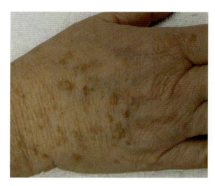

- 露光部に好発
- 淡褐色で均一な色調であるが，形状は非対称の場合がある

異形成母斑

- 斑状病変の中央に「目玉焼き」様の丘疹性病変を認めることがある
- 患者の他の母斑と比較して，変化をモニターする

炎症を伴う脂漏性角化症

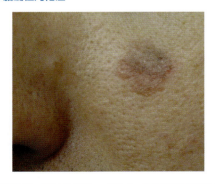

- 基部に紅斑を伴っている場合，メラノーマに類似することがある
- 研修を受けて見分け方を学べば，この病変を区別するのにダーモスコピーが役立つ

表 10-6　褐色病変：メラノーマと類似病変（続き）

メラノーマ	類似病変
メラノーマ 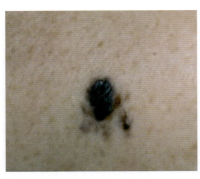 ● 色は均一でも形状は**非対称性**のことがある。特定する手がかりとして最も重要なのは**進行もしくは急速な変化**である	**脂漏性角化症** 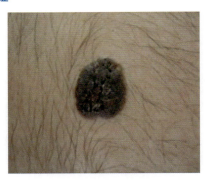 ● 皮膚に「くっついた」疣贅のような形状で，暗褐色を呈することがある
四肢末端のメラノーマ 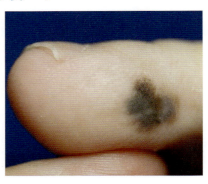 ● 進行もしくは急速な変化は，四肢末端のメラノーマ特定の手がかりとなる ● 7 mm を超える場合，急速に成長している場合，またはダーモスコピーで疑わしい所見が認められる場合は，皮膚生検を検討する	**四肢末端の母斑** 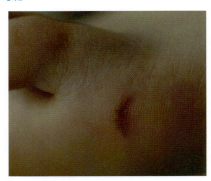 ● 大きさが 7 mm 未満で，ダーモスコピーで皮溝平行パターンや格子様パターンなどが確認できれば，良性の可能性が高い

メラノーマ

青黒色病変を伴うメラノーマ

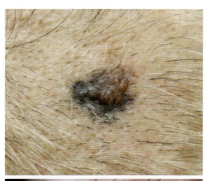

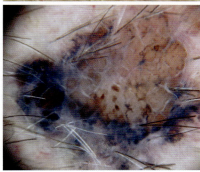

- 青黒色病変は，特に非対称である場合，メラノーマを示唆する

類似病変

青色母斑

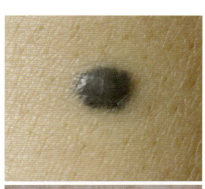

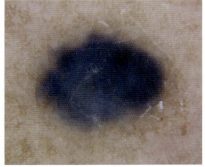

- 青色母斑は，目視でもダーモスコピーでも，均質な青灰色の外観を呈する

メラノーマを探す

患者の皮膚に認められるさまざまな母斑やほくろのなかから，進行のみられる褐色病変がないか評価する際，他の母斑と異なってみえる色素斑をみつけなくてはならない。中央丘疹性で周囲を斑で囲まれた非典型的な母斑が患者に多発していても，一見すべて同じようにみえる。それぞれの患者に特徴的な母斑をみつけてから，それとは異なってみえるものを探す

現在，ほとんどの皮膚科医は，色素性病変を評価するためにダーモスコピーに頼っている。これにより，病変がより浅くてもメラノーマを検出することができる。研修を受ければ，良性の母斑とメラノーマの初期病変を区別するためにダーモスコピーを効果的に使用することができる。ただしダーモスコピーがなくても，メラノーマを積極的に探し出す鋭敏な目で視診することができれば，メラノーマが発生してすぐにそれを特定できる可能性がある

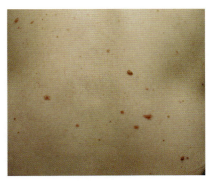

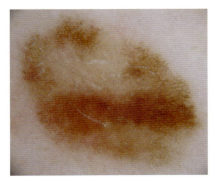

この患者の背中には多数の非典型的な母斑があるが(左)，正中線のすぐ右側にある母斑(右の拡大画像)には3色認められるため，メラノーマの特徴として際立っている。白い部分は皮膚生検で表皮内メラノーマと特定された

表 10-7　皮膚の血管病変，紫斑病変

血管病変

	くも状血管腫*	くもの巣状静脈瘤*	老人性血管腫
		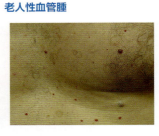	
色・大きさ	鮮紅色で，非常に小さいものから2 cm大のものまで	青色調で，非常に小さいものから数センチメートルのものまで大きさはさまざま	鮮紅色またはルビーレッド。年齢とともに紫色調を呈することがある。1〜3 mm
形状	中心はときに隆起する。周囲に紅斑あり，放射状にのびる	さまざま（くもの巣状，線状，不整，レース状）	円形，平坦，ときに隆起する。周囲に白暈を伴うことがある
拍動性と圧迫による変化	スライドガラスで圧迫すると，くもの巣の中心で拍動性がみられる。病変の中心を圧迫するとくもの巣が退色してみえる	拍動性なし。中心を圧迫しても退色しないが，病変全体を圧迫すると静脈が退色する	拍動性なし。特にピンの先で圧迫した場合，部分的に退色することがある
分布	顔面，頸部，上腕，上半身。腰より下方ではほとんど認めない	ほとんどが下腿の静脈近くに認める。前胸部にも認める	体幹，四肢
臨床的意義	単発のくも状血管腫は正常であり，顔面や胸部に好発する。妊娠や肝臓病でもみられる	静脈瘤のように，表在性静脈内圧が上昇すると頻繁に発症する	病的な意味合いはない。加齢により増大，増加する

*これらは毛細血管または小血管の拡張により生じ，赤色または青色調にみえる。
写真出典：くも状血管腫— Marks R. *Skin Disease in Old Age*. JB Lippincott; 1987，点状出血・紫斑— Kelley WN. *Textbook of Internal Medicine*. JB Lippincott; 1989.

紫斑病変

	点状出血・紫斑	斑状出血
	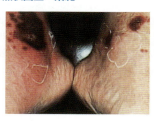	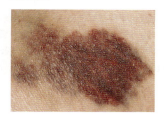
色・大きさ	暗赤調または赤紫調で、時間経過とともに消退する。点状出血は1〜3 mm大。紫斑はより大型	紫調または紫青色調で、時間経過とともに緑、黄、褐色に退色する。大きさはさまざまで、点状出血より大型、>3 mm
形状	円形、ときに不整、平坦	円形、楕円形または不整。ときに中央部に平坦な皮下結節（血腫）がみられる
拍動性と圧迫による変化	拍動性なし。圧迫の影響はない	拍動性なし。圧迫の影響はない
分布	さまざま	さまざま
臨床的意義	血管外出血。出血性疾患を示唆するが、点状出血では皮膚血管が塞栓している可能性がある。血管炎では触知可能な紫斑を生じる	血管外出血。打撲や外傷に続発することが多い。出血性疾患でもみられる

表 10-8 脱毛[6]

脱毛の包括的な病歴を聴取する際は，発症時期，発症速度，頭髪の密度低下または抜け毛の増加する原因，パターン（びまん性または限局性），薬歴，ヘアケア方法，および関連する病態やストレス要因を確認する。**頭髪の密度低下**は通常，男性型または女性型の脱毛症によって引き起こされるが，瘢痕性脱毛症で生じることはあまりない。**毛根からの脱毛**は，**休止期脱毛症，円形脱毛症，成長期脱毛症**（化学療法などにより薬物へ曝露したことが原因の毛幹への傷害），あるいは一般的ではないが，瘢痕性脱毛症によって生じる。休止期にある頭髪の割合を調べるため，頭髪を引っ張る（hair pull test）。**毛幹が千切れることによる脱毛**は，**頭部白癬**や不適切なヘアケア，あまり一般的ではないが毛幹障害または**成長期脱毛症**によって生じる。毛幹に沿って頭髪を引っ張り（tug test），髪の脆弱性を調べる。hair pull test と tug test については，図 10-32，10-33 を参照。

全身性またはびまん性脱毛

男性型脱毛症は 50 代までに男性の半数以上に，女性型脱毛症は 80 代までに女性の半数以上に認められる。男性では，前頭の生え際の退行と後頭部の頭髪の密度を確認する。女性では，生え際が退行することは少ないが，頭頂部から下方に向けて頭髪が薄くなっているか確認する。重症度は，標準化された分類〔Norwood-Hamilton（ハミルトン・ノーウッド）分類（男性）および Ludwig（ルードヴィヒ）分類（女性）〕で評価する。正常であれば，**hair pull test** を行っても頭髪が抜けないか，数本抜ける程度である

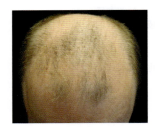

男性型脱毛症 male pattern hair loss（MPHL）

女性型脱毛症 female pattern hair loss（FPHL）

休止期脱毛症および成長期脱毛症

休止期脱毛症では，全体として患者の頭皮と頭髪の分布は正常にみえるが，**hair pull test** は陽性となり，抜けた頭髪を確認するとほとんどの頭髪の毛球が休止期にあることがわかる。**成長期脱毛症**の場合，毛根から抜けるびまん性脱毛を認め，**hair pull test** では，毛根が休止期にある頭髪はあったとしてもわずかである

休止期脱毛症では，分け目の幅は正常である

休止期脱毛症患者の hair pull test 陽性（すべての頭髪に休止期の毛根がある）

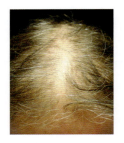

成長期脱毛症

写真出典：円形脱毛症（左写真）— Goodheart H, Gonzalez M. *Goodheart's Photoguide to Common Pediatric and Adult Skin Disorders*. 4th ed. Wolters Kluwer; 2016, Appendix Figure 10.

限局性の脱毛

円形脱毛症

小児や若年成人で，境界明瞭で通常は限局性の円形または楕円形の脱毛斑を突然発症し，頭髪のない表面が滑らかな皮膚が残る。目にみえる鱗屑や紅斑は認めない

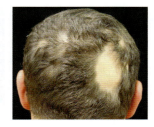

頭部白癬（しらくも）

鱗屑を伴う円形の脱毛斑を呈し，多くは小児で認める。ダーモスコピーでは，千切れた頭髪による「黒点」や，コンマ状ないし渦巻状の頭髪を認めることがある。ヒトから感染するトリコフィトン・トンスランス *Trichophyton tonsurans* によることが多いが，まれに犬や猫からのイヌ小胞子菌（*Microsporum canis*）により発症することもある。湿潤した局面は禿瘡と呼ばれる

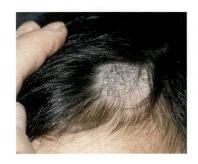
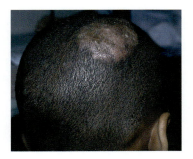

瘢痕性脱毛症

頭皮の瘢痕に光沢があり，毛包を完全に喪失するのが特徴で，しばしば脱色を認める。瘢痕病変があり，患者が治療を希望する場合は，頭皮生検の必要性を検討するため，すぐに皮膚科へ紹介する。瘢痕性脱毛症には，頭頂部遠心性瘢痕性脱毛症や円板状エリテマトーデスなどが含まれる

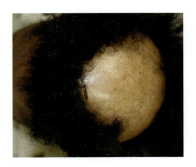

頭頂部遠心性瘢痕性脱毛症

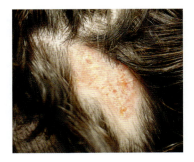

円板状エリテマトーデスに伴う瘢痕性脱毛症

表 10-8　脱毛[6]（続き）

毛幹の異常
連珠毛と呼ばれる遺伝性の特徴がある患者のように，出生時から頭髪に異常があれば，皮膚科に紹介すべきである

毛幹が一定の間隔をおいて細くなり，紡錘状を呈する異常

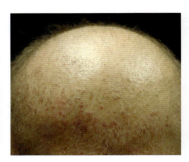

表 10-9　爪とその周囲の所見

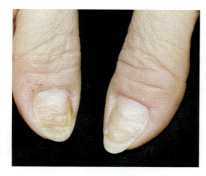

爪囲炎
爪甲に接する後爪郭および側爪郭の表在性感染症。爪郭はしばしば赤く腫脹し，痛みを伴う。手の最も一般的な感染症であり，通常，黄色ブドウ球菌（*Staphylococcus aureus*）やレンサ球菌属（*Streptococcus*）が原因である。爪甲周囲を取り囲むように広がる。指尖部の腹側に進展するとひょう疽（爪下膿瘍）となる。爪を噛むことによる局所の外傷やマニキュアの塗布，頻繁に手を水に浸すことが原因で生じる。慢性感染ではカンジダ症との関連も考慮する

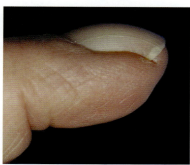

ばち状指
爪床で軟部組織が丸く腫脹し，爪甲と後爪郭の正常な角度が失われる。角度は180度以上となり，爪床はスポンジ様ないし浮いているように感じる。機序は解明されていないが，指尖部への血流増加を伴う血管拡張，低酸素による結合組織の変化，神経支配の変化，遺伝的要因，血小板凝集塊の一部から放出される血小板由来増殖因子などによる影響が考えられる。先天性心疾患や間質性肺疾患，肺癌，炎症性腸疾患，悪性腫瘍で認める

爪甲損傷癖・習慣性チック（爪変形）
示指で親指の爪を擦る，またはその逆をすることによる繰り返しの外傷で生じる。爪の中央が陥凹し，小さな水平方向の溝が重なり「クリスマスツリー」様の外観を呈する。爪母に圧力がかかり，爪の成長に異常をきたす。習慣行動を回避すれば，爪は正常に成長する

爪甲色素線条
爪甲色素線条は，爪母の色素増加によって生じ，爪が成長するにつれて線条を呈する。複数の爪にみられる場合は，正常な人種差の可能性がある。細い均一な線条は母斑によって生じることもあるが，線条が太い場合，特に拡大や不整がみられるときは，爪下のメラノーマの可能性がある

写真出典：爪甲剥離症・Terry 爪— Habif TP. *Clinical Dermatology: A Color Guide to Diagnosis and Therapy*. 2nd ed. CV Mosby; 1990. Copyright © 1990 Elsevier より許可を得て掲載

表10-9 爪とその周囲の所見（続き）

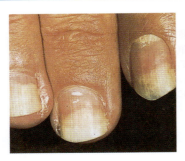

爪甲剥離症
白色不透明な爪甲が，痛みを伴わずにピンク色で半透明の爪床から剥離する。爪が指先を越えてのびると，爪甲剥離症を引き起こす外傷性のせん断応力をもたらす可能性が高まる。遠位部からはじまり近位側に進行し，爪甲の遊離縁が拡大する。局所的要因としては，過剰なマニキュア，乾癬，真菌感染，爪の美容処置に伴うアレルギー反応などが考えられる。全身的要因として糖尿病や貧血，光線過敏型薬疹，甲状腺機能亢進症，末梢性虚血，気管支拡張症，梅毒などがある

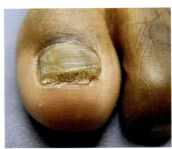

爪真菌症
爪の肥厚と爪下の角質増生の最も一般的な原因は爪真菌症であり，ほとんどの場合，皮膚糸状菌である紅色白癬菌（Trichophyton rubrum）によるが，他の皮膚糸状菌やアルテルナリア属（Alternaria）やフザリウム属（Fusarium）などの真菌が原因になることもある。爪真菌症は，60歳以上の5人に1人が発症する。最善の予防策は足白癬を治療および予防することである。すべての爪異栄養症のうち，原因が爪真菌症であるものは半数にとどまるため，経口抗真菌薬で治療する前に，真菌培養や苛性カリ鏡検による陽性所見または爪小片の病理検査が推奨される

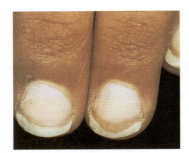

Terry（テリー）爪
爪甲はすりガラス状に白くなり，遠位端は赤褐色を呈し，爪半月が消失する。通常全指で認めるが，1指のみの場合もある。肝硬変などの肝疾患や心不全，糖尿病で認める。血管の減少や爪床の結合組織の増殖により生じる

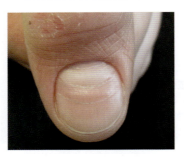

横方向の線状陥凹〔Beau（ボー）線〕
爪甲の横方向に認める陥凹病変で，通常両手に認める。全身性疾患による一時的な爪甲近位側の成長障害により生じる。Beau線から爪母までの距離を測定することで発症時期を推測することができる（爪は6～10日で約1mmのびる）。重症疾患や外傷，Raynaud（レイノー）病があれば寒冷曝露などでもみられる

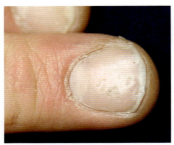

点状陥凹
爪母による爪甲の生成に問題が生じ，爪甲の表層に点状の陥凹が生じる。通常，乾癬に合併することが多いが，反応性関節炎，サルコイドーシス，円形脱毛症，限局性のアトピー性皮膚炎または化学性皮膚炎でも認める

表 10-10　全身性疾患と関連する皮膚症状

全身性疾患	関連症状または診断
Addison（アジソン）病	露光部，外傷部位，手掌や足底の皺，および口腔粘膜に過剰色素沈着を認める
Chagas（シャーガス）病（アメリカトリパノソーマ症）	耳前部リンパ節腫を伴う片側性結膜炎と眼瞼浮腫
CREST 症候群	石灰沈着症，Raynaud 病，肢端硬化症，顔と手（手掌）の塊状の毛細血管拡張症
Crohn（クローン）病	結節性紅斑，壊疽性膿皮症，腸管皮膚瘻，アフタ性潰瘍
Cushing（クッシング）病	皮膚線条，皮膚萎縮，紫斑，斑状出血，毛細血管拡張，痤瘡，満月様顔貌，水牛様肩（buffalo hump），多毛
壊疽性膿皮症	痛みを伴う膿疱が，境界明瞭で紫調の脆弱化した辺縁を伴う不規則な潰瘍に急速に進行する
川崎病	イチゴ舌や口唇の発赤などの粘膜の発赤（口唇，舌，咽頭），発疹（体幹に初発），手掌と足底の紅斑とそれに続く指先からの落屑
肝疾患	黄疸，くも状血管腫とその他の毛細血管拡張，手掌紅斑，Terry 爪，瘙痒，紫斑，メデューサの頭
感染性心内膜炎	Janeway（ジェーンウェイ）病変，Osler（オスラー）結節，点状出血，爪下の線状出血
甲状腺機能亢進症	温かく湿って滑らかなビロード状の皮膚，細くてしっかりした毛髪，脱毛，白斑，前脛骨粘液水腫〔Graves（グレーブス）病〕，過剰な色素沈着（局所，全身性）
甲状腺機能低下症	乾燥して粗い蒼白した皮膚，艶のないもろい毛，粘液水腫，脱毛（眉毛部の外側 1/3 の脱毛もしくはびまん性脱毛），皮膚の冷感，薄い脆弱な爪
後天性免疫不全症候群（AIDS）	ヒトパピローマウイルス感染症，単純ヘルペス，水痘帯状疱疹，サイトメガロウイルス感染症，伝染性軟属腫，細菌性膿瘍，抗酸菌感染症〔結核，Hansen（ハンセン）病，非結核性抗酸菌感染症〕，カンジダ症，深部真菌感染症（クリプトコックス症，ヒストプラズマ症），口腔毛状白板症，Kaposi（カポジ）肉腫，口腔および肛門の扁平上皮癌，後天性魚鱗癬，重症乾癬，重症脂漏性皮膚炎，好酸球性膿疱性毛包炎
サルコイドーシス	赤褐色の局面で，多くの場合環状を呈し，通常は頭頸部，特に鼻と耳に好発する。ダーモスコピーで，リンゴジャム様の色調を呈することがある
脂質異常症	黄色腫（腱黄色腫，発疹性，結節性），眼瞼黄色腫（健常人でも認める）
神経線維腫症 1 型〔von Recklinghausen（フォン・レックリングハウゼン）病〕	神経線維腫，カフェオレ斑，腋窩のそばかす〔Crowe（クロウ）徴候〕，蔓状神経線維腫
膵炎（出血性）	肋骨脊柱角上のあざ様病変と硬結〔Grey Turner（グレイ・ターナー）徴候〕，Cullen（カレン）徴候，脂肪組織炎
膵癌	脂肪組織炎，遊走性血栓性静脈炎〔Trousseau（トルソー）徴候〕
髄膜炎菌血症	中心が銀灰色の角状または星状を呈する紫斑および局面。斑状出血，水疱，壊死へ進行する
全身性エリテマトーデス	頬部の蝶形紅斑〔頬の中央，鼻梁に及ぶが，鼻唇溝（ほうれい線）以下は比較的温存される〕，爪囲紅斑，指節間紅斑
鼠径リンパ肉芽腫	鼠径靭帯の上・下方にリンパ節腫〔線状皮膚陥凹（groove sign）〕
中血管炎（例：結節性多発動脈炎，多発血管炎性肉芽腫症，好酸球性多発血管炎性肉芽腫症，顕微鏡的多発血管炎）	分枝状皮斑，紫斑性結節，潰瘍

表 10-10　全身性疾患と関連する皮膚症状（続き）

全身性疾患	関連症状または診断
糖尿病	瘙痒，糖尿病性皮膚障害，黒色表皮腫，カンジダ症，神経障害性潰瘍，リポイド類壊死症，発疹性黄色腫
播種性血管内凝固	紫斑，点状出血，出血性水疱，硬結，壊死
白血球破砕性血管炎（毛細血管後小静脈）	触知可能な紫斑，紫斑性膨疹，疾患特異的な領域における出血性水疱
白血病またはリンパ腫	皮膚蒼白，剥脱性皮膚炎（紅皮症），結節，点状出血，斑状出血，瘙痒，血管炎，壊疽性膿皮症，水疱性疾患
晩発性皮膚ポルフィリン症	手背と前腕伸側に水疱と皮膚の脆弱性を伴う光線過敏症。水疱が破裂し，瘢痕と稗粒腫を残し治癒する。顔の多毛。ヘモクロマトーシスを併発している場合，皮膚が青銅色化する
皮膚筋炎	眼周囲（ヘリオトロープ疹）・指節間関節〔Gottron（ゴットロン）徴候〕・上背部と肩（ショールサイン）に認める小型～大型の斑状または丘疹状の紫紅色紅斑，露光部の多形皮膚萎縮，爪周囲の毛細血管拡張，爪上皮の破壊〔Samitz（サミッツ）徴候〕
ヘモクロマトーシス	皮膚に青銅色調またはその他の色調の過剰な色素沈着
慢性腎疾患	顔面蒼白，乾皮症，尿素結晶の析出，瘙痒，ハーフアンドハーフ爪，カルシフィラキシー
淋菌感染症	四肢末端および関節周囲の皮膚表面に分布する紫色～灰色の小さな斑，丘疹または出血性膿疱
ロッキー山紅斑熱	ピンク色または紅色の丘疹が，紫色に進展する。手首と足首からはじまり，手掌や足底，体幹，顔に拡大する

表 10-11　尋常性痤瘡：主病変および二次性病変

尋常性痤瘡 acne vulgaris は米国で最も一般的な皮膚疾患であり，思春期の 85％以上が罹患する[33]。痤瘡は，毛包開口部でケラチノサイトが増生する毛包脂腺系の疾患である。アンドロゲンによる刺激で産生量の増えた皮脂が，ケラチノサイトと結びついて毛包開口部に角栓を形成し，皮膚常在菌で嫌気性ジフテリア菌である**アクネ桿菌**（*Propionibacterium acnes*）が増殖する。アクネ桿菌が活性化されて遊離脂肪酸が放出され，活性化した好中球による酵素によって炎症をきたす。化粧品や湿度，多汗，ストレスなどが要因となる。痤瘡治療に関するほとんどの推奨事項は，その形態にもとづく〔面皰性（軽度），炎症性（中等度），結節嚢胞性（重度）〕。

痤瘡は脂腺の多い領域に出現し，おもに顔面，頸部，胸部，上背部，上腕部に生じる。主病変・二次性病変，およびこれらの両方が認められる場合がある。

主病変

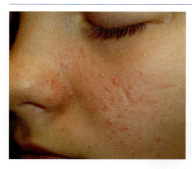

面皰性（軽度）：開放性面皰または閉鎖性面皰。ときに丘疹を呈する

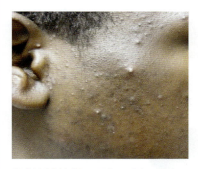

炎症性（中等度）：面皰，丘疹，膿疱

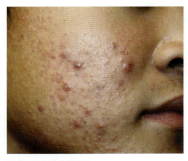

結節嚢胞性（重度）

二次性病変

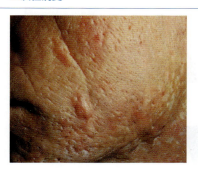

陥凹と瘢痕を伴う痤瘡

表 10-12　日光（紫外線）による損傷の所見

日光による損傷は，患者が皮膚癌のリスクを有していることを示す最も重要な手がかりの1つである。これまでに受けた日光による損傷の結果として，以下のような症状がないか注意深く探す。もしあれば，基底細胞癌の可能性があるピンク色の病変，日光角化症または扁平上皮癌の可能性がある表面が粗いまたは角化している病変，あるいはメラノーマの可能性がある非対称性，色調のむらがある，または進行性の病変の迅速で慎重な診察を行い，正しい紫外線対策について指導を行う。この指導は，患者だけでなく，その家族のためにもなる。

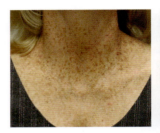 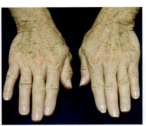

日光黒子：顔，肩，腕や手など，露光部にある左右対称の褐色斑

日光弾性線維症：露光部皮膚，特に前額の黄白色斑または丘疹

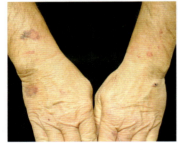

老人性紫斑：斑状出血が，前腕と手の伸側に限局して出現するが，上腕の「シャツの袖」の線より肩側には拡大しない

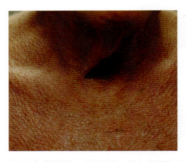

多形皮膚萎縮：露光部，特に頸部のV字領域や側頸部（下顎下方の影になる部分以外）に生じる赤い斑で，細かい毛細血管拡張および色素沈着・色素脱失の両方を伴う

皺：日光による損傷の増加と日焼けは，より早い年齢での，より深い皺につながる

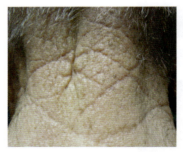

項部菱形皮膚：後頸部に生じる交差する深い皺

表 10-13 褥瘡

褥瘡は，皮膚やその下床の軟部組織の局所的な損傷であり，骨突出部や医療機器をはじめとした機械に接触する部位に生じることが多い。損傷部位は，健常皮膚が保たれている場合と開放性の潰瘍となる場合があり，ときに痛みを伴う。発症要因は，圧迫の強さや圧迫時間の長さ，せん断応力である。圧迫とせん断応力に対する軟部組織の耐性力は，衣服内環境，栄養，灌流，併存疾患，および軟部組織の状態によって影響を受ける可能性がある。

褥瘡は，持続的な圧迫を受ける骨突出部に生じやすく，下層組織の虚血性傷害につながる。予防が重要であり，特に危険因子を有する患者では，早期の危険徴候である圧迫により退色する紅斑がないか，皮膚全体を観察することが重要である。

褥瘡は，一般的に仙骨，坐骨結節，大転子，踵に発症する。

下の写真のように，一般的には損傷の深さによって病期分類される。病期分類をする前に，壊死組織や痂皮を除去する必要があることに注意する。ただし，4つの病期を順に進行するとは限らないことを念頭に置く必要がある。

併存疾患を考慮しながら，患者の健康状態全般を評価する。例えば，血管疾患，糖尿病，免疫不全，膠原病，悪性疾患，精神疾患，うつ病，栄養状態，疼痛と痛覚消失のレベル，再発のリスク，学習能力・社会支援・生活様式などの心理社会的因子，多剤併用，過剰投薬，アルコール・ニコチン・違法薬物の乱用を評価するとよい[34]。

褥瘡の危険因子

- 活動性の低下（特に摩擦やせん断応力を生じさせる圧迫の増加や体の動きが伴う場合）
- 脳脊髄病変，末梢神経障害による知覚鈍麻
- 血行障害：低血圧，（糖尿病もしくは動脈硬化による）微小血管障害
- 便失禁，尿失禁
- 骨折
- 低栄養状態，低アルブミン血症

ステージ1：健常皮膚上の退色しない紅斑

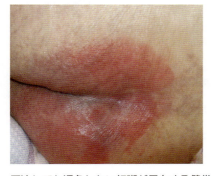

圧迫しても退色しない紅斑が局在する健常皮膚。ただし色素沈着の強い皮膚では外観が異なる可能性がある。退色しない紅斑に先行して，退色する紅斑や，感覚，体温または皮膚の硬さの変化が認められることがある。この段階では紫色や栗色への変化はみられない。こうした色調がみられる場合は，深部組織まで損傷が達している可能性がある

ステージ2：真皮の露出を伴う部分的な皮膚の損傷

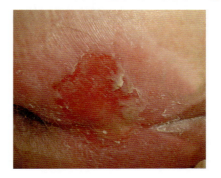

真皮の露出を伴う部分的な皮膚の損傷。創面は壊死しておらず，ピンク色または赤色で湿潤し，健常皮膚もしくは血清で満たされた水疱が破れた状態である。脂肪（組織）や，より深部の組織はみえない。肉芽組織や痂皮，焼痂はない。これらの損傷は通常，骨盤上の皮膚の有害な衣服内環境とせん断応力，および踵のせん断応力に起因する。なお，**失禁関連皮膚炎 incontinence-associated dermatitis（IAD）**，**間擦疹 intertriginous dermatitis（ITD）**，**医療用接着剤関連皮膚損傷 medical adhesive-related skin injury（MARSI）**，または外傷性創傷（皮膚の裂傷，熱傷，擦り傷）を含む**湿潤関連皮膚障害 moisture-associated skin damage（MASD）**はステージ2の褥瘡に含めない

出典：National Pressure Injury Advisory Panel, Westford, MA より許可を得て掲載

表 10-13　褥瘡（続き）

ステージ 3：皮膚全層の損傷

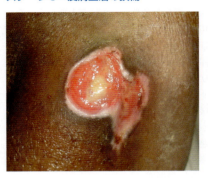

皮膚の全層が損傷された結果，潰瘍内に脂肪組織が露出し，肉芽組織やエピボールをしばしば認める。痂皮または焼痂がみられる場合がある。損傷の深さは，解剖学的部位により異なり，脂肪の多い部位では，深くなる可能性がある。褥瘡辺縁の奥が深くなり，ポケットを形成することがある。筋膜や筋肉，腱，靭帯，軟骨，骨は露出していない。痂皮または焼痂で覆われ，組織損傷の程度の判断ができない場合，病期分類不能とする

病期分類不能：皮膚全層および組織の欠損を評価できない

皮膚全層および組織が損傷されているが，痂皮や焼痂で覆い隠されているため潰瘍内の組織損傷の程度を評価できない状態。痂皮や焼痂を除去すれば，ステージ 3 または 4 に分類できる。踵または虚血性四肢の安定した焼痂（すなわち焼痂は乾燥・固着し，周囲は健常で紅斑や浮動性はない）は，軟化したり，除去したりしない

ステージ 4：皮膚および組織全層の損傷

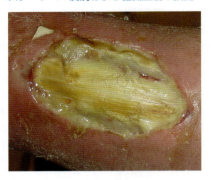

皮膚および組織の全層が損傷され，筋膜，筋肉，腱，靭帯，軟骨，骨が潰瘍内に露出し直接触知できる状態。痂皮や焼痂がみられる場合がある。エピボールや，辺縁奥が深くなったり，ポケット形成が好発する。深さは解剖学的部位によって異なる。痂皮または焼痂で覆われ，組織損傷の程度を判断できない場合，病期分類不能とする

深部損傷褥瘡：持続性の圧迫しても退色しない暗紅色，栗色，紫色調の病変

限局性かつ持続性の健常ないし異常な皮膚病変で，圧迫しても退色せず，色調は暗紅色，栗色，紫色調で，表皮剥離を伴い，色調の濃い潰瘍底や血液で満たされた水疱が認められる。痛みや体温の変化は，皮膚の色の変化にしばしば先行する。色の変化は，色素沈着の濃い皮膚では異なってみえる場合がある。この種の褥瘡は，骨と筋の境界での強い圧迫や長時間の圧迫とせん断応力に起因し，急速に進展して実際の組織損傷の程度が外からみて明らかになるか，もしくは組織損傷に至らず治癒する。壊死組織や皮下組織，肉芽組織，筋膜，筋肉，または下床にあるその他の構造がみえる場合，全層にわたる褥瘡（病期分類不能，ステージ 3 または 4）を示唆する。要因が血管性，外傷性，神経障害性，または皮膚への圧迫であれば，深部損傷褥瘡に含まない

文献一覧

1. Coulson IH, Benton EC, Ogden S. Diagnosis of skin disease. In: Griffiths C, Barker J, Bleiker T, Chalmers R, Creamer D, eds. *Rook's Textbook of Dermatology*. 9th ed. United Kingdom: Wiley-Blackwell, Oxford; 2016.
2. Sidbury R, Kodama S. Atopic dermatitis guidelines: diagnosis, systemic therapy, and adjunctive care. *Clin Dermatol*. 2018; 36(5): 648-652.
3. Page EH. *Description of Skin Lesions*. Available at https://www.merckmanuals.com/professional/dermatologic-disorders/approach-to-the-dermatologic-patient/description-ofskin-lesions#v958357. Accessed October 29, 2018.
4. Mayer JE, Swetter SM, Fu T, et al. Screening, early detection, education, and trends for melanoma: current status (2007-2013) and future directions: part I. Epidemiology, high-risk groups, clinical strategies, and diagnostic technology. *J Am Acad Dermatol*. 2014; 71(4): 599. e1-599. e12; quiz 610, 599. e12.
5. Zalaudek I, Kittler H, Marghoob AA, et al. Time required for a complete skin examination with and without dermoscopy: a prospective, randomized multicenter study. *Arch Dermatol*. 2008; 144(4): 509-513.
6. Mubki T, Rudnicka L, Olszewska M, et al. Evaluation and diagnosis of the hair loss patient: part I. History and clinical examination. *J Am Acad Dermatol*. 2014; 71(3): 415. e1-415. e15.
7. American Academy of Dermatology, Inc. *How to SPOT Skin Cancer™*. Available at https://www.aad.org/public/spotskin-cancer/learn-about-skin-cancer/detect/how-to-spotskin-cancer. Accessed October 23, 2018.
8. Edsberg LE, Black JM, Goldberg M, et al. Revised national pressure ulcer advisory panel pressure injury staging system: revised pressure injury staging system. *J Wound Ostomy Continence Nurs*. 2016; 43(6): 585-597.
9. Robinson JK. Sun exposure, sun protection, and vitamin D. *JAMA*. 2005; 294(12): 1541-1543.
10. American Cancer Society. *Key Statistics for Basal and Squamous Cell Skin Cancers*. Available at https://www.cancer.org/cancer/basal-and-squamous-cell-skin-cancer/about/keystatistics.html. Accessed November 11, 2018.
11. Siegel RL, Miller KD, Jemal A. Cancer statistics, 2018. *CA Cancer J Clin*. 2018; 68(1): 7-30.
12. Noone AM, Howlader N, Krapcho M, et al. *SEER Cancer Statistics Review, 1975-2015*. Available at https://seer.cancer.gov/csr/1975_2015. Accessed November 5, 2018.
13. National Cancer Institute. *Skin Cancer Prevention (PDQ®)-Health Professional Version*. Available at https://www.cancer.gov/types/skin/hp/skin-prevention-pdq. Accessed November 11, 2018.
14. El Ghissassi F, Baan R, Straif K, et al. A review of human carcinogens — part D: radiation. *Lancet Oncol*. 2009; 10(8): 751-752.
15. Boniol M, Autier P, Boyle P, et al. Cutaneous melanoma attributable to sunbed use: systematic review and meta-analysis. *BMJ*. 2012; 345: e4757.
16. U.S. Preventive Services Task Force; Grossman DC, Curry SJ, Owens DK, et al. Behavioral counseling to prevent skin cancer: US Preventive Services Task Force Recommendation Statement. *JAMA*. 2018; 319(11): 1134-1142. Available at https://www.uspreventiveservicestaskforce.org/Page/Document/UpdateSummaryFinal/skin-cancer-counseling2. Accessed November 12, 2018.
17. Green AC, Williams GM, Logan V, et al. Reduced melanoma after regular sunscreen use: randomized trial follow-up. *J Clin Oncol*. 2011; 29(3): 257-263.
18. Green A, Williams G, Neale R, et al. Daily sunscreen application and betacarotene supplementation in prevention of basal-cell and squamous-cell carcinomas of the skin: a randomised controlled trial. *Lancet*. 1999; 354(9180): 723-729.
19. Lazovich D, Vogel RI, Berwick M, et al. Melanoma risk in relation to use of sunscreen or other sun protection methods. *Cancer Epidemiol Biomarkers Prev*. 2011; 20(12): 2583-2593.
20. Food and Drug Administration, HHS. Labeling and effectiveness testing; sunscreen drug products for over-the-counter human use. Final rule. *Fed Regist*. 2011; 76(117): 35620-35665.
21. American Academy of Dermatology. *How Do I Prevent Skin Cancer?* Available at https://www.aad.org/public/spot-skin-cancer/learn-about-skin-cancer/prevent. Accessed November 12, 2018.
22. U.S. Preventive Services Task Force; Bibbins-Domingo K, Grossman DC, Curry SJ, et al. Screening for skin cancer: US Preventive Services Task Force Recommendation Statement. *JAMA*. 2016; 316(4): 429-435. Available at https://www.uspreventiveservicestaskforce.org/Page/Document/UpdateSummaryFinal/skin-cancer-screening2. Accessed November 12, 2018.
23. Breitbart EW, Waldmann A, Nolte S, et al. Systematic skin cancer screening in Northern Germany. *J Am Acad Dermatol*. 2012; 66(2): 201-211.
24. American Academy of Dermatology. *AAD Statement on USPSTF Recommendation on Skin Cancer Screening*. Available at https://www.aad.org/media/news-releases/aadstatement-on-uspstf. Accessed November 11, 2018.
25. American Cancer Society. *Skin Exams*. Available at https://www.cancer.org/cancer/skin-cancer/prevention-andearly-detection/skin-exams.html. Accessed November 11, 2018.
26. Aitken JF, Janda M, Elwood M, et al. Clinical outcomes from skin screening clinics within a community-based melanoma screening program. *J Am Acad Dermatol*. 2006; 54(1): 105-114.
27. Weinstock MA, Asgari MM, Eide MJ, et al. *INFORMED Skin Cancer Education Series*. Available at http://www.skinsight.com/info/for_professionals/skin-cancer-

文献一覧

detection-informed/skin-cancer-education. Accessed November 11, 2018.

28. Eide MJ, Asgari MM, Fletcher SW, et al. Effects on skills and practice from a web-based skin cancer course for primary care providers. *J Am Board Fam Med*. 2013; 26(6): 648-657.

29. Abbasi NR, Shaw HM, Rigel DS, et al. Early diagnosis of cutaneous melanoma revisiting the ABCD criteria. *JAMA*. 2004; 292(22): 2771-2776.

30. Friedman RJ, Rigel DS, Kopf AW. Early detection of malignant melanoma: the role of physician examination and self-examination of the skin. *CA Cancer J Clin*. 1985; 35(3): 130-151.

31. Daniel Jensen J, Elewski BE. The ABCDEF rule: combining the "ABCDE Rule" and the "Ugly Duckling Sign" in an effort to improve patient self-screening examinations. *J Clin Aesthet Dermatol*. 2015; 8(2): 15.

32. Kelly JW. Nodular melanoma: how current approaches to early detection are failing. *J Drugs Dermatol*. 2005; 4(6): 790-793.

33. Kalkhoran S, Milne O, Zalaudek I, et al. Historical, clinical, and dermoscopic characteristics of thin nodular melanoma. *Arch Dermatol*. 2010; 146(3): 311-318.

34. American Cancer Society. *Key Statistics About Melanoma Skin Cancer*. Available at http://www.cancer.org/cancer/skincancer-melanoma/detailedguide/melanoma-skincancer-key-statistics. Accessed November 12, 2018.

本章の学習効果を高め，理解を助けるために一連の補助教材がある。

- 『ベイツ診察法ポケットガイド第4版』
- Bates' Visual Guide to Physical Examination
- thePoint® online resources, for students and instructors: http://thepoint.lww.com

第11章 頭部と頸部

本章では頭頸部の各器官と構造について述べる。本章およびこれに続く「眼，耳と鼻，咽喉と口腔」に関する第12～14章の内容は，解剖学的構造が互いに近接し，相関関係にあるだけでなく，症状が関連することから，1つのユニットとしてみていく必要がある。また，これらの構造における身体診察は本書に記載した順番でとることになる。今回の改訂では，構造別に章を設け，それぞれの解剖，生理を個別に学べるようにした。頭頸部領域を分割することで，病的な症状の背景にある臨床情報を理解できるようになるだろう。

解剖と生理

頭部

頭部の領域では，各部位の名称は頭蓋骨の基礎となる骨にちなんで付けられている。解剖を学ぶと，身体所見をとる際に部位を特定でき，記載するのに役立つ（図11-1～11-3を参照）。

唾液腺は，下顎骨の近くに2組ある。**耳下腺 parotid gland** は下顎骨の表面から後方にあり，腫脹すると耳下腺，**顎下腺 submandibular gland** ともに，視診や触診が可能となる。舌を下の切歯に押し付けるようにして顎下腺を探してみると，緊張した筋肉の上に顎下腺小葉の表面を触れることができる。耳下腺管〔**Stensen**（ステンセン）管〕と顎下腺管の開口部は口腔内でみることができる（p.433～434参照）。

浅側頭動脈は耳のすぐ前方から上方に走向し，容易に触れることができる。多くの人で，特に痩せている人や高齢者の場合，その分枝が蛇行している様子を前額部に向かってたどることができる。

解剖と生理

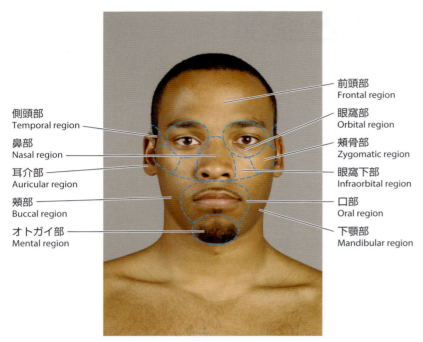

図 11-1　頭部の体表解剖，前面(Harrell KM, Dudek RW. *Lippincott® Illustrated Reviews: Anatomy*. Wolters Kluwer; 2019, Fig. 8-23. より)

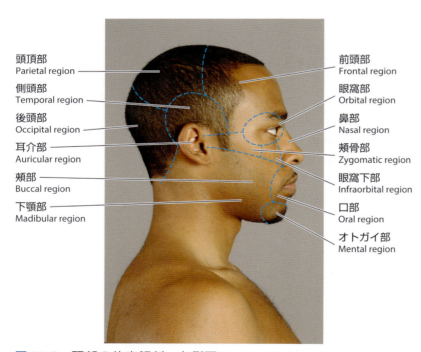

図 11-2　頭部の体表解剖，右側面(Harrell KM, Dudek RW. *Lippincott® Illustrated Reviews: Anatomy*. Wolters Kluwer; 2019, Fig. 8-6. より)

解剖と生理

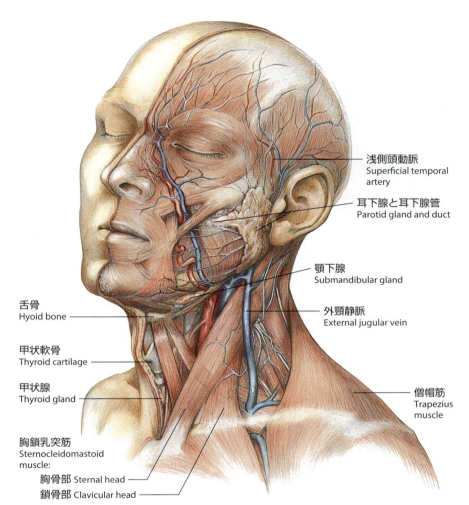

図 11-3 頭部の解剖 (Anatomical Chart Company: Head and Neck Anatomical Chart, 2000. より)

頸部

便宜的に，頸部の両側を，胸鎖乳突筋によって区切られる2つの三角形に分ける（図11-4）。以下の三角形の境界を視覚的に捉えておく。

- **前頸三角**：上方に下顎骨，外側に胸鎖乳突筋，内側に頸部正中線。

- **後頸三角**：胸鎖乳突筋，僧帽筋，鎖骨で囲まれる部分。肩甲舌骨筋の一部がこの三角形の下部と交差しており，リンパ節または腫瘤と間違えやすいので注意する。

解剖と生理

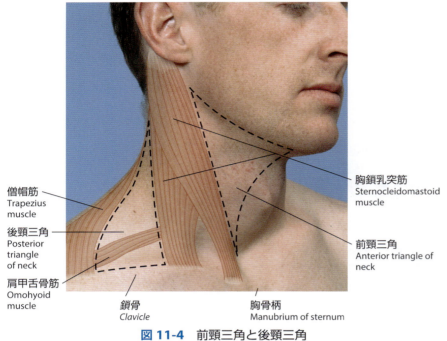

図 11-4　前頸三角と後頸三角

大血管

胸鎖乳突筋深部に頸部の大血管が走行する。すなわち**頸動脈 carotid artery** と**内頸静脈 internal jugular vein** である（図 11-5）。**外頸静脈 external jugular vein** は胸鎖乳突筋の表面を斜めに走っており，頸静脈圧 jugular venous pressure（JVP）をみていく際に，役立つこともある（p.510〜511 参照）。

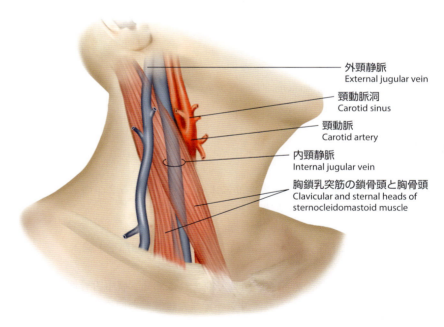

図 11-5　頸部の大血管

解剖と生理

正中部の構造と甲状腺

以下の正中部の構造を特定する。(1)下顎骨の真下にある可動性の舌骨，(2)甲状軟骨(上端のへこみによって容易に特定される)，(3)輪状軟骨，(4)気管輪，(5)甲状腺(図11-6, 11-7)。

甲状腺は，通常，胸骨上切痕の上方に位置する。甲状腺峡部は，輪状軟骨の下方で第2, 第3, 第4気管軟骨輪をまたいでいる。甲状腺側葉は，気管と食道の側方部周辺で，後側に弯曲する。各甲状腺側葉の長さは約4〜5 cmである。正中部以外では，甲状腺は舌骨に固定された細い紐状の筋肉で覆われており，さらに外側では胸鎖乳突筋があるのがわかる。

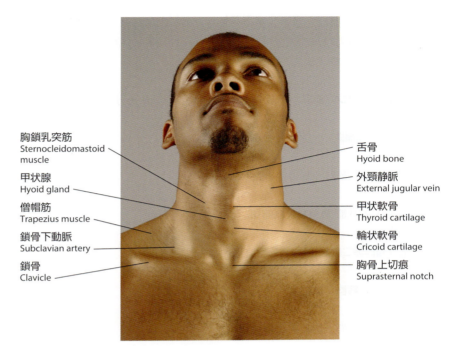

図 11-6　頸部の体表解剖，前面(Surface Anatomy Photography Collection. より)

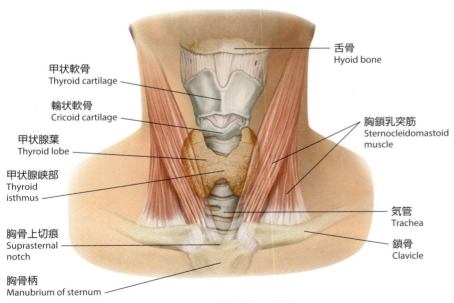

図 11-7　正中部の構造

解剖と生理

リンパ節

頭部と頸部のリンパ節は，さまざまに分類される。ある分類では，図 11-8 に示すように，局所解剖学上の特定の名称にもとづいて，リンパ液の灌流方向とともにリンパ節を区別している[1]。

1. **オトガイ下リンパ節群**：下顎骨の先端から 2，3 cm 後方

2. **顎下リンパ節群**：下顎角と下顎骨の先端の中間

3. **耳介前リンパ節群**：耳の前方

4. **耳介後リンパ節（乳突リンパ節）群**：乳様突起の表面

5. **扁桃（頸静脈二腹筋）リンパ節群**：下顎角

6. **後頭リンパ節群**：頭蓋底の後側

7. **浅頸リンパ節群**：胸鎖乳突筋の表面

8. **後頸リンパ節群**：僧帽筋の前端に沿う

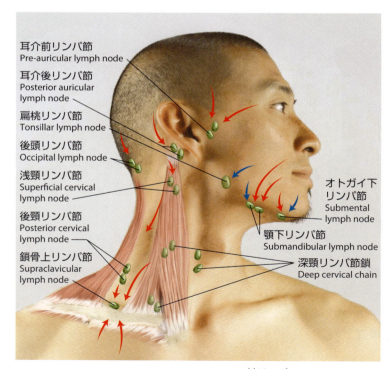

図 **11-8** 頸部のリンパ節

9. **深頸リンパ節鎖群**：胸鎖乳突筋の深いところにあり，触診できない

10. **鎖骨上リンパ節群**：鎖骨と胸鎖乳突筋による三角にあるへこみ

深頸リンパ節鎖はそれを覆う胸鎖乳突筋で隠れているが，その両端で，扁桃（頸静脈二腹筋）リンパ節と鎖骨上リンパ節を触れることがある。顎下リンパ節は顎下腺の浅層にあり，区別することができる。リンパ節は通常，円形または卵円形で，滑らかで，顎下腺より小さい。顎下腺は大きく，分葉しており，表面はわずかに不整である（p.351 参照）。

扁桃・顎下・オトガイ下リンパ節に，顔面ばかりでなく口腔や咽喉の一部からも灌流していることに注意する。リンパ液の灌流方向は，悪性腫瘍や感染症の可能性を評価する際に役立つ。悪性腫瘍や炎症性疾患が疑われる場合には，隣接する局所性リンパ節腫脹を確認する。リンパ節の腫大や，圧痛がある場合には，その近傍の灌流域に原因があるかどうかを確認する。

病歴：一般的なアプローチ

頭頸部に関する症状は，頭部と頸部の2つの領域に由来する感覚器官，脳神経，大血管などの主要な構造物が関与している可能性があることに注意する。これらの症状の多くは，一般的に良性疾患によるが，ときに重大な基礎疾患により生じることもある。典型的な良性疾患のパターンにあてはまらない特徴や所見に注目して，問診や身体診察を注意深く行うことで，しばしば頭頸部における一般的な症状と重篤な基礎疾患を見分けることができる。

よくみられる，または注意すべき症状

- 頸部腫瘤（首のしこり）
- 甲状腺腫瘤，結節，甲状腺腫
- 頸部痛（第23章「筋骨格系」，p.768 参照）
- 頭痛（第24章「神経系」，p.871〜874 参照）

頸部腫瘤（首のしこり）

患者は，リンパ節などの専門用語には慣れていないので，「首のしこりや腫れが気になったことがありますか？」とたずねる。その他の質問として「最初にしこりに気づいたのはいつですか？」「どのようにして気づきましたか？」「偶然気づきましたか？ それとも他の人に指摘されましたか？」「痛みはありますか？」「最初にしこりに気づいてから何か変化はありますか？」「しこりはどのように気になりますか？」「膿が出たり，飲み込むときの痛み（嚥下障害）や，息のしづらさ（呼吸困難）など，他の症状はありますか？」「これ以前に他のしこりがありましたか？」などがあげられる。

40歳以上の成人で持続する頸部腫瘤があれば，悪性腫瘍を疑うべきである。

有痛性のリンパ節腫脹は，一般に咽頭炎でみられる。

■ 甲状腺腫瘤，結節，甲状腺腫

甲状腺機能を評価し，甲状腺腫大（甲状腺腫）の有無をたずねる。甲状腺機能を評価するために，温度不耐性と発汗についてたずねる。はじめの質問としては以下に示すような内容がよい。「暑いのと寒いのではどちらが好きですか？」「他の人より厚着ですか，薄着ですか？」「自宅で毛布を他の人より多く掛けますか，少なく掛けますか？」「肌の質感に変化がありましたか？」「他の人より多く汗をかきますか，それとも少ないですか？」「動悸や体重の変化はありますか？」 汗をかきにくくなり，寒さへの抵抗力が弱まり，暖かい環境を好む傾向があることに注意する。

甲状腺腫では，甲状腺機能は亢進，低下，または正常である。表11-1「甲状腺疾患の症状と徴候」を参照。

寒さに耐えられない，体重増加，皮膚乾燥，心拍数の低下は甲状腺機能低下症の可能性があり，暑さに耐えられない，体重減少，ビロードのような湿った皮膚，動悸は甲状腺機能亢進症の可能性がある。表11-1「甲状腺疾患の症状と徴候」を参照。

身体診察：一般的なアプローチ

頭頸部の診察で重要なのは，ランドマーク（目印）となるものを知り，その位置を確認することである。体表解剖や，深部構造が皮膚を通してどのようにみえているかを熟知する。頭頸部の適切な身体診察を行うためには，鎖骨まで十分に露出させる必要がある。頭部と頸部の構造を適切に検査するために，患者に特定の位置で頭を動かしたり，傾けてもらう必要性もでてくる。

頭頸部診察の重要項目

- 頭髪を調べる（量，分布，はり，脱毛の型）
- 頭皮の診察（頭皮の硬さ，しこり，母斑，病変）
- 頭蓋骨の診察（大きさ，輪郭，変形，くぼみ，しこり，圧痛）
- 頭部・顔面の皮膚を観察する（表情，輪郭，非対称性，不随意運動，浮腫，腫瘤）
- 頸部リンパ節を触診する（大きさ，形，境界，可動性，硬さ，圧痛）
- 気管を診察する（偏位，呼吸音）
- 甲状腺を診察する（大きさ，形，硬さ）

診察の技術

■ 毛髪

髪で覆われた頭部の異常は見逃されやすいので，頭皮および髪に気になる異常がないかたずねる。ヘアピースやかつらは外してもらい，量，分布，はりをみて，脱毛があればその型に注意する。剥離したふけがみられることもある。

細い髪は甲状腺機能亢進症で，粗い質感の髪は甲状腺機能低下症でみられる。髪に付着している小さく白い卵形の粒は，シラミの幼虫か卵の可能性もある。

| 診察の技術 | 異常例 |

頭皮

髪をかき分けて，鱗屑，腫瘤，母斑や他の病変がないか探す。

脂漏性皮膚炎や乾癬を示唆する発赤や鱗屑，毛孔性嚢胞（できもの）を示唆する軟らかい腫瘤，メラノーマを疑う色素性母斑などに注意する。表10-6「褐色病変：メラノーマと類似病変」(p.324〜327)参照。

頭蓋骨

頭蓋骨の全体的なサイズと輪郭を観察する。変形，くぼみ，しこり，圧痛がないかを調べる。頭頂骨と後頭骨の間の縫合線などの，通常の頭蓋骨の不規則性を認識する。

拡大した頭蓋骨は，水頭症あるいは骨Paget（パジェット）病を示す。触知可能な圧痛，骨の段差は頭部外傷後にみられることがある。

顔

患者の表情と顔の輪郭に注意する。非対称，不随意運動，浮腫，腫脹を観察する。

表11-2「特徴的な顔貌」を参照。

皮膚

顔と頭の皮膚を視診し，色，色素沈着，質感，厚さ，毛の分布，病変の有無を確認する。

痤瘡は思春期によくみられる。多嚢胞性卵巣症候群の女性の一部には，**多毛症 hirsutism**（顔の毛が多い）が現れることがある。

頸部リンパ節

示指と中指の腹を使って，各部位の組織の上にある皮膚を移動しながら，優しくなでるように触診する。患者にはリラックスしてもらい，首をわずかに前方に屈曲して，必要ならば，検査する側へわずかに傾けてもらう。**通常は，リンパ節の有無や非対称性を考慮しながら，一度に両側を診察することができる。**

顎下リンパ節を調べるときは，片方の手で頭頂部を支えると触診しやすくなる。

1. **オトガイ下リンパ節**：下顎骨の先端から数センチ後ろの正中線上を触診する。

2. **顎下リンパ節**：下顎角と下顎骨の先端の中間。これらのリンパ節は通常，分葉した顎下腺より小さくて滑らかである。

| 診察の技術 | 異常例 |

3. **耳介前リンパ節**：耳前方を触診する（図 11-9）。

4. **耳介後リンパ節**：耳後方で，乳様突起の表層を触診する。

5. **扁桃リンパ節（頸静脈二腹筋リンパ節）**：下顎角を触診する（図 11-9）。

6. **後頭リンパ節**：後方にある頭蓋底を触診する。

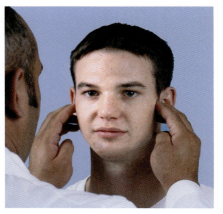

図 11-9　耳介前リンパ節の触診

下顎骨と胸鎖乳突筋との間で高位かつ深部にある，小さく，硬い，圧痛のある扁桃リンパ節様構造は，細長い側頭骨茎状突起である可能性が高い。

7. **前浅頸リンパ節**：胸鎖乳突筋の前方で，表在リンパ節を触知する。

8. **後頸部リンパ節**：首を少し前に出し，僧帽筋の前縁に沿って触診する（図 11-10）。

9. **深頸リンパ節鎖**：胸鎖乳突筋の深いところにあり，触知できない。みつけるには，母指と他の指を胸鎖乳突筋の両側に引っかける。

10. **鎖骨上リンパ節**：鎖骨と胸鎖乳突筋が形成する角の奥を触診する（図 11-11）。

鎖骨上リンパ節腫脹は，特に左〔**Virchow（ウィルヒョウ）結節**〕で，胸部または腹部の悪性腫瘍からの転移を示唆する。

図 11-10　顎下リンパ節の触診

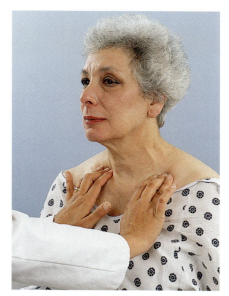

図 11-11　鎖骨上リンパ節の触診

診察の技術

リンパ節の**大きさ**，**形**，**境界（明瞭または不明瞭）**，**可動性**，**硬さ**，**圧痛**がないか注意する。小さい，可動性のある，境界明瞭な，無痛性のリンパ節（"shotty"と呼ばれることがある）は正常でもみつかる。1 cm×2 cmなど，最大となる位置の**縦と横の長さ**を示して，腫脹したリンパ節を記載する。

また，周囲の**皮膚の変化**（紅斑，硬結，排膿，壊死）にも注意が必要である。説明のつかない腫大した，圧痛のあるリンパ節があるならば，（1）灌流域を再度調べ，（2）全身性リンパ節腫脹と局所性リンパ節腫脹を区別するために，他の部位のリンパ節を注意深く評価する。

筋肉または動脈の帯域をリンパ節と間違えることがある。筋肉や動脈とは異なり，上下と左右の2方向でリンパ節をなぞるようにすると触診しやすく，筋肉や動脈との鑑別も可能となる。

気管

頸部を正しく診察するために，甲状腺，輪状軟骨とその下にある気管を特定する。

視診

通常の正中位置から偏位がないか**気管を視診する**。それから，**偏位がないか触診する**。気管の一方向に沿って指を置き，気管と胸鎖乳突筋の間に注意する（図11-12）。反対側と比較し，左右対称であるかどうかを確かめる。

図 11-12 気管の触診

聴診

気管上の呼吸音を聴取する。これにより，呼吸数を正確にカウントすることができ，息切れの原因が上気道か下気道にあるのか評価する際の基準とすることができる。息切れを評価する際には，肺の評価に加えて，上気道の病因を示唆するストライダーを気管上で聴取することを忘れない。

異常例

圧痛のあるリンパ節は，炎症を示唆する。硬いか可動性のないリンパ節（隣接する臓器に固定され，触っても動かない）は，悪性を示唆する。

全身性リンパ節腫脹は，HIV・AIDS，伝染性単核球症，リンパ腫，白血病，サルコイドーシスのような重複感染，炎症性疾患，悪性疾患でみられる。

頸部腫瘤により気管が片側に偏位することがあり，縦隔腫瘤，無気肺，大気胸など胸郭内の疾患が疑われる。

ストライダーstridorは，重度の声門下または気管の閉塞による不穏で高調な楽音様で，呼吸器系の緊急を要する病態である。原因としては，喉頭蓋炎[2]，異物，甲状腺腫，人工気道設置による狭窄などがあげられる（第15章「胸郭と肺」，p.473～474も参照）。

甲状腺

視診

甲状腺について頸部を視診する。 患者の頭部を少し後ろへ傾ける。顎の先端から下へ，接線方向に照明をあて，輪状軟骨の下方を観察して，甲状腺の輪郭を確認する。下の写真では甲状腺の下方にある影になる境界は，矢印で示されている（図11-13）。

図11-14は，甲状腺が正常の2倍に肥大した甲状腺腫患者である。甲状腺腫は，単純性で結節がない，あるいは多結節性である。表11-3「甲状腺の腫脹」を参照。

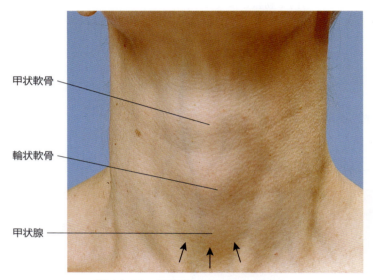

図 11-13　安静時の甲状腺の位置

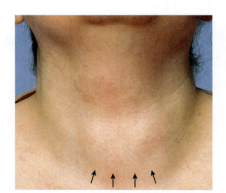

図 11-14　甲状腺腫のある甲状腺

患者の嚥下を観察する。 患者に少し水を口に含んでもらい，それから首をのばして，飲み込むよう伝える。輪郭と左右対称性に注目して，甲状腺の上方への動きに気をつける。甲状軟骨，輪状軟骨，甲状腺は，すべて嚥下で上方に動き，その後，安静時の位置に戻る。嚥下時には，腫大した甲状腺の下方の境界は上下に移動するが，左右対称ではない。

患者に対面して立ち，甲状腺の輪郭を触れながら，視診した結果を確認していく。そうすれば，より系統的な触診を続けるうえで役立つ。

触診

最初は難しいと感じるかもしれないが，目視で得た手がかりを利用するとよい。甲状腺は通常，やせて細長い首で触診するほうが容易である。短い首では，首の過伸展が役立つことがある。甲状腺下極が触知できない場合は，甲状腺が胸骨下にあると疑う。甲状腺が胸骨の後方で，胸骨上切痕の下方にある場合，しばしば触知できない。

診察の技術

甲状腺を触診する。まず，ランドマークとなる，へこみのある甲状軟骨とその下方の輪状軟骨を確認する。第2，第3，第4の気管軟骨輪の上に位置する甲状腺峡部をみつけるようにする。

後方からのアプローチ

患者は座位か立位で，診察者は患者の後ろ側から診察する。胸鎖乳突筋を弛緩させるために，患者に首をわずかに前方に屈曲してもらう。示指が輪状軟骨のすぐ下にくるように，両手の指を患者の首にそっとあてる（図11-15）。患者に，あらかじめ水を口に含んでもらい，それを飲み込むときの様子を観察する。指の腹で触って上に移動させながら，甲状腺峡部に触れる。ただし，常に触れるというわけではない。外側縁をみつける。同様に，左葉を調べる葉部は峡部と比べて触れるのが若干難しいので，訓練が必要である。側葉の前面は，母指の末節骨と同じ大きさで，ゴムのような感触である。左手の指で，気管を右に寄せる。右手の指で，位置のずれた気管と緊張のない胸鎖乳突筋の間で甲状腺右葉を横から触診する。

異常例

胸骨後面の甲状腺腫は，気管の圧迫による嗄声，息切れ，喘ぎ声，嚥下困難を引き起こすことがある。頸部を過伸展したり，腕を上げたりすると，甲状腺自体や鎖骨の動きにより胸郭入口が圧迫され，顔面紅潮を引き起こすことがある〔Pemberton（ペンバートン）徴候〕。甲状腺腫の85％以上は良性である[3,4]。

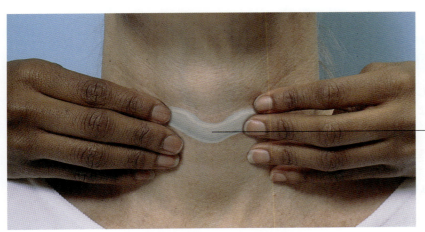

図 11-15 甲状腺の触診，後方からのアプローチ

輪状軟骨

前方からのアプローチ

患者は座位または立位で診察する。輪状軟骨と胸骨上切痕の間を触診して，甲状腺の交点をみつけるようにする。片方の手で胸鎖乳突筋を軽く引っ張りながら，もう片方の手で甲状腺を触診する。触診しながら患者に少し水をふくんでもらい，甲状腺が上向きに動いているかどうかを確認する。

甲状腺の**大きさ**，**形**，**硬さ**（軟らかい，硬い，締まった感じ）に注意して，小結節や圧痛がないかを確認する。一般的に，良性結節（またはコロイド嚢胞）は，より均一かつ卵形をしていて，周囲の組織に固定されない。

甲状腺は，Graves（グレーヴス）病では軟らかく，結節性の場合もあり，橋本甲状腺炎や悪性腫瘍では硬い。

甲状腺炎では，甲状腺に圧痛がある。

所見の記録　　　　　　　　　　　　　　　　　　　　　　　　　　　異常例

甲状腺腫の場合，**血管雑音 bruit**（非心臓性だが心雑音と類似している）をみつけるために，聴診器で甲状腺側葉を聴くとよい。

Graves 病や中毒性多結節性甲状腺腫による甲状腺機能亢進症では，局所的な収縮性または持続性の血管雑音が聞こえることがある。

触知可能な孤立性結節に対しては，超音波検査と可能であれば穿刺吸引細胞診を行うことをすすめる。超音波検査では，通常，触知できない複数の結節が発見されるが，悪性であるのはわずか 5% である[5, 6]。

頸動脈と頸静脈

頸部血管の詳細な診察は，患者が仰臥位で頭部を 30 度まで上げた状態で行う心血管の診察後に行う。患者が座った状態で頸静脈の膨張がみられた場合は，速やかに心臓と肺の診察を行う。通常とは異なる動脈の拍動にも注意する。第 16 章「心血管系」，p.517〜523 を参照。

頸動脈怒張は心不全の特徴である。

所見の記録

所見を記録する際，最初は文章を用いるかもしれないが，慣れてくれば慣用的な記述を用いるようになる。多くの診療記録によく用いられる表現法を以下に示す。

頭・眼・耳・鼻・咽喉（HEENT）の診察の記載

HEENT：頭部（head）：頭部は外表上正常/外傷なし normocephalic（NC）/atraumatic（AT）。平均的な髪質。眼（eyes）：視力は両眼とも 20/20（1.0）。強膜は白色（結膜はピンク色）。瞳孔は 4 mm で 2 mm まで縮瞳，両眼とも同様に丸く，光と遠近調節に反応あり。視神経乳頭縁は明瞭，出血または滲出物なし，細動脈の狭小化なし。**耳（ears）**：囁語に対する聴力は良好。正常な光錐のある鼓膜（TM）。Weber 試験は正中で，気導＞骨導。**鼻（nose）**：鼻粘膜はピンク色，中隔は正中，副鼻腔の圧痛なし
咽喉（または口腔）（throat（mouth））：口腔粘膜はピンク色，歯列は正常，咽喉に滲出物なし
頸部：気管正中。頸部は軟，甲状腺峡部触知可，葉部触知不可
リンパ節：頸部，腋窩，内側上顆部，鼠径リンパ節腫脹なし

または

HEENT：頭部：頭部は外表上正常（NC）/外傷なし（AT）。前頭部に禿げ。眼：視力は両眼とも 20/100（0.2）。強膜は白色，結膜充血。瞳孔は 3 mm から 2 mm へ縮瞳。同様に丸く，光と遠近調節に反応あり。視神経乳頭縁は明瞭，出血または滲出物なし。動静脈比率 arteriolar-to-venous ratio（AV 比率）は 2：4。動静脈間の網膜血管狭窄なし。**耳**：囁語に対する聴覚は減弱。話しかける声には正常に反応。鼓膜は異常なし。**鼻**：粘膜は発赤，腫脹し透明の鼻汁。鼻中隔は正中。上顎洞に圧痛あり。**咽喉**：口腔粘膜はピンク色，下顎大臼歯は齲歯，紅斑性の咽頭，滲出物なし

（続く）↗

(続き)

頸部：気管正中。頸部は軟，甲状腺峡部正中。甲状腺触診可，腫脹なし
リンパ節：弾力性，可動性，圧痛のある，1 cm×1 cm 大の顎下・前頸リンパ節腫脹あり。後頸，内側上顆部，腋窩，鼠径リンパ節腫脹なし

健康増進とカウンセリング：エビデンスと推奨

健康増進とカウンセリングの重要事項

- 甲状腺機能障害のスクリーニング
- 甲状腺癌スクリーニング

甲状腺機能障害のスクリーニング

疫学

甲状腺機能障害は，活動低下（甲状腺機能低下症）または活動過剰（甲状腺機能亢進症）のいずれかとして特徴づけられ，潜在性または顕在性のいずれかがある。甲状腺機能障害は，甲状腺刺激ホルモン（TSH）および甲状腺ホルモン〔サイロキシン（T_4），トリヨードサイロニン（T_3）〕の数値にもとづいて生化学的に定義することができる。潜在性甲状腺機能低下症は心血管疾患のリスク増加と関連し，潜在性甲状腺機能亢進症は心血管死亡率，心房細動，および骨密度低下と関連する。米国における潜在性甲状腺疾患の有病率は，女性で約5％，男性で約3％と推定されている。これらのうち，顕在性甲状腺疾患へと進展する人はごく一部であり，診断されていない顕在性甲状腺疾患の有病率は米国人口の約0.5％であるといわれている。甲状腺機能低下症の危険因子には，自己免疫性甲状腺炎，高齢，白人，1型糖尿病，Down症，甲状腺腫，頭頸部への外部照射，家族歴などがある。甲状腺機能亢進症の危険因子としては，女性，高齢，アフリカ系米国人，ヨウ素の摂取不足，家族歴，薬物（アミオダロン）などがある。

スクリーニング

米国予防医療専門委員会 U.S. Preventive Services Task Force（USPSTF）は，潜在性または診断されていない顕在性甲状腺機能障害に関する研究で，甲状腺検査によるスクリーニングの有益性と有害性のエビデンスを見出すことはできなかった[7]。USPSTFは，潜在性甲状腺機能低下症の治療が冠動脈疾患イベントのリスク低下と関連するというエビデンスを報告したが，無症候性の未妊娠女性へのスクリーニングを推奨するにはエビデンスが不十分であると結論づけた（グレード I）[8]。米国臨床内分泌学会/米国甲状腺学会のガイドラインでは，危険因子を

有し，甲状腺機能障害を示唆するような非特異的な症状のある患者に対しては，積極的に精査することをすすめている[9]。

甲状腺癌のスクリーニング

疫学

米国における甲状腺癌の発生率は，過去40年間で3倍以上になっており，2018年には約5万4,000例が診断されると予想されている[10,11]。しかし，甲状腺癌の死亡率はこの間，比較的安定しており，2018年には約2,000人のみの死亡が予想された。甲状腺癌の5年生存率は全体で98.2％で，早期癌では99.9％，進行期癌では56.4％と幅がある。甲状腺癌の3分の2以上は，早期に診断されている。甲状腺癌の危険因子には，頭頸部の放射線被曝，第1度近親者の甲状腺癌の既往，多発性内分泌腫瘍2型や家族性甲状腺髄様癌などの遺伝性疾患がある[12]。女性は男性に比べて3倍多く甲状腺癌と診断される。

スクリーニング

頭頸部の診察の項には，甲状腺を触診して腺組織の特徴を把握し，結節を確認することを述べている。結節は一般的な所見であり，通常は良性である。しかし，2cm以上で固く，周囲組織に固定されている結節は悪性の可能性がある[13]。甲状腺結節をさらに評価し，生検が必要かどうかを判断するためには，超音波検査での診断が推奨される。頸部の触診と超音波検査は，甲状腺癌のスクリーニングとして使用できる可能性があるが，USPSTFは甲状腺癌のスクリーニングを行わないよう勧告している（グレードD）[14]。USPSTFはスクリーニングが有益であるというエビデンスは不十分であるとしつつ，過剰な診断や治療につながる潜在的な有害性については中程度であると結論づけた。

表 11-1　甲状腺疾患の症状と徴候

	甲状腺機能亢進症	甲状腺機能低下症
症状	神経過敏 食欲が増すのに体重が減少 多汗と高熱不耐症（暑がり） 動悸 頻繁な便通 近位の筋力低下と振戦	疲労感，嗜眠 食欲不振を伴う軽度の体重増加 乾燥した，きめの粗い皮膚と寒冷不耐症（寒がり） 顔面，手，脚の腫脹 便秘 筋力低下，筋痙攣，関節痛，知覚異常，記憶障害，聴覚障害
徴候	温かい，滑らか，湿った皮膚 Graves 病眼症（例：注視，眼瞼遅動，眼球突出） 収縮期血圧の上昇，拡張期血圧の低下 頻脈または心房細動 S_1 亢進を伴う高心拍出量性の心拍動 近位の筋力低下と振戦	乾燥した，きめの粗い，冷たい皮膚。ときにカロテンによる黄変。非圧痕浮腫と脱毛を伴う 眼窩周囲の浮腫 低音の声 収縮期血圧の低下，拡張期血圧の上昇 徐脈，後期の低体温 心音の強度が低下することがある アキレス腱反射の弛緩相の遅延 記憶障害，混合性難聴，傾眠，末梢神経障害，手根管症候群

出典：Siminoski K. *JAMA*. 1995; 273: 813, McDermott MT. *Ann Intern Med*. 2009; 151: ITC6-1, McDermott MT. *Ann Intern Med*. 2012; 157: ITC1-1, Franklyn JA. *Ann Endocrinol*. 2007; 68: 229.

表 11-2　特徴的な顔貌

顔の腫脹

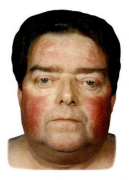

Cushing（クッシング）症候群
過剰なコルチゾール生産により，頬部が赤く，丸い，満月様顔貌となる。多毛は，口髭ともみあげに特徴があり，顎にもみられることもある（胸部，腹部，大腿部も含めて）

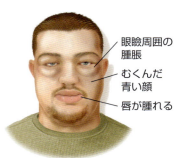

― 眼瞼周囲の腫脹
― むくんだ青い顔
― 唇が腫れる

ネフローゼ症候群
糸球体疾患ではアルブミンの過剰排泄が起こり，血管内膠質浸透圧が低下し低カリウム血症となり，つぎにナトリウムと水分の貯留が起こる。顔面はむくみ，しばしば蒼白となることもある。腫脹は，通常眼の周りで最初に現れ，朝にみられる。重症では，目が切れ長にみえる

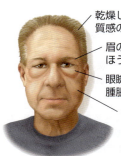

― 乾燥した粗い質感の薄い毛髪
― 眉の外側のほうが薄い
― 眼瞼周囲の腫脹
― むくんで，どんよりした表情。乾燥肌

粘液水腫
重度の甲状腺機能低下症（粘液水腫）では，ムコ多糖類が真皮に沈着し，くすんだ腫れぼったい顔になる。浮腫はしばしば眼の周りで顕著で，圧迫してもへこまない。毛髪と眉毛は乾燥し，粗く，薄くなっており，典型的には眉毛の外側 3 分の 1 が脱毛する。皮膚は乾燥している

その他

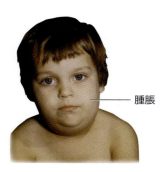

― 腫脹

耳下腺腫脹
慢性かつ両側性で無症候性の耳下腺腫脹は，肥満，糖尿病，肝硬変，その他の状況で起こることがある。耳垂の前方および，下顎角より上方の腫脹に注意する。緩徐に進行する片側性腫脹は，腫瘍を示唆する。急性の腫脹は，流行性耳下腺炎でみられる

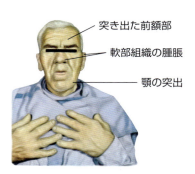

― 突き出た前額部
― 軟部組織の腫脹
― 顎の突出

先端巨大症
先端巨大症でみられる過剰な成長ホルモンは，骨と軟部組織の増大をもたらす。額，鼻，下顎の骨隆起で，頭部は大きくなる。鼻，口唇，耳といった軟部組織も腫脹する。顔の特徴は，全体に粗野

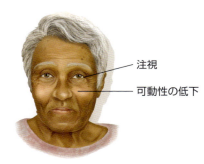

― 注視
― 可動性の低下

Parkinson（パーキンソン）病
この神経変性疾患は，神経伝達物質であるドパミンの減少と関連しており，まばたきの減少や特徴的な凝視を伴い，顔の動きは減り，仮面様顔貌となる。頸部と体幹上部が前方へ屈曲する傾向があるので，患者は診察者をじっとみあげるような感じになる。顔の皮膚は脂性となり，流涎が起こることもある

写真出典：Cushing 症候群— Getty Images の厚意による

表 11-3　甲状腺の腫脹

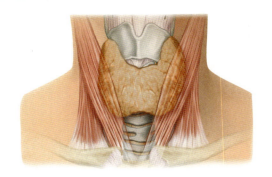

びまん性腫脹
甲状腺峡部と側葉を含む．触知できる明瞭な小結節がない．原因としては，Graves 病，橋本甲状腺炎，地方病性甲状腺腫など

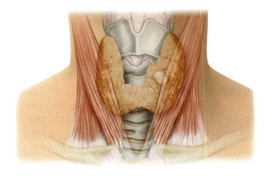

単結節
嚢胞，良性腫瘍，もしくは多結節性腺腫の単一の小結節である．この所見からは悪性の可能性が考えられる．危険因子は，過去の放射線照射，硬度，急な成長，周囲組織への固着，頸部リンパ節腫脹，男性である

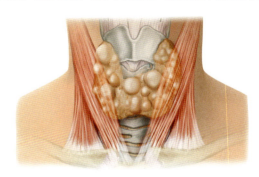

多結節性甲状腺腫
2 つ以上の小結節による肥大した甲状腺は，腫瘍性過程というより代謝性過程を示す．家族歴および継続する結節状の腫脹は，悪性のさらなる危険因子である

文献一覧

1. Robbins KT, Clayman G, Levine PA, et al. Neck dissection classification update revisions proposed by the American Head and Neck Society and the American Academy of Otolaryngology—Head and Neck Surgery. *Arch Otolaryngol Head Neck Surg*. 2002; 128(7): 751-758.
2. Bitner MD, Capes JP, Houry DE. Images in emergency medicine. Adult epiglottitis. *Ann Emerg Med*. 2007; 49(5): 560, 563.
3. White ML, Doherty GM, Gauger PG. Evidence-based surgical management of substernal goiter. *World J Surg*. 2008; 32(7): 1285-1300.
4. De Filippis EA, Sabet A, Sun MR, et al. Pemberton's sign: explained nearly 70 years later. *J Clin Endocrinol Metab*. 2014; 99(6): 1949-1954.
5. Durante C, Costante G, Lucisano G, et al. The natural history of benign thyroid nodules. *JAMA*. 2015; 313(9): 926-935.
6. Popoveniuc G, Jonklaas J. Thyroid nodules. *Med Clin North Am*. 2012; 96(2): 329-349.
7. Rugge JB, Bougatsos C, Chou R. Screening and treatment of thyroid dysfunction: an evidence review for the U.S. Preventive Services Task Force. *Ann Intern Med*. 2015; 162(1): 35-45.
8. LeFevre ML; US Preventive Service Task Force. Screening for thyroid dysfunction: U.S. Preventive Services Task Force recommendation statement. *Ann Intern Med*. 2015; 162(9): 641-650.
9. Hennessey JV, Garber JR, Woeber KA, et al. American Association of Clinical Endocrinologists and American College of Endocrinology Position Statement on Thyroid Dysfunction Case Finding. *Endocr Pract*. 2016; 22(2): 262-270.
10. Howlader N, Noone AM, Krapcho M, et al. SEER Cancer Statistics Review, 1975-2014. 2017; https://seer.cancer.gov/csr/1975_2014/.
11. Siegel RL, Miller KD, Jemal A. Cancer statistics, 2018. *CA Cancer J Clin*. 2018; 68(1): 7-30.
12. American Cancer Society. Thyroid cancer risk factors. https://www.cancer.org/cancer/thyroid-cancer/causes-risks-prevention/risk-factors.html. Accessed April 16, 2018.
13. Bomeili SR, LeBeau SO, Ferris RL. Evaluation of a thyroid nodule. *Otolaryngol Clin North Am*. 2010; 43(2): 229-238.
14. U.S. Preventive Service Task Force, Bibbins-Domingo K, Grossman DC, et al. Screening for thyroid cancer: US Preventive Services Task Force recommendation statement. *JAMA*. 2017; 317(18): 1882-1887.

本章の学習効果を高め，理解を助けるために一連の補助教材がある。

- 『ベイツ診察法ポケットガイド第4版』
- Bates' Visual Guide to Physical Examination
- thePoint® online resources, for students and instructors:
  http://thepoint.lww.com

第12章 眼

解剖と生理

眼球は，**眼窩 orbit** と呼ばれる四辺形をした骨のある場所に収まっている。眼窩は，眼球を保護するだけでなく，眼の機能を最適化するように支えている。眼窩から出ている外眼筋は，**強膜 sclera**（白目）と呼ばれる比較的丈夫な眼球の外側にある白い部分に付着しており，これは，中枢神経系の硬膜と連続している（図12-1）。

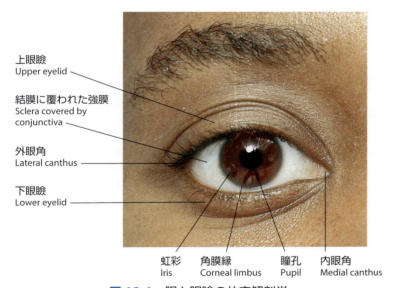

図 12-1　眼と眼瞼の体表解剖学

色のついた円形の筋肉である**虹彩 iris** は，われわれの眼の色を決定する。虹彩の筋肉は，中央の開口部である**瞳孔 pupil** から眼球に入る光の量を調節するために，弛緩したり収縮する。**角膜 cornea** は，瞳孔と虹彩の両方を覆い，強膜と連続した透明な外層となる。図 12-2 に示された構造を理解する。上眼瞼は虹彩の一部を覆っているが，通常，瞳孔までは覆っていない。上眼瞼と下眼瞼の間は，**眼瞼裂 palpebral fissure** といわれる。

| 解剖と生理 | 異常例 |

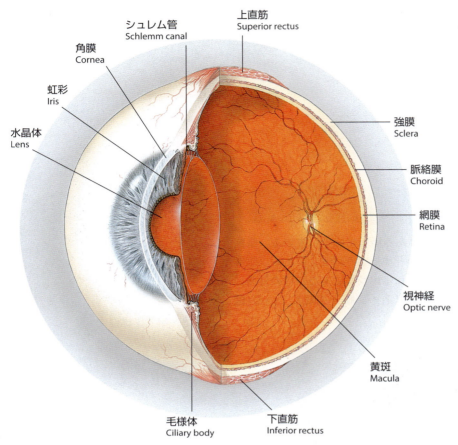

図 12-2　正常な眼：全体像と切断像

眼の表面と眼瞼の内側は，**結膜 conjunctiva** と呼ばれる薄くて透明な膜で覆われている。結膜は透明だが，高度に血管が発達した粘膜で，2つの成分で構成されている。**眼球結膜 bulbar conjunctiva** は眼球の前方を覆っており，その下にある組織に密着し，**角膜縁 corneal limbus** に接している。**眼瞼結膜 palpebral conjunctiva** は眼瞼の裏側を覆っている。これらの結膜は皺状の**円蓋 fornix** で結合しており，それにより眼球は動くことができる。結膜は眼球を潤滑にし保護する役割を担っている。

眼瞼の縁には，**瞼板 tarsal plate** と呼ばれる固い結合組織がある（図 12-3）。それぞれの瞼板には，平行に並んだ **Meibom（マイボーム）腺**があり（**瞼板腺 tarsal gland** とも呼ばれる），瞼縁に開口して眼球表面に潤滑油となるものを供給している。上眼瞼を上に動かすおもな筋肉である**上眼瞼挙筋 levator palpebrae superioris** は，**動眼神経 oculomotor nerve**（第Ⅲ脳神経）によって支配されている。**Müller（ミュラー）筋**は交感神経に支配された平滑筋で，これも眼瞼の挙上に寄与する。

結膜は通常は透明だが，感染症，炎症，外傷の際に腫れたり，"充血 bloodshot" することがある。

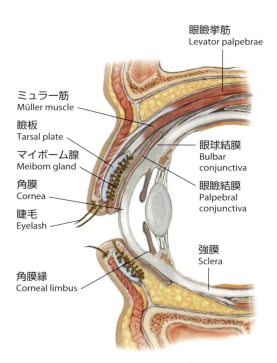

図 12-3　前眼部の矢状断像

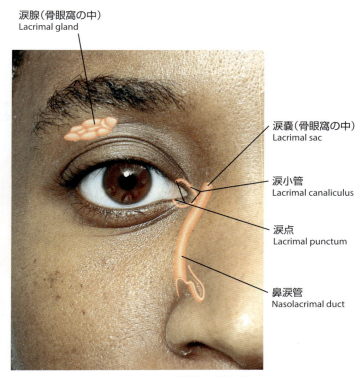

図 12-4　涙器と排液系

涙膜 tear film は結膜と角膜を乾燥から守り，細菌繁殖を阻害し，角膜の表面を滑らかにしている。この液体は3つの層で構成されている。すなわち，Meibom 腺からの油性層，涙腺からの水性層，結膜腺からの粘液層である。**涙腺 lacrimal gland** は眼窩上側にある（図 12-4）。涙液は眼球全体に広がり，**涙点 lacrimal punctum** と呼ばれる上眼瞼縁と下眼瞼縁にある2つの小さな穴を通って内側に排出される。涙液はその後，涙小管を通って**涙嚢 lacrimal sac** に入り，**鼻涙管 nasolacrimal duct** を通って鼻に入る。

虹彩の裏側には，透明な構造物である**水晶体 lens** があり，靱帯（帯状の線維）によって吊り下げられている。毛様体の筋肉がこの靱帯を収縮・弛緩させることで，水晶体の厚さを調節し，近くや遠くのものにピントを合わせたり（**調節**），眼の感覚部である**網膜 retina** に鮮明な像を映し出すことができる。

眼の中には3つの液体の部屋がある。**前房 anterior chamber**（角膜と虹彩の間）と**後房 posterior chamber**（虹彩と水晶体の間）は，**眼房水 aqueous humor** と呼ばれる透明な液体で満たされている。3つ目の**硝子体眼房 vitreous chamber**（水晶体と網膜の間）は，より粘性の高いゼラチン状の液体である**硝子体液 vitreous humor** で満たされており，眼球の形状を維持する役割を果たしている。眼房水は毛様体から産生され，後眼房から瞳孔を通して前眼房を循環し，Schlemm

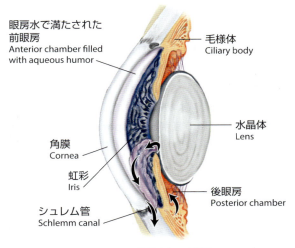

図 12-5　眼房水の循環

(シュレム)管を通って排出される。この循環系は，眼の中の圧力(眼圧)の維持・調整に役立っている(図12-5)。

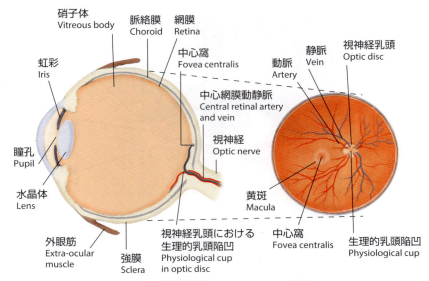

図 12-6　検眼鏡でみた右眼底の横断像

検眼鏡でみたときの眼球の後方部分は，一般的に**眼底 optic fundus** と呼ばれる(図12-6)。構造は，網膜，脈絡膜，硝子体，網膜血管，黄斑，中心窩，視神経乳頭を含む。視神経の入り口を示す**視神経乳頭 optic disc** は，検眼鏡でみえる重要な構造物である。視標の外側とやや下側には，網膜の表面に小さな窪みがあり，中心視の位置を示している。その周辺の暗い円形の領域を**中心窩 fovea centralis** と呼ぶ。ほぼ円形の**黄斑 macula** は，焦点を取り囲み，隣接する網膜血管の中にある。

視野

視野 visual field とは，中心点をみたときに眼でみることのできる全領域のことである。視野は従来，紙を「透かして」みる患者の視点から円で図示されていた。十字は視線の焦点を表し，それは四分円に分けられる。視野が側頭側に最も広がることに注意する。視野は，上方で眉，下方で頬，内側で鼻によって制限される。視神経乳頭には網膜受容体がないので，正常の視野でも卵円形の**盲点 blind spot** を生じ，それは注視した線より15度側頭側にある。

両眼でみるとき，2つの視野は両眼視の領域で重なる。この現象により，**立体視的3D知覚** が可能になる。(図12-7)。

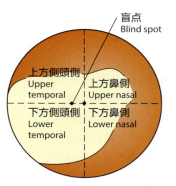
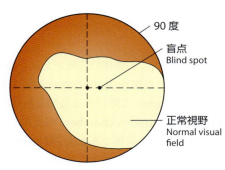

図 12-7　左眼と右眼の視野

視覚路

像をみるために，対象から反射される光は瞳孔を通過し，網膜で光受容器に集まる。光によって刺激された神経インパルスは，網膜から**視神経 optic nerve**（第Ⅱ脳神経），左右の**視索 optic tract** を経て，**視放線 optic radiation** と呼ばれる弯曲した神経線維束に伝わる。これは，**視覚中枢 visual cortex**（後頭葉の一部分）で終わる。

瞳孔反応

瞳孔の大きさは，光に反応したり，また近い像に焦点を合わせることで変化する。

対光反射

網膜上へ届く光線は縮瞳を引き起こし，光があたったほうの反射を**直接対光反射**，その対眼の反射を**共感性対光反射**と呼んでいる。最初の感覚経路は，視覚について説明したものと同様で，網膜，視神経（第Ⅱ脳神経），中脳で分岐する視索である。両眼の虹彩の収縮筋に戻るインパルスは，両眼の動眼神経（第Ⅲ脳神経）を介して伝わる（図 12-8）。

近見反応

人が注視を遠い対象から近い対象に移すとき，瞳孔は縮小する（図 12-9）。この反応は，対光反射と同様，動眼神経（第Ⅲ脳神経）によって介される。この瞳孔縮小と同時に起こる現象としては，(1)眼の輻輳，両側の内側直筋の動き，(2)毛様体筋の収縮によって起こる水晶体の凸面の厚みが増す遠近調節がある。調節とは，レンズの形状変化によって近くのものにピントを合わせることだが，物理的には虹彩の裏側で行われるため，検者からみえるものではない。

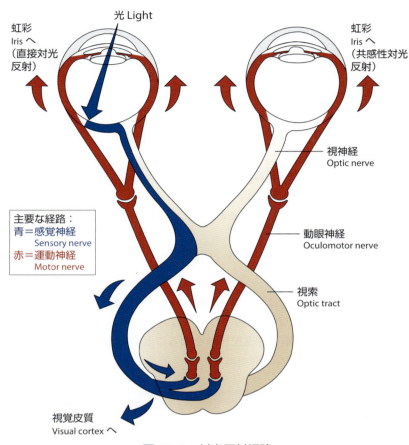

図 12-8　対光反射経路

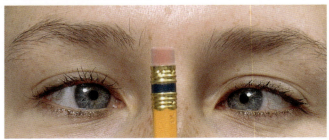

図 12-9　近くのものに焦点が移ると，瞳孔が収縮する

| 解剖と生理 | 異常例 |

眼の自律神経支配

Box 12-1 に示すように，動眼神経（第Ⅲ脳神経）の中を伝わって縮瞳を起こす神経線維は副交感神経系の一部である。虹彩は，交感神経線維によっても支配される。これらが刺激されると，瞳孔が開き，Müller 筋が刺激されることで上眼瞼が挙上する。交感神経の経路は，視床下部からはじまり，複雑な経路をたどり，脳幹，頸髄を経て首に至る。ニューロンは腕神経叢とともに肺尖部を走行した後，下顎付近の上頸神経節に戻る。そこから，頸動脈またはその分枝に沿って，眼窩内に入る。

この経路のどこかに病変があると，瞳孔を散大する交感神経の作用が損なわれ，縮瞳の原因となる。

Box 12-1　自律神経支配

- 副交感神経刺激：瞳孔の収縮
- 交感神経刺激：瞳孔の散大，上眼瞼の挙上（Müller 筋）

外眼筋運動

眼球運動を司る外眼筋は，**外側・内側直筋**，**上・下直筋**，**上・下斜筋**である（Box 12-2）。患者にそれぞれの筋肉が作用する方向に眼球を動かしてもらうことで，各筋肉の機能とその脳神経支配区域を知ることができる。図 12-10 の線で示すように，6 つの基本的な方向がある。

Box 12-2　外眼筋と動き

外眼筋	動き
上直筋	眼を上に動かす（挙上）
下直筋	眼を下に動かす（下制）
内側直筋	眼を鼻に向かって内側に動かす（内転）
外側直筋	眼を鼻から外側に動かす（外転）
上斜筋	軸視を中心に，眼を鼻側に回転させる（内旋） また，眼を下に動かす（下制）
下斜筋	軸視を中心に，眼を鼻から遠ざけるように回転させる（外旋） また，眼を上に動かす（挙上）

図12-10　注視の基本的な方向，外眼筋，支配神経

視線の各位置で，一方の眼の筋肉ともう片方の眼の筋肉を**連動**させ，一定方向への共同注視を得る。これらの筋肉のうち1つが麻痺すると，眼は注視方向において，通常の位置から偏向し，眼は対にも平行にもみえない。

外眼筋 extraocular muscle は，外転神経，滑車神経，動眼神経の3つの脳神経によって支配されている。**外転神経 abducens nerve**（第Ⅵ脳神経）は外側直筋を支配している。**滑車神経 trochlear nerve**（第Ⅳ脳神経）は上斜筋を支配し，**動眼神経 oculomotor nerve**（第Ⅲ脳神経）は残りの外眼筋を支配している。

頭部外傷，中枢性病変，先天性の可能性により，神経障害や筋損傷が起こると，眼の調整機能に異常が生じ，**複視 diplopia** になりうる。

病歴：一般的なアプローチ

「目（眼）は心の窓」といわれる。視覚系は，外部の世界を解釈し，相互に作用することを可能にするだけでなく，眼と視覚は現在の健康状態を反映しているともいえる。眼科病歴を慎重に解釈することで，包括的な鑑別診断を行うことができる。さらに，検査から得られた手がかりをもとに，より包括的な神経学的検査やさらなる診断を行うための検査へと進むこともできる。典型的な良性の型にあてはまらない特徴や所見に注目しながら，問診や身体診察を注意深く行うことで，一般的な症状と深刻な基礎疾患を見分けることができるだろう。

見え方と眼部症状に関する一般的な質問からはじめる。「視力はどうですか？」「目の調子はどうですか？」とたずねたら，片眼なのか両眼なのか，症状の出方や期間などについて確認する。そうしたうえで，具体的な質問をして，関係する部位を絞り込んでいく。痛み，腫れ，紅斑，熱感などの炎症症状，また見えづらさについても必ず聞く。

既往歴に加えて，手術の有無，点眼薬・眼鏡の使用など眼に関する病歴についても必ず聞く。眼科用薬では，市販薬，ビタミン剤，サプリメントについてもたずねる。家族の眼病歴も関係しており重要である。

病歴：一般的なアプローチ | 異常例

よくみられる，または注意すべき症状

- 視力の変化：霧視（かすみ目），視力低下，飛蚊症，光視症
- 眼痛，充血，流涙
- 複視（二重視）

視力の変化

「眼で困っていることはありませんか？」など自由回答方式の質問ではじめる。患者が視力の変化を訴えた場合，さらに詳細をたずねる。

- さらに悪化するのは，近くをみるときか，遠くをみるときか？

近くの作業が困難な場合は**遠視 hyperopia**（遠目）や**老視 presbyopia**（加齢による視力低下），遠くの作業が困難な場合は**近視 myopia**（近目）が疑われる。

- 霧視があるのか？　あるならば，突然に発症するのか，徐々に発症するのか？　突然で片側性の視力低下がある場合，無痛性か有痛性なのか？　頭痛を伴うのか？

突然に発症した視力低下で，片側性かつ痛みを伴わない場合は，糖尿病や外傷，黄斑変性，網膜剥離，網膜静脈閉塞，網膜中心動脈閉塞に起因する硝子体出血を考える。

痛みを伴う場合は，角膜潰瘍，ブドウ膜炎，外傷性**前房出血 hyphema**，急性閉塞隅角緑内障など，角膜や前眼房に原因がある場合が多い[1-3]。多発性硬化症に起因する視神経炎も痛みを伴うことがある[4]。専門医への紹介が早急に必要となる[5,6]。頭痛を伴う場合は，綿密な神経学的検査を行う必要がある。

- 視力低下は片側だけか？　その場合，痛みはあるか，ないか？

頭痛，顎痛，跛行を伴う場合は，巨細胞性動脈炎の可能性がある。無痛性の場合は，血管閉塞，網膜剥離，出血などが考えられる。

- 視力低下は両側で起こるか？（突然発症する両側性の視力低下はまれである）その場合，痛みはあるか？

両側性で無痛性の場合は，血管性要因，脳卒中，または非生理学的な原因を考慮する。両側性で有痛性の場合は，中毒，外傷，化学薬品曝露か放射線被曝を考慮する。

- 両側性の視力低下は徐々に発症するのか？

徐々に起こる視力低下は通常，**白内障 cataract**，**緑内障 glaucoma**，黄斑変性による。

| 病歴：一般的なアプローチ | 異常例 |

- 視野欠損の部位は診断に有用なことがある。霧視があるのは視野全体か，あるいは一部分だけなのか？

核性白内障(p.397)や黄斑変性[7](p.386)では，緩徐な中心部の消失が起こる。一方，周辺部の消失は，進行した開放隅角緑内障(p.390)でみられ，片側の消失には半盲や四分盲(p.394)がある。左右非対称であるが，これらの病態は多くの場合，両側性疾患の一経過といえるだろう。

- 視野欠損が一部分ならば，それは中心か周辺か，片側だけか？

- 視野欠損は両側性か？　病変の位置を特定するような欠損に型はあるのか？

- しみがみえるのか，みえない領域（暗点）があるのか？　そうならば，視点を変えると視野の中で動くのか，固定されているのか？

ちらつくしみや紐状のものがあれば，飛蚊症を示唆する。固定性視野欠損（**暗点 scotoma**）は，網膜，視覚路または脳の病変を示唆する。

- 視野に光のちらつきを感じることがあるのか？

飛蚊症は，この症状を伴うことがある。

新たな硝子体浮遊物を伴う光視症は，硝子体が網膜から剥離して網膜を引っ張っていることを示唆する。網膜裂孔や網膜剥離を除外するため速やかに専門医に紹介する[8]。

- 眼鏡を使用しているのか？　コンタクトレンズは？　屈折矯正手術を受けたことがあるのか？

眼痛，充血，流涙

眼や眼周囲の疼痛，充血，過剰な流涙についてたずねる。

結膜下出血 subconjunctival hemorrhageや**上強膜炎 episcleritis**では，痛みのない充血がみられる。ウイルス性結膜炎やドライアイでは，ゴロゴロした感じのある充血がみられる。充血のある眼痛は，角膜擦過傷，異物，**角膜潰瘍 corneal ulcer**，急性閉塞隅角緑内障，ヘルペス角膜炎，真菌性角膜炎，前房出血，ブドウ膜炎でみられる[9, 10]。表12-1「眼の充血」を参照。

複視

複視の有無を確認する。複視であるなら，画像が横に並んでみえるのか(**水平複視 horizontal diplopia**)，上部にみえるのか(**垂直複視 vertical diplopia**)を確認する。複視は，片眼を閉じてもそうなのか？　左右どちらの眼で起こるのか？

ある種の水平複視は生理的に起こるものである。顔の前約 15 cm のところに指1本をまっすぐ立て，反対側の指も腕を伸ばしたところに立てる。その際，一方の手指に焦点を合わせると，正常でももう一方の指が二重にみえる。この現象に気づくと，患者は安心する。

複視は，脳幹や小脳に病変がある場合や，1つ以上の外眼筋の筋力低下や麻痺がある場合にみられ，第Ⅲ脳神経や第Ⅵ脳神経の麻痺による水平方向の複視や，第Ⅲ脳神経や第Ⅳ脳神経の麻痺による垂直方向の複視がある。片眼を閉じた状態での複視は，眼球表面，角膜，水晶体，黄斑の異常を示唆する。

身体診察：一般的なアプローチ

患者への問診の後，綿密な身体診察を行う必要がある。眼科検査を実施して解釈する際には，鋭敏に観察していくことこそが正常生理の理解につながる。検査は，しばしば全身疾患の診断やモニタリングに役立つ手がかりとなる。さらに，言葉を話さない患者の場合，神経系，潜在的な中毒，代謝異常，生命を脅かす感染症などに関する貴重な情報となりうる。特に診察を学び始めたばかりの頃は，体系的にアプローチすることが重要である。眼科検査では，視力検査が必須となる。瞳孔検査，眼球運動，対峙視野，色覚についても検査する必要がある。最高の眼科検査には，鋭い観察力と詳細な記録が必要である。眼球を構成する個々の構造物に注目する前に，眼球全体をみることを忘れないこと。

眼科診察の重要項目

- Snellen(スネレン)視力表を用いた視力検査
- 対面式の視野検査を行う
- 色覚とコントラスト感度の検査
- 眼の位置と配列(突出，偏位)を評価する
- 眉毛の視診(量，分布，皮膚の鱗屑)
- 眼瞼と睫毛の視診(幅，浮腫，色，病変，閉瞼)
- 涙器の評価(しこり，腫脹，流涙，乾燥)
- 結膜と強膜の視診(血管走行，色，結節，腫れ)
- 角膜，虹彩，水晶体の視診(混濁，前房深度)
- 瞳孔の視診(大きさ，形，対称性)
- 光に対する瞳孔の反応を観察する(直接対光反射と関接対光反射)
- 角膜における反射を視診する
- 外眼筋の動きを調べる
- 視神経乳頭と眼杯，網膜，網膜血管などの眼底検査を行う

診察の技術

視覚

可能であれば，明るい場所で **Snellen 視力表**を使って中心視力を測定する。患者は表から約 6 m 離れる。普段から文字を読むとき以外にも眼鏡を着用している患者では，眼鏡をかけてもらい測定する。患者に片眼をカードで隠すよう依頼し（手指の間からのぞくのを防ぐ），可能な限り小さい文字の行を読むよう伝える。さらに小さいつぎの行も試すよう促すことで，視力検査の結果が改善される可能性がある。一番大きな文字が読めない患者には，視力表に近づいてもらってよい。患者と表の距離に注意する。患者が半分以上を識別できる最小文字の行を確認する。必要であれば眼鏡をかけてもらい，その行が示す視力を記録する。英語のアルファベットを識別できない患者には，視力検査を行う別の方法がある。**E チャート**は，"E"の文字の開いている面の方向を指差すことで測定できる。**Allen カード**には，2 歳以上の子どもが認識できる標準的な絵が描かれている。

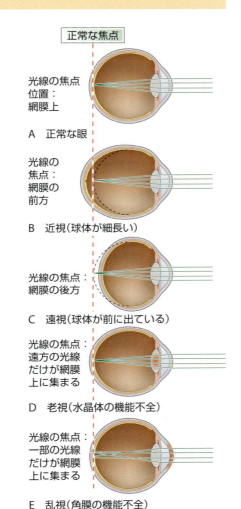

図 12-11 屈折異常（McConnell TH. *The Nature of Disease: Pathology for the Health Professions*. 2nd ed. Wolters Kluwer Health/Lippincott Williams & Wilkins; 2014, Fig. 20-6. より）

近視 myopia は遠くをみるときに焦点が合わない状態で，**遠視 hyperopia** は近くのものがぼやけてみえる状態である。

乱視 astigmatism は，角膜や水晶体の不完全さを原因として，遠くや近くをみるときに歪みが生じる（図 12-11）。

診察の技術

視力は，2つの数字（例：20/30）で表される。分子（例では20）は表と患者との距離を示し，分母（例では30）は正常な視力の人が文字の行を読める距離を示す[11]。20/200(訳注)が意味するのは，正常な視力の人が200フィート離れて読める文字を患者は20フィートから読めるということ。分母の数が大きい人ほど，視力が悪い。"矯正視力20/40"は，正常な視力の人が40フィート離れて読める文字を患者は眼鏡着用（矯正）して20フィートから読めることを意味する。

携帯カードを用いた近見視力検査は，45歳以上の患者では老眼鏡（遠近両用レンズまたは累進屈折力レンズ）の必要性を確認するのに役立つ。ベッドサイドで視力を検査するために，このカードを使用することもできる。患者の眼から約35cm離すと，カードはSnellen視力検査表の代用となる。

視力表がないなら，印刷物を使って視力を測定してもよい。一番大きな文字が読めない場合は，指を立てて数を数えたり，手の動きの方向を察知したり，（ペンライトなどの）明るさと暗さを識別する能力を検査する。

異常例

老視 presbyopia は，中高年者にみられる，近距離でのピントが合わない問題である。老視では，しばしば，カードを離すとよくみえる。

米国では，よいほうの眼の視力（眼鏡で矯正されたうえで）が20/200(0.1)以下であるとき，通常，法的盲であるとみなされる。よいほうの眼で20度以下の視野狭窄も法的盲である。

■ 視野

対座法による視野検査は，前部・後部の視覚路における障害の早期発見に有用なスクリーニング技術である。とはいえ比較的範囲の広い四分盲や半盲の視野欠損であっても，対面のスクリーニング検査では見逃されることがある。視野欠損の確定診断には，眼科医によるHumphrey（ハンフリー）視野計など正式な自動視野検査が必要である。

視野欠損が疑われる患者は，眼科での精密検査を受けるようにする。前方伝導路の欠損の原因は，緑内障，視神経障害，視神経炎，圧迫性病変を含む。後方伝導路の欠損では，脳卒中と視交叉部腫瘍を含む[12]。

小刻み指運動検査 static finger wiggle test

患者から腕の長さほど離れた場所で向き合う。検者（あなた）は片眼を閉じて，患者にあなたの開いたほうの眼をみつめるように指示し，患者には反対側の眼を隠してもらう。例えば，患者が右眼を覆ったとき，患者の左眼の視野を検査するには，あなたの左眼を覆って患者の視野を調べる必要がある。両手は患者の視界から約60cm離れたところで，患者の耳の横に置く（図12-12）。

訳注：わが国では，0.1と表現される。

UNIT II　第12章　眼

診察の技術　　　　　　　　　　　　　　　　　　　　　　　異常例

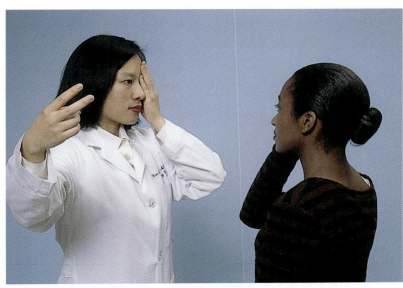

図 12-12　視野欠損を疑ったら検査で境界を明らかにする

この姿勢のまま，指を小刻みに動かして，動いている指をゆっくりと患者の視界の中心に近づける。指の動きがみえたらすぐに教えるよう患者に伝える。時計の針の方向，または少なくとも4方向で検査する。両眼を個別に検査し，各方向でのみえる範囲を記録する。異常な**視野欠損**があれば記録する（図 12-13，12-14）。

欠損の型を表 12-2「視野欠損」で確認する。

例えば，患者が左眼で，注視の中心まであなたの手指をみることができない場合，左の**同名半盲 homonymous hemianopsia** がある。

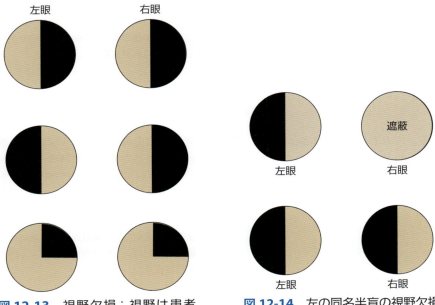

図 12-13　視野欠損：視野は患者の視点で描かれている

図 12-14　左の同名半盲の視野欠損

色覚

色覚の検査は，視神経の障害を除外するのに特に役立つ。視神経は，赤緑の色覚異常や赤の色覚脱失を示すことが多い。色覚障害の検査には，一般的に仮性同色表を用いる（図12-15）。患者に，色板の背景に埋め込まれた色のついた数字を識別してもらう。色覚が正常であれば，数字と背景の色相差を検出することができ，その結果，数字を容易に読み取ることができる。

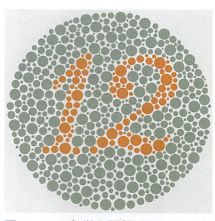

図 12-15 色覚を評価するための仮性同色表（Savino PJ, Danesh-Meyer HV. *Color Atlas and Synopsis of Clinical Ophthalmology — Wills Eye Hospital — Neuro-Ophthalmology*. 3rd ed. Wolters Kluwer; 2019, Fig. 1-3b. より）

色覚障害のある患者は，色覚検査表で図と背景の色を区別できず，数字を読み取ることができない。

コントラスト感度

コントラスト感度を検査する方法として，患者に真っ赤なもの（ペンやボトルのキャップ）を観察させる。右眼と左眼を交互に覆った後，患者に両眼の彩度が等しいかどうかをたずねる。片方の眼で色の彩度が低い場合は，反対側の眼で観察された完全な彩度と比較して，彩度の低いほうが何％の明るさであるかを患者に示してもらう。

色覚異常で最もよく知られているのは，**性差による先天性の赤緑色覚異常**だが，その他の色覚やコントラスト感度の異常は，急性または慢性の視神経や網膜の疾患を反映していることがある。

眼の位置と配列

患者の前に立って，眼の位置と配列を調べる。片方または両方の眼が突出しているようにみえる場合は，患者に顔を上げさせ，他者の顔を目安に参考にしながら，鼻孔から，下から上を「虫の目線」でみて，基本的な注視方向での突出の程度を評価する（p.381 参照）。

眼球運動の異常には，眼球の**内斜視 esotropia**（内方偏位），**外斜視 exotropia**（外方偏位），**上斜視 hypertropia**（上方偏位），**下斜視 hypotropia**（下方偏位）がある。

上方偏位または**下方偏位**は，先天異常，涙腺肥大，粘膜炎，眼球腫瘍などによる眼球偏位を表す。

異常な突出である**眼球突出 proptosis** は，甲状腺眼症，先天異常，眼窩感染症，または眼球腫瘍による可能性がある。

| 診察の技術 | 異常例 |

眉

眉毛の量，分布，皮膚の鱗屑などを視診する。

甲状腺機能低下症では眉の外側部で脱毛がある。

眼瞼

眼球に対する眼瞼の位置に注意する。以下を詳しく調べる。

表12-3「眼瞼の変化と異常」を参照。

- 眼瞼裂の幅

Down（ダウン）症候群では外側につりあがった眼瞼裂を認める。

- 眼瞼の浮腫
- 眼瞼の色

眼瞼炎では，眼瞼の縁が赤く炎症を起こし，しばしば痂皮を伴う。

- 病変
- 睫毛の状態と方向

- 眼瞼が適切に閉じるかどうか。眼が異常に突出している，顔面神経麻痺がある，意識不明であるときは，特に注意してみていく。

兎眼症 lagophthalmos（眼瞼が閉じない状態）は，神経筋麻痺，外傷，甲状腺眼症に続発する可能性があり，角膜が重度に障害される。このような患者は，緊急評価と可能な治療を行うため眼科に紹介する必要がある。

涙器

涙腺と涙嚢のあたりが腫れていないか，短時間かつ丁寧に診察する。

表12-4「眼とその周囲の腫瘤と腫脹」を参照。

過剰な流涙，または眼の乾燥を調べる。乾燥または鼻涙管閉塞の評価については，眼科医による特別な検査が必要となる。

過剰な流涙は，結膜の炎症や角膜の刺激による分泌の増加や，外反症（p.395）や鼻涙管閉塞による排出障害からくるものである。分泌障害による乾燥はSjögren（シェーグレン）症候群でみられる。

表12-1「眼の充血」を参照。

結膜と強膜

母指で下眼瞼を下げ，強膜と結膜を露出させ，患者に上をみてもらう（図12-16）。白色強膜を背景にした，色と血管走行を観察する。図12-16の強膜のわずかに走る血管は正常で，多くの人にみられる。結節や腫脹がないか調べる（**結膜浮腫 chemosis**）。さらに眼の全体像をみる必要があるなら，母指を頬部の骨に，示指を眉骨の上に置き，眼瞼を広げる。患者に左右，下をみてもらう。この手技では，強膜と眼球結膜はよくみえるが，上眼瞼の眼瞼結膜はみえない。上眼瞼の眼瞼結膜をみるためには，眼瞼を反転させる必要がある（p.387〜388参照）。黄疸については図12-17に示す。

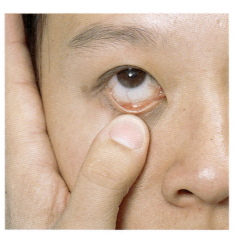

図12-16 強膜と結膜の診察

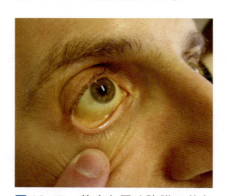

図12-17 黄疸を示す強膜の黄色変化（Weksler BB et al. *Wintrobe's Atlas of Clinical Hematology*. 2nd ed. Wolters Kluwer; 2018, Fig. 3-61a. より）

角膜と水晶体

斜位照明で，両方の眼の角膜が混濁していないかをみる。瞳孔を通してみえるであろう水晶体内のいかなる混濁にも注意する。

表12-5「角膜と水晶体の混濁」を参照。

虹彩

同時に，角膜の下に位置する色がついた輪である虹彩をみていく。その模様は，はっきりみえなければならない。側頭側から直接照明をあて，虹彩の内側で，半月状の影がないか探す（図12-18）。虹彩は通常かなり平坦で，角膜と比較的開いた角度を形成するので，この照明では影はできない。

診察の技術

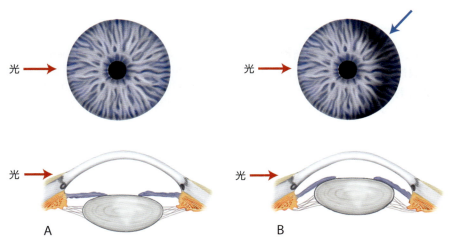

図12-18 前房深度を測定するための斜光照明：A. 側頭側から虹彩を照らす。前房が深い場合は、虹彩のほぼ全体が照射される。B. 虹彩が前方に出ている場合、近位部のみが照射され、鼻側の遠位部に影がみえる（青矢印）

異常例

虹彩が前方へ異常に屈曲し、角膜と非常に狭い角度を形成することがある。このとき、光は半月状の影を形成する（図12-18）。この狭い角度は、**急性狭（閉塞）隅角緑内障 acute narrow-angle glaucoma**（眼房水の排出が障害されると、眼圧が急に上昇する）のリスクを増す。

開放隅角緑内障 open-angle glaucoma は、緑内障の一般的な型で、虹彩と角膜の通常の空間関係が維持され、虹彩は十分に明るい。

瞳孔

薄暗い場所で、両側の瞳孔の大きさ、形、対称性を調べる。さまざまな大きさの黒丸が描かれたカードで瞳孔の大きさを測り、対光反射を調べる。瞳孔が大きいか（5 mm 以上）、小さいか（3 mm 未満）、不均等であるかを確認する（図12-19）。**縮瞳 miosis** は瞳孔の縮小、**散瞳 mydriasis** は瞳孔の散大である。

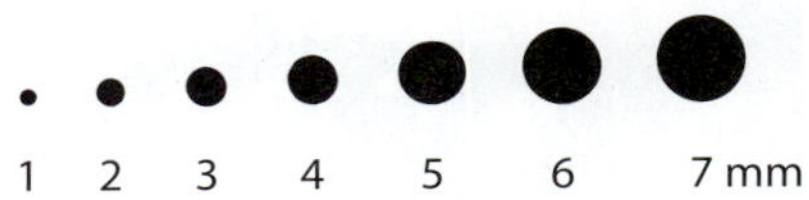

瞳孔の直径が 0.4 mm 以上異なり、病的な原因を伴わない**単純瞳孔不同 simple anisocoria** は、健常者の約 20% に認められ、瞳孔径の差が 1 mm を超えることはめったにない[17]。単純瞳孔不同は、薄暗くても明るい場所でも同様の反応を示し、光に対する活発な瞳孔収縮（対光反射）があれば良性といえる。

対光反射

薄暗い場所で、光に対する瞳孔の反応を調べる。患者に遠くをみてもらい、斜めから片眼ずつ瞳孔に明るい光をあてる。遠方注視と斜位照明は近見反応の予防に役立つ。以下を調べる。

- **直接対光反射**（同眼の瞳孔縮小）
- **共感性対光反射**（対眼の瞳孔縮小）

光の反応が異常かどうか、または反応の有無を判断する前に、必ず部屋を暗くして明るい光を用いる。

1　2　3　4　5　6　7 mm

図12-19 瞳孔の大きさ

良性の瞳孔不同を Horner（ホルネル）症候群、動眼神経麻痺、緊張性瞳孔と比較してほしい。表12-6「瞳孔の異常」を参照。

| 診察の技術 | 異常例 |

近見反応

対光反射が異常か疑わしいときは，薄暗い場所と普通の明るさの場所の両方で近見反応を検査する。片眼ずつ検査すれば，外眼筋の動きに影響されることなく，容易に瞳孔反応(1)に集中できる。患者の眼から約 10 cm 離したところにあなたの手指または鉛筆を保持する。患者にそれと遠くを交互にみるよう伝える。近見反応と輻輳による瞳孔の縮小(2)を観察する。**近見反応の 3 つ目の要素**である，近くにある物体にピントを合わせるための水晶体の調節(3)はみられない。

近見反応の検査は，Argyll Robertson（アーガイル・ロバートソン）瞳孔，緊張性瞳孔〔Adie（アディー）瞳孔〕，その他の神経学的症候群の診断に役立つ（p.398 参照）。

表 12-6「瞳孔の異常」を参照。

外眼筋

患者の正面で約 60 cm 離れたところに立ち，患者の眼に光をあて，患者に光をみてもらう。**角膜での対光反射を検査する**。角膜反射は，通常，瞳孔の中心からわずかに鼻側でみられる（図 12-20）。

角膜反射が非対称であることは，通常眼位（正位）からの偏位（斜位）を示す。例えば，角膜の側頭側の対光反射はその眼における鼻側の斜位を示す。

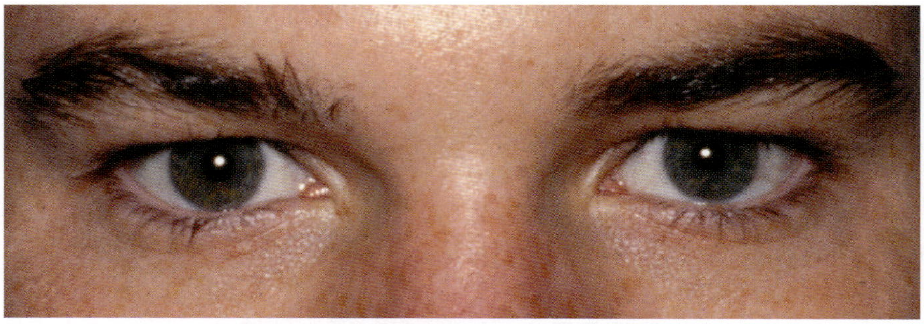

図 12-20 角膜での対光反射を調べる

遮蔽-非遮蔽（カバー・アンカバー）試験で，軽度または潜在性の筋肉の不均衡が明らかになることがある。この試験は小児の診察で特に有用である（p.1030 参照）。

外眼筋運動を評価し，以下を調べる。

- 各方向での眼の正常な**共同運動**。正常からの偏位（**斜視 strabismus**）や共同注視障害に注意。

表 12-7「共同注視障害」を参照。

- **眼振 nystagmus** は，眼の微細な周期的振動である。極端な側方視における 2，3 拍の眼振は正常である。眼振がみられたら，両眼視野の範囲内に指をもってきて，もう一度確認してみる。

両眼視野の範囲内で注視したときの持続性眼振は，先天性疾患，内耳炎，小脳障害，薬物中毒でみられる。表 24-9「眼振」（p.942）を参照。

- 眼の上下運動時の**眼瞼遅動 lid lag**，つまり Graefe（グレーフェ）徴候。

甲状腺機能亢進症の眼瞼遅動では，強膜の端は下方注視時に虹彩より上にみえる（図 12-23）。

診察の技術

6つの眼球運動の検査

指または鉛筆を6つの基本的な注視方向に移動させ，それを眼で追うように伝える。空間に大きくHを書くようにして，患者の視線を誘導する（図12-21）。

Box 12-2「外眼筋と動き」(p.368)を参照。

1. 右端へ

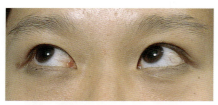

2. 右向きのまま上方へ，そして

3. 右向きのまま下方へ，つぎに

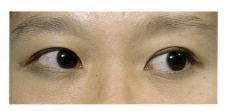

4. 途中で休まず，左端まで

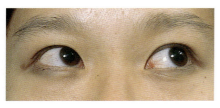

5. 左向きのまま上方へ，そして

6. 左向きのまま下方へ

図 12-21　眼球運動を調べる

眼振を捉えるために，垂直と側方の注視の間，休止する。患者から適当な距離で指または鉛筆を動かす。中高年者は近くの対象に集中するのは困難なので，距離は長くとること。患者のなかには，指を眼で追うのに，頭を動かしてしまう人がいる。必要があれば，適当な正中位置に頭部を保持するとよい。

| 診察の技術 | 異常例 |

眼瞼遅動または甲状腺機能亢進症を疑う場合は，正中線で上下にゆっくりと再度，指を動かして，患者に眼で追ってもらう。図 12-22 に示すように，この動きを通して，眼瞼は虹彩とわずかに重なっていなければならない。図 12-23 は**眼球突出**を示す。

最後に，近見反応の検査がまだなされていない場合は，**輻輳**を調べる。鼻梁の前方で，患者に指または鉛筆を眼で追ってもらう。輻輳している眼は，正常では鼻の 5〜8 cm 以内で対象を追う（図 12-24）。

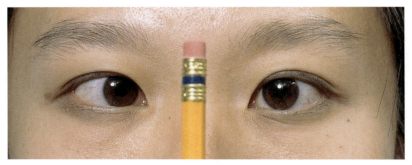

図 **12-24**　輻輳の診察

図 **12-22**　下方視で上眼瞼のかかり方が正常

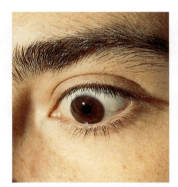

図 **12-23**　眼瞼遅動：下方視で眼球突出により強膜の縁がみえる

正面を注視したときに特徴的な凝視によってみられる眼球突出，つまり甲状腺機能亢進症における眼球の異常な突出での強膜の端に注意する。片側性なら，外傷による**眼窩腫瘍 orbital tumor** または **球後出血 retrobulbar hemorrhage** を考える。

検眼鏡検査（眼底検査）

一般診療では，瞳孔を散大させることなく，患者の眼を診察する。そのため，みえる範囲は網膜の後部構造に限られるため，重要な神経学的所見がみえなくなることがある。さらに，辺縁の構造を確認する，黄斑を評価する，説明のつかない視覚障害を調べるには，眼科医への紹介を検討し，散瞳薬による瞳孔の散大を行う。

ここでは，従来の直視型検眼鏡の使用方法を説明する。なお，医療機関によっては，パンオプティック直視型検眼鏡を使用しているところもある。パンオプティック直視型検眼鏡は，瞳孔が開いていない状態でも，網膜を観察できる。また，従来の直視型検眼鏡に比べて眼底を 5 倍拡大してみられ，25 度の視野が確

散瞳薬の禁忌は，(1)頭部外傷や昏睡状態で，瞳孔の反応を継続して観察する必要がある場合，(2)狭(閉塞)隅角緑内障の疑いがある場合，である。また，妊娠・授乳中は散瞳薬の投与は相対的に禁忌である。

診察の技術

保でき，患者と検者の間の検査距離を広げることができる。ほとんどの臨床の場では従来のものが使用されており，Box 12-3 では直視型検眼鏡をとりあげて説明している。

検眼鏡を使って眼底を観察することは，身体診察のなかでも最も難しい技術の1つである。正しい技術の訓練とフィードバックを繰り返すことで，眼底，視神経乳頭，網膜血管といった構造物に焦点が合うようになるだろう。あなたが近視または重篤な乱視がない限り，あるいは屈折異常のために眼底をみることが困難な場合でない限り，眼鏡ははずすこと。検眼鏡の構成要素を確認し（第4章「身体診察」，p.120～121参照），検眼鏡を使用するための手順に従う。努力と反復により，あなたの検査技術は時間をかけたぶん向上するだろう。

Box 12-3　検眼鏡を使用するためのステップ

- 部屋を暗くする。検眼鏡を点灯させて，白色光の大きい丸い光がみえるまでレンズディスクを回す。光の種類，望ましい明るさ，電気の充電具合を確認するために，まず手の甲に光を照射する
- 視度調節ダイヤルを回してジオプトリーを0にする。（ジオプトリーとは，光を収束したり発散するレンズの力を測定する単位）0 ジオプトリーでは，レンズは光の収束も発散もしない。眼底を調べるとき，レンズの焦点を合わせるために視度調節ダイヤルを回せるように，指をディスクに添える
- **右眼で患者の右眼を検査するときは，右手で検眼鏡を保持する。左眼で患者の左眼を検査するときは，左手で保持する。**こうすることで，患者の鼻にぶつからず，眼底をみるのに動きやすく，近づきやすくなる。練習すれば，利き目ではないほうの目を使うことにも慣れてくる。
- **あなたの骨眼窩の内側面に対して，垂直線から約20度の傾斜でハンドルを外側に傾け，確実に検眼鏡を支える。**開口部がはっきりみえることを確認する。患者に少し上をみてもらい，あなたの肩越しにまっすぐ壁の上方の1点をみるように伝える
- 患者から約40 cm 離れて，患者の視線の側方15度に立つ。瞳孔に光線を照射し，オレンジ色の光（**赤色反射**）を探す。赤色反射を遮るいかなる混濁にも注意する。あなたが近視で眼鏡を外しているなら，遠くにみえる対象にピントが合うまで，視度調節ダイヤルをマイナス（赤の方向）に調整する必要がある。

赤色反射を探しながら，患者の視線から15度の角度で検査を行う

（続く）↗

異常例

赤色反射の欠如は，水晶体の不透明さ（**白内障 cataract**）または硝子体（義眼でも可）の不透明さを示唆する。まれではあるが，網膜剥離，腫瘍，または小児での網膜芽腫は，この反射を不明瞭にする。

| 診察の技術 | 異常例 |

↘（続き）

- 患者の眉に，検眼鏡をもっていないほうの手の母指を置き，検査する手を安定させる。光線を赤色反射に集中させながら，患者の睫毛およびもう一方の手の母指に触るぐらいまで，検眼鏡と一緒に15度の角度で瞳孔へ近づける
- 検眼鏡の焦点を合わせる間，患者の眼の焦点が変化しないよう，両眼を開けたまま遠くをみつめてもらい，リラックスしてもらう
- 患者にとってより快適な検査を行うために，**瞳孔動揺 hippus**（瞳孔の痙攣）を回避し，診察を改善するために，光線は暗くする必要がある

これで，視神経乳頭と網膜を検査する準備は整ったことになる。**視神経乳頭**は円形で，黄色がかったオレンジ色からクリームピンク色の構造をしており，ピンク色の神経網膜の縁と中央のくぼみがある。これをみつけるには練習が必要である。検眼鏡は，正常な視神経乳頭と網膜を約15倍，正常な虹彩を約4倍拡大する。視神経乳頭は，実際には約1.5 mmである。身体診察のなかでも特に重要なこの項目については，Box 12-4に示したステップに従ってほしい。

水晶体が外科的に取り除かれると，拡大効果は失われる。網膜構造は通常より非常に小さくみえ，眼底は大きく広がってみえる。

Box 12-4 視神経乳頭と網膜を診察するためのステップ

視神経乳頭
- 視神経乳頭の位置をまず知る。上述した黄色がかったオレンジ色の丸い構造を探す。または，視神経乳頭にいたるまで血管を中心に追ってみていく。その際，血管のサイズが参考になる。血管サイズは，視神経乳頭に近づくにつれて，各分岐点で徐々に大きくなる。それぞれの分岐点をたどっていくと，神経をみつけることができる

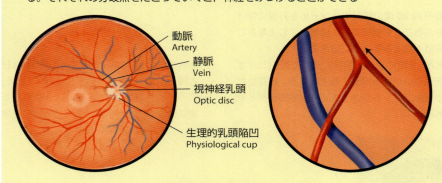

視神経乳頭と眼底

- 検眼鏡の視度調節ダイヤルを調整して，焦点を視神経乳頭に定める。あなたと患者の両方に屈折異常がないなら，網膜は0ジオプトリーで焦点が合うはずである
- 構造がぼやける場合，最もきちんと合う焦点をみつけるまで，視度調節ダイヤルを回転させる
  例えば，患者が近視の場合，負のジオプトリーである反時計回りに視度調節ダイヤルを回転させる。遠視では，正のジオプトリーである時計回りに視度調節ダイヤルを動かす。同じ方法であなた自身の屈折異常も修正することが可能である

（続く）↗

屈折異常 refractive error では，遠くからの光線は網膜に焦点をつくらない。**近視 myopia** では，網膜の前に焦点を結ぶ。**遠視 hyperopia** では，網膜の後方になる。近視の網膜構造は，正常より大きくみえる。

診察の技術

(続き)

- 視神経乳頭を視診する。以下の特徴に注意する
  - 視神経乳頭の輪郭が鮮明で明瞭である
  - 視神経乳頭の色は通常，黄色がかったオレンジ色からクリームピンク色である。正常所見であるが，白か色のついた三日月状のものが，視神経乳頭を取り囲んでいることがある
  - 中心の生理的乳頭陥凹があればその大きさに注意する。通常，黄色がかった白色である。横径は，視神経乳頭の半分以下である
  - 両眼の対称比較と眼底の所見

乳頭浮腫を同定することの重要性
視神経乳頭の腫脹と視神経乳頭陥凹の消失（図12-25）は，頭蓋内圧の上昇に伴う視神経乳頭の腫脹である「乳頭浮腫」をさす。頭蓋内圧は視神経を介して，軸索血流のうっ滞，軸索内浮腫と視神経乳頭の腫脹を引き起こす。乳頭浮腫は，重大な脳疾患，例えば髄膜炎，くも膜下出血，頭部外傷，腫瘤性病変などの存在を示し，このような重要な疾患をみつけることが，眼底検査のなかで第1にすべきことである（「検眼鏡検査（眼底検査）」，p.382参照）

自然発生的な網膜静脈拍動に関して眼底を検査する。この拍動は，眼底と交差するときの（収縮期でより狭く，拡張期でより広い）網膜静脈口径における周期的な変化であり，健常人の90％にみられる

網膜：動脈，静脈，中心窩，黄斑

- 末梢に広がる動静脈，動静脈交差，中心窩，黄斑を含む**網膜を視診する**。下記に示す特徴にもとづき動脈と静脈を区別する

	動脈	静脈
色	薄赤色	暗赤色
太さ	細い（直径は静脈の2/3～3/4）	太い
対光反射	明らか	不明瞭，または消失

- 血管の相対的な太さと動静脈交差の特徴に注意して，各方向の末梢に向かって血管を追う
  その周囲の網膜に**ある病変を同定し，大きさ，形，色，分布に注意する**。網膜を調べるとき，患者の瞳孔を想像上の支点として，あなたの頭と器具を1つの単位として動かす。最初は，光が瞳孔にうまくあたらずに，網膜を見落とすかもしれないが，徐々に上達していくだろう。網膜の病変は，視神経乳頭から"視神経乳頭直径"として測定できる

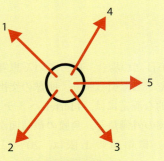

視神経乳頭から黄斑へ連続する視診（左眼）

(続く)↗

異常例

表12-8「視神経乳頭の正常変化」，表12-9「視神経乳頭の異常」を参照。

拡大した陥凹は，慢性開放隅角緑内障を示唆する。

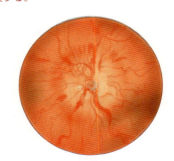

図 12-25 乳頭浮腫

視神経乳頭における脳脊髄液圧と眼圧との圧較差を変化させる頭蓋内圧亢進（190 mmHg超）で，網膜静脈拍動の消失が起こる。他の原因として，緑内障や網膜静脈閉塞がある[19, 20]。

網膜動脈と動静脈交差，眼底の赤色斑と線条，また眼底の**明るい色の斑**については，表12-10～12-12を参照のこと。

| 特殊な技術 | 異常例 |

↘（続き）

- **中心窩と周囲の黄斑を視診する**。検眼鏡の光線を側方からあてたり，患者に直接光をみてもらう。若年者では，中心窩での小さい明るい反射が，位置を確認するのに役立つ。黄斑領域のかすかな光反射は一般的なものである

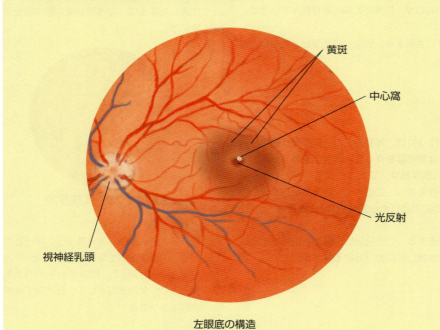

左眼底の構造

- **前部構造を視診する**。硝子体か水晶体に混濁がないか探す。約＋10または＋12ジオプトリーに連続的に視度調節ダイヤルを回転させると，眼の前部構造に集中することができる

黄斑変性は，高齢者における中心視力低下のおもな原因である。乾燥（萎縮）型（頻度は高いが重症ではない），および浸潤（滲出）型（新生血管型）がある。壊死細胞片（ドルーゼンと呼ばれる）は図12-26の写真に示すように明瞭ではっきりとした境界がある。境界が不明瞭で変質した色素沈着のある融合性のものもある。

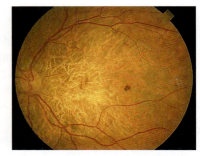

図12-26 硬性ドルーゼン（Tasman W, Jaeger E, eds. *The Wills Eye Hospital Atlas of Clinical Ophthalmology*. 2nd ed. Lippincott Williams & Wilkins; 2001. より）

硝子体浮遊物 vitreous floater は，眼底と水晶体の間にみられる暗い斑点や線条である。**白内障**は，水晶体の密度異常である（p.397 参照）。

特殊な技術

眼球突出

外反症や基本的な注視方向での**眼球突出**が目立つ場合，座っている患者の後ろに立ち，上から検査する。上眼瞼を上方へやさしく引っ張り，眼球の突出と下眼瞼に接する角膜との関係を比較する。客観的な測定には，Hertel（ヘルテル）眼球突出計が使用される。この器具を用い，眼窩の外側角と，角膜の最前面から水平に引いた仮想の線との距離を計測する。標準値の上限は，20〜22 mmである[14, 21, 22]。

突出が標準値を上回るときは，CTまたはMRIによるさらなる評価が必要である[14]。

外反症は甲状腺眼症でよくみられる所見で，約60％の患者にみられる。その他の甲状腺疾患の一般的な症状としては，眼瞼後退（91％），眼球運動の制限（43％），眼痛（30％），流涙（23％），ドライアイ（85％）がある[14, 21, 22]。表11-1「甲状腺疾患の症状と徴候」（p.359）も参照のこと。

特殊な技術　　　　　　　　　　　　　　　　　　　　　　　　　　　　　異常例

鼻涙管閉塞

この検査は，過剰な流涙の原因を確認するのに役立つ。患者に上をみてもらう。ちょうど骨眼窩の端の内側で涙嚢を圧迫するように，内眼角の近くで下眼瞼を押す（図12-27）。涙点から逆流してくる涙液を観察する。押したところが炎症を起こしていて圧痛があるなら，この検査はやめること。

涙点からの粘液性の膿排出は，鼻涙管閉塞または涙小管炎を示唆する。

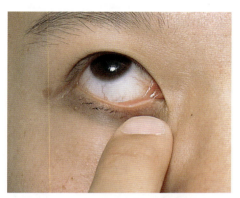

図12-27　下眼瞼を内側の眼窩の近くで圧迫して涙嚢からの涙を排出する

上眼瞼を反転させて異物を探す

眼の異物は，ほこり，砂のかけら，乾いたペンキの破片，虫，抜けたまつげなどが眼瞼の下に挟まっていることが多く，患者は眼の中に異物感を訴える。異物には，眼の表層や眼瞼の下に付着している表面的なものと，角膜や強膜の外側に突き刺さっている金属片などが考えられる。

眼内の異物を徹底して探すためには，以下の手順に従って，上眼瞼を反転させる。

- 患者に下をみてもらい，眼の緊張をとくよう伝える。安心させて，やさしく慎重に動作を進める。睫毛が前に出るように，上眼瞼をわずかに上げる。それから上部の睫毛をつまみ，やさしく下方，および前方に引っ張る（図12-28）。

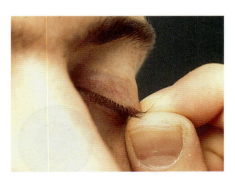

図12-28　まず，上眼瞼を下に引っ張る

| 特殊な技術 | 異常例 |

- それから，瞼板の上の境界で眼瞼縁より少なくとも1cm上に舌圧子や綿棒などの小さな棒を置く。眼瞼の端を上げながら，舌圧子を押し下げる。眼瞼を裏返しに反転する。眼球自体は押してはならない(図12-29)。

図 12-29　舌圧子を使って上眼瞼を反転する

- 上の睫毛が眉に接するように母指で上眼瞼を固定して，眼瞼結膜を視診する(図12-30)。視診後，上の睫毛をもち，前方へやさしく引き，患者に見上げてもらう。すると眼瞼は，通常の位置に戻る。

この状態で上眼瞼結膜をみて，異物がないか探す。

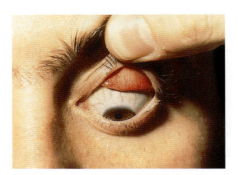

図 12-30　反転した上眼瞼を固定し，眼瞼結膜を調べる

交互対光反射試験

交互対光反射試験は，視神経の機能障害のための臨床検査である(図12-31)。薄暗い光をあて，瞳孔の大きさを記録する。患者に遠くをみてもらった後，ペンライトの光を1～2秒かけて一方の瞳孔にあて，つぎにもう片方の瞳孔にあてる。通常，光をあてた眼はすぐに縮瞳する。逆の眼も，同時に縮瞳する。

左側の視神経障害では，通常，瞳孔はつぎのように反応する。光を正常な右眼にあてた場合，両方の瞳孔における迅速な収縮(右眼の直接反射および左眼の間接反射)がみられる。異常のある左眼に移動させて光をあてると，両方の瞳孔に部分的な散大が生じる。左側の求心性刺激は減弱し，両方の遠心性瞳孔反応が欠損するため，最終的に散大が起こる。これは **Marcus Gunn(マーカス・ガン)瞳孔**ともいわれ，**求心性瞳孔障害 afferent pupillary defect** を示す。

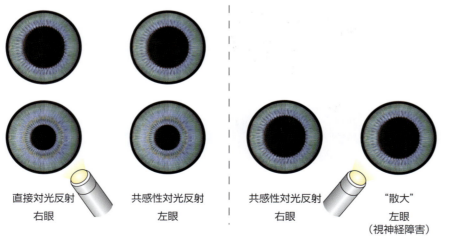

図 12-31　交互対光反射試験

所見の記録

所見を記録する際，最初は文章を用いるかもしれないが，慣れてくれば慣用的な記述を用いるようになる。多くの診療記録によく用いられる表現法をつぎの診察の記録に示す。

頭部・眼・耳・鼻・咽喉（HEENT）の診察の記録

HEENT。**頭部(head)**：頭部は外表上正常 normocephalic(NC)/外傷なし atraumatic(AT)。平均的な髪質。**眼(eyes)**：視力は両眼とも 20/20(1.0)。眼瞼と眼付属器は正常。強膜は白色（結膜はピンク色）。瞳孔は 5 mm で 4 mm まで縮瞳，両眼とも同様に丸く，光に反応あり。視神経乳頭縁は明瞭，出血または滲出物なし，細動脈の狭小化なし。**耳(ears)**：囁語に対する聴力は良好。正常な光錐のある鼓膜(TM)。Weber 試験は正中で，気導＞骨導。**鼻(nose)**：鼻粘膜はピンク色，中隔は正中，副鼻腔の圧痛なし。**咽喉（または口腔）〔throat(mouth)〕**：口腔粘膜はピンク色，歯列は正常，咽喉に滲出物なし
頸部：気管正中。頸部は軟，甲状腺峡部触知可，葉部触知不可
リンパ節：頸部，腋窩，内側上顆部，鼠径リンパ節腫脹なし

または

頭部：頭部は外表上正常(NC)/外傷なし(AT)。前頭部に禿げ。**眼**：視力は両眼とも 20/100。睫毛にふけ。強膜は白色，結膜充血。瞳孔は 3 mm から 2 mm へ縮瞳。同様に丸く，光に反応あり。視神経乳頭縁は明瞭，出血または滲出物なし。動静脈口径比(AV比)は 2：4。動静脈間の網膜血管狭窄なし。**耳**：囁語に対する聴覚は減弱。話しかける声には正常に反応。鼓膜は異常なし。**鼻**：粘膜は発赤，腫脹し透明の鼻汁。鼻中隔は正中。上顎洞に圧痛あり。**咽喉**：口腔粘膜はピンク色，下顎大臼歯は齲歯，紅斑性の咽頭，滲出物なし
頸部：気管正中。頸部は軟，甲状腺峡部正中。甲状腺触知可，腫脹なし
リンパ節：弾力性，可動性，圧痛のある，1 cm×1 cm 大の顎下・前頸リンパ節腫脹あり。後頸，内側上顆部，腋窩，鼠径リンパ節腫脹なし

これらの所見から，近視および軽度の細動脈の狭小化が示唆される。

健康増進とカウンセリング：エビデンスと推奨

健康増進とカウンセリングの重要事項

- 視覚障害
- 緑内障のスクリーニング
- 紫外線による眼障害

視覚障害

視覚障害の定義は，よいほうの眼で矯正視力が20/40(0.5)以下の場合で，法的盲とはよいほうの眼で矯正視力が20/200(0.1)以下の場合はとされる[23]。40歳以上の米国人のうち，1,200万人以上が視覚に障害があり，100万人以上が法的盲である[24]。視覚障害や失明の影響を最も受けているのは，非ヒスパニック系白人，女性，高齢者である。視覚障害のおもな原因は，**白内障**(2,500万人以上の成人が罹患)，**加齢黄斑変性 age-related macular degeneration**(約200万人の成人が罹患)，**緑内障**(200万人以上の成人が罹患)，**糖尿病性網膜症 diabetic retinopathy**(約500万人の成人が罹患)している[23]。視覚障害は，機能的能力の低下，QOLの低下，自立した生活の喪失，転倒，認知機能の低下，家庭内のストレス，早期死亡のリスク増加，他の併存疾患と関連している[25]。しかし，視覚障害のある米国人の80％以上は，矯正すれば良好な視力を得られる[26]。発症は緩徐なので，患者は視覚が悪化していることに気づかないこともある。視力を改善する治療法は数多くあり，害を及ぼすリスクはわずかであることを認めながらも，米国予防医療専門委員会 U.S. Preventive Services Task Force(USPSTF)は2016年，高齢者の視力低下のスクリーニングを推奨するには十分なエビデンスがないと判断し，グレードⅠと発表した[27]。一方，米国眼科学会 American Academy of Ophthalmologyは，すべての成人に対して，視力と視野の検査，眼底検査，眼圧測定を含む包括的なスクリーニングを強く推奨している[28]。これらの検査の推奨頻度は，年齢や危険因子によって異なる。視力の評価は，総合的な身体診察における標準的な検査といえる。

緑内障のスクリーニング

原発開放隅角緑内障 primary open-angle glaucoma(POAG)は，米国における視覚障害および失明の主要な原因であり，250万人以上の成人が罹患し，そのうち40歳以上の成人の約2％が罹患している[29,30]。半数以上がこの病気に気づいていない。POAGになると，網膜神経節細胞の軸索が失われることで，末梢視野の視力が徐々に低下する。網膜検査では，眼杯の蒼白化と増大が認められ，視神経乳頭は眼杯の直径の半分以上に拡大することもある。危険因子には，65歳以上，アフリカ系米国人，糖尿病，近視，眼圧上昇(眼圧が21 mmHg以上)があげられる。眼圧上昇については，POAG患者すべてに伴うわけではなく，逆に眼圧上昇のある患者が視覚障害になるとも限らない。視神経乳頭陥凹拡大の診断は，専門家間でもばらつきがある。緑内障は，眼の刺激や白内障などの有害事象を起こす可能性があるものの，内科的および外科的な治療で良好な結果を得ることができる。2013年，USPSTFは，プライマリケア医による一般的な緑内障スクリーニングについて，診断と治療が複雑であることから，十分なエビデンスがないと判断し，グレードⅠの推奨にとどめた[30]。しかし，米国眼科学会は，定期的な緑内障スクリーニングを強く推奨しており，検査は40歳から開始するが，リスクのある患者ではより早期の検査を可能としている[31]。

健康増進とカウンセリング：エビデンスと推奨

■ 紫外線による眼障害

紫外線（UV）は眼に障害を与え，基底細胞癌，扁平上皮癌，メラノーマなどの眼瞼の皮膚癌の原因となる。また，白内障の発症にも紫外線が関係するといわれている。さらに，太陽を直接みつめることで，日光網膜症を引き起こす可能性もある。予防として，顔や眼瞼に日焼け止めを塗布すること，直射日光を浴びるときはサングラスをかけることが推奨されている[32]。

異常例

第10章「皮膚，毛髪，爪」の「日焼け止めの定期的な使用」(p.310)を参照。

表 12-1　眼の充血

	結膜炎	結膜下出血

充血の型	結膜充血：辺縁でよりはっきり生じる，赤みを伴った結膜血管のびまん性拡張	血管外への血液漏出，均一に生じる，境界明瞭，赤い領域は2週間ほどで消退する
疼痛	疼痛というより軽度の不快感	なし
視力	分泌物による一時的な軽度のぼやけを除いて，影響は受けない	影響は受けない
眼性分泌	水様，粘液様，粘液膿性である	なし
瞳孔	影響は受けない	影響は受けない
角膜	透明	透明
誘因	細菌性，ウイルス性，他の感染症，感染性の高い疾患，アレルギー，刺激	通常なし。外傷，出血傾向，咳などによる静脈圧の突然の上昇でも起こりうる

表 12-1	眼の充血（続き）		
	角膜損傷または感染	急性虹彩炎	急性閉塞隅角緑内障

充血の型	毛様充血。辺縁から放射状に伸びる深部の血管が拡張し，赤紫色の紅潮が生じる。毛様充血は，これら3つの症状の重要な徴候であるが，常にみえるわけではない。その代わり，眼は全体に赤い。深刻な障害の他の徴候は，疼痛，視力低下，瞳孔不同，角膜混濁		
疼痛	中等度から重度，表在痛	中等度，うずく，差しこむような痛み，羞明	劇痛，うずく，差しこむような痛み，重度の羞明
視力	通常，低下	低下	低下
眼性分泌	水様か化膿性	なし	なし
瞳孔	虹彩炎が発現しない限り，影響は受けない	縮小し，不規則に変化	散大し，固定
角膜	原因により変化，しばしば角膜上皮障害を伴う。感染症に罹患している場合は，角膜の混濁を伴うことがある	透明，わずかに曇っている，角膜縁に限定した充血	霞がかかったように，曇っている
誘因	擦過傷，他の損傷。ウイルス性，細菌性感染症	全身性感染症，帯状疱疹，結核，自己免疫疾患に関連する場合は速やかに専門医に紹介する	眼圧の急激な上昇は，緊急処置を要する

出典：Leibowitz HM. *N Engl J Med*. 2000; 343(5): 345-351. Copyright © 2000 Massachusetts Medical Society. より Massachusetts Medical Society の許可を得て掲載

表 12-2　視野欠損

視野欠損

1．水平性欠損
網膜中心動脈の分枝の閉塞は，水平性欠損を生じる可能性がある．
視神経の虚血も，同様の視野欠損を生じる可能性がある

2．右眼盲（右視神経）
視神経と眼自体の病変は，片眼性視覚障害（盲）をもたらす

3．両耳側半盲（視交叉）
視交叉の病変（下垂体腫瘍など）は，片側の神経線維だけを障害することがある．その神経線維が網膜の鼻側から起始しているために，視野欠損はそれぞれの視野の側頭側のみに生じている

4．左の同名半盲（右視索）
視索の病変は，両眼の同じ側ではじまっている神経線維を障害する．そのため視野欠損は，類似（同名）していて，各視野の半分（半盲）を含む

5．左の同名四半盲（右視放線，部分的）
側頭葉の視放線の部分的病変は一部の神経線維だけを障害する可能性があり，例えば同名四半盲（"pie in the sky パイを空に投げたような"型の視野欠損）を生じる

6．左の同名半盲（右視放線）
視放線における神経線維の完全な障害は，視索の病変によって生じるものと類似の視野欠損をもたらす

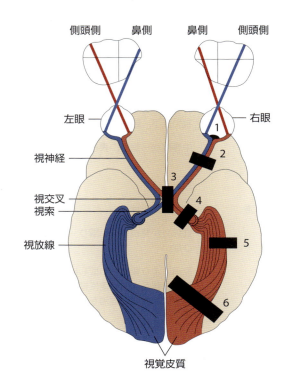

表 12-3　眼瞼の変化と異常

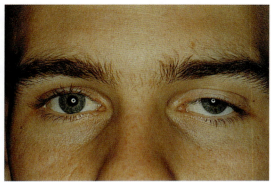

眼瞼下垂
上眼瞼の下垂である。原因は，老化，重症筋無力症，動眼神経（第Ⅲ脳神経）と交感神経支配の障害（Horner症候群）など。弱った筋肉，弛緩した組織，下垂した脂肪の重さは，老人性の下垂を生じることがある。眼瞼下垂は，先天性の可能性もある

内反症
眼瞼縁の内転であり，高齢者で一般的である。下睫毛はしばしば内側に巻き込まれてみえなくなり，結膜と下部角膜に異物感を生じさせる。内側に向かって睫毛が伸びる病態であり，眼瞼の位置が正常である**睫毛乱生 trichiasis**とは異なる。患者に目をぎゅっとつむってもらい，それから開くように伝える。そのうえで，内反症がないか確認する

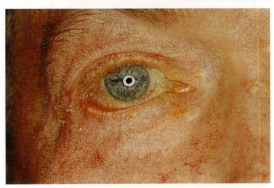

外反症
下眼瞼縁は外転し，眼瞼結膜が露出する。下眼瞼の縁が外転してしまうと，涙液を適切に排出できなくなり，流涙が起こる。外反症も高齢者でよくみられる

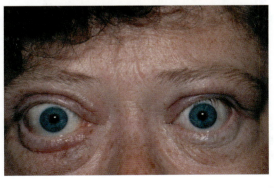

眼瞼後退と眼球突出
目を大きく見開いた注視は，眼瞼の後退を示唆する。上眼瞼と虹彩の間の強膜の端に注意する。眼が上から下へ動くときに顕著となる眼瞼後退と眼瞼遅動は，特に細かい振戦，湿った皮膚，90回/分超の心拍数を伴ったとき，甲状腺機能亢進症の可能性を増加させる[13]

眼球突出は，自己反応性Tリンパ球によって引き起こされる甲状腺眼症に共通の特徴である。眼瞼後退から外眼筋機能障害までの眼に関連した病状や，ドライアイ，眼痛，流涙がある。常に進行性というわけではない。片側性の眼球突出では，甲状腺眼症（通常は両側性），外傷，眼窩腫瘍，肉芽腫性疾患を考える[14]

写真出典：眼瞼下垂，内反症，外反症— Tasman W, Jaeger E, eds. *The Wills Eye Hospital Atlas of Clinical Ophthalmology*. 2nd ed. Lippincott Williams & Wilkins; 2001.

| 表 12-4 | 眼とその周囲の腫瘤と腫脹 |

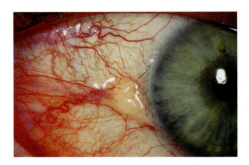

瞼裂斑
虹彩までのびる眼球結膜にみられる無害で黄色がかった三角形をなす小結節。加齢とともに，最初は鼻側，それから側頭側にしばしば現れる

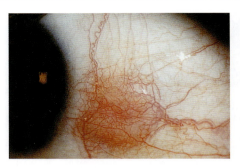

上強膜炎
良性で，通常は痛みのない，上強膜の血管に限局した炎症。強膜表面上に血管が動いてみえる。結節状のこともあれば，単に充血と血管拡張のみを示すこともある

麦粒腫（ものもらい）
眼瞼の内側または外側の縁に疼痛，圧痛，または赤色を呈する感染症が生じ，通常は黄色ブドウ球菌 *Staphylococcus aureus* を原因とする（内側縁では Meibom 腺の閉塞，外側縁では睫毛毛包または涙腺の閉塞が起こる）

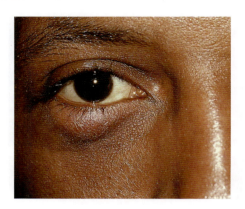

霰粒腫
亜急性の圧痛のない，通常は痛みを伴わない小結節が，Meibom 腺の閉塞により生じる。急性炎症となりうるが，麦粒腫とは異なり，通常，眼瞼縁よりも眼瞼内にみられる

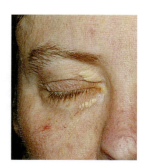

黄色板症
一方または両方の眼瞼の鼻側に現れる。わずかに盛りあがった，黄色の，境界明瞭なコレステロールがたまったプラークを呈する。患者の半数は脂質異常症であり，原発性胆汁性肝硬変でもよくみられる

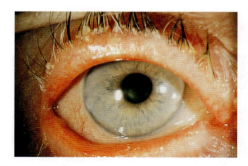

眼瞼炎
睫毛の根元に起こる慢性の炎症で，黄色ブドウ球菌によるものが多い。鱗屑性脂漏性の変型もある

写真出典：Tasman W, Jaeger E, eds. *The Wills Eye Hospital Atlas of Clinical Ophthalmology*. 2nd ed. Lippincott Williams & Wilkins; 2001.

表 12-5 角膜と水晶体の混濁

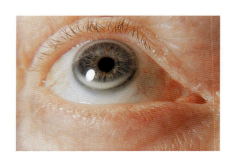

老人環
角膜輪部の周辺における灰白色の円。加齢とともに増えるが，若年者（特にアフリカ系米国人）にもみられることがある。若年者では，高リポ蛋白血症の可能性を示唆する。通常は良性

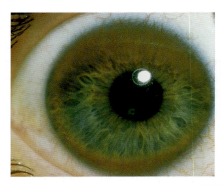

Kayser-Fleischer（カイザー・フライシャー）輪
角膜周辺部の銅堆積から生じる金色から赤茶色（ときに緑色や青色の濃淡）の輪は，Wilson（ウィルソン）病でみられる。13番染色体上にある *ATP7B* 遺伝子の変異によりまれな常染色体劣性遺伝形式をとり，異常な銅輸送が起こり，胆汁中への銅排泄が減少し，肝臓および，体中の組織へ銅が異常に蓄積する。肝疾患，腎不全，振戦・ジストニアの神経症状，多様な精神疾患をもつ患者にみられる[15, 16]

角膜瘢痕
外傷後や炎症後に二次性に生じる角膜の表在的な灰白色の混濁。大きさと形は，さまざま。より深部の瞳孔を通してみえる白内障の不透明な水晶体と混同しないように気をつける

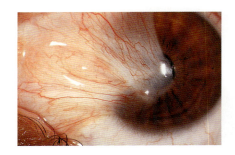

翼状片
角膜の外表面にまたがる眼球結膜の三角形の肥厚化。通常，鼻側からゆっくり成長する。充血や刺激を起こしうる。瞳孔にまで広がると，視力を損なう可能性がある

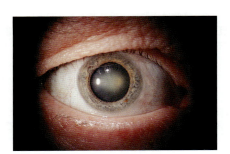

白内障
瞳孔を通してみえる不透明な水晶体。危険因子は，高齢，喫煙，糖尿病，副腎皮質ステロイド使用である

核性白内障
光をあてると，灰色にみえる。瞳孔が大きく散大している場合，灰色の混濁は黒い縁に囲まれている

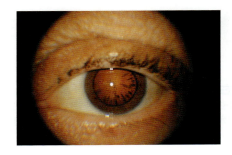

周辺白内障
中でスポーク（車輪の輻）に似た影を発生する。光をあてると黒を背景に灰色に，検眼鏡では赤を背景に黒色にみえる。左図のように瞳孔が散大していると診察が容易である

表 12-6　瞳孔の異常

瞳孔不同
片側の瞳孔の収縮または散大といった障害を呈する。対光反射や近見反応である瞳孔の収縮は副交感神経経路を，瞳孔の散大は交感神経経路を介して起こる。**明るい光や薄暗い光をあてた対光反射で，異常な瞳孔を識別する。瞳孔不同が，薄暗い光より明るい光で差が大きい場合，大きいほうの瞳孔は適切に縮小しない。**緊張性瞳孔と動眼神経（第Ⅲ脳神経）麻痺で起こるのと同様に，原因として眼の鈍的外傷，開放隅角緑内障（p.390），虹彩への副交感神経支配の障害が含まれる。**薄暗い光で瞳孔不同がより顕著であるとき，Horner 症候群でみられるように，小さいほうの瞳孔は適切に散大しない。これは交感神経支配の障害に起因する。**原因究明のために，近見反応の評価は重要となる。表 24-12 昏睡患者の瞳孔を参照のこと

緊張性瞳孔（Adie 瞳孔）
瞳孔は大きく（散大），正円で，通常，片側性。対光反射は非常に弱く，遅くなるか，消失する。近見反応は，非常にゆっくり（緊張性）であるが，存在する。これは副交感神経除去を反映している。遠近調節の遅延により，視力障害を起こす

動眼神経（第Ⅲ脳神経）麻痺
瞳孔は大きく，対光反射や近見反応がなく固定される。上眼瞼の下垂（眼瞼挙筋の第Ⅲ脳神経障害による）と眼球の下および外側への偏位は，多くの場合にみられる

Horner 症候群
患側の瞳孔は小さく，片側性で，敏速な対光反射や近見反応はあるものの，特に薄暗い場所での瞳孔の散大は緩徐となる。瞳孔不同は 1 mm 以上で，同側の眼瞼下垂を伴い，しばしば前額部の発汗が障害される（無汗症）。これらの所見は Horner 症候群の典型的な三徴候である。視床下部から腕神経叢，頸部神経節を経て眼球の交感神経線維に至る交感神経経路の病変による。原因には，同側の脳幹病変，同側の交感神経節に影響を与える頸部・胸部の腫瘍，眼窩外傷，片頭痛があげられる。先天性 Horner 症候群では，病変のある虹彩はないほうに比べ色が薄い（虹彩異色症）[18]

小さい瞳孔不整（Argyll Robertson 瞳孔）
瞳孔は小さく，不規則で，通常は両側性。近くをみると収縮し，遠くをみると散大するが（近見反応は正常），対光反射はない。これは神経梅毒でみられ，ごくまれに糖尿病でもみられる

瞳孔左右同大と片側盲
両方の虹彩に対する交感・副交感神経支配が正常な限り，片側盲により瞳孔不同は起こらない。みえるほうの眼へ光をあてると，その眼の直接対光反射とみえないほうの眼での共感性対光反射をもたらす。しかし，みえないほうの眼に光をあてても，どちらの眼でも反応は起こらない

表 12-7　共同注視障害

発達障害や脳神経異常に関連する注視異常は数多くみられる。

発達上の障害

発達上みられる共同注視障害は，眼筋緊張の不均衡に起因する。この不均衡には多くの原因があり，遺伝性の可能性もあり，通常は幼児期に現れる。これら注視の偏位は，方向によって分類される

内斜視

外斜視

遮蔽-非遮蔽試験

遮蔽-非遮蔽試験は有用である。ここでは，上図で示した右単眼内斜視が，どのようにみえるか示す

角膜反射は非対称

遮蔽

右眼は光で固定するため，外側へ移動する。左眼は観察できないが，内側へ同程度移動する

非遮蔽
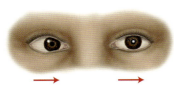

左眼は光で固定するため，外側へ移動する。右眼は，再度内側に偏位する

脳神経障害

成人で新たに発症する共同注視障害は通常，外傷，多発性硬化症，梅毒などを原因とする脳神経の損傷，病変，異常の結果である

左第Ⅵ脳神経麻痺
右をみる

共同注視している

まっすぐみる

内斜視が現れる

左をみる

内斜視は最大となる

左第Ⅳ脳神経麻痺
下そして右をみる

左眼は内側へ向くと，下方へは動かない。偏位はこの方向で最大となる

左第Ⅲ脳神経麻痺
まっすぐみる

眼は，第Ⅵ脳神経の働きによって，外側へ引っ張られる。上方，下方，内側への運動は，障害されるか，失われる。眼瞼下垂と瞳孔散大を伴うこともある

表 12-8　視神経乳頭の正常変化

生理的乳頭陥凹

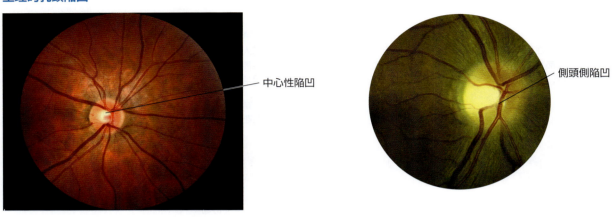

中心性陥凹　　側頭側陥凹

視神経乳頭の小さな白いへこみであり，そこは網膜血管の入口部である。みえないこともあるが，通常，陥凹は視神経乳頭の中央または側頭側にみえる。灰色がかった斑点は，陥凹の基部でよくみられる

有髄神経線維

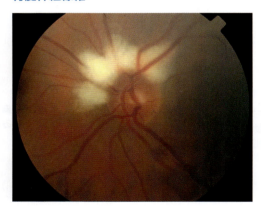

有髄神経線維は，一般的ではない，まれな所見である。縁は毛羽立ったような不規則な白斑として現れ，視神経乳頭縁と網膜の血管を覆う。病的意義はない

表12-9　視神経乳頭の異常

正常

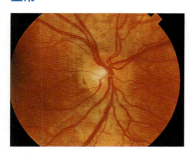

病態
視神経乳頭の血管は細く，色も正常

特徴
黄色がかったオレンジ色からクリームピンク色
視神経乳頭の血管は細い
境界明瞭な視神経乳頭縁（鼻側は除く）
生理的乳頭陥凹は，中央もしくはやや側頭側に位置して，顕著であることも，ないこともある。端から端までの直径は，通常，視神経乳頭の半径より小さい

乳頭浮腫

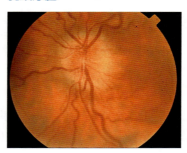

病態
頭蓋内圧が亢進すると，視神経に沿って軸索内の浮腫を起こし，視神経乳頭の充血と腫脹を起こす

特徴
ピンク色で充血している
しばしば静脈拍動の消失を伴う
視神経乳頭の血管はみやすく，数も多くみられ，視神経乳頭境界では曲がっている
ぼやけた縁をもつ腫れた視神経乳頭
生理的乳頭陥凹はみえない
頭蓋内腫瘍，病変，出血，髄膜炎でみられる

緑内障性陥凹

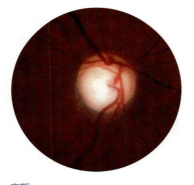

病態
眼圧上昇は，陥凹の増大（視神経陥凹が深くなる）と萎縮をまねく
拡大した陥凹基部は蒼白

特徴
視神経が機能しなくなると視神経乳頭の細い血管は失われる

視神経萎縮

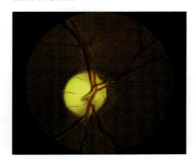

病態
生理的乳頭陥凹は大きく，視神経乳頭の直径の半分以上となる。ときに，視神経乳頭の端まで及ぶことがある。網膜の血管が視神経乳頭陥凹底側に落ち込み，鼻側に偏位することがある

特徴
白色
細い血管の消失
視神経炎，多発性硬化症，側頭動脈炎にみられる

写真出典：正常— Tasman W, Jaeger E, eds. *The Wills Eye Hospital Atlas of Clinical Ophthalmology*, 2nd ed. Lippincott Williams & Wilkins, 2001．乳頭浮腫・緑内障性陥凹・視神経萎縮— Kenn Freedman, MD. の厚意による

表 12-10　網膜動脈と動静脈交差：正常と高血圧

正常の網膜動脈と動静脈交差

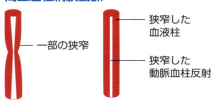

正常の動脈壁は透明である。血液柱だけは，通常みることができる。正常な動脈血柱反射は細く，血液柱の直径の約1/4である。動脈壁は透明なので，動脈下を通る静脈は，血液柱の両側でみることができる

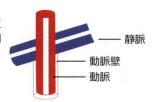

高血圧性網膜動脈　　　　　　　　銅線動脈　　　　　　　　銀線動脈

高血圧では，圧力の上昇により血管内皮が損傷し，血漿中の高分子物質が沈着して動脈壁を肥厚化し，内腔が局所または全体にわたり狭くなり，動脈血柱反射も狭窄する

ときに動脈（特に視神経乳頭に近い動脈）が動脈血柱反射で満たされ，やや蛇行し，明るい銅色の光沢を伴う動脈血柱反射の亢進がみられる。銅線動脈と呼ぶ

ときに狭窄した動脈の壁が不透明になり，血液がみえなくなることがある。銀線動脈と呼ぶ

動静脈交差

動脈壁が透明度を失うと，動静脈交差に変化が現れる。網膜における透明度の低下は，以下に示す前者2つの変化にも関与することがある

隠伏（網膜動静脈狭窄）　　　　先細り　　　　　　　　せき止め

静脈は，動脈の両側で急に止まったようにみえる

静脈は，動脈の両側で先細りするようにみえる

動脈によってせき止められた静脈の末梢側がねじれて，暗く，大きく曲がったようになる

 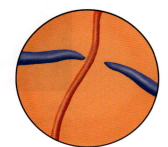 

表 12-11　眼底の赤色斑と線条

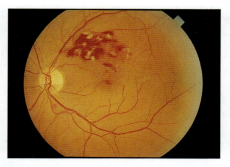
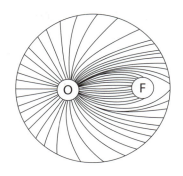

網膜浅層出血

眼底の小さい，線形，火炎状，赤い線条で，右図に示すように視神経乳頭から放射される浅層の神経線維の束によって形づくられる（O＝optic disc 視神経乳頭，F＝fovea 中心窩）。ときに出血は塊状に起こり，広範囲の出血のようにみえるが，端で線形になっているのを確認することができる。これらの出血は，重症高血圧，乳頭浮腫，網膜静脈の閉塞，他の病態でもみられる。ときおりみられる表在的な出血には，フィブリンから構成される白い芯があるが，これには多くの原因が考えられる

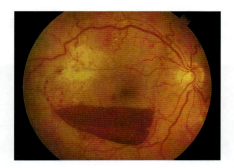
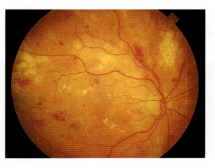

網膜前出血

血液が，網膜と硝子体の間の潜在的な間隙に漏れるときに生じる。網膜出血より典型的には大きい。網膜前にあり，下部にある網膜血管をすべて覆い隠す。立位の患者では，赤血球は凝集して，病変上部の血漿と病変下部の細胞の間で水平の分画線をつくる。原因としては，突然の頭蓋内圧亢進などが考えられる

網膜深層出血

小さい，丸い，わずかに不規則な赤色斑。点状出血または斑状出血と呼ばれることもある。火炎状出血より深層の網膜で起こる。一般的な原因として糖尿病がある

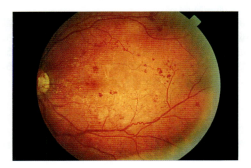
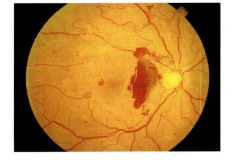

微小動脈瘤

小さい，丸い，赤い斑点は，一般的に黄斑の内部とその周囲にみられ，非常に小さい網膜血管のわずかな拡張である。血管との吻合部は小さすぎて検眼鏡ではみえない。糖尿病性網膜症での顕著な特徴である

血管新生

新しい血管の形成である。周辺の血管と比べ数が非常に多く，蛇行して細く，無秩序な赤い膜を形成する。糖尿病性網膜症の増殖段階でよくみられる特徴である。血管は硝子体に入り込み，網膜剥離または出血が起こり，視力が低下することがある

写真出典：Tasman W, Jaeger E, eds. *The Wills Eye Hospital Atlas of Clinical Ophthalmology.* 2nd ed. Lippincott Williams & Wilkins; 2001.

表 12-12　眼底の明るい色の斑

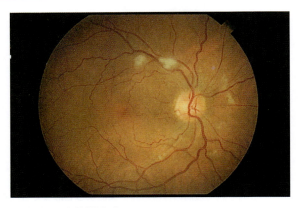

軟性白斑：綿花様白斑
綿花様白斑は，白色または灰色がかった卵形病変で，境界は不整・不明瞭である。中等度の大きさであるが，視神経乳頭より小さい。網膜神経線維層の微小な梗塞により，網膜神経節細胞から軸索が押し出されることで生じる。高血圧，糖尿病，HIVや他のウイルス感染など，さまざまな病態でみられる

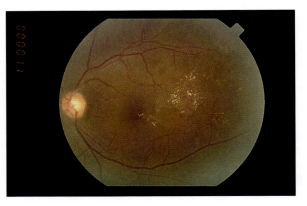

硬性白斑
クリーム色か，黄色がかった，境界明瞭な明るい色の病変である。通常小さい，丸い斑だが，融合してさらに大きい不整な斑となることがある。斑は通常，塊状，線状，円形，星型である。損傷した毛細血管から漏出した漿液による脂質の残留物である。原因には，糖尿病や血管性病変などがある

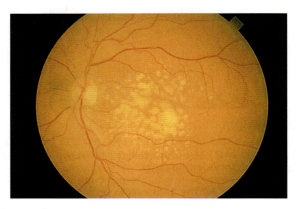

ドルーゼン
微小から小さいものまで大きさの異なる黄色い丸い斑。境界は上の写真に示すように不明瞭な場合と，明瞭な場合（p.385）がある。不規則に分散するが，視神経と黄斑の間の後極に集中することがある。ドルーゼンは網膜の色素上皮細胞の働きが低下したことで生じる網膜にたまった老廃物である。正常な加齢や加齢黄斑変性でみられる

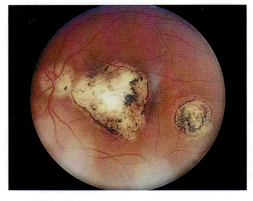

治癒した脈絡網膜炎
炎症により浅部組織が破壊され，暗い色素を伴った白色強膜の不整な白斑が明らかになる。小さいものから非常に大きいものまで大きさはさまざま。この写真は，トキソプラズマ症である。複数の，小さい，類似してみえる領域は，レーザー処置による可能性がある。この患者では，黄斑近くに側頭側の瘢痕がある

写真出典：綿花様白斑・ドルーゼン・治癒した脈絡網膜炎—Tasman W, Jaeger E, eds. The Wills Eye Hospital Atlas of Clinical Ophthalmology, 2nd ed. Lippincott Williams & Wilkins; 2001，硬性白斑—Kenn Freedman, MD. の厚意により American Academy of Ophthalmology. Optic fundus signs. http://www.aao.org/theeyeshaveit/optic-fundus/index.cfm (Accessed March 23, 2015) より入手可能

文献一覧

1. Shingleton BJ, O'Donoghue MW. Blurred vision. *N Engl J Med*. 2000; 343(8): 556-562.
2. Patel K, Patel S. Angle-closure glaucoma. *Dis Mon*. 2014; 60(6): 254-262.
3. Hollands H, Johnson D, Hollands S, et al. Do findings on routine examination identify patients at risk for primary open-angle glaucoma? The rational clinical examination systematic review. *JAMA*. 2013; 309(19): 2035.
4. Graves J, Balcer LJ. Eye disorders in patients with multiple sclerosis: natural history and management. *Clin Ophthalmol*. 2010; 4: 1409-1422.
5. Dooley MC, Foroozan R. Optic neuritis. *J Ophthalmic Vis Res*. 2010; 5(3): 182-187.
6. Balcer LJ. Clinical practice. Optic neuritis. *N Engl J Med*. 2006; 354(12): 1273-1280.
7. Noble J, Chaudhary V. Age-related macular degeneration. *CMAJ*. 2010; 182(16): 1759.
8. Hollands H, Johnson D, Brox AC, et al. Acute-onset floaters and flashes: is this patient at risk for retinal detachment? *JAMA*. 2009; 302(20): 2243-2249.
9. Meltzer DI. Painless red eye. *Am Fam Physician*. 2013; 88(8): 533-534.
10. Singh M, Sanborn A. Painful red eye. *Am Fam Physician*. 2013; 87(2): 127-128.
11. Harper RA. *Basic Ophthalmology*. 9th ed. San Francisco, CA: American Academy of Ophthalmology; 2010.
12. Goodwin D. Homonymous hemianopia: challenges and solutions. *Clin Ophthalmol*. 2014; 8: 1919-1927.
13. Antonetti DA, Klein R, Gardner TW. Diabetic retinopathy. *N Engl J Med*. 2012; 366: 1227-1239.
14. Bartalena L, Tanda LM. Clinical Practice. Graves' ophthalmopathy. *N Engl J Med*. 2009; 360(10): 994-1001.
15. Birkholz ES, Oetting TA. Kayser-Fleischer Ring: A systems based review of the ophthalmologist's role in the diagnosis of Wilson's disease. 2009. Available at http://webeye.ophth.uiowa.edu/eyeforum/cases/97-kayser-fleischer-ringwilsons-disease.htm. Accessed March 29, 2015.
16. Sullivan CA, Chopdar A, Shun-Shin GA. Dense Kayser-Fleischer ring in asymptomatic Wilson's disease (hepatolenticular degeneration). *Br J Ophthalmol*. 2002; 86(1): 114.
17. McGee S. *Evidence Based Physical Diagnosis*. 3rd ed. St. Louis, MO: Elsevier; 2012: 161.
18. McGee S. *Evidence Based Physical Diagnosis*. 3rd ed. St. Louis, MO: Elsevier; 2012: 163.
19. Morgan WH, Lind CR, Kain S. Retinal vein pulsation is in phase with intracranial pressure and not intraocular pressure. *Invest Ophthalmol Vis Sci*. 2012; 53(8): 4676-4681.
20. Jacks AS, Miller NR. Spontaneous retinal venous pulsation: aetiology and significance. *J Neurol Neurosurg Psychiatry*. 2004; 74(1): 7-9.
21. Bahn RS. Mechanisms of disease: Graves' ophthalmopathy. *N Engl J Med*. 2010; 362(8): 726-738.
22. Phelps PO, Williams K. Thyroid eye disease for the primary care physician. *Dis Mon*. 2014; 60(6): 292-298.
23. Centers for Disease Control and Prevention. Common Eye Disorders. 2015. Available from https://www.cdc.gov/visionhealth/basics/ced/index.html. Accessed July 14, 2018.
24. Varma R, Vajaranant TS, Burkemper B, et al. Visual impairment and blindness in adults in the United States: demographic and geographic variations from 2015 to 2050. *JAMA Ophthalmol*. 2016; 134(7): 802-809.
25. Centers for Disease Control and Prevention. The Burden of Visual Loss. 2017. Available from https://www.cdc.gov/visionhealth/risk/burden.htm. Accessed July 14, 2018.
26. Vitale S, Cotch MF, Sperduto RD. Prevalence of visual impairment in the United States. *JAMA*. 2006; 295(18): 2158-2163.
27. US Preventive Services Task Force (USPSTF), Siu AL, Bibbins-Domingo K, et al. Screening for impaired visual acuity in older adults: U.S. Preventive Services Task Force Recommendation Statement. *JAMA*. 2016; 315(9): 908-914.
28. American Academy of Ophthalmology Preferred Practice Patterns Committee. Preferred Practice Pattern®. Comprehensive Adult Medical Eye Exam. 2015. Available from https://www.aao.org/preferred-practice-pattern/comprehensive-adultmedical-eye-evaluation-2015. Accessed July 14, 2018.
29. Vajaranant TS, Wu S, Torres M, et al. The changing face of primary open-angle glaucoma in the United States: demographic and geographic changes from 2011 to 2050. *Am J Ophthalmol*. 2012; 154(2): 303-314.
30. Moyer VA; U.S. Preventive Services Task Force. Screening for glaucoma: U.S. Preventive Services Task Force Recommendation Statement. *Ann Intern Med*. 2013; 159(7): 484-489.
31. American Academy of Ophthalmology. Screening for Diabetic Retinopathy 2014 — Information Statement. 2006. Updated October 2014. Available at http://one.aao.org/clinicalstatement/screening-diabetic-retinopathy-june-2012. Accessed March 23, 2015.
32. Roberts JE. Ultraviolet radiation as a risk factor for cataract and macular degeneration. *Eye Contact Lens*. 2011; 37(4): 246-249.

本章の学習効果を高め，理解を助けるために一連の補助教材がある．

- 『ベイツ診察法ポケットガイド第4版』
- Bates' Visual Guide to Physical Examination
- thePoint® online resources, for students and instructors: http://thepoint.lww.com

第13章 耳と鼻

解剖と生理

耳

外耳，中耳，内耳の3つから構成される。

外耳

外耳 external ear は，耳介と外耳道からなる。**耳介 auricle** はおもに皮膚に覆われた軟骨からなり，弾性硬である。大きく弯曲する外側の隆起は，**耳輪 helix** である。もう1つの弯曲する隆起である**対輪 antihelix** は，耳輪の前方に平行している。下方には，**耳垂 lobule of auricle** といわれる肉質のぶら下がりがある。外耳道は，**耳珠 tragus**（外耳道入口部にかぶさる結節状の突起）の後方に開口している（図 13-1）。

外耳道の長さは約24mmで，外側から内側に向かって鼓膜まで続いている。外耳道はS字型で，鼓膜に向かって内側に進むにつれて前下方に移動する。外側1/3は軟骨で覆われている。この部分は毛の生えた皮膚で覆われ，**耳垢 cerumen**（ワックス）を分泌する腺がある。外耳道の内側2/3は，骨で囲まれ，毛のない薄い皮膚で覆われている。**この外耳道の内側2/3の部分を圧迫すると痛みが生じるが，これは耳を診察する際の注意すべき点である。**外耳道の端は**鼓膜 tympanic membrane** の外側と接し，外耳の内側との境界を示している。外耳は，中耳および内耳へ伝わる音波を捉える（図 13-2）。

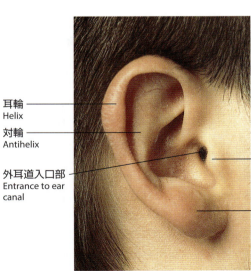

図 13-1　外耳の解剖

解剖と生理

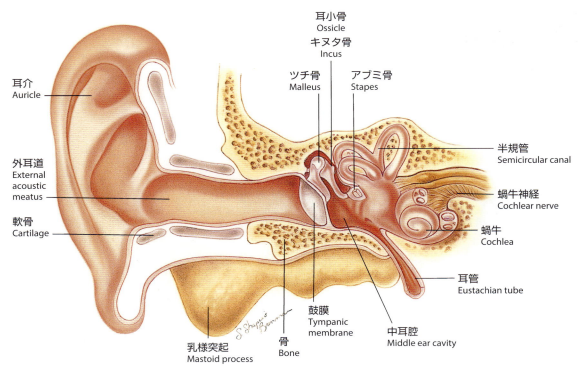

図 13-2　外耳，中耳，内耳の解剖

外耳道の後下方に，側頭骨の乳突部がある。この乳突部の最下部を**乳様突起 mastoid process** といい，耳垂の後方で触れることができる。

中耳

空気で満たされた中耳には，外耳から伝わる音の振動を機械的な波に変換して内耳に伝える3つの**耳小骨 ossicle**（ツチ骨 malleus，キヌタ骨 incus，アブミ骨 stapes）がある。

耳小骨のうち，ツチ骨とキヌタ骨の2つは，鼓膜を通してみえ，傾斜して角をなす。耳小骨は，ツチ骨によって鼓膜の中心と付着している（図13-3）。**ツチ骨柄**と**ツチ骨短突起**は主要なランドマーク（目印）となるので理解しておくとよい。鼓膜がツチ骨の先端と接する部位は**鼓膜臍 umbo of tympanic membrane** で，**光錐 cone of light** と呼ばれる光反射は前下方に扇状に広がる。短突起の上方には**弛緩部**と呼ばれる鼓膜の狭い領域がある。鼓膜の残りの部分は，**緊張部**である。前後のツチ骨襞（ツチ骨短突起から上方へ斜めにのびている）は弛緩部と緊張部を分けるが，鼓膜が内側に引っ込まない限り，通常みえない。2つ目の耳小骨である**キヌタ骨**は，鼓膜越しに，耳介の後上方にみえることがある。

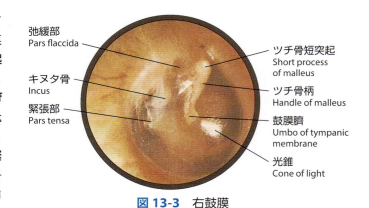

図 13-3　右鼓膜

解剖と生理

中耳は，耳管の近位端を介して鼻咽頭につながっている。**耳管 eustachian tube** は，中耳内を換気し，中耳と周囲環境の間の空気圧を調整している。また，中耳内の粘液を鼻咽頭に排出する役割もある。

内耳

内耳には，蝸牛，半規管，**前庭 vestibule** にある耳石器，**前庭蝸牛神経 vestibulocochlear nerve**（第Ⅷ脳神経）と呼ばれる聴神経の末端部がある。**蝸牛 cochlea** は聴覚に特化しており，半規管と耳石器は平衡感覚に特化している。この 3 つの構造が合わさって**迷路 labyrinth** を形成している。中耳にあるアブミ骨は，卵円窓（前庭窓）を介して内耳につながっている。アブミ骨の動きが迷路内の**外リンパ perilymph**（内耳の液体）を振動させ，蝸牛の管の中の**有毛細胞 hair cell** と**内リンパ endolymph** を動かす。これらの振動は蝸牛の有毛細胞で電気神経インパルスに変換され，聴神経によって脳に伝達されて解釈される。

中耳の大部分と内耳のすべては，直接の診察でみることができない。聴覚機能を調べることで，中耳と内耳の状態を評価する。

聴覚

この伝導経路の最初の部分（外耳から中耳）は**伝音相 conductive phase** として知られている。蝸牛および第Ⅷ脳神経の蝸牛枝が関与する伝導経路の 2 番目の部分は，**感音相 sensorineural phase** である（図 13-4）。

異常例

外耳と中耳の障害は**伝音性難聴 conductive hearing loss** の原因となる。外耳の原因には，耳垢栓塞，感染症（**外耳炎 otitis externa**），外傷，扁平上皮癌，**外骨腫 exostosis** や**骨腫 osteoma** など良性の骨増殖が含まれる。中耳の障害には，**中耳炎 otitis media**，先天性疾患，真珠腫，耳硬化症，**鼓膜硬化 tympanosclerosis**，腫瘍，鼓膜穿孔などがある。

内耳の障害には，先天性・遺伝性疾患，老人性難聴，風疹やサイトメガロウイルスなどのウイルス感染，Ménière（メニエール）病，騒音曝露，耳毒性のある薬物曝露，聴神経腫瘍による**感音性難聴 sensorineural hearing loss** がある[1]。

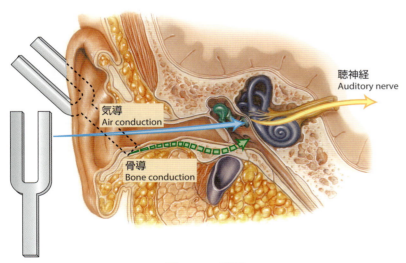

図 13-4　聴覚

気導 air conduction（AC）とは，音波が空気中を伝わり，外耳，中耳から蝸牛に伝達される聴覚経路の正常な第 1 段階を表す。副経路〔**骨導 bone conduction（BC）**として知られている〕は，外耳と中耳を迂回し，検査のために使われる。振動する音叉を頭部に置くと，音叉は頭蓋骨を振動させ，蝸牛を直接刺激する。正常な聴覚をもつ人では，気導のほうが骨導よりもよく聴こえる（AC＞BC）。

解剖と生理

平衡

前庭系は，頭の位置や動きを感知し，人間の全体的な**平衡**感覚や運動感覚に関与している。**内耳にある3つの半規管は回転運動を感知し，耳石器は直線運動を感知する**。また，視覚と固有覚による調整も，全体的な**平衡**感覚に関与している。

鼻と副鼻腔

大まかにいって，鼻上部1/3は骨で支えられ，下部2/3は軟骨で支えられている（図13-5）。空気は，**外鼻孔 nares** の左右いずれの側からでも鼻腔に入り，**鼻前庭**として知られる拡張した部位を通り，**鼻咽頭 nasopharynx** へつながる狭い鼻の通路に至る。

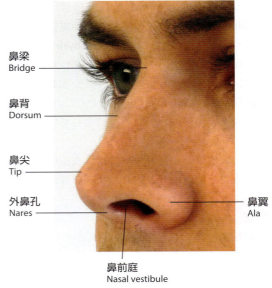

図 13-5 鼻の体表解剖

各鼻腔の内側壁は**鼻中隔 nasal septum** によって形成される。外鼻のように，骨と軟骨で支えられ（図13-6），血管に富んだ粘膜に覆われている。鼻前庭は残りの鼻腔部とは異なり，粘膜ではなく有毛の皮膚で覆われる。

側方の構造はさらに複雑である（図13-7）。弯曲した骨である**鼻甲介 nasal concha**（血管に富んだ粘膜によって覆われている）は鼻腔に突出している。それぞれの鼻甲介には，溝つまり鼻道があり，その鼻甲介によって，**上鼻甲介，中鼻甲介，下鼻甲介**と名前がつけられている。**鼻涙管 nasolacrimal duct** は下鼻道へつながる。ほとんどの副鼻腔は中鼻道へつながる。その開口部は，通常みえない。

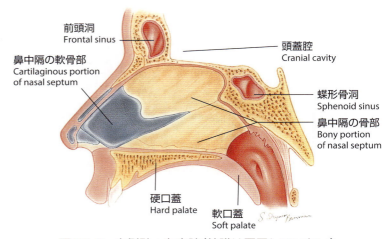

図 13-6 内側壁：左鼻腔（粘膜は図示していない）

鼻甲介とそれを覆う粘膜によって表面積がさらに広がり，おもな機能（吸気の洗浄，加湿，温度調節）が強化されている。

副鼻腔 paranasal sinuses は，上顎洞，篩骨洞，前頭洞，蝶形骨洞という，頭蓋骨にある4対の空気の入った空洞である。副鼻腔が開口する鼻腔のように，粘膜で覆われている。位置については図 13-8 に示す。**前頭洞と上顎洞のみが容易に所見をとることができる**（図 13-9）。

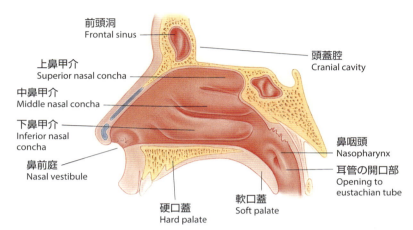

図 **13-7** 内側壁—右鼻腔

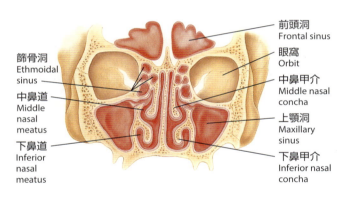

図 **13-8** 正面からみた鼻腔横断面

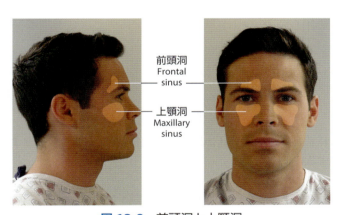

図 **13-9** 前頭洞と上顎洞

病歴：一般的なアプローチ

ここでは，患者の耳と鼻に関連した病歴聴取のアプローチ方法を確認してほしい。頭部と症状が相関していることが多いので，このアプローチはより広範囲のHEENT に関する病歴聴取を行う際に役立つだろう。

耳について病歴をたずねる際には，以下のような質問をするとよい。「耳の聴こえ方はどうですか？」「耳で何か困ったことはないですか？」などがよい。広く耳の病歴を聴取するには，難聴，**耳鳴 tinnitus**，**耳漏 otorrhea**，**耳痛 otalgia**，**めまい vertigo** についてたずねるとよい。

鼻に関する病歴では，冒頭で「鼻に関する症状はありますか」と質問し，**鼻出血 epistaxis**，**鼻汁（鼻漏）rhinorrhea**，鼻閉，鼻水についてたずねる。

よくみられる，または注意すべき症状

- 難聴
- 耳痛，耳漏
- 耳鳴
- 浮動性めまい dizziness，回転性めまい vertigo
- 鼻汁（鼻漏），鼻閉
- 鼻出血

難聴

患者が難聴に気づいているなら，それは片方または両方の耳なのか？ 急に，あるいは徐々にはじまったのか？ 関連症状はあるのか？ 難聴がわかった場合には，時系列に沿って整理することが重要である。原因不明の突発的な難聴，特に感音性難聴は，直ちに耳鼻咽喉科医に紹介する必要がある。このような患者には，早急な医療介入を必要とする。

難聴 hearing loss は，先天性，つまり単一遺伝子の変異から起こることがある[2, 3]。

外耳や中耳に問題がある**伝導性難聴**と，内耳，蝸牛神経，またはその中枢回路に問題がある**感音性難聴**を区別する。感音性難聴では話し言葉を聴き取るのが困難である。そして，誰かがぶつぶつ言っていると訴えることが多い。雑音が多い環境では，聴き取るのがさらに難しくなる。伝音性難聴では，むしろ雑音が多い環境で聴き取りやすくなることがある。

耳痛，回転性めまいなど，難聴に伴う症状を探す。そうすることで，原因を整理するのに役立つ。

聴覚に影響を与える可能性がある薬物や，大きな騒音への持続的な曝露についてもたずねる。

持続的な難聴を引き起こすことが知られている薬には，アミノグリコシド系薬（例：ゲンタマイシン）や多くの化学療法薬（例：シスプラチン，カルボプラチン）がある。一時的な聴覚障害は，アスピリン，非ステロイド性抗炎症薬（NSAID），キニーネ，ループ利尿薬（フロセミドなど）によって引き起こされる。

耳痛，耳漏

耳痛に対する訴えは，特に多い。発熱，咽頭痛，咳嗽，併発する上気道感染症があれば，耳の感染症の可能性が高くなる。

外耳炎 otitis externa では外耳道に，**中耳炎 otitis media** では耳の奥に痛みが生じる[4]。耳痛は，口，咽頭，頸部にも関連する。

特に耳痛や外傷に関連する場合，耳漏についてもたずねるとよい。耳垢があるのは通常は正常である。

急性外耳炎や穿孔を伴う急性・慢性中耳炎では，通常，黄色がかった緑色の分泌物がみられる。

| 病歴：一般的なアプローチ | 異常例 |

耳鳴

耳鳴 tunnitus は外部の刺激がないのに音を感じることである。一般に，音楽が鳴るような，激しく，うなるような音で，片側でも両側の耳でも起こる。難聴を伴う可能性があり，原因不明なことが多い。顎関節で生じるポンと弾けるような音や，頸部からの血管雑音が聴こえることもある。

耳鳴はよくみられる症状である。加齢とともに頻度が増す。変動性の難聴や回転性めまいを伴う場合は，Ménière病を疑う[5]。

浮動性めまい，回転性めまい

浮動性めまい dizziness や**立ちくらみ lightheadedness** の訴えは難易度の高い問題である。これらの訴えはしばしば非特異的で，**回転性めまい vertigo** から前失神，脱力感，不安定感，平衡障害に至るまで幅広い病態を示しているからである。

「めまい」という言葉を用いずに，患者がどのような気分なのか説明してもらうことで，明らかになることがある。この質問に対する答えは，部屋が回転しているような感覚（**回転性めまい**），気絶しそうな感覚（**前失神**），バランスを崩して倒れそうになる不安定感（**平衡障害 dysequilibrium**）のいずれかに分類されることが多い。また，「頭を動かすと症状が悪化しますか（体位性）？」という質問も参考になる。

症状の時間的経過，関連する症状や誘因（例：大きな音，明るい光，座位から立位になるとき）を確定する。悪心や嘔吐，複視，歩行障害を確認する。服用薬を検討する。**眼振 nystagmus** および局所神経徴候に焦点をあてた神経学的診察を慎重に進める必要がある。

症状や時間経過を見分けるために，表13-1「浮動性めまい dizziness と回転性めまい vertigo」を参照するとよい。

回転性めまいとは，患者自身または周囲が回転しているような感覚のことである[6]。これらの感覚は，内耳の迷路の問題，第Ⅷ脳神経の末梢性病変，その中枢神経系路の病変，もしくは脳神経核での問題を示している。真性の回転性めまいがある場合は，末梢神経障害によるのか，中枢神経障害によるのかを区別する（第24章「神経系」，p.874参照）。

回転性めまいは前庭系の障害を示し，通常，良性頭位変換性めまい，内耳炎，前庭神経炎，Ménière病など内耳における末梢性障害に起因している。運動失調，複視，構音障害は，脳血管疾患や後頭蓋窩腫瘍といった小脳や脳幹での中枢神経学的異常を示し，また前庭性の片頭痛の可能性も考えられる[6]。頭のフラフラ感，足元のふらつき，気を失いそうな感じは，不整脈，起立性低血圧，血管迷走神経刺激による前失神を示唆する。

鼻汁，鼻閉

鼻汁 rhinorrhea は鼻からの排液のことで，**鼻閉 nasal congestion**（つまり鼻づまり），閉塞感をしばしば伴う。これらの症状には，くしゃみ，涙目，咽頭の不快感，眼・鼻・咽頭の瘙痒感を伴うことが多い[7]。

症状は風邪が流行しているときに，7日未満持続するのか？ 毎年，花粉が飛散する同じ季節に発症するのか？ 特定の動物との接触や環境曝露が誘因となっているのか？ ホコリや動物などの室内環境の誘因はあるのか？

ウイルス感染，アレルギー性鼻炎（枯草熱）と血管運動神経性鼻炎などが原因。瘙痒感は，アレルギーが原因であることが多い。

季節に関係して発症する場合，または環境要因をきっかけとする場合は，アレルギー性鼻炎を示唆する。

身体診察：一般的なアプローチ

患者はどのような治療を行っているのか？　どれくらい続けているのか？　効果はいかほどか？

ウイルス性上気道感染症に伴って，鼻や副鼻腔の閉塞が起こっているのか？　膿性鼻汁，嗅覚障害，歯痛，顔面痛が，前屈，耳抜き，咳嗽，発熱で悪化するのか？

鼻閉を引き起こす薬についてたずねる。

鼻閉は片側だけなのか？

異常例

薬剤誘発性鼻炎は，鼻粘膜うっ血除去薬の過剰使用，コカインの鼻腔内使用によって起こる。

急性細菌性副鼻腔炎（**鼻副鼻腔炎 rhinosinusitis**）は，ウイルス性上気道感染症が7日以上続いたあとでないとほぼみられない。膿性鼻汁と顔面痛は，診断の際に重要である（感度と特異度は50％超）[8-10]。

薬物，特に経口避妊薬，アルコール，コカインについてすべてたずねる。

鼻中隔偏位，鼻ポリープ，異物，肉芽腫症，癌を考える。

■ 鼻出血

鼻出血 epistaxis は，鼻道からの出血である。出血は副鼻腔や鼻咽頭部から起こることもある。後側の構造物から出血が起こっているなら，血液が鼻孔外ではなく，咽喉へ流れる場合もあることに注意する。出血の原因を特定するため患者にたずねる。鼻からの出血なのか，それとも実際に血を咳き込んで出したり（**喀血 hemoptysis**），血を吐いたり（**吐血 hematemesis**）しているのか？　これらの状況ではまったく異なる出血の原因が考えられる。

鼻出血は再発性なのか？　あざになりやすいなどの出血傾向が他の部位にもあったのか？

鼻出血の局所の原因は，外傷（特に鼻ほじり），炎症，鼻粘膜の乾燥や痂皮化，腫瘍，異物など。

抗凝固薬のNSAID使用，血管奇形，凝固障害は，鼻出血の一因となりうる。

身体診察：一般的なアプローチ

耳と鼻の両方とも，外部および内部の診察が必要である。耳の診察では，まず外部から，耳介とその周囲組織を視診および触診する。その後，耳鏡を使って外耳道や鼓膜などの内部構造を観察する。鼻の診察では，まず鼻の外部を診察する。その後，耳鏡を用いて前鼻腔を観察する。

耳の診察の重要項目

- 耳介とその周囲組織を視診する（変形，腫瘤，耳小窩，皮膚病変）
- 耳介を動かし，耳介，耳珠，乳様突起を触診する（圧痛）
- 耳鏡で外耳道と鼓膜を観察する
  - 外耳道を視診する（耳垢，分泌物，異物，皮膚の発赤，腫脹など）
  - 鼓膜および耳介を視診する（色，輪郭，穿孔，可動性）
- 囁語検査を用いて，聴力を評価する
- 難聴がある場合は，音叉試験で感音性難聴か伝音性難聴かを判断する

（続く）

診察の技術 | 異常例

↘(続き)

- 片側の聴覚喪失または難聴がある場合〔Weber（ウェーバー）試験〕は，左右差を検査する
- 気導と骨導を比較する〔Rinne（リンネ）試験〕

診察の技術

耳介

耳介とその周囲の組織を，変形，腫瘤，耳小窩，皮膚病変がないか視診する。

耳痛，分泌物，炎症がある場合は，耳介を上下に動かし，耳珠を圧迫し（**tug test タグテスト**），また耳のすぐ後ろの乳様突起を上からしっかりと圧迫する。

外耳道と鼓膜

Box 13-1 に示すように，外耳道と鼓膜を診察するには，外耳道に容易に挿入できる最大のチップのついた耳鏡を使用する。

表 13-2「耳とその周囲の腫瘤」を参照。

急性外耳炎（外耳道の炎症）では，耳介と耳珠を動かすと疼痛を生じるが，中耳炎（中耳の炎症）では**生じない**。

耳の後ろの圧痛は，中耳炎や乳様突起炎で起こる。

中耳炎はときおり，急性乳様突起炎に移行することがあり，耳介後部の腫脹，変動，紅斑，著しい圧痛を呈する。**水疱性鼓膜炎 bullous myringitis** は，鼓膜上に痛みを伴う出血性の小水疱を呈する一般的な続発症でもある。これらの症状は，いずれも耳鼻咽喉科医による緊急の，多くは外科的な処置を必要とする。

Box 13-1　耳鏡による耳の診察

- 耳鏡が使いやすくなるよう，患者の頭部を動かす
- 左手の指で耳介をしっかり，かつ優しくつかみ，上方，後方，そして頭からわずかに引き離すようにして，右耳道をまっすぐにする
- 耳鏡のハンドルを右手の親指と他の指でしっかり把持し，残りの右手の指を患者の顔にあてる。手を添えることで，右手と器具は患者の予想外の動きにも対応できるようになる

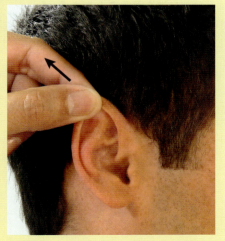

耳鏡のチップを挿入するために，外耳道をまっすぐにする

（続く）↗

↘（続き）

- 外耳道にやさしく耳鏡のチップを挿入し，いくらか前下方に向け，邪魔になるようなら髪の毛をよける
- 左耳を検査するときは，左手で耳鏡を持ち，右手で外耳道をまっすぐにして，手を入れ替える
- 下図のように，左耳を診察するときに手を切り替えるのが面倒ならば，左手で耳の上に手を伸ばして耳を後ろに引き，右手で耳鏡を固定して耳鏡のチップを静かに挿入するのもよい

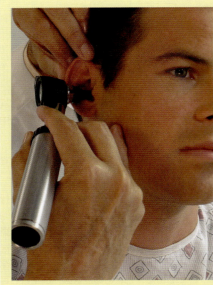
右手で耳鏡を顔にあてて，右耳を診察

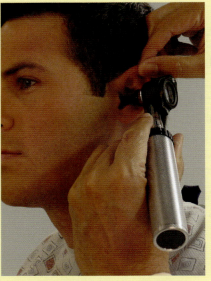
左手で耳鏡を顔にあてて，左耳を診察

分泌物，異物，皮膚の発赤，腫脹に注意して，**外耳道を視診する**。耳垢は，黄色で鱗状のもの，茶色で粘着性のもの，黒色で硬いものなど，色や硬さはさまざまである。耳垢によって視界が完全にまたは部分的に遮られることがある。

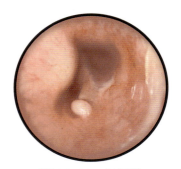

図 13-10　外骨腫

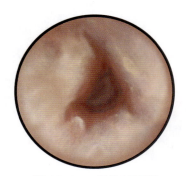

図 13-11　急性外耳炎

外耳道奥にあって正常の皮膚に覆われる無痛性の結節状の腫脹は，骨腫または外骨腫を示唆する（図 13-10）。非悪性の過形成であり，鼓膜を覆う可能性がある。

慢性外耳炎では，外耳道の皮膚はしばしば肥厚して，発赤し，瘙痒感がある。急性外耳炎では（図 13-11），外耳道はしばしば腫脹し，狭くなり，湿って，発赤または蒼白になり，圧痛を伴う。

UNIT II 第13章 耳と鼻

診察の技術

色と輪郭に注意して鼓膜を視診する(図13-12)。光錐は，通常，容易にみつかるので，位置を確認するのに役に立つ。

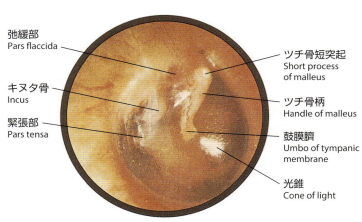

図13-12 右鼓膜の解剖

ツチ骨柄を特定し，位置に注意して，ツチ骨短突起を視診する。

弛緩部と緊張部の縁を含めてできるだけ広範囲をみるために，やさしく耳鏡を動かす。穿孔がないかどうか探す。鼓膜の前方と下方の縁は，外耳道の弯曲している壁に隠れてみえない。鼓膜の可動性は，気密耳鏡で評価できる(第24章の「昏睡患者の診察」，p.918参照)。

聴力検査

スクリーニングを開始するにあたり，「耳が聴こえにくいと感じますか？」とたずねる。片方の耳に比べて，難聴がより顕著であるかどうかたずねる。

患者が難聴を訴えた場合は，囁語検査に進む(Box 13-2)。**囁語検査は，検者が標準化された一貫した方法を用いれば，信頼できる難聴のスクリーニングテストといえる。陽性尤度比(LR)は2.3，陰性尤度比(LR)は0.73である**[11-14]。この検査で，30 dBを超える有意な聴力損失を検出できる。正式な聴力検査は，今なお参考とすべき基準である。

異常例

急性化膿性中耳炎を生じた赤く膨らんだ鼓膜[4]，**漿液性滲出液 serous effusion** がある琥珀色の鼓膜を探す。

表13-3「鼓膜の異常」を参照，第25章「小児：新生児から青年期まで」の表25-7「眼，耳，口腔の異常」，p.1092を参照。

異常に飛び出た短突起と水平にみえるツチ骨柄は，鼓膜の陥凹を示唆する。

漿液性滲出液，肥厚した鼓膜，化膿性中耳炎は，鼓膜の可動性を低下させることがある。穿孔があれば，可動性はない。

「はい」と答える患者は，聴力障害の可能性が2倍となる。聴力が正常と報告する患者では，中等度から重度の聴力障害に関連する尤度比は，わずか0.13である[11]。

| 診察の技術 | 異常例 |

Box 13-2　聴力を調べるための囁語検査

- 数字と文字の組み合わせを囁き，患者には，その順番を繰り返してもらう
- つぎに，座っている患者の背後で腕の長さぶん（約60cm）離れて立ち，口唇の動きを読みとられないようにする
- 左右の耳を個別に検査する。指で検査をしない耳を塞ぐ。検査をしない耳へ音が伝わるのを防ぐため，耳珠を，円を描くようにやさしく擦る
- 小さな声が出るよう，囁く前に完全に息を吐き出す
- 「4-K-2」や「5-B-6」など，数字と文字を組み合わせた3つの単語を囁く
  - 患者が正しく応答すれば，その耳は正常であると考える
  - 患者が正しく答えられない場合，またはまったく答えられない場合は，異なる3つの数字と文字の組み合わせでもう一度検査する。学習が影響しないように，毎回異なる組み合わせを使用することが重要
  - 6つの文字または数字のうち，3つ以上を正しく繰り返すことができれば，スクリーニングテストに合格である
  - 正しく繰り返す単語が3つ以下の場合は，聴力検査を行う
- 別の数字や文字の組み合わせで，もう片方の耳も同様に検査する

老人性難聴 presbycusis（年齢に応じた聴覚系の変化による感音性難聴）の患者には高周波の聴力障害があることに注意する。母音より高い周波数である**歯擦音 sibilant**（「s」や「sh」の音を出す，またはそれに似た音を出す）の子音を聴き逃す傾向が強い。通常，徐々に進行し，両側性である。

■ 伝音性難聴と感音性難聴に対する検査：音叉検査

囁語検査でうまくいかない患者については，音叉を用いた検査〔Weber（ウェーバー）試験と Rinne（リンネ）試験〕が，難聴の原因が伝音性か感音性かを決定するのに役立つかもしれない。しかし，その精度，検査と再検査の再現性，気導と骨導における差を参照基準として比較したときの正確さについては疑問視されている[13]。

両側性の感音性難聴や，感音性難聴と伝音性難聴が合わさった混合性難聴では，音叉を用いた試験は通常の聴覚を区別しないことにも注意する。Weber試験の感度は約55％，感音性難聴に対する特異度は約79％，伝音性難聴に対する特異度は約92％である。Rinne試験の感度と特異度は，それぞれ60〜90％と95〜98％である[15]。

これらの聴力検査を行うには，部屋が静かであることを確認し，512Hzの音叉を使用する。この周波数は，会話での音声の範囲，つまり500〜3,000Hz，45〜60dB（デシベル）内におさまる。

- 左右差に対する検査〔**Weber（ウェーバー）試験**〕。親指と人差し指の間で音叉（「U」の部分）を勢いよくはじくか，肘の手前の前腕部で叩くことで，音叉を軽く振動させる。軽く振動させた音叉の基部を患者の頭頂部または前頭中央部に置く（図13-13）。どこで一番聴こえるか患者にたずねる。片側か，両側なのか？　正常では，振動は正中または両耳で等しく聴こえる。何も聴こえない場合，音叉を確実に頭に押しつけて，再度試してみる。**正常な聴力をもった患者で左右差がある場合もあるので，片側性の難聴患者にのみこの検査を行うこと。両側での伝音性難聴または感音性難聴がある患者では，左右差はみられない。**

片側性伝音性難聴では，障害のある耳で大きく聴こえる（左右で偏る）。原因としては，耳硬化症，中耳炎，鼓膜穿孔，耳垢が含まれる。表13-4「難聴の種類」を参照。

片側性感音性難聴では，正常の耳で聴こえやすい。

診察の技術　　　　　　　　　　　　　　　　　　　　　　　　異常例

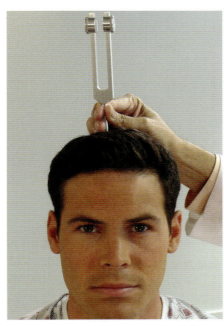

図 13-13　左右差試験〔Weber（ウェーバー）〕試験

● 気導と骨導を比較する〔Rinne（リンネ）試験〕。軽く振動させた音叉の基部を耳の後方で外耳道と同じ高さで乳突骨上に置く（図 13-14）。音が聴こえなくなった時点で，すぐに音叉の先端を外耳道に近づけて，振動が聴こえるかどうかをたずねる（図 13-15）。ここで，音叉の先端を前方に向けると，患者にとって音の伝達が最大になる。正常では，空気を通したほうが，骨を通したときよりも長く聴こえる（気導＞骨導）。

伝音性難聴では，骨を通した場合，空気を通した場合と比べ同じか，よく聴こえる（骨導＝気導，または骨導＞気導）。感音性難聴では，空気を通したほうが，骨を通したときより，よく聴こえる（気導＞骨導）。

図 13-14　Rinne 試験：骨導の検査

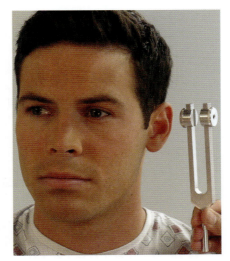

図 13-15　Rinne 試験：気導の検査

| 診察の技術 | 異常例 |

鼻と副鼻腔の診察の重要項目

- 鼻の前方と下方の表面を視診する(非対称，変形，圧痛)
- 左右の鼻翼で鼻腔閉塞の検査を行う(必要があれば)
- 鼻粘膜，鼻中隔，下・中鼻甲介，鼻腔を，光源または耳鏡(最大のチップを用いて)で検査する(偏位，明らかな非対称，ポリープ，潰瘍)
- 前頭洞を触診する(圧痛，圧迫感，充満感)
- 上顎洞を触診する(圧痛，圧迫感，充満感)

鼻の表面

鼻の前方と下方の表面を視診する。親指で鼻先をやさしく押すと，通常，鼻孔が広がる。ペンライトや耳鏡の光を使って，左右の鼻前庭を一部確認する。鼻先端に圧痛があるなら，やさしく触れ，できるだけいじらないようにする。鼻に非対称，変形がないか注意する。

必要があれば，片方ずつ鼻翼を押し，患者に息を吸い込むよう依頼することで，鼻閉がないか調べることができる。

鼻先や鼻甲介の圧痛は，癤などの局所感染を示唆し，特に小さな紅斑や腫脹がある場合には注意が必要である。

鼻腔と粘膜

耳鏡と鼻に入る最大のチップで鼻腔内を視診する。敏感な鼻中隔との接触を避け，患者の頭部を少し後ろに傾けて，チップをやさしく鼻孔の入り口に挿入する(図 13-16)。顎にあたらないように，また，可動性を高めるために，耳鏡のハンドルを一方向に保持する。図 13-17 に示すように，耳鏡を後方に向けた後，少しずつ上方に向けて，下鼻甲介と中鼻甲介，鼻中隔，およびそれらの間の狭い鼻腔をみるようにする。両側でのわずかな非対称は，正常である。

図 13-18 に示すように，下部の鼻中隔の偏位は一般的であり，容易に観察できる。偏位が気流を妨げることはあまりない。

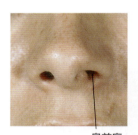

図 13-18　下部鼻中隔の偏位

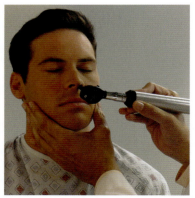

図 13-16　耳鏡で鼻の中を視診する

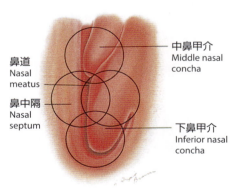

図 13-17　下鼻甲介と中鼻甲介

診察の技術

鼻中隔と鼻甲介を覆う鼻粘膜を視診する。色と腫脹，出血，滲出物がないか注意する。滲出物があれば性状に注意し，透明度，粘液膿性，化膿性かどうかもみていく。通常，鼻粘膜は，口腔粘膜よりいくらか赤い。

■ 鼻中隔

鼻中隔を視診する。鼻中隔に偏位，炎症，穿孔がないか注意する。鼻中隔前下部（患者の指が届くところ）は，**鼻出血**の出血源であることが多い。潰瘍やポリープなどの異常がないかを視診する（図 13-19）。

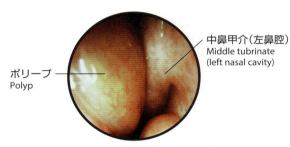

図 13-19　鼻ポリープ

外鼻孔からの鼻腔の視診は通常，鼻前庭，鼻中隔の前部，下・中鼻甲介に限られている。後部異常の検査には鼻咽頭鏡が必要であり，正しい使い方については本書の範囲を越えている。鼻や耳に使用したあとの耳鏡チップは，適切に廃棄するか，洗浄・消毒することを忘れない。

■ 副鼻腔

副鼻腔の圧痛を触診する。眼を圧迫しないように，眉下の骨ばった硬いところから前頭洞を押す（図 13-20）。それから，上顎洞を押していく（図 13-21）。

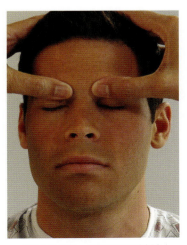

図 13-20　前頭洞の触診

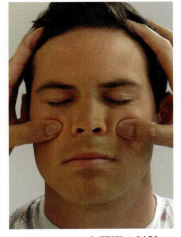

図 13-21　上顎洞の触診

異常例

ウイルス性鼻炎において，粘膜は赤くなり，腫脹する。アレルギー性鼻炎では，蒼白か，青っぽいか，もしくは赤い。

新鮮血，痂皮がみられる。鼻中隔穿孔の原因には，外傷，手術，コカインまたはアンフェタミンの鼻腔内使用が含まれ，これらは鼻中隔潰瘍の原因ともなる。

鼻ポリープ nasal polyp は，炎症を起こした青白い，袋状の，組織増殖で，通気道や副鼻腔を塞いでしまう。アレルギー性鼻炎，アスピリン過敏症，気管支喘息，慢性副鼻腔炎，**嚢胞性線維症** cystic fibrosis などでみられる[10]。

鼻腔の悪性腫瘍は，タバコや慢性的に吸い込んでいる毒素への曝露に関連して，まれにみられる。

局所圧痛に加えて，顔面痛，圧迫感，膨張感，膿性鼻汁，鼻閉，嗅覚障害などの症状があり，特に7日以上続く場合は，前頭洞または上顎洞にかかわる急性細菌性副鼻腔炎を疑う[8-10, 16]。

所見の記録

所見を記録する際，最初は文章を用いるかもしれないが，慣れてくれば慣用的な記述を用いるようになる。多くの診療記録によく用いられる表現法を以下に示す。

頭部・眼・耳・鼻・咽喉（HEENT）の診察の記録

HEENT：頭部（head）：頭部は外表上正常/外傷なし（normocephalic：NC/atraumatic：AT）。髪質はふつう。**眼（eyes）**：視力は両眼とも 20/20（1.0）。強膜は白色（結膜はピンク色）。瞳孔は 4 mm で 2 mm まで縮瞳（pupils），両眼とも同様に丸く（equal and round），光と遠近調節に反応あり（reactive to light and accommodation）（PERRLA）。視神経乳頭縁は明瞭，出血または滲出物なし，細動脈の狭小化なし。**耳（ears）**：囁語に対する聴力は良好。外耳道は両側とも正常である。鼓膜は正常で可動性あり，良好な円錐形。音叉（512 Hz）：Weber（ウェーバー）試験は正中。Rinne（リンネ）試験で両側に気導＞骨導。**鼻（nose）**：鼻粘膜はピンク色，中隔は正中，副鼻腔の圧痛なし。**咽喉（または口腔）〔throat（mouth）〕**：口腔粘膜はピンク色，歯列は正常，咽喉に滲出物なし
頸部：気管正中。頸部は軟，甲状腺峡部触知可，葉部触知不可
リンパ節：頸部，腋窩，内側上顆部，鼠径リンパ節腫脹なし

または

頭部：頭部は外表上正常（NC）/外傷なし（AT）。前頭部に禿げ。**眼**：視力は両眼とも 20/100（0.2）。強膜は白色，結膜充血。瞳孔は 3 mm で 2 mm まで縮瞳，同様に丸く，光や焦点調節に反応する。視神経乳頭縁は明瞭，出血または滲出物なし。動脈比率 arteriolar-to-venous ratio（AV 比率）は 2：4。動静脈間の網膜血管狭窄なし。**耳**：囁語に対する聴覚は減弱。話しかける声には正常に反応。両側の外耳道と鼓膜に異常なし。**鼻**：粘膜は発赤，腫脹し透明の鼻汁。鼻中隔は正中。両側の上顎洞に圧痛。**咽喉**：口腔粘膜はピンク色，下顎大臼歯は齲歯，紅斑性の咽頭，滲出物なし
頸部：気管正中。頸部は軟，甲状腺峡部正中。甲状腺触診可，腫脹なし
リンパ節：弾力性，可動性，圧痛のある，1 cm×1 cm 大の顎下・前頸リンパ節腫脹あり。後頸，内側上顆部，腋窩，鼠径リンパ節腫脹なし

これらの所見から，副鼻腔の感染とそれに伴う鼻咽頭や粘膜のうっ血による両側性の難聴が考えられる。

健康増進とカウンセリング：エビデンスと推奨

健康増進とカウンセリングの重要事項

- 難聴のスクリーニング

難聴のスクリーニング

米国では，18歳以上の成人の約16％が難聴を訴えており，50歳以上の3分の1，80歳以上の80％が難聴であるという[17,18]。難聴とは，発話の過程で最も重要とされる500〜4,000 Hzの周波数の音を聴き取ることができない状態を指す。難聴は，社会的，心理的，認知的な機能に悪影響を及ぼす可能性があるものの，発見されず，治療もされないことが多い。自動車運転に視力検査が必要であるのとは異なり，広範囲にわたる聴力検査に対する強制力はなく，成人の多くが補聴器の使用を嫌がる。難聴は，単項目のスクリーニングテスト（例：「聴こえにくいことがありますか？」），多項目のアンケート（高齢者聴覚障害調査票Hearing Handicap Inventory for the Elderly-Screening Versionなど），携帯型オージオメータ，囁語検査（p.418参照），時計のカチカチ（秒針）音テスト，指こすりテストなど，多くのスクリーニングテストがあり，正確かつ信頼性の高い方法を選んで検出することができる[17]。難聴の最も一般的な原因は老化で，加齢に伴う耳の有毛細胞の変性である。これにより，特に高周波音の聴力低下が徐々に進行する[19]。特に若年層では，職業上およびその他の環境上の原因による危険な騒音レベルへの曝露が，難聴の2番目に主要な原因である[20]。他の危険因子には，内耳感染症の既往，耳毒性のある薬物への曝露，糖尿病などの全身疾患があげられる。成人の加齢性難聴では，補聴器を使用することで聴力や生活の質が向上する人もいる。

スクリーニングにより難聴の成人を特定することは可能であるが，その後に補聴器を使用する傾向は，特に自分で難聴を自覚していない場合では低い[21,22]。米国予防医療専門委員会（USPSTF）は，聴覚スクリーニング検査の有効性は，補聴器使用で恩恵を受ける可能性のある人が実際に補聴器を使用するかどうかに依存すると指摘した。その結果，USPSTFは，50歳以上の成人の聴覚スクリーニングについて判断するにはエビデンスが不十分であると結論づけた（グレードⅠ）[19]。一方で，騒音曝露の低減や回避は，難聴を予防したり遅らせる方策として推奨されている[20]。

表 13-1　浮動性めまい dizziness と回転性めまい vertigo

"めまい"とは，ある種の疾患を有する患者によって使われる非特異的な用語であり，慎重に鑑別しなければならない。詳細な既往歴から，原疾患を特定していく。以下の用語または状態に対する特有の意味を学ぶことは，重要である。

- **回転性めまい**―眼振と運動失調を伴う回転感覚。通常，末梢前庭機能障害が原因（浮動性めまいの患者の約 40%にみられる）。しかし中枢脳幹病変が原因の可能性もある（約 10%）。その原因はアテローム性動脈硬化症，多発性硬化症，椎骨脳底動脈性片頭痛，一過性脳虚血発作など）。
- **失神寸前の状態**―"気を失いそうな感じ，頭のフラフラ感"から気絶寸前の状態。原因は，特に薬物，不整脈，血管迷走神経の発作（約 5%）からの起立性低血圧症など。
- **平衡障害**―歩行における不安定または平衡失調，特に高齢患者。原因は，歩行に対する恐怖，視覚障害，筋骨格の問題による脱力，末梢神経障害（約 15%）など。
- **精神障害**―精神医学的な原因は，不安，パニック障害，過換気，うつ病，身体化障害，アルコール，薬物乱用（約 10%）など。
- **多因子性または原因不明**（約 20%）

末梢性・中枢性回転性めまい

	発症	期間と経過	聴覚	耳鳴	他の特徴
末梢性回転性めまい					
良性頭位性めまい	突然に，また患部を横にしたり，頭を上にしたときにしばしば起こる	数秒から1分未満 数週間持続し，繰り返すこともある	影響は受けない	なし	ときどき悪心，嘔吐，眼振
前庭神経炎	突然	数時間から最高2週間 12～18カ月間繰り返すこともある	影響を受けない	なし	悪心，嘔吐，眼振
急性迷路炎	突然	数時間から最高2週間 12～18カ月間繰り返すこともある	感音性難聴―片側性	生じる場合もあり	悪心，嘔吐，眼振
Ménière 病	突然	数時間から1日以上 再発する	感音性難聴―変動性，再発性，最終的には進行する	あり，変動性	患側の耳の圧迫感または充満感。悪心，嘔吐，眼振
薬物中毒	潜行性または急性ではループ利尿薬，アミノグリコシド系抗菌薬，サリチル酸塩，アルコールとの関連	可逆性のことも，そうでないこともある 部分的順応が起こる	障害されることもある	生じる場合もあり	悪心，嘔吐
聴神経腫瘍	第Ⅷ脳神経圧迫，前庭分枝から潜行性	さまざま	障害されることもある。片側性	あり	第Ⅴ，Ⅶ脳神経を侵す可能性がある
中枢性回転性めまい	しばしば突然である（原因は上記参照）	さまざまであるが，持続することはまれ	影響を受けない	なし	通常，他の脳幹神経障害を含む。構音障害，運動失調，対側の運動・感覚欠損

出典：Chan Y. *Curr Opin Otolaryngol Head Neck Surg*. 2009; 17: 200, Kroenke K et al. *Ann Intern Med*. 1992; 117: 898, Tusa RJ. *Neurol Clin*. 2001; 19: 23, Lockwood AH et al. *N Engl J Med*. 2002; 347: 904.

表 13-2　耳とその周囲の腫瘤

ケロイド

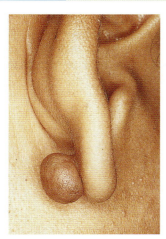

損傷した領域から広がる，硬い，結節状で，肥厚性の瘢痕性腫瘤。瘢痕化したいかなる領域でも起こりうるが，肩部と上胸部で最も頻度が高い。ピアスをつけた耳垂にケロイドができると，美容上好ましくない影響がでることがある。ケロイドは皮膚の色が濃い人に多くみられ，治療後に再発することがある

耳輪軟骨皮膚炎

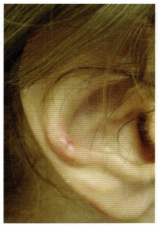

この慢性炎症性病変は，耳輪または対輪での疼痛，圧痛のある丘疹としてはじまる。発赤が生じることもある。生検は，癌を除外するために必要である

痛風結節

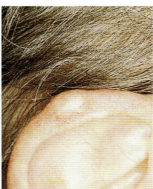

慢性(結節性)痛風患者に特有の尿酸結晶の堆積物。耳輪または対輪で硬い小結節としてみられ，皮膚を通して白いチョーク様の尿酸塩が排出されることがある。手(p.842)，足，他領域の関節近くにも現れる。通常，慢性的な尿酸高値を原因として発症する

基底細胞癌

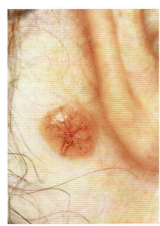

この隆起した小結節は，基底細胞癌(転移はまれで，通常，緩徐に増殖する悪性病変)であり，光沢のある表面と毛細血管拡張を呈している。増大し潰瘍化することもある。皮膚の色が薄く，日光に過度に曝露した人で，発症頻度が高い

皮膚嚢胞

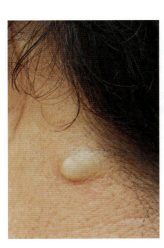

皮脂嚢胞とも呼ばれるドーム型の真皮の腫瘤は，表皮に付着し良性の硬く閉じた囊を形成する
黒い点(黒色面皰)が，その表面にみえることがある
組織学的には通常，(1)類表皮囊胞(顔と頸部で一般的)，(2)毛髪囊腫(外毛根鞘腫，頭皮で一般的)のどちらかである。両方とも，炎症を起こすことがある

リウマトイド結節

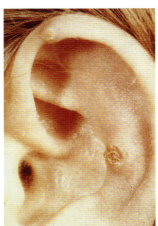

慢性関節リウマチでは，耳輪か対輪，手の小結節，肘から遠位尺骨表面(p.850)，膝と踵に，小さい腫瘤を探す
潰瘍は，反復損傷から生じる可能性がある。このような小結節は，関節炎に先行して起こる

写真出典：ケロイド— Sams WM Jr, Lynch PJ, eds. *Principles and Practice of Dermatology*. Churchill Livingstone; 1990. Copyright © 1990 Elsevier. より許可を得て掲載．耳輪軟骨皮膚炎— Stedman's より．痛風結節— Weber J, Kelley J. *Health Assessment in Nursing*. 2nd ed. Wolters Kluwer; 2003, Fig. 12-2．基底細胞癌— Phillips T, Dover J. *N Engl J Med*. 1992; 326(3): 169-178. Copyright © 1992 Massachusetts Medical Society. より Massachusetts Medical Society の許可を得て掲載．皮膚囊胞— jaojormami (Shutterstock) より．リウマトイド結節— Champion RH, et al., eds. *Rook/Wilkinson/Ebling Textbook of Dermatology*. 5th ed. Blackwell Scientific; 1992. Copyright © 1992 by Blackwell Scientific Publications. より John Wiley & Sons, Inc. の許可を得て掲載

表 13-3　鼓膜の異常

正常な鼓膜（右）
この正常な右の鼓膜は，ピンクがかった灰色をしている。鼓膜上部の後方にあるツチ骨に注意する。短突起の上方は　弛緩部で，残りは，緊張部である。明るい色の光錐は，鼓膜臍から，前下方へと扇状に広がる。ツチ骨の後方，キヌタ骨の一部は，鼓膜後方にみえる。ツチ骨柄に沿った小血管は，正常である

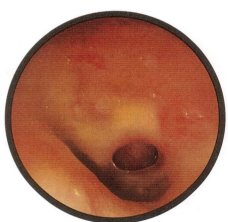

鼓膜穿孔
通常，中耳の化膿性感染症から生じる鼓膜の穴である。穿孔は，ドラムの辺縁に及ばない場合は中心性穿孔，縁を含む場合は辺縁性穿孔となる。穿孔の治癒過程で，穿孔を覆う膜が著しく薄く透明になることがある。これは「モノマー monomer」と呼ばれ，真の穿孔との区別が難しい場合がある

左の写真で示すのは一般的な中心性穿孔である。肉芽組織の赤い輪は穿孔を囲み，慢性感染症を示す。鼓膜自体は瘢痕化し，ランドマークはみえない。感染した中耳からの分泌物は，穿孔した開口部を通して排出される可能性がある。つぎの写真のように，治癒過程で穿孔が閉じることが多い。特に穿孔が大きい場合は，耳痛や難聴を伴うこともある

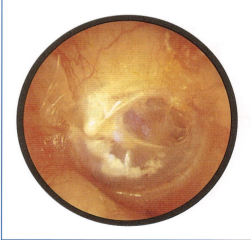

鼓室硬化
鼓膜硬化は，中耳炎による中耳の瘢痕化で，鼓膜や中耳に硝子質の堆積や石灰化，またリン酸の結晶が沈着する。重症化すると耳小骨を巻き込み，伝音性難聴の原因となる

左の写真の鼓膜の下側には，大きな石灰質の白い斑点があり，その縁は不整である。ときに重篤な中耳炎に伴って起こる鼓膜層での硝子質の堆積は，鼓室硬化の典型である。通常，聴力低下はなく，臨床的に重要となることはまれである

他の異常としては，治癒した穿孔（鼓膜上部後側の大きな卵円領域）と鼓膜の陥凹がある。鼓膜全体がみえるように眼を離してみると，へこみのある鼓膜は内側に引っ張られ，ツチ骨襞は張り，鮮明な輪郭となる。短突起はしばしば鋭く突出し，ツチ骨柄（鼓膜臍で中に引っ張られる）は奥行きがあり，より水平にみえる

表 13-3　鼓膜の異常（続き）

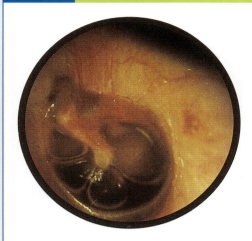

漿液性滲出液
通常，ウイルス性上気道感染（漿液性滲出液を伴う中耳炎）によって起こる。また飛行や飛びこみ（耳気圧障害）による気圧の急転によっても起こる。耳管は，中耳の空気圧と外の空気圧を等しくすることができない
空気は，中耳から血流へ吸収され，漿液が空気に代わって貯留する。症状としては，耳の充満感，ポンと鳴る感覚，軽度の伝音性難聴，ときどき生じる疼痛などがある
左の写真に示すように耳に気圧障害がある場合，鼓膜後方の琥珀色の液体が特徴的である。液体の水平面（上の空気と下の琥珀の液体の間の境目）は，短突起の両側にみられる。いつもあるとは限らないが，ここでは琥珀色の液体中に気泡がみられる

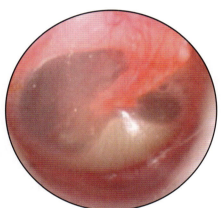

化膿性滲出液を伴った急性中耳炎
通常，肺炎レンサ球菌やインフルエンザ菌などの細菌感染によって起こる。症状としては，耳痛，発熱，難聴など。鼓膜は赤くなり，そのランドマークを失って，片側に偏位し隆起する
ここでは鼓膜が液面をつくり膨らんでいる。鼓膜のびまん性発赤がしばしばみられる。外耳道への化膿性内容物の放出に伴い，鼓膜の自然破裂（穿孔）が起こりうる
難聴は伝音性。急性化膿性中耳炎は，成人より小児によくみられる

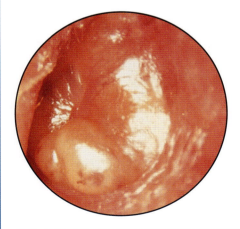

水疱性鼓膜炎
有痛性の出血性小胞が鼓膜，外耳道あるいは両方に現れる。症状には耳痛，血染が混じった耳漏，伝音性難聴を含む
左の写真では，鼓膜上に大きな水疱がみえる。鼓膜は赤くなり，そのランドマークはみえなくなっている
この状態は，マイコプラズマ性，ウイルス性，細菌性の中耳炎が原因で発生する

写真出典：正常鼓膜— Hawke M et al. *Clinical Otoscopy: A Text and Colour Atlas*. Churchill Livingstone; 1984. Copyright © 1984 Elsevier. より許可を得て掲載，鼓膜穿孔・鼓室硬化— Michael Hawke, MD, Toronto, Canada の厚意による，漿液性滲出液— Hawke M et al. *Clinical Otoscopy: A Text and Colour Atlas*. Churchill Livingstone; 1984. Copyright © 1984 Elsevier. より許可を得て掲載，急性中耳炎— Johnson J. *Bailey's Head and Neck Surgery*. 5th ed. Wolters Kluwer; 2014, Figure 99-1，水疱性鼓膜炎— Jensen S. *Nursing Health Assessment: A Best Practice Approach*. 2nd ed. Wolters Kluwer Health/Lippincott Williams & Wilkins; 2011: 406.

表 13-4　難聴の種類

	伝音性難聴	感音性難聴
	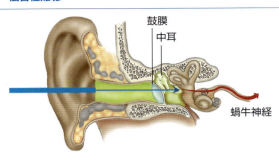	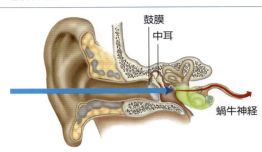
病態生理	外耳や中耳の障害は，内耳への音の伝導を障害する 原因は，異物，中耳炎，鼓膜穿孔，耳小骨の硬化など	内耳の障害は，蝸牛神経と脳への神経インパルス伝達に影響を与える 原因には，騒音曝露，内耳感染症，外傷，聴神経腫瘍，先天性・家族性疾患，加齢が含まれる
発症年齢	幼児期と青年期，40 歳まで	中年以降
外耳と鼓膜	通常，異常はみてわかる（耳硬化以外）	問題はみられない
作用	音に対する作用はわずか 聴覚は，雑音が多い環境で改善する 内耳と蝸牛神経に異常がないため，声は穏やかなままである	高音域は失われ，音はゆがむ可能性がある 聴覚は，雑音が多い環境で悪化する 音が聴こえにくいため，声は大きくなる
Weber 試験（片側性難聴）	音叉の基部は頭頂に置く 音が障害のある耳で大きく聴こえる。部屋の雑音はよく聴こえず，振動の検出は改善する	音叉の基部は頭頂に置く 音が健側耳に偏る。内耳または蝸牛神経損傷は，患側の耳への伝達を障害する
Rinne 試験	音叉の基部は，外耳道の突起部である乳突骨に置く 骨導は，気導より等しいか長い（BC≧AC） 外耳か中耳を通して気導が障害されている間，振動が障害部をバイパスし骨を通じ蝸牛に達することで音を伝える	音叉の基部は，外耳道の突起部である乳突骨に置く 気導は骨導より長い（AC＞BC） 内耳または蝸牛神経は，振動が蝸牛に達する方法を問わず，振動を中枢へ伝導することがあまりできない。Rinne 試験では，聴力正常と同じパターンとなる

文献一覧

1. Lasak JM, Allen P, McVay T, et al. Hearing loss: diagnosis and management. *Prim Care*. 2014; 41(1): 19-31.
2. Uy J, Forciea MA. In the clinic. Hearing loss. *Ann Intern Med*. 2013; 158(7): ITC4-1.
3. Raviv D, Dror AA, Avraham KB. Hearing loss: a common disorder caused by many rare alleles. *Ann N Y Acad Sci*. 2010; 1214: 168-179.
4. Siddiq S, Grainger J. The diagnosis and management of acute otitis media: American Academy of Pediatrics Guidelines 2013. *Arch Dis Child Educ Pract Ed*. 2015; 100(4): 193-197.
5. Baguley D, McFerran D, Hall D. Tinnitus. *Lancet*. 2013; 382(9904): 1600-1607.
6. Hogue JD. Office evaluation of dizziness. *Prim Care*. 2015; 42(2): 249-258.
7. Wheatley LM, Togias A. Clinical Practice. Allergic rhinitis. *N Engl J Med*. 2015; 372(5): 456-463.
8. Foden N, Burgess C, Shepherd K, et al. A guide to the management of acute rhinosinusitis in primary care: management strategy based on best evidence and recent European guidelines. *Br J Gen Pract*. 2013; 63(616): 611-613.
9. Rosenfeld RM, Piccirillo JF, Chandrasekhar SS, et al. Clinical practice guideline (update): adult sinusitis executive summary. *Otolaryngol Head Neck Surg*. 2015; 152(4): 598-609.
10. Seidman MD, Gurgel RK, Lin SY, et al. Clinical practice guideline: allergic rhinitis executive summary. *Otolaryngol Head Neck Surg*. 2015; 152(2): 197-206.
11. Bagai A, Thavendiranathan P, Detsky AS. Does this patient have hearing impairment? *JAMA*. 2006; 295(4): 416-428.
12. McShefferty D, Whitmer WM, Swan IR, et al. The effect of experience on the sensitivity and specificity of the whispered voice test: a diagnostic accuracy study. *BMJ Open*. 2013; 3(4): e002394.
13. Pirozzo S, Papinczak T, Glasziou P. Whispered voice test for screening for hearing impairment in adults and children: systematic review. *BMJ*. 2003; 327(7421): 967.
14. Eekhof JA, de Bock GH, de Laat JA, et al. The whispered voice: the best test for screening for hearing impairment in general practice? *Br J Gen Pract*. 1996; 46(409): 473-474.
15. McGee S. *Evidence Based Physical Diagnosis*. 4th ed. St. Louis, MO: Elsevier; 2018: 200.
16. Kaplan A. Canadian guidelines for acute bacterial rhinosinusitis: clinical summary. *Can Fam Physician*. 2014; 60(3): 227-234.
17. Chou R, Dana T, Bougatsos C, et al. Screening adults aged 50 years or older for hearing loss: a review of the evidence for the U.S. preventive services task force. *Ann Intern Med*. 2011; 154(5): 347-355.
18. QuickStats: Percentage of Adults Aged ≥ 18 Years with Any Hearing Loss, by State — National Health Interview Survey, 2014-2016. *MMWR Morb Mortal Wkly Rep*. 2017; 66(50): 1389.
19. Moyer VA; U.S. Preventive Services Task Force. Screening for hearing loss in older adults: U.S. Preventive Services Task Force recommendation statement. *Ann Intern Med*. 2012; 157(9): 655-661.
20. Carroll YI, Eichwald J, Scinicariello F, et al. Vital signs: noise-induced hearing loss among adults — United States 2011-2012. *MMWR Morb Mortal Wkly Rep*. 2017; 66(5): 139-144.
21. Thodi C, Parazzini M, Kramer SE, et al. Adult hearing screening: follow-up and outcomes1. *Am J Audiol*. 2013; 22(1): 183-185.
22. Yueh B, Collins MP, Souza PE, et al. Long-term effectiveness of screening for hearing loss: the screening for auditory impairment — which hearing assessment test (SAI-WHAT) randomized trial. *J Am Geriatr Soc*. 2010; 58(3): 427-434.

本章の学習効果を高め，理解を助けるために一連の補助教材がある．
- 『ベイツ診察法ポケットガイド第4版』
- Bates' Visual Guide to Physical Examination
- thePoint® online resources, for students and instructors: http://thepoint.lww.com

第14章 咽喉と口腔

解剖と生理

口，歯肉，歯

口唇 lips は，口の入口を囲む筋肉の層である。開けると，歯肉（歯茎）と**歯** teeth がみえる（図 14-1）。**歯肉縁** gingival margin の波形模様と尖った**歯間乳頭** interdental papilla に注意する。

歯肉 gingiva は，歯および，歯が並ぶ上顎骨と下顎骨に強固に付着している。皮膚の色が薄い人では，歯肉は淡いピンク色またはサンゴ色でわずかに斑点がある。肌の色が濃い人では，びまん性または部分的に褐色になることがある（図 14-2）。**口唇小帯** labial frenulum と呼ばれる正中にある粘膜の襞は，口唇と歯肉をつないでいる。細い歯肉縁と歯の間にある浅い**歯肉溝** gingival sulcus は，容易にはみえない（歯科医および歯科衛生士は探針を用いて計測する）。歯肉に隣接して**歯槽粘膜** alveolar mucosa があり，**口唇粘膜** labial mucosa とつながっている（図 14-2）。

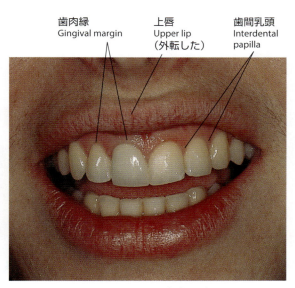

図 14-1 口，歯肉，歯

解剖と生理

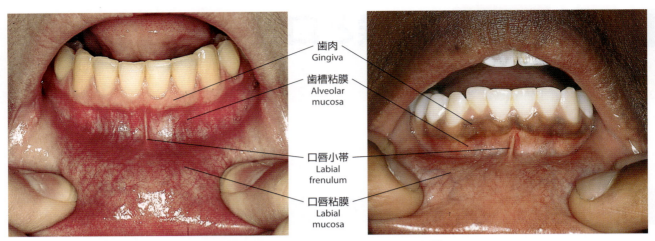

図 14-2　歯槽粘膜，口唇粘膜，口唇小帯

歯は，おもにゾウゲ質 dentine からできており，エナメル質に覆われた**歯冠 crown** が露出する状態で，歯槽骨に植立している。小血管と神経は，歯根尖から歯に入り，**歯根管 pulp canal** と**歯髄腔 pulp chamber** を通る（図 14-3）。

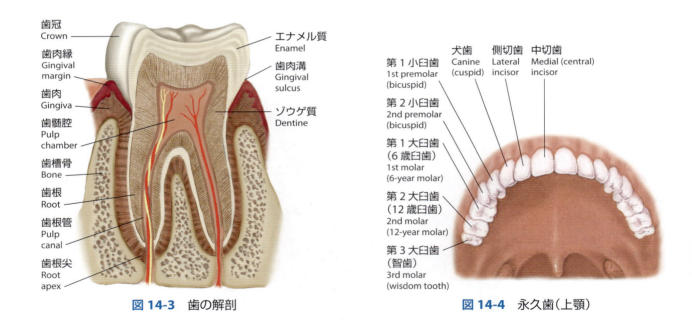

図 14-3　歯の解剖　　　　　　　　　図 14-4　永久歯（上顎）

なお，永久歯は 32 本あり，上顎では右から左に 1〜16，下顎では左から右に 17〜32 と番号がついている（図 14-4）。

舌

舌背は**乳頭 papilla**で覆われており、ざらざらしている。舌乳頭には舌を覆う薄い白苔と、対照的にところどころ赤い点のようにみえるところがある（図14-5）。

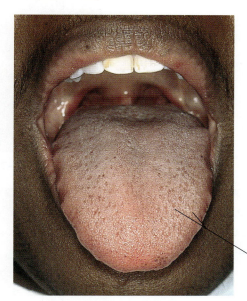

図 14-5 舌背の乳頭

舌乳頭
Lingual Papilla

舌下面には、乳頭はみられない。舌と口腔底をつなぐ正中の**舌小帯 frenulum of tongue**と、前方と内側を通る**顎下腺管 submandibular duct**〔Wharton（ワルトン）管〕に注目する（図14-6）。この管は、舌小帯の両側にある乳頭に通じている。舌下腺は対をなし、口腔粘膜の真下に位置する。

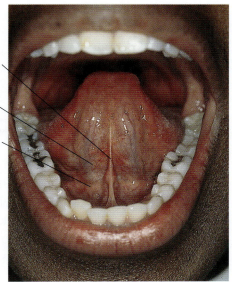

舌小帯
Frenulum of tongue

静脈
Vein

顎下腺管
Submandibular duct

図 14-6 舌下面

咽頭

前後の口蓋弓、**軟口蓋 soft palate**（口蓋帆）、**口蓋垂 uvula**で形づくられたアーチが舌の上方と後方にある（図14-7）。小血管の網目構造が、軟口蓋でみられることがある。**後咽頭 posterior pharynx**は、軟口蓋と舌の後方にへこんでみえる。

図14-7 に示した，前後の口蓋弓の間にあるへこんだ扁桃窩または扁桃腔から突出している**右扁桃 right tonsil** に注意する。成人では，左側の**扁桃窩 tonsillar fossa** のように，扁桃は小さいか，ないことも多い。

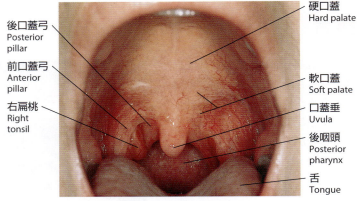

図 14-7　後咽頭の解剖

頬粘膜 buccal mucosa は，頬部の内側を覆っている。**耳下腺管 parotid duct**〔Stensen(ステンセン)管〕は，上顎第2大臼歯の近くで頬粘膜に開口している。小さな乳頭があるのでその位置がわかる（図14-8）。

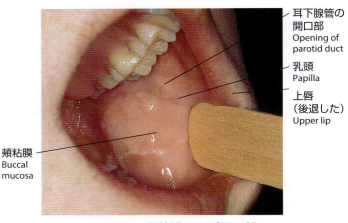

図 14-8　頬粘膜および開口部

病歴：一般的なアプローチ

咽喉や口腔の症状の多くは，一般的な良性の経過を示すが，これらの症状が重篤な基礎疾患を反映していることもある。病歴聴取と身体検査に細心の注意を払うことで，一般的な症状と，より深刻な疾患とを見分けることができる。ここでは，咽喉・口腔の症状に関連した面接の方法について述べる。頭頸部の症状と相互に関連していることが多いので，これらの方法は，より広範囲な「HEENT」（頭部・眼・耳・鼻・咽喉）の病歴を調べる際にも役立つだろう。

よくみられる，または注意すべき症状

- 咽頭痛
- 歯肉出血，歯肉腫脹
- 嗄声
- 口臭

| UNIT II　第 14 章　咽喉と口腔 |

| 病歴：一般的なアプローチ | 異常例 |

咽頭痛

咽頭痛（咽頭炎 pharyngitis）はよくある訴えで，通常，急性上気道感染症と関連している。しかし，ときには喉の痛みだけが症状として現れることもある。

舌痛 sore tongue は，全身性疾患からだけでなく**口腔カンジダ症 oral candidiasis** などの局所病変からも起こりうる。

アフタ性潰瘍 aphthous ulcer や，栄養不足による舌痛などがある。表 14-4「舌と舌下面の所見」を参照。

溶連菌と *Fusobacterium necrophorum* フソバクテリウム・ネクロフォーラムによる咽頭炎に対する Centor（センター）criteria があり，咳がない，発熱，扁桃の滲出物，前頸部の圧痛を伴う腫脹を基準とし，これまで診断と治療の指針として用いられてきた。しかし，このスコアの感度と特異度は 90％以下で，不必要な抗菌薬の使用頻度が高くなることから，その妥当性が疑問視されている。現在のガイドラインでは，診断と治療には迅速抗原検査または咽頭培養を推奨している[1-4]。

歯肉出血，歯肉腫脹

歯肉からの出血は，歯を磨くときによく起こる。局所性病変や他の部位に，あざになりやすいなどの出血傾向がないかたずねる。

歯肉の出血は，通常，**歯肉炎 gingivitis** が原因である。表 14-3「歯肉と歯の所見」を参照。

嗄声

嗄声は声質の変化を表し，しばしば，しゃがれた，ガラガラした，荒々しい声といわれ，通常よりも低音域の声として表現される。

環境に対するアレルギー，胃酸の逆流，喫煙，飲酒，煙や他の刺激物の吸入について患者にたずねる。また，患者がよく会話をする仕事についているかどうかについても質問する。

2 週間以上続く慢性的なものか？　喫煙や飲酒は継続的に行っているのか？　咳や喀血，体重減少，片側性の咽頭痛はないか？

原因は，喉頭疾患から喉頭神経を圧迫する喉頭以外の病変までさまざまである[5,6]。

急性の嗄声では，喉の使いすぎ，急性ウイルス性喉頭炎，頸部外傷の可能性を考慮する。

2 週間以上嗄声が続くなら，喉頭鏡検査を紹介し，胃食道逆流症，声帯結節，甲状腺機能低下症，甲状腺腫を含む頭頸部癌，また Parkinson（パーキンソン）病，筋萎縮性側索硬化症，重症筋無力症などの神経学的障害が原因かどうかを検討する[5,6]。

口臭

口臭 halitosis とは，息から発せられる不快な臭いのことである。口臭のある人すべてがそれに気づいているわけではない。「話すときに口臭が気になりませんか？」「誰かに口臭があるといわれたことはありませんか？」とたずねる。注意したいのは，健康な口内からも，寝起きには口臭がすることである。

口臭の一般的な原因としては，口腔内の不衛生，喫煙，歯またはリテーナー（保定装置）・義歯などの口内器具への歯垢の付着，歯周病（歯肉炎，潰瘍，歯周炎）などがあげられる[7, 8]。

口臭の原因には全身性疾患もあげられ，最も一般的なのは，副鼻腔炎，扁桃炎，咽頭炎，異物，悪性新生物，膿瘍，気管支拡張症などの呼吸器疾患がある。まれではあるが，胃酸の逆流，肝硬変，コントロール不良の糖尿病，脂肪の消化不良，またトリメチルアミン尿症などの先天性代謝異常もみられる[9, 10]。

身体診察：一般的なアプローチ

口と咽頭の検査には，適切な照明と徹底した視診，さらに触診が必要となってくる。口腔粘膜，口唇，歯，歯肉，口蓋，舌，また扁桃を含む咽頭の一般的な状態をすべて把握すること。ここでは，頭頸部の診察という大きな枠組みの中で解釈できるように，診察の重要な側面について述べる。義歯を装着している場合，義歯下の粘膜をみることができるように，患者にペーパータオルを渡して義歯をはずしてもらう。

口と咽頭の診察の重要項目

- 口唇の視診（色，潤い，腫瘤，潰瘍，ひび割れ，鱗屑）
- 口腔粘膜の視診（変色，潰瘍，白斑，結節）
- 口腔粘膜の触診（病変や肥厚があれば行う）
- 歯肉の視診（紅斑，変色，潰瘍，腫脹）
- 歯肉縁，歯間乳頭の視診（腫脹，潰瘍）
- 歯の視診（欠損，変色，変形，異常配列）
- 硬口蓋と口腔底の視診（紅斑，変色，結節，潰瘍，変形）
- 舌下神経（第XII脳神経）の検査（舌を突き出したときの対称性）
- 舌の視診（色，質感，病変）
- 舌の触診（病変や肥厚があれば行う）
- 軟口蓋，前方と後方の口蓋弓，口蓋垂，扁桃，咽頭の視診（色，対称性，滲出物，腫脹，潰瘍，扁桃肥大など）
- 迷走神経（第X脳神経）の検査（口蓋垂の対称性）

診察の技術

口唇と口腔粘膜

口唇を視診する。色と湿潤度を観察して，腫瘤，潰瘍，ひび割れ，鱗屑に注意する。

中枢性チアノーゼや貧血による蒼白に注意する。表14-1「口唇の異常」を参照。

口腔粘膜を視診する。適切な光源と舌圧子を用いて，患者の口腔内を観察する（図14-9）。変色，潰瘍（図14-10），白斑，結節を調べる。

潰瘍や小結節を疑う病変をみたら，悪性を示唆する組織の肥厚や浸潤に注意しながら，手袋を着用して触診する。

図14-9に示した患者では，隣接する頬粘膜に矢印で示した波状の白い線が上下の歯が接する部位に生じており，吸ったり噛んだりすることで生じる刺激が関係している。

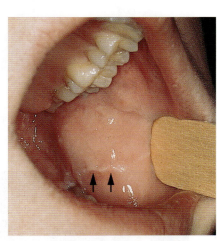

図 14-9 舌圧子を用いて口腔粘膜を調べる

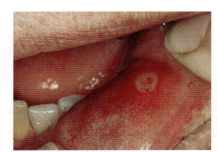

図 14-10 口唇粘膜にできたアフタ性潰瘍

表14-2「咽頭，口蓋，口腔粘膜の所見」を参照。

義歯下の明赤色の水腫性粘膜は，**義歯性口内炎 denture stomatitis** を示唆する。潰瘍または乳頭状の肉芽組織がみられることもある。

歯肉と歯

歯肉を視診する。通常ピンク色を示すことが多い歯肉の色に注意する。褐色斑は，皮膚の色が濃い人のみならず他の人種にもみられる。

歯肉縁と歯間乳頭に，腫脹，潰瘍がないか調べる。

歯を視診する。歯の欠損，変色，変形，異常な配列がないか？ 歯，顎，顔面痛を評価するには，手袋をはめた親指と示指で，歯のぐらつきや歯肉の状態を注意深く触診する[11, 12]。

歯肉が赤い場合は歯肉炎，黒い線が入っている場合は鉛中毒の可能性がある。

歯肉炎 gingivitis では歯間乳頭が腫脹する。表14-3「歯肉と歯の所見」を参照。

| 診察の技術 | 異常例 |

口蓋，口腔底，舌

口蓋（硬口蓋）を視診する。 紅斑，変色，小結節，潰瘍，変形がないか確認する。

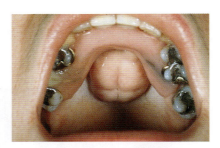

図 14-11　口蓋隆起

口蓋隆起は，びっくりするような形状をしているが，正中に位置する良性の腫瘤である（図 14-11）。

口腔底を視診する。 白または赤くなった病変，小結節または潰瘍がないか注意する。

舌下神経（第Ⅻ脳神経）を調べる。 患者に舌を出してもらう（図 14-12）。左右対称かを詳しく調べる（図 14-13）。

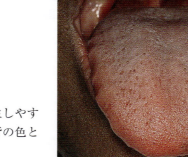

図 14-12　舌背を視診する

図 14-13　非対称の突出は，第Ⅻ脳神経の病変を示唆する（舌は患側を向く）

舌をよく視診する。 特に，癌の発生しやすい舌の側面や下面に注目する。舌背の色と質感に注意する。

50 歳以上の男性，喫煙者，噛みタバコの常用者，アルコールの大量飲酒者では，舌と口腔の癌のリスクが最も高く，通常は舌の側面または底面に扁平上皮癌が発生する。結節や潰瘍，赤みや白みが持続する場合，特に硬結がみられれば，癌を疑うこと。これら変色部分は**紅斑** erythroplakia や**白斑** leukoplakia を呈し，生検を必要とする[13, 14]。

手袋をした手で病変部を触診する。 舌を突き出すように伝える。右手で，ガーゼを使って舌尖をつかみ，やさしく患者の左側へ引っ張る。舌の側面を視診し，その後，硬結がないか注意しながら手袋をした左手で触診する（図 14-14, 14-15）。逆の手で反対側も診察する。

UNIT II　第14章　咽喉と口腔

診察の技術

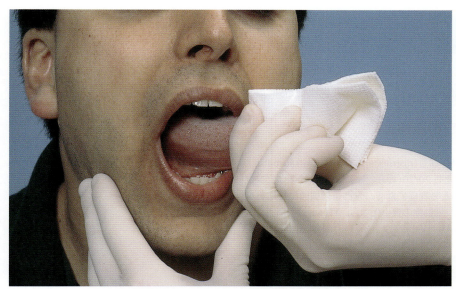

図 14-14　舌をもち，その外側縁を観察する

異常例

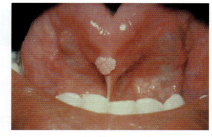

図 14-15　舌癌（U.S. Department of Veteran's Affairs の厚意による）

図 14-15 の舌の中央にある癌に注意する。視診と触診は，いまなお口腔癌を発見するための標準的な方法である[15-17]。

表 14-4「舌と舌下面の所見」を参照。

咽頭

咽頭部を観察する。舌を突き出さないで口を開け，患者に「あー」といってもらうか，あくびをしてもらう。この動作により，後咽頭がよくみえるようになる。あるいは，咽頭をみるのに十分な距離を確保して，舌を弓状に曲げた舌の中央部をしっかりと押さえる。しかし，吐き気を起こすほどであってはならない。迷走神経（第 X 脳神経）麻痺の検査である軟口蓋の挙上に注意すること。

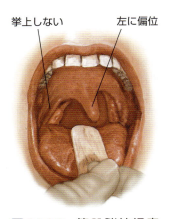

挙上しない　　左に偏位

図 14-16　第 X 脳神経麻痺で，口蓋垂が患側から離れる

第 X 脳神経麻痺では，軟口蓋が上がらず，口蓋垂が反対側に（健側に引かれて）偏位して「患側から離れている」状態になる（図 14-16）。

軟口蓋，前方と後方の口蓋弓，口蓋垂，扁桃，咽頭を視診する。色と対称性に注意し，滲出物，腫脹，潰瘍，扁桃腫大を調べる。

可能であれば，硬結，圧痛がないか，疑わしい部位を触診する。扁桃は，陰窩，つまり扁平上皮の深い陥入をもつ。剝脱性上皮の白い斑は，正常でも陰窩でみられることがある。扁桃の大きさや非対称性に注意が必要である。

舌圧子は使用したら捨てること。

非対称性の扁桃は，特に他の症状を伴う場合，リンパ腫などの基礎疾患を示唆する。

扁桃の滲出物と赤い口蓋垂は，レンサ球菌性咽頭炎ではよくみられるが，診断には迅速抗原検査または咽頭培養が必要である[18]。

所見の記録

所見を記録する際，最初は文章を用いるかもしれないが，慣れてくれば慣用的な記述を用いるようになる。多くの診療記録によく用いられる表現法を以下に示す。

頭部・眼・耳・鼻・咽喉（HEENT）の診察の記録

HEENT：頭部(head)：頭部は外表上正常/外傷なし（normocephalic：NC/atraumatic：AT）。平均的な髪質。**眼(eyes)**：視力は両眼とも 20/20（1.0）。強膜は白色（結膜はピンク色）。瞳孔は 4 mm で 2 mm まで縮瞳，両眼とも同様に丸く，光と遠近調節に反応あり。視神経乳頭縁は明瞭，出血または滲出物なし，細動脈の狭小化なし。**耳(ears)**：囁語に対する聴力は良好。正常な光錐のある鼓膜（TM）。Weber（ウェーバー）試験では正中線上。気導＞骨導。**鼻(nose)**：鼻粘膜はピンク色，中隔は正中，副鼻腔の圧痛なし。**咽喉（または口）**：口腔粘膜はピンク色，歯列は良好，舌は正中位，扁桃は両側切除，咽頭に滲出物・紅斑なし
頸部：気管正中。頸部は軟，甲状腺峡部触知可，葉部触知不可
リンパ節：頸部，腋窩，内側上顆部，鼠径リンパ節腫脹なし

または

頭部：頭部は外表上正常（NC）/外傷なし（AT）。前頭部に禿げ。**眼**：視力は両眼とも 20/100（0.2）。強膜は白色，結膜充血。瞳孔は 3 mm から 2 mm へ縮瞳。同様に丸く，光と遠近調節に反応あり。視神経乳頭縁は明瞭，出血または滲出物なし。動静脈比率 arteriolar-to-venous ratio（AV 比率）は 2：4。動静脈間の網膜血管狭窄なし。**耳**：囁語に対する聴覚は減弱。話しかける声には正常に反応。鼓膜は異常なし。**鼻**：粘膜は発赤，腫脹し透明の鼻汁。鼻中隔は正中。上顎洞に圧痛あり。**咽喉**：口腔粘膜はピンク色，下顎大臼歯は齲歯，舌は正中位，紅斑性の咽頭，扁桃は両側腫大，滲出物なし
頸部：気管正中。頸部は軟，甲状腺峡部正中。甲状腺触知可，腫脹なし
リンパ節：弾力性，可動性，圧痛のある，1 cm×1 cm 大の顎下・前頸リンパ節腫脹あり。後頸，内側上顆部，腋窩，鼠径リンパ節腫脹なし

これらの所見は，咽頭炎または軽度の扁桃炎を示唆する。

健康増進とカウンセリング：エビデンスと推奨

健康増進とカウンセリングの重要事項

- 口腔衛生
- 口腔癌，咽頭癌

口腔衛生

口腔衛生は，個人の健康と幸福に不可欠であり，医療者は口腔の健康を促進するために積極的な役割を果たすべきである。5〜19 歳小児の最大 19％が，また 20〜64 歳成人の約 91％が未治療の齲歯を有している。35〜64 歳成人の齲歯を

健康増進とカウンセリング：エビデンスと推奨

有する割合は94～97％で，20～34歳成人の82％に比べて高い。60歳以上の高齢者の19％近くは，歯がまったくない状態（無歯）である[19, 20]。

歯がある30歳以上の成人の50％近くが何らかの歯周病に罹患しており，そのうち8.9％が重度の歯周病である[21]。歯周病の危険因子には，低所得，男性（出生時の性別で），喫煙，糖尿病，不良な口腔衛生状態などがある。

口腔衛生を改善するために，患者に日々行うべき方法を指導する。フッ素配合歯磨きの使用は齲歯を減らし，歯間ブラシやフロスは歯垢を除去し歯周疾患の発生を防ぐ。予防のため少なくとも年1回は，スケーリング（歯石除去），ルートプレーニング（根面平滑化），フッ素歯面塗布などの予防ケアを受けるよう患者にすすめるとよい。

食生活や喫煙にも言及する。小児と同様に成人も，齲蝕原性菌の付着とコロニー形成を進展させるデンプンおよび精製した糖分（例えば，ショ糖）を多く含む食品を控えるべきである。患者には，口腔癌のリスクを減らすために，すべてのタバコ製品の使用を避け，飲酒を制限するように促す。

唾液には，口を洗浄し，滑らかにする役割がある。多くの薬物が，唾液量を低下させ，口内乾燥により齲歯，粘膜炎，歯周病が増加するリスクがあるため，特に高齢者では注意が必要である。薬物を変えられない場合は，水を多めに飲んだり，シュガーレスガムを噛んだりすることをすすめる。義歯を装着している人には，歯垢や口臭のリスクを減らすよう毎晩必ず外して洗浄することを助言するとよい。歯肉の定期的マッサージにより，義歯による軟部組織の疼痛と圧迫が軽減できる。

口腔癌，咽頭癌

2018年に5万人以上の米国人が口腔および咽頭の癌と診断され，1万人以上がこれらの癌が原因で死亡した[22]。男性は女性に比べて，これらの癌と診断されたり，死亡する可能性が2～3倍高い。**口腔癌の約75％がタバコおよびアルコールの使用と関連する**[23]。性行為によるヒトパピローマウイルス（HPV）の感染は，中咽頭癌（扁桃腺，中咽頭，舌根部の病変）の原因として重要性を増しており，症例の約70％を占める[24]。HPV関連中咽頭癌のリスクは，年齢（35～39歳，50～54歳で最も多い），性別，性的パートナーの数，性行動（オーラルセックス），タバコやマリファナの喫煙と関連する[25]。**これらの癌の主要なスクリーニング検査は，口腔における精密な検査である**。しかし，2014年，米国予防医療専門委員会（USPSTF）は，無症状の成人に口腔癌のスクリーニングを定期的に行うことを推奨するには十分なエビデンスがないと結論づけた（グレードI）[23]。米国歯科医師会は，口腔粘膜に疑わしい病変がある患者は，生検評価のために速やかに専門医に紹介することを推奨している[26]。

表 14-1　口唇の異常

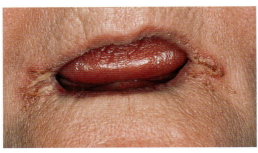

口角炎
口角の皮膚の軟化にはじまり，その後亀裂を生じる。栄養欠乏，より一般的には過蓋咬合による可能性がある。欠歯，または義歯適合不良の患者にも認められる。唾液が皮膚を湿らせ，軟らかくする。しばしば，写真の患者でみられるように，カンジダ症の二次感染の原因となる

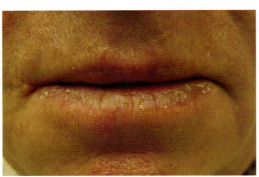

日光口唇炎
おもに下唇に発生する，日光を浴びすぎたことによる前癌病変である。屋外で働く皮膚の色の薄い男性は，最も影響を受けやすい。口唇は正常な赤みを失い，鱗屑を伴い，いくらか肥厚し，わずかに外転する。日光の影響で唇の扁平上皮癌が発生しやすいので，これらの皮膚病変を注意深く観察する

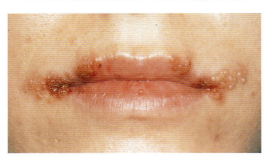

単純ヘルペス（口唇ヘルペス，熱性疱疹）
口唇と周囲の皮膚に，再発性，有痛性の小水疱の皮疹をもたらす。最初に小水疱の一群が生じ，それらが壊れると，黄褐色の痂皮が形成される。10〜14日以内には治癒する。この写真では小水疱と痂皮形成の両方がみられる

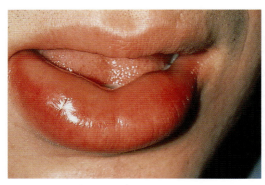

血管性浮腫
間質に血管内の液体が漏出することで起こる限局した皮下または粘膜下の腫脹である。2つのタイプが一般的である。アレルギーやNSAIDに対する反応において，血管透過性の亢進が肥満細胞によって引き起こされ，関連する蕁麻疹と瘙痒感を発症する。これらの症状は，ブラジキニンと補体由来メディエータ（ACE阻害薬反応のメカニズム）が原因の血管浮腫ではまれである。血管浮腫は通常，良性で，24〜48時間以内に改善する。喉頭，舌，上気道に発生したり，アナフィラキシーに進行するときは致死的となる

| 表 14-1 | 口唇の異常（続き） |

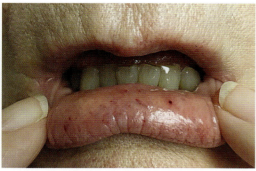

遺伝性出血性毛細血管拡張症
〔Osler-Weber-Rendu（オスラー・ウェーバー・ランデュ）症候群〕
口唇にある複数の小さな赤い斑点は，遺伝性出血性毛細血管拡張症，つまり血管脆弱性と動静脈奇形を引き起こす常染色体優性の血管内皮障害を強く示唆する。毛細血管拡張症はまた，口腔粘膜，鼻中隔を覆う鼻粘膜や指先にも現れる。鼻出血，消化管出血，鉄欠乏性貧血がよくみられる。肺と脳内の動静脈奇形は，致死的な出血や塞栓を引き起こす可能性がある

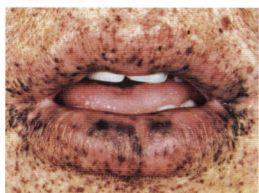

Peutz-Jeghers（ポイツ・ジェガース）症候群
口唇，頰粘膜，口周囲の皮膚層における，顕著な小さい茶色の色素斑を探す。色素斑は，手と足にもみられる。この常染色体優性遺伝疾患では，特徴的な皮膚変化とともに，多発性腸ポリープが発生する。消化器や他の臓器を含めた悪性腫瘍のリスクは，40〜90%である。この色素斑は鼻や口の周りにはめったにみられないことに注意する

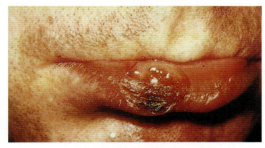

第1期梅毒の硬性下疳
硬化した縁のある潰瘍化した丘疹が，梅毒トレポネーマ *Treponema pallidum* の感染から通常3〜6週間の潜伏期間を経て現れる。下疳は癌または口唇ヘルペスに似ている。同様の初期病変は咽頭，肛門，腟でよくみられるが，無痛性，非化膿性であり，通常3〜6週間で自然治癒するので，発見が難しい。感染性があるので，触診では手袋を着用すること

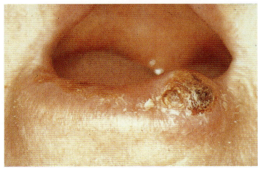

口唇癌
日光口唇炎のように，扁平上皮癌は通常，下唇にみられる。鱗屑に覆われた局面，痂皮の有無にかかわらず潰瘍，または結節性病変（左に示す）としてみえる。皮膚の色が薄いことと日光の長期曝露が，一般的な危険因子である

写真出典：口角炎・単純ヘルペス・血管性浮腫— Neville BW et al. *Color Atlas of Clinical Oral Pathology*. Lea & Febiger; 1991，日光口唇炎— Langlais RP, Miller CS. *Color Atlas of Common Oral Diseases*. Lea & Febiger, 1992 より許可を得て掲載，遺伝性出血性毛細血管拡張症— Mansoor N. *Frameworks for Internal Medicine*. Wolters Kluwer; 2019, Figure 40-2, Peutz-Jeghers症候群— Robinson HBG, Miller AS. *Colby, Kerr, and Robinson's Color Atlas of Oral Pathology*. 5th ed. JB Lippincott; 1990，第1期梅毒の硬性下疳— Wisdom A. *A Colour Atlas of Sexually Transmitted Diseases*. 2nd ed. Wolfe Medical Publications; 1989. Copyright © 1989 Elsevier より許可を得て掲載，口唇癌— Tyldesley WR. *A Colour Atlas of Orofacial Diseases*. 2nd ed. Wolfe Medical Publications; 1991. Copyright © 1991 Elsevier より許可を得て掲載

| 表 14-2 | 咽頭，口蓋，口腔粘膜の所見 |

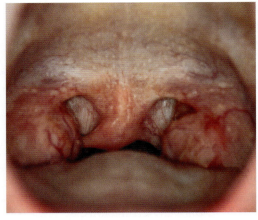

大きい正常な扁桃

正常な扁桃でも，特に小児では，感染性がなくとも大きい場合がある。口蓋弓を越えて中央に向かって突出し，正中線に達することもある。ここでは，咽頭がみえづらい。扁桃はピンク色をしている

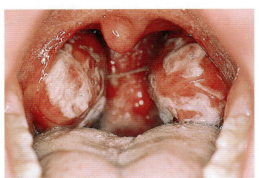

滲出性扁桃炎

この咽頭発赤では，扁桃上に厚く白い滲出物がある。発熱と腫脹した頸部リンパ節とともに，A群レンサ球菌感染症または伝染性単核球症である可能性が高い。A群レンサ球菌感染症で前頸部リンパ節が，伝染性単核球症で後頸部リンパ節が腫脹するのが一般的である

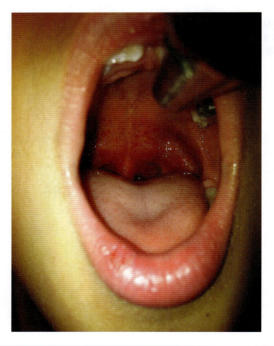

咽頭炎

この写真では咽頭が赤く，滲出物はみられない。口蓋弓と口蓋垂の赤みと血管増生は，軽〜中等度である

| 表 14-2 | 咽頭，口蓋，口腔粘膜の所見（続き） |

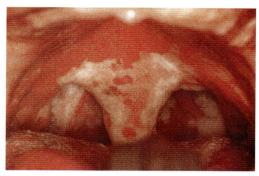

ジフテリア
ジフテリア菌(Corynebacterium diphtheriae)による急性感染症は，現在では珍しいが，重要である。迅速な診断は，救命処置につながる可能性がある。咽喉は暗赤色である，そして，灰色の滲出物(偽膜)は口蓋垂，咽頭，舌にみられる。気道は閉塞することもある．迅速な診断は，救命処置につながる可能性がある

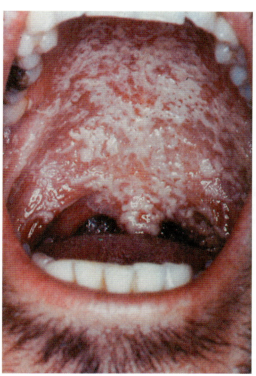

口腔カンジダ症（鵞口瘡）
カンジダ種からの真菌感染である。ここでは口蓋にみられるが，舌や口内，咽頭にクリーム色や青みがかった白色の偽膜状の斑点として現れることもある（p.989参照）。厚い，白いプラークは，粘膜下に付着している。疾患の原因には抗菌薬または副腎皮質ステロイドの長期治療，免疫抑制状態がある

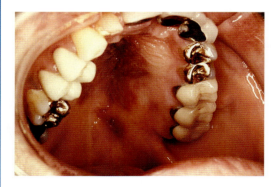

AIDS における Kaposi(カポジ)肉腫
濃い紫色の病変は Kaposi 肉腫，つまりヒトヘルペスウイルス 8 型(HHV-8)に関連する低悪性度の血管腫瘍を示唆する。これら圧痛のない腫瘍は隆起したり平坦である。Kaposi 肉腫患者の約 1/3 は口腔に病変がある。他の影響を受ける部位は消化管と肺である

| 表 14-2 | 咽頭，口蓋，口腔粘膜の所見(続き) |

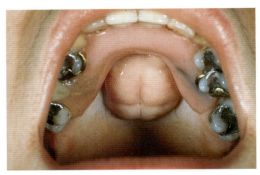

口蓋隆起
口蓋隆起とは硬口蓋における正中骨の増大であるが，成人ではかなり一般的にみられるものである。大きさと分葉は，人によって異なる。一見すると重大な病変のように思えるが，無害である。この写真での上顎義歯は，円形隆起に合わせてつくられている

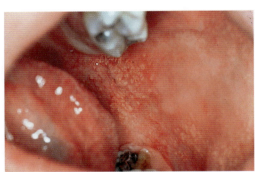

Fordyce(フォーダイス)斑(Fordyce 顆粒)
頬粘膜または口唇に，小さい黄色い斑としてみえる脂腺である。この患者では，舌と下顎の前部に最も多くみられる。通常これほど多くはみられない

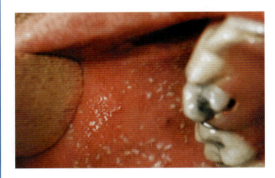

Koplik(コプリック)斑
麻疹(はしか)の初期徴候である。赤い背景に塩粒のような白く小さい斑を探す。通常，第1および第2大臼歯近くの頬粘膜に現れる。この患者では，粘膜の上部 1/3 においても観察する。麻疹の発疹は，Koplik 斑の出現後 1 日以内に現れる

| 表 14-2 | 咽頭，口蓋，口腔粘膜の所見（続き） |

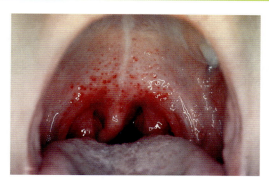

点状出血
血液が，毛細血管から組織へ漏れることで生じる小さな赤い斑。左の写真にはないが，頬粘膜の点状出血は，偶然に頬部を噛んでしまうことで起こることもある。口腔内の点状出血は，感染，血小板減少，外傷などを原因とする

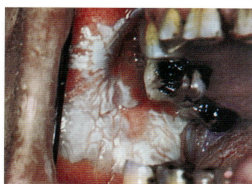

白板症
肥厚した白い斑（白板症）は，口腔粘膜のどこにでも起こりうる。左の患者にみられる頬粘膜上の広範囲な白斑は，局所の刺激物となる噛みタバコを頻繁に使用することで生じる。扁平上皮におけるこの良性病変は，癌につながる可能性があり，生検すべきである。他の危険因子は，ヒトパピローマウイルス感染である

写真出典：大きい正常な扁桃—Moore KL et al. *Essential Clinical Anatomy*. 5th ed. Wolters Kluwer; 2015, Figure 9-23A，滲出性扁桃炎—Hatfield NT, Kincheloe C. *Introductory Maternity & Pediatric Nursing*. 4th ed. Wolters Kluwer; 2018, Figure 41-12，咽頭炎—Naline Lai, MD の厚意による．ジフテリア—American College of Physicians, Inc の許可を得て Harnisch JP et al. *Ann Intern Med*. 1989; 111(1): 71-82. Copyright © 1989 American College of Physicians. より掲載，口腔カンジダ症（鵞口瘡）—Engleberg NC et al. Schaechter's *Mechanisms of Microbial Disease*. 5th ed. Wolters Kluwer; 2013, Figure 48-2，AIDS における Kaposi 肉腫—Centers for Disease Control Public Health Image Library, photo credit Sol Silverman, Jr., DDS; ID #6071 より，Fordyce 斑—Neville BW et al. *Color Atlas of Clinical Oral Pathology*. Lea & Febiger; 1991，Koplik 斑—Harvey RA, Cornelissen CN. *Microbiology*. 3rd ed. Wolters Kluwer Health/Lippincott Williams & Wilkins; 2013: 313，点状出血—Centers for Disease Control Public Health Image Library, photo credit Heinz F. Eichenwald, MD; ID #3185 より，白板症—Robinson HBG, Miller AS. *Colby, Kerr, and Robinson's Color Atlas of Oral Pathology*. 5th ed. JB Lippincott; 1990.

| 表 14-3 | 歯肉と歯の所見 |

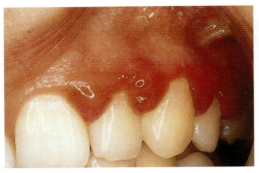

辺縁性歯肉炎
辺縁性歯肉炎は，青年期，成人早期，妊娠期によくみられる。歯肉縁は赤く，腫脹する。歯間乳頭は丸く，赤く腫脹している。歯を磨くだけで，歯肉から出血することがある。**歯垢**〔唾液の塩分，蛋白質，細菌（歯を覆って歯肉炎を引き起こす）〕の軟らかく白い被膜は，容易にはみえない

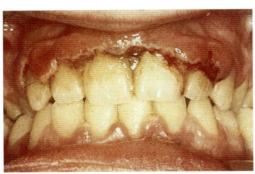

急性壊死性潰瘍性歯肉炎
歯肉炎のまれな型で，思春期や若年成人に突然発生し，発熱，倦怠感，リンパ節腫脹を伴う。歯間乳頭に潰瘍ができる。破壊（壊死性）は歯肉縁に沿って広がる。そこに，やや灰色の偽膜が現れる。発赤した有痛性の歯肉は，出血しやすい。口臭がある

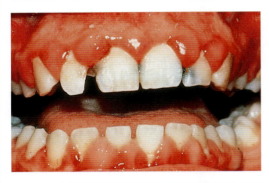

歯肉増殖
増殖によって肥大した歯肉は，歯をも覆い，積みあがった腫瘤のようにふくらむ。この写真のように，炎症とともに起こる。原因は，フェニトイン治療（写真の患者で実施），思春期，妊娠，白血病など

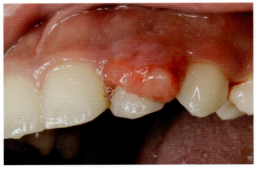

妊娠性エプーリス（歯肉腫，化膿性肉芽腫）
肉芽組織の赤紫色の丘疹が，歯肉の歯間乳頭，鼻腔，ときに手指に形成される。赤く，軟らかで，無痛性で，通常は出血しやすい。妊娠の1〜5％に発生し，出産後は通常改善する。併発する歯肉炎に注意する

表 14-3　歯肉と歯の所見(続き)

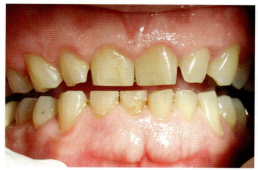

歯の摩耗と歯肉の後退
多くの高齢者でみられ，黄褐色のゾウゲ質がむき出しになる過程を摩耗と呼ぶ。歯の咬合面を繰り返し使用することでのすり減り。歯肉が後退し歯根が露出して，歯が長くみえることがある

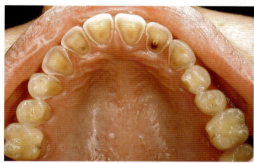

歯の侵食
これらの上顎歯の舌面には激しい侵食がみられ，特に前歯は黄褐色のゾウゲ質が露出している。このような歯の侵食は，典型的には，過食症や重度の胃食道逆流症のように，胃内容物の反復性逆流から生じる

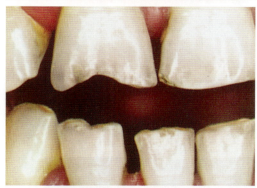

陥凹を伴う歯の摩耗
歯の咬合面は，反復性外傷(例えば，爪を噛んだり，ヘアピンを噛む)で摩耗したりへこむ可能性がある。Hutchinson(ハッチンソン)歯とは異なり，通常の輪郭を示す。歯の大きさと間隔には影響しない

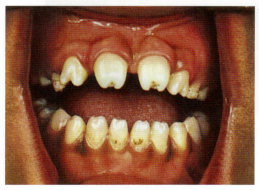

先天性梅毒における Hutchinson 歯
標準より歯が小さく，広い間隔があり，咬合面にへこみがみられる。歯の両側は，咬合端ですり減っている。永久歯(脱落性でない)の上顎中切歯が，最も影響を受けやすい。先天性梅毒の徴候である

写真出典：辺縁性歯肉炎・急性壊死性潰瘍性歯肉炎— Tyldesley WR. *A Colour Atlas of Orofacial Diseases*. 2nd ed. Wolfe Medical Publications; 1991. Copyright © 1991 Elsevier より許可を得て掲載，歯肉増殖— Dr. James Cottone の厚意による，妊娠性エプーリス— Kasama Kanpittaya(Shutterstock)より，歯の摩耗と歯肉の後退— DeLong L, Burkhart N. *General and Oral Pathology for the Dental Hygienist*. 2nd ed. Wolters Kluwer; 2013, Figure 21-1, 歯の侵食— Timby BK, Smith NE. *Introductory Medical-Surgical Nursing*. 12th ed. Wolters Kluwer; 2018, Fig. 70-2B, 陥凹を伴う歯の摩耗・先天性梅毒における Hutchinson 歯— Robinson HBG, Miller AS. *Colby, Kerr, and Robinson's Color Atlas of Oral Pathology*. 5th ed. JB Lippincott; 1990.

表 14-4　舌と舌下面の所見

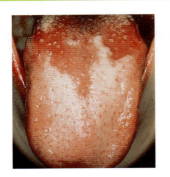

地図状舌
良性の状態であり，舌背は乳頭のない，散在性の滑らかな赤い領域を呈する。これは時間とともに変化するが，正常な粗い表面とともに地図のようにみえる部分がある

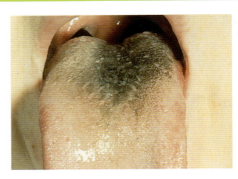

黒毛舌
舌背にある，黄色から茶色もしくは黒色の肥厚したもので，毛様の糸状乳頭に注意する。この良性所見は，カンジダや細菌の過剰増殖，抗菌薬治療，不良な歯の衛生状態が関係する。また，自然発生することもある

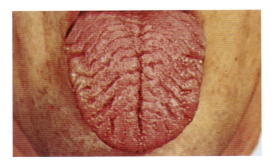

溝状舌
亀裂は加齢とともに現れる。亀裂舌と称されることがある。食物残渣が割れ目にたまり刺激となることもあるが，良性である

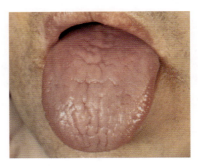

平滑舌（萎縮性舌炎）
乳頭を失い，舌が滑らかで，しばしば痛みを伴う場合は，リボフラビン，ナイアシン，葉酸，ビタミン B_{12}，ピリドキシン，鉄などの欠乏や，化学療法による治療を示唆する

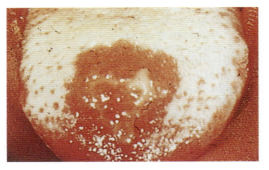

カンジダ症
カンジダ属の感染症による厚く白い膜に注意する。ただれた赤い表面は，白い膜がこすりとられたところである。感染は，白い膜がなくても起こりうる。化学療法やプレドニゾン療法による免疫抑制状態でみられる

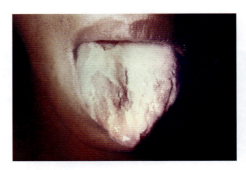

口腔毛様白板症
羽毛状または波状の白っぽい隆起した無症候性のプラークで，舌の側面に生じることが多い。カンジダ症とは異なり，こすりとることはできない。この所見は Epstein-Barr（エプスタイン・バー）ウイルスの感染によって引き起こされるもので，HIV 感染者や AIDS 患者でもみられる

| 表 14-4 | 舌と舌下面の所見（続き） |

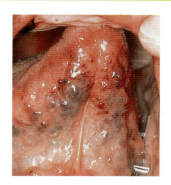

静脈瘤
紫色または暗青色の小さく丸い腫脹は，加齢に伴って舌下面に現れる．これら舌静脈の拡張は，臨床的に重要ではない

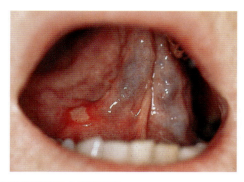

アフタ性潰瘍（口内びらん）
有痛性で浅い，白っぽい灰色の楕円形の潰瘍が，赤い粘膜の輪（halo）に囲まれている．単発または多発で，歯肉や口腔粘膜にも発生しうる．7～10日で治癒するが，Behçet（ベーチェット）病のように再発することもある

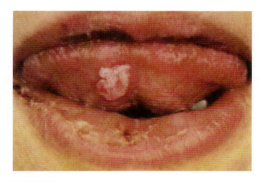

梅毒の粘膜斑
第2期梅毒のこの無痛性病変は非常に感染性が高い．わずかに隆起して，卵形で，灰色がかった膜によって覆われている．多発して，口腔内のどこにでも起こりうる

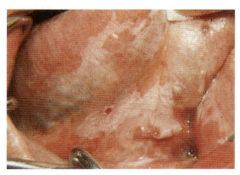

白板症
口腔粘膜に持続する無痛性の白斑とともに，舌下面は，白く描いたようにみえる．いかなる大きさの斑も，扁平上皮癌の可能性が高く，生検を必要とする

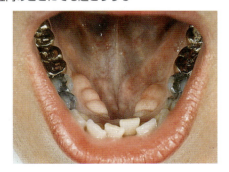

下顎隆起
下顎骨の内面上の丸い骨の隆起は，通常は両側性で，症状がなく，無害である

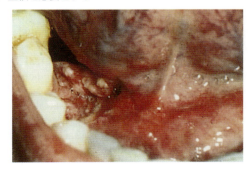

口腔底癌
癌では一般的な部位に起きている潰瘍化した病変である．中央には，紅板症と呼ばれる粘膜の発赤があり，これは悪性腫瘍の疑いがあるため，生検を必要とする

写真出典：溝状舌・カンジダ症・梅毒の粘膜斑・白板症・口腔底癌— Robinson HBG, Miller AS. Colby, Kerr, and Robinson's Color Atlas of Oral Pathology. 5th ed. JB Lippincott; 1990，平滑舌— Jensen S. Nursing Health Assessment: A Best Practice Approach. 3rd ed. Wolters Kluwer; 2019, Figure 15-25，地図状舌— Centers for Disease Control Public Health Image Library; ID #16520 より，口腔毛様白板症— Centers for Disease Control Public Health Image Library, photo credit Sol Silverman, Jr., DDS; ID #6061 より，静脈瘤— Neville B et al. Color Atlas of Clinical Oral Pathology. Lea & Febiger, 1991.

文献一覧

1. Randel A; Infectious Disease Society of America. IDSA updates guideline for managing group A streptococcal pharyngitis. *Am Fam Physician*. 2013; 88(5): 338-340.
2. Shulman ST, Bisno AL, Clegg HW, et al. Clinical practice guideline for the diagnosis and management of group A streptococcal pharyngitis: 2012 update by the Infectious Diseases Society of America. *Clin Infect Dis*. 2012; 55(10): 1279-1282.
3. Wessels MR. Clinical practice. Streptococcal pharyngitis. *N Engl J Med*. 2011; 364(7): 648-655.
4. Willis BH, Hyde CJ. What is the test's accuracy in my practice population? Tailored meta-analysis provides a plausible estimate. *J Clin Epidemiol*. 2015; 68(8): 847-854.
5. Cooper L, Quested RA. Hoarseness: an approach for the general practitioner. *Aust Fam Physician*. 2016; 45(6): 378-381.
6. Stachler RJ, Francis DO, Schwartz SR, et al. Clinical practice guideline: hoarseness (dysphonia) (Update). *Otolaryngol Head Neck Surg*. 2018; 158(1_Suppl): S1-S42.
7. Scully C, el-Maaytah M, Porter SR, et al. Breath odor: etiopathogenesis, assessment and management. *Eur J Oral Sci*. 1997; 105(4): 287-293.
8. Scully C. Halitosis. *BMJ Clin Evid*. 2014; 2014: 1305.
9. Kapoor U, Sharma G, Juneja M, et al. Halitosis: current concepts on etiology, diagnosis and management. *Eur J Dent*. 2016; 10(2): 292-300.
10. Özen ME, Aydin M. Subjective halitosis: definition and classification. *J N J Dent Assoc*. 2015; 86(4): 20-24
11. Lucas PW, van Casteren A. The wear and tear of teeth. *Med Princ Pract*. 2015; 24(Suppl 1): 3-13.
12. Brosnan MG, Natarajan AK, Campbell JM, et al. Management of the pulp in primary teeth—an update. *N Z Dent J*. 2014; 110(4): 119-123.
13. Nair DR, Pruthy R, Pawar U, et al. Oral cancer: premalignant conditions and screening—an update. *J Cancer Res Ther*. 2012; 8(Suppl 1): S57-S66.
14. Brocklehurst P, Kujan O, O'Malley LA, et al. Screening programmes for the early detection and prevention of oral cancer. *Cochrane Database Syst Rev*. 2013; (11): CD004150.
15. Messadi DV. Diagnostic aids for detection of oral precancerous conditions. *Int J Oral Sci*. 2013; 5(3): 59-65.
16. Hunter KD, Yeoman CM. An update on the clinical pathology of oral precancer and cancer. *Dent Update*. 2013; 40: 120-122, 125-126.
17. Mangold AR, Torgerson RR, Rogers RS 3rd. Diseases of the tongue. *Clin Dermatol*. 2016; 34: 458-469.
18. Weber R. Pharyngitis. *Prim Care*. 2014; 41(1): 91-98.
19. National Center for Health Statistics. Health. *United States, 2016: With Chartbook on Long-Term Trends in Health*. Hyattsville, MD: U.S. Department of Health and Human Services; 2017.
20. Centers for Disease Control and Prevention. Oral health for adults. Updated January 2015. Available at http://www.cdc.gov/oralhealth/children_adults/adults.htm. Accessed July 2, 2018.
21. Eke PI, Dye BA, Wei L, et al. Update on prevalence of periodontitis in adults in the United States: NHANES 2009 to 2012. *J Periodontol*. 2015; 86(5): 611-622.
22. Siegel RL, Miller KD, Jemal A. Cancer statistics, 2018. *CA Cancer J Clin*. 2018; 68(1): 7-30.
23. Moyer VA; U.S. Preventive Services Task Force. Screening for oral cancer: U.S. Preventive Services Task Force recommendation statement. *Ann Intern Med*. 2014; 160(1): 55-60.
24. Centers for Disease Control and Prevention. HPV and oropharyngeal cancer. Available at https://www.cdc.gov/cancer/hpv/basic_info/hpv_oropharyngeal.htm. Accessed June 3, 2018.
25. Sonawane K, Suk R, Chiao EY, et al. Oral human papillomavirus infection: differences in prevalence between sexes and concordance with genital human papillomavirus infection, NHANES 2011 to 2014. *Ann Intern Med*. 2017; 167(10): 714-724.
26. Lingen MW, Abt E, Agrawal N, et al. Evidence-based clinical practice guideline for the evaluation of potentially malignant disorders in the oral cavity: a report of the American Dental Association. *J Am Dent Assoc*. 2017; 148(10): 712-727 e10.

本章の学習効果を高め，理解を助けるために一連の補助教材がある。
- 『ベイツ診察法ポケットガイド第4版』
- Bates' Visual Guide to Physical Examination
- thePoint® online resources, for students and instructors: http://thepoint.lww.com

第15章 胸郭と肺

解剖と生理

胸郭 thorax は前面を**胸骨 sternum** と**肋骨 rib**，側面を肋骨，後面を肋骨と**胸椎 thoracic spine** に囲まれている。胸部の上部の境界は**鎖骨 clavicle** と頸部の軟部組織で構成されている。下部には**横隔膜 diaphragm** が位置する。胸郭には肺や心臓といった主要な臓器が入っており，不随意の呼吸運動を行う。以下に示す構造を確認しながら，胸壁の解剖について学んでほしい（図 15-1）。**肋間隙 intercostal space**（2つの肋骨に挟まれた部分）の数はその上の肋骨の数と同じであることを覚えておくとよい。

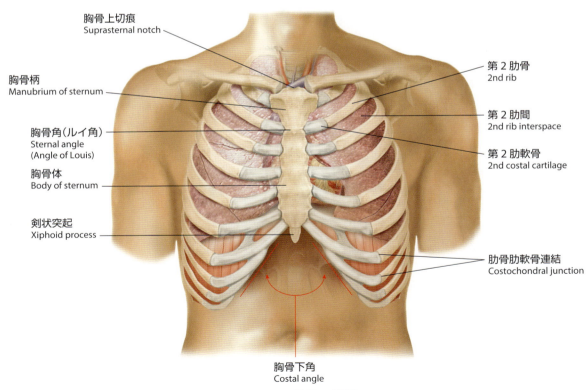

図 15-1　胸壁の解剖

解剖と生理　　　　　　　　　　　　　　　　　　　　　　　　　　　　　　　　　　異常例

胸部所見

胸部所見は，胸部の垂直軸に沿う方向と胸部周囲の2軸による二次元上で示す。

垂直軸

胸郭の所見をとった後，その位置を示せるよう，肋骨や肋間隙の数え方を学ぶこと（図15-2）。最初に**胸骨上切痕 suprasternal notch** のくぼみに指をおき，指を5cm下方の**胸骨柄 manubrium of sternum** と**胸骨体 body of sternum** のつくる水平の骨隆起〔**胸骨角 sternal angle** または **Louis（ルイ）角**ともいう〕へ移動させる。胸骨角へ直接接しているのは第2肋骨とその肋軟骨である。ここから，2本の指を使って，図15-2 に示す赤の数字の順に，肋間隙を斜め下方向にたどっていく（胸骨下端の肋骨は互いに密接しているので，正確に数えることができない場合があることに注意する）。女性の肋間隙を数えるには，患者を仰臥位に寝かせることで乳房を外側へ動かすか，乳房のより内側を触診する。しかし乳房組織に圧痛がある場合は，強く圧迫してはならない。

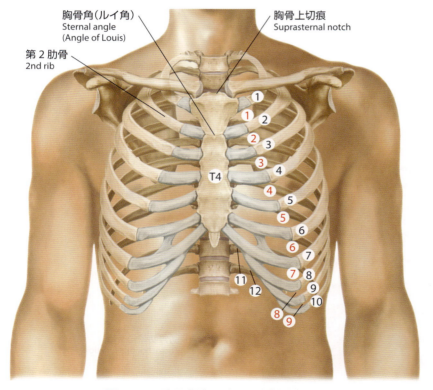

図 15-2　肋骨（黒）と肋間隙（赤）（前面）

特別な解剖学的ランドマーク（目印）となる部位
- 第2肋間に緊張性気胸の除圧をするための穿刺針を挿入する
- 第4および第5肋骨間（第4肋間）にチェストチューブを挿入する
- 胸部単純X線写真上で，適切に留置された気管内チューブの下端は第4肋間の高さに位置する

神経や血管は各肋骨の下縁に沿って走行している。そのため，穿刺針やチューブは肋骨の上縁から挿入すべきである。

解剖と生理

第1～7肋骨の肋軟骨は胸骨と結合し，第8～10肋骨の肋軟骨は各肋骨のすぐ上に位置する肋軟骨と結合する。第11，12肋骨は**浮動肋骨 floating ribs**といわれ，前方へ付着していない。一般的に，第11肋骨の先端は側面で，第12肋軟骨の先端は背面で触知される。肋軟骨と肋骨は同一の感触で触知される。

背面で肋骨や肋間隙を数える場合は，第12肋骨から数えはじめる。これは胸郭前面からのアプローチに対しての代替手段である（図15-3）。片手の指で第12肋骨の下縁を押し上げて，図15-3に示す赤色の数字が振られた肋間隙を上方向にたどるか，斜めのラインを上方向に，そして胸郭前面へとたどっていく。

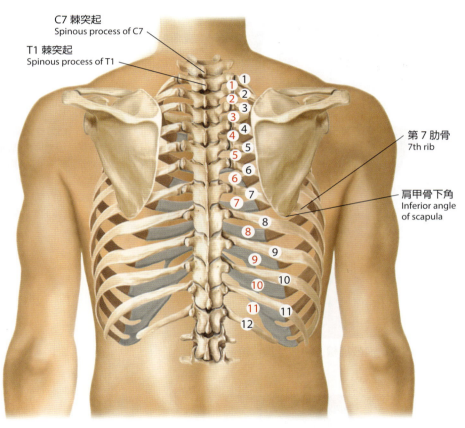

図 **15-3** 肋骨（黒）と肋間隙（赤）（後面）

肩甲骨 scapula の下角は解剖学的ランドマークとして役立つ。一般的に第7肋間か第8肋骨の高さに位置する。

脊椎の**棘突起 spinous process**もまた，解剖学的ランドマークとなる。頸部を前屈したときに最も突出している突起が一般的に第7頸椎（C7）である。2つの突起が同程度に突出していれば，C7と第1胸椎（T1）である。特に脊椎の屈曲時には，それらより下方の突起に触れ，数えることができる。

異常例

第7と第8肋骨間（第7肋間）は第8肋骨の直上で針による胸腔穿刺を行うための解剖学的ランドマークである。

胸部周囲

図15-4〜15-6に示すように胸部の垂直線を想定する。胸骨中線および脊椎線は明確で，特定しやすい。その他の線は仮想の線である。

- **胸骨中線 midsternal line**：胸骨に沿って垂直に下行している。

- **鎖骨中線 midclavicular line**：鎖骨の中央点から垂直に下行している。

- **前腋窩線 anterior axillary line**：前腋窩襞から垂直に下行している。

- **中腋窩線 midaxillary line**：腋窩の頂点から垂直に下行している。

- **後腋窩線 posterior axillary line**：後腋窩襞から垂直に下行している。

- **肩甲線 scapular line**：肩甲骨の下角を通っている。

- **脊椎線 vertebral line**：胸椎棘突起上に位置している。

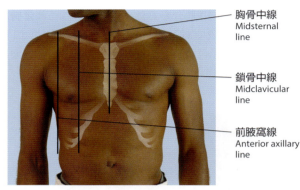

図15-4　胸骨中線と鎖骨中線

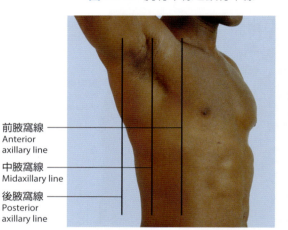

図15-5　前腋窩線，中腋窩線，後腋窩線

"triangle of safety"とは，前方は**大胸筋 pectoralis major**の外側，後方は**広背筋 latissimus dorsi**の外側，下方は乳頭線（第4もしくは第5肋間）に囲まれ，中腋窩線上に位置する解剖学的部位である。この部位はチェストチューブを挿入するための「安全部位」に相当する。

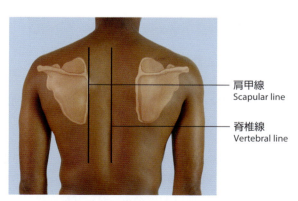

図15-6　脊椎線と肩甲線

解剖と生理

肺，肺裂，肺葉

胸壁からみた**肺 lung** と**肺裂 fissure** および**肺葉 lobe** の位置を理解すること。前面からみると，左右の肺尖は鎖骨内側 1/3 の上方 2〜4 cm に位置する（図 15-7）。肺の下端は鎖骨中線上では第 6 肋骨と交差し，中腋窩線上では第 8 肋骨と交差する。後面からみると，肺の下端は第 10 胸椎（T10）の棘突起の高さに位置する（図 15-8）。吸気時に横隔膜が収縮して下降すると，肺の下端は胸郭内を下降する。図 15-9 に胸部単純 X 線写真上の左右の肺の位置を示す。

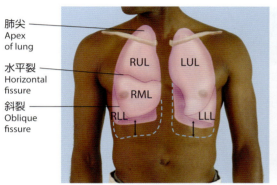

図 15-7 肺葉の前面

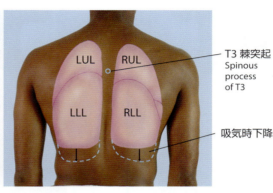

図 15-8 肺葉の後面

RUL：right upper lobe（右上葉）
RML：right middle lobe（右中葉）
RLL：right lower lobe（右下葉）
LUL：left upper lobe（左上葉）
LLL：left lower lobe（左下葉）

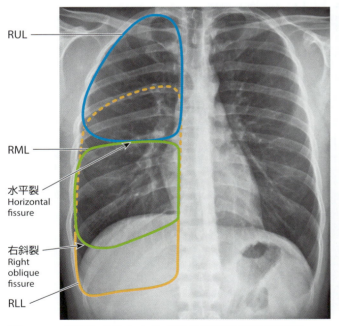
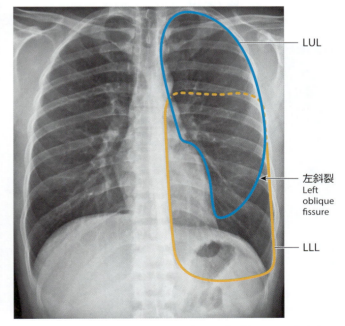

図 15-9 前面からみた左右の肺の胸部単純 X 線写真（Brant WE, Helms CA. *Brant and Helms Solution: Fundamentals of Diagnostic Radiology*. 3rd ed. Lippincott Williams & Wilkins; 2007, Fig. 1-5 より）

解剖と生理

左右の肺は**斜裂 oblique (major) fissure** によって二分されている．斜裂は第3胸椎(T3)の棘突起から斜めに下降し，鎖骨中線上の第6肋骨にかけて肺周囲を走行している線維成分（ストリング）に二分されている（図15-10）．右肺にはさらに**水平裂 horizontal (minor) fissure** があり，前面からみると水平裂は第4肋骨に接近しており，第5肋間付近の中腋窩線上で斜裂と交差する．**右肺はこのように上葉，中葉，下葉（RUL，RML，RLL）に分けられる．**図15-11に示すように，**左肺には，上葉と下葉（LUL，LLL）の2葉のみある．**図15-12，15-13に胸部単純X線写真上での左右の肺の肺葉を示す．

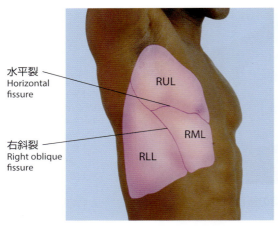

図 15-10　右肺葉と肺裂

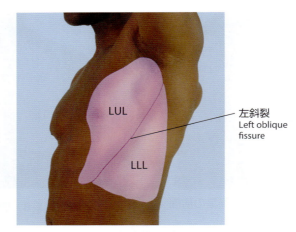

図 15-11　左肺葉と肺裂

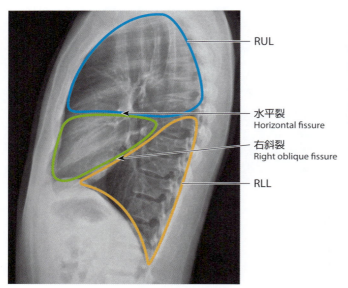

図 15-12　胸部単純X線写真の側面像における右肺の肺葉
(Brant WE, Helms CA. *Brant and Helms Solution: Fundamentals of Diagnostic Radiology*. 3rd ed. Lippincott Williams & Wilkins; 2007, Fig. 21-2 より改変)

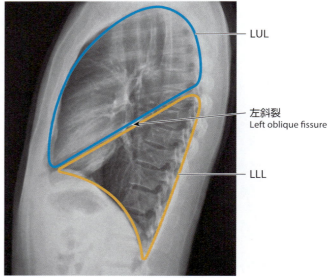

図 15-13　胸部単純X線写真の側面像における左肺の肺葉
(Brant WE, Helms CA. *Brant and Helms Solution: Fundamentals of Diagnostic Radiology*. 3rd ed. Lippincott Williams & Wilkins; 2007, Fig. 21-2 より改変)

Box 15-1 に示した胸部所見の記録に使用される解剖学用語を学習すること。

> **Box 15-1　胸部の解剖学的用語**
>
> - 鎖骨上(supraclavicular)：鎖骨の上方
> - 鎖骨下(infraclavicular)：鎖骨の下方
> - 肩甲骨間(interscapular)：左右肩甲骨の間
> - 肩甲下(infrascapular)：肩甲骨の下方
> - 肺尖部(apex of the lung)：肺の最も上になる部位
> - 肺底部(base of the lung)：肺の最も下になる部位
> - 上肺野(upper lung field)，中肺野(middle lung field)，下肺野(lower lung field)

通常，身体所見は診察部位の下にある肺葉と関連している。例えば，右上肺野の所見はほとんどが右上葉に由来する。しかし，右中肺野の所見は右肺の3つの肺葉のいずれも原因であり得る。

気管と主気管支(気管気管支樹)

気管 trachea と**主気管支 main bronchus** 上の呼吸音は，高密度な肺実質上の呼吸音よりも粗い音として聴取できる。これらの解剖学的な構造を把握する必要がある。気管は胸骨角〔背面では第4胸椎(T4)棘突起〕の高さで主気管支へ分岐する(図15-14，15-15)。**右主気管支**は左主気管支よりも幅が広く，短く，垂直に近い。そして**肺門 hilum of lung** に直接入り込む。**左主気管支**は大動脈弓の下方，食道と胸部大動脈の前方から下外側へ広がって，肺門に入る。それぞれの左右主気管支は**肺葉**に，さらに**肺区域の気管支と細気管支**に分岐し，最終的にガス交換部位である嚢状の**肺胞 alveolus** に達する。

> 誤嚥性肺炎は右主気管支が垂直に近いために右中葉や下葉に起こりやすい。同様の理由により，気管挿管時に気管チューブが深く進みすぎた場合には右主気管支へ入り込んでしまうことが多い。

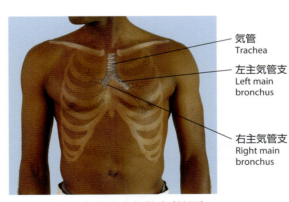

図15-14　気管と主気管支(前面)

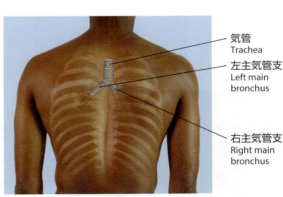

図15-15　気管と主気管支(後面)

解剖と生理

胸膜

2つの連続した胸膜表面，すなわち漿膜によって胸壁と肺が隔てられている。**臓側胸膜 visceral pleura** は肺の外表面を覆っている。**壁側胸膜 parietal pleura** は胸郭内側と横隔膜の上面に沿った胸膜腔を覆っている。臓側胸膜と壁側胸膜の間には**胸膜腔 pleural space** があり，漿液性の胸水を含んでいる。胸水の表面張力により肺と胸壁とが接触した状態に保たれ，呼吸の間に肺は拡張および収縮する。臓側胸膜には感覚神経がないが，壁側胸膜には肋間神経と横隔神経による豊富な神経支配がみられる。

呼吸

呼吸はほとんどが無意識に行われ，脳幹の呼吸中枢が，呼吸筋を動かす神経刺激を生成することで調整されている。吸気時におもに使われる筋肉は**横隔膜**である。吸気時に横隔膜は収縮して胸郭内を下降し，腹腔内臓器を圧迫することで，腹壁を外側へ押し広げ，胸腔を拡大させる。胸郭内の筋肉（特に頸椎から第1〜2肋骨に付着する**斜角筋 scalene**，傍胸骨の内肋間筋，胸骨から肋骨に斜めに付着する**傍胸骨筋群 parasternals**）もまた胸郭を広げる。胸郭が広がると，胸腔内圧は低下し，空気が気管気管支樹を通って肺胞や末梢肺胞囊に引き込まれ，肺をふくらませる。酸素は隣接した肺毛細血管へと拡散され，二酸化炭素は血液から肺胞腔内へと拡散される。

呼気中に胸壁と肺はもとに戻り，横隔膜は弛緩して受動的に上昇する。腹部の筋肉も呼気時に補助的に働く。空気は外へ流出する。そして胸部と腹部も安静位へ戻る。

呼吸は通常では静かでゆったりしており，開口した口元でわずかな呼吸音が聞き取れる程度である。健康な人が臥位のとき，胸郭の呼吸性運動は比較的わずかで

異常例

胸水の貯留がみられる場合は**濾出性胸水**の可能性があり，心不全，肝硬変，ネフローゼ症候群でみられる。**滲出性胸水**は肺炎・悪性腫瘍・肺塞栓症・結核・膵炎など多くの疾患でみられる。

ウイルス性胸膜炎，肺炎，肺塞栓症，心膜炎，膠原病による壁側胸膜への刺激は深吸気時に胸膜痛を起こす。

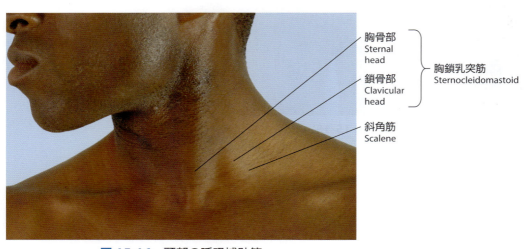

図 15-16　頸部の呼吸補助筋

| 病歴：一般的なアプローチ | 異常例 |

あるが，対照的に腹部の動きは見やすいことが多い。座位では胸郭の動きがよりめだってくる。

運動時や明らかな疾患がある場合，呼吸するために特別な機能が必要とされる。呼吸補助筋が使われ，**胸鎖乳突筋 sternocleidomastoid (SCM)** と斜角筋がめだってくる（図 15-16）。

病歴：一般的なアプローチ

胸郭や肺の疾患から生じる症状は，患者が医療施設を受診するための最もよくみられる理由のうちの1つである。これらの症状は命にかかわる疾患となることもあり，その病因や重大性を把握するためには注意深い面接が必要とされる。診察中に，早期に医療介入を行うべき徴候や症状をみつけ出す方法を学ぶこと（例えば一気に全文を話すことができない，呼吸補助筋の使用，**チアノーゼ cyanosis**，酸素飽和度が低下している所見，**奇脈 pulsus paradoxus** など）。患者に自分自身の言葉で説明してもらい，主訴や気になる症状を徹底的に聞き出す。その際，症状への体位変化や環境曝露による影響の程度，そして症状が身体機能に与える影響についても特別な注意を払う。よくみられる呼吸器症状の多くは，特に心血管疾患や出血性疾患のような全身疾患を示唆するため，診察者は主訴と関連すると思われる呼吸器だけでなく，全身の病歴を確認すべきである。徹底的な既往歴・処方薬の確認，アレルギー歴の丹念な聴取は必須である。最後に，現在肺疾患がある，もしくは疑われている患者を診察するうえで関連性や重要性が高いため，喫煙や違法薬物の使用，職業的曝露および環境曝露，旅行歴などに特別に注意を払いながら，社会歴を徹底して確認するべきである。

よくみられる，または注意すべき症状

- 息切れ（呼吸困難）と喘鳴
- 咳嗽
- 喀血
- 胸痛（第16章「心血管系」も参照）
- 日中の眠気，いびき，睡眠障害

息切れ（呼吸困難）と喘鳴

息切れ shortness of breath（呼吸困難 dyspnea）は，疼痛を伴わず労作の程度に合わないような呼吸状態を不快に感じることである[1]。このような心疾患や肺疾患を疑う明らかな症状を十分に評価する。

肺活量測定と呼吸困難の程度の評価は，患者治療の指針となる**慢性閉塞性肺疾患 chronic obstructive pulmonary disease（COPD）**分類システムの鍵となる項目である[2-4]。

病歴：一般的なアプローチ	異常例

「呼吸しづらいことはないですか？」とたずねてみる。その症状が生じるのは安静時か労作時か，どの程度の運動後に生じるのかを明らかにしていく。年齢，体重，体力に個人差があるため，息切れを定量化する絶対的な基準はない。その代わりに患者の日常生活レベルにもとづいて息切れの重症度を評価する努力を怠らないようにすること。息を切らさず階段を何段のぼれるか？ 買い物での荷物運び，掃除機かけ，布団を敷くことに問題はないか？ 息切れにより日常生活や活動レベルに変化はあったか？ また，それはどの程度か？ タイミングや状況，関連症状，改善因子や増悪因子を注意深く聞き出していく。

表 15-1「呼吸困難」を参照。

ほとんどの患者では，息切れは活動レベルと関連しているが，不安障害の患者では異なった臨床像を示す。深く息を吸うことができない，もしくは十分な空気を吸うことができずに窒息するような感覚があり，口唇周囲や四肢に針で刺されるようなチクチクした**感覚異常 paresthesia** を伴う。

不安障害の患者では，安静時か労作時かを問わず呼吸困難，過換気，速く浅い呼吸が繰り返し生じる。

高調性連続性副雑音 wheezes は，患者や周りの人が聴取可能な楽音様（musical）の副雑音である。

喘鳴（wheezes の発生）は，分泌物，喘息による組織の炎症，異物などによる下気道の部分的閉塞で起こる[5]。

咳嗽

咳嗽 cough は，問題にならないものから重篤なものまでを含む一般的な症状である。典型的には喉頭，気管，大気管支の受容体が刺激されたとき，刺激に対する反射として生じる。これらの刺激物質にはアレルゲン，ホコリや異物，極端な熱気や冷気といった外部物質に加え，粘液，膿，血液などがある。その他の原因には呼吸粘膜の炎症，肺炎，肺水腫，腫瘍や腫大した傍気管支リンパ節による気管支や細気管支の圧排などが含まれる。

表 15-2「咳嗽と喀血（血痰）」を参照。

咳嗽は左心不全を示唆する。

咳嗽の訴えに対して丹念に評価を行い，持続期間を確認する。3週間未満であれば**急性咳嗽**，3～8週間であれば**亜急性咳嗽**，8週間を超えていれば**慢性咳嗽**という。

急性咳嗽の最も多い原因はウイルス性上気道感染症である。急性気管支炎，肺炎，左心不全，喘息，異物誤嚥，喫煙，ACE阻害薬の使用もまた考慮しなければならない。感染後咳嗽，百日咳，胃酸の逆流，細菌性副鼻腔炎，喘息は亜急性咳嗽の原因となる可能性がある。慢性咳嗽は後鼻漏，喘息，胃食道逆流症，慢性気管支炎，気管支拡張症でみられる[6-13]。

乾性か，それとも粘液（痰）を含んでいるのかを質問する。

粘液性痰は透明，白色，灰白色であり，そしてウイルス感染や**嚢胞性線維症 cystic fibrosis** でみられる。膿性痰（黄色もしくは緑色）はしばしば細菌性肺炎でみられる。

痰の量，色，におい，粘稠度についてもたずねる。

悪臭のある痰は嫌気性菌による**肺膿瘍 lung abscess** でみられ，粘液性痰は嚢胞性線維症でみられる。

病歴：一般的なアプローチ

痰の量を調べるためには，自由回答方式の質問をする。「24時間でどのくらい痰を伴った咳をしますか？ ティースプーン1杯程度ですか？ テーブルスプーン1杯程度ですか？ カップ1/4くらいですか？ カップ半分ですか？ カップ1杯分ですか？」可能であればティッシュペーパーを口にあてて咳をするようにいい，痰を観察し，その特徴に注意する。**関連する症状によって，咳嗽の原因が判明することがある。**

喀血

喀血 hemoptysis は下気道から血液を喀出することであり，血液混じりの痰であったり純粋な血液であったりとさまざまである。喀血を訴えている患者の出血量，喀血時の状況や活動レベル，すべての関連症状を定量化する。喀血は乳児，小児，思春期にはまれである。

「喀血」という用語を使用する前に，出血の原因を明らかにする。血液や血液混じりの排出物は鼻腔内や口腔内，咽頭，上部消化管からも生じることがあり，よく誤診の原因となる。嘔吐時に起こった場合は，上部消化管に由来すると考えられる。場合によっては，鼻咽頭や上部消化管由来の血液が誤嚥され，喀出されることがある。

胸痛

胸痛や胸部不快感の訴えからは心疾患が疑われるが，胸郭や肺の疾患が原因のこともある。**こうした症状を評価する際は，胸郭や肺に由来する疾患と心疾患の両方を検討する必要がある。**胸痛の発生部位をBox 15-2に示す。胸部症状は重要であり，これらの可能性すべてを念頭に置く必要がある。

異常例

大量の膿性痰は**気管支拡張症** bronchiectasisや肺膿瘍でみられる。

診断に有用な症状には肺炎に伴う発熱や湿性咳嗽，喘息時の高調性連続性副雑音，急性冠症候群による胸痛，呼吸困難，起座呼吸がある。

表15-2「咳嗽と喀血（血痰）」を参照。原因には気管支炎，悪性腫瘍，嚢胞性線維症，まれに気管支拡張症，僧帽弁狭窄症，Goodpasture（グッドパスチャー）症候群，多発血管性肉芽腫症〔以前はWegener（ウェゲナー）肉芽腫症と呼ばれた〕がある。大量喀血（>500 mL/24時間もしくは>100 mL/時）は生命に危険を及ぼす[14]。

胃に由来する血液は，一般的に呼吸器に由来する血液よりも暗色であり，食物残渣が混じっていることもある。

表15-3「胸痛」を参照。

胸痛はパニック障害や不安障害患者の4人に1人で報告されている[15-17]。

Box 15-2　胸痛の発生部位と考えられる原因

発生部位	考えられる原因
心筋	狭心症，心筋梗塞，心筋炎
心膜	心膜炎
大動脈	大動脈解離
気管と主気管支	気管支炎
壁側胸膜	心膜炎，肺炎，気胸，胸水，肺塞栓，膠原病
皮膚，筋骨格系，神経系を含む胸壁	肋軟骨炎，帯状疱疹
食道	胃食道逆流症，食道痙攣，食道破裂
頸部，胆嚢，胃などの胸郭以外の臓器	頸部関節炎，胆石仙痛，胃炎

この項では肺の主訴に焦点を当てる。労作時胸痛，動悸，仰臥位時の息切れ（**起座呼吸 orthopnea**）や夜間に座位になると軽快する**夜間発作性呼吸困難 paroxysmal nocturnal dyspnea（PND）**，浮腫の症状は第 16 章「心血管系」を参照。

必ず自由回答方式の質問を使用して面接をはじめる。「今までに胸に違和感や不快感を感じたことがありますか？」といった質問をし，**胸部の痛みがある部位を示してもらう**。患者が胸痛を訴えるときの身ぶりにも注意する。胸痛を起こすさまざまな原因のなかから目の前の患者にあてはまるものを鑑別するために，胸痛の特徴（p.513 参照）をすべて聞き出す。

肺組織は疼痛を感じる神経線維を有してはいない。心膜もまた疼痛を感じる神経線維をほとんど有していない。

胸痛を生じる肺外の原因として胃食道逆流症や不安障害があるが，その機序は明らかではない[18]。

日中の眠気，いびき，睡眠障害

患者が過剰な日中の眠気と疲労を報告することがある。いびき，目撃証拠のある**無呼吸 apnea**（10 秒以上の呼吸中断で定義される），窒息感での目覚め，朝の頭痛などの問題がないか質問する。

胸骨上で拳を握るような姿勢〔**Levine（レバイン）徴候**〕は狭心症，胸壁の疼痛部位を指で指し示すときには筋骨格系の痛み，頸部から心窩部にかけて手で擦るような動きは胸やけを示唆する。

肺炎や肺梗塞などで起こる疼痛は，通常では隣接する壁側胸膜の炎症から波及する。肋軟骨の炎症によって引き起こされる筋肉痛も原因となりうる。心膜の疼痛も隣接する壁側胸膜の炎症から生じる。

特に日中の眠気やいびきの症状は閉塞性睡眠時無呼吸の特徴的な症状であり，肥満の患者，下顎の後方不正咬合（下顎後退），治療抵抗性高血圧，心不全，心房細動，脳卒中，2 型糖尿病の患者でみられることが多い。おもな機序としては，脳幹の呼吸中枢の異常，睡眠覚醒障害，上気道筋の収縮障害（オトガイ舌筋機能不全），肥満など気道虚脱を生じる解剖学的変化があげられる[19, 20]。

身体診察：一般的なアプローチ

胸郭や肺の身体診察には本章で述べる視診，触診，打診，聴診の 4 つの基本的技法を使用する。しかし，呼吸器系の身体診察は患者への病歴聴取中にはじめるべきである。患者の話し方を観察するだけでも，膨大な情報を引き出すことができる。例えば，一度の呼吸で全文を話すことができない状態は呼吸ドライブの増加（呼吸する必要性が高まっている状態）や肺活量低下に伴った換気障害を示唆している。同様に呼吸仕事量の増加〔鎖骨上の陥凹，呼吸補助筋の使用，**三脚肢位 tripod position**（苦しくて横になれず，両手を膝の上に置いた前かがみの座位姿勢）〕は気道抵抗の増加や肺や胸壁の硬さの指標である。

バイタルサインを測定するときに，胸壁の持ち上がる回数を注意深く観察することによって正確に呼吸数を評価しなければならない。加えて，労作時呼吸困難のある患者に症状を再現させるために観察下で歩行することをお願いし，その間に

診察の技術

安静時や活動時のあらゆる酸素化不良を記録するために，厳密に酸素飽和度をモニタリングする。一般身体診察中に低酸素血症(チアノーゼ)，貧血(眼瞼結膜の蒼白)，肺疾患の肺外の所見(ばち状指)のような徴候を探す。胸部の診察では，動きの対称性に注目しながら，打診(胸水や無気肺を示す濁音，肺気腫を示す過共鳴音)，聴診〔wheezes〔高調性連続性副雑音，笛(様)音〕，crackles(断続性副雑音)，rhonchi〔低音性連続性副雑音，いびき(様)音〕，呼気延長，呼吸の減弱は気道もしくは肺実質の疾患を示す〕を行う。注意深い心臓の診察は右心圧上昇の徴候〔頸静脈の拡大，末梢の浮腫，第 2 心音(S_2)の肺動脈成分の増強〕，左室機能不全〔第 3 心音(S_3)と第 4 心音(S_4)の奔馬調律〕，弁膜症(心雑音)のような徴候を把握するために必要である。最後に，横隔膜の減弱の徴候である腹部の奇異性運動(吸気時の内側への動き)の有無を同定するために患者を仰臥位にして腹部の診察を行うこともまた重要である。最も正確な結果を得るために，背面から胸郭と肺を診察するときは座位で行い，正面から同部位を診察するときは仰臥位の状態で行う。患者にドレープするときに診察部位を最大限に露出させるが，診察時に患者が不快感を感じないよう配慮すること。

診察の技術

胸郭および肺の診察の重要項目

- 呼吸の観察(呼吸数，呼吸のリズム，呼吸の深さ，呼吸努力，呼吸障害の徴候)
- 胸部前後面の診察
  - 胸部の視診(胸郭の変形，筋肉の陥凹，呼吸運動の遅れ)
  - 胸部の触診(圧痛，挫傷，瘻孔，呼吸による胸郭拡張，触覚振盪音)
  - 胸部の打診(平坦音，濁音，共鳴音，過共鳴音もしくは鼓音)
  - 胸部の聴診(呼吸音，副雑音，声音振盪)

呼吸と胸郭の初期観察

呼吸数が診察前にすでに記録されていても，もう一度**呼吸数，リズム，深さ，呼吸努力**に関して注意深く観察する。健常成人での安静時の呼吸は静かで整であり，呼吸数は 1 分間に約 20 回である。呼気が普段より延長しているかどうかに注目する。

呼吸障害の徴候

呼吸障害の徴候がないか患者を観察することからはじめる。

- **頻呼吸 tachypnea**(>25 回/分)がないか呼吸数を評価する。

異常例

緩徐呼吸，頻呼吸，過換気，Cheyne-Stokes(チェーン・ストークス)呼吸，失調呼吸については，表 15-4「呼吸数と呼吸リズムの異常」を参照。COPD では呼気延長が起こる。

診察の技術

- 患者に**チアノーゼ**の所見や**蒼白 pallor** がないか調べる。爪の形や色のような以前の関連する所見について思い出す。

  > **異常例**
  > 口唇，舌，口腔粘膜における**チアノーゼ**は低酸素血症を示している。蒼白と大量発汗（冷や汗）は急性冠症候群や心不全でよくある所見である。ばち状指（p.333 を参照）は気管支拡張症，先天性心疾患，肺線維症，嚢胞性線維症，肺膿瘍，肺悪性腫瘍でみられる。

- **呼吸時の聴取可能な呼吸音を聞き取る**。吸気時に頸部や肺野でヒューヒューする音が聴取できるか？

  > 吸気時のヒューヒューする高音や**ストライダー stridor** の聴取は喉頭や気管における上気道閉塞を示す要警戒所見であり，緊急の気道評価が必要である。

- 頸部を視診する。吸気時に呼吸補助筋（胸鎖乳突筋，斜角筋）の収縮，もしくは鎖骨上窩の陥凹がみられるか？ 呼気時に肋間筋や腹斜筋の収縮がみられるだろうか？ 気管は正中にあるか？

  > 呼吸補助筋の使用は気道や肺実質の疾患もしくは呼吸筋の疲弊により換気の必要性が上昇していることを示している。気管の側方偏位は気胸，胸水，無気肺で起こる。

- 胸部の形も観察する。胸部は普通奥行きよりも横幅のほうが広くなっている。胸部の横径に対する前後径の比は通常 0.7〜0.75，最大 0.9 程度で，加齢とともに増加する[21]。

  > 胸部の前後径と横径の比率は COPD では 0.9 を越え，樽状胸の外観を呈する。しかし，この相関関係に関するエビデンスは確立されていない。

胸部後面

患者に座位をとってもらい，胸郭と肺の後面を診察する。診察時には可能ならば力を抜いて腕を胸部前面から対側の肩に置くように組んでもらう。この姿勢は肩甲骨を外側へ移動させ，肺野の評価が行いやすくなる。終了したら患者に診察台に横になってもらう。

座位をとれない患者では，背面の診察を座位で行うとき第三者に補助してもらう。それが無理ならば，患者に側臥位になってもらって診察を行い，つぎに反対側を同じように行う。それぞれの体位で両肺の打診と聴診を行う。換気は下となるほうの肺で多く行われるため，同部位では異常な wheezes や crackles を聴取しやすくなる（p.471〜474 参照）。

視診

患者の背後，正中線上に立ち，下にある肺葉を意識して右肺野と左肺野を比較し，注意深く非対称性がないか確認する。以下に示すように，**樽状胸 barrel chest** のような胸部の形の変化や胸部の動き方などに注意する。

> 表 15-5「胸郭の変形」を参照。

- 胸郭の変形や，非対称的な胸郭拡張はみられるか？

  > 非対称的な胸郭拡張は大量胸水で起こる。

| 診察の技術 | 異常例 |

- 吸気時に肋間隙の筋肉の異常な陥凹はないか？（下部肋間隙で最も観察しやすい）

肋間隙の吸気時陥凹は，重症喘息，COPD，上気道閉塞でみられる。

- 片側もしくは両側の呼吸運動の異常，あるいは片側の呼吸運動の**遅れ**はないか？

片側性の呼吸運動の異常や遅れがあれば，**石綿肺症**や**珪肺症**による胸膜疾患を疑う。また，横隔神経の損傷や外傷でもみられる。

触診

胸部を触診するときに，疼痛や挫傷，呼吸による胸郭拡張，触覚振盪音の部位に注意する。

肋間隙の圧痛は炎症が生じた胸膜から波及し，肋軟骨の圧痛は肋軟骨炎から生じる。

- 疼痛部位を触診する。患者が痛みを訴える部位，目にみえる病変や挫傷のある部位を注意深く触診する。皮下組織内の空気によって生じる，骨・関節・皮膚上の触知可能な捻髪性の感触（「パチパチ」や「ギシギシ」と表現される）に対して疼痛の有無に関係なく注意する。

圧痛，挫傷，骨の「へこみ」は肋骨骨折でよくみられる。捻髪性の感触は明らかな骨折や関節炎を起こしている関節で触知されるだろう。捻髪性の感触と胸壁の浮腫は縦隔炎でみられる。

- 腫瘤や瘻孔（盲端，炎症性，皮膚に開口しているトンネル様構造）などの皮膚の異常を評価する。

まれではあるが，瘻孔は胸膜や肺の感染（**結核**や**放線菌症**）を示唆する。

- **胸郭の拡張を診察する。**両手の母指を左右第10肋骨の位置にあて，胸郭側面に沿って軽く指でつかむようにする（図15-17）。手の位置を決めたら，胸椎の上で親指の間にある皮膚のたるみを持ち上げるくらい左右の手を内側に移動させる。つぎに患者に深く息を吸い込むように指示し，左右の母指の距離を観察する。吸気時にはその距離が開く。胸郭が拡張したり収縮するときに，動きの範囲や対称性について注意する。横隔膜の可動域 diaphragmatic excursion と呼ばれることもある。

片側性の胸郭拡張の減少や遅れは，胸膜や肺の慢性の線維性変化，胸水，大葉性肺炎，副子固定による胸膜痛，片側性の気管支閉塞，片側性の横隔膜麻痺により生じる。

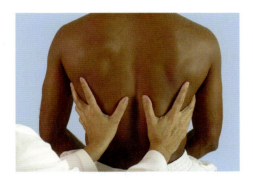

図 15-17　胸郭拡張の評価

診察の技術

- **触覚振盪音** tactile fremitus の対称性を確認するため，左右両側の胸壁を触診する（図 15-18）。触覚振盪音は患者が声を発したときに気管気管支樹から胸壁に伝達される触知できる振動のことで，通常は左右対称である。典型的には下肺野よりも肩甲骨間で触知しやすく，左肺よりも右肺上で容易に捉えられる。これらは横隔膜より下では触知できない。

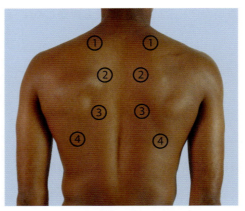

図 15-18　触覚振盪音の触知部位

触覚振盪音をみつけるとき，手の骨を通じて最もよく感じとることができるように，指の基部の手掌側にある骨の部分（ball）か手の尺骨の表面を使用する。患者に"ninety-nine"，"one-one-one" などの単語を繰り返し発声してもらう[訳注]。最初は伝達される振動を感じるまで片手で診察を行う。つぎに両手で触診し，図 15-18 に示すように**対称的に両肺野を比較する**。触覚振盪音が増大，減少もしくは消失しているかどうかを明らかにし，その位置を記録する。振動が小さければ，より大きな声か，低い声を出してもらうとよい。

触覚振盪音の触診は少々確実性に欠ける評価技術であるが，診察者が非対称性に気づくきっかけとなる。呼吸音，声，囁語（小声）を聴取することにより左右の違いを確認していく。これらすべての特性がともに増強や減弱するはずである。

打診

打診は胸部の身体診察における最も重要な技術の 1 つである。胸部の打診では，胸壁とその下にある組織を動かすことで，聴取可能な音や触知可能な振動を生み出す。**打診は組織が空気に満ちているか，液体に満ちているか，それとも硬化しているかを確認するのに役立つ**。ただし，打診の打撃は胸部のわずか 5〜7 cm ほどの深さまでしか届かず，深部に位置する病変を発見するのには役立たないだろう。なお，打診はどの部位でも行うことができる。実施する際には，内容物や体の部位により異なる音の性質を聞き分けなければならない。適切な手順（右利きの場合）を以下に要約する。

訳注：日本語では，「ひとつ，ふたつ，みっつ……」と繰り返してもらう。

異常例

声が高いまたは小さかったり，喉頭から胸壁への振動の伝達が，厚い胸壁，気管支閉塞・COPD・胸膜変化（胸水，線維化，気胸）・腫瘍の浸潤によって妨げられたときに，**触覚振盪音**は減弱もしくは消失する。

非対称的に触覚振盪音が減弱する場合は，片側性の胸水，気胸，腫瘍の可能性が高い。これらは低周波音の伝達を低下させる。非対称的な増強は片側性の肺炎で起こり，肺炎で硬化した組織を介してその伝達が強まる[22]。

診察の技術

- 診察者は**打診板となる指**として，左手の中指を過伸展させる。そして，その遠位指節間(DIP)関節を胸壁にしっかりと押し当てる(図15-19)。打診による振動の伝達を鈍らせないように，手の他の部位が患者の体に接触しないようにする。特に母指，示指，薬指，小指が胸壁に触れないように注意する。

図15-19　打診板となる指は胸壁にしっかりと置く

- 右手を手背側に曲げたまま，右前腕を打診板となる指へ近づける。右中指は軽く屈曲させ，力を抜いて，打診を行う体勢をとる。

- 力を入れずにすばやく短く，**打診指**(右手の中指)で打診板となる指を叩く(図15-20)。左手中指のDIP関節をねらい，DIP関節骨部を介して，下にある胸壁へ振動を伝える。打診の際，疾患ではなく，診察者の技量によって打診音が変化しないよう，叩く強さや打診板となる指での圧迫が一定になるようにする。

図15-20　右手中指で叩く

- 打診指の指先を使って打診を行い，指腹は使用しない。打診板となる指に対し，打診指は直角にする。自分の指関節部を傷つけないように爪は短く切っておくとよい。

- 振動を減衰させないように，打診指はすばやく引き戻す(図15-21)。

動きは手首を軸に行い，正しい方向で，すばやく，しかし力を抜いて，わずかに弾ませるように行う。

図15-21　叩いた指(右手中指)をすばやく引くこと

打診音

明瞭な音を引き出すためには，打診指で可能な限り軽く打診する。厚い胸壁では薄い胸壁よりも強い打診が必要となる。ただし，より大きな音が必要な場合には**打診指でなく打診板となる指でさらに圧を加える**。

胸部後面の下部の打診では，患者の真後ろに立つのではなく，いくぶん横にずれて立ったほうがよい。この位置だと診察者が打診板となる指をしっかりと胸壁に置くことが容易となり，より良い打診音を作り出して打診をより効果的に行うことができる。

- 2つの部位での打診音を比較するときは，同様の打診法を用いる。それぞれの部位で2回ずつ打診し，部位による打診音の違いを聞き分ける。

- 平坦音，濁音，共鳴音，過共鳴音，鼓音の5つの打診音を識別できるようになること（Box 15-3）。これらの打診音のうち4つの聞き分けは自分自身で訓練できる。打診音は強弱，高低，持続時間などの基礎的要素で区別される。まず1つの要素に集中して1部位を打診した後に別の部位を打診して練習するとよい。Box 15-3 の打診音の特徴を再確認すること。正常肺部分では共鳴音が聴取できる。

Box 15-3　打診音の特徴

	強弱	高低	持続時間	部位	呼吸器疾患の例
平坦音	小さい	高い	短い	大腿	大量胸水
濁音	中間	中間	中間	肝臓	大葉性肺炎
共鳴音	大きい	低い	長い	正常肺	単純性慢性気管支炎
過共鳴音	非常に大きい	より低い	より長い	通常はなし	COPD, 気胸
鼓音	大きい	高い*	より長い	胃泡やふくらんだ頬部	広範囲の気胸

*おもに楽音様の音で区別される。

患者に胸部前面で両腕を組み続けてもらい，肺尖から肺底部にかけて左右対称的に胸郭を打診していく。

- 打診は胸部の片側からはじめ，つぎに反対側の同じ高さに移り，図 15-22 で示すようにはしご式（ラダー・パターン）に進めていく。肩甲骨上の領域は外す（筋肉や骨の厚みは肺の打診音を変化させる）。異常な打診音が聞き取れる部位と音の特徴を特定する。

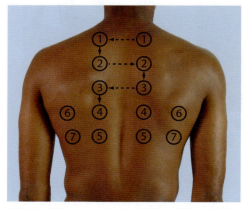

図 15-22　はしご式の打診や聴診の順序

打診の際，正常では空気を含んでいる肺や胸膜腔が液体を貯留したり，固体組織となった場合には，共鳴音ではなく，濁音が聴取される。例えば，肺胞が液体や血球で占められる大葉性肺炎，胸水（胸腔内での漿液の貯留），**血胸 hemothorax**（胸腔内での血液の貯留），**膿胸 empyema**（胸腔内での膿の貯留），線維組織，腫瘍などの存在が考えられる。濁音が聞き取れる場合，肺炎と胸水の可能性がそれぞれ3，4倍に上昇する[23]。

肺野の全体的な過共鳴音は COPD や喘息により過膨張した肺でよくみられる。片側性の過共鳴音からは広範囲の気胸やブラなどが考えられる。

診察の技術

- **横隔膜下降と横隔膜の可動域を確認する。**最初に，安静呼吸時における横隔膜部の濁音界を確認する。打診板となる指を，予想される濁音界の高さに対してやや上方かつ平行に置き，共鳴音が濁音に変わるまで少しずつ位置を下げるように打診を行う。胸郭の内側と外側の両方で少しずつ位置を下げながら打診することで音の変化する場所の高さを確認する（図 15-23）。

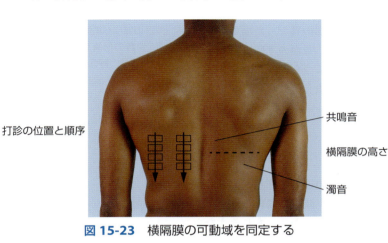

図 15-23　横隔膜の可動域を同定する

この診察技術を用いることで，共鳴音を示す肺組織と，横隔膜より下に位置する他の構造物との境界を知ることができる。横隔膜自体を打診するのではなく，濁音を聴取する位置から横隔膜の場所を推定することができるのである。

最大吸気時と最大呼気時における濁音界の距離を測定することで，横隔膜の可動域（一般的には 3〜5.5 cm である）を評価する[23]。

聴診

聴診は，気管気管支樹を通過する気流を評価するうえで最も重要な診察技術である。聴診では，(1) 呼吸音，(2) 副雑音，(3) 異常が疑われる場合は胸壁を通して伝わる患者の話し声や囁語を聴取する。**聴診をはじめる前に，臨床的に重要でない副雑音を作り出す軽度の無気肺や気道粘液を避けるために，患者に 1〜2 回の咳払いをしてもらう。**

呼吸音の聴取は聴診器の膜部で行い，患者には口を開けた状態で深呼吸をしてもらう。**必ず聴診器は直接皮膚の上に置くこと。衣服は呼吸音の特徴を変化させ，摩擦音や副雑音を生じさせる。**

異常例

この手技は横隔膜の実際の動きを過大評価する傾向がある[24]。

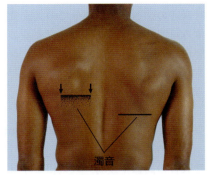

図 15-24　横隔膜の下降がないときは胸水の可能性がある

異常に横隔膜位置が上昇しているときは胸水，または無気肺や横隔神経麻痺から生じた片側横隔膜の上昇が示唆される（図 15-24）。

ベッドシーツ，紙のガウン，胸毛さえもが聴診に干渉する紛らわしいパチパチする音を生じさせる。胸毛はしっかりと押しつけるか湿らせること。

衣類の上から聴診するときのように，部分的に閉塞した鼻腔や鼻咽頭を通じた空気の流れもまた異常音を生じさせる。

診察の技術	異常例

打診の際に示した**はしご式**の方法で，片方を聴診してから，つぎに反対側を聴診して，肺の各部位を対称的に比較する。各部位で吸気呼気を1周期とした少なくとも一呼吸を聴取すること。もし異常音が聞き取れたり疑われる場合には，異常の広がりを評価するために隣接部位を聴取する。患者が聴診時の深呼吸によって過換気となり頭がフラフラするときは，数回通常の呼吸に戻ってもらうとよい。

呼吸音の強さは口の部分での気流量を反映し，さらに胸部の異なった場所で変化する可能性があることに注意すること。呼吸音は一般的に背面の下肺野で大きく聴取できる。呼吸音がよく聴取できない場合には，患者にさらに深い呼吸をしてもらう。浅い呼吸の患者，肥満などによって胸壁が厚い患者では呼吸音が変化することもある。

気流の減少（閉塞性肺疾患，呼吸筋疲弊など）や音の伝導低下（胸水，気胸，COPDなど）では，呼吸音を聴取しにくい。

吸気相と呼気相の間に**無音間隙 silent gap** があるか？

無音間隙がある場合は**気管支音**を示唆する。

呼吸音の高低や強弱，吸気相と呼気相における持続時間の違いに注意して聴診する。肺胞音は胸壁上で正常に分布しているか？　呼吸音が減弱しているか？　または気管支肺胞音や気管支音が予期しない部位で聴取されるか？　もしそうなら，どの部位か？

呼吸音（肺音）

患者の呼吸音の強弱，高低，吸気・呼気相の持続時間の違いを認識できるようになること（Box 15-4）。正常な呼吸音は以下の通りである。

体が冷えた患者や緊張している患者において，筋肉の収縮音（こもったような，低音のランブル，ゴロゴロするような雑音）に注意する。患者が体位を変えることで，この音は消失することがある。これらの音を再現するためには，自分自身の胸部を聴診するときに**Valsalva（バルサルバ）手技**を行う（息んだ状態で聴診する）とよい。

- **肺胞音 vesicular sound**：弱く，低い音で，吸気相に聴取できる音であり，呼気相に入っても止むことなく持続するが，呼気相の1/3を経過した頃から徐々に消えていく。

- **気管支肺胞音 bronchovesicular sound**：吸気相と呼気相に同じ長さで聴取できる音で，無音間隙があることで吸気相と呼気相に分けられることもある。音の高低や強弱の違いは，呼気相のほうが聞き分けやすい。

- **気管支音 bronchial sound**：大きく，粗く，高めの音であり，吸気相と呼気相の間に短い無音間隙がある。呼気相のほうが吸気相よりも音が長く持続する。

- **気管音 tracheal sound**：大きく，粗い音で頸部の気管上で聴取される。

Box 15-4　呼吸音の特徴

	持続時間	呼吸音の強弱	呼吸音の高低	通常聴取できる部位
肺胞音*	吸気＞呼気	弱い	比較的低音	両肺の大部分
気管支肺胞音	吸気＝呼気	中等度	中等度	前胸部第1・第2肋間や肩甲骨間
気管支音	吸気＜呼気	強い	比較的高音	胸骨柄（口に近い太い気道）
気管音	吸気＝呼気	非常に強い	比較的高音	頸部の気管

＊線の太さは音の強弱，傾きは音の高さと持続時間を示している。

出典：Loudon R, Murphy LH. *Am Rev Respir Dis*. 1994; 130: 663; Bohadana A et al. *N Engl J Med*. 2014; 370: 744; Wilkins RL et al. *Chest*. 1990; 98: 886; Schreur HJW et al. *Thorax*. 1992; 47: 674; Bettancourt PE et al. *Am J Resp Crit Care Med*. 1994; 150: 1921.

気管支肺胞音や気管支音がここで示した部位より離れた場所で聴取される場合は，空気を含んでいるはずの肺が液体を貯留しているか，硬化したと考えられる。

表15-6「呼吸音，声音振盪の正常と異常」を参照。

副雑音

通常の呼吸音に重なって聞き取れる**副雑音 adventitious (added) sound**を聴取する（Box 15-5）。**crackles**（断続性副雑音），**wheezes**（高調性連続性副雑音），**rhonchi**（低音性連続性副雑音）といった副雑音は診察において重要な要素であり，心肺状態の診断に有用である。

副雑音の詳細については，表15-7「副雑音：原因と特徴」を参照。

Box 15-5　副雑音

crackles	wheezes と rhonchi
断続性	**連続性**
● 断続的，楽音様でない，短い	● 正弦波のように周期的で，楽音様，長い（呼吸周期中に必ずしも持続しない）
● モールス信号の「トン」のよう	● モールス信号の「ツー」のよう
● **fine crackles**（細かい断続性副雑音・捻髪音）：弱い，高音（約650 Hz），非常に短い（5～10 ms）	● **wheezes**：比較的高音（≧400 Hz）で甲高い音質，笛（様）音（＞80 ms）
● **coarse crackles**（粗い断続性副雑音・水泡音）：やや強い，低音（約350 Hz），短い（15～30 ms）	● **rhonchi**：比較的低音（150～200 Hz），いびき（様）音（＞80 ms）

出典：Loudon R, Murphy LH. *Am Rev Respir Dis*. 1994; 130: 663; Bohadana A et al. *N Engl J Med*. 2014; 370: 744.

cracklesは肺実質の異常（肺炎，間質性肺疾患，肺線維症，無気肺，うっ血性心不全）や気道の異常（気管支炎，気管支拡張症）によって生じる。

wheezesは喘息，COPD，気管支炎により狭窄した気道において生じる。

多くの医師は，咳で変化する，大きな気道にある分泌物から生じる音を指して"rhonchi"という用語を使用している。

診察の技術	異常例

crackles が聴取できた場合，咳払いをしても特に音が変わらなければ，以下に示す点に注意して聴診を行う[25-30]。これらは，基礎疾患を知る手がかりとなる。

- 強弱，高低，持続時間に注意し，**fine crackles**（細かい断続性副雑音），もしくは **coarse crackles**（粗い断続性副雑音）に分類する。

　　吸気相終末の fine crackles は肺組織の異常を示唆する。

- 数（ほとんどないものから多数まで）

- 呼吸周期におけるタイミング（吸気時もしくは呼気時？）

- 胸壁上で聴取できる部位

　　心不全における crackles は背面の下肺野で最も聴取しやすい。

- 呼吸周期を超えた持続性

- 咳払いや患者の体位による音の変化

　　咳払いや体位変換で crackles, wheezes, rhonchi が消失した場合は，気管支炎や無気肺による濃縮した分泌物の影響が考えられる。

正常でも crackles は最大呼気後に肺底部前面で聴取されることがある。長時間側臥位になった場合，下に位置する肺野で crackles が聴取されることもある。

wheezes や rhonchi が聴取された場合，呼吸周期におけるタイミングと聴取される部位に注意する。深呼吸や咳で変化するか？ **空気の動きがほとんどみられないサイレントチェストに警戒すること。**

　　重症喘息での進行した気道閉塞においては，呼吸の気流低下により wheezes や呼吸音が消失することがある（サイレントチェスト）。これは緊急事態である！

ストライダーや声帯機能不全として頸部に生じる気管音は肺野に伝達され，wheezes と間違いやすく，不適切に治療されたり，治療の遅れを生じさせたりすることが多い。

　　ストライダーや喉頭音は頸部で最も大きく，一方で真の wheezes や rhonchi は頸部ではかすかに聞き取れるか聴取できない[30]。

胸膜摩擦音 pleural friction rub（粗く，一般的には呼気時に聴取される軋むような二峰性の音）に注意を払う。

　　胸膜摩擦音は胸膜炎，肺炎，肺塞栓症で聴取されるだろう。

声音振盪
異常な部位で気管支肺胞音や気管支音を聴取したときは，以下に示す3つの手法を用いて，**声音振盪 transmitted voice sound** を評価する。聴診器の膜部を使用して，肺炎や胸水を疑う異常な声音振盪を胸壁上で左右対称に聴診する。

　　声音振盪の増強は，炎症や分泌物により深い位置の気道が閉塞していることを示唆する[30]。表15-6「呼吸音，声音振盪の正常と異常」を参照。

- **ヤギ声 egophony**：患者に"ee（イー）"と言ってもらう。正常では，こもった長い"ee（イー）"と聴取される。

　　もし"ee（イー）"が"ay（エイ）"というように聴取されて，ヤギの鳴き声に似た鼻声のような音質なら，E-to-A change もしくは**ヤギ声**である。

診察の技術

- **気管支声 bronchophony**：患者に"ninety-nine"と言ってもらう。正常では胸壁を介して，こもった不明瞭な音が伝わってくる。音がはっきり聴取された場合は気管支声である。

- **胸声 pectoriloquy**：患者に"ninety-nine"もしくは"one-two-three"と囁語で言ってもらう。正常では，聴取できたとしてもかすかで不明瞭である。

胸部前面

患者に仰臥位になってもらい，胸郭と肺の前面を診察する。女性患者の場合，この姿勢をとることで乳房を無理なく外側にずらすことができる。仰臥位で診察するとき，両腕をいくぶん外転させた楽な姿勢をとってもらう。呼吸がしづらければ，横隔膜の可動域を広げて呼吸を楽にするためにベッドや診察台の頭側を上方へ起こすとよい。

視診

患者の胸部の形と胸壁の動きを観察する。以下に注意する。

- 胸郭の変形や非対称性

- 吸気時の下部肋間隙の異常な陥凹，鎖骨上窩の陥凹

- 呼吸運動における局所の遅延や障害

触診

胸部前面の触診を行う。以下を評価すること。

- 疼痛部位を確認する。

- 挫傷，瘻孔，その他の皮膚変化を評価する。

異常例

局在する**気管支声**やヤギ声は肺炎による大葉性の硬化（コンソリデーション）において聴取される。発熱と咳を伴う患者では，気管支声やヤギ声が聴取された場合，肺炎の可能性は3倍以上となる[24]。

強く，はっきりと囁語が聞き取れることを**囁語胸声 whispered pectoriloquy**（肺組織を通して伝わる音声の増強を意味する「胸声」が，「囁語」でも同様に起こること）という。

重症のCOPD患者では，呼気時に口すぼめ呼吸を行い，膝やテーブルの上に腕をついて支えながら，前傾姿勢で座ってもらうと症状が緩和される。

表15-5「胸郭の変形」を参照。

異常な肋間隙の陥凹は重症喘息，COPD，上気道閉塞で起こる。

肺病変や胸膜病変で，呼吸運動の遅延が生じる。

胸筋や肋軟骨の圧痛は，確証はないが，胸痛が筋骨格系の特定の部位に由来することを示唆する。

- 胸郭の拡張を評価する。左右の母指を肋骨縁に沿って置き，手掌を胸郭側面に置く（図15-25）。手の位置を決めてから，手をわずかに内方へずらし，左右の母指の間に皮膚の襞ができるようにする。つぎに，患者に深く息を吸ってもらう。胸郭の拡張に伴って母指がどの程度離れるかを観察し，呼吸運動時の胸郭の拡張や対称性についても注意する。

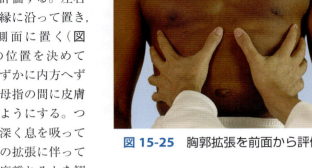

図15-25　胸郭拡張を前面から評価する

- 触覚振盪音の評価。必要に応じて手掌側の指の基部の骨もしくは手の尺骨の外側で，左右の胸部を比較する。触覚振盪音は通常，胸部前面では減弱しているか消失している。女性の場合，必要なら乳房を丁寧にずらして診察する（図15-26）。

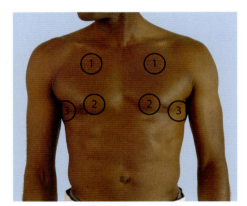

図15-26　胸部前面における触覚振盪音の触診部位

打診

臨床的に適応があれば，胸部前面と側面の打診は左右両側を比較するように行うとよい（図15-27）。正常では第3～5肋間の胸骨左縁まで心臓による濁音界が及ぶ。女性では，打診の精度をあげるために，右手で打診をする間，左手で乳房を丁寧にずらすか，患者に診察の邪魔にならないように乳房を動かしてもらう。

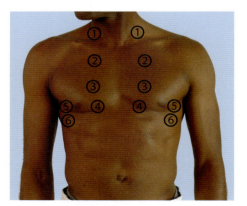

図15-27　胸部前面におけるはしご式の触診および打診部位

濁音界は炎症や分泌物による気道閉塞を表す。液体成分は胸膜腔の最下部に沈むため（仰臥位の患者では後背面に沈む），大量の胸水が貯留していなければ前胸部の打診では明らかにならない。

COPDの過共鳴音は心臓の上では不明瞭な濁音となるだろう。

右中葉肺炎の濁音界は典型的には右乳房の位置でみられる。乳房をずらして診察しなければ，異常な打診音を見逃してしまうだろう。

| 特殊な技術 | 異常例 |

- 異常な打診音が聴取される部位を特定する。

- **肝濁音界**と**胃鼓音界**の打診。打診板となる指を肝濁音界の上部境界と予測される部位の上方に平行に置き、右鎖骨中線上を少しずつ下方向へ進めながら打診を行い（図15-28）、肝濁音界の上部境界を確認する。これは肝臓の大きさを評価するために使用される方法である。胸部の左側で下方へ打診を進めると、正常肺の共鳴音が胃泡により鼓音へと変化する。

COPDの過膨張した肺により、肝臓の上縁は下方へ押し下げられ、背面では横隔膜の濁音界も押し下げられる。

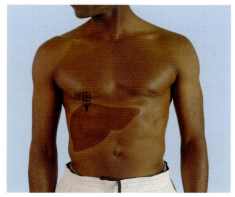

図 15-28 肝濁音界の打診

聴診

患者に、口を開けて通常より深い呼吸をしてもらい、胸部前面および側面の聴診を行う。打診の際に示したはしご式の方法で肺の左右を比較しながら、必要があればその隣接する部位にも範囲を広げて聴診を行う。

- 音の強弱に注意して、正常な音との違いを確認しながら**呼吸音**の聴取を行う。通常、呼吸音は上肺野前面で大きく聴取される。気管支肺胞音は太い気道上の特に右側で聴取しやすい。

- **副雑音**を同定し、呼吸周期におけるタイミングを計り、胸壁のどの位置で聴取されるか確認する。副雑音が深呼吸で明確になるかも確認する。

表15-7「副雑音：原因と特徴」、表15-8「特定の胸部疾患における身体所見」を参照。

- 必要があれば、**声音振盪**も聴取する。

特殊な技術

肺機能の臨床的評価

歩行検査は、心肺機能を評価する実践的で簡単な方法であり、リハビリテーションや手術前後でも一般的に使用されている。2002年米国胸部学会 American Thoracic Society によるガイドラインでは6分間歩行検査を標準化し、多くのCOPD患者における臨床的予後予測方法の改善を続けている[31,32]。検査は簡単に実施でき、必要とするのは30.4 mの廊下だけである。この検査では平坦で硬い床の上で、6分以内に速く歩くことができる距離を測定することで、肺・心血管系、神経筋単位、筋肉代謝の全体的な評価を行う[33]。

努力呼気時間検査

呼吸の呼気相の評価を行う検査であり，特に閉塞性肺疾患では呼気相は著明に延長する。患者に深く息を吸ってもらい，開口した状態で，できるだけすばやく完全に呼出してもらう。聴診器の膜部を使用して気管部分を聴診し，呼気音が聴取できる時間を計り，連続した3回の値を評価する。必要なら，努力呼吸の間に短い休みをとってもらってもよい。

60歳以上で**努力呼気時間 forced expiratory time**が9秒以上の患者はCOPDに罹患している可能性が4倍高い[34]。

肋骨骨折部位の確認

1カ所もしくは数カ所に及ぶ肋骨の局所的な自発痛や圧痛は，肋骨骨折を疑う所見である。前後面で胸部を圧迫することで，骨折と軟部組織損傷とを区別しやすくなる。片手を胸骨上に，もう一方の手を胸椎上に置き，胸郭を圧迫する。痛みが生じるか，どの部位に生じるかを確認する。

局所(圧迫している手から離れた部位)の疼痛が増強したら，軟部組織損傷ではなく肋骨骨折を示唆する。

所見の記録

所見を記録する際，最初は文章を用いるかもしれないが，慣れてくれば慣用的な記述を用いるようになる。

胸郭と肺の診察の記録

胸郭は左右対称，拡張は正常。胸部打診は共鳴音。呼吸音は肺胞音で，crackles，wheezes，rhonchi は聴取されない。横隔膜は両側で4cm下降

または

胸郭は左右対称，中等度の脊柱後弯，前後径が拡大し，胸郭の広がりが減少。胸部打診は過共鳴音。呼吸音は弱く，呼気相の延長，呼気時の散発的な wheezes を聴取。触覚振盪音は減弱し，気管支声・ヤギ声・囁語胸声の聴取なし。横隔膜は両側で2cm下降

これらの所見は COPD を示唆する。

健康増進とカウンセリング：エビデンスと推奨

健康増進とカウンセリングの重要事項

肺癌のスクリーニング
潜在性肺結核のスクリーニング
閉塞性睡眠時無呼吸のスクリーニング
禁煙(第6章「健康維持とスクリーニング」，p.182〜183参照)
予防接種：インフルエンザおよび肺炎球菌ワクチン(第6章「健康維持とスクリーニング」，p.187〜192参照)

健康増進とカウンセリング：エビデンスと推奨

肺癌

疫学

肺癌 lung cancer は米国で2番目に多く診断されている癌であり，男女ともに癌死亡の最も多い原因である[35]。大腸癌，乳癌，前立腺癌を合わせた数よりも多くの患者が肺癌により亡くなっている。2018年には新規23万人以上の発症，15万5,000人近くの死亡（すべての癌死亡数の約25％を占める）が予測された。しかし，その発症率と死亡率は喫煙率の低下とともに過去数十年間にわたって減少傾向である[36,37]。喫煙は肺癌の主要な危険因子であり，肺癌の原因の約85％を占める[38]。土壌や岩盤から放出される目にみえない，無臭の放射性ガスであるラドンが米国における肺癌の2番目に多い原因である。その他の環境や職業曝露には副流煙，アスベスト，ディーゼル排気，重金属，有機化学物質，電離放射線，大気汚染などが含まれる。肺癌には，特にもし親族が若年時に肺癌と診断されているなら，家族性のリスクもある。

予防

長期喫煙や大量喫煙は肺癌リスクの上昇と関連している。禁煙と予防（第6章「健康維持とスクリーニング」，p.182～183参照）は肺癌の疾病負担を軽減するうえで最大の効果がある。

スクリーニング

肺癌のスクリーニングは魅力ある戦略である。なぜなら進行期（遠隔転移あり）で診断された肺癌の4.5％という低い5年生存率と比較すると，早期で診断された肺癌（肺内へ限局）は56％の5年生存率が得られているからである[36]。しかし，残念なことに肺癌のたった16％しか早期で診断されていない。複数年にわたって進められた研究の多くによって，胸部単純X線写真もしくは喀痰細胞診による肺癌スクリーニングには効果がないということが示されている[39]。しかし2011年にNational Lung Screening Trial（NLST）が，低線量CT（LDCT）による3年間の年次スクリーニングが，胸部単純X線写真と比較して，肺癌死亡のリスクを20％低下させたことを約7年間の追跡調査後に報告した[40]。

米国予防医療専門委員会U.S. Preventive Services Task Force（USPSTF）はLDCTによる肺癌スクリーニングに推奨グレードBを与えた。このグレードは，スクリーニングの提供に純利益があるということを意味している[41]。喫煙を続けている人（もしくは過去15年以内に禁煙した人）に対して，平均でタバコ1日1箱を30年以上続けており（30 pack-years），年齢が55～80歳なら，年次LDCTスクリーニングが推奨されている。米国癌協会American Cancer Societyもまた74歳までだが年次スクリーニングを推奨している[42]。どちらの団体もす

べての喫煙者に禁煙のカウンセリングと，禁煙のための介入を提供するべきであることに同意している。LDCTによるスクリーニングには偽陽性（NLSTによると4回の検査のうちおよそ1回），過剰診断，偶発的所見のように考慮しなければならない欠点がいくつかあることも指摘されている。これにより不適切に検査が追加され，場合によっては侵襲的な手技もとられてしまう可能性がある。スクリーニングを提供する前に，医療者は患者に想定される利益，限界，害について伝えなければならない。さらにスクリーニングは禁煙の代用ではないことを強調すべきである。

潜在性結核

疫学

世界人口の1/4が**結核 tuberculosis**に感染しており，全世界で年間170万人が結核関連死に至っている。活動性結核とは対照的に潜在性結核の患者は症状がなく，感染性に乏しい。しかし，潜在性結核の治療を受けないと活動性結核に進展することがある。**ツベルクリン検査 tuberculin skin test（TST）**の結果から，米国全体の人口の5％が潜在性結核であると推定される[43]。ただし，海外で出生した米国民における潜在性結核の推定有病率は20％を超えている。免疫が正常な人の潜在性結核が，活動性結核へ進展する生涯リスクは5～10％である。結核蔓延国で生まれた人，以前にそこに居住していた人，ホームレス保護施設や矯正施設のような危険性の高い状況で暮らしている人は潜在性結核のリスクが高い。

スクリーニング

スクリーニング検査にはTSTや**インターフェロンγ遊離試験 interferon-gamma release assay（IGRA）**が含まれる。TSTでは精製ツベルクリン蛋白を皮内接種し，48～72時間後に皮膚の反応を，硬結部位（触知可能で膨隆，硬化した部位もしくは腫脹）をミリメートル単位で測定して判断する。硬結があれば陽性である。IGRAは一度の静脈採血と採血後の8～30時間の検査処理が必要とされる。TST，IGRAの両試験に中程度の感度があり，潜在性結核の検出に対して特異度が高い。USPSTFはグレードBの推奨として，結核のリスクが高い無症状成人に対する潜在性結核のスクリーニングを支持している[44]。またUSPSTFは，潜在性結核の治療は活動性結核への進行の予防に中程度有用であり，スクリーニングや治療による害は少ないというエビデンスをあげている。治療によるおもな害は肝障害である。

健康増進とカウンセリング：エビデンスと推奨

閉塞性睡眠時無呼吸

疫学

閉塞性睡眠時無呼吸 obstructive sleep apnea (OSA) は繰り返す上気道虚脱のエピソードによって特徴づけられる疾患である。特に REM 睡眠時にみられ低酸素血症を引き起こし，さらに睡眠を障害する[20]。OSA は極端な日中の眠気の原因となり交通事故や業務上の事故のリスクを上昇させ，さらには認知機能障害，糖尿病，心血管死，全死亡率のリスクの上昇とも関連している。OSA はときに診断されていないこともあるが，30〜70 歳の成人における推定 OSA 罹患率は男性で 15％，女性で 5％とされている[45]。OSA の危険因子には肥満，男性，高齢，頭蓋顔面および上気道の異常，閉経後があげられる。OSA を示唆する症状には極端な日中の眠気（Box 15-6 に示す Epworth（エプワース）眠気尺度[46]で評価することができる），大きないびき，睡眠中の息詰まりや喘ぎ呼吸がある[20]。

Box 15-6　Epworth 眠気尺度

この 1〜2 週間にどのように感じたか振り返ってください。以下の状況下でうとうとしたり，眠りに落ちることはどのくらいありますか？
0＝なし
1＝少しあり
2＝ときどきあり
3＝よくある

状況	点数
座って読書しているとき	
テレビを見ているとき	
公共の場所で静かに座っている（観劇や会議）とき	
他の人が運転する車に休憩なしで 1 時間続けて乗客として乗っているとき	
可能な場合，午後に横になっているとき	
飲酒なしの昼食後に静かに座っているとき	
渋滞のなか数分間止まった車内で	
合計	

合計 10 点を越えた場合は極端な日中の眠気と判断される。

出典：Johns MW. *Sleep*. 1991; 14(6): 540-545. Reproduced by permission from American Sleep Disorders Association and Sleep Research Society より掲載

病的肥満もしくは治療抵抗性高血圧のある無症状の患者もまた OSA に罹患している可能性がある。確定診断は睡眠検査室でポリソムノグラフィを施行することで行われる。そこでは脳波、気流、呼吸努力、酸素化、心調律が測定される。OSA の重症度は、1時間当たりの無呼吸（10秒以上の呼吸停止）と低呼吸（酸素飽和度低下や睡眠覚醒を伴った10秒以上の呼吸流量の減少）のエピソード数にもとづいて診断する[47]。OSA の診断にあたって、最小気流、呼吸努力、酸素化を測定するために家庭用睡眠時無呼吸検査装置がよりいっそう使用されるようになった。OSA の基本的な治療は**持続気道陽圧 continuous airway pressure（CPAP）**、**二相式気道陽圧 bilevel airway pressure（BiPAP）**、**自動滴定気道陽圧 autotitrating airway pressure（APAP）**の装置を用いた陽圧療法である。その他の治療戦略には下顎を前方移動する口腔内装置、減量手術を含む減量法、さまざまな気道手術などがあげられる[45]。治療により眠気、気流の改善、血圧を下げることは可能である一方、その治療が心血管イベントや全死亡率を下げるかどうかを判断するためのエビデンスは不十分である。

スクリーニング

2017年に USPSTF は、OSA に対して無症状成人のスクリーニングを行うことの利益と不利益のバランスを判断するためのエビデンスが不十分であると結論づけ、グレード I（エビデンスがない、もしくは質が低いため評価できず、推奨グレードを規定できない）と評価した[48]。一方、米国内科学会 American College of Physicians は原因不明の日中の眠気のある患者や OSA が疑われる患者における睡眠検査の施行に対して弱い推奨を提唱した[49]。米国睡眠医学会 American Academy of Sleep Medicine は定期的な健康維持の診察時に睡眠の病歴を聴取すること、肥満や上気道狭窄を含む臨床的な危険因子と OSA と非常によく併存する疾患を評価することを推奨している[50]。OSA の危険性が高い患者は睡眠評価を受けるべきである。OSA に罹患している可能性を評価するために、多数のスクリーニング用質問表と予測ツールが開発されたが、そのなかに STOP-Bang

---

Box 15-7　STOP-Bang テスト

STOP
S（Snoring）：大きな**いびき**はありますか（話し声より大きい、またはドアを閉じていても聞き取れるほど大きい）？
T（Tired）：日中にしばしば**疲労感**、または眠気を感じますか？
O（Observed）：睡眠中に呼吸が止まることを誰かに**観察**されたことがありますか？
P（BP）：**高血圧**ですか、もしくは**降圧治療**を受けていますか？

Bang
B（BMI）：**BMI** が 35 以上
A（Age）：**年齢**が 50 歳以上
N（Neck）：**頸部**周囲径が 40 cm 以上
G（Gender）：**性別**は男性

出典：Chung F et al. *Br J Anaesth*. 2012; 108(5): 768-775. Copyright © 2012 Elsevier より掲載

健康増進とカウンセリング：エビデンスと推奨

テスト（Box 15-7）がある[51]。睡眠専門のクリニック全体において，5個以上あてはまるとき，OSAに対して96％の陽性適中度がある[52]。しかし，診断におけるこれらの質問票とツールの有用性はプライマリケアの現場で適切に評価されていない[48]。

表 15-1　呼吸困難

疾患	病態	経過
左心不全（左室不全もしくは僧帽弁狭窄症）	肺間質や肺胞への滲出液を伴った肺血管抵抗の上昇，肺コンプライアンスの低下（肺の硬化），呼吸仕事量の増加	呼吸困難は緩徐に進行，もしくは急性肺水腫として突然発症
慢性気管支炎	気管支における過量の粘液産生。結果として慢性の気道閉塞	慢性の湿性咳嗽があり，呼吸困難は緩徐に進行
慢性閉塞性肺疾患（COPD）	終末細気管支末端の気腔の過度の膨張が起こり，肺胞中隔の破壊，肺胞腔の拡大，呼気時の気流制限を伴う	緩徐に進行する呼吸困難。その後，比較的軽度の咳嗽
喘息	可逆的な気管の過敏反応。炎症メディエータの放出，気道分泌物の増加，気管収縮	急性の症状発現，無症状期がある。夜間発作が一般的
びまん性間質性肺疾患（サルコイドーシス，広範囲の悪性腫瘍，特発性肺線維症，石綿肺症）	肺胞間の間質への細胞・液体・コラーゲンの広範囲で異常な浸潤。原因はさまざま	進行性の呼吸困難。進行速度は原疾患による
肺炎	呼吸細気管支から肺胞にかけての肺組織の感染症	急性疾患で，原因により経過はさまざま
自然気胸	臓側胸膜下の肺嚢胞から胸膜腔への空気の漏出。結果として部分的または完全な肺虚脱	突然発症する呼吸困難
急性肺塞栓症	通常は下肢や骨盤の深部静脈を起源とする血栓による肺動脈樹の部分的閉塞	突然発症する頻呼吸，呼吸困難
過換気を伴った不安障害	過換気があり，その結果として呼吸性アルカローシスと二酸化炭素分圧が低下	突発的で，しばしば繰り返す

出典：Parshall MB et al. *Am J Respir Crit Care Med*. 2012; 185: 435; Wenzel RP, Fowler AA. *N Engl J Med*. 2006; 355: 2125; Badgett RG et al. *Am J Med*. 1993; 94: 188; Holleman DR, Simel DL. *JAMA*. 1995; 273: 63; Straus SE et al. *JAMA*. 2000; 283: 1853; Panettieri RA. *Ann Intern Med*. 2007; 146: ITC6-1; Littner M. *Ann Intern Med*. 2011; 154: ITC4-1; Neiwoehner DR. *N Engl J Med*. 2010; 362: 1407; Global Strategy for the Diagnosis. Management and prevention of COPD, Global Initiative for Chronic Obstructive Lung Disease (GOLD) 2017. http://goldcopd.org より入手可能（Accessed April 28, 2018); Neiderman M. *Ann Intern Med*. 2009; 151: ITC4-1-ITC4-16; Agnelli G, Becattini C. *N Engl J Med*. 2010; 363: 266; Katerndahl DA. *Prim Care Companion J Clin Psychiatry*. 2008; 10: 376.

訳注：最近では行わないほうがよいとする意見もある。

増悪因子	改善因子	関連症状	背景
労作, 臥位	安静や座位（呼吸困難は持続）	しばしば咳嗽, 起座呼吸, 発作性夜間呼吸困難。ときに喘鳴	心疾患やその素因
労作, 刺激物の吸入, 呼吸器感染	喀痰, 安静（呼吸困難は持続）	慢性湿性咳嗽, 繰り返す呼吸器感染。喘鳴は増強	喫煙歴, 大気汚染, 繰り返す呼吸器感染。しばしばCOPDが併存
労作	安静（呼吸困難は持続）	咳嗽, 粘性の喀痰をわずかに伴う	喫煙歴, 大気汚染, ときに家族性α₁アンチトリプシン欠損症
アレルゲン, 刺激物, 呼吸器感染, 運動, 寒冷, 興奮など	増悪因子からの隔離	喘鳴, 咳嗽, 胸部絞扼感	環境条件
労作	安静（呼吸困難は持続）	脱力, 疲労感。他の肺疾患に比べ咳嗽はまれ	さまざま。誘発物質への曝露
労作, 喫煙	安静（呼吸困難は持続）	胸膜痛, 咳嗽, 喀痰, 発熱。ただし必発ではない	さまざま
		胸膜痛, 咳嗽	健康な若年成人や肺気腫のある成人にもみられる
労作	安静（呼吸困難は持続）	多くの場合に関連症状はない。広範囲に血栓による閉塞があれば, 胸骨後面の圧迫される痛み。胸膜痛, 咳嗽, 失神, 喀血, または深部静脈血栓症による片側下肢の腫脹と疼痛。不安障害（下段参照）	分娩後や手術後, ベッド上の長期安静, 心不全, 慢性肺疾患, 股関節や下肢の骨折, 深部静脈血栓症（臨床的に明らかでないこともある）。凝固亢進, 遺伝性（プロテインC・S, 凝固第V因子ライデン欠損症など）もしくは後天性（癌, ホルモン治療など）
安静時に起こりやすい。不安を惹起する要因は不明	ペーパーバッグ法（紙袋呼吸）訳注	ため息, 浮遊感, 手足のしびれ感やチクチクする感じ, 動悸, 胸痛	その他の不安徴候として, 発汗など

表 15-2　咳嗽と喀血（血痰）

疾患	咳嗽と喀痰	関連症状と背景
急性炎症性疾患		
喉頭炎	乾性咳嗽。量が一定しない喀痰	急性，軽症で嗄声あり。しばしばウイルス性鼻副鼻腔炎を伴う
急性気管支炎	咳嗽（乾性もしくは湿性）	急性，多くはウイルス性，発熱・呼吸困難のない倦怠感，ときに胸骨後面の焼けるような不快感
マイコプラズマ肺炎とウイルス性肺炎	繰り返す乾性咳嗽。ときに粘液性痰を伴う湿性咳嗽	急性発熱性疾患。しばしば倦怠感，頭痛，呼吸困難を伴う
細菌性肺炎	粘液性痰か膿性痰。**血痕痰**（訳注1），**全体的にピンク色や鉄サビ色の痰**	悪寒，高熱，しばしば呼吸困難，胸痛を伴う急性疾患。通常は肺炎球菌，インフルエンザ桿菌，モラクセラ・カタラーリス Moraxella catarrhalis，肺炎桿菌（アルコール依存症で，特に喫煙・慢性気管支炎・COPD がある場合）が原因。心血管疾患，糖尿病
慢性炎症性疾患		
後鼻漏	慢性咳嗽。粘液性痰もしくは粘液膿性痰	後鼻漏は咽頭後部にみられる。アレルギー性鼻炎，ときに副鼻腔炎の合併
慢性気管支炎	慢性咳嗽。粘液性痰から膿性痰，ときに**血痕痰**や**血性痰**（訳注2）	多くは繰り返す喘鳴や呼吸困難，長期にわたる喫煙歴あり
気管支拡張症	慢性咳嗽。しばしば大量で悪臭のある膿性痰。ときに**血痕痰**か**血性痰**	繰り返す気管支肺感染症，副鼻腔炎の合併
肺結核	乾性咳嗽。粘液性痰や膿性痰を伴った咳嗽。ときに**血痕痰**か**血性痰**	早期は無症状。後に食欲不振，体重減少，疲労感，発熱，寝汗
肺膿瘍	膿性痰で悪臭あり。ときに**血性痰**	一般的に発熱のある誤嚥性肺炎や，口腔内嫌気性菌や口腔内不衛生から生じた感染から発症。しばしば嚥下障害や意識障害を伴う
喘息	特に発作の終わり頃，濃い粘液性痰を伴う咳嗽	喘鳴と呼吸困難。ときに咳嗽のみ。しばしばアレルギー歴あり
胃食道逆流症	特に夜間や早朝にみられる慢性咳嗽	夜間の喘鳴（喘息と間違いやすい），早朝の嗄声。咳払いを繰り返すと喉がすっきりする。胸やけ感や胃食道逆流感

出典：Irwin RS, Madison JM. *N Engl J Med*. 2000; 343: 1715; Metlay JP et al. *JAMA*. 1997; 378: 1440; Neiderman M. *Ann Intern Med*. 2009; 151: ITC4-1; Barker A. *N Engl J Med*. 2002; 346: 1383; Wenzel RP, Fowler AA. *N Engl J Med*. 2006; 355: 2125; Kerlin MP. *Ann Intern Med*. 2014; 160: ITC3-1; Escalante P. *Ann Intern Med*. 2009; 150: ITC6-1; Agnelli G, Becattini C. *N Engl J Med*. 2010; 363: 266.

訳注1：痰のなかに線状や点状に血液が混じる。
訳注2：痰そのものが血液状，もしくは痰全体に血液が混じる。

表 15-2　咳嗽と喀血（血痰）(続き)

疾患	咳嗽と喀痰	関連症状と背景
悪性腫瘍		
肺癌	乾性咳嗽から湿性咳嗽まである。**血痕痰**か**血性痰**	多くは呼吸困難，体重減少，喫煙習慣
心血管疾患		
左心不全や僧帽弁狭窄症	しばしば乾性咳嗽（特に労作時や夜間）。進行すると肺水腫による**ピンク色の泡沫痰**や，明らかな喀血	呼吸困難，起座呼吸，発作性夜間呼吸困難
肺塞栓症	乾性咳嗽，ときに喀血を伴う	頻呼吸，胸痛や胸膜痛，呼吸困難，発熱，失神，不安。深部静脈血栓症が起こりやすい
刺激性粒子，化学物質，ガス	さまざまな症状。ときに曝露から発症まで潜伏期あり	刺激物質への曝露。眼・鼻・喉への影響

表 15-3　胸痛

疾患	病態	部位	特徴	痛みの強さ
心血管系				
狭心症	一過性の心筋虚血であり，冠動脈のアテローム性動脈硬化に続発	胸骨後面もしくは前胸部全体。しばしば肩・腕・頸部・下顎・上腹部へ放散	圧迫感，絞扼感，重たい感じ，ときに胸やけ	軽～中等度，ときに疼痛というより不快感
心筋梗塞	持続性心筋虚血により，心筋の不可逆的損傷・壊死に至る	狭心症と同様	狭心症と同様	しばしば激痛（そうでないこともある）
心膜炎	心膜に接した壁側胸膜の炎症	胸骨後面もしくは左前胸部。左肩の先端へ放散することもある	鋭く，刃物で刺される感じ	しばしば強い
大動脈解離	血流が通過できるほどの大動脈壁の解離	胸部前後面。頸部・背部・腹部へ放散	引き裂かれる感じ	非常に強い
呼吸器系				
胸膜痛	胸膜炎，肺炎，肺梗塞，悪性腫瘍によって起こる壁側胸膜の炎症。まれに横隔膜下膿瘍	病変部の胸壁	鋭く，刃物で刺される感じ	しばしば強い
消化管とその他				
胃食道逆流症	食道括約筋の収縮力が低下し，胃酸の逆流が生じた結果起きる食道粘膜の刺激と炎症	胸骨後面。ときに背部へ放散	胸やけ感，絞扼感	軽～中等度
びまん性食道痙攣	食道筋の運動障害	胸骨後面。ときに背部・腕・顎へ放散	通常は絞扼感	軽～中等度
胸壁の痛み，肋軟骨炎	外傷，肋軟骨の炎症などさまざま	左乳房下部や肋軟骨に沿った部位が多い	突き刺される感じ，鈍い痛み	さまざま
不安，パニック障害	不明	前胸部，左乳房下部，前胸部全体	突き刺される感じ，鈍い痛み	さまざま

注意：胸痛は胸部以外，例えば，頸部（関節炎）や腹部（胆石仙痛，急性胆嚢炎）からも生じる。

経過	増悪因子	改善因子	関連症状
通常は1〜3分で,長くても10分程度,20分持続することもある	しばしば運動(特に寒冷時),食事,感情的ストレス。安静時にも発症	(必ずではないが)しばしば安静,ニトログリセリン内服	ときに呼吸困難,悪心,発汗
20分〜数時間	労作によって必ず誘発されるわけではない	安静で改善しない	呼吸困難,悪心,嘔吐,発汗,脱力
持続	呼吸,体位変換,咳嗽,臥位,ときに嚥下	前傾座位	自己免疫性疾患,心筋梗塞後,ウイルス感染症,胸部の放射線治療に関連してみられる
突然発症,早期にピークに達し,数時間持続	高血圧症		胸部大動脈に生じた場合には嗄声,嚥下困難,失神,片麻痺,対麻痺
持続	深吸気,咳嗽,体幹の運動		基礎疾患による
さまざま	大食,前かがみ,臥位	制酸薬の服用,げっぷ	ときに逆流症状,嚥下困難。咳嗽,喉頭炎,喘息
さまざま	食物や冷たい液体の嚥下,感情的ストレス	ときにニトログリセリンの服用	嚥下困難
一瞬から数時間,ときに数日	咳嗽。胸郭,体幹,腕の運動		しばしば局所の圧痛
一瞬から数時間,ときに数日	労作,感情的ストレス		息切れ,動悸,脱力,不安

表 15-4　呼吸数と呼吸リズムの異常

呼吸パターンを観察する際，呼吸数，呼吸の深さ，規則性に注意する。

正常
呼吸数は成人で約 14〜20 回/分。幼児では 44 回/分まで増加することもある

（遅い呼吸（緩徐呼吸）のグラフ）

遅い呼吸（緩徐呼吸）
緩徐呼吸には肺胞換気を維持するための一回換気量の増加を伴うものと伴わないものがある。一回換気量の増加を伴わない異常な肺胞低換気は尿毒症，薬物誘発性の呼吸抑制，脳圧亢進から生じる

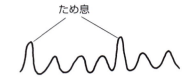

ため息呼吸
頻回のため息によって中断される呼吸は，**過換気症候群**を示唆する。呼吸困難やめまいの一般的な原因である。ときどきでるため息は正常である

（速い浅呼吸のグラフ）

速い浅呼吸（頻呼吸）
サリチル酸中毒，拘束性肺疾患，胸膜痛，横隔膜挙上など多くの原因で起こる

（Cheyne-Stokes 呼吸のグラフ：過呼吸　無呼吸）

Cheyne-Stokes（チェーン・ストークス）呼吸
深い過呼吸の期間と**無呼吸**の期間が交互に起こる。この呼吸様式は睡眠中の小児や高齢者では正常である。心不全，尿毒症，薬物誘発性の呼吸抑制，脳障害（両側半球損傷）が原因である

閉塞性呼吸
閉塞性肺疾患では気道の狭小化によって気流の抵抗が増大し，呼気が延長する。喘息，慢性気管支炎，COPD が原因である

（速い深呼吸のグラフ）

速い深呼吸（過呼吸，過換気）
過呼吸では速い深呼吸が運動，高地，敗血症，貧血を原因とする代謝需要に対する反応で起こる。**過換気**ではこの呼吸様式は呼吸性アシドーシスの状況を除いて代謝需要とは関連しない。頭のふらつきやじんじんする痛みは，血中二酸化炭素濃度の低下から生じると思われる。昏睡患者では低酸素症，低血糖など中脳や橋に影響する疾患を考慮する。**Kussmaul（クスマウル）呼吸**は代謝性アシドーシスによる代償性の過剰呼吸である。速い，正常，遅い呼吸のいずれもある

失調呼吸（Biot（ビオー）呼吸）
呼吸は不規則で，無呼吸の期間と短い間隔で突然停止する規則的な深呼吸とが交互に繰り返す。原因には髄膜炎や呼吸抑制と，おもに延髄レベルにおける脳障害がある

表 15-5 胸郭の変形

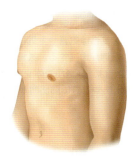

成人の正常な胸郭

成人の正常な胸郭の横径はその前後径よりも大きい。横径に対する前後径の比は正常では約 0.7〜0.75 だが，0.9 まで上昇することもある。加齢とともに比は大きくなる[43]

漏斗胸

胸骨下部が陥凹している。心臓や大血管が圧迫され心雑音が生じることもある

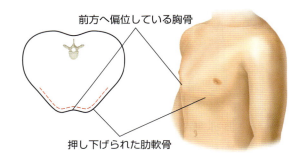

前方へ偏位している胸骨

押し下げられた肋軟骨

樽状胸

前後径が増大している。この形状は幼児期であれば正常であるが，加齢や COPD に関連してみられることが多い

鳩胸

胸骨が前方へ偏位し，前後径が増大している。前方へ突出している胸骨に隣接した肋軟骨は，押し下げられている

脊柱が右へ凸状に変形（患者は前傾している）

肋骨が離れている

肋骨の間隔が狭くなっている

前屈した状態の患者の背面像

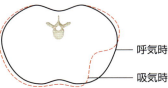

呼気時
吸気時

外傷性動揺胸郭

多発性肋骨骨折は胸郭の奇異性運動を引き起こす。横隔膜が下降すると胸腔内圧が下がるため，吸気時に損傷部位が内側へ陥凹し，呼気時には外側へ移動する

胸椎後側弯症

異常な脊椎の弯曲と椎骨の回転により胸郭が変形している。その下に位置する肺のねじれにより肺所見の解釈が非常に難しくなる

表 15-6　呼吸音，声音振盪の正常と異常

呼吸音の起源はいまだ明らかではない[30]。音響研究では，咽頭，声門さらに声門下領域における呼吸に関連した乱気流により，気管支音と似た呼吸音が生じることが指摘されている。肺胞音の吸気部分は肺葉や肺区域の気道において生じ，呼気部分はより中枢側の大きな気道で生じる。一般的に気管音や気管支音は気管や主気管支上で聴取されるが，肺胞音は肺野のほとんどで聴取される。肺組織から気流が失われると高音域の伝導が増強する。気管や気管支が閉塞していなければ，肺の含気のない部分では肺胞音から気管支音に置き換わる。この変化は，肺胞が液体や細胞破片で満たされる（肺組織の**硬化**と呼ばれる）大葉性肺炎においてみられる。他の原因としては肺水腫やまれに肺出血がある。気管支音は一般的に触覚振盪音や声音振盪に関連している。これらの所見を以下に示す。

	含気のある正常肺組織	含気のない硬化した肺組織（大葉性肺炎）
	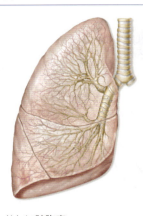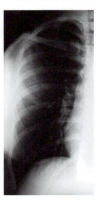	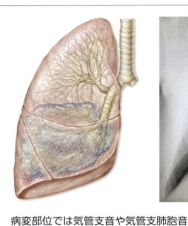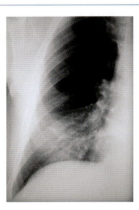
呼吸音	おもに肺胞音	病変部位では気管支音や気管支肺胞音
声音振盪	声はこもったような，不明瞭な音として伝導。"ee（イー）"という音はこもった"ee（イー）"と聴取される。囁語は聴取されたとしても減弱し，不明瞭になる	"ee（イー）"という音は"ay（エイ）"と聴取される（**ヤギ声**）。声は大きくなる（**気管支声**）。囁語は大きく，明瞭となる（**囁語胸声**）
触覚振盪音	正常	増強
	注意：COPDのような過膨張した肺では，呼吸音は減弱（こもった感じ・遠い音），もしくは聴取されない。そして，声音振盪や触覚振盪音は減弱する	注意：胸水により音の伝達が鈍くなった肺では，呼吸音は減弱，もしくは聴取されなくなる（気管支音は胸水の上縁レベルで聴取可能）。声音振盪も減弱，もしくは聴取されなくなる（しかし，胸水の上縁レベルで増強するだろう）。触覚振盪音は減弱する

表 15-7　副雑音：原因と特徴

副雑音	原因と特徴
crackles（断続性副雑音）	crackles は断続性の非楽音様雑音であり，COPD では吸気相早期，**肺線維症**では吸気相終末，**肺炎**では二相性に発生する。この音は現在，小さな末梢気道が呼気時に収縮して吸気時に突然開放される際の，一連の非常に小さな破裂音から生じると考えられている。最近の音響研究では，ごくわずかな例外を除き，分泌物が crackles の原因である可能性は低いと考えられている[30, 34]
	**fine crackles** は coarse crackles よりもソフトで高音であり，一呼吸で聴取される回数が多い。特に肺底部領域において吸気相の**中期から終末**で聴取され，体位によって変化する。またこの音は coarse crackles よりも聴取できる時間は短く，周波数が高い。「前の呼気時に表面力によって閉じられた小さな気道が，吸気時に突然開く」ことによって生じるようである[30]
	肺線維症（ベルクロ・ラ音 Velcro rales として知られている），**間質性肺線維症**や**間質性肺炎**のような間質性肺疾患で発生する
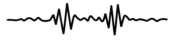	**coarse crackles** は吸気相早期に現れ，そして呼気終末まで持続し（**二相性**），はじけるような音で，肺野のどの部位でも聴取され，体位により変化することはない。この音は fine crackles よりも長く聴取できて周波数が低く，咳払いにより変化したり消失することがあり，口に向かって伝導する。coarse crackles は「気道が断続的に開閉するときに空気の塊が気道を通過する」ことに起因するようである[30]
	COPD，**喘息**，**気管支拡張症**，**肺炎**（crackles は肺炎の回復とともにより細やかな音になり，発生のタイミングが吸気相中期から吸気相終末へと変化する），**心不全**で発生する
wheezes（高調性連続性副雑音）と rhonchi（低音性連続性副雑音）	wheezes は連続性の楽音様雑音であり，気管支が閉塞するほど狭窄しているときの急速な気流で生じる。wheezes は吸気時，呼気時，もしくは二相性にみられる。その音は異物，粘液栓，腫瘍が原因の場合には局在して，そうでない場合は肺全体で聴取されるだろう。wheezes は典型的には喘息で聴取されるが，その他の多くの肺疾患でも起こる。最近の研究では気道がさらに狭窄すると wheezes は聴取されにくくなり，ついには緊急介入が必要な重症喘息の「サイレントチェスト（呼吸音が聴取できない状態）」に陥ることが示されている
	rhonchi は wheezes と同様な機序で生じる wheezes の一種と考えられることもあるが，より低音である。wheezes と異なり，rhonchi は咳払いで消失することがあるため，気道分泌物が関与している可能性がある[30]
ストライダー	ストライダーは上気道の狭窄部を気流が通過するときに生じる連続性の周波数が高い，高音の楽音様雑音である。ストライダーは吸気時に頸部で最もよく聴取できるが，吸気相・呼気相の二相性となることもある。ストライダーを発生させる気道閉塞の原因には気管挿管による気管狭窄，気道留置具除去後の気道浮腫，喉頭蓋炎，気道異物，アナフィラキシーがある。即時の治療介入が必要である
胸膜摩擦音	胸膜摩擦音は，炎症があり表面が粗くなっている臓側胸膜が壁側胸膜に対してスライドするときに生じる断続性の周波数の低い，ギシギシ軋むような音である。この非楽音様雑音は吸気相・呼気相の二相性に聴取され，腋窩や肺底部で最もよく聴取される
mediastinal crunch〔縦隔内のバリバリ音：Hamman（ハマン）徴候〕	mediastinal crunch は呼吸とは無関係の，心拍動に同期して聴取される前胸部での一連の雑音である。この音は左側臥位で最もよく聴取でき，縦隔気腫を生じる縦隔への空気の侵入によって発生する。縦隔気腫は強い胸部正中の痛みを引き起こし，特発性に発生する可能性がある。縦隔気腫は気管気管支損傷，胸部の鈍的外傷，肺疾患，違法薬物の使用，出産，スキューバダイビング中の急な浮上などで報告されている[30]

出典：Bohadana A et al. *N Engl J Med*. 2014; 370: 744; McGee S. *Evidence-Based Physical Diagnosis*. 3rd ed. Saunders; 2012; Loudon R, Murphy LH. *Am Rev Respir Dis*. 1994; 130: 663.

表 15-8　特定の胸部疾患における身体所見

赤い線で囲んだ部分は，一般的な胸部疾患の臨床的評価を行うための枠組みである。まず打診音の欄にある共鳴音，濁音，過共鳴音の囲みから開始して，さまざまな病態を区別するうえで鍵となる所見を強調している他の囲みへ進む。その特徴は疾患の範囲や重症度によっても異なる。胸深部での異常は表層での異常とは異なり臨床徴候に乏しく，まったくみられない場合もある。この表は典型的な所見を示したものであり，鑑別するうえで絶対的なものではない。

状態	打診音	気管	呼吸音	副雑音	触覚振盪音と声音振盪
正常 気管気管支樹と肺胞が開いている。胸膜は薄く，互いに接している。胸壁の運動は正常	共鳴音	正中	肺胞音。ただし，主気管支上で気管支肺胞音，気管上で気管支音が聴取される	なし。一過性に，肺底部で吸気時のcracklesが聴取されることもある	正常
左心不全 肺静脈圧の上昇により，肺うっ血や間質性肺水腫（肺胞周囲）がみられ，気管粘膜が浮腫状になることもある	共鳴音	正中	肺胞音（正常）	肺の下になる部分で吸気相終末にcrackles。ときにwheezesあり	正常
慢性気管支炎 気管支に慢性的な炎症がみられ，湿性咳嗽がある。気道閉塞が進行することもある	共鳴音	正中	肺胞音（正常）	なし。吸気相早期や呼気相で散発的なcoarse cracklesが聴取されることもある。ときにwheezesやrhonchiあり	正常
大葉性肺炎（硬化） 肺炎時のように，肺胞には液体が充満	含気のない部分では濁音	正中	患部で気管支音	患部で吸気相終末にcrackles	患部でヤギ声，気管支声，囁語胸声が増強
部分的な肺葉の閉塞（無気肺） 栓子（痰や異物など）により気管支の気流が遮断され，影響を受けた肺胞が虚脱し，含気のない状態となる	含気のない部分では濁音	患側へ偏位している	気管内に栓子が残存している場合，一般的に呼吸音はなし。ただし，右上葉の無気肺では，気管と接しているため気管音が聴取される	なし	気管内に栓子が残存している場合，一般的にみられない。右上葉無気肺で増強することがある

表 15-8　特定の胸部疾患における身体所見(続き)

状態	打診音	気管	呼吸音	副雑音	触覚振盪音と声音振盪
胸水 液体が胸膜腔に貯留し，胸壁と含気のある肺とが離れることで，呼吸音の伝導が妨げられる	液体貯留部分では**濁音**から低音	大量胸水の場合は影響を受けていない側(反対側)へ偏位	呼吸音は減弱もしくはなし。しかし，大量胸水の場合，その上部で気管支音	なし。胸膜摩擦音が聴取されることがある	減弱もしくはなし。しかし，大量胸水の場合，その上部で増強することがある
気胸 一般的には片側性に胸膜腔内に空気が漏れ，同部位の肺が押しやられる。胸膜腔内の空気により肺音の伝導が妨げられる	気胸の部位で**過共鳴音**もしくは鼓音	緊張性気胸の場合は影響を受けていない側へ偏位	気胸の部位で呼吸音は減弱もしくはなし	なし。胸膜摩擦音が聴取されることがある	気胸の部位で減弱もしくはなし
慢性閉塞性肺疾患(COPD) 肺の末梢の気腔に緩徐な進行性の障害が起こり，肺が過膨張になる。COPDの発症前か病状の進行後に慢性気管支炎を発症することもある	びまん性に**過共鳴音**	正中	減弱もしくは聴取ができず，呼気延長を伴う	なし。もしくは慢性気管支炎に関連した crackles, wheezes, rhonchi が聴取される	減弱
喘息 広範囲で一般的には可逆性のある気流の閉塞であり，気管支の反応性亢進や炎症がみられる。発作時には気流の減少につれて，肺は過膨張となる	**共鳴音**からびまん性に**過共鳴音**	正中	多くは wheezes に妨げられてはっきり聞こえない	wheezes。ときに crackles	減弱

文献一覧

1. Parshall MB, Schwartzstein RM, Adams L, et al; American Thoracic Society Committee on Dyspnea. An official American Thoracic Society statement: update on the mechanisms, assessment, and management of dyspnea. *Am J Respir Crit Care Med*. 2012; 185(4): 435-452.
2. Vogelmeier CF, Criner GJ, Martinez FJ, et al. Global initiative for chronic obstructive lung disease. Global strategy for the diagnosis, management, and prevention of chronic obstructive lung disease 2017 report. GOLD executive summary. *Am J Respir Crit Care Med*. 2017; 195(5): 557-582.
3. Celli BR, Cote CG, Marin JM, et al. The body-mass index, airflow obstruction, dyspnea, and exercise capacity index in chronic obstructive pulmonary disease. *N Engl J Med*. 2004; 350(10): 1005-1012.
4. Bestall JC, Paul EA, Garrod R, et al. Usefulness of the Medical Research Council (MRC) dyspnoea scale as a measure of disability in patients with chronic obstructive pulmonary disease. *Thorax*. 1999; 54(7): 581-586.
5. Kerlin MP. In the clinic. Asthma. *Ann Intern Med*. 2014; 160(5): ITC3-1.
6. Smith JA, Woodcock A. Chronic cough. *N Engl J Med*. 2016; 375(16): 1544-1551.
7. Canning BJ, Chang AB, Bolser DC, et al. Anatomy and neurophysiology of cough: CHEST Guideline and Expert Panel report. *Chest*. 2014; 146(6): 1633-1648.
8. Musher DM, Thorner AR. Community acquired pneumonia. *N Engl J Med*. 2014; 371(17): 1619-1628.
9. Wunderink RG, Waterer GW. Clinical practice. Community-acquired pneumonia. *N Engl J Med*. 2014; 370(6): 543-551.
10. Bel EH. Clinical practice. Mild asthma. *N Engl J Med*. 2013; 369(6): 549-557.
11. Braman SS. Chronic cough due to acute bronchitis: ACCP evidence-based clinical practice guidelines. *Chest*. 2006; 129(1 Suppl): 95S-103S.
12. Novosad SA, Barker AF. Chronic obstructive pulmonary disease and bronchiectasis. *Curr Opin Pulm Med*. 2013; 19(2): 133-139.
13. Moulton BC, Barker AF. Pathogenesis of bronchiectasis. *Clin Chest Med*. 2012; 33(2): 211-217.
14. Lara AR, Schwarz MI. Diffuse alveolar hemorrhage. *Chest*. 2010; 137(5): 1164-1171.
15. Huffman JC, Pollack MH, Stern TA. Panic disorder and chest pain: mechanisms, morbidity, and management. *Prim Care Companion J Clin Psychiatry*. 2002; 4(2): 54-62.
16. Demiryoguran NS, Karcioglu O, Topacoglu H, et al. Anxiety disorder in patients with non-specific chest pain in the emergency setting. *Emerg Med J*. 2006; 23(2): 99-102.
17. Katerndahl DA. Chest pain and its importance in patients with panic disorder: an updated literature review. *Prim Care Companion J Clin Psychiatry*. 2008; 10(5): 376-383.
18. McConaghy JR, Oza RS. Outpatient diagnosis of acute chest pain in adults. *Am Fam Physician*. 2013; 87(3): 177-182.
19. Jordan AS, McSharry DG, Malhotra A. Adult obstructive sleep apnoea. *Lancet*. 2014; 383(9918): 736-747.
20. Balanchandran JS, Patel SR. In the clinic: obstructive sleep apnea. *Ann Intern Med*. 2014; 161(9): ITC1-15.
21. McGee S. Chapter 26: Inspection of the chest. In: *Evidence-Based Physical Diagnosis*. 3rd ed. Philadelphia, PA: Saunders; 2012: 233-234.
22. McGee S. Chapter 27: Palpation and percussion of the chest. In: *Evidence-Based Physical Diagnosis*. 3rd ed. Philadelphia, PA: Saunders; 2012: 240.
23. Wong CL, Holroyd-Leduc J, Straus SE. Does this patient have a pleural effusion? *JAMA*. 2009; 301(3): 309-317.
24. McGee S. Chapter 27: Palpation and percussion of the chest. In: *Evidence-Based Physical Diagnosis*. 3rd ed. Philadelphia, PA: Saunders; 2012: 248.
25. Loudon R, Murphy LH. Lungs sounds. *Am Rev Respir Dis*. 1994; 130(4): 663-673.
26. Epler GR, Carrrington CB, Gaensler EA. Crackles (rales) in the interstitial pulmonary diseases. *Chest*. 1978; 73(3): 333-339.
27. Nath AR, Capel LH. Inspiratory crackles and mechanical events of breathing. *Thorax*. 1974; 29(6): 695-698.
28. Nath AR, Capel LH. Lung crackles in bronchiectasis. *Thorax*. 1980; 35(9): 694-699.
29. Littner M. In the clinic: chronic obstructive pulmonary disease. *Ann Intern Med*. 2011; 154(7): ITC4-1.
30. Bohadana A, Izbicki G, Kraman SS. Fundamentals of lung auscultation. *N Engl J Med*. 2014; 370(8): 744-751.
31. Niewoehner DE. Clinical practice. Outpatient management of severe COPD. *N Engl J Med*. 2010; 362(15): 1407-1416.
32. Qaseem A, Wilt TJ, Weinberger SE, et al; American College of Physicians; American College of Chest Physicians; American Thoracic Society; European Respiratory Society. Diagnosis and management of stable chronic obstructive pulmonary disease: a clinical practice guideline update from the American College of Physicians, American College of Chest Physicians, American Thoracic Society, and European Respiratory Society. *Ann Intern Med*. 2011; 155(3): 179-191.
33. Spruit MA, Singh SJ, Garvey C, et al; ATS/ERS Task Force on Pulmonary Rehabilitation. An official American Thoracic Society/European Respiratory Society statement: key concepts and advances in pulmonary rehabilitation. *Am J Respir Crit Care Med*. 2013; 188(8): e13-e64.
34. McGee S. Chapter 30: Pneumonia. In: *Evidence-Based Physical Diagnosis*. 3rd ed. Philadelphia, PA: Saunders; 2012: 272.
35. Siegel RL, Miller KD, Jemal A. Cancer statistics, 2018. *CA Cancer J Clin*. 2018; 68(1): 7-30.
36. Howlader N, Noone AM, Krapcho M, et al. SEER Cancer Statistics Review, 1975-2014. 2017. Available at https://seer.cancer.gov/csr/1975_2014/. Accessed April 18, 2018.

37. Jamal A, Phillips E, Gentzke AS, et al. Current cigarette smoking among adults — United States, 2016. *MMWR Morb Mortal Wkly Rep*. 2018; 67(2): 53-59.
38. Centers for Disease Control and Prevention. What are the risk factors for lung cancer? Available at https://www.cdc.gov/cancer/lung/basic_info/risk_factors.htm. Accessed April 18, 2018.
39. Manser R, Lethaby A, Irving LB, et al. Screening for lung cancer. *Cochrane Database Syst Rev*. 2013; (6): CD001991.
40. National Lung Screening Trial Research Team, Aberle DR, Adams AM, et al. Reduced lung-cancer mortality with lowdose computed tomographic screening. *N Engl J Med*. 2011; 365(5): 395-409.
41. Moyer VA; U.S. Preventive Services Task Force. Screening for lung cancer: U.S. Preventive Services Task Force recommendation statement. *Ann Intern Med*. 2014; 160(5): 330-338.
42. Wender R, Fontham ET, Barrera E Jr, et al. American Cancer Society lung cancer screening guidelines. *CA Cancer J Clin*. 2013; 63(2): 107-117.
43. Kahwati LC, Feltner C, Halpern M, et al. Primary care screening and treatment for latent tuberculosis infection in adults: evidence report and systematic review for the U.S. Preventive Services Task Force. *JAMA*. 2016; 316(9): 970-983.
44. U.S. Preventive Services Task Force, Bibbins-Domingo K, Grossman DC, et al. Screening for Latent Tuberculosis Infection in Adults: U.S. Preventive Services Task Force Recommendation Statement. *JAMA*. 2016; 316(9): 962-969.
45. Jonas DE, Amick HR, Feltner C, et al. Screening for obstructive sleep apnea in adults: evidence report and systematic review for the U.S. Preventive Services Task Force. *JAMA*. 2017; 317(4): 415-433.
46. Johns MW. A new method for measuring daytime sleepiness: the Epworth sleepiness scale. *Sleep*. 1991; 14(6): 540-545.
47. Kapur VK, Auckley DH, Chowdhuri S, et al. Clinical practice guideline for diagnostic testing for adult obstructive sleep apnea: an American Academy of Sleep Medicine Clinical Practice Guideline. *J Clin Sleep Med*. 2017; 13(3): 479-504.
48. United States Preventive Services Task Force, Bibbins-Domingo K, Grossman DC, et al. Screening for obstructive sleep apnea in adults: U.S. Preventive Services Task Force Recommendation Statement. *JAMA*. 2017; 317(4): 407-414.
49. Qaseem A, Dallas P, Owens DK, et al. Diagnosis of obstructive sleep apnea in adults: a clinical practice guideline from the American College of Physicians. *Ann Intern Med*. 2014; 161(3): 210-220.
50. Epstein LJ, Kristo D, Strollo PJ Jr, et al. Clinical guideline for the evaluation, management and long-term care of obstructive sleep apnea in adults. *J Clin Sleep Med*. 2009; 5(3): 263-276.
51. Chung F, Subramanyam R, Liao P, et al. High STOP-Bang score indicates a high probability of obstructive sleep apnoea. *Br J Anaesth*. 2012; 108(5): 768-775.
52. Nagappa M, Liao P, Wong J, et al. Validation of the STOP-bang questionnaire as a screening tool for obstructive sleep apnea among different populations: a systematic review and meta-analysis. *PLoS One*. 2015; 10(12): e0143697.

本章の学習効果を高め，理解を助けるために一連の補助教材がある。
- 『ベイツ診察法ポケットガイド第4版』
- Bates' Visual Guide to Physical Examination
- thePoint® online resources, for students and instructors: http://thepoint.lww.com

第16章 心血管系

解剖と生理

解剖と生理を念頭におきながら実際に視診，触診，聴診を行うことによって，有用な診断が可能になるだろう。

体表から観察できる心臓と大血管

縦隔 mediastinum は胸腔の正中に位置する，結合組織に包まれた区域である。両側は肺，前方は胸骨，後方は胸椎に囲まれている。縦隔の中に心臓および大血管（大動脈，肺動脈，上・下大静脈），そして食道，気管，胸管，胸部リンパ節がある。

前胸部を視診する際に，その下にある心臓とその他の縦隔構造物を思い浮かべる。**右心室（右室）right ventricle (RV)** が心臓の最も前方にある構造であることに留意する。右室と肺動脈は胸骨後面から胸骨左縁にあり，図16-1の点線で囲まれた部分で示すように楔状となっている。

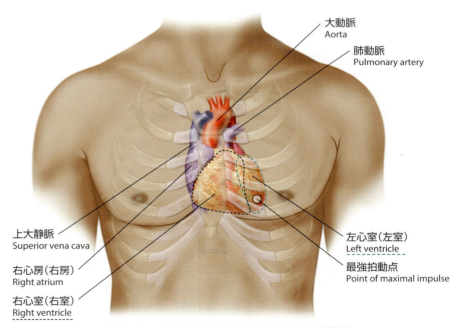

図 16-1 胸壁からみた心臓周辺の主要構造

解剖と生理

右室の下縁は胸骨剣状突起接合部の下に位置する。右室は上部ほど細くなっており，胸骨角〔Louis（ルイ）角〕の高さ，または**心基部 base of the heart**で肺動脈と結合する。心基部とは，弁につながる心臓の上面を指す用語であり，左右第2肋間の胸骨近傍に位置する。一方，心尖部は心臓の下外側に位置する。

左心室（左室）left ventricle(LV)は右室の左後方にあり，心臓の左縁を形成する（図16-1を参照）。左室は下部ほど細くなっており，その先端は**心尖部 cardiac apex**と呼ばれる。心尖部は心尖拍動を作り出し，前胸部の触診で**最強拍動点 point of maximal impulse(PMI)**として触知できるため，臨床的に重要な部位である。この拍動は心臓の左縁に位置し，通常第5肋間左鎖骨中線上またはそのすぐ内側（または胸骨中線の7〜9 cm外側）で確認できる。仰臥位をとったとき，PMIの径はおよそ1〜2.5 cmである。PMIはすべての患者で触知できるものではなく，健常人であっても触知できないことがある。触知できるかどうかは患者の体型と診察時の体位に左右される。

心臓の上方には大血管がある。**肺動脈 pulmonary artery**は右室を出てすぐに左右に分岐する。**大動脈 aorta**は左室から弯曲しながら上行し，胸骨角の高さで左後方に向かってアーチを形成，その後下行する。内側縁には**上大静脈 superior vena cava**と**下大静脈 inferior vena cava**があり，上半身と下半身の静脈血は，それぞれ上大静脈，下大静脈を経て**右心房（右房）right atrium**に流れ込む。

また，胸部X線における心臓と大血管のみえ方も十分に把握すること（図16-2，16-3）。これらの構造物の輪郭をよく理解することで，病的変化が起きている部位を把握しやすくなるだろう。

心腔，弁，循環

心臓内の血液循環を図16-4に示す。血流をたどりながら，各心腔，弁を確認するとよい。**僧帽弁 mitral valve**と**三尖弁 tricuspid valve**はその位置から，しばしば**房室弁 atrioventricular(AV)valve**とも呼ばれる。**大動脈弁 aortic valve**と**肺動脈弁 pulmonic valve**は半月様の形をしていることから，**半月弁 semilunar valve**とも呼ばれる。

異常例

まれに，**右胸心 dextrocardia**においては，PMIは右胸部にある。

PMI>2.5 cmは**左室肥大 left ventricular hypertrophy(LVH)**の証拠であり，高血圧や拡張型心筋症でしばしばみられる。

患者によっては，PMIが左室心尖部上にないことがある。例えば，右室肥大をきたした**慢性閉塞性肺疾患 chronic obstructive pulmonary disease(COPD)**では，PMIが剣状突起または心窩部でみられることもある。

PMIが鎖骨中線より外側，または胸骨中線から10 cm以上外側へ偏位する症状は左室肥大，さらに心筋梗塞または心不全に伴う心室拡大でもみられる。

UNIT II　第16章　心血管系

解剖と生理

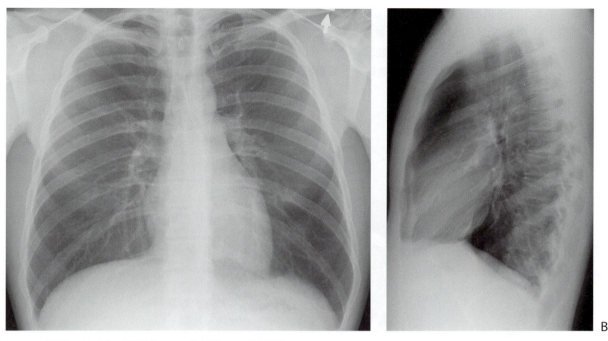

図 16-2　正常な胸部 X 線写真：A. 後前像，B. 側面像（Collins J, Stern EJ. *Chest Radiology: The Essentials.* 3rd ed. Wolters Kluwer; 2015, Fig. 1-2ab. より）

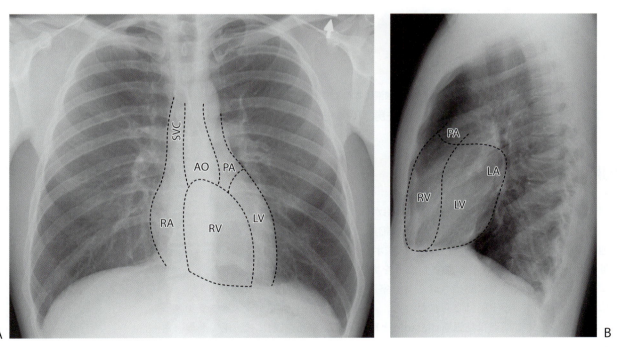

図 16-3　正常な胸部 X 線写真：A. 後前像，B. 側面像における心腔と大血管（AO：大動脈，LA：左房，LV：左室，PA：肺動脈，RA：右房，RV：右室，SVC：上大静脈）（Collins J, Stern EJ. *Chest Radiology: The Essentials.* 3rd ed. Wolters Kluwer; 2015, Fig. 1-2ab. より改変）

解剖と生理

弁が閉鎖する際，弁尖，近傍構造，血流から生じる振動によって心音〔第1心音（S_1），第2心音（S_2）〕が生じる。心周期（収縮期，拡張期）と関連させながら房室弁および半月弁の開放と閉鎖を理解しておくと，聴診時により正確な診断が下せるようになる。図16-4のように，拡張期には大動脈弁と肺動脈弁が閉鎖し，僧帽弁と三尖弁は開放する。

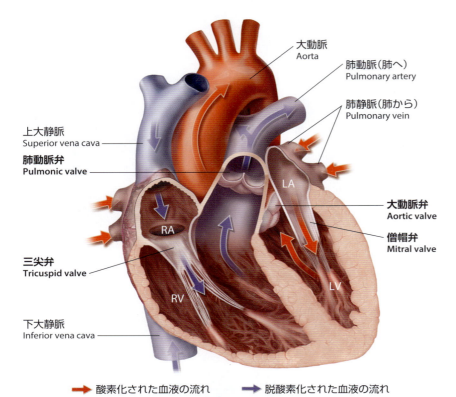

→ 酸素化された血液の流れ　→ 脱酸素化された血液の流れ

図16-4　心腔，弁，循環（RA：右房，LA：左房，RV：右室，LV：左室）

心周期現象

心周期 cardiac cycle とは心臓の1つの鼓動の開始からつぎの鼓動の開始までの期間を含む，心臓の一連の動きをいう。心臓は収縮期と拡張期を通して，各心腔の収縮と弛緩によってさまざまな圧力を作り出すポンプの役割を果たす（図16-5）。**収縮期 systole** は，心室が収縮し左室が血液を大動脈に駆出する期間を指す。心室から大部分の血液が大動脈に駆出されると心室圧は横ばいとなり，それから低下しはじめる。その後，心室圧はさらに低下し，心房から心室へ血液が流入するが，この心室が弛緩する期間は**拡張期 diastole** と呼ばれる。拡張末期には，心房収縮による血液流入のため心室圧はわずかに上昇する。

異常例

多くの成人においては，拡張期に発生する第3心音（S_3）と第4心音（S_4）は病的であり，それぞれ収縮不全と拡張不全に関連する[1,2]。

S_3 は僧帽弁流入血流の急激な減速により生じる。

S_4 は左室拡張末期の心室壁の伸展性低下（スティフネスの上昇）とそれによるコンプライアンスの低下により生じる。

解剖と生理

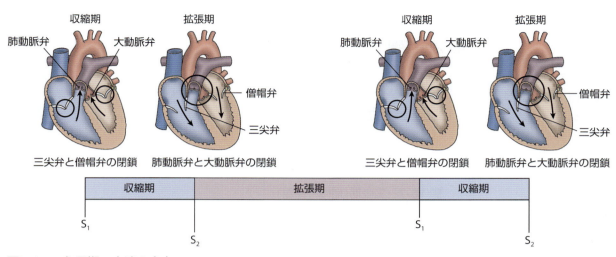

図 16-5　心周期，血流の方向 (Jensen S. *Nursing Health Assessment: A Best Practice Approach*. 3rd ed. Wolters Kluwer; 2019, Fig. 17-8. より改変)

左心系では，収縮期に大動脈弁が開放して左室から大動脈に血液が駆出されると同時に，僧帽弁は閉鎖して左心房（左房）への血液の逆流を防止している。逆に拡張期には，大動脈弁が閉鎖して大動脈から左室への血液の逆流を防ぎ，僧帽弁は開放して左房から弛緩した左室へと血液が流入する。右心系では，収縮期に肺動脈弁が開放し，三尖弁は閉鎖して，右室から肺動脈に血液が駆出される。拡張期には，肺動脈弁が閉鎖し，三尖弁が開放して，右房から弛緩した右室へ血液が流れ込む。

左心系に起こる圧変化（左房と左室，左室と大動脈のそれぞれの圧勾配）とともに4つの弁がどのように開閉するのかを理解することは，心音を理解するための基礎である。 心音の発生機序については多くの論文で述べられているが，可能性があるものとしては，弁尖の閉鎖，（収縮初期の）心筋の緊張，心房や心室の収縮時における弁尖の位置や圧勾配，血流の音響効果があげられる。

1心周期を通した圧変化と心音の関係を理解する。S_1 と S_2 が収縮期と拡張期を特定する手がかりとなる。以下の説明は非常に簡略化され，かつ左心系の圧変化に焦点を置いているが，心周期を理解して診療に活かすためには有用である。

拡張期には，血液で充満した左房圧は弛緩した左室圧よりわずかに高くなり，僧帽弁が開放して血液は左房から左室に流入する（図 16-6）。左室収縮の開始直前には，左房が収縮するため，左房圧と左室圧はともにわずかに上昇する。

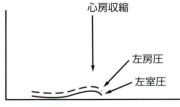

図 16-6　拡張期（心房収縮）

解剖と生理

収縮期には，左室の収縮がはじまり，左室圧が急激に左房圧より高くなることによって僧帽弁が閉鎖する（図16-7）。**僧帽弁および右心系の三尖弁の閉鎖によってS_1が生じる。**

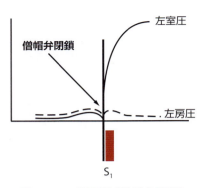

図 16-7　拡張期（僧帽弁閉鎖）

左室圧は上昇し続け，すぐに大動脈圧を上回り，大動脈弁が開放する（図16-8）。

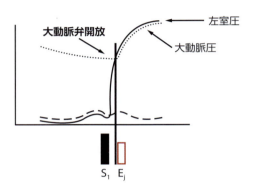

図 16-8　収縮期（大動脈弁開放）

異常例

大動脈疾患によっては，大動脈弁の開放とともに **収縮早期駆出音 early systolic ejection sound(E_j)** が聴取される（図16-8を参照）。

正常な場合は，最大左室圧は収縮期血圧と一致する。 左室からほとんどの血液が大動脈に駆出されると，左室圧は低下しはじめる。左室圧が大動脈圧を下回ると大動脈弁は閉鎖する（図16-9）。**大動脈弁および肺動脈弁の閉鎖によりS_2が生じ，続いてつぎの拡張期がはじまる。**

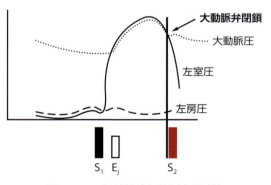

図 16-9　収縮期（大動脈弁閉鎖）

拡張期には，左室圧は低下し，左房圧より低くなると僧帽弁が開放する（図16-10）。**僧帽弁の開放音 opening snap(OS)** が聴取されることは通常ない。

僧帽弁狭窄症など弁尖の動きが制限される場合には，病的な開放音が聴取されることもある（図16-10を参照）。

解剖と生理

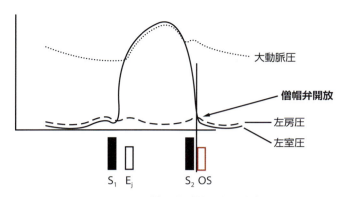

図 16-10　拡張期（僧帽弁開放）

僧帽弁が開放すると，拡張早期に左房から左室に血液が流入する。この時期を急速心室充満期という（図16-11）。

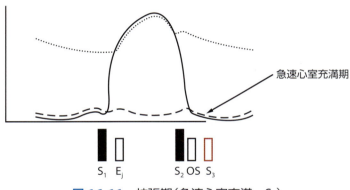

図 16-11　拡張期（急速心室充満，S_3）

異常例

小児や若年者では，心室壁のコンプライアンスがよいために心室壁にあたる血流が急速に減衰することにより，心室筋の振動が生じて，S_3 が聴取されることがある（図16-11を参照）。

中高年以降で聴取される S_3 は心室性奔馬調律と呼ばれ，通常は病的変化が起こっていることを示唆する。

S_4 は心房収縮により発生するが，健常な成人で聴取されることはほとんどない（図16-12）。S_4 はつぎの心拍の S_1 直前にあり，高血圧や急性心筋梗塞などで認められる心室壁の病的なコンプライアンス低下を反映する。

心音の分裂

上記の心周期現象は左心系で生じるものであるが，同様の現象は右房，三尖弁，右室，肺動脈弁，肺動脈で形成される右心系でも生じる。右室圧や肺動脈圧は，左室圧や大動脈圧より顕著に低い。**右心系の心周期現象は通常左心系よりわずかに遅れる。**

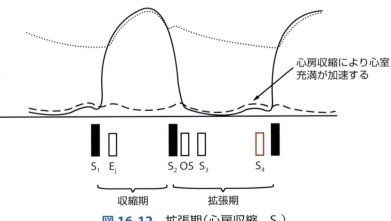

図 16-12　拡張期（心房収縮，S_4）

S_2 は，A_2 と P_2 の 2 成分から構成されている。A_2 は大動脈弁，P_2 は肺動脈弁の閉鎖により発生する。吸気時には，右心系の血液流入時間が延長して静脈還流量が増加する。これにより右室の 1 回拍出量も増加するため，駆出時間が左室に比べて延長して，肺動脈弁の閉鎖（P_2）が遅れる。その結果，S_2 が分裂して 2 つの成分が聴取されることになる。呼気時には，右室駆出の期間が短くなり，A_2 と P_2 が 1 つの音，すなわち S_2 となる（図 16-13）。また，静脈壁は動脈壁に比べて平滑筋が少なく伸展性に富んでいるため，静脈系は動脈系に比べて低圧で容量が大きい。肺血管床も伸展性が高く，血管抵抗が小さい。そのため充満時間が延長して P_2 は遅延するため，A_2 より前に聴取されることはない[3]。

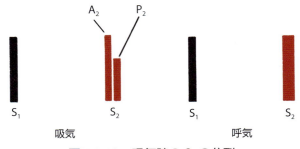

図 16-13 吸気時の S_2 の分裂

S_2 の 2 つの要素のうち，A_2 は大動脈圧が高圧であるために通常はより大きく，前胸部で聴取できる。一方，P_2 は肺動脈圧が低圧であるために比較的弱い音となり，肺動脈弁が位置する左第 2～3 肋間の胸骨近傍で最もよく聴取できる。この部位で S_2 の分裂を確認すべきである。

S_1 も早期に生じる僧帽弁成分と晩期に発生する三尖弁成分の 2 つの成分からなる。僧帽弁成分は前胸部で聴取でき，心尖部で最もよく聴取可能である。より弱い音である三尖弁成分は胸骨左縁下部で最もよく聴取できる。この部位で S_1 分裂が聴取されることがあるが，これは正常な所見である。しかし，早期に出現する僧帽弁成分が大きいために三尖弁成分を覆い隠して，分裂はわかりづらいことが多い。また，S_1 の分裂には S_2 のような呼吸性変動はない。

心雑音

心雑音 heart murmur は明瞭な心音で，その高さと長い持続時間を特徴とする。心雑音は血液の乱流に起因し，しばしば心臓弁膜症を示唆する。ただし，特に若年者では無害性雑音のこともある。弁口が異常なほど狭小化した大動脈弁狭窄症のような狭窄弁では，血流が障害されるために特徴的な心雑音が生じる。弁の閉鎖に異常が生じ，逆流を引き起こす場合もある。この場合は弁から血液が逆向きに漏れてしまい，逆流性雑音が生じる。

解剖と生理

正確に心雑音を鑑別するには，聴取できる最強点はどこか，収縮期または拡張期のどの時期で聴取されるか，どのような性質の音なのか理解しなければならない。「診察の技術」の項では，心雑音を聴取した部位・タイミングと，波形・最強点・放散の方向・強さの程度・高さ・性質を総合的に解釈して診察につなげる方法を学ぶ（p.533～537 を参照）。

胸壁上の部位と聴診所見の関連

心音・心雑音が聴診できる胸壁上の部位から，それらがどの弁や心腔に由来するかを特定することができる（Box 16-1）。

Box 16-1　胸壁上の部位と心音・心雑音の発生源

胸壁上の部位	心音・心雑音の典型的な発生源
右第2肋間または心尖部	大動脈弁
左第2～3肋間の胸骨近傍，あるいはその上部または下部	肺動脈弁
胸骨左縁下部，あるいはその付近	三尖弁
心尖部およびその付近	僧帽弁

図 16-14 に示すように，これらの部位は重なる。心音・心雑音を聴取した部位とタイミング（収縮期または拡張期）を総合的に解釈することは，心音・心雑音を正しく同定するための重要な第一歩であり，他の心臓所見と組み合わせれば正確なベッドサイド診断につなげられることが多い。

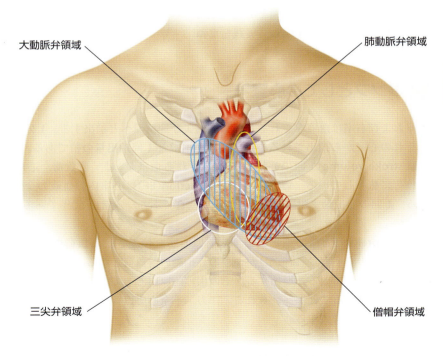

図 16-14　前胸部の心臓聴診の領域

刺激伝導系

刺激伝導系は心筋の収縮を刺激し，調整する。

通常の場合，1つひとつの電気刺激は，上大静脈との移行部付近に存在する右房の特殊心筋細胞群である**洞結節（洞房結節）sinoatrial (SA) node** からはじまる。洞結節はペースメーカとして働き，自動的に**毎分60～100回**の電気刺激を生成する。この電気刺激は両心房内に伝導し，心房中隔下部に存在する特殊心筋細胞群である**房室結節 atrioventricular (AV) node** に達する。ここで伝導速度が遅延した後，刺激は **His（ヒス）束 bundle of His**，His束分枝，さらに心室筋へと伝導し，心筋が収縮する。心筋収縮は刺激伝導に伴って起こるため，心房がまず収縮し，その後心室が収縮する。簡略化した正常刺激伝導系を図16-15に示す。これらの現象を記録したものが**心電図 electrocardiogram（ECG または EKG）**である。固有心筋の収縮にかかわる電気活動が心電図のそれぞれの波形を形成する。実際の患者から得られた心電図を解釈するには，さらに他の成書を参照し，実践を重ねる必要がある。

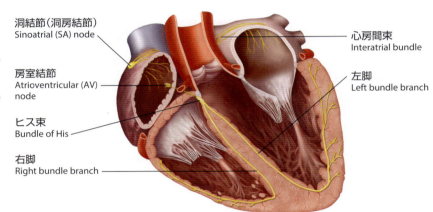

図 16-15 心臓の刺激伝導系

ポンプとしての心臓

左室および右室は血液をそれぞれ体循環および肺循環へと拍出する。1分間にそれぞれの心室から拍出される心拍出量は心拍数と1回拍出量の積である。**1回拍出量 stroke volume**（1回の心拍動で駆出される血液量）は，前負荷，心収縮力，後負荷に依存している。**駆出率 ejection fraction（EF）**は心室内の血液の全量に対する，1回の心拍動で駆出される血液量の割合であり，通常は60%である。

- **前負荷 preload** とは心筋が収縮する前に心筋を伸展させる負荷のことである。拡張末期の右室容量（血液量）がつぎの心拍動の前負荷となる。右室の前負荷は静脈還流量が増えると増加する。その生理的原因として，吸気や運動時に静脈還流量が増えることがあげられる。一方，不全心では容量が増えて右室が拡大し，前負荷は増大する。

- **心収縮力 myocardial contractility** とは負荷がかかったときの心筋の収縮能のことである。心収縮力は交感神経が賦活されると増強し，心筋への血流または酸素供給が障害されると（例：心筋梗塞）減弱する。

心不全には2つの一般的な表現型があり，駆出率によって分類される。**左室駆出率が低下した心不全と左室駆出率が保持された心不全**は2つの異なる臨床概念であり，治療アルゴリズムも異なる[4]。

右室前負荷が下がる原因には，呼気，脱水，毛細血管床または静脈系への血液貯留がある。

解剖と生理

- **後負荷 afterload** とは心室収縮に対する末梢血管抵抗の度合である。収縮に対する血管抵抗は，大動脈内の血液容量のみならず，大動脈や太い動脈，末梢血管系（おもに小動脈と細動脈）のコンプライアンス（伸展性）に依存する。

異常例

前負荷と後負荷の病的増加（それぞれ**容量負荷**，**圧負荷**と呼ばれる）は心室機能を変化させ，心臓がポンプとしての機能を十分に果たせなくなれば心不全を引き起こすことがある。

脈拍と血圧

1回の収縮で左室はある容量の血液を大動脈へ拍出し，動脈系へ灌流させる。拍出された血液が作り出す脈波が動脈系にすばやく伝播し，動脈拍動となる。多くの場合，脈波は血流よりも速く末梢まで伝わるが，末梢拍動（脈拍）は左室収縮より遅延するので，上肢や下肢の脈拍で心周期を判定するのは不適切である。

動脈系での血圧は心周期を通して変化する。収縮期で最高となった後下降し，拡張期で最低となる（図16-16）。この最高値および最低値は血圧測定用カフ，すなわち血圧計で測定できる。血圧に影響を及ぼす因子については，Box 16-2 を参照。収縮期血圧と拡張期血圧の差が**脈圧 pulse pressure** である。

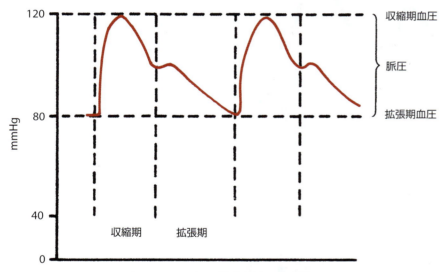

図 16-16　心周期中の血圧と脈圧

Box 16-2　血圧に影響を及ぼす因子

- 左室1回拍出量
- 動脈壁のコンプライアンス（大動脈と太い動脈）
- 末梢血管抵抗（おもに細動脈）
- 動脈系の血液量

解剖と生理

Box 16-2 の 4 つの因子のどれが変わっても，収縮期血圧および拡張期血圧，またはその両方が変化する。血圧は 24 時間のなかで著しく変化する。身体活動や精神状態，疼痛，騒音，外気温，コーヒーやタバコの摂取，薬物の使用，さらに時刻によっても変化する。

頸静脈圧と頸静脈拍動

頸静脈は心機能および右心系の血行動態の重要な臨床的指標である。**頸静脈圧 jugular venous pressure（JVP）は右房圧を反映し，右房圧は中心静脈圧や右室拡張末期圧と等しい。右内頸静脈と右房は直線的につながっているため，頸静脈圧の評価は右内頸静脈で行うのが最適だが，右外頸静脈で代用することも可能である**[5]。頸静脈は胸鎖乳突筋の深層を走行しているため，下記に簡潔に説明するように，頸部の表面に伝わった頸静脈拍動を同定し，拍動の最高点を計測できるようにするとよい。

頸静脈圧に関する詳細な考察およびその診察方法については p.517〜521 を参照。

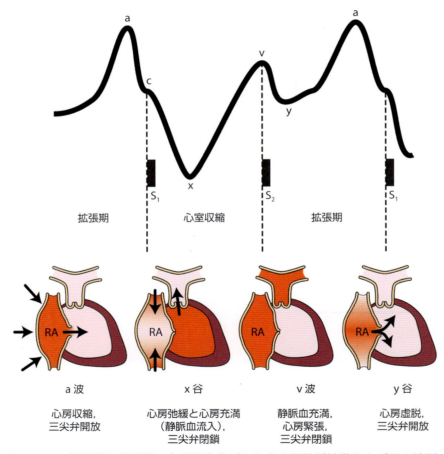

図 16-17　拡張期と収縮期の右房圧変化がもたらす頸静脈拍動およびその波形

病歴：一般的なアプローチ

収縮期および拡張期の右房内の圧変化は，血液の充満と流出による頸静脈の動揺，すなわち**頸静脈拍動 jugular venous pulsation** から推測することができる（図16-17）。心房収縮に伴う頸静脈への血液逆流によって，S_1 と収縮期の直前に頸静脈に **a 波**が作られ，その後心房の持続的な弛緩による **x 谷**がみられる。右室の収縮期における大静脈から右房への血液流入で右房圧が上昇することによって，2つ目の波，**v 波**が形成されたのち，拡張早期と中期における右房から右室への血液の受動的排出によって **y 谷**が形成される。3つの頂点を覚えるには，a は atrial contraction（心房収縮），c は carotid transmission（頸動脈拍動伝達）あるいは closure of the tricuspid valve（三尖弁閉鎖）[6]，v は venous filling（静脈還流）と理解するとよい。

加齢に伴う変化

心尖拍動の位置，心音や心雑音の高さ，動脈の硬さと血圧は年齢とともに変化する。例えば，PMI は小児や若年者では容易に触知されるが，胸郭の前後径が増すにつれて特定しづらくなる。同様の理由で，高齢者では S_2 の肺動脈弁成分（P_2）が聴取しづらいため，S_2 の分裂を捉えづらい。さらに，ほとんどすべての人が生涯に一度は心雑音を聴取されている。ほとんどの場合，心雑音は心血管系に異常がなくても発生するため，正常変異（無害性雑音）と考えられている。年齢とともに変化する無害性雑音の特徴を知っていると，正常と異常を区別するのに役立つ。

雑音は心臓のみならず大血管でも生じる（p.564を参照）。小児で非常によく聴取される頸静脈コマ音（雑音）は青年期まで聴取されることもある。他のさらに重要な例として頸部収縮期雑音・血管雑音がある。小児では無害性であることが多いが，成人では動脈硬化性疾患（動脈狭窄）が疑われる。

病歴：一般的なアプローチ

診察をはじめるにあたっては，心疾患の最も一般的な徴候と関連する下記の3つの問いに対する答えを探すことを心がける。

- 心臓への血液供給は十分か？

- 心臓の刺激伝導系は正常に機能しているか？

- 心臓は血液を十分に循環させ，臓器に供給しているか？

異常例

異常に顕著な**巨大 a 波 cannon a wave** は三尖弁狭窄のような右房収縮への抵抗が上昇する場合にみられるほか，重症な1度，2度，3度（完全）房室ブロック，上室性頻拍，接合部頻拍，肺高血圧，肺動脈弁狭窄症でもみられる。

a 波の消失は心房細動を示唆する。

v 波の増高は三尖弁閉鎖不全症，心房中隔欠損症，収縮性心膜炎でみられる。

これらの心雑音については，第25章「小児：新生児から青年期まで」（p.998〜1000），および第26章「妊娠女性」（p.1119）を参照。

患者が胸痛症候群を発症しているか，そしてそれが心臓の酸素需要が増えるとき（例：運動時）に増悪するかを見分ける。患者が動悸，あるいは異常，不整，または過剰な心拍を感じるようであれば，刺激伝導系の疾患を考えるべきである。最後に，心臓がポンプとしての機能を果たしていることを確認する。左室が血液を十分に送り出していない場合，体液が肺に貯留し（**肺水腫 pulmonary edema**），息切れ〔特に労作時または仰臥位時（**起座呼吸 orthopnea**）〕をきたす。その他，脳への血液供給が不十分な場合，ふらつきや意識消失をきたすことがある。右室が血液を十分に送り出していなければ，体液が下肢に貯留し，**末梢性浮腫 peripheral edema** をきたす。

第17章「末梢血管系とリンパ系」(p.595)を参照。

すべての心疾患は，進行した場合，最終的にポンプ失調に至ることを覚えておくこと。心拍リズムが乱れると，左室が十分に機能できず，脳灌流を担保できないため，意識消失を呈することがある。心臓への血流供給が障害された場合，胸痛の他，息切れをきたすこともある。

心疾患のもう1つの形態は**心臓弁膜症 valvular heart disease** である。この疾患はしばしば症状を伴わないが，伴う場合はおおむね心不全に関連する症状である。

よくみられる，または注意すべき症状

- 胸痛
- 動悸
- 息切れ：呼吸困難，起座呼吸，発作性夜間呼吸困難
- 浮腫
- 失神

胸部症状の場合，症状を引き起こしている部位が心臓や肺，さらには胸腔外まで幅広く考えられるため，系統立てて鑑別することが重要である。この項では，心疾患に由来する胸部症状をとりあげ，胸痛，動悸，起座呼吸，発作性夜間呼吸困難，浮腫，失神といった重要な症状について概説する。

第15章「胸郭と肺」の「病歴：一般的なアプローチ」の項(p.461〜464)も参照。

胸痛

胸痛は最も注意すべき症状の1つであり，プライマリケア外来受診の1%を占める[7]。胸痛は冠動脈疾患の最も多い症状で，この疾患には20歳以上の米国人1,500万人以上が罹患している[8]。2009年だけで約68万3,000人の患者が急性冠症候群で入院し，現時点におけるST上昇型急性冠症候群患者の1年死亡率は7〜18%と推定されている[9]。労作性狭心症で典型的な胸部・肩・背部・頸部・腕の痛み，圧迫感，不快感は，急性心筋梗塞患者の18%で認める[8]。他方，引きつるような，ズキズキする，チクチクする感覚など非典型的な痛みも頻繁に認められ，まれに歯や顎に痛みが出ることがある[10]。

病歴：一般的なアプローチ

「胸の症状はどのようなものですか？」など，自由回答方式の質問ではじめる。その後，より具体的で詳細な情報を引き出すようにする。患者には痛みのある部位を指さしてもらい，症状のあらゆる特徴について説明してもらう。以下の内容を質問するとよい。

- 動作に伴って痛みが出ますか？

- どのような動作で痛みが出ますか？

- 痛みの強さを1～10で表すと，どれくらいですか？

- 首，肩，背中，腕も痛いですか？

- 他に息切れ，冷や汗，動悸，吐き気はありませんか？

- 痛みで夜中に起きることがありますか？

- 何をすれば痛みが軽くなりますか？

患者の普段の活動能力を具体的に数値化することが重要である。胸痛は階段をのぼるときに起こるか？ 何階分または何段で起こるか？ どれくらい歩くと症状が出るか？（15 m？ 100 m？それ以上か？） 重い物をもつとき，または着替えのような日常動作ではどうか？ 以前と比べて日常動作に伴う痛みの出方に変化はあるか？ 症状はいつ頃から出現，もしくは変化したか？ 普段の活動能力を数値化することにより症状の重症度と日常生活への影響度がわかり，検査や治療を選択するうえで助けとなる。

急性冠症候群の患者は通常，男女とも典型的な労作性狭心症の症状を訴えるが，特に65歳以上の女性の場合，しばしば上背部や頸部，顎の痛み，息切れ，発作性夜間呼吸困難，悪心・嘔吐，倦怠感などの非典型的な症状を訴え，診断に至らないことがあると報告されている。したがって，注意深く病歴を聴取することが特に重要である[12,13]。胸痛が心臓に由来することを見逃すと重大な結果を招くことがあり，救急受診したにもかかわらず，誤って帰宅させられた患者の致死率は25％にのぼる[14]。

異常例

前胸部痛の性状が引き裂かれるようなものであったり，背部や頸部に放散する場合は急性大動脈解離の可能性がある[11]。

冠動脈造影検査で閉塞性冠動脈疾患がみられない患者の胸痛の原因として，冠動脈微小血管機能障害や異常侵害受容性疼痛（炎症や刺激などによる痛み）などがあり，その診断にはさらに特殊な検査が必要である[12]。冠動脈造影検査が正常で胸痛のみられる女性のうち，およそ半数が冠動脈微小血管機能障害を有している。

急性冠症候群 acute coronary syndrome (ACS)とは，急性心筋虚血によって引き起こされる不安定狭心症，**非ST上昇型心筋梗塞** non-ST elevation myocardial infarction(NSTEMI)，**ST上昇型心筋梗塞** ST elevation myocardial infarction (STEMI)をひとまとめとした症候群のことで，今日一般的に使われている[15]。

| 病歴：一般的なアプローチ | 異常例 |

胸痛の病歴を評価する際には，狭心症，心筋梗塞，解離性大動脈瘤，肺塞栓症などの命にかかわる診断を必ず念頭に置く[7,11,16,17]。心血管疾患による胸痛と，心膜，気管・気管支，壁側胸膜，食道，胸壁，そして胸郭外の頸部，肩，胆嚢，胃に由来する胸痛を区別する方法を学ぶこと。

第15章「胸郭と肺」の表15-3「胸痛」（p.488〜489）を参照。

動悸

動悸 palpitation とは心拍を不快に感じることである。患者は，脈が飛ぶ，脈が速い，ドキドキする，ドキンドキンと打つ，心臓が止まるなど，症状をさまざまに表現する。動悸は不規則であったり，急に遅く，または速くなったりすることがあり，心収縮力が増大することで発生する場合がある。動悸は必ずしも心疾患によるものではない。

不安症状のある患者や甲状腺機能亢進症の患者は動悸を訴えることがある。

心室性頻拍のように最も深刻な不整脈では動悸を感じないことが多い。

心拍とリズムについては，表16-1「心拍数とリズムの鑑別」，表16-2「不規則なリズムの鑑別」を参照。

心拍不整の症状や徴候があれば，心電図をとる。これには心房細動が含まれる。心房細動はしばしばベッドサイドで脈の「絶対的不整」として同定される。

必要に応じて「今までに心臓の鼓動が気になったことがありますか？ それはどのような症状でしたか？」のように質問の仕方を変える。患者に手や指で軽く叩いてもらって心拍を表現してもらうのもよい。速かったか，それとも遅かったか？ 規則的だったか，それとも不規則だったか？ どれくらい続いたか？ 心拍が速くなる症状があれば，動悸のはじまりと終わりが突然だったか，それとも徐々にだったか？ とたずねてみるとよい。このような症状のときは心電図をとるべきである。

病歴のなかに不整脈を判別する手がかりがある。一過性に脈拍が飛んだり突然脈拍のリズムが変わるといった場合，期外収縮を示唆する。突然はじまって突然終わる速く規則的な脈拍は，発作性上室性頻拍の可能性がある。速く規則的な120回/分以下の脈拍で，特に脈拍が徐々に速くなり，元に戻る場合には，洞性頻脈が考えられる。

必要に応じて，今後動悸が起こったときのために，脈拍数を複数回測る方法を患者に指導する。

息切れ

息切れ shortness of breath は患者の主訴として一般的で，呼吸困難，起座呼吸，発作性夜間呼吸困難が含まれる。**呼吸困難 dyspnea** とは，活動のレベルに対して呼吸が不適切であるために不快感を自覚することで，心疾患や肺疾患の患者でよくみられる症状である。

胸痛と同様に，現在の息切れがどのようにはじまり，時間とともにどのように変わったか，あるいは変わらなかったかを定量評価することが重要である。安静時に起こるのか，労作時に起こるのか，労作後に起こるのか確認する。突然発症の息切れは，例えばアスリートと，普段屋内にいて部屋から部屋へと歩く程度の人とでは意味合いが異なる。

突然の呼吸困難は，肺塞栓症や自然気胸，不安発作で起こる。

身体診察：一般的なアプローチ	異常例

患者に，仰臥位になったときに息切れしないかたずねる。**起座呼吸 orthopnea** は，仰臥位で生じ，起き上がると改善する呼吸困難である。患者が睡眠時に必要とする枕の数や座ったままでしか眠れないことを基準に数値化するのが典型的な方法である。枕の追加や座位での睡眠が息切れによるもので，他の原因によるものではないことを確認すること。

起座呼吸や発作性夜間呼吸困難は左心不全や僧帽弁狭窄症，さらに閉塞性肺疾患でみられる。

「夜間に就寝して1〜2時間後に突然の呼吸困難で目覚めて，座ったり立ったりしなくてはいけないことはありますか？」と質問する。これを**発作性夜間呼吸困難 paroxysmal nocturnal dyspnea（PND）**という。それに伴う喘鳴や咳嗽についてもたずねるとよい。発作はしばらくするとおさまるが，翌日も同じような時間帯に繰り返すことがある。

発作性夜間呼吸困難は夜間の喘息発作に症状が似ていることもある。

第15章「胸郭と肺」の表15-1「呼吸困難」（p.484〜485）を参照。

浮腫

浮腫 edema は血管外の間質に過剰な体液が蓄積されることにより生じる。間質組織は5Lまでの水分を吸収することができ，10%程度の体重増加なら圧痕浮腫は出現しない[18,19]。浮腫は全身性疾患によることもあれば，局所的な原因によることもある。質問する際は，浮腫の出現部位，タイミング，浮腫の性状や随伴症状に焦点をあてる。「むくみはありますか？　どこがむくみますか？　他にむくむ場所はありませんか？　むくみはいつ現れましたか？　朝か夜のどちらかでむくみがひどくなりますか？　靴はきつくなりませんか？」

大多数の原因は心臓（右室または左室機能不全，肺高血圧）か肺（閉塞性肺疾患）だが[20]，栄養（低アルブミン血症）や体位によるものもある。重力による浮腫（従属性浮腫）は体の最も低い部位に生じる。座っているときには足や下腿に，寝たきりでは仙骨部に現れる。全身浮腫は仙骨と腹部にまで及ぶ重度な全身の浮腫をいう。

さらに，「指がむくんで指輪がきつくなりませんか？　朝，まぶたが腫れぼったくなりますか？　ベルトがきつくなって緩めることはありませんか？」「服の胴回りがきつくなりませんか？」と続ける。**体液貯留がみられる患者に早朝の体重を記録させることを考慮する。浮腫は数リットルの過剰体液が貯留するまでめだたないが，急速な体重増加（0.45〜0.9 kg/日）はその前に起こるからである。**

ネフローゼ症候群でみられる眼窩周囲が腫れぼったくなる，指輪がきつくなるといった症状がないか，また腹水や肝不全でみられるウエストの増大がないか確認する。

失神

失神 syncope は，回復する一過性の意識消失である。第24章「神経系」（p.876）で詳述する通り，失神の多くは血管迷走神経性失神である。失神の症状と原因については表16-3「失神および類似疾患」を参照。

より重大な失神の原因は，末期心不全や不整脈でみられるように，心臓から脳への血流供給不足である。

身体診察：一般的なアプローチ

心臓の聴診は日常臨床で一般に行われている。しかし，診断機器が発達し，時間的制約のある臨床現場において，繰り返し忍耐強く経験を積みながら習得しなければならない聴診技術は，身につけづらいものだろう[21,22]。臨床トレーニングのすべての段階において，身体診察の技術が低下していることが報告されており，なかでも心血管系の身体診察はその傾向が顕著であることが頻繁に指摘されている[23-25]。実際，迅速にかつベッドサイドでできる心臓の評価を目的とする**ポイ

ントオブケア心エコー point-of-care ultrasound は診察のあり方を大きく変えた。現在，身体診察を強化するために使用されるとともに，心臓の解剖と生理を理解するための教育ツールとしても活用されている[26]。

心血管系の診察は聴診が中心であるが，その他の身体診察からも，「心臓は全身に十分な血液を供給できているか？」という質問の答えとなる，より重要な情報を得られることがある。さらに，単独あるいは他の所見との組み合わせから，それらの所見が疾患の有無をどの程度予測できるかを知っておくことはきわめて重要である。必要なときに参照できるよう，心臓に関する所見の検査特性，すなわち感度・特異度・尤度比などを記載する。さらに詳細については，卓越した文献があるので，ぜひ参照してほしい[27, 28]。

心血管系の身体診察の際，心臓のポンプとしての機能に異常がないかを評価するために以下の問いに答える情報を得ること。

- ポンプの前方駆出は正常に機能しているか？
  - 血圧は正常範囲か？
  - 四肢は十分に灌流されているか？
  - 脈拍は勢いよくかつ触知しやすいか？
  - 頸静脈圧は正常か？
  - 下肢に浮腫があるか？

第 17 章「末梢血管系とリンパ系」（p.585〜590）を参照。

- 心臓の大きさは正常か？
  - PMI が偏位しているか，または右室にあるか？

- 心臓弁膜症の徴候があるか？
  - 収縮期または拡張期雑音があるか？

- 肺水腫があるか？

第 15 章「胸郭と肺」（p.462〜463）を参照。

診察の技術

心血管系の診察の重要項目

- 全身状態に注意し，血圧と心拍数を測定する
- 頸静脈圧を測定する
- 頸動脈（血管雑音）を片側ずつ聴診する
- 頸動脈拍動を触診し，立ち上がり（強さ，波形，タイミング）と振戦の有無を確認する
- 前胸壁（心尖拍動，前胸部の動き）を視診する
- 前胸部を触診し，隆起，振戦，触知できる心音がないか確認する
- 触診し，PMI または心尖拍動の位置を同定する
- 触診し，胸壁上の右室・肺動脈・大動脈流出路に対応する部位で心臓の収縮によって生

（続く）

| 診察の技術 | 異常例 |

↘(続き)
- じる拍動を同定する
- 心基部から心尖部にかけて6カ所で S_1 と S_2 を聴診する
- S_2 の生理的および奇異性分裂を特定する
- 聴診して，S_3 や僧帽弁狭窄を示唆する僧帽弁の開放音を含む拡張早期の異常音と，拡張後期の S_4 がないか確認する
- 収縮期と拡張期雑音を同定し，必要に応じて聴診手法も併用する．雑音が存在するなら，そのタイミング，波形，強さ，部位，放散，高さ，そして性質を確認する

血圧と心拍数

患者の全身状態とバイタルサインに注目する。患者の全身状態は心疾患の存在を知る糸口となることが多いため，血圧や心拍数のみならず，皮膚の色，呼吸数，不安度にも注意を払う。微細な所見を特定するために聴診が非常に重要であるため，静かで快適な部屋で診察し，気を散らすものや騒音を最小限に抑える。

まず，診察のはじめに記録された血圧と心拍数を確認する。測定し直す必要があったり，まだ測定されていなければ，最適な技法を用いて血圧と心拍数を測る[29, 30]。

第8章「全身の観察，バイタルサイン，疼痛」(p.226〜235)を参照。

測定法を簡単にまとめると，患者に5分間以上静かな場所で足を床につけた状態で安静にしてもらった後，正しいサイズのカフを選んで，患者の上腕を衣服で覆われていない状態で心臓の高さにあげる(座位なら机の上に載せる。仰臥位または立位なら胸部中央の高さで支える)。通常，心臓は第4肋間の高さにある。加圧バッグが上腕動脈の中心にあるのを確認し，上腕動脈か橈骨動脈の脈拍が消失する圧よりさらに約30 mmHg高い圧までカフを加圧する。まずは，カフを減圧しながら，少なくとも2つの連続した心拍でKorotkoff(コロトコフ)音が聴取できる圧を探す。この圧が**収縮期血圧 systolic blood pressure** である。さらに減圧して，拍動が聞き取れなくなるところが**拡張期血圧 diastolic blood pressure** である。**心拍数 heart rate** は，示指と中指の腹で橈骨動脈を触知して数えるか，聴診器で心尖拍動を聴取して測定する。血圧は，上腕の高い位置で測定すると低くなり，低い位置で測定すると高くなる。

診察室での血圧測定は信頼性が低いという報告が増えている[31, 32]。複数回測定して平均をとると精度が上がる。特に自動血圧計で自宅または行動中の血圧を測定すれば，より信頼できる正確な結果が得られる。またこの結果には診察室血圧に比較して心血管アウトカムとより強い相関がある。第8章「全身の観察，バイタルサイン，疼痛」のBox 8-7「診察室外における血圧測定方法」(p.234)を参照。

頸静脈圧

頸静脈圧を特定し，測定する。頸静脈圧の測定は最も重要かつ頻繁に行う診察技術の1つである。頸静脈圧は右房圧，あるいは中心静脈圧を密接に反映し，おもに静脈系の血液量と関連する[33]。

頸静脈圧の特定

右内頸静脈は右房と上大静脈の延長線上にあるため，頸静脈圧は右内頸静脈の拍動で測定するのが最も簡単である[34-36]。頸部で，内頸静脈は胸鎖乳突筋の下を走行するため，直視することができない。そのため，体表に伝播される内頸静脈の拍動を同定する必要がある（図16-18）。右外頸静脈拍動も頸静脈圧の測定に使用できるが[5]，大静脈との間に血管が屈曲蛇行しており，首のつけ根でキンク（屈曲）もしくは閉塞した場合，または肥満の場合，うまく診察できないことがある[34,37]。12歳以下の小児では，頸静脈および拍動を観察することは困難なため，この年齢での心血管系の評価に頸静脈圧を使用するのは現実的ではない。

a波とv波およびx谷とy谷に関する詳細は，p.510〜511を参照。

心不全では，頸静脈圧によって正確に体液量の増加を推測できるが，心不全のアウトカムと死亡に関する予後予測能はいまだ不明である[38]。

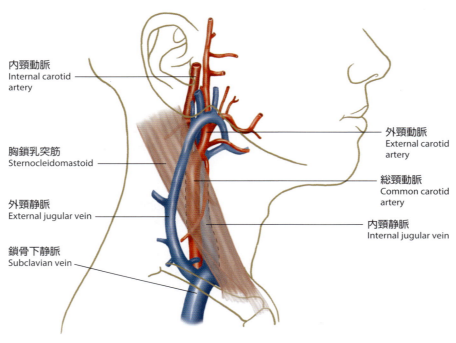

図16-18　内頸静脈と外頸静脈

右房の充満，収縮，虚脱による圧変化が頸静脈圧を変化させる。この変化は頸静脈波形として視覚的に捉えることができる。**頸静脈圧ではx谷と一致する凹む動きがめだつ**[34]。対照的に，頸静脈圧と混同されやすい頸動脈圧では，**隆起する動きがめだつ**。この波形を注意深く観察することが，循環血液量，右室および左室機能，三尖弁および肺動脈弁疾患，心膜腔内圧，接合部調律や房室ブロックなどの不整脈などを疑ううえでの糸口となる。

頸静脈圧は血液量減少や静脈血管緊張の低下により下がり，右心不全または左心不全，肺高血圧，三尖弁狭窄，房室解離，静脈血管緊張の亢進，心嚢の圧迫または心タンポナーデにより上昇する。

頸静脈圧の測定

頸静脈圧を測るには，内頸静脈の拍動が確認できる最も高い箇所，あるいは外頸静脈が触れなくなる箇所を特定する。**通常，その箇所から胸骨角までの垂直距離に5 cmを足した値を頸静脈圧とする**。胸骨角はT4レベルにある，胸骨柄と胸

診察の技術

骨体が結合する骨稜で，第2肋骨に近接する。

図16-19を詳細に確認すること。この3つの体位では，胸骨角はいずれも右房のおよそ5 cm上に位置する。下図に示す患者の頸静脈圧は若干上昇している。

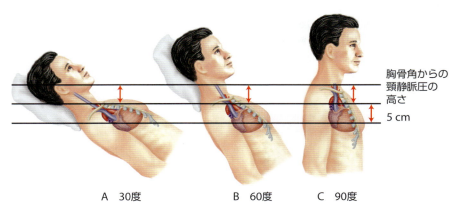

図 16-19　頸静脈圧の高さは3つの体位であまり変わらない。臥位または起き上がった状態でしか特定できないこともある

- Aの体位では，診察台の頭部（上半身の傾き）は通常の角度である約30度に設定されているが，静脈の拍動を示す皮膚の動揺ないし上下動が顎より上方にあって観察できないため，頸静脈圧が計測できない。

- Bの体位では，診察台の頭部は60度に設定されている。頸静脈拍動の最高点が容易に観察でき，胸骨角や右房からの垂直距離が計測できる。

- Cの体位では，患者は90度に上半身を起こし，静脈が鎖骨上でなんとか識別できる程度で，計測に確証をもてない。

胸骨角から計測した頸静脈圧は，これら3つの体位ですべてほぼ同じであるが，頸静脈拍動の高さ，すなわち頸静脈圧を測定できるかどうかは患者の上半身をどのような角度に上げるかによって異なることに注意する。

頸静脈圧の測定には高度な診察技術が必要だが，習得に役立つよう，Box 16-3に必要なステップをまとめる。

Box 16-3　頸静脈圧を測定するためのステップ

1. 患者にリラックスしてもらい，胸鎖乳突筋の緊張をとくため，枕を置いて軽く頭を持ち上げる
2. ベッドや診察台の頭部を約30度上げ，診察している側と反対に少し顔を向けてもらう
3. 頸静脈に接線方向から光をあて，両側頸静脈を観察する。両側の外頸静脈を同定し，それから内頸静脈拍動をみつける

(続く)

↘(続き)

4. 必要に応じて，内頸静脈拍動の動揺や上下動が頸部の下半分で観察できるように診察台の角度を上下させる
5. 右内頸静脈の走行を意識して，拍動を胸骨上窩や胸鎖乳突筋の胸骨と鎖骨への付着部の間，胸鎖乳突筋のすぐ後ろで探す。内頸静脈拍動と頸動脈拍動を区別する(Box 16-4参照)
6. 右内頸静脈拍動の最高点を特定する。この点からカードや長方形のものを水平にのばし，胸骨角から垂直に立てた物差しと正確に直角をつくるようにする。胸骨角からこの交点までの垂直距離をセンチメートル単位で計測し，これに右房中心から胸骨角までの距離である5 cmを加えたものが頸静脈圧である(図16-20)

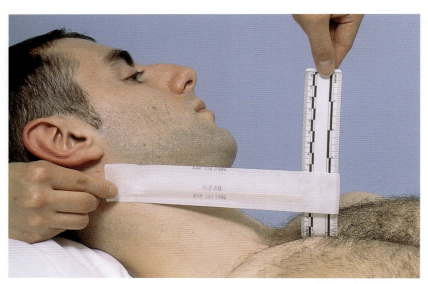

図16-20 水平のカードと垂直の定規を用いた頸静脈圧の測定

内頸静脈拍動と頸動脈拍動の鑑別

Box 16-4に示す特徴は内頸静脈拍動と頸動脈拍動を鑑別するのに有用である。

Box 16-4　内頸静脈拍動と頸動脈拍動の鑑別

内頸静脈拍動	頸動脈拍動
● 触知することはまれ	● 触知する
● 滑らかに2相性に起伏する性質であり，一般的には2つの隆起と**特徴的な内向きの凹み**(x谷)を伴う	● 単一で**外向きの強い拍動**
● 拍動は鎖骨の胸骨端の直上で静脈を軽く圧迫すると消失する	● 拍動は鎖骨の胸骨端の直上で静脈を圧迫しても消失しない
● 拍動を触知する部位の高さは体位で変化する。通常，上半身を起こすのにつれて，低くなる	● 拍動を触知する部位の高さは体位で変化しない
● 拍動を触知する部位の高さは吸気時に低くなる	● 拍動を触知する部位の高さは吸気時でも変化しない

診察の技術

頸静脈圧と循環血液量

頸静脈圧の測定を開始する際，患者の循環血液量とそれに合わせてベッドや診察台の角度を変える必要があるかどうかを検討する。通常，頸静脈圧を評価する際は診察台またはベッドの頭側をまず30度に上げておく。患者の顔を軽く左右に向けてもらい，両側の外頸静脈を同定する。つぎに頸部の深層からその上にある軟部組織に伝播する右内頸静脈拍動に注目する。頸静脈圧とは，循環血液量が正常な患者で通常はっきりと観察できる頸静脈拍動の動揺や上下動の最高点の高さのことをいう。

頸静脈圧が低いと予想される場合，頸静脈の拍動を同定するためには，ベッドの**頭側を下げる**（場合によっては0度まで）必要がある。同様に，**頸静脈圧が高い**と予想されたら，ベッドの**頭側を上げる**。一部の患者においては，患者が上半身を起こしているときにしか頸静脈圧が測れない。

頸動脈

聴診

つぎに両側頸動脈を聴診し，血管雑音を探す。**頸動脈にアテローム性動脈硬化があることで頸動脈が狭められている可能性があるため，頸動脈拍動を触診する前に聴診することが重要である。**

血管雑音 bruit は動脈血流の乱流から生じる雑音である。約10秒間息をこらえてもらい，聴診器の膜部で聴取する。膜部を使用するのは，一般的にベル部より膜部のほうが，高調音である血管雑音を聴取しやすいためである[49]。

異常例

一部の報告によると，30～45度までの間においては，推定頸静脈圧がカテーテルを用いて右房中部から測定した値より3 cm低いことがある[39, 40]。

測定された頸静脈圧が胸骨角より3 cm以上高い，または右房より8 cm以上高い場合，正常より上昇していると考えられる。

頸静脈圧の上昇は急性と慢性心不全の両者に強い相関がある[34, 41-44]。また，三尖弁狭窄症や慢性肺高血圧，上大静脈閉塞，心タンポナーデや収縮性心膜炎でも頸静脈圧の上昇がみられる[45-47]。

頸静脈圧の上昇は，左室拡張末期圧上昇と左室駆出率低下について95%以上の特異度をもつが，心不全による入院や死亡に対する予測能は明確になっていない[44, 48]。

閉塞性肺疾患の患者では，呼気で頸静脈圧が上昇することがあるが，吸気では静脈は虚脱する。このような呼吸性変動は心不全を示唆するものではない。

頸動脈触診によって引き起こされる合併症のなかで最も危惧されるものは動脈硬化性プラークの脱落であり，それが脳梗塞を引き起こすことがある。

狭窄が高度になると血管雑音が低調となったり，聴取されないこともある。このような場合には，ベル部での聴診が必要となる。

診察の技術

聴診部位は，総頸動脈が内外頸動脈に分岐する下顎角の下，甲状軟骨上端で，この場所で聴取される血管雑音は，心雑音，鎖骨下動脈や椎骨動脈の血管雑音の影響を受けにくい。一部の患者では，頸動脈雑音は耳の後方にある乳様突起でしか聴取できない。

高齢患者や脳血管疾患が疑われる患者では，血管雑音の有無を聴診しなければならない。

異常例

血管雑音は通常動脈硬化による内頸動脈狭窄が原因であるが，頸動脈の屈曲蛇行，外頸動脈疾患，大動脈弁狭窄症，甲状腺機能亢進症に伴う血管増生，胸郭出口症候群による外部からの圧迫などによっても生じる。血管雑音は重症度とは相関しない[6, 50, 51]。

頸動脈狭窄は脳梗塞の原因の約10%を占めており，また冠動脈疾患のリスクを2倍に上昇させる。NASCENT研究によると，頸動脈の70%狭窄の患者の1.5年脳卒中発症率は24%で，50〜69%狭窄の患者の5年脳卒中発症率は22%であった[52]。

触診

続いて頸動脈拍動を触診し，その立ち上がり，強さ，波形，および振戦の有無を確認する。頸動脈拍動は心機能，特に大動脈弁狭窄症と閉鎖不全症に関する貴重な情報源である。

頸動脈拍動の強さと波形の評価のため，患者に仰臥位になってもらい，診察台の頭部を約30度上げる。まず頸部をよく観察し，頸動脈拍動を探す。頸動脈拍動は胸鎖乳突筋のすぐ内側に特定できることが多い。それから，頸部の下1/3のところで右手示指と中指（図16-21）または左手母指（図16-22）で右頸動脈を確認し，拍動を触知する。

不規則なリズムについては，表16-1「心拍数とリズムの鑑別」，表16-2「不規則なリズムの鑑別」を参照。

蛇行や屈曲した頸動脈は，片側性の拍動性膨隆となることがある。

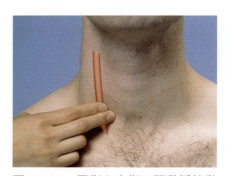

図 16-21　示指と中指で頸動脈拍動を触診

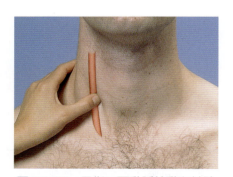

図 16-22　母指で頸動脈拍動を触診

拍動減弱の原因には，ショックまたは心筋梗塞による1回拍出量の低下や局所のアテローム性動脈硬化による狭窄または閉塞などがある。

ほぼ輪状軟骨の高さで，十分に緊張がとれた状態の胸鎖乳突筋の内側縁を，少し内側に押す。その際，甲状軟骨の上部の高さにある頸動脈洞を押さないように注意する。左頸動脈を触知する場合は右手の示指と中指，あるいは母指を使う。**決して同時に両側頸動脈を触知してはならない。なぜなら，脳への血流を低下させて失神を引き起こすおそれがあるからである。**拍動が最大となるまでゆっくりと押す力を強める。そして，動脈圧と波形が最もよくわかるところまでゆっくり力を弱める。Box 16-5に示す拍動の特徴を評価する。

頸動脈洞への圧迫は反射性徐脈または血圧低下を引き起こすことがある。

診察の技術

> **Box 16-5　頸動脈拍動の評価**
>
> - **強さ**（拍動の振幅）。これは脈圧とほぼ相関する
> - **波形**は，立ち上がり（upstroke）の速さ，頂点の継続時間，下降（downstroke）の速さを構成要素とする。正常な立ち上がりは勢いよく，また滑らかですばやく，S_1の直後に触知できる。頂点はほぼ収縮中期にあり滑らかで丸みがある。下降は立ち上がりよりもなだらかである
> - 拍動ごとのものであれ呼吸性のものであれ，あらゆる**強さの変動**を評価する
> - **頸動脈拍動の立ち上がりのタイミングとS_1とS_2との関連**：正常な頸動脈拍動の立ち上がりはS_1の後，S_2の前，つまりS_1とS_2の間の収縮期にある。この関係はS_1とS_2を識別するのに有用で，特に心拍数が増加したときには有用性が増す。なぜなら，心拍数が増加すると，通常収縮期より長い拡張期が短縮し，収縮期と長さが変わらなくなるため，S_1とS_2の判別が困難となるからである

振戦

頸動脈を触知しながら，ネコが喉を鳴らしているときのような振動（**振戦 thrill**）がないか確認する。

交互脈

交互脈 pulsus alternans では，リズムは規則正しいが，心室収縮が交互に強くなったり弱くなったりするため，拍動の強さがそれに伴い交互に変わる。**交互脈はほぼ全例で重症な左室機能不全を示唆する**。橈骨動脈か大腿動脈を軽く圧迫すると，交互脈を触知しやすい。所見を裏づけるには血圧計を利用するとよい。カフ圧を上げてから，緩徐に収縮期圧よりわずか低いところまで下げる。最初のKorotkoff音は強い音として聴取できる。さらにカフ圧を下げていくと，1回ごとに弱い拍動による小さな音が聞き取れるようになり，最終的に消失する。消失するとKorotkoff音の間隔は2倍になる。

奇脈

奇脈 pulsus paradoxus（paradoxical pulse） とは吸気時に収縮期血圧が通常より大幅に下がることを指す。拍動の強さが呼吸によって変動すれば，または心タンポナーデを（頸静脈怒張，呼吸困難，頻脈，心音微弱，低血圧などから）疑うのであれば，血圧計を使って奇脈がないか確認する。患者にできるだけ静かに呼吸してもらいながらカフ圧を収縮期血圧レベルまで下げ，呼気時にのみKorotkoff音の第1点が聴取できる圧を測定する。それから呼吸周期を通して（吸気時にも）Korotkoff音が聴取できるところまできわめてゆっくりカフ圧を下げ，このときの圧を測定する。この2つの圧の差は正常ではわずか3〜4 mmHgである。

異常例

心原性ショックでは頸動脈拍動は小さく，弱い（ほとんど触れられない）。大動脈弁閉鎖不全症では頸動脈拍動は強く反跳する。

大動脈弁狭窄症では，頸動脈拍動の立ち上がりは緩やか（遅脈）である。
表16-4「動脈拍動と動脈圧波形の異常」を参照。

大動脈弁狭窄症の場合，振戦は胸骨上窩または右第2肋間から頸動脈へと伝播する。

カフ圧を下げていくと，大小のKorotkoff音が交互に聴取されたり，突然拍動の間隔がこれまでの倍になるときには，交互脈が示唆される。

患者が立位になると，交互脈は強調される。

通常の呼吸周期のなかで，Korotkoff音の第1点が聴取された血圧を最高収縮期血圧とする。呼吸周期全体を通して常にKorotkoff音を聴取できる血圧を最低収縮期血圧とする。その血圧差が10〜12 mmHg以上の場合は奇脈という。

奇脈は，生命を脅かす重大な疾患である心タンポナーデで確認される。その他には（一般的にはこちらのほうが多いが），急性気管支喘息の発作時や閉塞性肺疾患でも認められる。また収縮性心膜炎や急性肺塞栓症でみられることもある。

交互脈および二段脈は拍動ごとに変動し，奇脈は呼吸性に変動する。

頸動脈狭窄・閉塞，屈曲，振戦がある患者では，前述した拍動の強さや波形を診察する技法を駆使して上腕動脈で奇脈の評価を行う。

心臓

患者の体位

前胸部の診察にあたり，患者の右側に立つ。患者には仰臥位になってもらい，ベッドや診察台の頭部を約30度上げて半座位にする。**PMI や S_3 や S_4 などの過剰心音を評価する際は，左側臥位をとってもらい心尖部を胸壁に近づける。大動脈弁逆流による心雑音を聴取するときには左室流出路をより胸壁に近づけるため，患者に前傾座位をとってもらい，息を吐くよう依頼する。** Box 16-6 に患者の体位と診察の手順を要約する。

Box 16-6　心臓の診察における患者の体位

患者の体位	診察	強調される異常所見
仰臥位，30度の半座位	頸静脈圧や頸動脈圧を診察し終えた後，前胸部の視診および触診を行う。具体的には，両側の第2肋間，右室，心尖拍動（範囲や位置）を含めた左室を確認する	
左側臥位	心尖拍動を触知し，その範囲を把握する。聴診器の**ベル部**で心尖部を聴診	S_3，開放音，**僧帽弁狭窄症**の拡張期ランブルなどの低調性過剰心音
仰臥位，30度の半座位	左右の第2肋間，第3・4・5肋間の胸骨左縁，および心尖部の6カ所を聴診器の**膜部**および**ベル部**で聴取する（p.530〜532参照）。必要があれば，右心系の心雑音を評価するために胸骨下部右縁も**膜部**および**ベル部**で聴取する。これらの心雑音は吸気に伴い増強することが多い	
十分な呼気後の前傾座位	胸骨左縁沿い，および心尖部を**膜部**で聴取する	**大動脈弁閉鎖不全症**の弱い漸減性高調性拡張期雑音

診察所見が得られる場所とタイミング

心拍，心音，心雑音が聴取される解剖学的部位とそれらが心周期のどのタイミングに発生するかをともに特定し，頸静脈圧や頸動脈拍動の診察で得られた所見と照らし合わせて評価する。

| 診察の技術 | 異常例 |

- 肋間や，鎖骨中線からPMIまでの距離をもとに心臓所見の**解剖学的部位**を特定する。肩鎖関節と胸鎖関節の中間位を適切に特定することができれば，鎖骨中線上の所見は左心疾患の手がかりとして有用である[53]。

- 心周期における**心拍，心音，心雑音のタイミング**を調べる。心音のタイミングは聴診のみで判断できるが，視診や触診も有用である。心拍が正常もしくは遅い患者では，ほとんどの場合容易に収縮期および拡張期のはじまりに相当するS_1とS_2を特定することができる。S_2の後に比較的長い拡張期が続くことで，それぞれの心音を区別することができる（図16-23）。

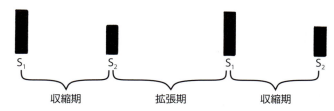

図 **16-23** 拡張期（S_2からS_1）は収縮期（S_1からS_2）よりも長い

S_1とS_2の大きさを比較すると両者を特定しやすい。**心尖部では通常S_1はS_2より大きく，心基部では通常S_2がS_1より大きい。**

聴診器の位置を細かく変えることもS_1とS_2のタイミングを捉えるのに役立つ。S_1とS_2を聴取しやすい心基部に聴診器を戻す。聴取した心音のリズムを頭の中にしっかり残しておいて，そこから胸骨左縁に沿って尾側方向に聴診器を動かしていくと，心音の変化を聴取できる。

S_1とS_2の強さは疾患によって変化することがある。頻脈では拡張期が短縮するため収縮期と拡張期を区別することが難しくなる。このようなときには，聴診しながら頸動脈拍動を触診すると心音や心雑音のタイミングを捉えやすくなる。頸動脈拍動の立ち上がりはS_1直後の収縮期に起こるため，頸動脈拍動の立ち上がりに一致して発生する心音や心雑音は収縮期のもので，その後に発生する心音や心雑音は拡張期のものである。

S_1は1度房室ブロックで減弱し，S_2は大動脈弁狭窄症で減弱する。

視診

注意深く前胸部の視診を行うと，心尖拍動やPMI，まれに左心系のS_3やS_4を発生させる心室運動がわかることがある。心尖部に胸壁の接線方向から光をあてて観察するとこれらの動きがより明瞭となる。触診に進む前にそのような心室運動を確認しておくとよい。図16-24に示す解剖学的部位を頭に入れておく必要がある。

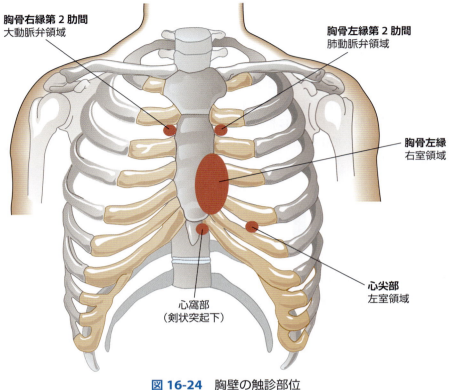

図 16-24　胸壁の触診部位

触診

つぎに，以下の点に注意して胸壁を触診する。

- 隆起
- 振戦
- 触知可能な S_1 と S_2
- 触知可能な S_3 と S_4
- 心尖拍動と PMI
- 右室の収縮期拍動
- 肺動脈領域
- 大動脈流出路領域

胸壁の触診により非常に有益な所見を得ることができるため，怠ってはならない。まず，胸壁全体の触診を行う。女性を診察する際には，右胸を布で覆い，左乳房をやさしく左手で持ち上げるか，患者自身に持ち上げてもらうとよい。そして下記の通り，隆起と振戦，右室の拍動，心音を，胸骨右縁第2肋間，胸骨左縁の第2肋間，心尖部で触診する。

触診は，胸壁の厚い（肥満体型の）患者や胸郭前後径の長い（閉塞性肺疾患）患者には向かない。

診察の技術

隆起と振戦

手掌や指腹を胸壁に平行にまたは斜めに押しあてて，**隆起 heave** を触知する。隆起とは，手掌もしくは指腹の下で触知される規則性をもった持続的な拍動のことで，多くの場合は拡大化した左室もしくは右室（隆起の部位により区別できる）で確認されるが，まれに心室瘤が原因のこともある。

振戦 thrill を触知するために手掌（手根部）を胸壁にしっかりと押しあて，胸壁下の乱流により生じている振動を触知できるか確認する。触知できれば，心雑音がないかその部位を聴診する。逆に，いったん心雑音が聴取できれば，心雑音を最も聴取しやすい体位（例えば大動脈弁逆流による心雑音聴取時の前傾座位など）をとることで振戦の触知は容易となる。

右室の拍動を触知する。通常は，胸骨左縁下部から剣状突起で触知できる（p.529〜530）。

S_1，S_2，S_3，S_4 の触知

S_1 と S_2 の触知は，右手を胸壁にあて，しっかり押して行う。左手の示指と中指で頸動脈を触知し S_1 と S_2 を識別する。頸動脈拍動の直前が S_1，直後が S_2 である。通常は S_1 と S_2 は触知されない。

S_3 と S_4 の触知は左側臥位で行う。患者に息を吸った後，少しの間息をとめてもらい，指1本で優しく心尖部を触れる。心尖部をXでマークすることにより，病的な S_3 と S_4 に同期してみられる拡張早期と末期のわずかな心室の動きを触知できることがある。

心尖拍動と最強拍動点（PMI）

つぎに，心尖拍動と PMI を識別する。心尖拍動は収縮期に左室が前方に動き胸壁に軽くあたる際の短い初期拍動である。**ほとんどの患者では心尖拍動が PMI である**。心尖拍動がはっきりしなければ，大きく息を吐いてから，数秒間息を止めてもらう。女性を診察する場合，左乳房を上か左横にずらすか，患者本人に動かしてもらうとよい。

異常例

p.536〜537 に示す通り，振戦が触知されると心雑音の分類が変わる。

S_3 の触知は拡張早期から中期にかけてわずかな拍動を，S_4 の触知は S_1 直前に指を持ち上げる動きを触知することである。

右室肥大や肺動脈拡張，大動脈瘤などの疾患がある場合には，心尖部以外の異なる部位で心尖拍動より強い拍動を認めることがある。

心臓のまれな先天的偏位であるが，**内臓逆位による右胸心**では，心臓は右胸腔に位置し，心尖拍動を右側に認める。打診は心臓の境界や肝臓，胃の位置を特定するのに役立つ。**完全内臓逆位**の場合には，心臓や二葉の肺，胃，脾臓は右側に，肝臓や胆囊は左側に位置する。

| 診察の技術 | 異常例 |

仰臥位で心尖拍動がわからなければ、患者に体をやや左側に向けてもらい、左側臥位でもう一度数本の指の腹を使って触知する（図16-25）。心尖拍動は仰臥位では成人の25～40％で触知可能であり、左側臥位とすれば50～73％（特にやせた人で触知しやすい）で触知可能となる[53]。

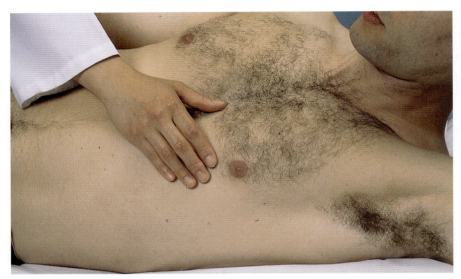

図 16-25　左側臥位での心尖拍動の触知

縦と横の2軸を用いて心尖拍動の位置を示す。縦（垂直）の位置は肋間で表し、通常第5肋間に位置するが、第4肋間にみられることもある。横（水平）の位置は鎖骨中線（または胸骨中線）からの距離あるいは外側方向に偏位している場合は前腋窩線からの距離（cm）で表す（図16-26）。

肥満患者や、胸部が非常に筋肉質な患者、胸郭前後径が増大した患者では心尖拍動がはっきりしないことがある。

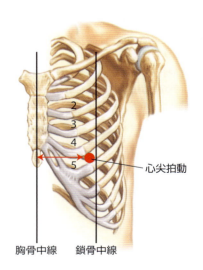

図 16-26　胸骨中線や鎖骨中線を用いて心尖拍動の位置を示す

診察の技術

数本の指を使って指腹で心尖拍動を感じたら、指先でより詳細な評価を行い、最終的には1本の指で触診する（図16-27）。慣れてくるとほとんどの患者で心尖拍動を触知できるようになる。

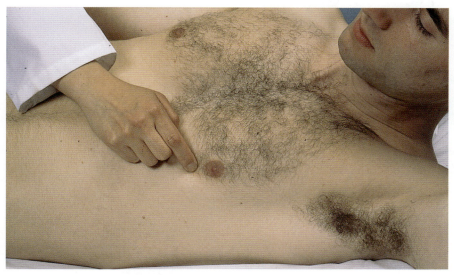

図 16-27 指1本で心尖拍動を触診

診断に有用な心尖拍動の所見の1つに、**拍動径の大きさや範囲**がある。仰臥位の患者では、2.5 cm 未満、およそ100円玉大で、1肋間を占める程度である。左側臥位では、径が大きくなることもある。

診断に有用なその他の特徴として、**拍動の強さ**と**持続時間**がある。通常、拍動は勢いよく、持続しない（軽く叩くような拍動）。

右室領域

右室収縮期の拍動を触診する。仰臥位で上半身を30度ほど挙上させる。患者に息を吐いた後呼吸を止めてもらい、指を曲げて先端を左第3・4・5肋間にそれぞれあてる（図16-28）。拍動が触知できれば、その部位、強さ、持続時間を評価する。やせた患者では、特に不安感の強い状況など心拍出量が増加するとき、収縮期に指を軽く打つような拍動を触知することもある。

まれに、拡張期に左第4・5肋間で右心系の S_3 と S_4 が触知される。頸動脈拍動の聴診や触診の所見を組み合わせることで拡張期中の S_3 と S_4 を特定できる。

胸郭前後径の大きい患者では、息を吸った後呼吸を止めてもらい、心窩部や剣状突起下で右室の拍動を触知する。

異常例

表16-5「心室拍動の変化と異常」を参照。

妊娠中や左横隔膜が挙上している場合は、心尖拍動は左側上方に偏位する。

心室の拡大に伴う心尖拍動の前腋窩線方向への外側偏位は、胸郭変形や縦隔偏位に限らず、心不全、心筋症、虚血性心疾患などでも確認される。

著明に拡大した不全心では、心尖拍動が減弱し、かなり左側へ偏位する。

多量の心膜液が貯留していると心尖拍動を触知できないことがある。

PMIの直径が大きい（約3 cm以上）の場合には左室拡大を疑う。

PMIが強くすぐに消失する（収縮期全体を通じて続かない）場合には過収縮の状態にある。重症貧血や甲状腺機能亢進などの代謝亢進状態、あるいは大動脈弁閉鎖不全症に伴う左室の容量負荷で認められる。

S_1 後に持続して胸骨左縁で拍動を触知できる場合には、肺高血圧や肺動脈弁狭窄による右室の圧負荷、あるいは心房中隔欠損症に伴う慢性的な心室の容量負荷を疑う。僧帽弁閉鎖不全症では、収縮後期で持続して拍動を触知することがある。

閉塞性肺疾患では、肺の過膨張により、胸骨左縁で肥大した右室を触知するのが難しいことがある。心窩部上方では右室拍動が容易に強く触知され、心音の聴診部位としても適している。

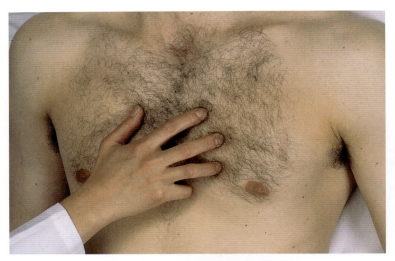

図 16-28　右室収縮期拍動の触診

肺動脈領域

肺動脈の上に胸骨左縁第2肋間がある。患者に息を吐き続けてもらい，肺動脈拍動と心音の伝播を視触診する。特に患者が興奮しているときや運動後に診察すると，これらを特定しやすい。

この部位での顕著な拍動は，肺動脈の拡張や血流増加によることが多い。S_2 を触知する場合（**肺動脈タップ** pulmonary artery tap ともいわれる），肺高血圧症による肺動脈圧の上昇を示唆する。

大動脈流出路領域

大動脈流出路の上に胸骨右縁第2肋間がある。拍動を探し，心音を触知できるか確認する。

この部位で拍動があれば，大動脈拡張や大動脈瘤が考えられる。

聴診

心音や心雑音の聴診は診断に直結するきわめて重要な技術である（Box 16-7）。心音の聴診は弁膜症のスクリーニングで最も広く用いられている手法である[54]。つぎの点に注意しながら図 16-29 にある 6 つの部位で聴診を行う。(1) ある弁膜から発生する心雑音が最もよく聴取できる部位がその弁領域と異なることがあるため，「大動脈弁領域」といった弁領域で部位を示すことを避ける専門家も多い。(2) これらの部位は心拡大や心肥大を有する患者，右胸心，大血管異常がみられる患者の聴診には適さない。臨床における洞察力を高めるために，心臓の生理学や聴診を学ぶことができるさまざまな教材を活用するとよい。また，これら重要な技術を学ぶにはどのような方法が有効であるか比較検討した新出の文献に目を通すことも重要である[8-11]。

Box 16-7　心臓の診察における聴診器の適切な使用

膜部とベル部の使い方を理解しておくことが大切である
- **膜部**：膜部は比較的高調音である S_1 と S_2，大動脈弁および僧帽弁逆流による心雑音，心膜摩擦音を聴取するのに適している。膜部を胸壁にしっかり押しつけて前胸部をくまなく聴診する

第 4 章「身体診察」の Box 4-2「身体診察のための器具や消耗品」(p.120〜122) を参照。

（続く）

診察の技術

↘(続き)

> ● ベル部：ベル部は低調音である S_3 と S_4，僧帽弁狭窄症の心雑音を聴取しやすい。ベル部を胸壁に軽くあて，縁まで皮膚に密着させる。心尖部，その後内側へ聴診部位を変えて胸骨左縁下部に沿って聴診する。ベル部を軽くあて続けるために，手根部を(てこの)支点のように胸壁に置くとよい
> ベル部を胸壁に強くあてると皮膚が引きのばされ，皮膚自体が膜部のような役割を果たすため，S_3 や S_4 のような低調音は消失することもある（S_3 と S_4 を同定するのに役立つ所見である）。一方で，収縮中期のクリックや駆出音，弁の開放音のような高調音は継続して聴取できるか，あるいはより大きく聴取できる

図 16-30 に示したように，4 つの弁に起因する心音や心雑音は広く放散する。所見を記録する際には，弁領域よりも解剖学的な部位を用いる。

診察は，6 つの聴診領域でそれぞれゆっくり時間をかけて行う。S_1, S_2 や収縮期と拡張期に生じる他の心音や心雑音を注意深く聴取しながら，心周期におけるそれぞれの現象を意識する。以下に心周期における現象の評価方法について説明する。

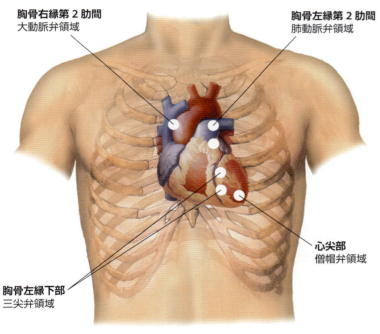

図 16-29　胸壁における聴診部位

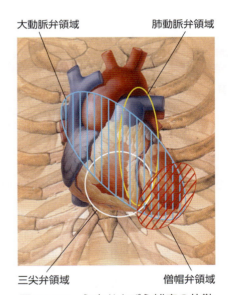

図 16-30　心音および心雑音の放散

収縮期と拡張期の同定

聴診により S_1 と S_2 を同定する。音の大きさに注目し，S_1 と S_2 を特定すれば，それによって S_1 と S_2 の間にある**収縮期**，S_2 と S_1 の間にある**拡張期**を正しく同定できる。収縮期と拡張期を正しく同定することは，所見が心周期中のどのタイミングで発生したか特定するための前提条件である。

収縮期と拡張期を正しく同定するために，胸部の聴診を行いながら示指と中指で

| 診察の技術 | 異常例 |

首の下部 1/3 あたりにある右頸動脈も同時に触診する。S_1 の直後に頸動脈拍動があり，その後に S_2 が続く。聴診部位を変えて聴診しながら，S_1 と S_2 の強さを比較する。心基部では，S_2 は S_1 より大きく，そして呼吸時に分裂することもある。心尖部では，PR 間隔が延長していない限り，通常は S_1 が S_2 より大きい。

聴診の順序

静かな部屋で，患者の頭部および上半身を 30 度程度挙上させ，聴診器を用いて聴診を行う。心基部あるいは心尖部のいずれかから開始し，膜部で聴診した後にベル部で聴診する。

通常，聴診は心基部からはじめ，心尖部へ向けて少しずつ聴診器を動かす。まず胸骨右縁第 2 肋間を聴診し，つぎに胸骨左縁に沿って第 2 から第 5 肋間まで肋間ごとにずらして聴診した後，心尖部で聴診する。必ず図 16-29 の白丸で示された 6 つの解剖学的な領域で聴診を行うこと。

聴診を心尖部から心基部に向けて行う方法を推奨する文献もある。聴診器を PMI から胸骨左縁まで正中方向へ，そこから第 2 肋間まで頭側へ，つぎに胸骨を横切り胸骨右縁第 2 肋間へ移動する。所見を明確にするため，必要であれば聴診器を少しずつ動かす。Box 16-8 に示す聴診のポイントと，つぎの項で解説する心雑音識別のコツを押さえておくこと。

Box 16-8　聴診

心音	聴診のポイント
S_1	● 強さと明らかな分裂に注意する ● S_1 の分裂は胸骨左縁下部で検出でき，病的な所見ではない
S_2	● 強さに注意する
S_2 の分裂	● 胸骨左縁第 2 および第 3 肋間で S_2 の分裂を聴取する。患者にはまず静かに呼吸してもらった後，通常よりやや深く呼吸してもらう ● S_2 は 2 つの成分に分裂する。分裂は正常範囲だろうか？　そうでなければ，患者に，(1) もう少し深く息を吸ってもらうか，(2) 上半身を起こしてもらい（座位で），もう一度聴診する ● 胸壁が厚い患者では，P_2 が聴取できないこともある ● **分裂の幅**：A_2 と P_2 の間隔はどのくらいだろうか？　正常では，A_2 と P_2 の間隔は非常に短い ● **分裂のタイミング**：分裂は呼吸周期のいつ聴取できるだろうか？　正常では吸気終末で聴取される ● 呼気では分裂は消失するはずだが，実際に消失するだろうか？消失しなければ，座位でもう一度聴取する ● A_2 と P_2 の強さ：A_2 と P_2 の強さを比べる。正常であれば A_2 のほうが大きい

（続く）↗

表 16-6「第 1 心音（S_1）の変化」を参照。S_1 は心拍数が増加したり，PR 間隔が短縮すると大きくなる。

表 16-7「第 2 心音（S_2）の変化」を参照。

大動脈弁または肺動脈弁の疾患では，それぞれ A_2 または P_2 が消失するため，S_2 は常に単一である。

呼気での分裂は弁の異常を示唆する（p.505〜506）。持続性の分裂は，肺動脈弁の閉鎖遅延か大動脈弁の早期閉鎖が原因である。
P_2 亢進は肺高血圧を示唆する。

診察の技術

(続き)

収縮期過剰心音	● 駆出音や収縮期クリックを含む ● 聴診部位やタイミング，強さ，音の高さ，呼吸に伴う変動などに注意する
拡張期過剰心音	● S_3 や S_4, 開放音など[55] ● 聴診部位やタイミング，強さ，音の高さ，呼吸に伴う変動などに注意する ● アスリートにおける S_3 や S_4 は正常所見である
収縮期および拡張期雑音	● 心雑音は持続時間が長いため，S_1 や S_2, 過剰心音と区別できる

異常例

僧帽弁逸脱症の収縮期クリックが最も一般的な過剰心音である。表16-8「収縮期過剰心音」を参照。

表16-9「拡張期過剰心音」を参照。

表16-10「収縮中期雑音」，表16-11「全収縮期(汎収縮期)雑音」，表16-12「拡張期雑音」を参照。

心雑音の鑑別

心雑音を正確に識別して診断をくだすのは困難である。心臓の解剖や生理などの徹底的な理解にもとづいた体系的なアプローチ，そして何よりも経験を積み，診察技術に精通することが成功への鍵となる。また，診察技術を高めるには，できる限り自分で得た所見と経験を積んだ診察者の所見とを比較するとよい。Box 16-9 に示す心雑音を鑑別するコツや，以降の項に述べる心雑音のタイミングや波形，強さ，部位，放散，高さ，性質に関する詳細を理解すること[56]。さらに診察技術を高めるために，章末の表も活用してほしい。心雑音を正確に鑑別できるよう，心音の録音を聞いて理解を深めること(その後に実際の患者の聴診を行うのが一般的である)[8-10]。

Box 16-9 心雑音を鑑別するコツ

- 心雑音のタイミングを捉える。収縮期か？ 拡張期か？ どのくらい持続するか？
- 心雑音が前胸部のどの部位で最も大きく聴取されるか同定する。心基部か？ 胸骨縁か？ 心尖部か？ 放散するか？
- 心雑音を聴取しやすくするため，患者に前傾姿勢をとってもらう，息を吐いてもらう，左側臥位をとってもらうなど必要な手段をとる
  - 患者に左側臥位をとってもらい，左室を胸壁に近づける。聴診器のベル部を心尖拍動の部位に軽くあてる(図16-31)
  - 患者に上半身を起こして前傾してもらい(前傾座位)，大きく息を吐いた後に少しの間呼吸を止めてもらう。聴診器の膜部を胸壁に押しつけ，ときどき患者が息継ぎする時間をとりながら，胸骨左縁と心尖部を聴診する(図16-32)
- 心雑音の波形を判定する。例えば，漸増-漸減か？ 全収縮期か？
- 心雑音の強さを収縮期では1〜6段階に，拡張期では1〜4段階に分け，高さ(高いか低いか，その中間か)，性質(吹鳴様か，粗いか，輪転様か，楽音様か)を判断する
- その他の特徴を確認する：S_1 や S_2 の性状，S_3, S_4 や開放音など過剰心音の有無，付加雑音の有無
- 静かな部屋で聴診すること！

診察の技術 | 異常例

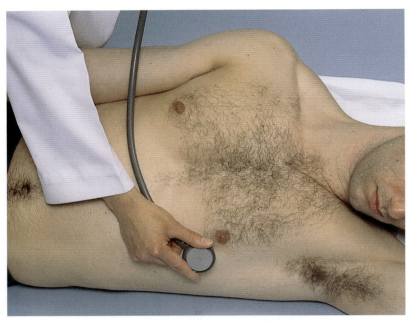

図 16-31　僧帽弁狭窄症に対する左側臥位での聴診

この体位では，左心系の S_3 と S_4，僧帽弁の雑音（特に僧帽弁狭窄症）が聴取しやすくなる。他の体位ではこれらの重要な所見を見落とすことがある。

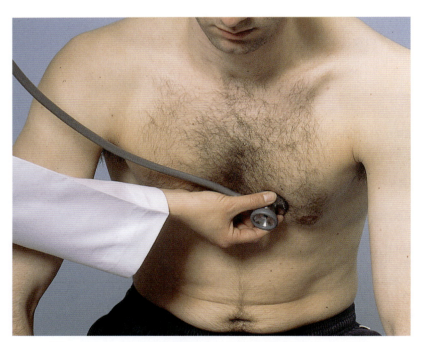

図 16-32　大動脈弁閉鎖不全症に対する前傾座位での聴診

この体位でなければ，大動脈弁閉鎖不全症の拡張期に発生する，弱く漸減する心雑音に気づけないことがある。

心雑音のタイミング

最初に，S_1 と S_2 の間の収縮期雑音（Box 16-10）なのか，S_2 と S_1 の間の拡張期雑音（Box 16-11）なのかを判定する。Box 16-12 に連続性雑音，Box 16-13 は心雑音の波形の特徴を示す。頸動脈を触知しながら聴診すると，タイミングをうまくつかむことができる。**頸動脈の立ち上がりと同時に生じるのが収縮期雑音である。**

多くの場合，拡張期雑音は心臓弁膜症を示唆する。収縮期雑音は弁膜疾患を疑わせる所見であるが，正常弁から生じる生理的な駆出音の可能性もある。

診察の技術

Box 16-10　収縮期雑音

典型的な収縮期雑音は，**収縮中期**あるいは**全収縮期**の雑音である。収縮中期雑音は**機能性雑音**のこともある。典型的には，短い収縮中期雑音は，左室容量を減らす手技（例えば，立位もしくは座位をとる，あるいは Valsalva 手技で息む）に伴って強さが減弱する。機能性雑音は健常人でもしばしば聴取され，病的なものではない。収縮前期雑音はまれなため，ここでは言及しない

収縮中期雑音：S₁ の後にはじまり，S₂ の前で終わる。心音と心雑音の間にわずかな間隙がある。S₂ 前の間隙は比較的容易に検出できるため，注意深く聴取するとよい。間隙があれば，全収縮期ではなく収縮中期雑音であることを確認できる

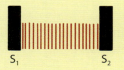

全収縮期（汎収縮期）雑音：S₁ とともにはじまり S₂ とともに終わるため，心音と心雑音の間に間隙がない

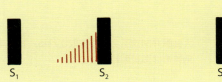

収縮後期雑音：通常収縮中期ないし後期にはじまり，S₂ まで続く

Box 16-11　拡張期雑音

拡張期雑音には拡張早期雑音，拡張中期雑音，拡張後期（収縮前期）雑音がある

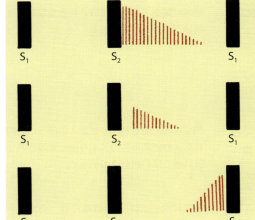

拡張早期雑音：S₂ の直後に間隙なくはじまり，つぎの S₁ の前までに漸減しながら消失する

拡張中期雑音：S₂ の後にはじまり，左図に示したようにすぐに消失するか，拡張後期雑音に紛れる

拡張後期（収縮前期）雑音：拡張後期にはじまり通常 S₁ まで続く

異常例

妊娠中に聴取される心雑音は，特に大動脈弁狭窄症や肺高血圧症など，母体と児へのリスクとなりうるため，迅速に評価すべきである[57]。

収縮中期雑音は通常，半月弁（大動脈弁と肺動脈弁）を通過する血流により発生する。表 16-10「収縮中期雑音」を参照。

全収縮期雑音は，多くの場合，房室弁を通過する逆流によって生じる。表 16-11「全収縮期（汎収縮期）雑音」を参照。

この心雑音は僧帽弁逸脱症で聴取され，必ずではないがしばしば収縮期クリックが先行する（p.538 を参照）。僧帽弁閉鎖不全症による心雑音もまた収縮後期に聴取される。

通常，拡張早期雑音は半月弁不全による逆流を示唆する。

拡張中期雑音と収縮前期雑音の発生には房室弁を通過する乱流が影響している。表 16-12「拡張期雑音」を参照。

| 診察の技術 | 異常例 |

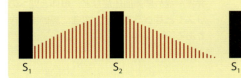

Box 16-12　連続性雑音

一部の先天性心疾患や病態で連続性雑音を聴取することがある

連続性雑音：収縮期にはじまり，拡張期全体あるいは拡張期半ばまで続く（雑音全体を通して必ずしも均一ではない）[56]。

弁膜に由来しない連続性雑音は，先天性心疾患である動脈管開存症や多くの透析患者にみられる動静脈瘻により発生する。また，静脈コマ音や心膜摩擦音でも収縮期・拡張期ともに雑音が聴取される。表16-13「収縮期と拡張期の両方で聴取される心血管系雑音」を参照。

心雑音の波形

心雑音の波形は，経時的にみた心雑音の強さ(大きさ)にもとづいている。

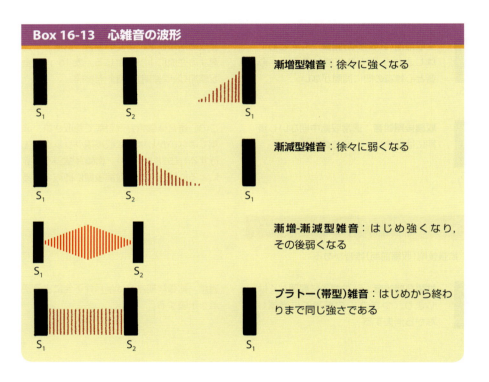

Box 16-13　心雑音の波形

漸増型雑音：徐々に強くなる

洞調律時の僧帽弁狭窄症で聴取される，収縮前期雑音は漸増型雑音である。

漸減型雑音：徐々に弱くなる

大動脈弁閉鎖不全症で聴取される，拡張早期雑音は漸減型雑音である。

漸増-漸減型雑音：はじめ強くなり，その後弱くなる

大動脈弁狭窄症による心雑音と無害性雑音は，漸増-漸減型の収縮中期雑音である。

プラトー(帯型)雑音：はじめから終わりまで同じ強さである

僧帽弁閉鎖不全症で聴取される全収縮期雑音はプラトー雑音である。

強さと段階

強さは通常，客観的な尺度を用いて，分数で示される。分子は最も強く聴取できる部位での雑音の強さを，分母は雑音が何段階に分類されているかを表す。強さは胸壁の厚さと皮下組織に影響される。

Box 16-14のように収縮期雑音を6段階で評価する〔Levine(レバイン)分類〕[58,59]。Ⅳ～Ⅵ度では振戦が触知される。拡張期雑音はBox 16-15のように4段階で評価する。拡張期雑音は通常は触知可能な振戦を伴わないことから，異なるスケールを用いることが多い[60]。

同程度の乱流でも，やせた人のほうが筋肉質な人や肥満体型の人より強く聴取される。肺気腫では心雑音は減弱する。

手技に関しては，「特殊な技術：心雑音や心不全を特定するためのベッドサイドでの診察手技」の項(p.538～539)を参照。

診察の技術

異常例

Box 16-14　収縮期雑音の評価

強さ	特徴
Ⅰ/Ⅵ度	S_1，S_2 よりも弱い音，かすかに聴取
Ⅱ/Ⅵ度	S_1，S_2 と同程度の音，弱いが聴診ですぐに捉えられる
Ⅲ/Ⅵ度	S_1，S_2 よりも強い音，中程度の強さ
Ⅳ/Ⅵ度	S_1，S_2 よりも強い音，振戦を触知する
Ⅴ/Ⅵ度	振戦を伴う，S_1，S_2 よりも強い音。聴診器を一部胸壁から離しても聴取可能
Ⅵ/Ⅵ度	振戦を伴う，S_1，S_2 よりも強い音。聴診器をすべて胸壁から離しても聴取可能

Box 16-15　拡張期雑音の評価

強さ	特徴
Ⅰ/Ⅳ度	ほぼ聴取できない
Ⅱ/Ⅳ度	弱いが聴診ですぐに捉えられる
Ⅲ/Ⅳ度	容易に聴取可能
Ⅳ/Ⅳ度	非常に強い

最強点の部位と放散・伝播

この点は心雑音の発生部位によって決まる。詳細に聴診し，心雑音が聴取される部位を特定する。どこの肋間か，胸骨の近傍か心尖部か，あるいは鎖骨中線，胸骨中線，前・中・後腋窩線からどのくらいの距離なのかを記録する。

放散は心雑音の発生部位だけでなく心雑音の強さや血流の方向，胸郭の骨伝導を反映する。心雑音の周囲を詳しく聴診し，他に聴取できる部位がないか確認する。

例えば，右第2肋間で最もよく聴取できる心雑音は，通常は大動脈弁かその周辺で発生している。

大動脈弁狭窄症の心雑音はしばしば動脈血流の方向である頸部，特に右頸部に放散する。僧帽弁閉鎖不全症では，骨伝導による補助を受けて，心雑音はしばしば腋窩に放散する[61,62]。

心雑音の高さ

高音調，中音調，低音調に分類される。

心雑音に関する記録例：最強点が左第4肋間で，心尖部に放散を伴う，中音調で強さⅡ/Ⅳ度の吹鳴様漸減型拡張期雑音（大動脈弁閉鎖不全症）。

心雑音の性質

吹鳴様，粗い，輪転様，楽音様といった用語で記録する。

一般的には，右心系の心雑音は吸気で聴取しやすく，左心系の心雑音は呼気で聴取しやすい[54]。

特殊な技術：心雑音や心不全を特定するためのベッドサイドでの診察手技

Box 16-16 に診察手技をまとめる。

Box 16-16　収縮期雑音を特定するためのベッドサイドでの診察手技

手技	心血管効果	収縮期心音および収縮期雑音に対する効果		
		僧帽弁逸脱症	肥大型心筋症	大動脈弁狭窄症
蹲踞：Valsalva 手技の「脱力相」	左室容量増加（静脈還流増加による）	↓ 僧帽弁逸脱の減少	↓ 流出路狭窄の軽減	↑ 大動脈へ拍出される血流量増加
	血管緊張亢進：動脈圧上昇，末梢血管抵抗増大	クリックの遅延と雑音の継続時間短縮	↓ **雑音の減弱**	↑ **雑音の増強**
立位：Valsalva 手技の「息み相」	左室容量減少（静脈還流減少による）	↑ 僧帽弁逸脱の増大	↑ 流出路狭窄の増大	↓ 大動脈へ拍出される血流量減少
	血管緊張低下：動脈圧低下	クリックは収縮期のさらに早期に出現，雑音の継続時間延長	↑ **雑音の増強**	↓ **雑音の減弱**

立位と蹲踞

立位になると心臓への静脈還流が減少し，末梢血管抵抗は低下する。その結果，左室容量と1回拍出量は減少し，動脈圧も低下する。蹲踞の体位をとると，血管抵抗と血流量の変化は逆の様相を呈する。これらの手法は，（1）僧帽弁逸脱症の同定と，（2）肥大型心筋症と大動脈弁狭窄症の鑑別に有用である。

診察の邪魔にならないよう，またいつでもすぐに聴診できるよう，患者にガウンに着替えてもらう。患者にバランスを崩さないように診察台を手すり代わりにしてもらい，その横にしゃがんでもらう（蹲踞）。蹲踞と立位で聴診する。

閉塞性肥大型心筋症 hypertrophic obstructive cardiomyopathy の心雑音は蹲踞から立位となることで増強するため，他の疾患による心雑音と区別可能である（感度 95％，特異度 84％）。一方で立位から蹲踞の体位をとることで心雑音は減弱する（感度 95％，特異度 85％）[63]。

Valsalva 手技

Valsalva（バルサルバ）手技は深く息を吸った後に声門を閉じた状態で強制呼気をとらせる手法であり，胸腔内圧を上げる。正常の場合，収縮期血圧は以下4つの過程をたどる。第1相：「息み相」の初期，患者が息むことによる一過性の胸腔内圧上昇による血圧上昇。第2相：「息み相」の継続中，静脈還流の低下に伴い，上がっていた圧がすばやくもとに戻る。第3相：「脱力相」では，胸腔内圧の低下に伴って，血圧と左室容量の両方が急激に低下する。第4相：反射性の交感神経活性および心拍出量の増加により血圧が上昇する"overshoot"が確認される[64,65]。これはベッドサイドでたびたび使用される手技である。

所見の記録

肥大型心筋症の心雑音を区別するために，患者に仰臥位をとってもらい，トイレで息むときのように力を入れるよう指示する。あるいは，患者の腹部中央に診察者の片手を置き，それを腹部で押し返すよう指示し，もう一方の手で聴診器を胸骨左縁下部にあてる。

また，Valsalva手技は心不全と肺高血圧の同定にも有用である。収縮期血圧より15 mmHg高く血圧計のカフを加圧し，患者にValsalva手技を10秒間行ってもらった後，息みをやめていつも通りに呼吸をしてもらう。カフ圧は収縮期血圧より15 mmHg高い圧で手技中および手技後30秒間維持し，その間に上腕動脈でKorotkoff音を聴取する。通常，Valsalva手技の第1相および第3相は短すぎて診察の際に評価するのは困難なため，第2相および第4相が重要である。**健常人では，息みを続けている第2相ではKorotkoff音は聴取できないが，息みをやめた後の第4相では聴取できる。**

等尺性掌握（ハンドグリップ）

等尺性掌握により，僧帽弁閉鎖不全症や肺動脈弁狭窄症，心室中隔欠損症などにおける収縮期雑音や，大動脈弁閉鎖不全症や僧帽弁狭窄症などにおける拡張期雑音が増強する[54, 63]。

一時的動脈圧迫

血圧計のカフにより両側上腕を収縮期血圧より20 mmHg高い圧で圧迫すると，僧帽弁閉鎖不全症や大動脈弁閉鎖不全症，心室中隔欠損症など左心系逆流性雑音が増強する[54, 63]。

所見の記録

所見を記録する際，最初は文章を用いるかもしれないが，慣れてくれば慣用的な記述を用いるようになる。多くの診療記録によく用いられる表現法を以下に示す。

心血管系の診察の記録

> 30度の半座位で，頸静脈圧は胸骨角より3 cm上方。頸動脈の立ち上がりは正常，血管雑音なし。PMIは第5肋間で，鎖骨中線より1 cm外側，正常拍動（軽く叩くような拍動）。

（続く）

異常例

Valsalva手技の息み相で収縮期雑音が増強するのは，息みで流出路狭窄が増悪する肥大型心筋症だけである（感度65％，特異度96％）[70]。

重症心不全の患者では，第2相でも血圧は高いままでKorotkoff音を聴取するが，第4相では聴取せず，**矩形波反応**（訳注）と呼ばれる。この反応は容量負荷，左室拡張末期圧および肺動脈楔入圧上昇と強い相関がみられ，脳ナトリウム利尿ペプチド（BNP）よりも有用性が高いという報告もある[64, 65]。

僧帽弁閉鎖不全症や心室中隔欠損症の心雑音は，ハンドグリップ（感度68％，特異度92％）あるいは一過性の動脈閉塞（感度78％，特異度100％）により増強するため，他の収縮期雑音をきたす疾患と区別することが可能である[63]。

訳注：Valsalva手技時に動脈圧と胸腔内圧が並行して上昇し，Valsalva開放と同時に圧は基線に戻るが，第3，4相は消失し，血圧波形が長方形（square wave）のような形をとる。

> （続き）
>
> S₁ および S₂ は明瞭。心基部で，S₂ は S₁ より大きく，生理的分裂があり，A₂ が P₂ より大きい。心尖部では，S₁ は S₂ より大きい。心雑音・過剰心音なし
>
> または
>
> 50度の半座位で，頸静脈圧は胸骨角より5cm上方。頸動脈の立ち上がりは正常だが，左頸動脈で血管雑音を聴取。PMIはびまん性，径3cmで，第5および第6肋間，前腋窩線上で触知。S₁ および S₂ ともに減弱し，心尖部で S₃ を聴取。最強点が心尖部で，腋窩に放散する高調性で粗い Levine 分類Ⅱ/Ⅵ度の全収縮期雑音を聴取

これらの所見は，容量負荷を伴った心不全を示唆し，左頸動脈狭窄と僧帽弁閉鎖不全症を合併していると考えられる[11, 48, 66, 67]。

健康増進とカウンセリング：エビデンスと推奨

健康増進とカウンセリングの重要事項

- 心血管疾患予防における課題
- 心血管疾患における健康格差
- 心血管疾患危険因子のスクリーニング
  - ステップ1：各危険因子のスクリーニング
  - ステップ2：ウェブサイト上の計算ツールを使用して10年後と生涯の心血管疾患発症リスクを計算する
  - ステップ3：各危険因子への対応（高血圧，糖尿病，脂質異常症，メタボリック症候群，喫煙，家族歴，肥満）
- 生活習慣と危険因子の改善を促す〔第6章「健康維持とスクリーニング」（p.176〜183）を参照〕

高血圧（診断の大部分を占める）をはじめ，冠動脈疾患，心不全，脳卒中などの心血管疾患は世界的に主要な死因であり，2030年までに心血管疾患による死亡は2,360万人に達すると予想されている[68]。心血管疾患は米国でも主要な死因であり，2015年には約85万人が死亡した。心血管疾患による死亡率は，危険因子の減少あるいは一次予防，また心血管疾患（心筋梗塞や脳卒中）発症後の治療である三次予防の改善により低下している。しかし，それでもなお，米国では死亡例3例あたり1例は心血管疾患が原因であり，肥満，糖尿病，脂質異常症，高血圧，運動不足，喫煙は，心血管疾患による死亡を減らすうえで大きな障害となっている。

脳卒中の予防に関しては，第24章「神経系」（p.927）を参照。

心血管疾患を予防する健康増進には，重要な危険因子のスクリーニングおよびそれらへの対応，エビデンスにもとづいたガイドラインおよび介入に関する知識，より健康的な生活習慣や行動を指導するための面接技術やカウンセリング技術の習得が必要である。駆け出しの医療者としては，以下の3つの側面を押さえておかなければならない。

1. 心血管疾患の疫学を理解すること。
2. 修正可能な心血管疾患の危険因子を特定すること。
3. 生活習慣を改善し，適切な薬物治療を受けることで心血管疾患リスクを減

生活習慣の改善を促す方法については，第6章「健康維持とスクリーニング」（p.176〜183），動機づけ面接については，第2章「面接，コミュニケーション，対人関係スキル」（p.61）を参照。

健康増進とカウンセリング：エビデンスと推奨

らせるよう患者を手助けすること。

心血管疾患予防における課題

新たな研究により，心血管疾患の疫学に関する理解は深まり，予防的な介入に関するエビデンスにもとづいた方針が示されている。多くの心血管疾患は共通の危険因子を有しており，関連する分野の主要な学会は共同でガイドラインを発刊している。結果として，リスク集団ごとに異なる介入方法が提示され，スクリーニングに関するガイドラインは非常に複雑になっている。例えば，一次予防としてスタチンを処方する推奨度は，性別，年齢，コレステロール値，血圧，喫煙，糖尿病などの危険因子にもとづく[69]。よって医療者にはますます，有益性と有害性の両方をもつ予防的介入に関して，患者が十分に情報を理解したうえで自分に合った決断をくだすことができるよう，共同意思決定を行う手助けをすることが求められる。なお意思決定の補助として，冠動脈疾患や脳卒中の迅速なリスク評価のためにウェブサイト上の計算ツールでリスクを計算することができる。

本項では，危険因子のスクリーニングと予防についてのアプローチを紹介するが，最新のガイドラインの背後にあるエビデンスをより深く理解するために，Box 16-17 に示す詳細な報告も参照すること。

Box 16-17　心血管の健康とリスク評価に関する重要な報告

- Heart disease and stroke statistics — 2018 update: a report from the American Heart Association.[68]（毎年更新）
- 2013 ACC/AHA guideline on the assessment of cardiovascular risk: a report of the American College of Cardiology/American Heart Association Task Force on Practice Guidelines.[70]
- Effectiveness-based guidelines for the prevention of cardiovascular disease in women — 2011 update: a guideline from the American Heart Association.[71]
- Clinical practice guidelines for the management of hypertension in the community: a statement by the American Society of Hypertension and the International Society of Hypertension.[72]
- Guidelines for the primary prevention of stroke: a statement for healthcare professionals from the American Heart Association/American Stroke Association.[73]
- Guidelines for the prevention of stroke in women: a statement for healthcare professionals from the American Heart Association/American Stroke Association.[74]
- Standards of medical care in diabetes — 2018. (American Diabetes Association)[75]（毎年更新）
- 2017 ACC/AHA/AAPA/ABC/ACPM/AGS/APhA/ASH/ASPC/NMA/PCNA Guideline for the Prevention, Detection, Evaluation, and Management of High Blood Pressure in Adults: Executive Summary: A Report of the American College of Cardiology/American Heart Association Task Force on Clinical Practice Guidelines.[76]
- 2018 AHA/ACC/AACVPR/AAPA/ABC/ACPM/ADA/AGS/APhA/ASPC/NLA/PCNA guideline on the management of blood cholesterol: a report of the American College of Cardiology/American Heart Association Task Force on Clinical Practice Guidelines.[69]

危険因子改善における課題

米国心臓協会 American Heart Association（AHA）は，「心血管の理想的な健康状態」として，臨床的に明らかな心血管疾患がないこと，また同時に以下の7つの健康指標すべてが適切な範囲内にあることを掲げている[77]。

- 保健行動
  - 肥満指数（BMI）＜25
  - 喫煙しない
  - 運動習慣
  - 健康的な食事

- 健康因子
  - 未治療時の総コレステロール＜200 mg/dL
  - 血圧＜120/＜80 mmHg
  - 空腹時血糖＜100 mg/dL

2014年のデータにもとづくと，米国人の大部分は「心血管の理想的な健康状態」を達成していなかった。20歳以上の成人で，保健行動と健康因子が理想的なレベルにあるかどうか，年齢調整をしたうえで検証すると，項目によって大きなばらつきが認められる（健康的な食事：0.4％，BMI：30％，血圧：45％，運動習慣：37％，コレステロール：50％，空腹時血糖：61％，喫煙経験なしまたは1年以上の禁煙：77％）。大多数は2～4項目のみ満たし，約17％は5つ以上を，4％は6つ以上を満たしているが，7つすべてを満たしている人は事実上皆無であった[68]。

心血管疾患における健康格差

心血管疾患が健康に及ぼす影響は集団によって異なる。これは生物学的差異による可能性もあるが，危険因子や疾患に対する対応が，社会経済，環境，行動，文化によって集団間で異なるためとも考えられる[78]。

性別による違い

女性では心血管疾患が死因の上位を占めることが注目を集めている[70]。女性に対する心血管疾患の予防や治療の改善によって，冠動脈疾患の年齢調整死亡率が大きく低下した（1980～2000年で約2/3に減少）[79]。にもかかわらず，Effectiveness-based guidelines for the prevention of cardiovascular disease in women — 2011 update.[71]によると，過去40年で低下していた35～54歳の米国人女性における冠動脈疾患による死亡率が上昇に転じており，この原因としてAHAは肥満の影響を指摘している[4]。近年，男性の危険因子は女性よりも改善しているが，糖尿病の有病率は男女ともに上昇している[68]。Box 16-18に示す統計結果は，女性における心血管の健康に関して懸念すべき点を明らかにしている。

健康増進とカウンセリング：エビデンスと推奨

> **Box 16-18　米国における女性の心血管疾患**[68, 71]
>
> - 心血管疾患は女性における死因の上位を占めるが，2012 年に行った調査でこの事実を知っていたのは，女性の 56％にすぎなかった
> - 現在，米国人女性の約 2/3 が過体重または肥満である．そのため，心血管疾患の重要な危険因子である 2 型糖尿病が増加し，心筋梗塞や脳卒中のリスクが上昇している
> - 女性は米国における脳卒中による死亡の約 60％を占め，男性よりも脳卒中の生涯リスクが高い．脳卒中のリスクは加齢とともに上昇するが，女性は男性よりも平均余命が長い．また，女性は心疾患や脳卒中の症状を自覚する可能性が低い
> - 女性特有の脳卒中の危険因子が存在する〔妊娠，ホルモン補充療法，早期閉経，妊娠高血圧腎症（子癇前症）の既往〕．女性は男性と比較して，心房細動，前兆を伴う片頭痛，肥満，メタボリック症候群のリスクが高い．女性において，脳卒中のリスクを 5 倍に上げる心房細動は，症状がなく認識されないことが多い[7]

人種や民族による違い

冠動脈疾患による死亡率は人種間で明らかに差がある．2015 年には，黒人女性における冠動脈死亡率が白人女性より 21％高く，ヒスパニック系女性より 55％高かった[1]．黒人男性における冠動脈死亡率は白人男性より 7％高く，ヒスパニック系男性より 49％高かった．疾患の有病率や危険因子における人種間の差について Box 16-19 に示す．

Box 16-19　心血管疾患と危険因子：2011〜2014 年の米国での白人・黒人の有病率[68, 80]

	男性		女性	
	白人(％)	黒人(％)	白人(％)	黒人(％)
心血管疾患全体	38	46	35	48
冠動脈疾患	8	7	5	6
高血圧≧140/90 mmHg	35	45	32	46
脳卒中	2	4	3	4
糖尿病（医師による診断）	8	14	7	14
過体重・肥満	73	69	64	82
総コレステロール≧200 mg/dL	37	33	43	36
喫煙者	18	20	16	14
運動習慣（Federal Aerobic Guidelines の基準を満たす）	55	50	51	35

心血管疾患危険因子のスクリーニング

心血管疾患は「長期の無症状の潜伏期間」を有しており，冠動脈疾患による死亡の約半数は，危険な徴候がなく，診断がなされないまま起こる[14]。そのため，無症状の患者でも，できれば20代のうちから疾患に対する生涯リスクを評価すべきである。より早くリスク評価ができれば，心血管疾患を減らすための介入もより適切な時期に行えるだろう。

ステップ1：各危険因子のスクリーニング

各危険因子や早発性冠動脈疾患の家族歴（第1度近親者で，男性は55歳以下，女性は65歳以下で発症）のスクリーニングを20歳からはじめる。推奨されるスクリーニングをBox 16-20に記す。

Box 16-20　心血管疾患の主要な危険因子のスクリーニング

危険因子	推奨するスクリーニング	目標・目安
早発性冠動脈疾患の家族歴[81]	家族歴についてたずねる	心血管疾患リスクを予測する
喫煙[82]	喫煙についてたずねる	禁煙あるいは禁煙のための努力を継続
不健康な食事[83, 84]	食事についてたずねる	食生活の改善
運動不足[85, 86]	運動習慣についてたずねる	30分程度の中等度強度の運動を週5日
肥満[11, 18]	BMIの計算，腹囲の計測	BMI≦25，腹囲：男性は102 cm以下，女性は89 cm以下
高血圧[76]	血圧を測定する	成人では<130/80 mmHg
脂質異常症[69, 87]	21歳で空腹時の脂質を測定し，その後の基準とする。平均的なリスクの成人では40～75歳で5年ごとに空腹時の脂質を計測	米国心臓病学会（ACC）/米国心臓協会（AHA）のガイドラインを満たせばスタチン治療を開始
糖尿病[74]	（正常なら）45歳から，HbA1cあるいは空腹時血糖を3年ごとに確認。もし危険因子を有する患者であれば年齢に関係なくより頻繁に測定	HbA1cが5.7～6.4%の患者では糖尿病の予防あるいは発症を遅らせる
心房細動[89]	調律を確認	心房細動の検知と治療

ステップ2：ウェブサイト上の計算ツールを使用して10年後と生涯の心血管疾患発症リスクを計算する

40～79歳の患者に10年後および生涯におけるリスクを予測するために，Box 16-21に示す心血管疾患リスク計算ツールを使用する。残念ながら，40歳以下，また79歳以上の患者について，信頼性をもってリスクを予測するにはデータが十分でない。リスク予測は，年齢，性別，喫煙歴，総コレステロール，HDLコレステロール，収縮期血圧，降圧薬内服，糖尿病を加味し，疫学研究で蓄積されたデータにもとづいて行われる。リスク低減に向けて，医療者-患者間のコミュニケーションを促すことがこの予測のおもな目的である。

健康増進とカウンセリング：エビデンスと推奨

Box 16-21	代表的なウェブサイト上の心血管疾患リスク計算ツール
ACC/AHA	http://www.cvriskcalculator.com
ACC	http://tools.acc.org/ASCVD-Risk-Estimator-Plus/#!/calculate/estimate

新たな計算ツールでは，性別・人種や民族（白人・黒人）ごとに初発心筋梗塞，冠動脈疾患死，致死的あるいは非致死的脳卒中の発症リスクを算出する。重要な点だが，これらの計算ツールでは，特にアメリカ先住民，（例えば南アジアをルーツとする）アジア系米国人，（プエルトリコ人のような）ヒスパニック系といった人種においてリスクが**過小評価**される可能性があり，（例えば東アジアをルーツとする）アジア系米国人や（メキシコ系米国人のような）ヒスパニック系で**過大評価**される可能性がある[90]。修正版の ACC/AHA による計算ツールでは，最新のデータを取りこみ，新規の統計手法を用いることで，計算の精度が改善された[21]。しかしながら，リスクを予測するためには，生活習慣を改善するために推奨される介入，服薬に関する希望，薬の副作用・相互作用の可能性，患者に応じた介入が成功する可能性など，その他の要因も考慮するべきである。

ステップ3：各危険因子への対応（高血圧，糖尿病，脂質異常症，メタボリック症候群，喫煙，家族歴，肥満）

心血管疾患の約 80％は，禁煙，健康的な食事，定期的な運動，健康的な体重の維持，高血圧のコントロール，脂質のコントロールにより防ぐことができる[68]。

高血圧（症）

2017 年の ACC/AHA ガイドラインによれば，米国における 20 歳以上の成人の約 46％（推定約 1 億 300 万人）は**血圧が高めあるいは高血圧（収縮期血圧 130 mmHg 以上あるいは拡張期血圧 80 mmHg 以上）**である[68]。また，米国における 60 歳以上の成人の 2/3 以上は高血圧である。**2035 年までに，高血圧にかかる医療費は 2,200 億ドルに達すると推測されている。**

- **一次性（本態性）高血圧**が最も一般的な高血圧である。危険因子には，年齢・遺伝・黒人・肥満と体重増加・塩分過量摂取・運動不足・アルコール過量摂取がある。

高血圧のスクリーニングについては，第 8 章「全身の観察，バイタルサイン，疼痛」（p.243〜244），食事からのナトリウム摂取を減らすことや，心血管疾患リスクを減らし高血圧をコントロールするために運動量を増やすことで得られる利点については，第 6 章「健康維持とスクリーニング」（p.178〜180）を参照。

- **二次性高血圧**は高血圧のうち 5％以下を占める。原因としては，閉塞性睡眠時無呼吸，慢性腎臓病，腎動脈狭窄，内服薬，甲状腺疾患，副甲状腺疾患，Cushing（クッシング）症候群，高アルドステロン血症，褐色細胞腫，大動脈縮窄症があげられる。

2015 年では米国における 42 万 7,631 人の死亡が高血圧に起因するものと推測された。これは心血管関連死の 30％以上，全死亡の 16％以上を占める[68]。2017 年には，ACC および AHA が成人における血圧高値の予防・検出・評価およびマネジメントに関するガイドライン[76]を発刊した。心血管疾患を有する患者に対して，ガイドラインでは 130/80 mmHg を治療閾値と目標血圧に設定するよう推奨され，脳卒中や一過性脳虚血発作をきたした患者に対しては治療閾値を 140/90 mmHg にするよう提案されている。

糖尿病
糖尿病は世界中で重大な健康被害の原因となっている。2014 年にはおおよそ 4 億 2,200 万人が糖尿病に罹患しており，2040 年までには 6 億人を超えることが推測される[68]。運動不足と肥満の急激な増加が糖尿病の急激な増加につながり，2014 年には米国成人の 12％以上（3,100 万人近く）が糖尿病に罹患していることが推測された。このうち 700 万人以上が未診断である。全人口の 34％にあたる 8,200 万人は糖尿病予備軍である。成人における糖尿病の年齢調整有病率には人種間で大きな違いがあり，白人やアジア系米国人では約 7〜12％であるのに対し，ヒスパニック系や黒人では約 13〜14％である。残念ながら，糖尿病に罹患した患者の 21％しか治療を受けていないが，糖尿病は心血管疾患や全死亡のリスクをおよそ 2 倍に引き上げることが知られている。

糖尿病が心血管疾患のリスクを上げることは明らかだが，早期発見あるいは厳格な血糖コントロールが心血管疾患の予後を改善することが裏づけられているわけではない。脂質異常症は，糖尿病患者でみられる動脈硬化の進行を大いに加速させるという仮説が立てられている。糖尿病患者において高脂血症の治療が心血管イベントを減らすことが一貫して示されていることは，この仮説を支持する。ガイドラインでは，糖尿病患者に対して少なくとも中等量以上のスタチンによる治療が推奨されている（図 16-33）[69]。

脂質異常症
米国予防医療専門委員会 U.S. Preventive Services Task Force（USPSTF）は，心血管疾患の危険因子（脂質異常症，糖尿病，高血圧あるいは喫煙歴）を 1 つ以上有し，10 年心血管疾患リスクが 10％以上の 40〜75 歳の成人に心血管疾患の一次予防として低〜中等量のスタチン治療を開始することをグレード B で推奨している[88]。この推奨を遵守するには，心血管疾患を有さない 40〜75 歳の成人に対して定期的に（5 年ごとが妥当と考えられる）脂質の値を計測する必要がある。

健康増進とカウンセリング：エビデンスと推奨

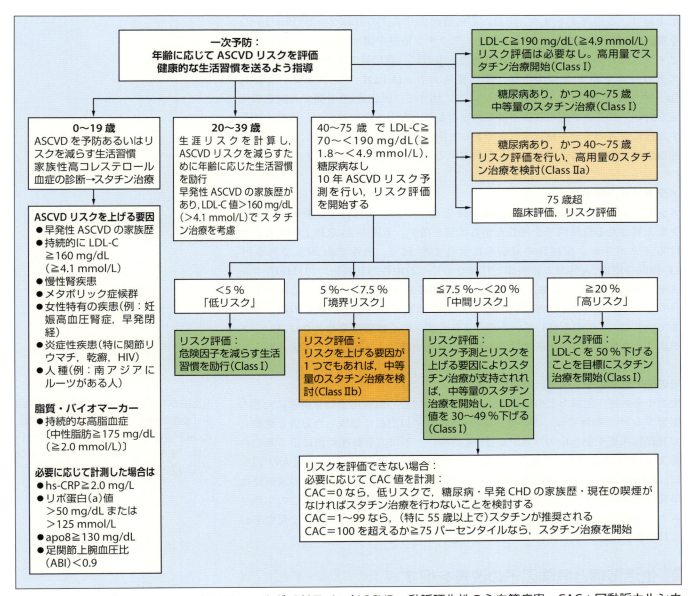

図 16-33　2018 年 ACC/AHA コレステロールガイドライン（ASCVD：動脈硬化性の心血管疾患，CAC：冠動脈カルシウム，CHD：冠動脈疾患，HIV：ヒト免疫不全ウイルス，hs-CRP：高感度 CRP，LDL-C：LDL コレステロール）(Grundy SM et al. Circulation. 2018; 139(25): e1082-e1143. Copyright © 2018 American Heart Association, Inc. より許可を得て掲載)

2018年には，ACC/AHAが成人における動脈硬化性の心血管疾患リスクを下げるための血中コレステロール治療のガイドラインを刊行した[69]。図16-33に示す通り，このガイドラインでは，心血管疾患リスクの計算ツール(Box 16-21を参照)で算出されたリスクを踏まえ，スタチン治療を開始するにあたってのエビデンスにもとづいた推奨が提示された。さらに，高用量スタチンはLDLコレステロールを約50％減少させ，中等量スタチンはLDLコレステロールを約30～50％減少させることが示されている。加えて，医療者-患者間で共同意思決定を行い，スタチン服用による潜在的な有益性と有害性を明確にし，治療を開始する前に患者の希望を確認すべきであると明記され，すべての患者に対し，健康的な生活習慣を身につけられるよう指導することの重要性が強調されている。

メタボリック症候群

メタボリック症候群 metabolic syndrome とは，心血管疾患および糖尿病のリスクを上昇させる危険因子を複数有する状態を指す。米国の20歳以上の成人におけるメタボリック症候群の有病率は女性で約34％，男性で約29％である[68]。(1)腹囲の増加(人種および国ごとに異なる)，(2)中性脂肪高値，(3)HDLコレステロールの低下，(4)血圧の上昇，(5)空腹時血糖の上昇の5つの危険因子のうち3つが存在すればメタボリック症候群と診断する。患者が複数の因子を有していれば，1つのみ有している場合よりも将来の心血管疾患リスクは高い。メタボリック症候群は，広義には「不健康な生活習慣による疾患」と考えられる。

その他の危険因子：喫煙，家族歴，肥満

喫煙や家族歴，肥満などの危険因子は集団における心血管疾患の有病率に大きく影響する[68]。喫煙者は，非喫煙者あるいは10年以上前に禁煙した患者と比較して冠動脈疾患や脳卒中のリスクが2～4倍高い。年間の冠動脈疾患による死亡の約1/3，数にして12万人以上の死亡が喫煙に起因している[91]。また成人の12％に，50歳未満に発症した心筋梗塞または狭心症の家族歴がある。この家族歴は，早発性再灌流の家族歴と同様，冠動脈疾患および心血管疾患による死亡の生涯リスクを50％上げる。肥満，すなわちBMIが30以上であることは，全死亡率および心血管疾患による死亡率の上昇と有意に相関する[92,93]。

生活習慣と危険因子の改善を促す

行動変容のための動機づけは難しいが，危険因子の軽減のためには欠かすことのできない臨床技能である。心血管の健康を推進することは，米国保健福祉省の疾病予防局主導の"Healthy People 2020"において重要課題とされている。目標は運動量を増やし，高血圧，喫煙，肥満，固形脂肪と砂糖を含有する食品からのカロリー摂取を減らすことで，冠動脈疾患死を防ぐことである[94]。有名な**Prochaska(プロチャスカ)モデル**は，患者に行動変容を行う意思がどの程度あるか評価するのに便利で，活用すると患者の意思に合わせた働きかけ方を選択しやすくなる[95]。

高血圧のスクリーニングについては，第8章「全身の観察，バイタルサイン，疼痛」(p.243～244)，体重の減量と禁煙については，第6章「健康維持とスクリーニング」(p.176～178，182～183)を参照。

| UNIT II　第 16 章　心血管系

健康増進とカウンセリング：エビデンスと推奨

USPSTF は，過体重もしくは肥満，かつさらなる心血管疾患リスクを有する患者に対して，健康的な食事や運動を促す集中的なカウンセリングを行うことをグレード B で推奨している[96]。生活習慣の管理についての ACC/AHA の推奨では，食事・運動・体重・禁煙および高血圧と糖尿病のコントロールに関する対応が盛り込まれている[84]。

異常例

生活習慣の改善と血圧については，第 8 章「全身の観察，バイタルサイン，疼痛」(p.243〜244)，体重の最適化，栄養と食事，運動，禁煙に関するカウンセリングついては，第 6 章「健康維持とスクリーニング」(p.176〜180，182〜183)を参照。

表 16-1　心拍数とリズムの鑑別

心拍リズムは整(規則的)または不整(不規則)に分かれる。リズムが整、または心拍が速いもしくは遅いときには心電図をとり、心拍の発生源(洞結節,房室結節,心房,心室)および伝導様式を確認する。正常洞調律であれば心拍数の正常範囲は 60～100 回/分と報告されている。房室ブロックを含む房室結節調律では,心拍数は頻脈,正常,徐脈のいずれも呈しうるので注意すること。

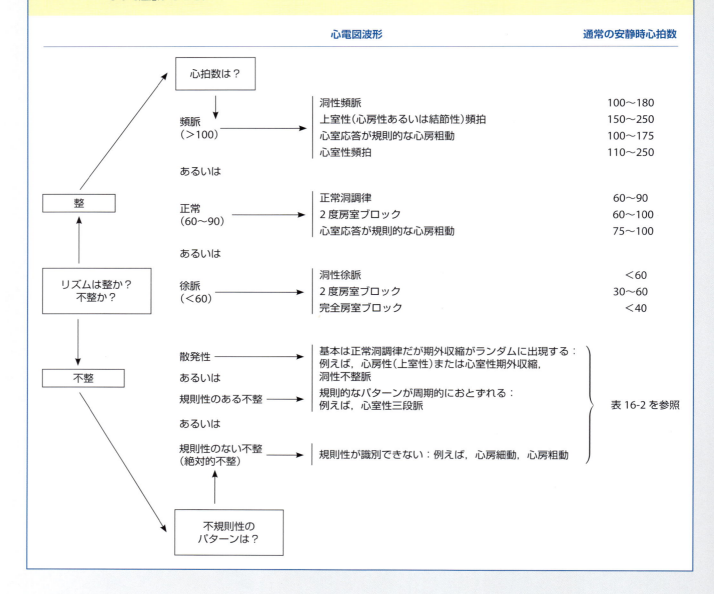

表 16-2　不規則なリズムの鑑別

リズム	心電図波形と心音	
散発的 洞性不整脈	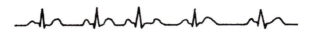	リズム：心拍は周期的に変化し，通常吸気とともに速まり，呼気とともに遅くなる 心音：S₁ は心拍とともに変わることもあるが正常
上室性（心房性あるいは結節性）期外収縮		リズム：心房あるいは接合部起源の収縮は，正常洞調律時に予測されるつぎの収縮より早く起こる。休止期の後，正常洞調律が再開する 心音：期外収縮時の S₁ は正常洞調律時の S₁ と強さが異なることがある。S₂ は減弱する
規則性のある不整（周期的） 心室性期外収縮 （心室性二段脈や三段脈）	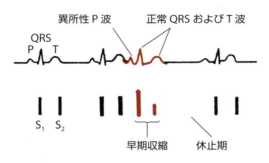	リズム：心室起源の収縮は，正常洞調律時に予測されるつぎの収縮より早く起こる。休止期の後，正常洞調律が再開する 心音：期外収縮時の S₁ は正常洞調律時の S₁ と強さが異なることもある。S₂ は減弱する。両音とも分裂しやすい
規則性のない不整（絶対的不整） 心室応答が不規則な心房細動と心房粗動	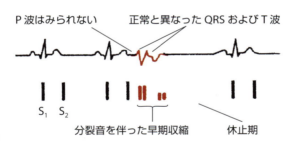	リズム：一部の波形のみ見ると規則的な心室応答（QRS）が続いているようにみえることもあるが，実際には完全に不規則である 心音：S₁ の大きさは心室応答間隔により変化する

表 16-3　失神および類似疾患

	機序	誘発因子
血管迷走神経性失神と血管緊張低下性失神	血管迷走神経性失神：交感神経緊張の反射的低下と迷走神経活動の増強が血圧と心拍数の低下を引き起こす 血管緊張低下性失神：同じ機序であるが，迷走神経サージまたは心拍数の低下はない 圧受容体反射は正常	恐怖のような激しい感情，疼痛，長時間立位，蒸し暑い環境
起立性低血圧 （起立後3分以内に収縮期血圧が20 mmHg以上低下，または拡張期血圧が10 mmHg以上低下）[92-100]	血圧が重力に従って再分布し，300〜800 mL程度の血液が下肢および内臓静脈系に停滞する。これは，静脈還流の減少および心拍出量の大幅な低下，または不十分な血管収縮反応（不十分なノルアドレナリン分泌）によって起こる	起立
	血液量減少（血液の量が心拍出量と血圧を維持するのに十分ではない）	出血後や脱水状態での起立
咳嗽失神	おそらく反射的な血管抑制-徐脈反応による神経調節性失神の一種。脳灌流低下，脳脊髄液圧上昇によるとの説もある	重症な咳発作
排尿失神	血管迷走神経反射または急激な低血圧が提唱されている	ベッドから起き上がってトイレに行き，膀胱に貯留した尿を排出する
心血管疾患[98, 101]		
不整脈	心臓虚血，心室性不整脈，QT延長症候群，持続性徐脈，束枝下ブロックによって心拍出量が減少し，脳灌流低下を引き起こす。しばしば突然発症，突然停止	心拍リズムが徐脈または頻脈へ突然変化する
大動脈弁狭窄症と肥大型心筋症	運動によって血管抵抗が下がるが，流出路閉塞があるため心拍出量は増えない	運動
心筋梗塞	突然発症の不整脈または心拍出量低下	さまざま。しばしば労作で引き起こされる
広範型肺塞栓症	突然の低酸素または心拍出量低下	長期臥床，大手術，凝固異常，妊娠を含めさまざま
失神と類似する疾患		
過換気による低二酸化炭素血症	過換気で引き起こされた低二酸化炭素血症により脳血管が収縮する	不安，パニック障害
低血糖	糖が不足し，脳代謝を維持できなくなる。アドレナリン分泌は症状に寄与する。真の失神はまれ	空腹を含めてさまざま
変換症・転換性障害（DSM-5では「機能性神経症状症」と表記）による意識消失	機序不明 皮膚色，バイタルサインは正常なことが多い。ときおり目的のある奇妙な動きがみられる。通常周囲に他者がいるときに発症する	精神的または身体的なストレスまたは外傷，誘発因子がないこともある

訳注：原書では"overweight"となっているが，WHO基準ではBMI 25以上でoverweight（過体重），日本肥満学会ではBMI 25以上で肥満としていることを踏まえ，肥満と訳出している。

素因	前兆	体位	回復
疲労，飢餓，脱水・利尿薬・血管拡張薬による前負荷低下	動悸，悪心，視力障害，ほてり，蒼白，発汗，ふらつきが通常10秒以上続く	通常立位，ときに座位で発症	横になると速やかに意識が回復するが，蒼白，脱力感，悪心および軽度な錯乱はしばらく持続することがある。最も一般的なタイプの失神
加齢，血管拡張薬，長期臥床，中枢神経疾患(Parkinson(パーキンソン)病，多系統萎縮症，Lewy(レビー)小体型認知症)，末梢神経疾患(糖尿病，アミロイドーシス)	ふらつき，めまい，認知機能低下，倦怠感。しばしば前兆なし	起立後まもなく発症 仰臥位で高血圧がみられることは一般的	横になると速やかに回復
消化管出血または外傷による出血，強力な利尿薬，嘔吐，下痢，多尿症	起立時にふらつきと動悸(頻脈)	起立後まもなく発症	補液により改善
COPD，喘息，肺高血圧。一般的には肥満^{訳注}の中年患者に多い	咳嗽以外はないことが多い。ときに視力障害，ふらつき	体位にかかわらず発症	数秒後に速やかに回復
夜間多尿，通常は高齢または成人男性	ないことが多い	立って排泄した直後(または排泄中)の発症が一般的	速やかに回復
虚血性心疾患や弁膜症，伝導障害，心膜疾患，心筋症。加齢に伴って異常な心拍リズムへの忍容性が低くなる	動悸(通常は5秒以内)。ないことも多い	体位にかかわらず発症	不整脈が停止すれば速やかに回復。心原性失神の最も多い原因である。心原性失神の6カ月死亡率は10%を超える
心疾患	胸痛，ないことも多い。突然発症	労作中または労作後に発症する	通常速やかに回復
冠動脈疾患，冠虚血または攣縮	虚血による胸痛，無痛性の場合もある	体位にかかわらず発症	さまざま。診断と治療までの時間による
深部静脈血栓症，臥床，過凝固状態(全身性エリテマトーデス，癌)，プロテインSまたはC欠乏症，アンチトロンビンⅢ欠乏症。エストロゲン治療	頻呼吸，胸痛または胸膜痛，呼吸困難，不安，咳嗽	体位にかかわらず発症	診断と治療までの時間による
不安	呼吸困難，動悸，胸部不快感，手と口周囲の数分持続するしびれまたは刺痛感。意識は維持されることが多い	体位にかかわらず発症	過換気が停止すると緩徐に改善する
インスリン治療やさまざまな代謝疾患	発汗，振戦，動悸，空腹感，頭痛，錯乱，異常行動，昏睡	体位にかかわらず発症	さまざま，重症度と治療による
複数の身体症状の既往 しばしば離人感，現実感喪失，解離性健忘，不適応な性格特性などの解離症状を伴う。幼少期の虐待やネグレクトと関連がある	さまざま	ばったり倒れる(多くの場合は立位からで外傷を伴わない)	さまざま。持続することもある。周囲への反応性は変動することが多い。神経学的所見は症状と矛盾する

表 16-4　動脈拍動と動脈圧波形の異常

正常

脈圧はおよそ 30〜40 mmHg である。波形は滑らかで丸みがある（下降の切痕は触知できない）

小脈，弱脈

脈圧は減弱し，拍動は小さく弱い。立ち上がりが遅く，頂点が遅延することがある。原因として以下のものがある。（1）心不全や循環血液量減少，重症大動脈弁狭窄症などによる 1 回拍出量の減少。（2）寒冷曝露や重症心不全などによる末梢血管抵抗の増大

大脈，反跳脈

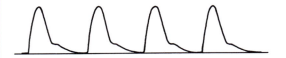

脈圧は増大し，拍動は強く跳ねるように感じられる。立ち上がりも下降も速く，頂点は短い。原因として以下のものがある。（1）発熱や貧血，甲状腺機能亢進症，大動脈弁閉鎖不全症，動静脈瘻，動脈管開存症などで 1 回拍出量が増加するか末梢血管抵抗が低下する，またはその両方。（2）徐脈や完全房室ブロックなどで拍動が遅くなり，1 回拍出量が増加する。（3）加齢やアテローム性動脈硬化などで大動脈壁の伸展性（コンプライアンス）が低下（硬化が増大）する

二峰性脈

二峰性脈は 2 つの収縮期ピークを有する強い拍動であり，動脈を適度に圧迫したときに検出できる。原因としては，大動脈弁閉鎖不全症，大動脈弁狭窄症と大動脈弁閉鎖不全症の合併，肥大型心筋症がある

交互脈

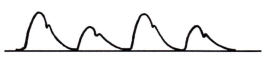

拍動は完全に規則正しいが，強い拍動と弱い拍動が交互に存在する。強い拍動と弱い拍動の違いがわずかな場合，特定には血圧計カフ（p.523 を参照）を使わなければいけない。交互脈は重症な左室機能不全を示唆する

二段脈

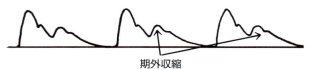

期外収縮

交互脈と似ていることがある。二段脈は，正常な拍動と期外収縮が交互に出現することにより起こる。期外収縮による 1 回拍出量は正常な拍動による 1 回拍出量に比べて減少するため，それに伴って拍動の強さも変化する

奇脈

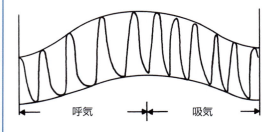

呼気　吸気

安静吸気時に，拍動の強さが減弱することが触知され，奇脈が特定されることがある。その徴候が明らかでなければ，血圧計を使って確認する必要がある。奇脈では，吸気時に収縮期血圧が 10〜12 mmHg 以上低下する。奇脈は心タンポナーデ，喘息または COPD の増悪，収縮性心膜炎でみられる

表 16-5　心室拍動の変化と異常

正常な心臓では，多くの場合左室拍動が最強拍動点（PMI）である。この短い拍動は収縮期に心尖部が胸壁を押し上げるために生じる。**右室拍動**は幼児期以降正常では触知できず，特徴を捉えることはできない。通常の左室由来の PMI を特定できるよう，つぎの特徴を理解すること。

- **部位**：第 4 ないし第 5 肋間で，鎖骨中線上
- **径**：1 点，ないし 2 cm 以内
- **強さ（振幅）**：勢いよく軽く叩くような拍動
- **持続時間**：収縮期の 2/3 以内

心室拍動を注意深く診察すると，血行動態に関する重要な手がかりを得られる。高心拍出量状態（不安，甲状腺機能亢進症，重症貧血）およびより病的な慢性圧負荷や容量負荷に左室もしくは右室が適応するにつれ，心室拍動の特徴は変化する。通常の勢いよく軽く叩くような PMI に加えて，下記の表に記載した 3 つのタイプの心室拍動およびそれらを区別する手がかりとなる特徴について学ぶこと。

- **運動亢進性**：一過性の 1 回拍出量増加に伴う運動亢進性心室拍動（必ずしも心疾患が示唆されるわけではない）
- **持続性**：慢性的な圧負荷（後負荷）増大による心室肥大で認められる持続性心室拍動（p.529〜530 参照）
- **びまん性**：慢性的な容量負荷（前負荷）による心室拡大で認められるびまん性心室拍動

	左室拍動			右室拍動		
	運動亢進性	圧負荷	容量負荷	運動亢進性	圧負荷	容量負荷
おもな原因	不安，甲状腺機能亢進症，重症貧血	大動脈弁狭窄症，高血圧	大動脈弁あるいは僧帽弁閉鎖不全症，心筋症	不安，甲状腺機能亢進症，重症貧血	肺動脈弁狭窄症，肺高血圧	心房中隔欠損症
部位	正常	正常	左側および（場合によっては）下方への偏位	左第 3・4・5 肋間	左第 3・4・5 肋間，さらに剣状突起部	胸骨左縁から心臓左縁，さらに剣状突起部
径	約 2 cm，拍動が強いときはより広範に触知できることがある	>2 cm	>2 cm	有用でない	有用でない	有用でない
強さ（振幅）	強めの拍動	強めの拍動	**びまん性**	やや強めの拍動	強めの拍動	やや強め〜かなり強めの拍動
持続時間	収縮期の 2/3 未満	**持続**（S_2 まで）	わずかに持続することがある	正常	**持続**	正常〜わずかに持続

表 16-6	第 1 心音(S_1)の変化	
正常範囲の変化	S_1 S_2	心基部（左右の第 2 肋間）では S_1 は S_2 より弱い
	S_1 S_2	心尖部では S_1 は S_2 より大きいことが多い（常に大きいとは限らない）
S_1 の亢進	S_1 S_2	S_1 は(1)頻拍や PR 間隔の短縮，高心拍出量状態（運動，貧血，甲状腺機能亢進症など），(2)僧帽弁狭窄症で亢進する
S_1 の減弱	S_1 S_2	S_1 は 1 度房室ブロック，左脚ブロック，心筋梗塞で消失する。重度の大動脈弁閉鎖不全症のように，心室収縮の前に僧帽弁が早期に閉鎖する場合は，弱い S_1 を聴取する
S_1 の強さの変化	S_1 S_2 S_1 S_2	S_1 の強さは(1)心房と心室がそれぞれ別々に収縮する完全房室ブロックや，(2)絶対的不整リズム（心房細動など）で変化する。これらの状況下では，心室の収縮により僧帽弁はさまざまな位置から閉鎖するため，閉鎖音の大きさが変化する
S_1 の分裂	S_1 S_2	三尖弁閉鎖が遅れると，S_1 の分裂が増強される。S_1 の分裂は三尖弁領域の胸骨左縁下部（多くの場合非常にかすかであるため聴取できないが，この部位で三尖弁成分が生じる）で最もよく聴取できる。右脚ブロックでは正常よりもはっきりと S_1 の分裂を聴取する。S_1 の分裂はまれに心尖部でも聴取されるが，S_4 や大動脈駆出音，収縮早期クリックと区別しなければならない

| 表 16-7 | 第 2 心音（S_2）の変化 |

	吸気	呼気	
生理的分裂	S_1　　$A_2\ P_2$（S_2）	S_1　　S_2	S_2 の分裂は左第 2・第 3 肋間で聴取できる。通常，心尖部や大動脈弁領域では P_2 はかすかで聴取しづらいため，A_2 のみが聴取され，S_2 は単一音として捉えられる。正常の分裂は，A_2 と P_2 の間隔が大きくなる吸気で増強し，呼気で減弱する
病的分裂（呼気でも分裂が聴取できれば，心疾患が示唆される）	S_1　　S_2	S_1　　S_2	S_2 の生理的な幅広い分裂では，通常より吸気時の S_2 分裂間隔が広がり，呼吸周期を通して分裂が明瞭である。幅広い分裂は肺動脈弁の閉鎖遅延（肺動脈弁狭窄症や右脚ブロックなどによる）や大動脈弁の早期閉鎖（僧帽弁閉鎖不全症）により起こる。左図に右脚ブロックの例を示す
	S_1　　S_2	S_1　　S_2	**固定性分裂**は呼吸で変化しない幅広い分裂で，心房中隔欠損症でみられるように右室収縮期が延長した場合にしばしば発生する
	S_1　　S_2	S_1　　$P_2\ A_2$（S_2）	**奇異性分裂**あるいは**逆分裂**は，呼気で明瞭となり吸気で消失する分裂である。大動脈弁の閉鎖が異常に遅延するために，呼気で P_2 の後に A_2 が生じる。吸気では，P_2 の正常な遅延が発生するため，分裂が消失する。左脚ブロックが最も多い原因である

A_2 と P_2：右第 2 肋間

A_2 の増強（通常，A_2 は右第 2 肋間でのみ聴取される）：高血圧などで圧負荷が増大することにより起こる。A_2 は大動脈基部の拡大によっても増強するが，これは胸壁に大動脈弁が近接することに起因する

P_2 の増強：P_2 が A_2 と同程度あるいは A_2 より大きければ，肺高血圧が疑われる。他の原因として肺動脈拡張や心房中隔欠損症がある。S_2 の分裂が心尖部や右室基部まで広範に聴取できる場合は，P_2 が増強している

A_2 の減弱あるいは消失：弁の可動性低下のため石灰化した大動脈弁狭窄で観察される。A_2 が消失すれば，分裂は聴取されない

P_2 の減弱あるいは消失：加齢とともに胸郭の前後径が増加した場合に起こる。また，肺動脈弁狭窄症によることもある。P_2 が消失すれば，分裂は聴取されない

表 16-8　収縮期過剰心音

収縮期の過剰心音には（1）収縮早期駆出音，（2）通常は収縮中期ないし後期に聴取されるクリックの2種類がある。

収縮早期駆出音

収縮早期駆出音（E_j）は収縮早期に大動脈弁・肺動脈弁が開いた後に突然それらの弁開放が止まるタイミングで，S_1 の直後に生じる[102]。比較的高音の鋭いクリック様の音で，聴診には膜部が最適である。駆出音があれば心血管疾患が示唆される

大動脈駆出音を心基部と心尖部で聴取すると，心尖部で大きく，呼吸性変化は通常ない。大動脈駆出音は大動脈拡張や，先天性大動脈狭窄症や大動脈二尖弁に由来する大動脈弁疾患に伴って発生することがある[103, 104]

肺動脈駆出音は左第2・第3肋間で最もよく聴取できる。S_1 は通常この部位で比較的弱く聴取されるが，大きく聴取される場合は肺動脈駆出音の可能性を考える。駆出音の強さはしばしば**吸気時に減弱する**。原因として肺動脈拡張，肺高血圧，肺動脈弁狭窄症がある

収縮期クリック

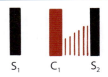

収縮期クリック（C_1）は，弁尖の過長と腱索の伸長により僧帽弁の一部が収縮期に左房内に異常に突出する僧帽弁逸脱症で聴取される。収縮期クリックは通常は収縮中期ないし後期に生じる。僧帽弁逸脱症は人口の約2〜3%が罹患するよくみられる心疾患であり，罹患率に男女差はない[105-107]。また，収縮期クリックは心外性もしくは縦隔起源のこともある

蹲踞

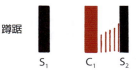

収縮期クリックは通常単一であるが，複数聴取されることもある。通常は心尖部ないしその内側で聴取されるが，さらに胸骨左縁下部で聴取されることもある。高音であるため聴取には膜部が最適である。多くの場合は，僧帽弁閉鎖不全症により S_2 までしだいに増強する収縮末期雑音が続く。聴診所見は変化に富み，ほとんどの患者でクリックだけが聴取されるが，心雑音だけのことや，両方聴取されることもある

立位

僧帽弁逸脱症では，聴診所見は診察するごとに異なり，体位によっても変化する。僧帽弁逸脱症を特定するには，体位を変えて聴診するとよい（仰臥位，座位，蹲踞，立位）。**蹲踞**（あるいは Valsalva 手技の「脱力相」）では静脈還流が増えるためクリックや雑音が遅れる。**立位**（あるいは Valsalva 手技の「息み相」）では，**クリックや雑音が S_1 に近づく**（p.538 を参照）

表 16-9　拡張期過剰心音

開放音

開放音(OS)は，狭窄した僧帽弁が開放する間に血流が突然減速することにより生じる拡張早期の心音である。心尖部の内側と胸骨左縁下部で最もよく聴取できる。大きな開放音は心尖部と肺動脈弁領域に放散し，肺動脈弁領域では P_2 と間違われることがある。開放音は高音のスナップ音（鋭いカチッという音）であるため S_2 と識別できるが，弁尖が石灰化するにつれて聴取しづらくなる。聴診には膜部が適している

S_3

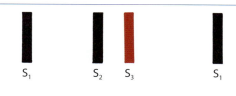

生理的 S_3 は小児や 35〜40 歳までの若年者で頻繁に聴取され，妊娠後期でもしばしば聴取される。S_3 は拡張早期の急速心室充満期に，開放音より遅れて生じ，鈍い低音で，左側臥位のとき心尖部で最もよく聴取される。聴診器のベル部を非常に軽くあてて聴診する

病的 S_3 あるいは心室性奔馬調律は生理的 S_3 によく似ている。**40 歳以上の成人で聴取される S_3 は通常病的**で，拡張期の急速心室充満期の末期に，高い左室充満圧のために僧帽弁を通過する流入血が急激に減速することで生じる[108, 109]。原因としては心収縮力の低下，心不全，大動脈弁あるいは僧帽弁閉鎖不全症による左室容量負荷，左右シャントが挙げられる

左心性 S_3 は左側臥位のとき心尖部で聴取される。**右心性 S_3** は一般に仰臥位のとき胸骨左縁下部ないし剣状突起下で聴取され，吸気時に増強する。奔馬調律という用語は 3 つの心音が作り出す特有なリズム（特に心拍数が速いとき）に由来する。"Kentucky" というリズムに近い

S_4

S_4（**心房音**あるいは**心房性奔馬調律**）は S_1 の直前に生じる。S_4 は鈍く低音で，心尖部でベル部を用いて聴診するのが最適である。右室由来の S_4 は胸骨左縁下部（あるいは閉塞性肺疾患のある患者では剣状突起）で聴取する。S_4 は特によく鍛えられた運動選手や高齢者で聴取される場合，病的でないことがある。ただし，心室が肥大，もしくは線維化し，心収縮に続く心室充満において，心室壁が固くなり抵抗が増強している（つまり，コンプライアンスが低下している）状態にある可能性のほうがより一般的である[2, 110]

左心性 S_4 の原因として，高血圧性心疾患や大動脈弁狭窄症，虚血性心筋症，肥大型心筋症がある

左心性 S_4 は左側臥位の心尖部で最もよく聴取され，"Tennessee" というリズムに近い。右心性 S_4 はより頻度が低いが，胸骨左縁下部や剣状突起下で聴取され，吸気で大きくなる。原因として，肺高血圧と肺動脈弁狭窄症がある

S_4 はまた心房-心室間の伝導遅延とも関連がある。この遅延があると，通常ではかすかで聴取できない心房音が S_1 から分離するため，聴取できるようになる。**S_4 は心房収縮がなければ決して聴取されない（心房細動では聴取されない）**

S_3 と S_4 がともに聴取されることもあり，その場合は心音が 4 つ存在するため 4 拍子のリズムになる。心拍が速くなると，S_3 と S_4 は重合して 1 つの大きな過剰心音として聴取されることがある。この奔馬調律を**重合奔馬調律 summation gallop** と呼ぶ

表 16-10　収縮中期雑音

収縮中期駆出性雑音は最も一般的な種類の心雑音で，(1) **無害性**(生理的および器質的異常が認められないもの)，(2) **生理的**(代謝に伴う生理的変化により生じるもの)，(3) **病的**(心臓や大血管の器質的異常に伴い発生するもの)に分かれる[61,63,64]。収縮中期雑音は収縮中期付近にピークがあり，通常 S_2 の前に終わる。雑音は漸増-漸減型またはダイヤモンド型といわれるが，必ずしもこのように聴取されるわけではない。全収縮期雑音との識別には雑音と S_2 の間の間隙の有無が決め手となる。

	無害性雑音	生理的雑音
	 S_1　S_2	S_1　S_2
雑音	部位：胸骨左縁から心尖部にかけての第 2～4 肋間 放散：ごく小さな範囲 強さ：Ⅰ～Ⅱ/Ⅵ度，あるいはⅢ/Ⅵ度 音調：低～中音調 性質：さまざま 手技：通常は座位にすると減弱ないし消失	無害性雑音に類似
関連する所見	S_2 の分裂は正常範囲で，駆出音や拡張期雑音は聴取されず，触診で心室拡大を示唆する所見もない。しばしば，無害性雑音と病的雑音が並存することがある	生理的な原因が示唆される(下記「機序」を参照)
機序	おそらく，左室から大動脈へ，またまれだが右室から肺動脈へ血液が駆出される際に生じる乱流が原因である。小児や若年成人ではよく聴取されるが，高齢者でも聴取しうる。心血管疾患の存在は示唆しない	血流増加(貧血，妊娠，発熱，甲状腺機能亢進症などでは一過性の血流増加が起きやすい)により乱流が生じる

病的雑音

大動脈弁狭窄症[104, 111, 112]	肥大型心筋症[113]	肺動脈弁狭窄症[114]
おそらく減弱↓ S₁　　　　　　S₂	S₁　　　　　　S₁	S₁ Ej　　　　A₂ P₂
部位：右第2，3肋間	**部位**：左第3，4肋間	**部位**：左第2，3肋間
放散：しばしば頸動脈，胸骨左縁，心尖部に放散。重度であれば左第2，3肋間でも聴取	**放散**：胸骨左縁から心尖部，心基部へもありうるが頸部へはない	**放散**：大きければ，左肩と頸部
強さ：弱いこともあるが，多くの場合強く，振戦を伴う	**強さ**：さまざま。「手技」を参照	**強さ**：弱〜強。強ければ，振戦を伴う
音調：中音調，粗い。漸増-漸減型で，心尖部では高音調となることもある	**音調**：中音調	**音調**：中音調。漸増-漸減型
性質：しばしば粗い。心尖部ではより楽音様のこともある	**性質**：粗い	**性質**：しばしば粗い
手技：患者を前傾座位にする	**手技**：蹲踞あるいは Valsalva 手技の「脱力相」（静脈還流が増加）で減弱し，立位あるいは Valsalva 手技の「息み相」（静脈還流が減少）で増強する（p.538 参照）	

大動脈弁狭窄症が進行すると心雑音は収縮後期で最大となり，また，A₂ は減弱する。A₂ が遅延し P₂ に重なるようになると呼気で単一 S₂ ないし奇異性 S₂ 分裂となる。頸動脈拍動は遅れ，立ち上がりが鈍く，弱い拍動となり拍出量が低下する。肥大した左室により心尖拍動は持続性となり，また伸展性の低下に起因して S₄ が生じる。40 歳以上では，大動脈の拡大，大動脈弁逆流による心雑音も認められるかもしれない。冠動脈灌流が低下し弁から遠位の心内膜下で虚血をきたすことで，狭心痛や失神が生じる

頸動脈拍動は，大動脈弁狭窄症と異なり，すばやく立ち上がる。心尖拍動は保たれる。単一 S₂ となることもある。S₄ は（僧帽弁閉鎖不全症とは異なり）通常心尖部で聴取される。
多くは予後良好であるが，25％は進行し，失神・虚血・心房細動・拡張型心筋症・心不全・脳卒中をきたし，突然死のリスクを上げる

頸静脈圧は正常であるが，際立った波形がみられることもある。右室拍動は多くの場合保たれる。早期の肺動脈駆出音は軽度〜中等度狭窄で聴取される。重症狭窄症では，S₂ は幅広く分裂し，P₂ は減弱する。S₄ は胸骨左縁を越えて右縁でも聴取しうる

有意な狭窄症では，弁周囲の乱流が生じ，左室の後負荷が増大する。最も一般的な原因は高齢者の弁石灰化であり，非閉塞性の硬化（25％に存在する）から狭窄へ進行することもある。つぎに多い原因は先天性大動脈二尖弁で，成人まで気づかれないことが多い

心筋細胞の錯綜配列あるいは線維化を伴う，原因不明のびまん性あるいは局所の心室肥大では，収縮期の左室から異常なほどの急速な駆出を伴う。流出路狭窄がみられることもある。さらに流出路狭窄に生じる加速血流により，僧帽弁前尖が中隔に引き寄せられ，僧帽弁閉鎖不全症を合併することがある

おもには先天性の疾患で，弁・弁上・弁下狭窄がある。狭窄症は，弁を通過する血流を障害し，右室の後負荷を増大させる。心房中隔欠損症では，肺動脈弁の通過血流が増えて肺動脈弁狭窄と似た状態となることがある

表 16-11　全収縮期（汎収縮期）雑音

全収縮期（汎収縮期）雑音とは，病的な雑音をいい，弁や本来閉鎖している構造を通して血液が高圧の心腔から低圧の心腔へ流れ込むことにより発生する。雑音は S_1 とともにはじまり S_2 まで続く。

	僧帽弁閉鎖不全症[106, 115-117]	三尖弁閉鎖不全症[118-120]	心室中隔欠損症
	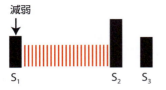	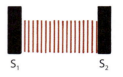	
雑音	**部位**：心尖部	**部位**：胸骨左縁下部。右室圧が上昇すれば心室が拡大し，心尖部で最もよく聴取されるようになり，僧帽弁閉鎖不全症と間違えやすい	**部位**：左第 3・4・5 肋間
	放散：左腋窩，まれに胸骨左縁	**放散**：胸骨の右側，剣状突起領域，ときに左鎖骨中線まで。しかし腋窩には放散しない	**放散**：しばしば広範に。欠損孔の大きさに依存する
	強さ：弱〜強。強ければ，心尖部振戦を伴うこともある	**強さ**：さまざま	**強さ**：多くの場合非常に強く，振戦を伴う。欠損孔が小さいほど強い音を聴取
	音調：中音調から高音調	**音調**：中音調	**音調**：高温調，全収縮期。欠損孔が小さいほど高音を聴取
	性質：吹鳴様，全収縮期	**性質**：吹鳴様，全収縮期	**性質**：しばしば粗い
	手技：三尖弁閉鎖不全症とは異なり，吸気で雑音の強さは変化しない	**手技**：僧帽弁閉鎖不全症とは異なり，吸気で大きくなる	
関連する所見	S_1 は正常（75%），強い（12%），もしくは弱い（12%） 心尖部での S_3 は左室の容量負荷を反映している 心尖拍動はびまん性に，より外側方向に移動することもある。左房拡大を反映して胸骨左縁下部付近で持続的に聴取されることもある	右室拍動は強くなる。持続性のこともある 重度三尖弁閉鎖不全症ではしばしば頸静脈圧は上昇し，頸静脈での巨大 v 波，肝腫大，腹水，浮腫を伴う	大きな雑音にさえぎられ，S_2 は不明瞭となることがある 所見は欠損孔の大きさによりさまざまである。欠損孔が大きい場合は，左右シャントによる肺高血圧，右室容量負荷を引き起こす
機序	収縮期に僧帽弁が完全に閉鎖しないと，左室から左房へ血液が逆流して雑音が生じ，左室の前負荷を増やし，最終的には左室拡大をきたす。原因としては，僧帽弁逸脱，感染性心内膜炎，リウマチ性心疾患，膠原病や血管炎などの器質的疾患，および左室拡大，僧帽弁輪の拡大，弁尖接合不全，乳頭筋や腱索の機能不全による機能的疾患があげられる	収縮期に三尖弁が完全に閉鎖しないと，右室から右房へ血液が逆流して雑音が生じる。最も多い原因疾患の1 つは，肺高血圧あるいは左心不全によってもたらされる右心不全・右室拡大で，三尖弁の弁輪拡大に起因する。もう1 つは感染性心内膜炎で，右室圧や肺動脈圧は低いため，雑音は拡張早期に聴取される	心室中隔欠損症は先天的な異常で，心室中隔の欠損部位により 4 つに分類される。欠損により，血流は比較的高圧の左室から低圧の右室へ流れる。欠損により大動脈弁閉鎖不全症，三尖弁閉鎖不全症，心室中隔瘤を伴うこともあるが，ここでは単純型のみ扱う

表 16-12　拡張期雑音

拡張期雑音がある場合は，ほぼ確実に心疾患が存在する。成人ではおもに 2 つのタイプがある。拡張早期漸減型雑音は閉鎖不全状態の半月弁からの逆流を意味する。通常聴取されるのは大動脈弁からの逆流である。拡張中期ないし拡張後期ランブルは房室弁の狭窄を示唆し，通常は僧帽弁狭窄症で聴取される。拡張期雑音は収縮期雑音よりも発生頻度が少なく聴取しがたいため，細心の注意を払って聴診する必要がある。

	大動脈弁閉鎖不全症[121-124]	僧帽弁狭窄症[120, 122]
		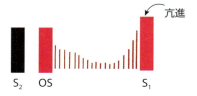 亢進
雑音	部位：左第 2〜4 肋間 放散：雑音が強ければ心尖部。場合によっては胸骨右縁 強さ：Ⅰ〜Ⅳ/Ⅵ度 音調：高音調。膜部で聴診 性質：吹鳴様漸減性。呼吸音に間違われることもある 手技：前傾座位になり，息を吐いた後止めてもらうと最もよく聴取できる	部位：通常心尖部に限局 放散：ほとんどないかまったくない 強さ：Ⅰ〜Ⅳ/Ⅵ度 音調：漸減する低調のランブル音で収縮前期に増強する。ベル部で聴診 手技：ベル部を心尖拍動の真上にあてる，左側臥位になってもらう，あるいはハンドグリップなどの軽い運動を行ってもらうと聴取しやすくなる。呼気で聴取しやすい
関連する所見	重症度が上がるにつれて，拡張期圧は 50 mmHg まで低下し，脈圧は 80 mmHg 以上に開くことがある 心尖拍動はびまん性に外側下方に移動し，範囲や強さ，持続時間が増す。収縮期駆出性雑音を聴取することもある。S₂ は大動脈基部拡大で増強し，弁尖が厚くなるか石灰化を伴うと減弱する。S₃ はしばしば容量負荷あるいは圧負荷による心室機能低下を反映する。たいていは拡張中期および収縮前期の成分も伴うが，収縮中期の雑音あるいは僧帽弁拡張期雑音〔**Austin Flint（オースチン・フリント）雑音**〕は，逆流量の増加を反映する 膜部を軽くあてることで，大動脈波は突然にピストル発射様音を伴う反跳波を作って急速に消失する。特に腕を上げた場合〔**Corrigan（コリガン）脈**〕，上腕動脈や大腿動脈でしっかりあてると血流の行き来する雑音を聴取でき〔**Duroziez（デュロチー）徴候**〕，爪床での毛細血管の拍動〔**Quincke（クインケ）拍動**〕も確認できる	S₁ は大きく，心尖部で触知できることもある。しばしば S₂ の後に開放音（OS）が生じ，その後雑音が生じる 肺高血圧を発症すると，P₂ は増強し，右室の傍胸骨拍動が触知可能となり，頸静脈圧の a 波が際立つ。心尖拍動は小さく軽く叩くような程度である 心房細動は有症状者の約 1/3 にみられ，続発する血栓塞栓症のリスクとなる
機序	拡張期中に大動脈弁の弁接合がうまくいかず，大動脈から左室への血流の逆流を引き起こし，左室容量負荷をきたす。併発する収縮中期の雑音は大動脈弁を通過する血流の増加に伴う駆出性の雑音である。僧帽弁拡張期雑音（**Austin Flint 雑音**）は中等度から重度で聴取され，僧帽弁前尖の拡張期の大動脈弁逆流血流による可動制限に起因する。原因として，弁尖異常，大動脈疾患〔Marfan（マルファン）症候群など〕，大動脈弁下狭窄や心房中隔欠損症などの弁下異常があげられる	固くなった僧帽弁弁尖は収縮中期に左房へ移動し，僧帽弁開放に支障を与え乱流を引き起こす。その結果聴取される雑音は以下の 2 つの成分からなる。(1)拡張中期（急激な左室充満の期間）の雑音，(2)おそらく心室収縮と関連して収縮前期に増強する雑音である。世界で最も多い原因は線維化，石灰化，弁尖や交連部の肥厚，腱索癒合などをきたすリウマチ熱である

表 16-13 収縮期と拡張期の両方で聴取される心血管系雑音

心血管系雑音のなかには，収縮期および拡張期の両方で聴取されるものがある．弁膜に由来しない3つの代表的疾患をあげる．(1) **静脈コマ音（雑音）** venous hum は頸静脈血の乱流により生じる良性の雑音で，小児でよく聴取される．(2) **心膜摩擦音** pericardial friction rub は心膜の炎症により生じる．(3) **動脈管開存症** patent ductus arteriosus は生後より大動脈から肺動脈への左右シャントが持続する先天異常である．**動脈管開存症**などで聴取される連続性雑音は，収縮期にはじまり S_2 を越えて拡張期の終わりないし途中まで続く．また，血液透析患者で多くみられる動静脈瘻により，連続性雑音が聴取される．

	静脈コマ音	心膜摩擦音 [56, 125]	動脈管開存症
タイミング	途切れることのない連続性雑音．拡張期で最も強い	臓側心膜および壁側心膜の炎症を起こす心膜炎により，1つ，2つ，もしくは3つの成分（心室収縮，心室充満，拡張期の心房収縮）からなる粗い耳障りな心音が聴取される．心膜摩擦音は心嚢液の有無にかかわらず聴取される	収縮期および拡張期の両方で聴取され，しばしば拡張後期で雑音が途切れる連続性雑音．収縮後期で最大となり，S_2 は不明瞭で，拡張期で徐々に減弱する
部位	鎖骨の内側 1/3 の上方，特に右側，頭部を聴取する側とは反対方向に向けたときによく聴取される．座位で聴取しやすく，臥位で消失する	座位あるいは前傾姿勢で努力呼気後に呼吸を止めさせたときに胸骨左縁第3肋間で最もよく聴取する（逆に胸膜摩擦音は吸気時のみ聴取する）．自然に音が出現・消失し，聴診のために患者にさまざまな体位をとってもらう必要があるかもしれない．心筋梗塞や尿毒症，結合組織病でも聴取しうる	左第2肋間
放散	左あるいは右第1, 2肋間	ごく小さな範囲	左鎖骨
強さ	弱〜中等度．内頸静脈圧により消失する	表層音で聴診器との距離により強さはさまざま	通常強く，ときに振戦を伴うことがある
性質	ブンブンうなるような，ゴウゴウとどろくような音	キーキーとした，引っ掻くような，きしるような音	粗い，機械様
音調	低音調（ベル部でよく聴取できる）	高音調（膜部でよく聴取できる）	中音調

文献一覧

1. Minami Y, Kajimoto K, Sato N, et al. Third heart sound in hospitalised patients with acute heart failure: insights from the ATTEND study. *Int J Clin Pract*. 2015; 69(8): 820-828.
2. Shah SJ, Nakamura K, Marcus GM, et al. Association of the fourth heart sound with increased left ventricular end-diastolic stiffness. *J Card Fail*. 2008; 14(5): 431-436.
3. O'Gara P, Loscalzo J. Chapter 267: Physical examination of the cardiovascular system. In: Kasper DL, Fauci AS, Hauser SL, et al. *Harrison's Principles of Internal Medicine*. 19th ed. New York: McGraw-Hill; 2015.
4. Yancy CW, Jessup M, Bozkurt B, et al. 2013 AACF/AHA Guideline for the Management of Heart Failure. *J Am College Cardiol*. 2013; 62: e148.
5. Vinayak AG, Levitt J, Gehlbach B, et al. Usefulness of the external jugular vein examination in detecting abnormal central venous pressure in critically ill patients. *Arch Int Med*. 2006; 166(19): 2132-2137.
6. Schorr R, Johnson K, Wan J, et al. The prognostic significance of asymptomatic carotid bruits in the elderly. *J Gen Intern Med*. 1998; 13(2): 86-90.
7. McConaghy JR, Oza RS. Outpatient diagnosis of acute chest pain in adults. *Am Fam Physician*. 2013; 87(3): 177-182.
8. Mozaffarian D, Benjamin EJ, Go AS, et al. Heart disease and stroke statistics — 2016 update: a report from the American Heart Association. *Circulation*. 2016; 133(4): e38-e360.
9. O'Gara P, Kushner FG, Ascheim DD, et al. 2013 ACCF/AHA Guideline for the management of ST-elevation myocardial infarction: a report of the American College of Cardiology Foundation/American Heart Association Task Force on Practice Guidelines. *J Am College Cardiol*. 2013; 61(4): e78-e140.
10. Abrams J. Chronic stable angina. *N Engl J Med*. 2005; 352(24): 2524-2533.
11. Braverman AC. Aortic dissection: prompt diagnosis and emergency treatment are critical. *Cleve Clin J Med*. 2011; 78(10): 685-696.
12. Crea F, Carnici PG, Bairey Merz CN. Coronary microvascular dysfunction: an update. *Eur Heart J*. 2014; 35(17): 1101-1111.
13. Canto JG, Rogers WJ, Goldberg RJ, et al. Association of age and sex with myocardial infarction symptom presentation and in-hospital mortality. *JAMA*. 2012; 307(8): 813-822.
14. Goldman L, Kirtane AJ. Triage of patient with acute chest syndrome and possible cardiac ischemia: the elusive search for diagnostic perfection. *Ann Intern Med*. 2003; 139(12): 987-995.
15. Writing Group Members, Mozaffarian D, Benjamin EJ, et al. American Heart Association Statistics Committee; Stroke Statistics Subcommittee. Executive Summary: Heart Disease and Stroke Statistics — 2016 Update: A Report from the American Heart Association. *Circulation*. 2016; 133(4): 447-454.
16. Wilson JF. In the clinic. Stable ischemic heart disease. *Ann Intern Med*. 2014; 160(1): ITC1-16; quiz ITC1-16.
17. Ashley KE, Geraci SA. Ischemic heart disease in women. *South Med J*. 2013; 106(7): 427-433.
18. Cho S, Atwood JE. Peripheral edema. *Am J Med*. 2002; 113(7): 580-586.
19. Clark AL, Cleland JG. Causes and treatment of oedema in patients with heart failure. *Nat Rev Cardiol*. 2013; 10(3): 156-170.
20. Shah MG, Cho S, Atwood JE, et al. Peripheral edema due to heart disease: diagnosis and outcome. *Clin Cardiol*. 2006; 29(1): 31-35.
21. Clark D 3rd, Ahmed MI, Dell'italia LJ, et al. An argument for reviving the disappearing skill of cardiac auscultation. *Cleve Clin J Med*. 2012; 79(8): 536-537, 544.
22. Markel H. The stethoscope and the art of listening. *N Engl J Med*. 2006; 354(6): 551-553.
23. Vukanovic-Criley JM, Hovanesyan A, Criley SR, et al. Confidential testing of cardiac examination competency in cardiology and noncardiology faculty and trainees: a multicenter study. *Clin Cardiol*. 2010; 33(12): 738-745.
24. Wayne DB, Butter J, Cohen ER, et al. Setting defensible standards for cardiac auscultation skills in medical students. *Acad Med*. 2009; 84(10 Suppl): S94-S96.
25. Marcus G, Vessey J, Jordan MV, et al. Relationship between accurate auscultation of a clinically useful third heart sound and level of experience. *Arch Intern Med*. 2006; 166(6): 617-622.
26. Johri AM, Durbin J, Newbigging J, et al. Canadian Society of Echocardiography Cardiac Point of Care Ultrasound Committee. Cardiac Point-of-Care Ultrasound: State of the Art in Medical School Education. *J Am Soc Echocardiogr*. 2018; 31(7): 749-760.
27. McGee S. *Evidence-based Physical Diagnosis*. 4th ed. Philadelphia, PA: Saunders; 2018.
28. The Rational Clinical Examination Series. *JAMA*. Available at http://jamaevidence.mhmedical.com/book.aspx?-bookID=845. Accessed July 5, 2018.
29. Pickering TG, Hall JE, Appel LJ, et al. Recommendations for blood pressure measurement in humans and experimental animals: part 1: blood pressure measurement in humans: a statement for professionals from the Subcommittee of Professional and Public Education of the American Heart Association Council on High Blood Pressure Research. *Circulation*. 2005; 111(5): 697-716.
30. Powers BJ, Olsen MK, Smith VA, et al. Measuring blood pressure for decision making and quality reporting: where and how many measures? *Ann Intern Med*. 2011; 154(12): 781-788.
31. Appel LJ, Miller ER 3rd, Charleston J. Improving the measurement of blood pressure: is it time for regulated

32. Whelton PK, Carey RM, Aronow WS, et al. 2017 ACC/AHA/AAPA/ABC/ACPM/AGS/APhA/ASH/ASPC/NMA/PCNA Guideline for the Prevention, Detection, Evaluation, and Management of High Blood Pressure in Adults: A Report of the American College of Cardiology/American Heart Association Task Force on Clinical Practice Guidelines. *Hypertension*. 2018; 71(6): e13-e115.
33. Guarracino F, Ferro B, Forfori F, et al. Jugular vein distensibility predicts fluid responsiveness in septic patients. *Crit Care*. 2014; 18(6): 647.
34. Chua Chiaco JM, Parikh NI, Fergusson DJ. The jugular venous pressure revisited. *Cleve Clin J Med*. 2013; 80(10): 638-644.
35. Cook DJ, Simel DL. The rational clinical examination. Does this patient have abnormal central venous pressure? *JAMA*. 1996; 275(8): 630-634.
36. Davison R, Cannon R. Estimation of central venous pressure by examination of jugular veins. *Am Heart J*. 1974; 87(3): 279-282.
37. Constant J. Using internal jugular pulsations as a manometer for right atrial pressure measurements. *Cardiology*. 2000; 93(1-2): 26-30.
38. Omar HR, Guglin M. Clinical and prognostic significance of positive hepatojugular reflux on discharge in acute heart failure: insights from the ESCAPE trial. *Biomed Res Int*. 2017; 2017: 5734749.
39. McGee S. Chapter 36: Inspection of the neck veins. In: *Evidence-based Physical Diagnosis*. 4th ed. Philadelphia, PA: Saunders; 2018.
40. Seth R, Magner P, Matzinger F, et al. How far is the sternal angle from the mid-right atrium? *J Gen Intern Med*. 2002; 17(11): 852-856.
41. Yancy CW, Jessup M, Bozkurt B, et al. American College of Cardiology Foundation; American Heart Association Task Force on Practice Guidelines. 2013 ACCF/AHA guideline for the management of heart failure: a report of the American College of Cardiology Foundation/American Heart Association Task Force on Practice Guidelines. *J Am Coll Cardiol*. 2013; 62(16): e147-e239.
42. Rame JE, Dries DL, Drazner MH. The prognostic value of the physical examination in patients with chronic heart failure. *Congest Heart Fail*. 2003; 9(3): 170-175, 178.
43. Drazner MH, Rame E, Stevenson LW, et al. Prognostic importance of elevated jugular venous pressure and a third heart sound in patients with heart failure. *N Engl J Med*. 2001; 345(8): 574-581.
44. Badgett RG, Lucey CR, Muirow CD. Can the clinical examination diagnose left-sided heart failure in adults? *JAMA*. 1997; 277(21): 1712-1719.
45. Straka C, Ying J, Kong FM, et al. Review of evolving etiologies, implications and treatment strategies for the superior vena cava syndrome. *Springerplus*. 2016; 5: 229.
46. Barst RJ, Ertel SI, Beghetti M, et al. Pulmonary arterial hypertension: a comparison between children and adults. *Eur Respir J*. 2011; 37(3): 665-677.
47. LeWinter MM. Clinical practice. Acute pericarditis. *N Engl J Med*. 2014; 371(25): 2410-2416.
48. Meyer T, Shih J, Aurigemma G. In the clinic. Heart failure with preserved ejection fraction (diastolic dysfunction). *Ann Intern Med*. 2013; 158(1): ITC5-1-ITC5-15; quiz ITC5-16.
49. Sandercock PA, Kavvadia E. The carotid bruit. *Pract Neurol*. 2002; 2: 221.
50. Ratchford EV, Jin Z, Di Tullio MR, et al. Carotid bruit for detection of hemodynamically significant carotid stenosis: the Northern Manhattan Study. *Neurol Res*. 2009; 31(7): 748-752.
51. Sauve JS, Laupacis A, Feagan B, et al. Does this patient have a clinically important carotid bruit? *JAMA*. 1993; 270(23): 2843-2845.
52. Brott TG, Halperin JL, Abbara S, et al. 2011 ASA/ACCF/AHA/AANN/AANS/ACR/ASNR/CNS/SAIP/SCAI/SIR/SNIS/SVM/SVS guideline on the management of patients with extracranial carotid and vertebral artery disease: executive summary: a report of the American College of Cardiology Foundation/American Heart Association Task Force on Practice Guidelines, and the American Stroke Association, American Association of Neuroscience Nurses, American Association of Neurological Surgeons, American College of Radiology, American Society of Neuroradiology, Congress of Neurological Surgeons, Society of Atherosclerosis Imaging and Prevention, Society for Cardiovascular Angiography and Interventions, Society of Interventional Radiology, Society of NeuroInterventional Surgery, Society for Vascular Medicine, and Society for Vascular Surgery. *J Am Coll Cardiol*. 201157(8): 1002-1044.
53. McGee S. Chapter 38: Palpation of the heart. In: *Evidence-based Physical Diagnosis*. 4th ed. Philadelphia, PA: Saunders; 2018.
54. Nishimura RA, Otto CM, Bonow RO, et al; American College of Cardiology/American Heart Association Task Force on Practice Guidelines. 2014 AHA/ACC guideline for the management of patients with valvular heart disease: a report of the American College of Cardiology/American Heart Association Task Force on Practice Guidelines. *J Am Coll Cardiol*. 2014; 63(22): e57-e185.
55. Michaels AD, Khan FU, Moyers B. Experienced clinicians improve detection of third and fourth heart sounds by viewing acoustic cardiography. *Clin Cardiol*. 2010; 33(3): E36-E42.
56. Chizner MA. Cardiac auscultation: rediscovering the lost art. *Curr Probl Cardiol*. 2008; 33(7): 326-408.
57. Pessel C, Bonanno C. Valve disease in pregnancy. *Semin Perinatol*. 2014; 34(5): 273-284.
58. Levine SA. Notes on the gradation of the intensity of cardiac murmurs. *JAMA*. 1961: 177: 261.
59. Freeman RA, Levine SA. The clinical significance of the systolic murmur: a study of 1000 consecutive "non-cardiac" cases. *Ann Intern Med*. 1933; 6: 1371.
60. Lilly LS. Ch2, The cardiac cycle: mechanisms of heart

sounds and murmurs. In: *Pathophysiology of Heart Disease: A Collaborative Project of Medical Students and Faculty*. 6th ed. Lippincott Williams & Wilkins; 2016.
61. McGee S. Etiology and diagnosis of systolic murmurs in adults. *Am J Med*. 2010; 123(10): 913-921.
62. McGee S. Chapter 43: Heart murmurs: general principles. In: *Evidence-based Physical Diagnosis*. 4th ed. Philadelphia, PA: Saunders; 2018.
63. Lembo NJ, Dell'Italia LJ, Crawford MH, et al. Bedside diagnosis of systolic murmurs. *N Engl J Med*. 1988; 318(24): 1572-1578.
64. Felker GM, Cuculich PS, Gheorghiade M. The Valsalva maneuver: a bedside "biomarker" for heart failure. *Am J Med*. 2006; 119(2): 117-122.
65. Mar PL, Nwazue V, Black BK, et al. Valsalva maneuver in pulmonary arterial hypertension: susceptibility to syncope and autonomic dysfunction. *Chest*. 2016; 149(5): 1252-1260.
66. Cheng RK, Cox M, Neely ML, et al. Outcomes in patients with heart failure with preserved, borderline, and reduced ejection fraction in the Medicare population. *Am Heart J*. 2014; 168(5): 721-730.
67. Gheorghiade M, Vaduganathan M, Fonarow GC, et al. Rehospitalization for heart failure: problems and perspectives. *J Am Coll Cardiol*. 2013; 61(4): 391-403.
68. Benjamin EJ, Virani SS, Callaway CW, et al. Heart disease and stroke statistics—2018 update: a report from the American Heart Association. *Circulation*. 2018; 137(12): e67-e492.
69. Grundy SM, Stone NJ, Bailey AL, et al. 2018 AHA/ACC/AACVPR/AAPA/ABC/ACPM/ADA/AGS/APhA/ASPC/NLA/PCNA guideline on the management of blood cholesterol: a report of the American College of Cardiology/American Heart Association Task Force on Clinical Practice Guidelines. *Circulation*. 2019; 139(25): e1082-e1143.
70. Goff DC Jr, Lloyd-Jones DM, Bennett G, et al. 2013 ACC/AHA guideline on the assessment of cardiovascular risk: a report of the American College of Cardiology/American Heart Association Task Force on Practice Guidelines. *J Am Coll Cardiol*. 2014; 63(25 Pt B): 2935-2959.
71. Mosca L, Benjamin EJ, Berra K, et al. Effectiveness-based guidelines for the prevention of cardiovascular disease in women—2011 update: a guideline from the American Heart Association. *Circulation*. 2011; 123(11): 1243-1262.
72. Weber MA, Schiffrin EL, White WB, et al. Clinical practice guidelines for the management of hypertension in the community: a statement by the American Society of Hypertension and the International Society of Hypertension. *J Clin Hypertens (Greenwich)*. 2014; 16(1): 14-26.
73. Meschia JF, Bushnell C, Boden-Albala B, et al. Guidelines for the primary prevention of stroke: a statement for healthcare professionals from the American Heart Association/American Stroke Association. *Stroke*. 2014; 45(12): 3754-3832.
74. Bushnell C, McCullough LD, Awad IA, et al. Guidelines for the prevention of stroke in women: a statement for healthcare professionals from the American Heart Association/American Stroke Association. *Stroke*. 2014; 45(5): 1545-1588.
75. Professional Practice Committee: Standards of Medical Care in Diabetes—2018. *Diabetes Care*. 2018; 41(Suppl 1): S3.
76. Whelton PK, Carey RM, Aronow WS, et al. 2017 ACC/AHA/AAPA/ABC/ACPM/AGS/APhA/ASH/ASPC/NMA/PCNA Guideline for the Prevention, Detection, Evaluation, and Management of High Blood Pressure in Adults: Executive Summary: A Report of the American College of Cardiology/American Heart Association Task Force on Clinical Practice Guidelines. *Hypertension*. 2018; 71(6): 1269-1324.
77. American Heart Association. My Life Check-Life's Simple 7. Available at http://www.heart.org/HEARTORG/Conditions/My-Life-Check—Lifes-Simple-7_UCM_471453_ Article.jsp#.W1Yyyy-ZNmB. Accessed July 23, 2018.
78. Nascimento BR, Brant LC, Moraes DN, et al. Global health and cardiovascular disease. *Heart*. 2014; 100(22): 1743-1749.
79. Ford ES, Ajani UA, Croft JB, et al. Explaining the decrease in U.S. deaths from coronary disease, 1980-2000. *N Engl J Med*. 2007; 356(23): 2388-2398.
80. Jamal A, Phillips E, Gentzke AS, et al. Current Cigarette Smoking Among Adults—United States, 2016. *MMWR Morb Mortal Wkly Rep*. 2018; 67(2): 53-59.
81. Greenland P, Alpert JS, Beller GA, et al. 2010 ACCF/AHA guideline for assessment of cardiovascular risk in asymptomatic adults: executive summary: a report of the American College of Cardiology Foundation/American Heart Association Task Force on Practice Guidelines. Circulation. 2010; 122(25): 2748-2764.
82. Siu AL, U.S. Preventive Services Task Force. Behavioral and pharmacotherapy interventions for tobacco smoking cessation in adults, including pregnant women: U.S. Preventive Services Task Force Recommendation Statement. *Ann Intern Med*. 2015; 163(8): 622-634.
83. Lloyd-Jones DM, Hong Y, Labarthe D, et al. Defining and setting national goals for cardiovascular health promotion and disease reduction: the American Heart Association's strategic Impact Goal through 2020 and beyond. *Circulation*. 2010; 121(4): 586-613.
84. Eckel RH, Jakicic JM, Ard JD, et al. 2013 AHA/ACC guideline on lifestyle management to reduce cardiovascular risk: A report of the American College of Cardiology/American Heart Association Task Force on Practice Guidelines. *Circulation*. 2014; 129(25 Suppl 2): S76-S99.
85. Sallis RE, Matuszak JM, Baggish AL, et al. Call to action on making physical activity assessment and prescription a medical standard of care. *Curr Sports Med Rep*. 2016;

15(3): 207-214.
86. U.S. Preventive Services Task Force. Obesity in Adults: Screening and Management. 2012. Available at https://www.uspreventiveservicestaskforce.org/Page/Document/RecommendationStatementFinal/obesity-in-adultsscreening-and-management. Accessed July 25, 2018.
87. Jensen MD, Ryan DH, Apovian CM, et al. 2013 AHA/ACC/TOS guideline for the management of overweight and obesity in adults: a report of the American College of Cardiology/American Heart Association Task Force on Practice Guidelines and The Obesity Society. *J Am Coll Cardiol*. 2014; 63(25 Pt B): 2985-3023.
88. U.S. Preventive Services Task Force, Bibbins-Domingo K, Grossman DC, et al. Statin use for the primary prevention of cardiovascular disease in adults: U.S. Preventive Services Task Force Recommendation Statement. *JAMA*. 2016 ; 316(19): 1997-2007.
89. Goldstein LB, Bushnell CD, Adams RJ, et al. Guidelines for the primary prevention of stroke: a guideline for healthcare professionals from the American Heart Association/American Stroke Association. *Stroke*. 2011; 42(2): 517-584.
90. Yadlowsky S, Hayward RA, Sussman JB, et al. Clinical implications of revised pooled cohort equations for estimating atherosclerotic cardiovascular disease risk. *Ann Intern Med*. 2018; 169(1): 20-29.
91. Office of the Surgeon General. *The Health Consequences of Smoking — 50 Years of Progress. A Report of the Surgeon General*. Rockville, MD: Public Health Service; 2014. Available at http://www.surgeongeneral.gov/library/reports/50-yearsof-progress/full-report.pdf. Accessed July 25, 2018.
92. Adams KF, Schatzkin A, Harris TB, et al. Overweight, obesity, and mortality in a large prospective cohort of persons 50 to 71 years old. *N Engl J Med*. 2006; 355(8): 763-778.
93. McGee DL; Diverse Populations Collaboration. Body mass index and mortality: a meta-analysis based on person-level data from twenty-six observational studies. *Ann Epidemiol*. 2005; 15(2): 87-97.
94. Institute of Medicine of the National Academies. *Leading Health Indicators for Healthy People 2020. Letter Report*. Washington, DC; 2011. Available at http://www.iom.edu/~/media/Files/Report%20Files/2011/Leading-Health-Indicators- for-Healthy-People-2020/Leading%20Health%20 Indicators%202011%20R. Accessed July 25, 2018.
95. Norcross JC, Prochaska JO. Using the stages of change. *Harv Ment Health Lett*. 2002; 18(11): 5-7.
96. LeFevre M, U.S. Preventive Services Task Force. Behavioral counseling to promote a healthful diet and physical activity for cardiovascular disease prevention in adults with cardiovascular risk factors: U.S. Preventive Services Task Force Recommendation Statement. *Ann Intern Med*. 2014; 161(8): 587-593.
97. Low PA, Tomalia VA. Orthostatic hypotension: mechanisms, causes, management. *J Clin Neurol*. 2015; 11(3): 220-226.
98. American College of Physicians. Syncope. In: *General Internal Medicine, Medical Knowledge Self-Assessment Program (MKSAP) 16*. Philadelphia, PA: American College of Physicians; 2012: 45.
99. Freeman R, Wieling W, Axelrod FB, et al. Consensus statement on the definition of orthostatic hypotension, neutrally mediated syncope and the postural tachycardia syndrome. *Clin Auton Res*. 2011; 21(2): 69-72.
100. Vijayan J, Sharma VK. Neurogenic orthostatic hypotension — management update and role of droxidopa. *Ther Clin Risk Manag*. 2015; 8: 915-923.
101. Chen LY, Benditt DG, Shen WK. Management of syncope in adults: an update. *Mayo Clin Proc*. 2008; 83(11): 1280-1293.
102. McGee S. Chapter 40: Miscellaneous heart sounds. In: *Evidence-based Physical Diagnosis*. 3rd ed. Philadelphia, PA: Saunders; 2012: 345.
103. Kari FA, Beyersdorf F, Siepe M. Pathophysiological implications of different bicuspid aortic valve configurations. *Cardiol Res Pract*. 2012; 2012: 735829.
104. Siu SC, Silversides CK. Bicuspid aortic valve disease. *J Am Coll Cardiol*. 2010; 55(25): 2789-2800.
105. Topilsky Y, Michelena H, Bichara V, et al. Mitral valve prolapse with mid-late systolic mitral regurgitation: pitfalls of evaluation and clinical outcome compared with holosystolic regurgitation. *Circulation*. 2012; 125(13): 1643-1651.
106. Foster E. Clinical practice. Mitral regurgitation due to degenerative mitral-valve disease. *N Engl J Med*. 2010; 363(2): 156-165.
107. Hayek E, Gring CN, Griffin BP. Mitral valve prolapse. *Lancet*. 2005; 365(9458): 507-518.
108. Shah SJ, Marcus GM, Gerber IL, et al. Physiology of the third heart sound: novel insights from Doppler imaging. *J Am Soc Echocardiogr*. 2008; 21(4): 394-400.
109. Shah SJ, Michaels AD. Hemodynamic correlates of the third heart sound and systolic time intervals. *Congest Heart Fail*. 2006; 12(4 suppl 1): 8-13.
110. McGee S. Chapter 39: The third and fourth heart sounds. In: *Evidence-based Physical Diagnosis*. 3rd ed. Philadelphia, PA: Saunders; 2012: 341.
111. Otto CM, Prendergast B. Aortic-valve stenosis — from patients at risk to severe valve obstruction. *N Engl J Med*. 2014; 371(8): 744-756.
112. Manning WJ. Asymptomatic aortic stenosis in the elderly: a clinical review. *JAMA*. 2013; 310(14): 1490-1497.
113. Ho CY. Hypertrophic cardiomyopathy in 2012. *Circulation*. 2012; 125(11): 1432-1438.
114. Fitzgerald KP, Lim MJ. The pulmonary valve. *Cardiol Clin*. 2011; 29(2): 223-227.
115. Asgar AW, Mack MJ, Stone GW. Secondary mitral regurgitation in heart failure: pathophysiology, prognosis, and therapeutic considerations. *J Am Coll Cardiol*. 2015; 65(12): 1231-1248.

文献一覧

116. Bonow RO. Chronic mitral regurgitation and aortic regurgitation: have indications for surgery changed? *J Am Coll Cardiol*. 2013; 61(7): 693-701.
117. Enriquez-Sarano M, Akins CW, Vahanian A. Mitral regurgitation. *Lancet*. 2009; 373(9672): 1382-1394.
118. Irwin RB, Luckie M, Khattar RS. Tricuspid regurgitation: contemporary management of a neglected valvular lesion. *Postgrad Med J*. 2010: 86(1021): 648-655.
119. Mutlak D, Aronson D, Lessick J, et al. Functional tricuspid regurgitation in patients with pulmonary hypertension: is pulmonary artery pressure the only determinant of regurgitation severity? *Chest*. 2009; 135(1): 115-121.
120. McGee S. Chapter 44: Miscellaneous heart sounds. In: *Evidence-based Physical Diagnosis*. 3rd ed. Philadelphia, PA: Saunders; 2012: 394.
121. McGee S. Chapter 43: Aortic regurgitation. In: *Evidence-based Physical Diagnosis*. 3rd ed. Philadelphia, PA: Saunders; 2012: 379.
122. Maganti K, Rigolin VH, Sarano ME, et al. Valvular heart disease: diagnosis and management. *Mayo Clin Proc*. 2010; 85(5): 483-500.
123. Enriquez-Serano M, Tajik AJ. Clinical practice. Aortic regurgitation. *N Engl J Med*. 2004: 351(15): 1539-1546.
124. Babu AN, Kymes SM, Carpenter Fryer SM. Eponyms and the diagnosis of aortic regurgitation: what says the evidence? *Ann Intern Med*. 2003; 138(9): 736-742.
125. McGee S. Chapter 45: Disorders of the pericardium. In: *Evidence-based Physical Diagnosis*. 3rd ed. Philadelphia, PA: Saunders; 2012: 400.

本章の学習効果を高め，理解を助けるために一連の補助教材がある。

- 『ベイツ診察法ポケットガイド第4版』
- Bates' Visual Guide to Physical Examination
- thePoint® online resources, for students and instructors: http://thepoint.lww.com

第17章 末梢血管系とリンパ系

解剖と生理

動脈系

動脈は同心円状に**内膜 intima**，**中膜 media**，**外膜 adventitia** の3つの組織層から構成される（図17-1，17-2）。内弾性板が内膜と中膜を，外弾性板が外膜と中膜を分けている。

> 動脈硬化はプラークを形成するような血管内皮細胞への傷害（例：喫煙や高血圧による）によってはじまる慢性炎症性疾患である。

内膜

すべての血管における最内側層は内膜と呼ばれる。内膜は優れた代謝特性をもつ内皮細胞で単層の内張として構成されている[1]。動脈硬化性プラークの形成は内幕からはじまるが，そこでは細胞外マトリックス由来のプロテオグリカンが循環中のコレステロール粒子，特にLDLコレステロールに曝露されている。コレステロールは酸化による修飾が起こり，結果として単球由来の食細胞を引きつける炎症反応が起こる（Box 17-1）。内膜にて食細胞がマクロファージへ成熟すると，脂質を取り込み foam cell（泡沫細胞）となり，脂肪線条を形成する。

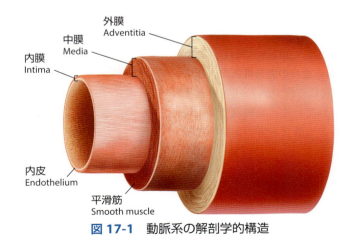

図 17-1　動脈系の解剖学的構造

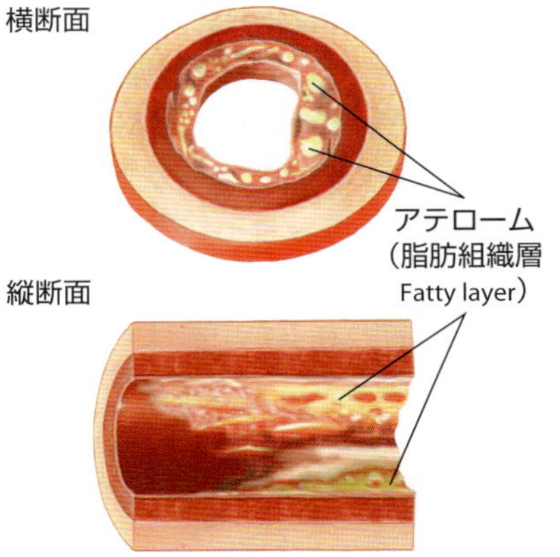

図 17-2　動脈硬化性プラーク

解剖と生理　　　　　　　　　　　　　　　　　　　　　　　　　　　　　　　異常例

> **Box 17-1　動脈硬化性プラークの形成**
> - 動脈硬化性プラークでは平滑筋細胞や細胞外マトリックスが内皮細胞の裏打ちを破るように増殖している
> - 動脈硬化性プラークでは平滑筋の線維化被膜が，壊死性の脂質に富む中心部や，血管細胞，さまざまな免疫細胞や血栓形成性分子を覆っている
> - 炎症性メディエータによるコラーゲン修復，被膜線維化機構の障害によって，プラークの破綻や浸食が起こる。プラークの中心部にある血栓形成性因子が曝露されることでプラークを覆うように血栓形成が起こる
> - このような血栓形成が心冠血管で起これば心筋梗塞に，頸動脈で起これば脳梗塞をきたす塞栓源となりうる

管腔の狭小化の要素に加えてプラークの活性化が，虚血や梗塞といった状態を促進させる主要な因子であるといわれるようになってきている[2-4]。

中膜

中膜は血圧や血流に順応できるような弾性のある物質に富んだ平滑筋細胞によって構成される。その内側と外側の境界は弾性線維（エラスチン）で成り立っており，**内弾性板（膜）internal elastic lamina** と **外弾性板（膜）external elastic lamina** と呼ばれる。中膜は**血管栄養血管 vasa vasorum** と呼ばれる小血管により栄養される。

外膜

動脈の外層は外膜，つまり神経線維，栄養血管を含む結合組織である。

動脈分枝

動脈は収縮期と拡張期の間の心拍出量の変化に応答しなければならない。動脈の構造とサイズは心臓からの距離に応じて変化する。大動脈と大動脈に直接つながる分枝は，総頸動脈と腸骨動脈のようにサイズが大きく，弾性の高い動脈である。これらの動脈は，冠動脈や腎動脈などの中型筋性動脈につながる。**大型血管，中型血管の中膜における弾性線維の反動や平滑筋細胞の収縮弛緩によって，血流の伝播や動脈の拍動が起こる**。中型動脈は直径 2 mm 以下の小動脈と，さらに小さな直径 20〜100 μm の細動脈に分類される（ときに「micron ミクロン」と呼ばれる）。**細動脈 arteriole** は「**抵抗血管 resistance vessel**」として知られており，これらの平滑筋の張力によって血圧の主要な構成要素である**全身の血管抵抗**が決まる。細動脈から，血液はそれぞれが 1 つの赤血球の直径と同じでわずか 7〜8 μm 程度しかない**毛細血管 capillary** の広範なネットワークへ流れていく。毛細血管は，内皮細胞に覆われるが中膜はもたない，これにより酸素と二酸化炭素の素早い拡散を容易にする。

動脈が閉塞し時間が経過すると小動脈のネットワーク間の吻合が成長し，閉塞部位より遠位に還流するような側副路を形成するようになる。

動脈の拍動

動脈の拍動は，体表近くを走行している動脈で触知可能である。

解剖と生理

腕と手の拍動
腕では図 17-3 に示すような動脈上で拍動を触れる。

- **上腕動脈 brachial artery**―上腕二頭筋腱のちょうど中央の肘の屈側に位置する。

- **橈骨動脈 radial artery**―外側屈筋表面に位置する。

- **尺骨動脈 ulnar artery**―内側屈筋表面に位置するが，皮膚，皮下組織に覆われていて，体表から尺骨動脈を触知するのは困難である。

2 つの血管弓が手掌内で交通しており，動脈閉塞による手指の虚血が起こらないよう二重に防ぐ構造になっている。

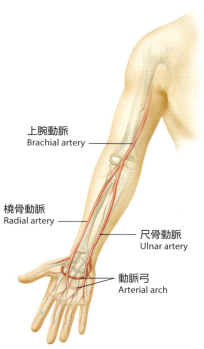

図 17-3　腕の動脈

腹部の拍動
上腹部で**大動脈 aorta** の拍動を触れる（図 17-4）。腹腔内臓器を還流する 3 つの主要な分枝である腹腔動脈基部，上・下腸間膜動脈は触れることはできない。

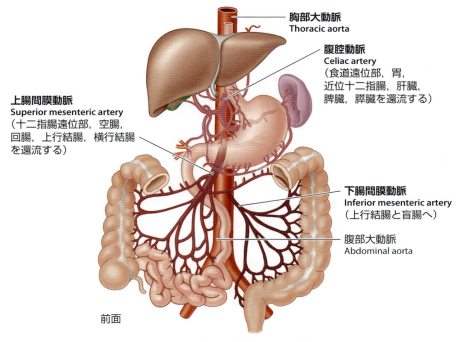

図 17-4　腹部大動脈とその分枝

解剖と生理

- 腹腔動脈：食道，胃，十二指腸近位，肝臓，胆嚢，脾臓（前腸由来）

- 上腸間膜動脈：小腸—十二指腸，回腸，盲腸。大腸—上行結腸，横行結腸，脾弯曲口側（中腸由来）

- 下腸間膜動脈：大腸—下行結腸，S状結腸，近位直腸（後腸由来）

下肢の拍動

図 17-5 のように拍動はつぎのように触知される。

- **大腿動脈 femoral artery**—上前腸骨棘と恥骨結合の中間に位置する鼠径靱帯直下に位置する。

- **膝窩動脈 popliteal artery**—大腿動脈から大腿の内側後部を通過し，膝後部の深部で触知する。

- **後脛骨動脈 posterior tibial(PT) artery** は内果の後部で触知する。2つの主動脈の分枝を相互につなぐ動脈弓は足への血液の循環を保護する。

- **足背動脈 dorsalis pedis(DP) artery**—母指の伸筋腱のわずかに外側の足背に位置する。

静脈系

動脈とは異なり，静脈は壁が薄く，最大で循環血液量の 2/3 を蓄えられるほどに，高度に拡張することができる。静脈の内膜は，抗血栓性の内皮で構成されている。末梢静脈には心臓への還流を助けるため**一方向弁 unidirectional valve** を備えている。中膜は，静脈圧の小さな変化にも対応していて静脈径を変更する弾性組織と平滑筋の円周形の輪を含んでいる。最小の静脈である**細静脈 venule** は毛細血管床からの血流を受け，相互に交通する静脈叢を形成し，例えば，前立腺，直腸静脈叢である。

腕，上部体幹，および頭頸部の静脈は，右心房に注ぐ**上大静脈 superior vena cava** に還流する。腹壁，肝臓，下部体幹，下肢の静脈血は**下大静脈 inferior vena cava** に注ぐ。腹腔内臓器からの静脈血は**門脈 portal vein** に注ぎ肝臓を通過する。門脈は栄養に富んだ腸間膜静脈，また脾動脈からの静脈血の合流点となっており，肝臓の血液還流の約 75% を占める。また肝動脈から酸素化された血流を受け取る。これらの血液は肝臓の類洞を通り，肝静脈を経て下大静脈に注ぐ。動脈と比較すると血管壁は構造が脆弱なため，下肢静脈は不規則に拡張したり，周囲の構造物より圧迫を受けたり，潰瘍形成したり，腫瘍の浸潤を受けたりといった影響を受けやすい。

異常例

3つの腹部動脈分枝は低灌流をきたさないよう側副血行路に富んでいるが，腸間膜動脈の閉塞は結果として重篤な急性腸間膜虚血をきたす可能性がある。

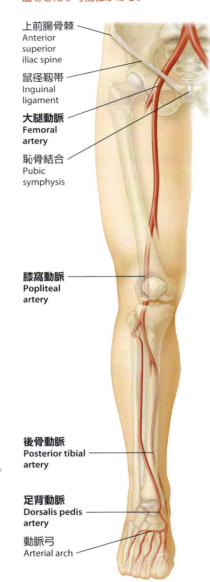

図 17-5 下肢動脈

解剖と生理

深部または表在の下肢静脈系

下肢からの静脈還流の約90％は深部静脈経由であり，深部静脈は周囲組織によりしっかり支えられている。対照的に，表在静脈は皮下にあり，周囲組織にしっかりと支えられてはいない（図17-6）。

表在静脈には以下のものがある。

- **大伏在静脈 great saphenous vein**。足の背側に起始があり，内果の直前を通り，その後，下肢の内側を上行し鼠径靭帯の下部で深部静脈系である大腿静脈と合流する。

- **小伏在静脈 small saphenous vein**。足の外側に起始があり，ふくらはぎの後方を上方向に進み，膝窩で深部静脈系に合流する。

吻合静脈は2つの伏在静脈をつなぎ，拡張すると非常にみやすくなる。**架橋静脈 bridging vein** と **貫通静脈 perforating vein** は，表在静脈系と深部静脈系をつなぐ（図17-7）。

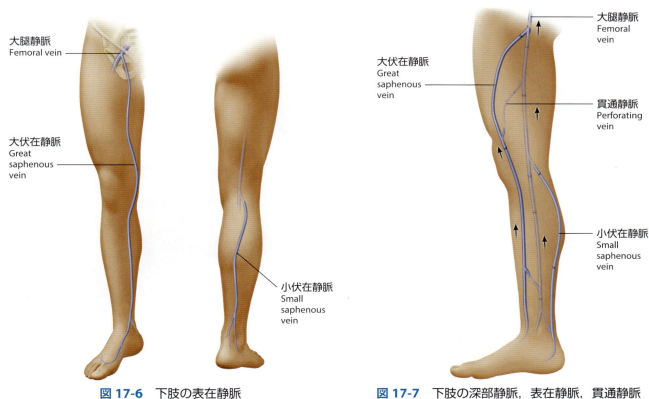

図 17-6　下肢の表在静脈

図 17-7　下肢の深部静脈，表在静脈，貫通静脈

解剖と生理

深部静脈，表在静脈，貫通静脈の一方向弁は，心臓に向かって血液を送り出し，血液の貯留，うっ滞，逆流を防ぐ。加えて腓腹筋の収縮がポンプの役割を果たし，重力に抗して血流を送るようになっている。

リンパ系

リンパ系は，リンパ液を体組織から還流したり静脈系に戻す広範な脈管のネットワークである。リンパ毛細管，**リンパ管叢 lymphatic plexus** は細胞外スペースからはじまり，細胞の多孔性内膜から滲出した組織液，血漿蛋白，細胞残屑（細胞デブリ）を集めている。リンパ管は，中枢へ向かって小さな脈管として続き，やがて集合管へ至り，最終的には頸部で大静脈系へ流れ込む。右半身のリンパ管は頭部，頸部，胸部のそれぞれ右側，右上肢のリンパ流を集め，右内頸静脈と右鎖骨下静脈に注ぐ。**胸管 thoracic duct** は残りの部分のリンパ流を集め，左内頸静脈と左鎖骨下静脈に注ぐ。これらの脈管により運ばれるリンパ液は，この経路上にあるリンパ節で濾過される。

リンパ節

リンパ節は円形，卵形，あるいは豆形であり，部位によって大きさはさまざまである。なかには耳介前リンパ節のように，触知することができても非常に小さなものもある。対照的に，鼠径リンパ節は比較的大きく，直径はおよそ 1 cm であり，成人では 2 cm になることもある。**脈管機能に加えて，リンパ系は免疫系で重要な役割を果たす**。リンパ節中の細胞は細胞残屑や細菌を取り込み，抗体を産生する。表在性リンパ節のみ身体診察で触知できる。それには頸部リンパ節（p.351 参照），腋窩リンパ節（p.605 参照），上肢および下肢のリンパ節がある。

上肢からのリンパ液は，ほとんどが腋窩リンパ節へ灌流する（図 17-8）。しかし，前腕，手，第 4 指と第 5 指，また第 3 指の隣接側のリンパ流は最初に滑車上リンパ節に灌流する。これは上肢の内側表面，肘の上約 3 cm に位置する。残りの部分のリンパ流ははじめに腋窩リンパ節に灌流する。直接鎖骨下リンパ節に注ぐリンパ流もある。

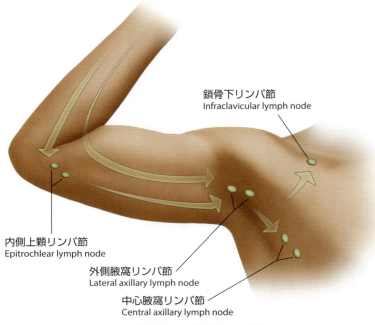

鎖骨下リンパ節
Infraclavicular lymph node

内側上顆リンパ節
Epitrochlear lymph node

外側腋窩リンパ節
Lateral axillary lymph node

中心腋窩リンパ節
Central axillary lymph node

図 17-8 腕のリンパ節

解剖と生理

下肢のリンパ系は静脈系に沿っているが，深部リンパ系と表在性リンパ系からなる。表在性リンパ節のみが触知可能である。表在性鼠径リンパ節は，水平群と垂直群の2つに分けられる（図17-9）。**水平群 horizontal group** は鼠径靱帯下の大腿前部の高い位置に連鎖上に存在し，下腹部の表在部分と殿部，外性器（精巣は除く），肛門と肛門周囲，腟下部から灌流する。**垂直群 vertical group** は大伏在静脈の上方近くに集簇し，下肢の対応部分から灌流する。

これらとは対照的に，下腿の小伏在静脈の対応部分の（踵および足の外側にある）リンパ液は，膝窩部の高さで深部リンパ系に合流する。したがって，その部分に病変があったとしても，通常，鼠径リンパ節は触知しない。

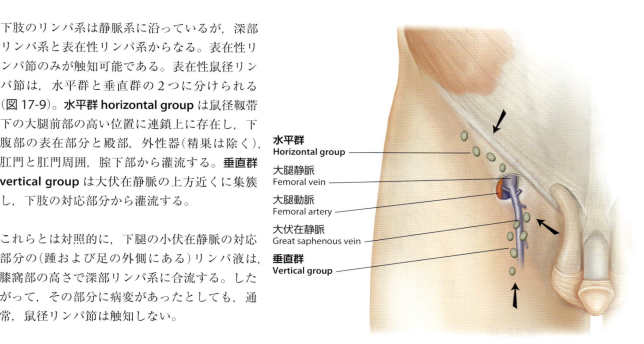

図17-9　表在性鼠径リンパ節

毛細血管床を通した体液交換

血液は動脈から静脈へ毛細血管床を通して循環する（図17-10）。毛細血管床，特に細静脈終末で吸収されたもの以外はリンパ液も含め大部分の体液が循環に戻る。腎臓は血漿量が少なくなるとナトリウムと水を吸収保持する役割を果たす。（1）**静脈毛細血管圧**，（2）**毛細血管の浸透圧**，（3）**液体バランスの異常**（つまり体外からの投与や腎臓での再吸収の亢進）のいずれによっても浮腫が起こる。**浮腫 edema** は細胞外液が主に下肢の腫脹などの形で臨床的に認識できる状態のことをさす[5-7]。ここで起こる浮腫は圧迫可能で，外力を加えることで陥凹する，**圧痕浮腫 pitting edema** といわれるものである。リンパ管の閉塞による**リンパ浮腫 lymphedema** は通常，圧迫できない。**リンパ節腫脹 lymphadenopathy** とは腫大したリンパ節を意味し，圧痛を伴うことも伴わないこともある。炎症の起こる原因となっている箇所の灌流域1カ所のリンパ節腫脹であるか，少なくとも2カ所以上の隣接していないリンパ節領域のリンパ節腫脹かを区別することで，局所的リンパ節腫脹か全身性リンパ節腫脹のどちらかを区別する。

異常例

浮腫を起こす機序としては，ナトリウムの保持による血漿量の増加，毛細血管血流の変化による濾過量の変化，濾過後リンパ液の不十分な吸収，リンパ管または静脈の閉塞，毛細血管の透過性の亢進などがある[8, 9]。表17-1「末梢性浮腫の種類」を参照。

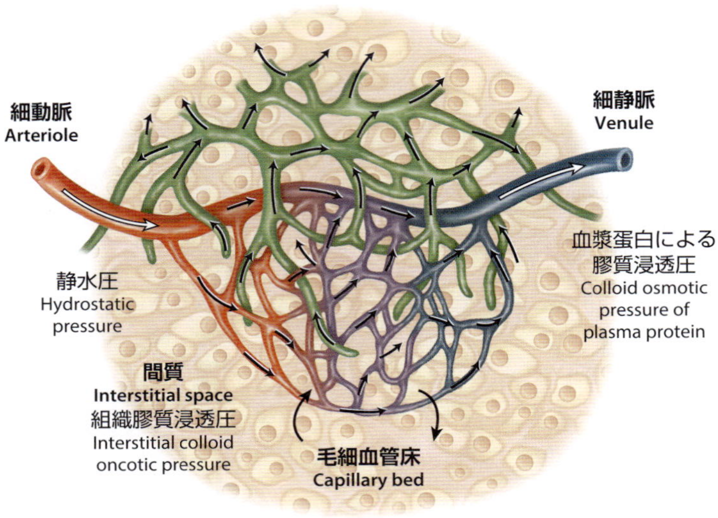

図 17-10 毛細血管床と体液交換

病歴：一般的なアプローチ

末梢血管系に関連した徴候や症状のある患者へアプローチする際は前述したような動脈，静脈，リンパ管を構成するシステムに欠陥があるかどうかを意識するとよい。痛みや倦怠感のような非特異的な主訴を神経学的，筋骨格系の病因と区別し，鑑別診断を絞るためには directed question（症状特定のために特異的な質問）でたずねることが重要である。(1)どのくらいの速さで症状が悪化したのか？(2)症状がはじまったときに何をしていたのか？ といった質問は重要ではあるものの，末梢血管系システムを評価するうえでは役立たない。これらの主訴を鑑別するには問診から末梢灌流を評価するとよい。筋骨格系または神経学的疾患では末梢血管系の血流は変わらない。末梢血管系の症状はたいてい運動負荷など酸素消費量が供給を上回るときに悪化する。灌流の程度を見極めるために聞くべき特異的な事項は，色調，痛みや拍動の程度，体温，脱毛（特に慢性的な主訴），運動によって誘発される症状，そして腫脹，潰瘍形成，壊死などである。

よくみられる，または注意すべき症状

- 上肢・下肢の痛み
- 下肢・足の冷感，しびれ感，蒼白，色調変化，脱毛（無毛）
- 腹部痛，側腹部痛，背部痛

| UNIT II　第17章　末梢血管系とリンパ系 |

病歴：一般的なアプローチ | 異常例

■ 末梢動脈疾患

末梢動脈疾患 peripheral arterial disease(PAD) は一般的には総腸骨動脈分岐より遠位（ガイドラインによっては腹部大動脈を含めるものもある）に起こる動脈硬化性疾患と定義される[10,11]。PAD は心血管疾患の有病率と死亡率の指標となり，かつ機能低下の前兆でもあるので，PAD の検索は二重の意味で重要となる。PAD を有する成人では心筋梗塞や脳卒中で死亡するリスクが3倍になる。

上肢・下肢の痛み

ほぼ全例に動脈還流領域の痛み，腫脹，または色調変化を呈する。四肢の痛みは皮膚，筋骨格系，神経系から起こりうる。また，痛みが放散することもある。例えば，左上肢に放散する心筋梗塞の痛みなどである。

表17-2「痛みを伴う末梢血管系疾患とその類似疾患」を参照。

- 安静または労作時に起こる痛み，筋痙攣をたずねる

労作時の症候性四肢虚血はたいてい PAD であることが多い。歩行や長時間の起立に伴った痛み，脊椎から殿部，大腿，下肢，足部に放散する痛みは神経性跛行である。

- 安静で痛みは 10 分以内におさまる（**間欠跛行 intermittent claudication**）か？

- 痛みのある下肢や上肢に腫脹はあるか？

ほとんどの PAD 患者は最小限の症状しか訴えないので，緊急性のある四肢虚血の前に起こりうる，2つのおもな非典型的下肢の痛みについてたずねておくべきである。**労作時および安静時の脚の痛み**（安静時からはじまる労作時の痛み）はないか？　**労作時の脚の痛みが持続する状態**（歩行を止めるほどは強くない労作時の痛み）はないか？　特に 50 歳以上の患者で喫煙，糖尿病，高血圧，高コレステロール血症，アフリカ系米国人，冠動脈疾患（CAD）といった PAD の危険因子がある場合には，以下に示す PAD の警告症状について具体的にたずねる。これらの危険因子は CAD の危険因子と同じである。なぜなら，動脈硬化は全身性の疾患であるからである。Box 17-2 に示す症状や危険因子を呈するようであれば，注意深い診察や足関節上腕血圧比 ankle-brachial index（ABI）などの測定を施行すべきである（p.590 も参照）。

労作時に悪化し，安静で改善する古典的な症状を呈するのは 10％にすぎない[12]。それ以外の 30～50％が非典型的な下肢痛を呈し，最大 60％は無症候性である。無症候性の患者においては，PAD が進行しているせいで症状がでないように歩行を制限したり，ゆっくり歩行するといった機能障害が存在していることもある。

病歴：一般的なアプローチ

> **Box 17-2　PAD の警告症状**
> - 歩行や運動を制限するような，脚の疲労，うずき，しびれ，痛み。これらを認めるならば，どの部位に生じるか確認する
> - 勃起障害
> - 治りの遅い，または治癒しない下肢や足の傷
> - 安静時に認める下肢や足の痛み，立位や臥位で変化する痛み
> - 食後の腹痛とそれに関連した摂食恐怖感，体重減少（19 章「腹部」，p.633 参照）
> - 腹部大動脈瘤を有する第 1 度近親者

異常例

症状の起こる部位によって還流域にもとづいて動脈性虚血の位置を知ることができる。
- 殿部，腰：大動脈腸骨動脈
- 勃起障害などの陰部症状：大動脈腸骨動脈‐陰部動脈
- 大腿：総大腿動脈，大動脈腸骨動脈
- ふくらはぎ上部：浅大腿動脈
- ふくらはぎ下部：膝窩動脈
- 足：脛骨動脈，腓骨動脈

下肢・足の冷感，しびれ感，蒼白，色調変化，脛骨前面の無毛

- 下肢または足の冷感，しびれ感，色調変化，蒼白についてたずねる。

- 脛骨前面の無毛についてたずねる。

脛骨前面の無毛は動脈還流の減少を示唆する。壊疽による乾燥した黒褐色の**潰瘍 gangrene** が続いて起こることもある。

腹部痛，側腹部痛，背部痛

腹部の主訴がどの血管系に関連しているかを明らかにすることは困難である。しかしながら，臓器系の還流の異常と関連していることがある。腹部症状の発症が急性であるならば動脈塞栓の可能性が高い。このような症状は酸素需要供給の不一致と関連している。例えば，もしその症状が食事をしているときに誘発されるのであれば（つまり，腹部臓器の酸素需要が大きくなっているとき），その症状は動脈系の疾患である可能性がより高いであろう。このような患者は結果として**摂食恐怖感 food fear** や**食欲不振 anorexia** を呈する。

腹部大動脈瘤から広がる血腫は，腸管，大動脈の分枝動脈，尿管を圧迫することで症状を引き起こすことがある[13,14]。第 1 度近親者における腹部大動脈瘤の有病率は 15〜28％である[15]。

これらの症状は動脈塞栓，動静脈血栓，腸捻転，絞扼，低灌流といった腸間膜動脈の虚血を示唆する。急性の症状を見逃すことは腸管壊死や死亡につながることもある。

- 特に高齢の喫煙者では，腹痛，側腹部痛，背部痛についてたずねる。普段とは違う便秘や腹部膨満がないか？　尿閉，排尿困難，勃起障害，腎仙痛などについてもたずねる。

痛みが座位または前屈によって改善する，もしくは両側殿部，下肢痛があれば，病因は脊柱管狭窄であることが多い[16]。

- 持続的な腹痛であれば，**摂食恐怖感（痛みのため食事がとれない）**や，体重減少，黒色便についてたずねる。

摂食恐怖感，体重減少は，腹腔動脈，上腸間膜動脈，または下腸間膜動脈の慢性腸間膜動脈虚血を示唆する。

末梢静脈疾患（または静脈血栓症）

下肢末梢静脈系の血栓塞栓もよくみられる。米国では年間 200 万人が深部静脈血栓症 deep vein thrombosis（DVT）と診断され，最大 20％が肺塞栓 pulmonary embolism（PE）をきたす[17,18]。加えて，近年増加している中心静脈カテーテルの留置や心臓ペースメーカ，植込み型除細動器の使用による合併症を反映し，上肢の DVT が約 10％を占めるようになっている[19]。患者の多くは片側もしくは非対称性の四肢腫脹を呈する。

表 17-2「痛みを伴う末梢血管系疾患とその類似疾患」を参照。

診察の技術	異常例

- **中心静脈カテーテルを使用している患者**では上肢の違和感，痛み，しびれ，脱力などについてたずねる。

これらの症状は上肢の DVT を示唆し，多くが中心静脈カテーテル関連の血栓症である[19]。ほとんどの患者は無症状で，ルーチンのスクリーニングで発見される。

- 腓腹部や下肢の腫脹や痛みについてたずねる。

個人の臨床症状では診断的価値が低いため，DVT が疑われる患者すべてに対し，専門家は Wells Clinical Score や Geneva Score といった妥当性の評価されたスコアリングシステムを用いることを推奨している[18, 20, 21]。

身体診察：一般的なアプローチ

医療面接と同様に，四肢や腹部の動脈系，静脈系，そしてリンパ管系に異常があるかどうかに焦点を絞る。拍動がそれぞれの四肢で同様に触れるかどうか，また末梢灌流に問題がないかどうか確認する。トップダウン（上部から下部にかけて診察を行う）形式で，頸動脈，上肢，腹部，下肢の順番で診察するのがよい。順番に診断することで，(1) 拍動の質，(2) 動脈のサイズ，(3) 四肢末梢の温度，(4) 四肢末梢の発毛の状況，(4) 浮腫の有無について**左右比較しながら行える**。腹部を診察するときには常に腹部大動脈を触知するように心がける。拍動性の腫瘤を探せれば，腹部大動脈瘤やその他生命を脅かす可能性のある疾患をみつけることができるかもしれない。末梢血管系に焦点を絞って診察する場合には，末梢動脈疾患が無症状であったり，見逃されやすいこと，重篤な合併症や死亡などにつながるかもしれないことを意識する。

診察の技術

末梢静脈系の診察の重要項目

上肢：
- 上肢の視診（サイズ，対称性，腫脹，静脈走行，色調）
- 上肢の触診（撓骨動脈の拍動，上腕動脈の拍動，滑車上リンパ節）

腹部：
- 鼠径リンパ節の触診（サイズ，可動性，癒合の有無，圧痛）
- 腹部の視診と触診（大動脈径と拍動）
- 腹部の聴診（大動脈・腎動脈・大腿動脈の雑音）

下肢：
- 下肢の視診（サイズ，腫脹，静脈走行，皮膚色調，温度，潰瘍形成，脱毛）
- 下肢の触診（大腿動脈・膝窩動脈・足背動脈・後脛骨動脈の拍動，温度，腫脹，浮腫）

さらに，以下の血圧測定，頸動脈・大動脈・腎動脈・大腿動脈を評価する技術を復習してほしい。
- 両側の腕で血圧を測定する（第 8 章「全身の観察，バイタルサイン，疼痛」，p.226 参照）

（続く）

| 診察の技術 | 異常例 |

（続き）

- 頸動脈を頭側方向に触診し，雑音の有無を聴診する（第16章「心血管系」，p.521参照）
- 大動脈の触診と最大径の評価（第19章「腹部」，p.659参照）

上肢

視診

両側上肢の視診を指先から肩まで行う。以下の項目に注意する。

- 大きさ，対称性，腫脹

上肢や手のリンパ浮腫による腫脹は，腋窩リンパ節郭清や放射線療法によって起こりうる。

- 静脈走行
- 皮膚や爪床の色，皮膚の質感

目視可能な静脈の側副路形成と腫脹，浮腫，色調変化は上肢のDVTを示唆する[19]。

触診

橈骨動脈，上腕動脈と1つ以上の滑車上リンパ節の触診

動脈拍動の程度を評価するには推奨されている方法がいくつかある。例えば，2016年の米国心臓病学会 American College of Cardiology（ACC）/米国心臓協会 American Heart Association（AHA）ガイドラインではBox 17-3に示すように0〜3のスコア評価を提唱している[15]。

動脈が大きく拡張していたら，それは動脈瘤である。

Box 17-3　推奨されている拍動の評価	
3+	躍動した
2+	活発な，予測される状態（正常）
1+	減弱した，予想より弱い
0	消失，触知できない

大動脈弁閉鎖不全では頸・橈骨・大腿動脈において，躍動した動脈拍動がみられる。

小脈 pulsus parvus とは弱く拍動を触れることをいい，動脈硬化性の末梢血管疾患にみられる。一方，**遅脈 pulsus tardus** とは緩徐に立ち上がり，消退もゆっくり起こる拍動を指し，動脈狭窄や低心拍出量の場合にみられる。

診察の技術

橈骨動脈の触診には指腹を使い，手首の外側の屈側面で行う（図17-11）。患者の手首をやや屈曲させると触れやすくなる。両側の拍動を比較する。

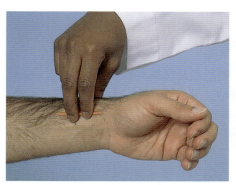

図 17-11　橈骨動脈の触診

上腕動脈の触診。患者の肘を軽く屈曲させ，肘前窩の上腕二頭筋腱のやや内側を触診する（図17-13）。上腕動脈の拍動は，より高位の上腕二頭筋と上腕三頭筋の間の溝でも触知できる。

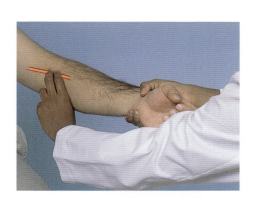

図 17-13　上腕動脈の触診

1つ以上の滑車上リンパ節を触診する。患者の肘を約90度に屈曲して，前腕を左手で保持する。患者の腕の内側に右手を回し入れ，上腕二頭筋と上腕三頭筋の間の溝を内側上顆の上約3cmで触知する（図17-14）。リンパ節があれば大きさ，硬さ，圧痛に注意する。健常人では滑車上リンパ節は触知しない。

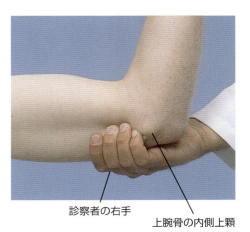

診察者の右手　　上腕骨の内側上顆
図 17-14　滑車上リンパ節の触診

異常例

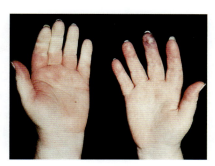

図 17-12　Raynaud 病

Raynaud（レイノー）病では手首の拍動は正常であるが，より遠位の動脈で攣縮が起こっており，図17-12のような指の境界明瞭な皮膚白色をきたす。

指趾の毛細血管再充填時間が5秒以上であるといった所見は，感度・特異度ともに低く，診断にはあまり役立たないと考えられている[20]。

滑車上リンパ節の腫脹は局所，もしくはより遠位側の感染を示唆するが，悪性リンパ腫やHIV感染由来のリンパ節腫脹と関連していることもある。

腹部

腹部大動脈を診察する技術に関しては第19章「腹部」を参照のこと（p.647〜652）。簡単に述べると，大動脈，腎動脈，大腿動脈の雑音を聴取することである。特に腹部大動脈瘤のリスクが高い高齢者や喫煙者では，心窩部で，左右の示指を用いて大動脈を挟むように触診することで，その直径を推測する。拍動性の腫瘤があるかどうかを判定する。

触診

水平群，垂直群の**表在性鼠径リンパ節を触診する**（図17-15）。大きさ，硬さ，周囲組織との関係，圧痛に注意する。圧痛のない，周囲組織から独立した直径1〜2 cmの鼠径リンパ節は，健常人でもよく触知される。

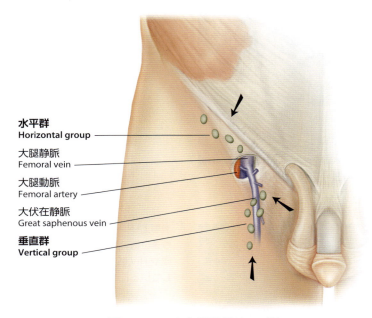

図 17-15　表在性鼠径リンパ節

下肢

患者に仰臥位になってもらいシーツや毛布で外陰部を覆い，両足が完全にみえるようにする。ストッキング，靴下は脱いでもらう。

嵌頓ヘルニアを疑う鼠径部の腫瘤は，術中において腹部大動脈瘤としばしば診断されることに注意する[13]。

視診

両側下肢の視診を鼠径部，殿部から足まで行う。以下に注意する。

- **サイズと対称性**：大腿，ふくらはぎ，足首の対称性をよく観察比較する。それらの大きさを記載しておく。大腿，ふくらはぎ，足首の周囲径を測定するにはテープ尺を使用するのがよい。通常，周囲径の左右差は3cm以内である。必要であれば他の部位でも比較してみる。

  ふくらはぎの周囲径の左右差が3cmを超える場合，陽性尤度比は2を超える[20]。その他，筋断裂，筋外傷，Baker（ベーカー）嚢胞（膝窩部），筋萎縮を考慮する。

- **腫脹や浮腫**：片側もしくは両側か？ 腫脹はどの程度か？

  局所の腫脹，発赤，熱感，皮下の索状硬結は表在血栓性静脈炎を示唆し，DVTのリスクでもある[22]。ふくらはぎの非対称性の熱感，発赤は蜂巣炎を示唆する。片側性のふくらはぎもしくは足首の腫脹，浮腫はDVT，慢性静脈血流不全，静脈弁不全からの静脈血栓症を示唆する。またリンパ浮腫のこともある。片側性の腫脹や浮腫を認めた場合，脛骨粗面の10cm下で**周囲径を測定**する。両側性の浮腫は，心不全，肝硬変，ネフローゼ症候群でみられる。静脈拡張は，浮腫が静脈性の原因によることを示唆する。

- **静脈走行や静脈の怒張**：**静脈瘤様腫脹 varicosity** の有無を確認するために伏在静脈をみる。所見があれば，立位になってもらい，静脈瘤を緊満し可視化させる。これらの所見は臥位だと見逃されやすい（図17-16）。さらに血栓性静脈炎について触診して確認しておく。

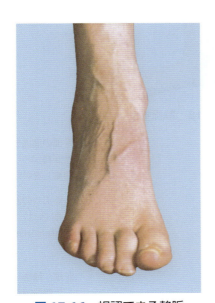

図17-16 視認できる静脈

| 診察の技術 | 異常例 |

浮腫は静脈，腱，骨の浮き出しを不明瞭にすることがある（図 17-17）。

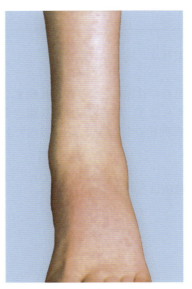

図 17-17　前脛骨浮腫

静脈瘤 varicose vein は拡張，蛇行しており，静脈壁はいくぶん肥厚している（図 17-18）。表 17-3「動脈・静脈の慢性機能不全」も参照。

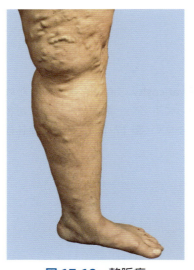

図 17-18　静脈瘤

● 色素沈着，発疹，瘢痕，潰瘍

足部の潰瘍やびらんは末梢血管疾患の可能性が高い[20]。表 17-4「足首と足の一般的潰瘍」を参照。

くるぶしの直上が褐色であったり潰瘍がある場合は，**慢性静脈機能不全** chronic venous insufficiency を示唆する。

● 皮膚の色や質感

肥厚，腫脹した皮膚は，リンパ浮腫や進行した静脈機能不全を示唆する。

● 爪床の色
● 下肢，足，足趾における毛の分布

萎縮した皮膚または脱毛した皮膚でも PAD をよくみるが，診断特異的ではない。

触診：末梢動脈拍動

大腿・膝窩・足背動脈の拍動を触診し，動脈循環を評価する。

- **大腿動脈の拍動**。鼠径靱帯の下，つまり上前腸骨棘と恥骨結合のほぼ中間を深く押す（図17-19）。特に肥満など大腿動脈を触診するのが困難な患者では腹部深部の触診のように，両手を重ねての触診が役立つことがある。

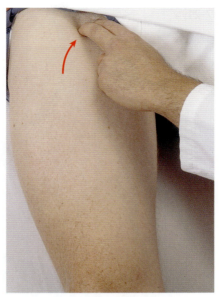

図17-19　右大腿動脈の触診

大腿動脈の拍動がなければPADの陽性尤度比は6以上である[20]。閉塞が大動脈，腸骨動脈のレベルに存在する場合，血管の閉塞部より遠位のすべての末梢拍動が影響を受けやすく，姿勢による皮膚の色調変化をきたすことがある。

広範囲の増強した大腿動脈拍動は，病的に拡大している**大腿動脈瘤 femoral aneurysm**を示唆する。

- **膝窩動脈の拍動**。患者の膝をいくぶん屈曲させ，下腿はリラックスさせる。両手の指先を膝の後面の正中でちょうど触れ合うようにし，膝窩を深く押す（図17-20）。膝窩動脈拍動は他の動脈拍動に比べると触知するのが難しい。深いところに位置するので，拍動はより不明瞭となる。

広範囲の増強した膝窩動脈拍動は，膝窩動脈瘤を示唆する。膝窩動脈瘤，大腿動脈瘤ともに一般的ではない。これらは通常はアテローム性動脈硬化に起因し，おもに50歳以上の男性に起こる。

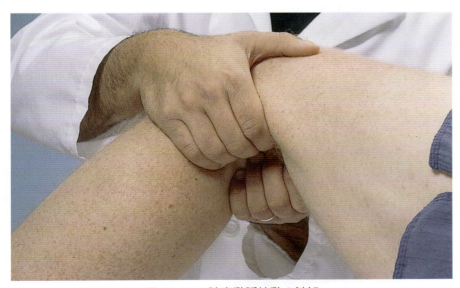

図17-20　膝窩動脈拍動の触知

上記の方法で膝窩動脈拍動を触知できない場合は，患者を腹臥位にする。患者の膝を約90度に屈曲して，下腿は診察者の肩か上腕にのせてリラックスさせる。そして両手の母指で膝窩を深く押す（図17-21）。

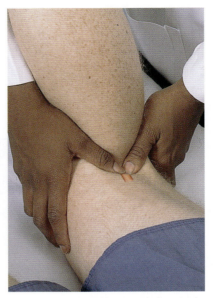

図 17-21　腹臥位での膝窩の深部触診

- **足背動脈の拍動**。足背（足首ではない）の母趾伸筋腱のやや外側で触知する（図17-22）。足背動脈は先天的に存在しなかったり，足首付近の高位で分枝することがある。拍動を触知できないなら，さらに外側で探す。

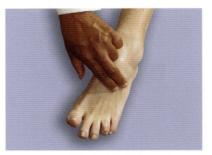

図 17-22　足背動脈の触診

大腿動脈と膝窩動脈の拍動が正常であるにもかかわらず足背動脈の拍動が消失している場合，PADの陽性尤度比は14以上である[20]。

- **後脛骨動脈の拍動**。示指と中指を曲げ，内果のやや下後方に置く（図17-23）。脂肪組織により足首が肥大・肥厚がみられる場合は，拍動に触れるのが難しいことがある（Box 17-4）。

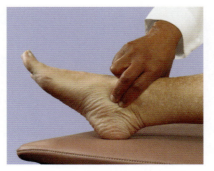

図 17-23　後脛骨動脈の触診

塞栓や血栓による**急性動脈閉塞 acute arterial occlusion**は，痛み，しびれ感，チクチクする感じを引き起こす。閉塞が起こった末梢側は冷たく蒼白化し，脈は触知不能となる。この場合，緊急治療が必要である。

UNIT II 第17章 末梢血管系とリンパ系

診察の技術

Box 17-4　難しい拍動を触れるコツ

1. 診察する際の姿勢と手を楽にする。姿勢がぎこちないと触知の感度が低下する
2. 手を正しい位置に置き，弱い拍動を触知するために指先の圧を変えながら，ゆっくりと触診していく。うまくいかない場合は，その付近をやさしくより丁寧に検索する
3. 拍動の位置や深さを考える。複数の指が必要な場合や両手を使用したほうがよい場合もある
4. 患者の拍動と診察者自身の指先の脈を間違えないようにする。必要があれば，自分の心拍数を数え患者のものと比べる。患者と診察者自身の拍動は通常異なり，特に頸動脈の拍動がこの比較に便利である
5. 患者の頸動脈または橈骨動脈を同時に触知し，目標部位の拍動と比較するとわかりやすい場合もある

足と下腿の温度をみる。指の背側を用いて，左右両側を比べる。

異常例

非対称性の足の冷感は，PADの陽性尤度比6以上である[20]。

変温性 poikilothermia とは一側肢が対側に比較して低温である状態を指す。これは末梢血管疾患でよくみられる。

触診：末梢静脈

腫脹や浮腫があれば圧痕浮腫であるかどうか触診する。(1)両側の足背，(2)両側の内果後方，(3)両側の脛を母指で少なくとも2秒間，しっかりかつ丁寧に押す（図 17-24）。母指で押してできるくぼみ（**圧痕 pitting**）はないか確認するが，正常ではみられない。浮腫の程度は軽度から重度の**主観的な4段階のスケール**に分けられる。表 17-1「末梢性浮腫の種類」を参照。

圧痕浮腫スケール：

1＋：指で皮膚を圧迫したときにほとんど痕がつかない。
2＋：軽度の凹みがあり，15秒でもとに戻る。
3＋：より深い凹みがあり，30秒でもとに戻る。
4＋：もとに戻るのに30秒以上かかる。
図 17-25 に 3＋の圧痕浮腫を示す。

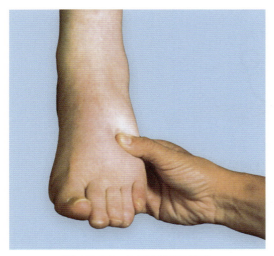

図 17-24　圧痕浮腫の触診

DVTによくみられる静脈の圧痛や索状硬結を触診する。

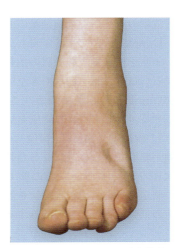

図 17-25　3＋の圧痕浮腫

特殊な技術

- 鼠径部における大腿動脈拍動の部位より内側で，大腿静脈の圧痛がないか触診する。

- つぎに，患者の下腿を膝で屈曲させリラックスさせた状態でふくらはぎを触診する。指腹で腓腹筋を脛骨に対してやさしく押しつけ，圧痛や索状物がないか探す。

異常例

蒼白で腫脹した有痛性の下肢が，鼠径部の大腿静脈の圧痛を伴ってみられるときは，**深部腸骨大腿静脈血栓症 iliofemoral thrombosis** を示唆する。近位の静脈に血栓がみられる場合，肺塞栓症のリスクは50%となる[23]。

ふくらはぎの DVT 患者のうち，圧痛や静脈の索状硬結を認めるのは半数のみであり，ふくらはぎの圧痛がないからといって血栓症を除外することはできない。**Homans（ホーマンズ）徴候**は足背の強制背屈で膝裏の違和感の有無を評価するものだが，感度も特異度も低く，信頼性が低いことがHomans 氏自身により提言されている[20]。

特殊な技術

末梢動脈疾患の評価

足関節上腕血圧比

末梢性血管疾患を疑うような病歴や身体所見，つまり痛み，跛行，感覚鈍麻，脱力，足背動脈や後脛骨動脈の微弱な拍動や消失，末梢四肢の皮膚蒼白があれば，**足関節上腕血圧比(ABI)** を測定することが重要である。ABI は下肢と上腕の血圧比である。この非侵襲的な検査は単純かつ繰り返し行うことができ，動脈狭窄より遠位部での血圧低下を正確に検出できる[24]。PAD の評価によく使用される。

上腕動脈圧の測定法

仰臥位で10分間安静にする。血圧測定用のカフを腕に装着し（図17-26），超音波用のゼリーを上腕動脈の上に塗る。Doppler（ドプラ）超音波トランスデューサを使って上腕動脈の拍動を同定する。最後に脈を聴取できた圧よりも20 mmHg 高い圧までカフをふくらませる。少しずつカフの圧を抜いていき（1秒に約1 mmHg 程度），再度拍動が聴取できるようになった時点での血圧を記録する。左右の腕で2回ずつ測定を行い，その平均値を測定した腕の上腕動脈圧として記録する。

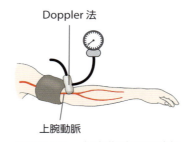

図 17-26 上腕動脈圧の測定

| 特殊な技術 | | 異常例 |

足首での血圧の測定法

血圧カフをくるぶしより近位に巻き（図 17-27），超音波用のゼリーを足背動脈の上に塗っておく。Doppler 超音波トランスデューサを使って，足背動脈の拍動を同定する。最後に脈を聴取できた圧よりも 20 mmHg 高い圧までカフをふくらませる。少しずつカフの圧を抜いていき（1 秒に約 1 mmHg 程度），再度足背動脈の拍動が聴取できるようになった時点での血圧を記録する。上記の手順を後脛骨動脈に対しても行う。2 つの動脈（足背動脈と後脛骨動脈）での測定を反対側の下肢でも繰り返す。

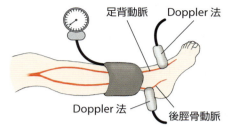

図 17-27　足首での血圧の測定

高齢者や糖尿病患者では，四肢の血管は線維化もしくは石灰化している。このような場合，血管が血圧カフの圧力で虚脱しにくくなり，Doppler 信号はより高いカフ圧で出現するようになる。このような場合，高い血圧でもシグナルが消失しないことがあり，みかけの高血圧と評価されてしまう[25]。

ABI の計算

ABI は下肢の一肢ごとに計算される。ABI の値は足首での足背動脈と後脛骨動脈の 2 本の動脈でより高いほうの血圧を上腕動脈の収縮期血圧で割ることで計算される。計算された ABI は小数点以下 2 桁で記録される[25]。

右 ABI＝右下肢での最大血圧/両上肢での最大血圧
左 ABI＝左下肢での最大血圧/両上肢での最大血圧

ABI の解釈

ABI の正常範囲は 0.90〜1.40 である。通常足首のほうが上腕よりも血圧が高いためである。

ABI の値が 1.4 以上であれば血管の石灰化によって，圧迫しきれないことを示唆する。0.9 以下であれば PAD と考えられ，0.5 以下であれば重症である。

手の動脈還流の評価

腕または手における動脈機能不全を疑う場合は，橈骨動脈，上腕動脈と同様に**尺骨動脈の拍動も触診するようにする**。手首屈側内側を深く触知する（図 17-28）。患者の手首をやや屈曲させると触れやすくなるが，尺骨動脈が正常な場合でも拍動が触れないことがある。

図 17-28　尺骨動脈の触知

上肢の閉塞性動脈疾患は，下肢に比べると頻度がはるかに少ない。手首における拍動の消失または低下は，急性塞栓性閉塞や**閉塞性血栓血管炎〔Buerger（バージャー）病〕**でみられる。

Allen テスト

Allen（アレン）テストは尺骨動脈と橈骨動脈の開通性を比較評価するものである。血液検体を採取する際，橈骨動脈を穿刺する前に尺骨動脈の開通性を確かめるために用いられる。患者には手を膝に置き，手掌を上に向けてもらう。

患者に拳を堅く握ってもらい，橈骨動脈と尺骨動脈の両方を，母指とその他の指で挟むように圧迫する（図17-29）。

図17-29　橈骨動脈と尺骨動脈の両方の圧迫

拳を緩めて手を開き，手首をかすかに曲げてもらうと（図17-30），手掌は蒼白になる。

手首を完全に伸展させると，**蒼白 pallor** となり偽陽性となる。

尺骨動脈の圧迫をとく。尺骨動脈が開存している場合は，手掌は約3〜5秒以内に潮紅する（図17-31）。

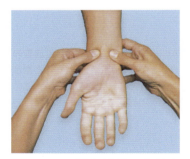

図17-30　手をリラックスさせた状態での手掌の蒼白

図17-31　潮紅した手掌：Allenテストで動脈は開存していると判定される

図17-32　蒼白のままの手掌：Allenテストの結果としては動脈閉塞性疾患の疑いとなる

尺骨動脈の開存は，橈骨動脈を圧迫したまま尺骨動脈の圧迫をとくことでわかる。

図17-32に示すように，手掌が蒼白のままであれば，尺骨動脈またはその末梢の閉塞を示唆する。

Barbeau（バービュー）テストはAllenテストより客観的である。Allenテストと同様にして行うが，パルスオキシメータを用いて血管開通性を評価する[26]。

所見の記録

所見を記録する際，最初は文章を用いるかもしれないが，慣れてくれば慣用的な記述を用いるようになる。リンパ節の所見は頭頸部の後に記載する(p.356 参照)。また，頸動脈の評価については心血管系の項目に記載する(p.539 参照)。

末梢血管系の診察の記録

四肢は温かく浮腫なし。静脈瘤およびうっ血性変化なし。ふくらはぎは柔軟，圧痛なし。大腿および腹部に血管雑音なし。上腕動脈，橈骨動脈，大腿動脈，膝窩動脈，足背動脈 dorsalis pedis(DP)，後脛骨動脈 posterior tibial(PT)の拍動は，2+で対称

または

四肢はふくらはぎ中央下で蒼白となり，著しい無毛あり。脚を下ろすと発赤あり，浮腫，潰瘍なし。両側大腿動脈の雑音あり，腹部血管雑音なし。上腕動脈，橈骨動脈の拍動 2+。大腿動脈，膝窩動脈，DP，PT の拍動は 1+
(表形式で拍動について記載すると確認しやすく時間も省ける)

	橈骨動脈	上腕動脈	大腿動脈	膝窩動脈	足背動脈	後脛骨動脈
右側	2+	2+	1+	1+	1+	1+
左側	2+	2+	1+	1+	1+	1+

これらの所見はアテローム性動脈硬化性 PAD を示唆する。

健康増進とカウンセリング：エビデンスと推奨

健康増進とカウンセリングの重要事項

- 下肢における PAD のスクリーニング
- 腹部大動脈瘤のスクリーニング

下肢における PAD のスクリーニング

疫学

動脈硬化性の末梢動脈疾患(PAD)を有する患者は世界で推定 2 億人程度存在するといわれているが，古典的な跛行(歩行時のふくらはぎの痛み)を呈する例は少ない[27]。有病率は年齢に伴って増加し，65〜75 歳の成人では 8%であるのに対して，75 歳以上では 18%にまで増加する[28]。有病率は低収入または中等収入の国々でより高いとされる。危険因子は 65 歳以上の年齢，既知の動脈硬化の危険因子(糖尿病，喫煙，脂質異常症，高血圧)，またその他の部位の動脈病変を有する例(冠血管，内頸動脈，鎖骨下動脈，腎動脈，腸間膜動脈，または腹部動脈瘤など)である[29]。

スクリーニング

前述した通り，PADは心血管疾患の有病率と死亡率の指標となり，かつ機能低下の前兆でもあるので，PADの検索は重要となる。PADを有する成人では心筋梗塞や脳卒中で死亡するリスクが3倍になる。PADは足関節上腕血圧比(ABI)を測定することで非侵襲的に発見できる(p.590参照)。ABIは下肢と上肢の血圧の比である。0.9以下は異常とされる。ABIは，信頼性，再現性が高く，診察室で容易に実施できる検査である。ABIの異常は感度は低い(15〜20％)ものの，特異度は99％で，陽性適中率，陰性適中率はどちらも優れている(80％以上)[30]。米国予防医療専門委員会 The U.S. Preventive Services Task Force (USPSTF)はPADスクリーニングに関しては，現時点でのエビデンスは利点と欠点を評価するのに十分でないとして，すすめていない(グレードI)[31]。しかしながら，AHA/ACCのガイドラインでは危険因子を有する患者ではABIによるPADスクリーニングは妥当であるとしている[32,33]。

腹部大動脈瘤のスクリーニング

疫学

腹部大動脈瘤は，腎臓下における大動脈の直径が3cm以上の場合と定義される。50歳以上における腹部大動脈の有病率は男性で3.9〜7.2％，女性で1.0〜1.3％である[34]。腹部大動脈の転機で最も恐ろしいのは破裂で，しばしば生命を脅かすほどであり，多くの患者が病院に辿り着く前に死亡する。大動脈の直径が5.5cmを超えると，破裂率と死亡率ともに飛躍的に高くなる。腹部大動脈瘤で最も関連のある危険因子は高齢，男性，喫煙，家族歴であり，潜在的なものとして他の部位の動脈瘤，高身長，冠血管疾患，脳血管疾患，動脈硬化，高血圧，脂質異常症などもあげられる。

スクリーニング

腹部大動脈は腹部超音波で非侵襲的，経済的かつ正確にスクリーニングが可能である(感度94〜100％，特異度98〜100％)。触診は推奨できるほどには感度がよくない。無症状であることもあり，スクリーニングにより13〜15年間の腹部動脈瘤関連の死亡を50％減少させられるため，USPSTFは生涯で100本以上の喫煙をしたことのある65〜75歳の男性に対して一度腹部超音波を施行することをグレードBで推奨している[35]。臨床医は喫煙していないこの年齢層の男性に対しても腹部超音波を提案してもよいとしている(グレードC)。なお喫煙歴のある女性に関しては十分なエビデンスが確立されていない。USPSTFは，非喫煙女性に関しては推奨していない(グレードD)。

表 17-1	末梢性浮腫の種類

全体水分量の約 3 分の 1 が細胞外液であり，その 25%が血漿，残りが間質液である。血漿濾過は毛細血管を通過している間に起こる。間質浸透圧は血漿浸透圧よりもずっと低いので，リンパ液の灌流の程度が循環に戻る間質液を決定する際に重要な役割を担っている。いくつかの症状ではこれらの浸透圧バランスの破綻が起こり，**浮腫**，すなわち臨床的に明らかな間質液の貯留がその結果としてみられる。圧痕がつく程度は浮腫中の体液の粘稠性を反映しており，おおむね蛋白量にもとづいて決まる[9, 20]。心不全の場合のように蛋白濃度が低いとき，押して圧痕がついた後でもとに戻るまでの速さは数秒である。リンパ浮腫では蛋白濃度がより高いので，非圧痕浮腫が典型的である。以下に示さなかったものに**毛細血管漏出症候群**があるが，これは蛋白が間質に漏出するもので，熱傷，血管性浮腫，蛇咬傷，アレルギー反応などでみられる。

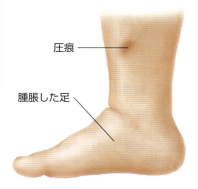

圧痕浮腫

浮腫とは軟らかい両側性の触診可能な腫脹をさし，間質液の増加，塩分，水分の保持によって起こる。前頸部や前足部を母指で 1〜2 秒圧迫することで圧痕ができる。圧痕浮腫は以下のいくつかの条件から生じる。静脈や毛細血管の静水圧の増加につながる長時間の立位や座位，心拍出量を低下させる心不全，低アルブミンと血管内の膠質浸透圧の低下を引き起こすネフローゼ症候群・肝硬変・栄養失調，薬物使用などによる

圧痕
腫脹した足

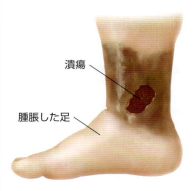

慢性静脈機能不全

浮腫は軟らかく，圧痕を伴い，両側性のこともある。特に足首の周辺が硬くなり，皮膚の肥厚がないか確認する。足の潰瘍，褐色の色素沈着，浮腫は一般的である。深部静脈系の慢性閉塞や弁機能不全によって起こる（表 17-2「痛みを伴う末梢血管系疾患とその類似疾患」を参照）

潰瘍
腫脹した足

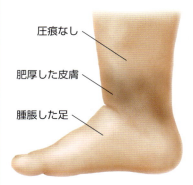

リンパ浮腫

浮腫は初期には軟らかで圧痕性，その後には硬結，非圧痕性となる。皮膚は著明に肥厚するが潰瘍はまれで，色素沈着はない。浮腫はしばしば両側性に足部からつま先にかけて起こる。リンパ浮腫は腫瘍，炎症，腋窩リンパ節の切除や放射線治療によるリンパ管の浸潤や閉塞が起こった場合に，蛋白に富んだ間質液の貯留によって起こる

圧痕なし
肥厚した皮膚
腫脹した足

表 17-2　痛みを伴う末梢血管系疾患とその類似疾患

疾患	病態	部位
動脈性疾患		
Raynaud 現象：一次性，二次性[29]	Raynaud 現象：**一次性**：寒冷刺激によって誘発される，手指または足趾の一過性，再燃性の血管攣縮（毛細血管は正常），明らかな原因疾患はない Raynaud 現象，**二次性**：自己免疫性疾患：強皮症，全身性エリテマトーデス（SLE），混合性結合組織病，クリオグロブリン血症，また職業由来の血管障害，薬物性障害に関連した症状や徴候	1本以上の指の末梢部。通常，指先の潰瘍ができるまでは痛みは顕著ではない。しびれ感，チクチクする感じが一般的
末梢動脈疾患	末梢動脈の閉塞が起こり，労作による跛行や非典型的な下肢痛をきたす動脈硬化性疾患である。安静時の虚血性疼痛をきたすこともある	通常はふくらはぎであるが，閉塞の段階に応じて殿部，腰部，大腿，足にもみられる。安静時痛はつま先や前足部など遠位にも起こりうる
急性動脈閉塞	塞栓，または血栓	末梢部の痛み。通常は足や脚を侵す
静脈性疾患（下肢）		
表在静脈炎，表在静脈血栓	表在静脈の炎症（表在静脈炎），血栓を伴うこともある（画像検査で血栓を認めるならば，表在静脈血栓）	表在静脈の走行に沿う痛みや圧痛。伏在静脈系で最もよくみられる
深部静脈血栓症（DVT）	DVTと肺塞栓（PE）は静脈血栓塞栓による疾患である。DVTは遠位では深部の腓腹静脈，近位では膝窩，大腿，腸骨静脈に起こる	古典的には痛みのある，あるいは痛みを伴わないこともあるふくらはぎの浮腫性の腫脹。このような徴候は血栓の場所とはあまり関連しない
慢性静脈機能不全（深部）	より重篤な慢性静脈性疾患であり，静脈の閉塞や静脈弁不全による慢性的な静脈の怒張をきたす	びまん性の下肢痛，皮膚の発赤をきたし，緩徐に茶色に色調変化していく
閉塞性血栓血管炎（Buerger 病）	喫煙者に起こる，小血管または中血管の非動脈硬化性炎症性の病態である。血管壁自体には血栓形成は起こっていない	手指，足趾の痛みではじまり虚血性の潰瘍へと進行する
コンパートメント症候群	外傷や出血によって，膝から足首の間の4つの主要な筋肉のコンパートメント（筋区画）のうち1つの圧力が高まる。それぞれのコンパートメントは筋膜で覆われているので，内圧の上昇を逃がしてくれるはずの筋組織の拡張が制限されてしまう	腓腹筋での強い，突発的な痛みが通常は前脛骨のコンパートメントに起こり，ときに皮膚の暗赤色変化を伴う
急性リンパ管炎	多くは *Streptococcus pyogenes*，*Staphylococcus aureus* などによる急性感染で，遠位側の侵入部位（皮膚擦過傷，潰瘍，犬咬傷など）からリンパ管に進展する	腕や脚
類似疾患（特に急性表在性血栓性静脈炎と類似の疾患）		
急性蜂巣炎	皮膚および皮下組織の急性細菌性感染症，β溶連菌や黄色ブドウ球菌による感染が多い	上肢，下肢，その他
結節性紅斑	有痛性の隆起性，両側性の紅斑で皮下脂肪組織の炎症である。妊娠，サルコイドーシス，結核，溶連菌感染，炎症性腸疾患，経口避妊薬などの全身の状態変化においてみられる	両下肢の前脛骨部：上肢の伸側や殿部，大腿にみられることもある

経過	増悪因子	改善因子	随伴症状
比較的短く(数分),反復性	寒冷曝露,情動不安	暖かい環境	**一次性**:指趾の蒼白,チアノーゼ,発赤。壊死はみられない **二次性**:より重篤,虚血,壊死,爪床毛細管の弯曲などがみられる
安静によって寛解する痛みの場合は短時間である。安静時痛の場合は持続的,あるいは夜間に悪化する	歩行などの運動:安静時痛であれば下肢挙上やベッドでの安静	安静により1〜3分で改善する。安静時痛であれば歩行(循環血液量の増加)や下肢を心臓より低い位置にして座位をとることで改善する	局所の疲労感,感覚鈍麻,進行性の冷たく乾燥した脱毛を伴う皮膚,爪甲委縮,拍動の減弱もしくは消失,皮膚隆起,潰瘍形成,壊死を伴う皮膚蒼白(p.580参照)
突然発症し,痛みなしで随伴症状が起こることもある			冷感,しびれ感,脱力,末梢拍動の消失
数日以上続く急性の痛み	不動,静脈うっ滞,慢性静脈疾患,経静脈的処置(静脈ラインの留置など)。	保存的加療,歩行(精査したうえで推奨される)	局所の硬結,発赤。結節や索状硬結が触れるようであれば表在,深在性の静脈血栓(両者ともにDVTやPEのリスクである)
症状に乏しいため発見は難しいことがしばしばある。未治療である腓腹部DVTの3分の1が近位に伸展するといわれている	不動,最近の外科的手術,下肢の外傷,妊娠中,産褥期,過凝固状態(ネフローゼ症候群,悪性腫瘍)	抗血栓,血栓溶解療法	索状硬結や大腿三角での圧痛よりふくらはぎ径が非対称であることのほうがより診断特異的である。PEのリスクとなる(近位型DVTの50%にPEを合併する)
慢性増悪性	長時間の立位,脚を下ろした座位	下肢挙上,歩行	慢性浮腫,色素沈着,腫脹。特に高齢,妊娠,体重増加,同様の病態の既往歴,外傷があれば潰瘍を伴うこともある(p.586参照)
短期間に再燃を繰り返すものから,慢性持続的な痛みまでさまざま	運動	安静,禁煙	指尖部の壊死に進行することもある。近位に移動したり,遊走性の静脈炎や血管に沿った圧痛のある結節を伴うこともある。たいてい少なくとも二肢以上に症状がある
急性では数時間(壊死を避けるには圧を解除しなければならない),慢性では運動中に起こる	**急性**:蛋白同化ステロイド使用,外科的合併症,圧挫損傷 **慢性**:運動で起こる	**急性**:圧を解除するための外科的切開 **慢性**:運動を避ける,冷却挙上	ふくらはぎのチクチクする感じ,灼熱感。圧が解除されなければ,筋肉が張り,充満感,しびれ感,麻痺が起こる
数日以上続く急性の痛み			圧痛,圧痛を伴うリンパ節腫脹,熱感。皮膚に赤い線条がある
数日以上続く急性の痛み			発赤,浮腫,熱感 **丹毒**:隆起した,皮膚との境界明瞭な局面。真皮上層部やリンパ管を冒す **蜂巣炎**:真皮深部,脂肪組織を冒し,リンパ節腫脹疼痛や発熱を伴う
一連の病変に伴う痛みが2〜8週間続く			2〜5cmの大きさで,初期は膨隆し,鮮紅色だが,紫色から赤茶色に色褪せていく。潰瘍形成は起こさない。しばしば多関節痛や発熱,倦怠感を伴う

表 17-3　動脈・静脈の慢性機能不全

	慢性動脈機能不全（重度）	慢性静脈機能不全（重度）
	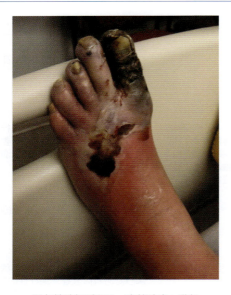	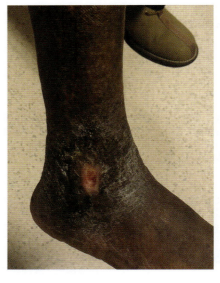
疼痛	間欠性跛行があり，安静時痛へ進行	しばしば痛みを伴う
機序	組織虚血	静脈うっ滞，圧上昇
脈拍	低下または消失	正常だが，浮腫を通して触知するのは困難である
色	特に挙上時に蒼白となり，脚を下ろすと暗赤色になる	正常，または脚を下ろしたときのチアノーゼ。点状出血と，その後の慢性化に伴い褐色の色素沈着がみられる
温度	冷感	正常
浮腫	ないかあっても軽度。患者が脚を下ろして安静時痛を緩和しようとしたときに，出現することがある	あり，しばしば顕著
皮膚変化	栄養状態の変化により，薄く・光沢のある・萎縮した皮膚，足や足趾での脱毛，肥厚した線条のある爪がみられる	足首の周りに褐色の色素沈着やうっ滞性皮膚炎がしばしばみられる。皮膚の肥厚や瘢痕形成に伴い脚が細くなることもある
潰瘍	足趾または足の外傷部にみられる	足首の周囲，特にその内側にみられる
壊疽	みられる	みられない

写真出典：Daniel Han, MD. の厚意による

表 17-4　足首と足の一般的潰瘍

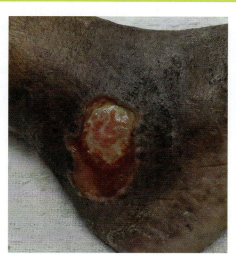

慢性静脈機能不全
通常は内果に，ときに外果にみられる。潰瘍には，小さく，痛みを伴う肉芽組織とフィブリンが含まれる。壊死または露出した腱がみられることはまれである。境界は不整であったり，平坦であったり，やや傾斜が急になっていることもある。患者の75%で疼痛が生活の質に影響を与える。関連する所見には，浮腫，赤色調の色素沈着や紫斑，静脈瘤，うっ滞性皮膚炎による湿疹性変化（発赤，鱗屑，瘙痒），また脚を下ろした際に生じる足のチアノーゼなどがある。壊疽はまれである

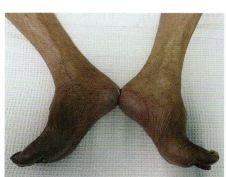

動脈機能不全
足趾，足，場合によっては外傷を起こした部位（脛など）に起こる。周囲の皮膚に肥厚や色素過剰はないが，萎縮している可能性はある。ニューロパチーにより痛みを感じない場合を除き，痛みはしばしば著明である。拍動の低下，栄養状態の変化，挙上時の足の蒼白，脚を下ろすことで暗赤色になるなどの所見に伴い，壊疽がみられる

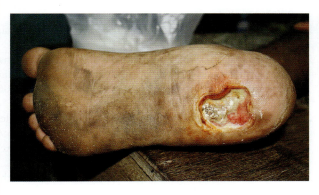

神経障害性潰瘍
感覚低下を伴い圧力がかかる部位に起こる。糖尿病性ニューロパチー，神経障害，Hansen（ハンセン）病でみられる。周囲の皮膚は硬くなる。痛みがないので，潰瘍の存在に気づかないことがある。重症でない場合には壊疽はない。随伴症状には，感覚低下とアキレス腱反射消失がある

写真出典：慢性静脈機能不全─ Casa nayafana（Shutterstock），動脈機能不全─ Alan Nissa（Shutterstock），神経障害性潰瘍─ Zay Nyi Nyi（Shutterstock）

文献一覧

1. Mitchell RN. Chapter 11: Blood vessels. In: Kumar VK, Abbas AK, Aster JC, eds. In: *Robbins and Cotran Pathologic Basis of Disease*. 9th ed. Philadelphia, PA: Saunders/Elsevier; 2015.
2. Libby P. Mechanisms of disease: mechanisms of acute coronary syndromes and their implications for therapy. *N Engl J Med*. 2013; 368(21): 2004-2013.
3. Libby P. Chapter 291e: The pathogenesis, prevention, and treatment of atherosclerosis. In: Kasper DL, Fauci AS, Hauser SL, et al., eds. *Harrison's Principles of Internal Medicine*. 19th ed. New York: McGraw-Hill Education; 2015.
4. Ketelhuth DF, Hansson GK. Modulation of autoimmunity and atherosclerosis-common targets and promising translational approaches against disease. *Circ J*. 2015; 79(5): 924-933.
5. Levick JR, Michel CC. Microvascular fluid exchange and the revised Starling principle. *Cardiovasc Res*. 2010; 87(2): 198-210.
6. Woodcock TE, Woodcock TM. Revised Starling equation and the glycocalyx model of transvascular fluid exchange: an improved paradigm for prescribing intravenous fluid therapy. *Br J Anaesth*. 2012; 108(3): 384-394.
7. Reed RK, Rubin K. Transcapillary exchange: role and importance of the interstitial fluid pressure and the extracellular matrix. *Cardiovasc Res*. 2010; 87(2): 211-217.
8. Braunwald E, Loscalzo J. Chapter 50: Edema. In: Kasper DL, Fauci AS, Hauser SL, et al., eds. *Harrison's Principles of Internal Medicine*. 19th ed. New York: McGraw-Hill Education; 2015.
9. Grada AA, Phillips TJ. Lymphedema: diagnostic workup and management. *J Am Acad Dermatol*. 2017; 77(6): 995-1006.
10. Lin JS, Olson CM, Johnson ES, et al. The ankle-brachial index for peripheral artery disease screening and cardiovascular disease prediction among asymptomatic adults: a systematic evidence review for the U.S. Preventive Services Task Force. *Ann Intern Med*. 2013; 159(5): 333-341.
11. Rooke TW, Hirsch AT, Misra S, et al; American College of Cardiology Foundation Task Force; American Heart Association Task Force. Management of patients with peripheral artery disease (compilation of 2005 and 2011 ACCF/AHA Guideline Recommendations): a report of the American College of Cardiology Foundation/American Heart Association Task Force on Practice Guidelines. *J Am Coll Cardiol*. 2013; 61(14): 1555-1570.
12. McDermott MM. Lower extremity manifestations of peripheral artery disease: the pathophysiologic and functional implications of leg ischemia. *Circ Res*. 2015; 116(9): 1540-1550.
13. Kent KC. Clinical practice. Abdominal aortic aneurysms. *N Engl J Med*. 2014; 371(22): 2101-2108.
14. Hertzer NR. A primer on infrarenal abdominal aortic aneurysms. *F1000Res*. 2017; 6: 1549.
15. Gerhard-Herman MD, Gornik HL, Barrett C, et al. A 2016 AHA/ACC guideline on the management of patients with lower extremity peripheral artery disease: a report of the American College of Cardiology/American Heart Association Task Force on Clinical Practice Guidelines. *J Am Coll Cardiol*. 2017; 69(11): e71-e126.
16. Lurie J, Tomkins-Lane C. Management of lumbar spinal stenosis. *BMJ*. 2016; 352: h6234.
17. Anderson FA Jr, Zayaruzny M, Heit JA, et al. Estimated annual numbers of US acute-care hospital patients at risk for venous thromboembolism. *Am J Hematol*. 2007; 82(9): 777-782.
18. Goodacre S, Sutton AJ, Sampson FC. Meta-analysis: The value of clinical assessment in the diagnosis of deep venous thrombosis. *Ann Intern Med*. 2005; 143(2): 129-139.
19. Kucher N. Clinical practice. Deep-vein thrombosis of the upper extremities. *N Engl J Med*. 2011; 364(9): 861-869.
20. McGee S. Chapter 52: Peripheral vascular disease; Chapter 54: Edema and deep vein thrombosis. *Evidence-based Physical Diagnosis*. 3rd ed. Philadelphia, PA: Elsevier; 2012: pp.459-465, 470-476.
21. Shen JH, Chen HL, Chen JR, et al. Comparison of the Wells score with the revised Geneva score for assessing suspected pulmonary embolism: a systematic review and meta-analysis. *J Thromb Thrombolysis*. 2016; 41(3): 482-492.
22. Decousus H, Frappé P, Accassat S, et al. Epidemiology, diagnosis, treatment and management of superficial-vein thrombosis of the legs. *Best Pract Res Clin Haematol*. 2012; 25(3): 275-284.
23. Spandorfer J, Galanis T. In the clinic. Deep vein thrombosis. *Ann Intern Med*. 2015; 162(9): ITC1.
24. Klein S, Hage JJ. Measurement, calculation, and normal range of the ankle-arm index: a bibliometric analysis and recommendation for standardization. *Ann Vasc Surg*. 2006; 20(2): 282-292.
25. Measuring and Understanding the Ankle Brachial Index (ABI). Stanford Medicine 25. Available at http://stanfordmedicine25.stanford.edu/the25/ankle.html. Accessed April 25, 2018.
26. Barbeau GR, Arsenault F, Dugas L, et al. Evaluation of the ulnopalmar arterial arches with pulse oximetry and plethysmography: comparison with the Allen's test in 1010 patients. *Am Heart J*. 2004; 147(3): 489-493.
27. Fowkes FG, Aboyans V, Fowkes FJ, et al. Peripheral artery disease: epidemiology and global perspectives. *Nat Rev Cardiol*. 2017; 14(3): 156-170.
28. Kalbaugh CA, Kucharska-Newton A, Wruck L, et al. Peripheral artery disease prevalence and incidence estimated from both outpatient and inpatient settings among medicare feefor-service beneficiaries in the Atherosclerosis Risk in Communities (ARIC) Study. *J Am Heart Assoc*. 2017; 6(5): e003796.

29. Gerhard-Herman MD, Gornik HL, Barrett C, et al. 2016 AHA/ACC guideline on the management of patients with lower extremity peripheral artery disease: executive summary: a report of the American College of Cardiology/American Heart Association Task Force on Clinical Practice Guidelines. *J Am Coll Cardiol*. 2017; 69(11): 1465-1508.
30. Guirguis-Blake J, Evans CV, Redmond N, et al. Screening for peripheral artery disease using the ankle-brachial index. Updated evidence report and systematic review for the U.S. Preventive Services Task Force. *JAMA*. 2018; 320(2): 184-196.
31. US Preventive Services Task Force; Curry SJ, Krist AH, et al. Screening for peripheral artery disease and cardiovascular disease risk assessment with the ankle-brachial index in adults: U.S. Preventive Services Task Force recommendation statement. *JAMA*. 2018; 320(2): 177-183.
32. Writing Committee Members; Gerhard-Herman MD, Gornik HL, et al. 2016 AHA/ACC Guideline on the Management of Patients with Lower Extremity Peripheral Artery Disease: Executive Summary. *Vasc Med*. 2017; 22(3): NP1-NP43.
33. Rooke TW, Hirsch AT, Misra S, et al. Management of patients with peripheral artery disease (compilation of 2005 and 2011 ACCF/AHA Guideline Recommendations): a report of the American College of Cardiology Foundation/American Heart Association Task Force on Practice Guidelines. *J Am Coll Cardiol*. 2013; 61(14): 1555-1570.
34. Guirguis-Blake JM, Beil TL, Sender CA, et al. Ultrasonography screening for abdominal aortic aneurysm: a systematic evidence review for the U.S. Preventive Services Task Force. *Ann Intern Med*. 2014; 160(5): 321-329.
35. US Preventive Services Task Force; Owens DK, Davidson KW, et al. Screening for abdominal aortic aneurysm: US Preventive Services Task Force Recommendation Statement. *JAMA*. 2019; 322(22): 2211-2218.

第18章 乳房と腋窩

解剖と生理

女性乳房

解剖

女性乳房は，前胸郭壁の前方に位置し，垂直方向には鎖骨下で第2肋骨から第6肋骨に及び，水平方向には胸骨から中腋窩線へと及ぶ。乳房は**大胸筋 pectoralis major** 上に広がり，下側と外側には**前鋸筋 serratus anterior** が位置する（図18-1）。

乳房の**腺組織 glandular tissue** は15〜20の区域（**乳腺葉 mammary gland lobe**）に分かれており，乳腺葉は**乳管 lactiferous duct** と**乳管洞 lactiferous sinus** を経て，乳頭と乳輪の表面にある開口部で収束する。各乳管を通して，乳汁を分泌する管状胞状腺である20〜40個の**乳腺小葉 mammary gland lobule** で構成される乳腺葉から母乳が吸い出される。乳房の表面や周囲では，**脂肪組織 adipose tissue** が乳房の大部分を覆っている。

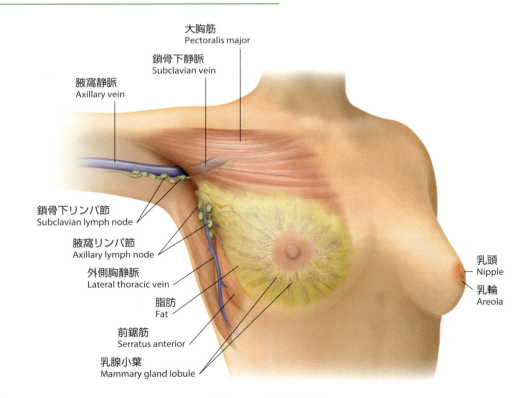

図18-1 女性乳房

解剖と生理

乳輪 areola の表面には、**皮脂腺**〔**Montgomery(モントゴメリー)腺**と呼ばれる〕、汗腺、副乳輪腺により形成される、小さく丸い隆起がある（図18-2）。また、乳輪に数本の毛がみられることがある。妊娠中に皮脂腺から油性の分泌物が分泌され、授乳時に乳輪や乳頭の保護潤滑剤としての役割を果たす。

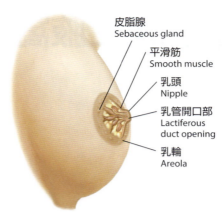

図 18-2　乳頭・乳輪

乳房の筋膜は2つの層に分かれている。浅筋膜は真皮より深部に位置し、深筋膜は大胸筋の前方に位置する。乳房は、乳房内に張り巡らされ、真皮に垂直に挿入する線維状の帯である **Cooper(クーパー)提靭帯**によって皮膚につなぎとめられている（図18-3）[1]。

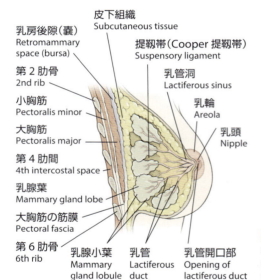

図 18-3　女性乳房の矢状断像 (Tank PW. *Grant's Dissector*. 15th ed. Wolters Kluwer Health/Lippincott Williams & Wilkins; 2013, Fig. 2-6 より)

1つもしくは複数の**副乳 supernumerary nipple**が、**乳腺堤 milk line**に沿って出現することがある（図18-4）。通常、小さな乳頭と乳輪のみが出現し、しばしば一般的なほくろと間違われる。先天性の場合もあり、腺組織を伴わない場合には、他の先天性異常との関連性はほとんど認められない。腺組織を伴うものは、思春期、月経時、妊娠時に色素沈着、腫脹、圧痛、さらには乳汁の分泌を伴うことがあり、おもに腎臓や胸部などの他の先天性異常と関連することがある[2]。診断を確定できない場合、審美的な懸念がある場合、病理学的検査で副乳が示唆される場合、治療が推奨される[3]。

所見を記録する際は、乳頭で交差する水平線、垂直線によって乳房を4つの領域に分ける（図18-5）。第5領域である乳房の腋窩突起（乳房腋窩尾部）は「Spence

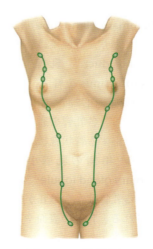

図 18-4　乳腺堤

（スペンス）の尾」と呼ばれることもあり[訳注]，前腋窩襞の方向へ広がる。所見の部位を示すための別の方法としては，方向を時計の時刻で（例えば，向かって3時方向），乳頭からの距離をcmで表す方法がある。

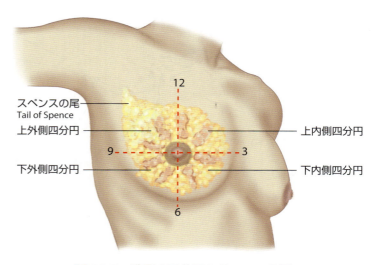

図 18-5 乳房の四分円と Spence の尾

生理学

女性乳房はホルモンの影響を受けやすい組織であり，月経と加齢によって変化する。成人女性の乳房は軟らかいが，しばしば顆粒状，結節状，またはしこり様の感触がある。この不均一な質感は，正常な生理的結節性によるものである。多くの場合は両側性で，乳房全体にみられることもあれば，一部の部位にのみみられることもある。なお，乳房が大きくなり，圧痛や疼痛を伴うことの多い月経前に，しこりが大きくなることがある。また，乳房の組成は，年齢，栄養状態，妊娠，外因性ホルモンの使用などにより変化する。閉経後には，腺組織の萎縮，および乳腺小葉の数の著しい減少がみられる。思春期や妊娠中の乳房変化については，第25章「小児：新生児から青年期まで」（p.1071〜1072）と第26章「妊娠女性」（p.1109）を参照してほしい。

授乳期間中は，乳頭と乳輪の平滑筋が収縮することで，管状の腺組織から乳汁が絞りだされる。特に乳頭には感覚神経が豊富に分布し，乳児が吸いつくことで神経ホルモン刺激により排乳が促される。診察などで生じる乳房への触覚刺激は，乳頭を小さく，硬くし，勃起させ，また乳輪を隆起させ，皺を生じさせる。これらの平滑筋反射は正常なので，乳房疾患の徴候と間違えないこと。

腋窩

腋窩は，上部は腋窩静脈，背側は**広背筋 latissimus dorsi**，正面側は**前鋸筋**に囲まれたピラミッド状の構造をしている[4]。腋窩には胸背神経，長胸神経，肋間上腕神経という3つの重要な神経が通っている。**胸背神経 thoracodorsal nerve**は広背筋を，**長胸神経 long thoracic nerve**は前鋸筋を神経支配する。**肋間上腕神経 intercostobrachial nerve**は，腋窩と上腕内側の皮膚を支配する感覚神経である[5]。

訳注：スコットランドの外科医 James Spence にちなんで呼ばれる。

解剖と生理　　　　　　　　　　　　　　　　　　　　　　　　　　　　異常例

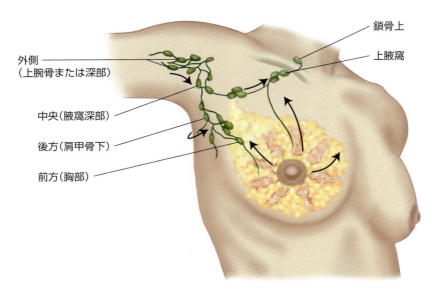

図 18-6　リンパが流れる方向

腋窩リンパ節は6つの群に分かれている（図 18-6）[5]。腋窩リンパ節は胸壁に沿って，通常は腋窩の高い位置にあり，前腋窩襞と後腋窩襞の中間に位置する。6つの群のうち，身体診察で触知できる可能性が高いのは中央群のリンパ節である。

- 前方（胸部）群：大胸筋の後ろにある小胸筋の下縁に沿って位置し，乳房の上および下外側四分円からのリンパ管と，臍の高さより上の前外側腹壁からの表在リンパ管を受ける。

- 後方（肩甲骨下）群：肩甲下筋の前に位置し，背中から腸骨稜の高さまでの表在リンパ管を受ける。

- 外側（上腕骨または深部）群：腋窩静脈の内側に沿って位置し，上肢のほとんどのリンパ管を受ける（腋窩静脈の外側を流れる表在リンパ管を除く）。

- 中央群（腋窩深部）：腋窩の中央，腋窩脂肪のなかに横たわるリンパ節で，上記3つの群のリンパ管を受ける。また，小胸筋と大胸筋の間の Rotter（ロッター）腔（Rotter リンパ節）と呼ばれる部分にも存在する。

- 上腋窩（末端）群：腋窩の頂点，第1肋骨の側縁に位置し，他のすべての腋窩リンパ節からの輸出リンパ管を受ける。**上腋窩群のリンパ節は，すべての腋窩リンパ節が最終的に到達する共通経路となっている。**

- 鎖骨上（三角筋・胸筋）群：腋窩の外にあるため，厳密には腋窩リンパ節ではない。三角筋と大胸筋の間の溝に位置し，手，前腕，腕の外側から表在リンパ管を受ける。

乳房のリンパの流れは，癌の転移において非常に重要であり，その約3/4は腋窩リンパ節に流れている。

男性乳房

男性の乳房の主要な構成要素は乳頭と乳輪であり，その下にはおもに乳管からなる未発達の腺組織の薄い円板がある。エストロゲンやプロゲステロンの刺激がないと乳管の分岐や乳腺小葉の発達がみられないため，男性の乳房を胸壁の胸筋と区別することは困難である[6]。

異常例

男性の乳房でも，触知可能な腺組織が2 cm以上増殖した**女性化乳房 gynecomastia**や，乳輪下に脂肪が蓄積した**偽性女性化乳房 pseudogynecomastia**など，良性の乳房肥大がみられることがある。女性化乳房の原因としては，エストロゲンの増加，テストステロンの減少，薬物の副作用などがあげられる[7]。

病歴：一般的なアプローチ

病歴聴取，あるいはその後の身体診察の際に，患者から乳房についての懸念を引き出すとよい。患者に，乳房のしこり，痛み，乳頭分泌物があるかたずねる。これらは，**乳房に関する最も一般的な主訴である**。患者が乳房に関する主訴で受診した場合，その問題の性質と期間を判断することが重要である。患者がしこりや痛みを訴えている場合は，それが乳房内のどの部位に位置するのかをたずね，その部位に焦点をあてた検査を行う。良性の乳房疾患の多くはホルモンの変化に関連するため，月経周期における特定時期に問題が発生したり，悪化したりするか必ずたずねる。また，検診のガイドラインを知ってもらうためにも，この機会を利用するとよい。

よくみられる，または注意すべき症状

- 乳房のしこり，腫瘤
- 乳房の不快感，痛み
- 乳頭からの分泌物

乳房のしこり，腫瘤

乳房の触知可能なしこりや結節，月経前の肥大や圧痛は一般的なものである[8]。患者がしこりや腫瘤を訴える場合には，正確な位置，発生してからの期間，外傷歴の有無，圧痛の有無，大きさの変化，月経周期内での変動の有無を確認する。乳房に輪郭の変化，えくぼ形成，腫脹，皮膚の皺があるかどうかをたずねる。また，乳頭の変化（皮膚の変化，かゆみ，発赤，かさつき）についてもたずねる。乳癌やその他の癌の家族歴や，初経年齢，初産年齢，閉経年齢，乳房生検を行った時期，ホルモン剤の使用などのその他の危険因子を把握することも重要である。

しこりには生理的なものも病的なものもあり，嚢胞，線維腺腫から乳癌までと幅広い[9]。表18-1「よくみられる乳房腫瘤」，表18-2「乳癌の視覚的徴候」を参照。

乳房の不快感，痛み

通常は，乳房の痛み（**乳房痛 mastodynia/mastalgia**）だけでは乳癌の徴候と捉えない。痛みが，びまん性（乳房の25％以上に及ぶ）か局所性（乳房の25％以下に限定）か，周期性（月経前に発生し，月経終了時にはおおむね消失する）か非周期性か，あるいは薬物と関連するかを判断する[10]。

乳房痛に関連する薬物（治療）には，ホルモン補充療法，選択的セロトニン再取り込み阻害薬などの向精神薬，ハロペリドール，スピロノラクトン，ジゴキシンなどがある[8]。

乳頭からの分泌物

乳頭からの分泌物がないか，ある場合はいつ生じるかたずねる。生理的分泌と病的分泌を区別することが重要である。生理的な分泌過多は，妊娠，授乳，胸壁刺激，睡眠，ストレスに関連してみられる。分泌物がこうした要因によらず，自然に発生した場合は，その色，量，発生頻度に注目する。

乳頭からの分泌物が血性または漿液性，片側性，自然発生，腫瘤を伴う，または40歳以上の女性に発生した場合，病的である可能性が高い[6]。真の**乳汁漏出症 galactorrhea**（妊娠・授乳とは無関係に乳汁を含む液体が排出されること）は，高プロラクチン血症が原因であることがほとんどである[11,12]。

身体診察：一般的なアプローチ

どんな診察にもあてはまることだが，まずは丁寧で配慮のある態度で臨むことが大切である。月経前にはエストロゲンの刺激が増えて乳房が膨らみ，結節が多くなる傾向があるので，月経中の患者の乳房診察に最適な時期は，月経開始後5～7日である。閉経後の女性および男性の場合は，いつ診察してもよい。月経前に出現した結節は，月経開始後に再評価すべきである。

乳房診察，特に視診を適切に行うため，最初は両方の乳房を完全に露出する必要があることを患者に伝える。しかし，診察の後半では，片方の乳房を診察している間，もう片方の乳房を覆ってもかまわない。また，乳房腋窩尾部，周辺部，腋窩など乳房全体の各部位を漏れなく適切に診察するために，さまざまな姿勢をとってもらう必要があることをあらかじめ患者に伝えておくことも重要である。温水を使ったり，手をこすり合わせたりすることで，手を温めるのもよい方法である。**乳房の診察，特に触診では，標準的なアプローチを採用し，系統的な上下方向の診察パターン，触診圧の調整，指先での円運動といった方法を用いることが望ましい**[13,14]。

診察の技術

乳房・腋窩の診察の重要項目

女性の場合
- 腕を横に下ろした姿勢，腕を頭の上に置いた姿勢，手を腰にあてた姿勢，前かがみの姿勢の4つの姿勢で乳房を視診する（皮膚の外観，乳房の大きさ・左右対称性・輪郭，乳頭の特徴）
- 乳房の触診（硬さ，圧痛，結節，乳頭の色，硬さ，分泌物の量）
- 腋窩の視診（発疹，炎症，感染，異常な色素沈着）
- 腋窩リンパ節の触診（大きさ，形，境界，可動性，硬さ，圧痛）

男性の場合
- 乳頭と乳輪の視診（結節，腫脹，潰瘍）
- 乳輪および乳房組織の触診（結節）

女性乳房

視診

腰まで服を脱いでもらい，座位で乳房と乳頭を視診する（図18-7）。包括的な診察を行う場合，皮膚変化，左右対称性，輪郭，陥凹について，(1)腕を横に下ろした姿勢，(2)腕を頭の上に置いた姿勢，(3)手を腰にあてた姿勢，(4)前かがみの姿勢という4つの姿勢で慎重に視診する。思春期の女性では，Tanner（タナー）分類にもとづいて乳房発達を評価する〔第25章「小児：新生児から青年期まで」（p.1071～1072）参照〕。

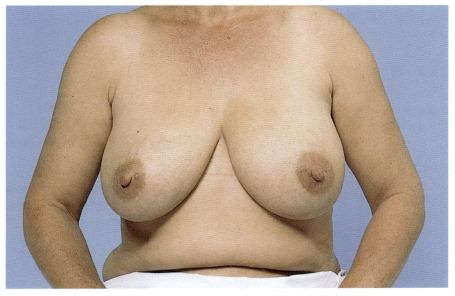

図 18-7　腕を横に下ろした姿勢での視診

| 診察の技術 | 異常例 |

腕を横に下ろした姿勢
下記にあげた臨床像に注意する。
- 皮膚の外観
  - 色

発赤は局所感染や炎症性の癌を示唆する。

  - 皮膚の肥厚と毛穴の隆起（リンパ管が閉塞している可能性がある）

皮膚の肥厚と毛穴の隆起（**橙皮状皮膚 peau d'orange**）は乳癌を示唆する。

- 乳房の大きさと左右対称性（左右の乳房や乳輪の大きさに多少の違いがあるのは一般的で，通常は正常である）

- 乳房の輪郭（腫瘤，えくぼ形成，平坦化などの変化を調べる。左右の乳房を比較する）

通常であれば膨らみのあった乳房の平坦化は癌を示唆する。表 18-2「乳癌の視覚的徴候」を参照。

- 乳頭の特徴（大きさや形，向き，発疹や潰瘍の有無，分泌物の有無などを確認する）

乳頭の向きが変化し，左右の乳房に非対称性がみられる場合，癌が原因である可能性がある。乳房の Paget（パジェット）病は，乳管癌または小葉癌を背景に発症し，乳頭の発疹，鱗屑，潰瘍を伴う湿疹状の変化が乳輪にまで及ぶ（表 18-2「乳癌の視覚的徴候」を参照）[16]。

乳頭が陥凹し，内側に引き込まれていて，乳輪の表面よりも凹んでいることがある。乳頭は，図 18-8 に示すように，乳輪皮膚の襞に包まれていることもあるが，襞から出ていることもある。これは通常，正常な変化であり，授乳の際に問題となる可能性があることを除いて，臨床的な影響はない。

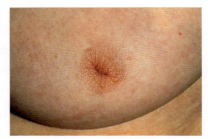

図 18-8 乳頭陥凹

乳頭が内側に引っ張られ，その下にある乳管に繋がっている場合は，癌による乳頭の陥凹を疑う。収縮した乳頭は，陥凹する，平坦になる，幅が広がる，もしくは肥厚することがある。

腕を頭の上に置いた姿勢，手を腰にあてた姿勢，前かがみの姿勢
腕を下ろしたままでは確認しづらいえくぼ形成や陥凹がみえるよう，腕を頭の上に置いてもらう（図 18-9）。つぎに，胸筋を収縮させるために，手を腰にあててもらう（図 18-10）。それぞれの姿勢で，慎重に乳房の輪郭を視診する。乳房が大きいか垂れ下がっている場合は，患者に立ってもらうか，椅子の背につかまって，または診察者が手で支えて前かがみになってもらえば視診しやすくなる（図 18-11）。

これらの姿勢における乳房のえくぼ形成や陥凹は，癌の存在を示唆する。胸筋上の皮膚や筋膜に付着した線維索を有する癌は，筋収縮時に皮膚にえくぼを生じさせることがある。

こうした徴候は，外傷後の脂肪壊死や乳管拡張症などの良性疾患が原因である可能性もあるが，必ず詳細な評価を行うこと。

UNIT II 第18章 乳房と腋窩

診察の技術　　　　　　　　　　　　　　　　　　　　　**異常例**

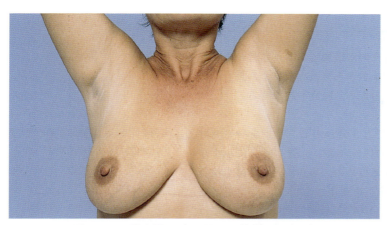

図 18-9　腕を頭の上に置いた姿勢での視診

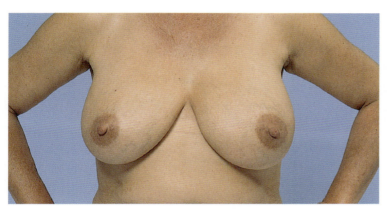

図 18-10　手を腰にあてた姿勢での視診

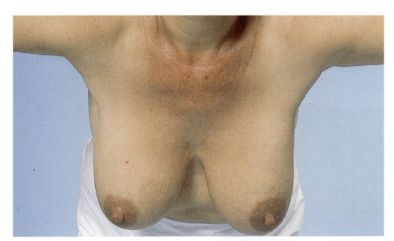

図 18-11　前かがみの姿勢での視診

この姿勢では，他の姿勢では確認できない乳房，乳輪，乳頭の左右非対称性や陥凹がみられることがある。これらの所見は癌を示唆する（表18-2「乳癌の視覚的徴候」を参照）。

| 診察の技術 | 異常例 |

触診

触診は，仰臥位で，乳房を平らにした状態で行うのが最適である．鎖骨から乳房下線，つまりブラジャーの下部の線まで，胸骨中線から後腋窩線までの長方形の領域を触診する．また，乳房腋窩尾部を確認するため，腋窩も触診する．

包括的な触診には，片方の乳房につき，最低でも3分かかる．手指をやや曲げて，示指，中指，薬指の指腹を使用し，体系的に行うこと．図18-12に示す垂直方向の連続パターンは，乳房の腫瘤を検出するための，現在のところ最も検証された手法である[15]．それぞれの部位で，触診圧を変化させ（軽く，中程度，強く），小さな円を描くように触診する．大きな乳房の深部組織に到達するためには，より強く触診する．乳房の周辺部，乳房腋窩尾部，腋窩を含めた乳房全体を触診する．

乳房を深く押して触診するとき，肋骨を硬い乳房の腫瘤と間違えやすい．

乳房の外側部を触診する

乳房の外側部を診察するために，患者に仰臥位のまま，調べる乳房と反対側の腰のほうへ体を向け，手を額に置いて，肩は診察台につけたままにしてもらう．この姿勢により，乳房の外側部の組織が平らになり，診察しやすい．腋窩から触診をはじめ，ブラジャーの下部の線まで直線的に移動する．そして，内側に指を動かし，胸部上を垂直にあがるようにして鎖骨まで触診する．乳頭に到達するまで，一定の幅で細かく蛇行しながら触診を続ける．つぎに，乳房の内側部を平らにするために，体位を変える．

乳房腋窩尾部の小結節は，腫大した腋窩リンパ節と間違えられることがある．

乳房の内側部を触診する

乳房の内側部を診察するために，患者に仰臥位のまま，診察台に肩をつけた状態で，肘を屈曲させて肩の高さまで上げてもらう（図18-13）．乳頭からブラジャー

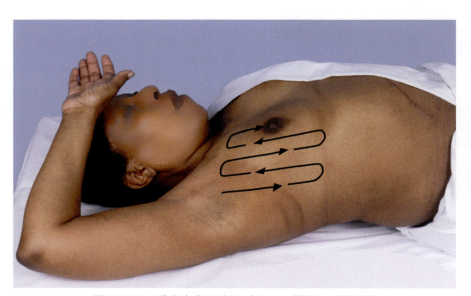

図 **18-12** 垂直方向の連続パターン（乳房の外側部）

診察の技術

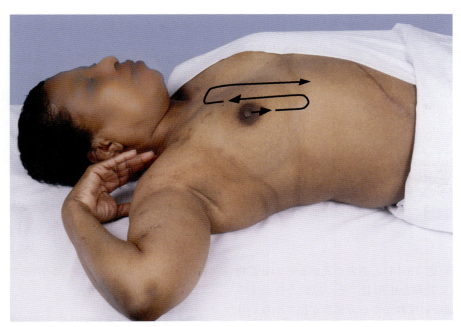

図 18-13　垂直方向の連続パターン（乳房の内側部）

の下部の線を結ぶ直線上を触診する．その後，鎖骨まで垂直に移動し，さらに胸骨中線まで蛇行しながら触診する．

乳房組織を診察する際は，以下に注意する．

- 硬さ：通常時の硬さは，硬い腺組織と軟らかい脂肪の割合によって大きく異なる．生理的な結節がみられ，月経前にはそれが増強することがある．特に大きな乳房では，乳房の下縁に沿って組織が圧迫されて生じた水平方向の隆起である，硬い乳房下隆起に注意する．この隆起は，腫瘍と間違われることがある．

- 圧痛：月経前に生じることがある．

- 結節：他の乳房組織と比較して，質的に異なり，より大きいしこりや腫瘤を慎重に触診する．これは**顕性腫瘤 dominant mass** と呼ばれることもあり，マンモグラフィ，穿刺吸引細胞診，生検などで評価すると病的であることが判明する可能性がある．すべての結節の特徴を評価し記録すること．

  - 部位：四分円または時計の何時方向か，乳頭から何 cm の位置かで示す．

  - 大きさ：cm の単位で計測する．

  - 形：丸い，嚢胞性，円板状，またはこれら以外の不規則な輪郭をしているか？

異常例

圧痛を伴う乳輪下の筋状のしこりは乳管拡張症を示唆する．この疾患は，乳管が拡張し，周囲に炎症が生じ，ときには腫瘤を伴う良性の疾患であるが，痛みを伴うこともある．

嚢胞および炎症を起こした領域を調べる．癌では圧痛を伴うことがある．

表 18-1 「よくみられる乳房腫瘤」を参照．

| 診察の技術 | 異常例 |

- 硬さ：軟らかい，弾性硬，石様硬か？

- 境界：明瞭，もしくは不明瞭か？

皮膚または皮下組織と癒着している硬い，不規則な，境界が不明瞭な結節は，癌を強く示唆する。

- 圧痛

- 可動性：皮膚，胸筋筋膜，胸壁について調べる。丁寧に，腫瘤の近くに乳房を寄せて，えくぼ形成の有無を確認する。つぎに，力を抜いて腕を体側に沿って置いてもらい，結節や腫瘤を動かす。さらに手を腰にあてた姿勢で同様にもう一度動かす。

可動性がみられても腕を脱力したときに固定する腫瘤は，肋骨と内肋間筋に癒着しており，腰に手を押しつけたとき固定される腫瘤は，胸筋筋膜に癒着している。

左右の乳頭を触診し，その弾力を確認する（図 18-14）。患者が乳頭からの分泌物があると報告した場合のみ，示指をあてて乳輪を圧迫し，その原因を確認する（図 18-15）。乳頭の表面にある乳管開口部のいずれかから分泌物が出ていないかを確認する。いかなる分泌物であっても色，粘稠度，量，正確な部位に注意する。

乳頭の肥厚化と弾力の喪失は，癌の存在を示唆する。

妊娠と授乳に無関係な乳状の分泌物は，**非産褥性乳汁漏出** nonpuerperal galactorrhea である。原因には，甲状腺機能亢進症，下垂体性プロラクチノーマ，向精神薬やフェノチアジン系薬物などのドパミン拮抗薬などがある。

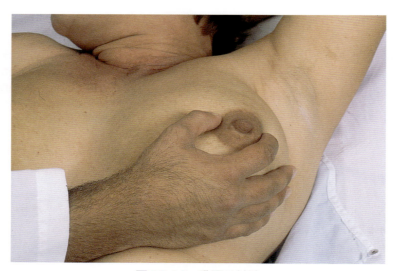

図 18-14　乳頭の触診

診察の技術

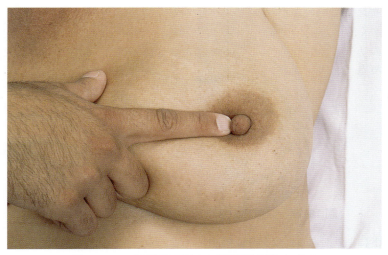

図 18-15　乳輪を圧迫して乳頭分泌物を出す

異常例

図 18-16　乳管内乳頭腫

左右どちらかの乳房で，1つまたは2つの乳管から乳輪の圧迫なしに血性分泌物がみられる場合は，図18-16 に示す乳管内乳頭腫，非浸潤性乳管癌，または乳房の Paget 病の評価を行う必要がある。複数の乳管から生じる透明，漿液性，緑色や黒色で，血が混じっていない分泌物は通常良性である[8, 17, 18]。

腋窩

腋窩は臥位でも診察できるが，座位のほうが好ましい。

視診

つぎの所見に注意しながら，左右の腋窩の皮膚を視診する。

- 発疹
- 炎症
- 感染

- 異常な色素沈着

毛包閉塞による汗腺感染（化膿性汗腺炎）を認めることがある。

腋窩の皮膚が厚くなり，濃い色素沈着がみられる場合，糖尿病，肥満，多嚢胞性卵巣症候群，およびまれに悪性腫瘍随伴症候群と関連した**黒色表皮腫 acanthosis nigricans** を示唆する。

触診

左腋窩

左腋窩を診察するには，右手を使う。患者に左腕を下げて力を抜くように依頼し，検査が不快感を与えてしまう可能性があることを知らせる。左手で患者の左の手首や手を支える。右手の指をそろえて，腋窩の奥に届くよう指をできるだけ上方にのばす（図 18-17）。指を鎖骨中線のほうに向けるようにして，直接胸筋の後ろに置く。つぎに，指を胸壁に向けて押しこみ，下方にスライドさせて，胸壁に

沿って腋窩リンパ節の中央群を触知する。このリンパ節は，腋窩リンパ節のうちで最も触知しやすく，1つ以上の軟らかく，小さい（＜1 cm），無痛性のリンパ節が触知されることが多い。大きさ，形，境界，可動性，硬さ，圧痛に注意する。

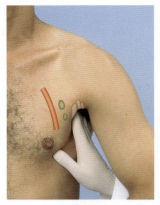

図 18-17　左腋窩の触診

手や腕の感染，最近のワクチン接種や皮膚テストにより，あるいは全身性のリンパ節腫脹の所見として，腋窩リンパ節の腫脹がみられることがある。肘の内側にある上腕骨リンパ節や，その他のリンパ節群を確認する。

右腋窩
右腋窩を診察するには，左手を使う。

腋窩リンパ節の中央群が大きく，硬く触れ，圧痛がある場合，または疑わしい病変が腋窩リンパ節の灌流域にある場合，中央群以外の腋窩リンパ節も触診すること。

他のリンパ節と癒合していて，皮膚や皮下組織に癒着している，大きく（1〜2 cm），硬いリンパ節は，悪性腫瘍を示唆する。

- 前方（胸部）群：母指と他の指で前腋窩襞をつまんでみる。そして，指で胸筋の境界の先を触診する。

- 外側（上腕骨または深部）群：腋窩の高さから，上腕骨に沿って触診する。

- 後方（肩甲骨下）群：患者の後ろに立ち，指で後腋窩襞の内側を触診する。

- 鎖骨上（三角筋・胸筋）と上腋窩群：鎖骨下と上腋窩のリンパ節も触診する。

男性乳房

男性乳房の診察は，単純だが重要である。乳頭と乳輪の視診は結節，腫脹，潰瘍を特定するために行う。乳輪と乳房組織の触診は結節の特定のために行う。乳房が肥大しているようにみえる場合（2 cm 以上），肥満による軟らかい脂肪性の肥大（偽性女性化乳房）と，良性の硬い円板状の乳腺腫大（女性化乳房）とを区別する。女性化乳房では，乳房組織の圧痛がみられることが多い。

女性化乳房は，エストロゲンとアンドロゲンの不均衡から生じるもので，薬物が関係している場合もあるが，男性乳癌の危険因子ではない。硬い，不規則な，偏心した，または潰瘍化した痛みのない顕性腫瘤は，乳癌を示唆している[6, 19, 20]。

特殊な技術

乳房切除術・乳房再建術後の診察

乳房切除術後の女性に対しては，診察時に特別なケアが必要となる。

視診

乳房切除術後の瘢痕と腋窩を，腫瘤，病的な結節，または炎症や感染の徴候がないか慎重に視診する。腋窩や上腕部では，手術によってリンパの灌流が障害され，リンパ浮腫が生じることがある。

> 腫瘤，結節，色または炎症の変化は，特に切開線にみられる場合，乳癌の再発を示唆する。

触診

瘢痕に沿ってやさしく触診する。組織が異常に敏感になっていたり，麻痺していたりすることがある。乳房組織や，豊胸・再建部位の境界線である切開線を触診する。2本または3本の指で円を描くように動かしていく。特に上外側四分円と腋窩に注意する。リンパ節の腫大がないか確認する。

所見の記録

所見を記録する際，最初は文章を用いるかもしれないが，慣れてくれば慣用的な記述を用いるようになる。

乳房・腋窩の診察の記録

> 乳房は左右対称で平滑，結節や腫瘤はない。乳頭分泌なし（通常，腋窩リンパ節腫脹は，頸部のセクションの後，リンパ節のセクションに記録される。p.616を参照）
>
> **または**
>
> びまん性線維嚢胞性変化による乳房下垂。右乳房の上外側四分円で11時方向，乳頭から2cmの位置に，1×1cmの硬い腫瘤を1つ認める。可動性があり，圧痛はない。その上部に橙皮状皮膚がみられる

これらの所見は乳癌を示唆する。

健康増進とカウンセリング：エビデンスと推奨

健康増進とカウンセリングの重要事項

- 乳癌検診

■ 女性の乳癌

疫学

乳癌は，世界で最も多く診断される癌であり，女性の癌死亡原因の第1位である[21]。2015年には，世界で240万人の女性が乳癌と診断され，50万人以上がこの疾患により死亡している。米国の女性において，乳癌は最も多く診断される癌であり，癌による死亡原因としては肺癌に次いで第2位である[22]。なお，現在米国に生まれる女性は，浸潤性乳癌を発症する生涯リスクが約12％（8人に1人），最終的に乳癌で死亡する生涯リスクが2.6％（38人に1人）となっている[23]。また，新たに乳癌と診断される患者の約80％は50歳以上で，診断時の年齢の中央値は62歳である[24]。乳癌と診断される確率は年齢とともに上昇する（Box 18-1）。米国の乳癌死亡率は，1990年代初頭から顕著に低下している。

Box 18-1　年齢層別にみた女性の浸潤性乳癌の発症率[24]

現在の年齢（代）	10年後の発症率（％）*
20	0.1（1,567人に1人）
30	0.5（　220人に1人）
40	1.5（　 68人に1人）
50	2.3（　 43人に1人）
60	3.4（　 29人に1人）
70	3.9（　 25人に1人）
生涯リスク	12.4（　 8人に1人）

*各年齢層の最初の時点で乳癌に罹患していない女性における発症率を示す。

女性における乳癌の最も強い危険因子は，加齢，乳癌と診断された第1度近親者（特に若年期に診断された人が2人以上），先天的な遺伝子変異，乳癌または非浸潤性乳管癌もしくは非浸潤性小葉癌の既往歴，生検で確認された前癌病変，マンモグラフィで確認された比較的高濃度の乳房，若年期の胸部への高線量放射線照射，および高濃度の内因性ホルモンである[24]。

女性が自分の乳癌発症リスクを判断するのに役立つ乳癌リスク評価ツールが数多くある（Box 18-2）。この情報は，いつ乳癌検診を開始するか，どのくらいの頻度で検診を行うか，どのような種類の検診を行うか，予防的介入を検討すべきか

健康増進とカウンセリング：エビデンスと推奨

に関する判断材料となる．最も一般的に使用されているツールの1つは，国立癌研究所 National Cancer Institute の**乳癌リスク評価ツール Breast Cancer Risk Assessment Tool**〔Gail（ゲイル）モデルとしても知られる〕で，年齢，人種・民族，乳癌・非浸潤性乳管癌・非浸潤性小葉癌の既往歴，胸部への放射線照射，遺伝子変異，乳癌の第1度近親者家族歴，過去の乳房生検の結果，初経年齢，および初産年齢を考慮した評価が可能である[25]．

> **Box 18-2　乳癌リスク評価ツール**
>
> - Gail モデル：http://www.cancer.gov/bcrisktool/
> - 米国疾病対策センター Centers for Disease Control and Prevention（CDC）の癌予防対策部門による Know BRCA Tool：https://www.knowbrca.org/

予防

乳癌のリスクを低下させる保健行動には，運動，果物や野菜の摂取，アルコールの制限がある[26]．米国予防医療専門委員会 U.S. Preventive Services Task Force（USPSTF）は，乳癌，卵巣癌，卵管癌，腹膜癌の家族歴がある女性に対して，リスク評価ツールを用いて *BRCA* 遺伝子変異のスクリーニングを行うことを推奨するグレードBの勧告を発表した[27]．*BRCA* 遺伝子変異は全乳癌の10％でみられる．スクリーニングで陽性となった場合は，遺伝カウンセラーに紹介し，*BRCA* 検査を検討すべきである．*BRCA* 遺伝子変異のある女性は，乳癌を予防するために，より集中的な検診戦略（下記参照）や予防的な両側乳房切除術または化学的予防を検討することができる．エビデンスレビューにより，両側乳房切除術は，乳癌の発症率と死亡率を80〜100％低下させることが示されている[28]．乳癌のリスクが高い女性は，浸潤性乳癌の発症リスクを下げるために，乳癌の治療に使用されるタモキシフェンやラロキシフェンなどの**選択的エストロゲン受容体調整薬 selective estrogen-receptor modulator（SERM）**を服用することもできる．しかし，SERMを服用すると，血栓塞栓症や子宮内膜癌のリスクが高まる．アロマターゼ阻害薬は，別の系統の乳癌治療薬で，高リスクを有する閉経後女性の乳癌予防に有効であることが示されているが，現在，米国食品医薬品局 U.S. Food and Drug Administration（FDA）は，この薬物の乳癌予防のための使用は承認していない[26]．一方，USPSTFは，SERMまたはアロマターゼ阻害薬による化学的予防を，乳癌のリスクが高く，かつ薬物による合併症のリスクが低い女性に対して提供するよう推奨するグレードBの勧告を発表した[29]．ただし，National Health Interview Survey のデータでは，おそらく医療者と患者が副作用を懸念しているために，適応のある米国女性における化学的予防の普及率は非常に低いことが示されている[30]．

検診

乳癌検診の推奨事項は，年齢と乳癌のリスクに応じて異なる。マンモグラフィは，乳癌の主要な検診方法である。マンモグラフィで気になる所見があれば，特別なマンモグラフィ画像，乳房超音波検査，**磁気共鳴画像 magnetic resonance imaging(MRI)，デジタル乳房トモシンセシス digital breast tomosynthesis(DBT)** などでさらに評価する。USPSTFは，平均的なリスクの女性（乳癌の既往がない，高リスクの病変がない，遺伝子変異がない，若年期に胸部へ高線量放射線照射を受けていない）に対するマンモグラフィ検診の潜在的な有益性と有害性を評価した研究結果をまとめている[31,32]。Box 18-3 に示す通り，死亡率の改善効果は60代の女性で最も大きく，40代の女性は偽陽性になる可能性が高い。また，ランダム化比較試験では，マンモグラフィ検診は11～22％の過剰診断率（生涯で，他の方法では発見されなかったはずの癌がみつかること）と関連することが示されている。

Box 18-3　年齢層別マンモグラフィ検診の有益性と有害性（平均的なリスクの女性）

年齢層（歳）	乳癌の死亡率相対リスク(95% CI)	10年間で予防できる死亡数(95% CI)*	偽陽性の検査結果(n)*	乳房生検(n)*
40～49	0.92(0.75～1.02)	3(0～ 9)	1,212	164
50～59	0.86(0.68～0.97)	8(2～17)	932	159
60～69	0.67(0.51～1.28)	21(11～32)	808	165
70～74	0.80(0.51～1.28)	13(0～32)	696	175
50～69	0.78(0.68～0.95)	13(6～20)	—	—

*10年間スクリーニングを受けた女性1万人あたりの結果を示す。

出典：Nelson HD et al. *Ann Intern Med*. 2016; 164: 244-255. および Nelson HD et al. *Ann Intern Med*. 2016; 164: 256-267. より引用

USPSTFは，これらのデータにもとづき，50～74歳の女性には2年ごとのマンモグラフィ検診を推奨するグレードBの勧告を，40～49歳の女性にはグレードC（個別判断）の勧告を，75歳以上の女性にはグレードI（エビデンス不十分）の勧告を発表した[33]。また，マンモグラフィで高濃度乳房が確認されたが，それ以外は正常な女性の検診に乳房超音波検査，MRI，もしくはDBTを併用すること，またはDBTのみを使用することの両方に対して，評価するにはエビデンスが不十分である（グレードI）と結論づけた。Box 18-4 に，USPSTF[33]，米国癌協会 American Cancer Society[34]，米国産婦人科学会 American College of Obstetricians and Gynecologists[35]が発表したマンモグラフィ，視触診による乳房検診，乳房自己検診に関する推奨事項を示す。乳癌のリスクが非常に高い場合は，視触診による乳房検診，乳房自己検診の指導を検討してもよい。乳癌を特定するための方法を指導すれば，乳房自己検診は，医療資源の限られた環境にいる女性にも適した方法となる。

健康増進とカウンセリング：エビデンスと推奨

Box 18-4　平均的なリスクの女性における乳癌検診の推奨事項[訳注]

団体	マンモグラフィ	視触診による乳房検診	乳房自己検診
USPSTF（平均的なリスクの女性）	50〜74歳：2年ごとの検診 50歳未満：患者固有の要因にもとづいて，個別に検診を検討する 75歳以上：有益性と有害性のバランスを評価するには十分な証拠がない	マンモグラフィによる検診に追加した場合の有益性と有害性を評価するには十分な証拠がない	乳房自己検診の指導は推奨しないが，**ブレスト・アウェアネス breast self-awareness**（乳房を意識した生活習慣）は支持する
米国癌協会（平均的なリスクの女性，2015年）	40〜45歳：任意の1年ごとの検診 45〜54歳：1年ごとの検診 55歳以上：2年ごとの検診（年1回の検診も任意で継続） 健康状態が良好で余命が10年以上の場合は，検診を継続する	推奨しない	推奨しないが，ブレスト・アウェアネスを促す
米国産婦人科学会	40歳から検診を行う 検診は，共同意思決定プロセスにもとづいて，1年または2年ごとに行うべきである 少なくとも75歳まで検診を続ける	共同意思決定プロセスにもとづいて，25〜39歳の女性は1〜3年ごと，40歳以上の女性は1年ごとに検診を行ってもよい	推奨しないが，ブレスト・アウェアネスについて指導するべきである

出典：Siu AL, U.S. Preventive Services Task Force. *Ann Intern Med.* 2016; 164: 279-296; Oeffinger KC et al. *JAMA.* 2015; 314: 1599-1614; *Obstet Gynecol.* 2017; 130: 241-243.

高リスクの女性に対する検診の実施方法を示すエビデンスは限られている。専門家によると，乳房密度の上昇や親族に乳癌患者が1人または2人いるという家族歴により中程度のリスクがある女性は，より早い年齢での検診開始，1年ごとの検診，DBTによる検診を検討するのが妥当であるとしている[26]。遺伝子変異によりリスクが非常に高い女性は，乳癌の診断を受けた親族のなかで，最も若い診断時年齢より10歳若い年齢で（ただし，30歳より前には行わない），1年ごとのマンモグラフィとMRIを併用した検診を開始することが推奨されている[36]。胸部への放射線照射を受けた女性は，放射線治療終了後10年が経過した時点で（ただし，30歳より前には行わない），マンモグラフィとMRIによる1年ごとの検診を開始することが推奨される。

男性の乳癌

男性乳癌は，米国における乳癌症例の1％未満であり，2018年には推定2,550例の新規症例が予測されたが，この疾患に起因する死亡の予測は480例にとどまった[22]。男性は乳癌が疑われないことが多く，また検診が推奨されていないため，女性よりも進行した段階で発覚する可能性が高い。危険因子としては，加齢，放射線照射，*BRCA*遺伝子変異，Klinefelter（クラインフェルター）症候群，精巣疾患，アルコール摂取，肝疾患，糖尿病，肥満などがあげられる。

訳注：わが国では，厚生労働省「がん予防重点健康教育及びがん検診実施のための指針」（平成20年3月31日付け健発第0331058号　厚生労働省健康局長通知別添）により，40歳以上を対象に2年に1回の問診およびマンモグラフィが推奨されている。この指針では視触診は推奨されていないが，実施する場合は，マンモグラフィとあわせて行うよう勧告されている。なお，自己触診は30歳以上の女性（40代以上であれば乳癌検診時に）に対して指導するよう推奨されている。

表 18-1　よくみられる乳房腫瘤

乳房の三大腫瘤は，**線維腺腫 fibroadenoma**（良性腫瘍），**囊胞 cyst**，**乳癌 breast cancer** である。これらの腫瘤の臨床的特徴を以下に示す。**いかなる乳房腫瘤でも慎重に評価する必要があり，通常は超音波検査，穿刺吸引細胞診，マンモグラフィ，生検によってさらに精査すべきである。**

下図の腫瘤は，わかりやすくするために，大きく描いてある。線維囊胞性変化（ここでは例示していない）は，一般に 25〜50 歳の女性で，結節状で筋状の密度のあるものとして触知されることが多い。また圧痛や疼痛を伴う可能性がある。これらは良性であり，乳癌の危険因子ではないと考えられている。

	線維腺腫	囊胞	乳癌
	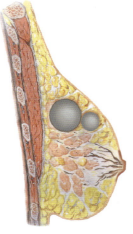	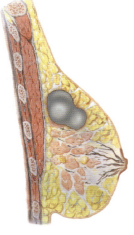	
好発年齢（歳）	15〜25 歳，通常，思春期と若年成人，55 歳まで	30〜50 歳，エストロゲン療法を受けている場合を除き閉経後に減少	30〜90 歳，最も頻度が高いのは，50 歳を過ぎてから
数	通常は単独だが，複数の場合もある	単独か複数	他の結節と併存する可能性はあるが，通常は単独
形	円形，円盤状，または乳腺小葉状で，通常は小型（1〜2 cm）	円形	不規則か星状
硬さ	軟らかいものもあるが，通常は硬い	軟らかいものから硬いものまで，通常は弾力あり	弾性硬，または石様硬
境界	明瞭	明瞭	周囲の組織とはっきり区別がつかない
可動性	良好	あり	皮膚または皮下組織に癒着することがある
圧痛	通常は無痛性	しばしば圧痛あり	通常は無痛性
陥凹の徴候	なし	なし	ありうる

| UNIT II | 第18章 乳房と腋窩 |

表 18-2　乳癌の視覚的徴候

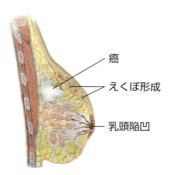

陥凹の徴候
乳癌の進行に伴い，線維形成（瘢痕組織）が生じる。線維形成による組織の萎縮は，えくぼ形成，輪郭の変化，乳頭の陥凹または偏位を生じる。陥凹の他の原因として脂肪壊死と乳管拡張がある

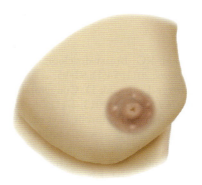

異常な輪郭
乳房の正常な凸面（膨らみ）との違いを探し，左右の乳房を比較する。その際，診察しやすいよう患者に姿勢を変えてもらうとよい。上図では，左乳房の下外側四分円が顕著に平らになっている

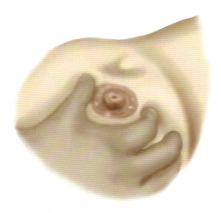

皮膚のえくぼ形成
患者に腕を楽にした状態で，診察しやすい姿勢をとってもらい，乳房を動かす，あるいは押してえくぼ形成の徴候を探す

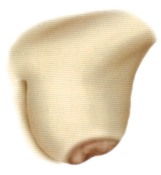

乳頭陥凹と偏位
上図に示すように，乳頭陥凹とは乳頭が平らになっているか，内側へ引き込まれているものである。乳頭が広がり，厚くなったように感じることもある。病変が放射状に広がっておらず非対称のとき，乳頭がもう一方の正常な乳頭とは異なる方向，特に癌のある方向へ偏位する，または乳頭の先が向くことがある

皮膚の浮腫
リンパの流れが損なわれることによって生じる。毛穴が拡大し，皮膚は肥厚したようにみえ，いわゆる橙皮状皮膚の外見を呈する。最初に乳房または乳輪の下部でみられることが多い

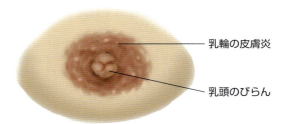

乳頭の Paget 病
乳癌のまれな形であり，通常，まずは乳頭に鱗屑性で湿疹のような病変が生じる。進行すると湿潤，痂皮，びらんを伴うことがある。乳房腫瘤が認められることもある。乳頭および乳輪で持続する皮膚炎があれば，必ず Paget 病を疑う。多くの場合（60％以上），非浸潤性または浸潤性の乳管または乳腺小葉の癌を伴う

文献一覧

1. Pandya S, Moore RG. Breast development and anatomy. *Clin Obstet Gynecol.* 2011; 54(1): 91-95.
2. Caouette-Laberge L, Borsuk D. Congenital anomalies of the breast. *Semin Plast Surg.* 2013; 27(1): 36-41.
3. Francone E, Nathan MJ, Murelli F, et al. Ectopic breast cancer: case report and review of the literature. *Aesthetic Plast Surg.* 2013; 37(4): 746-749.
4. Fayanju O, Margenthaler JA. Breast. In: Klingensmith ME, ed. *The Washington Manual of Surgery.* EBSCO Publishing; 2016.
5. Wai CJ. Axillary anatomy and history. *Curr Probl Cancer.* 2012; 36(5): 234-244.
6. Chau A, Jafarian N, Rosa M. Male breast: clinical and imaging evaluations of benign and malignant entities with histologic correlation. *Am J Med.* 2016; 129(8): 776-791.
7. Johnson RE, Murad MH. Gynecomastia: pathophysiology, evaluation, and management. *Mayo Clin Proc.* 2009; 84(11): 1010-1015.
8. Salzman B, Fleegle S, Tully AS. Common breast problems. *Am Fam Physician.* 2012; 86(4): 343-349.
9. Expert Panel on Breast Imaging, Moy L, Heller SL, et al. ACR appropriateness criteria palpable breast masses. *J Am Coll Radiol.* 2017; 14(5S): S203-S224.
10. Expert Panel on Breast Imaging, Jokich PM, Bailey L, et al. ACR appropriateness criteria breast pain. *J Am Coll Radiol.* 2017; 14(5S): S25-S33.
11. Expert Panel on Breast Imaging, Lee SJ, Trikha S, et al. ACR appropriateness criteria evaluation of nipple discharge. *J Am Coll Radiol.* 2017; 14(5S): S138-S153.
12. Patel BK, Falcon S, Drukteinis J. Management of nipple discharge and the associated imaging findings. *Am J Med.* 2015; 128(4): 353-360.
13. Roussouw JE, Anderson GL, Prentice RL, et al. Risks and benefits of estrogen plus progestin in healthy postmenopausal women: principal results from the Women's Health Initiative randomized controlled trial. *JAMA.* 2002; 288(3): 321-333.
14. National Cancer Institute. Breast Cancer-Breast cancer treatment (updated April 8, 2015). Breast cancer prevention (updated February 27, 2015). Breast cancer screening (updated April 2, 2015). Available at http://www.cancer.gov/cancertopics/types/breast. Accessed April 25, 2018.
15. Barton MB, Elmore JG. Pointing the way to informed medical decision making: test characteristics of clinical breast examination. *J Natl Cancer Inst.* 2009; 101(18): 1223-1225.
16. Fenton JJ, Barton MB, Geiger AM, et al. Screening clinical breast examination: how often does it miss lethal breast cancer? *J Natl Cancer Inst Monogr.* 2005; (35): 67-71.
17. American Cancer Society. *Breast Cancer Facts & Figures 2013-2014.* Atlanta, GA: American Cancer Society Inc; 2013. Available at http://www.cancer.org/acs/groups/content/@research/documents/document/acspc-042725.pdf. Accessed April 25, 2018.
18. National Cancer Institute. Genetics of breast and gynecologic cancers (updated April 3, 2015). Available at http://www.cancer.gov/cancertopics/pdq/genetics/breast-and-ovarian/Health-Professional. Accessed April 25, 2018.
19. Key TJ. Endogenous oestrogens and breast cancer risk in premenopausal and postmenopausal women. *Steroids.* 2011; 76(8): 812-815.
20. Zeleniuch-Jacquotte A, Afanasyeva Y, Kaaks R, et al. Premenopausal serum androgens and breast cancer risk: a nested casecontrol study. *Breast Cancer Res.* 2012; 14(1): R32.
21. Global Burden of Disease Cancer C, Fitzmaurice C, Allen C, et al. Global, regional, and national cancer incidence, mortality, years of life lost, years lived with disability, and disability-adjusted life-years for 32 Cancer Groups, 1990 to 2015: a systematic analysis for the global burden of disease study. *JAMA Oncol.* 2017; 3(4): 524-548.
22. Siegel RL, Miller KD, Jemal A. Cancer statistics, 2018. *CA Cancer J Clin.* 2018; 68(1): 7-30.
23. Howlader N, Noone AM, Krapcho M, et al. SEER Cancer Statistics Review, 1975-2014. Available at https://seer.cancer.gov/csr/1975_2014/.
24. American Cancer Society. Breast Cancer Facts & Figures 2017- 2018. Available at: https://www.cancer.org/content/dam/cancer-org/research/cancer-facts-and-statistics/breast-cancer-facts-and-figures/breast-cancer-facts-and-figures-2017-2018.pdf. Accessed May 4, 2018.
25. National Cancer Institute. Breast Cancer Risk Assessment Tool. Available at https://www.cancer.gov/bcrisktool/. Accessed May 4, 2018.
26. Nattinger AB, Mitchell JL. Breast cancer screening and prevention. *Ann Intern Med.* 2016; 164(11): ITC81-ITC96.
27. US Preventive Services Task Force, Owens DK, Davidson KW, et al. Preventive Services Task Force. Risk assessment, genetic counseling, and genetic testing for *BRCA*-related cancer in women: U.S. Preventive Services Task Force recommendation statement. *JAMA.* 2019; 322(7): 652-665.
28. Nelson HD, Smith ME, Griffin JC, et al. Use of medications to reduce risk for primary breast cancer: a systematic review for the U.S. Preventive Services Task Force. *Ann Intern Med.* 2013; 158(8): 604-614.
29. U.S. Preventive Services Task Force, Owens DK, Davidson KW, et al. Medications use to reduce risk of breast cancer. U.S. Preventive Services Task Force Recommendation Statement. *JAMA.* 2019; 322(9): 857-867.
30. Waters EA, McNeel TS, Stevens WM, et al. Use of tamoxifen and raloxifene for breast cancer chemoprevention in 2010. *Breast Cancer Res Treat.* 2012; 134(2): 875-880.
31. Nelson HD, Fu R, Cantor A, et al. Effectiveness of breast cancer screening: systematic review and meta-analysis to update the 2009 U.S. Preventive Services Task Force Recommendation. *Ann Intern Med.* 2016; 164(4): 244-255.
32. Nelson HD, Pappas M, Cantor A, et al. Harms of breast

cancer screening: systematic review to update the 2009 U.S. Preventive Services Task Force Recommendation. *Ann Intern Med*. 2016; 164(4): 256-267.
33. Siu AL; U.S. Preventive Services Task Force. Screening for breast cancer: U.S. Preventive Services Task Force Recommendation Statement. *Ann Intern Med*. 2016; 164(4): 279-296.
34. Oeffinger KC, Fontham ET, Etzioni R, et al. Breast cancer screening for women at average risk: 2015 guideline update from the American Cancer Society. *JAMA*. 2015; 314(15): 1599-1614.
35. Practice bulletin no. 179 summary: breast cancer risk assessment and screening in average-risk women. *Obstet Gynecol*. 2017; 130(1): 241-243.
36. National Comprehensive Cancer Network. NCCN Guidelines Version 1.2018. Breast cancer screening and diagnosis. Available at https://www.nccn.org/professionals/physician_gls/pdf/breast-screening.pdf. Accessed May 5, 2018.

本章の学習効果を高め，理解を助けるために一連の補助教材がある。
- 『ベイツ診察法ポケットガイド第4版』
- Bates' Visual Guide to Physical Examination
- thePoint® online resources, for students and instructors: http://thepoint.lww.com

第19章 腹部

解剖と生理

腹部 abdomen は胸郭と骨盤の間に存在し，上部はドーム状の横隔膜下面（およそ第5肋間付近），後方は腰椎 lumbar vertebrae，前側方は腹直筋 rectus abdominis や腹横筋 transversus abdominis，内腹斜筋 internal oblique，外腹斜筋 external oblique などの筋肉やシート状の腱で構成される多層の柔軟な壁で，下方は骨盤上口（腸骨稜 iliac crest，上前腸骨棘 anterior superior iliac spine，鼠径靱帯 inguinal ligament，恥骨結節 pubic tubercle，恥骨結合 pubic symphysis から構成される）と接する。図 19-1 に示す解剖学的ランドマーク（目印）を理解すること。

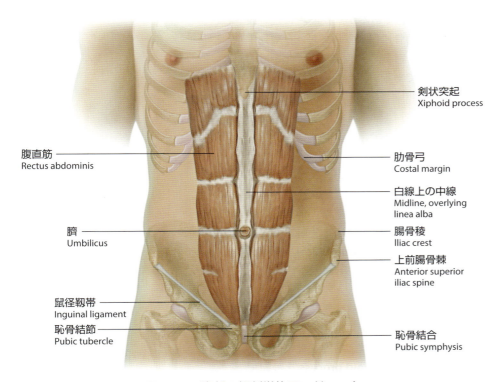

図 19-1　腹部の解剖学的ランドマーク

解剖と生理

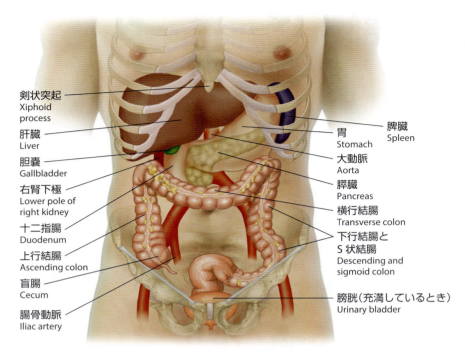

図 19-2　腹腔臓器の位置

腹骨盤腔 abdominopelvic cavity は胸腔の横隔膜と骨盤底筋群の間にあり，**腹腔 abdominal cavity** と**骨盤腔 pelvic cavity** という 2 つの連続した腔からなっている。この広い腔にほとんどの消化器，脾臓と一部の泌尿生殖器系臓器が納まっている（図 19-2）。腹腔内のいくつかの臓器は触知可能であるが，横隔膜に近い腹腔上部に存在する胃や肝臓・脾臓の大部分は胸部肋骨に保護されており，触知することができない。腹腔をつなぎ内臓を覆っているのは，**壁側腹膜 parietal peritoneum** および**臓側腹膜 visceral peritoneum** である。

腹腔と腹腔内臓器

腹部の各部位は臍部を通る水平および垂直な仮想線によって，右上腹部（right upper quadrant：RUQ），左上腹部（left upper quadrant：LUQ），右下腹部（right lower quadrant：RLQ），左下腹部（left lower quadrant：LLQ）の 4 領域で表現されることが多い（図 19-3）。Box 19-1 に各 4 領域内の解剖学的構造を示す。あるいは，腹部を上・中・下ならびに右・中央・左と分けて 9 領域で表現されることもあり，その場合は，**心窩部 epigastric**，**臍部 umbilical**，**下腹部 hypogastric** あるいは**恥骨上部 suprapubic** という用語が用いられる（図 19-4）。

右上腹部では，腹壁を介して軟らかな**肝臓 liver** を触知するのは難しい。肝臓下方の境界（肝下縁）は右肋骨弓下で触知できる。肝下面に接している**胆嚢 gallbladder** や，より深部に存在する**十二指腸 duodenum** は，病的でない限り通常は触知できない。内側へ移動すると胸郭の**剣状突起 xiphoid process** を触知できるが，この下に守られるように**胃 stomach** が位置する。**腹部大動脈**

解剖と生理

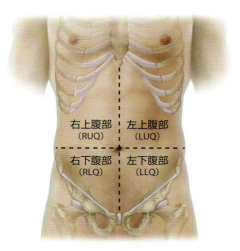

図 19-3　腹部4領域

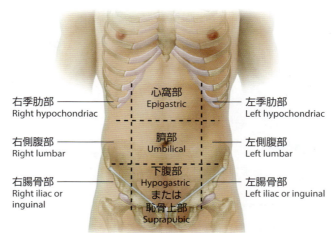

図 19-4　腹部9領域

Box 19-1　4領域と腹部臓器との関係	
右上腹部（RUQ）	肝臓，胆嚢，幽門部，十二指腸，大腸肝弯曲部，膵頭部
左上腹部（LUQ）	脾臓，大腸脾弯曲部，胃，膵体尾部
左下腹部（LLQ）	S状結腸，下行結腸，左卵巣
右下腹部（RLQ）	盲腸，虫垂，上行結腸，回腸末端，右卵巣

abdominal aorta は目視可能な拍動を伴い，やせた患者では上腹部や心窩部で触知できることがある。より深い位置では，小児や腹筋がリラックスした状態のやせた患者で右腎下極や第12肋骨の端に触知できることがある。

左上腹部では，**脾臓 spleen** は胃の側面から背面に，左腋窩線上では左腎の上に存在する。上部の境界はドーム状の横隔膜に面している。脾臓の大部分は第9〜11肋骨に囲まれている。成人のごく少数では，左肋骨弓下で脾臓の下縁を触知することがある（これと比べ，脾腫や**巨脾 splenomegaly** の場合はより容易に触知できる）。健常人では**膵臓 pancreas** は触知できない。

左下腹部には **S状結腸 sigmoid colon** がある。特に便が貯留している場合は遠位結腸（下行結腸やS状結腸）を触知することが多い。下腹部正中には**膀胱 urinary bladder** があり，緊満していると触知できることが多く，女性の場合には**子宮 uterus** や**卵巣 ovary** も触知できることがある。

虫垂 appendix は**盲腸 cecum**（**回腸 terminal ileum** が**回盲弁 ileocecal valve** から大腸につながる部分）の基部にあり，右下腹部に存在する。健常人ではこれらは通常触知しない（図19-5）。

腎臓 kidney は腹腔内でも後側，腹膜（後腹膜）の背側に存在する。腎上極は肋骨で囲まれている（図19-6）。第12肋骨下縁と上部腰椎の横突起で形成される**肋骨**

解剖と生理

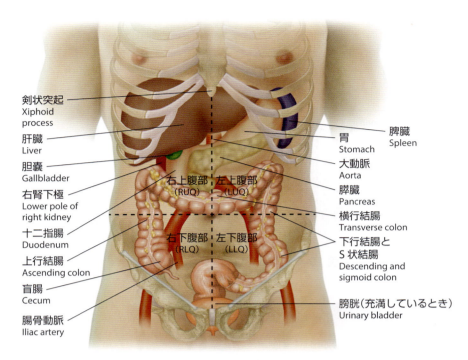

図 19-5　腹部4領域と各臓器の位置

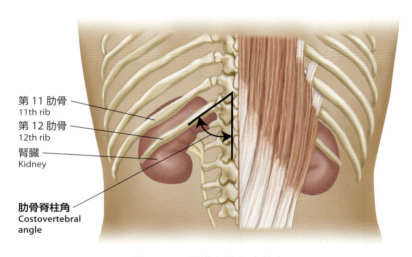

図 19-6　腎臓と肋骨脊柱角

脊柱角 costovertebral angle（CVA）は，肋骨脊柱角叩打痛 CVA tenderness と呼ばれる，腎臓の圧痛を確認できる部位である。

骨盤腔と骨盤内臓器

腹腔から連続してやや後方に屈曲し，漏斗状の**骨盤腔**がある。骨盤腔には尿管末端，膀胱，骨盤生殖器，ときに小腸や大腸の一部が含まれる。これらの臓器は部分的に骨盤に囲まれ保護されている。

解剖と生理

膀胱はおもに**排尿筋 detrusor muscle** で構成された強靱な平滑筋壁による中空の容器である。腎臓で濾過され腎杯から腎盂に，そして尿管を経た尿は，膀胱で約400〜500 mL 貯めることができる。

膀胱が拡張すると比較的低圧であっても副交感神経を刺激し，排尿筋を収縮させ，同じく自律神経支配である**内尿道括約筋 internal urethral sphincter** を弛緩させる。排尿にはさらに随意筋である横紋筋で構成された**外尿道括約筋 external urethral sphincter** を弛緩させる必要がある。膀胱内圧の上昇によって尿意が起こるが，尿道内圧の上昇によって失禁を防いでいる。尿道内圧は，内尿道括約筋の収縮や粘膜の肥厚，女性では膀胱や近位尿道を支持し，解剖学的に適切な位置に保つ骨盤筋群や靱帯などによって影響を受ける。また，尿道周囲の横紋筋は排尿を随時中断できる（図 19-7）。

膀胱機能は，いくつかのレベルで神経系の調節を受けている。乳児期は仙骨神経反射によって膀胱内容が排出される。膀胱は脳にある高次中枢神経と脳-仙髄反射弓をつなぐ運動感覚神経経路を介して自発的に調節される。排尿を抑えたい状況では，脳のより高位の中枢が膀胱の許容範囲（400〜500 mL）に達するまで膀胱の収縮を抑えるように働く。膀胱を刺激して仙骨神経が正常に機能するかどうかをみるには，S_2〜S_4 の皮膚分節に一致した肛門周囲と会陰を支配する末梢感覚神経を検査するとよい（p.676 参照）。

異常例

緊満した膀胱は，恥骨結合の上で触れられることがある。

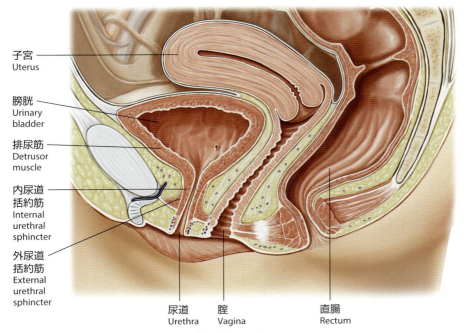

図 19-7　女性骨盤解剖（矢状断像）

病歴：一般的なアプローチ

腹部に関連した症状がある患者の医療面接では系統的なアプローチが必要である。腹骨盤腔内の構造を想起しながら面接を行うことが望ましい。腹部臓器の解剖学的位置を念頭に置き，面接に役立てる。各症状の意味を正確に理解できるよう明確な質問をすること。例えば，「胸焼け」という言葉は胃酸の逆流による痛みかもしれないが，一方で狭心症による症状かもしれない。「血を吐いた」場合，消化管由来の血液かもしれないし，上気道からの血液かもしれない。発症の仕方（急性か，慢性か）やきっかけとなる出来事，性質，進行性かどうか，増悪因子や改善因子などをよく学んでおき，各症状から責任臓器を絞り込む必要がある。経験を積めば，このような腹部臓器にもとづいた系統的アプローチが身につき，より少ない質問で，目の前の患者の訴えに焦点を絞った質問ができるようになるだろう。熟達するには時間がかかることも心得ておくこと。面接と身体診察の技術と，そこから得た情報を統合する技術が，確実な臨床推論と的確な鑑別診断に至る決定打となるだろう。

よくみられる，または注意すべき症状

消化管
- 腹痛（急性または慢性）
- 腹痛と関連する消化器症状：消化不良，悪心・嘔吐，吐血，食欲不振（拒食症），早期満腹感
- 嚥下困難（嚥下障害），嚥下時の痛み（嚥下痛）
- 腸機能の変化
- 下痢
- 便秘
- 黄疸

尿路系
- 尿路系症状：恥骨上の痛み，排尿困難，尿意切迫，頻尿，多尿，夜間多尿，尿失禁，血尿
- 側腹部痛と尿管仙痛

消化器症状は，外来および救急外来への受診理由として頻度が高いため，腹痛，逆流，悪心や嘔吐（血液を伴う場合と伴わない場合），嚥下困難や嚥下痛，食欲不振，黄疸を含むさまざまな上部消化管症状を呈する患者を診察することになるだろう。2015年の統計では，外来患者の1,500万人，救急外来患者の1,200万人が腹痛（痙攣や攣縮を含む）により受診している[1,2]。また，下腹部痛，下痢，便秘，排便習慣の変化，血便〔さらに鮮血便と暗赤色または黒色便（メレナ）に細分化される〕といった下部消化管症状も一般的である。

泌尿生殖器系が原因となる症状も多い。排尿困難，切迫尿意，頻尿，尿の出にくさと尿勢の低下（男性），多尿，夜間多尿（夜尿），尿失禁，血尿，腎結石や感染による側腹部の仙痛などがある。これらは腹痛や悪心，嘔吐といった消化器症状を伴うことがしばしばある。

病歴：一般的なアプローチ　　　　　　　　　　　　　　　　　　　異常例

腹痛

現病歴は腹痛を訴える患者の面接において，間違いなく最も重要な要素である。現在の症状を注意深く明らかにし，Box 19-2 に示す症状の特徴から手がかりを得るよう試みる[3]。76％の症例では注意深い面接のみで正しい診断に至ることができる[4]。

Box 19-2　腹痛患者への面接で得られる重要情報

- **発症**：症状がいつ発症したか，またどのように進行したかは，緊急性が高い疾患が原因であるかどうかを判断する一助となる
- **部位**：臓器が腹腔内のどの位置にあるかという知識は，どの臓器が障害されているか鑑別診断を絞り込むうえで重要である（図 19-5 を参照）
- **性状**：痛みを病態生理学的に分類（**内臓痛か体性痛か**）することは原因解明に役立つ（表 19-1 を参照）
- **放散**：痛みの放散があるかないかは，特に肝臓，胆道系，虫垂などに関連する疾患の原因究明に役立つ
- **改善因子，増悪因子，関連因子**：鑑別診断に有用である。例えば嘔吐により痛みが改善したり，食事や絶食，発熱，下痢，便秘などによって痛みが増悪する場合など
- **既往歴，手術歴，社会的背景**：原因推察のヒントとなりうる。例えば，過去に同様の痛みがあったエピソードや，糖尿病や心房細動など合併症の存在，内服薬（非ステロイド系鎮痛薬（NSAID）など），腹部手術の既往，喫煙，違法薬物の使用歴，性感染症の既往，不妊症など

一般的な症状を評価する前に，腹痛の機序と臨床型を確認しておく。腹痛には大きく 3 つの種類がある。

- **内臓痛 visceral pain** は腸や胆管系などの中空臓器が異常に収縮したり，拡張・伸展したときに起こる（図 19-8）。肝臓などの実質臓器も被膜が伸展すると痛みを生じる。**内臓痛は非特異的で明確に限局しないのが典型である。**図 19-8 に示すように，臓器によって高さは異なるが，腹部正中付近では典型的な内臓痛が触知可能である。虚血によっても内臓神経線維が刺激を受ける。内臓痛の痛みの性質は，絶えまない痛み，痙攣痛，鈍痛など多様である。痛みが進行すると，発汗，蒼白，嘔吐，悪心，不穏など全身症状をきたすこともある。

- **体性痛 somatic pain** は，**腹膜炎 parietal pain（peritonitis）**と呼ばれる壁側腹膜の炎症によって生じ，限局性であることも汎発性であることもある。**持続的な鈍痛があり，内臓痛よりも激しく，原因臓器の直上に限局して起こることが多い。**一般的には労作や咳嗽で増強することが多いので，体性痛の患者は静かに横になるのを好む。

表 19-1「腹痛」を参照。

右上腹部の内臓痛は，アルコール性肝炎や胆道系疾患などによる肝炎に伴い，肝腫大で肝被膜が伸展していることを示唆する。

臍周囲の内臓痛は虫垂が炎症を起こし拡張した場合に起こり，早期の急性虫垂炎が疑われる。炎症が周囲の壁側腹膜に及ぶと徐々に右下腹部の体性痛に変化する。

痛みが身体所見と乖離する場合は，小腸の腸間膜虚血が疑われる。

腹膜炎患者と比べると，腎結石による仙痛の患者は安楽な態勢になるよう頻繁に体位を変える。

病歴：一般的なアプローチ　　　　　　　　　　　　　　　　　　　異常例

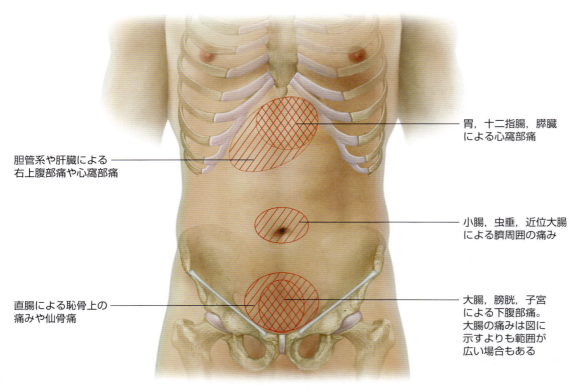

胆管系や肝臓による右上腹部痛や心窩部痛

胃，十二指腸，膵臓による心窩部痛

小腸，虫垂，近位大腸による臍周囲の痛み

直腸による恥骨上の痛みや仙骨痛

大腸，膀胱，子宮による下腹部痛。大腸の痛みは図に示すよりも範囲が広い場合もある

図 19-8　腹部臓器による内臓痛の症状がみられる部位

- **関連痛 referred pain** が出現するのは，障害臓器とほぼ同じ脊髄レベルから神経が分布している，障害臓器とは離れた部位である。関連痛は臓器障害が進むにつれ徐々に増強し，当初出現した部分から放射状に広がる。関連痛の部位を触診しても圧痛はない場合が多い。

十二指腸や膵臓を原因とする痛みは，背部に放散することがある。胆道系の痛みは，右肩甲骨領域や右胸郭背側に放散する[3]。

胸膜炎や下壁心筋梗塞では，痛みが心窩部に放散することがある。

ときに胸部，脊髄，骨盤からの関連痛が腹部に放散することがあり，腹痛の評価を困難にすることがある。

上腹部痛，不快感，胸やけ

米国や他の先進国では，上腹部の不快感や疼痛が再発する頻度は約 25％である[4]。最近，多数の上腹部症状を分類・定義した合意声明が専門学会から報告されている。機能性胃腸症についての診断基準である Rome Ⅳ分類は，その例である[5]。定義された症状を注意深く理解していけば，患者の病状を明らかにする助けとなるだろう。**不快感 discomfort** とは，痛みはなく不快な自覚症状と定義される。これには腹部の張り，悪心，上腹部膨満，胸やけなども含まれる。

5-ヒドロキシトリプトファンやサブスタンス P などの神経ペプチドが，痛み，腸機能不全，ストレスといった症状に重要な役割を果たすことを示唆する研究がある[6]。

病歴：一般的なアプローチ

急性上腹部痛，上腹部不快感
腹痛の原因は，良性から生命を脅かす状態に至るまでさまざまであり，詳細な病歴聴取のために十分時間をかけるべきである。

- まず痛みがどのようにはじまったかはっきりさせる。きっかけはあったか？ つぎに痛みの経過を明確にする。痛みは急性か，慢性か？ 急性の腹痛にはいくつもの型がある。痛みは突然起こったのか，あるいは徐々に起こったのか？ いつはじまったか？ どれくらい続いているのか？ 24時間でどのような経過をたどったのか？ 何週間も何カ月も続いているのか？ 急性疾患なのか，慢性で反復性か？

- 詳細な症状を明らかにするために，**患者に自分の言葉で痛みを表現してもらう**。「痛みはどこからはじまりましたか？」「どこかに広がったり伝わったりしますか？」「どのような感じの痛みですか？」患者が痛みを表現できない場合のみ，いくつか選択肢を提示する。「鋭い痛みですか，それとも鈍い痛みですか？ 持続しますか？ それとも間欠的な痛みですか？」「痛みのある部位は発症当初から移動していますか？ 性状が変わっていますか？」

- つぎに，**患者自身に痛みの場所を示してもらう**。患者が常に言葉で明確に痛みの部位を表現できるわけではないが，痛みが4領域のうちどこに存在するか把握することで，痛みと関連するであろう臓器を突き止めやすくなる。着衣が妨げになるようであれば，身体診察時に再度質問するのもよい。

- 患者に，1～10で痛みの程度を表現してもらう。しかし，痛みの程度が常に原因を特定する助けになるとは限らないことに注意する。腹痛に対する感受性には個人差があり，高齢者では感受性が鈍くなるので，急性期の腹部症状が隠されてしまう傾向がある。痛みの閾値や日常生活での痛みへの適応には個人差があり，重症度の判定に影響する。

- 痛みを増悪もしくは改善する因子を探るとき，**体位，食事やアルコール，薬物（アスピリンやNSAID，市販薬も含める），ストレス，制酸薬の使用**については特に注意を払わなければならない。また，消化不良や不快感が労作に関連するか，安静で改善するかについてもたずねる必要がある。

慢性上腹部痛，上腹部不快感
ディスペプシア dyspepsia は慢性または反復性の上腹部不快感や痛みと定義され，心窩部痛や胸やけ（または両方），食後膨満感や早期満腹感（または両方）が特徴である[5,7]。膨満感，悪心，げっぷは単独で起こる場合もあるし，他の疾患に伴う場合もあるので注意が必要である。これらが単独で起こっている場合，ディスペプシアの診断基準にはあてはまらない。

異常例

救急外来患者の40～45％は非特異的な痛みを訴え，15～30％は手術を要する（通常は虫垂炎，腸閉塞，胆嚢炎が痛みの原因である）[8]。

心窩部痛は**胃食道逆流症 gastroesophageal reflex disease(GERD)**，膵炎，十二指腸潰瘍穿孔でも起こる。右上腹部痛は胆道系や肝臓と関連する。

下壁心筋梗塞によって，消化不良時のような症状を訴えることがあるが，労作で悪化して安静で改善するのであれば狭心症が疑われ，注意を要する。表15-3「胸痛」（p.488～489）を参照。

膨満感を伴う疾患は良性疾患からより重篤な疾患まで幅がある。例えば乳糖不耐症や過敏性腸症候群(IBS)，炎症性腸疾患(IBD)，GERD，悪性腫瘍の早期など。

病歴：一般的なアプローチ

上腹部不快感や上腹部痛がある患者の多くには，機能性または潰瘍を伴わないディスペプシアが生じている。これは，3カ月以上に及ぶ非特異的上腹部不快感や悪心があり，器質的異常や消化性潰瘍を伴わない状態と定義される。症状は通常，反復性で6カ月以上続く[3]。

慢性上腹部不快感または上腹部痛がある患者の多くは，胸やけ，嚥下困難，無意識に起こる逆流を訴える。

胸やけ heartburn は，週1回またはそれ以上の頻度で起こる，胸骨後部における焼けるような痛みや不快感である。一般的にはアルコール，チョコレート，柑橘類，コーヒー，タマネギ，ペパーミントなどの摂取，または前かがみの姿勢，仰臥位，運動，物を持ち上げる動作などによって悪化する。

GERDでは，胸痛，咳嗽や喘鳴，誤嚥性肺炎など，非典型的な呼吸器症状を呈することもある。また，嗄声，慢性咽頭痛，咽頭炎などの咽頭症状がみられる場合もある[10]。

下記のような「警告症状」を呈する患者もいる。

- 嚥下困難（**嚥下障害**）
- 嚥下に伴う痛み（**嚥下痛**）
- 反復性嘔吐
- 消化管出血の徴候
- 早期満腹感
- 体重減少
- 貧血
- 胃癌の危険因子
- 触知可能な腫瘤
- 痛みを伴わない黄疸

異常例

胃内容排出遅延（20～40％），ピロリ菌（Helicobacter pylori）に関連または関連しない消化性潰瘍（20～60％），消化性潰瘍（ピロリ菌が存在するなら最高で15％），IBS，および社会心理的因子など，原因はさまざまである[5]。

患者が胸やけと無意識に起こる逆流の両方を週1回以上自覚する場合，GERDの正診率は90％以上である[5, 9, 10]。

これらの症状，内視鏡で確認された粘膜障害はGERDの診断基準となる。唾液の減少は重炭酸緩衝液の働きを弱めることで粘膜の胃酸曝露を増やし，危険因子となる。肥満，胃内容排出遅延，薬物摂取，食道裂孔ヘルニア，腹圧上昇もまた危険因子となる。

横隔膜に沿った心臓下壁の冠動脈虚血による狭心症でも胸やけが生じることがある。表15-3「胸痛」（p.488～489）を参照。

気管支喘息患者のうち30～90％，喉の不調によって専門医に紹介された患者のうち10％にGERDと同様の症状がみられる。

合併症がなく，経験的治療で症状が改善しないGERD患者，55歳以上，「警告症状」のある患者は内視鏡検査を行い，食道炎や潰瘍瘢痕による狭窄，Barrett（バレット）食道，食道癌の可能性を評価する必要がある。

GERDが疑われる患者のうち，約50～85％では内視鏡で器質的疾患を認めない[14, 15]。

慢性的，長期に胸やけを訴える患者の約10％で**Barrett食道**（通常の食道粘膜である扁平上皮から円柱上皮への化生性変化）を認める。これらの患者では内視鏡で異形成を認める場合，食道癌のリスクが上昇する。食道癌のリスクは，異形成がない場合は患者1人あたり1年に0.1～0.5％であるのに対し，高度異形成では6～19％に上昇する[14]。

病歴：一般的なアプローチ | 異常例

下腹部痛と不快感

下腹部の疼痛と不快感は急性でも慢性でも起こりうる。患者に痛みの部位を指してもらい，痛みの性状を確認し，身体所見と組み合わせることが，原因を明らかにする鍵となる。特に恥骨上部痛や側腹部から放射状に広がる痛みである場合，急性下腹部痛の原因として，泌尿生殖器の問題が考えられる（p.644 参照）。

急性下腹部痛

患者が右下腹部に限局した急性の痛みを訴えることがある。鋭く持続する痛みか，体をよじるほどの間欠的でひきつるような痛みかを確認する。

臍周囲から移動する右下腹部痛で，悪心や嘔吐，食欲不振を伴う場合は**虫垂炎**が疑われる。女性では，骨盤内炎症性疾患，卵巣嚢腫の破裂，子宮外妊娠が考えられる。

身体所見と血液検査による炎症所見や画像検査（CTスキャン，超音波検査）を組み合わせることで，誤診や不要な手術を著明に減らすことができる[11-14]。

泌尿生殖器系の症状を伴い，脇腹や鼠径部に放散するひきつるような痛みがある場合は**腎結石**を示唆する。

患者が急性の痛みを左下腹部や腹部全体に訴える場合は，発熱や食欲低下など，随伴する症状がないか確認する必要がある。

便秘がある患者が下痢に伴う左下腹部痛を訴える場合は**憩室炎**が疑われる。非特異的で広範な腹痛で，腹部膨満と悪心，嘔吐を伴い，ガスの排出もしくは腸蠕動を認めない場合は**腸閉塞**による症状である（p.640〜641 参照）。

腹膜炎患者では緊急に外科的評価を行う必要がある。**腹膜炎**では身体所見上，筋性防御や筋硬直を伴う重度の痛みを腹部全体に認める。**腹部膨満**は認める場合と認めない場合がある。

慢性下腹部痛

下腹部に慢性の痛みがある場合，排便習慣の変化や，交互に起こる下痢・便秘がないかたずねる。

排便習慣の変化があり腫瘤を触知できる場合は，進行大腸癌に注意が必要である。

IBSの診断基準は除外診断で，直近12カ月間のうち12週にわたる間欠的な痛み，排便による痛みの軽快，排便回数や便性状（軟便，水様便，コロコロ便）の変化がみられ，腸管運動や分泌，痛みへの過敏性を変化させる腸管粘膜刺激物と関連する[15]。

腹痛と関連する消化器症状

患者は，他の症状に関連して腹痛を自覚することが多い。まずは「食欲はいかがですか？」と質問し，**消化不良**や**悪心**，**嘔吐**，**食欲不振**などの症状を確認する。

消化不良

消化不良 indigestion とは，食事に関連した苦痛を表すごく一般的な用語であり，さまざまな異なる症状が隠れている可能性がある。患者には，より具体的に話してもらうよう促すとよい。

悪心・嘔吐

胃が悪い，と表現されることが多い**悪心 nausea** は，吐き気や嘔吐につながることがある。**吐き気 retching** は胃・横隔膜・食道の不随意痙攣で，胃内容物が強制的に口から排出される**嘔吐 vomiting** につながる。

実際に嘔吐はしないものの，悪心や吐き気を伴わずに食道や胃の内容物が上がってくる場合があり，これを**逆流 regurgitation** と呼ぶ。

吐物や逆流した内容物について質問し，可能であれば直接みて色や臭い，量を確認する。患者が量を説明する手助けをする。「スプーン1杯分ですか？ 2杯分ですか？ カップ1杯分ですか？」

吐血

特に吐物については，血液が混じっていなかったか質問し，その量についても評価する。胃液は透明で粘稠である。黄色から緑色の胆汁が少量混じっているのは正常であり，特に問題ではない。内容物が褐色や黒色で，コーヒー残渣様であれば胃酸で変性した血液と考えられる。血性の嘔吐は**吐血 hematemesis** と呼ばれる。

長期にわたる嘔吐や重大な失血による脱水はないか？ 衰弱した患者，昏迷状態の患者，高齢者では，誤嚥など嘔吐の合併症はないか？

異常例

食欲不振，悪心，嘔吐は良性疾患から，より注意を要する疾患まで，幅広い疾患と関連する。例えば妊娠，糖尿病性ケトアシドーシス，副腎不全，高カルシウム血症，尿毒症，肝疾患，精神状態，薬の副反応など。悪心を伴わない嘔吐は，過食症の可能性が高い。

逆流はGERDの一般的な症状であるが，食道狭窄やZenker(ツェンカー)憩室，食道や胃の悪性腫瘍による症状の場合もある。

便秘やしつこい便秘(便もガスも排泄できない重度の便秘)を伴う嘔吐と悪心は腸閉塞が示唆され，さらなる画像検索を要する。

症状と腹痛，圧痛を伴う場合は虚血である可能性があり，緊急の各種画像診断と外科コンサルトが必要である。

吐血は，食道静脈瘤，胃静脈瘤，Mallory-Weiss(マロリー・ワイス)症候群，消化性潰瘍で生じる。

めまいや失神などの失血症状は，出血量や出血率に依存し，失血が500 mLを超えるまではめったに起こらない。

食欲不振

食欲不振 anorexia とは食欲の低下や欠如のことである。特定の食物を受けつけなかったり，腹部不快感への恐怖（または食物自体への恐怖），もしくは自分の体型に対する過度な不安感がないか確認する。悪心や嘔吐を伴うかどうかについても確認する。

第8章「全身の観察，バイタルサイン，疼痛」（p.219）を参照。

早期満腹感

患者が，少量から中等量の食事での不快な腹部膨満感や早期満腹感があって食事が全量摂取できないと訴えることがある。このような場合は食生活の見直しが有用であろう。

腹部膨満感や早期満腹感がある場合，糖尿病性胃不全麻痺，抗コリン薬の服用，胃排出路閉塞，胃癌が考えられる。

■ 嚥下困難（嚥下障害），嚥下時の痛み（嚥下痛）

あまり一般的ではないが，患者が口から胃への固形物や液体の移動障害による飲み込みにくさ，つまり**嚥下困難 dysphagia** を訴えることがある。食物が引っかかる，まっすぐ落ちていかない感じは，運動障害や器質的異常を示唆する。安静時に塊や異物があるような感覚があり，嚥下すると軽減または消失する場合は，**球感覚 globus sensation** と呼ばれ，真の嚥下障害ではない。

口腔乾燥症（唾液分泌障害）は一般的に男女問わず70歳以上でみられ，食物の嚥下困難感を生じ得る。嚥下困難の種類については，表19-2「嚥下困難」を参照。

口咽喉頭に由来する嚥下障害を示唆するものとして，嚥下開始の遅延，鼻咽頭への逆流または誤嚥による咳嗽，反復性の嚥下などがある。原因としては脳卒中やParkinson（パーキンソン）病，筋委縮性側索硬化症のような**神経疾患**，筋ジストロフィや重症筋無力症のような**筋疾患**，食道狭窄や喉頭食道憩室（Zenker 憩室）等の**器質的な問題**がある。若年成人では一般的に器質的な要因が多く，高齢者では神経疾患，筋疾患が多い[16]。

患者にどこで嚥下困難が起こっているのかを指で示してもらう。

患者が胸骨上窩を指で示す場合は，食道性嚥下困難の存在を疑うこと。

どのような食物（固形物か，それとも固形物も液体も両方なのか）が症状を引き起こすか明らかにする。症状の経過を確認する。いつから嚥下困難がはじまったか？ 間欠性か持続性か？ 進行性か？ どれくらいの期間で進行したか？ 関連する症状や臨床状況はないか？

固形物であれば，食道狭窄や食道ウェブ，狭窄〔Schatzki（シャッキー）輪〕，腫瘍など器質的な原因と考えられる。固形物と液体両方であれば**アカラシア**のような運動障害の可能性がより高い。

嚥下痛 odynophagia，すなわち嚥下時の痛みはないか？

アスピリンやNSAIDの内服，腐食性物質摂取，放射線曝露，カンジダ Candida・サイトメガロウイルス・ヘルペスウイルス・ヒト免疫不全ウイルス（HIV）の感染による食道潰瘍を示唆する。

病歴：一般的なアプローチ | 異常例

腸機能の変化

腸機能の評価の際は，まず自由回答方式の質問からはじめる。「便通はどうですか？」「週に何回ほどありますか？」「便通で何か困ったことはありますか？」「便性状，排便頻度，量，においやみた目に何か変化はありますか？」正常の排便回数にはかなり幅があり，週3回程度と少ない場合もある。

過剰なガスの排出，つまり**放屁 flatus** を訴える患者もいる。

原因として過度の空気を繰り返し嚥下する**呑気症 aerophagia** や，豆類やその他のガスを産生しやすい食品の摂取，乳糖不耐症，IBS も考慮する。

下痢

下痢 diarrhea は最近3カ月の排便のうち75％以上が痛みのない軟便や水様便で，診断の少なくとも6カ月前に症状が現れはじめた場合と定義される[17,18]。便量は24時間で200gを超える場合もある。

表19-3「下痢」を参照。

- 期間についてたずねる。**急性下痢**は続いたとしても14日以内と定義され，14～30日の場合は**持続性下痢**，30日以上は**慢性下痢**と定義される。

急性下痢は通常，感染による[19]。**慢性下痢**は典型的には非感染性で，IBD〔Crohn（クローン）病または潰瘍性大腸炎〕や食物アレルギーで起こる。

院内下痢症は病院内で発症する急性下痢で，一般的には入院後72時間以降に発症し，期間は2週間以下である。**クロストリディオイデス・ディフィシル Clostridioides difficile 感染症**が最も一般的である[20]。

- 量，頻度，粘度など，**下痢便の性状**について確認する。

量が多く，頻回の水様便は，通常，小腸に起因する。量が少なくテネスムスを伴い，粘液や膿，血液混じりの下痢は，直腸の炎症に起因する。

- 粘液，膿，血液は混入していないか？ **テネスムス tenesmus**（しぶり腹），すなわち実際の排便はないが痙攣痛や不随意の息みを伴う強烈な便意を催すか？

- 夜間に起こる下痢はないか？

通常，夜間の下痢には病的意義がある。

- 脂ぎったり，油が浮いていないか？ 泡だっていないか？ 悪臭がしないか？ 過剰なガスが出て，トイレの水に浮いていないか？

セリアック病，膵機能不全，小腸における細菌の過剰繁殖による吸収不全によって，油が残ったり浮いたりする**脂肪便**（脂肪性の下痢便）となる。

病歴：一般的なアプローチ	異常例

- 随伴所見も原因を特定するうえで重要である。特に抗菌薬など最近内服薬の変化がなかったか，最近の旅行歴，食習慣，通常の排便習慣，免疫抑制状態などの危険因子がないか確認する。

下痢は，ペニシリンやマクロライド系薬，マグネシウム含有制酸薬，メトホルミン，ハーブや代替医療でも起こる。最近の入院歴や抗菌薬使用歴のある患者，免疫抑制状態の患者では，C. difficile 感染を考慮することが重要である[20]。

便秘

Rome IV 基準[5]に従って，便の性状についてたずねる。Rome IV 基準では，**便秘 constipation** を診断の少なくとも 6 カ月以上前から症状があり，最近 3 カ月は持続していて，以下の 4 項目のうち少なくとも 2 項目以上があてはまる場合と規定している。すなわち，排便が週に 3 回以下，排便の 25 ％以上で息みや残便感を伴う，兎糞状便や硬便がある，または用手的排便を要する，の 4 項目である[17, 18]。

表 19-4 「便秘」を参照。

一次性または**機能性の便秘**では，病歴や身体所見のみで原因を特定することは困難である。通常の蠕動や蠕動遅延，排出障害（骨盤底筋群の障害），これらの合併などさまざまな原因がある。**二次性**または**器質的な便秘**では薬物やアミロイドーシス，糖尿病，中枢神経系の障害などの原因がある[21, 22]。

- 患者が実際に便をみていたら，色や量を覚えているか確認してみる。

鉛筆状の細い便は，遠位大腸のリンゴの芯状狭窄病変により起こる。

- 何らかの治療を試してみたか質問する。薬物やストレスが関連していないか？随伴する全身疾患はないか？

抗コリン薬，抗うつ薬，カルシウム拮抗薬，カルシウムや鉄剤のサプリメント，オピオイドなどは薬物起因性の便秘を起こしうる。便秘は，糖尿病，甲状腺機能低下症，高カルシウム血症，低マグネシウム血症，多発性硬化症，Parkinson 病，全身性強皮症でも起こる。

- 便もガスも排泄されない場合がある（**しつこい便秘 obstipation**）。

この症状は腸閉塞を示唆する。

- 便の色をたずねる。**メレナ melena**（黒色のタール便），**血便 hematochezia**（赤色や栗色の便）はないか？ 血液の量や頻度など重要な情報を聴取する。

表 19-5 「黒色便と血便」を参照。

メレナは 100 mL 程度の少量の出血を伴い，上部消化管出血でみられる。血便は 1,000 mL を超える出血を伴い，通常は下部消化管出血でみられるが，出血量が多いと上部消化管出血でも血便となりえる。

- 血液が便に混入しているのか，表面に付着しているのか？ 血液がすじ状にトイレットペーパーに付着している程度なのか，もっと大量なのか？

血液が便表面やトイレットペーパーに付着する場合は痔核の可能性が考えられる。

黄疸

黄疸 jaundice(icterus)は，ビリルビンの血中濃度上昇に伴う皮膚や眼球強膜の黄染である。ビリルビンはおもにヘモグロビンの分解産物から合成される胆汁色素である。黄疸は通常，血清ビリルビンが 3 mg/dL を超えると出現する。長期間の黄疸患者の場合，ビリルビンの酸化によりビリベルジンが合成され，緑色調の色調となる[23]。

正常であれば肝細胞は非抱合型ビリルビンを胆汁酸塩と抱合させ，親水性にして，胆汁に抱合型ビリルビンを分泌する。胆汁は胆嚢に貯蔵され，脂肪を消化する際に胆嚢管を通って総胆管へ分泌される。総胆管は肝臓からのびる肝管とも直接つながっている。さらに遠位では総胆管は膵管とともに Vater（ファーター）膨大部で十二指腸に開口する。黄疸の機序を Box 19-3 に示す。

> **Box 19-3　黄疸の機序**
> - ビリルビンの合成増加
> - 肝細胞のビリルビン取り込み減少
> - 肝臓におけるビリルビン抱合能の低下
> - 胆汁中へのビリルビン排泄が低下し，血液への抱合型ビリルビン再吸収

黄疸の患者では，特に関連する症状や疾患が起こった状況に注意する必要がある。具合が悪くなったときの尿や便の色は？　抱合型ビリルビンの血中濃度が上がると尿中に排泄され，黄褐色または紅茶色になる。一方，非抱合型ビリルビンは水溶性ではないので，尿中には排泄されない。関連する痛みがないか？

便の色についても質問する。胆汁の腸管への排泄が完全に途絶えると，便は灰色もしくは明るい色，白色の無胆汁便になる。

異常例

カロテン血症では，ニンジンの摂取により血中にオレンジ色の色素であるカロテンが取り込まれることで，特に手掌や足底などの皮膚が黄染するが，眼球強膜や粘膜は黄染しない[23]。

上から 3 つの機序で起こる非抱合型ビリルビンの増加は，溶血性貧血（産生増加）や Gilbert（ジルベール）症候群でみられる。

抱合型ビリルビンの排泄障害は，ウイルス性肝炎，肝硬変，原発性胆汁性肝硬変，経口避妊薬やメチルテストステロン，クロルプロマジンによる薬物性胆汁うっ滞でみられる。

肝内性の黄疸は肝細胞障害による**肝細胞性**か，肝細胞障害や肝内胆管障害による分泌障害性による**胆汁うっ滞性**である。

肝外性の黄疸は，一般的には総胆管などの肝外胆管の閉塞によって起こる。

胆石や膵癌，胆管や十二指腸の癌は総胆管の閉塞をきたす。

褐色尿は，消化管へのビリルビン排泄障害の徴候である。痛みを伴わない黄疸は悪性腫瘍による胆管閉塞を示唆し，十二指腸癌や膵臓癌でみられる。痛みを伴う黄疸は通常，A 型肝炎や胆管炎といった感染症でみられる[23]。

ウイルス性肝炎では一時的に無胆汁便となる。閉塞性黄疸でも一般的にみられる。

病歴：一般的なアプローチ

皮膚に瘙痒感がある場合，その原因が他にないか？　関連する痛みがないか？経過は？　過去に同様の症状はなかったか？

肝疾患の危険因子についても質問する（Box 19-4）。

異常例

瘙痒感は胆汁うっ滞性や閉塞性黄疸で血中ビリルビンが著明高値となった場合に起こる[23]。

Box 19-4　肝疾患の危険因子

- **感染性肝炎**：衛生状態の悪い地域への旅行やそこでの食事による，汚染された水や食品の摂取（**A型肝炎**）。腸管や粘膜を介した血液，血清，精液，唾液，特に感染したパートナーとの性的接触による体液への曝露や注射薬使用時の針の共用（**B型肝炎**）。違法な注射薬の使用や輸血時の血液を介した感染（**C型肝炎**）。B型肝炎は一部の地域では風土病となっており，危険因子のない患者でも感染を認める場合がある
- メタボリック症候群患者における**非アルコール性肝炎（NASH）**
- **アルコール性肝炎やアルコール肝硬変**：アルコール飲用の有無を丁寧に確認する
- 薬物，工業用溶剤，環境有害物質，麻酔薬による**中毒性肝障害**
- 肝外胆管の閉塞をきたす**胆嚢疾患や手術歴**
- **遺伝性疾患**：溶血性貧血やヘモクロマトーシス，α_1アンチトリプシン欠損症，Wilson（ウィルソン）病といった肝障害の家族歴など

尿路系症状

一般的な質問は，「尿を出すのが大変ということはないですか？」「1日に何回トイレに行きますか？」「夜間に起きる必要がありますか？　何回起きますか？」「1回の尿量はどれくらいですか？」「何か痛みや灼熱感がありますか？」「間に合いそうもなくてトイレに駆け込むことがありましたか？」「尿漏れの経験はありますか？　尿漏れで下着が濡れたりすることはありませんか？」などである。また，膀胱の充満や，尿の出はじめを患者は感じているかも質問する。

女性の場合には，咳やくしゃみをしたり，笑ったときに尿が漏れたことはないか質問する。若年女性の約半数が，出産経験がなくてもこのような経験があると答える。ときどき漏れるのであれば問題はない。高齢の男性では「尿を出しはじめるのが大変ですか？」「排尿するのに便器にかなり近寄らないといけないですか？」「尿の勢いが弱くなったり，尿線が細くなっていませんか？　排尿の際の息み方に変化はありますか？」「排尿の途中で出にくくなったり止まったりしますか？」「排尿後にぽたぽたと滴が垂れることはありますか？」

表19-6「頻尿，夜間多尿，多尿」を参照。

不意に排尿したり，排尿に気づかない場合は，認知障害や感覚神経障害を示唆する。

腹圧性尿失禁は，尿管内圧の低下によって起こる（p.645参照）。これらの問題は一般的に良性前立腺肥大や尿道狭窄による膀胱排出路の部分的閉塞を伴う男性にみられる。

病歴：一般的なアプローチ　　　　　　　　　　　　　　　　　　　　異常例

恥骨上の痛み

尿路系の異常は，腹部と背部の両方に痛みを生じる。膀胱障害は恥骨上の痛みの原因になる。

膀胱の感染では下腹部の鈍く圧迫されるような痛みが典型的である。膀胱が急に拡張するとひどい痛みを起こす。対照的にゆっくり拡張した場合には痛みを感じないことが多い。

急な尿の貯留に伴って，膀胱が突然拡張し痛みが生じる。

排尿困難

膀胱や尿道への感染や刺激はしばしば排尿時の痛みを引き起こし，通常は灼熱感として感じられる。これは**排尿困難 dysuria** と呼ばれることがある。女性ではときに圧迫感と表現される尿道内部の不快感や，炎症を起こした陰唇に尿がかかることによる外表面の灼熱感を訴える。男性では陰茎亀頭の近位側に灼熱感を感じる場合が多い。対照的に前立腺の痛みは，会陰部もしくは直腸側に感じられることがある。

痛みを伴う排尿は**膀胱炎**（膀胱の感染），尿道炎，尿路感染症，膀胱結石，腫瘍などでみられ，男性の場合は急性前立腺炎でも起こる。女性の場合，尿道炎では尿道内での灼熱感を訴え，外陰腟炎では外表面の灼熱感を訴える。

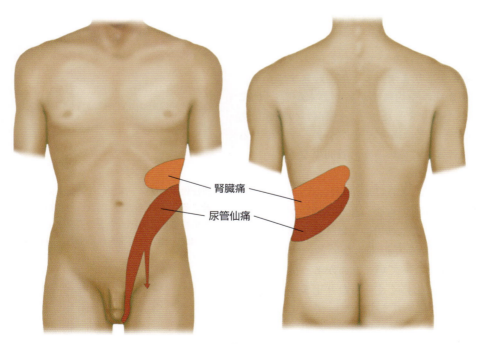

図 19-9　腎臓・尿管痛の放散

病歴：一般的なアプローチ | 異常例

尿意切迫，頻尿

その他，一般的な尿路系症状として**尿意切迫** urinary urgency がある。これは通常ではみられないほど強く急激な尿意で，不随意の排尿や切迫性尿失禁，**頻尿** urinary frequency を生じる場合もある。熱や悪寒がないか，尿に血液が混じっていないか，腹部，側腹部，背側部の痛みについてもたずねる（図 19-9 を参照）。男性で部分的な閉塞があると排尿開始時に尿が出にくくなったり，排尿するために息んだり，尿線が細くなったり，尿勢が弱くなったり，ひどくなると排尿終了時に尿が滴下する[24]。

尿意切迫は尿路感染や尿路結石などによる尿路の刺激を示唆する。頻尿は一般的には尿路感染や膀胱頸部の閉塞でみられる。男性における，頻尿や尿意切迫のない排尿痛は尿道炎を示唆する。側腹部痛や背側部痛は腎盂腎炎を示唆する[25, 26]。

第 22 章「肛門，直腸，前立腺」の表 22-3「前立腺の異常」(p.758)を参照。

多尿，夜間多尿

つぎの 2 つの症状は排尿パターンの重要な変化を示すものである。**多尿** polyuria は 24 時間尿量の有意な増加であり，3 L 以上と大まかに定義されている。多尿は**頻尿**とは区別される。頻尿には尿量が多い場合（**多尿**）も少ない場合（**乏尿** oliguria）もある。**夜間多尿** nocturia とは夜間に尿の回数が増えることで，尿量が多くても少なくても夜間に 2 回以上，排尿のために目が覚める場合と定義されている。患者に 1 日の総飲水量と夜間の排尿回数をたずねる。

多尿の原因には心因性多飲やコントロール不良の糖尿病，中枢性尿崩症による抗利尿ホルモン（ADH）分泌低下，腎性尿崩症による腎臓での ADH 感受性低下などが含まれる。

尿失禁

30％以上の高齢者が**尿失禁** urinary incontinence，すなわち不意の尿漏れに悩んでいる。尿失禁は社会生活の制限につながり，また衛生上の問題も含んでいる。

患者が尿失禁を訴える場合，咳やくしゃみ，笑った際や重いものを持ち上げた際などの腹圧上昇で少量の失禁がないかたずねる。尿意切迫の直後に反射的な大量の尿失禁はないか？ 排尿困難があるにもかかわらず，膀胱が充満するのを感じたり，頻回の尿漏れや少量の排尿を認めたりしないか？

膀胱のコントロールには神経系と運動系が関連している（p.631 参照）。中枢神経または末梢神経の病変によって S_2 から S_4 に障害が及ぶと，正常の排尿に影響を与える可能性がある。患者は膀胱の充満を感じているか？ いつ排尿がはじまるのか？

さらに，尿路系が完全でも，患者の機能状態が排尿に影響することがある。患者は動くことができるか？ 意識清明か？ 尿意を催したときトイレに行けるか？ 投薬による意識や排尿への影響はあるか？

表 19-7「尿失禁」に示す，尿失禁の 5 つの型を参照。

腹圧性尿失禁は，腹圧により膀胱圧が尿道の抵抗を超えると起こり，尿道括約筋の収縮力や，膀胱頸部の支持が弱いことが原因となる。**切迫性尿失禁**では，尿意切迫に続き排尿筋収縮をうまくコントロールできず尿道抵抗を超えることで，不随意の尿漏れが起こる。**溢流性尿失禁**は，神経障害や骨盤・前立腺などの解剖学的閉塞により膀胱からの排泄が制限され，膀胱が過拡張して起こる[27-29]。

認知障害，筋骨格系の問題，移動ができないなどの原因により**機能性尿失禁**が生じる。腹圧性尿失禁と切迫性尿失禁の合併は**混合性尿失禁**と呼ばれる。

血尿

尿に血液が混じること，つまり**血尿** hematuria は，懸念すべき事態の大きな原因になりやすい。血液が肉眼でみえる場合は**肉眼的血尿**と呼ばれる。この場合，尿は明らかに血液の色をしている。顕微鏡でみないとわからない場合を**顕微鏡的血尿**という。ピンク色または褐色を呈して尿にごく少量の血液が混入していることもある。女性では，月経血の混入を血尿と区別する必要がある。尿が赤ければ，尿の色が変化するような薬物を内服していないかたずねる。血尿と診断する前には尿試験紙による検査や顕微鏡検査を行うこと。

> 横紋筋融解によって流出したミオグロビンは赤血球がない場合でも尿を赤色調に変える。

側腹部痛と尿管仙痛

尿路系の障害で腎臓痛を生じる場合もあり，この場合患者は側腹部痛や肋骨脊柱角付近の背部肋骨弓下の痛みを訴えることが多い。臍部の前方周囲に放散する場合もある。腎臓痛は腎被膜が伸展する際に起こる内臓痛であり，鈍く差しこむような持続性の痛みである。尿管仙痛はこれとは劇的に異なる激しい痛みで，背部からぐるっと回って，下腹部，鼠径部，大腿上部，睾丸や陰唇まで放散する（図19-9）。尿管仙痛は尿管と腎盂の急激な拡張により起こる。発熱，悪寒，血尿など関連する症状の有無についても確認する。

> 側腹部痛，発熱，悪寒は急性腎盂腎炎の徴候である。

> 腎臓痛や尿管仙痛は，尿路結石や血塊による尿管の急激な閉塞で起こる。

身体診察：一般的なアプローチ

丁寧に面接を行った後に，身体診察を通してより多くの情報を得ることが，原因となる部位や臓器を特定するのに役立つだろう。完璧な身体所見にはバイタルサインや腹部臓器に限らない全身の視診，特に泌尿生殖器系臓器や心肺系，皮膚を含めた診察が必要である。まずは患者に腹部診察の手順を説明し，十分明るい場所で診察をはじめる。患者には排尿を済ませておいてもらう。Box 19-5 に示すように，腹部を露出する際は布をかけるなどの配慮を忘れないようにする。

> 反応が鈍くなっている高齢者では，非典型的な腹痛を呈する場合がある。

Box 19-5　腹部診察を上手に行う方法

- 頭または膝の下に枕を入れ，患者を仰臥位でゆっくり休ませる
- 腕を身体の横に置いてもらう。腕を頭の上に置くと，腹壁が伸展し緊張するため触診の妨げになる
- 布で覆う。布やシーツを恥骨結合上にかけ，患者にガウンを乳頭直下で剣状突起の上まで引き上げて腹部を露出してもらう。鼠径部までみえるようにするが，性器は覆っておく。腹筋は診察の間，どのような診察も行いやすくなるよう，特に触診の際には緊張させないようにする
- 痛む部位を最後に診察するため，診察をはじめる前に，患者に痛みのある部位がないかたずねる
- 手をこすり合わせたり，微温湯につけたりして温める
- 患者にはゆっくりと近づき，患者が予想できないような急な動きは避ける。手指の爪は患者の皮膚を引っかいたり傷つけたりしないように切っておく

（続く）

診察の技術

↘（続き）

- 患者の右側に立ち，視診，打診，触診による系統だった全身の診察を続ける。診察する領域の臓器を思い浮かべる。患者の表情をよく観察し，痛みや不快感の徴候を見逃さないようにする
- 必要であれば会話や質問で患者の気を紛らわす工夫をする。患者が怖がったりくすぐったがる場合には，まず患者の手の上から行い，その後直接触診する

診察の技術

腹部の診察の重要項目

腹部
- 患者の外観〔表情（態度），苦痛，皮膚の色調，精神状態〕に注意する
- 腹部の表面，輪郭，動きを視診する。皮膚の温度や色調，瘢痕や皮膚線条の有無も確認する
- 触診や打診の前に，聴診器の膜部を腹部のいずれかの区分に置き，腸蠕動音（腸蠕動音の有無，性状，雑音など）を聴取する
- 腹部4領域それぞれを軽く打診する（鼓音，濁音，音が変化する領域）
- 腹部4領域それぞれを片手で軽く触診する（腫瘤，圧痛，筋性防御はないか）
- 腹部4領域それぞれで双手による深い触診をする（肝辺縁，腫瘤，圧痛，拍動の有無）
- 腹膜炎徴候の確認をする（筋性防御，筋硬直，反跳痛の有無）

肝臓
- 鎖骨中線上で打診を行い，肝臓の大きさを測定する
- 肝辺縁を触診し，性状を確認する（表面，硬さ，圧痛）

脾臓
- Traube半月部に沿って打診し，脾臓の腫大がないか確認する
- 仰臥位や右側臥位で脾臓縁を触診する

腎臓
- 肋骨脊柱角に圧痛がないか，にぎり拳で打診する

膀胱
- 膀胱を打診する（拡張や圧痛の有無）

大動脈
- 大動脈の拍動を確認する

特殊な診察法
- 必要であれば特殊な診察法を使う（腹水，虫垂炎，胆嚢炎，腹壁ヘルニア，腹壁腫瘤）

腹部

視診

はじめに，患者の外観を観察する。不快な症状のため蒼白，困惑，苦悶様である場合は，静かに横たわっている患者と比べ緊急度の高い疾患である可能性が高い。

ベッドの右側から，**腹部の表面，輪郭，動きを視診する**。膨隆や蠕動の有無を観察する。前かがみになったり，かがんだりして水平方向からみると，腹部を接線方向から観察できる（図 19-10）。

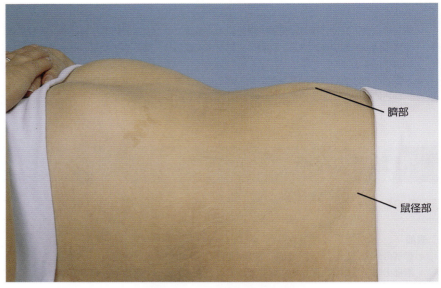

図 19-10　腹部外観の視診

特につぎの所見に注意する。

- ●皮膚

  - ●温度：皮膚が暖かいか，冷たくじっとりしているか。

  - ●色調：傷や紅斑，黄疸はないか。

  - ●瘢痕：部位を言葉や図で記載する。

  - ●線条：陳旧性の銀色の線条や伸展による線条は正常である。　　ピンク色もしくは紫色の皮膚線条はCushing（クッシング）症候群の特徴である。

  - ●静脈の拡張：小さな数本の静脈は正常でもみられる。　　静脈の拡張は肝硬変や下大静脈閉塞に伴う門脈圧亢進を示唆する（メデューサの頭）。

  - ●発疹や斑状出血　　腹壁の斑状出血は，腹腔内出血や後腹膜出血でみられる。

  - ●臍部：外観，部位に注意する。炎症，隆起はヘルニアを示唆する。　　表 19-8「局所的な腹壁の隆起」を参照。

- ●腹部の輪郭

  - ●平坦，円形，隆起がある，舟状（明らかに陥凹している）か？　　表 19-9「腹部の隆起」を参照。

診察の技術	異常例

- 側腹部の隆起や局所的な隆起がないか？　鼠径部や大腿部も調べる。

腹水により膨隆した側腹部，拡張した膀胱や妊娠子宮により膨隆した恥骨上部，ヘルニア（腹壁，大腿，鼠経）がないか観察する。

- 腹部は左右対称か？

非対称性は，ヘルニア，腫大した臓器，腫瘤を示唆する。

- 目でみて判断できる臓器や腫瘤はあるか？　腫大して肋骨弓下に張り出した肝臓や脾臓が観察できることがある。

下腹部の腫瘤やヘルニアがないか視診する。

- **拍動**：やせた患者では大動脈の拍動は通常の健康状態でもしばしば，心窩部で観察される。

腹部大動脈瘤や脈圧上昇による拍動の増大を探す。

聴診

打診や触診を行う前に聴診をしないと，腸蠕動音の性状が変化してしまうことがある。最大5分間，聴診器の膜部を腹部にそっとおき，腸蠕動音を聴診する。クリック音（高くカチカチした音）やガーグル音（低くごぼごぼした音）を含む腸蠕動音は，1分間に5～34回の頻度で起こり，この範疇であれば正常の腸蠕動音である。過蠕動によって，より長く続く「腹がグーグーなる音」が聴取されることがあり，**腹鳴 borborygmi** と呼ばれる。

1分間に5回未満であれば腸蠕動低下，1分間に34回を超える場合は**腸蠕動過剰**である。

腸蠕動音は腹部全体に伝わるので，例えば右下腹部など1カ所を聴診すれば十分である。腹部の聴診は一般的な診察手技であるが，意義は限定的である。**通常，聴診で確認できる腸蠕動音の変化は非特異的であり，診断的意義が低い**[30, 31]。

腹部に拍動性腫瘤があれば腹部大動脈瘤が示唆され，**ここを聴診すると大動脈内の乱流音（血管雑音）が聴取できる**（図19-11）。

健常人の4～20％において，腹部血管雑音が認められる[32]。表19-10「腹部の音」を参照。

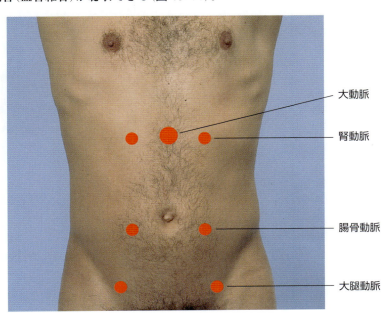

図 **19-11**　腹部で血管雑音が聴診される部位

| 診察の技術 | 異常例 |

摩擦音 friction rub は腹部診察ではあまり聴取されないが、肝臓や脾臓、腹部腫瘤では聴取できることがある。

摩擦音は、肝癌、肝臓周囲の淋菌感染、脾梗塞、膵癌で認められる。

打診

打診は、腹部における腸管内ガスの量や分布、臓器や固形腫瘤、液体の充満した腫瘤、肝臓や脾臓の大きさを知るのに役立つ。

腹部の4領域をそれぞれ軽く打診して、**鼓音 tympany** と **濁音 dullness** の分布を調べる。通常は腸管内のガスによって鼓音が占める割合が多いが、水分や便による濁音が散在しているのが一般的である。

鼓音が聴取される腹部の隆起は腸閉塞や麻痺性イレウスを示唆する。表19-9「腹部の隆起」を参照。

- 隠れた腫瘤や腫大した臓器の存在を示唆する濁音域に注意する。この情報はこの後行う触診のときに役立つ。

濁音域では子宮内妊娠、卵巣腫瘍、拡張した膀胱、多量の腹水、腫大した肝臓や脾臓の存在が示唆される。

- 隆起がある部位のどこで、後方にある実質臓器により、鼓音が濁音に変わるか注意する。

両側腹部に濁音があれば、腹水の精査が必要である(p.660〜661参照)。

- 肋骨縁まで前胸部下部を打診する。右側では肝臓の濁音がわかり、左側では胃泡や大腸の脾臓弯曲部による鼓音がわかる。

まれではあるが、**内臓逆位**では、胃泡が右側に、肝濁音界が左側にある。

触診

軽い触診

そっと触るぐらいの強さが、腹部の圧痛、筋性防御、表層の臓器や腫瘤を確認するのに適している。

手と前腕を水平にまっすぐのばして、指をそろえて腹壁に対して平らにし、軽く、やさしく沈めるように触診する。手を他の領域に移動させるときは、皮膚から少し離す。滑らかにすべらせるようにして、4領域すべてを触診していく(図19-12)。

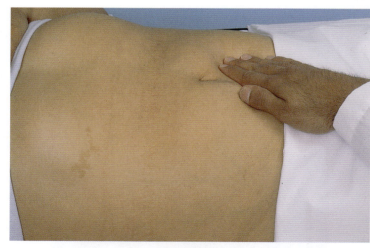

図 19-12 片手を使った腹部4領域への軽い触診

診察の技術

表層の臓器，腫瘤，ヘルニア，圧痛や抵抗を意識しながら触診する。抵抗がある場合，**不随意の筋性防御 involuntary guarding** や筋硬直と区別がつくように，随意的な緊張を除く方法を試してみる。通常，**随意的な緊張 voluntary guarding** は下記の手技で軽減される。

- 患者に股関節を曲げてもらうと腹筋の緊張がなくなる。
- 口を大きく開けて口呼吸をしてもらう。
- 患者に息を吐いてもらってから触診する。息を吐くと腹筋の緊張がとれやすい。

深い触診

深い触診は肝辺縁や腎臓，腹部腫瘤の位置を特定するために必要となる。片手をもう一方の手背に重ねて診察する。再度，手指の掌側全体を使い，4領域の全体を押し下げるように進める（図19-13）。腫瘤があれば，部位，大きさ，形，硬さ，圧痛，拍動の有無，呼吸や触診による可動性の有無に注意する。触診で得た所見を打診の所見と対比させる。

腹膜炎の評価

臓側腹膜の炎症すなわち腹膜炎は急性腹症（急性の腹腔内炎症）を示唆し，さらなる緊急の評価や検査が必要である[32]。腹膜炎の徴候には，咳嗽による痛みの増強，**不随意の筋性防御，筋硬直，反跳痛，叩打痛**などがある。

触診前に，患者に咳をしてもらい，どこに痛みが生じるか伝えてもらうとよい。1本の指からはじめ，その後，手掌全体でやさしく触診し，痛みの部位をはっきりさせる。触診時，筋性防御や筋硬直，反跳痛といった腹膜炎の徴候を確認する（Box 19-6）。

異常例

このような手技を用いても不随意の筋性防御や筋硬直がとれない場合，**腹膜炎**を示唆する。

腹部腫瘤は，生理的（妊娠子宮），炎症性（憩室炎），血管性（腹部大動脈瘤），悪性腫瘍（大腸癌），閉塞性（緊満した膀胱や拡張した腸管）などに分類される。

これらの徴候が陽性である場合，腹膜炎である可能性はおよそ2倍になる。筋硬直がみられる場合は腹膜炎である可能性が4倍にもなる[39]。原因として，虫垂炎，憩室炎，胆嚢炎，腸管虚血や穿孔等，腹部臓器のあらゆる炎症や感染，虚血があげられる。

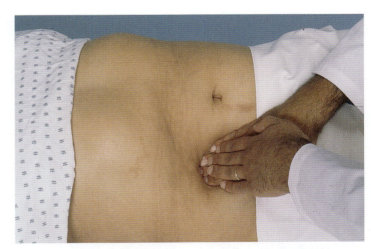

図19-13 双手診による4領域すべての深い触診

診察の技術

> **Box 19-6　腹膜炎の徴候**
>
> - **筋性防御**は腹壁の随意収縮であり，患者は苦痛を感じることが多いが，患者の気が紛れているときは低下するものである
> - **筋硬直**は腹壁の不随意な反射的収縮で，いずれの身体診察方法においても認められる
> - **反跳痛**は，診察者が圧痛のある部位を押し下げた後，急に手を離した際に患者が訴える痛みのことである。反跳痛がないか評価するには「押したときと離したときの，どちらに痛みがありますか？」と質問し，指先でしっかり，ゆっくり押し下げてからすばやく手を離す。**手を離すと痛みが増強する場合は反跳痛と判断する**。やさしく叩いてみて，叩打痛の有無を確認する

異常例

表 19-11「腹部の圧痛」を参照。

■ 肝臓

肝臓の大部分は肋骨に囲まれているため，直接的な評価は難しい。肝臓の大きさや形は触診と打診で大まかにわかり，触診することで，肝表面の性状，硬さ，圧痛について評価しやすくなる。打診は肝臓の大きさを推定するのに役立つ。

慢性肝疾患で腫大した肝辺縁を肋骨弓下に触れる場合は，肝腫大や肝硬変を疑う[32]。

打診

打診で肝臓の大きさを評価する。右鎖骨中線上で肝濁音界の垂直方向の広がりを測定する。正確な測定のために，まず右鎖骨中線の位置を注意深く同定する（図19-14）。強く打診すると肝臓の大きさを過小評価してしまうので，軽度から中等度の強さで行うとよい[33]。右下腹部の臍より十分下の高さ（濁音ではなく鼓音の領域）からはじめ，肝臓に向けて上方向に打診していくと，右鎖骨中線上の肝濁音界の下縁がわかる（図19-15）。

打診によって肝臓の垂直方向の長さを，実際の 60～70% 程度まで正確に計測できる。

肝臓が腫大していると，肝濁音界も増大する。肝臓が萎縮していたり，横隔膜下に腸管や管腔臓器の穿孔による遊離ガスがあると肝濁音界は減少する。

慢性閉塞性肺疾患による横隔膜の下降では肝濁音界は下方に偏位する。全長は正常と変わらない。

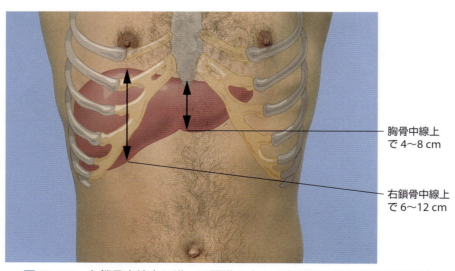

図 19-14　右鎖骨中線上に沿って肝臓の大きさを評価するための打診領域

診察の技術

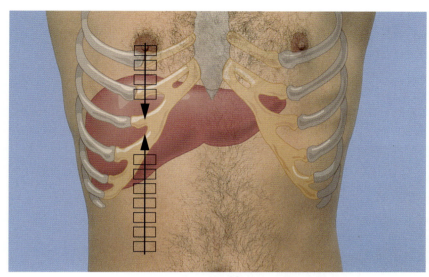

図 19-15　肝濁音界の打診

つぎに肝濁音界の上縁を調べる。図 19-15 に示すように，乳頭の高さからはじめ，肺共鳴音から肝濁音に変わる部位まで鎖骨中線上を下方に打診する。肺共鳴音をはっきりさせるために，女性であれば乳房を軽くよける必要がある。この 2 点間の距離を"cm"で測定する。これが肝臓の垂直方向の長さである。肝臓が腫大している可能性があれば，正中と側方に打診を行い，肝辺縁を評価する。

触診

右肋骨弓下で肝辺縁の触診をする。右手指先を患者の右腹部で腹直筋側方に置く（図 19-16）。これは腹直筋と隣接する肝臓を取り違えることを防ぐためである。**打診で予測した肝下縁の十分下に手を置く。右肋骨弓に近すぎるところから触診をはじめると，右下腹部まで腫大した肝辺縁を見落とすことがあるので注意が必要である**。指を患者の頭側に向けて診察を行う場合もあれば，少し斜めに向けて診察する場合もある。いずれにしても内側，上方に向けてやさしく押す。

患者に深く息を吸ってもらう。吸気で広がった肺と横隔膜により肝臓が押し下げられ，触診する指先に当たるのを感じとる。触診では正常の肝臓は軟らかく，辺縁は鋭く，表面は平滑である。下縁に触れたら，少し力を弱めると肝下縁が指先の下に滑ってきて肝表面がわかる。いかなる圧痛にも注意する（正常でも軽い圧痛がある）。

吸気時，肝臓は右鎖骨中線上で，肋骨弓の約 3 cm 下で触知できる。横隔膜ではなく胸部を使って呼吸する患者もいるので，おなかで息をするように伝えて，患者に試みてもらうと，肝臓，脾臓，腎臓などを吸気時に触診できる位置に下げることができる。

異常例

肝臓の硬さ，辺縁の鈍化，表面の不整は肝疾患を疑う所見である。

閉塞し腫大した胆嚢は肝臓と一体化し，肝臓下面で硬い卵円型の腫瘤を形成し，打診では濁音を呈する。

診察の技術

肝辺縁の触診では，腹壁の厚さや抵抗に合わせて腹壁を押す力を調整する必要がある．触知できない場合，触診する手を肋骨辺縁に少しずらして再度診察する．**肝臓が触れた患者すべてが肝腫大というわけではない．**

側方と正中で肝辺縁を調べる．腹直筋を通して触診しようとすると特に難しい．肝辺縁を推定し，右鎖骨中線上で肋骨からの距離を測定する．

異常例

表19-12「肝腫大：所見と病態」を参照．

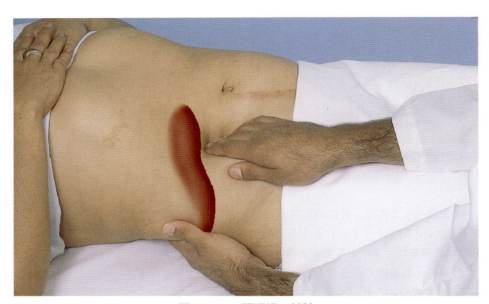

図 19-16　肝辺縁の触診

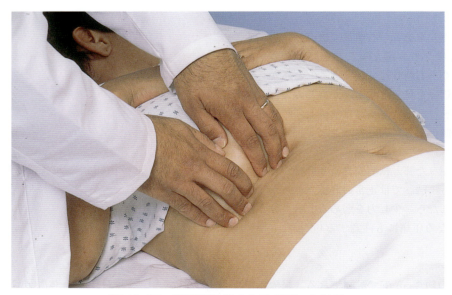

図 19-17　肝辺縁触診のための引っかけ法

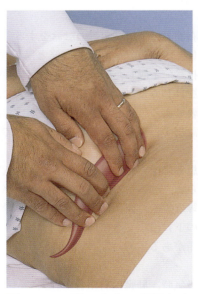

図 19-18　図のように肝辺縁を「引っかける」触診法である

診察の技術

引っかけ法

引っかけ法は，特に患者が肥満している場合，有用である。患者の胸部の右側に立ち，患者の右上腹部，肝辺縁の下方に両手を並べ，肋骨辺縁に沿わせるようにして指を引っかける（図 19-17）。患者に大きく息を吸ってもらうと，図 19-18 のように両手指の腹に肝辺縁を触知できる。

脾臓

脾臓が腫大すると，前方，下方，側方に張り出し，胃や大腸の鼓音が実質臓器の濁音に変わることがある。この位置で肋骨弓の下に脾臓を触知できる。打診上濁音の場合脾腫が示唆されるが，腫大した脾臓が肋骨弓より上に留まる場合には打診では診断できない。引き続き患者の右側から診察する。

打診

脾臓の腫大，すなわち脾腫および**巨脾**の存在を知るための有用な方法は2つある。

- **左前胸壁の下部**を，第6肋骨の心濁音界から前腋窩線まで下がり，さらにそこから肋骨弓下までの **Traube（トラウベ）半月部**を大まかに叩いてみる。図 19-19，19-20 の矢印で示すような経路で打診し，鼓音の広がりに注意する。特に側方で鼓音が優位であれば脾腫ではない可能性が高い。

異常例

脾腫の診断における打診の精度は中等度である（感度 60〜80 %，特異度 72〜94%）[34]。

打診で濁音がある場合，触診で適切に脾腫を診断する精度は 80%を超える[34]。

胃や大腸内の液体や固形物も Traube 半月部での濁音の原因となりうる。

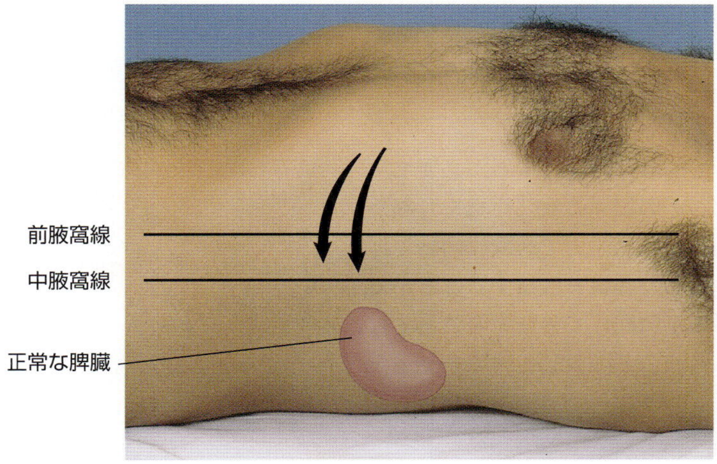

図 19-19　Traube 半月部に沿った脾腫の打診領域

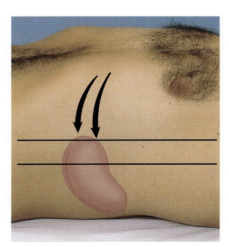

図 19-20　脾腫による打診上の濁音領域

診察の技術 | 異常例

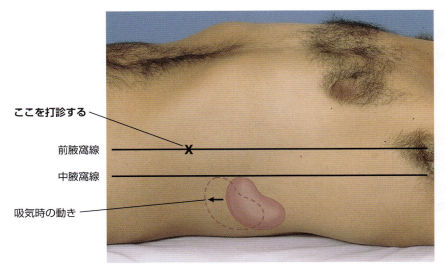

ここを打診する
前腋窩線
中腋窩線
吸気時の動き

図 19-21　深吸気時，左前腋窩線より下の領域が打診上，鼓音となる場合（脾臓の打診徴候陰性）

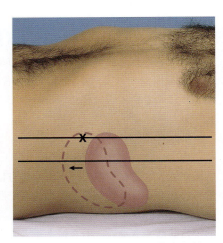

図 19-22　深吸気時，左前腋窩線より下の領域が打診上，濁音となる場合（脾臓の打診徴候陽性）

- 脾臓の**打診徴候**（castell sign）を観察する。左前腋窩線上の第9肋間を打診してみる（図 19-21）。通常この部分は鼓音である。患者に深く息を吸ってもらい，吸気で膨らんだ肺と横隔膜が脾臓を押し下げた状態で，もう一度打診する。脾臓が通常の大きさであれば，横隔膜で押し下げられても，同部の打診は一般的に鼓音のままであることが多い。

深吸気時に打診上鼓音から濁音に変化する場合は**脾臓の打診徴候陽性**である。しかしこの徴候には脾腫を診断するうえで中等度の有用性しかない（図 19-22）。

片方，もしくは両方の検査で陽性であれば，特別に注意して脾臓を触診する。

触診

脾臓縁を触診する。腹壁の緊張を解くため，患者の腕は体の横に置き，必要であれば腰部と膝を曲げてもらう。患者の左肋骨下部とその周りの軟部組織を背部から左手で支持し，前方に持ち上げる。右手は左肋骨弓下に添えて脾臓に向けて押す。**十分低い位置から触診をはじめることで，腫大した脾臓を触知することができる**。診察者の手が肋骨弓に近すぎると，肋骨弓の下に向けて移動することすら難しい場合がある。腹部の高い位置から触診をはじめると腫大した脾臓を見逃すことがある。

脾臓を触知できる場合，脾腫である可能性は8倍となる[32]。原因として，門脈圧亢進症，血液悪性腫瘍，HIV 感染，アミロイドーシスなどの浸潤性疾患，脾梗塞や脾血腫などが考えられる。

- 患者に深く息を吸い込んでもらうと，脾臓の下縁が下がってくるのを感じる（図 19-23）。圧痛に注意し，脾臓の輪郭を評価する。つぎに，脾臓下縁から左肋骨弓までの距離を測定する。健康な成人のうち，脾臓下縁を触知できるのは約5%である。

図 19-24 に示したように，脾臓下縁は左肋骨弓の奥のほうに触れる。

診察の技術

- 患者に腰部と膝を軽く曲げて右側臥位になってもらい，同様の手技を繰り返す（図 19-25）。重力によって脾臓が前方右側の触診しやすい位置に移動する（図 19-26）。

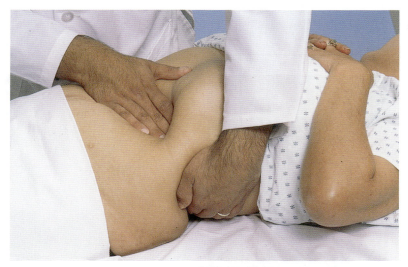

図 19-23　脾臓下縁の触診

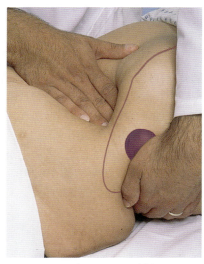

図 19-24　肋骨弓下で触知できる脾臓下縁（図中紫色）

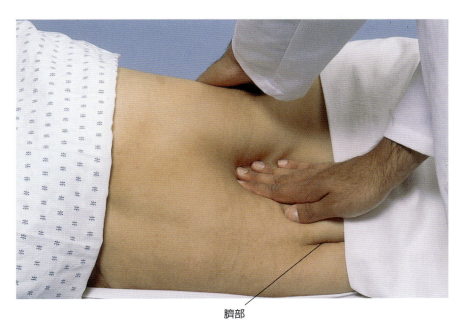

臍部

図 19-25　右側臥位での脾臓縁の触診

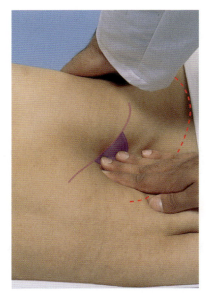

図 19-26　腫大した脾臓は深吸気時，左肋骨弓の 2 cm ほど下に触れる

腎臓

腎臓は後腹膜にあり，よほど腫大しない限り通常は触知できない。

打診

肋骨脊柱角上で叩打痛を評価する。腎仙痛や腎盂腎炎を疑う患者では，腎被膜の炎症により**肋骨脊柱角叩打痛**が起こる。はじめに患者に診察方法を説明すること。片手の手掌を肋骨脊柱角にあて，その上からもう一方の拳の尺側で叩く（図19-27）。痛くない程度で知覚可能な強さで叩く。

圧痛や叩打痛があり，発熱や排尿時痛を伴う場合は腎盂腎炎を示唆するが，筋骨格系が原因の場合もある。

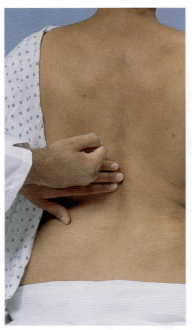

図 19-27 肋骨脊柱角叩打痛の評価：握り拳での打診

患者が体位変換をしなくて済むように，胸郭背側や肺，背部の診察と一緒に行うのがよい。

膀胱

膀胱は恥骨結合を超えて緊満しているとき以外は，通常，触知できない。

打診

打診で膀胱の濁音を確認し，恥骨結合からどれくらい上方に達しているか評価する。濁音を確認するのに膀胱容量は400～600 mL程度必要である[32]。触診によって緊満した膀胱の，平滑で円形のドームを感じることがある。圧痛を確認する。

尿道狭窄や前立腺肥大を原因とする流出路障害では膀胱の緊満が起こる。薬物や脳卒中，多発性硬化症などの神経疾患が原因となる場合もある。

恥骨結合上の圧痛は，膀胱の感染症でよくみられる。

診察の技術

異常例

大動脈

触診

大動脈の拍動を確認する。心窩部で正中よりもやや左側をしっかり深く押さえると，大動脈の拍動がわかる。50 歳を超える成人では，上腹部で大動脈の両側をそれぞれの手で深く押さえて，大動脈径を確認する（図 19-28～19-30）。この年齢では通常の大動脈径は 3 cm を超えない（平均 2.5 cm，皮膚と腹壁の厚さも除いて測定すること）。大動脈の拍動が触知しやすいかどうかは腹壁の厚さや大動脈径によっても影響される。

腹部大動脈瘤の危険因子は，65 歳を超えた高齢者，喫煙歴，男性，第 1 度近親者に腹部大動脈瘤の既往がある場合である[35]。

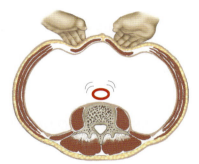
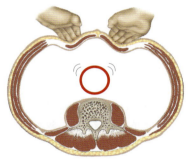

図 19-28　心窩部をしっかり押さえて大動脈の拍動を確認する（断面図）

図 19-29　心窩部をしっかり押さえて拡張した大動脈径を確認する（断面図）

臍周囲や上腹部に拍動性の腫瘤があり，直径が 3 cm 超ならば，腹部大動脈瘤を疑う。腫大を特定するうえで，触診の感度は高く，3～3.9 cm で 29%，4～4.9 cm で 50%，5 cm 以上では 76% であるが，大きな拍動する腫瘤の触診には注意が必要である。超音波や放射線検査での評価も考慮する[35, 36]。

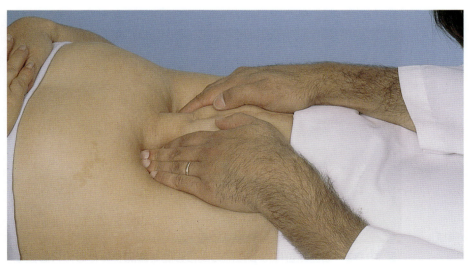

図 19-30　心窩部で大動脈の両側を触診する

痛みは破裂の徴候である。腫瘤が 4 cm 以上であれば，小さいものと比べて 15 倍も破裂を起こしやすく，85～90% の致死率である[35-37]。

特殊な技術

腹水，虫垂炎，急性胆嚢炎，腹壁ヘルニア，腹部腫瘍の評価方法が存在する。

腹水

側腹部に突出する腹部膨隆があれば，腹水が疑われる。腹水は肝硬変の最も一般的な症状である[38]。腹水は液体であるので重力に従って下方に移動して，ガスを含む腸管は上方に浮くため，腹水が貯留した下腹部では濁音を呈する。腹水を検出するのに，2種類の異なる打診法がある。

- 仰臥位の患者で，中央の鼓音から濁音に向けて移動しながら打診する。まず仰臥位で，腹部中心の鼓音域から外側の濁音域へ向けて何方向かにわたり打診する。鼓音と濁音の境界に注意する（図19-31）。

- 濁音の移動を調べる。仰臥位で鼓音と濁音の境界を打診で確認した後，左右どちらかの側臥位になってもらう。再度打診して境界を記録する。腹水のない患者では境界は一定である（図19-32）。

従来，一方の側腹部からもう一方の側腹部に伝わる腹水中の波動を捉える診察法（**腹水の波動検査**）が用いられてきた。しかし，腹水が著明に増えるまでは陰性となる場合が多く，一方で腹水がない患者でも陽性となることがある。

> 腹水は肝硬変，心不全，収縮性心膜炎，下大静脈や肝静脈閉塞における静水圧の上昇を反映している（肝硬変が腹水の最も一般的な原因である）。ネフローゼ症候群や栄養失調による浸透圧低下，卵巣癌の徴候でもある。

> 腹水があると，濁音はさらに下方に移動し，鼓音は上方に移動する。この所見の感度は83％，特異度は56％である[38]。

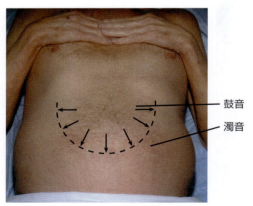

図19-31 腹水による濁音を打診する領域と方向

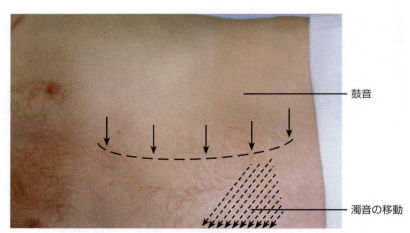

図19-32 右側臥位になった際の濁音移動を確認するための打診領域

特殊な技術

異常例

腹水の中の臓器や腫瘤の診断

腹水中に浮遊する臓器や腫瘤の診察例として，腫大した肝臓を取り上げる（図19-33）。手指をそろえて，力を入れてまっすぐにのばして腹部にあて，短く突くような動きで予想される臓器の方向へ進める。腹水がすばやく移動し，腹壁を通して臓器の表面に触れることができる（図19-34）。

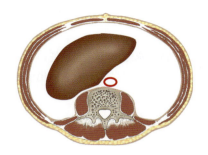

図 19-33　腹水に囲まれ腫大した肝臓

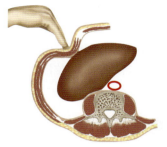

図 19-34　腹水を用手的に圧排して肝臓の浮球感を得る

虫垂炎

虫垂炎は，急性腹痛（特に右下腹部）の一般的な原因である。McBurney（マクバーニー）点の圧痛，Rovsing（ロブジング）徴候（間接的圧痛），腸腰筋徴候，閉鎖筋徴候の有無を確認する。

右下腹部圧痛，Rovsing 徴候，腸腰筋徴候があれば，2 倍の確率で虫垂炎と考えられる。さらに，McBurney 点の圧痛（**McBurney 徴候**）があれば，3 倍の確率となる[39]。

- 限局性の圧痛部位を注意深く触診する。典型的には，**McBurney 点**は上前腸骨棘と臍を結ぶ線上で上前腸骨棘から約 5 cm の位置にある（図 19-35）。

右下腹部または右側腹部のどの部位でも，限局した圧痛は，**虫垂炎**を示唆する。

- 筋性防御，筋硬直，反跳痛の部位を触診する。

早期の随意的な筋性防御が，腹膜炎の徴候である反射的な筋硬直に移行していく。右下腹部ですばやく手を離した際の痛み（反跳痛）を確認する。

- **Rovsing 徴候**と反跳痛を調べる。仰臥位で，左下腹部を深く均等に押した後，すばやく手を離す。

左腹部を圧迫して，右下腹部に痛みがあるなら，**Rovsing 徴候陽性**である。

- **腸腰筋徴候**を評価する。仰臥位になった患者の右膝の上に手を置き，その手を押し上げるように大腿を上げてもらう。他の方法としては，患者に左側臥位になるように指示し，右股関節を後ろに伸展させる。次いで右股関節を受動的にさらに伸展させると股関節を曲げることにより腸腰筋が収縮し，股関節を伸展すると腸腰筋が引っ張られる。

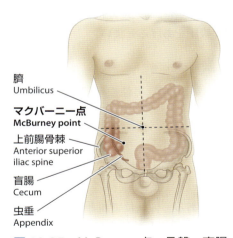

図 19-35　McBurney 点：骨盤，盲腸，虫垂の位置関係（Honan L. *Focus on Adult Health: Medical-Surgical Nursing*. 2nd ed. Wolters Kluwer; 2019, Fig. 24-2. より）

いずれかの手技で腹痛が増強する場合は**腸腰筋徴候陽性**で，盲腸背側の虫垂炎が右腸腰筋に波及していることを示唆する。

所見の記録	異常例

- やや有用性に劣るが，**閉鎖筋徴候**も確認する。患者の右膝を曲げて大腿を屈曲し，大腿を股関節で内転させると，内閉鎖筋が伸展する。股関節の内転については，p.815 を参照。

  右下腹部の痛みは**閉鎖筋徴候陽性**で，骨盤内にある虫垂炎により右内側閉鎖筋が刺激された状態であるが，感度が低い。

- **直腸診**や，（女性では）**内診**を行う。これらの手技は感度・特異度が低いが，非典型的に骨盤腔内に位置する虫垂の炎症や，その他の腹痛の原因を検出することができる。

  直腸右側の圧痛は虫垂炎を示唆するが，子宮付属器や精嚢の炎症でもみられる。

急性胆囊炎

右上腹部に自発痛があって胆囊炎が疑われるが，触診で同部に圧痛がない場合，**Murphy(マーフィ)徴候**を確認する。

右上腹部の患者が痛みを訴える部位で深い触診を行う。患者に深く息を吸ってもらうと，肝臓と胆囊が下がり診察者の指に当たるのがわかる。

胆囊の触診時に痛みで吸気を急激に止めてしまう場合，**Murphy 徴候陽性**であり，急性胆囊炎の可能性が 3 倍になる[39]。重要なのは，この所見は通常の触診では右上腹部に圧痛を認めない患者にのみ有用という点である。

腹壁ヘルニア

腹壁ヘルニアは鼠径ヘルニア以外の腹部のヘルニアである。臍ヘルニアや瘢痕ヘルニアを疑っても所見が明らかでない場合は，患者に仰臥位の状態で両脚を挙上してもらうか，Valsalva(バルサルバ)手技で腹圧をあげるとよい。

ヘルニアの膨隆はこの動作で検出される場合が多いが，肥満や出産後の患者でみられる**腹直筋離開**(腹直筋の良性離開で 2～3 cm の溝)と混同されやすいので注意が必要である。

鼠径ヘルニアや大腿ヘルニアについては，第 20 章「男性生殖器」と第 21 章「女性生殖器」で述べる。

鼠径部，大腿部，陰嚢の絞扼性ヘルニアは，早急な外科的評価を要する。絞扼性ヘルニアについては p.697～699 参照。

腹壁腫瘤

腹腔内ではなく腹壁に腫瘤がみつかることがある。仰臥位で頭と肩を上げるか，まっすぐに体をのばしてもらうと，腹壁の筋肉が緊張して硬くなる。再度腫瘤を診察する。

この状態では腹壁の腫瘤を触知できるが，腹腔内の腫瘤は筋収縮に隠れ不明瞭になる。

所見の記録

所見を記録する際，最初は文章を用いるかもしれないが，慣れてくれば慣用的な記述を用いるようになる。多くの診療記録によく用いられる表現法を以下に示す。

腹部の診察の記録

腹部膨隆，軟らか，圧痛なし，触知できる腫瘤や肝脾腫大なし。肝濁音界は右鎖骨中線上で7 cm 触知。辺縁は滑らかで，右肋骨弓下で1 cm 触知。脾臓と腎臓は触知できない。肋骨脊柱角に圧痛なし

または

腹部は平坦，腸雑音なし。右下腹部は硬く板状，強い圧痛，筋性防御，反跳痛を伴う。肝臓は打診により右鎖骨中線上で7 cm 触知。辺縁は触知できない。脾臓，腎臓は触知できない。触知できる腫瘤なし。肋骨脊柱角に圧痛なし。腸腰筋徴候陽性

これらの所見は虫垂炎による腹膜炎を示唆する。

健康増進とカウンセリング：エビデンスと推奨

健康増進とカウンセリングの重要事項

- ウイルス性肝炎
- 大腸癌

ウイルス性肝炎

A 型肝炎

2016 年の統計では 4,000 例の **A 型肝炎〔A 型肝炎ウイルス hepatitis A virus（HAV）感染〕**新規発症が報告されている[40]。A 型肝炎が致死的になることはまれで，慢性肝炎の原因となることはなく，他の肝疾患合併例で死亡する場合が多い。ヒトからヒトへのウイルスの伝播はおもに糞口感染によるため，トイレやおむつ交換後，食事前や食事準備前に石鹸と水で手洗いすることで予防できる[41]。

A 型肝炎ワクチンは，1996 年から推奨されるようになり，米国では年罹患者数を 90％以上減少させた。予防接種実施に関する諮問委員会 Advisory Committee on Immunization Practices（ACIP）は以下の条件を満たす場合，ワクチン接種を推奨している。すなわち 1 歳児や慢性肝疾患患者，A 型肝炎に罹患するリスクの高い人（A 型肝炎流行地へ旅行，もしくは仕事で滞在する人，男性同性愛者，注射や違法薬物の使用者，職業上感染リスクが高い人，凝固因子障害の患者など）である[42]。A 型肝炎が広く流行している時期は，健常者でもワクチン接種を考慮したほうがよいと思われる。

ワクチンを打っていない人が HAV に曝露した場合，予防のため可能な限り早期（できれば 2 週間以内）に免疫グロブリン単回投与を行う。投与が推奨される人は，A 型肝炎診断確定患者の濃厚接触者，感染した食品取扱者の同僚，保育所の子ども・スタッフやその同居家族が診断された場合は，スタッフ・子ども（と同居家族）など。加えてワクチンの適応がある人には A 型肝炎ワクチン接種も推奨される。流行地への旅行前はいつでもよいのでワクチンのみ接種を行っておく。

B 型肝炎

B 型肝炎ウイルス hepatitis B virus（HBV）感染は A 型肝炎より深刻な健康被害をもたらす。急性 B 型肝炎の致死率は最大 1.5％で，かつ感染した場合，慢性化し得る[40,43]。HBV は感染者の血液，精液やその他の体液で感染するため，性交渉，違法薬物の使用，周産期感染が最も一般的な感染経路である。健康な成人感染者の多くは，ウイルスの排除と免疫獲得によって，自然治癒する。

米国疾病対策センター Centers for Disease Control and Prevention（CDC）の統計では 2016 年の米国内新規感染者は 2 万 1,000 人である。B 型肝炎慢性化のリスクは，免疫系が未成熟な場合で最も高く，乳児期感染の最大 90％で，6 歳までの感染の 30％で発生する。慢性化は免疫抑制患者や糖尿病患者でもしばしば起こる。慢性化に至った患者の 15〜25％，米国では年間 2,000 人ほどが肝硬変や肝癌で死去する。慢性感染のほとんどは進行した肝障害となるまで無症状で経過する。

HBV 感染は予防可能である。HBV ワクチンは 1980 年代初頭から推奨されはじめ，年間の新規発症例を 90％減少させている。ACIP は出生時に，もしくは 19 歳までにすべての人にワクチンを接種することを推奨している[43]。成人ではワクチンは高リスク群に推奨されている（Box 19-7）。なお，HBV に感染しても治療可能である。米国予防医療専門委員会 U.S. Preventive Services Task Force（USPSTF）は抗ウイルス療法は慢性 B 型肝炎患者の健康予後を改善すると結論づけ，感染高リスク者への HBV スクリーニング検査を推奨している（グレード B）。高リスク群には B 型肝炎地域に生まれた人，米国生まれで，親が B 型肝炎流行地域で生まれた人，HIV 患者，違法薬物の使用者，男性の同性愛者，B 型肝炎患者の家族やパートナー等があげられる[44]。CDC は透析患者や免疫抑制治療を受けている患者へのスクリーニングも推奨している[45]。USPSTF（グレード A）と ACIP はすべての妊婦へのスクリーニングを推奨している[43,46]。

> **Box 19-7　B 型肝炎に対するワクチン接種の推奨：高リスク群と高リスク状況**
>
> - **性的関係**：HBs 抗原陽性のパートナー，6 カ月以内に 2 人以上のパートナーをもつ人，性感染症の検査や治療を行っている人，男性同士で性交渉を行う人など
> - **皮膚や粘膜に血液が付着した人**：違法薬物を使用している人，HBs 抗原陽性患者と家庭内接触がある人，発達障害者施設の居住者やスタッフ，医療従事者，糖尿病患者，透析患者など
> - **その他**：流行地域への旅行者，慢性肝疾患患者，HIV 感染者，明らかな危険因子はないが感染を予防したい人

（続く）

健康増進とカウンセリング：エビデンスと推奨

↘(続き)
- **高リスク状況にあるすべての成人**：性感染症治療，HIV検査・治療，薬物乱用や違法薬物使用の治療，血液透析，末期腎不全の治療を行っている人。男性同士で性交渉を行う人，刑務所・発達障害者施設の入所者

出典：Schillie S et al. *MMWR Morb Mortal Wkly Rep.* 2018; 67(15): 455-458.

C型肝炎

C型肝炎ウイルス hepatitis C virus（HCV）は，米国における血液媒介性の慢性疾患としては最も多い病原体である。HCV抗体保有率は全人口の2％未満であるが，高リスク群における有病率は著明に上昇している[47]。2016年，CDCの統計では米国内で4万例のC型肝炎発症が報告され，1万8,000人以上がC型肝炎関連で死亡している[40]。HCVはおもに経皮的に感染し，特に違法薬物使用者や医療関係者の針刺し事故，HCV陽性血液の粘膜曝露，1992年以前の輸血や臓器移植，1987年以前の凝固因子輸注患者などで感染を認めている。その他の原因として長期の血液透析や違法な刺青，HCV陽性の母親からの出生児などが含まれる。性行為による感染はまれであるが，HIV陽性患者では感染する場合があり，特に男性同士で性交渉を行う人は注意が必要である。C型肝炎では感染すると75％以上で慢性化し，肝硬変や肝細胞癌，肝移植を要する末期の肝不全のおもな危険因子となりうる。しかし慢性C型肝炎患者の多くは感染していることに気づかない。

HCVのスクリーニング検査は非常に感度が高い。抗ウイルス療法には高率で持続的な抗ウイルス効果があり（治療終了後24週以上持続），臨床的なアウトカムを改善している。そのため，USPSTFは高リスク者と1945～65年生まれの人へのC型肝炎スクリーニングをグレードB（中等度の効果）で推奨している[47]。

大腸癌

疫学

大腸癌 colorectal cancer は米国では男女ともに癌のなかで，診断頻度が第3位（年間の新規発症14万人以上），癌死亡率第3位（約5万人）である[48]。新規発症例の80％と死亡例の90％近くが55歳以上に発症し，診断時の年齢の中央値が67歳，死亡時の年齢の中央値が73歳である[49]。一生のうちに大腸癌と診断されるリスクは約4％，大腸癌で死亡するリスクは2％以下である[50]。

罹患率と死亡率

米国における大腸癌の罹患率と死亡率は，過去30年間にゆっくりではあるが確実に減少している[50]。これは喫煙など危険因子の変化，スクリーニング受診者

が増えたことで癌予防と早期で治療可能な段階での癌発見につながったこと，さらに治療が進歩したことに起因する[51]。大腸癌の最も強力な危険因子は高齢，大腸癌や腺腫性ポリープ，IBD の長期罹患歴，大腸癌の家族歴（特に第1度近親者内に多数の罹患者がいる場合，または第1度近親者に60歳以前で大腸癌と診断された人がいる場合，遺伝性大腸癌症候群と診断された親族がいる場合）である[52]。ただし，遺伝性大腸癌症候群患者では生涯大腸癌罹患のリスクが非常に高いものの，大腸癌の約75%は遺伝的リスクや家族歴のない人に発症している[53]。

予防

最も効果的な予防法は大腸癌の前癌病変である腺腫性ポリープのスクリーニングと切除である。ランダム化比較試験では便潜血や S 状結腸内視鏡検査によるスクリーニングで5〜25%の大腸癌を減少させる効果が示されている[54,55]。運動，アスピリンや他の NSAID，閉経後のホルモン補充療法（エストロゲンとプロゲステロン）も大腸癌に対し予防的に働く[52]。

USPSTF は，心血管疾患と大腸癌に対する低用量アスピリン予防投与を，10年間で心血管疾患の増加が見込まれる50〜59歳成人に推奨している（グレードB）[49]。対照的に，60〜69歳では個々に合わせた方針決定を推奨している（グレードC）。癌の化学予防としてのホルモン補充療法は推奨されていない。ホルモン補充療法を受けている女性は，実際には進行期の大腸癌に罹患している可能性があるが，大腸癌による死亡率については，プラセボ内服群よりも有意に高いリスクはなかった[56]。さらに，ホルモン補充療法は乳癌や心血管イベント，静脈血栓症の危険因子でもある[57-59]。食習慣の変化やサプリメント摂取が大腸癌を予防するという説得力のあるエビデンスはない[52]。

スクリーニング

スクリーニング検査には便免疫化学検査 fecal immunochemical test（FIT）や高感度グアヤック法などの便潜血を検出する方法や，便中の異常な DNA を検出する方法がある。内視鏡検査もスクリーニングに利用される。大腸内視鏡検査は大腸全体を観察することができ，ポリープ切除も可能である。S 状結腸内視鏡検査は大腸の遠位側60 cm を観察できる。CT コロノグラフィーは大腸の画像検査として利用される。便検査や画像検査，S 状結腸内視鏡検査で何らかの異常所見が指摘された場合には，大腸内視鏡検査による精査が必要である。便潜血や S 状結腸内視鏡検査によるスクリーニング法はランダム化比較試験で大腸癌死のリスクを15〜30%低減するとの結果が示されている[60]。

大腸内視鏡検査はスクリーニング検査のゴールドスタンダードではあるが，ランダム化比較試験による大腸癌発症率や死亡率を低減するという直接的なエビデンスはない。加えて，CT コロノグラフィーや便 DNA 検査（現在は FIT と合わせて行われているが）によるスクリーニングの有効性についてもランダム化比較試験での評価は行われていない。

健康増進とカウンセリング：エビデンスと推奨

ガイドライン

USPSTF，米国癌協会 American Cancer Society，大腸癌における米国多学会共同作業部会 U.S. Multi-Society Task Force on Colorectal Cancer はいずれも大腸癌スクリーニングを強く推奨するガイドラインを発表している[61-63]。USPSTF は 50～75 歳の平均的リスクの成人全員に大腸癌スクリーニングを行うことをグレード A で推奨しており，いくつものスクリーニングオプションをすすめている（Box 19-8）訳注。直腸診による便潜血検査は大腸癌のスクリーニングとしては推奨されていない。

Box 19-8　大腸癌のスクリーニング

スクリーニング推奨—USPSTF 2016 年
- **50～75 歳**：スクリーニングオプション（グレード A）
  - 便による検査
    - 年 1 回の FIT
    - 年 1 回の高感度グアヤック法による便潜血検査
    - 1～3 年ごとの FIT および便 DNA 検査（FIT-DNA 検査）
  - 直接的観察検査
    - 10 年ごとの大腸内視鏡検査
    - 5 年ごとの S 状結腸内視鏡検査
    - 10 年ごとの S 状結腸内視鏡検査と 3 年ごとの FIT
  - 5 年ごとの CT コロノグラフィー
- **76～85 歳**：生命予後やこれまでのスクリーニングの結果を鑑み，**個々人に合わせた方針決定がすすめられる（グレード C）**。これまでにスクリーニングを受けていない場合は，スクリーニングによる利益が大きいと予想される
- **85 歳超**：死亡率の低下，また有害性を上回るような有益性もみられないため**スクリーニングは行わない（グレード D）**

スクリーニングは大腸癌の罹患率や死亡率を低減するが，推奨されるスクリーニングを受けているのは米国成人の 2/3 に留まり，1/4 以上はまったくスクリーニングを受けたことがないのが現状である[64]。受診者は便潜血検査といったより安全で簡便な別の方法を望む一方，大腸内視鏡検査が最も一般的に実施されている，という現状もある。

個人の大腸癌歴や IBD 長期罹患歴，大腸癌家族歴のある高リスクの人は，平均的なリスクの人より若いうちから，おもに大腸内視鏡検査を用いたスクリーニングをより頻回に受けることが推奨される[63]。

訳注：わが国では，平成 16 年度厚生労働省がん研究助成金「がん検診の適切な方法とその評価法の確立に関する研究」班による「有効性評価に基づく大腸がん検診ガイドライン」（2005）で，各種検査の推奨レベルが示されている。

表 19-1　腹痛

疾患[65]	病態	部位	特徴
胃食道逆流症（GERD）[10, 66]	食道の運動障害や下部食道括約筋の弛緩により，食道が長期に胃酸に曝露される。ピロリ菌陽性のことがある	胸部や心窩部	胸やけ，逆流
消化性潰瘍と消化不良[67, 68]	胃，十二指腸の 5 mm を超える潰瘍。フィブリンに覆われ，粘膜筋板を超える。消化性潰瘍の 90％にピロリ菌感染を認める	心窩部，背部に放散することがある	さまざま〔心窩部の絶え間ない痛み，焼けるような痛み（ディスペプシア），穴が開くような痛み，うずくような痛み，空腹感のような痛み〕最大 20％は無症状
胃癌	90〜95％は腺癌で，分化型（高齢者）やびまん型・未分化型（若年成人，予後不良）がある	胃体部から前庭部の癌と同様に，噴門部と食道胃接合部の癌が増加している	さまざま
急性虫垂炎[11, 12]	拡張や閉塞を伴う虫垂の急性炎症	部位の一定しない臍周囲の痛みから，右下腹部痛に移動する	軽度だが増悪。痙攣性の可能性あり。変化のない強い痛み
急性胆嚢炎[8]	胆嚢の炎症で，90％は胆石による胆嚢管の閉塞による	右上腹部か心窩部。右肩や肩甲骨内側に放散する可能性あり	変化のないうずくような痛みが持続する
胆石仙痛	胆石による胆嚢管の間欠的な閉塞	心窩部または右上腹部。右肩甲骨や肩に放散することがある	改善の可能性がある間欠痛
急性膵炎[3, 69]	膵内トリプシノーゲンが活性化し，トリプシンや他の酵素になり，膵臓の自己消化と炎症を引き起こす	心窩部，背部や腹部の他部位に放散することがある。20％で重症臓器障害の後遺症を伴う	通常痛みは変化しないが，進行して重篤になることもある
慢性膵炎	反復性の炎症により膵実質が不可逆に破壊される	心窩部，背部に放散	長期的に持続する痛み
膵癌[70, 71]	腺癌が優位である（95％）。5 年生存率は 5％	体尾部癌であれば心窩部や上腹部，しばしば背部に放散する	非特異的な深部の痛みで，変化しない
急性憩室炎[72]	大腸憩室の急性炎症（憩室：粘膜が筋層から外へ袋状に突出したもの）（通常はS状結腸や下行結腸に発症）	左下腹部，骨盤部	はじめは痙攣性だが，その後は変化のない痛みが続く
急性腸閉塞	（1）癒着またはヘルニア（小腸），（2）癌または狭窄（大腸）による腸管内腔の閉塞	腹部全体の痛み，非特異的，拡張が原因	締めつけるような痛み，仙痛
腸間膜虚血[73, 74]	動脈や静脈血栓，心原性塞栓，低灌流による小腸の血流障害	漠然として非特異的	身体所見に比して痛みが強い

経過	増悪因子	改善因子	関連症状と背景
食後，特に香辛料の入った食事	臥位，前屈，身体活動。強皮症や胃不全麻痺。下部食道括約筋を弛緩させるニコチンなどの薬物	制酸薬，プロトンポンプ阻害薬。アルコール，喫煙，脂肪の多い食事，チョコレート，テオフィリンまたはカルシウム拮抗薬などの薬物を避ける	喘鳴，慢性咳嗽，息切れ，嗄声，窒息感，嚥下困難，逆流，口臭，喉の痛み。Barrett食道や食道癌のリスクが上昇
間欠的。十二指腸潰瘍は胃潰瘍や消化不良に比べて痛みを起こすことが多く，(1)夜間に痛みのために目が覚めることがあり，(2)間欠的に数週間痛み，数カ月痛みのない期間が続いた後，再度痛む	さまざま	食事や制酸薬で症状が軽快する（胃潰瘍では少ない）。	悪心，嘔吐，げっぷ，腹部の張り，胸やけ（十二指腸潰瘍に多い）。体重減少（胃潰瘍に多い）。ディスペプシアは20歳代の若年者に多く，胃潰瘍は50歳以上に，十二指腸潰瘍は30～60歳に多い
痛みは持続し，徐々に増悪する。痛みの持続期間は通常，消化性潰瘍より短い	しばしば食事，ピロリ菌感染	食事や制酸薬で改善しない	食欲不振，悪心，早期満腹感，体重減少，ときに出血。50～70歳に多い
治療介入がなければ増悪する	運動または咳嗽	一時的に痛みが改善した場合，虫垂の穿孔を疑う	典型的には痛みの後に食欲不振，悪心，嘔吐が出現することがある。微熱
徐々に増強。胆石仙痛よりも長い経過をとる	胆道結石による仙痛の既往		食欲不振，悪心，嘔吐，発熱。黄疸なし
数分で急性発症して1時間～数時間持続し，徐々に改善する。しばしば反復性	多量の高脂肪食		食欲不振，悪心，嘔吐
急性発症で，痛みが持続する	運動	補液，腸管安静	悪心，嘔吐，腹部膨満，80%でアルコール多飲や胆石の既往がある
慢性または反復性の経過	アルコール，薬物，繰り返す急性膵炎	なし	膵酵素活性低下，脂肪便を伴う下痢，糖尿病
持続性の痛み。非常に進行性の疾患	喫煙，慢性膵炎	しばしば難治性	痛みを伴わない黄疸，食欲不振，体重減少，耐糖能異常，うつ病
多くの場合，徐々に悪化する		鎮痛薬，腸管安静，抗菌薬	発熱，下痢，尿路症状，食欲不振
進行性，間欠的	食物や飲物の摂取	腸管安静，輸液	ガスの排出や排便がない，悪心，嘔吐，進行する腹部膨満
通常は急性発症し，さらに持続性の痛み	血栓塞栓性疾患の合併，低灌流状態，凝固亢進状態	十分な輸液	嘔吐，血便，軟らかく膨張した腹部，全身性のショック状態

表 19-2　嚥下困難

病態と疾患	経過	増悪因子	改善因子	関連症状と背景
中咽頭由来の嚥下困難	急性または緩徐な発症で，原疾患によりさまざまな経過をたどる	嚥下の開始		嚥下開始に伴う肺への誤嚥，鼻への逆流。脳卒中や球麻痺に伴う咽頭筋の運動障害やその他の神経筋疾患
食道に起因する嚥下困難				
機械的な狭窄				
粘膜輪や食道ウェブ	間欠的	固形物	食物塊の逆流	通常みられない
食道狭窄	間欠的で徐々に進行することもある	固形物	食物塊の逆流	長期間の胸やけまたは逆流症状
食道癌	最初は間欠的であるが，数カ月で進行することがある	固形物，進行すると液体	食物塊の逆流	特に進行すると胸痛，背部痛，体重減少
運動障害				
びまん性の食道攣縮	間欠的	固形物，液体	下記の手技やときにニトログリセリン	数分〜数時間持続する狭心症や心筋梗塞に似た胸痛。ときに胸やけ
強皮症	間欠的で徐々に進行することもある	固形物，液体	嚥下を繰り返す，背中をのばす，腕を上げるなどの動き，Valsalva 手技（声門を閉じて息む）	胸やけ，他の強皮症の症状。夜間，咳嗽を伴う臥床時の逆流，食事で悪化する胸痛
アカラシア	間欠的で進行することが多い	固形物，液体		

表 19-3　下痢

原因	病態	便の特徴	経過	関連症状	背景と高リスク患者
急性下痢症[75]（14日以下）					
分泌性感染（非炎症性感染）	ウイルスによる感染，あらかじめ形成された細菌毒素〔黄色ブドウ球菌(Staphylococcus aureus)，セレウス菌(Bacillus cereus)，ウェルシュ菌(Clostridium perfringens)，毒素産生性大腸菌(Escherichia coli)，コレラ菌(Vibrio cholerae)など〕，Cryptosporidium属原虫，ランブル鞭毛虫(Giardia lamblia)，ロタウイルス	水様便で，血液，膿，粘液は認められない	2, 3日～数日。ラクターゼ欠乏で遷延することがある	悪心，嘔吐，臍周囲の痙攣痛。体温は平熱もしくは微熱	旅行や食品，ときに流行性
炎症性感染	コロニー形成または腸管粘膜侵入〔非チフス性サルモネラ(Salmonella)，赤痢菌(Shigella)，エルシニア(Yersinia)属，カンピロバクター(Campylobacter)属，病原性大腸菌，赤痢アメーバ(Entamoeba histolytica)，Clostridioides difficile〕	軟便か水様便で，血液，膿，粘液を認めることがある	急性の経過で，罹患期間は症例ごとに差がある	下腹部の痙攣痛，ときに直腸による便意切迫，テネスムス，発熱	旅行，汚染された食品や水。頻繁にアナルセックスをする人
薬物性下痢	マグネシウム含有制酸薬，抗菌薬，抗癌薬，下剤など多種類の薬物の作用	軟便か水様便	急性，反復性，または慢性	悪心はあるが，痛みはほとんどない	処方せん医薬品や市販薬
慢性下痢症（30日以上）					
下痢症候群					
過敏性腸症候群（IBS）[14]	腸管や粘膜への粘膜透過性や免疫反応，大腸蠕動を変化させる刺激による腸管運動や分泌の変化。原因となる刺激として，未消化の炭水化物や脂肪，大量の胆汁酸，グルテン不耐症，腸内分泌シグナル伝達，腸内細菌叢の変化などがある	軟便。約50％の粘液を伴い，少量から中等量。便秘では小さく，硬い便になる。下痢と便秘の混合型になることがある	早朝に悪化する。夜間に悪化することはまれである	下腹部の痙攣痛，腹部膨満，鼓腸，悪心，便意切迫，排便で改善する痛み	若年や中年，特に女性
便による閉塞，運動障害	便のつまりによる部分的閉塞が起こり，ゆるい便のみが通過する	軟便，少量	さまざま	痙攣性の腹痛，残便	寝たきりの高齢者や施設入所者
S状結腸癌	悪性腫瘍による部分閉塞	筋状の血液が付着した便	さまざま	通常の排便習慣の変化，下腹部の痙攣痛，便秘	中年から高齢，特に55歳以上

表 19-3　下痢（続き）

原因	病態	便の特徴	経過	関連症状	背景と高リスク患者
炎症性腸疾患（IBD）					
潰瘍性大腸炎	粘膜の炎症が典型的には直腸（**直腸型**）から連続性に近位大腸にかけてさまざまな範囲にわたって進展する（**左結腸型**, **全大腸型**）。病変は微小な潰瘍形成を伴い，慢性化すると炎症性ポリープがみられる	頻回，水様，血性	典型的には突然発症。しばしば反復性，持続性で，夜間に痛み，目が覚める	痙攣性，便意切迫やテネスムスを伴う，発熱，倦怠感，体力低下，中毒性巨大結腸症になると腹痛を伴う。上強膜炎，ブドウ膜炎，関節炎，結節性紅斑を伴うことがある	若年成人，アシュケナージ系ユダヤ人に多い，変容したCD4陽性T細胞によるTh2免疫応答が関与，大腸癌のリスクが上昇する
小腸型 Crohn 病（**限局性回腸炎**）または大腸型 Crohn 病（**肉芽腫性大腸炎**）	腸管壁における全層性の慢性炎症で，回腸末端や近位大腸を含む非連続性病変（直腸は正常であることが多い）。狭窄をきたすことがある	小さく，軟便か水様便，大腸炎であれば出血を伴う。小腸であれば閉塞症状を伴う	潜行性に進行し，慢性や再発性の経過	臍周囲や右下腹部（**小腸炎**），腹部全体（**大腸炎**）の痙攣性腹痛，食欲不振，発熱，体重減少を伴う。肛門や直腸周囲の膿瘍，瘻孔形成，小腸や大腸の閉塞をきたすこともある	10代～若年成人に多く，中年でも発症しうる。アシュケナージ系ユダヤ人に多い。変容したCD4陽性T細胞へTh1およびTh17免疫応答が関与。大腸癌のリスクが上昇する
大量の下痢					
吸収不良症候群	腸管上皮の膜輸送や吸収の障害（Crohn病，セリアック病，外科的切除），管腔内消化不良（膵機能不全），刷子縁膜での糖の吸収不良（乳糖不耐症）	大量で軟らかく，淡い黄色ないし灰色の便で，脂肪分が多く油が浮いて，泡だつこともある。悪臭があり，トイレの水に浮く（**脂肪便**）	潜行性の経過	食欲不振，体重減少，倦怠感，腹部膨満，下腹部の痙攣痛を伴うことが多い。栄養失調による症状として出血（ビタミンK），骨痛や骨折（ビタミンD），舌炎（ビタミンB），浮腫（蛋白質）も伴う	原因によりさまざま

表 19-3　下痢（続き）

原因	病態	便の特徴	経過	関連症状	背景と高リスク患者
浸透圧性下痢					
● 乳糖不耐症	腸管内乳糖分解酵素欠乏	大量の水様下痢	牛乳や乳製品摂取後に悪化し，絶食すると改善する	痙攣痛，腹部膨満，鼓腸	アフリカ系米国人，アジア系，アメリカ先住民，ヒスパニック系の50％以上，白人の5〜20％に認める
● 浸透圧性下剤の乱用	下剤の常用。医師に伝えず内服している	大量の水様下痢	さまざま	ほとんどなし	神経性食欲不振症，神経性過食症
分泌性下痢	さまざま。細菌感染，絨毛状腺腫による分泌性下痢，脂肪や胆汁酸塩の吸収不全，ホルモンによる影響〔Zollinger-Ellison（ゾリンジャー・エリソン）症候群，血管作動性腸ポリペプチドによるガストリン分泌量の変化〕	大量の水様下痢	さまざま	体重減少，脱水，悪心，嘔吐，痙攣性腹痛	原因によりさまざま

表 19-4　便秘

疾患	病態	関連症状と背景
生活，習慣		
排便反射に対応できない時間や状況	便意を無視し，排便反射が抑制される	忙しいスケジュール，環境への不適応，ベッド上での安静
排便に対する誤った期待	過剰に規則的・頻回の排便を求める	思い込み，治療，また下剤の使用を促す広告
繊維不足の食事	便量の減少	腸の動きを弱めたり，便秘の原因となるような他の薬物が関与している可能性もある
過敏性腸症候群（IBS）[14]	病理学的原因がない排便頻度・形態の機能的な変化。腸内細菌の変化による可能性がある	下痢優位，便秘優位，混合型の3パターンがある。症状が6カ月以上，また腹痛が3カ月以上持続し，以下の3つの特徴のうち2つ以上があてはまる（排便による改善，排便頻度の変化に伴い発症，便の形・性状の変化に伴い発症）
機械的な閉塞		
直腸癌やS状結腸癌	腺癌による腸管内腔の進行性閉塞	排便習慣の変化。しばしば下痢，腹痛，出血，便潜血を伴う。直腸癌でみられるテネスムスや鉛筆状の便。体重減少
宿便	大きく硬い，移動しない便塊で，直腸に多い	直腸の緊満感，腹痛，宿便周囲から漏れでる下痢便。衰弱して寝たきりの人（高齢者が多い）や施設入所者に多い
その他の閉塞性病変（憩室炎，腸捻転，腸重積，ヘルニアなど）	小腸の狭窄または完全閉塞	仙痛様の腹痛，腹部膨満，そして腸重積ではスグリジャム様便（血液と粘液）
痛みを伴う肛門病変	痛みによってさらに外肛門括約筋が攣縮し，排便反射を抑制することがある	裂肛，痛みのある痔核，肛門周囲膿瘍
薬物性	さまざまな機序による	オピオイド，抗コリン薬，カルシウム・アルミニウム含有制酸薬など
うつ病	気分障害	倦怠感，無快感症，睡眠障害，体重減少
神経障害	腸への自律神経支配の障害	脊髄損傷，多発性硬化症，Hirschsprung（ヒルシュシュプルング）病など
代謝	腸管運動への影響	妊娠，甲状腺機能低下症，高カルシウム血症

表 19-5　黒色便と血便

疾患	原因	関連症状と背景
メレナ（黒色便） 黒いタール便が排泄される状態をいう 便潜血反応は陽性である 通常は食道，胃，十二指腸から 60 mL（子どもではより少ない）以上の血液が腸管内へ失われることを示す。食道，胃，十二指腸の血液の通過時間は 7～14 時間である まれではあるが，腸管の動きが遅い場合，空腸，回腸，上行結腸から出血することもある 乳児でのメレナは，出産の経過中に飲み込んだ血液である場合が多い	胃炎，胃食道逆流症，消化性潰瘍（胃または十二指腸） 胃炎やストレス潰瘍 食道や胃の静脈瘤 逆流性食道炎，Mallory-Weiss（マロリー・ワイス）裂創（吐き気や嘔吐による食道粘膜の損傷）	通常，胸やけや消化管運動障害による心窩部の不快感。消化性潰瘍であれば，食後に痛みがある（十二指腸潰瘍であれば食後 2～3 時間，無症状の場合もある） 飲酒歴，アスピリン，その他の抗炎症薬の内服歴。外傷，重症熱傷，手術，頭蓋内圧亢進など 肝硬変やその他の門脈圧亢進症 直前の飲酒による悪心，嘔吐が原因となることが多い
黒色便 便潜血陰性でメレナとは別の要因による黒色便もある。病的意義はない	鉄剤，ビスマス塩，甘草，チョコレートクッキー	無症状
赤い血液が混ざった便（血便） 通常，結腸，直腸，肛門が出血源である。空腸や回腸からの出血はより頻度が低い 上部消化管出血も赤い血便の原因となる。この場合，通常は 1 L 以上の大量出血がみられる 血液が早く通過した結果，ヘモグロビン中の鉄が酸化して黒くなる前に，赤色便として排泄される	大腸癌 過形成または腺腫性ポリープ 大腸憩室症 大腸・直腸の炎症 　潰瘍性大腸炎，Crohn 病 　感染性下痢症 　直腸炎（アナルセックスなど原因はさまざま） 虚血性腸炎 痔核 裂肛	排便習慣に変化が現れることが多い，体重減少他に症状はないことが多い しばしば，憩室炎を起こすまで症状はみられない 表 19-3「下痢」を参照 表 19-3「下痢」を参照 直腸による便意切迫，テネスムス（表 19-3「下痢」を参照） 下腹部痛，高齢者では発熱やショックをきたす場合もある。一般的に，触診では腹部は軟らかい トイレットペーパーや便表面に血液が付着。トイレに血液が滴下する。典型例は痛みを伴わない トイレットペーパーや便表面に血液が付着。排便時に肛門痛がある
赤いが非血液性の便	ビーツの摂取	ピンク色の尿と赤い便，ベタシアニンの不十分な代謝による

表 19-6　頻尿，夜間多尿，多尿

疾患	機序	原因	関連症状
頻尿	膀胱容量の減少		
	炎症による，膀胱の拡張に対する過敏性	膀胱内の感染，結石，腫瘍，異物	排尿時の灼熱感，尿意切迫，肉眼的血尿
	膀胱壁の弾性低下	瘢痕組織や腫瘍による浸潤	炎症に伴う症状（上記を参照）
	大脳皮質病変による膀胱収縮抑制機能の低下	脳卒中など中枢神経系の運動機能障害	尿意切迫。筋力低下，麻痺などの神経症状
	膀胱に残尿を伴う膀胱排尿機能障害		
	膀胱頸部や尿道近位の器質的な閉塞	最も一般的には良性前立腺肥大，尿道狭窄。その他に膀胱や前立腺閉塞	閉塞症状が先行。尿の出はじめの出にくさ，排尿するとき息む，尿線が細くなる，尿勢の低下，排尿中および後の尿滴下
	膀胱への S_2〜S_4 神経支配の消失	仙骨神経や神経根へ影響する神経障害（例えば糖尿病性ニューロパチー）	筋力低下や感覚低下
夜間多尿			
多量	多尿のほとんどのタイプ（p.645 参照）		
	腎臓の濃縮力が低下し，夜間尿量が減らない	さまざまな原因による慢性腎不全	腎不全の他の症状の可能性
	寝る前の水分摂取過多	コーヒー・飲酒などの習慣	
	体液貯留や浮腫。日中に下肢の浮腫に貯留された水分が，夜間横になった際に排泄される	心不全，ネフローゼ症候群，腹水を伴う肝硬変，静脈の慢性障害	浮腫や背景疾患に伴う症状。日中の排尿量は身体組織への水分集積のため減少する（表 17-1「末梢性浮腫の種類」，p.595 を参照）
少量	頻尿		
	夜間起きている間に，尿意もないのに排尿に行く「偽頻尿」	不眠症	さまざま
多尿	抗利尿ホルモン欠損症（尿崩症）	後下垂体と視床下部の障害	重度の口渇感と多飲が遷延する。夜間多尿
	腎臓の抗利尿ホルモンに対する反応低下（腎性尿崩症）	高カルシウム血症，低カリウム血症を含む多くの腎疾患，薬物中毒（リチウムなど）	重度の口渇感と多飲が遷延する。夜間多尿
	溶質による利尿		
	電解質（ナトリウム）	大量の生理食塩水，利尿薬，一部の腎疾患	さまざま
	非電解質（グルコースなど）	コントロール不良の糖尿病	口渇感，多飲，夜間多尿
	過剰の水分摂取	原発性多飲症	多飲は発作的に起こる。口渇はなく，夜間多尿は通常みられない

表 19-7　尿失禁*

疾患	機序	症状	身体所見
腹圧性尿失禁 尿道括約筋が弱くなり，一過性に腹圧が上昇して膀胱内圧が尿道の抵抗を超えることで起こる	女性では，骨盤底筋群の脆弱化によって膀胱頸部や尿管近位部を支持する筋力や靱帯の十分な支持がなくなり，膀胱と尿管の角度が変化することで起こることが多い〔第21章「女性生殖器」(p.712～713)参照〕。出産や手術が原因となる場合もある。閉経後の粘膜萎縮や尿道感染などが，内尿道括約筋に局所的に影響することもある 男性では，腹圧性尿失禁は前立腺手術の結果として起こる	起きている状態で咳をする，笑う，くしゃみをするといった動作で少量の尿が瞬間的に漏れる。尿失禁は意識下での尿意とは関連しない	腹圧性尿失禁は，排尿前なら立位で実際に観察することができる 萎縮性腟炎を認めることもある。膀胱の拡張はみられない
切迫性尿失禁 排尿筋の収縮が通常より強く，通常の尿道抵抗を超えてしまうために起こる 通常，膀胱は小さい	脳卒中，脳腫瘍，認知症，仙髄レベルよりも上位の脊髄病変による，大脳皮質から排尿筋への抑制伝達機能の低下	尿失禁では尿意切迫が先行する。尿量は中等量である	腹部診察で膀胱は小さく触知できない
	膀胱の感染，腫瘍，宿便などによる感覚神経経路の過剰刺激	少量から中等量の尿意切迫，頻尿，夜間多尿 急性の炎症があれば排尿時痛を伴う	大脳皮質による抑制が低下している場合，中枢神経系疾患による精神症状や運動障害を伴うことが多い
	膀胱容量が少ないために頻回に排尿が起こるなど，排尿反射の障害	ときに「偽腹圧性尿失禁」となることがある。例えば，姿勢を変える，階段の昇降，咳をする，笑う，くしゃみをするなどの腹圧のかかる動作の10～20秒後に排尿が起こることがある	感覚神経経路に過剰刺激がある場合には，局所の骨盤の問題や宿便などが存在する場合が多い
溢流性尿失禁 排尿筋の収縮が尿道抵抗を超えられず，尿閉となった結果起こる。一般的には排尿努力をしても膀胱は弛緩し，大きいままである	良性の前立腺肥大や腫瘍による膀胱出口付近の閉塞 S_2～S_4レベルの末梢神経障害による排尿筋の収縮力低下 糖尿病性神経症などにより反射弓が遮断され，膀胱感覚の障害が起こる	膀胱内圧が尿管抵抗を超えると，尿が持続的に滴下する 尿勢の低下 尿路の部分的な閉塞や他の末梢神経障害による症状が先行することがある	腹部触診で拡張した膀胱に触れ，圧痛を伴う場合もある。前立腺肥大や末梢神経障害による運動障害，会陰部などの感覚低下や反射の低下もしくは消失といった徴候がみられる

*患者によっては複数の尿失禁をあわせもつことがある。

表 19-7　尿失禁（続き）

疾患	機序	症状	身体所見
機能性尿失禁 健康状態や周囲環境が原因で患者がトイレに移動できず，排尿に間に合わない機能的な尿失禁	筋力低下，関節炎，視力低下，その他の原因による移動能力の問題。慣れない環境やトイレまでの距離，ベッドの手すりの有無などの環境因子や，身体的な運動制限など	トイレに行く途中や，早朝のみの尿失禁	診察で膀胱は触知できない。身体や環境で原因となるものを探す
薬物による二次性尿失禁 薬物により，上述したいずれのタイプの尿失禁も起こりうる	鎮静薬，抗精神病薬，抗コリン薬，交感神経遮断薬，利尿薬	さまざま。丁寧な病歴聴取と診療記録のチェックが重要である	さまざま

表 19-8　局所的な腹壁の隆起

局所的に腹壁が隆起する原因には**腹壁ヘルニア**（腹壁が欠損し，組織が突出する）や**脂肪腫**のような皮下腫瘍などがある。一般的な腹壁ヘルニアは臍ヘルニア，腹壁瘢痕ヘルニア，上腹部ヘルニアである。ヘルニアや腹直筋離開は仰臥位で頭と肩をあげてもらうとより明瞭になることが多い。

臍ヘルニア
臍輪を通る突出。乳児では通常，1～2年で自然に閉鎖する

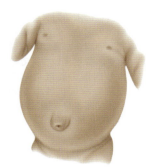

腹壁瘢痕ヘルニア
手術瘢痕部に生じた突出であり，欠損した腹壁の長さや広さを触診することができる。腹壁の欠損が小さいと，大きい欠損の場合に比べて，大きな組織が通過した際に合併症が起こるリスクが高い

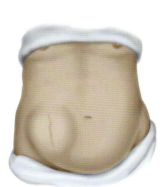

上腹部ヘルニア
剣状突起と臍の間で，白線の欠損部を通過する小さな突出。患者が咳をしているときやValsalva手技を行っているとき，白線に沿って指腹で下方に触診すると触れることができる

腹直筋離開
患者が頭と肩を持ち上げると左右の腹直筋が分かれ，剣状突起から臍部までの正中線に沿って腹腔内容が突出する（隆線）。多産婦や肥満，慢性肺疾患患者でみられることが多い。病的意義は乏しい

隆線

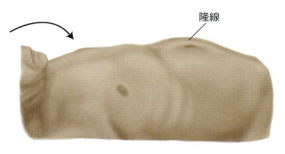

脂肪腫
頻繁にみられる良性の脂肪の腫瘍で，腹壁を含め身体のあらゆる部位の皮下で生じる。大小にかかわらず，軟らかく分葉状であることが多い。脂肪腫の辺縁を指で押すと，通常は皮下で動き，境界明瞭，還納できず，圧痛を伴わない

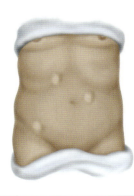

表 19-9　腹部の隆起

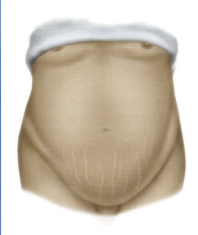

脂肪
脂肪は腹部の隆起の最も一般的な原因である。脂肪によって腹壁や腸間膜，網嚢は厚くなる。臍がへこんでみえる。**パンヌス**あるいは脂肪のたるみが鼠径靭帯の上にかぶさる。皮膚の間に炎症がないか，ヘルニアがないかなど，脂肪のたるみを持ち上げて観察する

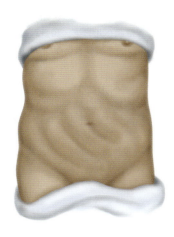

ガス
ガスによる膨隆は，限局性のこともあれば腹部全体に及ぶこともある。打診上は鼓音になる。一部の食物によるガス産生が原因の場合，膨隆は軽度である場合が多い。腸閉塞や麻痺性イレウスではより重度の膨隆になる。膨隆の部位に注意する。小腸閉塞より大腸閉塞のほうが膨隆がめだつ

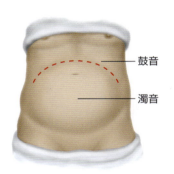

腫瘍
骨盤腔を超えるほどの大きな充実性腫瘍は，打診上濁音になる。空気の入った腸管は辺縁に押しやられる。卵巣腫瘍や子宮筋腫でみられる。非常に緊満した膀胱が腫瘍と間違えられることがある

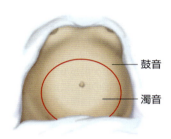

妊娠
妊娠は骨盤内「腫瘤」の最も一般的な原因となる。胎児の心音を聴診する（p.1121 参照）

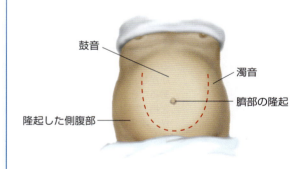

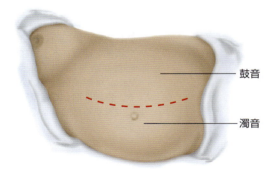

腹水
腹水は腹部の低い位置にたまるため，側腹部の隆起として認められ，打診上は濁音を呈する。臍部は隆起することがある。患者を側臥位にすると液面の高さの変化がわかる（濁音の移動。腹水の評価については p.660〜661 を参照）

表 19-10 腹部の音

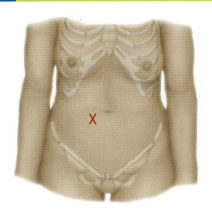

腸蠕動音
- **亢進**：下痢や早期の腸閉塞で認める
- **低下や消失**：麻痺性イレウス，腹膜炎。腸蠕動音消失と判断するまでには，図に示した部位を座位で5分以上聴診する

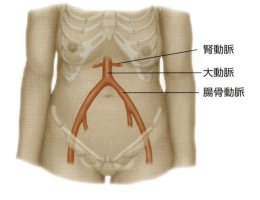

腎動脈
大動脈
腸骨動脈

血管雑音
肝臓の血管雑音は肝癌や肝硬変を示唆する。収縮期および拡張期両方で聴取される**血管雑音**は，大動脈や大きな血管の部分閉塞を示唆する。心窩部での雑音は腎動脈狭窄や腎血管性高血圧を示唆する

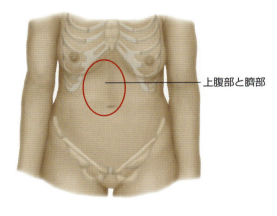

上腹部と臍部

静脈雑音
静脈雑音が聴取されることはまれ。弱くブーンというような音で，収縮期，拡張期のいずれでも聴取される。肝硬変で門脈から体循環への側副血行路が発達していることを示唆する

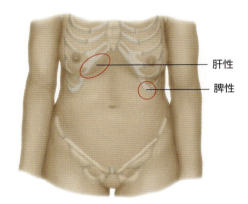

肝性
脾性

摩擦音
呼吸変動に伴う捻髪音であり，肝癌，クラミジア感染，淋菌性肝周囲炎，最近の肝生検，脾梗塞などによる臓側腹膜の炎症を示す。収縮期に肝臓の摩擦音とともに聴取される肝臓の血管雑音は，肝癌を示唆する

表 19-11　腹部の圧痛

腹壁の圧痛

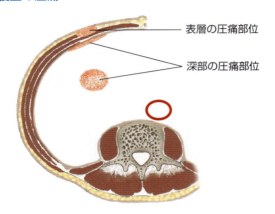

- 表層の圧痛部位
- 深部の圧痛部位

圧痛が腹壁に由来することがある。患者に頭と肩を上げてもらうと腹壁由来の圧痛は持続するが，緊張した筋肉に保護されている深部病変に由来する圧痛は減弱する

内臓の圧痛

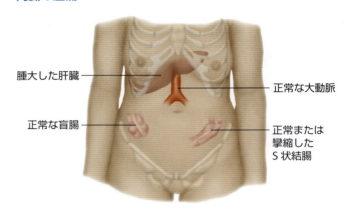

- 腫大した肝臓
- 正常な大動脈
- 正常な盲腸
- 正常または攣縮したS状結腸

深く触診をした際に圧痛を生じる臓器を示した。通常は筋硬直や反跳痛を伴わない鈍い不快感である。患者には心配のないことを説明し，安心させるとよい

胸部や骨盤内の疾患による圧痛

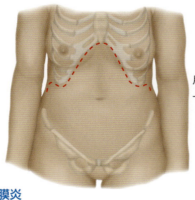

片側または両側，上または下腹部

急性胸膜炎
急性の胸膜炎から腹部の自発痛と圧痛が起こることがある。片側性であれば，急性の胆嚢炎や虫垂炎と紛らわしいことがある。反跳痛や腹壁の緊張はないことが多い。通常，胸部にも徴候がある

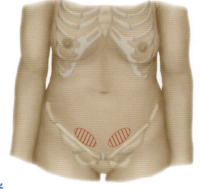

急性卵管炎
急性卵管炎（卵管の炎症）の圧痛は通常，鼠径靱帯の直上で最も強く，両側性に認められることが多い。反跳痛や腹壁の緊張も認められる。骨盤の診察では，子宮頸部や子宮を動かすと痛みを生じる

表 19-11　腹部の圧痛（続き）

腹膜炎の圧痛

腹膜炎による圧痛は，内臓由来の圧痛よりも強い場合が多い。しばしば腹筋の緊張と反跳痛を伴うが，これがないからといって腹膜炎でないとはいえない。腹部全体に及ぶ腹膜炎は，腹部全体にわたる激しい痛みを起こし，腹壁は板状に硬くなる。触診でこれらの徴候，特に腹筋の緊張がある場合は腹膜炎の可能性が2倍となる[39, 76]。限局性腹膜炎には以下のものが含まれる

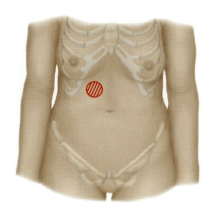

急性胆嚢炎[8]
右上腹部に最も痛みがある。Murphy徴候の有無を調べる（p.662参照）

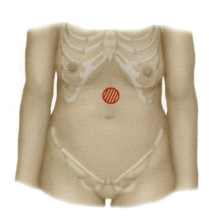

急性膵炎
通常，心窩部の圧痛，反跳痛，限局性の筋性防御を認めるが，腹壁は軟らかい

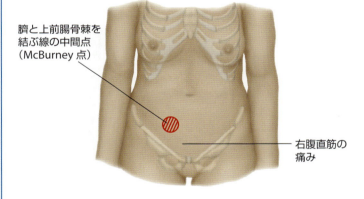

臍と上前腸骨棘を結ぶ線の中間点（McBurney点）

右腹直筋の痛み

急性虫垂炎[11, 12]
右下腹部の圧痛が典型的であるが，早期の段階では認めないこともある。典型的な圧痛部位であるMcBurney点を図示する。圧痛部位以外の右側腹部や右下腹部もよく診察すること

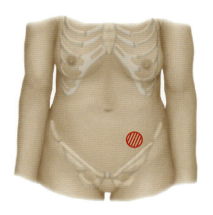

急性憩室炎
急性憩室炎は限局性の炎症で，通常はS状結腸に発症し左下腹部にみられる。S状結腸が過長であれば，恥骨上や右下腹部痛となることがある。限局性腹膜炎の徴候とその下の圧痛を伴う腫瘤を探す。腹痛が生じた後，微小穿孔，膿瘍，閉塞をきたすことがある

表 19-12　肝腫大：所見と病態

肝臓を触知しても，肝腫大があるとは断言できない。正常な軟らかさや肝硬変でみられる異常な硬さなど，硬さの変化が重要である。肝臓の大きさの評価は，超音波と比較すると不完全ではあるが，打診や触診が基本となる。

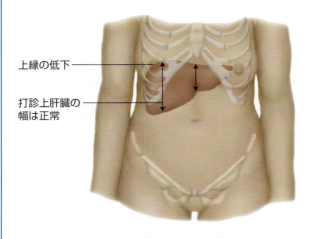

上縁の低下
打診上肝臓の幅は正常

横隔膜の低位による肝臓の下方への移動
この所見は一般的に慢性閉塞性肺疾患（COPD）などで横隔膜が拡張し低位となる場合にみられる。肝辺縁を肋骨弓下で触れることができるが，打診では肝上縁の位置も下がっていることがわかり，肝濁音界の幅は正常である

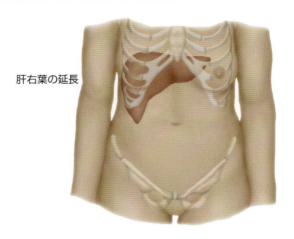

肝右葉の延長

正常な肝形態の変化
肝右葉が長く，腸骨稜側へ張り出しているために触知しやすい場合がある。これを Riedel（リーデル）葉という。肝形態の変化であり，肝臓が大きいわけではない

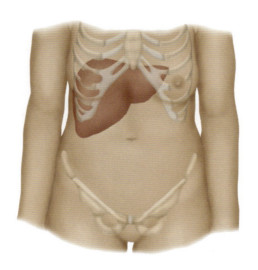

平滑で大きな肝臓
肝硬変では，硬くて**圧痛のない**大きな肝臓になる場合がある。また肝硬変では，肝臓が萎縮して瘢痕化する場合もある。ヘモクロマトーシス，アミロイドーシス，リンパ腫など他の多くの疾患でも同様の所見を呈することがある。滑らかで**圧痛を伴う**腫大は，肝炎などの炎症や右心不全に伴ううっ血肝を示唆する

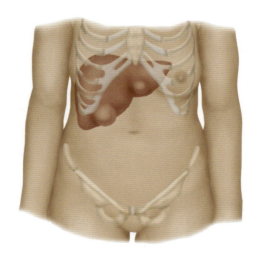

不整で大きな肝臓
板状あるいは硬い肝臓で表面が不整の場合，肝細胞癌を示唆する。結節は1個または数個生じ，肝臓の圧痛はある場合とない場合がある

文献一覧

1. Rui P, Okeyode T. National Ambulatory Medical Care Survey: 2015 State and National Summary Tables. Available at http://www.cdc.gov/nchs/ahcd/ahcd_products.htm. Accessed July 7, 2018.
2. Rui P, Kang K. National Hospital Ambulatory Medical Care Survey: 2015 Emergency Department Summary Tables. Available at http://www.cdc.gov/nchs/data/ahcd/nhamcs_emergency/2015_ed_web_tables.pdf. Accessed July 7, 2018.
3. Schneider L, Büchler MW, Werner J. Acute pancreatitis with an emphasis on infection. *Infect Dis Clin North Am*. 2010; 24(4): 921-941, viii.
4. Natesan S, Lee J, Volkamer H, et al. Evidence-based medicine approach to abdominal pain. *Emerg Med Clin North Am*. 2016; 34(2): 165-190.
5. Drossman DA, Hasler WL. Rome IV-functional GI disorders: disorders of gut-brain interaction. *Gastroenterology*. 2016; 150(6): 1257-1261.
6. Ranji SR, Goldman LE, Simel DL, et al. Do opiates affect the clinical evaluation of patients with acute abdominal pain? *JAMA*. 2006; 296(14): 1764-1774.
7. Peterson MC, Holbrook JH, Von Hales D, et al. Contributions of the history, physical examination, and laboratory investigation in making medical diagnoses. *West J Med*. 1992; 156(2): 163-165.
8. Strasberg S. Clinical practice. Acute calculus cholecystitis. *N Engl J Med*. 2008; 358(26): 2804-2811.
9. Fletcher KC, Goutte M, Slaughter JC, et al. Significance and degree of reflux in patients with primary extraesophageal symptoms. *Laryngoscope*. 2011; 121(12): 2561-2565.
10. Shaheen NJ, Weinberg DS, Denberg TD. Upper endoscopy for gastroesophageal reflux disease: best practice advice from the clinical guidelines committee of the American College of Physicians. *Ann Intern Med*. 2012; 157(11): 808-816.
11. Howell JM, Eddy OL, Lukens TW, et al. Clinical policy: critical issues in the evaluation and management of emergency department patients with suspected appendicitis. *Ann Emerg Med*. 2010; 55(1): 71-116.
12. Andersson RE. The natural history and traditional management of appendicitis revisited: spontaneous resolution and predominance of prehospital perforations imply that a correct diagnosis is more important than an early diagnosis. *World J Surg*. 2007; 31(1): 86-92.
13. Andresson RE. Meta-analysis of the clinical and laboratory diagnosis of appendicitis. *Br J Surg*. 2004; 91(1): 28-37.
14. Camilleri M. Peripheral mechanisms in irritable bowel syndrome. *N Engl J Med*. 2012; 367(17): 1626-1635.
15. Lacy BE, Patel NK. Rome Criteria and a Diagnostic Approach to Irritable Bowel Syndrome. *J Clin Med*. 2017; 6(11): pii: E99.
16. Roden DF, Altman KW. Causes of dysphagia among different age groups: a systematic review of the literature. *Otolaryngol Clin North Am*. 2013; 46(6): 965-987.
17. Schmulson MJ, Drossman DA. What is new in Rome IV. *J Neurogastroenterol Motil*. 2017; 23(2): 151-163.
18. Longstreth GF, Thompson WG, Chey WD, et al. Functional bowel disorders. *Gastroenterology*. 2006; 130(5): 1480-1491.
19. Crişan IM, Dumitraşcu DL. Irritable bowel syndrome: peripheral mechanisms and therapeutic implications. *Clujul Med*. 2014; 87(2): 73-79.
20. Leffler DA, Lamont JT. *Clostridium difficile* infection. *N Engl J Med*. 2015; 372(16): 1539-1548.
21. Shah BJ, Rughwani N, Rose S. In the clinic. Constipation. *Ann Intern Med*. 2015; 162(7): ITC-1.
22. Gallegos-Orozco JF, Foxx-Orenstein AE, Sterler SM, et al. Chronic constipation in the elderly. *Am J Gastroenterol*. 2012; 107(1): 18-25; quiz 26.
23. Novo C, Welsh F. Jaundice. *Surgery (Oxford)*. 2017; 35(12): 675-681.
24. Sarma AV, Wei JT. Clinical practice. Benign prostatic hyperplasia and lower urinary tract symptoms. *N Engl J Med*. 2012; 367(3): 248-257.
25. Hooton TM. Clinical practice. Uncomplicated urinary tract infection. *N Engl J Med*. 2012; 366(11): 1028-1037.
26. Gupta K, Trautner B. In the clinic: urinary tract infection. *Ann Intern Med*. 2012; 156(5): ITC3-1.
27. Bettez M, Tu le M, Carlson K, et al. 2012 update: guidelines for adult urinary incontinence collaborative consensus document for the Canadian Urological Association. *Can Urol Assoc J*. 2012; 6(5): 354-363.
28. Markland AD, Vaughan CP, Johnson TM 2nd, et al. Incontinence. *Med Clin North Am*. 2011; 95(3): 539-554, x-xi.
29. Holroyd-Leduc JM, Tannenbaum C, Thorpe KE, et al. What type of urinary incontinence does this woman have? *JAMA*. 2008; 299(12): 1446-1456.
30. Felder S, Margel D, Murrell Z, et al. Usefulness of bowel sound auscultation: a prospective evaluation. *J Surg Educ*. 2014; 71(5): 768-773.
31. Cope Z. *The Early Diagnosis of the Acute Abdomen*. London: Oxford University Press; 1972.
32. McGee S. Chapter 49: Palpation and percussion of the abdomen. In: *Evidence-based Physical Diagnosis*. 3rd ed. Philadelphia, PA: Saunders; 2012: 428-440.
33. de Bruyn G, Graviss EA. A systematic review of the diagnostic accuracy of physical examination for the detection of cirrhosis. *BMC Med Inform Decis Mak*. 2001; 1: 6.
34. Grover SA, Barkun AN, Sackett DL. Does this patient have splenomegaly? *JAMA*. 1993; 270(18): 2218-2221.
35. Kent KC. Clinical practice. Abdominal aortic aneurysms. *N Engl J Med*. 2014; 371(22): 2101-2108.
36. Lederle F. In the clinic. Abdominal aortic aneurysm. *Ann Intern Med*. 2009; 150(9): ITC5-1.
37. Draft Update Summary: Abdominal Aortic Aneurysm: Primary Care Screening. U.S. Preventive Services Task Force. November 2017. Available at https://www.uspreventiveservicestaskforce.org/Page/Document/

UpdateSummary-Draft/abdominal-aortic-aneurysm-primary-care-screening. Accessed July 9, 2018.
38. Cattau EL Jr; Benjamin SB, Knuff TE, Castell DO. The accuracy of the physical examination in the diagnosis of suspected ascites. *JAMA*. 1982; 247(8): 1164-1166.
39. McGee S. Chapter 50: Abdominal pain and tenderness. In: *Evidence-based Physical Diagnosis*. 3rd ed. Philadelphia, PA: Saunders; 2012: 441-452.
40. Centers for Disease Prevention and Control. Viral Hepatitis Surveillance — United States, 2016. 2018. Available at https://www.cdc.gov/hepatitis/statistics/2016surveillance/pdfs/2016HepSurveillanceRpt.pdf. Accessed July 9, 2018.
41. Centers for Disease Prevention and Control. Hepatitis A. General Information. Available at https://www.cdc.gov/hepatitis/hav/pdfs/hepageneralfactsheet.pdf. Accessed June 13, 2018.
42. Advisory Committee on Immunization Practices (ACIP), Fiore AE, Wasley A, et al. Prevention of hepatitis A through active or passive immunization: recommendations of the Advisory Committee on Immunization Practices (ACIP). *MMWR Recomm Rep*. 2006; 55(RR-7): 1-23.
43. Schillie S, Harris A, Link-Gelles R, et al. Recommendations of the Advisory Committee on Immunization Practices for Use of a Hepatitis B Vaccine with a Novel Adjuvant. *MMWR Morb Mortal Wkly Rep*. 2018; 67(15): 455-458.
44. LeFevre ML. Screening for hepatitis B virus infection in nonpregnant adolescents and adults: U.S. Preventive Services Task Force recommendation statement. *Ann Intern Med*. 2014; 161(1): 58-66.
45. Weinbaum CM, Williams I, Mast EE, et al. Recommendations for identification and public health management of persons with chronic hepatitis B virus infection. *MMWR Recomm Rep*. 2008; 57(RR-8): 1-20.
46. U.S. Preventive Services Task Force, Owens DK, Davidson KW, et al. Screening for hepatitis B virus infection in pregnant women: U.S. Preventive Services Task Force reaffirmation recommendation statement. *JAMA*. 2019; 322(4): 349-354.
47. Moyer VA; U.S. Preventive Services Task Force. Screening for hepatitis C virus infection in adults: U.S. Preventive Services Task Force recommendation statement. *Ann Intern Med*. 2013; 159(5): 349-357.
48. Siegel RL, Miller KD, Jemal A. Cancer statistics, 2018. *CA Cancer J Clin*. 2018; 68(1): 7-30.
49. National Cancer Institute. Cancer Stat Facts: Colorectal Cancer. Available at https://seer.cancer.gov/statfacts/html/colorect.html. Accessed June 11, 2018.
50. Howlader N, Noone AM, Krapcho M, et al. SEER Cancer Statistics Review, 1975-2014. 2017. Available at https://seer.cancer.gov/csr/1975_2014/. Accessed June 11, 2018.
51. Edwards BK, Ward E, Kohler BA, et al. Annual report to the nation on the status of cancer, 1975-2006, featuring colorectal cancer trends and impact of interventions (risk factors, screening, and treatment) to reduce future rates. *Cancer*. 2010; 116(3): 544-573.
52. National Cancer Institute. Colorectal Cancer Prevention (PDQ®)-Health Professional Version. Available at https://www.cancer.gov/types/colorectal/hp/colorectal-prevention-pdq. Accessed June 11, 2018.
53. National Cancer Institute. Genetics of Colorectal Cancer (PDQ®)-Health Professional Version. Available at https://www.cancer.gov/types/colorectal/hp/colorectal-geneticspdq#section/_1. Accessed June 11, 2018.
54. Holme O, Schoen RE, Senore C, et al. Effectiveness of flexible sigmoidoscopy screening in men and women and different age groups: pooled analysis of randomised trials. *BMJ*. 2017; 356: i6673.
55. Holme O, Bretthauer M, Fretheim A, et al. Flexible sigmoidoscopy versus faecal occult blood testing for colorectal cancer screening in asymptomatic individuals. *Cochrane Database Syst Rev*. 2013; (9): CD009259.
56. Simon MS, Chlebowski RT, Wactawski-Wende J, et al. Estrogen plus progestin and colorectal cancer incidence and mortality. *J Clin Oncol*. 2012; 30(32): 3983-3990.
57. Chlebowski RT, Hendrix SL, Langer RD, et al. Influence of estrogen plus progestin on breast cancer and mammography in healthy postmenopausal women: The Women's Health Initiative Randomized Trial. *JAMA*. 2003; 289(24): 3243-3253.
58. Manson JE, Hsia J, Johnson KC, et al. Estrogen plus progestin and the risk of coronary heart disease. *N Engl J Med*. 2003; 349(6): 523-534.
59. Cushman M, Kuller LH, Prentice R, et al. Estrogen plus progestin and risk of venous thrombosis. *JAMA*. 2004; 292(13): 1573-1580.
60. Lin JS, Piper MA, Perdue LA, et al. Screening for colorectal cancer: updated evidence report and systematic review for the US Preventive Services Task Force. *JAMA*. 2016; 315(23): 2576-2594.
61. U.S. Preventive Services Task Force, Bibbins-Domingo K, Grossman DC, et al. Screening for Colorectal Cancer: US Preventive Services Task Force Recommendation Statement. *JAMA*. 2016; 315(23): 2564-2575.
62. Wolf AMD, Fontham ETH, Church TR, et al. Colorectal cancer screening for average-risk adults: 2018 guideline update from the American Cancer Society. *CA Cancer J Clin*. 2018; 68(4): 250-281.
63. Rex DK, Boland CR, Dominitz JA, et al. Colorectal cancer screening: recommendations for physicians and patients from the U.S. Multi-Society Task Force on colorectal cancer. *Am J Gastroenterol*. 2017; 112(7): 1016-1030.
64. Centers for Disease Prevention and Control. Quick Facts. Colorectal Cancer Screening in U.S. Behavioral Risk Factor Surveillance System — 2016. 2016. Available at https://www.cdc.gov/cancer/colorectal/pdf/QuickFacts-BRFSS-2016-CRC-Screening-508.pdf. Accessed June 11, 2018.
65. American College of Physicians. *Gastroenterology and Hepatology — Medical Knowledge Self-Assessment Program*. Philadelphia, PA: American College of Physicians; 2013.
66. Wilson J. In the clinic. Gastroesophageal reflux disease. *Ann Intern Med*. 2008; 149: ITC2-1.
67. Talley NJ, Vakil NB, Moayyedi P, et al. American

文献一覧

Gastroenterological Association technical review on the evaluation of dyspepsia. *Gastroenterology*. 2005; 129(5): 1756-1780.

68. Tack J, Talley NJ. Functional dyspepsia — symptoms, definitions and validity of the Rome III criteria. *Nat Rev Gastroenterol Hepatol*. 2013; 10(3): 134-141.

69. Fogel EL, Sherman S. ERCP for gallstone pancreatitis. *N Engl J Med*. 2014; 370(2): 150-157.

70. Ryan DP, Hong TS, Bardeesy N. Pancreatic adenocarcinoma. *N Engl J Med*. 2014; 371(11): 1039-1049.

71. Yadav D, Lowenfels AB. The epidemiology of pancreatitis and pancreatic cancer. *Gastroenterology*. 2013; 144(6): 1252-1261.

72. Katz LH, Guy DD, Lahat A, et al. Diverticulitis in the young is not more aggressive than in the elderly, but it tends to recur more often: systematic review and meta-analysis. *J Gastroenterol Hepatol*. 2013; 28(8): 1274-1281.

73. Acosta S. Mesenteric ischemia. *Curr Opin Crit Care*. 2015; 21(2): 171-178.

74. Sise MJ. Acute mesenteric ischemia. *Surg Clin North Am*. 2014; 94(1): 165-181.

75. DuPont HL. Acute infectious diarrhea in immunocompetent adults. *N Engl J Med*. 2014; 370(16): 1532-1540.

76. Cartwright SL, Knudson MP. Evaluation of acute abdominal pain in adults. *Am Fam Physician*. 2008; 77(7): 971-978.

本章の学習効果を高め，理解を助けるために一連の補助教材がある。
- 『ベイツ診察法ポケットガイド第4版』
- Bates' Visual Guide to Physical Examination
- thePoint® online resources, for students and instructors: http://thepoint.lww.com

第20章 男性生殖器

解剖と生理

生殖器

男性生殖器の解剖を確認する（図 20-1）。**陰茎 penis** は3つの血管性勃起組織（**尿道 urethra** を含む**尿道海綿体 corpus spongiosum penis** と2つの**陰茎海綿体 corpus cavernosum penis**）により構成される。尿道海綿体は尿道球から，拡張した円錐形で基部が広がっている**陰茎亀頭（亀頭）glans penis** もしくは**亀頭冠 corona of glans** まで続く。割礼（環状包皮切除）を受けていない陰茎では，包皮

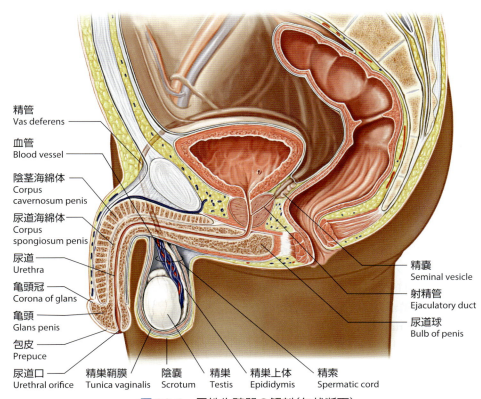

図 20-1　男性生殖器の解剖（矢状断面）

解剖と生理

prepuce(foreskin)と呼ばれる緩んだフード状の皮膚によって，亀頭が覆われている。包皮に**恥垢 smegma** や亀頭からの分泌物がたまることもある。尿道は陰茎の腹側中線上に位置し，尿道の異常が認められることもある。**尿道口 urethral orifice(urethral meatus)** は，陰茎の頂部のやや腹側に，スリット状に開いている。

精巣 testis はおもに精細管と間質組織からなる1対の卵形の腺組織であり，線維状の被膜である**白膜 tunica albuginea** に覆われている。精巣の大きさは，通常，思春期前で1.5〜2 cm，思春期後で4〜5 cmとなる。精巣の周囲や付属器にはさまざまな構造物がある。**陰嚢 scrotum** は，緩くて皺のある小さな袋状の皮膚とその下にある**肉様膜(肉様筋)tunica dartos(dartos muscle)** からなる。陰嚢は，2つの区画（コンパートメント）に分かれ，それぞれが1つの精巣を含んでいる。精巣を覆う漿膜は，後面を除いて，**精巣鞘膜 tunica vaginalis** といい，腹膜から由来して，精巣下降中に深鼠径輪（内鼠径輪）を通って陰嚢に至る。精巣鞘膜の**壁側層 parietal layer** は精巣前部2/3を覆い，**臓側層 visceral layer** は隣接する陰嚢を覆っている。精巣の後外側表面には，軟らかいコンマ状の精巣上体があり，精巣から分かれた硬いコイル状の細い管で構成され，それが精管となる。**精巣上体 epididymis** は，通常，触知可能な溝によって精巣から分離されており，精子を保管，成熟，輸送するための貯蔵機能を有する。

射精中，**精管 vas deferens** は，硬い筋肉質の索状構造となり，やや円形のルートに沿って，精巣上体尾部から尿道へ精子を輸送する。輸精管は，陰嚢から**鼠径管 inguinal canal** を越えて骨盤腔へ上行し，そして尿管を越えて前方に移行し，膀胱の後ろから前立腺に入る。そこで，**精嚢 seminal vesicle** と合流して**射精管 ejaculatory duct** となり，前立腺を横切って，尿道に流入する。精管，精嚢，前立腺からの分泌物すべてが，精液となる。陰嚢内では，それぞれの精細管が，血管・神経・筋肉線維と密接に連なり，**精索 spermatic cord** となる。

鼠径部

鼠径部 inguinal area(groin) は，下腹部と大腿部の間で両側恥骨上の接合部にある。鼠径部の基本的な目印は，**上前腸骨棘 anterior superior iliac spine**，恥骨上枝の**恥骨結節 pubic tubercle**，およびそれらの間を走る**鼠径靱帯 inguinal ligament** であり，これらの識別は容易である（図20-2）。

鼠径靱帯の内側に位置し，鼠径靱帯とほぼ平行に伴走する**鼠径管 inguinal canal** は，精管が腹部の筋肉を通過するトンネルになっている。**内鼠径輪（深鼠径輪）internal (deep) inguinal ring** は，トンネルの内部口であり，鼠径靱帯の中間点から約1 cm上方に位置する。管も内鼠径輪も腹壁からは触れることはできない。**外鼠径輪（浅鼠径輪）external (superficial) inguinal ring** はトンネルの外部口であり，恥骨結節直上の横に触れる，三角スリット状の構造物である。

大腿管 femoral canal は鼠径靱帯の下方にある。大腿管は視認できないが，その位置は，右の示指を下から右大腿動脈に置くことで推定できる。つぎに，中指を

異常例

陰嚢内に腹膜が開いている場合，**間接（外）鼠径ヘルニア**を引き起こす可能性がある。

臓側層と壁側層によって，腹水が貯留する**陰嚢水腫 hydrocele** の潜在的な空間が形成される。

大腿ヘルニア femoral hernias は，この部位で突出しており，腸管の嵌頓または絞扼を伴う緊急事態を引き起こす可能性が高い。

解剖と生理

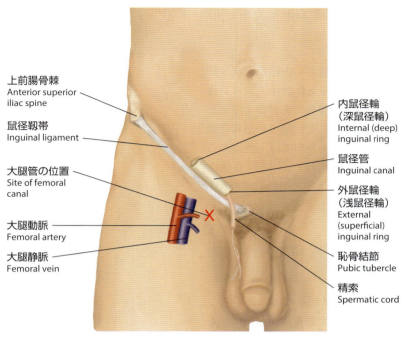

図 20-2　右鼠径部の解剖学的ランドマーク

腸管ループが鼠径管に入ると，鼠径ヘルニアが発生する。**間接(外)鼠径ヘルニア**は，精索が腹腔に入る内鼠径輪から脱出する。**直接(内)鼠径ヘルニア**は，鼠径管に脆弱な部位があるため，間接(外)ヘルニアよりも内側で発生し，息んだり，重いものを持ち上げる際に生じる。表 20-5「鼠径部付近のヘルニアにおける経過，位置，鑑別」を参照。

大腿静脈に置くと，薬指が位置するのが大腿管である。

大腿動脈 femoral artery は，鼠径靱帯の後ろから総大腿動脈として大腿部に入る。下肢から血液が還流される大腿静脈は，鼠径靱帯の下縁で外腸骨静脈となる。**大腿静脈 femoral vein** は大腿動脈より内側で伴走し，鼠径靱帯のすぐ後ろの**大腿鞘 femoral sheath** にある。

リンパ管

リンパ液は，陰茎からおもに深鼠径リンパ節や外鼠径リンパ節に向かって流れ込む。リンパ管は，陰嚢から浅鼠径リンパ節に流れる。精巣からのリンパ流は，静脈還流に並行する。左精巣静脈は左腎静脈に，右精巣静脈は下大静脈に流入する。腰リンパ節と腹部大動脈周囲リンパ節の接続部は腹腔内にあり，臨床的には確認できない。

陰茎，陰嚢，精巣に炎症性病変，または悪性病変の可能性がある場合は，鼠径リンパ節に腫脹や圧痛がないか注意深く診察する。リンパ節の詳細については，第 17 章「末梢血管系とリンパ系」(p.576)を参照。

男性の性的発達と機能

視床下部から分泌される**性腺刺激ホルモン放出ホルモン(GnRH)** が下垂体を刺激して，**黄体形成ホルモン(LH)** や**卵胞刺激ホルモン(FSH)** が分泌される。LH は間質の Leydig(ライディッヒ)細胞に働きかけ，**テストステロン testosterone** の合成を促進させる。標的組織でテストステロンが **5α-ジヒドロテストステロン(5α-DHT)** に変換される。5α-DHT は，思春期に，男性生殖器，前立腺，精嚢の成長を促し，髭や体毛，筋骨格系，変声に影響を与える喉頭の成長など，第二次性徴を促進す

る。FSHは，胚細胞や，**精細管 seminiferous tubule** にある Sertoli（セルトリ）細胞での精子の生成をコントロールしている。

男性の性機能は，正常レベルのテストステロン，内腸骨動脈から内陰部動脈・陰茎動脈（その分枝も）への適切な血流，そしてα-アドレナリン作動性・コリン作動性経路による正常な神経支配に依存する。陰茎海綿体の静脈の充血による勃起は，2種類の刺激から生じる。視覚，聴覚，性的な刺激は，上位脳中枢から脊髄のT11，L2レベルに交感神経刺激を生じさせる。接触による刺激は，性器からS2〜S4への反射弓や陰部神経を通る副交感神経回路へ感覚のインパルスを送る。この2つの刺激が，一酸化窒素 nitric oxide（NO）やサイクリック GMP（cGMP）のレベルを増加させ，局所の血管拡張につながると考えられる。

病歴：一般的なアプローチ

患者の性や性器について病歴を聞き出すことは，不快な話題となることもある。臨床医や指導者は「性の健康」について十分に教育する重要性を認識してはいるものの，訓練や臨床上の専門知識は限られている[1-5]。患者が病歴や症状について安心して正直に話せるように配慮することは，医療者として重要である。そのためには患者に敬意を払い，率直，中立，かつ繊細に質問していくことが重要である。繰り返し練習することで，診察技術や心地よさが向上するので，はじめはうまくいかなくても決して落ち込まないこと。性の健康に関する話の切り出し方に独自のスタイルを確立するには，辛抱強く自分自身および患者に接することが重要となる。これは，年齢，性的指向，性同一性，合併症，社会経済的要素，障害に関係なく，面接における重要な側面といえる。

よくみられる，または注意すべき症状

- 陰茎からの分泌物や病変，陰囊や精巣の痛み，腫脹や病変
- 性感染症（第6章「健康維持とスクリーニング」，p.184〜187 を参照）

陰茎からの分泌物や病変，陰囊や精巣の痛み，腫脹や病変

陰茎からの分泌物，漏れ，下着を汚してしまうことがあるか，などについてたずねる。分泌物があれば，量，色に加え，発熱，悪寒，皮疹など関連する症状についてもたずねるとよい。

淋菌（*Neisseria gonorrhoeae*）による感染では黄色の陰茎分泌物を探す。白色分泌物の場合，非淋菌性の**クラミジア尿道炎 chlamydial urethritis** である。表20-1「男性生殖器の性感染症（STI）」を参照。

播種性淋菌感染症では，発疹，腱滑膜炎（腱鞘炎），単関節性関節炎が起こり，髄膜炎にも至るが，泌尿器系の症状が常に伴うわけではない。

身体診察:一般的なアプローチ	異常例
陰茎の痛みや増殖する病変についてたずねる。	梅毒下疳やヘルペスによる潰瘍,ヒトパピローマウイルス human papillomavirus (HPV)による葉状の多発性疣贅を探す。
瘙痒感や強いかゆみについてたずねる。掻き傷から生じた表皮剥離を探す。	患者が強い瘙痒感を訴える際には,陰茎や陰部の表皮剥離を探して,疥癬やケジラミ症(シラミ,つまり毛じらみ)を疑う。
陰嚢や精巣に腫脹や痛みがないかたずねる。	ムンプス精巣炎・陰嚢水腫・精巣癌による陰嚢腫脹,および精巣捻転・精巣上体炎・精巣炎による痛みを探す。
	表20-2「陰茎と陰嚢の異常」,表20-3「精巣の異常」を参照。

性感染症

性器症状の既往,ヘルペスや淋病,梅毒の既往歴についてもたずねる。	リスクの高い性活動(多数のパートナーの存在,コンドームを用いない性行為),違法薬物の使用,性感染症の既往歴のある男性では,HIV感染や他の性感染症のリスクが増加する。
性感染症は身体の他部位でも発症するので,患者に以下のように説明する。「性感染症は性行為を行った身体部位で発症します。ですので,過去3カ月間にどのような性行為を行ったのかを知ることが重要です。アナル・ヴァギナ・オーラルいずれのセックスをしましたか?」	口腔-陰茎の感染には,淋菌,クラミジア属,梅毒,ヘルペスなどがある。症候性あるいは無症候性の直腸炎は,アナルセックス後に生じることがある。
咽頭痛,下痢,直腸出血,肛門の瘙痒感や痛みについても確認してみる。	
感染した人の多くは,症状がなかったり,危険因子を有していないので,すべての患者に質問するのがよい。「HIV感染について心配はありませんか?」その後,**HIVに対する標準的な検査**の必要性について説明すること[6-10]。	第3章「病歴」(p.98〜101),性行動歴の項にある性の健康についての質問を確認する。
他の全身性疾患だけでなく,発熱や排尿時痛,発疹,関節の痛み(関節痛または関節炎),結膜炎などの他の症状も探す。	男性の発熱と排尿時痛は,急性前立腺炎,急性腎盂腎炎,播種性淋菌感染症,梅毒,または閉塞性尿路感染症を示唆する。特徴的な発疹は,反応性関節炎,淋菌性血流感染,第2期梅毒でみられる。全身性播種性淋菌感染症では関節痛がみられる。結膜炎は,反応性関節炎を示唆する。

身体診察:一般的なアプローチ

多くの学生はトレーニングを開始するときに,男性生殖器の診察について難しいと感じているかもしれない。どのようにして患者に接すればよいか? 私に診察させてくれるのだろうか? 診察中に勃起してしまったらどうする? これから

診察の技術

行う診察についてステップごとに説明する。そうすることで患者は安心し，これから行われるであろうことが理解できる。診察の介助を助手に依頼してもよい。ときに勃起してしまったら，これは正常な反応であると説明し，診察を中止し，冷静な態度で対応する。もし患者が診察を拒否することがあれば，なぜ拒否しているのか，その理由を明らかにする。

性器の診察中，患者は立位か座位のいずれかとなるが，常に診察する部位だけを露出し，患者を不快な思いにさせないようにする。例えば，仰臥位では，ガウンで胸部と腹部を覆う。ドレープは大腿部に置く。性器や鼠径部を露出させ，診察時は常にグローブを付ける。若年者を診察するときには，より正確な診察所見を記載できるように，性成熟度を評価することが重要である。

第25章「小児：新生児から青年期まで」の「Tanner 性成熟段階」(p.1071)を参照

診察の技術

男性生殖器診察の重要項目

- 皮膚，包皮，亀頭（潰瘍，瘢痕，結節，炎症）を視診する
- 尿道口（分泌物）を視診し，必要に応じて亀頭まで露出させて，陰茎を絞る
- 陰茎（硬さ，軟らかさ）を触診する
- 陰嚢の皮膚，陰毛，輪郭（病変，腫脹，静脈，腫瘤，非対称性）を視診する
- 精巣上体や精索（位置，大きさ，形状，滑らかさ，対称性，軟らかさ，腫瘤，結節）を含めて左右の精巣を触診する
- 必要に応じて特別な診察を行う
  - 鼠径ヘルニアを評価する
    - 鼠径部の膨隆を視診する
    - 鼠径ヘルニア〔直接（内）または間接（外）〕を触診する
    - 大腿ヘルニアを触診する
  - 精巣の大きさを評価する

陰茎

視診

陰茎の視診には以下の項目を含める。

- **皮膚**。陰茎の腹側部と背側部の表面や陰茎基部の皮膚に表皮剥離や炎症がないか，必要に応じて持ち上げながら，視診を行う。

表20-2「陰茎と陰嚢の異常」を参照。

陰部や性器の表皮剥離は，陰嚢に**ケジラミ症**，あるいは疥癬を示唆することもある。

診察の技術

- **包皮**。包皮に覆われている場合は亀頭を露出させるか，患者自身にしてもらう。このステップは，下疳や癌を発見するのに重要である。恥垢はチーズ状で，白色であり，通常は包皮下にたまっている。

- **亀頭**。潰瘍，瘢痕，結節，炎症徴候を探していく。

- **尿道口**。尿道口の位置を視診する。

示指を上に母指を下にして，やさしく亀頭をつまむ(図20-3)。この手技で尿道口を開口させ，分泌物が自然に流出するのをみることができる。正常な場合，何も出ない。

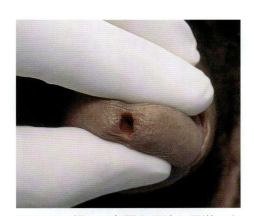

図 20-3 優しく亀頭を圧迫し尿道口を視診する

診察ではみられなかった尿道分泌物について患者が話した場合，陰茎の基部から亀頭までを露出させ，搾ってみる。あるいは，患者自身に行ってもらう。この手技により，分泌物を尿道口の外に出して，適切な検査に出すことができる。スワブやスライドガラス，培養セットを準備しておく。

触診

母指と示指・中指で挟んで**陰茎を触診し**，硬結に注意する。陰茎に何か異常をみつけたら，硬結や圧痛に注意する。

包皮を反転させる必要がある場合は，陰嚢の診察をはじめる前に行うこと。

異常例

包茎 phimosis は，包皮が反転せず，亀頭が露出しない状態。**嵌頓包茎 paraphimosis** は包皮が亀頭を締め付けている状態で，包皮を剥いたら戻らない。浮腫が生じる。

亀頭炎 balanitis，**亀頭包皮炎 balanoposthitis**。

尿道下裂 hypospadia とは尿道口が腹側へ開口する先天的位置異常であり(p.703 を参照)，**尿道上裂 epispadias** は背側へ開口する先天的位置異常である。

化膿性で，混濁した，黄色の分泌物は**淋菌性尿道炎 gonococcal urethritis** を示唆することがある。白色や透明の少量の分泌物は**非淋菌性尿道炎 non-gonococcal urethritis** を示唆しうる。分泌物の性状は有用な手掛かりではあるが，確定診断には不十分。確定診断には Gram(グラム)染色と培養が必要である。

陰茎の背側部に，**Peyronie(ペイロニー)病**の結節が，左右の陰茎海綿体と皮膚の間で触知される。

尿道狭窄は，近位尿道で最も多く発生するが，陰茎の腹側部に沿って硬結や硬い部位があれば，尿道狭窄を，もしくは腫瘍の可能性を示唆する。

| 診察の技術 | 異常例 |

陰嚢と陰嚢内容物

視診

陰嚢の視診には以下の項目を含める。

- **皮膚**。陰嚢を持ち上げると後側をみることができる。いかなる病変や瘢痕にも注意すること。陰毛の分布を視診する。

- **陰嚢の外観**。腫脹，しこり，静脈，膨隆，左右非対称性を視診する。

- **鼠径部**。紅斑，表皮剥離，目にみえるリンパ節腫脹を確認する。

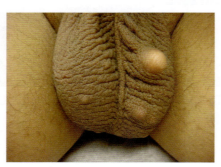

図 **20-4** 良性陰嚢類表皮嚢胞（出典：Goodheart H, Gonzalez M. *Goodheart's Photoguide to Common Pediatric and Adult Skin Disorders*. 4th ed. Wolters Kluwer; 2016, Fig. 30-28. より）

表 20-2「陰茎と陰嚢の異常」を参照。

視診により，陰嚢母斑，血管腫，毛細血管拡張に加えて，性感染症（STI）であるコンジロームや，ヘルペスや軟性下疳（有痛性），梅毒，鼠径リンパ肉芽腫（無痛性）から生じる潰瘍性病変がみられ，鼠径リンパ節腫脹を伴うことがある[11]。

片側または両側の陰嚢発達不全は，**停留精巣 cryptorchidism** を示唆する。頻度の高い陰嚢腫脹では，間接（外）鼠径ヘルニア，陰嚢水腫（精巣水瘤），陰嚢浮腫，まれに精巣癌が考えられる。

紅斑や軽度の表皮剥離が，真菌感染を示唆するが，こうした湿度の高い部位では珍しくない。

陰嚢には，ドーム型の，白色あるいは黄色の丘疹や小結節がある。それらは，落屑化した濾胞上皮のケラチンで充満した濾胞で形成されている。類表皮嚢胞はよくみられ，しばしば多発性の，良性腫瘍である（図20-4）。

触診

片手で診察する場合は，それぞれの**精巣と精巣上体**を母指と他の2本の指で挟んで触診する（図20-5）。両手の診察では，両方の母指と他の指先で左右の精巣を包み込む。陰嚢を包む両手の位置は変えずに，ゆっくりと片手の指先から，もう一方の手に前後させながら陰嚢を移動させて，陰嚢の内容物を触診する。この手技は患者にとって心地よく，絶妙にコントロールされた正確さを要する診察といえる。精巣はしっかりとしているが，硬さはなく，下降し，対称性，無痛で，腫瘤はみられない[11]。

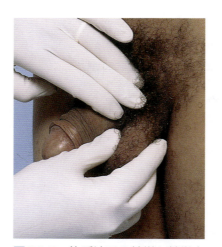

図 **20-5** 片手法での精巣と精巣上体の触診

表 20-3「精巣の異常」，表 20-4「精巣上体と精索の異常」を参照。

圧痛のある陰嚢腫脹では，急性精巣上体炎，急性精巣炎，**精巣捻転 testicular torsion**，絞扼性鼠径ヘルニアが考えられる。

UNIT II　第20章　男性生殖器

特殊な技術

- 左右の精巣で，サイズや形状，滑らかさや軟らかさを評価する。結節の有無を確認する。精巣を圧迫すると通常，深部臓器痛が生じる。

- 不快に感じるような強い圧をかけないように，左右の精巣の後面にある精巣上体を触診する。通常，軟らかさはない。精巣上体は，結節状や索状として触知するが，異常な腫瘤と間違えないように注意すること。

- 精管を含む精索の触診は母指と他の指を使って，精巣上体から外鼠径輪まで行う（図20-6）。精管はやや硬く，管状に感じられ，精索に伴走する血管とは区別がつきやすい。

異常例

精巣にある無痛性結節は，精巣癌の可能性が高い。精巣癌は15〜34歳に多い癌で，治癒可能である。精巣からのリンパ流は，腎静脈や下大静脈からの後腹膜静脈に沿って伴走しており，精巣癌のリンパ節転移の原発部位であることを覚えておく（p.700を参照）。リンパ流は，静脈還流に伴走する。

精管は，慢性的な感染があると肥厚し，ビーズ状になる。精索内の囊胞性病変は精索水腫を示唆する。

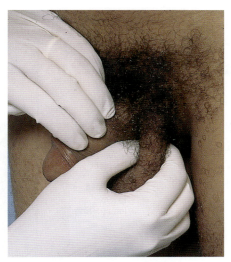

図20-6　精索の触診

特殊な技術

鼠径ヘルニアの評価

鼠径部のヘルニア（鼠径ヘルニアまたは大腿ヘルニア） を発症する生涯リスクは男性で約25%，女性で5%未満である。そのうち，約96%は鼠径ヘルニアで，4%が大腿ヘルニアである。ただし，高齢女性（発症年齢の中央値は60〜79歳）でより頻繁に発症する大腿ヘルニアは，ヘルニアの内容物がヘルニア囊に**嵌頓**し，虚血や壊死（**絞扼**）を生じるリスクが高いため，高い割合で緊急手術になる[12]。

鼠径部のヘルニアを診察するには，立位で行うのが最適であるが，仰臥位でも行うことはできる。いずれの体位でも，診察の手法や手の位置は同じである。

以下の手法は立位の場合に適用されるが，診察者の好みに応じ，仰臥位でも同じように行える。

特殊な技術

視診

診察者は必要に応じて介助者を伴い、患者の前にリラックスして座り、患者を立位にして、鼠径部と生殖器にふくらみや非対称性がないか視診する。

触診

以下の手法を用いて、**鼠径ヘルニアを触診する**。患者は立位のまま、引き続き患者の対面で行う。

- 両側の鼠径ヘルニア（図 20-7）を診察するには、利き手の示指の指先を陰嚢の前下縁に置き、精巣表面を触れながら、指および手を外鼠径輪に向かって上方へ動かし、陰茎基部の隣で恥骨周囲の脂肪下に陰嚢の皮膚ごと押し込む。

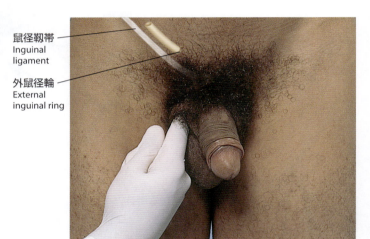

図 20-7　右鼠径ヘルニアの診察では、外鼠径輪に向かって陰嚢の皮膚ごと押し込む

- 鼠径靱帯まで上向きに精索をたどっていく。恥骨結節の真上かつ外側にある外鼠径輪の三角形のスリット状の開口部をみつける。外鼠径輪とその底面を触れる。患者に咳をしてもらい、咳の最中に、静止した指に対して、膨隆や腫瘤が動くかを触診する。

異常例

ふくらみは鼠径ヘルニアを示唆する。女性の鼠径ヘルニアは、目にみえるほどではないことが多い[12]。

大腿ヘルニアは、一般的に鼠径靱帯よりも下方で、大腿動脈よりも内側に生じることが最も多い[12]。

表 20-5「鼠径部付近のヘルニアにおける経過、位置、鑑別」を参照。

外鼠径輪近くのふくらみは、**直接(内)鼠径ヘルニア direct inguinal hernia** を示唆する。内鼠径輪近くの場合、**間接(外)鼠径ヘルニア indirect inguinal hernia** である。

専門家であっても、ヘルニアの種類を見分けるのは難しく、それぞれ感度 74%、特異度 96% だといわれている。鼠径部の超音波検査は、臨床的に疑わしい症例には特に有用である[13]。

表 20-5「鼠径部付近のヘルニアにおける経過、位置、鑑別」を参照。

特殊な技術	異常例

- 外鼠径輪は大きいので，内鼠径輪に向かう鼠径管に斜めに沿って触れることができる。もう一度，咳をしてもらう。鼠径管を降りてくるふくらみを確認し，指先で触れてみる。

ヘルニアは，特に症候性であったり，嵌頓している場合には，外科的評価を要する[14, 15]。嵌頓ヘルニアである可能性は低く，年間0.3〜3.0％と推計され，間接(外)鼠径ヘルニアでは通常，10倍の発生となる[13, 16]。

- 同じ利き手を使って同様に両側の診察を行う。

鼠径ヘルニアを疑うが，臥位になっても自然に腹部に戻らなければ，指に力を入れつつやさしく戻す。**腫瘤に圧痛がある場合や，患者に悪心・嘔吐がある場合，この手技は行わないこと。**

ヘルニアの内容物が腹腔内に戻らない場合は，**嵌頓ヘルニア incarcerated hernia** であり，嵌頓した腸への血流が障害された場合は，**絞扼性ヘルニア strangulated hernia** である。圧痛，悪心・嘔吐があれば絞扼性ヘルニアを疑い，外科的処置を考慮すること[17]。

表20-5「鼠径部付近のヘルニアにおける経過，位置，鑑別」を参照。

- 陰嚢内腫瘤の上部に指を置くことができるか？

腫瘤の上に指を置くことができれば，ヘルニアではない可能性があり，**陰嚢水腫**の存在を疑うべきである。

- 患者を立位にして，精巣から約2cm上で精索を触診する。息を止め，声帯を閉じて約4秒間息んでもらうValsalva(バルサルバ)手技。

診察中，精索の直径が一時的に大きくなるのは，精巣から流れる静脈が充満し精索が異常に拡張しており，**精索静脈瘤 varicocele** を示唆する。

- 陰嚢の腫脹は，**透光性**によっても評価できる。部屋を暗くして，強い光源を陰嚢の後ろにあてると，腫瘤が囊胞状(光が赤く輝いたまま透けてみえる)，または固形状(腫瘤で光が遮断される)であるのがわかる。

陰嚢腫瘤の透光性は，陰嚢水腫と鼠径ヘルニアを区別するのに役立つ。血液や組織を含んでいる正常な精巣，腫瘍，多くのヘルニアは，透光性をもたない。

大腿前面の大腿管内側に指を置いて，**大腿ヘルニアを触診する**。大腿の上方で拍動を感じる部位に置き，恥骨結節へ向かって内側に移動させる。再度，患者に息んだり，咳をしてもらう。いかなる腫脹や圧痛にも注意すること。

陰嚢腫瘤を評価する。陰嚢腫瘤がみられ，鼠径部のヘルニアの可能性を評価するには，仰臥位になってもらう。腫瘤が自然に腹部に戻って消失(**縮小**)するならば，間接(外)鼠径ヘルニアの可能性がある。患者はしばしば，普段横になると腫瘤がどうなるかを話してくれたり，どうやって自分で戻すかまで実演してくれることもある。

精巣自己検診の指導

精巣癌は一般的ではない。男性約 250 人に 1 人が，一生涯のある時点で精巣癌を発症する[18]。米国予防医療専門委員会 U.S. Preventive Services Task Force（USPSTF）は，無症状の思春期男子や成人男性の精巣癌スクリーニングに対して反対を表明している（グレード D）[19]。米国癌協会 American Cancer Society（ACS）はスクリーニングに定期的な精巣の自己検診を推奨していないものの，男性には精巣癌を意識して，精巣にしこりをみつけた場合は，すぐに医療機関を受診するようすすめている。その一方で，医療者は，特にリスクの高い患者には，患者の健康意識やセルフケアを高めようと精巣の自己検診を指導しようとするかもしれない。Box 20-1 では自己検診の方法を記載している[20]。

高リスク患者には精巣癌の危険因子を確認する。危険因子は停留精巣（停留した精巣で精巣癌のリスクが高い），対側精巣での癌の既往歴，ムンプス精巣炎，鼠径ヘルニア，小児期の陰嚢水腫，家族歴など。

Box 20-1　精巣自己検診

入浴またはシャワー後に，行うのが最もよい[20, 21]。陰嚢の皮膚が暖かく，緩くなるからである。立ったままで行うのが最適である

- 鏡の前に立って，陰嚢の皮膚に腫脹がないか調べる
- 陰茎をずらして，陰嚢にやさしく触れてから，精巣に移り，精巣を 1 つずつ診察する
- 片手で精巣を安定させ，もう片方の手の指と親指を使って，指の間で精巣をしっかりと，しかしやさしく触れて，転がす。表面全体を触れていく。精巣上体をみつける。精巣の背面にある軟らかい管のようなもので，精液を集めて運ぶためのものであり，異常な腫瘤ではない。もう一方の精巣と精巣上体を同様に診察する
- 硬いしこり，精巣の消失・拡大，痛みを伴う陰嚢の腫脹，あるいは正常とは思えないような異常をみつけた場合，躊躇せずに，すぐに医療機関を受診すべきである

ACS は以下のように指摘している。「一方の精巣が，もう一方の精巣よりも若干大きく，やや下方に降りているのは正常である。正常な精巣には細い コイル状の管（精巣上体）が小さな瘤のように精巣の上方または中央外側についていることも知っておいてほしい。また，正常な精巣には，血管，支持組織，精子を運搬する精管も存在する。はじめはこの精巣上体を異常なしこりと勘違いする人もいる。不安があるなら，かかりつけ医や医療者に相談してほしい」

所見の記録

所見を記録する際，最初は文章を用いるかもしれないが，慣れてくれば慣用的な記述を用いるようになる。多くの診察録によく用いられる表現法を以下に示す。

健康増進とカウンセリング：エビデンスと推奨

男性生殖器診察の記録

割礼あり．陰茎分泌物や病変なし．陰嚢の腫脹や変色なし．精巣は両側性に下垂，滑らか，腫瘤なし．精巣上体に圧痛なし．鼠径ヘルニア，大腿ヘルニアなし

または

割礼なし．包皮は容易に反転可．陰茎分泌物や病変なし．陰嚢の腫脹や変色なし．精巣は両側性に下垂．右精巣は滑らか．左精巣側面に1×1 cm大の硬い結節あり，可動性なし，無痛．精巣上体に圧痛なし．鼠径ヘルニア，大腿ヘルニアなし

異常例

これらの所見は**精巣癌 testicular cancer**を疑う．

健康増進とカウンセリング：エビデンスと推奨

健康増進とカウンセリングの重要事項

- 精巣癌

精巣癌

2018年に推定9,310人の米国男性が精巣癌と診断されたが，約400人の死亡が予測された[16, 21]．精巣癌はまれであるが，20～34歳の白人男性では最も診断されることの多い癌で，白人男性の診断リスクは，黒人男性の5倍，アジア系やアメリカ先住民の男性の3倍にもなる．ヒスパニック系・ラテン系男性のリスクは，白人男性とアジア系男性の間である[19]．主要な精巣癌の危険因子は停留精巣で，癌リスクが3～17倍に増大する[22]．他の危険因子は，家族歴，Klinefelter（クラインフェルター）症候群，HIV感染である．約70%の精巣癌は診断時点で局所性であり，進行した段階でみつかったとしても，ほとんどが治癒可能である．2011年，USPSTFは，検診や自己検診によるスクリーニングでの健康上の有効性はないだろうと結論づけており，無症状の思春期男子や成人男性に対する精巣癌のスクリーニングについて反対の意思を表明している（グレードD）[18]．対して，米国癌協会（ACS）は，一般的な身体診察の1つとして，精巣癌の診察を支持している[23]．ACSは，定期的な精巣自己検診を推奨してはいないが，以下の場合には医師の診察を受けるよう推奨している．左右どちらかの精巣での無痛性のしこりや腫脹・肥大，精巣や陰嚢の痛みや違和感，乳房の成長や痛み，下腹部や鼠径部に重みや鈍痛を感じるとき[21]．

性感染症，HPV，HIVのスクリーニング，性行動のカウンセリングについては，第6章「健康維持とスクリーニング」（p.184～187）を参照．

表 20-1　男性生殖器の性感染症（STI）

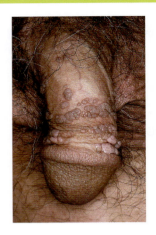

性器疣贅（尖圭コンジローマ）
- **外観**：単一または多発するさまざまな形の丘疹やプラークで，円形，尖形（とげ状），薄型，細長い形がある。隆起したり，扁平化したり，カリフラワー状（疣状）にもなる
- **原因菌**：ヒトパピローマウイルス（HPV），通常はサブタイプ 6 型，11 型。発癌性のサブタイプはまれで，すべての肛門性器部疣贅のおよそ 5～10％程度である。数週間から数カ月間の**潜伏期**があり，感染部位には疣贅がみられない
- 陰茎，陰嚢，鼠径，大腿，肛門に発生する。通常は無症候性であるが，瘙痒感や痛みが生じることもある
- 治療なしで消失することもある

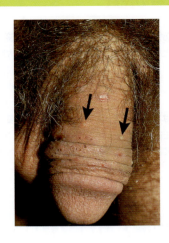

性器ヘルペス
- **外観**：亀頭や陰茎に，小さく散在または集積している小水疱（1～3 mm）。水疱の膜が破れている場合には，びらんとしてみられる
- **原因菌**：通常，2 本鎖 DNA ウイルスである**単純ヘルペスウイルス herpes simplex virus（HSV）2 型**が原因となって生じる（全体の 90％）。曝露後，2～7 日間の**潜伏期**がある
- 初期経過は無症候性のこともある。再発時も通常，痛みが少なく，短期間の症状であったりする
- 発熱，倦怠感，頭痛，関節痛を伴う。局所的な疼痛や浮腫，リンパ節腫脹もみられる
- 帯状疱疹（通常，皮膚分節に沿って生じ，高齢者に多い），**カンジダ症 candidiasis** による白癬との鑑別が必要である

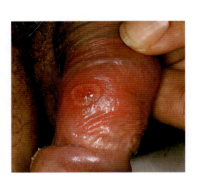

第 1 期梅毒
- **外観**：赤色の小丘疹が現れ，最大で直径 2 cm の下疳あるいは無痛性びらんとなる。潰瘍面は，きれいで，赤色かつ平坦で，キラキラ光っている。辺縁は隆起していて，硬い。3～8 週間で治癒する
- **原因菌**：スピロヘータの梅毒トレポネーマ（*Treponema pallidum*）。曝露後 9～90 日間の**潜伏期**がある
- 7 日以内に鼠径リンパ節腫脹となり，リンパ節が弾性，無痛性，可動性に腫脹する
- 20～30％の患者では，下疳がまだ残っている間に（HIV 感染の併発を示唆する），第 2 期梅毒に進行する
- 性器ヘルペス，軟性下疳，クレブシエラ・グラヌロマティス *Klebsiella granulomatis* による鼠径肉芽腫（米国ではまれであり，4 つの亜型があり同定は難しい）との鑑別が必要である

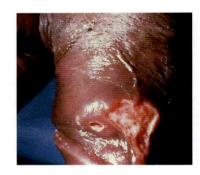

軟性下疳
- **外観**：赤色の丘疹や小膿疱が最初に生じ，凹凸のある軟かい辺縁を有する，深い有痛性潰瘍になる。壊死性の滲出物を含み，潰瘍面はもろい
- **原因菌**：嫌気性グラム陰性桿菌の軟性下疳菌（*Haemophilus ducreyi*）。曝露後 3～7 日間の**潜伏期**がある
- 有痛性の鼠径リンパ節腫脹となり，患者の 25％は化膿性リンパ節腫脹となる
- 第 1 期梅毒，性器ヘルペスや，鼠径リンパ肉芽腫，*K.granulomatis* による鼠径肉芽腫（2 つの肉芽腫とも米国ではまれ）との鑑別が必要

表 20-2　陰茎と陰嚢の異常

尿道下裂
尿道が陰茎の下表面に開口する先天的位置異常である。尿道口は亀頭冠の下部，陰茎部，陰茎と陰嚢の接合部（陰茎陰嚢部）に開いている

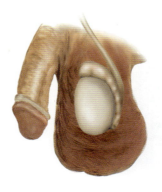

陰嚢浮腫
圧痕浮腫で，陰嚢皮膚が緊満する。心不全，肝不全やネフローゼ症候群でみられる

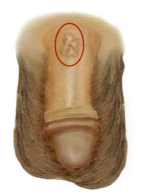

Peyronie 病
通常，陰茎背側に沿って，無痛性の硬い結節が皮下に触知できる。陰茎弯曲，勃起痛を訴える

腫瘤を指で上から触れることができる

陰嚢水腫（精巣水瘤）
無痛性で，精巣鞘膜内の液体に満ちた腫瘤である。透光性で，陰嚢内で腫瘤上に指を入れて触診できる

陰茎癌
硬い結節や潰瘍として認められ，通常は無痛性である。割礼を受けていない男性にほぼ限られており，包皮に覆われていることもある。持続する陰茎痛があれば，癌を疑う

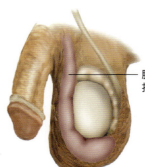

腫瘤上に指が入らない

陰嚢ヘルニア
通常，間接（外）鼠径ヘルニアである。外鼠径輪を貫いて突き出る。陰嚢内で腫瘤上に指を入れて診察できない

表 20-3　精巣の異常

停留精巣
精巣は委縮して，陰嚢の外側で鼠径管内や腹腔内，恥骨結節近傍にとどまり，先天的な精巣欠損もみられる。陰嚢内部には精巣も精巣上体も触れない。停留精巣は，外科的治療を行っても，精巣癌のリスクを著しく高める[24]

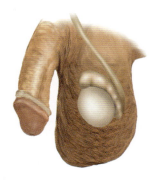

小さな精巣
成人サイズは通常，3.5 cm 以下である。通常 2 cm 以下の小さく硬い精巣は Klinefelter 症候群を示唆する。小さく軟らかい精巣は，肝硬変，筋強直性ジストロフィ，エストロゲンの使用，下垂体機能低下症でみられる精巣萎縮を示唆する。また重度の精巣炎の後にみられることもある

急性精巣炎
精巣が急性に炎症を起こし，痛み，圧痛があり，腫脹する。精巣上体と区別するのは難しい。陰嚢が赤くなる。流行性耳下腺炎（ムンプス）や他のウイルス感染症でみられるときは通常，片側性である

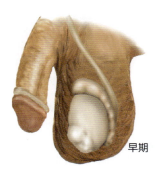

早期

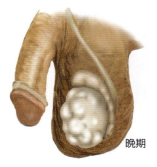

晩期

精巣癌
通常，無痛性結節として生じる。精巣内に結節がある場合は必ず，悪性腫瘍を疑い，精査を進める

精巣の悪性新生物が増大して広がると，臓器全体を侵す。精巣は正常より重く感じる

| 表 20-4 | 精巣上体と精索の異常 |

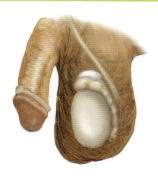

精液水瘤と精巣上体嚢胞
精巣上部にある，無痛性で可動性の腫瘤は，精液水瘤や精巣上体嚢胞を示唆する．どちらも透光性がある．精液水瘤では精液を貯留し，精巣上体嚢胞では精液は貯留していないが，臨床的には区別できない

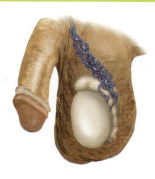

精索静脈瘤
精索静脈瘤は重力によって生じる精索の静脈瘤であり，通常左側にみられる．精巣の上に位置する精索内に「ミミズが入っている袋」のような軟らかな感触があり，顕著な場合，陰嚢皮膚の輪郭が曲がっているようにみえる．精索静脈瘤は仰臥位で消失するので，診察時は仰臥位と立位で行う必要がある．精索静脈瘤が仰臥位で消失しなければ，腹腔内での左精巣静脈閉塞を疑う

急性精巣上体炎
急激に炎症を起こした精巣上体は硬く腫脹し，明らかな圧痛を伴い，精巣と区別することは難しい．陰嚢は発赤し，精管にも炎症がみられる．原因として，淋菌 (*Neisseria gonorrhoeae*)，クラミジア・トラコマティス *Chlamydia trachomatis* (若年者)，大腸菌 (*Escherichia coli*)，緑膿菌 (高齢成人) による感染，また外傷，自己免疫性疾患がある．泌尿器系の症状がなければ，尿検査では陰性であることが多い

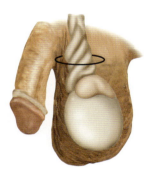

精巣捻転
精索で精巣の捻転・回転が起こると，陰嚢内で精巣がしばしば上部に牽引され，急性の痛み，圧痛，腫脹が生じる．精巣挙筋反射は，精巣捻転の男児や男性での患側でほとんどみられない．診断が遅れると，陰嚢の発赤と浮腫がみられる．尿路感染との関連はない．精巣捻転は新生児期や青年期で最も一般的であるが，すべての年代で発生する．循環障害をきたした緊急症例であり，外科への紹介が至急必要となる

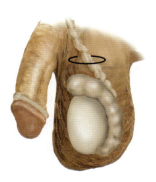

結核性精巣上体炎
結核の慢性炎症により，精巣上体が硬く腫脹する．精管の肥厚やビーズ状変化を伴い，圧痛を感じることもある

表 20-5　鼠径部付近のヘルニアにおける経過，位置，鑑別

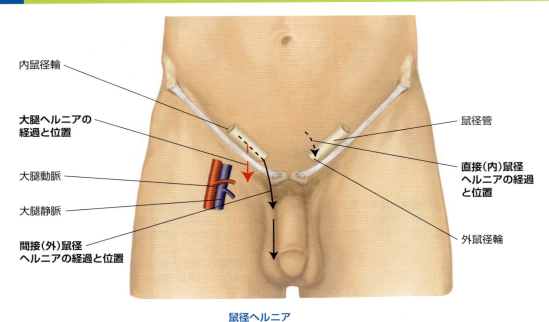

	鼠径ヘルニア		大腿ヘルニア
	間接（外）	直接（内）	
	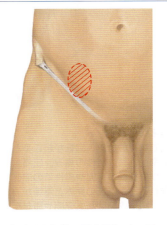		
頻度，年齢，性別	すべての年代，男女問わず，最も多くみられる。小児で多く，成人でもみられることがある	多くはない。40歳以上の男性で多い。女性ではまれ	非常にまれ。男性より女性に多い
発生ポイント	鼠径靱帯上方，中点付近（内鼠径輪）	鼠径靱帯上方，恥骨結節に近い（外鼠径輪の近傍）	鼠径靱帯下方，鼠径ヘルニアよりも外側に生じる。硬くなるとリンパ節と区別できる
経過（咳または息んでもらって鼠径管を指で診察）	陰嚢内に，しばしば脱出　ヘルニアが鼠径管内に下降し，指先に触知する	陰嚢内に，まれに脱出　ヘルニアは前方に膨隆し，指の横腹に触知する	陰嚢内には，決して脱出しない　鼠径管には，何も触知しない

文献一覧

1. Turner D, Driemeyer W, Nieder T, et al. How much sex do medical students need? A survey of the knowledge and interest in sexual medicine of medical students. *Psychother Psychosom Med Psychol*. 2014; 64: 452-457.
2. Lapinski J, Sexton P. Still in the closet: the invisible minority in medical education. *BMC Med Educ*. 2014; 14: 171.
3. Moll J, Krieger P, Moreno-Walton L, et al. The prevalence of lesbian, gay, bisexual, and transgender health education and training in emergency medicine residency programs: what do we know? *Acad Merg Med*. 2014; 21: 608-611.
4. Sack S, Drabant B, Perrin E. Communicating about sexuality: an initiative across the core clerkships. *Acad Med*. 2002; 77: 1159-1160.
5. Rutherford K, McIntyre J, Daley A, et al. Development of expertise in mental health service provision for lesbian, gay, bisexual and transgender communities. *Med Educ*. 2012; 46: 903-913.
6. Centers for Disease Control and Prevention. 2015 Sexually transmitted diseases treatment guidelines. Updated January 25, 2017. Available at https://www.cdc.gov/std/tg2015/default.htm. Accessed July 29, 2018.
7. Final recommendation statement: Chlamydia and gonorrhea: Screening. U.S. Preventive services task force. December 2016. Available at https://www.uspreventiveservicestaskforce.org/Page/Document/RecommendationStatementFinal/chlamydia-and-gonorrhea-screening. Accessed July 29, 2018.
8. Final update summary: Human Immunodeficiency Virus (HIV) Infection: Screening. U.S. Preventive services task force. September 2016. Available at https://www.uspreventiveservicestaskforce.org/Page/Document/UpdateSummaryFinal/human-immunodeficiency-virus-hiv-infection-screening. Accessed July 29, 2018.
9. Skarbinski J, Rosenberg E, Paz-Bailey G, et al. Human Immunodeficiency virus transmission at each step of the care continuum in the United States. *JAMA Intern Med*. 2015; 175: 588-596.
10. Meanley S, Gale A, Harmell C, et al. The role of provider interactions on comprehensive sexual healthcare among young men who have sex with men. *AIDS Educ Prev*. 2015; 27: 15-26.
11. Montgomery JS, Bloom DA. The diagnosis and management of scrotal masses. *Med Clin North Am*. 2011; 95: 235-244.
12. McIntosh A, Hutchinson A, Roberts A, et al. Evidence-based management of groin hernia in primary care — a systematic review. *Fam Pract*. 2000; 17(5): 442-447.
13. van den Berg JC, de Valois JC, Go PM, et al. Detection of groin hernia with physical examination, ultrasound, and MRI compared with laparoscopic findings. *Invest Radiol*. 1999; 34(12): 739-743.
14. Miserez M, Peeters E, Aufenacker T, et al. Update with level 1 studies of the European Hernia Society guidelines on the treatment of inguinal hernia in adult patients. *Hernia*. 2014; 18: 151-163.
15. Kraft BM, Kolb H, Kuckuk B, et al. Diagnosis and classification of inguinal hernias. *Surg Endosc*. 2003; 17: 2021-2024.
16. Siegel RL, Miller KD, Jemal A. Cancer statistics, 2018. *CA Cancer J Clin*. 2018; 68(1): 7-30.
17. Simons MP, Aufenacker T, Bay-Nielsen M, et al. European Hernia Society guidelines on the treatment of inguinal hernia in adult patients. *Hernia*. 2009; 13: 343-403.
18. U.S. Preventive Services Task Force. Screening for testicular cancer: U.S. Preventive Services Task Force reaffirmation recommendation statement. *Ann Intern Med*. 2011; 154(7): 483-486.
19. Noone AM, Howlader N, Krapcho M, et al., eds. *SEER Cancer Statistics Review*. Bethesda, MD: National Cancer Institute; 1975-2015. Available at https://seer.cancer.gov/csr/1975_2015/, based on November 2017 SEER data submission, posted to the SEER website, April 2018. Accessed July 29, 2018.
20. U.S. National Library of Medicine, National Institutes of Health. Medlineplus — Testicular self-exam. Updated August 26, 2017. Available at http://www.nlm.nih.gov/medlineplus/ency/article/003909.htm. Accessed July 29, 2018.
21. American Cancer Society. Key statistics for testicular cancer. Updated May 17, 2018. Available at https://www.cancer.org/cancer/testicular-cancer/about/key-statistics.html. Accessed July 29, 2018.
22. PDQ® Screening and Prevention Editorial Board. *PDQ Testicular Cancer Screening*. Bethesda, MD: National Cancer Institute. Updated March 7, 2018. Available at: https://www.cancer.gov/types/testicular/hp/testicular-screening-pdq. Accessed on July 29, 2018.
23. American Cancer Society. Available at https://www.cancer.org/cancer/testicular-cancer/detection-diagnosis-staging/detection.html. Updated May 17, 2018. Accessed on July 29, 2018.
24. Kolon TF, Herndon CD, Baker LA, et al; American Urological Association. Evaluation and treatment of cryptorchidism: AUA guideline. *J Urol*. 2014; 192: 337-345.

本章の学習効果を高め，理解を助けるために一連の補助教材がある。

- 『ベイツ診察法ポケットガイド第4版』
  Bates' Visual Guide to Physical Examination
- thePoint® online resources, for students and instructors:
  http://thepoint.lww.com

第21章 女性生殖器

解剖と生理

まず，女性の外陰と骨盤内臓器の解剖学的構造を確認する。

外陰

外陰 vulva とは，体表に露出している女性生殖器の総称である（図 21-1）。外陰は，**恥丘 mons pubis**（恥骨結合 symphysis pubis 上にある毛髪で覆われた脂肪分），**大陰唇 labia majora**（腟の外唇を形成する脂肪組織の丸い襞），**小陰唇 labia minora**（前方に向かって**包皮 prepuce** を形成する内唇。ピンク色〜赤色の薄い襞），**陰核 clitoris** から構成され，**腟前庭 vestibule**（前方の**尿道口 urethral meatus** と後方の**腟口 introitus** を取り囲む小陰唇の間にある舟形のくぼみ）も含む。腟口は**処女膜 hymen** により部分的に閉鎖していることがある。**会陰 perineum** という用語は，腟口と**肛門 anus** の間の組織を指す。

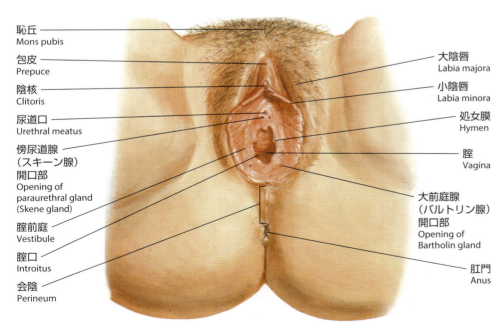

図 21-1　砕石位での女性の外陰

| 解剖と生理 | 異常例 |

大前庭腺〔Bartholin（バルトリン）腺〕開口部は，腟口後方両側に位置するが，Bartholin 腺自体はより深部にあるため常に視認できるわけではない（図 21-2）。尿道口すぐ後方の両側には，傍尿道腺〔（Skene（スキーン）腺〕の開口部がある。

表 21-1「外陰の病変」，表 21-2「外陰，腟，尿道の隆起と腫脹」を参照。

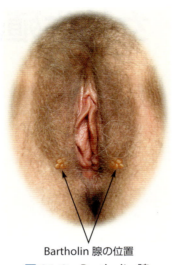

図 21-2　Bartholin 腺

腟

腟 vagina は筋膜組織でできた管で上後方に向かってのびており，膀胱，尿道と直腸の間に位置する。腟の上部 1/3 は水平に，最奥部は椀状の**腟円蓋 fornix** になっている。腟粘膜は左右方向の襞または皺である。

腟円蓋は，**子宮頸部 cervix** とほぼ直角に位置している。子宮頸部は，硬いコラーゲンで構成される円筒状の器官で，中央に切れ目またはくぼみがあり，逆さの洋梨のような形をした厚い線維筋構造である子宮とつながる（図 21-3）。子宮頸部は，腟に突出しており，腟上部を前部，後部，側部の 3 つの腟円蓋に区分する。

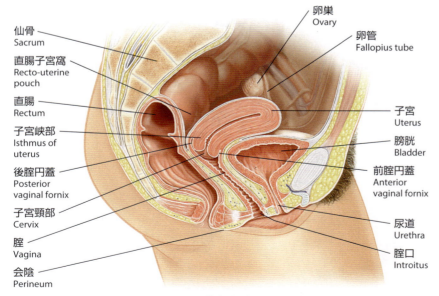

図 21-3　骨盤解剖（矢状断像）

子宮

子宮頸部の腟表面は，**子宮腟部 ectocervix** と呼ばれ，腟鏡で容易にみることができる（図 21-4）。その中心には円形，卵円形，または裂け目様の陥凹があり，これが子宮頸部の**外子宮口 external os** である。外子宮口は**子宮頸管 cervical canal**へとつながる。子宮腟部は，外子宮口の周囲と子宮頸管内を裏打ちする豊富な赤色の**円柱上皮 columnar epithelium** と，腟と連続する光沢のあるピンク色の**扁平上皮 squamous epithelium** に覆われている。これらの2種類の上皮の境界を**扁平円柱上皮境界 squamocolumnar junction** という。思春期には，広い帯状の円柱上皮が外子宮口を取り囲み（**外反 ectropion** と呼ぶ），しだいに扁平上皮に置き換わっていく。扁平円柱上皮境界は外子宮口に向かって移動し，**移行帯 transformation zone** を形成する。

移行帯の扁平円柱上皮境界は，のちに**異形成 dysplasia** を生じるリスクのある部位である。**Papanicolaou（パパニコロー）塗抹標本**はこの部位で採取する。

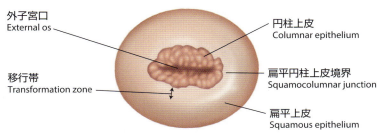

図 21-4 子宮頸部上皮と移行帯

子宮頸部は，子宮の下部である**子宮峡部 isthmus** につながる。子宮峡部の上方は**子宮体部 corpus** とつながり，子宮の上方は**子宮底 fundus** と呼ばれる。子宮壁は，会陰からつながった漿膜で覆われた**子宮外膜 perimetrium**，膨張性のある平滑筋による**筋層 myometrium**，内部に付着した**子宮内膜 endometrium** の3層から構成される。子宮腔は子宮内膜で覆われ，下方は子宮頸管につながる。

子宮付属器（付属器）

adnexa（子宮付属器）は「付属器」を意味するラテン語であるが，**卵巣 ovary**，**卵管 fallopius tube** とそれらの支持組織を指す。左右の卵管は子宮底につながる。卵管には，卵巣へのびる扇状の先端部（**卵管采 fimbria**）があり，卵巣周囲の腹腔から**卵母細胞 oocyte** を回収し子宮腔へ導く（図 21-5）。

2つの卵巣はアーモンドの形をした腺であり，大きさは年齢に応じて変化するが成人から閉経までであれば大きさの平均は約 3.5×2×1.5 cm である。卵巣は生殖年齢層の約半数の患者で内診（骨盤診察）により触知可能であるが，卵管は通常は触知できない。

卵巣にはおもに2つの機能がある。卵母細胞の産生と，エストロゲン，プロゲステロン，テストステロンなどのホルモンの分泌である。思春期にホルモンの分

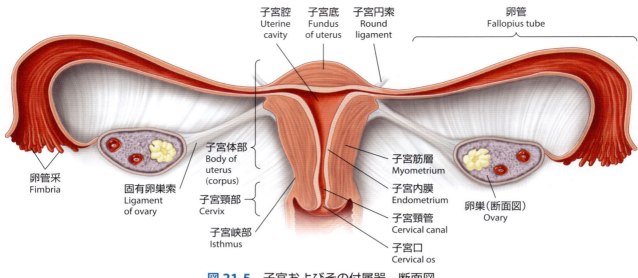

図 21-5　子宮およびその付属器，断面図

泌が増加し，子宮とその内膜の成長，腟の拡大，腟上皮の肥厚，そして乳房や陰毛などの**第二次性徴**が促進される。

子宮後方は直腸と子宮の間で袋小路となっており，**直腸子宮窩 rectouterine pouch**〔Douglas（ダグラス）窩〕と呼ばれるくぼみを形成する。この部分を腟直腸双手診にて触診することができる。

大骨盤 greater pelvis は**腸骨翼 wing of the ilium** で保護されており，下腹部の内臓を収納する。**小骨盤 lesser pelvis** は下方にいくにつれて狭まり，骨盤腔と会陰を取り囲む。骨盤および骨盤内臓器の解剖学的および神経学的構造は複雑であるが，一般的な症状や疾患にかかわるため，以下の解説および図を丁寧に確認すること[1, 2]。

骨盤底

骨盤内臓器は，**骨盤底 pelvic floor** と呼ばれる筋肉，靱帯，骨盤内筋膜で構成された組織によって，小骨盤の出口よりも上方に維持されている（図 21-6）。骨盤底筋は，性機能（オーガズム orgasm），排尿・排便の排泄抑制能力，関節の安定化にも役立つ。骨盤底は**骨盤隔膜 pelvic diaphragm** と**会陰膜（尿生殖隔膜）perineal membrane** からなる。

骨盤底筋の衰えは，痛み，尿失禁，便失禁，膀胱瘤（膀胱の腟への脱出），直腸瘤（直腸の腟への脱出），小腸瘤（腸の腟への脱出）などの骨盤内臓器の脱出を引き起こす可能性がある。

表 21-2「外陰，腟，尿道の隆起と腫脹」を参照。

解剖と生理

異常例

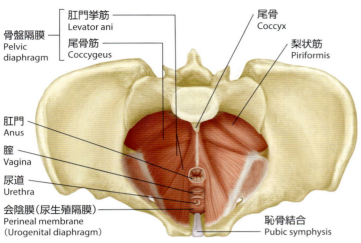

図 21-6　骨盤と骨盤底（上から見た図）

- 骨盤隔膜は，小骨盤の内面に付着する**肛門挙筋 levator ani** と**尾骨筋 coccygeus** で構成され，骨盤腔と会陰を分離する。

- 会陰膜（尿生殖隔膜）は三角形の線維筋組織からなる膜で，**球海綿体筋 bulbocavernosus**，**坐骨海綿体筋 ischiocavernosus**，**浅会陰横筋 superficial transverse perineal**，**外肛門括約筋 external anal sphincter** からなる。この膜は，尿道，腟，会陰を坐骨恥骨枝に固定するよう前方へと三角形に広がる。

- 尿道，腟，肛門，直腸が，骨盤隔膜の中心にある鍵穴のような形の**尿生殖裂孔（挙筋裂孔）urogenital hiatus（levator hiatus）**を通る。

- 骨盤隔膜の下方には，第3の支持組織である**深部尿生殖隔膜 deep urogenital diaphragm** が存在する。この隔膜筋膜は**外尿道括約筋 external urethral sphincter**，尿道を含み，坐骨下部から正中線まで続く**深会陰横筋 deep transverse perineal muscle** を支持する。また，直腸を包む**外肛門括約筋**と**内肛門括約筋 internal anal sphincter** を中心とした後三角の構造にも注目する。

- 骨盤隔膜は，仙骨神経根 S3〜S5 により神経支配されている。会陰膜と尿生殖隔膜は陰部神経により支配される。

尿道支持の低下は，腹圧性尿失禁の一因である。出産による会陰体の軟弱化により，直腸瘤や腸瘤が生じやすくなる。

リンパ管

外陰や腟の下部からのリンパ液は，鼠径リンパ節に向かって流れる。腟上部を含む内性器のリンパ液は，骨盤内や腹腔のリンパ節に向かって流れ，触知できない。

病歴：一般的なアプローチ

患者の産婦人科の病歴を聴取する際には，必ず体系的なアプローチをとる。なかには産婦人科の問題に関する話をするのに抵抗を感じる患者もいるため，プライバシーに配慮した落ち着いた環境で病歴を聴取することが重要である。病歴の聴取は，特に初対面の患者では，服を着た状態で行う。患者が介護者や友人，家族の同席を特に希望しない限り，患者が1人で面接を受けるのが理想的である。子どもや思春期，認知機能に障害のある患者の場合は例外だが，そのような場合でも，患者本人がプライベートについて話しやすい時間をもつことが望ましい。患者の安心感を高めるため，質問は自由回答方式で偏見のない方法で行う。第2章「面接，コミュニケーション，対人関係スキル」（p.46～55）で解説されている，効果的なコミュニケーションと対人関係スキルを確認しておくとよい。

よくみられる，または注意すべき症状

- 初経と月経
- 不正子宮出血
- 閉経
- 骨盤痛（急性および慢性）
- 外陰腟症状
- 性感染症（STI）（第6章「健康維持とスクリーニング」参照）
- 性的健康（第3章「病歴」参照）
- 妊娠（第26章「妊娠女性」参照）

初経 menarche，月経 menstruation，閉経 menopause について質問することで，患者の不安や自身の身体に対する心構えについて把握する機会を得られる。Box 21-1 の用語を使って，月経パターンを説明できるようにする。

Box 21-1 月経歴―患者への説明に役立つ定義

- **初経**：月経の開始
- **月経困難症**：月経時の疼痛であり，しばしば下腹部や骨盤に圧迫感，鈍痛，または痙攣痛のような感覚を伴う
- **月経前症候群**：3回の連続した月経周期において，月経の5日前より生じる一連の情動的，行動的，そして身体的な症状
- **無月経**：月経の欠如
- **不正子宮出血**：月経と月経の間の期間にみられる出血。中間期出血（月経不順，過多月経，過長月経，閉経後出血を含む）
- **閉経**：連続12カ月間の無月経。通常，48～55歳で生じる
- **閉経後出血**：閉経後6カ月以上経過した後の出血

病歴：一般的なアプローチ | 異常例

初経と月経

世界的にみても，米国内でみても，栄養状態のよい先進国での初経年齢の中央値は比較的安定しており，12〜13歳であるといわれている[3,4]。米国の思春期女性の場合，9〜16歳で月経がはじまり，月経周期が規則的なパターンに落ち着くまでには1年以上かかることが多い。社会経済的条件，栄養状態，予防医療へのアクセスなどの環境要因は，性成熟の時期や進行に影響を与える可能性がある[5]。月経周期は約24〜32日であり，月経は3〜7日間続く。

月経歴については，まず月経開始時期，つまり**初経年齢**を確認する。**最終月経**の開始日，覚えていれば**さらにその前の月経期間**についてもたずねる。月経周期（連続する2回の月経の初日同士の間隔）は何日か？ またそれは規則的か不規則的か？ 月経による出血が何日続くか？ 経血量はどのくらいか？ いつもより軽いか重いか？ どのような色をしているか？ 経血量については1日に使用するナプキンやタンポンの数で大まかに評価可能である。一方，経血量の多量，中等度，軽度の定義については個人差があるため，ナプキンやタンポンをどの頻度で交換するか（ナプキン全体に出血が広がるまで交換しないのか，少量でも交換するのか？）たずねる。さらに，ナプキンとタンポンを併用しているのか，月経とつぎの月経の間の出血（中間期出血）はないか，性交後出血があるかも質問する。

> これまでの月経周期は，妊娠の可能性または月経不順を知る手がかりとなる。

月経困難症

月経困難症 dysmenorrhea（月経時の痛み）は，患者の約半数にみられる。月経前や月経期間中に苦痛や疼痛がないかたずねる。もしあるならば，どのような症状で，どのくらい続くのか，日常生活に支障はあるか，関連症状があるかを確認する。月経困難症には，器質的原因がない原発性と，器質的原因を伴う続発性のものがある。

> 原発性月経困難症は，黄体期にエストロゲンとプロゲステロンの産生量が下がり，プロスタグランジン産生量が増加することが原因である。

> 続発性月経困難症の原因には，子宮内膜症，子宮腺筋症（子宮筋層内の子宮内膜症），骨盤内炎症性疾患（骨盤腹膜炎ともいう），子宮内膜ポリープがある。

月経前症候群

月経前症候群 premenstrual syndrome（PMS）にはうつ状態，怒りの爆発，怒りっぽい，不安，錯乱，泣きやまない，睡眠障害，集中力低下，引きこもり，といった情動的かつ行動的症状が含まれる[6]。膨満感や体重増加，手指や下肢の腫脹，全身的な疼痛についてたずねる。診断基準は，月経開始5日前から症状があること，連続した少なくとも3回の月経で症状があること，月経開始後4日以内には症状と徴候が消失すること，日常活動が障害されること，である。

病歴：一般的なアプローチ | 異常例

無月経

無月経 amenorrhea は月経の欠如である。初経が開始しないものを**原発性無月経 primary amenorrhea**，月経開始後に停止したものを**続発性無月経 secondary amenorrhea** と呼ぶ。妊娠，授乳，閉経は続発性無月経の生理的原因となる。

続発性無月経は，栄養失調，神経性食欲不振症，ストレス，慢性疾患，視床下部-下垂体-卵巣機能不全といったあらゆる原因による低体重が原因である。

不正子宮出血

いかなる異常出血についても確認する。「出血量がいつもよりかなり多い，または異常に長い期間はありますか（**過多月経 menorrhagia**）」「月経と月経の間に出血はありますか（**中間期出血 metrorrhagia**）」「両方の症状がありますか（**機能性子宮出血 menometrorrhagia**）」と質問するとよい。**不正子宮出血 abnormal uterine bleeding** にはいくつかのパターンがある（Box 21-2）。

原因は年齢により異なり，妊娠，子宮頸部や腟の感染または癌，子宮頸部や子宮内膜のポリープまたは過形成，子宮筋腫，出血傾向，経口避妊薬またはホルモン補充療法などがある。

> **Box 21-2　不正子宮出血のパターン**
> - **頻発月経 polymenorrhea**：月経周期が 21 日以下のもの
> - **希発月経 oligomenorrhea**：月経頻度が少ない
> - **過多月経**：経血量が多いこと
> - **中間期出血**：月経間（月経と月経の間に起こる）出血
> - **性交後出血**

通常の月経時の暗赤色の経血と異なり，過多月経の経血は鮮紅色で凝血塊を含むことがある（真のフィブリン塊ではない）。

性交後の出血は，子宮頸部のポリープ，癌を，高齢者では萎縮性腟炎を示唆する。

閉経

閉経 menopause は通常 48～55 歳に起こり，中央値は 51 歳である。12 カ月間の月経停止として定義され，いくつかの段階の不規則な月経を経て進行する。月経周期が不規則になる期間は**閉経周辺期（更年期）perimenopause** と呼ばれ，しばしば，ほてり，潮紅，発汗などの血管運動症状を伴うのが特徴的である。卵巣はエストラジオールやプロゲステロンの産生を中止し，テストステロンの産生は多少持続する一方，エストロゲン値は著明に低下する[7]。黄体化ホルモンと卵胞刺激ホルモンの下垂体からの分泌はしだいにかつ著明に上昇する。末梢の脂肪組織では副腎ステロイドからの転換により低レベルのエストラジオールが依然として検出される。

閉経周辺期には，情動の変化や自己イメージの変革，血管運動の変化によるほてり，骨量減少の促進，総コレステロールと低比重リポ蛋白（LDL）コレステロールの上昇，腟の乾燥を伴う外陰・腟の萎縮，排尿困難，そして性交疼痛症（性交不快症）がみられることがあるが，血管運動症状，腟の症状，睡眠障害のみが閉経と一貫して関連することを示唆する研究もある。尿路症状は感染がなくとも尿道や尿路三角（膀胱三角）の萎縮によって生じることがある。

患者から，更年期の症状を軽減させる代替医療として用いられる薬物や植物についてたずねられることがあるかもしれないが，そのほとんどは研究が不十分であり，有益性が証明されていない。ホルモン補充療法は症状を軽減するが，その他の健康被害をもたらすことがある[8]。比較的少量の投与が症状に作用すると証明されている（p.731）。

病歴：一般的なアプローチ

中高年の患者に対しては月経が止まっているかたずねる。いつ閉経したか？ 月経がないことをどう感じているか（感じたか）？ 閉経は生活によい影響または悪い影響を与えたか？ 閉経に伴って生じた症状についてもたずねる。

閉経後の出血や点状出血は，癌の初期徴候を示唆するので，必ず質問する。

骨盤痛（急性および慢性）

思春期や成人の患者に月経中の急性骨盤痛がある場合は，迅速に対応する必要がある。鑑別診断は広範囲で，しかも**子宮外妊娠 ectopic pregnancy**，**卵巣茎捻転 ovarian torsion**，**虫垂炎 appendicitis** など生命にかかわる疾患も含まれる。

発症，時期，痛みの特徴，関連する症状などを確認しながら，感染症，消化器，尿路に由来する原因も考慮する必要がある。性感染症，**子宮内避妊器具 intrauterine device(IUD)** の最近の挿入，そして性的パートナーの症状についても必ずたずねる。バイタルサインに留意した注意深い内診と妊娠反応が診断を絞りこむのに役立ち，さらなる検査への手引きとなる。

慢性骨盤痛は 6 カ月以上継続する，治療に反応しない疼痛のことである[12]。これは，産婦人科への外来紹介の約 10％，また子宮摘出の原因の約 20％を占める[13,14]。危険因子は，加齢，骨盤内の手術や外傷の既往，妊娠・出産，臨床症状〔肥満，糖尿病，多発性硬化症，Parkinson（パーキンソン）病〕，薬物（抗コリン剤，αアドレナリン遮断薬），慢性的な腹圧の上昇（慢性閉塞性肺疾患，慢性便秘，肥満）などである[1]。産婦人科系，泌尿器，消化器，筋骨格，神経学的な原因を探る[13]。国際骨盤痛学会 International Pelvic Pain Society の骨盤痛評価シートには，うつ状態や身体的・性的虐待に関するスクリーニング質問，患者本人が記入するペインマップが含まれており，有用なツールとなる[14]。また，状況，食事，季節などの変化を記録して，毎日の痛みの記録をつけてもらうことも有効である。

異常例

40 歳になる前に閉経する人もいる。この「早期閉経」（**早期卵巣不全 premature ovarian failure**）は，ほてり，生理がこない，腟の乾燥など，更年期障害に似た症状が特徴である。早期閉経の平均年齢は 27 歳である。

閉経後出血 postmenopausal bleeding の原因には，子宮内膜癌，ホルモン補充療法，子宮や子宮頸部のポリープがある。

急性骨盤痛のなかで最も頻度が高い原因は，骨盤内炎症性疾患，つぎに卵巣嚢胞の破裂，虫垂炎である[9]。性感染症や最近の IUD の挿入は，骨盤内炎症性疾患への注意を喚起するものである。必ず最初に**子宮外妊娠**を除外する必要があり，血清学的検査や尿検査，可能であれば超音波検査を行う[10,11]。

また，**排卵痛 mittelschmerz** と呼ばれる，排卵期に数時間から 2〜3 日持続する軽度の片側性の疼痛や，卵巣嚢腫の破裂，**卵管卵巣膿瘍 tubo-ovarian abscess** を考慮する必要がある。

子宮内膜症 endometriosis は月経血の逆流や子宮内膜の子宮外への伸展によって生じ，骨盤痛の 50〜60％はこれが原因である[15]。他の原因としては骨盤内炎症性疾患，子宮腺筋症，**子宮筋腫 fibroid** などがある。子宮筋腫は子宮壁内または粘膜下や漿膜下面に子宮筋層の平滑筋細胞から生じる腫瘍である。

慢性骨盤痛は，性的虐待を警告するものである。また，触診により圧痛を伴う筋膜痛があれば骨盤底の攣縮についても考慮する。

外陰腟症状

最もよくみられる外陰腟症状は，腟分泌物と瘙痒感である。患者が腟分泌物を訴えた場合，その量，色，粘度，においについて質問し，外陰における局所のびらんや，しこりの自覚と，その部位に痛みがあるかをたずねる。患者の解剖学的用語に関する理解度はさまざまなので，言い換えの言葉を準備しておくとよい〔かゆみ（その他の症状）があるのは腟の近くですか？　両足の間ですか？　尿を出すところですか？〕。

表 21-1「外陰の病変」，表 21-3「腟分泌物」を参照。

身体診察：一般的なアプローチ

多くの学生，医療者，そして患者は，内診に不安を感じるが，これは自然なことである。患者から診察を行う許可を得ることで，礼儀と敬意を表し，診察には患者の協力が不可欠であることを示すことができる。また，診察の手順を説明することも患者にとって非常に重要である。例えば「まず，外陰に異常がないかを確認し，腟鏡を用いて腟内と子宮頸部を観察します」「これからパップスメア（子宮頸部細胞診）と淋菌，クラミジアの検査のためのサンプルを採取します」「これから，子宮と卵巣の感触を確認するため，腟鏡を外します。腟内に2本の指を入れ，お腹に手をあてて子宮と卵巣を両手で丁寧に挟みます」と説明をする。患者がリラックスできるように配慮することは，適切な診察を行うために不可欠である。診察時や，器具および検体の取り扱い時には，常に手袋を装着する。必要な器具や培地は事前に手近に用意しておく。

21歳未満の患者に対しては，病歴により産婦人科疾患を示唆された場合にのみ内診を行うべきである。無症状の患者に内診を行うことにより骨盤内の病理を特定できるとされるが，**21歳以前の無症状で健康な患者にルーチンの内診を行うことを支持するエビデンスはない**。ただし，月経困難症，腟分泌物異常，骨盤痛などの症状がある場合は，21歳未満でも内診を要することがある。診察者が男性であれば，女性の介助者が同席すべきである。診察者が女性であっても，患者に身体的あるいは情緒的な問題がある場合，あるいは診察にサポートを要する場合は，介助者が同席すべきである。Box 21-3 に，女性生殖器診察を成功させるために患者と診察者が注意すべき事項を示す。

Box 21-3　女性生殖器診察を成功させるヒント

患者	診察者
● 診察前24〜48時間は性交，腟洗浄，腟挿入薬の使用を避ける	● 患者から診察をする同意を得て，介助者を依頼する
● 診察前に膀胱を空にする	● 前もって診察の各ステップを説明しておく

（続く）↗

身体診察：一般的なアプローチ

↘(続き)

患者	診察者
● 仰臥位になり，頭部と肩を軽く上げる。アイコンタクトをとるため，また腹筋の緊張を減らすため，腕は脇に置くか，胸の前で組む	● 腹部中央から膝を布で覆う。アイコンタクトをとるために膝の間で布を押さえて谷間をつくる ● 患者の予期しにくい動きや突然の動きは避ける ● 適正なサイズの腟鏡を選択する ● 温水で腟鏡を温める ● 患者の表情，口頭での返答を踏まえて，検査を無理なく行えているか確認する ● 特に腟鏡を挿入するときは，丁寧かつ習熟した手技を心がける(p.722)

■ 位置決め（ポジショニング）

患者に適切に布をかけ，砕石位をとりやすいように手助けする。内診台の足掛けに踵を片方ずつかける。素足よりも靴下や靴を履いているほうが楽な場合もある。つぎに，患者の殿部が診察台の端を超えて診察者の近くまでくるように，腰を滑らせて移動してもらう。大腿部は屈曲・外転，股関節も外転させる。頭が枕で支えられていることを確認する。

■ 診察に必要な器具

あらかじめ下記の器具を使えるように準備しておく。培養やその他の検体を採取する前に，自施設にある器具と採取方法を確認しておく。

必要な器具を以下に示す。

- 移動可能な光源
- 適切な大きさの腟鏡
- 水溶性の潤滑剤
- Papanicolaou塗抹標本採取のための器具，細菌培養やDNA分析の採取器具，その他の診断テスト用の水酸化カリウムや生理食塩液などの材料

腟鏡には金属製またはプラスチック製があり，Pedersen（ペダーセン）鏡，Graves（グレーブス）鏡と呼ばれる2つの基本形がある（図21-7）。いずれも大・中・小の大きさがある。性的活動のある場合には通常，中型のPedersen鏡が適している。狭い刃をもつ小型のPedersen鏡は，性的活動前や高齢者などの比較的小さな腟口をもつ患者に最適である。Graves鏡は腟が脱出している経産婦に最適である。

身体診察：一般的なアプローチ

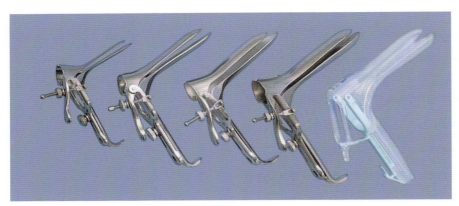

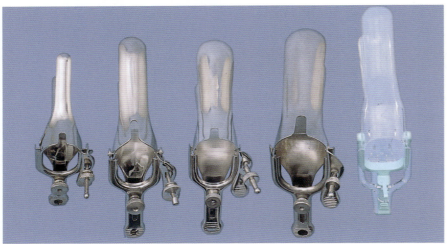

図 21-7 腟鏡：(左から)小型の金属製 Pedersen 鏡，中型の金属製 Pedersen 鏡，中型の金属製 Graves 鏡，大型の金属製 Graves 鏡，大型のプラスチック製 Pedersen 鏡

腟鏡を使う前に，腟鏡の刃を開閉したり，刃が開いた状態で固定したり，再度固定を解除したりして使用方法を確認しておくとよい。

本章で説明する使用方法は金属製の腟鏡についてのものであるが，使用する前に操作方法をきちんと確認しておけば，プラスチック製にも適用できるだろう。プラスチック製腟鏡を使用するときは，大きなクリック音がすることや，腟鏡を固定・解除するときに腟壁を挟んでしまって不快感が生じることがあると説明しておくとよい[訳注]。

訳注：わが国で最も一般的に使用されている腟鏡は「CUSCO 式腟鏡」と呼ばれる金属製腟鏡である。使用方法などは上記腟鏡と同様である。

診察の技術

女性生殖器診察の重要項目

- 外性器の診察
  - 性成熟度の評価(思春期の場合)
  - 恥丘,陰唇,会陰の視診(炎症,潰瘍,分泌物,腫脹,結節,その他病変)
- 内性器の診察
  - 子宮頸部の視診(色,位置,表面の性状,潰瘍,結節,腫瘤,出血,分泌物)
  - 腟の視診(腫瘤,病変,異常分泌物,異常出血)
- 双手診の施行
  - 子宮頸部の触診(位置,形,硬さ,均整,可動性,圧痛)
  - 子宮の触診(大きさ,形,硬さ,可動性,圧痛や腫瘤)
  - 卵巣の触診(大きさ,形,硬さ,均整,可動性,圧痛)
  - 骨盤底筋群の評価(強さや圧痛)
- 直腸腟診の施行(必要時)

外性器の診察

思春期の患者における性成熟度の評価

腹部の診察や内診の間に陰毛について評価する。陰毛の性状や分布に注意し,Tanner(タナー)分類(p.1071)にもとづいて程度を判断する。

> 思春期遅発症は家族性もしくは慢性疾患と関連することが多い。また視床下部,下垂体前葉,卵巣の疾患を反映していることもある。

外性器(外陰)の視診

診察しやすい体勢をとる。外性器に触れることを患者にあらかじめ告げる。恥丘,陰唇,会陰を視診する。陰唇を押し開いて,以下に注意しながら視診する。

- 小陰唇
- 陰核

> 擦過傷,痒みのある斑状丘疹状発赤は,**ケジラミ寄生症 pediculosis pubis**(シラミあるいはケジラミ)を示唆し,しばしば恥毛の根元に認められる。
>
> 陰核の肥大は男性化内分泌疾患でみられる。

- 尿道口

> 尿道カルンクル,尿道粘膜の脱出(p.734)を視診し,**間質性膀胱炎 interstitial cystitis** における圧痛を確認する。

- 腟開口部(腟口)

炎症,潰瘍,分泌物,腫脹,結節に注意する。病変を触診する。

> 単純ヘルペス,Behçet(ベーチェット)病,梅毒性下疳,類表皮嚢胞については,表21-1「外陰の病変」を参照。

診察の技術

- 患者が陰唇の腫脹を訴えた場合は，Bartholin腺を診察する。腟に示指を，腟口後方近くまで挿入する（図21-8）。母指を大陰唇の後部の外側に置く。両側で4時と8時の位置を順番に触診し，母指と示指で腫脹や圧痛を調べる。腺の開口管から排出される分泌物に注意する。分泌物を認めたら培養検査を行う。

異常例

Bartholin腺は急性または慢性的に感染して腫脹が生じる。表21-2「外陰，腟，尿道の隆起と腫脹」を参照。

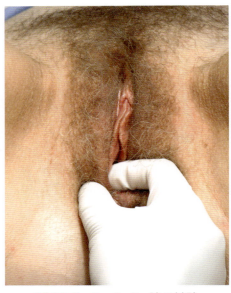

図 21-8　Bartholin腺の触診

内性器の診察

腟鏡の使用

適切なサイズと形の腟鏡を選択し，温めた水で湿らせる（潤滑剤やゲルは細胞診または細菌・ウイルスの培養を阻害することがあるため，使い過ぎない）。**腟鏡を挿入するときは患者に知らせて，後方に圧を加える。**

表21-4「子宮頸部表面の変化」，表21-5「外子宮口の形状」，表21-6「子宮頸部の異常」を参照。

優しく小陰唇を分け，刃を閉じた状態の腟鏡を約30度下に傾けた状態で子宮頸部に向かって挿入する（図21-9）。診察者によっては，水をつけて滑りをよくした指1本で腟開口部を注意深く開大させ，腟後方に圧をかけながら指を挿入する場合がある。その操作により子宮頸部の位置を確認しやすくなり，より正確に腟鏡を留置することができる。

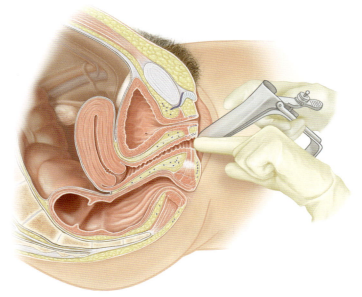

図 21-9　腟鏡を優しく挿入する

診察の技術

子宮頸部の視診

腟鏡を挿入した後，腟口の後方に置いていた手の指を離す。後方へ圧をかけつつ腟鏡の二枚刃が前後腟壁と水平になるまで回転させて腟鏡の全長を挿入する（図21-10）。その後子宮頸部がみえるようにゆっくりと腟鏡の刃を開く。ただし，腟の浅すぎる位置で開いてはいけない。腟鏡が子宮頸部を捉え，完全に視野に入るまで腟鏡を回転させながら調節する（図21-11）。その後，ねじを締め腟鏡を開いた状態で固定する。子宮頸部がよくみえるように光源の位置を調整する。子宮が後屈している場合，図に示したよりも子宮頸部は前方を向く。子宮頸部がよく

異常例

子宮頸管ブラシに付着した黄色い分泌物は通常，**クラミジア・トラコマティス** *Chlamydia trachomatis* や **淋菌** *Neisseria gonorrhoeae*，単純ヘルペスによる粘液膿性子宮頸管炎を示唆する（p.737）。隆起してもろく，分葉したようないぼ状の病変は尖圭コンジローマか子宮頸癌である。

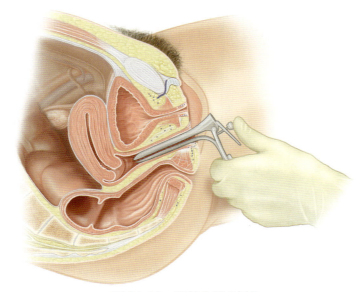

図 21-10　腟鏡全長の挿入

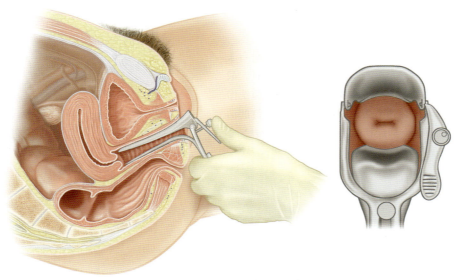

図 21-11　子宮頸部の視診

診察の技術	異常例

みえない場合は，腟鏡を少し引いて異なる角度で位置を再調整する。分泌物によって視野が不明瞭になったら，大きめの綿棒で丁寧に拭き取る。

子宮頸部の色，位置，表面の性状，そして潰瘍，結節，腫瘤，出血，分泌物に注意する。外子宮口からの分泌物を確認する。

仙骨子宮靱帯に浸潤した子宮内膜症における子宮頸部の外側への変位を調べる。

腟の視診

腟鏡をゆっくりと引き抜きながら腟壁を視診していく。腟鏡が子宮頸部から離れたら，ねじを解除し，母指で腟鏡の刃を開いたまま維持する。腟壁に腫瘤や病変，異常分泌物や出血がないかみる。腟壁の膨隆がないか精査する。腟鏡の上下どちらかの刃を引き抜き（あるいは刃が1つの腟鏡を使用する），患者に息むように指示する。腟壁のたるみのある位置や子宮脱の程度を評価できる。

表21-3「腟分泌物」を参照。

腟分泌物はしばしば**カンジダ Candida** や**腟トリコモナス（Trichomonas vaginalis）**，細菌性腟炎でみられる。分泌物の性状だけでは感度も特異度も低いため，臨床検査結果で診断されるべきである[16, 17]。腟癌はまれである。子宮内のジエチルスチルベストロール（DES）曝露，およびヒトパピローマウイルス（HPV）感染は危険因子である。

子宮頸管ブラシと液状化検体細胞診はより広く使用されるようになり，クラミジアや淋菌の検出にも用いられることがある。

視診が完了したら，腟鏡をゆっくり閉じて引き抜く。

患者が息んでいる間に腟鏡の下部を牽引子（レトラクター）のように用いると，膀胱瘤による腟前壁の欠損を露出するのに役立つ。腟鏡の上部を同じように用いると直腸瘤を露出するのに役立つ。表21-2「外陰，腟，尿道の隆起と腫脹」を参照。

子宮頸部の細胞診用の検体（Papanicolaou 塗抹標本）採取

子宮頸部の細胞診

子宮頸管内膜および子宮頸腟部それぞれから1検体ずつ，または両部位からまとめて1検体，子宮頸管ブラシ（刷毛）を用いる方法で採取する（Box 21-4）。最もよい条件は患者が月経中でないことである。検査の前48時間は性交，腟洗浄，タンポン，避妊用のフォーム（泡）やクリーム，腟挿入薬は避けてもらう。性的活動のある26歳以下，および感染のリスクの高い無症状の患者では，ルーチンでクラミジアの子宮頸部培養検査を計画する[18]。

診察の技術

異常例

Box 21-4　Papanicolaou 塗抹標本の採取：検体採取の方法

子宮頸管ブラシ（刷毛）
多くの診察者は扁平上皮・円柱上皮細胞の両方を含む検体を 1 つ採取するのに，先がほうき状の房になっているプラスチックブラシを使用している。外子宮口の中でブラシの先を時計回りに 1 回転させ，サンプルを直接保存液に浸けておき，検査部でスライドガラスを準備する（液状化検体細胞診）

あるいは，スライドガラス上をブラシの両面でなでる。以下に述べるように，スライドガラスはすばやく溶液に浸すか，または固定剤を噴霧する

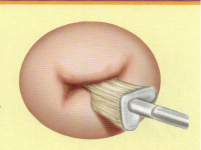

頸管の擦過
木製へらの長い端を外子宮口に置く。移行帯と扁平円柱上皮境界を確実に含むように，圧迫しながら一回転させて擦過する。スライドガラス上に検体を塗布する。すぐ手の届く安全な場所にスライドガラスを置くこと。なお，頸管の擦過を先に行えば，子宮頸管内膜ブラシ使用後の赤血球混入を避けることができる

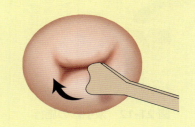

子宮頸管内膜ブラシ
子宮頸管内膜ブラシを外子宮口に置く。それを母指と示指で，時計回りと反時計回りに回転させる。ブラシを外し，細胞を壊さないよう優しくスライドガラスに塗抹する。スライドガラスをエーテル・アルコール混合溶液ですぐに固定するか，専用の固定剤をすばやく噴霧する

妊婦には，子宮頸管内膜ブラシの代わりに，先端が綿の塗布具を生理食塩液で湿らせてから使用することが推奨されている

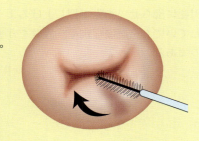

双手診の施行

診察者は手袋をつけてから，一方の手の示指と中指に潤滑剤をつけて，立位で腟にその 2 本の指を挿入し，主として後方に圧をかける。母指は外転させ，薬指と小指は手掌のなかに曲げる（図 21-12）。曲げた指を会陰に置いて内側に押すのは患者にとって少々不快かもしれないが，触診する指は正しい位置をとることができる。腟壁，尿道，膀胱前壁領域の病変および圧痛を調べる。

直腸内の便は，直腸や腟の腫瘍のようにみえることがあるが，悪性腫瘍とは異なり通常は指で押すとくぼむ。直腸腟診によってその違いを確認できる。

- 子宮頸部の触診では，位置，形，硬さ，均整，可動性，圧痛を調べる。通常，子宮頸部は痛みを感じさせることなく少しだけ動かすことができる。子宮頸部周囲の腟円蓋を触診し，結節，可動性，圧痛を調べる。

子宮頸部を動かすときの痛みや子宮付属器の圧痛は，骨盤内炎症性疾患，子宮外妊娠，虫垂炎の特徴である。

腟円蓋部の結節，可動性不良，圧痛は子宮内膜症を示唆する。

診察の技術

- 子宮を触診する。もう一方の手は，恥骨結合の直上の下腹部にあてる。骨盤内の指が子宮頸部や子宮を持ち上げるのと同時に，腹部側の指は内側かつ下方に向けて圧迫し，両手の間に子宮を捉えるようにする（図21-12を参照）。子宮の大きさ，形，硬さ，可動性に注意し，圧痛や腫瘤のある場所を確認する。

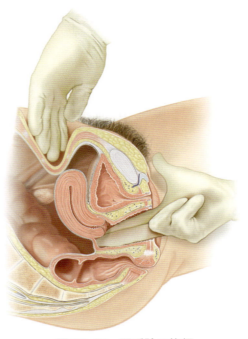

図 21-12　双手診の施行

これらの手技で子宮に触れることができない場合は，子宮体部が後方を向いている可能性がある。骨盤内の指を後腟円蓋に滑らせて指先で押し上げるようにして子宮に触れる。子宮が前方に位置していても，肥満症例や，腹壁をうまく弛緩できないときは，触診しにくいものである。

- 両側卵巣を触診する。腹部側の手を右下腹部に置き，骨盤内の手を腟円蓋の右側方に置く（図21-13）。腹部側の手で内下方に圧迫し，骨盤内の手に向かって子宮付属器を押すようにする。右の卵巣または隣接する付属器の腫瘤を確認する。可能なら手をわずかに動かして，付属器の組織を指の間に滑りこませ，大きさ，形，硬さ，可動性，圧痛を確認する。左側も同様の手技を行う。

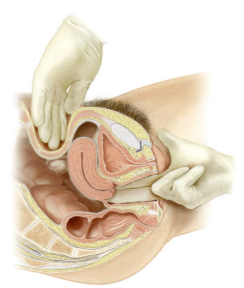

図 21-13　卵巣の触診

異常例

表21-7「子宮の位置」，表21-8「子宮の異常」を参照。

子宮の腫大は，妊娠，子宮筋腫，または悪性疾患を示唆する。

子宮表面上の結節は筋腫を示唆する（p.739）。

表21-7「子宮の位置」の「子宮後傾」および「子宮後屈」を参照。

閉経後3〜5年で通常，卵巣は萎縮して触知できなくなる。閉経後に卵巣を触知した場合は，卵巣嚢胞や卵巣癌の可能性を考慮する。骨盤痛，腹部膨満，腹囲の増大，尿路症状は卵巣癌の患者においてより頻度が高い[19]。

診察の技術

正常な卵巣はいくぶん軟らかい。通常，細身でリラックスしている患者では触知可能であるが，肥満および緊張している患者では触知が困難，もしくは不可能である。

骨盤底筋群の強さと圧痛の評価

患者に診察者の指の周囲をできるだけ長くかつ強く締めつけるように依頼する。3秒以上しっかりと締めつけることができるならば十分な強さがある。その後，指を腟壁の下側にあてたまま，患者に数回咳をしてもらうか，息んでもらう〔Valsalva（バルサルバ）手技〕。腹圧をかけたときに尿漏れがないかどうかを確認する。腹筋の過剰な収縮や，内転筋や殿筋の緊張を観察する。

骨盤痛または腟壁の圧痛のある患者においては，痛みの引き金となるポイント（圧痛点）を同定するために外側の骨盤底筋群を時計回りに触診していく。

適応があれば，直腸腟診を施行

直腸腟診（図21-14）のおもな目的は，子宮後傾，仙骨子宮靱帯，Douglas窩，子宮付属器の触診，および骨盤内病変の評価である。

双手診が終わり指を引いた後は，手袋を換え，必要な分だけ潤滑剤を指に塗る。ゆっくりと示指を腟に再挿入し，中指は直腸に挿入する。患者に，肛門括約筋を弛緩させるために下方に向かって息むように指示する。これは，排便を強く促す刺激になるかもしれないが，実際には排便は起こらないことを伝えておく。腟，直腸に挿入した指で前方や側方に圧を加え，腹部に置いた手により下方を圧迫する。

異常例

子宮付属器の腫瘤は，卵管卵巣膿瘍，卵管炎，骨盤内炎症性疾患に由来する卵管の炎症，または子宮外妊娠から生じうる。そのような腫瘤を子宮筋腫から鑑別すること。表21-9「子宮付属器の腫瘤」を参照。

筋力低下は，加齢，経腟分娩，神経学的な異常などから生じ，腹腔内圧上昇時に**腹圧性尿失禁 stress incontinence** の原因となる。緊張を伴う筋肉の過剰な収縮，腟壁の圧痛，関連痛は，骨盤底筋痙攣，間質性膀胱炎，外陰部慢性疼痛，尿道痙攣による骨盤痛を示唆する。

これらの筋肉の圧痛点は，外傷，間質性膀胱炎，線維筋痛症などによる骨盤底筋痙攣や骨盤底機能障害に伴って生じる。骨盤底機能障害は，全女性の約25％，高齢女性の30％以上にみられ，尿失禁，便失禁，骨盤内臓器脱，その他下部尿路や消化管の感覚障害や排泄異常などが含まれる[2]。

子宮内膜症では，仙骨子宮靱帯の結節化や肥厚が生じ，子宮を動かす際に痛みを伴う。

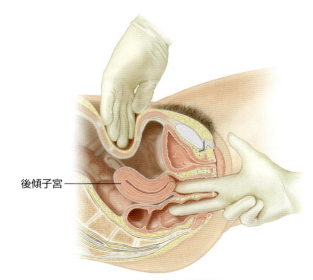

図 21-14　直腸腟診

（後傾子宮）

| 所見の記録 | 異常例 |

腫瘤の探索のために直腸の円蓋を調べる。便潜血検査を施行する場合は，便の検体がPapanicolaou塗抹標本の採取によって生じた血液で汚染されないように手袋を交換する。診察後は，診察者が外陰や直腸を拭き取るか，やわらかいティッシュ（使い捨て吸収紙）を数枚用意して患者が自分で拭き取れるようにする。

第22章「肛門，直腸，前立腺」(p.751)を参照。

ヘルニア

男性と同様に女性にも鼠径ヘルニアは生じるが，頻度は男性よりもかなり低い。診察技術（p.697〜700）は，基本的には男性と同じである。女性の場合も立位になってもらう。間接鼠径ヘルニア（外鼠径ヘルニア）を触知するには，触診は大陰唇から上方へ，つまり恥骨結節の側方へと進める。

間接鼠径ヘルニア（外鼠径ヘルニア）は，女性に最も多いヘルニアである。大腿ヘルニアはそのつぎに多い。

特殊な技術

尿道炎の評価

尿道炎や傍尿道腺の炎症を評価するために，示指を腟に挿入して尿道をそっと内側から外側へ絞り出すように動かす（図21-15）。尿道口からの分泌物に注意し，分泌物があれば培養検査を行う。

尿道炎の原因には，クラミジアや淋菌などの感染がある。

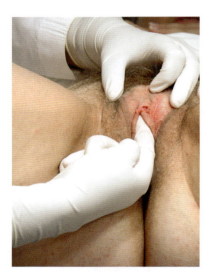

図 21-15　尿道を絞り出す

所見の記録

所見を記録する際，最初は文章を用いるかもしれないが，慣れてくれば慣用的な記述を用いるようになる。

女性生殖器の診察の記録

鼠径リンパ節腫脹なし。外陰に紅斑，外傷，腫瘤なし。腟粘膜はピンク色。子宮頸部は経産を示し，ピンク色，分泌物なし。子宮前傾で正中に位置し，滑らかで腫大なし。子宮付

（続く）↗

| UNIT II　第21章　女性生殖器 |

健康増進とカウンセリング：エビデンスと推奨

異常例

↘（続き）

> 属器の圧痛なし
> Papanicolaou塗抹標本採取。直腸腟壁異常なし。直腸円蓋に腫瘤なし。便は茶色で便潜血は陰性
>
> **または**
>
> 左右両側の鼠径リンパ節の腫脹あり。外陰に紅斑，病変なし。腟粘膜と子宮頸部は薄い均質な白色の分泌物で覆われ，軽い魚臭あり。子宮頸部を綿棒で擦った後，外子宮口に分泌物なし。子宮は正中，子宮付属器に腫瘤なし。直腸円蓋に腫瘤なし。便は茶色で便潜血は陰性。pH>4.5の腟分泌物

これらの所見は細菌性腟症に一致する。

健康増進とカウンセリング：エビデンスと推奨

健康増進とカウンセリングの重要事項

- 子宮頸癌
- 閉経とホルモン補充療法
- 卵巣癌

子宮頸癌

疫学

世界的にみると，子宮頸癌は，女性が診断される頻度の高い癌の第4位であり，癌死亡原因の第4位でもある[23]。一方，先進国だけでみると癌の罹患率と死亡率ははるかに低い。米国人女性の場合，子宮頸癌は，診断頻度の高い癌の上位10位，癌死亡原因の上位10位のいずれにも入っていない[24]。米国では，子宮頸癌と診断される生涯リスクは約160分の1，子宮頸癌により死亡する生涯リスクは400分の1以下である(訳注)。ヒトパピローマウイルス（HPV），特に16型と18型は，ほぼすべての子宮頸癌で検出される。HPVは性行為により感染するため，複数のパートナーをもつことや，性的活動を開始する年齢が早いことが，子宮頸癌発症の危険因子となる[25]。その他の重要な危険因子としては，子宮頸癌検診（Papanicolaou塗抹標本）が不十分であること，免疫抑制状態，経口避妊薬の長期使用，クラミジアとの重複感染，子宮頸癌の既往または子宮頸部の高異型度の前癌病変の既往，喫煙，ジエチルスチルベストロール（DES）の胎児期曝露，3回以上の満期妊娠などがあげられる。

訳注：わが国はHPVワクチン接種と子宮頸癌検診の普及率が先進国のなかでも極めて低い現状にあり，女性の癌罹患数の第5位である（全国がん登録，2019年）。

子宮頸癌の予防と検診

HPVワクチン接種は，子宮頸癌や前癌病変を予防する機会となる。予防接種実施に関する諮問委員会 Advisory Committee on Immunization Practices（ACIP）は，2006年から女性に，2011年から男性にHPVワクチンの接種を推奨している[26]。米国では，現在入手可能なHPVワクチンは9価ワクチンのみで，子宮頸癌，外陰癌，腟癌，肛門癌，中咽頭癌，および多くの肛門性器疣贅の原因となる株を対象としている。

HPVワクチンの推奨事項

ACIPは，男女ともに11歳または12歳からの定期的なワクチン接種を推奨しているが，9歳からの接種も可能である[27]。15歳以前の接種では，6～12カ月以内に2回のHPVワクチン接種を推奨している。15～26歳ではじめてワクチンを接種する人や9～26歳の免疫不全の人には，HPVワクチンを3回（0，1～2，6カ月）接種することが推奨される。十分なワクチン接種を受けていない26歳までのすべての人に対しても，HPVワクチン接種は推奨される[27]。また，ACIPは，十分なワクチン接種を受けていない27～45歳の成人で，新たなHPV感染のリスクがある場合には，HPVワクチンの接種を検討するよう推奨している。ワクチンを接種しても子宮頸癌検診を受けるべきであり（Box 21-5），コンドームを使用しても子宮頸部HPV感染のリスクが消えるわけではないと認識する必要がある。

Box 21-5　平均的リスクの女性に対する子宮頸癌検診ガイドライン（USPSTF, ACS/ASCCP/ASCP, ACOG）[29, 30, 32]訳注

項目	推奨
スクリーニング開始年齢	21歳
スクリーニング方法と間隔	21～65歳：3年ごとの細胞診 または 21～29歳：3年ごとの細胞診 30～65歳：5年ごとの細胞診＋HPV検査（高リスク型または発癌性HPV型），5年ごとのHPV検査（25歳または30歳）
スクリーニング終了年齢	65歳以上で，細胞診で3回連続陰性，または10年以内の細胞診＋HPV検査で2回連続陰性で，直近の検査が5年以内
子宮頸部を含む子宮摘出術後のスクリーニング	推奨しない

ACS：American Cancer Society（米国癌協会），ASCCP：American Society for Colposcopy and Cervical Pathology（米国コルポスコピーおよび子宮頸部病理学会），ASCP：American Society for Clinical Pathology（米国臨床病理会議）

訳注：わが国ではワクチン接種率が低いため，細胞診やHPV検査の必要性が異なる。スクリーニングの対象年齢と間隔については国立がん研究センター 社会と健康研究センター「有効性評価に基づく子宮頸がん検診ガイドライン更新版」（2020年）を参照。

健康増進とカウンセリング：エビデンスと推奨

検診

パップスメア（Papanicolaou塗抹標本）を用いた組織的な子宮頸癌検診の普及は，1960年代以降の子宮頸癌の発生率と死亡率の大幅な低下に貢献した。この検診ではリスクの高い前癌状態や初期の癌を発見することができ，産婦人科医によるさらなる評価と治療につながる[28]。2018年，米国予防医療専門委員会U.S. Preventive Services Task Force(USPSTF)は，平均的リスクの女性に対する子宮頸癌検診のガイドラインを再発行した(Box 21-5)[29]。ガイドラインでは平均的リスクについて，高異型度の前癌病変（子宮頸部高度異形成）や子宮損傷・子宮頸癌の既往がないこと，免疫不全でないこと，ジエチルスチルベストロール(DES)の胎児期曝露がないことと定義した。USPSTFは，21～65歳のスクリーニングをグレードAで推奨している。21～29歳では，3年ごとに細胞診のみの検診を受けるべきである。30～65歳では，細胞診のみを3年ごと，高リスク型HPVの検査のみを5年ごと，または両方の検査を併用して5年ごとの検診を受けるべきである。また，21歳以下，過去に適切な検診を受けていた65歳以上の平均的リスクの女性，子宮頸部を含む子宮摘出術を行った患者にはスクリーニングを行わないよう推奨している（グレードD）。多職種専門家パネルは高リスク型HPVの最初の検査を25歳から開始することを提案している[30]。米国内科学会 American College of Physicians(ACP)は，平均的リスクの無症状の成人女性において，定期的な内診によるスクリーニングを支持するエビデンスはないとしている（子宮頸癌検診や症状にもとづく検査とは異なる）[31]。

閉経とホルモン補充療法

更年期障害は，気分の変化，ほてり，腟の乾燥，骨量の減少など，心理的・生理的な変化をもたらす。長年にわたり，更年期障害を治療し，骨量減少や心血管疾患を予防するために，経口エストロゲン単独もしくはプロゲスチンとの併用による**ホルモン補充療法 hormone replacement therapy(HRT)**が推奨されてきた。しかし，閉経後のHRTの使用を調査した大規模なランダム化比較試験であるWomen's Health Initiative(WHI)では，ホルモン剤の投与により心血管疾患イベントおよび乳癌のリスクが上昇することが明らかになった[33]。USPSTFは，閉経後の慢性疾患を予防するために，エストロゲン単独（子宮摘出術を受けた場合）またはエストロゲンとプロゲスチンの併用を行わないよう勧告している（グレードD）[34]。しかし，USPSTFの勧告は，更年期の症状を治療するためのHRTの使用については言及していない。米国産婦人科学会 America College of Obstetricians and Gynecologists(ACOG)は，更年期の症状に対するHRTの使用について，症状の重症度と有益性・有害性のバランスにもとづいて，個別に判断するよう提言している[35]。使用する場合は，投与量は少なく，更年期の早い時期に処方し，可能な限り短い期間に限定して使用する。

卵巣癌

2019年の米国で2万2,000人以上が**卵巣癌 ovarian cancer**と診断され，1万4,000人近くが死亡したと推測されている[36]。卵巣癌は米国人女性の癌による死因の第5位である。卵巣癌は，乳癌や卵巣癌のリスクを高める*BRCA1*遺伝子や*BRCA2*遺伝子の変異などの遺伝性癌症候群と関連する[37]。リスクの高い家族歴がある患者は遺伝カウンセラーに紹介するべきである。*BRCA*遺伝子変異がみつかれば，経腟超音波検査，内診，または血清癌抗原検査（CA125）による卵巣癌のスクリーニングをすすめることが多いが，これらのスクリーニング方法は，いずれも卵巣癌の死亡率を低下させる効果が証明されていない。しかし，化学的予防や予防的手術は，*BRCA*遺伝子変異のある女性の卵巣癌リスクを低減する可能性がある。一方，USPSTFは，無症状で平均的なリスクの女性に対する卵巣癌スクリーニングは一切行わないことを推奨している（グレードD）[38]。

表 21-1　外陰の病変

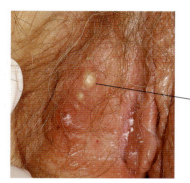

類表皮囊胞
陰唇上の小さく，硬い，円形の囊胞性結節は類表皮囊胞を示唆する。黄色を帯びている。腺の開口部が塞がれて生じた黒い点を探す

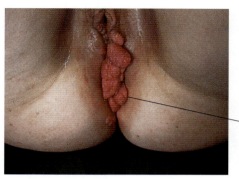

性器疣贅（尖圭コンジローマ）
大陰唇や腟前庭にできる疣状の病変は，多くの場合，HPV の感染による尖圭コンジローマである

梅毒性下疳
初期梅毒による硬い無痛性潰瘍は，**梅毒トレポネーマ**（*Treponema pallidum*）への曝露後約 21 日で形成される。腟内に隠れて発見されないこともあり，治療にかかわらず 3～6 週間で治癒する

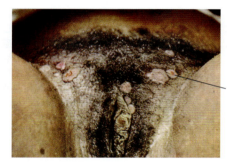

第 2 期梅毒（扁平コンジローマ）
大きく隆起した円形または楕円形の平坦な頂部をもつ灰色または白色の病変は，扁平コンジローマを指す。これらは伝染性で，発疹や口，腟，肛門などの粘膜のびらんとともに，第 2 期梅毒の症状として現れる

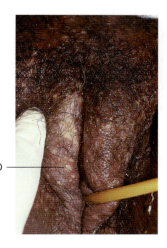

性器ヘルペス
赤色の基底部に痛みを伴う浅い小さな潰瘍ができた場合は，性器ヘルペス単純ウイルス 1 型または 2 型の感染が疑われる。潰瘍の治癒には 2～4 週間かかる。局所的な小水疱とその後の潰瘍の再発がよくみられる

外陰癌
高齢女性の外陰の潰瘍や隆起した赤色の病変は，外陰癌の可能性があり，通常は大陰唇に発生する扁平上皮癌である

表 21-2　外陰，腟，尿道の隆起と腫脹

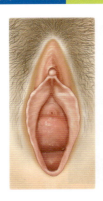

膀胱瘤
膀胱瘤は腟前壁の上部 2/3 にみられる膀胱の隆起で，腟前方支持組織（恥骨頸部筋膜，肛門挙筋腱弓，内骨盤筋膜，肛門挙筋）が脆弱化するために生じる

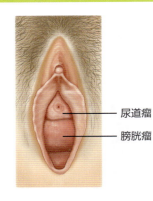

膀胱尿道瘤
腟前壁全体が膀胱，尿道ともに隆起している場合，膀胱尿道瘤という。尿道瘤，膀胱瘤の間に明瞭な境界が存在することもあるが，いつもあるとは限らない

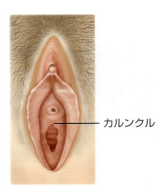

尿道カルンクル
赤色の小さな良性腫瘍であり，尿道口の後部にみられる。主として閉経後に生じ，通常，無症状である。尿道癌をカルンクルと間違えやすい。腟を通した尿道の触診により，肥厚の程度，結節性，圧痛を確認し，鼠径リンパ節腫脹を触診する

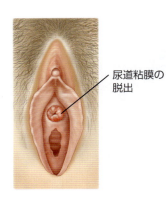

尿道粘膜の脱出
尿道粘膜の脱出により，尿道口の周囲に腫脹した赤味を帯びた環が形成される。通常，初経前または閉経後に生じる。腫脹の中心に尿道口を同定することで診断する

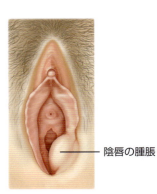

Bartholin 腺の感染
感染原因には，外傷，淋菌，バクテロイデス *Bacteroides* やペプトストレプトコッカス *Peptostreptococcus* などの嫌気性菌，クラミジアなどがある。急性では，緊満した熱感のある強い痛みのある膿瘍が生じる。Bartholin 腺からの排出膿または開口部周囲の紅斑に注意する。慢性的には，大小さまざまな無痛性の囊胞ができる

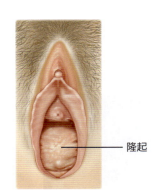

直腸瘤
直腸瘤は，直腸が腟後壁に陥入する直腸のヘルニアであり，内骨盤筋膜の脆弱化または欠損による

表 21-3　腟分泌物

腟の感染症に伴う分泌物は生理的分泌物と区別しなければならない。生理的分泌物は透明もしくは白色で，上皮細胞の白い凝集塊を含んでおり，悪臭はない。腟分泌物と子宮頸部分泌物を区別するためには，まず大きな綿棒を使って子宮頸部を拭き取る。外子宮口に子宮頸部からの分泌物がない場合は，腟に由来する分泌物であることを疑い，以下にあげる原因を考慮する。子宮頸管炎や腟炎の診断には，適切な検査試料を慎重に採取し分析することが重要である[16, 17]。

	トリコモナス腟炎	カンジダ腟炎	細菌性腟症
	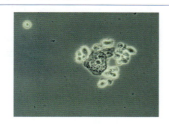	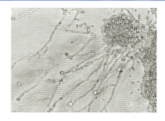	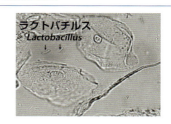
原因	腟トリコモナス（原虫）。しばしば性行為により感染するが，すべてがそうとは限らない	カンジダ・アルビカンス Candida albicans，酵母（正常な腟の常在菌の過度の増殖），抗菌薬療法など多くの素因がある	おそらく嫌気性菌などに由来する細菌の過度の増殖。性行為により感染することが多い
分泌物	黄色がかった緑色か灰色で，泡状である。しばしば多量で腟円蓋に貯留している。悪臭を伴うことがある	白い凝乳様。水っぽいこともあるが，典型的には粘稠。腟トリコモナス感染のように多量ではない。悪臭はなし	灰色か白色，水っぽい，均質で，悪臭がある。腟壁を覆っている。通常多量ではなく，少量である
他の症状	瘙痒感（通常，カンジダ腟炎ほどひどくはない），排尿痛（皮膚の炎症または尿道炎による），性交疼痛	瘙痒感，腟の痛み，排尿痛（皮膚の炎症による），性交疼痛	魚のような，かび臭い，陰部の不快な悪臭が生じる。性行為後に発症することが報告されている
外陰と腟粘膜	腟前庭と小陰唇に発赤を認めることがある。腟粘膜は広範に発赤し，後腟円蓋には小さな赤い顆粒状の斑点または点状出血がみられる。軽症では，粘膜は正常にみえる	外陰や周囲の皮膚もしばしば炎症を起こし，さまざまな程度に腫脹する。腟粘膜はしばしば発赤し，白く粘性の分泌物の付着を認める。これらの付着物がはがれると粘膜は出血することがある。軽症では，粘膜は正常にみえる	外陰と腟粘膜は正常にみえることが多い
検査による評価	生理食塩液を用いた直接塗抹標本を検鏡し，腟トリコモナスの有無を確認する	水酸化カリウム（KOH）染色標本で，カンジダ属の分枝状の菌糸を確認する	生理食塩液を用いた直接塗抹標本を検鏡し，クルーセル（糸玉状細胞，辺縁が点状である腟上皮細胞）の有無を確認する。KOH染色後，臭気テスト（whiff test）により魚臭を検出する。腟分泌物のpHが4.5以上であることを確認する

| 表 21-4 | 子宮頸部表面の変化 |

子宮頸部は，(1) 腟上皮に似た光沢のあるピンク色の**扁平上皮** squamous epithelium，(2) 子宮頸管の粘膜に連続する暗赤色のビロード状の**円柱上皮** columnar epithelium，の 2 種類の上皮で覆われている。これらの上皮が合わさるのが扁平円柱上皮境界である。この境界が外子宮口，またはその内側にある場合は扁平上皮しかみえない。円柱上皮の輪*は，子宮口の周囲の広がりが変化するとみられる。これは，胎児の発育過程，初経，はじめての妊娠などによる正常な変化である。

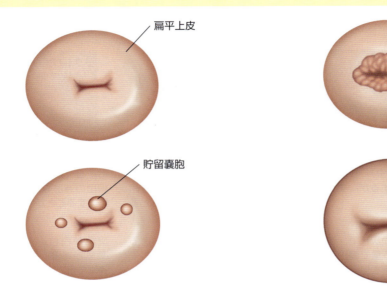

思春期のエストロゲン刺激の増加に伴い，円柱上皮のすべてあるいは一部は，**化生** metaplasia と呼ばれる過程で扁平上皮に置き換わる。この変化により円柱上皮からの分泌が遮断されると，Naboth（ナボット）囊胞と呼ばれる貯留囊胞の原因となる。これらは，子宮頸部表面にみられる透明な結節で，病的意義はない

子宮頸管ポリープは通常子宮頸管から発生し，外子宮口から突き出てくると視認できる。明るい赤色で，軟らかく，やや脆弱である。先端のみがみえる場合，子宮内膜由来のポリープとの鑑別はできない。ポリープは良性であるが出血することがある

*他に子宮頸部にみられる円柱上皮の状態を表す用語には**外反**(ectropion，ectopy，eversion)がある。

表 21-5	外子宮口の形状

正常

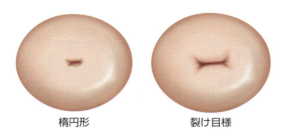

楕円形　　　裂け目様

出産による裂傷のタイプ

両側横断　　　放射状　　　片側横断

表 21-6	子宮頸部の異常

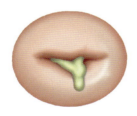

粘液膿性子宮頸管炎
外子宮口から黄色の排膿があり，通常，クラミジア，淋菌，ヘルペスウイルスに感染して生じる。これらは性感染症であり，ときに無症候性である

子宮頸癌
子宮頸癌は化生部分から発生する。最も初期の段階では，正常な子宮頸部と区別がつかない。進行すると，広範囲の不規則なカリフラワー状の増殖が生じる。早い時期からの頻回の性行為，複数のパートナー，喫煙，HPV感染は子宮頸癌のリスクを上昇させる

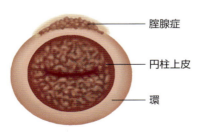

腟腺症
円柱上皮
環

ジエチルスチルベストロール（DES）の胎内曝露
妊娠中にDESを投与された母親から生まれた子どもは，さまざまな異常に対するリスクが著明に上昇する。例えば(1)円柱上皮が子宮頸部の大部分または全体を覆う，(2)腟腺症，つまり円柱上皮の腟壁への伸展，(3)子宮頸部と腟間の組織のさまざまな形の環または隆起などである。一般的にまれではあるが，腟上部に癌が生じることもある

表 21-7	子宮の位置

後傾と後屈はいずれも，正常範囲内の変異である。

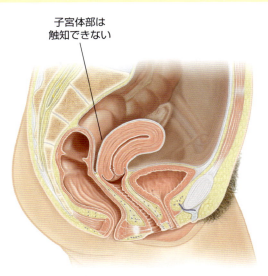

子宮体部は触知できない　　直腸から触知可能　　正常の角度を維持

子宮頸部は前方を向いている

中等度の後傾　　　　　　著明な後傾

子宮後傾

子宮後傾は子宮体部と子宮頸部の両方を含む子宮全体が後方に傾くことである。よくみられる変異であり，女性の約 20％に生じる。内診における早期の手がかりは，子宮頸部が前方を向き，子宮体部が腹部側に置いた手で触知できないことである。中等度の後傾では，子宮体部はいずれの手でも触知できない。著明な後傾では，子宮体部は後腟円蓋または直腸から，後方より触知できる場合がある。子宮後傾は，通常可動性で無症候性であるが，子宮内膜症または骨盤内炎症性疾患では固定され動かないこともある

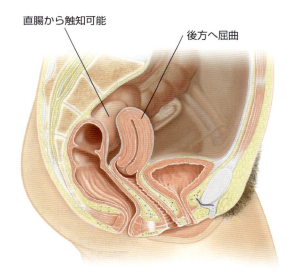

直腸から触知可能　　後方へ屈曲

子宮後屈

子宮後屈は子宮体部が子宮頸部に対して後方に向かって曲がることである。子宮頸部は正常の位置を保つ。子宮体部はしばしば後腟円蓋または直腸から触知できる

| 表 21-8 | 子宮の異常 |

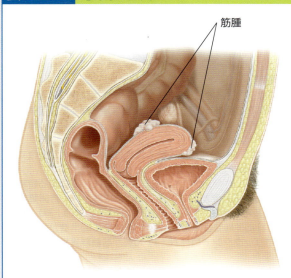

筋腫

子宮筋腫
子宮筋腫は非常に頻繁にみられる良性の子宮腫瘍である。単発性または多発性で大きさもさまざまであり，ときに大きなものもある。子宮筋腫は子宮表面から連続した硬く不規則な結節として触知される。子宮筋腫はときに側方へ突出し，卵巣腫瘍と紛らわしいことがある。後方へ突出すると，後屈した子宮と間違えることがある。粘膜下筋腫は子宮内腔に突出するため，筋腫そのものは触知できないが，子宮の腫大がみられたらその存在を疑う

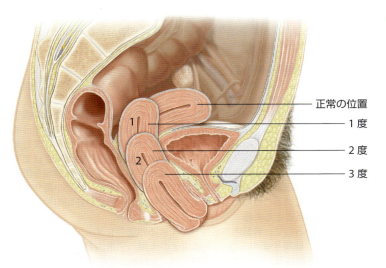

正常の位置
1 度
2 度
3 度

子宮脱
子宮脱は骨盤底の支持組織の脆弱性によって生じ，しばしば膀胱瘤や直腸瘤と関連する。進行すると子宮は後傾し，腟管から外側に向かって下降する
- 1 度の子宮脱では，子宮頸部は腟内にとどまる
- 2 度の子宮脱では，子宮頸部は腟口に到達する
- 3 度の子宮脱（脱出）では，子宮頸部および腟は腟口の外に出る

表 21-9　子宮付属器の腫瘤

子宮付属器の腫瘤は，典型的には卵管または卵巣の障害によって生じる．ここでは鑑別が困難な3例を示す．炎症性腸疾患（憩室炎など），大腸癌，有茎性子宮筋腫などが子宮付属器腫瘤と類似した症状を示すことがある．

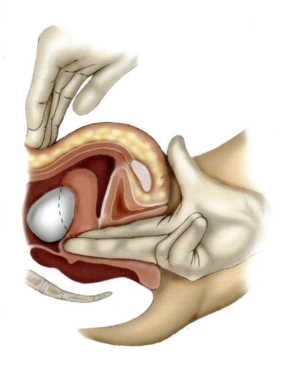

卵巣嚢腫と卵巣癌

卵巣嚢腫と卵巣癌は子宮付属器の腫瘤として片側または両側に発生する．進行すると骨盤外まで進展することがある．嚢腫は滑らかで圧縮可能なことが多く，一方，癌はより硬くしばしば結節性である．単純性の卵巣嚢腫には，通常痛みはない

若年期の小さな（直径≦6 cm）可動性のある嚢胞性腫瘤は通常，良性であり，次回の月経周期後には消失していることが多い

多嚢胞性卵巣症候群は，いくつかの内分泌異常を除外し，3つある特徴のうちの2つを満たすことで診断される．3つの特徴とは，排卵障害，アンドロゲン過剰（多毛，痤瘡，脱毛，血清テストステロンの上昇），超音波検査で確認された多嚢胞性卵巣である[訳注]．患者の約半数が肥満で，40％以上がメタボリックシンドローム，約40％が耐糖能異常または糖尿病である[20, 21]

卵巣癌は比較的まれであり，通常，発見時には進行期である．症状は，骨盤痛，腹部膨満，腹囲増大，そして尿路症状である．しばしば卵巣腫瘤を触知する[19]．現時点では，信頼できるスクリーニング検査はない．乳癌または卵巣癌の著明な家族歴は重要な危険因子であるが，症例の5％に認められるにすぎない

子宮外妊娠（卵管破裂を含む）

子宮外妊娠は受精卵が子宮内腔以外の場所，主として卵管（症例の90％）に着床することで生じる[12, 13]

全世界で妊娠の1～2％に子宮外妊娠が発生し，依然として母体の罹患と死亡の重要な原因である．臨床症状は，亜急性（約80～90％）から卵管破裂による腹腔内出血からのショック（10～30％）までさまざまである．腹痛，子宮付属器圧痛，異常子宮出血が最も一般的な臨床症状である．子宮外妊娠の半数以上において，触知可能な子宮付属器腫瘤を認める．腫瘤は通常，大きく，動かせず，不明瞭で，ときに大網小腸や大腸に癒着していることもある．軽症の場合には，無月経や妊娠の他の徴候が先行することもある

危険因子として，骨盤内炎症性疾患による卵管のダメージ，子宮外妊娠の既往，卵管手術の既往，35歳以上の年齢，子宮内避妊器具（IUD）の装着，不妊症（卵管の機能低下を伴う），生殖補助医療などがあげられる

骨盤内炎症性疾患（PID）

骨盤内炎症性疾患は「子宮頸部または腟から子宮内膜，卵管，および隣接する構造物への微生物の自然発生的上行性進展」によるものである[22]．症例の85％は，卵管（卵管炎）または卵管と卵巣（子宮付属器炎）に影響を及ぼす性感染症または細菌性腟症で，おもに淋菌とクラミジアが関与している．急性期の特徴は子宮付属器，子宮頸部，および子宮の圧痛である．しかし，診断は難しく，卵管鏡検査で病原体が確認されたのは75％のみである．治療しなければ，卵管卵巣膿瘍が生じる可能性があり，治療を受けた患者の18％が3年後に不妊症となったとの報告がある．卵管や卵巣の感染は，出産や婦人科手術後にも生じる

訳注：わが国では，以下の(1)～(3)のすべてを満たす場合を多嚢胞性卵巣症候群としている（日本産科婦人科学会　生殖・内分泌委員会報告．本邦における多嚢胞性卵巣症候群の新しい診断基準の設定に関する小委員会（平成17年度～平成18年度）検討結果報告．日本産科婦人科學會雜誌　2007；59：868-86.）
(1)月経異常，(2)多嚢胞卵巣，(3)血中男性ホルモン高値，またはLH基礎値高値かつFSH基礎値正常

文献一覧

1. Johnson CT, Hallock JL, Bienstock JL, et al., eds. Chapter 26: Anatomy of the female pelvis. *Johns Hopkins Manual of Gynecology and Obstetrics*. 5th ed. Philadelphia, PA: Wolters Kluwer/Lippincott Williams & Wilkins; 2015: 338.
2. Tarnay CM. Chapter 42: Urinary incontinence and pelvic floor disorders. In: DeCherney AH, Nathan L, Laufer N, Roman AS, eds. *CURRENT Diagnosis & Treatment: Obstetrics & Gynecology*. 11th ed. New York: McGraw-Hill; 2013. Available at http://accessmedicine.mhmedical.com.eresources.mssm.edu/content.aspx?bookid=498&sectionid=41008634. Accessed April 28, 2018.
3. Chumlea WC, Schubert CM, Roche AF, et al. Age at menarche and racial comparisons in U.S. girls. *Pediatrics*. 2003; 111: 110-113.
4. Finer LB, Philbin JM. Trends in ages at key reproductive transitions in the United States, 1951-2010. *Womens Health Issues*. 2014; 24: e271-e279.
5. Kaplowitz P. Pubertal development in girls: secular trends. *Curr Opin Obstet Gynecol*. 2006; 18(5): 487-491.
6. Freeman EW, Sammel MD, Lin H, et al. Clinical subtypes of premenstrual syndrome and responses to sertraline treatment. *Obstet Gynecol*. 2011; 118: 1293-1300.
7. Pachman DR, Jones JM, Loprinzi CL. Management of menopause-associated vasomotor symptoms: current treatment options, challenges and future directions. *Int J Womens Health*. 2010; 2: 123-135.
8. North American Menopause Society. Estrogen and progestogen use in postmenopausal women: 2010 position statement of the North American menopause society. *Menopause*. 2010; 17: 242-255.
9. Hatzichristou D, Rosen RC, Derogatis LR, et al. Recommendations for the clinical evaluation of men and women with sexual dysfunction. *J Sex Med*. 2010; 7(1 Pt 2): 337-348.
10. Platano G, Margraf J, Alder J, et al. Psychosocial factors and therapeutic approaches in the context of sexual history taking in men: a study conducted among Swiss general practitioners and urologists. *J Sex Med*. 2008; 5: 2533-2556.
11. Kruszka PS, Kruszka SJ. Evaluation of acute pelvic pain in women. *Am Fam Physician*. 2010; 82: 141-147.
12. Orazulike NC, Konje JC. Diagnosis and management of ectopic pregnancy. *Women's Health (Lond)*. 2013; 9: 373-385.
13. Barnhart KT. Ectopic pregnancy. *N Engl J Med*. 2009; 361: 379-387.
14. International Pelvic Pain Society. History and physical. Pelvic pain assessment form. Available at http://www.pelvicpain.org/Professional/Documents-and-Forms.aspx. Accessed May 5, 2018.
15. Shin JH, Howard FM. Management of chronic pelvic pain. *Curr Pain Headache Rep*. 2011; 15: 377-385.
16. Wilson JF. In the clinic: vaginitis and cervicitis. *Ann Intern Med*. 2009; 151: ITC3-1: ITC3-15; Quiz ITC3-16.
17. Eckhert LO. Acute vulvovaginitis. *N Engl J Med*. 2006; 355: 1244-1252.
18. Centers for Disease Control and Prevention. 2015 STD treatment guidelines. Updated January 25, 2017. Available at https://www.cdc.gov/std/tg2015/default.htm. Accessed April 27, 2018.
19. Jayson GC, Kohn EC, Kitchener HC, et al. Ovarian cancer. *Lancet*. 2014; 384(9951): 1376-1388.
20. Legro RS, Arslanian SA, Ehrmann DA, et al. Diagnosis and treatment of polycystic ovary syndrome: an Endocrine Society clinical practice guideline. *J Clin Endocrinol Metab*. 20(1398): 4565.
21. Ehrmann LA. Polycystic ovary syndrome. *N Engl J Med*. 2005; 96: 593.
22. Brunham RC, Gottlieb SL, Paavonen J. Pelvic inflammatory disease. *N Engl J Med*. 2015; 372: 2039-2048.
23. Bruni L, Barrionuevo-Rosas L, Albero G, et al. Human papillomavirus and related diseases in the world. Summary report 27 July 2017. Accessed May 2, 2018.
24. Siegel RL, Miller KD, Jemal A. Cancer statistics, 2018. *CA Cancer J Clin*. 2018; 68: 7-30.
25. Centers for Disease Control and Prevention. Inside Knowledge: Get the Facts About Gynecologic Cancer. Available at URL: https://www.cdc.gov/cancer/knowledge/provider-education/cervical/risk-factors.htm. Accessed May 2, 2018.
26. Meites E, Kempe A, Markowitz LE. Use of a 2-dose schedule for human papillomavirus vaccination — updated recommendations of the advisory committee on immunization practices. *MMWR Morb Mortal Wkly Rep*. 2016; 65: 1405-1408.
27. Meites E, Szilagyi PG, Chesson HW, et al. Human papillomavirus vaccination for adults: updated recommendations of the advisory committee on immunization practices. *MMWR*. 2019; 68(32): 698-702.
28. Sawaya GF, Kulasingam S, Denberg TD, et al; Clinical Guidelines Committee of American College of Physicians. Cervical cancer screening in average-risk women: Best practice advice from the clinical guidelines committee of the American college of physicians. *Ann Intern Med*. 2015; 162: 851-859.
29. Curry SJ, Krist AH, Ownes DK, et al. Screening for cervical cancer: U.S. Preventive Services Task Force recommendation statement. *JAMA*. 2018; 320: 674-686.
30. Huh WK, Ault KA, Chelmow D, et al. Use of primary highrisk human papillomavirus testing for cervical cancer screening: interim clinical guidance. *J Low Genit Tract Dis*. 2015; 19: 91-96.
31. Qaseem A, Humphrey LL, Harris R, et al. Clinical Guidelines Committee of the American College of Physicians. Screening pelvic examination in adult women: a clinical practice guideline from the American College of Physicians. *Ann Intern Med*. 2014; 161: 67-72.
32. Saslow D, Solomon D, Lawson HW, et al. American cancer society, American society for colposcopy and cervical

pathology, and American society for clinical pathology screening guidelines for the prevention and early detection of cervical cancer. *CA Cancer J Clin*. 2012; 62: 147-172.

33. Rossouw JE, Anderson GL, Prentice RL, et al. Risks and benefits of estrogen plus progestin in healthy postmenopausal women: principal results From the Women's Health Initiative randomized controlled trial. *JAMA*. 2002; 288: 321-333.

34. Grossman DC, Curry SJ, Owens DK, et al. Hormone therapy for the primary prevention of chronic conditions in postmenopausal women: U.S. Preventive services task force recommendation statement. *JAMA*. 2017; 318: 2224-2233.

35. ACOG Committee Opinion No. 565: Hormone therapy and heart disease. *Obstet Gynecol*. 2013; 121: 1407-1410.

36. Siegel RL, Miller KD, Jemal A. Cancer statistics, 2019. *CA Cancer J Clin*. 2019; 69(1): 7-34.

37. National Cancer Institute. BRCA Mutations: Cancer Risk and Genetic Testing. 2018. Available at https://www.cancer.gov/about-cancer/causes-prevention/genetics/brca-fact-sheet. Accessed March 2, 2019.

38. Grossman DC, Curry SJ, Owens DK, et al. Screening for ovarian cancer: U.S. Preventive services task force recommendation statement. *JAMA*. 2018; 319(6): 588-594.

本章の学習効果を高め，理解を助けるために一連の補助教材がある。

- 『ベイツ診察法ポケットガイド第4版』
- Bates' Visual Guide to Physical Examination
- thePoint® online resources, for students and instructors: http://thepoint.lww.com

第22章 肛門，直腸，前立腺

解剖と生理

S状結腸 sigmoid colon は下部消化管の最も遠位部である直腸 rectum とつながり，直腸は S3 椎骨前面の仙骨岬角 sacral promontory にある直腸S状結腸接合 rectosigmoid junction から肛門直腸接合 anorectal junction まで続く。そこで直腸は肛門管 anal canal の短い区域に合流する（図 22-1）。

肛門 anus は近位の肛門直腸輪から遠位の肛門縁まで続く。肛門縁 anal verge は外肛門の毛がある部分とない部分の接合である。肛門縁を越えて，肛門周囲の皮膚 perianal skin は外側に続いており，肛門の端として示される。外肛門括約筋 external anal sphincter は，自発的にコントロールできる随意筋で構成されている。内肛門括約筋 internal anal sphincter は直腸の平滑筋層の延長であり，不随意筋である。肛門直腸輪 anorectal ring は外肛門括約筋の上部で触れることができる。

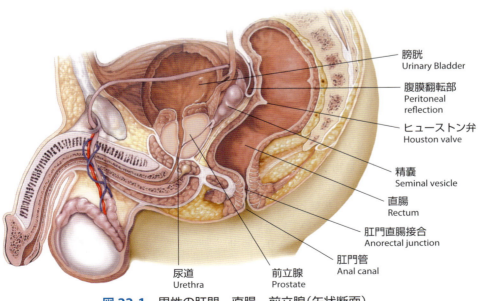

図 22-1　男性の肛門，直腸，前立腺（矢状断面）

解剖と生理

肛門と臍とを結ぶ線上にある肛門管の角度に注意する。直腸とは異なり，肛門管は豊富な体性感覚神経によって支配されており，指や器具を無理やり挿入すると，痛みを感じる。

皮膚から粘膜に変わる部分にあるギザギザした線は，肛門管と直腸の境界を示す（図22-2）。この**肛門直腸接合 anorectal junction** は，**櫛状線 pectinate line** とも**歯状線 dentate line** ともいわれることが多く，体性神経支配と内臓神経支配の境界部位でもあり，そこは移行円柱上皮が遠位で平滑上皮に隣接している。肛門鏡検査や下部消化管内視鏡検査ではすぐに見分けがつくが，触診ではわからない。

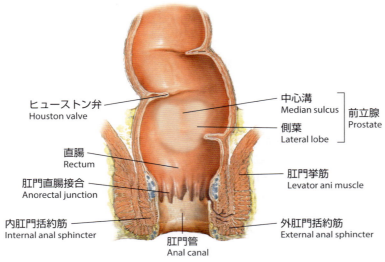

図 22-2 肛門と直腸の冠状断面：前壁を示す

男性では，**前立腺 prostate** は尿道を取り囲み，膀胱出口に隣接している。前立腺は，小児期には小さいが，思春期と20歳代で約5倍の大きさ（クリの実大）になる。前立腺肥大では前立腺容量もさらに増大する（p.758を参照）。**前立腺底部 base of prostate gland** は広がりのある頂部にあたり，膀胱下面付近で上方に突出している。この表面の大部分は直接，膀胱壁とつながっている（通常は診察で触知できる）。**前立腺尖部 apex of prostate** は下方に向かい，尿生殖隔膜の上部に接する。

前立腺は複数の腺葉に分かれている。前立腺の主要部位，左右の**側葉 lateral lobes** は，直腸壁の前面に位置する丸い，ハート型の構造物で，約2.5cmの大きさで触れる。それらは浅い**中心溝 median sulcus** で分けられ，中心溝もまた触知可能である。直腸診で直腸から触れる外側葉の後内側部は**後葉 posterior lobe** として呼ばれることが多い。前立腺の前葉と中葉は直腸壁にはついていないので，**診察できないことに注意する**。**精嚢 seminal vesicle** は，前立腺上にあり，ウサギの耳のような形で，通常は触知されない。

女性では通常，子宮頸部が直腸壁前面を通して触知できる。

| UNIT II 第22章 肛門，直腸，前立腺

病歴：一般的なアプローチ | 異常例

直腸壁は **Houston（ヒューストン）弁**と呼ばれる3個の内部襞を有する。最も下にある襞は，触知されることもあり，通常，患者の左側に位置する。直腸診で触知できる直腸の大部分は，直腸前面を除いて，腹膜に覆われていない。また直腸前面も，直腸診で指先で触知できる。

腹膜炎による圧痛，腹膜播種による結節。

病歴：一般的なアプローチ

消化管のアプローチと同じように，直腸S状結腸・肛門領域での症状をもつ患者への問診では，体系的にアプローチする。病歴を集めて，これらの症状に可能性のある診断をつけるのは重要である。病因の中で感度の高いもの，特に性の健康や活動に関連する情報は容易には得られない。男性では，下部消化管の症状に加えて，前立腺に関連する症状もみていく。

第19章「腹部」(p.638～639)を参照。

前立腺に関する質問は男性の排尿機能と密接な関係があるので，排尿習慣についてのものが主となる。閉塞や炎症，または尿中の血液（**血尿 hematuria**）に関連する排尿症状に焦点をあてる。前立腺疾患や泌尿器疾患の多様なプロセスは，これらの症状を引き起こすが，患者の特定の訴えを描写することが重要である。閉塞症状には，排尿の開始や維持が困難になったり，尿勢が弱かったり，排尿直後にまだ尿がたまっている（完全に空になっていない）ような感覚がある。痛みを伴う排尿症状には，排尿困難，頻尿や切迫感も含まれる。夜中に目覚めて何回トイレに行くか，排尿症状でどれほど困っているかを評価することも重要である。

よくみられる，または注意すべき症状

- 排便習慣の変化，血便
- 排便時の痛み，直腸からの出血または圧痛
- 肛門の疣贅や裂肛
- 尿勢が弱い
- 排尿習慣の変化（頻度，尿意切迫感，尿線途絶）（第19章「腹部」，p.643～646を参照）
- 灼熱感を伴う排尿（排尿困難）（第19章「腹部」，p.644を参照）
- 尿中の血液（血尿）（第19章「腹部」，p.646を参照）

排便習慣の変化

排便の頻度，便の大きさや太さ，下痢や便秘，または便色の異常な変化についてたずねる。これらの症状に加えて，黒いタール便（**メレナ melena**）から，**血便 hematochezia** や直腸からの鮮紅色の下血まで，血便の質問については p.627 に戻ってほしい。便に粘液が混じっているか，いないかについてもたずねる。

表19-4「便秘」(p.674)，表19-5「黒色便と血便」(p.675)を参照。

便の太さの変化，特に鉛筆状の細い便では，大腸癌に注意する。便中の血液は，ポリープ，痔核，消化管出血，悪性腫瘍に起因する。粘液性の便は絨毛腺腫，腸管感染症，炎症性腸疾患(IBD)，あるいは過敏性腸症候群(IBS)を伴うことがある。

| 病歴：一般的なアプローチ | 異常例 |

大腸ポリープや大腸癌の既往や家族歴についてもたずねること。IBS の家族歴や既往歴はないか？

これらの質問に肯定的な返答であれば、大腸癌のリスクが高くなり、精密検査を必要とする（第 19 章「腹部」、p.665〜666 を参照）。

排便時の痛み

排便時の痛みがあるか？掻痒感があるか？ 肛門や直腸に強い痛みがあるか？粘液性の分泌物や出血があるか？ 潰瘍があるか？ アナルセックスをするか？

肛門直腸痛、テネスムス、分泌物・出血は、**直腸炎 proctitis** を示唆する。原因には IBD、性感染症（淋菌、クラミジア属、鼠径リンパ肉芽腫、単純ヘルペスウイルス、第 1 期梅毒の硬性下疳など）（表 20-1「男性生殖器の性感染症（STI）」、p.702 を参照）、アナルセックスによる外傷、細菌感染、放射線治療がある。

肛門の疣贅、裂肛

肛門に疣贅や裂肛があるか？

ヒトパピローマウイルス（HPV）、または第 2 期梅毒の扁平コンジローマから性器疣贅が生じることがある。直腸炎、Crohn（クローン）病により**裂肛 anal fissure** がみられる。

尿勢が弱い

男性では、排尿パターンを調べる（p.645）。排尿困難や尿失禁はないか？ 尿勢は弱いか？ 尿が途切れたり、排尿中に出たり止まったりするか？ 頻尿はどうか、特に夜間ではどうか？ 尿中に血液が混ざっているか？

これらの泌尿器症状は、特に 70 歳以上の男性では前立腺肥大症を示唆する[1]。

米国泌尿器科学会（AUA）による前立腺肥大症状スコアは、前立腺肥大症の重症度を定量化して、治療決定の指針となる[2]。表 22-1「米国泌尿器科学会（AUA）による前立腺肥大症状スコア」を参照。

進行した前立腺癌は排尿症状や腰痛を引き起こす。

血尿は、前立腺肥大症、尿路結石、尿路感染症、または前立腺癌、膀胱癌、腎癌などが原因で起こりうる。

さらに、過敏な尿路症状（頻尿、切迫感、排尿時痛）、会陰部痛や腰痛、倦怠感、発熱や悪寒が突然発症したか？

これらの症状は急性前立腺炎を示唆する。

身体診察：一般的なアプローチ

診察が非常に鋭敏で不快の原因となる可能性があるので，実施する前に肛門直腸領域を診察すると知らせることは重要である．男性で前立腺の診察を加えることは，時間がかかり，歓迎はされないだろう．直腸肛門や前立腺の診察が必要かどうかを決めるときには，病歴と年齢を考慮する．若年患者では前立腺に関連する尿の訴えはなく，肛門直腸と前立腺の診察はめったに行われない．前立腺肥大症に関連する症状がある高齢患者では，前立腺の診察は，通常の身体診察の一部と考えて行うべきである．

直腸や前立腺の診察は不快感をもたらすが，痛みはほとんどない．このように，本章での診察のアプローチでは，これから起こること，診察の結果で見込まれることについて，効果的で継続的なコミュニケーションを必要とする．患者がこれから感じるかもしれないこと，つまり圧迫感，不快感，潤滑剤の濡れた感じ，診察する指のゆっくりした動きについてあらかじめ伝えておく．

診察の技術

肛門直腸と前立腺の診察の重要項目

- 患者を適切な体位にして診察する（側臥位が望ましい）
- 仙尾骨領域および肛門周囲の視診を行う（病変，潰瘍，炎症，発疹，表皮剥離）
- 肛門を視診する（病変，腫瘤，皮膚のただれ）
- 直腸診を行う
  - 肛門括約筋の緊張を評価する
  - 肛門管や直腸表面を触診する（腫瘤，圧痛，粘膜の破れ，結節，不規則性，硬結）
  - 前立腺のある男性では，前立腺を触診する（大きさ，形状，可動性，滑らかさ，結節，圧痛）

前立腺のある患者

診察にあたり，適切な複数の体位から1つを選択する．必要に応じて患者の協力を得るようにする．通常，腰と膝を部分的に曲げる側臥位（図22-3）が望ましく，肛門周囲と仙尾骨領域がみえやすい．患者は立位で，診察台に前かがみで上半身を置き，腰を曲げてもらうようにするが，これは品がないように思われるかもしれない．いかなる体位でも，診察する指が直腸の全域に達することはない．

| 診察の技術 | 異常例 |

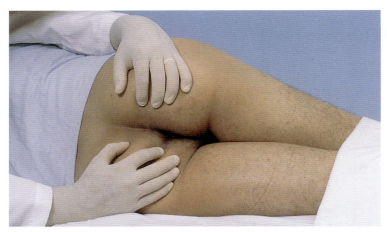

図 22-3　肛門直腸の診察では患者を左側臥位にする

患者を診察台で**左側臥位**にし，腰を診察者側によせてもらう。患者の腰と膝，特に上方にある脚を部分的に曲げてもらい体位を安定させると，よくみえる。患者に布をかけてから，ライトをあてると直腸周囲や肛門領域がよくみえるようになる。手袋をはめ，殿部を左右に広げる。

- **仙尾骨領域と肛門周囲**に，病変，潰瘍，炎症，皮疹，擦過傷がないか観察する。成人では肛門周囲の皮膚は，通常，殿部に比べ色素が濃く，ややきめが粗い。腫瘤や圧痛に注意しながら，すべての異常な部位を触れる。

- **直腸診（肛門と直腸の診察）を行う**。はじめに肛門の視診を行い，外部の病変，腫脹や皮膚の裂傷をみていく。グローブをつけた人差し指に潤滑剤をつけて，これから直腸診することを患者に説明する。患者は圧迫感を伴うものの，痛みを感じることはない。グローブと潤滑剤をつけた指を肛門上の入口に置く（図 22-4A）。はじめは括約筋をきつく締め，徐々に緩めてもらい，ゆっくりと肛門管に指を挿入する（図 22-4B）。臍部へと進めていく。腫瘤，圧痛部位，粘膜の破れに注意しながら周囲を触診する。

肛門や肛門周囲の病変には，症候性の**痔核 hemorrhoid**，肛門周囲膿瘍や**肛門瘻 anal fistula**，発疹，スキンタッグ（懸垂線維腫），肛門裂傷，**肛門コンジローマ（疣贅）anal condyloma（wart）**などがある。

直線状の割れ目や裂け目がある場合，大きくて硬い糞便や，炎症性腸疾患（IBD），性感染症による肛門裂傷を示唆する。また，表皮剝離を伴う肛門周囲の皮膚の腫脹や肥厚，亀裂がある場合には，**肛門瘙痒症 pruritus ani** である可能性が考えられる。

全体的に発赤と硬結を伴う軟らかく変動する腫瘤は，直腸周囲や肛門周囲の膿瘍を示唆する。これらの患者は，発熱や悪寒などの全身性感染症の徴候を伴う場合と伴わない場合がある。皮膚表面の外部開口部から持続的な排膿を伴う慢性膿瘍は，肛門直腸の瘻孔を示す。瘻孔からジワジワと出血や排膿，糞便性の粘液がでる。このような患者は，精密検査のため，専門医に紹介する必要がある。

診察の技術　　　　　　　　　　　　　　　　　　　　　　　　　　　異常例

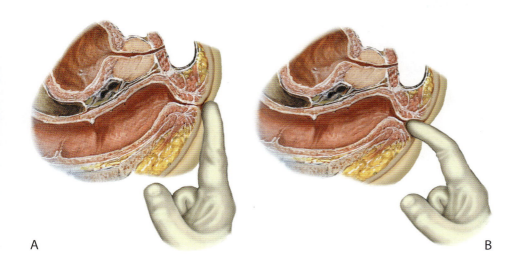

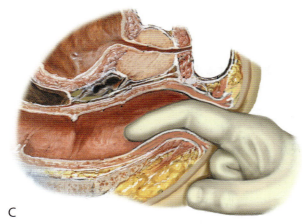

図 22-4　直腸診：A．グローブをはめて，潤滑剤をつけた人差し指を肛門の入口に置く．B．括約筋を緩めてもらいながら，徐々に診察する指を肛門に挿入する．C．直腸の表面を触知する（矢状断面）

- **外肛門括約筋を締めてもらい**，筋緊張を評価する．通常，肛門括約筋は，指の周りでぴったり閉じている．最初にみられる安静時での筋緊張は，内肛門括約筋が正常であることを示す．

括約筋の緊張は不安や炎症，瘢痕を伴って生じることがある．括約筋の弛緩は S2～S4 レベルの脊髄病変などの神経原性疾患で生じ，排尿括約筋や排尿筋へのシグナルも変化する可能性がある．肛門周囲の感覚検査も検討する．

非常に強い痛みを伴うと，指の挿入や内部の診察ができなくなることがある．強引には行わないこと．代わりに，指を肛門の両側に置き，開口部をやさしく広げて，患者には力を抜くよう促す．

- **直腸表面を触診する**．できる限り直腸の奥まで指を進める．手を時計回りに動かし，右側の直腸表面を触診する．その後に反時計回りに動かし，後部と左側を触診する（図 22-4C）．直腸癌を疑うような不規則な辺縁をもつ腫瘤（図 22-5），結節，硬結，あるいは不規則性に注意する．病変の可能性のある部分まで

指を届かせるために，直腸表面から指を離して，患者に息んでもらい，もう一度触診すること。

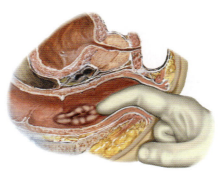

図 22-5　触知可能な直腸癌

● **前立腺を触診する**。反時計回りにできる限り指を動かすと，前立腺の後面を触れることができる（図 22-6A）。患者から少し体を離すと，比較的簡単に，この部位を感じることができる。患者には，前立腺を触診することで，排尿したくなるかもしれないと伝えておく。

指を前立腺の上で注意深く滑らせて，外側葉とその間の**正中溝を同定する**（図 22-6B）。前立腺の大きさ，形，可動性，硬さに注意し，結節や圧痛のある場所を明らかにする。正常の前立腺はゴム状かつ無痛で，周囲組織に固定されてはいない。左右の側葉の硬さや大きさの違いなど非対称性に注意する。可能であれば，精嚢領域や腹腔内まで，前立腺の上方へ指をのばし，直腸前面を触れる。結節や圧痛に注意する。これは前立腺肥大症の患者では難しい場合もある。

やさしく指を抜き，肛門を拭くか，患者にティッシュ（使い捨て吸収紙）を渡す。手袋についた便にも注目する。

表 22-2「肛門，その周囲の皮膚，直腸の異常」を参照。

表 22-3「前立腺の異常」を参照。

腹膜転移での直腸棚，腹膜炎での圧痛などの所見がみられる。表 22-2「肛門，その周囲の皮膚，直腸の異常」を参照。

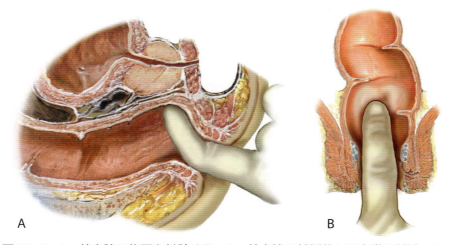

図 22-6　A．前立腺の後面を触診する。B．前立腺の外側葉と正中溝を触診する（冠状断面：直腸前壁を示す）

所見の記録

前立腺のない患者（女性，前立腺摘除後男性）

直腸診は，通常，女性生殖器の内診後の砕石位になっているときに行う。この体位では，双手診を行いやすく，付属器腫瘤や骨盤内腫瘤がわかりやすい。直腸腟壁の全体を診察することができ，高位直腸の癌を触知するのに役立つ。

直腸診だけを行う場合，側臥位が適しており，肛門周囲や仙尾骨領域をよく観察できる。男性の場合と同様の技術で行う。直腸前壁を通して子宮頸部が触れやすいので注意する。また，子宮後屈が触れることもあるが，これらやタンポンなどを疑わしい腫瘤と間違えないこと。

前立腺摘除術を受けた患者では，前述した「前立腺のある患者」での診察体位や手法を用いること。

第 21 章「女性生殖器」の「診察の技術」（p.721〜728）を参照。

所見の記録

所見を記録する際，最初は文章を用いるかもしれないが，慣れてくれば慣用的な記述を使えるようになる。

診察の記録：肛門，直腸，前立腺

肛門周囲に病変，裂肛なし。外肛門括約筋は正常。直腸円蓋に腫瘤なし。前立腺は滑らかで，対称性であり，圧痛なし，正中溝を触知（女性では，子宮頸部圧痛なし）。便は茶色で，血便はなし

または

肛門周囲に炎症あり，潰瘍，疣贅，分泌物なし。外肛門括約筋の緊張は強く，肛門管に著明な炎症と圧痛があるため，外肛門括約筋，直腸円蓋，前立腺の診察できず

これらの所見は，感染性の直腸炎を示唆する。

または

肛門周囲に病変，裂肛なし。外肛門括約筋は正常。直腸円蓋に腫瘤なし。前立腺の左外側葉は 1×1 cm 大の硬い結節を尖部近くに触知。右外側葉は滑らか。正中溝が不明瞭。便は茶色で血便はなし

これらの所見は，前立腺癌を示唆する。

健康増進とカウンセリング：エビデンスと推奨

健康増進とカウンセリングの重要事項

- 前立腺癌

前立腺癌

疫学

前立腺癌は米国で最も多く診断される腺癌であり，男性では癌による死因の第2位である[3]。米国癌協会によると，2018年には16万4,900例の前立腺癌の診断，2万9,430例の前立腺癌による死亡を推定している。前立腺癌と診断される生涯リスクは，約1/9であるが，死亡リスクは1/30以下である[4]。年齢，人種，家族歴は，前立腺癌の強い危険因子である。40歳未満での前立腺癌は珍しい。ただし，50歳以降で急激に発症率が増加しはじめ，診断時の年齢の中央値は66歳である。アフリカ系米国人では前立腺癌の発症率と死亡率が全米で最も高く，白人男性と比べて，50歳未満で進行癌になる可能性が高い。前立腺癌の家族歴では，特に複数の第1度近親者の家族が診断されたり，早期診断（55歳以下で）された場合には，発癌リスクが高まる[5]。エビデンスが明らかではないが，他の危険因子には，ベトナム戦争退役軍人のダイオキシン（オレンジ剤）曝露，動物性脂肪の多い食事，肥満，喫煙，カドミウム曝露がある[6]。**しかし，高齢男性でよくみられる前立腺肥大症は，前立腺癌の危険因子ではない。**

予防

果物や野菜を多く含んだ食事の摂取，身体活動の増強といった生活習慣の改善が前立腺癌の予防につながるという明らかなエビデンスはない。同様に，抗酸化作用のあるビタミンEや微量栄養素のセレンなどの栄養サプリメントが前立腺癌を予防するというエビデンスもない[7]。5α還元酵素阻害薬のフィナステリドやデュタステリドなどの医薬品による予防的化学療法が前立腺癌の発症率を減少させる一方で，これらが前立腺癌による死亡率を低下するかどうかを証明するエビデンスはない[8,9]。米国食品医薬品局は，予防的化学療法としてこれらの医薬品の使用を推奨している[10]。

スクリーニング

前立腺特異抗原 prostate specific antigen（PSA）は主要な前立腺癌のスクリーニング検査である。しかしながら，過剰診断の懸念が提起されており，男性では一生のうちに他の方法では検出されないような癌診断もなされている。加えて，リスクの低い癌に罹患した男性の多くが長年にわたり，手術や放射線治療のような有

大腸癌予防とスクリーニングについては，第19章「腹部」（p.666）を参照。性感染症の詳細については，第6章「健康維持とスクリーニング」（p.184～187）を参照。

健康増進とカウンセリング：エビデンスと推奨

害で合併症を起こしうる不必要な治療を受けてきた[11]。1990年代初頭から，スクリーニングは一部の専門医療機関では推奨されてきたものの，ランダム化比較試験の最初の結果は，2009年まで発表されることはなかった[12,13]。欧州前立腺癌ランダム化比較試験（ERSPC）では，欧州7か国の55〜69歳の16万人以上の男性を対照に，2〜4年ごとのPSA検査のみを行う群と，通常のケアを行う群にランダムに割りつけた。13年間のフォローアップ後，研究者は前立腺癌による死亡の相対リスクが20％減少したことを報告した[14]。絶対リスクの減少は1,000人に1人強であり，前立腺癌による死亡を1人予防するためには，約800人の男性をスクリーニングしなければいけない。ERSPCのスクリーニングを受けた場合，前立腺癌と診断されるリスクが57％増加した。米国の研究である，前立腺癌・肺癌・大腸直腸癌・卵巣癌スクリーニング試験（PLCO）では，50〜74歳の男性7万5,000人を，毎年のPSA検査を行う群と直腸診あるいは通常ケアを行う群にランダムに分けた。研究ではスクリーニングを受けた患者で癌診断のリスクは12％増加したが，スクリーニングによる死亡率の減少効果はみられなかった[15]。PLCOの結果の妥当性は疑問視されている。なぜなら参加者の多くはすでに試験開始前にスクリーニングを受けていた，対照群の男性のほとんどが試験中にスクリーニングを受けていた，そしてPSA値で異常があった男性の一部のみが生検を受けていたからである。これらの要因により，スクリーニングには有用性がみられないというバイアスがかかったのである。

推奨

米国予防医療専門委員会（USPSTF），米国癌協会（ACS）や米国泌尿器科学会American Urological Association（AUA）などの主要な専門機関は近年，ガイドラインを発表しており，Box 22-1に要約する[16-18]。

Box 22-1　前立腺癌スクリーニングガイドライン

	米国予防医療専門委員会（USPSTF, 2018）	米国癌協会（ACS, 2012）	米国泌尿器科学会（AUA, 2013）
共同意思決定（shared decision making）	はい	はい（意思決定支援の使用を検討）	はい
スクリーニング開始年齢			
平均的リスク	55歳	50歳	55歳
高リスク	推奨しない	40〜45歳	40歳
スクリーニング終了年齢	69歳	平均寿命10年未満	平均寿命10年未満
スクリーニング検査	PSA	PSA 直腸診（選択）	PSA 直腸診（選択）
検査頻度	推奨しない	毎年（PSA<2.5 ng/mLなら2年に1回）	2年ごとが望ましい
生検推奨基準	推奨しない	PSA≧4 ng/mL	特定のPSA値なし。バイオマーカー，画像，リスク計測の使用を検討して生検に対する意思決定に役立てる

（続く）

↘(続き)

直腸診の異常所見
個別のリスク評価（PSA 2.5～4 ng/mL）

PSA：前立腺特異抗原 prostate-specific antigen

共同意思決定

共同意思決定 shared decision making は医療者と患者が協力して，最適なエビデンスと患者の好みや価値観にもとづいて健康上の意思決定を行うプロセスである。前立腺癌スクリーニングの決定には潜在的な有益性と有害性のトレードオフを比較検討する必要があるため，医療者は共同意思決定を支援することが推奨されている。しかし，医療者には，このような課題を議論する機会がこれまでなかったため，患者を共同意思決定支援するのは困難であった。米国癌協会（ACS）が推奨している戦略の1つに，診療所での診察前に患者に提供する意思決定支援の活用がある[17]。意思決定支援は教育ツールであり，前立腺癌に関する事実を提示し，スクリーニングと治療の選択肢（潜在的な有益性と有害性）について話し合い，起こりうる結果に対する患者の価値観や意向を引き出し，スクリーニングの実施について医療者と検討するための指針を提供するものである。スクリーニングを受ける効果はさまざまではあるが，ある研究では，意思決定支援によって知識が増え，意思決定における不確実性を軽減し，意思決定プロセスにおいて積極的な関与が高まることを示している[19]。Box 22-2 に，前立腺癌スクリーニングで公的に利用可能な意思決定支援ガイドをあげている。

Box 22-2　前立腺癌スクリーニングの意思決定ガイド

- 前立腺癌の検査，米国癌協会：http://www.cancer.org/acs/groups/content/@editorial/documents/document/acspc-024618.pdf
- 前立腺癌スクリーニング：CDC 2018（アフリカ系米国人・ヒスパニック系米国人向けウェブサイトも参照のこと）https://www.cdc.gov/cancer/prostate/basic_info/index.htm
- 前立腺癌スクリーニング：PSA 検査を受けるべきか？　Mayo（メイヨー）クリニック：http://www.mayoclinic.org/diseases-conditions/prostate-cancer/in-depth/prostate-cancer/art-20048087
- 意思決定支援ツール：PSA 検査による癌スクリーニング，米国臨床腫瘍学会：https://www.asco.org/sites/new-www.asco.org/files/content-files/practice-and-guidelines/documents/2012-psa-pco-decision-aid.pdf（Accessed March 2, 2019）

表 22-1　米国泌尿器科学会（AUA）による前立腺肥大症状スコア

以下の質問について，スコアをつける，または患者にスコアをつけてもらう。より高いスコア（最高 35 点）は，より重症であることを示す。7 点以下は軽症であり，通常，治療の必要はない[20]。

パートA	まったくない	5回に1回の割合より少ない	2回に1回の割合より少ない	およそ2回に1回の割合	2回に1回の割合より多い	ほとんどいつも	スコア
1. **残尿感**：この 1 カ月間に，尿をした後にまだ尿が残っている感じは，何回ありましたか？	0	1	2	3	4	5	
2. **頻尿**：この 1 カ月間に，尿をしてから 2 時間以内に，もう一度したくなることが何回ありましたか？	0	1	2	3	4	5	
3. **尿線途絶**：この 1 カ月間に，尿をしている間に尿が途切れることが何回ありましたか？	0	1	2	3	4	5	
4. **尿意切迫感**：この 1 カ月間に，尿を我慢するのが難しいことが何回ありましたか？	0	1	2	3	4	5	
5. **弱い尿勢**：この 1 カ月間に，尿の勢いが弱いことが何回ありましたか？	0	1	2	3	4	5	
6. **緊満感**：この 1 カ月間に，尿をしはじめるためにお腹に力を入れることがありましたか？	0	1	2	3	4	5	
パートB	**0回**	**1回**	**2回**	**3回**	**4回**	**5回**	**スコア**
7. **夜間多尿**：この 1 カ月間に，夜寝てから朝起きるまでに，通常，何回尿をするために起きましたか？	0	1	2	3	4	5	

パート A と B の合計（最高 35 点）＿＿＿＿＿＿

出典：Madsen FA, Bruskewitz RC. *Urol Clin North Am*. 1995; 22(2): 291-298. Copyright© 1995 Elsevier. より許可を得て掲載

表 22-2　肛門，その周囲の皮膚，直腸の異常

毛巣嚢胞（毛巣洞）

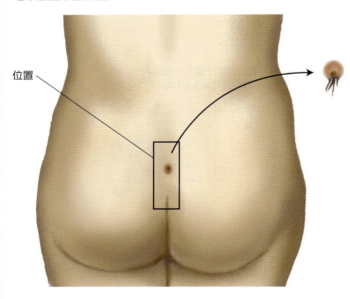

位置

毛巣嚢胞は，非常によくみられ，多くは先天性であり，臀裂の中線上に位置する異常な嚢胞である。嚢胞の開口部を探す。小さな毛の束があり，周囲に発赤がみられることがある。毛巣洞嚢胞はわずかに排膿がある部分を除き，無症候性ではあるが，膿瘍形成，二次性瘻管となりうる

外痔核（血栓形成された）

拡張した痔核静脈叢で，櫛状線より下に発生し，皮膚に覆われている。血栓を生じない限りは，ほとんど症状はない。血栓により，排便や座位で急性の局所的な痛みが現れる。圧痛があり，腫脹した，青みがかった卵形の腫瘤が肛門の縁にみられる

内痔核（逸脱した）

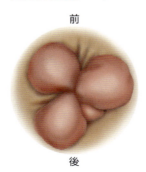

前

後

内痔核は，櫛状線よりも上にある正常の血管叢の拡張であり，通常触知できない。特に排便時に，鮮紅色の出血が生じることがある。また，肛門管より逸脱し，赤色，湿性で，突出した腫瘤がみられる。典型的には，図に示した部位に，1つまたは複数みられる

直腸脱

腸蠕動が緊張する際に，直腸粘膜が筋層を伴うか，伴わないかによらず肛門から脱出して，肛門縁を越えて伸縮してみえる。粘膜部分のみの場合は，図に示すように比較的小さく，皺が放射線状にみられる。全層に及ぶ場合は，逸脱は大きく，同心円状，環状の皺がみられる

| 表 22-2 | 肛門，その周囲の皮膚，直腸の異常(続き) |

裂肛

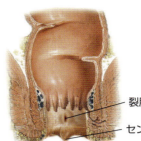

激しい痛みを伴う肛門上皮の裂傷・潰瘍であり，ほとんどは後面の中線上で，前面にみられることは少ない。潰瘍の長軸は，縦軸方向にある。真下に，腫脹したセンチネル垂があり，肛門縁を丁寧に見分けることで，裂肛の下縁を明らかにできる。括約筋は痙攣し，診察では痛みが伴う。麻酔下での診察は，病変の特徴を十分に観察するために必要である

肛門直腸瘻

 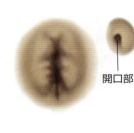

肛門腺から皮膚の外部開口部にいたる異常な結合組織である（図に示している）。瘻孔は，以前に罹患した膿瘍または感染症によって生じる。肛門周囲の皮膚で，瘻孔の開口部を探す

直腸ポリープ

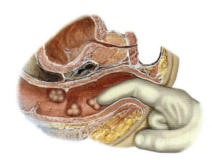

非常によくみられる。大きさや個数はさまざまで，茎をつくるもの（**有茎性ポリープ**）や粘膜表面にできるもの（**無茎性ポリープ**）がある。指が届いたとしても，軟らかいので，触知が難しく，わからないこともある。内視鏡検査や生検は，良性と悪性の鑑別に必要とされる

直腸癌

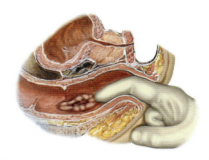

この図では，硬い，結節性の，丸い辺縁を有する潰瘍化した癌がみられる

直腸棚

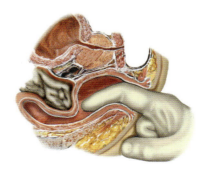

播種性腹膜転移は，どの原発巣からのものも，直腸前面の腹膜翻転部にできる。さまざまな硬さの結節がある直腸棚は，診察時に，指先でちょうど触れることができる。女性では，この転移組織の塊は，頸管と子宮の背側に位置する直腸子宮窩にできる

表 22-3　前立腺の異常

正常な前立腺

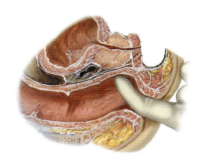

直腸前壁を通して触れるように，正常な前立腺は，丸く，ハート型の，約 2.5 cm 長の臓器である。正中溝は 2 つの側葉の間で触知できる。しかし，前立腺の後面しか触れることはできない。尿道を閉塞させるような病変も含めて，前部・中心部病変は直腸壁に接していないので，身体診察ではみつけられない

前立腺炎

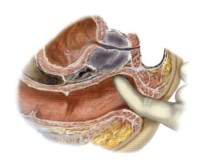

図に示す**急性細菌性前立腺炎**では，発熱と，頻尿や尿意切迫感，排尿困難，残尿感やときに背部痛のような尿路系の症状がみられる。前立腺には，圧痛，腫脹，ジクジク感および熱感が自覚される。患者にとって非常に敏感で痛みも強いので，丁寧に診察する。感染の 80％以上は，大腸菌（*Escherichia coli*）や腸球菌，プロテウス *Proteus* 菌などの Gram（グラム）陰性好気性菌による。35 歳以下の若年男性では淋菌（*Neisseria gonorrhoeae*）やクラミジア・トラコマティス *Chlamydia trachomatis* の性感染を疑う

慢性細菌性前立腺炎は尿路感染症の再発と関連しており，通常，原因菌は同じである。無症状のこともあれば，排尿困難および軽度の骨盤痛の症状がみられることもある。前立腺に圧痛や腫脹がなく，正常だと感じることもある。前立腺液の培養では，通常，大腸菌感染がみられる

これらの状態と一般的な**慢性骨盤痛症候群**を鑑別することは難しく，排尿時に尿路閉塞感や刺激を感じるものの，前立腺や尿路に感染の所見がない男性の 80％ほどで，この慢性骨盤痛症候群がみられる。身体診察による所見はさまざまで予測しにくいが，急性症状や前立腺肥大症，前立腺癌を示唆する前立腺の硬結や非対称性がないかを評価するには診察が必要である

良性前立腺過形成

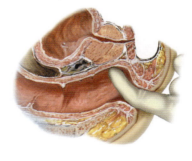

非悪性の前立腺肥大であり，年齢に伴い増加し，50 歳までに半数以上の男性でみられる。症状は，前立腺や膀胱頸部の平滑筋収縮と，肥大した前立腺組織による尿道圧迫からはじまる。刺激性の症状（切迫尿，頻尿，夜間多尿）や閉塞性の症状（尿流量の減少，残尿感，緊満感），あるいはその両方がみられ，65 歳までには 1/3 以上の男性で症状が現れる。肥大している前立腺の大きさは正常なこともあるし，やや弾性ではあるものの，左右対称性に肥大しており，平滑で硬く感じられることもある。中心溝が消失することがあり，多くの場合，直腸内に顕著に突出している。直腸診には限界があり，重症度と診察所見は相関しない場合がある

前立腺癌

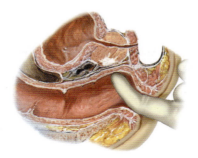

結節や硬結など前立腺の硬い領域でわかる。癌が大きくなると，不整であるのを感じ，前立腺の境界を越えて進展し，中心溝は不明瞭となる。硬い部位のすべてが悪性ではない。前立腺結石や慢性炎症，その他の状態でも生じることがある

文献一覧

1. McVary KT. BPH: epidemiology and comorbidities. *Am J Manag Care.* 2006; 12(5 Suppl): S122-S128.
2. Barry MJ, Fowler FJ Jr, O'Leary MP, et al. The American Urological Association symptom index for benign prostatic hyperplasia. The Measurement Committee of the American Urological Association. *J Urol.* 1992; 148(5): 1549-1557; discussion 1564.
3. Siegel RL, Miller KD, Jemal A. Cancer statistics, 2018. *CA Cancer J Clin.* 2018; 68(1): 7-30.
4. Howlader N, Noone AM, Krapcho M, eds., et al. SEER Cancer Statistics Review, 1975-2014, National Cancer Institute. Bethesda, MD, 2017. Available at https://seer.cancer.gov/csr/1975_2014/.
5. National Cancer Institute. Available at https://www.cancer.gov/types/prostate/hp/prostate-genetics-pdq. Accessed June 3, 2018.
6. National Cancer Institute. Available at https://www.cancer.gov/types/prostate/hp/prostate-prevention-pdq#section/_17. Accessed June 3, 2018.
7. Lippman SM, Klein EA, Goodman PJ, et al. Effect of selenium and vitamin E on risk of prostate cancer and other cancers: the Selenium and Vitamin E Cancer Prevention Trial (SELECT). *JAMA.* 2009; 301(1): 39-51.
8. Thompson IM, Goodman PJ, Tangen CM, et al. The influence of finasteride on the development of prostate cancer. *N Engl J Med.* 2003; 349(3): 215-224.
9. Andriole GL, Bostwick DG, Brawley OW, et al. Effect of dutasteride on the risk of prostate cancer. *N Engl J Med.* 2010; 362(13): 1192-1202.
10. Theoret MR, Ning YM, Zhang JJ, et al. The risks and benefits of 5alpha-reductase inhibitors for prostate-cancer prevention. *N Engl J Med.* 2011; 365(2): 97-99.
11. Cooperberg MR, Carroll PR. Trends in Management for Patients With Localized Prostate Cancer, 1990-2013. *JAMA.* 2015; 314(1): 80-82.
12. Schroder FH, Hugosson J, Roobol MJ, et al. Screening and prostate-cancer mortality in a randomized European study. *N Engl J Med.* 2009; 360(13): 1320-1328.
13. Andriole GL, Crawford ED, Grubb RL 3rd, et al. Mortality results from a randomized prostate-cancer screening trial. *N Engl J Med.* 2009; 360(13): 1310-1319.
14. Schroder FH, Hugosson J, Roobol MJ, et al. Screening and prostate cancer mortality: results of the European Randomised Study of Screening for Prostate Cancer (ERSPC) at 13 years of follow-up. *Lancet.* 2014; 384(9959): 2027-2035.
15. Pinsky PF, Prorok PC, Yu K, et al. Extended mortality results for prostate cancer screening in the PLCO trial with median follow-up of 15 years. *Cancer.* 2017; 123(4): 592-599.
16. US Preventive Services Task Force, Grossman DC, Curry SJ, et al. Screening for Prostate Cancer: US Preventive Services Task Force Recommendation Statement. *JAMA.* 2018; 319(18): 1901-1913.
17. Wolf AM, Wender RC, Etzioni RB, et al. American Cancer Society guideline for the early detection of prostate cancer: update 2010. *CA Cancer J Clin.* 2010; 60(2): 70-98.
18. Carter HB, Albertsen PC, Barry MJ, et al. Early detection of prostate cancer: AUA Guideline. *J Urol.* 2013; 190(2): 419-426.
19. Stacey D, Legare F, Lewis K, et al. Decision aids for people facing health treatment or screening decisions. *Cochrane Database Syst Rev.* 2017; 4: CD001431.
20. Madsen FA, Bruskewitz RC. Clinical manifestations of benign prostatic hyperplasia. *Urol Clin North Am.* 1995; 22(2): 291-298.

本章の学習効果を高め，理解を助けるために一連の補助教材がある．

- 『ベイツ診察法ポケットガイド第4版』
- Bates'Visual Guide to Physical Examination
- thePoint® online resources, for students and instructors: http://thepoint.lww.com

第23章 筋骨格系

解剖と生理

関節

関節の機能を評価するためには，関節の種類，関節の連結の仕方，また関節の動きをスムーズにする滑液包の役割を知っておくことが重要である（Box 23-1）。関節にはおもに，滑膜性関節，軟骨性関節，線維性関節の3つの種類があり，それぞれがさまざまな動きを可能にしている。

Box 23-1 関節の種類

関節の種類	関節運動の程度	例
滑膜性関節	自由に動く	膝関節，肩関節
軟骨性関節	わずかに動く	椎間関節，恥骨結合，胸骨柄部体部間関節
線維性関節	可動性はない	頭蓋縫合

滑膜性関節

滑膜性関節 synovial joint の骨同士が直接接触することはない。靱帯が許す範囲内で，関節部分は自由に動ける構造になっている（図23-1）。骨は，圧力や負荷に応じて形を変えることができるように，荷電イオンと水分を含んだコラーゲン基質で構成された**関節軟骨 articular cartilage**で覆われ，関節の動きのクッションとなる**滑膜腔 synovial cavity**で他の骨から隔てられている。**滑膜 synovial membrane**は滑膜腔に沿って存

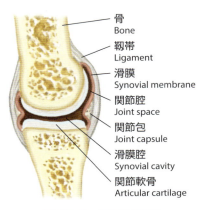

図23-1 滑膜性関節

解剖と生理

在し，少量の粘性潤滑液を分泌する。これが**滑液 synovial fluid** である。滑液には隣接する比較的血管の少ない関節軟骨に栄養を与える役割もある。滑膜は関節軟骨の辺縁に付着し，袋状になっていることで関節が動く際にクッションのような役割を果たす。関節の周りには線維性の**関節包 joint capsule** がある。関節包は骨と骨を接続する靱帯に強化され，なかには靱帯に接続するものもある。

診察の対象となる関節の多くは，滑膜性関節，つまり可動性関節である（Box 23-2）。関節面の構造および周囲の軟部組織の形態によって，関節運動の方向と範囲が決定される。若年者や女性の軟部組織は柔軟性に富んでおり，より関節の**可動域 range of motion（ROM）** が大きい傾向にある（二重関節）。筋骨格系の診察について学ぶ際には，関節の解剖学的構造とその動きを関連づけることが重要である。関節の解剖学的構造とその構造から導かれる動き方を知ることで，特に変性疾患や外傷の可能性を評価しやすくなる。

Box 23-2　滑膜性関節の種類

滑膜性関節の種類	連結形	運動	例
球関節（球とソケット）	凹内に凸の表面	広範囲の屈曲・伸展，外転・内転，回旋，分回し運動（四肢などの部位での回旋運動）	肩関節，股関節
ちょうつがい（蝶番）関節	平坦，平面	一平面上の運動。屈曲，伸展	肘関節，手足の指趾節間関節
楕円関節	凹あるいは凸	二軸性の運動が可能	膝関節，顎関節

屈曲：flexion，伸展：extension，外転：abduction，内転：adduction，回旋：rotation，分回し運動：circumduction

球関節

球関節 spheroidal joint は球とソケットの形をしている。球状の骨の凸表面が杯状の骨の凹腔と連結し，肩や股関節でみられるような広範囲の回旋運動を可能にする（図 23-2）。

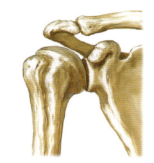

図 23-2　球関節（球とソケット）

ちょうつがい関節

ちょうつがい関節 hinge joint は，平坦，平面，あるいは若干の曲面で，肘関節の屈曲，伸展にみられるような，一平面上の滑り運動のみ可能である（図 23-3）。

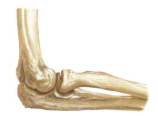

図 23-3　ちょうつがい関節

解剖と生理

楕円関節

手関節(手首)などの**楕円関節 condylar joint**は，関節面が凸型または凹型になっている(図23-4)。これらの関節は屈曲，伸展，回旋など，二軸性の運動が可能である。

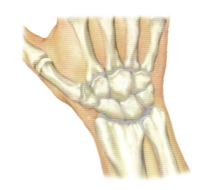

図 23-4　楕円関節

軟骨性関節

軟骨性関節 cartilaginous jointには椎間関節，恥骨結合，胸骨柄部体部間関節などがある。関節の骨面を隔てているのは線維軟骨性の円板で，関節にはわずかに可動性がある(図23-5)。関節両側の骨表面は，**ヒアリン軟骨 hyaline cartilage**で覆われている。また，軟骨性関節の**線維軟骨 fibrocartilage**は圧縮可能であり，関節全体の衝撃を吸収する役割を果たしている。例えば，各**椎間板 intervertebral disc**の中心にある**髄核 nucleus pulposus**は，脊椎のさまざまな動きを助け，脊椎にかかる衝撃を和らげる働きをしている。

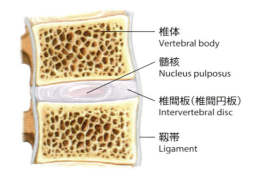

図 23-5　軟骨性関節

- 椎体 Vertebral body
- 髄核 Nucleus pulposus
- 椎間板(椎間円板) Intervertebral disc
- 靱帯 Ligament

線維性関節

線維性関節 fibrous jointでは，線維組織や軟骨の層が咬み合って骨と骨とをつないでいる(図23-6)。頭蓋骨の縫合部は線維性関節の例である。これらの骨は互いにほぼ直接接しているため，可動性はみられない。

図 23-6　線維性関節

滑液包

滑液包 bursa は滑液を含んだ円盤状の袋で，関節の動きを円滑にし，隣接する筋肉同士，あるいは筋肉と腱がより少ない摩擦で互いに滑るように動くことを可能にする。滑液包は，皮膚と，骨あるいは関節凸面との間（例：膝蓋前滑液包，p.820）や，腱や筋肉が骨，靱帯，他の腱や筋肉と擦れる部分（例：肩峰下滑液包，p.780～781）に存在する。

軟部組織の構造，靱帯，腱，滑液包の知識は，炎症性疾患，外傷性損傷，オーバーユース症候群を評価する際に役立つだろう。

関節構造と関節外構造

診断しやすくするために，関節とそれに関連する解剖学的な部位を**関節構造**と**関節外構造**に分けて考えるのが一般的である。関節構造には，関節包と関節軟骨，滑膜と滑液，関節内靱帯，関節近傍骨などがある。関節外構造には，関節周囲の**靱帯 ligament**（骨と骨をつなぐコラーゲン線維のロープ状の束），**腱 tendon**（筋肉と骨とをつなぐコラーゲン線維の束），滑液包，筋肉，筋膜，非関節骨，神経，およびその上の皮膚が含まれる。

関節構造の病変は，一般的に関節の腫脹および圧痛，関節摩擦音，不安定性，「ロッキング」，または変形を伴い，硬直，機械的閉塞，または痛みのために**能動的および受動的可動域が制限される**[1]。

関節外構造が関与する病変は，関節内の腫脹，不安定性，関節の変形を引き起こすことはほとんどなく，一般的には「関節構造に隣接する領域の局所的な圧痛」を伴い，**能動的可動域のみ制限される**[1]。

病歴：一般的なアプローチ

筋骨格系の構造はそれぞれ異なるが，関節の基礎となる部分は共通している[2]。骨，靱帯，関節軟骨，滑膜，周囲の腱や筋肉，関連する滑液包，血管，神経，脂肪，皮膚といった構造物はすべて，圧迫や伸展によって損傷を受けたり，感染や癌の発生場所になることがある。慎重な病歴聴取によって，筋骨格系構造のそれぞれに対する損傷の特徴を聞き出す必要がある。

また，筋骨格系の主訴を評価するためには，解剖学的な構造と，それらの構造がどのように関連し，相互に作用しているかをしっかりと理解する必要がある。そのためには，関節の基本的な解剖学的構造を視覚的に理解することが重要である。これにより，面接時の質問や，診断を確かなものにするために必要な診察手技を選択しやすくなる。

年齢も関節痛の原因を知る手がかりになる[1]。年齢が60歳未満の場合は，反復運動過多損傷またはオーバーユース症候群，結晶性関節炎，関節リウマチ，乾癬性関節炎，反応性関節炎，感染性関節炎などが考えられる。60歳以上であれば，変形性関節症，痛風・偽痛風，リウマチ性多発筋痛症，骨粗鬆症性骨折，化膿性細菌性関節炎などが考えられる。

よくみられる，または注意すべき症状

- 関節痛
- 頸部痛
- 腰痛

病歴：一般的なアプローチ

関節痛

関節痛 joint pain は，治療を求める患者に最も多い主訴である。まず「どこの関節に痛みがありますか？」と聞き，**患者に痛む部位を指さしてもらう**。患者の話を聞きながら，それぞれの症状の背景，関連性，時系列などを丹念に明らかにしていく必要がある。痛みをはじめとする多くの症状では，「症状を表す特徴」を理解することが重要である（Box 23-3）。

> **Box 23-3　関節痛の診察におけるコツ**
> - 可能であれば指 1 本で**「痛みの場所を指し示してください」**と患者にお願いする。多くの患者にとって痛みの場所を言葉でうまく表現することは難しいので，実際に指さしてもらうことで時間の節約になる
> - 痛みがはじまった時期や，外傷もあった場合は患者の記憶にある限りの受傷機転を明確にし，記録する
> - 痛みが**関節性**か**関節外性**か，**急性**（通常，数日から数週間）か**慢性**（通常，数カ月から数年）か，**炎症性**か**非炎症性**か，**限局性（単関節性）**か**びまん性（多関節性）**かを判断する
> - 背景，関連性，時系列など，各症状の特徴を明確にする
> - 症状を表す特徴（**部位**，**性質**，**程度**または**重症度**，**発症様式**と**時期**，**増悪**または**改善因子**，**関連症状**）に着目し，痛みの特徴を把握することが重要である

部位

患者にどの関節が痛いかたずねる。できれば指 1 本で痛む部位を指し示してもらう。痛みが 1 つの関節に限局している場合，それは**単関節性**である。関節の痛みは，2〜4 個の関節（**少関節性**あるいは**乏関節性**），あるいは 5 個以上の関節（**多関節性**）に生じることもある。多くの場合，関連する関節の大きさや種類が診断の重要な手がかりとなる。

異常例

全身のあちこちの痛みは，筋肉内ならいわゆる**筋肉痛 myalgia** と呼ばれ，炎症所見のない関節の痛みは**関節痛 arthralgia** と呼ばれる。

症状を表す特徴については，第 3 章「病歴」(p.86〜87) を参照。

痛みが 1 つの関節に限局している場合は，損傷，単関節炎，あるいは腱炎，滑液包炎，軟部組織損傷などの関節外性の原因が考えられる。

少関節性の関節炎は，淋病，リウマチ熱，結合組織病，変形性関節症などの感染症が原因で起こることが多い。

多関節性の関節炎の原因には，ウイルス性，あるいは関節リウマチ，全身性エリテマトーデス，乾癬などによる炎症性のものがある[3]。

脊椎関節炎（例：乾癬性関節炎）は，多くの場合，仙腸関節を含む脊椎や，肩関節，股関節，膝関節，足関節などの中・大関節に発症する。手首，手指，足趾のような小さな関節の病変は，関節リウマチや全身性エリテマトーデスによくみられる。

病歴：一般的なアプローチ

多関節性関節炎の場合は，**病変のパターンが存在するか**を判断する。すなわち，痛みはある関節から他の関節へ移動するのか，あるいは1つの関節から複数の関節へと徐々に広がっていくのか？　痛みは**左右対称**(体の両側の同じような関節に発症する)か，**非対称**(異なる側の異なる関節に発症する)か？　**断続的**な痛みか，それとも**持続的**か(軽度，中程度，重度と変動するか)？

どこか他の部位に**広がったり伝わったりするか**？　手や足の小関節が原因の痛みは，大関節による痛みよりも極端に限局性であることが多い。

異常例

リウマチ熱や淋菌性関節炎では，痛みはある関節から他の関節へ移動する。関節リウマチは左右対称性で，しだいに複数の関節へ広がり，かつ進行性のパターンを示す。乾癬性関節炎，反応性関節炎，炎症性腸疾患(IBD)関連関節炎では，通常，左右非対称性の病変がみられる。

股関節の痛みは特に紛らわしい。真の股関節痛は通常，鼠径部に放散するが，膝の痛みを引き起こすこともある。仙骨・仙腸関節の痛みは殿部に出ることが多く，滑液包炎や腱炎による転子部の痛みは大腿部外側に発生することがある。

性質

どのような性質の痛みがあるのだろうか？「どのような痛みか説明していただけますか(どのように感じますか)？」とたずねる。患者は，鈍い，不快，こわばっているなど，さまざまな言葉で痛みを表現する。関節の構造は複雑であるため，痛みの発症様式，時期，部位やパターンなどと比べ，痛みの性質によって診断を特定できることは少ない[4]。

程度または重症度

痛みの程度はどのくらいだろうか？　患者に1〜10で痛みの程度を表現してもらう。一般的に，炎症性の関節痛は非炎症性のものに比べて非常に痛みが強い。炎症性の関節痛にはインターロイキンや腫瘍壊死因子，非炎症性の痛みにはプロスタグランジン，ケモカイン，成長因子など，それぞれ異なるメカニズムが関与すると考えられている[3]。

炎症性の関節疾患には，感染性〔淋菌(Neisseria gonorrhoeae)，結核菌(Mycobacterium tuberculosis)など〕，結晶性(痛風，偽痛風)，免疫性(関節リウマチ，全身性エリテマトーデス)，反応性(リウマチ熱，反応性関節炎)，特発性など，さまざまな原因がある[1]。

非炎症性の関節疾患では，外傷(回旋筋腱板断裂など)，オーバーユース症候群(滑液包炎，腱炎)，変形性関節症，線維筋痛症などが考えられる。

発症様式と時期

発症様式が特に重要である。いつ痛みがはじまった(はじまる)のか？　いったんはじまるとどれくらいの時間続くのか？　どのくらいの頻度で痛むのか？　痛みを感じるようになったのはいつごろからか？　痛みは，増悪期間と改善期間を伴いながら，ゆっくりと悪化あるいは変化しているか？　1日のなかで変化はあるか，あるならばどのような変化か？

病歴：一般的なアプローチ

痛みや不快感は，特定の出来事を原因として数時間のうちに急速に発生したのか，それとも明らかな原因はなく数週間から数カ月かけて緩徐に発生したのか？ **急性の関節痛は通常，数日から数週間続き，慢性の関節痛は数カ月から数年続く。**

また，痛みが発生したときの状況やその経緯についても確認する。環境要因，活動性，感情の変化，その他痛みの発生に寄与したと思われる状況を確認する。急性の損傷がなかったか，身体の同じ部分の反復運動による過度の使用はなかったか？ 痛みが外傷による場合は，受傷機転や関節痛を引き起こした一連の出来事を具体的に詳しく究明する。

増悪または改善因子

痛みを増悪させるもの，改善させるものをたずねる。運動や身体活動，安静，薬物療法や理学療法の影響はどうか？ 重症度に変化があった場合には，最初に使用したものと同じ1～10の評価スケールを使って，その変化を数値化するとよい。

関連症状

炎症性
痛みに加えて，腫脹，熱感，発赤という炎症の4徴候についてたずねる。これらの特徴のいくつかは診察で最も評価しやすいものだが，さらに患者が炎症や痛みのある箇所をはっきりと示してくれることも多い。痛みの他に何か関連する症状があるかどうかも患者にたずねる。また，発熱や悪寒についても確認する。

可動域制限とこわばり
筋骨格の**こわばり stiffness** とは患者が知覚する締めつけ感あるいは運動抵抗性のことをいう。こわばりのパターンがあれば，それを聞き出す。朝に悪化し，活動すると徐々によくなるか？ あるいは，日中に動かずじっとしていた後にこわばりが30～60分ほど続き，動くと再び悪化するという，断続的な**ゲル化現象 gel phenomenon** があるか？

異常例

関節に発赤，腫脹，急性で激しい痛みがある場合は，急性感染性関節炎や結晶性関節炎（痛風，偽痛風）を疑う[5,6]。小児の場合，関節に隣接している骨での骨髄炎を疑う。

表23-1「関節とその周囲の痛み」を参照。

炎症性の関節疾患（関節リウマチなど）では，安静にすると痛みが増悪し，活動すると痛みが改善する傾向がある。機械的ストレスによる関節疾患（変形性関節症など）では，活動すると痛みやこわばりが増悪し，安静にすると症状が改善する傾向がある。

通常，高熱や悪寒を伴う炎症所見は感染性関節炎でみられる。微熱は，結晶性関節炎や関節リウマチのような炎症性関節炎でみられる。

関節外性の痛みは，滑液包（滑液包炎），腱（腱炎），腱鞘（腱鞘炎）などの炎症により起こる他，靱帯の伸展や捻挫によっても起こる。

関節の可動域制限やこわばりは，その痛みが関節性に生じているという判断材料になる。

1時間以上続くこわばりは関節リウマチやリウマチ性多発筋痛症でよくみられ，重度の炎症を意味する。

活動によって徐々に改善する朝のこわばりは，関節リウマチやリウマチ性多発筋痛症のような炎症性疾患に多くみられる[7-9]。1日のうちに悪化する間欠的なこわばりや**ゲル化現象**は，変形性関節症でよくみられる[10]。

病歴：一般的なアプローチ | 異常例

可動域制限を評価するために，関節の障害によって活動度に変化が生じていないかたずねる。例えば，歩く，立つ，身を乗り出す，座る，背筋をのばして座る，座位から立ち上がる，つまむ，つかむ，ページをめくる，ドアノブを回す，瓶の蓋を開けるといった動作に支障が出ていないか確認する。また髪をとかす，歯を磨く，食事をする，着替える，入浴するといった日常的な活動ができているかもたずねる。

関節性の関節痛では，一般的に能動的（患者が行う関節運動）および受動的（診察者が患者に行う関節運動）可動域が制限され，朝のこわばりやゲル化現象を伴う。関節外性の関節痛では，能動運動による関節周囲の痛みや可動域制限を伴うが，受動運動では痛みや可動域制限は生じない。

全身症状

関節疾患に関連して，発熱，悪寒，発赤，疲労，食欲不振，体重減少，筋力低下などの全身症状がみられることがある。また，**関節疾患のなかには筋骨格系以外に全身症状を示すものがあり，診断の重要な手がかりとなる**。そのような症状，徴候を注意深く観察する。関節や筋疾患の家族歴についてもたずねる。

全身症状は関節リウマチ，全身性エリテマトーデス，リウマチ性多発筋痛症などの炎症性関節炎でよくみられる。高熱や悪寒がある場合，感染性の原因を疑う。

表23-2「筋骨格系疾患の全身症状」を参照。

頸部痛

頸部痛はよくある訴えであるが，すぐに固定する必要のある頸部痛と，より一般的な筋骨格系の原因による頸部痛を見分けることが重要である。**例えば，患者が自動車事故などによる頸部外傷を訴えている場合は，頸部圧痛についてたずね，頸椎損傷のリスクについて判断する。鈍的外傷や衝突の後に痛みが続く場合は，ほぼ確実にさらなる評価が必要である**。

表23-3「頸部痛」を参照。

頸部痛は通常，治療を必要とせず自然に治まるが，腕や肩甲骨周辺への放散痛，腕の脱力感，しびれ，**感覚異常 paresthesia** などについては，脊髄や脊髄神経を損傷している可能性があるため，患者にたずねる必要がある[11]。

神経根性疼痛は脊髄神経の圧迫や刺激によって生じる。どの領域にも起こりうるが，C6とC7が最も一般的である。頸部痛では腰痛とは異なり，関節の変形による神経孔の圧迫（70〜75％）のほうが，椎間板ヘルニア（20〜25％）よりも多くみられる[12]。

腰痛

成人の60％以上が一生の間に一度は腰痛に悩まされる。腰痛の有病率と関連障害発生のピークは35〜55歳である。まず「腰のどこが痛いですか？」とたずねる。自由回答方式の質問を用いて，問題点，特に痛む場所，放散痛はないか，痛みの悪化する姿勢，外傷の既往などを明確かつ完全に把握する。

表23-4「腰痛」を参照。

ほとんどのガイドラインでは，腰痛を非特異的なもの（90％以上），神経根症や脊柱管狭窄症に伴う神経根エントラップメント（絞扼）によるもの（約5％），特定の基礎疾患によるもの（1〜2％）の3つのグループに分類している[13, 14]。

非特異的な腰痛は，通常，筋・靱帯の損傷や加齢に伴う椎間板や椎間関節の変性に起因する。なお「非特異的な腰痛」という用語は「腰の捻挫や歪み」よりも好ましいとされる。

病歴：一般的なアプローチ

痛みが正中線上（椎骨の棘突起上）にあるのか，正中線から外れたところ（脊柱を囲む傍脊柱筋）にあるのかを判断する。

痛みは殿部に放散するか，それとも下肢に放散するか？　しびれ，感覚異常，筋力低下を伴っているか？

可動域制限やこわばりに加えて，膀胱直腸障害についてたずねることが重要である。またレッドフラッグ（重篤な全身疾患の徴候）である可能性のある，あらゆる関連症状を聞き出す（Box 23-4）[14]。

異常例

背部の正中線上に痛みがある場合，筋肉および腱の損傷，椎間板ヘルニア，椎間板や椎間関節の変形，椎体の骨折や損傷，まれに脊髄への腫瘍転移や硬膜外膿瘍などの可能性がある。

正中線から外れる痛みについては，筋肉の捻挫，筋膜性疼痛〔**トリガーポイント trigger point**（圧痛点，圧迫すると痛みを感じる部位）〕，仙腸関節炎，大転子疼痛症候群，股関節炎に加え，腎盂腎炎や腎結石などの腎臓疾患も検討する。

坐骨神経痛 sciatica は，通常，L4〜S1 領域の神経根の圧迫によって発生する殿部および下肢後面の神経根性疼痛である（関連する神経学的所見については p.846 参照）。最大で 85％の症例は，通常 L4〜L5 または L5〜S1 レベルの椎間板障害を伴っている[15]。脊椎の前屈，下肢伸展挙上，スランプ座位，Valsalva（バルサルバ）手技，くしゃみなどに伴う痛みは，背景に椎間板疾患があることを示唆する。腰部の前屈によって改善する下肢の痛みは，脊柱管狭窄症で起こる。

膀胱直腸障害〔溢流性尿失禁（奇異性尿失禁）を伴う尿閉が多い〕がみられ，特に会陰部にサドル型知覚麻痺やしびれがあるときは，S2〜S4 の正中椎間板ヘルニアや腫瘍による**馬尾症候群 cauda equina syndrome** の可能性を考える。速やかに画像診断と外科的評価を行う[13]。

Box 23-4　腰痛に関連する全身疾患のレッドフラッグ

- 20 歳未満もしくは 50 歳以上
- 癌の既往
- 説明のつかない体重減少，発熱，体調不良
- 1 カ月以上続く痛みや治療抵抗性の痛み
- 夜間や安静時の痛み
- 静注薬物の乱用，アルコールや薬物依存症，免疫抑制状態
- 活動性のある感染症またはヒト免疫不全ウイルス（HIV）感染症
- 長期間のステロイド療法
- サドル型知覚麻痺
- 尿もしくは便失禁
- 神経症状または進行性の神経損傷
- 下肢脱力

身体診察：一般的なアプローチ

面接の際，患者から**日常生活動作 activities of daily living(ADL)**について聴取しておく。**筋骨格系の診察を行う際には，このベースラインとなるADLを念頭に置く**。全身の評価では，全身の外見，体格，身体活動の滑らかさについて評価した。つぎは，それらを支えている関節の解剖を思い描き，病歴のなかで鍵となる要素(外傷時にはその受傷機転，症状の時間的経過，特定の機能制限など)を思い出すようにする。関節の解剖学的構造によってその関節の可動域が決まることに留意する。

関節の診察にあたっては，幅広い範囲で詳細な検討が必要になる。筋骨格系の主訴がない患者の身体診察では，体幹と四肢に目にみえる異常がないかどうかを観察する。また，各関節の能動的可動域を評価するのもよい。しかし，特定の筋骨格系の主訴がある患者では，筋骨格系の診察を徹底的に行い，異常の範囲を明らかにすることが重要である[16]。

診察をはじめる際には，体系的に行うことを意識する。体系的な診察は，視診，触診，関節運動の評価(見る，触る，動かす)の3つのセクションに大別できる[17]。この体系的なアプローチは，**IPROMS**("I promise...")という語呂合わせで覚えておくとよい。IPROMSとは，視診(**I**nspection)，骨構造および関連する関節・軟部組織構造の触診(**P**alpation)，関節可動域(**R**ange **O**f **M**otion)の評価，特定の動きを調べるための診察手技(**S**pecial maneuver)のことである。

1. 視診(Inspection)：**見る**—変形，腫脹，傷，炎症，筋肉の萎縮などの徴候がないか評価する。

2. 触診(Palpation)：**触る**—体表の解剖学的ランドマーク(目印)をたよりに，圧痛や液体が貯留している部位を確認する。

3. 関節可動域(Range Of Motion)：関与する関節を患者に自分で動かしてもらい，その後，診察者が動かす。

4. 特殊な診察手技(Special maneuver)：**動かす**—特に痛みや外傷がある場合は，関節の安定性や靱帯，腱，滑液包に問題ないかを評価するために，(必要に応じて)診察者の手で抵抗を加えた診察手技を用いる。

さらに，あらゆる部位の炎症所見，特に圧痛，腫脹，熱感，発赤を評価する。可能であれば，感覚，筋力，脈拍をチェックしてその部位の神経学的および血管学的な評価を行う。

身体診察：一般的なアプローチ

■ 視診

視診では，**関節の対称性を観察する**。身体の両側の関節で，変化がみられるか？その変化が起きているのは単一の関節か，または2つの関節か？

骨や関節の変形やずれがないかを確認する。

皮膚の変化，皮下結節，筋肉の萎縮，圧痛がある場合はその位置などを確認しながら，周囲の組織を評価する。

■ 触診

患部の筋骨格系構造だけでなく，その近くにある重要な解剖学的ランドマークも触診する。これは，関節の基本的な解剖学的構造を視覚的に捉える際に役立つ。さらに，関節の可動域を規定するのはその解剖学的形状であるため，可動域が制限されている場合には特に患部とその周辺の診察が役立つ。

捻髪音（関節摩擦音）crepitus，すなわち聴取あるいは触知できる引っかかりが，腱や靱帯の動きに伴って，骨や関節軟骨の障害部位にみられるかどうかも確認する。これは，痛みのない関節でみられることもあるが，有症状の場合はより重要である。

また，炎症所見のある関節を視診，触診する（Box 23-5）。

Box 23-5　炎症の4徴候の評価

- **腫脹**：触知できる腫脹には以下のものがある
  (1) 滑膜。腫れぼったく，ふくらんでいるように感じる
  (2) 関節腔内の過度の滑液貯留による滲出液
  (3) 滑液包，腱，腱鞘などの軟部組織構造物

- **熱感**：指の背部を使い，障害のある側の関節と反対側の関節を比べ，左右両側の関節に障害がみられる場合には，関節近傍組織と比較する

- **発赤**：関節を覆っている皮膚の発赤は，関節周囲の炎症徴候のうち最もまれである。手指，足趾，膝など，浅い部分にある関節でみられることが多い

- **痛みや圧痛**：圧痛が生じている解剖学的構造物を特定する

異常例

急性の単関節の障害は，外傷，感染性関節炎，または結晶性関節炎を示唆する。関節リウマチは，典型的には多関節性かつ左右対称性である[8, 18-20]。

骨格アライメントの不整は，Dupuytren（デュピュイトラン）拘縮（p.852），内反膝（O脚），外反膝（X脚）などでみられる。

関節リウマチやリウマチ熱の皮下結節，外傷での滲出液，炎症を起こした関節（変形性関節症）あるいは炎症を起こした腱滑膜炎（腱鞘炎）の腱鞘上の捻髪音を確認する。

触知できる滑膜の腫れやふくらみは，滑膜炎を示し，しばしば滲出液を伴う。滲出しているときには滑液を触知できる。腱炎では，腱鞘上に圧痛がみられる。

熱感は，関節炎，腱炎，滑液包炎，骨髄炎などでみられる。

圧痛のある関節に発赤がある場合は，感染性関節炎，結晶性関節炎，関節リウマチなどの関節や滑膜の急性炎症を疑う。

肥厚した滑膜全体に圧痛や熱感があれば，関節炎や感染症を疑う。限局性の圧痛の場合，外傷や損傷の可能性がある。

可動域

関節の可動域には，能動的可動域（患者による運動の範囲）と受動的可動域（診察者による運動の範囲）がある。

関節痛がある場合は，関節をやさしく動かすか，患者に自分で動かしてもらい，どのように痛みに対応しているかを示してもらう。

能動的・受動的可動域をテストして，可動域制限や，**靱帯弛緩 ligamentous laxity** と呼ばれる関節靱帯の過剰な動きによる関節の不安定性を調べる。

> **異常例**
>
> 骨折が懸念される関節の損傷がある場合には，可動域を評価する前に X 線検査を検討する。
>
> 関節炎，滲出液のある関節，組織の炎症や周囲の線維化がみられる関節，骨の固定（**強直 ankylosis**）がある関節では，可動域制限がみられる。

特殊な診察手技

筋骨格系の診察では，患者の症状（多くの場合，痛み）の根本的なメカニズムや，靱帯弛緩や筋力低下といった根本的な構造的異常を評価するために，個々の必要に応じた診察手技を用いる。ここでも，解剖学的な構造を正しく理解することが重要である。痛みを再現するための診察を行う場合は，事前に患者に説明してから慎重に行う。慎重に診察を行い，症状が再現されたり，所見が得られた際には，その症状や得られた所見に対して，解剖学的な構造がどのように関与しているかをイメージする。

よくみられる病態を鑑別するための関節別の診察手技については，この後の項で説明する。

その他の診察技術

最後に，筋力検査をし，関節機能の評価に役立てる。また感覚が正常か，遠位部で脈を良好に触知するかを確認する。

> これらの手技については，第 24 章「神経系」（p.879〜880），第 17 章「末梢血管系とリンパ系」（p.584〜590）を参照。

関節別の診察

以下の項では，頭からつま足の診察まで，順に説明する（顎関節，肩関節からはじまり，足首および足で終わる）。各項では，それぞれの関節に特徴的な解剖学的・機能的特性を概観し，その関節に特有の診察技術〔IPROMS。骨・軟部組織の視診・触診，可動域（単一平面上で測定可能な関節の動きの弧），関節の機能と安定性を調べるための診察手技〕について説明する。

顎関節

顎関節 temporomandibular joint(TMJ)は身体のなかで最も活動度の高い関節で，1日に最大で2,000回開閉する(図23-7，23-8)。顎関節は，**側頭骨** temporal bone の下顎窩および**関節結節** articular tubercle，**下顎突起** condyle of mandible によって構成され，**外耳道** external acoustic meatus と**頬骨弓** zygomatic arch の中間に位置する。

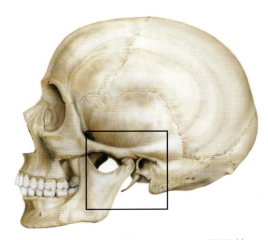

図 23-7　成人の頭蓋骨における顎関節の位置

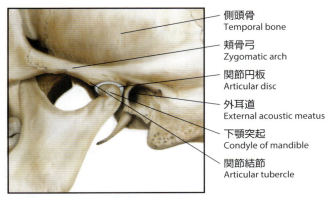

図 23-8　顎関節(拡大図)

線維軟骨性の**関節円板** articular disc が，側頭骨関節面の関節包と滑膜に対する下顎突起の動作時の衝撃を和らげる。したがって，顎関節は楕円関節である。口を開くのに使うおもな筋肉は，**外側翼突筋** external pterygoid である(図23-9)。口を閉じるための筋肉は，第Ⅴ脳神経である三叉神経により支配されている筋群(**咬筋** masseter，**側頭筋** temporalis，**内側翼突筋** internal pterygoid)である(p.775参照)。

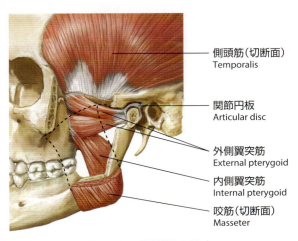

図 23-9　顎関節の筋肉

診察の技術

顎関節の診察の重要項目

- 顔や顎関節の視診を行う。腫脹，発赤に注意する
- 咀嚼筋(咬筋，側頭筋，翼突筋)を触診する
- 開閉，前方突出・後方移動，側方(左右)の運動など可動域の評価をする

視診

視診で顔面の左右対称性をみる。顎関節の腫脹や発赤がないかどうか視診する。腫脹は外耳道のちょうど前方に丸くふくらんでみえることがある。

顎関節症 temporomandibular joint disorder では顔面の非対称性がしばしばみられる。顎関節症にはさまざまな病因がある。典型的には，噛んだとき，食いしばったとき，歯ぎしりしたときなどに片側性の慢性疼痛があり，しばしば頭痛を伴う[21, 22]。咀嚼時の痛みは，三叉神経痛や側頭動脈炎でも起きることがある。

触診

関節の場所を確認し触診するために，両耳の**耳珠 tragus** の少し前方に示指の先を置き，患者に口を開閉してもらう(図23-10)。通常は，指先が開口時に関節裂隙へ沈む。いかなる腫脹や圧痛にも注意すること。パチンという音やクリック音は健常者でも触知したり聴取したりすることがあり，必ずしも病的な所見ではない。

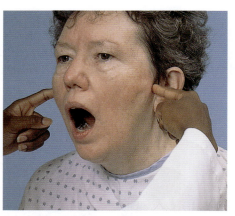

図 23-10　患者に口を開閉してもらいながら，顎関節を触診する

閉塞不良時，関節半月板損傷時，または外傷による滑膜の腫脹時に捻髪音やクリック音を触知する。

咀嚼筋 muscle of mastication の触診を行う(図23-9)。

- 下顎角の外側から**咬筋**を触診する。

- 歯を食いしばったとき，つぎに顎の力を抜いたときに外側から**側頭筋**を触診する。

- 口腔内に指を入れ，前後口蓋弓の間で下顎骨部にある**翼突筋**を触診する(触診しづらい)。

顎関節症では，自発痛もしくは触診時の圧痛がある。

関節別の診察 | 異常例

可動域

顎関節は，上部で下顎滑走運動，下部でちょうつがい運動を行う。歯ぎしりや咀嚼は，おもに顎関節上部の下顎滑走運動による。

可動域の検査は 3 段階で行う。**口の開閉，顎の前方突出および後方移動**（下顎を前方に突き出すことによる），**および側方（左右）の運動**を患者に行ってもらう（Box 23-6）。正常では，口を大きく開けることができ，上下切歯間に縦に 3 本の指を差しこむことができる。顎の正常前方突出時には，下の歯は上の歯の前方に位置することができる。

Box 23-6　顎関節の可動域

顎運動	動作に関連するおもな筋肉	患者への指示
開ける	外側翼突筋下頭，顎二腹筋前腹，顎舌骨筋	「口を開けてください」
閉じる	咬筋，側頭筋の前方〜中央部，内側翼突筋，外側翼突筋上頭	「口を閉じてください」
突き出す	外側翼突筋	「下顎を突き出してください」
引き戻す	側頭筋中央部〜後方	「下顎を手前に引いてください」
横方向に動かす	同側の側頭筋の中央部〜後方，対側の外側翼突筋下頭	「下顎を左右に動かしてください」

腫脹や圧痛，可動域制限は，顎関節の炎症を示唆する。

口を閉じることができない患者は**顎関節脱臼 temporomandibular joint dislocation** をきたしている可能性がある。顎関節脱臼は極端に口を開けたときに起こるが，まれに外傷により起こることもある。

肩関節

肩の運動は，3 つの関節，3 つの大きな骨，3 つの主要筋群（しばしば**上肢帯 shoulder girdle** と呼ばれる）によって複雑に相互連結した構造からなる。これらの構造物は，運動能力を有するもの（**動的な安定化構造物 dynamic stabilizer**），運動能力を有さないもの（**静的な安定化構造物 static stabilizer**）に分類される（Box 23-7）。

Box 23-7　上肢帯の安定化構造物

- **動的な安定化構造物**：おもに**回旋筋腱板の SITS 筋**（棘上筋，棘下筋，小円筋，肩甲下筋）で構成されており，上腕骨の運動を行うとともに，上腕骨頭を関節窩に押しつけて安定させる。また，上腕二頭筋，広背筋，大胸筋なども肩を安定させる役割を担う
- **静的な安定化構造物**：肩関節唇，関節包，肩関節上腕靱帯など，上肢帯の骨・靱帯構造からなる。**肩関節唇**は線維軟骨性の環状の構造物で，関節窩を取り囲み，ソケット構造（凹み）を深くすることで上腕骨頭の安定化に役立っている。関節包は回旋筋腱板と肩関節上腕靱帯によって強化され，関節の安定性が高められている

肩の骨構造は，**上腕骨 humerus**，**鎖骨 clavicle**，**肩甲骨 scapula** を含む(図23-11)。肩甲骨は，胸鎖関節や，付着する筋肉によってのみ軸骨格に定着している。ただし，胸鎖関節は真の関節ではないので，より正確には**肩甲胸部連結 scapulothoracic articulation** と呼ばれている。

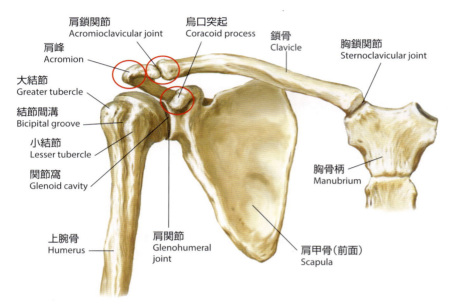

図 23-11　右肩の解剖

胸骨柄 manubrium，胸鎖関節，鎖骨を同定する。肩峰 acromion，大結節 greater tubercle，烏口突起 coracoid process も重要な解剖学的ランドマークであるため，同定すること。

肩では3つの関節が連結している。

- **肩関節 glenohumeral joint**：この関節では，上腕骨頭が肩甲骨の浅い関節窩に連結している。この関節は深部に位置し，通常は触知することはできない。肩関節は球関節であり，腕の広範囲な描円運動を可能にしている。

- **胸鎖関節 sternoclavicular joint**：鎖骨の凸形の内側端が，胸骨柄の陥凹に連結する。

- **肩鎖関節 acromioclavicular joint**：鎖骨の外側端が肩甲骨の肩峰に連結する。

3つの筋群が肩に付着している。

関節別の診察

- **肩甲上腕筋群 scapulohumeral group**（図23-12）は，肩甲骨から上腕骨に広がり，上腕骨に直接付着する**回旋筋腱板 rotator cuff** の **SITS 筋**（棘上筋，棘下筋，小円筋，肩甲下筋）を含む。

- **棘上筋 Supraspinatus**：**肩甲棘 scapular spine** の上方にある棘上窩から起こり，肩関節の上方を走る。大結節に付着する。

- **棘下筋 Infraspinatus** および **小円筋 Teres minor**：肩甲棘下方の棘下窩から起こり，肩関節の後方を横切る。大結節に付着する。

異常例

回旋筋腱板損傷は，プライマリケアにおいて肩の痛みの原因として最も多い。

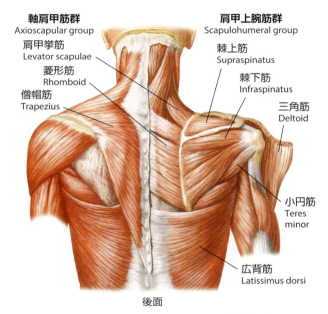

図 23-12　軸肩甲筋群と肩甲上腕筋群

- **肩甲下筋 Subscapularis**（図23-13）：肩甲骨の前面から起こり，肩関節の前方を横切る。小結節に付着する。

肩甲上腕筋群が外転することで，肩関節が回旋し（回旋筋腱板という名前の由来），上腕骨頭を押し下げ回旋させる（図23-12）。

- **軸肩甲筋群 axioscapular group** は肩甲骨に付着し，**僧帽筋 trapezius**，**菱形筋 rhomboid**，**前鋸筋 serratus anterior**，**肩甲挙筋 levator scapulae** などを含む（図23-12）。これらの筋肉は，肩甲骨を回旋させ，肩を後方に引く動きをする。

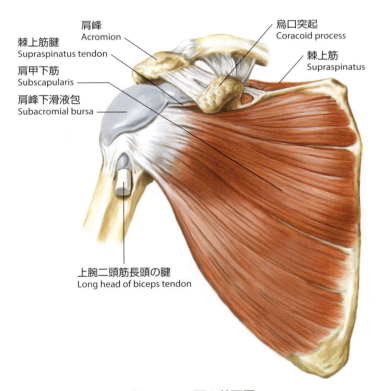

図 23-13　肩の前面図

- **軸上腕筋群** axiohumeral group は上腕骨に付着し，**大胸筋** pectoralis major，**小胸筋** pectoralis minor，**広背筋** latissimus dorsi などを含む（図 23-14）。これらの筋肉は，肩関節の内旋運動を行い，上腕骨を内転させる。

上腕二頭筋 biceps および**上腕三頭筋** triceps（肩甲骨と上腕骨とを接続する）もまた肩の運動にかかわる。特に上腕二頭筋が屈曲に，上腕三頭筋が伸展にかかわっている。

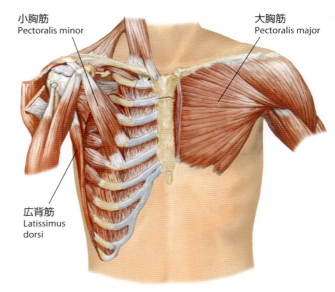

図 23-14 軸上腕筋群

その他の構造物

肩関節を取り囲んでいるのは線維性の関節包であり，回旋筋腱板および他の関節包構造物が付着している。関節包の柔軟性によって骨の運動が可能になり，広範囲の可動域がもたらされる。関節包は，2つの外側の囊（肩峰下滑液包および上腕二頭筋長頭の滑膜性腱鞘）とともに滑膜に覆われている。上腕二頭筋長頭の腱は大結節と小結節の間に位置し，結節間溝の中を走る（図 23-13）。

肩の主要な滑液包は**肩峰下滑液包** subacromial subdeltoid bursa で，回旋筋腱板と肩峰，肩鎖関節，結節間溝，三角筋に囲まれている。肩の外転は，この滑液包を圧迫する。正常では，棘上筋腱と肩峰下滑液包は触診できない。

滑液包の表面に炎症（肩峰下滑液包炎）が起きた場合には，肩峰の先端直下の圧痛，肩の外転および回旋時の痛み，円滑な運動の障害などがみられることがある。

診察の技術

肩関節の診察の重要項目

- 前方から肩と上肢帯，後方から肩甲骨および関連する筋肉を視診する。腫脹，変形，筋萎縮，線維束性攣縮，位置関係の異常などに注意する
- 胸鎖関節，鎖骨，肩鎖関節，烏口突起，大結節，上腕二頭筋腱，肩峰下滑液包，そしてその下にある触知可能な SITS 筋を触診する
- 屈曲・伸展，外転・内転，内旋・外旋の可動域を評価する
- （必要に応じて）つぎの診察手技を用いる：painful arc テスト，Neer テスト，Hawkins テスト，内旋ラグテスト，外旋ラグテスト，drop arm テスト，外旋抵抗テスト，empty can テスト

関節別の診察

視診

前方から肩と上肢帯を観察し，後方から肩甲骨および関連する筋肉を視診する。

腫脹，変形，筋萎縮や**線維束性攣縮 fasciculation**（筋肉の細かなふるえ），あるいは位置関係の異常に注意する。

前方から関節包の腫脹，あるいは三角筋下の肩峰下滑液包の膨隆を探す。上肢全体を調べて色の変化，皮膚の変化，通常みられない骨の輪郭がみえないかどうか確認する。

肩の筋肉が萎縮しているようにみえるときは，**翼状肩甲 scapular winging** がないか視診する。患者に診察者の手あるいは壁などを押してもらい（図 23-15），肩甲骨が浮き上がってこないか観察する。正常では，肩甲骨は前方に引っ込んでいるようにみえる。

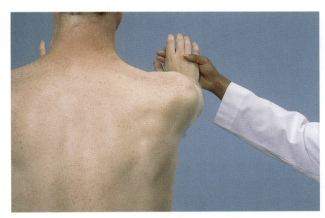

図 23-15　翼状肩甲の評価

触診

最初に肩の骨の輪郭と構造の触診からはじめ，痛みのある領域をすべて触診する。

- **胸鎖関節**から，鎖骨を指で横方向になぞり，**肩鎖関節**まで触診する。

異常例

脊柱側弯症 scoliosis は，片側肩高位の原因となる。肩の前方脱臼に伴い，丸みのある肩外側表面が平坦にみえる[23]。

回旋筋腱板断裂から 2〜3 週間で，棘上筋や棘下筋が萎縮し，肩甲棘がめだつことがある。棘下筋の萎縮は，回旋筋腱板疾患において陽性尤度比が 2.0 となることがわかっており，腱板断裂を調べる場合には重要な所見となる[24]。

滑液の貯留による腫脹はまれであり，肩関節包が膨らんでみえる頃にはすでに重症化している可能性が高い。肩鎖関節の腫脹は，関節がより表層にあるため，みつけやすい。

翼状肩甲では，肩甲骨の内縁が後方に飛び出しており（図 23-16），僧帽筋や前鋸筋の筋力低下（**筋ジストロフィ muscular dystrophy** でみられる）や長胸神経の損傷が疑われる。非常にやせた人では，筋肉組織に損傷がない場合でも肩甲骨が羽のように浮き上がってみられることがある。

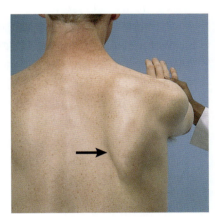

図 23-16　翼状肩甲

表 23-5「肩痛」を参照。

- 後方から，肩甲骨の骨棘を外上方にたどり，**肩峰**（肩の頂点）を特定する（図 23-17A）。肩上部表面には凹凸があり，やや膨隆（凸形）している。肩峰の前方先端を探しあてる。

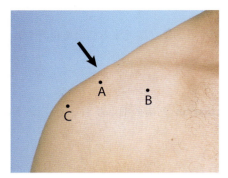

図 23-17　右肩の解剖学的ランドマーク：A. 肩峰，B. 烏口突起，C. 大結節

- 患者の後方に立ち，肩峰の後ろに示指をあてて，右手の母指で内側にある鎖骨の遠位端のでっぱりを図 23-17 の矢印で示されている肩鎖関節の部位で探る。母指を内側下方に動かして，つぎにみつかる骨性の突起物，肩甲骨の**烏口突起**（図 23-17B）を探しあてる。

- 母指を烏口突起にあてた状態で，他の指を上腕骨外側におろして，回旋筋腱板が付着する**大結節**（図 23-17C）を触診する。

- つぎに，母指を烏口突起にあてたまま，他の指を使って右肩の**結節間溝 bicipital groove** にある**上腕二頭筋の長頭腱**を触診する（図 23-18）。示指を動かして，烏口突起と大結節の間に置く。腱の圧痛は，指腹部で転がすようにすると確認しやすい。診察時に肩関節を外旋してもよく，上腕二頭筋を肘付近から触診して近位の結節間溝までたどる方法もある。

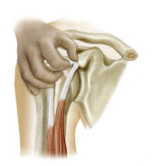

図 23-18　右肩の結節間溝にある上腕二頭筋の長頭腱を触診する

表 23-5「肩痛」の「上腕二頭筋腱炎」も参照。

- **肩峰下滑液包**と**回旋筋腱板（SITS 筋）**を診察するには，肘を後方に引き上げることにより上腕骨を受動的に伸展し，これらの構造物を肩峰の前方にもってくること。注意深く，肩峰下滑液包上を触診する（図 23-19，23-20）。

限局性の圧痛は，肩峰下滑液包炎，回旋筋腱板の変性や石灰化を示唆する。腫脹は，関節腔との交通を伴った滑液包の裂傷を示唆する。

関節別の診察

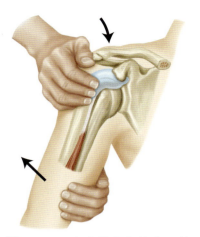

図 23-19　右上腕骨を後方に伸展し，SITS筋付着部と肩峰下滑液包を触診する

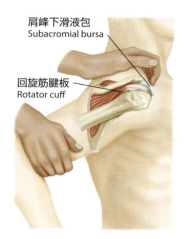

図 23-20　肩峰下滑液包の触診

異常例

回旋筋腱板の捻挫，裂傷，腱断裂（最も多いのは棘上筋）の場合，SITS筋付着部上部の圧痛がみられ，肩の高さ以上に腕を外転させることができない。

表 23-5「肩痛」を参照。

肩峰下滑液包の下に触診可能なSITS筋は以下の通りである。

- 棘上筋：肩峰直下，背面では肩甲棘上方の筋腹からもたどることができる。

- 棘下筋：棘上筋の後方，肩甲棘下方の筋腹からもたどることができる。

- 小円筋：棘上筋の後下方，触診しづらい。

- 肩甲下筋：上腕骨内側から前方に向かって小結節上に付着する。肩を外旋させることで周囲の筋肉を介して間接的に触診することができる。

- 線維性関節包と回旋筋腱板の広く平坦な腱は密接に関係しているので，同時に診察すること。関節包や滑膜の腫脹は，しばしば上方から肩を見下ろすと最も容易にみつけられる。関節包と滑膜を肩峰の前方と後方の直下で触診し，外傷や関節炎の徴候を探る。

圧痛と滲出液は肩関節の滑膜炎を示唆する。触診で関節包の辺縁や滑膜に触れたなら，中程度から多量の滲出液が存在する。軽度の滑膜炎は，触診ではみつけることができない。

可動域

上肢帯の6つの主要な動きには，屈曲・伸展，外転・内転，内旋・外旋がある。

患者の前に立ち，患者自身がBox 23-8の動作を滑らかに行えるかどうかを視診する。それぞれの動作に必要な筋肉を覚えておく。患者に意図した動作を行ってもらえるような，わかりやすい簡潔な指示方法を学ぶこと。

滑液包炎，関節包炎，回旋筋腱板断裂または捻挫，腱炎では可動域制限がある。

肩関節の動きのみの評価を行う場合，手掌を下に向けた状態で，上肢を90度（肩の高さ）まで上げる。肩甲骨と体幹の間での動きを評価する場合，手掌を上に向けてそこからさらに上肢を60度上げる。最後の30度では肩関節の動きと肩甲骨・体幹間の動きの両方を組み合わせた評価が行われる。

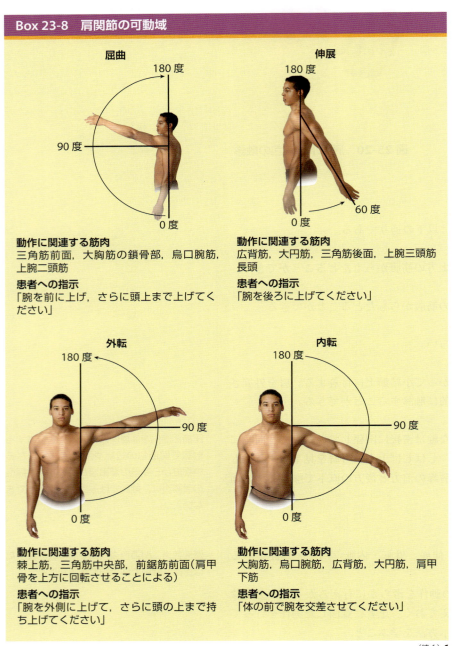

Box 23-8　肩関節の可動域

（続く）

関節別の診察

↘(続き)

内旋

動作に関連する筋肉
肩甲下筋，三角筋前面，大胸筋，大円筋，広背筋

患者への指示
「片方の手を下から背中に回して，肩甲骨に触れてみてください」
患者が脊椎の棘突起にどの高さまで指で触れることができるか確認する

外旋

動作に関連する筋肉
棘下筋，小円筋，三角筋後面，棘上筋（特に頭上に腕を上げるとき）

患者への指示
「腕を外側に肩の高さまで上げてください。肘を90度に曲げて天井に向かって上げてください」
あるいは，
「髪をとかすような感じで片方の手を頭の後ろにもっていってください」

特殊な診察手技

以下の手技は監督下での指導と練習を必要とするが，肩の病変を特定する可能性を高める。150を超える診察手技があるが，十分に検証されているものは少ない（Box 23-9）。現在，陽性尤度比が高く，信頼区間が狭い5つの手技が推奨されている[24-26]。1つは痛みの誘発テスト，3つが筋力テスト，もう1つが複合テストである。複合テストでは，手技中に患者が痛みや筋肉の脱力感を感じる。

- **痛みの誘発テスト：painful arc テスト**（肩峰下滑液包と回旋筋腱板）
  回旋筋腱板障害の診断において，painful arc 徴候が陽性の場合，尤度比は3.7であり，すべての手技のなかで最も高い。また，腱板障害を除外するのに，陰性尤度比が0.36と最も優れている。その他の一般的な痛みの誘発テストには，**Neer(ニアー)テスト**と**Hawkins(ホーキンズ)テスト**があるが，これらの手技の陽性尤度比は2未満であるため，診断効果は低い。

- **筋力テスト：外旋ラグテスト**（棘上筋，棘下筋），**内旋ラグテスト**（肩甲下筋），**drop arm テスト**（棘上筋）
  これらの手技の陽性尤度比はそれぞれ7.2，5.6，3.3である。

- **複合テスト：外旋抵抗テスト**（棘下筋）
  この手技の陽性尤度比は2.6である。複合テストには他に**empty can テスト**がある。

		異常例
Box 23-9　肩関節の診察手技		
構造物[23-26]	手技・テスト	
肩鎖関節	**crossover もしくは crossed body adduction テスト** 胸部を横切るように患者の腕を内転させる	内転に伴う痛みがあれば，陽性とする（陽性尤度比 3.7）。肩鎖関節の圧痛は陽性尤度比が低いため，診断上の参考にはならない[23]。
肩の回旋	**Apley（アプレイ）スクラッチテスト** 以下に示す 2 つの運動により，対側の肩甲骨を触ってもらう 外転および外旋運動をテストする　　内転および内旋運動をテストする	これらの手技の最中に痛みが起こる場合は，回旋筋腱板の疾患や癒着性関節包炎の可能性がある。
回旋筋腱板 （痛みの誘発テスト）	**painful arc テスト** 患者の腕を 0〜180 度まで，完全に外転させる 180 度　痛みなし 120 度 肩峰下の疼痛 90 度 肩峰下の疼痛 60 度　痛みなし 0 度	60〜120 度で肩の痛みがあれば，肩峰下インピンジメント，回旋筋腱板の炎症や損傷の可能性がある（陽性尤度比 3.7，陰性尤度比 0.36）。

（続く）↗

関節別の診察			異常例

↘(続き)

構造物[23-26]	手技・テスト		
	Neer(ニアー)インピンジメント徴候 肩甲骨が動かないように片手で押さえ，もう片方の手で患者の腕を持ち上げる。これにより，大結節が肩峰に圧迫される		この手技中に痛みが起こる場合は，肩峰下インピンジメント，回旋筋腱板の炎症，損傷の可能性がある（陽性尤度比約 1.0～1.6）。 回旋筋腱板や上腕骨頭と肩峰の間の腱（最も多いのは棘上筋腱）が圧迫されると，「**インピンジメント徴候**」と呼ばれる肩の運動時の痛みが生じる。
	Hawkins(ホーキンズ)インピンジメント徴候 肩関節を屈曲し（前方に持ち上げる），肘関節を90度曲げて手掌を下に向ける。この状態で片方の手を患者の前腕にあて，もう片方の手で腕を内旋する（上腕部を軸に手掌方向に回転させる）。これにより，大結節が棘上筋腱や烏口肩峰靱帯に圧迫される	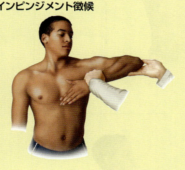	この手技中に痛みが起こる場合は，棘上筋のインピンジメント，回旋筋腱板の炎症の可能性がある（陽性尤度比約 1.5）。Hawkinsインピンジメント徴候と Neer インピンジメント徴候の両方がない場合，陰性尤度比は 0.1 となる。
筋力テスト	**外旋ラグテスト** 患者の腕を90度屈曲し，腋を20度外転させた後，手掌を上にした状態で腕を外旋させてから診察者の手を離し，そのままの位置で腕を保持するように指示する		患者が外旋を維持できない場合は，棘上筋と棘下筋の障害の可能性がある（陽性尤度比 7.2）。

(続く)↗

関節別の診察

↘(続き)

構造物[23-26]	手技・テスト		異常例
	内旋ラグテスト（リフトオフテスト） 患者の後ろに立ち，患者の肘を90度に曲げて手の甲を腰の後ろにもってくる。その後，手首を握って手を背中から離すと，肩がさらに内旋する。診察者が手首を離した後も，手をこの位置に保つように患者に指示する	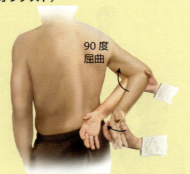	患者がこの位置で手を保持できない場合は，肩甲下筋の障害の可能性がある（陽性尤度比 5.6～6.2，陰性尤度比 0.04）。
	drop arm テスト 肩の高さまで腕を完全に外転し（90度まで），その後ゆっくりと下げてもらう。肩の高さより高い挙上（90～120度）は，三角筋の運動によるものである	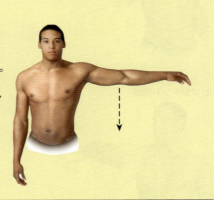	外転した状態を保てずに上腕が下がってしまう場合は，棘上筋腱板断裂または上腕二頭筋腱炎の可能性がある（陽性尤度比 3.3）。
複合テスト	**外旋抵抗テスト** 患者に，母指を上にした状態で腕を90度まで内転・屈曲してもらう。片手で肘を安定させ，患者が手首を外旋して外側に押し出すときに，診察者が患者の手首の近位部に抵抗をかける		この手技中に痛みや筋力低下が起こる場合は，棘下筋障害の可能性がある（陽性尤度比 2.6，陰性尤度比 0.49）。外旋制限は，肩甲骨疾患または癒着性関節包炎を示唆する。
	empty can テスト 缶から中身を捨てるようなイメージで，腕を前方に突き出して内旋する（母指を下に，手掌を外側にする）。診察者はこの状態で上から患者の腕に力をかけ，患者にそれに抵抗するよう伝える		患者が腕を肩の高さで完全に外転させることができない，または腕の高さを保持できない場合は，棘上筋腱板断裂の可能性がある（陽性尤度比 1.3）。

肘関節

肘は空間での手の位置を決め，前腕のてこの動作を支える働きをしている。**肘関節** elbow joint は，上腕骨と前腕の2つの骨，**橈骨** radius と**尺骨** ulna によって形成されている（図23-21）。**上腕骨内側上顆** medial epicondyle と**上腕骨外側上顆** lateral epicondyle，尺骨の**肘頭突起** olecranon process をそれぞれ把握すること。

これらの骨には3つの関節がある。**腕尺関節** humeroulnar joint，**腕橈関節** radiohumeral joint，**上橈尺関節** radioulnar joint である。この3関節はすべて，大きな同一の関節腔とそれを覆う広範囲の滑膜を共有している。

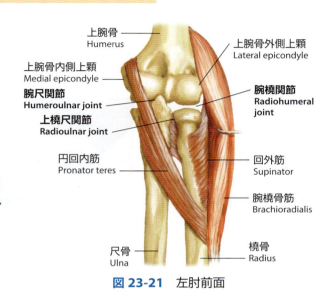

図 23-21 左肘前面

肘を横切る筋肉には，**上腕二頭筋** biceps と**腕橈骨筋** brachioradialis（屈曲），**上腕筋** brachialis，**上腕三頭筋** triceps（伸展），**円回内筋** pronator teres（回内），**回外筋** supinator（回外）が含まれる。

肘頭突起とそれを覆う皮膚との間の**肘頭部滑液包** olecranon bursa に注意する（図23-22）。肘頭部滑液包は通常触診で触れることはないが，炎症を起こすと腫脹して圧痛が生じることがある。**尺骨神経** ulnar nerve は，肘後方で，上腕骨内側上顆と肘頭突起間にある**尺骨神経溝** ulnar groove を走行する。**橈骨神経** radial nerve は上腕骨外側上顆の隣にある。肘窩部の前腕腹側では，**正中神経** median nerve は上腕動脈のすぐ内側を走行する。

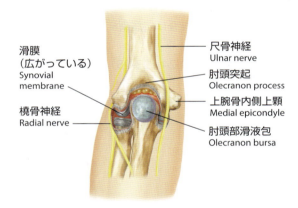

図 23-22 左肘後面の肘頭突起と肘頭部滑液包

診察の技術

肘関節の診察の重要項目

- 尺骨の伸側や肘頭突起など，肘の輪郭を視診する。結節や腫脹がないか注意する
- 肘頭突起，上腕骨内側および外側上顆を触診する。圧痛，熱感，転位がないか注意する
- 屈曲・伸展，回内・回外の可動域を評価する
- （必要に応じて）診察手技を選択する：Cozen テスト，Mill テスト，および Maudsley テスト。上腕骨外側上顆炎がないか注意する

| 関節別の診察 | 異常例 |

視診

患者の前腕を診察者の対側の手で支え，肘は約70度屈曲させる。上腕骨内側上顆および上腕骨外側上顆，尺骨の肘頭突起をそれぞれ探す。尺骨と肘頭突起の伸側を含め，肘の輪郭を視診する。結節や腫脹がないか注意する。

表23-6「肘の腫脹と圧痛」を参照。

肘頭突起上の腫脹がある場合は，肘頭部滑液包炎を疑う（p.850参照）。また滑液包の炎症は関節炎を示唆する。

触診

肘頭突起を触診し，上腕骨上顆に圧痛や腫脹がないか押してみる（図23-23）。

滑膜が最も診察しやすい上腕骨外側上顆と肘頭突起の間の溝を触診する。通常，滑膜と肘頭部滑液包は触知できない。

尺骨神経は傷害を受けやすく，肘の後方の，肘頭突起と上腕骨内側上顆の間で触れることができる。

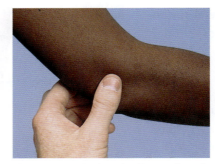

図 23-23　上腕骨上顆の圧痛の有無を触診する

上腕骨外側上顆の遠位における圧痛の原因として多いのは，**上腕骨外側上顆炎（テニス肘）** lateral epicondylitis である。それより頻度は低いが**上腕骨内側上顆炎 medial epicondylitis（ピッチャー肘，ゴルフ肘，リトルリーグ肘）**による圧痛もある。

皮膚や関節の周りに熱感がある場合は，感染症や炎症の可能性がある。

肘頭突起の転位に注意する（図23-24，23-25）。

肘の後方脱臼と顆上骨折では，肘頭突起は後方へ転位する。

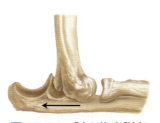

図 23-24　肘の後方脱臼　　図 23-25　肘の上腕骨顆上骨折

可動域

可動域には，肘の**屈曲**と**伸展**，前腕の**回内** pronation と**回外** supination が含まれる。回内・回外では手首と手も動かす（図23-26）。それぞれの動作に関連する筋肉を理解し，診察時に患者へわかりやすい指示をするよう留意すること（Box 23-10）。

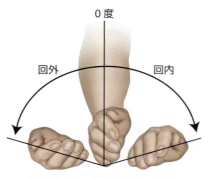

図 23-26　肘の回内・回外

関節炎，関節内遊離体，橈骨頭損傷を示唆するクリック音や捻髪音に注意する。

外傷後でも肘関節の能動的関節可動域が保たれていて，肘を自由に屈曲できる場合，骨折，関節内滲出液，関節血症の可能性はきわめて低い[27, 28]。

関節別の診察

Box 23-10　肘関節の可動域

肘関節の運動	動作に関連するおもな筋肉	患者への指示
屈曲	上腕二頭筋，上腕筋，腕橈骨筋	「肘を曲げてください」
伸展	上腕三頭筋，肘筋	「肘をのばしてください」
回外	上腕二頭筋，回外筋	「スープ皿を運ぶような感じで，手のひらを上に向けてください」
回内	円回内筋，方形回内筋	「手のひらを下に向けてください」

特殊な診察手技

患者はしばしば上腕骨外側上顆の骨の隆起部分やその周辺に痛みを訴え，なかには痛みが前腕まで広がることもある。この痛みを再現するテストがいくつか報告されているが，そのような診察手技の1つが **Cozen（コーゼン）テスト**である（図23-27）[29]。患者の肘を安定させ，上腕骨外側上顆を触診する。その後，手首を回内し，診察者の抵抗に逆らって背屈してもらう。すると肘の外側に沿って痛みが再現されるはずである。痛みを再現する他の診察手技としては，手首の伸筋を受動的に伸展させる **Mill（ミル）テスト**，手首を伸展した状態で，中指を診察者の抵抗に逆らって伸展する **Maudsley（モーズレイ）テスト**などがある[30]。

図23-27　上腕骨外側上顆炎，いわゆる「テニス肘」のテスト（Cozenテスト）(Anderson MK. *Foundations of Athletic Training: Prevention, Assessment, and Management*. 6th ed. Wolters Kluwer; 2017, Fig. 18-11a より)

症状の再現性があるのは上腕骨外側上顆炎の特徴である。感染症[31]や炎症性または変形性の関節炎[32]が，上腕骨外側上顆炎と似たような臨床症状を引き起こすこともある。

手首および手の関節

手首と手は，起きている間ほぼ休むことなく使用する活動性の高い小関節で，複雑な構造からなる。覆っている軟部組織による防護がほとんどなく，外傷や障害を受けやすい。

手首は橈骨・尺骨の遠位部と8つの小さな**手根骨 carpal bone** からなる（図にはないが，**豆状骨 pisiform** が三角骨の手掌側に位置する）（図23-28）。手首で，橈骨と尺骨の先端を探してみる。

- 手首には，**橈骨手根関節 radiocarpal joint（手関節 wrist joint），下橈尺関節 distal radioulnar joint，手根間関節 intercarpal joint** がある（図23-29）。手首の関節包，関節円板，滑膜が，橈骨と尺骨，そして手根骨の近位部を結ぶ。**手背で橈骨手根関節の溝を探す**。尺骨は手根骨に直接連結していないため，この関節が手首の屈曲と伸展運動の多くを司る。

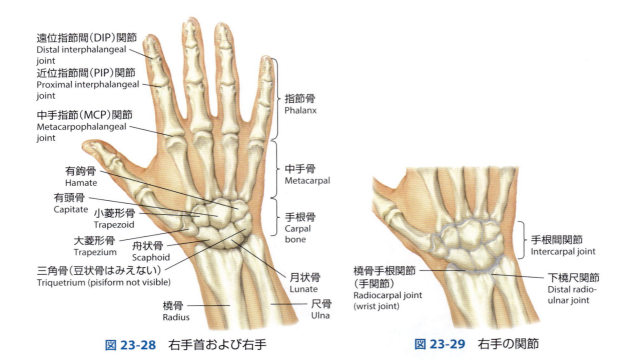

図 23-28　右手首および右手

図 23-29　右手の関節

手関節の遠位にある**手根骨**，5つの**中手骨 metacarpal bone**，**基節骨 proximal phalanx**，**中節骨 middle phalanx**，**末節骨 distal phalanx** を同定する。母指には**指節骨 phalanx** が2つしかない。

手関節や手内にある多数の関節によって，手の自在な動きが実現可能となる。手の関節には，**中手指節関節 metacarpophalangeal joint（MCP 関節）**，**近位指節間関節 proximal interphalangeal joint（PIP 関節）**，**遠位指節間関節 distal interphalangeal joint（DIP 関節）**がある。

手指を屈曲し，それぞれの指の MCP 関節を表す溝を探し出す（図 23-30）。その溝は，拳を握ったときに最も突き出る部位より遠位で伸筋腱の両側で最も容易に触知できる。

手首の屈曲は，橈骨と尺骨表面に位置する2つの手根筋によって行われる。2つの橈骨筋，1つの尺骨筋が手首の伸展を司る。回外と回内は前腕の筋肉の収縮によって起こる。

母指は3つの筋肉によって動き，これら筋肉が**母指球 thenar** を形成し，母指の屈曲，外転，**対立運動 opposition** を司る。母指の伸展を司る筋肉は，前腕に由来し橈骨の辺縁に沿って母指までのびる。指の動きは，前腕にある筋肉の屈筋腱

図 23-30　MCP 関節

母指の手根中手関節の変形は女性に多い。

関節別の診察

と伸筋腱の動きによって行われる。

中手骨に付着する手指の内在筋は、指の屈曲（**虫様筋 lumbrical**）、外転（**背側骨間筋 dorsal interossei**）、内転（**掌側骨間筋 palmar interossei**）にかかわる。

腱、腱鞘、筋肉などの軟部組織は、手首と手の運動において大変重要である。6つの伸筋腱と2つの屈筋腱が手首と手を横切り、指に付着する。その走行路のほとんどで、これらの腱はトンネル様の**腱鞘 sheath**を通り、一般的に腫脹や炎症があるときのみ触れることができる。

手首と手の近位部の掌側表面下にある溝、**手根管 carpal tunnel**の構造物を熟知すること（図23-31）。手根管内にはそれぞれの指の屈筋腱や腱鞘、**正中神経 median nerve**が走行している。

横靱帯つまり**屈筋支帯 flexor retinaculum**は、腱と腱鞘をきちんと手根管内におさめる働きをしている。正中神経は、この屈筋支帯と腱鞘の間に位置し、手掌、母指から示指、中指、および薬指半分の掌側表面の感覚を司る。また、正中神経は母指の屈曲、外転、対立運動を司る筋肉を支配する。

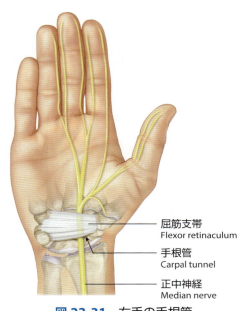

図 23-31　右手の手根管

手首と手における正中神経、橈骨神経、尺骨神経の支配領域を覚えること（図23-32、23-33）。

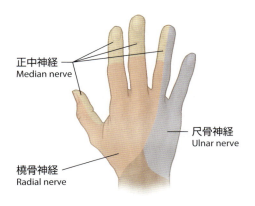

図 23-32　右手の末梢神経の支配領域（手背側）

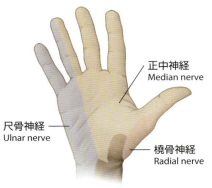

図 23-33　右手の末梢神経の支配領域（手掌側）

診察の技術

手首および手の診察の重要項目

- 動いているときと静止しているときの手の位置を観察する。特に手首，手，指の骨（腫脹，変形，角度），母指球と小指球の隆起（萎縮），屈筋腱（肥厚，拘縮）を視診する
- 橈骨と尺骨の遠位部，橈骨の茎状突起，解剖学的嗅ぎタバコ入れに圧痛がないか，手根骨に圧痛や過度の動きがないか，中手骨と基節骨・中節骨・末節骨，手関節，MCP関節，PIP関節に腫脹，腫れぼったさ，圧痛がないかを触診する
- つぎの部位の可動域を評価する
  手首：屈曲と伸展，外転（橈側偏位）と内転（尺側偏位）
  指（MCP関節，PIP関節，DIP関節）：屈曲・伸展，外転・内転
  母指：屈曲・伸展，外転・内転，対立運動
- （必要に応じて）診察手技を選択する。握力テスト，母指の腱鞘炎のテスト（Finkelsteinテスト），絞扼性ニューロパチー（感覚，母指の外転と対立運動，Tinel徴候，Phalen徴候）など

視診

手の動作時に，スムーズで自然な動きをしているかどうかを観察する。手指の力を抜いた状態では手指はやや屈曲した状態であり，爪は平行に並ぶはずである。

痛みをかばうぎこちない動きは損傷を示唆する。屈筋腱の損傷があると指の配列不整がみられる。

手首と手の掌側および背側表面を視診し，関節の腫脹や外傷がないかどうか注意深く調べる。

びまん性の腫脹は関節炎，感染症でよくみられる。限局性の腫脹は，**ガングリオン ganglion cyst** や **屈筋腱腱鞘炎 flexor tenosynovitis（ばね指 trigger finger）**でみられるような腱や腱鞘の限局性肥厚を示唆する。裂傷，刺傷，注射痕，熱傷，紅斑の原因は外傷である可能性がある。表23-7「手の関節炎」，表23-8「手の腫脹と変形」を参照。

手首，手，手指の骨の変形がないかどうか調べ，屈曲（angulation）についても観察する。

変形性関節症ではDIP関節の背側にある硬い結節である**Heberden（ヘバーデン）結節**と，PIP関節の背側にある硬い結節である**Bouchard（ブシャール）結節**が一般的な所見である。関節リウマチでは，PIP関節，MCP関節，手関節に対称性の変形がないか観察する。後期にはMCP関節亜脱臼や尺側偏位がみられることもある。なお，関節リウマチではDIP関節の障害は少ない傾向がある。

関節別の診察

手掌の輪郭，すなわち母指球と小指球の隆起を観察する。

指の屈筋腱の肥厚や屈曲拘縮に注意する。

触診

手関節の外側と内側表面の橈骨と尺骨の遠位部を触診する（図 23-34）。診察者の母指を手関節背側に，掌側には診察者の他の指を置き，はさむようにして左右の手関節の溝を触診する。腫脹，腫れぼったさ，圧痛の有無に注意する。

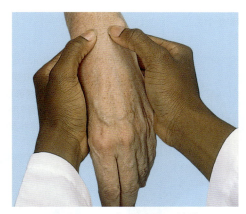

図 23-34　左手関節の触診

橈骨の茎状突起 radial styloid bone と **解剖学的嗅ぎタバコ入れ snuffbox**（橈骨の茎状突起より末梢側にある母指の外転筋や伸筋によってつくられるくぼみ）を触知する（図 23-35）。解剖学的嗅ぎタバコ入れは，母指を外転させるとより観察しやすくなる。

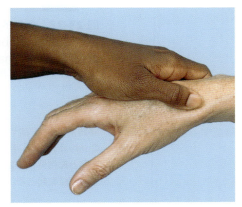

図 23-35　解剖学的嗅ぎタバコ入れの触診

異常例

手根管症候群による正中神経の圧迫では，母指球萎縮が起こることがある（感度 50％未満，特異度＞82〜99％）[33]。尺骨神経の圧迫では，小指球萎縮が起こる。

Dupuytren 拘縮は，手掌筋膜の肥厚によって中指，薬指，小指に生じる（p.852 参照）。前述の通り，ばね指は狭窄性の腱鞘炎によって引き起こされる[34]。

転倒後の橈骨遠位部の圧痛では Colles（コレス）骨折が疑われる。また，step-off（骨の段差）も骨折を示唆する所見である。

関節リウマチでは，両側性の腫脹や圧痛が持続することが多い。

de Quervain（ド・ケルヴァン）病（狭窄性腱鞘炎）や淋菌性腱鞘炎では，橈骨の茎状突起部で母指の伸筋腱と外転筋腱に圧痛が生じる。表 23-9「腱鞘，手掌間隙，手指の感染症」を参照。

手首を尺側に偏位させたときの解剖学的嗅ぎタバコ入れ上の圧痛と，舟状骨結節の痛みは，舟状骨の不顕性骨折を示唆する[35]。血流が悪いと舟状骨の虚血性骨壊死のリスクが高まるため，見逃してはならない。

関節別の診察

手関節より遠位にある手根骨を触診し、その後、中手骨、および基節骨、中節骨、末節骨を触診する（図 23-36）。手根骨を互いに動かそうとしても、動きはほとんどないはずである。

診察者の母指と他の指の間で、両側から患者の手を押し込むように MCP 関節を圧迫する。他の方法として、診察者の示指で掌側の中手骨頭に触れながら、母指で伸筋腱の両側のすぐ末梢にある各 MCP 関節を触診する。腫脹、腫れぼったさ、圧痛の有無に注意する。

図 23-36　左手の MCP 関節の触診

つぎに、手指を診察する。診察者の母指と示指の間で各 PIP 関節の内側と外側を触診する。繰り返しになるが、このとき、腫脹、腫れぼったさ、骨の肥大、圧痛がないかどうか確認すること。同様の技法で DIP 関節を診察する（図 23-37）。

図 23-37　DIP 関節の触診

手指へ付着する腱に沿って触診し、圧痛、紅斑、炎症所見を確認する。また限局性の肥厚があるか診察する。

異常例

手根骨が過度に動く場合、特に痛みを伴う場合は、外傷による靭帯の弛緩や損傷が疑われる。

一般的に関節リウマチでは、MCP 関節は腫れぼったく、圧痛がある（しかし、変形性関節症ではめったに障害されない）。外傷後関節炎でも圧痛はみられる。外傷後の限局的な圧痛は、骨折を示唆する。

PIP 関節の Bouchard 結節は、変形性関節症の典型的な徴候である。Heberden 結節は、変形性関節症患者の DIP 関節に発生する同様の骨の肥大であり、Bouchard 結節よりも頻度が高い（図 23-38）。

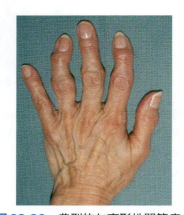

図 23-38　典型的な変形性関節症の患者における Heberden 結節（DIP 関節）および Bouchard 結節（PIP 関節）
(Ballantyne JC, et al. *Bonica's Management of Pain*. 5th ed. Wolters Kluwer; 2019, Fig. 34-3 より改変)

腱鞘炎では圧痛や腫脹がみられる。De Quervain 病は、手背第一区画内で母指伸筋腱と母指外転筋腱が橈骨の茎状突起を横切る部位に起こる。

表 23-9「腱鞘、手掌間隙、手指の感染症」を参照。

関節別の診察

可動域：手関節

それぞれの動作に関連する筋肉を Box 23-11 に示す。診察の際には，患者が適切に従うことができるようわかりやすい表現を用いて指示し，すべての能動的可動域を診察する。手関節の筋力評価については第 24 章「神経系」(p.892〜893) を参照。

異常例

関節炎，腱鞘炎やばね指，Dupuytren 拘縮では，いずれも可動域制限が生じる(図 23-39，23-40)。表 23-8「手の腫脹と変形」を参照。

Box 23-11　手関節の可動域

手関節の運動	動作に関連するおもな筋肉	患者への指示
屈曲	橈側手根屈筋 尺側手根屈筋	「手のひらを下に向けた状態から指が床に向くように手首を曲げてください」
伸展	尺側手根伸筋 長橈側手根伸筋 短橈側手根伸筋	「手のひらを下に向けた状態から指が天井を向くように手首を上に曲げてください」
内転(尺側偏位)	尺側手根屈筋 尺側手根伸筋	「手のひらを下に向けた状態から，指先が向き合うように手首を曲げてください」
外転(橈側偏位)	橈側手根屈筋 長橈側手根伸筋 短橈側手根伸筋 (場合によっては)長母指外転筋	「手のひらを下に向けた状態から，指先が外側を向くように手首を曲げてください」

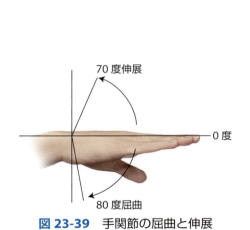

図 23-39　手関節の屈曲と伸展

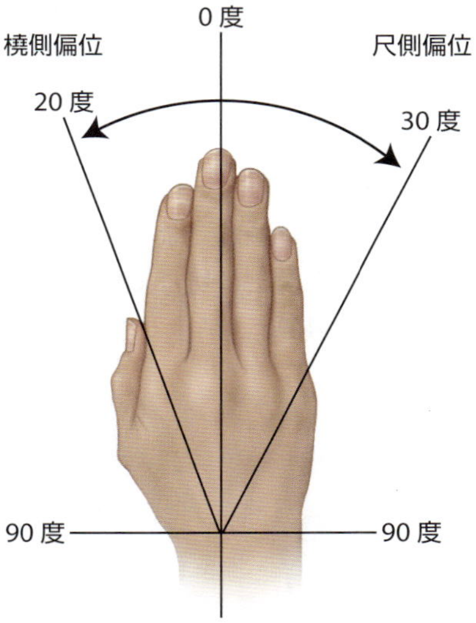

図 23-40　手関節の外転(橈側偏位)と内転(尺側偏位)

手首や手の回内・回外については，p.788 を参照。

可動域：手指

手指の屈曲，伸展，外転，内転を評価する。

- **屈曲と伸展**（図 23-41）：屈曲については虫様筋と手指屈筋群を評価する。患者に「指を曲げて拳を作り，かたく握ってください」と指示する。伸展については手指伸筋群を評価する。患者に「指をまっすぐ広げてください」と指示する。MCP 関節で，指が中立位を越えて過度に伸展することがある。

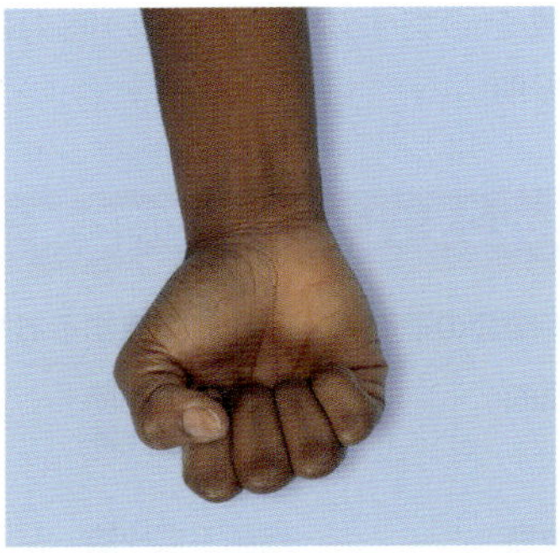

PIP，DIP 関節の屈曲や伸展を評価するには，指を開いたり閉じたりが問題なく行えるかを評価する。

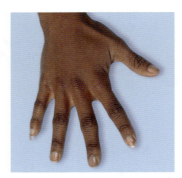

図 23-41　指の屈曲の評価

前述したように，関節炎，腱鞘炎やばね指，Dupuytren 拘縮などで，手指の可動域制限や変形が生じていないかを観察する。

- **外転と内転**（図 23-42）：背側骨間筋を使って手指が広げられるか（外転），また掌側骨間筋を使って手指を閉じることができるか（内転）を評価する。滑らかな協調運動ができているかどうか確認する。

- **母指**では，屈曲，伸展，外転，内転，対立運動を評価する。それぞれの動作に関連した母指の筋肉がある。

図 23-42　指の外転の評価

屈曲を評価するため，母指が手掌を横切り小指の基部に触れるよう，動かしてもらう（図 23-43）。その後，**伸展**を評価するために，手掌を横切って母指をもとに戻し，示指から離れるように動かしてもらう（図 23-44）。

図 23-43　母指の屈曲の評価（Moore KL et al. *Clinically Oriented Anatomy*. 8th ed. Wolters Kluwer; 2018, Fig. 3-76 より改変）

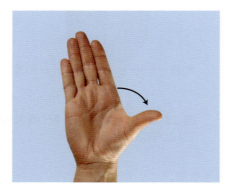

図 23-44　母指の伸展の評価（Moore KL et al. *Clinically Oriented Anatomy*. 8th ed. Wolters Kluwer; 2018, Fig. 3-76 より改変）

関節別の診察

- つぎに，指先を上に向けて母指と他の指を中立位にしてもらう。その後，**外転**を評価するために母指を手掌から離して前方に動かし，**内転**を評価するためにもとの位置に戻してもらう（図 23-45）。**対立運動**，つまり手掌を横切る母指の動きを調べるために，母指で他の指の指先をそれぞれ触ってもらう（図 23-46）。

図 23-45　母指の外転と内転の評価
（Moore KL et al. *Clinically Oriented Anatomy*. 8th ed. Wolters Kluwer; 2018, Fig. 3-76 より改変）

図 23-46　母指の対立運動の評価
（Moore KL et al. *Clinically Oriented Anatomy*. 8th ed. Wolters Kluwer; 2018, Fig. 3-76 より改変）

特殊な診察手技

握力のテスト

患者に診察者の示指と中指をできるだけ強く握ってもらう（図 23-47）。これにより，手関節，手指屈筋群，手内在筋群や手内の関節が評価できる。握力低下が痛みによるものなのか，それとも目的の動作が不可能という真の意味での握力低下なのかを見極めることが常に重要である。

図 23-47　握力の評価

異常例

握力の低下は，手指屈筋群や手内在筋群の筋力低下の陽性徴候である。また，炎症性や変形性の関節炎，手根管症候群，上腕骨上顆炎，頸椎症性神経根症などの腕や手の神経の障害が原因で起こることもある。

de Quervain 病では，握力の低下に加えて手首の痛みがしばしばみられる。

手関節と手の診察を十分に行うため，筋力や感覚について詳細にテストすること。第 24 章「神経系」（p.892〜894）を参照。

母指の腱鞘炎のテスト

図 23-48 に示すように，患者に母指を手掌に当てて握り，手首を尺側に動かしてもらう〔**Finkelstein（フィンケルシュタイン）テスト**〕。

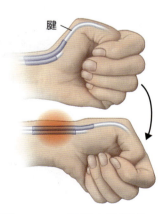

図 23-48　母指の腱鞘炎の評価（Finkelstein テスト）

この手技の最中に痛みがある場合，**長母指外転筋** abductor pollicis longus および **短母指伸筋** extensor pollicis brevis の腱と腱鞘の炎症から起こる de Quervain 病（「ゲーマー親指」）を疑う。

絞扼性ニューロパチーのテスト
(母指の外転・対立運動, Tinel 徴候, Phalen 徴候)

夜間の手や腕のしびれ(**感覚異常**), 物を落とす, 瓶の蓋が開けられない, 手首や前腕が痛む, 母指, 示指, 中指がしびれるなどの訴えに対しては, 正中神経圧迫による**手根管症候群** carpal tunnel syndrome を疑って診察する。手根管症候群は最も一般的な絞扼性ニューロパチー entrapment neuropathy である。通常, 母指, 示指, 中指に生じるが, 患者が手全体の症状として訴えることがあることに注意する。

手首と手の正中神経, 橈骨神経, 尺骨神経の支配領域を大まかに把握する(図 23-32, 23-33)。以下にあげる部位の感覚を調べるのもよい。

- 示指の指腹—正中神経

- 小指の指腹—尺骨神経

- 母指と示指の背側の指間裂—橈骨神経

母指の外転を評価するには, 診察者が下向きの抵抗をかけている状態で, 患者に母指を手掌から 90 度の角度でまっすぐ挙上するように指示する(図 23-49)。また, 診察者が母指のつけ根に外向きの抵抗をかけながら, 患者に母指を小指の指先に触れるように動かしてもらうことで, **母指の対立運動**も評価することができる。

図 23-49 手根管症候群の評価 (母指の外転)

図 23-50 に示すように, 手根管内の正中神経の走行部を繰り返し叩くことで **Tinel (ティネル)徴候**を評価する。

図 23-50 手根管症候群の評価 (Tinel 徴候)

異常例

手首を長時間伸展した状態での激しい作業の繰り返し(キーボード操作など)や郵便物の仕分け, 振動, 寒冷曝露, 手首の手術, 妊娠, 関節リウマチ, 糖尿病, 甲状腺機能低下症などが手根管症候群の危険因子となる。

正中神経領域の感覚低下は, 手根管症候群の一般的な徴候である(痛覚および二点識別の感度は 50%未満, 特異度は 85%以上, 痛覚鈍麻の陽性尤度比は 3.1)[35, 36]。

母指の外転時や対立運動時の筋力低下は陽性所見である。**短母指外転筋** abductor pollicis brevis は正中神経のみに支配されている。**母指対立筋** opponens pollicis も正中神経のみに支配されている[35, 37]。

正中神経支配領域における電撃痛, 疼痛または増悪するしびれは陽性所見である(感度 23~60%, 特異度 64~91%, 陽性尤度比 1.5 以下)[36]。

関節別の診察

Phalen（ファーレン）徴候を評価するには，手関節を屈曲して左右の手背を合わせた状態で60秒間保持してもらう（図23-51）。または，両手の背を合わせて押して手首を直角にしてもらう。この手技は正中神経を圧迫する。

図 23-51　手根管症候群の評価（Phalen 徴候）

異常例

60秒以内に正中神経支配領域にしびれやズキズキとした痛みが現れた場合，陽性である（感度 10〜91％，特異度 33〜86％，陽性尤度比 1.5 以下）[36]。なお，症状が出るまでに60秒かからない場合もある。

Tinel 徴候や Phalen 徴候が陽性だからといって，必ずしも電気生理検査で手根管症候群の所見が得られるとは限らない[37]。

脊椎

脊柱 vertebral column あるいは脊椎 spine は，体幹と背部を支持する中心構造物である。頸椎 cerval spine と腰椎 lumbar spine での凹の弯曲，胸椎 thoracic spine と仙椎 sacrum spine，尾椎 coccyx spine での凸の弯曲は，上半身の体重を骨盤や下肢へ分散されやすくし，歩行や走行時の衝撃を吸収するクッションとなる。

背部の複雑な構造は，以下の協調運動を可能にしている。
- 椎骨と椎間板（椎間円板）
- 椎骨前方と後方をつなぐ靭帯，棘突起をつなぐ靭帯，隣接する2つの椎骨の椎弓板をつなぐ靭帯の相互連結システム
- 大きな浅層筋，深層筋，腹壁の筋群

脊柱は 24 個の椎骨 vertebra からなり，仙骨と尾骨の上に積み重なっている（Box 23-12）。典型的な椎骨は，関節の連結部，体重支持部位，筋肉の付着部ばかりでなく，脊髄神経根や末梢神経が通る孔をもつ。前方では，椎体 vertebral body が体重支持を行う。後方では，椎弓 vertebral arch が脊髄を取り囲む。椎骨の突起や孔の部位を，以下の点に注意しながら観察する。

- **棘突起 spinous process**：椎骨正中線で後方に突き出し，2つの**横突起 transverse process**（筋肉の付着部）が**椎弓根 pedicle** と**椎弓板 lamina** の連結部に存在する。

- **関節突起 articular process**：椎骨の両側に1組ずつ，1組が上向きで，もう1組が下向きに突き出ている。椎弓根と椎弓板の連結部に存在し，関節面で上下の椎骨が連結される。

- **椎孔 vertebral foramen** は脊髄を取り囲み，**椎間孔 intervertebral foramen** は隣接する椎骨の下関節突起と上関節突起で形成され，脊髄神経根の通路となっている。頸椎には椎骨動脈が通る**横突孔 transverse foramen** がある。

関節別の診察

異常例

脊髄と脊髄神経根は椎骨と椎間板に隣接しており，椎間板ヘルニア，椎骨や椎間関節の変形，外傷による影響を特に受けやすい．

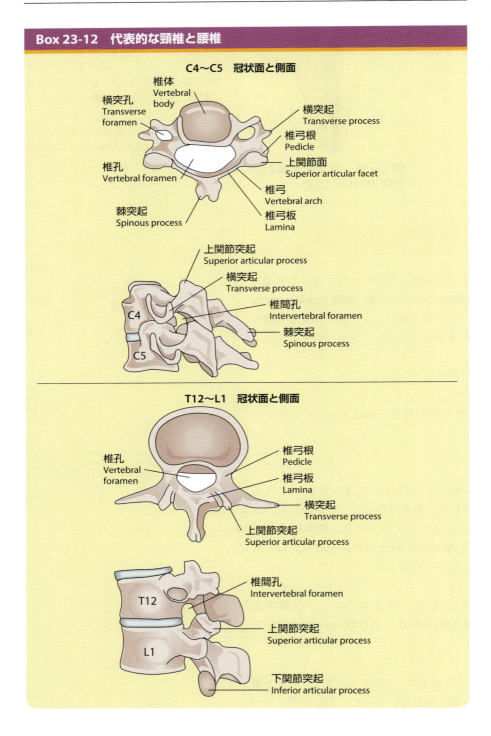

Box 23-12 代表的な頸椎と腰椎

脊柱は，椎体間と関節面間に，若干可動性のある軟骨性関節である．椎体の間には**椎間板 intervertebral disc** がある．椎間板はそれぞれ**髄核 nucleus pulposus** と呼ばれる軟性ムコイド中心核が，**線維輪 annulus fibrosis** と呼ばれる丈夫な線維組織で縁取られて構成されている．椎間板には椎骨間の動きの衝撃を吸収し，脊柱の弯曲，前方および側方への屈曲を可能にする役割がある．

関節別の診察

脊柱の柔軟性は，椎体面に対する椎間関節の角度によって大きく左右され，椎骨のレベルによっても異なる。一般的に下部脊柱は上部脊柱よりも可動性が低い。脊柱は**腰仙骨連結部 lumbosacral junction** で後方に急な角度で曲がり，非可動性となることに注意する。

僧帽筋 trapezius や**広背筋 latissimus dorsi** が脊柱の左右各側へと付着し，表層筋の大半をなす（図23-52）。これらの筋肉は，深部にある2つの筋肉層〔頭部，頸部，棘突起に付着する筋層（**頭板状筋 splenius capitis**，**頸板状筋 splenius cervicis**，**仙棘筋 sacrospinalis**）および椎骨間のより小さな内在筋〕の上に存在する。大きな**傍脊柱筋群 paravertebral muscles**（**腸肋筋 iliocostalis**，**最長筋 longissimus**，**棘筋 spinalis**）は，脊柱の残りの部分に沿って垂直に走り，脊柱の安定化，伸展，回旋を助ける。**腰筋 psoas** や腹壁の筋群を含む椎骨の前方表面に付着する筋肉が，脊柱の屈曲や骨盤・股関節の安定化を可能にする。

異常例

この部位への機械的ストレスが，椎間板ヘルニアやS1上にあるL5の亜脱臼およびすべり（**脊椎すべり症 spondylolisthesis**）の原因となる。

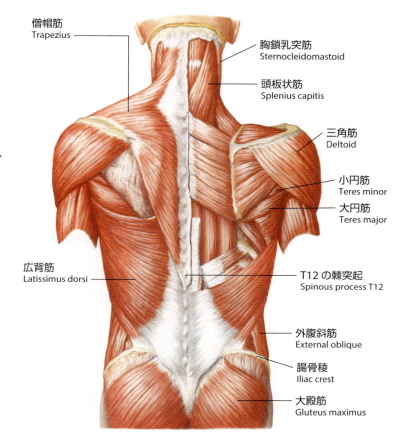

図 23-52 背部の筋肉

診察の技術

脊柱の診察の重要項目

- 姿勢を視診する。頸部，胸部，腰部の弯曲を側方から観察し，脊柱の直立，左右の肩の高さ，腸骨稜，殿溝を後方から観察する
- 椎骨の棘突起，椎間関節，仙腸関節，腸骨稜，上後腸骨棘に圧痛がないか，傍脊柱筋に圧痛や筋痙攣がないか，腰椎・仙椎に段差（step-off）やすべりがないか触診する
- つぎの部位の可動域を評価する
  頸椎：屈曲と伸展，回旋，側屈
  胸椎・腰椎・仙椎：屈曲と伸展，回旋，側屈
- （必要に応じて）診察手技を選択する：頸椎症性神経根症（Spurlingテスト）

関節別の診察

視診

患者が入室したとき，首，体幹の位置を含めた**姿勢を観察する**。起立した状態での頭部，頸部，背部の位置を確認する。滑らかで協調した頸部運動，歩行の容易さについても観察する。

完全な視診ができるよう，ドレープまたはガウンを用い，背中全体を露出する。可能ならば，立位をとってもらう。足をそろえ，手は両わきに下ろすよう伝える。頭は仙骨との正中線上に，そして肩と骨盤は水平になるようにする。

患者を後方から視診し，以下についてそれぞれ確認する（図 23-53）。

- 棘突起は，通常 C7 と T1 でより顕著で，前屈でさらにはっきりする
- 正中線両側の傍脊柱筋
- 腸骨稜（腸骨稜後方上に引いた線は L4 の棘突起を横切る）
- 上後腸骨棘。通常皮膚のくぼみが認められる

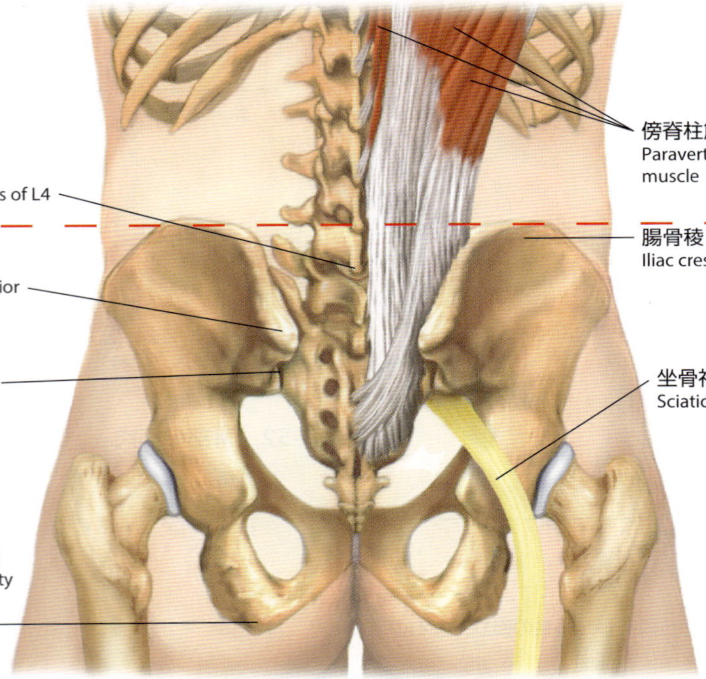

異常例

項部硬直は，関節炎，筋挫傷，あるいはその他の隠れた疾患を示唆している可能性があり，精査を要する。頭痛がみられることもある。

頭部の外側偏位や回旋がみられる場合には，胸鎖乳突筋の収縮による**斜頸 torticollis** が考えられる。

図 23-53 腰部

患者を側面および背面からも観察すること。脊椎の弯曲と Box 23-13 に示す特徴を評価する。弯曲の有無を確認する。また，脊柱の正中線からのずれにも注意する。過度の弯曲や**脊柱側弯症 scoliosis** を示唆するような異常な隆起があるかどうかを観察する。

関節別の診察

異常例

Box 23-13　脊柱の視診

患者をみる方向

横から

頸部, 胸部, 腰部の弯曲を視診する

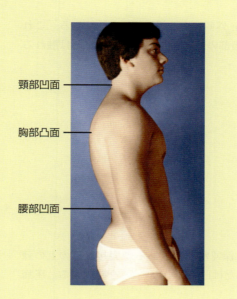

- 頸部凹面
- 胸部凸面
- 腰部凹面

加齢により椎間板がつぶれてくると胸部後弯が起こりやすくなる。

後方から

起立した状態で脊柱を視診する（仮想線がC7から殿裂まで下がる）

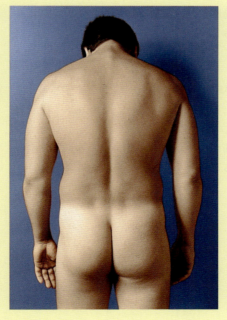

左右の肩の高さ, 腸骨稜, 殿部の下の皮膚線条（殿溝）を視診する

皮膚のしみ・できもの, 糸状線維腫, 腫瘤などを視診する

脊柱側弯症においては, 頭部を正中線上に戻すために, 脊柱の側方性および回転性の弯曲がみられる。側弯は, 症状が出る以前の青年期に明らかになることが多い。

左右の肩の高さのずれは, 脊柱側弯症, 肩甲骨のSprengel（シュプレンゲル）変形（肩甲骨上部とC7の間に余分な骨や靱帯が付着することによる）, 翼状肩甲（前鋸筋への長胸神経支配欠如や対側性の僧帽筋筋力低下による）などでみられる（p.779参照）。

腸骨稜の高さのずれ, あるいは骨盤の傾斜は, 下肢長不同, 脊柱側弯症, 股関節の外転・内転などで起こる。短い方の下肢の下に台を置くと, 下肢長不同が解消されるかどうかを確認する。体幹を片側に傾ける動作は, 腰部椎間板ヘルニアでみられる。

母斑, ポートワイン母斑（単純性血管腫）, 有毛斑, 脂肪腫は二分脊椎のような骨欠損のある箇所の上にみられる。

カフェオレ斑（皮膚の退色斑）, 糸状線維腫, 線維腫は, 神経線維腫症でよくみられる。

関節別の診察

触診

患者に座位あるいは立位になってもらい，診察者の母指を使って各椎骨の**棘突起**を触診する。

頸部では，C2〜C7 の棘突起から 1〜2 cm 外側にある**椎間関節**を触診する。これらの関節は，僧帽筋より深部に位置し，頸部の筋肉が弛緩していなければ触れることはできない。

下腰部では，脊椎の段差（step-off）を注意深く触診し，ある棘突起がその上の棘突起に比べて異常に突出していないか（または凹んでいないか）を確認する。圧痛がないかどうか確かめること。

仙腸関節 sacroiliac joint を触診する。仙腸関節は，**殿裂 gluteal cleft** のある正中線から数センチ離れた上後腸骨棘上にあるくぼみの下にある。

傍脊柱筋の圧痛と攣縮を触診する。筋肉が攣縮すると硬い瘤のように感じられたり，視診で確認できることもある。

患者の症状を踏まえて，他の部位にも圧痛がないか触診する。痛みが殿部，会陰部，下肢に放散するかどうかチェックすること。

異常例

脊椎の圧痛は，骨折，脱臼，感染症，または関節炎を示唆する。

関節リウマチの患者で C1〜C2 の圧痛がある場合は，亜脱臼や高位頸髄圧迫の可能性が疑われ，速やかに追加評価を行う必要がある。圧痛は関節炎（特に C5 と C6 の間の椎間関節）で発生するが，その上方の筋肉由来の場合もある。

ただし一般的には，この部位の圧痛は，悪い姿勢，外傷（頸椎捻挫や「むち打ち症」など），筋肉への過度の負荷（ウェイトリフターなどにみられる），または変形性関節症などによる変形性の機序に関連する筋肉や筋膜の凝りを示唆する。

脊椎すべり症，脊椎の前方すべり（これらはときに脊髄を圧迫する）では段差が生じる。

仙腸関節上の圧痛は仙腸関節炎や強直性脊椎炎でよくみられる[38]。

筋肉の攣縮は，変性および炎症性の筋損傷，過度の使用，異常な姿勢や不安を原因とした持続収縮によって起こる。

椎間板ヘルニアは L5〜S1 間あるいは L4〜L5 間に最もよくみられる。棘突起，椎間関節，傍脊柱筋，仙坐骨切痕，坐骨神経に圧痛を起こすことがある（図 23-53）。

すべての腰痛に対して馬尾症候群の可能性を評価する。馬尾症候群は腰痛の原因のなかでも最も重篤であり，下肢麻痺や膀胱直腸障害のリスクを伴う。

表 23-4「腰痛」を参照。

関節別の診察

可動域：頸椎

頸椎は，最も可動域の大きい脊椎で，注目すべきことに7つの椎骨が4.5〜6.8 kgの頭を支えている。**屈曲**と**伸展**はおもに頭蓋骨とC1（環椎）の間で，**回旋**はおもにC1〜C2（軸椎）間で，**側屈**はおもにC2〜C7間で起こる。

それぞれの動作に関連する筋肉を把握し，診察時に患者にわかりやすい言葉で動作を指示するよう留意する（Box 23-14）。これらの動作のなかで，患者の症状を再現するものがあるならば，それはどのようなものか，その症状はどの部位で発生するのか，そしてその症状の特徴は何か，ということに注意を払う。

異常例

可動域が制限される原因には，関節炎によるこわばり，外傷による痛み，筋攣縮などがある。

通常，可動域制限は変形性関節症を示唆する。しかし，特に外傷後に，突然可動域制限が起きた場合には画像診断を行う必要がある。

頸部，肩，腕の痛み，しびれ，筋力低下などの訴えや所見があれば，頸髄や神経根の圧迫の可能性を評価する。表23-3「頸部痛」を参照。

Box 23-14　頸椎の可動域

動き	関連する筋肉	患者への指示
屈曲	胸鎖乳突筋，斜角筋，椎前筋	「顎を胸にくっつけてください」
伸展	頭板状筋，頸板状筋，頸部小内在筋	「天井を見上げてみてください」
回旋	胸鎖乳突筋，頸部小内在筋	「肩越しに斜め後ろを振り返ってみてください。左右とも行ってください」
側屈	斜角筋，頸部小内在筋	「肩に耳をつけてみてください」

可動域：胸椎・腰椎・仙椎

Box 23-15に，それぞれの動作に関連する筋肉と，患者へのわかりやすい指示方法を記載する。

Box 23-15　胸椎・腰椎・仙椎の可動域

動き	関連する筋肉	患者への指示
屈曲	大腰筋，小腰筋，腰方形筋。内外腹斜筋や腹直筋など脊椎前方に付着する腹部筋肉	「足先を触るような感じで前屈してください」腰部運動の円滑さや左右対称性，可動域，腰部の弯曲に注意する。屈曲すると，腰部の陥凹がなくなり平坦となる

（続く）↗

背部を前屈したとき，胸郭の変形，特に肩甲骨の高さに違いがみられたら，脊柱側弯症の可能性がある。

腰椎前弯が持続する場合，腰椎の可動域制限の可能性があり，筋攣縮や強直性脊椎炎が疑われる[38]。

動き	関連する筋肉	患者への指示
伸展	背部の深層筋群(脊柱起立筋,横突棘筋,腸肋筋,最長筋,棘筋)	「背筋を後ろにそらせるだけそらしてください」 患者の上後腸骨棘に手をあてて患者を支えるようにする(診察者の指先を正中線に向ける)
回旋	腹部筋肉,背部内在筋	「上半身を左右にねじってください」 患者に向かい,片手を患者の殿部に,もう片手を反対側の肩に当てて,患者の骨盤を安定させる。 つぎに肩を前方に,殿部を後方に押してひねる。対側でも同様に行う
側屈	腹部筋肉,背部内在筋	「上半身だけを横に倒してください」 殿部に手をあてて骨盤が回転しないように固定する。対側でも同様に行う

異常例

脊柱の可動性低下は,変形性関節症や強直性脊椎炎でよくみられる。また,患者が痛みを予期していて,痛みのある体勢をとることができない,またはとりたくないと感じている場合には,それが可動性低下の原因となりうる。

関節別の診察

これらの診療によって，痛みや圧痛が特に下肢に放散する場合，慎重に下肢の神経学的検査を行う。

また椎間関節は，片側に回旋させ，後方に伸展させることで評価することも可能である。この方法で患者の痛みが再現される場合は，椎間関節の病変を疑う。

特殊な診察手技

頸部神経根の圧迫を調べるために，患者に頭を片方に倒しながら天井を見あげてもらう〔Spurling(スパーリング)テスト〕。つぎに，患者の背後に立ち，注意深く患者の頭を下向きに圧迫し，この操作によって頭を倒した側の頸部や腕に放散痛が再現されるかどうかを確認する(図23-54)。その後ゆるやかに頭を持ち上げ，圧迫を解除する。

異常例

原因としては，腰椎や股関節の変形性関節症，腰の傍脊柱筋の肉離れや捻挫，腰仙部神経根の圧迫，腰仙部脊髄の圧迫，腫瘍性病変などが考えられる。また，股関節，直腸，骨盤内の感染症が症状を引き起こすこともある。表23-4「腰痛」を参照。

下肢伸展挙上テストについては，第24章「神経系」(p.917)を参照。このテストは椎間板ヘルニアの可能性を示すものの，診断を確定する根拠にはならない[39-41]。

Spurlingテストは，患者が頭を倒したのと同じ側の頸部や腕に痛みを感じた場合に陽性とし，頸部神経根の病変を示唆する。感度は中程度から高度まで幅があり(38〜97%)，特異度は高い(89〜100%)[42]。

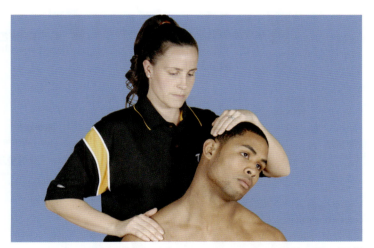

図 23-54 頸部神経根の圧迫を調べるための，患者の頭と頸部の位置(Spurlingテスト)(Anderson MK. *Foundations of Athletic Training: Prevention, Assessment, and Management.* 5th ed. Wolters Kluwer Health/Lippincott Williams & Wilkins; 2013, Fig. 11-22 より)

股関節

股関節 hip joint は骨盤の深部に埋め込まれ，その強さ，安定性，可動域の広さは注目に値する。股関節の安定性は，体重支持には必要不可欠である。この安定性が維持されるのは，**大腿骨 femur** の先端が深部で強靭な線維性関節包を有する**寛骨臼 acetabulum** へはまりこみ，強靭な筋肉が関節を横切り大腿骨頭下へ付着することで，大腿のてこの作用運動が可能になるためである。

股関節は，**鼠径靭帯 inguinal ligament** の中央 1/3 に位置するが，より深部にある。なお股関節は，球関節である。球状の**大腿骨頭**と**寛骨臼**の杯状関節窩がどの

ように連結しているかに注目する。深部にあって筋肉に覆われているために，股関節は容易に触れることはできない。骨盤の骨（**腸骨 ilium**，**坐骨 ischium**，**恥骨 pubis**），および下方で連結する**恥骨結合**，後方の連結部である**仙骨 sacrum** を観察する。**寛骨臼**には骨盤の3つの骨すべてが合流していることを確認する。

骨盤部の前面で，以下の骨構造を同定する（図 23-55）。
- L4 の高さにある**腸骨稜 iliac crest**
- **腸骨結節 iliac tubercle**
- **上前腸骨棘 anterior superior iliac spine**
- **大転子 greater trochanter**
- **恥骨結節 pubic tubercle**
- **恥骨結合 pubic symphysis**

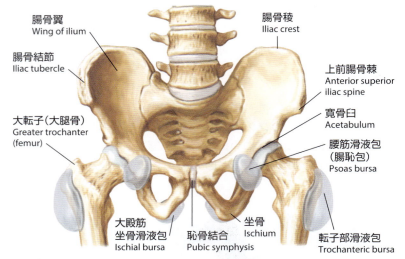

図 23-55 骨盤前面

骨盤部の後面で，以下を同定する（図 23-56）。
- S2 の高さにある**上後腸骨棘 posterior superior iliac spine**
- **大転子**
- **坐骨結節 ischial tuberosity**
- **仙腸関節 sacroiliac joint**

S2 の位置は，ほぼ両側の上後腸骨棘を結んだ線上にある（図 23-56 の赤破線）。

4つの強力な筋群が股関節を動かす。診察時にはこれらの筋群を思い描く。このとき，大腿骨あるいは他の骨を任意の方向に動かすために，この筋群は関節をまたぐ形で位置していることを覚えておく。

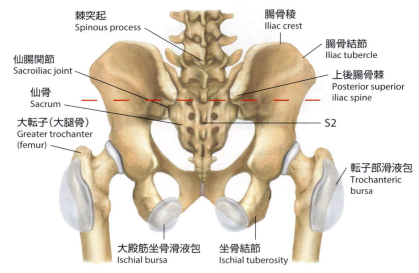

図 23-56 骨盤後面

屈筋群は前方に位置し，股関節を屈曲する（図 23-57）。股関節を屈曲するおもな筋は**腸腰筋 iliopsoas** であり，腸腰筋は**腸骨筋 iliacus** と**腰筋 psoas**（大腰筋・小腰筋）からなる。腸骨筋と大腰筋・小腰筋はそれぞれ腸骨稜，腰椎から起こり，**小転子 lesser trochanter** までのびている。

伸筋群は後方に位置し，大腿を伸展する（図 23-58）。**大殿筋 gluteus maximus** は股関節の伸展を司るおもな筋肉である。大殿筋は起始部である骨盤内側縁から

関節別の診察

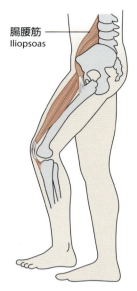
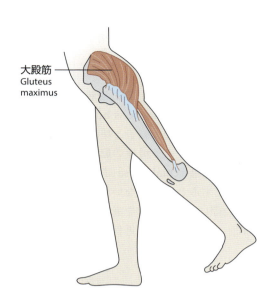

図 23-57　股関節の屈筋群

図 23-58　股関節の伸筋群

付着部である転子下まで横断し，帯を形成している。**ハムストリングス hamstring muscle**（膝屈曲筋），**大内転筋 adductor magnus**，**中殿筋 gluteus medius** も股関節の伸展を補助する。

内転筋群は大腿内側にあり，大腿を内転する（図 23-59）。この群の筋肉は，恥骨枝や坐骨枝から起こり，大腿骨の後内側に付着している。

外転筋群は大腿外側にあり，腸骨稜から**大転子 greater trochanter** までのび，大腿を外転する（図 23-60）。この筋群には，**中殿筋**，**小殿筋 gluteus minimus** を含み，歩行の立脚相において骨盤を安定させるのに役立つ。

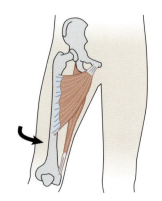
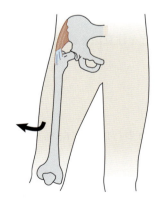

図 23-59　股関節の内転筋群

図 23-60　股関節の外転筋群

厚い関節包が寛骨臼から大腿骨頸部にのび，股関節を取り囲み，強固なものにしている．さらに股関節を覆う3つの靱帯によって補強され，滑膜が内側を覆っている．

股関節部には3つの主要な滑液包がある．関節の前方には，**腰筋滑液包 psoas bursa**（**腸恥滑液包 iliopectineal bursa** または**腸腰筋滑液包 iliopsoas bursa** とも呼ばれる）があり，関節包や腰筋を覆う．つぎに，大腿骨の大転子と呼ばれる股関節外側の骨隆起を同定する．その後側面には，大きく多房性の**転子部滑液包 trochanteric bursa** が位置する．大殿筋の**坐骨滑液包 ischial bursa**（あるいは**坐骨殿部滑液包 ischiogluteal bursa**）は，いつも存在するわけではないが，**坐骨結節 ischial tuberosity** の下に位置し，座位をとった際にかかる体重を吸収して座位を取りやすくしている．図23-64に示すように，坐骨神経がその近傍にあることに注意する．

診察の技術

股関節の診察の重要項目

- 歩行（立脚相，遊脚相，歩隔，骨盤の移動，歩幅，膝の曲げのばし）を観察し，腰椎の前弯や筋攣縮がないか，下肢長が左右対称か，股関節の前後に萎縮や挫傷がないか確認する
- 腸骨稜，腸骨結節，上前腸骨棘，大腿骨の大転子，恥骨結節といった**前面の解剖学的ランドマーク**を触診する．また上後腸骨棘，大転子外側，坐骨結節，仙腸関節といった**後面のランドマーク**も触診する．鼠径靱帯に膨隆，結節，圧痛がないか，腰筋滑液包，転子部滑液包，坐骨殿部滑液包に圧痛がないかに注意する
- 屈曲・伸展，外転・内転，内旋・外旋の可動域を評価する
- （必要に応じて）診察手技を選択する：鼠径部の歪み（FABERテストまたはPatrickテスト）および屈曲変形（KendallテストまたはThomasテスト）

視診

股関節の視診は，患者が診察室へ入ってきたとき，歩行を注意深く観察するところからはじまる．

歩行の二相について観察する．

- **立脚相**：足が床につき体重支持しているとき（正常な歩行周期の60％を占める）（図23-61）

股関節の問題の多くは体重負荷がかかる立脚相で起こる．

- **遊脚相**：足を前方へ動かし，体重支持していないとき（正常な歩行周期の40％を占める）

| 関節別の診察 | 異常例 |

踵を床につける　　足底全体が床に接触　　立脚中間位　　踵が床から離れる

図 23-61　歩行の立脚相

歩行時の歩隔，骨盤の移動，歩幅，膝の曲げのばしを観察する（図23-62）。歩隔は左右の踵と踵との距離で約5～10 cmであるとよい。正常歩行は，円滑で，継続したリズムで，体重支持肢の外転筋群の収縮が部分的に関与する。外転筋群の収縮は骨盤を安定させ，単脚支持期に対側の股関節が下がるのを防ぐことでバランスを保つ。踵が床につくときと，遊脚相開始直前のつま先を床から離すときを除き，この立脚相を通して膝はわずかに屈曲しているものである。

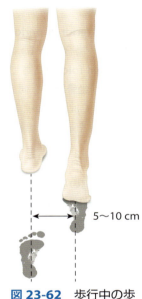

5～10 cm

図 23-62　歩行中の歩隔の観察

広い歩隔はバランスの悪さを示唆し，下肢の筋力低下，小脳障害，変形性関節症などが原因である。大腿骨頸部骨折では，体重をかけたり，診察者が踵を叩いたりすると痛みが生じる[43, 44]。

外転筋群の筋力低下，関節炎，下肢長差，慢性的な股関節亜脱臼などが原因で，骨盤が反対側に下がり，**Trendelenburg（トレンデレンブルグ）歩行**としても知られる**動揺性歩行（あひる歩行）**となる。

膝の屈曲や足の背屈ができないと，機能的に脚が長くなった状態になり，スムーズに歩けなくなる。この場合，通常は**分回し歩行**（長い方の脚を外側に振り出す歩行）となるが，**のび上がり歩行**（患側の遊脚相に健側の足のつま先立ちがみられる歩行）となることもある。

腰椎前弯の程度を観察する。

前弯の欠如は傍脊柱筋の筋攣縮を反映していることがある。一方，過度の前弯がみられる場合，股関節の屈曲変形，脊椎すべり症の可能性，あるいは肥満の人や重度の脊柱後弯症の人では重心の変化を補正している可能性がある。

患者を仰臥位にし，下肢長の左右差を評価する〔下肢長の測定法に関しては，「特殊な技術」(p.833～834)の項を参照〕。

下肢長の短縮と外旋は股関節骨折でよくみられる。

股関節の前後表面で筋萎縮や挫傷がないか視診する。股関節は深部に位置するため，腫脹を確認することはできない。

触診

股関節表面の解剖学的ランドマークを前方と後方から以下のように触診する。

前面の解剖学的ランドマーク

L4の高さにある骨盤の上部辺縁，**腸骨稜 iliac crest**を同定する。前方弯曲部を下方にたどり，腸骨稜で最も幅広い部位である**腸骨結節 iliac tubercle**，そしてそのまま下方にたどり**上前腸骨棘 anterior-superior iliac spine**を同定する。診察者の母指を上前腸骨棘に置き，他の指を下方かつ外側へ腸骨結節から**大転子**へ移動させる。それから，診察者の母指を内側，斜め方向へ移動させ，大転子と同じ高さにある**恥骨結節 pubic tubercle**を同定する。

後面の解剖学的ランドマーク

殿部にみえるくぼみの直上にある**上後腸骨棘 posterior-superior iliac spine**に触れる（過体重や肥満の患者では同定するのが難しい場合がある）。診察者の左母指と示指を上後腸骨棘に置き，つぎに，**殿溝 gluteal fold**の高さで指を外側へたどり**大転子**を同定する。そして母指で内側にたどり**坐骨結節**を同定する。**仙腸関節 sacroiliac joint**はいつも触れることができるわけではないが，圧痛がみられることがある。図23-56に示すように，上後腸骨棘間を結ぶ仮想線は，S2の関節を横切るということに留意する。

仙腸関節上の圧痛は仙腸関節炎を示唆する。

患者に仰臥位になってもらい，検側下肢の踵を対側の膝に置いてもらう。そして，上前腸骨棘から恥骨結節にのびる**鼠径靱帯 inguinal ligament**に沿って触診を行う（図23-63）。

靱帯に沿った膨隆は鼠径ヘルニアや，ときに動脈瘤を示唆するが，これらはかなり大きくないと触診することは困難である。

リンパ節腫脹は，骨盤や下肢の感染症を示唆する。

鼠径部の圧痛は，内転筋腱または腸腰筋腱の腱障害，恥骨結合炎，大腿または鼠径ヘルニア，股関節の滑膜炎，関節炎，滑液包炎，あるいは腸腰筋膿瘍が原因である可能性がある。

転子部上の限局性圧痛は大転子疼痛症候群を示唆するが，これは滑液包炎によって起こることはほとんどなく，中殿筋腱の腱障害が原因である可能性が高い。大転子の外側後方の圧痛は限局性の腱炎，股関節痛からの関連痛による筋攣縮，腸脛靱帯炎などで起こる。

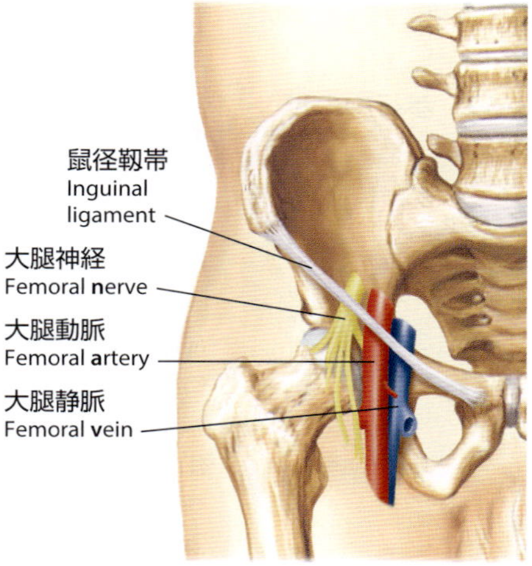

図 23-63 鼠径靱帯とN-A-V-E-L

関節別の診察

大腿神経・動脈・静脈は覆っている鼠径靭帯を二分する位置にある。リンパ節はこれらの内側に位置する。外側から内側への診察の順序を **NAVEL**（臍）〔**N**erve（神経）― **A**rtery（動脈）― **V**ein（静脈）― **E**mpty space（空隙）― **L**ymph node（リンパ節）〕と覚えておくとよい。

異常例

股関節の前面あるいは鼠径部の痛み（典型的には股関節の奥深くで起こり膝まで放散する痛み）は，関節内の病変を示している。殿部や転子部後方に放散する痛みは，関節外の原因を示唆する[42]。

関節内の原因としては，変形性関節症，大腿骨頭壊死，大腿骨寛骨臼インピンジメント，股関節唇損傷，大腿骨頸部骨折などがある。関節外の原因としては，中殿筋や腸腰筋の肉離れや腱障害，仙腸関節障害，腰部神経根症などがある[43-45]。

股関節部に痛みがあるときは，鼠径靭帯の下方にある**腰筋滑液包**を触診する。さらに，患者に側臥位になってもらい，安静に保ちながら股関節を屈曲，内旋し，大転子上の**転子部滑液包**を触診する（図 23-64）。この滑液包が炎症を起こすことはほとんどなく，この部位の痛みは腱構造の損傷による二次的なものであることが多い点に注意する。坐骨結節上にある**坐骨殿部滑液包**は，炎症がない限り，正常では触れることはできない（図 23-65）。

坐骨殿部滑液包炎あるいは"weaver's bottom（機織り工の尻）"での圧痛を観察する。坐骨神経の近傍にあるため，坐骨神経痛の症状に似ていることがある。

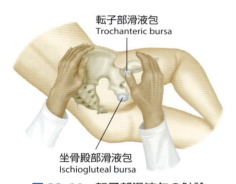

図 23-64 転子部滑液包の触診

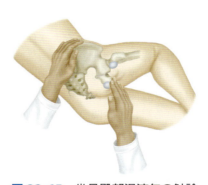

図 23-65 坐骨殿部滑液包の触診

可動域

股関節の可動域と，それぞれの動作に関連する筋肉を評価する。患者に対するわかりやすい指示方法を確認する（Box 23-16）。股関節の**屈曲**，**外転**，**内転**の正常値は，それぞれ 120 度，45 度，20 度である。

Box 23-16　股関節の可動域

股関節の動き	動作に関連するおもな筋肉	患者への指示
屈曲	腸腰筋，大腿四頭筋（特に膝が伸展しているとき）	「膝を胸のほうに持ってきて体につけるように引き寄せてください」

（続く）

↘(続き)

股関節の動き	動作に関連するおもな筋肉	患者への指示
伸展	大殿筋，中殿筋，大内転筋，ハムストリングス（特に膝が伸展しているとき）	「うつぶせに寝て，膝を曲げ，膝を上に上げてください」 または， 「あおむけに寝て，下肢を向かって外側に開き，診察台からはみださせてぶら下げてください」
外転	中殿筋，小殿筋，大腿筋膜張筋	「あおむけに寝て，下肢を外側に向かって開いてください」
内転	短内転筋，長内転筋，大内転筋，恥骨筋，薄筋	「あおむけに寝て，下腿を真ん中に向かって動かしてください」
外旋	内外閉鎖筋，大腿方形筋，上下双子筋	「あおむけに寝て，膝を曲げ，下腿と足を真ん中を超えて反対側に動かしてください」
内旋	中殿筋，小殿筋，大腿筋膜張筋，（部分的に）内転筋による補助	「あおむけに寝て，膝を曲げ，下腿と足を真ん中から外側に向かって動かしてください」

屈曲

患者に仰臥位になってもらい，診察者の手を患者の腰椎に置く。左右の膝を胸につくように交代で曲げてもらい，強く腹部に向けて引きよせるよう伝える（図23-66）。股関節は膝関節が屈曲されているときのほうが屈曲しやすい。これはハムストリングスが弛緩しているからである。患者の背部が診察者の手に触れるのは腰部前弯の正常な平坦化であるが，これにより股関節自体が動き，さらなる屈曲が可能になる。大腿を腹部に向けて持ち上げる際に，股関節と膝の屈曲の程度を観察する。

股関節の屈曲変形は，患者が補正のために脊柱を伸展させたときに，腰部前弯が平坦化するのではなくむしろ弯曲が増加し，骨盤が前傾することによってみつかりにくいことがある（p.817参照）。

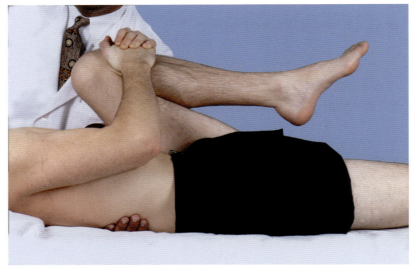

図 23-66　股関節の屈曲を評価する（診察者の手に患者の背部が触れ，腰部前弯の平坦化がみられる）

関節別の診察

異常例

伸展
患者に腹臥位になってもらい，診察者に向け，後方に大腿を伸展するよう伝える。他の方法としては，診察台の縁付近で落ちないよう気をつけながら，患者に仰臥位になってもらい，下肢を後方へ伸展させる。

外転
診察者の一方の手で患者の対側の上前腸骨棘を下方へ圧迫し，骨盤を固定する。もう片方の手で足首をつかみ，腸骨棘の移動を感じるまで伸展下肢を外転させる（図23-67）。この運動で股関節の外転制限を見極める。

股関節の変形性関節症では，外転と内旋・外旋の制限がよくみられる。痛みによる外旋制限の陽性尤度比は32.6と高値である[10,46]。一般的に内旋・外旋では大腿骨頭が寛骨臼に対して大きく動くため，その際に痛みが生じる場合は股関節内の病変が示唆される。

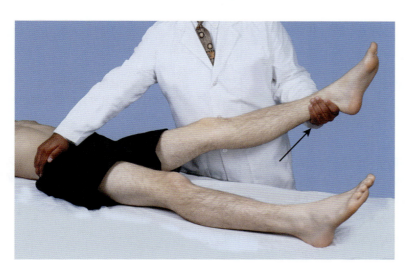

図 23-67　左股関節の外転

内転
患者に仰臥位になってもらい，骨盤を固定し，片方の足首をもち検側下肢を内側に向けて身体を横切るように対側の下肢上まで移動させる（図23-68）。

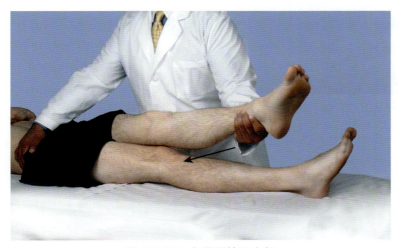

図 23-68　左股関節の内転

外旋および内旋

股関節と膝関節を 90 度に屈曲し，一方の手で大腿を固定し，片方の手で足首をつかみ，下腿を内側，外側それぞれに向けて動かす。**股関節を外旋するためには下腿を内側へ**（図 23-69），**内旋するためには下腿を外側へ動かす**。最初は混乱するが，この動きは大腿骨頭が寛骨臼内で動くことに由来する。

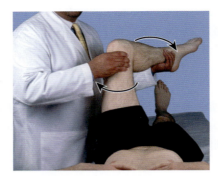

図 **23-69** 左股関節の外旋

最大屈曲・内転・内旋時の痛み，あるいは最大限に外転・外旋したときの痛みは，股関節唇損傷または大腿骨寛骨臼インピンジメントを示唆している[43, 44]。

特殊な診察手技

多くの場合，診察者は患者の股関節の動きを補助する必要がある。

特定の股関節疾患を識別する単一のテストはないことがメタ分析で示唆されている[43, 44, 47]。

鼠径部の歪みをみる診察

横方向の動きやピボット（軸足を中心として回転する動き）を必要とするスポーツでの障害で，股関節が突然強制的に外転させられたことによる鼠径部の歪みが疑われる場合，**FABER（フェーバー）テスト**〔**F**lexion（屈曲），**AB**duction（外転），**E**xternal **R**otation（外旋）〕や **Patrick（パトリック）テスト**で痛みの再現性を調べることができる。患者を仰臥位にし，片方の膝を 90 度屈曲させ，足首が対側の膝の位置を超えるよう外旋・外転させる（図 23-70）。

外転時に痛みが誘発されればこのテストは陽性となり，股関節や仙腸関節の病変が示唆される。

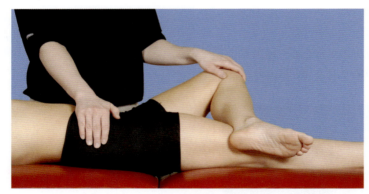

図 **23-70** 鼠径部の歪みをみる診察（FABER または Patrick テスト）(Anderson MK. *Foundations of Athletic Training: Prevention, Assessment, and Management*. 6th ed. Wolters Kluwer; 2017, Fig. 16-19 より)

関節別の診察

股関節の屈曲変形テスト

Kendall(ケンダル)テストを用いる。まず，患者に大腿部が診察台から半分はみ出す位置に座ってもらう。つぎに，そのまま横になってもらい，問題のない方の下肢を胸に向かって屈曲し，診察台の上で腰部が平らになる程度にその下肢を保持する。もう片方の膝は診察台の端で，膝を自由に曲げられるようにしておく。通常，診察台の上で腰部と仙骨を平らにした状態では，大腿後面が診察台に触れたまま，膝が受動的に屈曲する。

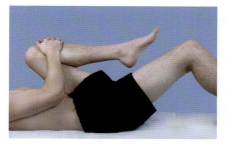

図 23-71 右股関節の屈曲変形（Kendall テスト陽性）

異常例

股関節の屈曲変形がある場合，健側の股関節を屈曲させると患側の股関節が診察台から浮き上がってくる。これは，患側の股関節が完全に伸展しないことにより，診察台と接触した状態を維持できないためである（図 23-71）。

診察台の端で屈曲していた膝が 90 度以上伸展した場合，大腿直筋の短縮を示唆する。伸展してしまった膝を 90 度以上に屈曲できても大腿部が診察台から離れてしまう場合，腸腰筋の硬化を示唆している。

膝関節

膝関節 knee joint は，身体で最も大きな関節である。膝関節は，3つの骨からなるちょうつがい関節（滑膜性楕円関節で修飾型）であり，**大腿骨 femur**，**脛骨 tibia**，**膝蓋骨 patella**（膝皿 knee cap）で3つの関節面（2つが大腿骨と脛骨間，1つが大腿骨と膝蓋骨間）がある。どのようにして2つの球形の大腿骨頭が比較的平らな**脛骨プラトー tibial plateau** におさまっているか把握すること。

膝関節自体は本来安定しておらず，連結している大腿骨や脛骨を適切な位置におさめ安定させるために靱帯と腱の複合体が中心的な役割を果たしている。この特徴は，大腿骨が脛骨の上でちょうつがい運動をすることや，脂肪や筋肉によるクッションがないことに加えて，膝関節を損傷しやすくする要因の1つである。

膝内部やその周囲の解剖学的ランドマークについて学習すること。それにより，この複雑な関節の診察がより容易になる（図 23-72）。

- 内側面：**内転筋結節 adductor tubercle**，大腿骨の**内側上顆**，脛骨の内側顆を同定する。

- 前面：**膝蓋骨 patella**（大腿骨の関節面前面，両側上顆の間，大腿四頭筋腱に埋まっている）を同定する。大腿四頭筋腱は膝関節の下にも**膝蓋腱 patellar tendon** となって連続しており，膝蓋腱は**脛骨粗面 tibial tuberosity** に付着する。

- 外側面：大腿骨の外側上顆，脛骨の外側顆，**腓骨 fibula** の骨頭を同定する。

| 関節別の診察 | 異常例 |

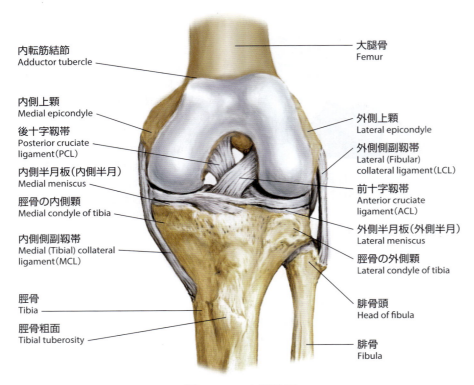

図 23-72　左膝前面

楕円関節である2つの**大腿脛骨関節 tibiofemoral joint** は，大腿骨内側顆と外側顆の凸面によってつくられ，脛骨頭凹面と連結している。3つ目の関節面は，**膝蓋大腿関節 patellofemoral joint** である。膝蓋骨は，膝の屈曲時や伸展時に，**滑車溝 trochlear groove** と呼ばれる大腿骨遠位部前表面の溝内を滑る。

力強い筋群が，膝を動かし支持する。すでに述べたように，以下の2つの筋群には股関節を横断する筋肉もあり，股関節を屈曲したり伸展したりする働きがあることを覚えておく。

- **大腿四頭筋 quadriceps femoris** は大腿の前部，内側部，外側部表面を覆う4つの筋腹で構成され，膝を伸展する（図23-73）。

- **ハムストリングス hamstring muscle** は大腿の後部表面を覆い，膝を屈曲する（図23-74）。

滑車溝が浅い，といった膝蓋骨のトラッキングの問題は，関節炎，膝前部痛，重症化すると膝蓋骨脱臼などの原因となる。

女性では，大腿四頭筋の収縮により下腿を外側に引く力が強く（Q角，つまり上前腸骨棘から膝蓋骨中央部をつなぐ線と，膝蓋骨中央部と脛骨粗面を通過する線との角度が大きく），膝蓋骨トラッキングの軌道が変化し，膝前部の痛みの原因となることが多い。

関節別の診察

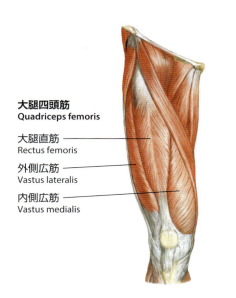

図 23-73　大腿四頭筋(右大腿の前面)

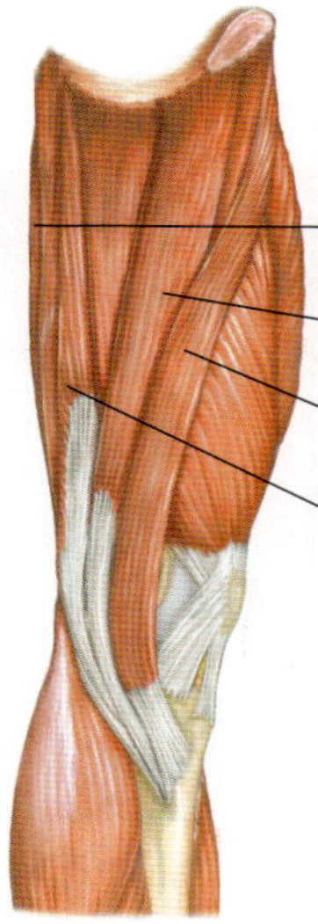

図 23-74　ハムストリングス(左大腿の内側)

半月板(半月)と重要な2組の靱帯(十字靱帯と側副靱帯)は膝関節の安定性に欠かせない。これらの構造物の位置を覚えておく(図 23-72, 23-75)。

- **内側半月板(内側半月)medial meniscus** および **外側半月板(外側半月)lateral meniscus** は，脛骨上で大腿骨の動きによる衝撃を吸収する。これら半月形線維軟骨性円板によって，比較的平らな脛骨平坦部上に杯状表面が形成される。これらは通常，触診するのが難しい。

- **内側側副靱帯 medial collateral ligament(MCL)** は，幅広で平らな形をしているため触診するのが難しい。大腿骨内側上顆と脛骨内側顆をつなぐ靱帯である。この靱帯の内側部分は内側半月板にも付着している。

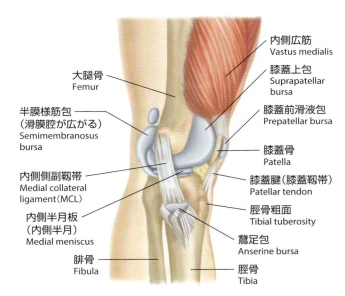

図 23-75　左膝の半月板と靱帯(内側面)

- **外側側副靱帯 lateral collateral ligament(LCL)** は大腿骨外側上顆と腓骨頭を連結する。MCL と LCL は膝関節の内側と外側に安定性を与える。

- **前十字靱帯 anterior cruciate ligament(ACL)** は脛骨前面内側から大腿骨外側顆に斜めに走行している。大腿骨上で脛骨の前方すべりを防いでいる。

- **後十字靱帯 posterior cruciate ligament(PCL)** は脛骨後方と外側半月板，大腿骨内側顆にかけて走行している。大腿骨上で脛骨の後方すべりを防いでいる。

ACLとPCLは膝関節内を斜めに横切っており，触診することはできない。ACLとPCLは，膝の前後方向の安定性に重要な役割を果たしている。

膝蓋骨の両側には，多くの場合はっきりと確認できるくぼみがあり，**膝蓋骨下の空間 infrapatellar space** として知られている（図 23-76）。この空間はおもに膝の滑膜腔が占め，身体のなかで最大の関節腔の1つである。膝蓋骨下の空間にはさらに，**膝蓋下脂肪体 infrapatellar fat pad**（ホッファ脂肪体 Hoffa's fat pad とも呼ばれる）と**膝蓋下滑液包 infrapatellar bursa** がある。

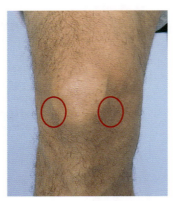

図 23-76　滑膜腔がある右膝蓋骨下の空間

この関節腔は膝蓋骨上端から 6 cm 上方へ，大腿四頭筋へ向かい上方，深部にのびている（**膝蓋上嚢 suprapatellar recess** と呼ばれる）。膝蓋上嚢は，膝蓋上脂肪体と**膝蓋上包 suprapatellar bursa** にも隣接している。この関節腔は膝の前部，内側部，外側部表面ばかりでなく，後方の大腿骨や脛骨頭も覆っている。

いくつかの滑液包が膝付近に位置する。**膝蓋前滑液包 prepatellar bursa** は膝蓋骨とそれを覆う皮膚の間に位置する。**鵞足包 anserine bursa** は，内側面で膝関節から約 2.5〜5 cm 下方，脛骨近位部にて大腿二頭筋内側筋の付着部より近位，内側に位置する。これらの筋肉の腱が覆っているため，鵞足包は触診できない。つぎに関節腔と交通し，さらに膝の後内側面に位置する大きな**半膜様筋包 semimembranosus bursa** を同定する。

滑膜は通常は触診できないが，関節に炎症や外傷があるとき，腫脹と圧痛がみられることがある。

診察の技術

膝関節の診察の重要項目

- 歩行（膝の屈曲）の観察，膝蓋骨周辺のくぼみ（配列，外観，腫脹），大腿四頭筋（萎縮，打撲痕）などを含めた膝の観察を行う
- 大腿脛骨関節を触診する（圧痛，隆起）
  内側区画：大腿骨内側顆，内転筋結節，脛骨内側平坦部，MCL
  外側区画：大腿骨外側顆，脛骨外側平坦部，LCL
  膝蓋骨大腿骨区画：膝蓋骨，膝蓋腱，脛骨粗面，膝蓋前滑液包，鵞足包，膝窩
- 屈曲・伸展の可動域を評価する
- （必要に応じて）診察手技を選択する：McMurray テスト（半月板），外転（外反）ストレステスト（MCL），内転（内反）ストレステスト（LCL），前方引き出しテストまたは Lachman テスト（ACL），後方引き出しテスト（PCL）。滲出液をみる手技（膨隆徴候，バルーン徴候，膝蓋跳動）

関節別の診察

内側半月板と外側半月板，LCL と MCL，ACL と PCL，そして膝蓋腱の診察手技を身につけること。ACL と PCL は触診できないが，特殊な診察手技を用いて評価する。これらの構造物の評価方法を学ぶことは，プライマリケアでの診断に特に役立つ。

視診
患者が入室するとき，歩行を観察し，円滑さ，リズムを視診する。踵が床に着地するときの膝の伸展，それ以外の遊脚相と立脚相を通じた全段階での膝の軽度の屈曲を確認する。

膝の配列，外観を確認する。大腿四頭筋の萎縮がないかどうか注意する。

膝蓋骨周辺の正常なくぼみを観察する。このくぼみがない場合は，膝関節や膝蓋上嚢の腫脹の徴候となる。膝やその周辺に他の腫脹部位がないか，ある場合はどの構造物に関連しているかに注意する。

触診
患者に診察台の端に座ってもらい，膝を曲げ，下肢を脱力した状態で垂らしてもらう。この体位では，体表面の解剖学的ランドマークがよりみえやすくなり，筋肉，腱，靭帯が脱力した状態となるため，触診が容易となる。圧痛がないか特に注意する。痛みは膝関節疾患の代表的な主訴であり，正確な評価と鑑別診断のためには，痛みの原因となっている構造物をできるだけ正確に特定することが重要である。

- **大腿脛骨関節**を触診する。膝に向かい，母指で膝蓋腱の両側の軟部組織のくぼみを触診する。大腿脛骨関節の裂隙を観察する。このように膝関節を屈曲した状態では，膝蓋骨の下極は一般的に大腿脛骨関節線上に位置している。母指で下方へ圧迫すると，脛骨平坦部の辺縁を触れることができる。そこを内側へ，そして外側へ，大腿骨と脛骨が連結するところまでたどっていく。母指を膝蓋骨の正中線沿いに上方に移動させ膝蓋骨の頂点に向かってたどると，大腿骨の脛骨に対する関節面に達し，関節の辺縁を同定することができる。そこが痛みを触診できる部位である。

関節辺縁部に沿った不規則な骨隆起に注意する。

異常例

踵を接地したときに膝ががくっと脱力してしまう場合は，大腿四頭筋の筋力低下や膝蓋骨のトラッキングの異常を示す。

内反膝 bow leg（*genu varum*），外反膝 knock knee（*genu valgum*）がよくみられる。大腿四頭筋の萎縮は，高齢者の股関節帯の筋力低下を示唆する。

膝蓋前滑液包炎（女中膝 housemaid's knee）では，膝蓋骨上の腫脹が生じる。脛骨結節上の腫脹は膝蓋下滑液包炎，それより内側であれば鵞足（滑液）包炎を示唆する。

関節辺縁部の骨肥大，内反膝，持続時間が30分以内のこわばりは，変形性関節症の典型的な所見である（それぞれ陽性尤度比11.8, 3.4, 3.0）[48]。捻髪音もよくみられるが，診断の根拠にはならない。

関節別の診察

- **内側半月板**を触診する。脛骨をわずかに内旋させた状態で、脛骨平坦部の上縁に沿って存在する内側軟部組織のくぼみを圧迫し、内側半月板を同定する。膝を若干屈曲し、外側関節線に沿って存在する**外側半月板**を同定する。

異常例

内側半月板の断裂は、関節線上の限局した圧痛として現れることがある。外傷後によくみられ、速やかに詳細な評価を行う必要がある[49]。変形性関節症では、膝の生体力学的な異常や荷重によって半月板の慢性的な断裂に至る可能性がある。

- 診察台に座り、膝を90度曲げた状態で、大腿脛骨関節の内側区画（図23-77）を触診する。痛みや圧痛がないかどうか、特に注意する。内側で母指を動かし、大腿骨内側顆を触診する。内転筋結節は、大腿骨内側顆の後方に位置する。母指を下方に動かし、脛骨内側平坦部を触診する。

  同様に内側で、関節面に沿って触診し、大腿骨内側上顆と脛骨の内側顆および内側面上方をむすぶ**MCL**を同定する（膝の屈曲時は予想よりも後方の場合がある）。幅広くて平らなMCLの起始部から付着部までを触診する。

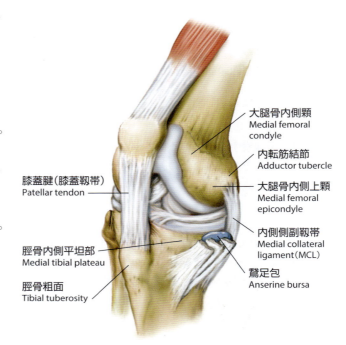

図23-77　右膝の内側区画

- つぎに、同じ姿勢のままで大腿脛骨関節の外側区画を触診し、圧痛がないか注意する。膝蓋腱の外側で、母指を上方に動かして、大腿骨外側顆を触診、下方に動かして脛骨外側平坦部を触診する。膝関節を屈曲しているとき、大腿骨上顆は脛骨顆よりも外側にある。

  同じく外側表面で、患者に一方の足の踵を反対側の膝にのせてもらった状態で、**LCL**を触診する。これは硬いコード状の構造物で、大腿骨外側上顆から腓骨頭まで走行する。

外傷後にMCLの圧痛がある場合、MCLが断裂している可能性がある。LCL損傷はMCL損傷よりも少ない。どちらかを損傷した場合は、膝の他の靱帯や軟部組織も損傷していることが多いため、これらの損傷についても確認する。

- つぎに、膝蓋骨大腿骨区画を触診する。膝蓋骨を同定し、膝蓋腱を遠位に向かって追い、脛骨粗面を触診する。患者に膝をのばしてもらい、膝蓋腱が正常であることを確認する。

膝蓋腱上の圧痛や膝の伸展不能は、膝蓋腱の部分あるいは完全裂傷を示唆する。

関節別の診察

患者に仰臥位になってもらい膝を伸展させた状態で，**膝蓋骨**をその下部にある大腿骨に押しつけ，膝蓋骨を内側そして外側にやさしく動かし，捻髪音や痛みを評価する。膝蓋骨が滑車溝内を遠位に移動するよう，大腿四頭筋を収縮してもらう。円滑なすべり運動が行えるか確認する（**膝蓋大腿グラインディングテスト**）。

- **膝蓋上嚢**および膝蓋骨周囲の肥厚や腫脹を触診する（図 23-78）。膝蓋骨の上端から 10 cm 上方（膝蓋上嚢から十分に上方へ離れたところ）からはじめ，母指と他の指を使って軟部組織を触診する。いかなる筋肉の圧痛にも注意する。指を遠位へ少しずつ移動し，膝蓋上嚢に液体貯留や腫脹がある場合は，それを同定するよう試みる。膝蓋骨の両側に沿って触診を続ける。圧痛や熱感がないか注意する。

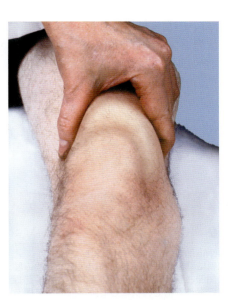

図 23-78 左膝蓋上嚢の触診

- 他の 3 つの滑液包に腫れぼったさ，腫脹がないか確認する。**膝蓋前滑液包**の触診を行う。また MCL と脛骨内側平坦部へ付着する腱の間で膝の後内側面に位置する**鵞足包**を触診する。膝を伸展させた状態で，後部表面の**膝窩 popliteal fossa** の内側面を確認する。

異常例

大腿骨と関節をなす膝蓋骨の下面がざらざらになっていると，痛みや捻髪音が生じる。同様の痛みは，階段の昇り降りや椅子から立ち上がるときにも起こる。

軟骨軟化症 chondromalacia では，膝蓋骨圧迫による痛みや大腿四頭筋収縮時の膝蓋骨移動に伴う痛みが生じる。大腿四頭筋収縮時の痛み，スクワット時の痛み，膝蓋骨の後内側・外側境界部の触診による痛みの 3 つのうち，2 つが陽性であれば，**膝蓋大腿疼痛症候群 patellofemoral pain syndrome** の診断に至る可能性が高い[50,51]。

膝蓋骨周辺の腫脹は，膝関節の滑膜肥厚や滲出液貯留を示唆する（図 23-79）。

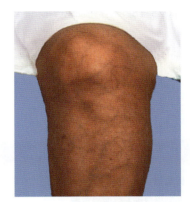

図 23-79 膝関節の滲出液貯留

滑膜炎ではこれらの部位に肥厚，腫れぼったさ，熱感があることが多い。変形性関節症では無痛性の滲出液貯留がよくみられる。

膝蓋前滑液包炎は，過度な膝の曲げのばしによって引き起こされることが多い。

鵞足（滑液）包炎は，ランニング，外反膝，変形性関節症などでみられる。

膝窩嚢胞や Baker（ベーカー）嚢胞は，関節炎や外傷により，腓腹筋包と半膜様筋包が膨張することで生じる。

「特殊な技術：膝関節滲出液の診察」(p.826)参照。

| 関節別の診察 | 異常例 |

可動域

Box 23-17 を参考にして，それぞれの動作に関連する筋肉と患者へのわかりやすい指示方法を意識しながら，膝関節の可動域を評価する。

Box 23-17　膝関節の可動域

膝関節の動作	動作に関連するおもな筋肉	患者への指示
屈曲	ハムストリングス（大腿二頭筋，半腱様筋，半膜様筋）	「膝を曲げてみてください」
伸展	大腿四頭筋（大腿直筋，内側広筋，外側広筋，中間広筋）	「足をのばしてみてください」

屈曲・伸展時の捻髪音は，膝関節の変形性関節症の前段階である膝蓋大腿関節の変形性関節症を示唆する[50]。

特殊な診察手技

特に，外傷や膝の痛みの既往がある場合は，内側・外側半月板，MCL・LCL，膝蓋腱，ACL・PCL の靱帯の安定性と状態を評価する必要があることが多い（Box 23-18）[48, 52-55]。必ず両膝を診察し，所見を左右で比較すること。

ACL 損傷は，女性のほうがより頻繁に起こる。これはエストロゲンサイクルや，解剖学的構造および神経筋制御の違いに関連した靱帯の弛緩によるものである。現在，ACL 損傷予防プログラムは，特にこの種の損傷を受けやすい高校や大学でスポーツをしている若年女性を対象にしたものが一般的である。

Box 23-18　膝の診察手技

構造物	手技
内側半月板と外側半月板	**McMurray（マクマリー）テスト** 患者に仰臥位になってもらい，踵をつかみ膝を屈曲させる。もう一方の手で，内側関節線上に沿って指を杯状にして膝関節の上を覆う。踵をつかんでいるほうの手で，下腿を外側に回転させる。そして，関節の内側に対する外反ストレスを加えるために関節の外側を押す。同時に，下肢を外旋させ，ゆっくりと伸展させる 下肢を内旋した状態で同じ手技を行った場合，外側半月板に負荷がかかる 膝を屈曲，伸展したときに関節線に沿ったクリック音が認められたり，関節線上に圧痛を認めた場合には，半月板裂傷のさらなる評価を行う
MCL（内側側副靱帯）	**外転（外反）ストレステスト** 仰臥位で膝をわずかに屈曲させ，診察台の端に向け外側へ 30 度大腿を動かす。一方の手を大腿骨を固定するよう膝の外側へ，他方の手は足首内側をつかむ。膝関節を内側に開くように，膝では内側に，足首では外側に向けて力を加える（**外反ストレス**）。関節が過度に広がっていたり，エンドポイント（骨を動かしたときに感じる抵抗感）が触知できない場合は，靱帯が正常ではない可能性がある

内側または外側の関節線に沿ってクリック音や断裂音（ポップ音）があれば，内側半月板の後方部断裂の陽性所見となる（陽性尤度比 4.5）[48]。断裂によって半月板組織が移動することで，膝を完全に伸展させたときに「ロッキング」が生じたり，緩んだ組織が移動してクリック音が生じたりする。

内側関節線での痛みや側方動揺性がある場合，MCL 損傷の陽性所見である（感度79〜89％，特異度 49％〜99％）[48]。

（続く）

| 関節別の診察 | | 異常例 |

↘(続き)

構造物	手技	
LCL（外側側副靱帯） 	**内転（内反）ストレステスト** 患者の大腿と膝は前記と同様の位置で，診察者が位置を変え，一方の手を膝の内側表面へ，他方の手を足首外側に置く。膝関節を外側に開くように，膝では外側に，足首では内側に向けて力を加える（**内反ストレス**）。関節が過度に広がっていたり，エンドポイントが触知できない場合は，靱帯が正常ではない可能性がある	外側関節線での痛みや側方動揺性がある場合，LCL損傷の陽性所見である（MCL損傷よりもまれ）。
ACL（前十字靱帯） 注意：ACLのテストを行う場合は，必ずPCLのテストもあわせて行う必要がある。これは，PCLが断裂していると，大腿骨に対して脛骨が後方に垂れ下がってしまうからである。前方引き出しテストやLachmanテストが陽性のように思えても，実際にはPCLが断裂している状態で脛骨を前方に引き出して正常な位置に戻しているだけということがある 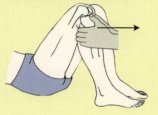	**前方引き出しテスト** 仰臥位で股関節を屈曲させ，膝を90度に屈曲し，足は診察台に平らに置く。診察者の母指を内側と外側の関節線上に置き，残りの指を大腿二頭筋の付着部に置く。患者の足部の上に座り，手技中に足が動かないようにする。脛骨を前方に引き，脛骨が大腿骨下にて（引き出しのように）前方に滑るように動くか観察する。他方の膝の前方への動き方と比較する。通常，膝では最小限の動きで，明確にエンドポイントを触知できる。エンドポイントが明確でなく，膝の過度の動きがある場合は，ACLが正常ではない可能性がある	前方への数度のすべり運動は，両側に存在する場合は正常である。 脛骨上部が輪郭がわかるほど前に出る場合は，前方引き出しテスト陽性であり，ACL断裂の診断において陽性尤度比が11.5となる[48]。 ACL損傷は，膝関節の過伸展，膝関節自体への衝撃，膝関節や股関節をひねる動作，伸展した状態の膝関節や股関節を下にした転倒，などによって生じる。
	**Lachman（ラックマン）テスト** 膝を15度屈曲し外旋させる。大腿骨の遠位外側を一方の手でつかみ，反対の手で脛骨の近位内側をつかむ。脛骨をつかんでいる手の母指は関節線上に置き，力を入れて同時に，脛骨を前方に大腿骨を後方に引っ張る。前方へのずれの程度を評価する。通常，前方への動きには明確なエンドポイントがある。明確なエンドポイントがなく，過度の動きがある場合は，ACLが正常ではない可能性がある	ACL断裂の診断においてLachmanテストは前方引き出しテストよりも感度が高い。前方への有意なずれが陽性所見である（陽性尤度比17.0）[48]。
PCL（後十字靱帯） 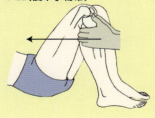	**後方引き出しテスト** 患者の姿勢と診察者の手の使い方は，前方引き出しテストと同様である。患者の足部の上に座り，足の動きを最小限にする。脛骨を後方へ押し，大腿骨下でどのくらい後方へ動くかを観察する。通常，大腿骨に対する脛骨の後方への動きや回旋は最小限である。過剰な動きは，PCLの損傷や断裂を示唆している	脛骨近位部が後方に偏位した場合，PCL損傷の陽性所見である（陽性尤度比97.8）[48]。 PCL単独の損傷はまれであり，多くは脛骨近位部に直接の衝撃があった場合に発生する。

特殊な技術：膝関節滲出液の診察

膝関節に貯留する滲出液の量を推定するための 3 つのテスト（膨隆徴候，バルーン徴候，膝蓋跳動）の方法を学習すること。

膨隆徴候（滲出液が少量のとき）

膝を伸展させた状態で，診察者の左手を膝上に置き膝蓋上嚢を押して，滲出液を下方へ移動または絞り出す（図 23-80）。膝の内側面を下向きになでて，力を加え外側表面に滲出液を押し出す（図 23-81）。そして膝蓋骨外側縁のすぐ後ろを右手で軽く叩く（図 23-82）。

膝蓋骨・大腿骨間内側に膨隆があれば，膨隆徴候陽性で滲出液が存在する可能性がある。

下向きに絞る

図 23-80 膨隆徴候―ステップ 1：膝蓋上嚢から下方に向かって滲出液を絞り出す

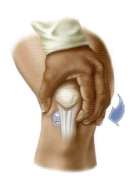

内側からの圧迫

図 23-81 膨隆徴候―ステップ 2：膝の内側を圧迫することで，滲出液を外側に押し出す

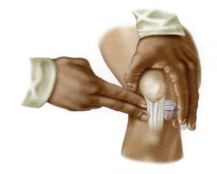

軽く叩き滲出液の波動をみる

図 23-82 膨隆徴候―ステップ 3：膝蓋骨の外側縁に溜まった液体によって形成された膨隆部を軽く叩く

| UNIT II　第 23 章　筋骨格系 |

| 関節別の診察 | 異常例 |

バルーン徴候（滲出液が多量のとき）

右手の母指と示指を膝蓋骨の両側に置く。左手で大腿骨の方向へ膝蓋上嚢を押しつける（図 23-83）。膝蓋骨近くの関節腔へ入ってくる（膨隆する）滲出液を，診察者の母指と示指で触知する。

滲出液の波動を感じられたら，バルーン徴候陽性である。膝蓋上嚢に戻ってくる液体の波動が触知できれば，膝の骨折でみられるような多量の滲出液が存在する可能性がさらに高くなる（陽性尤度比 2.5）[48]。

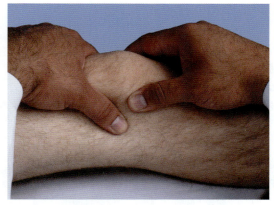

図 23-83　膝の両側を圧迫しながら膝蓋上嚢から下方に滲出液を排出し，膝蓋骨が膨らむ様子を観察する（バルーン徴候）

膝蓋跳動（滲出液が多量のとき）

多量の滲出液を評価するために，膝蓋上嚢を押しつけ，膝蓋骨を大腿骨から遠ざけるように鋭く押すこともできる（図 23-84）。膝蓋上嚢へ液体が戻るかどうか観察し，滲出液内での膝蓋骨の動きを触知する。

膝蓋上嚢に戻ってくる滲出液の波動を触知することも，多量の滲出液を示唆する陽性所見である。

圧迫に伴い膝蓋クリック音を触知することがあるが，偽陽性が比較的多くみられる。

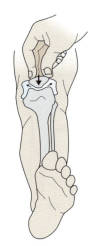

図 23-84　滲出液で満たされた膝で，膝蓋骨を大腿骨から遠ざけるように鋭く押しつける

足首および足の関節

身体の全体重が足首から足へ伝えられる。足首と足は身体のバランスをとり，踵をついたときや歩行時の衝撃を吸収している。足趾，足底，踵に沿って存在する厚い脂肪体や足首を補強する靱帯などがあるにもかかわらず，足首と足は捻挫や骨損傷の多い部位である。

足関節 ankle joint は，脛骨 tibia，腓骨 fibula，距骨 talus からなるちょうつがい関節である。脛骨と腓骨が距骨を包み込んでほぞ穴の役割を果たし，左右の動きを安定させている。

足首の主要な関節は，脛骨と距骨間の**脛距関節 tibiotalar joint** と **距骨下関節 subtalar joint**（距踵関節 talocalcaneal joint）である（図 23-85）。

足首の主要な解剖学的ランドマークに注意する。脛骨の遠位端にある骨隆起が**内果 medial malleolus**，腓骨の遠位端にあるのが**外果 lateral malleolus** である。距骨の下にあり，後方に突き出ているのが**踵骨 calcaneus** である。

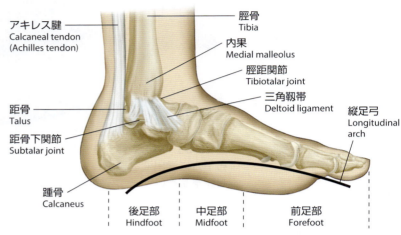

図 23-85 左足関節内側面

仮想線である**縦足弓 longitudinal arch** が足に広がり，中足部の**足根骨 tarsal bone**（楔状骨 cuneiform，舟状骨 navicular，立方骨 cuboid）（図 23-86）に沿って存在する後足部の踵骨から前足部の**中足骨 metatarsal** や足趾に至るまでのびる。中足骨頭が，足の球体内に触知される。前足部では，足趾の近位部にある**中足趾節関節（MTP）**，足趾の**近位・遠位趾節間関節（PIP・DIP）**を同定する。

足関節の運動は**背屈（伸展）dorsiflexion** と**底屈（屈曲）plantar flexion** に限られる。底屈は，**腓腹筋 gastrocnemius**，**ヒラメ筋 soleus**，**足底筋 plantaris** によって行われ，**後脛骨筋 tibialis posterior** と足趾の屈曲筋が補助的な役割を果たす。強靱な**アキレス腱 Achilles tendon** が腓腹筋とヒラメ筋を踵骨の後面へとつないでいる。**背屈筋 dorsiflexor** には，**前脛骨筋 tibialis anterior**，足趾の伸展筋が含まれる。これらの筋肉は，おもに足首の前表面，足背部で内果と外果の前方に位置する。

外側区画の筋肉は，足の**外反 eversion**（つま先が外方へ曲がる）を担う筋肉で，**長腓骨筋 fibularis longus** と**短腓骨筋 fibularis brevis** がある。それらは外果の下を走り，足を外向きに動かす。

関節別の診察

内側区画の筋肉は，足の**内反 inversion**（つま先が内方へ曲がる）を担う筋肉で，**後脛骨筋**と**前脛骨筋**がある。後脛骨筋は，足趾の伸展筋とともに内果のすぐ後ろを走行している。

靱帯は内果と外果から足部へのびる。

- 内側では，三角形の**三角靱帯 deltoid ligament** が内果の下方表面から距骨と近位足根骨に扇状に広がり，外反時（つま先が外方へ曲がる）のストレスから足を守っている。

- 外側では，3つの靱帯があまり強固ではなく，内反損傷のリスクが高い。3つの靱帯とは**前距腓靱帯 anterior talofibular ligament**（最もリスクが高い），**踵腓靱帯 calcaneofibular ligament**，**後距腓靱帯 posterior talofibular ligament** である（図 23-85）。

足底筋膜 plantar fascia は踵骨の内側結節へ付着する。

診察の技術

足首および足の診察の重要項目

- 足首と足を視診する。変形，結節，腫脹，胼胝（たこ），うおのめなどに注意する
- 足関節（腫れぼったさ，腫脹，圧痛），アキレス腱（結節，圧痛），踵骨，足底筋膜（棘，圧痛），足首の内側と外側の靱帯，内果と外果（圧痛，腫脹，斑状出血），MTP 関節（圧痛），中足骨（圧痛，異常），腓腹筋，ヒラメ筋（欠損，圧痛，腫脹）を触診する
- 底屈と背屈，内反と外反の可動域を評価する
- （必要に応じて）診察手技を選択する。関節の状態をテストする〔脛距関節，距骨下関節（距踵関節），距腿関節，横足根関節，および MTP 関節〕。アキレス腱の状態を調べる

視診

足首と足部の全表面を，変形，結節，腫脹，胼胝（たこ），うおのめなどに注意して観察する。

表 23-10「足と足趾の異常」，表 23-11「足趾と足底の異常」を参照。

触診

診察者の母指で左右の**足関節**の前面を触診し，腫れぼったさ，腫脹，圧痛に注意する（図 23-87）。

局所的圧痛は関節炎，靱帯損傷，骨の損傷や感染でよくみられる。

関節別の診察

異常例

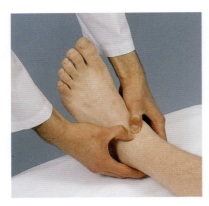

図 23-87　左足関節前面の触診

アキレス腱に沿って，結節や圧痛がないか触診する。

アキレス腱に沿ってみられるリウマトイド結節を確認する。アキレス腱の局所的な肥厚や圧痛は，アキレス腱炎，滑液包炎，外傷による部分断裂でよくみられる。

踵を触診し，特に後下方の踵骨，足底筋膜の圧痛の有無をみる。

骨棘は踵骨によくみられ，病的でない場合もある。

足底筋膜の付着部における踵の限局性の圧痛は，足底筋膜炎の典型的な症状である。危険因子は，解剖学的要因（過剰回内，扁平足），不適切な履物，過度の使用，踵を床に打ちつける運動の過剰な繰り返しである。踵骨の骨棘があってもなくても診断は変わらない[56]。

特に外傷の場合は，**足首の内側と外側の靱帯，内果と外果**に圧痛があるかどうかを触診する。脛骨と腓骨の遠位部も触診する。

足首の捻挫の多くでは，足が内反し，それに伴って比較的弱い外側の靱帯（前距腓靱帯と踵腓靱帯）が損傷する結果，圧痛，腫脹，溢血斑が生じる。

外傷後，内果・外果の痛みに加えて，内果・外果いずれかの後方（または舟状骨や第5中足骨基底部）に骨の圧痛があるか，もしくは4歩以上歩けない場合は，足関節の骨折が疑われ，X線撮影が必要である（**Ottawa ankle rules** として知られている）[56-58]。

また，脛骨と腓骨が互いに圧迫された状態での圧痛や過度の動きにも注意する。これらは，前下脛腓靱帯の損傷や高位足関節捻挫の徴候である可能性がある。

内果後方の圧痛は後脛骨筋腱炎でみられる。また，外果に沿った圧痛は長腓骨筋腱炎や短腓骨筋腱炎でみられる。

関節別の診察

触診でMTP関節の圧痛をみる（図23-88）。母趾と他の趾の間の前足部を圧迫する。第1～5中足骨頭のすぐ近位部を圧迫する。

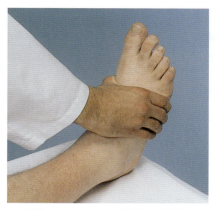

図 23-88　MTP関節の触診

診察者の母指と示指で，5つの中足骨頭とその間の溝を触診する（図23-89）。母指を足背，示指を足底表面に置く。中足骨頭を互いに動かし，どの程度弛緩しているか，動作時の痛みがあるかを評価する。

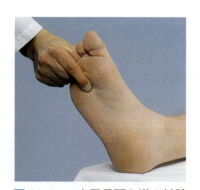

図 23-89　中足骨頭と溝の触診

下腿後面の**腓腹筋**と**ヒラメ筋**を触診する。それら筋肉の共通腱である**アキレス腱**は，ふくらはぎの下1/3からその踵骨上の付着部までで触診することができる。

異常例

痛風では第1MTP関節の圧痛と紅斑を伴う急性の炎症がよくみられる。

中足骨痛と呼ばれる痛みと圧痛は外傷，関節炎，血管障害で起こる。

足底表面の第3および第4中足骨頭上の圧痛はMorton（モートン）神経腫を示唆する（p.854参照）。

外反母趾，中足骨痛，Morton神経腫などの前足部の異常は，ハイヒールを履く人，もしくはつま先が細いまたは尖った靴を履く人に多い。

筋肉内の陥凹，圧痛，腫脹はアキレス腱断裂を示唆する。

腱の圧痛や肥厚，ときに踵骨後外側の突出した骨隆起はアキレス腱炎を示唆する。

可動域

足関節の**底屈および背屈**を評価する。足では，距骨下関節（距踵関節）および横足根関節部分における**内反および外反**を評価する。足首は通常，約20度背屈し，約50度底屈する。また，足は約35度内反し約25度外反する（Box 23-19）。

Box 23-19　足関節と足の可動域

足関節と足の動作	動作に関連するおもな筋肉	患者への指示（患者は座った状態）
足関節の底屈	腓腹筋，ヒラメ筋，足底筋，後脛骨筋	「足先を床に向けてください」
足関節の背屈	前脛骨筋，長趾伸筋，長母趾伸筋	「足先を天井に向けてください」

（続く）↗

(続き)

足関節と足の動作	動作に関連するおもな筋肉	患者への指示(患者は座った状態)
内反	後脛骨筋および前脛骨筋	「足の裏を内側もしくは体の真ん中に向けてください」
外反	長腓骨筋および短腓骨筋	「足の裏を外側もしくは体の真ん中と逆の方向に向けてください」

特殊な診察手技

下記の手技を用い，関節の状態を判断する。

脛距関節の状態を調べる

足首を背屈，底屈させる。

足首と足の運動時の痛みは，関節炎の部位を特定するのに役立つ。

距骨下関節(距踵関節)の状態を調べる

片方の手で足首を安定させ，もう片方の手で踵をつかみ，**距骨傾斜テスト talar tilt test** と呼ばれる手技で，踵を内側・外側に向け，内反・外反させる(図23-90，23-91)。

過剰に動く場合は，靱帯損傷による弛緩が示唆される。

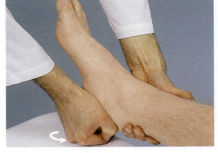

図 23-90　踵を内反させて距骨下関節の状態をみる手技

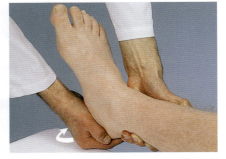

図 23-91　踵を外反させて距骨下関節の状態をみる手技

距腿関節の状態を調べる

片方の手で下腿の前部を，もう片方の手で踵の後部をつかむ。この状態で，踵を脛骨の前下方に引き寄せるようにする。通常，はっきりとしたエンドポイントを感じるはずである。

過剰に動く場合やはっきりとしたエンドポイントがない場合は，前距腓靱帯の損傷が示唆される。

どのような動きが患者にとって最も不快なのかをよく観察する。関節炎では，関節をどの方向へ動かしても痛むことが多い。一方，靱帯の捻挫ではおもに損傷した靱帯が引っ張られたときに痛みが強くなる。例えば，足首の捻挫の場合は，底屈を伴う内反で痛みが出ることが多いが，底屈を伴う外反では比較的痛みが出づらい。

| 特殊な技術 | 異常例 |

横足根関節の状態を調べる

踵を固定し、前足部を内反、外反する（図23-92, 23-93）。

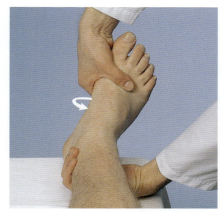
図 23-92 前足部を内反させて横足根関節の状態をみる手技

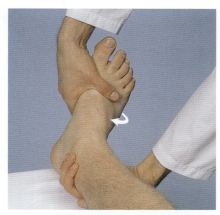
図 23-93 前足部を外反させて横足根関節の状態をみる手技

MTP関節の状態を調べる

それぞれの足趾の基節骨を上下に動かす。

痛みがある場合は急性滑膜炎の可能性がある。不安定性は慢性の滑膜炎や鉤爪趾が原因で発生する。

アキレス腱の状態を調べる

アキレス腱の状態を調べるにはまず患者に腹臥位になってもらい、膝と足首を90度に屈曲するか、椅子の上で膝立ちするよう指示する。そしてふくらはぎをぎゅっと握りしめ、足首での底屈を観察する。

底屈ができない場合、アキレス腱断裂の陽性所見である。ふくらはぎから踵にかけての斑状出血を伴う「銃で撃たれたような」突然の激しい痛み、足趾離地(toe-off)のない扁平足様歩行がどちらもみられることがある。

特殊な技術

下肢長の測定

下肢長を測定するには、患者に仰臥位になってリラックスしてもらい、下肢を左右対称に並べ伸展してもらう。テープを用いて、上前腸骨棘から内果までの距離を測定する（図23-94）。テープは膝の内側を通るようにする。

脊柱側弯症では下肢長に左右差があるようにみえても、実際の測定値は同じである。

特殊な技術

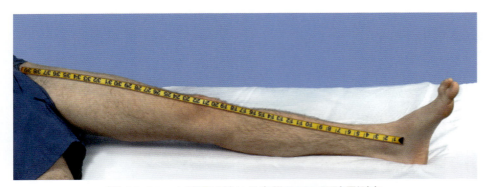

図 23-94　上前腸骨棘から内果までの下肢長測定

関節可動域制限の記録

角度計を使って可動域を測定する。図 23-95，23-96 では，赤線が患者の可動域を示し，黒線が正常な可動域を示している。

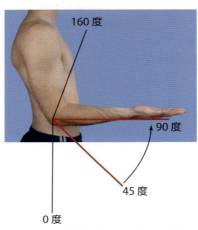

図 23-95　肘関節の屈曲の正常可動域（黒）と患者の可動域（赤）

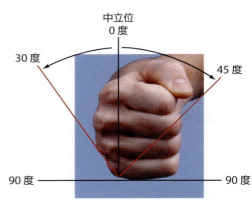

図 23-96　肘関節の回内・回外の正常可動域（黒）と患者の可動域（赤）

観察結果は，いくつかの方法を用いて記述できる。（　）内は簡略版である。

A.　肘関節が 45〜90 度に屈曲する（45 度→90 度）
　　または
　　肘関節が 45 度に屈曲変形しており，そこから 90 度まで屈曲可能である
　　（45 度→90 度）

B.　肘関節での回外＝30 度（0 度→30 度）
　　肘関節での回内＝45 度（0 度→45 度）

所見の記録

関節それぞれの問題にかかわる機能と構造を記述する際，特定の解剖学的用語を使用することで，筋骨格系所見の記録がさらに意味ある有益なものになる。病変や痛みの正確な位置と，どの動きが患者の症状を再現するかを具体的に記述する。

筋骨格系の診察の記録

上肢および下肢の関節における正常関節可動域。腫大，変形なし

または

すべての関節可動域は正常。手の DIP 関節に Heberden 結節，PIP 関節に Bouchard 結節あり。両股関節の屈曲，伸展，回旋による軽度の痛み。膝関節の可動域は正常，中等度の捻髪音，滲出液なし，両側の大腿脛骨関節線に沿って骨肥大あり。両足に第 1MTP 関節の外反母趾あり

これらの所見は変形性関節症を示唆する。

または

右の膝に，中等度の滲出液と関節線に沿って内側半月板上の圧痛あり。Lachman テストで ACL の中等度の弛緩を認める。MCL のストレステストでは，関節ギャップを伴う中等度の弛緩を認める。PCL と LCL はストレステストで問題なし（後方引き出し徴候なし，内反ストレステストにて圧痛なし）
膝蓋腱は正常で圧痛なし，下肢伸展可能。ハムストリングスの腱に圧痛なし。股関節，足関節に痛みはなく，可動域は良好。変形や腫脹なし

これらの所見は，スポーツ外傷やその他の外傷による内側半月板，MCL，ACL の裂傷を示唆し，早急な評価が必要である。

問題のある関節にかかわるすべての筋肉の筋力を評価し，検査の一環として記録すべきである。筋力テストについては，他章を参照すること（第 24 章「神経系」，p.890〜897 を参照）。

健康増進とカウンセリング：エビデンスと推奨

健康増進とカウンセリングの重要事項

- 腰痛
- 骨粗鬆症
- 転倒の予防

筋骨格系が問題なく機能するためには，食事，フィットネス，体重コントロール，外傷の予防などを意識した健康的な生活が欠かせない。関節はそれぞれ，外傷や摩擦に対して特有の脆弱性を持ち合わせている。活動的な生活を送り，食事に気を配り，肥満を避け，病気になったときに自分で対処する方法を学ぶことで，関節や筋肉の機能を保護・保持し，関節炎，慢性腰痛，骨粗鬆症などの発症を予防・遅延させることができる。これらはすべて，米国民に対する健康推進プログラム（Healthy People 2020）[59]でも重要な目標として掲げられている。

腰痛

米国の全人口における腰痛の生涯有病率は80％以上と推定されている[13]。**脊椎疾患は，成人患者の外来受診理由として最も多い疾患の1つであり，腰痛の診断と管理，および生産性の低下による米国の年間経済コストは，1,000億ドルを超えると推定されている**[60, 61]。

急性腰痛患者のほとんどは6週間以内に快方に向かうが，約1/3の患者は1年後も中程度の痛みが持続し，なかにはかなりの障害を伴う患者もいる[62]。臨床ガイドラインでは，非特異的な急性腰痛症状をもつ患者に対して，安心感を与えること，適度な運動，保温，マッサージ，鍼治療，脊椎マニピュレーションなどの非薬物的なアプローチが推奨されている[62]。薬物を使用する場合は，非ステロイド性抗炎症薬と平滑筋弛緩薬が推奨される。予後不良に関連する要因としては，腰痛が実際より深刻であるという思い込み，不適応な痛みへの対処（腰を痛めることを恐れて仕事や運動などを避ける），複数の非器質的な身体所見，精神疾患，全身状態不良，もともとの身体機能の低さ，仕事への満足度の低さ，などがあげられる[13, 63]。

慢性腰痛の適切な治療法は，急性腰痛の治療法に加えて，腰部の運動，集学的なリハビリテーションプログラム，マインドフルネスにもとづくストレス軽減，行動療法などである[62]。米国内科学会 American College of Physicians は，第二選択の薬物療法としてデュロキセチンとトラマドールを支持するエビデンスをあげているが，オピオイドはその副作用と乱用のリスクを考慮して慎重に使用すべきであると指摘している[64]。急性の腰椎・仙椎の神経根性疼痛に対する治療は，根本的な原因と神経学的な障害の程度に応じて選択する。

骨粗鬆症

骨粗鬆症 osteoporosis は骨密度の著しい低下を特徴とし，米国では一般的な健康問題である。50歳以上の成人の10.3％（女性の15.4％，男性の4.3％）が大腿骨頸部または腰椎の骨粗鬆症に罹患している[65, 66]。有病率は年齢とともに上昇し，人種・民族によっても異なる。メキシコ系米国人（13.4％）と非ヒスパニック系白人（10.2％）の有病率が最も高く，非ヒスパニック系黒人（4.9％）の有病率が最も低い。**閉経後の女性の半数が生涯のうちに骨粗鬆症に関連した骨折を経験し，そのうちの25％が椎体の変形，15％が股関節の骨折を経験する。こうした骨折により，慢性疼痛，身体障害，自立性の喪失，死亡のリスクが上昇する**[67]。

米国では毎年，200万件以上の骨粗鬆症による骨折が発生しており，40万件以上の入院と20万件近くの介護施設入所につながっている[68]。股関節骨折後の1年間で，半数以上の患者が自立性に問題を抱えるようになり，20〜30％の患者が亡くなる[65]。骨粗鬆症による骨折の多くは女性に発生するが，60歳以上の男性も生涯において4人に1人が経験し，股関節骨折後1年以内に死亡する確率

坐骨神経痛や神経原性跛行，圧迫骨折，悪性疾患，強直性脊椎炎，骨髄炎などの感染症を伴う重篤な腰痛の原因については，表23-4「腰痛」参照。

心理社会的要因は，「イエローフラッグ」と呼ばれ，腰痛の経過に強く影響することが研究で示されている[59]。不安，抑うつ，仕事のストレスについてたずね，不適切な対処，不適切な恐怖や信念，身体化（somatization）の傾向などを評価することが重要である。

健康増進とカウンセリング：エビデンスと推奨

は女性よりも高いといわれている[69]。50歳以上の成人の40％以上は，骨密度が骨粗鬆症の基準は満たさないものの正常値より低いと定義される**骨減少症 osteopenia** であると推定されており，その人数は約1,700万人の男性を含め，4,000万人を超える[70]。脆弱性骨折の多くは，骨減少症の成人患者にみられる。Box 23-20に，骨粗鬆症の一般的な危険因子を示す。

Box 23-20　骨粗鬆症の危険因子

- 女性の場合は閉経後であること
- 年齢 50 歳以上
- 脆弱性骨折の既往
- BMI 低値
- 食事のカルシウム摂取不足
- ビタミン D 欠乏症
- 喫煙や過度の飲酒
- 不動化（寝たきりや施設入所）
- 不十分な身体活動
- 第 1 度近親者の骨粗鬆症，特に脆弱性骨折の既往
- 甲状腺中毒症，セリアック病，炎症性腸疾患，肝硬変，慢性腎臓病，臓器移植，糖尿病，HIV 感染症，性腺機能低下症，多発性骨髄腫，神経性食思不振症，リウマチ性疾患や自己免疫性疾患
- 経口および高用量の吸入ステロイド，抗凝固薬（長期使用），乳癌に対するアロマターゼ阻害薬，メトトレキサート，一部の抗てんかん薬，免疫抑制薬，プロトンポンプ阻害薬（長期使用），前立腺癌に対するアンドロゲン除去療法

スクリーニングの推奨事項

米国予防医療専門委員会 U.S. Preventive Services Task Force（USPSTF）は，65歳以上の女性に加えて，年齢が若くても10年間の骨折リスクが65歳の白人女性の平均骨折リスクと同等かそれ以上の女性に対して，骨粗鬆症スクリーニングを支持するグレードBの勧告を出している[65]。USPSTFによれば，男性のリスクや有効性に関しては，スクリーニングをルーチンで推奨できるほどのエビデンスはまだないという（グレードI）。ただし，米国国立骨粗鬆症財団 National Osteoporosis Foundation は，70歳以上の男性全員にスクリーニングを行い，50〜69歳の男性にはリスクに応じて選択的にスクリーニングを行うことを推奨している[68]。

骨密度の測定

骨の強度は，骨質，骨密度，骨の大きさによって異なる。総合的な骨の強度を直接測定する方法はないため，その強度のおよそ70％に関与するとされる骨密度（骨のカルシウム成分の密度）が代理マーカーとして用いられる。腰椎および大腿骨頸部の dual-energy x-ray absorptiometry（DEXA）法が骨密度測定および骨粗鬆症診断，治療決定の標準的方法と考えられている。特に，大腿骨頸部でのDEXA法による骨密度測定は股関節骨折の最もよい予測因子と考えられている。

異常例

骨量は30歳までにピークに達する。加齢に伴うエストロゲンやテストステロンの低下による骨量低下は，最初は急激に起こり，その後はゆっくりと持続的に起こる。

世界保健機関(WHO)のスコアリングシステムとして，標準偏差(SD)を用いて測定されたTスコアやZスコアが世界中で使われている(Box 23-21)。骨密度が1.0 SD低下すると，脆弱性骨折のリスクは2倍になる。

> **Box 23-21　WHOの骨密度規準**
> - 骨粗鬆症：Tスコア<−2.5(若年成人の平均値を2.5 SD以上下回る)
> - 骨減少症：Tスコアが−1.0～−2.5(若年成人の平均値を1.0～2.5 SD下回る)

骨密度測定では，同年代との比較を行うZスコアも計算される。この測定値は，骨量の減少が基礎疾患や基礎状態に起因しているかどうかを判断するのに役立つ。

骨折リスクの評価

USPSTFは，Fracture Risk Assessment(FRAX®)計算機の使用を推奨している。FRAX®計算機は，年齢，性別，体重，身長，親の股関節骨折歴，グルココルチコイド使用，関節リウマチまたは二次性骨粗鬆症に関連する疾患の有無，現在の喫煙習慣，アルコール多量摂取，入手可能な場合は大腿骨頸部骨密度，などにもとづいて10年間の骨粗鬆症性骨折リスクを算出する。10年間の股関節骨折のリスクも評価できる(入手はhttps://www.sheffield.ac.uk/FRAX/から可能)。なおこの計算機は，米国の黒人・アフリカ系米国人，ヒスパニック系，アジア系の女性を対象に有効性が検証されており，大陸や国ごとに異なる骨折リスクを算出する。

USPSTFでは，50～64歳の女性で，10年間の骨粗鬆症性骨折リスクが8.4％以上となる集団に骨密度のスクリーニングを行うよう推奨している。この年齢層の女性に対するスクリーニングの決定には，更年期症状の状態，臨床的判断，患者の志向や価値観を考慮する必要がある[65]。

骨粗鬆症の治療

カルシウムとビタミンD

カルシウム calciumは，骨の形成，成長，維持に加え，筋肉や血管の機能，神経伝達，ホルモン分泌などに不可欠なミネラルである[71]。代謝機能を維持するために必要なのは全身のカルシウムのうち1％未満であり，99％以上が骨や歯に貯蔵されている。身体は，血液，筋肉および細胞内液中のカルシウム濃度を安定して維持するために，食事からの摂取ではなく，骨組織からの供給に依存している。骨は，骨形成と骨吸収を繰り返すことでリモデリングされる。加齢とともに骨吸収が骨形成を上回り，骨粗鬆症の原因となる。

ヒトは，日光や食事，サプリメントなどから**ビタミンD vitamin D**を得ている[72]。皮膚や食事から摂取されたビタミンDは，肝臓で代謝されて25-ヒドロキシビタミンD〔25-(OH)D〕となり，これがビタミンDの状態を判断する最もよい指

立位あるいはそれ以下の高さによる低エネルギー骨折は，その後に骨折を起こす最大の危険因子である。

健康増進とカウンセリング：エビデンスと推奨

標となる。血清中の 25-(OH)D は，腎臓で代謝され，最も活性の高い 1,25-ジヒドロキシビタミン D〔1,25-(OH)$_2$D〕となる。**ビタミン D なしでは食事中のカルシウムの 25％未満しか吸収されず，効率が悪い。副甲状腺ホルモン parathyroid hormone(PTH)** は腎尿細管におけるカルシウムの吸収を助け，25-(OH)D から 1,25-(OH)$_2$D への変換を促す。PTH はまた，骨芽細胞を刺激することで骨基質の新規形成を促し，かつ間接的に破骨細胞を刺激することで骨基質の吸収を促す。

2010 年，米国医学研究所 Institute of Medicine(IOM)(現在は全米医学アカデミー National Academy of Medicine)は，カルシウムとビタミン D の推奨食事摂取量を発表した(Box 23-22)[73]。IOM の報告書では，血清 25-(OH)D 濃度が 20 ng/mL であれば，骨の健康状態を維持するのに十分であると結論づけ，50 ng/mL 以上になると悪影響を及ぼす可能性があると警告している。IOM は，心血管疾患，癌，糖尿病，感染症，免疫疾患，およびその他の骨格系以外の疾患に関して，ビタミン D をどれだけ摂取すればよいかというエビデンスは不十分であるとしている。さらに，USPSTF は，無症状の成人におけるビタミン D 欠乏症のスクリーニングの利点が有害性を上回るかを判断するためのエビデンスが不十分であると結論づけている(グレードⅠ)[74]。

USPSTF は，骨折の一次予防のためのビタミン D とカルシウムのサプリメントについて勧告を行った。彼らは，閉経前の女性または男性におけるサプリメントの有益性と有害性を評価するには，エビデンスが不十分であると結論づけた(グレードⅠ)。閉経後の女性のサプリメントに関するエビデンスも同様に不足しているが，USPSTF は，ビタミン D$_3$ 400 IU 未満，カルシウム 1,000 mg 未満のサプリメントを使用しないよう推奨している(グレード D)[68]。また，USPSTF は，ビタミン D とカルシウムの複合的なサプリメントは，腎結石のリスク上昇と関連していると指摘した。

Box 23-22　カルシウムとビタミン D の食事摂取に関する推奨(IOM，2010 年)[73]

年齢	カルシウム(元素) mg/日	ビタミン D IU/日
19〜50 歳	1,000	600
51〜71 歳		
● 女性	1,200	600
● 男性	1,000	600
71 歳	1,200	800

カルシウムのサプリメントには 2 種類がある。炭酸カルシウムとクエン酸カルシウムである[71]。サプリメントに含まれるカルシウム元素の量はさまざまである。炭酸カルシウムは安く，食事と一緒に摂取する必要がある。クエン酸カルシウムは，胃酸分泌が低下した患者でより吸収がよく，食事なしでも内服できる。カルシウムの吸収は，一度に摂取した総量に依存し，高用量では吸収率が低下する。1 日の摂取量が 1,000 mg 以上の患者は，1 日のうちに 2 回以上に分けて摂取する必要がある。ビタミン D のサプリメントには，D$_2$(エルゴカルシフェ

ロール)と D₃(コレカルシフェロール)の 2 種類があり，D₃ は D₂ よりも効果的に血清 25-(OH)D 濃度を上昇させる[71]。

骨吸収抑制薬，同化薬，抗 RANKL 抗体製剤

骨吸収抑制薬は破骨細胞の活動を抑制し，骨のリモデリングを遅らせ，骨基質のミネラル化と海面骨微細構造の安定化を促す[59,75]。現在使用されている薬物には，**ビスホスホネート bisphosphonate** と **選択的エストロゲン受容体調整薬 selective estrogen-receptor modulator(SERM)** がある。ビスホスホネートは，骨粗鬆症の第一選択薬とされている。ランダム化プラセボ対照試験で，ビスホスホネートは閉経後女性の椎体骨折，非椎体骨折，股関節骨折のリスクを有意に低下させることが示されており，SERM は椎体骨折を減少させることが示されている。男性を対象としたランダム化プラセボ対照試験のデータはない。ビスホスホネートはまれではあるが顎骨壊死や非定型大腿骨骨折の発生に関連し，SERM は血栓塞栓症のリスクを高める。エストロゲンは，乳癌や血栓塞栓症のリスクがあるため，もはや第一選択薬とはみなされていない。カルシトニンは，比較的効果が低いと考えられ，また悪性腫瘍のリスクが全体的に高まるため，好ましい治療法とみなされなくなった。

PTH アナログ製剤であるテリパラチドなどの同化薬は骨芽細胞におもに作用し，骨形成を促す。ただし，毎日の皮下投与と高カルシウム血症のモニタリングが必要となる[68,75]。PTH アナログ製剤は，重度の骨粗鬆症(T スコア<−3.5 または脆弱性骨折を伴う<−2.5)の患者，または他の治療法が奏功しなかった，あるいは耐えられなかった患者にのみ使用される。ランダム化プラセボ対照試験では，PTH 治療が骨粗鬆症の閉経後女性において，X 線写真上の椎体骨折および非椎体骨折を有意に減少させることが示されている。副作用としては，下肢のつり，めまい，吐き気などがある。

抗 NFκB 活性化受容体リガンドを標的とする抗体製剤であるデノスマブは，RANKL 受容体に結合し，破骨細胞の活動を阻害するモノクローナル抗体である[68,75]。ランダム化プラセボ対照試験では，年 2 回皮下投与されるデノスマブが，骨粗鬆症の閉経後女性において，X 線写真上の椎体骨折，非椎体骨折，および股関節骨折を有意に減少させることが示されている。副作用としては，上部消化管の軽度な不快感や感染症のリスク上昇などがあげられる。デノスマブの投与を中止すると，急速に骨量が減少する。

転倒の予防

2014 年には，1 年間で 65 歳以上の成人のおよそ 3 人に 1 人が転倒を経験したと報告されているが，そのうち医療機関に相談されたのは半数以下であった[76,77]。転倒は，高齢者の致命的および非致命的な傷害の主要な原因であり，2015 年の総医療費は 500 億ドル以上を占めている[77,78]。転倒の危険因子としては，高齢化，歩行やバランスの障害，姿勢の悪化，筋力の低下，薬物の使用，併存する疾患，うつ病，認知障害，危険な環境，視覚障害などがあげられる。

ホルモン補充療法については，第 21 章「女性生殖器」(p.731)を参照。

健康増進とカウンセリング：エビデンスと推奨

USPSTFは，リスクのある65歳以上の在宅高齢者に，転倒予防のために運動や理学療法を行うことを推奨している（グレードB）[78]。さらにUSPSTFは，リスクのある65歳以上の成人に対して，多面的な転倒予防のための介入について，個別の意思決定を行うことを推奨している（グレードC）[78]。これは，修正可能な転倒の危険因子を包括的に評価し，適切な集学的介入を行うことからはじまる（Box 23-23）[79, 80]。USPSTFは，転倒予防のための毎日のビタミンD補充はしないよう推奨している（グレードD）。

Box 23-23　高齢者の事故・死亡・傷害を阻止する戦略〔Stopping Elderly Accidents, Deaths, and Injuries(STEADI)Initiative〕：臨床実践のためのおもな要素[79-81]

- すべての在宅高齢者を対象に，転倒リスクについてスクリーニングを行う
  - 「過去1年間に転んだことがありますか？」ある場合，「何回ありましたか？　怪我をしましたか？」
  - 「立ったり歩いたりするときに，不安定な感じがしますか？」
  - 「転倒の不安はありますか？」
- いずれかの質問に「はい」と答えた患者には，Timed Get Up and Go Testによる歩行，筋力，バランスの評価を行う
- リスクの高い高齢者，すなわち，歩行，筋力，バランスに問題があり，過去1年間に2回以上の転倒，または負傷を伴う1回以上の転倒をした人を特定する
- リスクの高い高齢者には，以下のような多面的リスク評価を行う
  - Stay Independentパンフレットを参照する（https://www.cdc.gov/steadi/pdf/STEADI-Brochure-StayIndependent-508.pdfで入手可能）
  - 転倒歴と薬歴の確認
  - 視力，姿勢の乱れ，起立性低血圧，認知機能の検査，足の状態や履物の使用，移動補助具使用の確認を含む身体診察を行う
- 理学療法とその30日後のフォローアップを含む個別の介入を行う

表 23-1　関節とその周囲の痛み

疾患	病態	一般的な部位	広がり方	発症	進行と持続期間
関節リウマチ[3,7,8]	**滑膜**の慢性炎症で，隣接した軟骨と骨の続発性びらんや靱帯と腱の障害を伴う	手（最初は小関節）— PIP 関節と MCP 関節，足— MTP 関節，手首，膝，肘，足首	左右対称性に付加的に多関節に広がる。最初の関節で症状が持続している間に他の関節にも進行していく	通常，潜行性。ヒト白血球抗原（HLA）および非HLA 遺伝子が発症原因の 50％以上を占め，炎症性サイトカインが関与する	しばしば慢性化し（50％以上），改善と増悪を繰り返す
変形性関節症（変性関節疾患）[10]	機械的ストレスによる**関節軟骨**の変性と進行性の喪失，その直下の骨損傷と軟骨辺縁部での新しい骨形成を伴う	膝，股関節，手（DIP 関節，ときに PIP 関節のこともある），頸部と腰部の脊椎，手首（第 1 手根中手関節），損傷や疾病の既往のある関節でもみられる	付加的に広がっていくが，1 つの関節だけが障害されることもある	通常，潜行性。遺伝が発症原因の 50％以上を占めると考えられている。傷害や肥満が繰り返されるとリスクが高くなる。外科的侵襲も危険因子である	緩徐に進行，関節の使いすぎで一時的に悪化することもある
痛風性関節炎[6, 82] 急性痛風	尿酸塩の微小結晶に対する炎症性反応	母趾のつけ根（第1MTP 関節），足の甲（足背），足首，膝，肘	病初期の発作は通常，単関節に限局	特に夜間に，突然発症。多くは外傷，手術，絶食，過食，アルコール摂取の後	ときに単独の発作が数日から 2 週間持続する。症状の持続とともに，発作はより頻回で重症となる
慢性結節性痛風	関節内あるいはその他の組織内に尿酸塩の多発性局所集積（**結節**）が生じる，炎症を伴う場合と，伴わない場合がある	足，足首，手首，手指，肘	付加的で関節リウマチほど左右対称性ではない	発作が繰り返され，徐々に慢性化する	慢性症状に急性の悪化を伴う
リウマチ性多発筋痛症[9]	50 歳以上の，特に女性に多い原因不明の疾患。ときに巨細胞性動脈炎の症状と重なる	殿部や上肢帯，頸部の筋肉，左右対称性		潜行性，あるいは突然発症，一晩中症状が続くこともある	慢性だが最終的には自然軽快
線維筋痛症候群[58]	全身に広がる筋骨格痛と圧痛点。疼痛のシグナル伝達や増幅に異常をきたす中枢性痛覚過敏症候群	特に首，肩，手，腰，膝などに，左右対称性の「圧痛点」が多数あり，診察するまで気づかれないことが多い	予想外の痛みの移動や，不動・過度の使用・寒冷曝露などに反応して悪化する	さまざま	慢性で，改善と増悪を繰り返す

	関連症状			
腫脹	発赤，熱感，圧痛	こわばり	可動域制限	全身症状
関節内の滑膜組織や腱鞘の頻繁な腫脹，皮下結節	圧痛，しばしば熱感があるが発赤はまれ	顕著なこわばり感，朝またはじっとしていた後にはしばしば1時間以上続く	よくある。関節の拘縮や亜脱臼，滑液包炎，腱障害の影響を受ける	筋力低下，疲労，体重減少，微熱はよくみられる
特に膝で少量の滲出液を伴うことがある。骨膨隆を伴うこともある	ときに圧痛があるが熱感はほぼなく，発赤はまれ。疾患の再燃や進行に伴う炎症	頻回だが短時間（通常5〜10分）で，朝またはじっとしていた後に起こる	よくある	通常なし
障害のある関節とその周囲にみられ，通常は男性（血清尿酸値が高い）に多い。しだいに多関節に広がることが多い	圧痛，熱感，発赤が非常に強い	明らかではない	おもに痛みによる可動域制限	発熱することがある。感染性関節炎も考慮する
関節，滑液包，皮下組織に結節を認める。耳や関節の伸側に結節がないか確認すること	圧痛，熱感，発赤を発作時に認めることがある	あり	あり	ときに発熱，腎不全や腎結石を呈する
ときに手背や手首，足の腫脹や浮腫を認める	しばしば筋肉に圧痛があるが，熱感や発赤はない	顕著，特に朝にみられる	痛みにより（特に両肩の）動きが制限される	倦怠感，うつ症状，食欲不振，体重減少，発熱を認めることがあるが，真の脱力はない
なし	左右対称性の「圧痛の発生点（trigger point）」が多数あり，診察まで気づかれないことが多い	あり。特に朝にみられる（炎症性疾患と混同されやすい）	過度な運動でこわばりは強くなるが，可動域制限はない	睡眠障害，通常は起床時の疲労感を伴う。うつ症状や他の疼痛症候群と症状が重複する

表 23-2　筋骨格系疾患の全身症状

筋骨格系疾患	関連する全身症状
全身性エリテマトーデス	頬部の蝶形紅斑（頬部紅斑）
乾癬性関節炎	鱗屑（特に伸展面）と爪の点状陥凹
皮膚筋炎	上眼瞼のヘリオトロープ疹
淋菌性関節炎	四肢末梢に位置する発赤した基部をもつ丘疹，膿疱，小疱
ライム病（慢性遊走性紅斑）	病初期に拡大する「標的」状または「牛の目」状の紅斑
サルコイドーシス，Behçet（ベーチェット）病（結節性紅斑）[83,84]	特に前胸部の痛みを伴う皮下結節
血管炎	触診可能な紫斑
血清病，薬疹	蕁麻疹
反応性関節炎（尿道炎やブドウ膜炎を伴うことが多い）	陰茎のびらんや鱗屑，足底や手掌の痂皮状鱗屑丘疹
風疹による関節炎	斑状丘疹性発疹
皮膚筋炎，全身性強皮症	爪郭毛細血管異常
肥大性骨関節症	ばち状指（p.333 参照）
反応性関節炎，Behçet 病[83,84]，強直性脊椎炎	眼の発赤・灼熱感・瘙痒感（結膜炎），眼痛や眼のかすみ（ブドウ膜炎）
関節リウマチ，炎症性腸疾患，血管炎	強膜炎
急性リウマチ熱または淋菌性関節炎	先行する咽頭痛
関節リウマチ（通常は痛みを伴わない），Behçet 病	口腔内潰瘍
関節リウマチ，全身性強皮症	肺炎，間質性肺疾患
炎症性腸疾患，強皮症，サルモネラ（*Salmonella*）属，赤痢菌（*Shigella*），エルシニア（*Yersinia*）属，カンピロバクター（*Campylobacter*）属による反応性関節炎	下痢，腹痛，差し込むような痛み
反応性関節炎，淋菌性関節炎	尿道炎
中枢神経系障害を伴うライム病	精神状態の変化，顔面または他の部位の筋力低下，感覚の変化，神経根性疼痛

表 23-3　頸部痛

種類	考えられる原因	身体所見
機械的ストレスによる頸部痛 頸部傍脊柱筋や靱帯のうずくような痛みで，上背部や肩に筋肉の攣縮とこわばり，緊張を伴い，最大で6週間持続する。放散痛や感覚異常，筋力低下などは呈さない。頭痛がみられることもある	機序には不明な点が多いが，おそらく，筋力低下や生体力学的な異常を背景にした持続的な筋収縮が原因だと考えられている。悪い姿勢，ストレス，睡眠不足，さらにパソコンの使用・テレビ視聴や運転などの間の不適切な頭位などと関連する	運動による局所の筋肉の圧痛および痛み。神経脱落症状はない。線維筋痛症の圧痛点を認めることがある。長期間の異常な頸部姿位や筋攣縮がある場合，斜頸を疑う
機械的ストレスによる頸部痛（むち打ち症，頸椎捻挫）[11,12] 頸部周囲にうずくような痛みとこわばりがある機械的ストレスによる頸部痛で，損傷の翌日にはじまることが多い。後頭部の頭痛とめまい，倦怠感や易疲労感を伴うこともある。6カ月以上持続する場合，慢性むち打ち症候群である（頸部損傷の20〜40％）	追突事故でみられるような頸部の不自然な過屈曲・過伸展による筋肉・靱帯の損傷（捻挫や挫傷）	頸部周囲の局所的圧痛と可動域制限，上肢の筋力低下を自覚する。骨折，ヘルニア，頭部外傷，意識障害など，頸部圧迫の原因となるような疾患を除外する
頸椎症性神経根症（神経根の圧迫による）[11,12] 頸部と片側の上肢に鋭い灼熱感やうずくような痛みがあり，神経学的（皮膚分節・筋節）パターンに沿った感覚異常や筋力低下を伴う	頸椎神経の椎間孔圧迫（約75％）や椎間板ヘルニア（約25％）による頸椎神経，神経根，その両者の機能不全である。まれに，腫瘍，脊髄空洞症，多発性硬化症が原因のこともある。機序には，神経根や後根神経節の低酸素状態や，炎症性メディエータの放出が関係していると考えられる	C7の神経根障害が最も高頻度で（45〜60％），上腕三頭筋や手指屈筋群や伸筋群に筋力低下がみられる。C6の神経根障害もよくみられ，同様に上腕二頭筋，腕橈骨筋，手首の伸筋群の筋力低下を認める
頸髄症（頸髄の圧迫による）[11,12] 上下肢の両側性の筋力低下や感覚異常を伴う頸部痛があり，しばしば頻尿を伴う。手つきのぎこちなさ，手掌の感覚異常，歩行障害は軽度なことがある。首の屈曲により，しばしば症状が悪化する	原因の大半は頸椎症，つまり骨棘，黄色靱帯の退行性の肥厚，椎間板ヘルニアなどの頸椎・椎間板変性疾患である。また，骨棘，黄色靱帯の骨化，関節リウマチによる頸部脊柱管狭窄症も原因となる。椎間板の中心性または傍中心性の突出により，脊髄が圧迫されることもある	腱反射亢進として，手首・膝・足首のクローヌス，足底伸筋反射〔Babinski（バビンスキー）反射陽性〕，Hoffman（ホフマン）反射陽性，歩行異常を認める。また，Lhermitte（レルミット）徴候として，頸部を前屈すると背部から腰部，下肢にかけて放散する電撃痛が誘発されることもある。頸髄症が確認された場合，緊急の頸部固定と脳神経外科的評価が必要となる

表 23-4　腰痛

種類	考えられる原因	身体所見
機械的ストレスによる腰痛[13-15,61,85] 腰仙椎領域のうずくような痛み。殿部や大腿後面に放散することがある。解剖学的または機能的な異常があることを示唆するが，原因としての悪性腫瘍，感染症，炎症性疾患はみられない。通常，急性で（<3カ月），特発性かつ良性で，自然軽快する。症候性腰痛の97％を占める。職業に関連した障害として30～50歳代に発症することが多い。危険因子には重いものを持ち上げる動作，運動不足，肥満などがある	多くの場合，筋肉や靱帯の損傷（約70％）が原因で，筋力低下や生体力学的な異常を背景に発症する。また，加齢に伴う椎間板や椎間関節疾患が原因となることもある（約4％）。椎間板ヘルニア（約4％），脊柱管狭窄症（約3％），椎体圧迫骨折（約4％），脊椎すべり症（約2％）も原因となる	傍脊柱筋や椎間関節の圧痛，背部動作に伴う痛み，正常の脊柱前弯の消失などがみられる。筋力低下や感覚異常，腱反射異常はない。骨粗鬆症患者では，胸椎後弯，棘突起上の打診による痛み，胸椎や股関節に骨折がないか確認する[86]
坐骨神経痛（神経根性腰痛）[13,15,23] 膝の後ろの鋭い痛みが，一般的には下肢外側（L5）または下腿後面（S1）に向かって走ることが多い。典型的には腰痛を生じ，しばしば感覚異常や筋力低下を伴う。前屈，くしゃみ，咳，排便時の息みなどで痛みが悪化する。坐骨神経が梨状筋によって刺激されている場合は，**梨状筋症候群**と呼ばれる	坐骨神経痛は椎間板ヘルニアの診断で感度（約95％）と特異度（約88％）を有する。通常，50歳以上で，椎間板の突出による神経根の圧迫や牽引が原因で生じる。椎間板ヘルニアが原因の場合，そのうちの大半（約95％）でL5，S1の神経根が障害される。悪性腫瘍による神経根や脊髄圧迫が原因となるケースは1％未満である。腫瘍や椎間板正中部のヘルニアは，馬尾を圧迫するため**馬尾症候群**（S2～S4）と呼ばれ，下肢筋力低下，膀胱直腸障害を引き起こすことがある	ふくらはぎの萎縮，足首を背屈する筋力の低下，アキレス腱反射の消失，交差下肢伸展挙上テスト陽性（健側の下肢で検査すると患側の下肢に痛みがある）。ヘルニアの程度に応じて反射低下もしくは亢進がみられるが，一般的なのは反射低下である。交差下肢伸展挙上テスト陰性であれば診断の可能性は低い。同側下肢伸展挙上テストの診断感度は65～98％であるが，特異度は10～60％と低い。梨状筋症候群の特徴は，坐骨神経が梨状筋，またはその近くを通っているため，梨状筋に顕著な圧痛がみられることである。**FAIRテスト**もしくは**FADIRテスト**（**F**lexion：屈曲，**AD**duction：内転，**I**nternal **R**otation：内旋）で症状が再現されることがある

表 23-4　腰痛（続き）

種類	考えられる原因	身体所見
腰部脊椎管狭窄[87,88] 殿部や下肢の痛みや疲労を伴う神経性跛行で，腰痛を伴う場合も伴わない場合もある。脊柱管内の退行性変化により腰椎が圧迫されるため，（坂道を下るときのように）腰部を伸展すると痛みが誘発される。座っているときに痛みがない，前屈すると痛みが改善する，あるいは殿部と下肢の両方に痛みがある場合，陽性尤度比は 6.0 以上となる。歩隔が広く，Romberg（ロンベルグ）徴候陽性の場合，陽性尤度比は 4.0 未満である	1 カ所以上の椎間関節や黄色靱帯の肥厚による肥厚性変性疾患により，中心性の脊柱管狭窄症や外側窩狭小化を引き起こす。60 歳以降に多い	症状を軽減するために姿勢を前屈させることがあり，下肢の筋力低下と腱反射低下を伴うこともある。通常，腰椎を伸展させて 30 秒後に大腿部の痛みが発生する。下肢伸展挙上テストは通常陰性である
慢性の腰部のこわばり[38,89]	強直性脊椎炎は炎症性多関節炎で，40 歳以下の若年男性に好発する。**びまん性特発性骨増殖症**（DISH）は女性より男性に多く，通常 50 歳以上でみられる。変形性関節症の可能性もある	所見は病因によって異なる。脊椎の可動域（屈曲，伸展，回旋）が制限される
安静でも軽快しない夜間の腰背部痛[13]	前立腺，乳房，肺，甲状腺，腎臓などの癌，および多発性骨髄腫からの脊柱転移を考慮する	正常腰椎前弯の消失，筋攣縮，前方と側方への屈曲制限。脊椎，特に胸椎領域の側屈制限は運動により改善する。脊椎の打診による痛みがある
腹部または骨盤部からの痛み 通常，深い，うずくような痛みで，原因により痛みの程度は異なる。腰痛の原因の約 2% を占める	消化性潰瘍，膵炎，膵癌，慢性前立腺炎，子宮内膜症，解離性大動脈瘤，後腹膜腫瘍，その他の原因	所見は原発部位によって変化する。局所椎体に圧痛を認めることもある。脊柱の運動は痛みを伴わず，可動域は障害されない。原因疾患の徴候を探し出す

表 23-5　肩痛

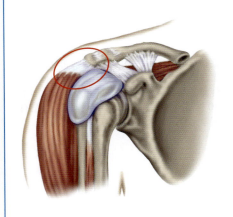

回旋筋腱板炎（肩峰下インピンジメント）
投球や水泳など，反復する肩の運動により浮腫や出血が生じ，続いて炎症が起こる。棘上筋腱が障害されることが多い。急性で再発性，あるいは慢性の痛みがみられることがあり，しばしば動作によって増悪する。患者は腕を頭上に上げたときに，鋭い痛みや不快感，筋力低下を訴える。**棘上筋腱が障害を受けたとき，圧痛は肩峰の先端直下で最大となる**。高齢者では，肩峰の下表面にできた骨棘が症状と関連していることがある

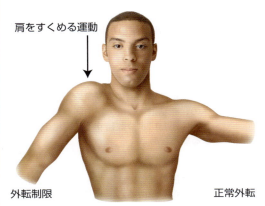

肩をすくめる運動

外転制限　　　　　正常外転

回旋筋腱板断裂
回旋筋腱板の筋肉や腱は，上腕骨頭を凹状の肩甲骨の関節窩へ押しつけ，上肢の動きを強固なものにしている。内旋時の肩甲下筋，外転時の棘上筋，外旋時の棘下筋や小円筋がある。転倒や外傷，肩峰と烏口肩峰靱帯にはさまれたインピンジメントの繰り返しによる損傷が生じ，回旋筋腱板の部分断裂または完全断裂を引き起こすことがある。これは高齢者に多い。患者は，慢性の肩痛や夜間痛，頭上に肩を挙上したときに生じる引っかかりや軋みを感じる。腱の脆弱性や断裂は通常，棘上筋腱からはじまり，後方および前方に広がっていく。完全断裂の際の退縮や痛みによる廃用に関連した三角筋，棘上筋，棘下筋の萎縮を確認する。上腕骨の大結節前面を，前方から筋肉の付着部の欠損がないか触診し，上腕回旋時に肩峰下に捻髪音がないか触診する。完全断裂の場合，肩関節の能動的外転および前方屈曲運動は重度に障害され，腕を上げようとすると特徴的な肩のすくめ方をし，腕を下げようとすると drop arm テストで陽性となる（p.786 を参照）

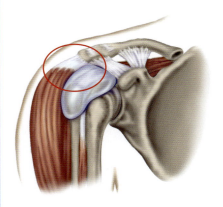

石灰沈着性腱炎
石灰沈着性腱炎は，慢性的な腱の損傷と不適切な治癒に伴う腱の変性過程で，カルシウム塩の沈着を引き起こす。通常，棘上筋腱が障害される。機能不能となる急性の肩痛発作を起こし，通常は30歳以上の患者，特に女性にみられる。腕は脇に固定され，あらゆる運動が痛みにより重度に制限される。棘上筋腱の障害がある場合，圧痛は肩峰の先端直下で最大となる。棘上筋腱の上に位置する肩峰下・三角筋下滑液包が炎症を起こすこともある。慢性でそれほど重症でない痛みが生じることもある

表 23-5　肩痛（続き）

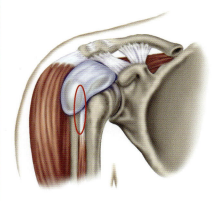

上腕二頭筋腱炎
上腕二頭筋の長頭の腱および腱鞘の炎症により，肩前方の痛みが生じる。回旋筋腱板炎と間違えられたり，しばしば併存することもある。両者ともにインピンジメントによる損傷が原因となることがある。圧痛は二頭筋溝で最大となる。上腕を外旋および外転することによって，この部位を棘上筋腱炎からくる肩峰下圧痛から区別することができる。患者に上腕を脇に固定してもらい，肘を90度に屈曲しながら，診察者に逆らって前腕を回外してもらう。結筋間溝の痛みが増強すれば，上腕二頭筋腱炎の診断が確定できる。肘を伸展した状態で抵抗に逆らって肩を前方に屈曲させたときに誘発される痛み〔Speed（スピード）テスト〕も特徴的である

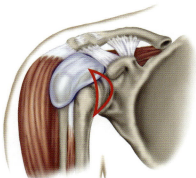

癒着性関節包炎（凍結肩）
肩甲上腕（肩）関節の関節包の線維化をいう。肩のびまん性の鈍い痛みや，進行性の受動的および能動的な肩の可動域制限（特に外旋時に強く，局所の圧痛を伴う）がみられる。通常，この疾患は片側性で40〜60歳の患者でみられる。先行する肩の疾患や，肩の運動制限を呈する他の全身疾患（心筋梗塞など）が背後にある場合が多い。癒着性関節包炎は，6カ月から2年持続した後，軽快する。ストレッチ体操やステロイド注射が効果的なこともある

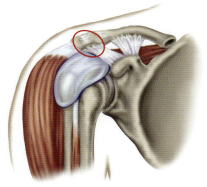

肩鎖関節炎
比較的頻度が高く，通常は，先行する上肢帯への直接損傷によって生じた変形が原因で生じる。圧痛は肩鎖関節上に限局する。患者は，肩甲骨を動かしたときや上肢外転による痛みを訴える。crossoverテストが陽性になることがある

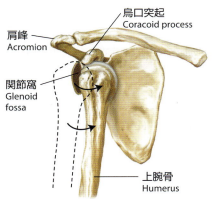

上腕骨の前方脱臼
上腕骨の前方亜脱臼や完全脱臼による肩関節の不安定性は，転倒による外傷や過度の投球動作が原因であることが多い。未治療であったり，誘因となる動作を回避しなければ，再発することがある。診察者が患者の上肢を外転および外旋したとき，肩関節が前方に滑り出るように感じられれば，肩の前方不安定性を示す肩不安定性（apprehension）テスト陽性となる。いかなる肩の動きも痛みを誘発し，患者は上肢を中間位で抱えるようになる。丸みのある肩外側表面が平坦にみえる。完全脱臼も下方，後方（比較的まれ），多方向にみられることがある

表 23-6　肘の腫脹と圧痛

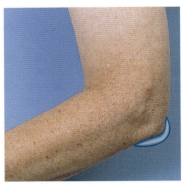

肘頭部滑液包炎

肘頭部滑液包炎
肘頭部滑液包の腫脹や炎症は外傷，痛風，関節リウマチが原因で生じることがある。肘頭突起表面の腫脹はときに直径6cm大まで達する。診断および症状の軽快を目的に穿刺吸引を検討すること

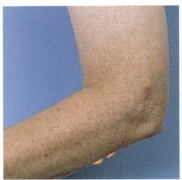

リウマトイド結節

リウマトイド結節
関節リウマチや急性リウマチ熱の患者に，尺骨の伸側面に沿って圧がかかりやすい部位に皮下結節が認められる。硬く，圧痛はない。その部位を覆う皮膚に付着していないが，下にある骨膜に付着することがある。肘頭部滑液包の部位にみられるが，さらに遠位に発症することも多い

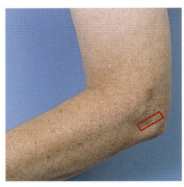

関節炎

肘の関節炎
滑膜の炎症や滑液は，触診にて肘頭突起と各上顆との間の溝で最もよく触知できる。腫れぼったく，軟らかい，流動性のある腫脹や圧痛を触診する。原因として，関節リウマチ，痛風，偽痛風，変形性関節症，外傷などがある。患者は，痛み，こわばり，可動域制限を訴える

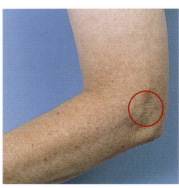

上顆炎

上顆炎
外側上顆炎（テニス肘）は，繰り返す手関節伸展や前腕の回内-回外運動後に発症する。外側上顆遠位1cm，ときにその付近に付着する伸筋群付近に疼痛と圧痛を認める。痛みの原因は，短橈側手根伸筋の慢性的な腱症であることが多い。抵抗に逆らって手関節を伸展すると痛みは増強する

内側上顆炎（ピッチャー肘，ゴルフ肘，リトルリーグ肘）は，ボールを投げるときなどに繰り返す手関節屈曲運動後に発症する。ちょうど内側上顆の遠位外側に最大圧痛点がある。抵抗に逆らって手関節を屈曲すると痛みは増強する。痛みの原因は，円回内筋や橈側手根屈筋の腱症であることが多い

表 23-7　手の関節炎

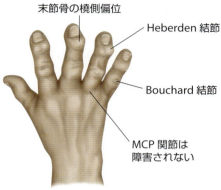

変形性関節症（変性関節疾患）
骨過形成により，DIP 関節の背外側に **Heberden 結節** を認める。通常，硬く，無痛性で，中年・高齢者に多い。しばしば他の関節に関節炎変化を伴う。屈曲や偏位変形もみられる。**Bouchard 結節** は PIP 関節上にみられるが，頻度は低い。一般的に MCP 関節は，障害されない

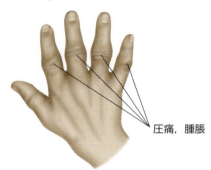

関節リウマチ急性期
関節の圧痛，痛み，こわばりは関節リウマチでみられ，通常，左右対称性で身体の両側を障害する。DIP 関節，MCP 関節，および手関節が最も高頻度に障害される。急性期にみられる PIP 関節の両端先細り，あるいは紡錘形の腫脹に注意する

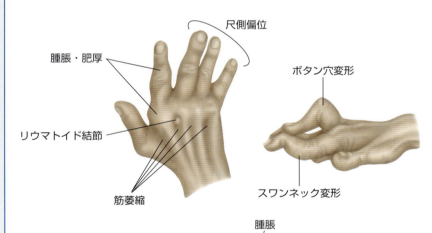

関節リウマチ慢性期
関節リウマチの慢性期には，MCP 関節や PIP 関節の腫脹や肥厚に注意する。可動域制限がみられ，手指は尺側へ偏位することがある。骨間筋は萎縮する。指は，関節や支持靱帯が炎症によって破壊されて**スワンネック変形**（PIP 関節過伸展と DIP 関節持続屈曲）をきたすことがある。頻度はより低いが，**ボタン穴変形**（PIP 関節持続屈曲と DIP 関節過伸展）もみられる。リウマトイド結節が急性期あるいは慢性期にみられる

慢性結節性痛風[3]
尿酸塩結晶の沈着は，しばしば周囲の炎症を伴い，関節リウマチや変形性関節症に類似した皮下組織，滑液包，軟骨，軟骨下骨の変形を引き起こす。通常，関節の病変は関節リウマチほど左右対称ではない。急性炎症がみられることもある。関節周囲の瘤状腫脹が潰瘍化し，白いチョークのような尿酸塩を排出する

表 23-8　手の腫脹と変形

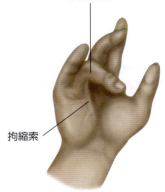

屈曲拘縮
拘縮索

Dupuytren 拘縮
Dupuytren 拘縮の第一徴候は，遠位手掌皮線付近，薬指ときに小指の屈筋腱上の肥厚した拘縮索である。その後，この部位の皮膚にひきつれが生じ，手掌と指の間に肥厚した線維索ができる。手指の伸展は制限されるが，屈曲は通常正常である。指の屈曲拘縮が徐々に起こってくる

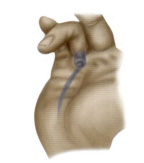

ばね指
ばね指は，中手骨頭付近，手掌の屈筋腱上の無痛性結節が原因で起こる。指を屈曲位から伸展するとき，この結節は大きすぎて腱鞘内へ入ることができない。特別な努力または介助により，指は伸展・屈曲し，結節が腱鞘に出入りするときに，触診・聴取可能な，カチッという音を伴う。患者に手指を屈伸してもらい，この結節の視診，聴診，触診をすること

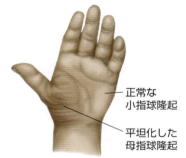

正常な小指球隆起
平坦化した母指球隆起

母指球萎縮
母指球萎縮は，手根管症候群（p.793 を参照）のような正中神経障害を示唆する所見である。小指球萎縮は尺骨神経障害を示唆する

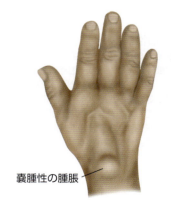

囊腫性の腫脹

ガングリオン
ガングリオンは，囊胞性かつ円形で，特に手首の背側で腱鞘や関節包に沿ってみられる通常は無痛性の腫脹である。この囊胞は，骨びらん，または関節包や腱鞘が裂けて出てきた滑液を含み，その滑液は囊胞内にとどまる。手首の背側にガングリオンがある場合は，手首を屈曲するとより目立つようになり，伸展すると不明瞭になる傾向がある。ガングリオンは，手，足首，足などでもみられることがある。自然消退することもある

表 23-9　腱鞘，手掌間隙，手指の感染症

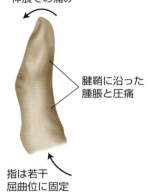

伸展での痛み
腱鞘に沿った腫脹と圧痛
指は若干屈曲位に固定

急性腱鞘炎
屈筋腱鞘の炎症である急性腱鞘炎は，局所の損傷，オーバーユース症候群，または感染の後に起こる。関節炎とは異なり，圧痛や腫脹は関節内ではなく，腱鞘の走行に沿ってみられる。指では，末節骨からMCP関節の高さまでに起こることが多い。指を伸展すると非常に痛いので，指は軽度の屈曲位で維持される。腱鞘炎は，腱鞘の損傷や刺激による炎症や，感染によって生じる。感染の原因となる病原体は，ブドウ球菌（Staphylococcus）やレンサ球菌（Streptococcus），播種性淋病（disseminated gonorrhea），カンジダ・アルビカンス Candida albicans などである

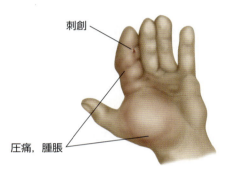

刺創
圧痛，腫脹

急性腱鞘滑膜炎（母指球間隙障害あり）
手指の感染性腱鞘滑膜炎は腱鞘から隣接する手掌の筋膜間隙へ広がることがある。示指や母指球間隙の感染を図に示す。早期診断と治療が重要である

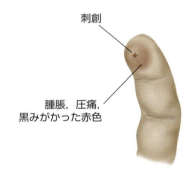

刺創
腫脹，圧痛，黒みがかった赤色

ひょう疽
指先の損傷が遠位指腹部もしくは末節骨隆起部の筋膜間隙内感染を引き起こすことがある。通常，黄色ブドウ球菌（Staphylococcus aureus）が原因である。重度の痛み，局所の圧痛，腫脹や黒みがかった赤色が特徴である。膿瘍形成を防ぐためには，早期診断と早期治療（通常は切開と排膿）が重要である。小疱を認めた場合には，疱疹性ひょう疽〔ヒト唾液中の単純ヘルペスウイルス herpes simplex virus（HSV）に曝露した医療関係者に多い〕の可能性を考えること〔標準予防策をしていた場合にはまれである〕

表 23-10　足と足趾の異常

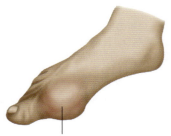

熱感，発赤，圧痛，腫脹

急性痛風性関節炎
およそ半数で，母趾の MTP 関節が最初に障害される。非常に強い痛み，圧痛があり，強い熱感を有し，黒みがかった赤い腫脹が関節の境界を越えて広がるのが特徴である。蜂巣炎と間違えやすい。足首，足根関節，膝関節にもよくみられる

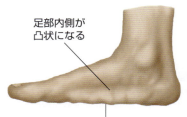

足部内側が凸状になる

足底が床に接地する

扁平足
患者が起立したときのみにみられる場合と，起立しなくともみられる場合がある。縦足弓が平坦になり足底が床に近づくか，あるいは接地する。足部内側の正常な凹面が凸となる。内果から下方へ内側足底部に沿って圧痛を認めることもある。腫脹が内果前方にみられることもある。扁平足は正常（生理的）範囲内のことや，肥満，糖尿病，以前の足外傷による後脛骨筋腱機能障害が原因で起こることがある。靴底を観察し，足底と踵の内側部が過度にすり減っていないか確認すること

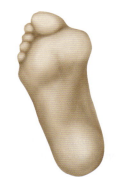

外反母趾
母趾が外側に偏位し，第 1 中足骨頭内側が肥大して，滑液包やバニオンを形成する。この滑液包が炎症を起こすこともある。女性のほうが男性よりも発症率が 10 倍高い

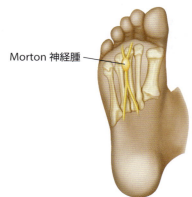

Morton 神経腫

Morton 神経腫
第 3，4 中足骨頭間の足底側に圧痛がないか診察する。Morton 神経腫は真の神経腫ではなく，反復する神経への刺激により生じた趾間神経周囲の線維化をいう。趾間を足底側から圧迫し，もう一方の手で中足骨を握ったときに趾先に放散する神経痛がないか確認すること。症状として，中足骨頭から第 3，4 趾にかけて知覚過敏，しびれ，うずくような痛み，灼熱痛がある

表 23-11　足趾と足底の異常

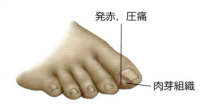

陥入爪
足趾の爪の鋭い側縁が，周囲の爪郭に陥入し，爪郭を損傷する。その結果，炎症や感染症が起こる。圧痛性であり，発赤した覆いかぶさるような爪郭が，ときに肉芽組織や膿性の滲出物を伴う。母趾が最もよく障害される

槌状足趾
第2趾に通常みられ，MTP関節の過伸展とPIP関節の屈曲によって特徴づけられる。PIP関節上の圧迫点に，うおのめが高頻度にみられる

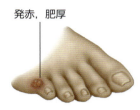

うおのめ
正常では薄い皮膚に繰り返し圧迫が加わった結果起こる，疼痛性円錐状皮膚肥厚をいう。うおのめの先端部は皮膚の深部へ向かい，痛みの原因となる。うおのめは特徴的には骨隆起上に起こる（例：第5趾）。湿っている部位に発症する場合（例：第4と第5趾の間の圧迫点），**軟性うおのめ**と呼ばれる

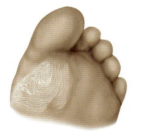

胼胝（たこ）
うおのめと同様に，繰り返す圧迫部に起こる過度の皮膚肥厚をいう。うおのめとは異なり，足底などの正常でも肥厚している皮膚に起こり，通常は無痛性である。有痛性の場合は，基礎となる足底疣贅がないか考慮する

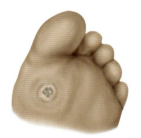

足底疣贅
ヒトパピローマウイルス human papillomavirus（HPV）により起こる角質増殖病変であり，足底に認められる。足底疣贅は胼胝のようにみえることがある。特徴的な小さな薄黒い斑点（点描のようにみえる）を探すこと。正常な皮膚線が疣贅の辺縁までみられる。足底疣贅では病変を左右交互につまんだときに痛みが誘発されるが，胼胝では病変自体を圧迫することで痛みが誘発される

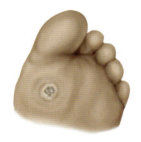

ニューロパチー性潰瘍
痛みの感覚が減弱，消失した場合（糖尿病性ニューロパチーでもみられるように），足部の圧迫点に起こりやすい。多くの場合，深部に及んでおり，感染性で，潜行性であるが，感覚異常のために痛みはなく，それがしばしば潰瘍形成につながる。骨髄炎が根底にあり，切断術が必要になることもある。ナイロンの糸を使って，感覚異常がないか早期に同定することが重要である（感覚検査）

文献一覧

1. Cush JJ. Chapter 363: Approach to articular and musculoskeletal disorders. In: Jameson JL, Fauci AS, Kasper DL, et al., eds. *Harrison's Principles of Internal Medicine*. 20th ed. New York: McGraw-Hill Education/Medical; 2018.
2. Souza TA. *Differential Diagnosis for the Chiropractor: Protocols and Algorithms*. 5th ed. Burlington, MA: Jones & Bartlett Learning; 2014.
3. American College of Physicians. Approach to the patient with rheumatic disease. In: Collier V, ed. *Rheumatology. Medical Knowledge Self-Assessment Program (MKSAP) 17*. Philadelphia, PA: American College of Physicians; 2015.
4. Pujalte GG, Albano-Aluquin SA. Differential diagnosis of polyarticular arthritis. *Am Fam Physician*. 2015; 92(1): 35-41.
5. Carpenter CR, Schuur JD, Everett WW, et al. Evidence-based diagnostics: adult septic arthritis. *Acad Emerg Med*. 2011; 18(8): 781-796.
6. Mead T, Arabindoo K, Smith B. Managing gout: there's more we can do. *J Fam Pract*. 2014; 63(12): 707-713.
7. Anderson J, Caplan L, Yazdany J, et al. Rheumatoid arthritis disease activity measures: American College of Rheumatology recommendations for use in clinical practice. *Arthritis Care Res (Hoboken)*. 2012; 64(5): 640-647.
8. Davis JM 3rd, Matteson EL; American College of Rheumatology; European League Against Rheumatism. My treatment approach to rheumatoid arthritis. *Mayo Clin Proc*. 2012; 87(7): 659-673.
9. Dejaco C, Singh YP, Perel P, et al. 2015 Recommendations for the management of polymyalgia rheumatica: a European League Against Rheumatism/American College of Rheumatology collaborative initiative. *Arthritis Rheumatol*. 2015; 67(10): 2569-2580.
10. Gelber AC. In the clinic. Osteoarthritis. *Ann Intern Med*. 2014; 161(1): ITC1-16.
11. Bono CM, Ghiselli G, Gilbert TJ, et al; North American Spine Society. An evidence-based clinical guideline for the diagnosis and treatment of cervical radiculopathy from degenerative disorders. *Spine J*. 2011; 11(1): 64-72.
12. Onks CA, Billy G. Evaluation and treatment of cervical radiculopathy. *Prim Care*. 2013; 40(4): 837-848, vii-viii.
13. Chou R. In the clinic. Low back pain. *Ann Intern Med*. 2014; 160(11): ITC6-1.
14. Rozenberg S, Foltz V, Fautrel B. Treatment strategy for chronic low back pain. *Joint Bone Spine*. 2012; 79(6): 555-559.
15. Ropper AH, Zafonte RD. Sciatica. *N Engl J Med*. 2015; 372(13): 1240-1248.
16. Wilson CH. Chapter 164: The musculoskeletal examination. In: Walker HK, Hall WD, Hurst JW, eds. *Clinical Methods: The History, Physical, and Laboratory Examinations*. 3rd ed. Boston: Butterworths; 1990. Available at https://www.ncbi.nlm.nih.gov/books/NBK272/. Accessed November 8, 2018.
17. Monrad SU, Zeller JL, Craig CL, et al. Musculoskeletal education in US medical schools: lessons from the past and suggestions for the future. *Curr Rev Musculoskelet Med*. 2011; 4(3): 91-98.
18. Singh JA, Furst DE, Bharat A, et al. 2012 update of the 2008 American College of Rheumatology recommendations for the use of disease-modifying antirheumatic drugs and biologic agents in the treatment of rheumatoid arthritis. *Arthritis Care Res (Hoboken)*. 2012; 64(5): 625-639.
19. Aletaha D, Neogi T, Silman AJ, et al. 2010 Rheumatoid arthritis classification criteria: an American College of Rheumatology/European League Against Rheumatism collaborative initiative. *Arthritis Rheum*. 2010; 62(9): 2569-2581.
20. Nagy G, van Vollenhoven RF. Sustained biologic-free and drug-free remission in rheumatoid arthritis, where are we now? *Arthritis Res Ther*. 2015; 17: 181.
21. Durham J, Newton-John TR, Zakrzewska JM. Temporomandibular disorders. *BMJ*. 2015; 350: h1154.
22. Schiffman E, Ohrbach R, Truelove E, et al. Diagnostic Criteria for Temporomandibular Disorders (DC/TMD) for clinical and research applications: recommendations of the International RDC/TMD Consortium Network and Orofacial Pain Special Interest Group. *J Oral Facial Pain Headache*. 2014; 28(1): 6-27.
23. McGee S. Chapter 55: Examination of the musculoskeletal system — the shoulder. In: *Evidence-based Physical Diagnosis*. 3rd ed. St. Louis, MO: Saunders; 2012.
24. Whittle S, Buchbinder R. In the clinic. Rotator cuff disease. *Ann Intern Med*. 2015; 162(1): ITC1-15.
25. Hermans J, Luime JJ, Meuffels DE, et al. Does this patient with shoulder pain have rotator cuff disease?: The Rational Clinical Examination systematic review. *JAMA*. 2013; 310(8): 837847.
26. Hanchard NC, Lenza M, Handoll HH, et al. Physical tests for shoulder impingements and local lesions of bursa, tendon or labrum that may accompany impingement. *Cochrane Database Syst Rev*. 2013; (4): CD007427.
27. Appleboam A, Reuben AD, Benger JR, et al. Elbow extension test to rule out elbow fracture: multicentre prospective validation and observational study of diagnostic accuracy in adults and children. *BMJ*. 2008; 337: a2428.
28. Darracq MA, Vinson DR, Panacek EA. Preservation of active range of motion after acute elbow trauma predicts absence of elbow fracture. *Am J Emerg Med*. 2008; 26(7): 779-782.
29. Ahmad Z, Siddiqui N, Malik SS, et al. Lateral epicondylitis: a review of pathology and management. *Bone Joint J*. 2013; 95-B(9): 1158-1164.
30. McCallum SD, Paoloni JA, Murrell GA. Five-year prospective comparison study of topical glyceryl trinitrate treatment of chronic lateral epicondylosis at the elbow. *Br J Sports Med*. 2011; 45(5): 416-420.
31. Jones M, Kishore M, Redfern D. Propionibacterium acnes

31. infection of the elbow. *J Shoulder Elbow Surg.* 2011; 20(5): e22-e25.
32. Kotnis NA, Chiavaras MM, Harish S. Lateral epicondylitis and beyond: imaging of lateral elbow pain with clinical-radiologic correlation. *Skeletal Radiol.* 2012; 41(4): 369-386.
33. Kleopa KA. In the clinic. Carpal tunnel syndrome. *Ann Intern Med.* 2015; 163(5): ITC1-1.
34. Kenney RJ, Hammert WC. Physical examination of the hand. *J Hand Surg Am.* 2014; 39(11): 2324-2334; quiz 2334.
35. Sauvé PS, Rhee PC, Shin AY, et al. Examination of the wrist: radial-sided wrist pain. *J Hand Surg Am.* 2014; 39(10): 2089-2092.
36. McGee S. Chapter 62: Disorders of the nerve roots, plexuses. In: *Evidence-based Physical Diagnosis.* 3rd ed. St. Louis, MO: Saunders; 2012.
37. D'Arcy CA, McGee S. Does this patient have carpal tunnel syndrome? The rational clinical examination. *JAMA.* 2000; 283(23): 3110-3117.
38. Raychaudhuri SP, Deodhar A. The classification and diagnostic criteria of ankylosing spondylitis. *J Autoimmun.* 2014; 48-49: 128-133.
39. Al Nezari NH, Schneiders AG, Hendrick PA. Neurological examination of the peripheral nervous system to diagnose lumbar spinal disc herniation with suspected radiculopathy: a systematic review and meta-analysis. *Spine J.* 2013; 13(6): 657-674.
40. Scaia V, Baxter D, Cook C. The pain provocation-based straight leg raise test for diagnosis of lumbar disc herniation, lumbar radiculopathy, and/or sciatica: a systematic review of clinical utility. *J Back Musculoskelet Rehabil.* 2012; 25(4): 215-223.
41. Iversen T, Solberg TK, Romner B, et al. Accuracy of physical examination for chronic lumbar radiculopathy. *BMC Musculoskelet Disord.* 2013; 14: 206.
42. Thoomes EJ, van Geest S, van der Windt DA, et al. Value of physical tests in diagnosing cervical radiculopathy: a systematic review. *Spine J.* 2018; 18(1): 179-189.
43. Frank RM, Slabaugh MA, Grumet RC, et al. Hip pain in active patients: what you may be missing. *J Fam Pract.* 2012; 61(12): 736-744.
44. Suarez JC, Ely EE, Mutnal AB, et al. Comprehensive approach to the evaluation of groin pain. *J Am Acad Orthop Surg.* 2013; 21(9): 558-570.
45. Karrasch C, Lynch S. Practical approach to hip pain. *Med Clin N Am.* 2014: 98(4): 737-754.
46. Reiman MP, Goode AP, Hegedus EJ, et al. Diagnostic accuracy of clinical tests of the hip: a systematic review with meta-analysis. *Br J Sports Med.* 2012; 47(14): 893-902.
47. Prather H, Harris-Hayes M, Hunt DM, et al. Reliability and agreement of hip range of motion and provocative physical examination tests in asymptomatic volunteers. *PM R.* 2010; 2(10): 888-895.
48. McGee S. Chapter 57: Examination of the musculoskeletal system — the knee. In: *Evidence-based Physical Diagnosis.* 4th ed. St. Louis, MO: Saunders; 2018.
49. Smith BE, Thacker D, Crewesmith A, et al. Special tests for assessing meniscal tears within the knee: a systematic review and meta-analysis. *Evid Based Med.* 2015; 20(3): 88-97.
50. Morelli V, Braxton TM Jr. Meniscal, plica, patellar, and patellofemoral injuries of the knee: updates, controversies and advancements. *Prim Care.* 2013; 40(2): 357-382.
51. Schiphof D, van Middelkoop M, de Klerk BM, et al. Crepitus is a first indication of patellofemoral osteoarthritis (and not of tibiofemoral osteoarthritis). *Osteoarthritis Cartilage.* 2014; 22(5): 631-638.
52. Lester JD, Watson JN, Hutchinson MR. Physical examination of the patellofemoral joint. *Clin Sports Med.* 2014; 33(3): 403-412.
53. Knutson T, Bothwell J, Durbin R. Evaluation and management of traumatic knee injuries in the emergency department. *Emerg Clin North Am.* 2015; 33(2): 345-362.
54. Karrasch C, Gallo RA. The acutely injured knee. *Med Clin North Am.* 2014; 98(4): 719-736, xi.
55. Young C. In the clinic. Plantar fasciitis. *Ann Intern Med.* 2012; 156(1 Pt 1): ITC1-15.
56. Papaliodis DN, Vanushkina MA, Richardson NG, et al. The foot and ankle examination. *Med Clin North Am.* 2014; 98(2): 181-204.
57. Tiemstra JD. Update on acute ankle sprains. *Am Fam Phys.* 2012; 85(12): 1170-1176.
58. Clauw DJ. Fibromyalgia: a clinical review. *JAMA.* 2014; 311(15): 1547-1555.
59. U.S. Department of Health and Human Services. Office of Disease Prevention and Health Promotion. Healthy People 2020. Arthritis, Osteoporosis, and Chronic Back Conditions. Available at http://www.healthypeople.gov/2020/topics-objectives/topic/Arthritis-Osteoporosis-and-Chronic-Back-Conditions. Accessed November 25, 2018.
60. Rui P, Okeyode T. National Ambulatory Medical Care Survey: 2015 State and National Summary Tables. 2015. Available at http://www.cdc.gov/nchs/ahcd/ahcd_products.htm. Accessed November 25, 2018.
61. Davis MA, Onega T, Weeks WB, et al. Where the United States spends its spine dollars: expenditures on different ambulatory services for the management of back and neck conditions. *Spine (Phila Pa 1976).* 2012; 37(19): 1693-1701.
62. Qaseem A, Wilt TJ, McLean RM, et al; Clinical Guidelines Committee of the American College of Physicians. Noninvasive treatments for acute, subacute, and chronic low back pain: a clinical practice guideline from the American College of Physicians. *Ann Intern Med.* 2017; 166(7): 514-530.
63. Chou R, Shekelle P. Will this patient develop persistent disabling low back pain? *JAMA.* 2010; 303(13): 1295-1302.
64. Chou R, Deyo R, Friedly J, et al. Systemic pharmacologic therapies for low back pain: a systematic review for an American College of Physicians Clinical Practice Guideline. *Ann Intern Med.* 2017; 166(7): 480-492.
65. U.S. Preventive Services Task Force; Curry SJ, Krist AH, et al. Screening for osteoporosis to prevent fractures: U.S. Preventive Services Task Force recommendation statement.

JAMA. 2018; 319(24): 2521-2531.

66. Ensrud KE, Crandall CJ. Osteoporosis. *Ann Intern Med*. 2017; 167(3): ITC17-ITC32.

67. U.S. Preventive Services Task Force. Screening for osteoporosis: U.S. Preventive Services Task Force recommendation statement. *Ann Intern Med*. 2011; 154(5): 356-364.

68. Cosman F, de Beur SJ, LeBoff MS, et al. Clinician's guide to prevention and treatment of osteoporosis. *Osteoporos Int*. 2014; 25(10): 2359-2381.

69. Nguyen ND, Ahlborg HG, Center JR, et al. Residual lifetime risk of fractures in women and men. *J Bone Miner Res*. 2007; 22(6): 781-788.

70. Wright NC, Looker AC, Saag KG, et al. The recent prevalence of osteoporosis and low bone mass in the United States based on bone mineral density at the femoral neck or lumbar spine. *J Bone Miner Res*. 2014; 29(11): 2520-2526.

71. Office of Dietary Supplements, National Institutes of Health. Calcium. Dietary Supplement Fact Sheet. 2018. Available at http://ods.od.nih.gov/factsheets/Calcium-Health Professional/. Accessed June 6, 2015.

72. Office of Dietary Supplements, National Institutes of Health. Vitamin D. Fact Sheet for Health Professionals. 2018. Available at http://ods.od.nih.gov/factsheets/VitaminDHealthProfessional/. Accessed June 6, 2015.

73. Ross AC, Manson JE, Abrams SA, et al. The 2011 report on dietary reference intakes for calcium and vitamin D from the Institute of Medicine: what clinicians need to know. *J Clin Endocrinol Metab*. 2011; 96(1): 53-58.

74. LeFevre ML; U.S. Preventive Services Task Force. Screening for vitamin D deficiency in adults: U.S. Preventive Services Task Force recommendation statement. *Ann Intern Med*. 2015; 162(2): 133-140.

75. Qaseem A, Forciea MA, McLean RM, et al; Clinical Guidelines Committee of the American College of Physicians. Treatment of low bone density or osteoporosis to prevent fractures in men and women: a clinical practice guideline update from the American College of Physicians. *Ann Intern Med*. 2017; 166(11): 818-839.

76. Bergen G, Stevens MR, Burns ER. Falls and fall injuries among adults aged >/=65 years — United States, 2014. *MMWR Morb Mortal Wkly Rep*. 2016; 65(37): 993-998.

77. Centers for Disease Control and Prevention. Costs of falls among older adults. 2016. Available at https://www.cdc.gov/homeandrecreationalsafety/falls/fallcost.html. Accessed November 26, 2018.

78. Grossman DC, Curry SJ, et al. Interventions to prevent falls in community-dwelling older adults: U.S. Preventive Services Task Force recommendation statement. *JAMA*. 2018; 319(16): 1696-1704.

79. Stevens JA, Phelan EA. Development of STEADI: a fall prevention resource for health care providers. *Health Promot Pract*. 2013; 14(5): 706-714.

80. Centers for Disease Control and Prevention. About CDC's STEADI (Stopping Elderly Accidents, Deaths, & Injuries) Tool Kit. Updated July 1, 2015. Available at http://www.cdc.gov/steadi/about.html. Accessed November 26, 2018.

81. Rubenstein LZ, Vivrette R, Harker JO, et al. Validating an evidence-based, self-rated fall risk questionnaire (FRQ) for older adults. *J Safety Res*. 2011; 42(6): 493-499.

82. Neogi T. Gout. *New Engl J Med*. 2011; 364(5): 443-452.

83. Davatchi F. Behçet's disease. *Int J Rheum Dis*. 2014; 17(4): 355-357.

84. Hatemi G, Yaziel Y, Yazici H. Behçet's syndrome. *Rheum Dis Clin North Am*. 2013; 39(2): 245-261.

85. Balague F, Mannion AF, Pellise F, et al. Non-specific low back pain. *Lancet*. 2012; 379(9814): 482-491.

86. Golub AL, Laya MB. Osteoporosis: screening, prevention, and management. *Med Clin North Am*. 2015; 99(3): 587-606.

87. Kreiner DS, Shaffer WO, Baisden JL, et al. An evidence-based clinical guideline for the diagnosis and treatment of degenerative lumbar spinal stenosis (update). *Spine J*. 2013; 13(7): 734-743.

88. Suri P, Rainville J, Kalichman L, et al. Does this older adult with lower extremity pain have the clinical syndrome of lumbar spinal stenosis? *JAMA*. 2010; 304(23): 2628-2636.

89. Assassi S, Weisman MH, Lee M, et al. New population-based reference values for spinal mobility measures based on the 2009-2010 National Health and Nutrition Examination Survey. *Arthritis Rheumatol*. 2014; 66(9): 2628-2637.

本章の学習効果を高め，理解を助けるために一連の補助教材がある．

- 『ベイツ診察法ポケットガイド第4版』
- Bates' Visual Guide to Physical Examination
- thePoint® online resources, for students and instructors: http://thepoint.lww.com

第24章 神経系

解剖と生理

神経系を構成する要素を正しく理解するには，その解剖と構造を知っておく必要がある．図24-1に，その基本を示す．

神経系は，**中枢神経系 central nervous system**(CNS)と**末梢神経系 peripheral nervous system**(PNS)に二分することができる．中枢神経系は，脳と脊髄からなる．末梢神経系には，脊髄からのびる脊髄神経，末梢神経，筋が含まれる．

中枢神経系

脳

脳は，**ニューロン neuron** と呼ばれる神経細胞で構成される巨大な組織であり，インパルスを他のニューロンに伝える線維である**軸索 axon** によって，結びついている（図24-2）．**大脳 cerebrum** は脳のなかで最大の領域を占め，2つの**大脳半球 cerebral hemisphere** に分けられる．左右それぞれの大脳半球はさらに前頭葉，頭頂葉，側頭葉，後頭葉に分けられる．

脳組織は灰白質と白質に区別される．**灰白質 gray matter** は神経細胞体の集まりで，大脳半球の表面を縁取るように大脳皮質を形成している．**白質 white matter** はミエリンで包まれた軸索で構成されている．**髄鞘 myelin sheath** は白みを帯び，インパルスの迅速な伝導を担っている．

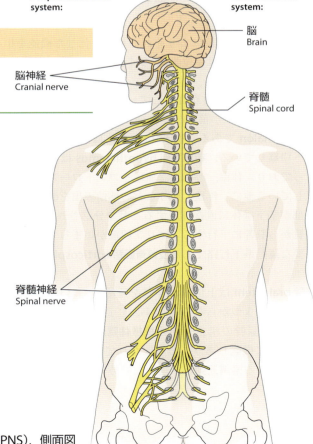

図 24-1 中枢神経系(CNS)と末梢神経系(PNS)，側面図
(Cohen BJ, Hull KL. *Memmler's The Human Body in Health and Disease.* 14th ed. Jones & Bartlett Learning; 2019, Fig. 9-1. より改変)

解剖と生理

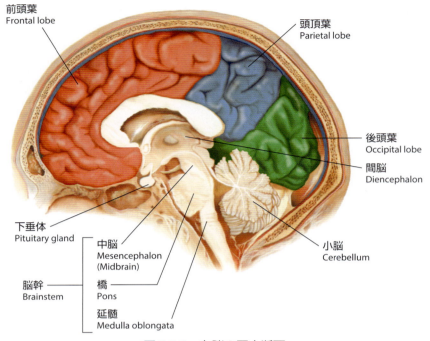

図 24-2　右脳の正中断面

　大脳皮質はその部位によりそれぞれ，特化した機能を担っている（図 24-3）。例えば，言語の理解は優位半球（多くは左）側頭葉の上後部にその中枢がある。

　脳の深部にも灰白質が群集している部分がある。運動系に関連する**大脳基底核 basal ganglia** と，前頭葉下面に位置し，視床，視床下部を含む**間脳 diencephalon** である。**視床 thalamus** は感覚系のインパルスを処理して大脳皮質へ中継している。**視床下部 hypothalamus** は，生体の恒常性を維持する機能をもっており，体温，心拍数，血圧をコントロールしている。また内分泌系にも関係している他に，性欲，怒りなどの感情表出を制御している。ホルモンは，視床下部が脳下垂体に直接作用することで分泌される。**内包 internal capsule** は大脳皮質から脳幹に下行するミエリン線維が集まって走行している部分である。最も主要な運動系下行路である**皮質脊髄路 corticospinal tract** は，内包を走行する。

　脳幹 brainstem は上位脳と脊髄を連絡しており，**中脳 midbrain**，**橋 pons**，**延髄 medulla** の 3 つからなる（図 24-2）。意識は，大脳半球と，前頭葉下面の構造（間脳），上位脳幹の構造である**網様体賦活系 reticular activating system** が相互に，かつ正常に機能しあうことで保たれている。**小脳 cerebellum** は脳の底部に位置し，あらゆる協調運動と，適正な姿勢の維持に関係している（図 24-3）。

解剖と生理

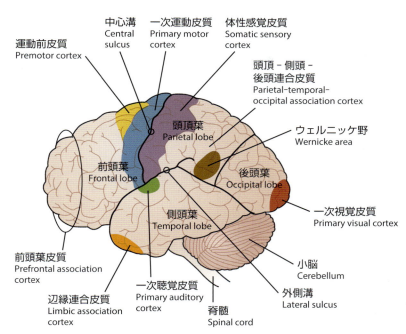

図 24-3 大脳皮質における機能の局在 (Rhoades RA, Bell DR. *Medical Physiology: Principles for Clinical Medicine*. 5th ed. Wolters Kluwer; 2018, Fig. 7-12. より)

脊髄

脳幹の最下部である**延髄 medulla** は，**脊髄 spinal cord** へと続く。脳と同様に，脊髄も灰白質と白質からなる。灰白質は神経細胞体の集合で構成されており，その形状は，**前角 anterior horn** と **後角 posterior horn** によって蝶形をなす（図24-4）。その外側には白質線維が走行し，脳と末梢神経系をシグナルで結んでいる。

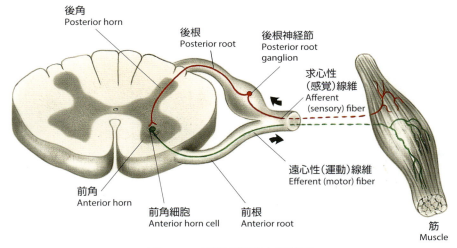

図 24-4 脊髄（断面）と反射弓

図 24-5 に示すように，**脊髄 spinal cord** は骨構造である**脊柱管 vertebral column** に囲まれ，第 1 または第 2 腰椎の高さで終わる。脊髄は末梢と節性に連絡し，脳と上行性，下行性に情報の伝達を行う。運動のシグナルは**前根**から脊髄をでて，感覚のシグナルは**後根**を介して脊髄に入る。**神経根**は脊髄神経に移行し，**末梢神経**を形成していく。

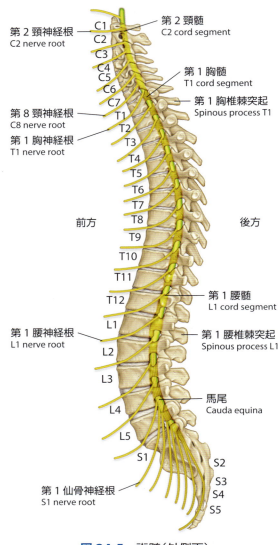

図 24-5 脊髄（外側面）

脊髄は，出入りする脊髄神経の順に従って，C1〜C8 の**頸髄 cervical**，T1〜T12 の**胸髄 thoracic**，L1〜L5 の**腰髄 lumbar**，S1〜S5 の**仙髄 sacral**，そして**尾髄 coccygeal** の範囲に区分される。頸髄は脊髄のうち最も細いものの，そのなかに上肢への神経路と下肢への神経路も含んでいる。脊髄は脊柱管と同じ長さではないことに注意する。腰神経，仙骨神経の神経根は，脊柱管内を非常に長い距離にわたって走行し，第 1〜2 腰椎の高さで脊髄が終端をなした後は馬の尻尾のよう

腰椎穿刺は，脊髄への損傷を避けるため，通常は L3〜L4，または L4〜L5 の椎間から行われる[1, 2]。

になり，**馬尾 cauda equina** と呼ばれる。

末梢神経系

末梢神経系は**脳神経**と**末梢神経**からなり，皮膚や四肢の他に，心臓などの臓器とも結ばれている。末梢神経系はまた，**体性神経系 somatic nervous system** と**自律神経系 autonomic nervous system** にも区分され，前者は筋の活動や触覚，痛覚などにかかわり，後者は諸臓器に作用し，例えば，消化や血圧の維持，調整といった機能を果たす。自律神経系は**交感神経系 sympathetic nervous system** と**副交感神経系 parasympathetic nervous system** からなり，前者は活動時に組織を奮い立たせる機能を，後者は休息時にエネルギーを蓄える機能を果たしている[3]。

脳神経

12 対の**脳神経 cranial nerve** は，頭蓋骨の特定の孔または管を介して脳を離れ，頭部，頸部に分布する。脳神経は，大脳，脳幹から離れる順番に従って，ローマ数字で示される(Box 24-1)。図 24-6 に示すように，第Ⅲ～Ⅻ脳神経は，脳幹から他の末梢神経と同様のかたちで離れる第Ⅰ，Ⅱ脳神経は，大脳から直接のびるように起始している，白質の構造体である。脳神経には，運動機能のみ，あるいは感覚機能のみにかかわるものや，嗅覚，視覚，聴覚に特化したもの(第Ⅰ，Ⅱ，Ⅷ脳神経)がある。

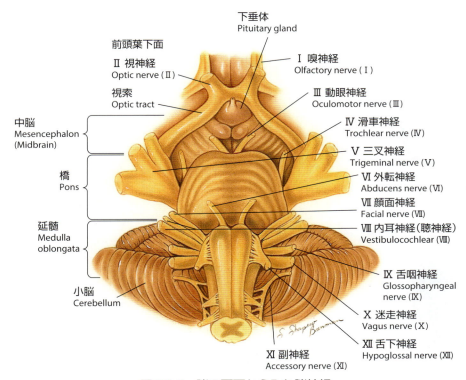

図 24-6 脳の下面からみた脳神経

解剖と生理

末梢神経

脊髄神経，末梢神経は，脊髄からのインパルスを伝え，また脊髄にインパルスを送る．脊髄に出入りする31対の脊髄神経は，8対の頸神経，12対の胸神経，5対の腰神経，5対の仙骨神経，1対の尾骨神経からなり，それぞれ運動線維を含む**前根 anterior (ventral) root** と感覚線維を含む**後根 posterior (dorsal) root** をもつ．前根と後根はあわさり，わずか5 mmに満たない短い脊髄神経を形成する．脊髄神経は脊髄外の神経叢において相互に混じり合って（離合して），末梢神経を形成する．大部分の末梢神経は**求心性（感覚）線維 afferent (sensory) fiber** と**遠心性（運動）線維 efferent (motor) fiber** の両方を合わせもつ．

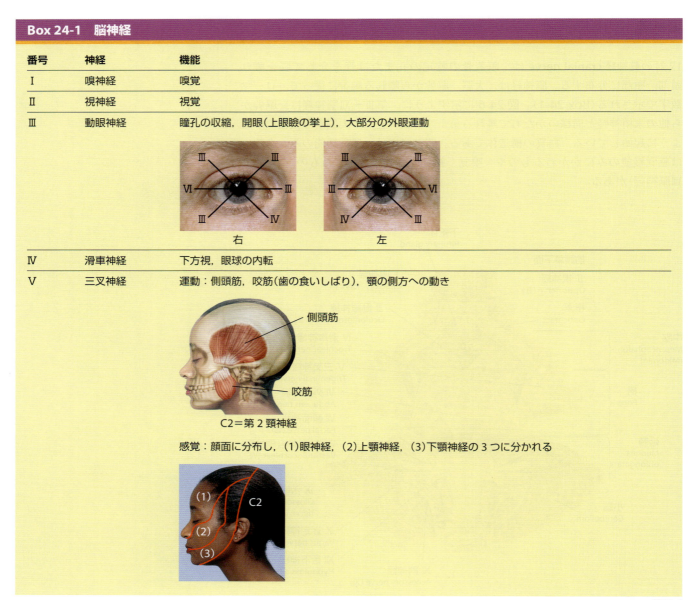

(続く)

864

(続き)

VI	外転神経	外方への眼球運動
VII	顔面神経	運動：表情，閉眼，閉口などの顔面の動き 感覚：舌の前 2/3 の味覚（塩味，甘味，酸味，苦味），耳からの感覚
VIII	聴神経	聴覚（蝸牛部分），平衡（前庭部分）
IX	舌咽神経	運動：咽頭 感覚：鼓膜の後部，外耳道，咽頭，舌の後 1/3 の味覚（塩辛い，甘い，酸味，苦味）
X	迷走神経	運動：口蓋，咽頭，喉頭 感覚：咽頭，喉頭
XI	副神経	運動：胸鎖乳突筋，僧帽筋 胸鎖乳突筋 僧帽筋
XII	舌下神経	運動：舌

運動系

運動系は**上位運動ニューロン upper motor neuron** と**下位運動ニューロン lower motor neuron** からなるシステムであり，随意運動を支配する。上位運動ニューロンは**皮質脊髄路系 corticospinal system** または**錐体路系 pyramidal system** と呼ばれ，その細胞体は，大脳皮質の運動野に帯状に分布している（図 24-7）。その軸索は**皮質脊髄路 corticospinal tract** と呼ばれる白質の束を形成し，下位運動ニューロンに連絡している。運動線維は大脳深部の内包を通り脳幹に至る。皮質脊髄路は延髄の下部でピラミッドに似た構造をしていることから，「**錐体路 pyramidal tract**」とも呼ばれる。延髄と頸髄の移行部付近で，ほとんどの線維は左右交叉して対側に移る。この交叉のため，脳の右側が左半身の動きを支配するということになる。

交叉の後で，皮質脊髄路の線維は脊髄を下行して下位運動ニューロンとシナプスで連絡する。下位運動ニューロンの細胞体は脊髄の前角にあり，このため「**前角細胞 anterior horn cell**」とも呼ばれる。なお，脳神経における下位運動ニューロンの細胞体は脳幹に存在し，**皮質延髄路 corticobulbar tract** が上位運動ニューロンとなる。下位運動ニューロンの軸索は脳神経に，また脊髄神経前根を介して末梢神経にインパルスを伝える。このインパルスは，筋収縮を介在する**神経筋接合部 neuromuscular junction** まで達する。

解剖と生理

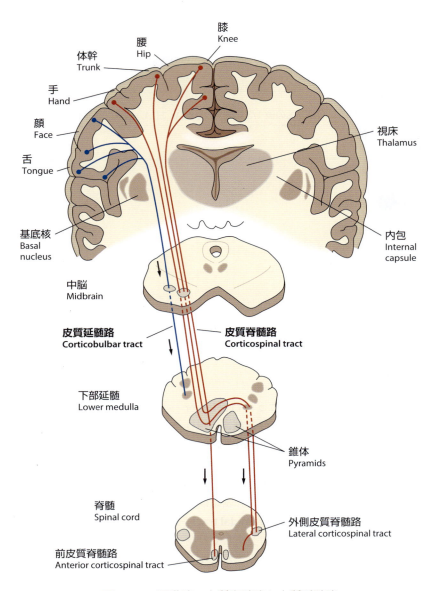

図 24-7　運動路：皮質脊髄路と皮質延髄路

解剖と生理

Box 24-2は運動機能を支配する3つのシステムについて述べる。**皮質脊髄路**は下位運動ニューロンに対する抑制効果をもつ。上位運動ニューロンまたは皮質脊髄路の損傷は，下位運動ニューロンが抑制されなくなるため，**筋緊張 muscle tone**の亢進と反射亢進を引き起こす。対照的に，下位運動ニューロンの損傷は，筋緊張の低下と反射低下の原因となり，**萎縮 atrophy**と**線維束性収縮 fasciculation**がみられることがある。神経学的診察では，上位運動ニューロンの徴候（筋緊張亢進，反射亢進）と下位運動ニューロンの徴候〔筋緊張低下，反射低下，筋収縮（線維束性収縮），萎縮〕を示すことで，2つの原因の可能性を見分けることができる。

Box 24-2　運動機能の支配

- **皮質脊髄路（錐体路）**：皮質脊髄路は随意運動を支配している。興奮させる筋と弛緩させる筋を精密に区別し，複雑で微細な運動を可能にしている。皮質脊髄路は脊髄において，運動に直結する下位運動ニューロンとシナプス結合する。皮質脊髄路の障害は**脱力**をきたす
- **錐体外路系（大脳基底核系）**：複雑な経路であり，筋緊張を適切に維持し，特に歩行などの，大きく自然な身体動作を制御している。錐体外路系の障害は，筋固縮，**運動緩慢 bradykinesia**（**寡動 hypokinesis**），不随意運動，姿勢維持や歩行の異常をきたす
- **小脳系**：小脳は感覚系，運動系のいずれからも入力を受け，運動系の活動を協調させ，平衡機能，姿勢の制御を行っている。小脳系の障害では，協調運動障害（**運動失調 ataxia**），歩行や平衡の障害，筋緊張の低下をきたす。小脳はまた，眼球運動や発声機能にも関与しており，小脳の障害では眼振や構音障害を生じることもある

後者の2つは直接には運動機能を有さないが，皮質脊髄路の働きを補助している。**基底核 basal ganglia**は大脳半球の深部に位置する灰白質の集合体であり適切な随意運動を促進し，望ましくない運動を抑制する。**小脳 cerebellum**は脳の底部に位置し，協調運動に関与し，視覚，固有感覚，前庭からの感覚入力を統合し，適切な運動が実行されるよう，姿勢を制御する。

感覚系

感覚のインパルスは，感覚を意識させ，身体各部位の位置を認識させ，血圧や心拍，呼吸などの自律神経機能を調整する。

異常例

脱力は，上位運動ニューロンに属する皮質脊髄路，下位運動ニューロンに属する脳神経，脊髄神経根，末梢神経のいずれの障害でも生じる。上位運動ニューロン，下位運動ニューロンも，ともに正常である必要がある。

上位運動ニューロンが正常であっても，下位運動ニューロンの障害があれば，その支配範囲に麻痺，脱力が生じる。皮質脊髄路が障害または損傷を受けた場合，障害レベルよりも下位で機能の障害あるいは喪失が生じる。障害された体肢には筋力低下，麻痺が生じる。粗大運動に比べて微細運動が困難となりやすい。皮質脊髄路が障害あるいは損傷を受けた場合，障害レベルよりも下位で，機能の障害あるいは喪失が生じる。障害された体肢には筋力低下，麻痺が生じる。粗大運動に比べて微細運動が困難となりやすい。

上位運動ニューロンが延髄で交叉する前で障害された場合は**反対側**に，交叉した後で障害された場合は**同側**に症状を生じる。

基底核や小脳の疾患では，麻痺を伴わない運動障害を生じうる。

解剖と生理

感覚受容体からはじまるこの神経路は，皮膚，粘膜，筋，腱，臓器からのインパルスを，末梢神経を介して後根神経節に投射し，さらに脊髄に伝える（図24-8）。脊髄から大脳皮質までは，**脊髄視床路 spinothalamic tract** または**後索 posterior column** をインパルスが上行する。前者は髄鞘をもたないか，薄い髄鞘で覆われた小径線維であり，後者は厚い髄鞘をもつ大径線維である[4]。

小径線維からなる脊髄視床路につながる感覚神経路は，末梢では皮膚の自由神経終末から起こり，痛覚，温度覚，粗な触覚を伝える。これらの神経は1つか2つの髄節から脊髄に入り，後根で二次ニューロンにシナプス結合する。二次ニューロンの軸索は対側に交叉して，視床に上行する。

後索は**後根神経節 dorsal root ganglia** を介する大径線維からなり，皮膚の関節の受容体から振動，固有感覚，圧，微細な触覚を伝える。中枢では後索を上行し，同側の延髄で二次ニューロンに接続する。二次ニューロンの軸索は，延髄で対側に交叉して視床に達する。

視床レベルでは，痛み，冷感，快・不快などの大まかな感覚の受容のみであり，細かい区別までは行われない。三次ニューロンのインパルスが視床から大脳感覚皮質に達してはじめて完全な感覚が認識され，刺激の局在さらに高度の感覚の識別が可能となる。

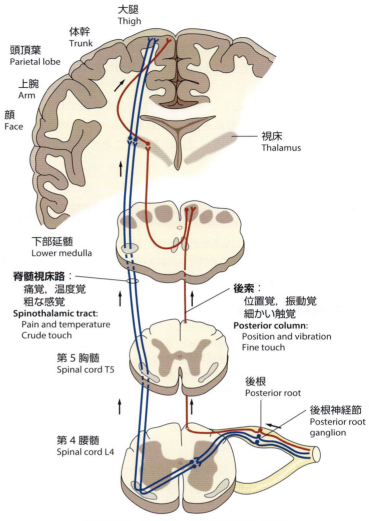

図 24-8 感覚路：脊髄視床路と後索

異常例

末梢神経の小径線維障害をきたした糖尿病患者での自覚症状は，鋭い，焼けるような，撃たれたような足の痛みと表現される。一方，大径線維障害の場合は，しびれ感，ぴりぴり感，ときには感覚脱失となる[5,6]。

表 24-1「中枢神経系障害と末梢神経系障害」を参照。

解剖と生理

皮膚分節

皮膚分節 dermatome とは，脊髄の1分節ごとの感覚神経領域で描かれる帯状の分布図である。これを理解したうえでの診察は，脊髄病変の局在を明らかにするために有用である。皮膚分節の分布図（p.905〜906）を参照。

脊髄反射：筋伸張反射

筋伸張反射 muscle stretch reflex は，中枢・末梢両神経の連動で生じる。腱は本来，独立した構造体ではないので，よく使用される**深部腱反射 deep tendon reflex** というよりも，筋伸張反射と言い表すほうが，より正確である。**反射 reflex** は，求心性（感覚）線維と遠心性（運動）線維という2本の神経と，1個のシナプスがあれば生じうる典型的な不随意反応である。上下肢の筋伸張反射は，このような**単シナプス反射 monosynaptic reflex** である。これらは感覚系と運動系の最もシンプルな組み合わせを示している。他の反射は感覚系と運動系の間に神経が介在する**多シナプス反射 polysynaptic reflex** である。

反射が生じるためには，反射弓を構成する要素，すなわち感覚神経線維，脊髄のシナプス，運動神経線維，神経筋接合部，筋線維のすべてが正常でなければならない。腱を叩くと，伸展された筋の特殊な感覚線維（筋紡錘）が活性化され，インパルスが末梢神経を介して脊髄に伝えられる。このインパルスは脊髄の前角細胞に直接シナプス接合して興奮させ，伸展された筋を収縮させるインパルスが発生する。これが神経筋接合部を越えて筋に伝わり，急速な筋収縮が起こって反射弓の作用が完結する。

筋伸張反射は，それぞれの反射弓に固有の脊髄レベルを有しているので，反射の異常は病変の局在を知る手がかりとなる。Box24-3 に筋伸張反射のそれぞれの脊髄レベルを，C5〜C6 より S1 までを順に示しているので，参照されたい。

異常例

感覚路を侵す病変があると，病変の位置によって障害される感覚の種類が異なってくる。感覚皮質の病変では，痛覚，触覚，位置覚が保たれながら細かい識別覚が障害されるということがありうる。このような患者では，触っているものの大きさ，形状，素材などが識別しにくいため，何を触っているのかがわからないことがある。位置覚，振動覚のみの障害で他の感覚が保たれていれば，後索障害と考えられる。対麻痺，下肢反射の亢進を伴う腰部以下の全感覚脱失のようなケースは，重大な脊髄横断性障害が示唆される。なお，粗で軽い触覚は脊髄内で両側性に上行するので，脊髄の部分的な障害では保たれることがある。

Box 24-3　筋伸張反射	
腕橈骨筋（回外筋）反射	C5，C6
上腕二頭筋反射	C5，C6
上腕三頭筋反射	C6，C7
膝蓋腱反射	L2〜L4
アキレス腱反射	S1

病歴：一般的なアプローチ

あらゆる疾患において，病歴は診断につながる本質的な手がかりとなる。神経系の診断もその例外ではないが，神経系診察の習得は，神経系機能全体の評価を可能にするという点で，特筆されるべきである。本領域の診察を熟達することで，非常に幅広い神経疾患の診断が可能となるだろう。

神経疾患が疑われるときは，つぎの2つのことを意識すべきである。(1)責任病巣は神経系のどこに局在するのか？　(2)患者の病状や神経疾患の原因となる病態生理は何か？

これらに答えを見出すのは簡単なことではないが，問診のたび，患者から得られる反応を繰り返し学ぶことである。この2つを常に意識することは大事で，それはいくつかの異なる病態生理が，似かよった徴候をきたす場合があるからである。こうした過程を経て神経疾患の診断に至るには，相当な訓練が必要となる。

神経系の評価は，最初に患者と対面した瞬間からはじまり，問診の終わりまで続く。患者の精神状態に異常があると疑われた場合には，直ちに，第9章「認知，行動，精神状態」でとりあげた「精神状態の評価」へ進む必要性を検討する。ここで，人や状況に対する見当識障害など重大な障害が認められれば，問診そのものに信頼性を欠くことがあり，病態の把握には本人以外からの聴取も必要となってくる。

症状の局在を把握することは重要である。患者に脱力がある場合には，身体の片側か両側なのか，近位筋か遠位筋か，またはその両方なのかを明らかにする。患者が自発的に訴えない徴候についても意識しながら問診すべきである。歩くのが難しくなり転倒すると訴える患者が，下肢に感覚障害があることに気がついていない場合もある。

意識すべきは，同じ徴候が，神経系の異なるレベルの病変で起こりうることである。例えば，下肢遠位の筋力低下は，大脳，脳幹，脊髄，神経根，末梢神経，筋，いずれの病変でも生じうる。さらに，神経疾患は陽性所見，陰性所見，あるいはその両方を呈する場合がある。頭頂葉病変などでは，針で刺されたような異常感

精神状態の評価については，第9章「認知，行動，精神状態」(p.252〜258)を参照。

覚，ミオクローヌス myoclonus，一側の肢を屈曲させるような焦点発作がみられることがある一方で，身体症候がまったく現れないこともある。

患者の病状経過は，病態生理の診断に大きな手がかりを与える。例えば，急性発症の言語障害は脳卒中が考えられ，数か月にわたって言語障害が進行するという経過では，脳腫瘍が示唆される。**一過性脳虚血発作 transient ischemic attack(TIA)**では症状は一時的であり，多発性硬化症の発作にも，症状が一過性の場合がある。患者は，長くは続かなかった自覚症状のことを訴えない場合があり，今は消失している徴候についても特に意識して問診することが，発症経過を明らかにし，より正確な診断を得るために重要である。

よくみられる，または注意すべき症状

- 頭痛
- めまい感，ふらつき
- 脱力（全般，近位，遠位）
- しびれ感，感覚異常，感覚低下
- 失神，眼前暗黒感
- てんかん発作
- 振戦，その他の不随意運動

神経系と関連のある他の徴候については，以下に示す章に詳細な記載があるので参照されたい。
- せん妄（第9章「認知，行動，精神状態」，p.273〜275）
- 記憶障害（第9章「認知，行動，精神状態」，p.257〜258）
- 会話困難（表24-2「言語障害」）
- 視力低下，複視（第12章「眼」，p.370〜372）
- 歩行困難（表24-3「歩行と姿勢の異常」）

頭痛

頭痛は臨床診療で最もよくみられる徴候の1つで，一般集団において30％の生涯有病率である[7,8]。頭痛のなかでは緊張型頭痛がその約半分を占める[9]。くも膜下出血，髄膜炎，占拠性病変は特に危険である。頭痛は通常，**一次性**（原因となる疾患がないもの）と**二次性**（原因疾患が存在するもの）に分類される。いずれにしても，あらゆる頭痛に対し，髄膜炎やくも膜下出血，占拠性病変のような，生命を脅かす疾患（髄膜炎，くも膜下出血，腫瘍性病変など）が原因となっていないか，注意深く診断すべきである。

頭痛患者の身体所見には異常がないことは珍しくないので，病歴聴取を詳細に行うことは非常に重要である。異常な身体所見があれば，二次性頭痛の可能性が高く，追加検査を検討すべきである。

一次性頭痛 primary headache には，片頭痛，緊張型頭痛，群発頭痛，三叉神経痛，慢性連日性頭痛がある。**二次性頭痛 secondary headache** は，構造の破壊や系統的な疾患，感染症に伴って生じ，髄膜炎やくも膜下出血など生命を脅かす疾患を原因とすることがある[10-12]。

表24-4「一次性頭痛」，表24-5「二次性頭痛と脳神経痛」を参照。

病歴：一般的なアプローチ

頭痛の問診は，身体に生じる他の痛みと同様に，痛みの部位，性質，強さ，発症と時間経過を知ることである．片側か両側か，雷鳴のように突然生じる重度のものか？　一定して痛いのか，拍動性か？　持続的か間欠的か？　前兆があるか？　ふだんから経験している頭痛なのか，いつもとは違うのか？

増悪，改善

咳，くしゃみ，頭部の急な動きなど，頭蓋内圧を変化させることで頭痛が増強するかどうか，頭痛の増悪因子，改善因子を明らかにする．

自覚症状と随伴症状

頭痛で最も重要な3つは，**強さ，時間経過，随伴症状**である．頭痛は重症なのか突然に発症するのか？　数時間にわたって悪化するのか？　一過性のものか？　慢性ないし反復性のものか？　頭痛のパターンに最近，変化がみられるのか？　頭痛は，毎日同じ時間に繰り返すのか？　四肢に脱力やしびれ感を伴っていないか？

突然生じた「雷鳴のような」頭痛，50歳以上，発熱や項部硬直を伴う頭痛などは，直ちに原因精査を必要とする，重大なレッドフラッグといえる（Box 24-4）[11, 27-29]．眼底の乳頭浮腫や神経局在所見を確認しなければならない[26]．

複視，視覚障害，脱力，感覚障害などの随伴症状の有無に注意すべきである．髄膜炎を疑うような発熱，項部硬直，耳・副鼻腔・喉の感染はないか[30]？

異常例

くも膜下出血における頭痛は，古くから，突然発症の「人生で最悪の頭痛」と表現されてきた[13-15]．髄膜炎では激しい頭痛と項部硬直が認められる[16-18]．咳やくしゃみで増強し，同一部位で繰り返す鈍い頭痛は，脳腫瘍や脳膿瘍が原因である[19, 20]．

片頭痛患者が普段とは異なる頭痛を訴えるときには，脳卒中の可能性も考慮し，特に避妊薬を使用中の女性では注意を要する[21-24]．

片頭痛では前兆，前駆症状が先行することがあり，POUNDと呼ばれるつぎの5つの特徴のうち3つを満たせば，片頭痛である可能性が高い．P＝脈打つような(Pulsatile)，ドキドキするような痛み，O＝放置した場合の持続時間が1日(Oneday)ないしは4～72時間に及ぶ場合，U＝片側性(Unilateral)，N＝悪心・嘔吐(Nausea or vomiting)，D＝痛みのため日常生活活動が困難(Disabling)[24, 25]．

頭痛が重症の場合または突然発症した場合，くも膜下出血や髄膜炎を考えてみる[26]．

片頭痛および緊張型頭痛は，不定期に起こり，数時間かけてピークを迎える傾向がある．新規発症の持続性頭痛，進行性に悪化する頭痛には腫瘍，膿瘍，腫瘤性病変への注意が必要である．

病歴：一般的なアプローチ

異常例

> **Box 24-4　頭痛の危険な徴候**
>
> - 3カ月以上にわたる頻度の増加や症状の悪化
> - 雷鳴のような突然発症，または「人生で最悪の頭痛」
> - 50歳を過ぎてからの新規発症例
> - 姿勢の変化によって悪化または軽快する
> - Valsalva手技，ないしはこれと同等の行為での増悪
> - 発熱，寝汗，体重減少の随伴症状
> - 癌，HIV感染症，妊娠の存在
> - 最近の頭部外傷
> - 従来から経験している頭痛とは異なる頭痛
> - これまでに経験したことのない頭痛
> - 乳頭浮腫，項部硬直，局所神経障害の随伴症状

数分間にわたって最大強度に達する雷鳴頭痛は，くも膜下出血患者の70％で発生し，多くの場合，くも膜下腔への血管漏出から警告頭痛が先行する[26]。

嘔気や嘔吐がないかをたずねる。

悪心や嘔吐は，片頭痛に伴い生じるが，脳腫瘍やくも膜下出血でも発生する。

多幸感，過食，疲労，めまいといった異常な感覚の前駆症状があるか？

片頭痛患者の約60～70％に前駆症状がある。約1/3に，光視症（閃光がみえる），ギザギザの要塞像（閃輝暗点の1つで刻み目のある光輪がみえる），暗点（周囲の正常な視力に伴う視覚障害の領域がある）などの視覚的な前兆がある。

視覚の変化，しびれ，脱力などの神経学的症状を伴う前兆を患者が訴えているか？

虚血性脳血管障害や心血管疾患のリスク増加のため，世界保健機関（WHO）は，35歳を超えて片頭痛を有する女性や頭痛の前兆を訴える女性には，避妊薬としてのエストロゲンやプロゲスチンの使用を避けるよう助言している[31-34]。

咳，くしゃみ，頭位の変化が，頭痛に影響するかをたずねる。頭痛が頭位による場合は，前かがみの姿勢や，横になった姿勢で増悪するかどうか。

Valsalva手技や前かがみの姿勢は，副鼻腔炎による痛みを増強させることがある。またValsalva手技や臥位となるときの身体動作は，頭蓋内圧の変化に起因する腫瘤性病変の痛みを増加させることがある。

鎮痛薬，エルゴタミン，トリプタン系薬の過剰使用があるか？

薬物乱用性頭痛は，1か月に15回異常の頭痛が3か月を超えて自覚され，薬物の中止により15日未満で回復する[35]。

家族歴についてたずねる。

遺伝的形質は，片頭痛を有する患者の30～50％でみられる[24, 36]。

病歴：一般的なアプローチ

通常行っている自由回答方式の質問の後，患者の痛みや不快感を感じる場所に的を絞って患者に質問する。

異常例

片側頭痛は片頭痛と群発頭痛で生じる[10, 24]。緊張型頭痛はしばしば側頭部で発生する。群発頭痛は眼窩後方で起こることがある。

めまい感，ふらつき

第13章「耳と鼻」で前述したように，めまい感，頭部ふらつき感はよくある訴えであり，やや曖昧ではあるものの，ときに特徴的な病歴や，神経学的診察にて眼振，局所神経徴候など，明確な所見を伴うことがある。特に高齢者では，服用薬に注意を払う必要がある。

血管迷走神経反射，起立性低血圧，不整脈，降圧薬その他の薬物による副作用から起こる，頭部のフラフラ感，下肢の脱力感，あるいは「失神しそうな感じ」。

第16章「心血管系」の表16-3「失神および類似疾患」(p.552)，第13章「耳と鼻」の表13-1「浮動性めまいdizzinessと回転性めまいvertigo」(p.424)を参照。

患者は**失神**，または**失神**しそうになっていないか？ 姿勢が不安定ではないか（**平衡異常 disequilibrium**，**運動失調 ataxia**）？ めまいを感じていないか，患者自身あるいは周囲の景色が回転しているように感じていないか？ 真性のめまいの場合，徴候の時間経過を明らかにすることが末梢性前庭性障害の診断に役立つが，患者は徴候についての詳細を表現することは難しいものである。

回転性めまいは前庭疾患で生じることが多い。多くは内耳における末梢性障害で，良性頭位性めまい，迷路炎，Ménière（メニエール）病などがある[37]。

徴候と時間経過を明らかにするには，第13章「耳と鼻」の表13-1「浮動性めまいdizzinessと回転性めまいvertigo」を参照。

複視や**構音障害**，**運動失調**による歩行や平衡の障害などの局所神経徴候がある場合は，中枢性の原因を考えること。

失調，複視，構音障害は，椎骨脳底動脈系の脳卒中の可能性がある[38-43]。また，後頭蓋窩腫瘍や脳幹徴候を伴う片頭痛も鑑別にあがる。

表24-6「脳卒中の分類」を参照。

脱力

脱力の訴えは，疲労によるもの，感情鈍麻，傾眠，実際の筋力低下など，さまざまな状態を含む。真の運動機能障害は，中枢神経障害，末梢神経障害，神経筋接合部障害，筋障害のいずれでも生じる。発症経過と脱力の範囲が特に重要である。突然発症なのか，時間を追って亜急性の悪化するのか，慢性あるいは長期間に及ぶのか？

TIAを含む脳卒中では，運動系，感覚系の障害が突然発症する[38-43]。下肢の脱力，次いで上肢の脱力が急速に進行する場合は，Guillain-Barré（ギラン・バレー）症候群が示唆される[44]。より慢性的に，緩徐に脱力が進行する疾患としては，進行性の腫瘍や**筋萎縮性側索硬化症 amyotrophic lateral sclerosis（ALS）**がある。

| 病歴：一般的なアプローチ | 異常例 |

症状の分布は全身なのか，顔面や手足に限局しているのか？　左右どちらか一側なのか，それとも両側なのか？　どのような動作ができないのか？　患者の話に耳を傾け，脱力の分布がつぎのどれにあてはまるのか診察する。

局在性，または非対称性の脱力は，中枢レベル（虚血性，血栓性，占拠性病変），神経損傷や神経筋接合部疾患，筋疾患を含む末梢レベルの，いずれの障害でも生じる。

- **近位**：肩，腰部など

- **遠位**：手や足

- **左右対称**：身体の左右両側の同じ部位

- **非対称性**：**限局性麻痺**：顔面や四肢の部分的な麻痺。不全単麻痺 monoparesis（**単麻痺**）：一肢のみの麻痺。不全対麻痺 paraparesis（**対麻痺**）：両下肢の麻痺。不全片麻痺 hemiparesis（**片麻痺**）：左右いずれか一側の麻痺

近位の筋力低下を調べるには，髪をとかす動作や棚に荷物を上げる動作，椅子からの立ち上がりや階段をのぼる動作が困難となっていないかを確認する。動作を繰り返すと増悪し，安静後に筋力低下が改善するか（重症筋無力性の可能性）？感覚障害などの症状を伴っていないか？

感覚は正常で左右対称に生じる四肢近位筋の筋力低下は，筋原性が考えられ，アルコール，グルココルチコイドなどの薬物，多発性筋炎，皮膚筋炎などの筋疾患が原因となる。神経筋接合部疾患である重症筋無力症では，労作で増悪する。近位筋の筋力低下の他，複視や眼瞼下垂，構音障害，嚥下障害といった**球症状 bulbar symptom**を伴うことが多い[45, 46]。

遠位の筋力低下を調べるには，容器の蓋を開ける，ハサミを使ってみる，ボタンのかけ外しをするなどして手の筋力を確認し，歩行時の足はこびを観察する。

両側性で遠位筋優位の脱力はしばしば感覚障害を伴い，糖尿病などに起因する多発神経炎が示唆される。

■ しびれ感，感覚異常，感覚低下

しびれを訴える患者には，その症状について，より詳しく聴取すること。ピンや針でチクチク刺されるような痛み（**paresthesia** 錯感覚）か，異質な感覚（**dysesthesia** 異常感覚）訳注）か，感覚の鈍麻か，完全な消失か？

感覚障害にはその障害レベルにより，いくつかの特徴がある。限局性の神経圧迫（**絞扼性 entrapment**）は，手では，正中神経，尺骨神経，橈骨神経といった特異的な範囲のしびれを生じる。椎骨の変形やヘルニアによる神経根の圧迫では，皮膚分節に沿った感覚障害を，脳卒中や多発性硬化症などの中枢性疾患では，片側の感覚障害を生じる。

dysesthesia の場合，軽い接触やひっかくような刺激によって，灼熱感のような過敏な感覚が惹起される。灼熱痛は，糖尿病などによる有痛性感覚神経障害で生じる[47, 48]。

訳注：paresthesia，dysesthesia は，日本語の用語としては，いずれにも対応していない。

| 病歴：一般的なアプローチ | 異常例 |

つぎに感覚低下の範囲を明らかにする．手袋靴下型の分布なのか？　局所的なものなのか？　皮膚分節に沿っているのか？　一肢だけなのか？　多肢にわたるのか？

> 靴下型，次いで手袋型の分布となる感覚障害は，特に糖尿病でみられる多発ニューロパチーで生じる．感覚障害が一肢を超えて多発的，部分的に生じる場合は多発性単神経炎が示唆され，血管炎や関節リウマチなどに伴って生じることがある．

■ 失神，眼前暗黒感

失神した，気を失ったと訴える患者は少なくない．しかもこの場合，入院の必要性を含めた管理や治療方針の決定には，詳細な病歴の把握がなされるべきである[49]．

まず，患者が実際に意識障害をきたしたのかを明らかにする．経過中に患者は周囲の物音や話し声が聞こえており，頭部のフラフラ感や脱力感を感じてはいたものの，実際には意識を失ったのではなく，**「失神しそうな」状態 presyncope** ではなかったのか？　あるいはそうではなく，本当に意識を失っていて，**真性の失神 true syncope**（一過性の脳灌流低下により意識と姿勢の保持が突然，損なわれたものと定義される）を起こしていたのか？　てんかん発作は失神との鑑別に悩むことがあるが，てんかん発作で生じる意識障害は，脳灌流の低下ではなく，神経細胞に生じる活動電位の乱れが原因である．

> 「心原性神経徴候」ともいうべき，こうした症状の原因には，血管迷走神経性失神，体位性頻脈症候群，起立性低血圧，さらに不整脈，特に心室性頻拍や徐脈性不整脈を生じる心疾患などがある[50]．一過性脳虚血発作を含む脳卒中は，網様体賦活系が障害される場合を除いては，失神の原因とはならない．

起こった症状をすべて明らかにすること．そのときどうしていたのか？　立っていたのか，座っていたのか，横になっていたのか？　何か誘因や前兆はなかったのか？　症状はどれくらい持続していたのか？　周囲の声は聞こえていたのか？　重要なことだが，症状のはじまりと回復は急速だったのか，ゆるやかだったのか？　動悸はなかったか？　心疾患の既往はないか？

> 心原性の場合，心疾患の既往の存在は，感度95％異常（特異度は約45％）である[49]．

> 血管迷走神経性失神は，失神の原因では最も多く，恐怖や不快感が契機となって，悪心，発汗，顔面蒼白などの前駆症状が生じ，次いで迷走神経の介在によって血圧低下が起こる．発症と回復は，ゆっくりであることが多い．不整脈による失神では通常，脳灌流の低下と回復を反映して，症状の発現，回復ともに急速である．

目撃していた人からも問診を得る．つぎの項でその特徴を記述する，てんかん発作の可能性についても検討する．何の前兆もなく突然の症状であったかは重要である．

■ てんかん発作

患者はてんかん発作 seizure を疑う意識消失のエピソードを「奇妙な体験」と表現するかもしれない．これは大脳皮質ニューロンから過剰な活動電位が発せられて起こる，てんかん発作を示唆する．てんかん発作の原因としては，遺伝的なもの，特定される原因をもつ症候性のもの，特発性のものがある．他の原因による意識障害と，原因が特定できる急性の症候性てんかん発作を区別するには注意深い病歴聴取が必要である．

> 表24-7「てんかん発作」を参照．

病歴：一般的なアプローチ

複数回の発作があり，他の疾患や原因によらない場合は，**てんかん epilepsy** を考える[51,52]。米国におけるてんかんの有病率は3％である。乳児や小児では遺伝的要因をもつものが多く，神経学的所見は，多くの場合正常である。高齢者では，脳腫瘍などの器質的疾患が原因となることがある。てんかんの60～70％は，特発性である。**てんかんは，常に意識消失を伴うとは限らず，発作の型により異なる。**

てんかんは一般に，発作を惹起する大脳半球の範囲によって，全般発作と部分発作に分類される。目撃者がいる場合，患者は発作の間，あるいは発作の前後にどのような様子であったかをたずねる。痙攣発作と思われるような四肢の動きはなかったか？　尿失禁や便失禁はなかったか？　発作後症状と思われるような，ぼんやりとした状態や，記憶の欠落がなかったか？

本人には，最初の発作が何歳で起こったか，頻度はどのぐらいか，途中で発作の頻度や症状に変化はなかったか，薬物やアルコール，違法薬物の摂取がなかったかをたずねる。また，頭部外傷歴がないかどうかを確認する。

■ 振戦，その他の不随意運動

振戦 tremor は，「互いに拮抗筋の関係にある筋の収縮によって，身体のある部分が規則的に動揺する運動」であり，最も頻度の高い運動異常である[54,55]。数ある神経異常所見のなかでも特異的なものといえよう。振戦，身ぶるい，患者自身が制御できないような不随意運動についてたずねる。安静時に振戦は生じるか？随意運動の企図や，同じ姿勢を保つことで増強するか？

異常例

急性の症候性てんかんのおもな原因としては，頭部外傷，アルコール・コカインなどの薬物，アルコール・ベンゾジアゼピン・バルビツレートなどからの離脱，低血糖または高血糖・低カルシウム・低ナトリウムなど代謝性の異常，脳卒中，髄膜炎，脳炎などがある[53]。

強直間代性痙攣，尿・便失禁，発作後の意識レベルの変更（**postictal state**）は，全般てんかんの特徴である。失神と異なり，咬舌や四肢の擦過傷がみられることがある。

全般てんかんは通常，幼児期か青年期に初発する。成人発症のものは部分発作が多い。

表24-8「振戦と不随意運動」を参照。

ゆっくりとした片側性の安静時振戦，筋固縮，運動緩慢，姿勢保持障害は，Parkinson（パーキンソン）病に特徴的である[56,57]。**本態性振戦 essential tremor** は，より動きが速く，両側性でおもに上肢に生じ，動作や姿勢保持で誘発され，リラックスすると静まる。また，頭部や下肢，さらには発声にもふるえがみられることがある[55]。

振戦は，レストレスレッグス症候群（下肢静止不能症候群）とは区別すること。本症候群は米国では6～12％の有病率があり，夜間を中心として下肢に不快感を伴い，安静時に増強し，活動時には軽減するものである[58,59]。

一過性の原因として，妊娠，腎疾患，鉄欠乏などがある[60]。

身体診察：一般的なアプローチ

問診では，病変局在と，症状・徴候の原因となっている病態生理の両方を意識することが重要である．それには，患者の神経学的所見を繰り返しとって学ぶことである．神経系の診察技術を習得するには，自分自身が得た所見を，指導者である神経内科医のものと見比べ，専門的な技能を磨くことである．**神経系の診察を行うとき，できるだけ見落としがないようにするには，診察の順序，項目を定型的にしておくことがすすめられる．総合的な診察を行う場合であれ，スクリーニング診察を行う場合であれ，本書では神経学的所見を5つの系統に分類する．すなわち，(1)精神状態，発語，言語，(2)脳神経，(3)運動系，(4)感覚系，(5)反射である．**

神経系の診察は，患者が診察室に入ってくる瞬間からはじまっている．歩行の異常などは，問診をはじめるまえからすでに，診断のための重要な手がかりとなる．患者の話しかたで，失語症とわかることもある．言葉を構成することが難しい，あるいは言葉を理解することが困難といった場合である．患者の身ぶりなどを観察すれば，話しているときに顔面の一側の筋力低下が指摘できたり，膝に置いた手の間欠的な振戦がわかることがある．

神経系の診察で得られる異常所見のパターンは，病変の局在を明らかにするうえで重要である．脱力ならば，左右対称か片側性か，単神経の範囲に限局しているのか，神経根の範囲に合致しているのか．筋萎縮や線維束性収縮を伴った脱力は末梢神経系の障害，反射の亢進は中枢神経系の障害の特徴であることを認識し，身体所見がこれらに一致するか注意する．

てんかん発作や一過性脳虚血発作(TIA)から回復した患者の神経学的所見は，診察時にはすでに多くの場合正常である．片頭痛などでも同様に正常であり，異常所見があれば，さらなる精査を考慮する．ときに異常所見がない場合ではTIAの疑いを示唆する．

神経系の診察の細部を1つひとつ取り上げると，実に多彩である．米国神経学会 American Academy of Neurology が推薦する，"Screening Neurologic Examination スクリーニングのための神経学的診察"の概略にあるように，健常人の診察は簡潔に終わるであろう(Box 24-5)．しかし，神経徴候の訴えのある患者，ないしは診察してみて異常所見が認められた患者の場合は，神経学的診察はより詳細に行われることになる．神経内科医は，それぞれの状況で追加すべき，数々の診察技術を駆使していくことになる．

神経系の診察に熟達してくると，複数の神経系統における診察を同時にかつ効率的に統合しながら行えるようになる．問診中に患者の精神状態と言語症状について並行して評価し，必要となる詳細な診察を追加していくといった具合である．

診察の技術　　異常例

> **Box 24-5　米国神経学会：スクリーニングのための神経学的診察のガイドライン**
>
> 神経系のスクリーニング診察は，明らかな神経疾患を検出するに十分なもので，神経症状の訴えのない患者を含め，すべての患者に対して行われるべきものである[61]。診察の順序は修正されてもよいが，主要な内容である，精神状態，脳神経，運動系（筋力，歩行，協調運動），感覚，反射は必ず行うべきである。ここではその一例を示す
>
> **精神状態**（覚醒レベル，反応の適切さ，日・場所の見当識）
> **脳神経**
> - 視力
> - 瞳孔の対光反射
> - 眼球運動
> - 聴覚
> - 顔面筋（笑顔，閉眼）
> - 言語
>
> **運動機能**
> - 筋力（肩の外転，肘の屈曲，伸展，手首の伸展，指の外転，股関節の屈曲，膝の屈曲，伸展，足首の背屈）
>
> **反射**
> - 深部腱反射（二頭筋反射，膝蓋腱反射，アキレス腱反射）
> - 足底反射
>
> **感覚**（足趾を調べる1つの方法として，触覚，痛覚，温度覚，振動覚，固有感覚）
> **協調運動**（指の微細運動，指鼻試験，指顎試験）
> **歩行**（自由歩行，継ぎ足歩行）
> 注意：本スクリーニング診察や患者の病歴から神経疾患が疑われる場合は，さらに詳細な神経系の診察が必要となる。

出典：Safdieh JE et al. *Neurology*. 2019; 92(13): 619-626.

脳神経系の評価は，頭頸部の診察とともに行う。四肢の神経学的異常については，末梢の血管系，筋骨格系の診察とともに評価する。第4章では，このような統合的な診察法の概要を示している。診察全体における神経系の所見の記述，表現を意識する。

第4章「身体診察」のBox 4-8「身体診察：推奨される手順と体位」(p.129)を参照。

診察の技術

神経系の診察の重要項目

- 精神状態の評価：覚醒レベル，言語機能（流暢さ，理解力，復唱，物品呼称），記憶（短期記憶，長期記憶），計算，視空間構成，抽象的推論
- 脳神経の評価
  - 嗅覚の評価（Ⅰ）
  - 各眼の視力の評価（Ⅱ）
  - 眼底鏡による眼底の評価（視神経乳頭の膨張，境界不明瞭，蒼白化，陥凹）（Ⅱ）
  - 対座法による視野の評価（視野欠損）（Ⅱ）
  - 瞳孔径と形（大きさ，対称性）（Ⅱ，Ⅲ）
  - 対光反射（Ⅱ，Ⅲ）
  - 瞳孔の収縮，輻輳，調節の観察（Ⅱ，Ⅲ）

（続く）

↘（続き）
- 外眼筋機能の評価（非対称性，可動域制限，麻痺，眼振）（Ⅲ，Ⅳ，Ⅵ）
- 側頭筋，咬筋の触診（筋力低下の有無）（Ⅴ）
- 顔面感覚の評価（感覚障害の有無）（Ⅴ）
- 顔面の観察（非対称性，下眼瞼のたるみ，異常運動）（Ⅶ）
- 顔面表情の評価〔睫毛のはみ出し，顔をしかめる，抵抗しがたい強い閉眼，歯を見せるような開口，笑い顔，頬のふくらませ（非対称性）〕（Ⅶ）
- 囁語により，大まかな聴力の評価（Ⅷ）
- 音叉を用いた聴力検査（必要であれば，Rinne 試験，Weber 試験）（Ⅷ）
- 嚥下と口蓋，口蓋垂の動きの評価（Ⅸ，Ⅹ）
- 発声の評価（発音，声質）（Ⅴ，Ⅶ，Ⅸ，Ⅹ，Ⅻ）
- 僧帽筋，胸鎖乳突筋の筋力評価（筋力低下，非対称性）（Ⅺ）
- 舌の動きの観察，評価（偏位，萎縮，線維束性収縮）（Ⅻ）
- 運動系の評価（不随意運動，筋量，筋緊張を含む）（受動運動に抵抗，回内試験）
  - 筋力の検査（検者からの外力に抗する）
    - 肩の外転（C5，C6：三角筋）
    - 肘の屈曲（C5，C6：上腕二頭筋，腕橈骨筋）/伸展（C6，C7，C8：上腕三頭筋）
    - 手首の屈曲/伸展（C6，C7，正中神経：橈側手根屈筋，C7，C8，T1，尺骨神経：尺骨手根屈筋）/（C6，C7，C8，橈骨神経：長・短橈側手根伸筋，尺側手根伸筋）
    - 手指の伸展（C7，C8，橈骨神経：総指伸筋）/外転（C8，T1，尺骨神経：第1背側骨間筋，小指外転筋）
    - 母指の外転（C8，T1，正中神経：短母指外転筋）
    - 股関節の屈曲（L2，L3，L4，腸腰筋）/伸展（S1，大殿筋）
    - 膝の屈曲（L5，S1，S2，大腿屈筋）/伸展（L2，L3，L4，大腿四頭筋）
    - 足関節の背屈（L4，L5，前脛骨筋）/底屈（S1，腓腹筋，ヒラメ筋）
  - 協調運動の評価
    - 迅速反復動作
      - 迅速上肢反復動作
      - 迅速な指打ち
    - 二点間動作
      - 指鼻試験
      - 踵膝試験
    - 歩行
      - 自由歩行
      - つま先歩き，踵歩き
      - 踵-つま先，直線歩行（継ぎ足歩行）
  - 位置覚の評価（Romberg 試験）
- 感覚系の評価：触覚，痛覚，温度覚，固有感覚，振動覚，識別知覚（立体認知）
- 筋伸張反射
  - 上腕二頭筋反射（C5，C6）
  - 上腕三頭筋反射（C6，C7）
  - 腕橈骨筋反射（C5，C6）
  - 大腿四頭筋反射（膝蓋腱反射）（L2，L3，L4）
  - アキレス腱反射（踵反射）（おもに S1）
- 皮膚反射，もしくは表在刺激反射（腹壁反射，足底反射，肛門反射）

脳神経

脳神経の診察を下記にまとめる(Box 24-6)。

Box 24-6　まとめ：第Ⅰ〜Ⅻ脳神経

Ⅰ	嗅覚
Ⅱ	視力，視野，眼底
Ⅱ，Ⅲ	瞳孔対光反射
Ⅲ，Ⅳ，Ⅵ	外眼筋運動
Ⅴ	顔面の感覚（感覚系），下顎の運動（運動系）
Ⅴ，Ⅶ	角膜反射
Ⅶ	顔面の運動，筋力
Ⅷ	聴覚
Ⅸ，Ⅹ	嚥下，口蓋の運動，咽頭反射
Ⅴ，Ⅶ，Ⅹ，Ⅻ	発声，発語
Ⅺ	肩と頸部の運動（頭部の回転，肩の挙上）
Ⅻ	舌の対称性，位置，動作

第Ⅰ脳神経：嗅神経

第Ⅰ脳神経：嗅神経。嗅覚を調べるには，日常的なもので，刺激臭の強すぎないものを用いる。まず，一側ずつ鼻腔を圧迫して塞ぎ，他側の鼻腔で息を吸って開通していることを確認する。次いで両目を閉じさせ，片方ずつ鼻腔を塞ぎ他方の嗅覚を調べる。コーヒー，石鹸，バニラなどを用いる。刺激の強すぎるものは避ける。アンモニアなどは第Ⅴ脳神経を過剰に刺激してしまう。それぞれのにおいが認識できるか患者にたずね，他側でも調べる。正常であれば，左右ともに，何のにおいであるかを正しく認識することができる。

> 嗅覚の障害は，副鼻腔疾患，頭部外傷，喫煙，加齢，コカイン使用，**Parkinson病**などで生じる。

第Ⅱ脳神経：視神経

両眼の視力を検査する。

> 第12章「眼」を参照しつつ，視力と視野の検査(p.373〜375)，瞳孔検査(p.379〜380)，検眼鏡検査（眼底検査）(p.382〜384)について確認されたい。

眼底検査には検眼鏡を用い，特に視神経乳頭に注意を払う。

> 両側の視神経乳頭について，境界の膨隆や不明瞭化（乳頭浮腫），蒼白化（視神経萎縮），陥凹（緑内障）がないか，注意深く観察する。

診察の技術	異常例

対座法によって視野を確かめる。検査は片眼ともそれぞれに行う。部分的な**視野欠損 visual field defect** がある場合，患者はそれが片眼のみの視野欠損なのか両側性のものなのかを認識できないことがある。例えば，脳卒中では，**同名半盲 homonymous hemianopsia** といった両眼の視野欠損を呈する。片眼のみの検査では，これを見逃すことになる。また，顔面の左側と右側から同時に視覚刺激を与え，消去現象の有無についても確認すべきである。

表12-2「視野欠損」(p.394)を参照のこと。緑内障，網膜動脈閉塞，視神経炎など，視神経交叉前の障害による視野欠損(視力障害を伴う)，おもに下垂体腫瘍による視神経交叉部の障害で生じる両耳側半盲，おもに脳卒中による後頭，側頭，頭頂葉病変など，視神経交叉後の障害で生じる同名半盲(視力は正常)に注意する[62]。

第Ⅱ，Ⅲ脳神経：視神経，動眼神経

瞳孔の大きさと形状を観察し，左右差の有無を確かめる。瞳孔径に 0.4 mm を超える左右差がある**瞳孔不同 anisocoria** は，健常人でも38％程度で認められる。つぎに，光をあてて瞳孔反応をみる。

表12-6「瞳孔の異常」(p.398)を参照。第Ⅲ脳神経麻痺では，瞳孔散大，対光反射の欠如が認められ，明るいところで観察すると瞳孔不同がより明らかになる。患者の意識が清明であれば脳動脈瘤を，昏睡状態であればテント切痕ヘルニアを考える。

近見反応の検査も行う(p.367)。これは瞳孔の収縮(瞳孔括約筋)，輻輳(内側直筋)，水晶体の調整(毛様体筋)を調べるものである。

対光反射が正常で，片側の瞳孔径が異常である場合は，交感神経の障害による **Horner(ホルネル)症候群** が示唆され，暗いところで観察すると，瞳孔不同がより明らかになる[63]。

第Ⅲ，Ⅳ，Ⅵ脳神経：動眼，滑車，外転神経

外眼筋運動 extraocular movement を，6つの基本的な方向への注視で調べる。いずれかの方向で眼球の共同運動が障害されていないかどうかを観察する。輻輳についても確認する。診察中に対象物が2つにみえることがあるかをたずねる。どの方向への注視で**複視 diplopia** が増強するかを患者にたずね，眼球運動が左右で異なっていないか，注意深く観察する。複視がある場合，患者に片眼ずつ手などで覆わせて，**複視が単眼で起こるのか，複眼で起こるのかを明らかにする。**

第12章「眼」を参照(p.368〜369)。

表12-7「共同注視障害」(p.399)を参照。単眼性複視は，眼鏡やコンタクトレンズの問題で生じる他に，白内障や乱視など，眼球自体の問題も原因となる。両眼視での複視は，第Ⅲ，Ⅳ，Ⅵ脳神経麻痺(これが40％を占める)，核間眼筋麻痺，重症筋無力症や，外傷を含む眼筋障害，甲状腺眼症などで生じる[64]。

また，**眼振 nystagmus** の有無を確認する。眼振は眼球の不随意運動であり，急速相と緩徐相からなる。眼振があれば，誘発される注視の方向，様式(水平性，垂直性，回旋性，混合性)，急速相，緩徐相の向きを記録する。**眼振の記載は，急速相の向きで表記される(例：「左向き眼振」)。**患者に視覚が安定する距離を注視させ，眼振の程度が変動しないか観察する。

表24-9「眼振」を参照。眼振は，小脳疾患(運動失調，構音障害を伴う)，前庭機能障害，核間眼筋麻痺で生じる。

診察の技術

眼瞼下垂 ptosis（上眼瞼の下垂）の有無を確認する。虹彩や瞳孔を目安として、眼瞼がどこまで下がっているかを観察する（図 24-9）。なお、左右の眼裂のわずかな差異は、健常人のおよそ 3 人に 1 人でみられる。

異常例

眼瞼下垂は、第Ⅲ脳神経麻痺、Horner症候群（眼瞼下垂、縮瞳、前額部の無汗症）、重症筋無力症で認められる。

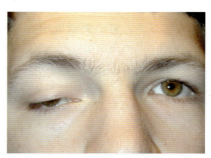

図 24-9　第Ⅲ脳神経麻痺による右上眼瞼の下垂（Savino PJ, Danesh-Meyer HV. *Neuro-Ophthalmology*. 3rd ed. Wolters Kluwer; 2019, Fig. 10-1a. より）

第Ⅴ脳神経：三叉神経

運動

患者に固く歯を食いしばらせ、側頭筋、咬筋を順に触診する（図 24-10、24-11）。筋収縮の程度を確認する。患者に開口させ、また、左右に顎を動かしてもらう。

顎の食いしばりや一方への偏位は、それぞれ咬筋、外側翼突筋の筋力低下が示唆される。開口時の顎の偏位は、偏位側に筋力低下のあることが示唆される。

脳幹における第Ⅴ脳神経障害による片側性の筋力低下、両側大脳半球障害による両側性の筋力低下について検査する。

脳卒中による中枢性障害では、大脳皮質や視床病変では、顔面・四肢ともに病変の反対側に感覚障害を生じる。脳幹病変では顔面は病変と同側、四肢では病変の反対側に感覚障害を生じる。

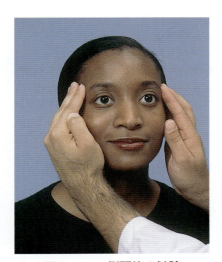

図 24-10　側頭筋の触診

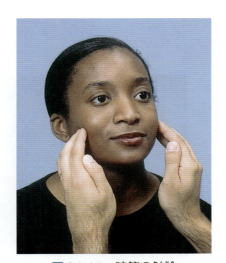

図 24-11　咬筋の触診

感覚

患者に診察の手順をよく説明してから，図24-12に示すように，両側の第Ⅴ脳神経の3領域の感覚を検査する。患者には眼を閉じてもらう。**軽い刺激 light touch**には，小さい綿の切れ端を用いる。患者に触覚を感じるかをたずねる。**痛覚 pain sensation**の検査には，ピンなど尖ったものを用いる。木片を細く削ったものや，綿で「こより」を作って使用してもよい。感染防止のため，患者ごとに新しいものと交換する。検査中にときどき，対照的に鈍い刺激も交え，鋭いと感じるか鈍いと感じるか，また感じ方に左右差がないかをたずねる。触覚に異常があったならば，**温度覚 temperature sensation**についても調べる。温水と氷水を入れた2本の試験管を用いるのが，古典的な方法である。音叉を用いてもよいが，そのままでは音叉を冷たいと感じるので，温水や冷水で温めたり冷やすとよい。乾かしてから皮膚にあて，温かいと感じるか，冷たいと感じるかたずねる。

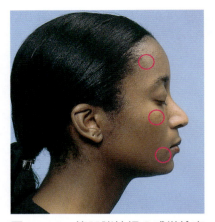

図 24-12　第Ⅴ脳神経の感覚検査の3領域

三叉神経（第Ⅴ脳神経）などの末梢神経障害による，限局性の感覚低下。

第Ⅶ脳神経：顔面神経

安静時や会話時の，両側顔面の状態を観察する。左右差（特に鼻唇溝），チックなどの異常運動の有無に注目する。

鼻唇溝の浅薄化，下眼瞼の下垂は第Ⅶ脳神経麻痺を示唆する。

患者に以下のことをしてもらう。

1. 両方の眉毛をつり上げる

2. 顔をしかめる

3. 両目を，外力に抵抗するように固く閉じ，図24-13に示すように診察者がこれを開けようとするときに感じる筋力を調べる

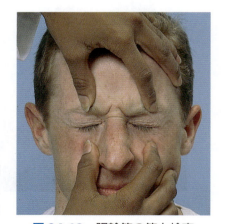

図 24-13　眼輪筋の筋力検査

4. 上下の歯がみえるように口を開ける

5. 微笑む

6. 両頬をふくらませて，ぷっと息を吹き出す

Bell（ベル）麻痺など，第Ⅶ脳神経の末梢性障害では，顔面の上部筋・下部筋ともに障害される。中枢性障害ではおもに下部筋が障害される。Bell麻痺では，味覚低下，聴覚過敏，流涎の増加・減少を生じる[65]。

表24-10「顔面麻痺の種類」を参照。

一側の顔面麻痺では，微笑んだり顔をしかめたときに，麻痺側の口角が下垂する。

診察の技術

第Ⅷ脳神経：内耳神経（聴神経）

小さな音によって，おおまかな聴力を検査する（囁語検査）。耳元で診察者が指を擦るなどして小さな音を発生させ，これを繰り返して何回聴こえたかをたずねる。左右ともそれぞれに調べる。

聴覚低下がある場合には，気導が損なわれる**伝音性難聴 conductive hearing loss** か，聴神経の蝸牛枝障害による**感音性難聴 sensorineural hearing loss** かを明らかにする。Rinne（リンネ）試験は**気導 air conduction・骨導 bone conduction** を，Weber（ウェーバー）試験は左右差を調べる方法である。

第Ⅸ，Ⅹ脳神経：舌咽神経，迷走神経

患者の声を聴き，嗄声や鼻声の有無に注意する。

嚥下障害はないか？

患者に「あー」と発声するか大きく開口してもらい，軟口蓋と咽頭を観察する。正常では軟口蓋は対称性に挙上し，口蓋垂は正中に位置する。また，後咽頭は左右とも同じように，カーテンのように動く。口蓋垂のわずかな傾きは健常人でもみられることがあるので，これを第Ⅸ，Ⅹ脳神経の病変による偏位と間違えないように注意する。

異常例

第13章「耳と鼻」の「囁語検査」(p.418)を参照。

囁語検査は，聴覚低下の検出に関して感度が90％超，特異度が80％超である[66]。

第13章「耳と鼻」での「Weber試験・Rinne試験の検査法」(p.418～419)，表13-4「難聴の種類」(p.428)を参照。

伝音性難聴は，耳垢，耳硬化症，中耳炎などで生じる。加齢による聴力低下は通常，感音性難聴によるものである。

第Ⅷ脳神経，聴神経の障害は，眼振の原因となる。昏睡患者に対する温度眼振試験（カロリック試験）については，p.922を参照。第Ⅷ脳神経の前庭機能についての特異的検査は，通常の神経学的診察で行われることは，ほとんどない。

難聴と眼振を伴う回転性めまいは，Ménière病の典型像である。

表13-1「浮動性めまい dizziness と回転性めまい vertigo」(p.424)，表24-9「眼振」を参照。

嗄声は声帯の麻痺で，鼻声は口蓋の麻痺で生じる。

嚥下障害は咽頭，口蓋の筋力低下で生じる。

第Ⅹ脳神経の両側性麻痺では，口蓋が挙上できなくなる。片側性麻痺では麻痺側の口蓋が挙上しなくなり，口蓋垂が健側に引かれて偏位する（図24-14）。咽頭反射の検査については，p.923を参照。

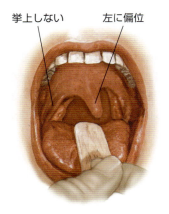

図24-14 右側の口蓋挙上障害による，口蓋垂の左側（健側）への偏位

| 診察の技術 | 異常例 |

第XI脳神経：副神経

患者の後ろに立ち，僧帽筋の萎縮，線維束性収縮の有無，左右差を観察する。**線維束性収縮 fasciculation** は，障害された筋線維の小さな集まりが，細かく不規則にピクピクと収縮する現象である。**診察者が加える力に抵抗して両肩を挙上させ**（図24-15），僧帽筋の筋力と筋収縮について評価する。

僧帽筋が麻痺している場合は肩が垂れ下がり，肩甲骨が下方外側に偏位する。

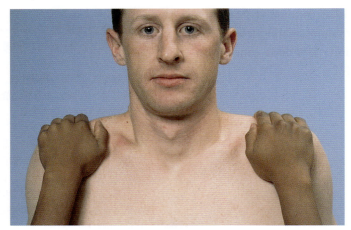

図 24-15　僧帽筋の筋力検査

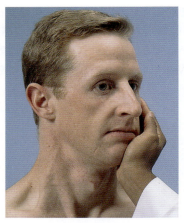

図 24-16　胸鎖乳突筋の筋力検査

診察者の手（力）に抵抗して，首を横向きに回転させる（図24-16）。

胸鎖乳突筋が両側性に障害されていると，仰臥位から頭部を挙上させるのが困難となる。

首が向いているのとは反対側の胸鎖乳突筋の筋力と筋収縮を評価する。

第XII脳神経：舌下神経

患者が発する言葉を聴く。言葉の発音は，第XII脳神経の他，第V，VII，IX，X脳神経も関係している。舌機能の評価には，まず静止時での観察を行い，萎縮や線維束性収縮の有無をみる。いくらかの粗い動きは正常でもみられる。つぎに，舌を前方に突き出してもらい，左右差や萎縮，正中からの偏位の有無をみる。舌を左右に動かしてもらい，動きの対称性を観察する。はっきりしないときは，舌で口の内側から頬を押し出すようにしてもらい，その強さを頬の外側から触診する。

発音不全，**構音障害 dysarthria** については，表24-2「言語障害」を参照。舌萎縮や線維束性収縮は，ALSの患者や，ポリオの罹患歴のある患者にみられる。

舌を突き出したときの偏位は，脱力のある側に向く。大脳皮質障害の場合は病巣と反対側に，第XII脳神経障害の場合は障害側に向く。

運動系

運動系の診察では姿勢，不随意運動，筋の状態（筋量，筋緊張，筋力），協調運動といった要素を意識する。

診察の技術

本項では，運動機能の全般について解説する．上肢，下肢，体幹ともにこの内容に沿って診察し，異常がある場合には，原因は中枢性か末梢性か，その筋の支配神経は何かを明らかにする．

姿勢

運動時と安静時における患者の姿勢を観察する．

不随意運動

振戦，チック，舞踏運動，線維束性収縮などの不随意運動の有無を観察する．その部位，性状，速度，リズム，振幅に注意することは，不随意運動のタイプを知るために有用である．また，姿勢や活気，疲労，感情，精神状態との関係についても検討する．

筋量

筋の大きさと輪郭を観察する．筋のふくらみに乏しかったり，くぼんでいる場合，**萎縮 atrophy** ないしは疲弊を示唆するかどうかを考える．一側性か両側性か，近位筋か遠位筋か？

筋萎縮を観察するときは，特に手，肩，大腿，ふくらはぎに注意する．中手骨の間隙は背側骨間筋で満たされ，くぼみはほとんどない（図 24-17）．母指球筋，小指球筋は十分な厚みで盛り上がっている（図 24-19）．手の軽度の筋萎縮は，正常の加齢性変化でも生じる（図 24-18，24-20）．

異常例

姿勢に異常がある場合は，脳卒中による一肢の麻痺，あるいは片麻痺がないかに注意する．表 24-11「姿勢の異常」参照．

Parkinson 病患者では，緩徐な安静時の「丸薬まるめ様 pill-rolling」振戦がみられる．表 24-8「振戦と不随意運動」を参照．

筋萎縮は下位運動ニューロン障害の徴候であり，運動ニューロン疾患，神経根障害，末梢神経障害でみられる．

中手骨の深い陥凹や母指球筋，小指球筋の平低化（それぞれ正中神経障害，尺骨神経障害で生じる）は，筋萎縮を示唆する．

筋肥大は，正常な筋力，または筋力の増強を伴う筋量の増加である．Duchenne（デュシャンヌ）型筋ジストロフィでは，減少した筋から置き換わった脂肪や結合組織の増加により，みかけの肥大である偽性筋肥大を呈する．

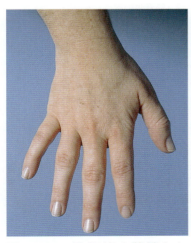

図 24-17　骨間筋の萎縮なし（44 歳女性）

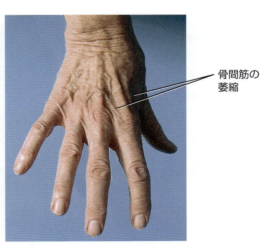

図 24-18　骨間筋の萎縮（84 歳女性）

| 診察の技術 | 異常例 |

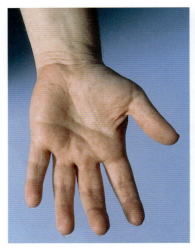
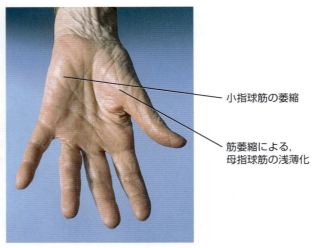

図 24-19　小指球筋の萎縮なし（44歳女性）

図 24-20　小指球筋の萎縮（84歳女性）
- 小指球筋の萎縮
- 筋萎縮による，母指球筋の浅薄化

萎縮している筋に，線維束性収縮がないかを観察する。はっきりしないときは，ハンマー（打腱器）で筋を叩くと誘発されることがある。

筋萎縮と筋萎縮を伴う線維束性収縮は，末梢運動ニューロン疾患を示唆する。
筋自体の疾患（ミオパチー myopathy）でも筋萎縮をきたす場合があるが，線維束性収縮はみられない。皮質脊髄路の障害では，ときに廃用性の軽度の筋萎縮を生じることがある。

筋緊張

正常な筋が正常な神経支配を受けているとき，力を抜いた状態であっても，わずかながら一定の張力が保たれており，これを筋緊張（筋トーヌス）という。筋緊張は，受動運動により感じられる抵抗によって評価するのがよい。患者には，力を入れないでよいと説明する。患者の片手をとり，診察者の手で肘を支え，指，手首，肘を順に屈曲・伸展させる。つぎに肩関節を，無理のない範囲で回す。実際には，これらは一連の動作で可能である。左右ともに受動運動に対する抵抗によって筋緊張を評価する。精神的に緊張した状態の患者では，普段よりも抵抗は強くなる。繰り返し行い多くの経験を積むことで，正常の抵抗がどの程度のものであるかを知ることができる。

抵抗の減弱は末梢神経系障害，小脳疾患の他，脊髄障害の急性期でも認められる。表24-12「筋緊張の異常」を参照。

抵抗が少ないと思われた場合には，前腕をもって前後にゆったりと振ってみる。正常では完全にはぶらぶらしない程度に腕がゆれる。

ぶらぶらして顕著に柔らかい場合は筋緊張低下あるいは筋弛緩が考えられ，一般に末梢運動系の障害が原因である。

診察の技術

抵抗が強いと思われた場合は，診察者の動かしかたで状態が変化するか，屈曲と伸展など，対になる両方向の関節可動域がともに保たれているかを明らかにする。動かす速度を変えてみる。また，ぴくりと引っかかるような抵抗がないかにも注意する。

下肢の筋緊張を評価するには，患者の大腿を片方の手で支え，もう一方の手で足をもち，膝，足首を屈曲・伸展させる。下肢を動かしたときの抵抗に注意する。図 24-31，24-32（p.896）も参照。

回内試験

患者の両上肢を，手掌を上にして前方に真っすぐ伸ばした姿勢を保たせる（図24-21）。正常では両上肢の位置は安定している。

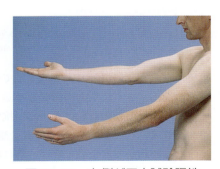

図 24-22 左側が回内試験陽性

図 24-21 回内試験

つぎに，患者に両上肢を前方に挙上した姿勢を保ち，目を閉じるよう依頼し，**観察者が両上肢を下方へ急速に押し下げる**。正常では上肢はすばやく元の水平な位置に戻る。この反応には，正常な筋力，協調運動，位置覚のすべてが必要である。

異常例

痙縮 spasticity は，動作速度が速いほど顕著になる筋緊張の亢進であり，動作のはじまりで強い。皮質脊髄路を障害する中枢性の疾患で生じる。

筋強剛 rigidity は，動作のはじまりから終わりまで変化しない筋緊張の亢進で，動作速度に依存しない。

筋強剛は，Parkinson 病など，大脳基底核を障害する中枢性疾患でみられる。

回内筋の動揺は，前腕と手掌が内側に傾き，下垂して生じ（図 24-22），対側大脳半球の皮質脊髄路障害で多く生じ，また特異的である。

前腕が下がっていくとともに肘と指の屈曲もみられる[67-70]。位置覚が障害されている場合には，腕は左右にも上方にも動揺し，手をねじるような動きを伴うこともある。患者は位置のずれを意識できない場合もあり，指摘されても修正することが困難である。

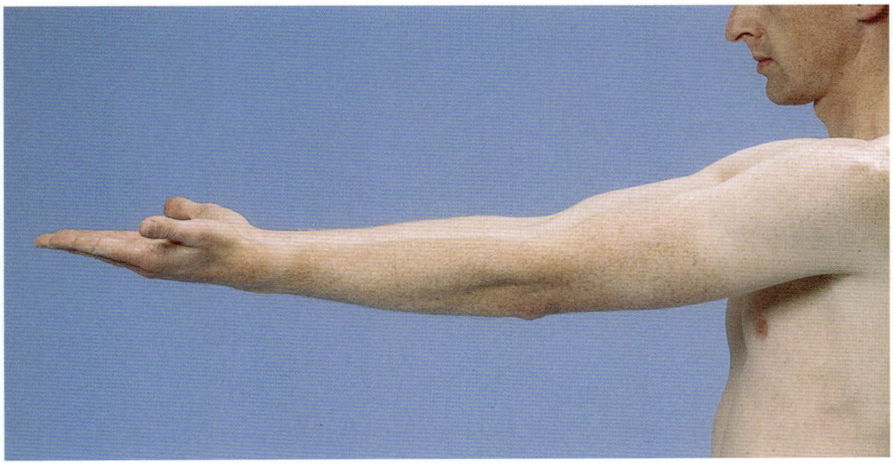

小脳性失調では，元の位置を通り越したり，跳ねるような動きをする。

診察の技術

筋力

正常な筋力は個人差が大きく，どの程度の力を正常とみなすのかという基準も，年齢，性別，筋肉のトレーニングの度合いなどによって変動しうるものである。また，利き手，利き足の筋力は，対側に比していくらか強いのがふつうである。左右差の評価には，この点に配慮する必要がある。

筋力は，診察者の力に抵抗して動かしてもらい調べる（Box 24-7）。なお，筋力は，筋が最も収縮した状態で強く発揮され，弛緩している状態では弱まるものである。診察者が与える力を，患者が屈しない程度に加減することも，正しい筋力評価を行ううえで必要である。患者によっては，痛みや，検査についての誤解，診察者の与える力にまかせてしまう，転換性障害，わざと抵抗できないように偽るなどのために，検査の試行が難しくなる場合がある。

Box 24-7 筋力の評価スケール

筋力は 0〜5 の 6 段階で評価する
5＝十分な抵抗に逆らって，特別に疲労することなく動作ができる（＝**正常筋力**）
4＝重力の他に，一定の抵抗に逆らって動作ができる
3＝重力に抗して，関節可動域いっぱいに動作ができる
2＝重力の影響を排除すれば，関節可動域いっぱいに動作ができる
1＝筋の収縮は認められるが，関節運動には至らない
0＝筋の収縮が認められない

出典：Medical Research Council の許可を得て Medical Research Council. Aids to the examination of the peripheral nervous system. London: Bailliere Tindall, 1986. より掲載

抵抗に逆らえないほど筋力が低下している場合には，抵抗を加えずに重力に逆らえるか調べ，さらに重力の影響を排除してみる。例えば，前腕が回内位で静止しているとき，手首の背屈は重力に抵抗する動作となる。また前腕が回内と回外の中間位にあるときは，手首の伸展は重力の影響を排除した動作となる。最後に，まったく動作ができないときは，筋に収縮を認めるか，認めないかを観察または触診する。

さらに，多くの専門医は，必要に応じて，数字に「＋」「－」を追加して，さらに細かく評価する。例えば「4＋」とは「ほとんど正常だが完全ではない」，「5－」は「ごくわずかな筋力低下」といった意味になる。

異常例

筋力が低下している状態，脱力をきたしている状態を**不全麻痺 paresis** という。筋力の欠如した状態を**（完全）麻痺 paralysis** または **麻痺 plegia** という。**不全片麻痺 hemiparesis** は身体の半側の不全麻痺を意味し，**片麻痺 hemiplegia** は半側の完全麻痺である。**対麻痺 paraplegia** は両下肢の麻痺を，**四肢麻痺 quadriplegia** は四肢の完全麻痺を指す。

表 24-1「中枢神経系障害と末梢神経系障害」を参照。

診察の技術

主要な筋，筋群についての診察法を以下に示す。神経系のスクリーニング診察では，身体のすべての筋を対象とはしない。筋力の正しい評価をするためには，自分自身の筋でも検査してみて，比較するとよい。

筋力検査を行うときにもう1つ気をつけるべき点は，目的の筋以外の影響が入らないようにすることである。例えば，肘関節の屈曲・伸展を検査する場合，診察者は患者の上腕を支え，肩の筋が作用しない状態とすべきである。

関連する髄節と筋名をかっこ内に記す。脊髄，末梢神経レベルの詳細な局在診断が必要となるが，これについては神経学の成書を参照されたい。

肩関節の外転（C5，C6：三角筋）を検査する。上肢を，横から肩の高さまで挙上させる。肩関節を外転させ，患者の上腕を強く押し下げる（図24-23）。左右の比較を行うには，両側を同時に検査するのもよい。

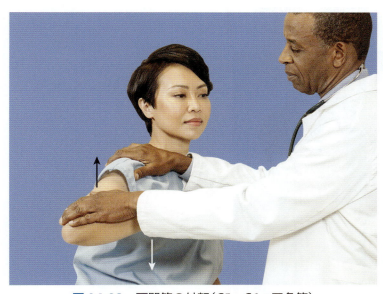

図 24-23　肩関節の外転（C5，C6：三角筋）

肘関節の屈曲（C5，C6：上腕二頭筋，腕橈骨筋）と，**肘関節の伸展**（C6，C7，C8，上腕三頭筋）を検査する。診察者の力に抵抗して，腕を曲げ伸ばしさせる（図24-24，24-25）。

診察の技術　　　　　　　　　　　　　　　　　　　　　　　　　異常例

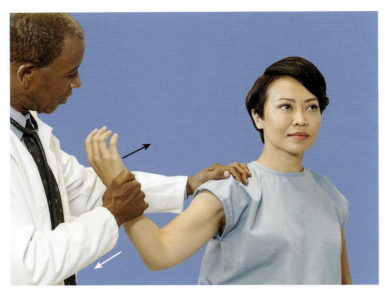

図 24-24　肘関節の屈曲（C5，C6：上腕二頭筋，腕橈骨筋）

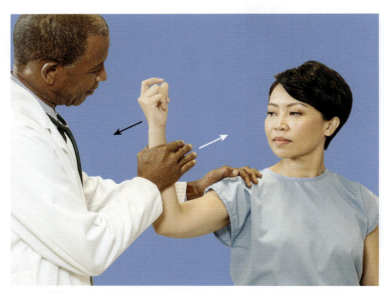

図 24-25　肘関節の伸展（C6，C7，C8：上腕三頭筋）

手関節の伸展（C6，C7，C8，橈骨神経：長橈側手根伸筋，短橈側手根伸筋，尺側手根伸筋）を検査する．拳を握らせ，診察者がこれを押し下げようとする力に抵抗させる（図24-26）．または，手掌を上向きにして指を伸ばした状態で，前腕を伸展させ，診察者が手掌を押し下げる．

手首や手指の伸展障害は，末梢神経系障害としては橈骨神経障害があり，中枢神経系障害としては脳卒中や多発性硬化症による片麻痺でみられる．

診察の技術

異常例

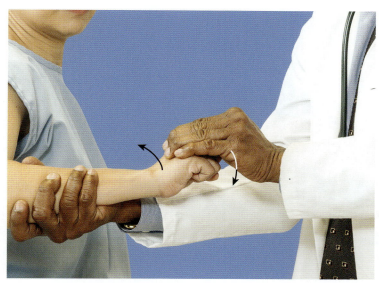

図 24-26　手関節の伸展（C6，C7，C8，橈骨神経：長橈側手根伸筋，短橈側手根伸筋，尺側手根伸筋）

手指の伸展（C7，C8，橈骨神経：総指伸筋）を検査する。患者の前腕を診察者の一方の手でつかみ，他方の手で，伸展させた手指を押し下げる（図 24-27）。

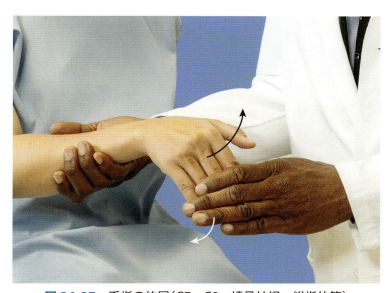

図 24-27　手指の伸展（C7，C8，橈骨神経：総指伸筋）

手指の外転（C8，T1，尺骨神経：第一背側骨間筋，小指外転筋）を検査する。手掌を下向きにして手指を開かせる。診察者が手指を閉じる方向に力を加え，その力に抵抗させる（図 24-28）。

手指の外転障害は尺骨神経障害から生じる。

| 診察の技術 | 異常例 |

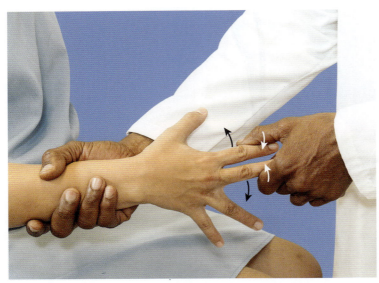

図 24-28　手指の外転（C8，T1，尺骨神経：第一背側骨間筋，小指外転筋）

母指の外転（C8，T1，正中神経：短母指外転筋）を検査する。前腕を完全に回外させる。そのうえで母指が真っすぐ天井の方向を指すよう依頼する。診察者は，それを手掌の方向に押し下げる（図 24-29）。

母指の外転障害は，手根管症候群などの正中神経障害で生じる（第 23 章「筋骨格系」，p.798 を参照）。

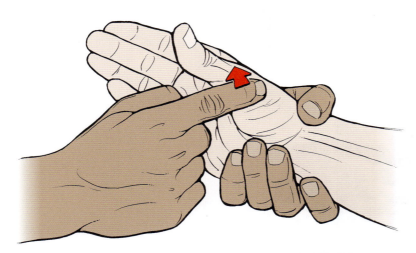

図 24-29　母指の外転（C8，T1，正中神経：短母指外転筋）(MediClip image copyright (c) 2003 Lippincott Williams & Wilkins. All rights reserved.)

股関節の屈曲(L2, L3, L4：腸腰筋)を検査する。患者を座位または仰臥位とし、診察者の手を大腿部に置き、その力に抗して下肢を挙上させる(図24-30)。

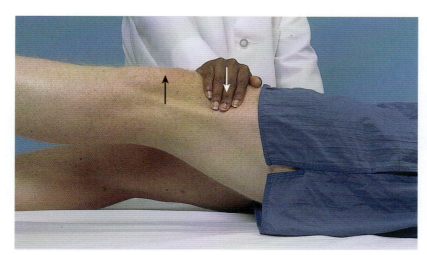

図 24-30　股関節の屈曲(L2, L3, L4：腸腰筋)

股関節の内転(L2, L3, L4：内転筋群)を検査する。診察者の手を患者の両膝の間に置き、両下肢でこれを強く挟んでもらう。

股関節の外転(L4, L5, S1：中殿筋, 小殿筋)を検査する。診察者の両手を患者の両膝の外側に置き、その力に抗して両下肢を外側に開かせる。重力に逆らって検査するには、患者を側臥位にして、上方の脚を上に持ち上げる。

股関節の伸展(S1：大殿筋)を検査する。患者を腹臥位とし、ベッドから下肢を浮かせる。診察者は、大腿の後面を押し下げる。

膝関節の伸展(L2, L3, L4：大腿四頭筋)を検査する。患者を仰臥位とし、膝関節を屈曲位で支え、診察者の力に抗して下肢を真っすぐに伸展させる(図24-31)。大腿四頭筋は身体のなかでも最大の筋の1つであり、診察者にも相当な力がかかることを覚えておく。この検査は座位で行うこともできる。

> 近位筋の左右対称の筋力低下は、ミオパチーを示唆する。遠位筋の対称性筋力低下では、多発ニューロパチーなどの末梢神経障害が示唆される。

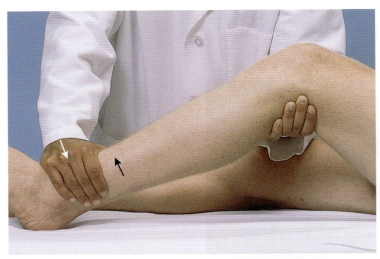

図 24-31　膝関節の伸展(L2, L3, L4：大腿四頭筋)

膝関節の屈曲〔L5, S1, S2：ハムストリングス(膝屈筋群)〕を検査する。患者を仰臥位とし，足を診察台につけた状態で膝を屈曲させ，診察者が足を引き上げようとする力に抗して，足が診察台から浮かないよう踏ん張らせる(図 24-32)。

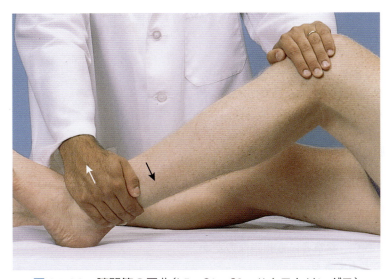

図 24-32　膝関節の屈曲(L5, S1, S2：ハムストリングス)

診察の技術

足関節の背屈(L4, L5：前脛骨筋)，**底屈**(S1：腓腹筋，ヒラメ筋)を検査する。診察者の力に抗して足首を反らさせ(図24-33)，また，踏み込ませる(図24-34)。この背屈，底屈はそれぞれ，踵歩き，つま先歩きでも評価することができる。

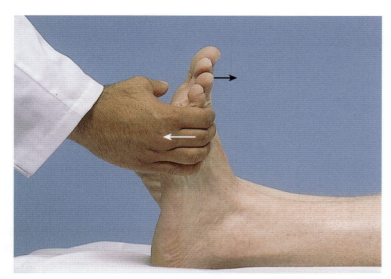

図 24-33　足関節の背屈(L4, L5：前脛骨筋)

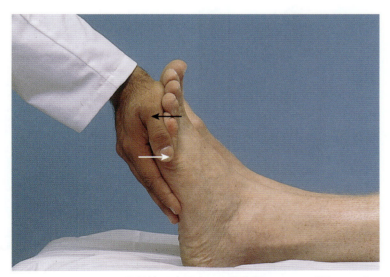

図 24-34　足関節の底屈(S1：腓腹筋，ヒラメ筋)

協調運動

筋の協調運動は，以下の4つの神経系が統合的に作用することで可能となる。

- 運動系：筋力

| 診察の技術 | 異常例 |

- 前庭系：平衡と，眼，頭部，身体動作の協調

小脳疾患では，眼振，構音障害，筋緊張低下，運動失調に注意する。

- 感覚系：位置覚

運動失調 ataxia では，協調的な随意運動が困難となる。

- 小脳系：正常なリズムでの動作，安定した姿勢にかかわる，種々の情報を統合する。

協調運動の診察では，以下の点に注目する。

- 急速変換運動
- 2点間の運動
- 歩行，足の置く位置

急速変換運動

上肢：手掌で大腿部を叩き，つぎにその手を上げて手掌を返し，今度は手背で大腿部を叩く。この動作を患者に示した後，できるだけ速く，これを繰り返させる（図 24-35）。

速度，リズム，動作の滑らかさを観察する。反対側の手も行う。利き手でないほうの手では，いくぶん拙劣なことがある。

図 24-35　上肢の急速変換運動による，協調運動のテスト

小脳疾患では急速な交互動作が困難で，遅く，不規則で拙劣となり，**反復拮抗動作不能 dysdiadochokinesis** と呼ばれる。

つぎに示指で母指の遠位指節間関節をできる限り速く，繰り返し叩いてもらう（図 24-36）。同様に，速度，リズム，動作の滑らかさを観察する。これも，非利き手ではいくらか拙劣となることがある。

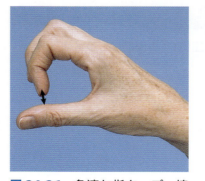

図 24-36　急速な指タップ，協調運動のテスト

小脳疾患では，指タップが不正確で不規則なリズムとなる。上位運動ニューロン，あるいは大脳基底核疾患でもこうした動きが障害される場合があるが，細かい点ではやや異なり，動きはより遅く，また小さくなる。

| 診察の技術 | 異常例 |

下肢：足の基部で診察者の手，あるいは床を，できるだけ速く，繰り返し叩いてもらう。速さや巧緻性を観察する。下肢の巧緻動作は，上肢に比してやや劣るのがふつうである。

2 点間の運動

指鼻試験 finger-to-nose test：患者の示指で，診察者の示指と患者自身の鼻とを交互に何回か触れるよう依頼する。診察者の指の位置は，患者が腕を真っすぐ伸ばしたときに届く距離に置き，適宜，方向を変える。動作の滑らかさ，振戦の有無を観察する。

小脳疾患では動作が拙劣，不安定となり，動作の速度，強さ，方向に許容範囲を越えた変化が生じる。患者の指が診察者の指を行き過ぎる，または達しないものを，**測定異常 dysmetria** と呼ぶ。**企図時振戦 intention tremor** は，動作の終点に近づくときに生じやすい。表 24-8「振戦と不随意運動」を参照。

患者が腕をいっぱいに伸ばして届く位置に診察者の指を置き，患者に自身の鼻と診察者の指を交互に何回か触り，往復させるよう依頼する。何回かこれを行ってから，今度は眼を閉じさせ同様の動作を複数回行う。両側とも行う。正常では閉眼しても，開眼時と同様に診察者の指に触れることが可能である。閉眼時にも正確で直線的な動作を行うためには，位置覚，両側内耳の迷路機能，小脳機能の働きが必要である。

動作の正確さが閉眼時に顕著に損なわれる場合は，位置覚の障害が考えられ，**感覚性運動失調 sensory ataxia** と呼ばれる。

踵膝試験：片方の足の踵を対側の膝に置き，前脛部に沿って母趾まですべらせるように依頼し（図 24-37），動作の滑らかさ，正確さを観察する。眼を閉じてこれを繰り返してもらうと，位置覚の評価になる。両側とも行う。

小脳疾患では，踵が膝の位置を通り越したり（**測定異常**），前脛部をすべらせるときに左右に動揺する（**企図時振戦**）。位置覚が障害されていると踵はややオーバーに持ち上がり，患者は目で脚をみて補正しようとする。閉眼するとこれらの動作はさらに拙劣となる。

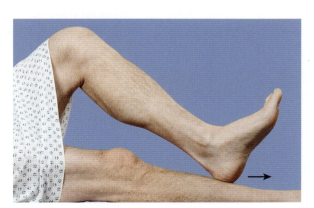

図 24-37 踵膝試験による，協調運動のテスト
(Weber JR, Kelley JH. *Health Assessment in Nursing*. 6th ed. Wolters Kluwer; 2018, Fig. 25-22. より)

歩行

患者に以下のように依頼する。

歩行障害は，転倒リスクを増大させる。

| 診察の技術 | 異常例 |

- 手をつかないで**座位から立ち上がる**(患者の両腕を，胸の前で交叉させるようにすると確実である)。

椅子からの立ち上がりが困難な場合は，近位筋(股関節の伸展筋)，大腿四頭筋(膝の伸展筋)またはその両方の脱力が示唆される。第27章「老年」のBox 27-7「Timed Get Up and Go Test」(p.1175)を参照。

- 診察室，あるいは**廊下を歩き**，方向転換して戻ってくる。姿勢，歩幅，バランス，腕の振りかた，下肢の動きを観察する。正常ではバランスが保たれ，腕の振りかたは左右対称であり，方向転換も滑らかである。

失調歩行は，両足が開き，よろめいて不安定な，協調を欠いた歩行となる。運動失調は，小脳疾患，位置覚の低下，薬物中毒でみられる。Parkinson病患者では，前傾姿勢，すり足，腕振りの減少を伴った緩徐歩行を呈する。表24-3「歩行と姿勢の異常」を参照。

- **直線上を踵-つま先歩行**—継ぎ足歩行と呼ばれる(図24-38)。

継ぎ足歩行により，他の診察法では気づかれなかった運動失調が明らかになることがある。

- **つま先歩き，踵歩き**—バランス(平衡)の他，足首の底屈，背屈を評価する。

つま先歩き，踵歩きは，下肢遠位筋の筋力低下があると支障をきたす。踵歩きの検査は，皮質脊髄路の障害の検出に有効である。

Romberg(ロンベルグ)試験

位置覚をみるための最も基本的な検査である。まず，開眼した状態で両脚をそろえて立ち，つぎに両眼を閉じて約30秒間，支えなしで観察する。患者が直立の姿勢を保つことができるかを観察する。正常では，動揺がみられることがあっても，ごくわずかである。

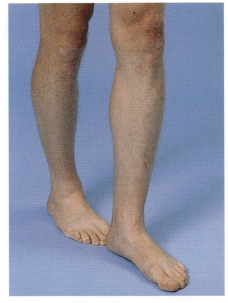

図 24-38 継ぎ足歩行の検査(踵-つま先歩行)

位置覚の障害による**感覚性運動失調**では，視覚が感覚障害を補っている。このため，開眼状態では良好な姿勢を保てるが，閉眼するとバランスが崩れる。これをRomberg徴候陽性という。**小脳性失調** cerebellar ataxiaでは眼の開閉にかかわらず，両脚をそろえて起立姿勢を保持することは困難である。

感覚系

感覚系の診察は，以下の複数の要素からなる。

- 痛覚，温度覚(脊髄視床路)

- 位置覚，振動覚(後索)

- 触覚(上記の両者)

- 識別覚：上記の他，大脳感覚皮質の機能も関与する。

感覚障害のパターンを意識し，中枢，末梢のどこに原因が存在するかを考えながら，注意深く診察する。感覚障害がある場合，両側性なのか，それとも一側性なのか，左右対称か，どのようなパターンと一致するか，皮膚分節に沿っているか，多発ニューロパチーや脊髄障害と考えられるか？

表24-1「中枢神経系障害と末梢神経系障害」を参照。

診察の技術

ある原因病変の局在を考えるには，運動系や反射など，他の異常所見とも相関する。さまざまな感覚障害を正確に診断するには，繰り返し経験することが求められる。

検査の様式

感覚の診察は，できるだけ効率的に行うよう心がける。患者が疲弊してしまうと，診察所見の信頼度も低下するからである。必ずしも，すべての患者にあらゆる種類の診察を行う必要はない。しびれや痛みを訴える部位，脊髄や末梢神経の障害を示唆するような運動・反射の異常，発汗異常・皮膚萎縮・潰瘍形成などの変化に眼を向ける。

正確かつ効率よく感覚障害を診察するための要点を，以下に示す（Box 24-8）。

Box 24-8　感覚障害を見極めるポイント

- 四肢，体幹を含む身体所見に，**左右差がないか比較する**
- 感覚の検査は，単調になると患者の反応もそれにつられることがあるので，**ペースを変えてみる**ことも必要である
- 感覚の低下や過敏を認める場合，**その境界を明らかにしていく**。まず症状が明らかな部位から刺激し，徐々に部位を変えていき，どこで感覚が正常となるかを確かめる

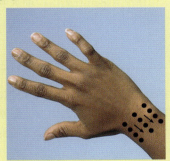

- 痛覚，温度覚，触覚は，四肢の遠位と近位で比較する。おもな皮膚分節と末梢神経の領域を記憶しておくと便利であり，以下にその例を示す（図24-42～24-45）
  - 肩（C5）
  - 前腕の内側（尺側）と外側（橈側）（T1，C6）
  - 母指と小指（C6，C8）
  - 大腿の前面（L3）
  - 内側踝（L4）
  - 足背（L5）
  - 第5足趾（S1）
  - 殿部の内側面（S3）
- 振動覚，位置覚の診察は，手指と足趾から行う。この部位で正常であれば，近位も正常である可能性が高い

異常例

脊髄損傷によって同側，ないしは対側の交叉性感覚障害をきたす脊髄症候群の詳細については，成書を参照されたい。

脊髄障害の高位診断，神経根，主要な末梢神経，その分枝といった末梢病変の局在診断には，感覚神経の分布をよく理解しておくことが必要である。

半側性の感覚障害は，対側の大脳半球に病巣があることを示唆する。感覚障害レベル（一側ないしは両側で，それ以下の感覚が障害されている皮膚分節の位置）は，脊髄病変の部位を示唆する。

手においてすべての種類の感覚が障害され，手首に向かって徐々に感覚が正常となっていく場合は，特定の末梢神経の障害でも，皮膚分節に沿った障害でもない（p.900～906参照）。両側で対称性にこのような状態が認められる場合は，多発ニューロパチーによる「手袋靴下型」の「手袋」とみられ，糖尿病でしばしば認められるものである。

対称性で遠位優位の感覚障害は**多発ニューロパチー polyneuropathy** を示唆する。遠位と近位における感覚を比較しないと見逃してしまうことがある。

診察の技術

実際に以下の診察をはじめる前に，これからどのような診察をするのか，どのように応じてもらいたいか，患者によく説明する。診察中は目を閉じてもらうようにする。

痛覚

綿棒の棒の部分か，他のふさわしいものを用いる。場合によっては先が尖っていないものを用いることもある。患者に，鋭い感覚か，鈍い感覚か答えてもらう。また，比較するときには同じ強さで2カ所に刺激を与え，同じように感じるかを答えてもらう。鋭いと感じられる最小の刺激で検査し，出血の原因となるような強い刺激は避ける。**接触感染を防止するため，診察に使用した物品は廃棄し，他の患者には使用しない。**

温度覚

温度覚の検査は，痛覚が正常であれば省略されることが多い。検査する場合は，温めたり，冷やしたりした音叉を用いる。これらを皮膚にあて，熱く感じるか，冷たく感じるかを患者にたずねる。

触覚

綿の切れ端で，圧迫しないよう軽く皮膚に触れ，触れたと感じたらすぐに答えてもらうよう患者に伝える。比較するために2カ所同時に刺激する。肥厚した皮膚では，正常でも触覚が鈍いので，検査を実施すべきかどうかはよく検討する。

振動覚

振動数の少ない，128 Hzの音叉を用いる。その先端を診察者の手根部で叩いて振動させ，患者の手指の遠位指節間関節 distal interphalangeal joint（DIP joint）の上にぴったりとあてて検査する。母趾のDIP関節上でも，同様に検査する（図24-39）。どのように感じたかを患者にたずねる。患者が圧力や振動を感じているか，はっきりしない場合は，振動が止まったと感じたら告げるよう依頼し，そのときにまだ音叉が振動しているならば，振動を止めてもう一度，患者に押しあて，感じかたに違いがあるかをたずねる。振動覚が障害されているときは，さらに近位における骨の突出部にも検査の範囲を広げていく（手首，肘，足関節部の内果，前脛骨部，膝蓋骨，上前腸骨棘，脊柱の棘突起，鎖骨など）。

異常例

痛覚消失 analgesia とは痛覚がないこと，**痛覚鈍麻 hypalgesia** とは痛覚が鈍くなること，**痛覚過敏 hyperalgesia** とは痛覚に対して敏感になることをいう。

感覚消失 anesthesia とは触覚がないこと，**感覚鈍麻 hypesthesia** とは触覚が鈍くなること，**感覚過敏 hyperesthesia** とは触覚に対して敏感になることをいう。

末梢性ニューロパチーでは振動覚が最初に障害されることがしばしばあり，また振動覚の低下があれば，末梢性ニューロパチーの可能性が16倍高いといえる[6]。糖尿病やアルコール，処方薬などが原因となる。進行性梅毒（第3期以降）やビタミンB_{12}欠乏などによる脊髄後索障害も，振動覚低下の原因となる[71]。

体幹の振動覚検査は，脊髄障害の高位診断に有用である。

診察の技術

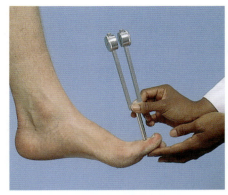

図 24-39　振動覚の検査

固有感覚（関節位置覚）

まず，患者の母趾の側面を**診察者の母指と示指でつまんで**，他の趾から離しておく（図 24-40）。検査のときに触覚の影響が加わらないようにするためである。患者には目を閉じてもらい，診察者が母趾を上下に動かし，どう動いたかを患者にたずねる。

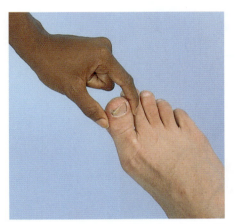

図 24-40　関節位置覚の検査（固有感覚）

両側とも何回か動かしてみる。位置覚に異常を認めた場合は，さらに近位の足首でも検査する。同様にして，手指について調べ，異常があれば中手指節関節 metacarpophalangeal joint（MCP joint），手首，肘と調べていく。

識別覚

大脳の感覚皮質における感覚の分析・統合などの機能について，さらにいくつかの検査を行う。**識別覚は，触覚・位置覚が正常または軽度の障害である場合にのみ評価可能である。**

立体認知 stereognosis について調べ，異常があれば他の検査に進む。検査中は，患者には目を閉じてもらう。

異常例

振動覚の低下と同様に，位置覚の障害も，第 3 期以降の梅毒，多発性硬化症，ビタミン B_{12} 欠乏による脊髄後索障害，糖尿病性ニューロパチーでみられる。

触覚，位置覚が正常で，識別覚が低下ないしは消失している場合，大脳の感覚皮質の異常が考えられる。立体認知，皮膚書字覚，2 点識別覚は，脊髄後索の異常でも障害されるる。

診察の技術 | 異常例

- **立体認知**：物体に触れてそれが何であるのかを識別する能力のことである。硬貨，クリップ，鍵，鉛筆，綿球など，日常よく使うものを患者の手に置いて，それが何であるかを答えてもらう。正常であれば患者は5秒以内に，物体を巧みに触って正しく認識することができる。さらに硬貨の裏表の識別まで調べれば，かなり精密な機能の検査になる。

  立体認知不能 astereognosis では，手に置いた物体の識別が困難である。

- **皮膚書字覚**：関節炎，その他の障害により，与えられた物体を患者が十分に触知できない場合は，患者の数字（文字）の識別能を調べる。ペンや鉛筆の後ろで患者の手掌に大きく数字を描いて（図24-41），その数字を答えてもらう。

  皮膚書字覚 graphesthesia（手掌に書かれた文字が認識できない場合）は，大脳の感覚皮質の障害が考えられる。

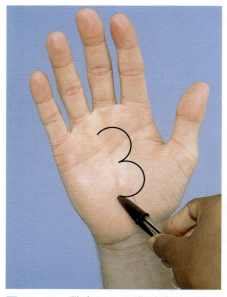

図 24-41 数字による識別感覚の検査（皮膚書字覚）

- **局所感覚**：患者の目を閉じさせ，診察者が患者の皮膚に瞬間的に触れ，今どこを触ったかを患者自身に指さしてもらう。診察者が触れた部位を正確に指すことができれば正常である。感覚消去の検査と同様に，体幹や下肢で特に有用な検査である。

  感覚皮質の障害では，局所感覚が正確でなくなる。

- **感覚消去**：診察者は患者の両腕をまず，左右それぞれに触れる。つぎに両腕を同時に触れ，どこに触れたかを患者にたずねる。正常では左右とも触れたと感じる。顔面，下肢についても同様に調べることができる。

  感覚消去では，一次感覚が正常であるにもかかわらず，身体の一部の感覚が欠如する。患者は，障害側のみに刺激を与えられた場合には正しく触覚を認識するが，両側を同時に刺激されると，非障害側でのみ触覚を認識できない。

  大脳皮質，特に右頭頂葉，あるいは右大脳基底核の障害は，対側の感覚消去の原因となる。

皮膚分節

皮膚分節 dermatome とは，脊髄の1分節ごとの感覚神経領域で描かれる帯状の分布図である．皮膚分節を知ることは，特に脊髄損傷などのときにその障害レベルを診断するために有用である．皮膚分節と末梢神経の分布を，図24-42～24-45に示す．これは，米国脊髄損傷学会 American Spinal Injury Association が推奨する世界標準によるものである[72]．皮膚分節には，ここで示した分布以外の個人差もある．各分節の上端，下端は，隣り合う分節と重複しており，正中線では一部交叉するものもある．皮膚分節はすべて記憶する必要はないが，特に知っておくべき分節を緑色で示している．

脊髄損傷では，損傷レベル以下のすべての皮膚分節で障害を生じうる．感覚障害の高位が実際の病変よりも数分節**下方**となることがあるが，その理由はよくわかっていない．

脊柱骨の打診による痛みが，高位診断に役立つことがある．神経根の障害では，障害部位に相当する皮膚分節に，限局した感覚障害を呈する．

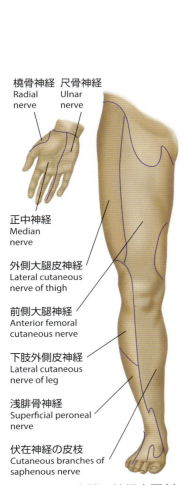

図 24-42 末梢の神経支配（右下肢の前面）

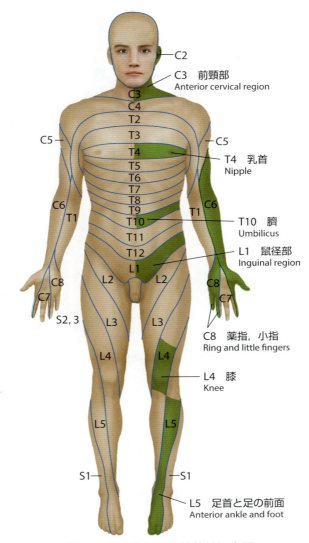

図 24-43 後根の分節状神経支配

診察の技術

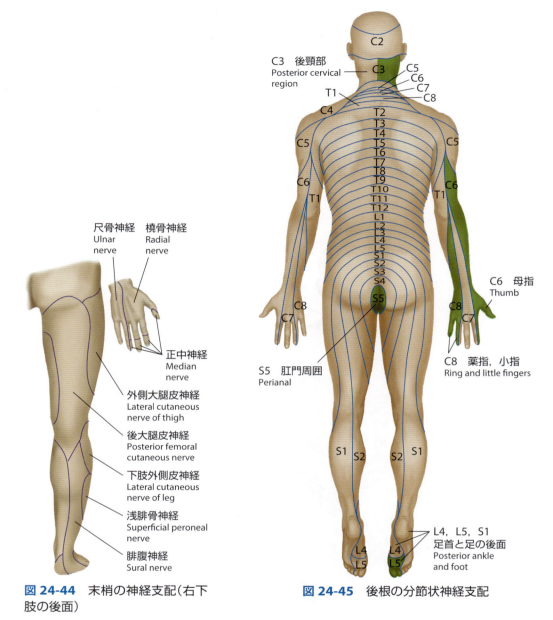

図 24-44　末梢の神経支配（右下肢の後面）

図 24-45　後根の分節状神経支配

筋伸張反射

筋伸張反射 muscle stretch reflex の診察には，ハンマーの熟練した扱いが求められる。適切な重さのハンマーを選び，尖った側と平らな側を使い分ける。尖った側は，上腕二頭筋の腱上に置いた診察者の指を叩くときのように，小さい目標に対して有用である。

反射を調べるときの一般的な要点を以下に示す。

診察の技術

- 患者に身体の力を抜いてもらい、四肢を左右対称の適切な位置に置く。

  ハンマーは母指と示指で軽くもち、手掌と他の3本の指で包みこむように握りながら、自由に振れるようにする（図24-46）。

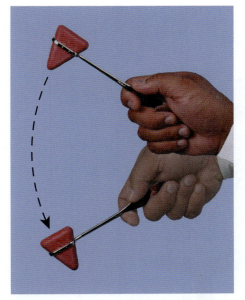

図 24-46　ハンマーの正しい使用—速いしなやかな振りで叩打する

- 手首の力を抜き、すばやく手首を動かして、腱を叩く。ハンマーで**すばやく、まっすぐ叩き**、斜めにそらしたりしない。

反射は、速度、力強さ、振れの大きさなどから、Box 24-9 に示した基準に従って評価し、ふつうは0～4の5段階で示す。常に左右の比較を行う[73]。

Box 24-9　反射の評価スケール

4	顕著な亢進で、クローヌス（規則正しい、屈曲・伸展の繰り返し運動）を伴う
3	正常に比べてやや亢進。病的とはいえない程度
2	平均。正常
1	やや減弱。増強法が必要
0	反射の消失

反射は、診察者が腱を叩く強さによっても変化する。力を入れすぎないようにする。左右対称の亢進、減弱、消失は、健常人でもみられることがある。左右差がある場合は、両側性の変化よりも異常を指摘しやすい。

反射が低下、ないしは消失していると思われるときは、増強法を用いる。被検部とは別の筋を最大10秒ほど収縮させることで、反射が惹起されやすくなる。増強法を必要とした場合、反射のグレードは「1」となる。上肢の反射を増強させたい場合は、患者に歯を食いしばらせたり、両方の膝同士を強く押しつけるようにする。下肢の反射を増強させたい場合は、膝蓋骨やアキレス腱をハンマーで叩く直前に両手の指を組ませて強く引っぱり合うように指示する（図24-47）。

異常例

反射亢進 hyperactive reflex（hyperreflexia）は、皮質脊髄路を侵す**中枢神経系障害**で生じる。脱力、痙縮、Babinski（バビンスキー）徴候陽性など、他の上位運動ニューロン障害の徴候に注意する。

反射低下・反射消失 hypoactive reflex・absent reflex は、神経根、頸部ないしは腰部神経叢、末梢神経などの、**末梢神経系障害**で生じる。脱力、筋萎縮、線維束性収縮など、下位運動ニューロン障害の徴候に注意する。

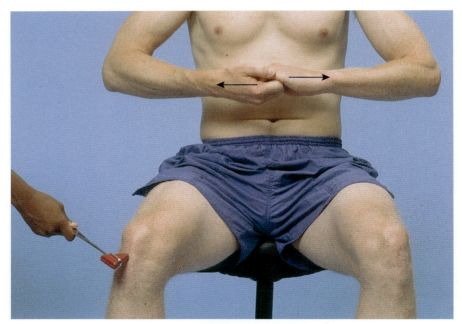

図 24-47　大腿四頭筋（膝蓋腱）反射の増強法

上腕二頭筋反射（C5，C6）

患者の肘関節を軽く屈曲させ，前腕は手掌が下を向く方向に回内させる。上腕二頭筋の腱上に診察者の母指をぴったりと乗せ，ハンマーで叩く。診察者の指を介して，腱に刺激が伝えられる（図 24-48，24-49）。

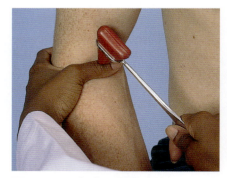

図 24-48　上腕二頭筋反射（C5，C6）
—座位での診察

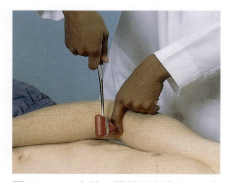

図 24-49　上腕二頭筋反射（C5，C6）
—仰臥位での診察

肘の屈曲を観察し，上腕二頭筋の収縮を視診と触診で評価する。

上腕三頭筋反射（C6，C7）

患者の姿勢は座位でも仰臥位でもよい。診察者の手で患者の肘関節を体幹のほうに屈曲させ，胸の前を横切る方向にわずかに引っ張る。肘関節部で後方から腱を直接叩く（図 24-50, 24-51）。上腕三頭筋の収縮と肘関節の伸展を観察する。

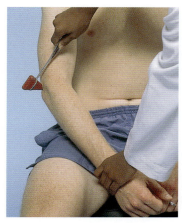

図 24-50　上腕三頭筋(C6，C7)—座位での診察

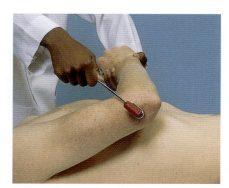

図 24-51　上腕三頭筋(C6，C7)—仰臥位での診察

患者が力を抜くのが難しいときは，上腕を支え，ハンガーにつるした洗濯物のように腕をだらりとたらしてもらい検査する（図 24-52）。

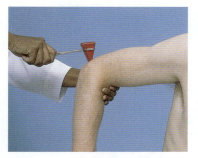

図 24-52　上腕三頭筋(C6，C7)—肘を支える

腕橈骨筋反射（C5，C6）

患者の手は腹部か膝の上に置く。前腕はわずかに回内させておく。手首より 5〜10 cm 近位の橈骨上をハンマーの平らなほうか尖ったほうで叩き（図 24-53），肘の屈曲と前腕の回外を観察する。

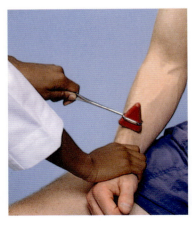

図24-53　腕橈骨筋反射（C5, C6）

大腿四頭筋（膝蓋腱）反射（L2，L3，L4）

座位であっても仰臥位であっても検査が可能である。膝蓋骨の直下で膝蓋腱をすばやく叩く（図24-54）。膝関節を伸展させる大腿四頭筋の収縮を観察する。診察者の手を患者の大腿前面の置くと，この反射を触診することができる。

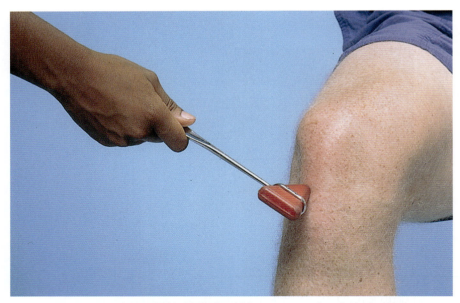

図 24-54　大腿四頭筋/膝蓋腱反射（L2，L3，L4）─座位での診察

仰臥位での診察法には2通りある。まず，両側の膝を同時に支えて検査する方法である。これは左右を繰り返し観察できるので，わずかな左右差でもわかりやすい（図24-55）。両脚を同時に支えることが診察者や患者にとって負担である場合には，診察する脚の下に腕を置いてもよい（図24-56）。患者にとってはこの方法のほうが力を抜きやすい場合もある。

診察の技術

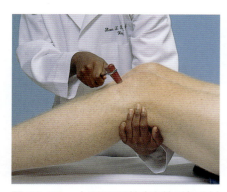

図 24-55　大腿四頭筋（膝蓋腱）反射（L2，L3，L4）―両脚を同時に支える方法

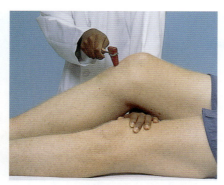

図 24-56　大腿四頭筋（膝蓋腱）反射（L2，L3，L4）―片脚を支える方法

アキレス腱（足関節）反射（主に S1）

座位で診察する場合は足首を軽く屈曲させ，力を抜いてもらったうえでアキレス腱を叩き，足首の底屈を観察する（図 24-57）。収縮した後の弛緩が，緩徐であるか急速であるかにも注意する。

異常例

甲状腺機能低下症 hypothyroidism でみられる反射の弛緩相の遅延は，足関節反射で最も顕著であることが多い。

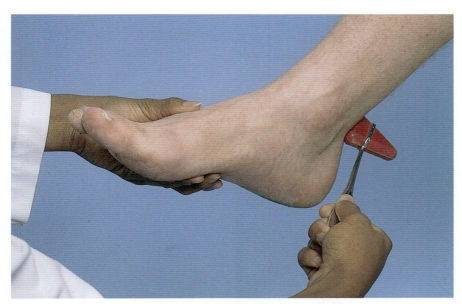

図 24-57　アキレス腱（足関節）反射（S1）―座位での診察

仰臥位で検査する場合は，検査をする側の股関節，膝関節を屈曲し，さらにその足が対側下腿にのるように倒す。この姿勢で足首を屈曲させてアキレス腱を叩く（図 24-58）。

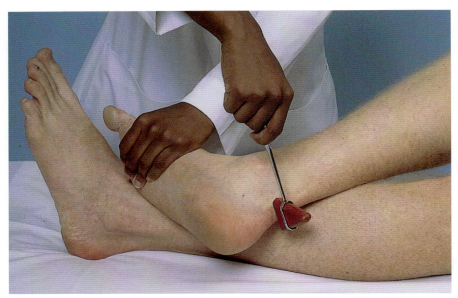

図 24-58　アキレス腱（足関節）反射（S1）―仰臥位での診察

クローヌス

反射が亢進している場合は，足**クローヌス** clonus を調べる。膝を少し屈曲させた状態で下肢を支え，患者に力を抜いてもらうよう伝えながら，他方の手で足首の背屈，底屈を何回か繰り返した後，今度は強く背屈させて，その位置を保つ（図 24-59）。ここで足首の規則的な背屈・底屈の反復が生じているかを観察する。正常ではこの刺激で足首が反応することはなく，背屈したままである。患者が緊張しているときや，筋肉が鍛錬されている場合には，数回のクローヌスがみられることがある。

持続性のクローヌスは，皮質脊髄路を侵す中枢神経系の疾患を示唆する。クローヌスが認められる場合，反射のグレードは 4 に相当する。

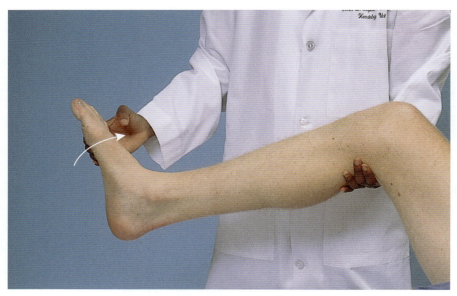

図 24-59　足クローヌスの検査

皮膚反射，表在反射

腹壁反射

臍より上部（T8～T10）および下部（T10～T12）のそれぞれ両側の腹壁を，図示したような方向に軽く，すばやく擦る（図 24-60）。鍵や，綿棒の柄，ハンマーの柄などを用いる。腹筋の収縮，刺激方向への臍の動きを観察する。肥満体や，腹部の手術歴がある場合は，この反射はわかりにくくなる。診察者の指で，臍を，刺激する側と反対の向きに引っ張っておき，刺激によってこれが戻るような感触があるかどうかで，筋収縮の有無をみる。腹壁反射を誘発するのは難しいかもしれない。臍の上下・左右の偏位など，どうしても非対称性があることも一因である。

腹壁反射は，中枢，末梢いずれの障害によっても消失することがある。

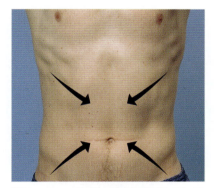

図 24-60　腹壁反射の診察で与える刺激の方向

足底反射（皮質脊髄路）

鍵や，綿棒などの柄で，足底の外縁を踵から足趾の方向に擦り，足趾の基部まできたら内側に曲げる（図 24-61）。刺激はできるだけ軽くするが，反射が誘発されにくい場合には強める。足趾の動きをよく観察する。正常では，足趾は屈曲する。

母趾が背屈するものが Babinski 反射陽性であり（図 24-62），皮質脊髄路を侵す中枢神経系の病変で生じる（感度：約 50％，特異度：99％）[74]。Babinski 反射はまた，薬物やアルコール中毒，てんかん発作後状態などによる意識障害時に，認められることがある。

| 診察の技術 | 異常例 |

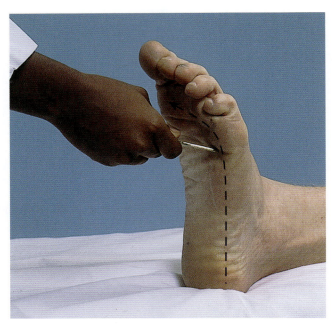

図 24-61　足底反射の検査

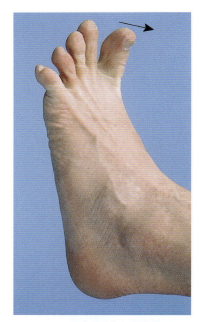

図 24-62　足底反射の異常（Babinski 反射）。第 1 足趾の背屈に注目

患者によってはこの刺激を与えると，膝や腰を曲げて足を引っ込めてしまうことがある。必要に応じて足首を支えて観察するが，ときには Babinski 反射とたんなる足を引っ込めてしまうこととの区別がつきにくいこともある。

Babinski 反射陽性のとき，母趾の背屈と同時に，他の足趾が互いに離れて扇形をなす現象もみられる。

特殊な技術 | 異常例

肛門反射

綿棒を用い，肛門を両側から擦る。外肛門括約筋の収縮による反射を観察する。この収縮を鋭敏に感知するには，手袋をはめた指を，肛門の中に置く(指診)。

肛門反射の欠如は，S2〜S4反射弓の病変が示唆され，馬尾神経障害を伴う。

特殊な技術

髄膜徴候

くも膜下出血や，髄膜炎による髄膜の炎症が疑われるときは，以下の診察を行う。

くも膜下腔に炎症があると，脊髄神経や髄膜を伸展しようとする動きに対する抵抗が生じる。

髄膜徴候の特異度は高いものではないが，髄膜炎があることを示唆する徴候(発熱，突然の頭痛)を伴っている場合には上昇する[75]。

これらの所見の感度は，超高齢者や幼年者，感覚脱失をきたしている患者，ウイルス性髄膜炎の患者では減少する。

項部硬直

まず，頸椎，頸髄に外傷，骨折がないかを確認する。外傷がある場合は，放射線診断が必要な場合がある。患者を仰臥位とし，診察者の手を患者の頭の下に置き，頸部を前方に屈曲させる。可能なら患者の顎が胸につくくらいまで屈曲させる。正常では頸部は柔らかく，頭・頸部を前方に曲げることは容易である。

項部硬直 nuchal rigidity (stiff neck)(頸部を屈曲させる力に抵抗する硬直)は，急性細菌性髄膜炎患者の84%以内に，くも膜下出血患者では21〜86%に認められる[76]。髄膜の炎症が重度の場合には最も信頼できるが，総じて診断精度の低い所見といえる[77]。

Brudzinski(ブルジンスキー)徴候

頸部を屈曲させたときの，股関節，膝関節の反応をみる。正常では何の動きも起こらない。

このとき，股関節や膝関節に屈曲を生じるのが **Brudzinski徴候陽性**である。

| 特殊な技術 | 異常例 |

Kernig（ケルニッヒ）徴候

患者の股関節と膝関節を屈曲させた状態から，ゆっくりと膝を伸展させる（図24-63）。正常では完全に伸展させると，膝の後面に違和感はあるものの痛みが生じることはない。

膝の伸展とともに疼痛や抵抗を生じるのは**Kernig徴候陽性**である。

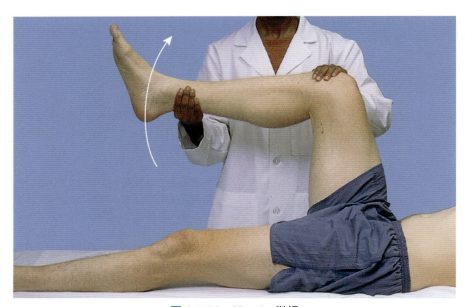

図 24-63　Kernig 徴候

この徴候が生じる機序は，下肢伸展挙上テストと同様である。下肢が伸展し，神経が引き伸ばされ，腰神経根，仙骨神経根や坐骨神経が圧迫，刺激されることで，下肢に放散する根痛や坐骨神経痛をきたす。

髄膜炎患者におけるBrudzinski徴候，Kernig徴候のみられる頻度は，5～60％と報告されている[76]。感度，特異度は，限られた報告だが，それぞれ約5％，95％である。しかしながら，緊急度の評価スコアとして用いられており，さらなる系統的な評価が待たれる[77, 78]。

高齢者ではこれらの徴候が生じない髄膜炎患者がある一方で，髄膜炎がなくても12％でKernig徴候が，8％でBrudzinski徴候が陽性とされる[79, 80]。

jolt accentuation of headache（JAH，head jolt sign）

患者の頭を，1秒に2，3回の速さで左右に回転させる（「いやいや」をするように）。この動作で頭痛が増強するものを陽性とする。

JAHで強い陽性を示せば，髄膜炎の可能性が増すが，陰性の場合でも髄膜炎を除外することはできない[81]。

腰仙部の神経根障害：下肢伸展挙上テスト

仙骨神経領域の腰痛で，下肢への放散痛を伴うものは坐骨神経痛と呼ばれ，下肢伸展挙上テスト[訳注]を両下肢で順に行って診断する。患者を仰臥位とし，下肢をリラックスさせてこれを真っすぐに挙上し，股関節で大腿を屈曲させる（図24-64）。診察者によっては，まず膝関節を屈曲させた状態で挙上し，それから伸展させることもある。

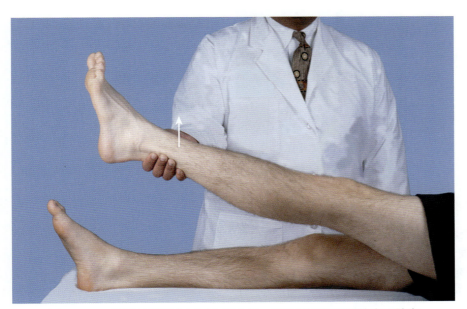

図24-64　下肢伸展挙上テストによる，腰仙部の神経根障害の診察

痛みが生じたときの股関節の角度，さらに痛みの程度と範囲，足関節の背屈による変化を記録する。なお，殿筋や大腿屈筋群の硬さや痛みは，この診察中には通常よくみられるもので，これを「放散痛」や陽性所見と解釈すべきではない。

陽性であれば，腰仙部の運動系，感覚系，反射について調べることは，いうまでもない。

表23-4「腰痛」（p.846～847）を参照。

椎間孔を通過する神経根への圧迫は，筋力低下や皮膚分節性の感覚障害とともに，疼痛を伴う神経根障害をきたし，原因としては椎間板ヘルニアが多くを占める。腰痛をきたす椎間板ヘルニアの95％以上は，L4～L5，あるいはL5～S1間に生じているが，これは脊柱が大きく後弯する部位である。同側下肢の筋萎縮や足関節の背屈障害が確認されれば，坐骨神経痛と診断できる可能性は5倍となる[82]。

同側の下肢に放散する疼痛が認められるとき，**下肢伸展挙上テスト陽性**となり，**腰仙部の神経根障害**の診断を支持する。足関節の背屈を行うと，腰仙部神経根障害や坐骨神経障害ではさらに疼痛が増強することがある。反対側すなわち健側で疼痛が増強するものは，**交叉性の下肢伸展挙上テスト陽性**である。ここにあげた診察手技は，異常をきたしている神経根や坐骨神経を伸展する方法である。

坐骨神経痛を伴う腰仙部神経根障害の患者における，下肢伸展挙上テストの感度，特異度は比較的低く，陽性尤度比はわずか1.5で，交叉性の場合はやや高く，3.4である[82]。

訳注：Lasègue（ラセーグ）徴候を確認する。

固定姿勢保持困難（羽ばたき振戦）

患者に，「止まれ」のポーズ，すなわち両腕を伸ばし，手首を反らせ，指を広げる姿勢をとらせる（図24-65）。30秒間，この姿勢を保つよう声をかけながら，手首に「羽ばたき」のような異常な振戦がみられないか，観察する。

急速に筋緊張が失われて手指の不規則な屈曲が起こり，次いで元の姿勢に戻るのが固定姿勢保持困難（羽ばたき振戦）であり，肝疾患，尿毒症，二酸化炭素貯留でみられる。

羽ばたき振戦 asterixis は，作動筋と拮抗筋との筋緊張や姿勢保持を調整している間脳の運動中枢の異常によって生じる[83]。

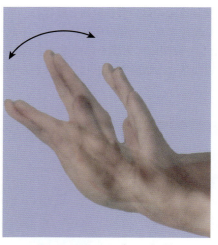

図 24-65　羽ばたき振戦

昏睡患者の診察

昏睡 coma は，覚醒と意識が損なわれた状態で，両側大脳半球，脳幹，ときにはその両方の障害により，生命の危機に瀕しているおそれのあることを示している。障害の重症度の正確な評価と，原因の究明が急務となる[84-88]。覚醒と意識は互いに関係し合っているが，一方の変化が必ずしも他方の変化に起因しているとは限らない[89]。

覚醒 arousal（覚醒状態）は上行性の網様体賦活系に依存しており，これは脳幹から，視床を介して大脳皮質に投射している。この働きにより，意識を生じさせる種々の過程が統合される。この領域，あるいはその関連領域の損傷は，意識障害の原因となりうる。**昏睡患者では，通常の病歴聴取，身体所見の収集，また検査による評価が困難である。** そのかわりに，以下のことが必須である。

- まず，ABC（Airway＝気道，Breathing＝呼吸，Circulation＝循環）を確認し，安定させるよう対応する。

- 患者の意識レベルを確認する。

- 神経学的な診察を行う。局所所見や左右差を確認し，意識障害の原因が解剖学的障害か，代謝性障害かを判断する。

- 家族，友人，目撃者などから情報を収集する。急性発症であったかどうか，意識障害となってどれくらい時間が経過しているか，何か前触れのような徴候やきっかけとなった要因はなかったか，最近変わった出来事がなかったか，また，

Glasgow Coma Scale を日頃から活用する[90]。　表24-13「Glasgow Coma Scale（GCS）」を参照。

表 24-14「代謝性昏睡と器質性昏睡」を参照。

| 特殊な技術 | 異常例 |

病前の様子，習慣などについても聴取する。既往歴，精神障害の確認も重要である。

診察にあたっては，以下の基本的な禁忌事項に注意する（Box 24-10）。

> **Box 24-10　昏睡患者をみるときの「禁止事項」**
> - 散瞳薬を使用しない。解剖学的損傷か，代謝性かといった，昏睡の原因を知る手がかりや，生命の危機に直面する脳ヘルニアの徴候を知る方法を失うことになる
> - 頭・頸部に損傷の疑いがあれば，首を屈曲してはならない。この場合は首を固定したうえで，脊髄を圧迫あるいは損傷するような頸椎の骨折がないか，まず画像診断から明らかにする

表 24-15「昏睡患者の瞳孔」を参照。

ABC（気道，呼吸，循環）

ABC（Airway, Breathing, Circulation＝気道，呼吸，循環）：昏睡に至る重大な脳損傷は，呼吸不全，循環不全をきたしうる。患者の顔色，呼吸状態をすばやく確認する。後咽頭を観察し，気道からストライダー（吸気時の高調音）が聴取されないか，気道が確保されているかを確認する。呼吸が緩徐あるいは浅薄しているとき，もしくは気道が分泌物で閉塞しているときは，頸椎が安定しているか注意しながら，気管確保の実行を検討する。

表 15-4「呼吸数と呼吸リズムの異常」（p.490）を参照。

その他のバイタルサイン，すなわち脈拍，血圧，体温を確認する。血圧の下降や出血が認められる場合は，静脈路の確保と補液を急ぐ。救急診療と検査の詳細については，他書を参照されたい。

昏睡患者の神経学的評価

意識レベル

概して患者が覚醒する能力のことである。意識レベルは，患者の覚醒能力，意識を保持する能力を反映する。患者を覚醒させ，また覚醒状態を維持させるために，どの程度の刺激強度を必要とするかによって評価する。

Box 24-11 に，意識レベルを 5 段階で示し，検査手技についても述べている。刺激は，患者の状態に合わせて評価に必要なだけ強めていく。**患者の意識レベルに変容（せん妄など）がみられるときは，見聞きした状態を正確に記載することが望ましい。**嗜眠，鈍麻，昏迷，昏睡といった用語を不適切に用いると，他の診察者を混乱させてしまうことがある。

呼吸

呼吸数，リズム，呼吸様式を観察する。呼吸を支配している大脳皮質，脳幹の神経系は，意識コントロールに関係しているので，昏睡患者では呼吸の異常がみられることが珍しくない。

表 15-4「呼吸数と呼吸リズムの異常」（p.490）を参照。

| 特殊な技術 | 異常例 |

脳幹反射

脳幹反射（Box 24-12）の診察により，昏睡患者の脳神経の状態を大まかに知ることができる。本反射の存在あるいは欠如は，脳幹機能が良好か不良かを表し，また病変局在や予後の手がかりを与えるものである。

昏睡患者の予後予測は簡単ではない。低体温療法の実施により変化する場合もある。臨床検査，脳波パターン，血清検査，画像診断などの解析，研究が行われている。注意深い神経学的診察は，特に72時間以降の予後向上の鍵を握っているといえる[91]。

Box 24-11　意識（覚醒）レベルの評価についての診察法と患者の反応

意識レベル	診察法	患者の反応
覚醒	ふつうの声で患者に話しかける	患者は目を開いて診察者をみて，問いかけに対して正確に反応する（正常覚醒）
嗜眠	大声で患者に問いかける。患者の名前を呼ぶ，または「いかがですか？」と問いかける	うとうとした状態で，問いかけに応じて目を開き，診察者をみて質問に反応するが，またすぐに眠ってしまう
鈍麻	眠っている人を起こすように，患者を静かに揺さぶることで，穏やかな刺激を与える	目を開いて診察者をみるが，反応は乏しく，いくぶん混乱している。周囲に対する関心が低下している
昏迷	**痛み刺激を加える**（図 24-66）。腱をつねる，胸骨を刺激する，爪の上で鉛筆を動かすなど（過度の刺激は加えない）	痛み刺激でかろうじて覚醒する。言葉による返答はできないか，できてもゆっくりである。刺激がやめば反応しなくなる。自分や周囲に対する関心もほとんどない
昏睡	体幹，四肢に痛み刺激を繰り返し与える	刺激を加えても目を開かない。自発的な反応も，外的刺激に対する反応も明らかではない

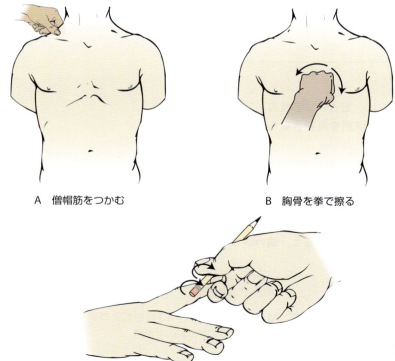

A　僧帽筋をつかむ

B　胸骨を拳で擦る

C　爪床の圧迫

図 24-66　覚醒の検査法（Morton PG, Fontaine DK. *Critical Care Nursing*. 11th ed. Wolters Kluwer; 2018, Fig. 36-5. より改変）

| 特殊な技術 | 異常例 |

Box 24-12　昏睡患者の脳神経の評価

診察項目	関連する脳神経
瞳孔対光反射	第Ⅱ，Ⅲ脳神経
眼位と眼球運動	第Ⅲ，Ⅳ，Ⅵ脳神経
頭位変換眼球反射	第Ⅲ，Ⅳ，Ⅵ，Ⅷ脳神経
温度眼振試験（カロリック試験）による眼前庭反射	第Ⅲ，Ⅳ，Ⅵ，Ⅷ脳神経
角膜反射	第Ⅴ，Ⅶ脳神経
顔面の対称性，痛み刺激による顔しかめ	第Ⅶ脳神経
咽頭反射	第Ⅸ，Ⅹ脳神経

瞳孔対光反射（第Ⅱ，Ⅲ脳神経）

瞳孔径と左右差の有無，対光反射を観察する。対光反射の有無は，器質性障害と代謝性障害を区別するための重要な所見の1つである。代謝性昏睡ではしばしば対光反射が保たれる。

表 24-15「昏睡患者の瞳孔」を参照。

脳卒中，膿瘍，腫瘍などによる器質性病変は，瞳孔径の左右差や対光反射の欠如を引き起こす。

眼位，眼球運動（第Ⅲ，Ⅳ，Ⅵ脳神経）

眼球の位置，眼瞼を観察する。両眼での一方向への水平偏位がないか確認する（gaze preference）。眼球運動に関係する神経系が正常に保たれていれば，眼球は正面を向く。

一側大脳半球の病変は，眼球が病側を向く原因となる。一側性の橋病変や大脳片側を起源とするてんかん発作では，眼球は病巣の反対側を向く。

頭位変換眼球反射（第Ⅲ，Ⅳ，Ⅵ，Ⅷ脳神経）

頭位変換眼球反射は，昏睡患者の脳幹機能を知るうえで重要である。眼球が十分に観察できるように両側の上眼瞼を挙上し，頭部をすばやく一方へ，そして反対側へと回転させる（図 24-67）。本検査前には，患者の頭部に損傷がないかを確認する。

図 24-67　頭位変換眼球反射（第Ⅲ，Ⅳ，Ⅵ，Ⅷ脳神経）

昏睡患者でも，脳幹機能が正常に保たれているなら，図 24-68 に示す通り，頭位を変換させると眼球はその反対側を向く（**人形の目現象 doll's eye movement**）。

人形の目現象が欠如している昏睡患者では，頭位変換による眼球の相対運動が起こらず，真正面を向いたままとなる。中脳あるいは橋の病変を示唆する（図 24-69）。

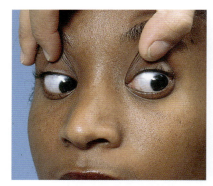

図 24-68 頭位変換眼球反射の正常例。頭位を右に変換させたとき，眼球は左を向く（人形の目現象）

図 24-69 頭位変換眼球反射の欠如例。頭位を右に変換させたとき，眼球の左への動きの欠如

温度眼振試験（カロリック試験）による，眼前庭反射（第Ⅲ，Ⅳ，Ⅵ，Ⅷ脳神経）

頭位変換眼球反射が欠如している場合，脳幹機能の評価を進めるには，**眼前庭反射 oculovestibular reflex** の検査を行う。なお，**本検査は覚醒状態の患者には通常行わない。**

鼓膜が破れていないこと，外耳道に異常がないことを確認する。試験を正確に行うには，患者の頭位を 30 度挙上する。検査の際に溢れる水を受けるため，タオルや膿盆を患者の耳の下に置く。大きめの注射器に冷水を入れ，細いカテーテルを用いて外耳に注入し（カテーテルでつつかないように注意する），眼球の水平方向への偏位を観察する。冷水の注入は，眼振が誘発されるまで，120 mL を超えない範囲で行う。**昏睡患者で，注入側に向かう持続性眼球運動が認められれば，脳幹機能が保たれていることを意味する。**最初の注入で反応が明らかでない場合，3〜5 分待ってから再度行う。反対側についても検査を行う。

反応の欠如は，脳幹障害を示唆する。

角膜反射（第Ⅴ，Ⅶ脳神経）

角膜反射 corneal reflex を調べる。睫毛を避け，細くした綿の先を角膜に軽く触れて刺激する（結膜ではない）（図 24-70）。正常では両目で瞬目が起こり，角膜反射を確認する。昏睡患者では，瞼を診察者が開く必要がある。この反射では，感覚は第Ⅴ脳神経，運動は両側の第Ⅶ脳神経を介して伝えられる。

図 24-70 角膜反射のテスト（第Ⅴ，Ⅶ脳神経）

| UNIT II　第24章　神経系 |

| 特殊な技術 | 異常例 |

角膜反射は，覚醒状態の患者でもテストが可能で，感覚系の診察で所見がはっきりしない場合などで有用なことがある。患者には診察者の位置と反対側の上方をみるようにさせ，その反対側，患者の視界に入らない位置から検査する。患者が怖がる場合は，まず結膜で刺激するのもよい。コンタクトレンズは検査の妨げとなる。

両側の瞬目欠如では第Ⅴ脳神経障害が，一側の減弱ではその側の第Ⅶ脳神経障害が示唆される。

聴神経腫瘍では，瞬目の欠如と**感音性難聴**を生じる。

咽頭反射（第Ⅸ，Ⅹ脳神経）
この反射では，舌と軟口蓋の挙上，咽頭筋の収縮が生じる。綿棒で喉の奥を左右一側ずつ軽く刺激して，反射を観察する。咽頭反射は覚醒状態の患者でも検査される場合があるが，健常者でも反射が出にくいことが多い。

咽頭反射の片側性の欠如は，第Ⅸ脳神経に加え，多くの場合は第Ⅹ脳神経の障害が示唆される。

患者の姿勢と動きを観察する。自発的な動きがない場合には，痛み刺激を加える（図24-66）。患者の反応から，以下のように分類する。

表24-11「姿勢の異常」を参照。昏睡患者で認められる代表的な2つの反応である除皮質硬直，除脳硬直。

- **正常-逃避**：患者が能動的に刺激を押し返すか，刺激から逃げる。

- **代表的な異常**：刺激によって体幹・四肢に姿勢異常が誘発される。

- **弛緩性麻痺または無反応**：一側性の反応の欠如は，皮質脊髄路の障害を示唆する。

筋緊張は，手首の近くで前腕をつかみ，垂直位まで挙上させて手首の向きを観察する。正常ではわずかに屈曲する（図24-71）。

脳梗塞による片麻痺では，発症当初は通常，弛緩性麻痺となる。この場合，手首は正常に比べてだらりと垂れ下がる（図24-72）。

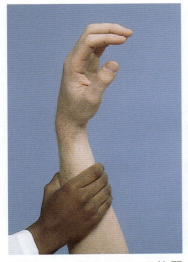

図24-71　上肢における筋緊張のテスト

図24-72　弛緩の状態。手首の屈曲に注意

| 特殊な技術 | 異常例 |

つぎに，診察台より30〜45 cmの高さから上肢を落下させ，その様子を観察する。正常では，ややゆっくりと落下する。

弛緩性麻痺では，瞬時に落下する。

両下肢の膝関節を屈曲した状態で支え，一側ずつ膝を伸展し，つぎにこれを離して，落下の様子を観察する（図24-73）。

急性の片麻痺では，麻痺側は弛緩し，速く落下する。

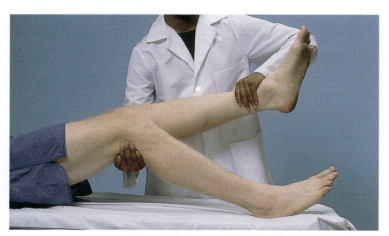

図24-73　下肢における筋緊張の検査

踵を診察台につけた状態で両膝を曲げ，これを離すと正常ではややゆっくりと，もとの伸展位に戻っていく。

急性の片麻痺では，脱力している下肢は急速に伸展し，外側に倒れる。

その他

協調運動と歩行の評価は実施不能である。感覚系の診察は，痛み刺激に対する反応に限られることが多い。反射については，覚醒患者の場合と同様に検査する。必要なときは，髄膜徴候についても確認する。

髄膜徴候は，髄膜炎やくも膜下出血を示唆する。

必要に応じて，以下についても評価する。

- 臭気の異常

アルコール，肝不全，尿毒症を考える。

- 色調，湿潤度を含む皮膚の状態
  点状出血など，出血傾向の有無，その他

黄疸，チアノーゼ，一酸化炭素中毒による桜紅色に注意する。

- 頭皮，頭蓋の触診（外傷所見の有無）

挫傷，裂傷，腫脹などに注意する。

- 眼底の検査

乳頭浮腫は頭蓋内圧亢進の重要な徴候であり，注意深く診察する。

- 耳と鼻の検査，口腔，咽頭の視診

鼻や耳の出血，髄液漏は頭蓋骨骨折を，中耳炎は脳膿瘍の可能性を示唆する。舌の咬傷は，痙攣発作を示唆する。

所見の記録

所見を記録する際，最初は文章を用いるかもしれないが，慣れてくれば慣用的な記述を用いるようになる。多くの診療記録によく用いられる表現法を以下に示す。神経学的所見の5つの項目ごとに所見がまとめられている点に注意する。

神経系診察の記録

> **精神状態**：覚醒，リラックスし，協力的。思考力は安定。人，場所，時間についての見当識は正常。言語は流暢，従命可能。認識についての詳細な検査は後日に延期。**脳神経**：第Ⅰは検査せず。第Ⅱ～Ⅻは正常。**運動系**：筋量，筋緊張は正常。筋力はすべて5/5。回内筋の動きなし。小脳系の急速変換運動，指鼻試験，踵膝試験ともに正常。歩行は足と足の横幅，歩幅とも正常。**感覚系**：痛覚，触覚，位置覚，振動覚ともに正常。Romberg試験は閉眼にて平衡良好。**反射**：すべて2+で左右対称。足底反射は底屈
>
> または
>
> **精神状態**：覚醒，質問に返答しようとするが発語困難。**脳神経**：第Ⅰは検査せず。第Ⅱ—視力，視野ともに正常。第Ⅱ，Ⅲ—瞳孔は左右同大，対光反射正常。第Ⅲ，Ⅳ，Ⅵ—外眼筋運動正常。第Ⅴ—側頭筋，咬筋ともに正常，角膜反射あり。第Ⅶ—右側で顕著に障害，右鼻唇溝が浅薄化。左側は正常。第Ⅷ—聴覚は両側とも囁語を正常に聴取。第Ⅸ，Ⅹ—咽頭反射正常。第Ⅺ—僧帽筋と胸鎖乳突筋の筋力は5/5。第Ⅻ—舌は正中位。**運動系**：筋量正常，右上下肢に痙性あり。右側の筋力は，上腕二頭筋，上腕三頭筋，腸腰筋，殿筋，大腿四頭筋，膝屈曲筋，足関節の屈曲・伸展ともに3/5。左側の筋力はいずれも5/5。右側は，回内筋の動作緩慢あり。歩行—検査不可。小脳—右側は筋力低下のため検査不可，左側は急速変換運動，指鼻試験，踵膝試験ともに正常。**感覚系**：右側では顔面，上肢，下肢ともに痛覚，触覚の低下あり，左側は正常。立体認知と2点識別覚は検査せず。Romberg試験—右下肢筋力低下のため検査不可。**反射**（以下の2つの方法で記載できる）
>
> | | 二頭筋 | 三頭筋 | 腕橈骨筋 | 膝 | アキレス腱 | 足底 |
> |---|---|---|---|---|---|---|
> | 右側 | 4+ | 4+ | 4+ | 4+ | 4+ | ↑ |
> | 左側 | 2+ | 2+ | 2+ | 2+ | 1+ | ↓ |
>
> または（棒人間図）

この所見からは，左中大脳動脈領域の脳梗塞による右片麻痺が示唆される。

健康増進とカウンセリング：エビデンスと推奨

健康増進とカウンセリングの重要事項

- 脳血管障害の予防
- 無症候性頸動脈狭窄のスクリーニング
- 末梢神経障害のスクリーニング
- 帯状疱疹ワクチン接種（第6章「健康維持とスクリーニング」，p.190を参照）

（続く）

> (続き)
> - 「3つのD」delirium, dementia, depression：せん妄，認知症，うつ病の指摘（第27章「老年」，p.1184～1185を参照）

脳血管障害の予防

脳卒中は，虚血性（脳血管の閉塞），または出血性（血管の破綻）の脳血管障害による，急性の脳障害である。虚血性脳血管障害の分類としては，(1) 心原性脳塞栓（心房細動などによる），(2) 大血管のアテローム血栓性（頸動脈狭窄など），(3) 小血管病変（ラクナ梗塞。高血圧，糖尿病との関連），(4) その他：頸部動脈の解離，凝固能の亢進など，(5) 特発性：原因不明がある。一方，出血性脳血管障害には，(1) 脳実質内出血，(2) くも膜下出血（脳動脈瘤性，非脳動脈瘤性），(3) 硬膜下出血，(4) 硬膜外出血がある。硬膜静脈洞血栓も脳梗塞の原因となり，出血性脳梗塞となることが多い。脳血管障害の87％が虚血性，10％が脳内出血，3％がくも膜下出血である[92]。

米国では毎年約80万人が脳卒中に罹患しており，そのうち60万人以上は初発の脳卒中である。脳卒中は米国の死因の第4位であり，毎年14万人の生命が失われている。脳卒中は年齢とともに罹患率は上昇するが，それでも2009年では，脳卒中入院患者の約1/3は65歳以下であった[93]。女性は，男性に比して脳卒中の生涯罹患リスクが高く，年間死亡者も多い。この違いは，女性のほうが平均寿命が長いことにもよる。アフリカ系米国人では，脳卒中の初回発作，脳卒中による死亡のリスクが，白人に比して顕著である。脳卒中は，長期の身体障害をもたらす原因疾患の第1位であり，米国における年間治療費の総計は，340億ドルにのぼるとみられる。

脳卒中は，発症の警告症状が自覚しにくく，治療が遅れやすいことも，その障害を重大なものにしている。血栓溶解療法は，発症4.5時間以内であれば，不可逆的な障害を回避するための最も効果的な治療といえる[94]。発症早期では，血管内治療（血栓回収など）も広く行われつつある。米国心臓協会 American Heart Association／米国脳卒中協会 American Stroke Association では，以下に示す脳卒中発症の徴候があれば，直ちに治療を受けるよう，人々に呼びかけている（Box 24-13）[95]。

Box 24-13　米国心臓協会／米国脳卒中協会による脳卒中発症の徴候[96]

- 顔面・上肢・下肢の突然のしびれ，脱力
- 突然の混乱，発語や理解の障害
- 一側または両側の眼における，突然の視覚障害
- 突然の歩行障害，めまい感，バランス・協調運動の障害
- 突然の激しい頭痛

健康増進とカウンセリング：エビデンスと推奨

一過性脳虚血発作は24時間以内に回復する一過性の神経機能障害であり，脳梗塞の主要な危険因子である[92]。2日以内に3〜10％，90日間では9〜17％が脳梗塞を発症する。脳卒中患者全体の約15％は，TIAが先行して発症している。60歳以上，糖尿病，局所的な麻痺や言語障害を起こした場合，症状が10分以上持続した患者では，特に短期間のうちに脳梗塞を発症するリスクが高い。

Box 24-14に脳卒中の改善可能な危険因子を示す。その多くは冠動脈疾患の危険因子と共通するものである[92, 96, 97]。危険因子のスクリーニングと生活習慣への介入については，第16章「心血管系」でも取り上げている。

Box 24-14　脳卒中の危険因子──虚血性脳卒中（脳梗塞）の一次予防

治療介入可能な危険因子	
高血圧	高血圧は，虚血性脳卒中，出血性脳卒中にいずれに対しても，第1位の危険因子である。投薬治療による血圧の管理により，脳卒中の発症リスクは顕著に低減される。アフリカ系米国人，および高齢者では，特にそれがあてはまる
糖尿病	糖尿病患者では，脳卒中の発症リスクは，ほぼ2倍であり，65歳以上の糖尿病患者の死因の16％を占める。血糖のコントロール自体の効果は不定だが，血圧の適切な管理とスタチンの投与は，糖尿病患者の脳卒中発症リスクを低減させる
心房細動	心房細動は虚血性脳卒中の発症リスクを約5倍に増加させる。年齢，性別，また糖尿病や血管疾患，高血圧，うっ血性心不全，脳血管障害の既往などの疾患の有無によっては，そのリスクは20倍にのぼる。抗血小板薬，抗凝固薬の投与がリスクを低減させる。抗血栓療法の適応については，出血リスクとのバランスを考慮して，患者を高リスク群，中リスク群，低リスク群に分類することが専門家の間で推奨されている。心房細動の患者では，禁忌でなければ少なくともアスピリンは投与すべきであり，さらに低リスク群以外では，禁忌でなければ抗凝固薬投与が有用である
脂質異常症	血中コレステロール値と脳卒中との関連は定まっていないが，多くの研究が，総コレステロール値が虚血性脳卒中の危険因子となりうることを示している。スタチン投与は，アテローム性動脈硬化症の患者で，脳卒中のリスクを20％低下させる
喫煙	喫煙は，非喫煙者や10年以上禁煙者に比して，脳卒中の発症リスクを2〜4倍に増大させる。禁煙は直ちに脳卒中の発症リスクを減少させるが，非喫煙者と同程度までの低減は困難である
身体活動	活発な身体活動は，脳卒中の発症リスク減少に関与する
慢性腎臓病	糸球体濾過率の低下は，脳卒中の発症リスクを増加させる
体重	肥満（BMI>30）は，虚血性脳卒中の発症リスクを64％増加させる。減量の効果については評価が定まっていない
食生活と栄養	肉の赤身，塩分，糖分，人工甘味飲料の過剰摂取は，脳卒中の発症リスクを増加させる。一方で，ナッツ，オリーブオイル，魚，果物，野菜は，脳卒中の発症リスクを減少させる
アルコール	アルコールの過剰摂取は，高血圧，血液内凝固亢進状態，心房細動，脳血流減少といった，虚血性および出血性脳卒中発症の危険因子につながる。ただし少量，適量のアルコールは，脳卒中全体あるいは虚血性脳卒中の発症リスクを抑制するとみられている
頸動脈病変	65歳以上の米国人で，臨床上問題となる頸動脈狭窄を有する割合は，1％と推定されている。スタチン，抗血小板薬，糖尿病や高血圧の治療，禁煙は，無症候性頸動脈狭窄をもつ患者の脳卒中の発症リスクを減少させる。血管内膜切除術は，TIAを含む脳卒中発症例における，最も積極的な治療となる。無症候性では，狭窄率が60％を超える限定された患者のみに検討されるべきというのが，専門家の意見である（周術期の脳卒中発症リスク，死亡率が低く抑えられている術者，施設のもとで行うことが条件である）
鎌状赤血球症	鎌状赤血球症では，若年でも脳卒中の発症がめずらしくなく，20歳までの発症率は11％である。定期的な輸血が，脳卒中の発症予防に有効である
閉塞性睡眠時無呼吸	睡眠時無呼吸は，脳卒中発症の独立した危険因子であり，特に男性では顕著である。1時間あたりの無呼吸イベント（呼吸の中断あるいは換気量低下）の回数が増すほど，脳卒中の発症リスクも増大する。治療としては通常，持続陽圧呼吸療法（CPAP）が行われるが，脳卒中の発症リスク低減についての効果は不明

無症候性頸動脈狭窄のスクリーニング

頸部血管超音波検査は，顕著な頸動脈狭窄（60〜99％）を正確かつ安全に診断することができ，症候性の患者の評価に広く用いられている。無症候性頸動脈狭窄は脳卒中の発症リスクではあるものの，虚血性脳卒中の原因としては，わずかを占めるに過ぎない。米国予防医療専門委員会（USPSTF）は，研究レビューにもとづき，無症候性頸動脈狭窄のスクリーニングを一般人口に対して行うことはすすめていない（グレードD）[98]。研究によれば，無症候性患者に対する頸動脈内膜切除術は，少なくとも50〜60％の狭窄を有する例では脳卒中の発症リスクを低下させることが示されているが，施行後5年間の脳卒中発症率，死亡率の低下はわずかである一方，周術期の脳卒中発症リスク，死亡リスクが2〜3％あるとされている[97]。USPSTFはさらに，超音波検査によるスクリーニングが脳卒中発症リスクを低下させるというエビデンスはないとしている。

糖尿病性末梢神経障害のスクリーニング

糖尿病はいくつかのタイプの末梢神経障害をもたらす[99]。糖尿病性末梢神経障害は痛みを伴わないため，患者の多くは感覚障害に気づかないが，潰瘍形成や損傷のリスクを有しており，悪化すれば切断に至ることもある。したがって，末梢神経障害のスクリーニングは重要である。最も多いのは遠位優位，左右対称の多発ニューロパチー distal symmetric polyneuropathy（DSPN）で，緩徐進行性であり，無症候性であることもめずらしくないが，潰瘍形成，関節症や，下肢切断の原因となる。糖尿病性末梢神経障害のおよそ75％はDSPNであり，他に自律神経機能障害，単ニューロパチー，多発根神経炎がある。DSPNの発症率は，1型糖尿病の長期例では約20％，2型糖尿病の長期例では50％に達する。DSPN患者の自覚症状の訴えとしては，下肢のしびれ感，ピリピリ感，平衡感覚の低下，焼けるような，あるいは突き刺すような，電気に撃たれたような痛み，などがある。血糖値の厳格な管理による末梢神経障害の予防や，発症を遅らせることが求められており，1型糖尿病患者では特に重要である。2型糖尿病では，血糖の厳格管理だけでは十分とはいえない[99]。米国糖尿病学会は，糖尿病患者には足の診察をもれなく行うよう推奨しており，末梢神経障害の評価として，温度覚，痛覚，固有感覚，アキレス腱反射，振動覚（128 Hzの音叉を使用），足底知覚（10 gのモノフィラメントを使用）の検査を，皮膚の損傷，末梢循環の低下，筋骨格系の異常などの精査と合わせて，行うべきとしている[6, 100]。

表 24-1　中枢神経系障害と末梢神経系障害

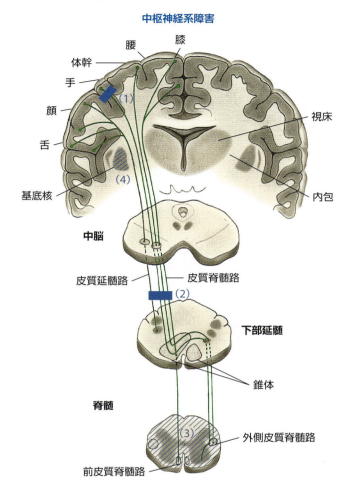

病変局在	典型所見			原因
	運動系	感覚系	深部腱反射	
大脳皮質(1)	持続する，病変と対側の皮質脊髄型の筋力低下。痙性を伴う。上肢では伸展よりも屈曲が強く，足では背屈よりも底屈が強くなる。下肢は外転・外旋位をとる	運動系と同様，病変と対側の顔面，四肢，体幹に感覚障害を生じる	↑	脳卒中
脳幹(2)	大脳皮質障害と同様の筋力低下，痙性の他，脳神経障害として複視(外眼筋麻痺)，構音障害などもある	脳幹障害の部位によりさまざまである	↑	脳卒中，多発性硬化症による脱髄
脊髄(3)	大脳皮質障害と同様の筋力低下と痙性があり，両側性障害もよくみられる。脊髄における病変の高さによっては，対麻痺，四肢麻痺もありうる	病変高位での片側，ないしは両側にみられ，皮膚分節に沿った感覚障害。または病変以下の感覚脱失	↑	外傷，脊髄腫瘍

表 24-1　中枢神経系障害と末梢神経系障害（続き）

病変局在	典型所見			原因
	運動系	感覚系	深部腱反射	
皮質下灰白質：基底核(4)	運動緩慢，筋固縮，振戦	障害されない	正常または↓	Parkinson症候群
小脳（図示せず）	緊張低下，運動失調，眼振，反復拮抗運動不能，測定異常	障害されない	正常または↓	脳卒中，脳腫瘍

末梢神経系障害

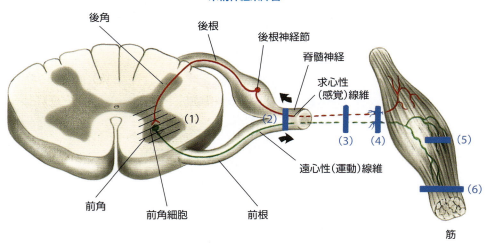

病変局在	典型所見			原因
	運動系	感覚系	深部腱反射	
前角細胞(1)	髄節性または局所性の筋力低下，筋萎縮。線維束性収縮	正常	↓	ポリオ，筋萎縮性側索硬化症
脊髄神経根(2)	障害された根支配領域の筋力低下，筋萎縮。ときに線維束性収縮	皮膚分節に沿った感覚障害	↓	頸椎，腰椎の椎間板ヘルニア
末梢神経—単ニューロパチー(3)	障害された神経で支配されている筋の筋力低下，筋萎縮。ときに線維束性収縮	障害神経支配領域の感覚障害	↓	外傷，圧迫（例：手根管症候群）
末梢神経—多発ニューロパチー(4)	遠位筋優位の筋力低下，筋萎縮。ときに線維束性収縮	手袋靴下型の感覚障害	↓	アルコール性，糖尿病性の多発ニューロパチー
神経筋接合部(5)	筋力低下より，易疲労感が顕著	正常	正常	重症筋無力症
筋(6)	近位筋優位の筋力低下。線維束性収縮なし	正常	正常または↓	筋ジストロフィ

表 24-2　言語障害

言語障害は 3 つに分けられる。(1)発声の障害，(2)単語の構音障害，(3)言語の表出と理解の障害である。

- **失声 aphonia** は，喉頭やその支配神経に影響を与える疾患に伴う声の消失である。発声障害は，声量，声質，声の高さの比較的軽い障害をいう。例えば，嗄声，あるいは囁くようにのみ会話ができる場合である。原因として，喉頭炎，喉頭腫瘍，片側性声帯麻痺(第Ⅹ脳神経)などがある。
- **構音障害 dysarthria** は，言語器官(唇，舌，口蓋，咽頭)の筋力制御の障害である。単語は，鼻音で，ろれつが回らず，不明瞭となる。しかし，言語の象徴的側面は障害されない。原因には中枢神経系または末梢神経系の運動障害，Parkinson 症候群，小脳疾患などがある。
- **失語症 aphasia** は，言語の表出と理解の障害である。それは，大脳優位半球(通常は左脳)での障害がしばしば原因となる。失語症のおもな 2 つの型である，(1)Wernicke 失語症：流暢性(受容性)失語症と，(2)Broca(ブローカ)失語症：非流暢性(表出性)失語症を以下で比較した。他に，あまり一般的ではない失語症がある。それらは，特定の検査に対する反応によって区別され，通常は神経学的コンサルテーションが必要となる。

	Wernicke 失語症	Broca 失語症
自発言語の質	流暢性：しばしば早口で，多弁で，難なく話す。抑揚や構音はよいが，文章には意味がなく，単語が変形し(錯語)，または，造語される(言語新作)。話す言葉の意味は全体的に理解不能なことがある	非流暢性：緩徐で，抜け落ちがあり，単語の数が乏しく，努力性である。抑揚や構音は障害されるが，名詞，他動詞，重要な形容詞など意味のある単語を用いる。単語はしばしば脱落する
単語の理解力	障害されている	並から良好
復唱	障害されている	障害されている
呼称	障害されている	障害されているが，患者は物体を認識している
読解力	障害されている	並から良好
書字	障害されている	障害されている
病変局在	側頭葉の後上部	前頭葉の後下部

診察の早い段階で，患者が失語症であると認識することが重要であるが，どの型の失語症であるか，神経系の診察において，上記の項目をよく理解して診断すべきである

表 24-3　歩行と姿勢の異常

痙性片麻痺
皮質脊髄路の病変でみられ，足はこびでの筋収縮に困難をきたす（例：脳卒中）
- 上肢は体幹に引きつけられた姿勢のまま動作が困難となり，肘関節，手関節，指節はそれぞれ屈曲する
- 下肢は伸展痙直を呈し，足関節は底屈する
- 歩行は，足趾を引きずり，下肢が外方向から前方に円を描くような運びとなる（**草刈り歩行**）。また，麻痺をかばうように体幹が健側に傾く姿勢となる

はさみ脚歩行
脊髄病変でみられ，両下肢が痙直し，外転筋に痙縮が認められる
- 硬直した歩き方となる。歩行動作は緩徐で，一歩踏み出すたび，それぞれの大腿が左右に交叉するようになる
- 歩幅は狭くなる
- 水の中を歩いているような歩容を呈し，前に出ている脚をかわすように，体幹が動揺する
- はさみ脚歩行は痙縮をきたす疾患では広く認められ，脳性麻痺でもよくみられる

鶏歩
垂れ足でみられ，末梢神経障害に伴って生じることが多い
- 足を引きずるばかりでなく，前へ出すときに膝を高い位置まで上げ，ばたんと下ろす。階段をのぼるときのような足の運びになる
- 踵歩きができない
- 症状は片側でも両側でもみられる
- 前脛骨筋，足趾伸筋の筋力が低下している

Parkinson 歩行
Parkinson 病による基底核障害でみられる
- 身をかがめるような姿勢となり，頭，腕，腰，膝は屈曲する
- 動作を開始するのに時間がかかる
- 歩幅は小さく，すり足で，加速歩行がみられる
- 腕の振りが小さく，身体の向きを変えるときも，一塊りのようなぎこちない動作となる
- 姿勢の保持が難しくなる（前方突進，後方突進）

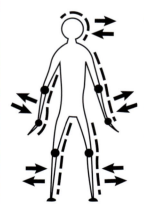

小脳性運動失調
小脳，または小脳と連絡する経路の障害でみられる
- 歩行はよろめき，不安定で，歩幅は広くなり，方向転換は特に難しい
- 開眼でも閉眼でも，脚をそろえて立つことが難しい
- 測定異常，眼振，企図振戦など，他の小脳徴候を伴う

感覚性運動失調
多発神経炎や脊髄後索障害による，下肢の位置覚低下でみられる
- 歩行は不安定で開脚姿勢となる
- 足を前に出すとき，前方や側方に位置を探るような動きとなる。着地も，踵をついてからつま先がつくまでに，ふつうよりもわずかに時間がかかり，2度着地したような足音がする
- 安定するように地面を注視しながら歩く
- 閉眼すると脚をそろえて立つことができなくなり（Romberg 徴候陽性），歩行はさらによろめく

表 24-4　一次性頭痛

頭痛は，病理学的変化を伴わない**一次性頭痛**と，ときに重篤な疾患を原因とし，その急を要する警告症状でもある**二次性頭痛**とに分類される。二次性頭痛は50歳以上で生じることが多く，激しい痛みで突然発症し，安易に一次性頭痛と診断せず，鑑別すべき頭痛である[3]。頭痛の90%以上は一次性頭痛であり，緊張型頭痛，片頭痛，群発頭痛，慢性連日性頭痛の4つに分類される。緊張型頭痛，片頭痛，群発頭痛の特徴は，以下の表に示す。慢性連日性頭痛は，診断名というよりは，すでに認められている片頭痛や慢性の緊張型頭痛，薬物乱用性頭痛のなかで，月15日以上の頭痛が3カ月以上継続しているものを強調して指す分類である[16]。危険因子としては，肥満，週2回以上の頭痛，カフェインの摂取，鎮痛剤，エルゴタミン，トリプタンなど，頭痛薬の月10回を超える使用，睡眠障害，気分障害があげられる。

	緊張型頭痛	片頭痛	群発頭痛
病態	確立したものはない。おそらく中枢神経系の疼痛感受性変化による。頭蓋周囲筋肉の圧痛が含まれる。原因もまた不明	可能性として，セロトニンレベルを含む脳幹機能の変化，皮質機能の変化，三叉神経の過敏などの神経系の変化。前兆を伴う片頭痛，前兆を伴わない片頭痛，さまざま	確立したものはない。視床下部または三叉神経-自律神経系の活性化
発症率	頭痛のなかでは最も多く(40%)，生涯発症率は約50%	頭痛全体の10%，米国成人における発症率は18%：女性の約15%，男性の6%	1%未満で，男性に多い
部位	通常両側性。頭部後方と頸部上方，または前頭・側頭領域に限局，もしくは全体に広がる	片側性(約70%)，両側性または全体(約30%)	片側性，通常，眼の後方または周囲，側頭部
特徴と重症度	症状は一定，圧迫様・締め付け様，程度は軽度から中等度	拍動性の，うずくような痛み，程度は中等度から重度；約30%で前兆が先行	鋭く，持続性。程度は重症
タイミング			
・発症	段階的	かなり急速で，1〜2時間でピークに達する	突然発症し，数分でピークに達する
・期間	30分から7日	4〜72時間	15分から3時間
・経過	散発的，慢性のことがある	再発率は通常，月単位だが約10%では週単位。思春期早期から中期にピークに達する	散発的，4〜8週間の数日間は連日出現し，それから6〜12カ月間で軽減する
関連症状	しばしば，羞明，聴覚過敏，頭皮の感覚過敏。嘔気なし	前兆として，嘔気，嘔吐，羞明，聴覚過敏，30%に視覚(チカチカする，ジグザグがみえる)あるいは運動系(手，腕，顔面の違和感，言語障害)の前兆	片側性の自律神経徴候：流涙，鼻汁，縮瞳，眼瞼下垂，眼瞼浮腫，結膜感染症
誘因・増悪因子	運転やワープロ作業時の，持続性の筋緊張。ストレス，睡眠障害	アルコール，特定の食品，ストレスが誘因となる。月経や高い標高でも同様。騒音と明るい照明で悪化	発作の間，アルコールに対する感受性は増加しうる
寛解因子	マッサージ，休養で改善することがある	静かな，暗い部屋での安静。睡眠。関連する動脈を圧迫すると一時的に改善する	

出典：Headache Classification Committee of the International Headache Society (IHS). *Cephalalgia*. 2013; 33(9): 629-808; Lipton RB et al. *Neurology*. 2004; 63: 427; Sun-Edelstein C et al. *Cephalalgia*. 2009; 29: 445; Lipton RB et al. *Headache*. 2001; 41: 646; Fumal A, Schoenen J. *Lancet Neurol*. 2008; 7: 70; Nesbitt AD, Goadsby PJ. *BMJ*. 2012; 344: e2407.

表 24-5　二次性頭痛と脳神経痛

型	病態	部位	特徴と重症度
二次性頭痛			
鎮痛薬乱用頭痛	薬物の離脱症状	過去の頭痛パターンによる	さまざま
眼の障害による頭痛			
● 屈折異常（遠視と乱視。近視ではみられない）	おそらく外眼筋の持続性の収縮，前頭，側頭，後頭の筋肉の持続性の収縮	眼の周囲または上方。後頭領域に放散することもある	一定していて，うずく，鈍い痛み
● 急性緑内障	急な眼圧の上昇（p.379 参照）	一側の目の奥，あるいは周囲	一定していて，うずく，しばしばひどい痛み
副鼻腔炎からの頭痛	副鼻腔の粘膜の炎症	多くは，前頭洞（目の上，上顎洞の上）	うずく，またはズキズキする。程度はさまざま。片頭痛の可能性を考える
髄膜炎	脳と脊髄を覆っている髄膜へのウイルス，または細菌感染	全体に広がる	一定していて，うずく，しばしばひどい痛み
くも膜下出血―「雷鳴様頭痛」	囊状脳動脈瘤の破裂による出血，まれに動静脈奇形，細菌性動脈瘤からの出血	全体に広がる	非常にひどい，"人生で最悪の頭痛"
脳腫瘍	占拠性病変による，動脈，静脈の偏位や牽引	大脳，小脳，脳幹など，さまざま	うずくような，持続性の鈍痛，起床時に増悪し，数時間で改善する
巨細胞性動脈炎（側頭動脈炎）	大（口径）動脈の内弾性板を破壊する多核巨細胞を伴う経壁リンパ球性血管炎	罹患動脈近くに限局，50 歳以上では側頭動脈が最も多い，男女比は 1：2 で女性に多い	拍動性，全体に広がり，持続する。しばしば重症
脳震盪後の頭痛	軽度の加速・減速する外傷性の脳損傷に続く。軸索や脳血管の自動調節能の障害，神経科学的な変化の可能性	損傷した部位に限局した疼痛であることが多いが，例外もある	鈍い，一定した痛み。緊張型頭痛と片頭痛の特徴をもちうる
脳神経痛			
三叉神経痛（第Ⅴ脳神経）	血管による第Ⅴ脳神経への圧迫，橋への入り口近くの局所的脱髄，異常放電が多い。10％で頭蓋内に原因病変あり	頬部，下顎，口唇，歯肉。三叉神経分枝で 2 枝と 3 枝＞1 枝	衝撃を受けたような，つき刺すような，焼けるような，ひどい痛み

注意：問題を評価する際，区分が適用できない，もしくは有用でないとき，「―」となっている。

出典：Headache Classification Committee of the International Headache Society (IHS). *Cephalalgia*. 2013; 33(9): 629-808; Schwedt TJ et al. *Lancet Neurol*. 2006; 5: 621; Van de Beek D et al. *N Engl J Med*. 2004; 351: 1849; Salvarini C et al. *Lancet*. 2008; 372: 234; Smetana GW, Shmerling RH. *JAMA*. 2002; 287: 92; Ropper AH, Gorson KC. *N Engl J Med*. 2007; 356: 166; American College of Physicians. Neurology ― MKSAP 16.Philadelphia.

タイミング			関連症状	増悪・誘発因子	寛解因子
発症	期間	経過			
さまざま	過去の頭痛パターンによる	小さな離脱症状の頻度による(mini-withdrawal)	過去の頭痛パターンによる	発熱，一酸化炭素，低酸素，カフェインの離脱症状，他の頭痛の誘引となるもの	原因による
段階的	さまざま	さまざま	眼精疲労，眼に砂が入ったような感じ，結膜の充血	長時間にわたる眼の使用，特に近くをみる作業	眼の安静
しばしば急速	さまざま，治療による	さまざま，治療による	視覚のぼやけ，悪心・嘔吐，光の周りに光輪がみえる，目の充血	散瞳薬で誘発されうる	—
さまざま	しばしば連日数時間，治癒するまで	しばしば連日，反復性	局所の圧痛，鼻閉，鼻汁，熱	咳，くしゃみ，また頭部を振ると悪化する	鼻うっ血除去薬，抗菌薬
多くは急速で，発症から24時間以内で急性発症のこともある	さまざま，通常は数日	ウイルス性では1週間以内，細菌性では治癒するまで	発熱，項部硬直，羞明，精神状態の変化	—	細菌性かウイルス性かの診断確定を待たず，迅速に抗菌薬投与
急速，発症から1分以内のことも	さまざま，通常は数日	出血の重症度と意識レベルによりさまざま，はじめから昏睡となることもある	悪心，嘔吐。意識障害，頸部痛　くも膜下腔への血管漏出による先行する頸部症状の可能性	再出血，頭蓋内圧亢進，脳浮腫	専門医による治療
さまざま	しばしば短い，腫瘍の部位，増大速度による	間欠的だが，数日の経過で増悪しうる	てんかん発作，片麻痺，視野欠損，人格変化。嘔気，嘔吐，視覚障害，歩行障害も	咳，くしゃみ，または頭部を突然動かすことで悪化しうる	専門医による治療
段階的または急速	さまざま	再発するか，数週間から数カ月間にわたり持続する	側頭動脈上，近接頭皮の圧痛。発熱(約50％)，疲労，体重減少。新規の頭痛(約60％)，顎跛行(約50％)，視覚の低下または失明(15～20％)，リウマチ性多発筋痛症(約50％)	頸部と肩部の動き	しばしばステロイド投与
受傷後，7日から最大3カ月	数週から1年かかることも	時間とともに減弱する傾向がある	傾眠，集中力低下，混乱，記憶障害，視覚のぼやけ，めまい感，感情過敏，落ち着きのなさ，倦怠感	精神的・身体的疲労，緊張，前屈姿勢，興奮，アルコール	安静，薬物治療
突然で，発作性である	小発作は数秒間だが，秒または分の間隔で繰り返す	数週間から数カ月にわたり連日続く，やがて終息する。慢性的に進行しうる	再発する痛みによる消耗	顔下半分または口の領域を触る。咀嚼，話す，歯を磨く	薬物治療，神経血管減圧術

表 24-6　脳卒中の分類

脳卒中の診断には，注意深い病歴聴取と詳細な身体診察が求められる。そして，診断の要点はつぎの 3 つに集約されよう。**患者の身体所見から考えられる病変部位とその血管領域はどこか？　虚血性脳卒中か出血性脳卒中か？　虚血性の場合，機序は血栓性か塞栓性か？**　脳卒中は緊急の対応が求められる疾患であり，一刻を争う事態である。この 3 つを明らかにすることが患者の予後，抗血栓療法施行の判断にとって必要不可欠といえる。

虚血性脳卒中では，血流が著しく損なわれ細胞死に陥るような病変中心部の周囲に，虚血ペナンブラと呼ばれる，血流の早期回復によっては可逆性を有する領域が存在する。不可逆的な損傷は発症から 3〜6 時間で生じ，最善の予後を得るには，可能な限り早期の再灌流を図ることが重要となる。3 時間以内での治療では最大 50％の患者に回復が認められるという報告がある。

脳卒中の診断技術を向上させるには訓練と経験が必要である。脳卒中の病態生理を理解するには，たゆまぬ努力，神経学的診察技術に関する熟達者からの指導，そして根気を要する。ここに示した概略は，その一助となるものである。臨床での確かな診察能力は，患者への治療を決定するうえでも非常に大切なことである[53, 55, 56, 100]。p.540〜542 を参照しつつ，脳卒中発症の危険因子と一次予防について再度確認されたい。

脳卒中の臨床像と血管領域

臨床所見	血管領域	参考
対側の下肢脱力	前方循環―前大脳動脈（ACA）	内頸動脈は，前大脳動脈，中大脳動脈（MCA）からなる前方循環への血流を供給する
対側の顔面，筋力低下（上肢＞下肢），感覚障害，視野欠損，失行，失語（左 MCA），半側無視（右 MCA）	前方循環― MCA	灌流範囲は最大であり，発症頻度としても最も多い領域である。
皮質症状を伴わない，対側の運動・感覚障害（失語，半側無視など）	皮質下循環*―レンズ核線条体動脈，MCA の深部穿通枝	内包，視床，脳幹の細動脈に生じるラクナ梗塞。5 つの古典的な脳卒中症候群がある：pure motor stroke(hemiplegia/hemiparesis)純粋運動性脳卒中（純粋運動性片麻痺），pure sensory stroke (hemianesthesia)純粋感覚性脳卒中（片側感覚脱失），運動失調不全片麻痺 ataxic hemiparesis，clumsy hand/dysarthria syndrome 巧緻運動障害・構音障害，mixed sensorimotor stroke 混合感覚運動脳卒中
対側の視野欠損	後方循環―後大脳動脈（PCA）	一対の椎骨動脈は合流して脳底動脈となり，後方循環として供給する。両側 PCA の梗塞では皮質盲をきたすが，瞳孔反射は保たれる
嚥下障害，構音障害，舌・口蓋の偏位，運動失調，これらと対側の感覚・運動障害（病側の顔面と対側の四肢・体幹）	後方循環―椎骨動脈あるいは脳底動脈からの分枝が，脳幹を灌流する	
眼球運動障害，運動失調，対側の感覚・運動障害	後方循環―脳底動脈	脳底動脈の完全閉塞―閉じ込め症候群 locked-in syndrome（意識清明ながら発語困難と四肢麻痺をきたす）

*大脳皮質と皮質下の障害を区別すること。皮質下梗塞またはラクナ症候群では，高次認知機能，言語，視野は障害されない。

出典：Medical Knowledge Self-Assessment Program, 14th edition (MKSAP 14), Neurology. Philadelphia, PA: American College of Physicians; 2006: 52-68. Copyright 2006, American College of Physicians. より許可を得て掲載

UNIT II　第24章　神経系

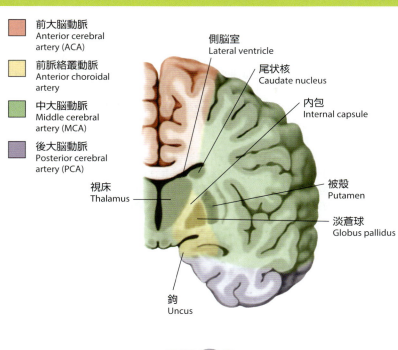

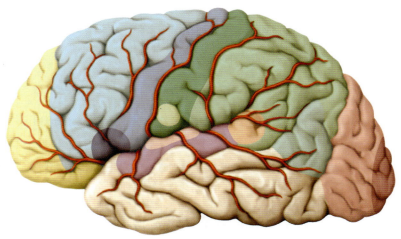

表 24-7 てんかん発作

てんかんは，2010年に最新の医学を反映して，焦点性発作と全般てんかんに再分類された。基礎的な要因としては，「素因性（genetic）」，「構造的/代謝性（structural/metabolic）」，「原因不明（unknown）」を用いることとした。再分類についての詳細な経緯や参考文献については，国際抗てんかん連盟 International League Against Epilepsy（ILAE）の分類・用語委員会（2005〜2009年）の報告にある。ここでは国際抗てんかん連盟の基本的な概要（ILAE report）を示す。

焦点発作
焦点発作の概念は，「その起源が，神経ネットワークの一側の大脳半球に限られた発作」である。
- 限局している場合も，より広範な場合もある。
- 焦点発作は，皮質下からも生じうる。
- 以下に示すいずれの発作型においても，同一の患者では発作は毎回，同じ発作型で生じ，側性は変化しうるが，同様の伝播をする。異なる発作型を生じるケースもあるが，その場合も発作の起源となる領域は同一である。
- 今回の分類では，単純部分発作と複雑部分発作の区別はしないことになったが，医療者にとって「意識や認知機能の状態，障害範囲，発作後の経過」に関心を払い，記録すべきことに変わりはない。

様式	臨床的徴候	発作後の状態
意識障害を伴わない焦点発作		
運動徴候，自律神経症状が認められるもの		
● Jackson（ジャクソン）発作	一側の上肢・下肢・顔面から強直性間代性の痙攣がはじまり，同側の他の身体部位に拡大する	正常な意識状態
● その他	頭部や眼球が一側を向く，あるいは一側の上肢または下肢に強直性間代性の痙攣を生じるが，Jackson発作のように範囲は拡大しない	正常な意識状態
● 自律神経症状を伴うもの	心窩部の違和感，悪心，蒼白，潮紅，浮遊感	正常な意識状態
主観的な感覚・精神的現象あり	しびれ，刺痛。または閃光，耳鳴り，幻視，幻聴，幻嗅	正常な意識状態
	不安や恐怖感，既視感や非現実感，夢遊感，恐怖や激高，フラッシュバック，さらに複雑な幻覚	正常な意識状態
意識障害を伴う焦点発作	上述したような自律神経症状あるいは精神症状を伴うことがある。患者の意識は混乱している。口をくちゃくちゃさせる，舌打ちをするなどの口部自動症，または歩き出す，服のボタンをはずすなどの自動症がみられる。なかには自動車を運転するといった，複雑な技能を要する行動をとる場合もある	患者は自律神経症状や精神症状のはじまりを前兆として記憶していることがあるが，その後の記憶はない。一時的な意識不鮮明や頭痛を伴うことがある
全般化した焦点発作	部分発作が強直性間代性発作（後述を参照）のように全般化するもの。患者は，部分発作を記憶していないことがある	強直性間代性発作については次ページを参照。全般化した部分発作では，(1)発作の**前兆**を記憶していることがある，(2)痙攣後に**一側性**の神経徴候を残すことがある，の2点が特徴である

*熱性痙攣は乳幼児に生じる強直性間代性発作に似た痙攣で，ほとんどは良性だが，てんかんの初発である場合もある。
出典：John Wiley & Sons, Inc. の許可を得て Berg AT et al. Epilepsia. 2010; 51(4): 676-685. Copyright© 2010 International League Against Epilepsy より掲載

全般てんかんと非てんかん発作

全般てんかんの概念は，「起源が，両側大脳半球にわたる神経ネットワーク（大脳半球全体とは限らないが，皮質，皮質下を含む）に及び，急速に伝播する発作」である。

- 発作の起源や側性は，発作のたびに変化しうる。
- 全般てんかんは，左右対称に生じるとは限らない。
- 身体の運動徴候や意識障害，またはその両方を生じる。
- 強直性間代性発作が 30 歳以上で発症した場合，焦点発作の全般化，あるいは中毒性，代謝性の可能性について検討すべきである。

中毒・代謝性のものとしては，アルコールや鎮静薬からの離脱，尿毒症，低血糖，高血糖，低ナトリウム血症，薬物中毒，細菌性髄膜炎などがある。

発作型	臨床的徴候	発作後の状態
全般てんかん		
強直性間代性発作（大発作）*	突然，意識を失い，叫び声をあげることもある。身体は伸展・硬直し，呼吸が停止してチアノーゼを生じる。続いて規則的に筋が収縮する間代期となる。呼吸は再開するが多くの場合に雑音を伴い，唾液の分泌も亢進する。外傷，咬舌，尿失禁がしばしばみられる	意識不鮮明，傾眠，倦怠感，頭痛，筋肉痛。ときに腱反射亢進，Babinski 反射などの神経学的所見が両側性にしばらく残存する。患者には，発作や前兆についての記憶がない
欠神発作	突然で短時間の意識の脱落。瞬き，凝視，口唇や手の動作を伴うが，転倒はしない。2 つの型に分類される。典型欠神発作：持続時間は 10 秒以内で，急速に回復。非典型欠神発作：10 秒を超える発作	前兆は自覚されない。典型欠神発作では，急速に正常へ回復。非典型欠神発作では，発作後混乱もある
ミオクロニー発作	突然の，筋の速い収縮。体幹にも四肢にも生じる。ミオクローヌスはさまざまな潜在的原因をもつ。またミオクローヌスは，すべてがてんかん発作として生じるものではない	多様
ミオクロニー脱力発作	突然，意識を失い転倒するが，身体の動作は伴わない。外傷を生じることがある	速やかに正常に回復する場合と，少しの間，意識不鮮明が残る場合がある
非てんかん発作（旧呼称：偽性てんかん発作）		
転換性障害による，てんかん発作に似た症状（DSM-5 では，機能性神経症状症 Functional Neurologic Symptom Disorder と呼称）	動作は複雑で，神経解剖では説明できない様式であることがしばしばである。てんかん発作との鑑別には，脳波の検査を要する場合がある。同一の患者が，てんかん発作と非てんかん発作を合わせもつことは，稀ではない	多様

表 24-8　振戦と不随意運動

振戦
規則正しいふるえである。大まかに，静止時（静的姿勢時）振戦，姿勢時（動作時）振戦，企図時振戦の3つに分類される

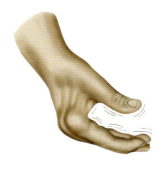  

静止時振戦
安静時に最も顕著であり，随意運動時には減少し，はっきりしなくなることがある。図に示したのは，**Parkinson症候群**でよくみられる，約5 Hzの比較的ゆっくりとした，細かい，**丸薬まるめ様振戦**である

姿勢時振戦
姿勢を維持するときに現れる振戦。甲状腺機能亢進症でみられる，細かく速い振戦，不安時や疲労時にみられる振戦，本態性（しばしば家族性）振戦など

企図時振戦
企図時振戦は，安静時には認めず，動作により生じ，動作の目標に近づくときに増強する。小脳や関連する神経路の障害で生じ，多発性硬化症，脳卒中などが原因となる

不随意運動

  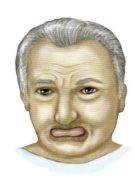

口顔面ジスキネジア
おもに顔面，口，顎，舌に現れる一定のリズムがなく，反復性で，奇妙な動きである。しかめ面，口すぼめ，舌の突き出し，口の開閉，顎の偏位といった動きを生じる。四肢，体幹に及ぶことはまずない。フェノチアジン系薬物など抗精神病薬，制吐薬の長期服用による後期合併症として起こることもあり，これは遅発性ジスキネジアと呼ばれる。その他，長期精神病患者，高齢者，歯のない人でもみられる

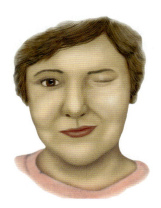

チック
不規則な間隔で繰り返される，持続時間の短い，典型的ないくつかの動作が組み合わさった不随意運動である。繰り返される片目の瞬き，しかめ面，肩すくめがその例である。原因として，Tourette（トゥレット）症候群，フェノチアジン系薬物による遅発性効果など

ジストニア
ジストニアは，アテトーシスや振戦に類似した不規則な動きである。しばしば，随意運動の妨げとなる姿勢異常を呈し，ときに痛みを伴う。書痙 writer's cramp，眼瞼攣縮，図示した攣縮性斜頸などがある

アテトーシス（アテトーゼ）
舞踏運動よりもゆっくりとした，ねじれるような不随意運動で，動作の振幅も大きい。顔面や四肢の遠位部に出現することが多い。痙性を伴うこともある。脳性麻痺でみられることがある（大脳基底核の障害で起こりうる）

舞踏運動
持続時間の短い，急速で跳ねるような，不規則で予期しにくい不随意運動である。安静時にも生じるが，通常の動作の途中でそれを遮るように生じることもある。チックとは異なり，同じ動作の繰り返しはほとんどない。顔面，頭部，前腕，手に生じることが多い。Sydenham（シデナム）舞踏病（リウマチ熱に伴う），Huntington（ハンチントン）病などがある

表 24-9　眼振

眼球の規則的なゆれであり，この点は身体の他部位における振戦に類似している。原因は，幼少期からの視覚障害，迷路や小脳系の障害，薬物中毒などさまざまである。健常人でも，急速に動くもの（例えば，走行している列車）をみると眼振を生じる。以下に示す3つの眼振の特徴を学ぶことが，眼振を正しく診断するために必要である。これらを理解してから神経学の成書を参照されたい。

眼振が誘発される注視の方向
例：右側方注視眼振

眼振が誘発されている（右側方注視）

眼振はどの方向を注視しても誘発されることがあるが，特定方向の注視でのみ誘発されたり，増強されることがある（側方，上方など）。なお，健常人でも極端な側方視をすると，眼振様のゆれが数回起こることがある。診察時には眼球運動の限界までは行わず，**両眼の視野の範囲内で検査を行う**ように注意する

眼振を認めない（左側方注視）

眼振の急速相と緩徐相
例：左向き眼振—両眼とも左方に急速運動し，緩徐に右方へ戻る

眼振は通常，急速相と緩徐相からなるが，急速相の方向を眼振の方向と決める。例えば，眼球が患者の左方向へ急速に動き，それから右方向へゆっくり戻るものは，**左向き眼振**と呼ぶ。ときに，急速相・緩徐相をもたず，粗い往復運動のみが持続し，「**振り子様**」と称する

眼振の軸
水平性眼振

眼振にはいくつかの軸（様式）があり，注視方向とは別に，水平性眼振，垂直性眼振，回旋性眼振と呼ばれる。ただし，これらは動きのある平面を指し，凝視の方向ではない

垂直性眼振

回旋性眼振

表 24-10　顔面麻痺の種類

顔面の脱力あるいは麻痺は，(1)第Ⅶ脳神経すなわち顔面神経の橋から顔面に至るいずれかの部位における末梢性障害，(2)大脳皮質から橋までの上位運動ニューロンにおける中枢性障害のいずれかで生じる。第Ⅶ脳神経の末梢性障害（例：Bell麻痺）と，中枢性障害（例：左大脳半球の脳梗塞）を比較してみる。両者は，顔面上部の所見で見分けることができる。

顔面下部は通常，一側（対側）の大脳皮質運動野からの上位運動ニューロン支配を受けている。**脳卒中などによる左大脳半球障害では，右下半分の顔面麻痺を生じる**。しかし，顔面上部は両側性に中枢からの支配を受けており，左側運動路が障害されても右側からの支配が残り，比較的良好に保たれる。

第Ⅶ脳神経の末梢性障害

第Ⅶ脳神経の末梢性障害では，前額部を含む顔面の右半分全体に麻痺が生じる

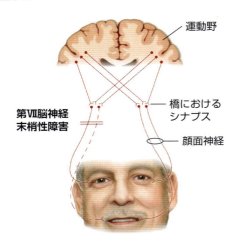

閉眼

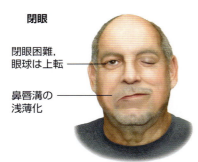

- 閉眼困難，眼球は上転
- 鼻唇溝の浅薄化

眉毛の挙上
- 額の皺寄せ，眉毛の挙上とも不十分

笑い顔
- 顔面下部の麻痺

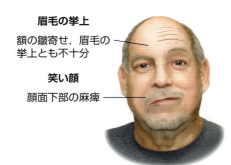

第Ⅶ脳神経の中枢性障害

第Ⅶ脳神経の中枢性障害では，顔面の下半分に麻痺を生じるが，前額部は保たれる

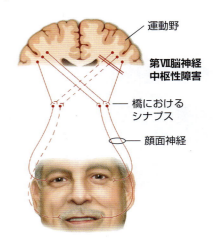

閉眼

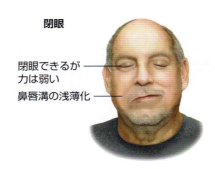

- 閉眼できるが力は弱い
- 鼻唇溝の浅薄化

眉毛の挙上
- 額の皺寄せ，眉毛の挙上とも可能

笑い顔
- 顔面下部の麻痺

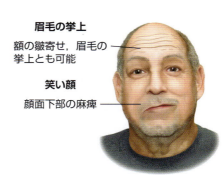

表 24-11　姿勢の異常

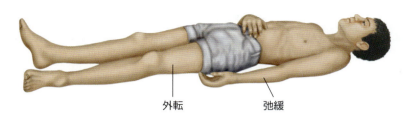

外転　　弛緩

片麻痺（早期）
急性発症の，皮質脊髄路を含む大脳の一側性障害では，片麻痺（一側性麻痺）を生じる。その早期は弛緩性麻痺を呈し，痙性は後から生じてくる（後述）。障害のある肢はだらりとなり，持ち上げて離すと抵抗なく一気に落下する。自発動作や侵害刺激に対する反応は，対側に限られる。麻痺側の下肢は，外転，外旋位をとる。また，顔面の下部にも麻痺が生じ，頬をふくらませてプッと息を吹き出すことができない

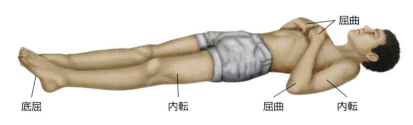

底屈　　内転　　屈曲　　内転　　屈曲

除皮質硬直（異常屈筋反応）
上肢は肘，手首，手指ともに両側でかたく屈曲する。下肢は伸展，内転し，足は底屈する。昏睡患者で両側性にみられる場合，病変が大脳半球，あるいは大脳半球近隣の，皮質脊髄路を含むことを意味する。この姿勢はまた，脳卒中などで生じた皮質脊髄路障害の長期回復過程において，片側性にみられることがある（慢性痙性片麻痺）

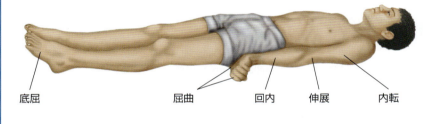

底屈　　屈曲　　回内　　伸展　　内転

除脳硬直（異常伸筋反応）
歯を食いしばり，頸部は伸展している。上腕は内転し，肘関節は固く伸展している。前腕は回内し，手首，手指は屈曲している。下肢は膝関節がかたく伸展し，足関節は底屈している。この姿勢は自発的に生じるが，光，騒音，痛みなどの外的刺激によっても生じることがある。この姿勢は，間脳，中脳，橋の病変で生じ，低酸素血症，低血糖など，重症の代謝障害でもみられることがある

表 24-12　筋緊張の異常

	痙縮	固縮	弛緩（筋緊張低下）	パラトニー
病変局在	上位運動ニューロンまたは皮質脊髄路系	錐体外路系（大脳基底核系）	前角細胞から末梢神経に至る下位運動ニューロンの広範囲，小脳疾患	両側大脳半球，通常は前頭葉
特徴	筋緊張亢進の程度は，病態の重症度による。筋緊張亢進は，速い受動運動で顕著となり，受動運動が緩徐である場合はそれほどでもない。緊張は運動のピーク時にも増強する。また，速い受動運動を行った場合，その最初は特に緊張が強いが，途中で急に弱くなる。この痙性の変化（引っかかりと緩み）は，折りたたみナイフ様痙縮として知られている 筋の抵抗は亢進しているが，受動運動の速さに関係なく一定であり，鉛管様筋固縮と呼ばれる	手首，前腕の屈曲や伸展を行うと，歯車の動きを思わせるような引っかかりが感じられ，**歯車様強剛**と呼ばれる。背景には振戦を伴う病態がある 筋緊張低下により，四肢はゆるく，ぶらぶらになる。ときに過伸展となったり，振り回すような動き（分回し運動）が起こることもある	弛緩した筋は，しばしば脱力をきたしている	受動運動の途中で，突然，筋緊張が変化する 急に筋緊張が緩んで動かしやすくなるものを促通性パラトニー，または **mitgehen**（同調している）と呼ぶ 逆に，急に筋緊張が亢進して動かしにくくなるものを反衝性パラトニー，または **gegenhalten**（抵抗している）と呼ぶ
よくみられる原因	脳卒中，特に後期または慢性期	Parkinson症候群	Guillain-Barré症候群。脊髄損傷の初期（脊髄ショック），脳卒中の初期	認知症

表 24-13　Glasgow Coma Scale（GCS）訳注）

活動性		スコア
開眼の状態		
なし	1＝眼窩上刺激を加えても開眼しない	
痛み刺激により	2＝胸骨，四肢，眼窩上刺激にて	
呼びかけにより	3＝応答の有無は問わない	
自発的	4＝周囲への関心などは問わない	_____
運動による反応		
なし	1＝痛み刺激を加えても，弛緩したまま	
伸展する	2＝肩の内転，肩・前腕の内旋	
異常な屈曲反応	3＝逃避する動きや，片麻痺姿勢	
痛み刺激からの逃避反応	4＝痛みから逃避する場合の腕の動き，肩の外転	
痛み刺激を払いのける	5＝眼窩上または胸部圧迫による刺激を払いのける動き	
命令に従う	6＝簡単な命令に従う	_____
言語による反応		
なし	1＝いかなる言語性反応もなし	
理解できない声	2＝発語ではなく，うなり声やうめき声	
不適当な言葉	3＝意味はあるが，持続しない発語	
錯乱状態	4＝見当識を伴わない，混乱した会話	
見当識あり	5＝見当識を伴った会話	_____
		合計点（3～15）*

*通常は 3～8 点を昏睡と判定する。
出典：Copyright© 1974 Elsevier の許可を得て Teasdale G, Jennett B. *Lancet*. 1974; 304(7872): 81-84. より掲載

訳注：意識障害を観察するツールとして他に Japan Coma Scale（JCS，3-3-9 度方式）がある。

表 24-14　代謝性昏睡と器質性昏睡

昏睡の原因は多岐にわたるが，**器質性**と**代謝性**のものに大別される。個々の症例によって所見は多様であるため，以下は厳密な鑑別というよりも，一般的な傾向として参考にしてほしい。なお，**精神障害**によっても昏睡に似た状態を生じることがあるので注意する。

	中毒・代謝性	器質性
病態生理	覚醒中枢に対する毒性，細胞レベルでの障害	脳幹網様体の破壊，あるいは周囲病変からの直接・間接の圧迫
臨床像		
●呼吸	正常か，規則性の過換気 呼吸が不規則な場合，通常は Cheyne-Stokes（チェーン・ストークス）呼吸	不規則で，Cheyne-Stokes 呼吸や失調性呼吸を呈する 持続性吸息や中枢性過呼吸といった典型的なものも含まれる
●瞳孔	左右同大で，対光反射あり。麻薬，コリン薬によって**縮瞳**しているときは，拡大鏡で観察が必要なことがある 抗コリン薬投与，低体温では**散大固定**となる場合がある	左右不同，または障害側の対光反射消失 　**中間位固定**─中脳圧迫を示唆する 　**散大固定**─脳ヘルニアなどによる第Ⅲ脳神経の圧迫を示唆する
●意識レベル	瞳孔の変化の後に障害される	瞳孔の変化の**前**に障害される
原因	尿毒症，肝不全，高血糖，低血糖，アルコール，薬物，甲状腺機能低下，低酸素，虚血，髄膜炎，脳炎，高体温，低体温	硬膜外・硬膜下・脳内出血。広範囲脳梗塞。腫瘍，膿瘍。脳幹の梗塞，腫瘍，出血。小脳の梗塞，出血，腫瘍，膿瘍

| UNIT II　第24章　神経系 |

表 24-15　昏睡患者の瞳孔

瞳孔径，左右同大性，対光反射は，昏睡の原因，脳障害の部位を知るうえで，重要である。緑内障に対する縮瞳薬，眼底観察のための散瞳薬（昏睡患者での使用はすすめられない）の点眼が，昏睡とは関係のない瞳孔の異常をきたすことを，よく覚えておく。

縮瞳，針先瞳孔
両側性の縮瞳(1〜2.5 mm)は，視床下部からの交感神経経路の障害，代謝性脳障害，薬物中毒などさまざまな原因による大脳のびまん性障害を示唆する。対光反射は通常は正常である
針先瞳孔（＜1 mm）は，橋出血，モルヒネ，ヘロイン，その他の麻薬中毒を示唆する。対光反射は拡大鏡で観察可能である

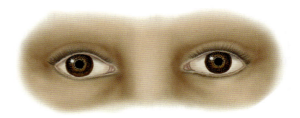

中間位固定
中間位か，わずかに**散瞳**して（4〜6 mm），対光反射のない瞳孔は，中脳の器質性障害を示唆する

両側性の散瞳
両側性に散大して対光反射のない瞳孔は，心停止後のような重度の低酸素状態，それによる交感神経様作用の可能性を示唆する。または，アトロピン系薬物，フェノチアジン系薬物，三環系抗うつ薬の服用でも生じることがある
両側性の散瞳で対光反射がある場合は，コカイン，アンフェタミン，LSD，その他の交感神経作動薬によることがある

片側性の散瞳
対光反射のない片側性の瞳孔散大は，脳ヘルニアによって，動眼神経（第Ⅲ脳神経）と中脳が側頭葉の圧迫を受けていることを示す重大な徴候である。片側性の瞳孔散大は，糖尿病患者の第Ⅲ脳神経の梗塞でもみられる

文献一覧

1. Wright BL, Lai JT, Sinclair AJ. Cerebrospinal fluid and lumbar puncture: a practical review. *J Neurol*. 2012; 259: 1530-1545.
2. Straus SE, Thorpe KE, Holroyd-Leduc J. How do I perform a lumbar puncture and analyze the results to diagnose bacterial meningitis? *JAMA*. 2006; 296: 2012-2022.
3. National Institute of Neurologic Disorders and Stroke, National Institutes of Health. Spinal cord injury: hope through research. Updated February 8, 2017. Available at https://www.ninds.nih.gov/Disorders/Patient-Caregiver-Education/Hope-Through-Research/Spinal-Cord-Injury-Hope-Through-Research. Accessed July 3, 2018.
4. Chad DA, Stone JH, Gupta R. Case 14-2011: A woman with asymmetric sensory loss and paresthesias. *N Engl J Med*. 2011; 364: 1856-1865.
5. Dyck PJ, Herrmann DN, Staff NP, et al. Assessing decreased sensation and increased sensory phenomena in diabetic polyneuropathies. *Diabetes*. 2013; 62: 3677-3686.
6. Kanji JN, Anglin RE, Hunt DL, et al. Does this patient with diabetes have large-fiber peripheral neuropathy? *JAMA*. 2010; 303: 1526-1532.
7. Lipton RB, Bigal ME, Diamond M, et al. Migraine prevalence, disease burden, and the need for preventative therapy. *Neurology*. 2007; 68: 343-349.
8. Hazard E, Munakata J, Bigal ME, et al. The burden of migraine in the United States: current and emerging perspectives on disease management and economic analysis. *Value Health*. 2009; 12(1): 55-64.
9. Hale N, Paauw DS. Diagnosis and treatment of headache in the ambulatory care setting: a review of classic presentations and new considerations in diagnosis and management. *Med Clin North Am*. 2014; 98: 505-527.
10. Lipton RB, Bigal ME, Steiner TJ, et al. Classification of primary headaches. *Neurology*. 2004; 63: 427-435.
11. Headache Classification Committee of the International Headache Society (IHS) The International Classification of Headache Disorders, 3rd edition. *Cephalalgia*. 2018; 38(1): 1-211.
12. Hainer B, Matheson E. Approach to acute headache in adults. *Am Fam Physician*. 2013; 87: 682-687.
13. D'Souza S. Aneurysmal subarachnoid hemorrhage. *J Neurosurg Anesthesiol*. 2015; 27: 222-240.
14. Mortimer AM, Bradley MD, Stoodley NG, et al. Thunderclap headache: diagnostic considerations and neuroimaging features. *Clin Radiol*. 2013; 68: e101-e113.
15. Dill E. Thunderclap headache. *Curr Neurol Neurosci Rep*. 2014; 14: 437.
16. Bhimraj A. Acute community-acquired bacterial meningitis in adults: an evidence-based review. *Cleve Clin J Med*. 2012; 79: 393-400.
17. Brouwer MC, Tunkel AR, van de Beek D. Epidemiology, diagnosis, and antimicrobial treatment of acute bacterial meningitis. *Clin Microbiol Rev*. 2010; 23: 467-492.
18. Logan SA, MacMahon E. Viral meningitis. *BMJ*. 2008; 336(7634): 36-40.
19. Omuro A, DeAngelis LM. Glioblastoma and other malignant gliomas: a clinical review. *JAMA*. 2013; 310: 1842-1850.
20. Brouwer MC, Tunkel AR, McKhann GM, et al. Brain abscess. *N Engl J Med*. 2014; 371: 447-456.
21. Bushnell C, McCullough L. Stroke prevention in women: synopsis of the 2014 American Heart Association/American Stroke Association guideline. *Ann Intern Med*. 2012; 160: 853-857.
22. Sacco S, Ornello R, Ripa P, et al. Migraine and hemorrhagic stroke: a meta-analysis. *Stroke*. 2012; 44: 3032-3038.
23. Sacco S, Ricci S, Degan D, et al. Migraine in women: the role of hormones and their impact on vascular diseases. *J Headache Pain*. 2012; 13: 177-189.
24. MacGregor EA. Migraine. *Ann Intern Med*. 2017; 166(7): ITC49-ITC64.
25. Detsky ME, McDonald DR, Baerlocher MO, et al. Does this patient with headache have a migraine or need neuroimaging? *JAMA*. 2006; 296: 1274-1283.
26. Schwedt TJ, Matharu MS, Dodick DW. Thunderclap headache. *Lancet Neurol*. 2006; 5: 621-631.
27. Sun-Edelstein C, Bigal ME, Rapoport AM. Chronic migraine and medication overuse headache: clarifying the current International Headache Society classification criteria. *Cephalalgia*. 2009; 29: 445-452.
28. Fumal A, Schoenen J. Tension-type headache: current research and clinical management. *Lancet Neurol*. 2008; 7: 70-83.
29. Olesen J, Steiner T, Bousser MG, et al. Proposals for new standardized general diagnostic criteria for the secondary headaches. *Cephalalgia*. 2009; 29: 1331-1336.
30. De Luca GC, Bartleson JD. When and how to investigate the patient with headache. *Semin Neurol*. 2010; 30: 131-144.
31. World Health Organization. Implementation guide for the medical eligibility criteria and selected practice recommendations for contraceptive use guidelines. Geneva: World Health Organization; 2018. Available at http://apps.who.int/iris/bitstream/handle/10665/272758/97892415135 79-eng.pdf?ua=1. Accessed July 3, 2018.
32. Spector JT, Kahn SR, Jones MR, et al. Migraine headache and ischemic stroke risk: an updated meta-analysis. *Am J Med*. 2010; 123: 612-624.
33. Harris M, Kaneshiro B. An evidence-based approach to hormonal contraception and headaches. *Contraception*. 2009; 80: 417-421.
34. Kurth T, Slomke MA, Kase CS, et al. Migraine, headache, and the risk of stroke in women: a prospective study. *Neurology*. 2005; 64: 1020-1026.

35. Dodick DW. Clinical practice. Chronic daily headache. *N Engl J Med*. 2006; 354: 158-165.
36. Gardner K. Genetics of migraine: an update. *Headache*. 2006; 46: S19-S24.
37. Wipperman J. Dizziness and vertigo. *Prim Care*. 2014; 41: 115-131.
38. Siket MS, Edlow JA. Transient ischemic attack: reviewing the evolution of the definition, diagnosis, risk stratification, and management for the emergency physician. *Emerg Med Clin North Am*. 2012; 30: 745-770.
39. Cucchiara B, Kasner SE. In the clinic. Transient ischemic attack. *Ann Intern Med*. 2011; 154: ITC11-15.
40. Karras C, Aitchison R, Aitchison P, et al. Adult stroke summary. *Dis Mon*. 2013; 59: 210-216.
41. Nouh A, Remke J, Ruland S. Ischemic posterior circulation stroke: a review of anatomy, clinical presentations, diagnosis, and current management. *Front Neurol*. 2014; 5: 30.
42. Ishiyama G, Ishiyama A. Vertebrobasilar infarcts and ischemia. *Otolaryngol Clin North Am*. 2011; 44: 415-435.
43. Runchey S, McGee S. Does this patient have a hemorrhagic stroke? Clinical findings distinguishing hemorrhagic stroke from ischemic stroke. *JAMA*. 2010; 303: 2280-2286.
44. Yuki N, Hartung H-P. Guillain-Barré Syndrome. *N Engl J Med*. 2012; 366: 2294-2304.
45. Baggi F, Andreetta F, Maggi L, et al. Complete stable remission and autoantibody specificity in myasthenia gravis. *Neurology*. 2013; 80: 188-195.
46. Spillane J, Higham E, Kullmann DM. Myasthenia gravis. *BMJ*. 2012; 345: e8497.
47. Yoo M, Sharma N, Pasnoor M, et al. Painful diabetic peripheral neuropathy: presentations, mechanisms, and exercise therapy. *J Diabetes Metab*. 2013; Suppl 10: 005.
48. Gilron I, Baron R, Jensen T. Neuropathic pain: principles of diagnosis and treatment. *Mayo Clin Proc*. 2015; 90: 532-545.
49. Benditt DG, Adkisson WO. Approach to the patient with syncope: venues, presentations, diagnoses. *Cardiol Clin*. 2013; 31: 9-25.
50. Low PA, Tomalia VA. Orthostatic hypotension: mechanisms, causes, management. *J Clin Neurol*. 2015; 11: 220-226.
51. Berg AT, Berkovic SF, Brodie MJ, et al; Commission on Classification and Terminology of the International League Against Epilepsy. A proposed diagnostic scheme for people with epileptic seizures and with epilepsy: report of the ILAE Task Force on Classification and Terminology, 2005-2009. *Epilepsia*. 2010; 51: 676-685. Available at http://onlinelibrary.wiley.com/doi/10.1111/j.1528-1167.2010.02522.x/full. Accessed July 3, 2018.
52. French JA, Pedley TA. Clinical practice. Initial management of epilepsy. *New Engl J Med*. 2008; 359: 166-176.
53. American College of Physicians. Epilepsy syndromes and their diagnosis. In: *Neurology, Medical Knowledge Self-Assessment Program (MKSAP) 15*. Philadelphia, PA: American College of Physicians; 2006: 74.
54. Elias WJ, Shah BB. Tremor. *JAMA*. 2014; 311: 948-954.
55. Benito-Leon J. Essential tremor: a neurodegenerative disease? *Tremor Other Hyperkinet Mov (NY)*. 2014; 4: 252.
56. Connolly BS, Lang AE. Pharmacological treatment of Parkinson disease, a review. *JAMA*. 2014; 311: 1670-1683.
57. Jankovic J. Parkinson's disease: clinical features and diagnosis. *J Neurol Neurosurg Psychiatry*. 2008; 79: 368-376.
58. Wijemanne S, Jankovic J. Restless legs syndrome: clinical presentation diagnosis and treatment. *Sleep Med*. 2015; 16: 678-690.
59. Silber MH, Becker PM, Earley C, et al. Willis-Ekbom Disease Foundation revised consensus statement on the management of restless legs syndrome. *Mayo Clin Proc*. 2013; 88: 977-986.
60. American Academy of Neurology. Neurology clerkship core curriculum guidelines. See also Appendix 2: Guidelines for a Screening Neurologic Examination. Available at https://www.aan.com/siteassets/home-page/tools-and-resources/academic-neurologist-researchers/clerkship-and-coursedirector-resources/neurology-clerkship-core-curriculumguidelines.new.pdf. Accessed July 4, 2018.
61. McGee S. Ch 56, Visual field testing. In: *Evidence-Based Physical Diagnosis*. 3rd ed. Philadelphia, PA: Saunders; 2012: 513-520.
62. McGee S. Ch 20, The pupils. In: *Evidence-Based Physical Diagnosis*. 3rd ed. Philadelphia, PA: Saunders; 2012: 176-178.
63. McGee S. Ch 57, Nerves of the eye muscles. In: *Evidence-Based Physical Diagnosis*. 3rd ed. Philadelphia, PA: Saunders; 2012: 521-531.
64. Zandian A, Osiro S, Hudson R, et al. The neurologist's dilemma: a comprehensive clinical review of Bell's palsy, with emphasis on current management trends. *Med Sci Monit*. 2014; 20: 83-90.
65. McGee S. Ch 22, Hearing. In: *Evidence-Based Physical Diagnosis*. 3rd ed. Philadelphia, PA: Elsevier Saunders; 2012: 190.
66. Darcy P, Moughty AM. Images in clinical medicine. Pronator drift. *N Engl J Med*. 2013; 369: e20.
67. Daum C, Aybek S. Validity of the "drift without pronation" sign in conversion disorder. *BMC Neurol*. 2013; 13: 31.
68. Stone J, Carson A, Duncan R, et al. Which neurological diseases are most likely to be associated with "symptoms unexplained by organic disease." *J Neurol*. 2012; 259: 33-38.
69. Stone J, Carson A, Sharpe M. Functional symptoms and signs in neurology: assessment and diagnosis. *J Neurol Neurosurg Psychiatry*. 2005; 76(Suppl 1): i2-i12.
70. Stabler SP. Clinical practice. Vitamin B12 deficiency. *N Engl J Med*. 2013; 368: 149-160.
71. Kirshblum SC, Burns SP, Biering-Sorensen F, et al.

71. International Standards for Neurological Classification of Spinal Cord Injury (Revised 2011). *J Spinal Cord Med.* 2011; 34: 535-546.
72. Hallett M. NINDS myotatic reflex scale. *Neurology.* 1993; 43: 2723.
73. Isaza Jaramillo SP, Uribe Uribe CS, García Jimenez FA, et al. Accuracy of the Babinski sign in the identification of pyramidal tract dysfunction. *J Neurol Sci.* 2014; 343: 66-68.
74. Forgie SE. The history and current relevance of the eponymous signs of meningitis. *Pediatr Infect Dis J.* 2016; 35(7): 749-751.
75. McGee S. Ch 24, Meninges. In: *Evidence-Based Physical Diagnosis.* 3rd ed. Philadelphia, PA: Elsevier Saunders; 2012: 210-214.
76. Thomas KE, Hasbun R, Jekel J, et al. The diagnostic accuracy of Kernig's sign, Brudzinski's sign, and nuchal rigidity in adults with suspected meningitis. *Clin Infect Dis.* 2002; 35: 46-52.
77. Ward MA, Greenwood TM, Kumar DR, et al. Josef Brudzinski and Vladimir Mikhailovich Kernig: signs for diagnosing meningitis. *Clin Med Res.* 2010; 8: 13-17.
78. Geiseler PJ, Nelson KE. Bacterial meningitis without clinical signs of meningeal irritation. *South Med J.* 1982; 75: 448-450.
79. Puxty JA, Fox RA, Horan MA. The frequency of physical signs usually attributed to meningeal irritation in elderly patients. *J Am Geriatr Soc.* 1983; 31: 590-592.
80. Afhami S, Dehghan Manshadi SA, Rezahosseini O. Jolt accentuation of headache: can this maneuver rule out acute meningitis? *BMC Research Notes.* 2017; 10: 540.
81. McGee S. Ch 62, Disorders of nerve roots, plexuses. In: *Evidence-Based Physical Diagnosis.* 3rd ed. Philadelphia, PA: Elsevier Saunders; 2012: 607-609.
82. Mendizabal M, Silva MO. Asterixis. *N Engl J Med.* 2010; 363: e14.
83. Edlow JA, Rabinstein A, Traub SJ, et al. Diagnosis of reversible causes of coma. *Lancet.* 2014; 384(9959): 2064-2076.
84. Moore SA, Wijdicks EF. The acutely comatose patient: clinical approach and diagnosis. *Semin Neurol.* 2013; 33: 110-120.
85. Wijdicks EF. *The Comatose Patient.* 2nd ed. New York: Oxford University Press; 2014.
86. Henry TR, Ezzeddine MA. Approach to the patient with transient alteration of consciousness. *Neurol Clin Pract.* 2012; 2: 179-186.
87. Pope JV, Edlow JA. Avoiding misdiagnosis in patients with neurological emergencies. *Emerg Med Int.* 2012; 2012: 949275.
88. Brown EN, Lydic R, Schiff ND. General anesthesia, sleep, and coma. *N Engl J Med.* 2010; 363: 2638-2650.
89. Teasdale G, Jennett B. Assessment of coma and impaired consciousness. A practical scale. *Lancet.* 1974; 304(7872): 81-84.
90. Sandroni C, Geocadin RG. Neurological prognostication after cardiac arrest. *Curr Opin Crit Care.* 2015; 21: 209-214.
91. Sandroni C, Cariou A, Cavallaro F, et al. Prognostication in comatose survivors of cardiac arrest: an advisory statement from the European Resuscitation Council and the European Society of Intensive Care Medicine. *Resuscitation.* 2014; 85: 1779-1789.
92. Centers for Disease Control and Prevention. Stroke. 2018. Available at https://www.cdc.gov/stroke/index.htm. Accessed July 4, 2018.
93. Powers WJ, Rabinstein AA, Ackerson T, et al. 2018 Guidelines for the early management of patients with acute ischemic stroke: a guideline for healthcare professionals from the American heart association/American stroke association. *Stroke.* 2018; 49: e46-e110.
94. American Heart Association/American Stroke Association. Stroke warning signs. Available at https://www.strokeassociation.org/STROKEORG/Warning Signs/Stroke-Warning-Signs-and-Symptoms_UCM_308528_SubHomePage.jsp. Accessed July 4, 2018.
95. Meschia JF, Bushnell C, Boden-Albala B, et al. Guidelines for the primary prevention of stroke: a statement for healthcare professionals from the American Heart Association/American Stroke Association. Stroke. 2014; 45: 3754-3832.
96. Jonas DE, Feltner C, Amick HR, et al. Screening for asymptomatic carotid artery stenosis: a systematic review and meta-analysis for the U.S. Preventive Services Task Force. *Ann Intern Med.* 2014; 161: 336-346.
97. LeFevre ML; U.S. Preventive Services Task Force. Screening for asymptomatic carotid artery stenosis: U.S. Preventive Services Task Force recommendation statement. *Ann Intern Med.* 2014; 161: 356-362.
98. Pop-Busui R, Boulton AJ, Feldman EL, et al. Diabetic neuropathy: a position statement by the American Diabetes Association. *Diabetes Care.* 2017; 40: 136-154.
99. American Diabetes Association. Standards of Medical Care in Diabetes — 2016. *Diabetes Care.* 2016; 39 (Supplement 1): S1-S112.
100. Kernan WN, Ovbiagele B, Black HR, et al. Guidelines for the prevention of stroke in patients with stroke and transient ischemic attack: a guideline for healthcare professionals from the American Heart Association/American Stroke Association. *Stroke.* 2014; 45: 2160-2236.

本章の学習効果を高め，理解を助けるために一連の補助教材がある．

- 『ベイツ診察法ポケットガイド第4版』
- Bates' Visual Guide to Physical Examination
- thePoint® online resources, for students and instructors: http://thepoint.lww.com

UNIT III

特定の集団の診察

第25章 小児:新生児から青年期まで
第26章 妊娠女性
第27章 老年

第25章 小児：新生児から青年期まで

Peter G. Szilagyi, MD, MPH

本章の内容

- 小児発達における一般原則
- 発達評価
- 健康増進の重要項目
- 主要項目
  - 新生児および乳幼児
  - 就学前・学童期
  - 思春期・青年期
- 主要項目の構成：
- 病歴：一般的なアプローチ
- 発達評価
  - 身体的発達
  - 知的発達と言語発達
  - 社会情緒的発達
- 身体診察：一般的なアプローチ
- 診察の技術
- 所見の記録
- 健康増進とカウンセリング：エビデンスと推奨

図 25-1　乳児は目を見張るような能力をもっている

図 25-2　学童期の子どもたちは自立心が旺盛になる

図 25-3　思春期・青年期になると社会的交流が重要になる

本章では図 25-1〜25-3 に示すように，小児の年齢群である，新生児（日齢0〜30日），乳児（1ヵ月〜1歳），幼児（1〜5歳），学童（6〜11歳），思春期・青年期（12〜18歳）のそれぞれにおける臨床評価に焦点をあてながら，病歴聴取，発達評価，診察技術，健康増進とカウンセリングについて解説する。

子どものことで不安でいっぱいの親が厳しいまなざしでみつめるなか，小さな新生児や泣き叫んでいる子どもを診察するのは，経験の浅い臨床家にとって，おびえてしまうものである。乳児や幼児の診察で成人と違うのは，年齢とその児の機嫌で診察の順序を変えなければならない点である。**侵襲性の低い診察を先に，嫌がることが予想される診察は最後にもってくるといった工夫をすべきである。**例えば，心音，呼吸音の聴診を先に済ませたうえで，耳，口腔を診察し，腹部を触診するといった順序である。**痛がる部位が最初からわかっていれば，その部分の診察を最後に行うこと。**はじめのうちは困難に感じるかもしれないが，経験を積むにつれ，あらゆる子どもたちに自信をもって対応できるようになるであろう。

小児発達における一般原則

小児期は、身体的、知的、社会的に一生のうちで最も成長する時期である。わずか数年で、体重は20倍となり、洗練された言語と理性を身につけ、高度な心理社会的関係を構築し、成熟した人間となる（図25-4, Box 25-1）。小児における正常の身体的、知的、社会的発達を理解することは、効果的な病歴や身体所見を得るうえで手助けになり、正常と異常とを判別する基礎となる[1-3]。

図 25-4　親は遊びを通して子どもの発達を促すことができる（Marcos Mesa Sam Wordley より Shutterstock の許可を得て掲載）

> **Box 25-1　小児発達の4原則**
> 1. 小児には予想される発達段階の指標がある
> 2. 正常発達にはかなりの幅がある
> 3. 小児の発育および発達には、疾病だけでなく、身体の状況、児が置かれた社会的状況、生まれ育った環境などが密接に関連する
> 4. 小児の発達段階に応じて病歴聴取や身体所見のとり方を考えていく必要がある

- 原則1：成熟していく脳によって影響される発達段階の指標（何カ月、何歳までにどのようなことが身体的、また知的にできているか）があること。月齢・年齢に応じた発達段階と照らし合わせることで、その子どもの発達が正常か異常かを判断することができる。乳児健診や身体所見のみでは断片的な評価になるため、児が発達過程のどの時点にあるのかをみきわめる必要がある。発達の指標は予測される順序で達成されていく。一定の発達段階の指標からはずれる場合には常に注意が必要である。

- 原則2：正常（定型的）発達にはかなりの幅がある。子どもはそれぞれの速さで発達する。正常でも身体的・知的・社会的発達にはかなりの幅がある。

- 原則3：小児の発育および発達には、疾病だけでなく、身体の状況、児が置かれた社会的状況、生まれ育った環境などが密接に関連する。例えば、慢性疾患を有する児、虐待を受けている児、また不適切な養育体験をした児（逆境的小児期体験 adverse childhood experience）では身体所見に異常がみられるか、発達の速度および経過が変わってくる。また、知的・社会的発達に障害のある児は、身体的にも年齢相応の発達過程をたどらない可能性がある（図25-5）。

- 原則4：小児の発達段階に応じて病歴聴取や身体所見のとり方を考えていく必要がある。例えば、5歳児と思春期・青年期の子どもでは病歴聴取の方法が根本的に異なる。診察する順序や方法も成人とは当然違ってくる。病歴聴取と身体診察の前には、子どもの大まかな発達レベルを把握しそれに見合った評価をするよう試みる。したがって、子どもの定型発達をまず理解することが、正確な病歴聴取と身体所見をとるうえできわめて重要となる[4]。

図 25-5　子どもの発達は遺伝的なものを含むさまざまな要素から影響を受ける（写真は Down 症児）

発達評価

小児には予想される発達段階がある。指標に沿った段階を経て発達し，明確かつ順序立てて機能を獲得していくものである。発達評価とは，同年齢の他児と比較してどの発達段階に位置するかを確認していくことである。発達と行動に関する情報は，保護者から発せられる懸念などとともに，子どもの行動を直接観察することで得られる[5-7]。

一般的に小児医療従事者は，**身体的発達（粗大運動，微細運動），知的発達（または問題解決能力），言語発達（コミュニケーション），社会情緒的発達**の重要な項目について評価している。

身体的発達

身体的発達 physical development には**粗大運動 gross motor** および**微細運動 fine motor** の能力が含まれる。粗大運動には歩行，座位，または別の場所への移動が含まれる。微細運動には，食べる，絵をかく，遊ぶときに，ものを手で持って操るという能力があげられる[8,9]。これら2つの発達項目の指標は保護者の多くにとって最も身近なものである。身体的発達の指標における遅れは，しばしば親が心配して受診するきっかけとなっている。

知的発達

認知（知的）発達 cognitive development は子どもが直感，知覚，言語および非言語的推論を通して問題を解決する能力の指標となる[7]。またそれには，得られた情報を必要に応じて適切に使うことができるという能力も含まれる[8,9]。

言語発達

言語発達 language development とは，言葉を明瞭に発音し，聞き取り，表現するという能力で構成される。非言語コミュニケーションである，手を振る，首をかしげる，なども含まれる。これらのスキルは，子どもが言葉を組み合わせて思考を表現する能力により発達し，周囲の環境との相互関係からも影響を受けうるものである[8,9]。

社会情緒的発達

社会情緒的発達 social and emotional development には人との関係を構築し維持する能力が含まれる。他者の存在に対する反応も評価する。食事，着替え，排泄など日常生活のさまざまな活動が自分でできるかどうかも含まれる[8,9]。

米国小児科学会 American Academy of Pediatrics（AAP）は，これらの発達項目

の評価について，標準化されたスクリーニング法を用いることを推奨している[10]。これらのスクリーニング法は包括的な発達検査を補完するツールとして用いられるべきであり，発達の遅れを認識するための感度および特異度に優れ，臨床現場における実践的な方法といえる。Ages and Stages Questionnaire (ASQ)[11]，Early Language Milestone Scale(ELM Scale-2)[12,13]，Modified Checklist for Autism in Toddlers(MCHAT)[13]，Parent's Evaluation of Developmental Status(PEDS)[14]，Survey of Well-Being of Young Children (SWYC)[15]などがあり，多くの国で広く用いられ検証されている。

小児医療従事者は乳幼児健診の際に定期的に標準化されたこれらの手法を用いるべきである。小児の発達は正常範囲の幅が広いため，発達の遅れが微妙で判断が難しいこともしばしばあるが，これらのスクリーニング法はそのような発達の遅れを認識する方法として臨床家の診察よりも優れているからである。発達の遅れが懸念される場合は精査が必要である。

異常例

診察に協力的な小児が標準発達スクリーニング検査の項目を行うことができない場合は発達の遅れが示唆され，さらに詳細な精査と評価が必要となる。

発達指数

発達の度合を基準に沿って測定するのに発達指数を用いる[16]。

$$発達指数 = \frac{発達年齢}{暦年齢} \times 100$$

発達指数：
- ＞85＝正常
- 70～85＝発達遅滞の可能性あり，経過観察継続が必要
- ＜70＝発達遅滞あり

標準的発達評価指標を用いて，乳幼児の項目ごとの発達評価を行う。粗大運動発達指数，微細運動発達指数，知的発達指数などにあてはめて評価する。重要なのは，これらの発達指数は小児の発達または潜在的な能力を完璧に評価するものではないということである。小児の発達は刻々と変化するからである（適用例については Box 25-2 を参照）[17]。

小児における健康増進の重要項目

Benjamin Franklin(ベンジャミン・フランクリン)は「1オンスの予防は1ポンドの治療に値する」と述べている。この格言は乳幼児から思春期・青年期の若者のすべてによくあてはまる。なぜなら若年期の予防と健康増進はその後の数十年間の健康につながるからである（図25-6～25-8）。小児医療従事者は，定期健診や健康増進のための活動に十分な時間と労力を惜しまないようにしてほしい。

いくつかの機関が国レベル，また国際レベルで子どもの健康増進のためのガイドラインを打ち出している[18-20]。現代の健康増進の概念は，単に疾病を早期発見，

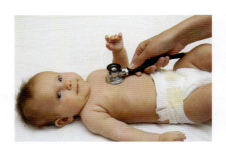

図25-6　乳児の診察(Olha Birieva より Shutterstock の許可を得て掲載)

小児における健康増進の重要項目

Box 25-2　粗大運動および微細運動発達指数の例

粗大運動発達

生後 12 カ月の児がやっとつかまり立ちをし（粗大運動発達 9 カ月相当），つたい歩きをし（10 カ月相当），両手をひくと歩けるようになった（10 カ月相当）。発達年齢は生後 10 カ月相当である
この児の運動発達指数は，

$$\left(\frac{10}{12} \times 100\right) = 83$$

したがって，この児はグレーゾーンであるので，おそらく治療的介入の必要はなく正常に発達すると思われるが，継続した定期観察が必要である

微細運動発達

生後 12 カ月の児がものを一方の手から他方の手に持ちかえることができ（微細運動発達 6 カ月相当），ものを手でつかんで手掌で握ることができ（7 カ月相当），ものを引き寄せられる（7 カ月相当）。しかし積み木を両方の手に持ったり，それを母指と他指を使ってつまんだりすることはできない（8～9 カ月相当）
児は原始反射が多く遷延しており（正常では消失），四肢の筋緊張が亢進し，体幹を支えて持ち上げると下肢ははさみ足となり，痙性が強い。標準化された発達スクリーニング法による評価でも粗大運動発達に遅れを認める
この児の微細運動発達指数は，

$$\left(\frac{7}{12} \times 100\right) = 58$$

この児は微細運動発達の遅延がみられ，脳性麻痺の徴候を有する

図 25-7　3 歳の小児と医療者（didesign 021 より Shutterstock の許可を得て掲載）

図 25-8　青年期と医療者（Alexander Raths より Shutterstock の許可を得て掲載）

また予防することにとどまらず，子どもとその家族にとって，身体的かつ知的な健康，感情面での健康，そして社会的な健康まで視野に入れたよりよい環境を積極的に誘導することにつながる。

子どもとその家族に接するときが健康増進の機会となる。病歴聴取からはじまって診察を行う間，2 つの機会を得ていることになる。1 つは臨床的問題点をみつけること，もう 1 つは健康増進である。子どもの年齢に応じた発達支援を行えるよう，検査も活用すること。本を読むこと，会話をすること，音楽を演奏することなどを通して粗大および微細運動を発達させる機会をもつようにアドバイスする。つぎの発達段階では何ができるようになるのか，またどのようにして発達を促したらよいかについて，親にアドバイスする。**子どもの健康増進にとって最も大きな役割を果たすのは親であり，臨床家のアドバイスはその親を通して子どもに伝えられるのである。**

米国小児科学会（AAP）は**健診外来 health supervision visit** の際のチェックポイントと年齢に応じた対処の仕方のガイドラインを作成している（www.healthychildren.org 参照）。慢性疾患をもつ，あるいは高リスクの家族および環境下で養育されている小児や青年は，より多くの外来受診回数と強力な援助が必要であることに留意する。本章では，健康増進の鍵となる項目や方針について，年齢群ごとに述べる。

健診においては，児の身体所見をうまくまとめて説明する。月齢・年齢ごとにみられる成熟段階の変化を本人の身体所見から説明したり，通常の健康管理が身体所見にいかに影響を与えるかについて説明する（例：運動によって血圧が下がり，肥満を予防する）。健康的な生活と身体の健康が密接に関係していることをはっきりと伝えることが大切である。良い例として，児の BMI（肥満指数）の結果を印刷し，健康的な食生活と運動についての助言を添えて両親に渡す，などがある。

小児期の予防接種は健康増進の要であり，世界中の公衆衛生における最も重要な臨床の到達目標であると各方面で叫ばれてきた。小児の予防接種スケジュールは毎年改訂される。米国疾病対策センター(CDC)と米国小児科学会(AAP)のウェブサイトで広く公開されている[21, 22]。

スクリーニング検査は年齢ごとに行われる。具体的には，新生児の遺伝性疾患および代謝性疾患スクリーニング，新生児の聴覚および重篤な先天性心疾患スクリーニング(酸素飽和度測定)，(必要時に適宜)新生児のビリルビン値スクリーニング，全年齢における成長と発達，行動・精神的健康状態のスクリーニング，3歳以降の血圧スクリーニング，2歳以降のBMIスクリーニング，特定した年齢での視覚・聴覚スクリーニングがある。これらに加え，専門家らは貧困および社会的リスクを定期的に確認することを推奨している。そのため臨床家が異常所見や危険因子を指摘する方法として標準化されたスクリーニング法がより多く用いられるようになっている。さらに，特定の年齢におけるすべての小児に対して，あるいは特に高リスク児に対しては鉛中毒，貧血，結核曝露，脂質代謝異常，性感染症のスクリーニング検査が推奨されている。世界各国でさまざまなスクリーニングの検査法がある。AAPの推奨するスクリーニング検査を https://www.aap.org/en-us/Documents/periodicity_schedule.pdf に示した。

子育てガイダンス(訳注)は小児科健診における主要項目といえる[19]。おもな領域では臨床的項目から発達・社会情緒的な健康増進まで幅広く網羅している(Box 25-3)。

新生児と乳児

生後1年は，生後第28日目までの新生児期と，生後第29日目から1歳までの新生児期以降の児に分けられる。

病歴：一般的なアプローチ

新生児健診は一般的に出生後12〜24時間に行われる。この健診は医療従事者が家族とかかわり，家族の状況や背景を把握し，妊娠を取り巻く重要な状況を理解し，家族との絆を深め，新生児に対する家族のかかわり方を観察することのできる貴重な機会となる。また同時に新生児にはどのような能力があるのかを教え，児とのかかわり方の見本を示す機会でもある。両親は赤ちゃんの誕生で喜びに満ちていても，同時に疲弊していて，自分の赤ちゃんが健康なのかどうかが心配で，新生児ケアや授乳について聞きたいことがたくさんある，ということを忘れては

訳注：ヘルス・スーパービジョンともいわれ，健診の際に，子育てに関する保護者の心配や質問に答え，子どもの心身の発達・栄養と食事・家庭環境・生活習慣・保護者の心身の健康評価・予防接種計画・事故予防に関する情報提供とアドバイスを行う。

病歴：一般的なアプローチ

ならない。両親の不安を解消し，何となく心配に思っていることや疑問に感じていることについて共感する姿勢が重要である。

最初の診察では，新生児と両親について把握するべき情報が多く，容易にはいかないものである。経験のある医療者であれば問診と健康教育を組み合わせて行う術を得ており，育児初心者である両親とも自然に会話をするかのように行えるだ

> **Box 25-3　小児における健康増進の重要項目**
>
> 1. 月齢・年齢に応じた小児発達における到達度評価
>   - 身体的発達（成熟，成長，思春期）
>   - 運動機能の発達（粗大運動と微細運動の技能）
>   - 知的発達（発達の指標，言語，学業成績）
>   - 情緒的健康（自制，気分，自己効力感，自尊心，自立）
>   - 社会的発達（社会的能力，自己責任，家族や地域社会との調和，仲間との交流）
> 2. 健診外来にて
>   - 身体，発達，社会情緒，口腔衛生の定期的な評価
>   - 特殊な医療的ケアを必要とする場合は，さらに受診回数を増やして対応する
> 3. 身体所見と健康増進の統合
> 4. 予防接種
> 5. スクリーニング検査（代謝異常，視覚・聴覚など）
> 6. 口腔衛生
> 7. 健康教育[19, 21]訳注1
>   - 健康的な習慣
>   - 栄養と健康的な食習慣
>   - 安全教育と事故予防
>   - 身体活動
>   - 性成熟と性的関心
>   - 自己責任，自己効力感，健全な自立心
>   - 家族関係（かかわり合い，絆の強さ，支え合い）
>   - 積極的な子育ての進め方
>   - 絵本の読み聞かせ
>   - 情緒面・精神面での健康
>   - 口腔衛生
>   - 疾病の早期発見
>   - 睡眠
>   - スクリーンタイム訳注2
>   - 危険行動の予防
>   - 学業と仕事
>   - 友人関係
>   - 地域との関係
> 8. 医療従事者と小児・青年・その家族の協力体制

訳注1：成長・発達について今後生じる可能性のある変化について専門家の立場から説明し質問を受ける，いわゆる健診の際に行われる活動。
訳注2：テレビやパソコン，携帯電話の画面をみている時間。

ろう。両親と共感し，穏やかで親切な医療者は，両親にとってすばらしい指導と安心を与え，家族との間に重要な絆を育むことができる。病歴における重要な項目については Box 25-4 に示す。

Box 25-4 新生児外来における病歴の重要項目 [18]

両親からの質問や心配
- 新生児，家庭，妊娠経過または出産についての質問
- 新生児の身体的特徴に関する不安
- 新生児ケアに関する不安や質問

妊娠経過，陣痛，分娩
- 妊娠歴，合併症，出生前診断
- 母親および父親の身体的，精神的な健康状態
- 母親のアルコール，タバコ，薬物の使用
- 陣痛や分娩の経験または合併症
- 過去の妊娠歴および兄弟姉妹

受診前の新生児の経過
- 母親や他の家族の健康状態および幸福度
- 母乳または人工栄養による授乳（またはその両方）の計画

新生児の経過
- 経過の全体像，心配される特定の問題
- 文化的信条

家族歴
- 時間が許せば包括的な病歴

社会歴
- 社会的状況（生活状況，食料，住居，公共料金の心配，両親の関係，新生児ケアにかかわる大人，家族支援，家庭内暴力，経済的懸念）
- アルコール，タバコ，薬物の使用（妊娠中ではなくても）
- その他両親による社会的な懸念事項
- 兄弟姉妹，他の家族，ベビーシッター

新生児のしぐさや動きに対する両親の観察
- 生まれてから今までの発達の様子
- 活動レベル，愛着形成

授乳と栄養
- 授乳方法，授乳の様子
- 授乳の詳細（母乳，または人工栄養）

睡眠，排便，排尿
- 排便と排尿の回数と色
- 睡眠時間，寝つき

安全環境
- チャイルドシート
- 安全な睡眠

新生児に関する子育てガイダンス
- 疾病の予防
- 衣服，防暑，ペットからの保護，安全な住所環境
- 新生児の身体ケア（臍，陰茎，割礼の決定など）
- 次回受診予定，相談のタイミング

出典：Bright Futures より引用

UNIT III　第 25 章　小児：新生児から青年期まで

発達評価

発達評価

身体的発達

人の顔をじっとみつめたり追ったりするなど，新生児には多様な能力が備わっている。神経学的発達は中心から末梢へ向かって進む。つまり，まず首がすわり，つぎに体幹部の姿勢保持ができ，四肢の動き，最後に手指の動きが発達する（図 25-9）。

乳児期は，他のどの年齢よりも早く身体的な成長を遂げる（Box 25-5）[23]。1 歳までに体重は出生時の 3 倍に，身長は出生時より 50％増加する。

図 25-9　おすわりは乳児期における発達の指標である

Box 25-5　発達段階：生直後から 12 カ月

年齢	粗大運動	微細運動	言語	社会情緒的発達
1 カ月	腹臥位で顎を上げる 腹臥位で頭を上に向ける	両手は握っている	喉で音を出す（クーイング） 音にびっくりする	両親の声がわかる 顔を追いかける
4 カ月	支えて座位をとる 首がすわる 寝返りをうつ	両手が開いている ものに手を伸ばす	声を出して笑う あやすと泣き止む	あやすと笑う
6〜7 カ月	手をついて座る 左右に手をついて支える 抱っこすると脚を跳ね上げる	手から手へものを持ち替える 片手でものに手を伸ばす 手づかみで食べる	喃語，子音を発声する 「だめ」がわかる	鏡をみながら遊ぶ ものをとってほしいときにものと親に順番に視線を向けて知らせる
9 カ月	つかまり立ちする 高這い 四つ這い	指でつまんで持つ 積み木を 2 つ打ち合わせる	特定はせず「ママ」という音をまねる 名前を呼ぶと反応する	指さしする いないいないばあで喜ぶ 人見知りをする
12 カ月	手放し立ちする 2〜3 歩歩く	お絵かきする クレヨンを持つ 積み木を 2 つ積み上げる	意味のある 1 語を発する 欲しいものを指さしする 1 つの指示に従う 身振り手振りで指示する	一緒にみたいものを親にみせる（共感の指さし）

出典：Scharf R et al. *Pediatr Rev*. 2016; 37(1); Gerber RJ et al. *Pediatr Rev*. 2010; 31(7): 267-277; Wilks T et al. *Pediatr Rev*. 2010; 31(9): 364-367; Gerber RJ et al. *Pediatr Rev*. 2011; 32(12): 533-536.

児の遊び・児の日々の探究・児をとりまく環境を調整することが児の学びを促す。典型的な乳児は，3カ月までに首がすわり，手を握ることができるようになる。6カ月までに寝返りができ，ものを体の近くで示せば手をのばしてとることができる。また，声のする方向に振り向くことができ，支えれば座った姿勢を保とうとする。末梢側が神経学的に発達して四肢の協調運動ができるようになると，ものをつかもうと手をのばし，それらを手から手へ持ち替えたり，這い這いからつかまり立ちへ移行し，ものを叩いたり握ったりして遊ぶようになる。1歳になると立位をとり歩き出そうとする（図25-10）[24]。

図 25-10　乳児の多くは1歳を過ぎると最初の数歩を歩きはじめる

知的発達と言語発達

探検することによって自分と自分を取り巻く環境についての理解が進む。乳児はものに手を伸ばし，こうしたらどうなるかの因果関係（例：ガラガラを振ると音が出る），対象物の永続性(訳注1)，おもちゃの使い方などを学ぶ。9カ月になる頃には音をまね，自分の名前がわかるようになり，診察者が他人であることを認識して検査に警戒心を示すようになる。診察中には，両親に安心を求めようとする。聴診器など手の届くものに興味を示し積極的に触ろうとする。言語発達としては，2カ月で発語し，あやすと，笑顔でくっく(訳注2)と喜んで応じ，6カ月では意味をなさない喃語(訳注3)を発し，1歳では1～3語の原言語(訳注4)を発することができる[25]。

> 乳児が月齢相当の発音や言葉を発しない場合は，聴力検査を検討する。

社会情緒的発達

自分以外の家族を認識できるようになる。生後1カ月には両親の声を識別し，顔を追うようになり，4カ月にはあやし笑いをするようになる。母子との密接な結びつきや愛情を理解し，自分の要求をかなえてくれる人であるとわかるようになる。

訳注1：対象物がみえなくなってもそこに存在することを理解すること。例えばおもちゃを布で隠しても，布の下にあるおもちゃを探そうとする。

訳注2：このような発語をクーイング(cooing)という。クーイングは1～4カ月頃にみられる共鳴が十分でない半母音的な喉声で，coo音，goo音として捉えられる。機嫌のよいときに柔らかな「アー」という声を出したり，「クー」といった声を出したりする。

訳注3：生後4カ月をすぎると喉頭が下降して鼻咽頭と分離することによって，口腔内の空気圧の調節が可能となり，破裂音を出せるようになる。ババ(baba)のように子音・母音の反復ができ，声の高さや大きさを調節できるようになる。

訳注4：要求・不満・発見などの特定の意味と結びついた短い語を発し，機能的に言語に近くなってくる。

| UNIT III 第25章 小児：新生児から青年期まで |

| 身体診察：一般的なアプローチ | 異常例 |

日頃の機嫌も児によって差がある。扱いやすく適応力があり，新しい刺激に対しても前向きな反応を示す児がいる一方，刺激に対して敏感で否定的な反応を示し扱いにくい児もいる。成育環境は社会的発達に影響を与えるため，児が保護者にどう反応しているかという点に注意して観察する必要がある。児の知的発達および社会情緒的発達は，包括的な神経学的検査と同時に評価することが多い。

発達が進まない場合や発達順序から外れている乳児または幼児は，**自閉症 autism** や**脳性麻痺 cerebral palsy** などの発達障害の評価が必要となる。

身体診察：一般的なアプローチ

新生児

生直後の最初の診察は産科医または小児科医が行う。生直後の新生児を診察することは，児の全身状態，発育状況，在胎週数に照らした成熟状況，先天異常の有無などを把握するうえできわめて重要である。一般的に，包括的な新生児評価は生後24時間以内に行われる（図25-11）。生直後の診察で心疾患，呼吸器疾患，神経疾患を発見することがある。聴診器で前胸部を聴診し，腹部を触診し，頭部，顔面，口腔内，四肢，外性器，会陰部を視診する。

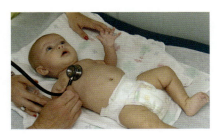

図 **25-11** 身体所見は生直後より行う

完全な身体所見のとり方については「診察の技術：乳児」の項（p.968）を参照。

その後は定期乳児健診や，児の具合が悪いときに行う。**児の診察は，親が診察者とかかわり，質問ができるように，可能な限り親のいる前で行うことが望ましい**（Box 25-6）。診察は両親に子育てについてアドバイスしたり，成長とともに児が何ができるのかを伝える絶好の機会となる。

診察でみつかる異常所見のいくつかは，実際には異常を指摘した両親によって明らかになることもある。そのため，何か懸念や質問がないかどうかを両親にたずねることで，軽微な異常所見を発見することができる。生まれつきのあざ，皮膚垂，左右非対称，脊椎下部のくぼみ，異常な動き，などがその例である。

T. Berry Brazelton らの研究によると，新生児は多くのことができるという（Box 25-7）[26]。これは親にとっても喜ばしいことである。診察しながらそのいくつかを親にみせることもできる。新生児に優しく話しかけると静かになったり，笑顔で話しかけながらゆっくり顔を前後に動かすと新生児も眼で追いかける，などがある。

四肢の左右非対称な動き（明らかに持続する場合）は，**中枢神経または末梢神経の損傷 central or peripheral neurologic deficit**，**出生時の損傷 birth injury**（鎖骨骨折や腕神経叢損傷など），あるいは**先天異常 congenital anomaly** が疑われる。

Box 25-6　新生児診察のコツ

- 親の前で診察する
- まずおくるみでくるみ，診察とともに肌着をとっていく
- 部屋の照明を落とし，あやして目を開かせる
- 哺乳の様子をよく観察する（特に母乳）
- おくるみでくるんだりして，親の前であやしてみせる
- 出生時の外界への適応を見守り，その過程を親に伝える
- 一般的な新生児診察の手順
  - 診察の前に（その最中も）注意深く観察する
  - 心臓
  - 肺
  - 頭部，頸部，鎖骨
  - 耳，口腔
  - 腰部，殿部
  - 腹部，泌尿生殖器系
  - 下肢，上肢，背部
  - 眼（自然に開眼したとき，あるいは診察の最後に）
  - 皮膚
  - 神経系

Box 25-7　新生児には何ができるか

中心になる行動[26]

新生児は五感を最大限に活用する。例えば，人の顔を注視することができるし，親の声のする方向を向くことができる

新生児はそれぞれ個別の反応をする。不機嫌になったり，刺激に対する行動パターン，理解の仕方などはそれぞれ異なり，個性を発揮する

新生児は保護者と積極的にかかわる。それは必ず相方向性である

新生児の高度な行動の例

習慣	不快刺激に対して慣れていく能力。ある不快刺激（反復する音など）を認識するが，いちいち反応しなくなる
愛着	保護者との互いの，積極的なかかわりと絆が形成される
状況把握	刺激の強さに応じて覚醒レベルを調整することができる（例：何も刺激を与えなければみずから静かになる）
知覚	人の顔を注視する，声のする方向を向く，歌が聴こえてくると静かになる，色彩豊かなものを目で追う，触れられて反応する，なじみのあるにおいを認識する

新生児において，左のような行動をとらない場合，神経疾患，薬物からの離脱（母親が服用しているものでアルコール，フェニトイン，麻薬などが含まれる）あるいは感染症などの重篤な疾患を考える。

親は新生児の身体の様子について質問してくるだろうが，正常所見を述べながら診察を進めると親も安心する。新生児と接している親の様子を観察し，その良い点を強調する。母親が母乳授乳の方法について心配していれば，新生児がどのようにラッチオン^{訳注)}して吸啜するかを観察する。

訳注：母親が乳首を児の口に含ませるタイミングに合わせて，新生児が乳首をくわえようとすること。

身体診察：一般的なアプローチ

母乳栄養が生理的かつ心理的に最も理想的な哺乳法であるが，早期から母乳栄養を行うために，援助やサポートを必要としている母親は多い。母乳栄養に対するストレスはごく当たり前のことであり共感の姿勢を示すこと。母乳による哺乳がうまくいかない場合，早期にこれを発見し，また予防的支援を行うことで，児の母乳栄養を推進し，しかも長続きさせることができるのである。

新生児は，満腹で眠くもなく極端に空腹でもない，授乳後の1～2時間後がもっとも反応がよい。まず新生児をおくるみでくるみ，安心させる。つぎに，ゆっくり刺激して覚醒させるために診察しながら肌着を脱がせる。ぐずり始めたら両親に了解を得ておしゃぶりを与えるか（母乳栄養児でなければ）哺乳瓶でミルクを飲ませる，あるいは医療用グローブをつけた指を吸わせるとよい。どうしても静かにしてもらいたい状況での診察（心雑音の聴取など）には，再度おくるみでくるんで，その診察の間おとなしくしていてもらう。

乳児

まず乳児を座らせるか，親の膝（腰から左右の膝頭までの全域）にのせる（図25-12）。その児が疲れていたり，おなかがすいていたり，状態が悪いときは親と向かい合わせで抱っこしてもらうのもよい方法である。その子に適当なおもちゃ，掛けもの（毛布，タオルなど体を包むもの），その他，児が喜ぶと思われるものを必ずそばに置いておく。空腹の子どもには診察前に食べ（授乳）させておく（Box 25-8）。

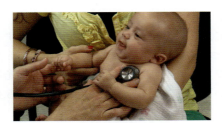

図 25-12 診察は両親の膝の上で抱っこさせたままはじめる

異常例

このような一般的な診察の途中で多くの神経学的評価がなされる。例えば，筋緊張低下，易刺激性に関連した症状，脳性麻痺の徴候などを発見することができる（以下の「神経系」参照）。

Box 25-8 乳児診察のコツ

- 乳児はいきなり診察せず，まずおもちゃや診察者の持ち物で気をそらせる
- 乳児を親の膝にのせたまま，なるべく多くの診察を行う
- 乳児にやさしく語りかけたり，乳児の発する音をまねて乳児の気をそらせる
- 乳児が不機嫌なときは，空腹でないかどうか確認する
- その児の発達や子育ての状況を把握するために，乳児にできること（発達段階の指標）を親にたずねる
- 頭の先から足の先まで順序よく系統立てて診察しようとしてはいけない。乳児のしぐさから得られる所見を見逃さないようにし，口腔や耳の診察は最後に行うようにする

両親の膝に抱かれたまま起きている新生児を注意深く観察することで、潜在的な筋緊張の異常、皮膚色の異常、黄疸やチアノーゼ、びくつき、呼吸の異常などがみつかることがある。親と子のやりとりをよく観察する。親がその子のことを話すとき、どのような感情をいだいて接触しているのかもよくみる。親のその子に対する抱き方、扱い方、服の着せ方、あやし方にも注意する。そして例えば、図25-13のように子どもを世話することに十分満足していて得意げな親の表情がみられたときには、このような親子関係のよい点を評価してほめる。

図 25-13　発達評価の診察は子どもを楽しませながら行う

乳児と親とのやりとりを観察することで、**発達遅滞 developmental delay、言語遅滞 language delay、聴覚障害 hearing deficit、親の児へのかかわり不足**に気づくことができる。同様に、育児困難の状態を発見し、背景にある**母親のうつ状態 maternal depression** や**地域社会の支援不足**を発見できることもある。

乳児は服を脱がされることにあまり抵抗を示さない。診察者は自分の手や身の回りのものを清潔な状態にしておくために、会陰部、直腸、股関節などの診察までは、おむつはそのままはかせておき、最後にとるほうがよい。

乳児の診察では、発達の段階に合わせて、**気をそらせたり遊びながら診察をする**などの方法を用いる。乳児は一度に1つのことにしか集中できないので、診察の間は比較的容易に気をそらすことができる。気をそらせるには動くもの、光るもの、おもちゃ、（月齢の高い児には）いないいないばあ、くすぐる、音のでるものが有用である。

乳児をあやしてもまったく反応がない、目覚めている乳児が、診察者の持ち物、顔、音に関心を示さないときは、**視覚障害**または**聴覚障害**を考える。

診察の技術：乳児

出生時評価

Apgar スコア

Apgar（アプガー）スコアとは生直後の新生児を評価する基準のことである[22]。出産時ストレスからの神経学的回復と子宮外環境における速やかな心肺機能の適応について5つの項目に分類される。生直後1分と5分のときの点数をつける（Box 25-9）。各要素はそれぞれ0、1、2点の3段階で評価する。総点数は0～10点となる。総点数が7を超えるまで5分おきに評価する。5分値が8点以上なら、児の詳細な診察に進む[23]。

在胎週数と出生時体重

在胎週数による成熟度と出生体重により、新生児を分類評価する（Box 25-10）。これによって、その週数に応じて起こるであろう臨床的問題と疾病を予想するこ

診察の技術：乳児

異常例

Box 25-9　Apgar スコア

臨床徴候	点数 0	点数 1	点数 2
心拍数	なし	<100 回	>100 回
努力呼吸	なし	緩慢で不規則	有効で強い
筋緊張	弛緩	四肢のある程度の屈曲	活発に動く
刺激への反応*	反応なし	顔をしかめる	大きな声で泣く，くしゃみや咳をする
皮膚の色	チアノーゼ，蒼白	体幹はピンク，四肢末梢のチアノーゼ	体全体がピンク

Apgarスコア 1分値		Apgar スコア 5 分値	
8～10	正常	8～10	正常
5～7	神経系機能のある程度の低下	0～7	中枢神経系あるいは他の臓器障害がやがて起こる高リスクの状態
0～4	すぐ蘇生が必要な高度の神経機能低下		

*鼻腔をバルブシリンジで吸引したときの反応。

低酸素血症のある新生児の Apgar スコア計測例：
　心拍数＝110 回/分 [2]
　努力呼吸＝緩徐，不規則 [1]
　筋緊張＝ある程度の四肢の屈曲 [1]
　刺激への反応＝顔をしかめる [1]
　皮膚の色＝チアノーゼ，蒼白 [0]
　Apgar スコア＝ [5]

Box 25-10　在胎週数と出生時体重による分類

在胎週数による分類	在胎週数
早産児	<37 週
後期早産児	34～36 週
正期産児	37～41 週
過期産児	>42 週

出生時体重による分類	体重
超低出生体重児	<1,000 g
極低出生体重児	<1,500 g
低出生体重児	<2,500 g
正常出生体重児	≧2,500 g

早産児は短期の合併症（おもに呼吸系と心血管系）と同様に，晩期の後遺症（神経発達の異常など）のリスクを有する。

後期早産児は未熟性による合併症のリスクはあるが，早産児よりリスクは低い。

過期産児は新生児仮死や胎便吸引症候群といった周産期における死亡や重症化（正期産児と比べて）のリスクが高い。

とができる[22]。いくつかの診療指針には，特定の早産児や低出生体重児に関する Apgar スコアの潜在的な問題点について言及しているものもある。

在胎週数は，週数に応じた胎児の神経筋の発達状況（例：四肢の筋緊張は成熟度が上がると増し，屈曲位となる）と身体的特徴（例：成熟するにつれ皮膚の皺が増え，背部や四肢の体毛が減少する）が変化するので，これにもとづいて決定する。Ballard（バラード）スコア[24]では超低出生体重児においても，生後 2 週間まではその在胎週数を評価することができる。神経筋の発達状況と身体的特徴を評価す

るための説明をつけ，その全容を図 25-14 に示す。

Box 25-11 に，胎内成長曲線にもとづく在胎週数と出生時体重による新生児の分類を示した。

Box 25-11　新生児の分類

分類	略語	パーセンタイル
在胎週数に比して小さい	SGA	<10
在胎週数相当	AGA	10〜90
在胎週数に比して大きい	LGA	>90

LGA 児は周産期に問題になることがある。糖尿病母体児はしばしば LGA 児となり，出生後まもなく代謝異常（低血糖や低カルシウム血症）を呈したり，先天異常を伴ったりする。

LGA 児の一般的な合併症として，低血糖，それによる過敏状態，易刺激性，チアノーゼ，その他の健康に関する事項があげられる。

図 25-15 に示すのは，10 パーセンタイルおよび 90 パーセンタイルの胎内成長曲線と，在胎週数および出生時体重それぞれにもとづいた成熟度の分類である。

SGA 児の原因の多くはわかっていないが，胎児，胎盤，母体側の因子が原因として知られている。母親の喫煙は SGA 児と関連する。SGA 児は低血糖のリスクがある。

さらに図 25-16 に示すのは，同じ在胎週数 32 週の，左から 600 g〔在胎週数に比して小さい small for gestational age（SGA）〕，1,400 g〔在胎週数相当 appropriate for gestational age（AGA）〕，2,750 g〔在胎週数に比して大きい large for gestational age（LGA）〕の児である。これらの分類に属するそれぞれの児では死亡率が異なる。早産の SGA 児と LGA 児では死亡率が最も高く，正期産の AGA 児では死亡率が最も低い。

早産の児は，呼吸促迫症候群，無呼吸，左-右シャントを伴う動脈管開存症，感染症に罹患しやすい。

全身の観察

新生児の包括的な評価は，生後 24 時間以内に行うこと。哺乳後 1〜2 時間で児が最も落ち着いているタイミングをみはからって，親を新生児室に伴って診察する。Box 25-6（p.966）に記載されている内容に沿って行う。

新生児は肌着をとって診察する。呼吸の仕方や頭部・四肢の動かし方をみるとともに，児の全身の色，体の大きさ，均整（四肢の長さや頭の大きさと体幹とのバランスなどがとれているかどうか），栄養状態，肢位についても観察する。正常な正期産の新生児のほとんどは，四肢を左右対称に屈曲させ，股関節は外転して開脚位で横たわる。

骨盤位 breech presentation（殿位）は子宮内で膝を屈曲している。単殿位 frank breech presentation では膝は伸展している。両胎位ともに股関節は屈曲している。

新生児は手足を交互に屈曲させたり伸展させたりする運動を自発的に行っていることに注意する。指は拳をつくってかたく握りしめていることが多いが，ときにゆっくり，手を開く。正常でも，勢いよく元気に泣いている間，また静かにしているときでさえ，体幹および四肢に短い時間の振戦がみられることがある。

生後 4 日目の振戦は仮死から薬物の離脱まで，さまざまな原因による中枢神経系障害を示唆する（生直後にみられる正常な振戦とは異なる）。

診察の技術：乳児

在胎週数評価のための New Ballard スコア

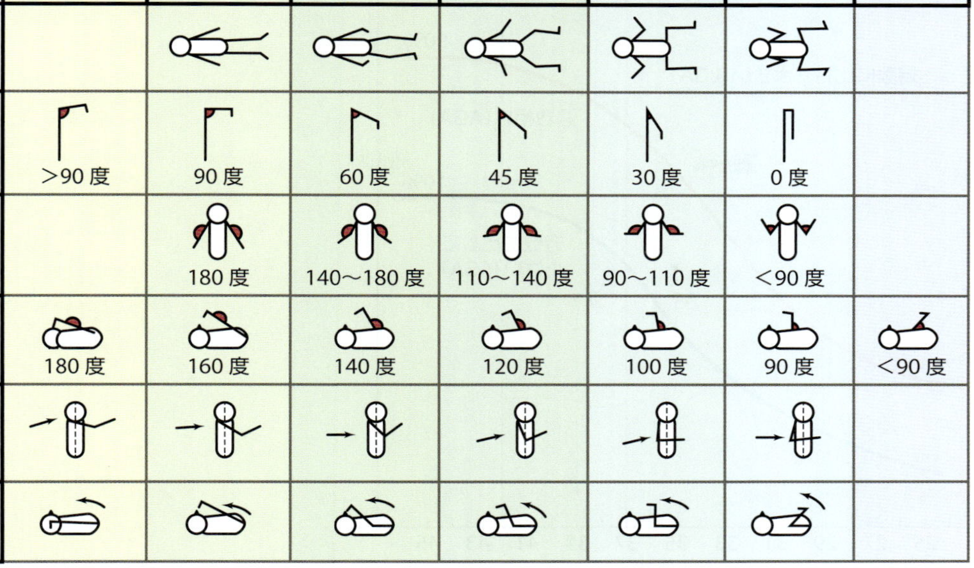

		-1	0	1	2	3	4	5
神経筋機能成熟度	肢位							
	方形窓（手関節）	>90度	90度	60度	45度	30度	0度	
	上肢の戻り反応		180度	140〜180度	110〜140度	90〜110度	<90度	
	膝窩角	180度	160度	140度	120度	100度	90度	<90度
	スカーフ徴候							
	踵耳試験							
身体成熟度	皮膚	粘着性 もろい 薄く透き通る	ゼラチン様 赤い 半透明	滑らかなピンク 静脈がみえる	表面剥離：皮疹を伴うことがある 静脈は少しみえる	ひび割れ 蒼白な部分あり 静脈はほとんどみえない	羊皮紙様 深いひび割れ 静脈はみえない	皮のように硬い ひび割れ 皺がある
	うぶ毛	なし	まばら	多数密集	薄く変化	毛のない部分が出現する	毛のない部分が多い	
	足底の表面	踵からつま先の距離 40〜50 mm −1点 <40 mm −2点	>50 mm 皺がない	かすかに赤い皺あり	前半分に横断する皺があるのみ	前2/3に皺が増える	足底全体にはっきりと深い皺	
	乳房	乳腺組織を触れない	わずかに乳腺組織を触れる	平坦な乳輪 乳腺組織なし	点状の乳輪 乳腺組織 1〜2 mm	乳輪隆起 乳腺組織 3〜4 mm	はっきりとした乳輪となる 乳腺組織 5〜10 mm	
	眼と耳	眼瞼裂癒合 ゆるい −1点 固い −2点	眼瞼裂開離 耳介平坦 耳介辺縁内屈	耳介は少し弧を描く，軟らかくゆっくりとはね返る	耳介は十分弧を描く，軟らかいがすぐはね返る	耳介はしっかり形成される，瞬間的にはね返る	耳介は組織が厚くなる，軟骨形成により硬くなる	
	性器（男児）	陰嚢は平坦で滑らか	精巣は陰嚢内に下降していない かすかな皺あり	精巣が鼠径管上部に位置する まばらな皺あり	精巣は陰嚢内下降 少数の皺あり	精巣は陰嚢内 陰嚢にしっかりした皺あり	精巣は陰嚢内に下垂 陰嚢に深い皺あり	
	性器（女児）	陰核は明らかに突出 陰唇は平坦	陰核突出あり 小さい小陰唇が出現する	陰核突出あり 小陰唇が発達する	大陰唇，小陰唇ともに突出	大陰唇が大きく，小陰唇が小さくなる	大陰唇が陰核と小陰唇を覆う	

成熟度

点数	週数
−10	20
−5	22
0	24
5	26
10	28
15	30
20	32
25	34
30	36
35	38
40	40
45	42
50	44

図 25-14 身体成熟度の診断基準は下段に示してあり，それぞれの評価項目が説明されている。神経筋および身体両方の診断基準の点数の合計を右の表に照らしてみると，在胎週数が評価できる (Ballard JL et al. *J Pediatr*. 1991; 119(3): 417-423. Copyright © 1991 Elsevier より許可を得て掲載)

診察の技術：乳児

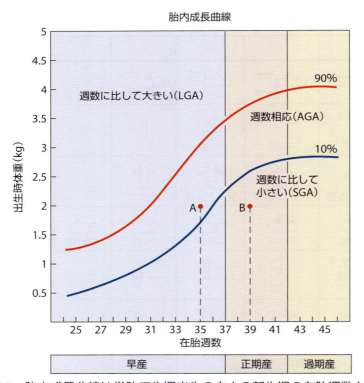

図 25-15 胎内成長曲線は単胎で生児出生の白人の新生児の在胎週数と出生時体重にもとづいている。A 点はいわゆる低出生体重児（週数相当）である。B 点は同じ出生時体重の，成熟してはいるが在胎週数に比して出生時体重が小さい児を表す (Sweet YA. Classification of the low-birth-weight infant. In: Klaus MH, Fanaroff AA, eds. *Care of the High-Risk Neonate*. 3rd ed. WB Saunders; 1986. Copyright © 1986 Elsevier より許可を得て掲載)

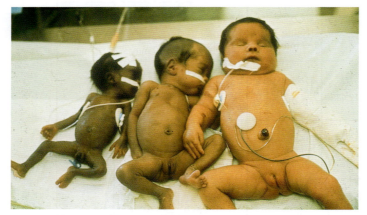

図 25-16 SGA 児，AGA 児，LGA 児 (Korones SB. *High-Risk Newborn Infants: The Basis for Intensive Nursing Care*. 4th ed. CV Mosby; 1986. Copyright © 1986 Elsevier より許可を得て掲載)

診察の技術：乳児

身体の成長

世界保健機関（WHO）のウェブサイトの表（https://www.who.int/childgrowth/standards）は身長・体重・BMI（2歳以降）・頭囲の正常値を示す。成長とともにそれらは大きく変化するので，年齢別の正常値と児の体型・体格を比較する[訳注1]。

成長[訳注2]は乳児の最も重要な健康の指標であるため，成長曲線から大幅に逸脱している場合，何らかの疾病の早期症状を示している可能性がある。計測値は年齢，性別での正常値と比較し，同じ児で2回目に計測する場合は前回値と比較して推移を評価する。潜在的な測定誤差によるものかどうか，繰り返し計測して身体成長の異常を確認する。身体測定は，統一した方法で注意深く行うこと。信頼性のある同一の計器を用いて身長，体重を測定する。

身体発育を評価するうえで最も重要な指標は成長曲線であり，National Center for Health Statistics（www.cdc.gov/nchs）[27]やWHO（https://www.who.int/childgrowth/standards）より出版，公表されている[28]。成長曲線には身長，体重，頭囲が記載されており，出生から生後36カ月までと2～18歳までの2セットがある。身長ごとの体重，BMI値も公開されている。これらの曲線には正常小児の何%がその年齢でその身長や体重より上になるか，または下になるかを示した複数のパーセンタイル線が入っている。**正常標準曲線との比較が重要である。なぜなら通常生後2年目の身長速度は，1年目のそれよりも小さいのがふつうだからである。**早産児，未熟児用に修正された成長曲線もある。

米国小児科学会（AAP），米国国立衛生研究所（NIH），CDCでは現在，生後から23カ月までの児については2006年度版の成長曲線を用いるよう推奨している[27]。CDCの成長曲線は現在，米国の2～19歳までの小児を評価する場合にのみ用いることができる。

身長

2歳未満の小児では，助手が腰と膝をのばしてしっかり支えられる場合のメジャーを使った直接測定を除き，図25-17に示すように，児を仰臥位にして，身長計測板か身長計測箱で計測する。年長児，特に内分泌異常を疑う児では伸長速度曲線が役立つ。

図 25-17 身長を正確に測定するためには注意深い計測補助が必要

訳注1：日本小児内分泌学会による日本人小児における体格の評価のウェブサイト（http://jspe.umin.jp/medical/taikaku.html）にわが国の身長と体重の標準値，肥満度，BMIなどが記載されている。

訳注2：単に「成長」というと通常は身体的な大きさの変化をさし，「発達」は神経学的，言語的，心理的，社会的，情緒的な変化をさす。

異常例

計測値が年齢基準の2 SD（2標準偏差）を超える，あるいは95パーセンタイルを超えるまたは5パーセンタイルを下回る場合は精査の適応である。このような逸脱は多様な小児慢性疾患における最初でかつ唯一の徴候であることもある（https://www.who.int/childgrowth/standardsにある例を参照）。

成長曲線はDown症候群やTurner（ターナー）症候群など特有の成長パターンを有する小児にも用いることができる。

健康な乳児でもしばしば成長曲線のパーセンタイル線をまたぐが，曲線の急激なあるいは顕著な変化は，さまざまな臓器に由来する全身疾患を示唆する場合があり，不適切な体重増加は栄養過多によることが多い。

正常の成長パターンから逸脱する異常のなかには，小児慢性疾患や早産も含まれる。

伸長速度の減衰（身長曲線上でもとのパーセンタイル線より低いところへ落ちていくパターン）は，小児の慢性的な病的状態の存在を示す。

小児の慢性的な病的状態には多くの種類があり，それが原因で低身長をきたす。いくつかの要因として神経，腎臓，循環器，消化器，内分泌などの異常があげられる。

体重

乳児では乳児体重計に直接のせて体重を計る。乳児では全裸にするか，おむつ1枚で測定する。特に，できるかぎり以前使用したのと同じ体重計を用いることが重要である。

体重増加不良 failure to thrive：(a)年齢の正常値の5パーセンタイル未満の成長（体重増加），(b)6カ月で50パーセンタイルを超える成長の減衰，(c)身長にみあう正常体重が5パーセンタイル未満。原因は心理社会的および家族的な問題，消化器・神経・循環器・内分泌・腎臓・その他の疾患が考えられる。

頭囲

出生後から2歳までは，頭囲を必ず測定すべきである。それ以外でも，頭囲測定は頭（頭蓋と脳の両方をさす）の成長を評価するうえでどの年齢においても有用である（図25-18）。乳児の頭囲は，頭蓋と脳の両方の発達速度を反映する。

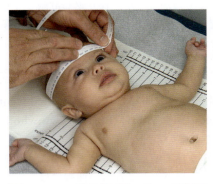

図25-18 乳幼児期において頭囲は非常に重要な指標である

頭が小さい場合，小頭症という。**小頭症 microcephaly** は家族性，染色体異常，先天性感染，母親の代謝疾患（糖尿病など），神経学的な障害から生じる。また，頭蓋骨の縫合線早期癒合から生じることもある。

異常な頭囲拡大（95パーセンタイル以上，または2 SD以上）を**大頭症 macrocephaly** といい，水頭症，頭蓋内出血，まれなものとして脳腫瘍，遺伝性症候群などが原因となる。**家族性巨脳症 familial megaloencephaly**（大頭）は家族性の良性の状態である。

バイタルサイン

乳児のバイタルサイン，つまり血圧，心拍数，呼吸数，体温を測定する。小児医療従事者は標準化された「痛みの評価スケール」を用いて痛みを評価することもある。他に毛細血管再充満時間 capillary refill time（CRT）も指標として有用である。

第8章「全身の観察，バイタルサイン，疼痛」の「疼痛の程度を評価する」（p.240）を参照。

血圧

乳児期から幼児期と年齢が上がるにつれて，正常収縮期血圧は上昇する。例をあげると，出生時の収縮期血圧は70 mmHg，1カ月で85 mmHg，6カ月で90 mmHgとなる。

乳幼児で血圧を正確に測定することは難しいが（図25-19），高リスク児においては重要な指標となる。3歳を超えたら血圧測定はルーチンに行うべきである。手動のかわりに自動血圧計を使用することもできる。どちらの測定方法でも，正確な血圧評価には児の体格にあった適切なサイズのカフを使用し装着することが非常に重要である。

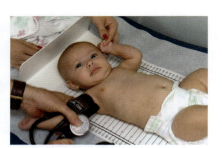

図25-19 乳幼児の正確な血圧測定には練習を要する

小児血圧測定カフサイズと装着方法については p.1027〜1028 を参照。

乳児の血圧を測定する際にはあやしたり気をそらしたりする「ディストラクション」の技術が必要である。練習を積めば，児を穏やかにさせ気をそらしつつ血圧測定ができるようになる。

診察の技術：乳児

米国小児科学会（AAP）は小児期，青年期における高血圧のスクリーニングおよび対処法についてのガイドラインを更新しており，それには1歳以上の児に関する記載が含まれている[29]。新生児および1歳未満乳児における血圧の正常値は，1歳以上乳児の研究および新生児の小規模研究から推定されている。

脈拍
乳児の心拍数は，成人に比べて，疾患，体動，感情によって影響を受けやすい数（Box 25-12）。

Box 25-12 生後から1歳までの健康な小児の心拍数[30]

年齢	平均心拍数（回/分）	正常範囲 1〜99パーセンタイル（回/分）
生後1カ月以内	140	90〜165
1〜6カ月	130	80〜175
6〜12カ月	115	90〜170

診察者から逃げようともがく乳児の脈拍数を測定するのは容易ではない。**大腿動脈を触れるか，肘の屈側で上腕動脈を触れるか，あるいは心音そのものを聴くとよい。**

呼吸数
心拍数と同様，成人や年長児と比べて，乳児の呼吸数は変動が大きく，疾患そのもの，体動，感情によって反応しやすい。呼吸数は新生児で30〜68回/分（1および99パーセンタイル），6〜12カ月の児では25〜60回/分である[30]。

新生児の呼吸数は遅い呼吸，速い呼吸を交互に繰り返しながら（周期性呼吸と呼ばれる），かなり変化する。呼吸数および呼吸パターンを評価するため，少なくとも60秒は観察すること。睡眠時の呼吸数が最も信頼できる。浅い眠りと深い眠りでは前者が10回/分ほど速い。乳児から早期幼児までは，横隔膜呼吸が優位で，胸郭の動きによる呼吸の要素は少ない。

一般に受け入れられている頻呼吸の定義は以下の通りである。
　　出生時〜生後：2カ月＞60回/分
　　生後：2〜12カ月＞50回/分

異常例

新生児の持続性高血圧の原因としては，腎動脈疾患（狭窄症，血栓症），先天性腎奇形，大動脈縮窄症などが考えられる。

極端な頻脈も洞性頻脈として認めることはあるが，数えるのが難しいほど速い脈拍（通常220回/分を超える）は発作性上室性頻拍 paroxysmal supraventricular tachycardia（PSVT）の可能性がある[訳注]。

徐脈は，薬物中毒，低酸素症，頭蓋内病変や神経疾患，あるいはまれに心ブロックなどの不整脈もその原因となる。

表25-1「不整脈と高血圧」を参照。

極端に速く浅い呼吸は，チアノーゼ性心疾患，右-左シャント，代謝性アシドーシス，肺疾患を有する新生児や，神経疾患を有する乳児にもみられる。

発熱そのもので乳児は**頻呼吸 tachypnea**となり，体温の1℃上昇につき10回/分ずつ呼吸数が増加する。

乳児の頻呼吸や呼吸努力の増悪は上気道病変や，細気管支炎または肺炎などの下気道病変を示唆する。

訳注：「心肺蘇生国際ガイドライン2020」では，「1歳未満の新生児・乳児で＞220，1歳を超えると＞180で上室性頻拍を疑う」とある。

体温

乳幼児の体温は成人に比べて不安定で，変動しやすい。直腸温は乳児期から幼児期早期までは高めで，3歳をすぎるまで通常37.2℃以上となる。体温は1日のなかで活動度や環境温度に伴って変動する。生後1カ月未満の新生児の場合，平均から2SD（2標準偏差）を超える値は38.0℃である[31]。そのため38.0℃以上を，小児医療従事者は3カ月未満の乳児における発熱と定義することが多い。

発熱は乳児や小児では非常に頻繁にみられ，感染症を疑ったときは，正確に体温を測定する。**直腸温は乳児の体温として最も正確である**。腋窩温，体温測定テープは小児では不正確である。耳式体温計（鼓膜体温計）による測定は正確である。

2〜3カ月未満の乳児における**発熱 fever**（38℃以上）は，重篤な感染症や疾患の可能性があり緊急を要する。具合の悪い生後3カ月未満の発熱では重症感染症の可能性があるため，直腸温による体温評価が望ましい。

直腸温の測定は比較的簡単である。方法の1つとして図25-20のような方法がある。乳幼児を腹臥位とし，片方の手の母指と示指で殿部を広げ，潤滑剤などで十分に滑りをよくした直腸体温計をもう片方の手で2〜3cmの深さまでやさしく挿入する。体温計は最低2分間はそのままにしておく。

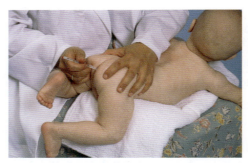

図 25-20 直腸温は乳児にとって最も正確な測定方法である

乳児では過度なおくるみで皮膚温が上昇することはあっても，深部体温まで上昇することは通常はない。ただし，おくるみを何重にもかぶせられている乳児では複数回検温をしてみるべきであろう。

新生児が体温を保てない場合（高体温，低体温の両方），敗血症，代謝異常，その他重篤な病態が原因となっていることがある。低体温は乳児期後期にはほとんど生じない。

毛細血管再充満時間

バイタルサインの1つではないが，**毛細血管再充満時間 capillary refill time（CRT）**は，具合の悪い乳児や幼児が重症化するレッドフラッグとして有用である。具合の悪い児の重症度を判断するためのツールとしては，特異度は高いがばらつきもあり，しばしば感度は低い[32]。

乳幼児の指を適度な力で5秒間圧迫し，時計を使って指の色が元に戻るまでの秒数を計測する。通常，生後1週間以降の小児におけるCRTは2秒未満であり，3〜4秒を超えるならば「延長している」と判断する。

具合が悪い乳幼児におけるCRT延長は，脱水症，尿路感染症，その他の重症感染症などの重篤な疾患の存在を示唆する非特異的なレッドフラッグといえる。

皮膚

視診

新生児・乳児の皮膚所見が正常か異常かを見分けるためには注意深く診察する必要がある。p.979〜981に皮膚所見の写真を示す。新生児の皮膚は特有の組織構造をしており，**みた目も特徴的**である。それ以降の小児と違って皮膚が薄いために，構造が軟らかく滑らかである。生直後，最初の10分で新生児の皮膚はやや**チアノーゼ cyanosis**（青色）の状態からピンク色になる。未熟児の場合，強い**紅斑 erythematous**（赤色）を呈することがある。

多血症の新生児は肌の色が真っ赤または紫色にみえることがある。

| 診察の技術：乳児 | 異常例 |

生直後は，細かい毛であるうぶ毛が体全体，特に肩と背中を覆っている。**うぶ毛 lanugo** は生後数週で抜け落ち，低出生体重児でめだつ。頭髪の太さ（濃さ）は新生児期においてはさまざまであり，その後の頭髪の濃さとは関連しない。出生時の頭髪は数カ月のうちにすべて抜け落ち，新しい頭髪に生え変わる。生え変わった頭髪は最初のものと色が異なっていることもある。

出生後からしだいに変化する生理的状態に照らし合わせて，新生児の皮膚をよく観察する。出生時は水分，蛋白質，脂質で構成される**胎脂 vernix caseosa** と呼ばれるチーズに似た白い物質で身体が覆われ，剥離や感染に対するバリアとなり，胎児が産道を通過する際の保湿にもなっている。新生児によっては手，足，下肢，恥骨部，仙骨部に**浮腫 edema** を認めることもあるが，これらは数日で消失する。生後 24～36 時間で皮膚の表層での落屑がしばしばみられる。特に，40 週を超えて出生した過期産児にみられ，7～10 日間続くこともある。

中毒性紅斑と膿疱性黒皮症は，単純ヘルペスの水疱性皮疹やブドウ球菌性皮膚感染症などの疾患と非常に似てみえることもある。

鉗子分娩，吸引分娩による頭部の外傷がないかどうか注意する。外傷自体は治癒し消失していくが，神経学的徴候に焦点をあてた診察をすぐ行わなければならない点で重要である^{訳注1}。

腰仙部の中央の毛は脊髄欠損の可能性を示唆する。

血管運動性の変化

皮膚・皮下組織の血管運動性の変化〔寒冷刺激やラジアント・ウォーマー（開放式保育器）の熱刺激など〕によって皮膚が青く，格子状，網目状になることがあり（大理石様皮膚），体幹と四肢に生じる。この状態は正常でも生後数カ月にわたって続くことがある。**大理石様皮膚 cutis marmorata** は早産児によくみられる良性の所見で，皮膚に赤・青色または紫色のレースのような網目状を呈するが，これは一時的なもので温めると消失する。

色素沈着

新生児の皮膚のメラニン色素の量はさまざまであり，それによって生じる**色素沈着 pigmentation** の度合もさまざまである。生まれつき色が濃い部分である爪床，生殖器，耳介を除き，将来的に肌の色が濃くなる乳児の中には，生まれてしばらくはまだ皮膚の色が明るいことがある。殿部と腰部の下方にかけてみられる褐色または青色の色素沈着は黒人，東洋人，ヒスパニック系，地中海沿岸出身者の家系の新生児によくみられる。これは**先天性真皮メラノサイトーシス congenital dermal melanocytosis**^{訳注2} と呼ばれ，このような色にみえるのは色素細胞が皮膚の深部層に存在するからである。通常，年齢が進むとともに薄くなり，幼児期のうちに消失する。**後に皮下出血斑と間違え余計な心配をしなくて済むように，蒙古斑をきちんと診察して把握しておく。**

薄茶色の色素斑（出生時 1～2 cm 未満）をみたら，**カフェオレ斑 café-au-lait spot** を考える。1 個の場合は問題ないが，辺縁が滑らかで多数の色素斑がある場合は（直径 1.5 cm 以上で 6 個以上あれば），神経線維腫症を考える。

表 25-2「新生児・乳児によくみられる皮疹と皮膚所見」を参照。

訳注1：難産による分娩仮死，頭蓋内出血の存在を早期診断，または否定するという意味。
訳注2：血小板減少症などによる出血傾向，または虐待などの外傷による皮下出血と鑑別するのに役立つ。

チアノーゼ

チアノーゼがないかどうか注意深く観察する。たとえ程度が軽くてもチアノーゼがあれば気にかけなくてはならない。皮膚色の評価に加え，口腔内，舌，結膜など体の内側の所見が重要である。**肢端チアノーゼ acrocyanosis** は，寒冷曝露のときに手足が青くなる末梢循環障害であり（p.979 参照），生後数日以内の新生児には大変よくみられ，早期乳児にまでみられることもまれではない。**中枢性チアノーゼ central cyanosis** の場合は四肢に加えて口唇，舌，舌下組織にもチアノーゼを認める。

ときに新生児において，下半身や，四肢の1つが突然蒼白あるいはチアノーゼを呈するといった皮膚色の著明な変化が起こることがあり〔**道化師様皮膚異常 harlequin dyschromia**（道化師様反応ともいう）〕，一過性の皮膚血管の不安定な血行動態がその原因と考えられている。

> **異常例**
> 肢端チアノーゼが生後8時間以内に，あるいは温めても消失しないときは，先天性チアノーゼ性心疾患を考えるべきである。
>
> p.994の中枢性チアノーゼに関する項を参照。

黄疸

生理的黄疸は正常新生児の約半数に生じ，通常生後2～3日目から出現し，生後5日目で頂点に達し，1週間以内で消失する（母乳栄養児ではそれ以上長引くこともある）。新生児黄疸は頭からつま先に向かって進行する傾向にあり，上半身のほうが下半身より比較的色が濃い傾向にある。

生後2～3週間までの間によくみられる病的ではない母乳性黄疸の場合，生後10～14日前後で完全に消失する。以降も黄疸が遷延するならば精査が必要である。**身体所見のみではビリルビン値を正確に予測することはできない。**

皮膚を注意深く診察し，触診により黄疸の程度を評価する。黄疸は人工灯ではなく，昼間の自然光においてはっきりと認めることができる。黄疸を診断するには，図 25-21 のように両母指で皮膚を左右に引いて，ピンクあるいは褐色のいわゆる血の気を消失させる。黄染していれば黄疸がある。

> 生後24時間以内の黄疸は新生児溶血性疾患の可能性があり，病的黄疸である。遅発性の黄疸や，生後2～3週以降も遷延する黄疸では胆道閉鎖や肝疾患を疑う必要がある。

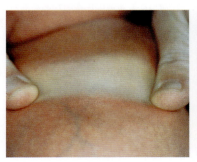 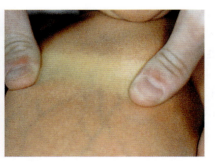

図 25-21 皮膚を圧して赤みを消失させると正常（左）と黄疸（右）の皮膚の色の違いがわかりやすい（写真出典：Fletcher M. *Physical Diagnosis in Neonatology*. Lippincott-Raven; 1998. より）

診察の技術：乳児

血管性の斑（あざ）
一般的な良性の血管性の斑（あざ）としては，サーモンパッチ（単純性母斑，火炎状母斑，毛細血管拡張性母斑，毛細血管性血管腫とも呼ばれる）がある。平坦，不規則，かつ淡いピンク色を呈し（p.980参照），項部に最もよくみられる（コウノトリのくわえた跡）。上眼瞼，前額部，上口唇（天使の口づけ）にもみられる。これらは真の母斑ではなく，毛細血管の拡張により生じる。1歳までにはほとんどが自然に消失し，頭髪によって覆われる。

触診
乳児の皮膚の触診により，体内水分の程度（脱水の有無）やツルゴールを評価する。腹壁の皮膚を母指と示指でやさしくつまみ，その張り具合を確かめる。指を離すと脱水のない乳児では皮膚がすぐにもとに戻る。皮膚の戻りが悪い場合を"tenting"（テント状皮膚）といい，著明な脱水の状態であることが多い。

新生児にはつぎの4つの症状がよく観察される。紅色汗疹（あせも），中毒性紅斑（中毒疹），膿疱性黒皮症，稗粒腫。これらは，臨床的には問題にならないものばかりである（Box 25-13）。

異常例

三叉神経の分枝である眼神経に沿って分布し，片側性で濃い紫色のいわゆるポートワイン母斑は **Sturge-Weber（スタージ・ウェーバー）症候群** の徴候を示している可能性があり，痙攣，片側性麻痺，緑内障，精神発達遅滞を伴う。

新生児の女児の手足に著明な浮腫がある場合，Turner症候群を示唆する。頸部皮膚のたるみ（翼状頸）など他の特徴的所見があれば診断される可能性はさらに高い。

脱水は乳児においてよく問題となる。飲水量の不足，下痢などによる過剰な体液喪失などがおもな原因である。

Box 25-13　新生児の皮膚所見

所見/説明

- **一般的な非病理的（生理的）所見**

肢端チアノーゼ
通常は手掌や足底に出現する。**先天性チアノーゼ性心疾患では重度の肢端チアノーゼを伴い，温めても改善せず持続する**

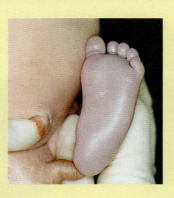

所見/説明

黄疸
生理的黄疸は生後2～5日目に生じ，頭部からはじまり，黄疸が進むにつれてつま先に向けて広がる。程度の強い黄疸は溶血や肝胆道系疾患の可能性がある

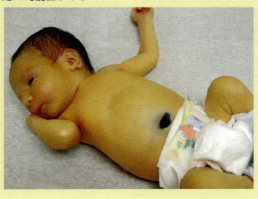

（続く）

↘(続き)

| 所見/説明 | 所見/説明 |

● よくみられる良性の発疹

紅色汗疹
通常は紅斑を伴う丘疹，小水疱，膿疱が顔面，頸部，体幹に散在する．汗腺の閉塞によって生じ，数週間で自然消失する

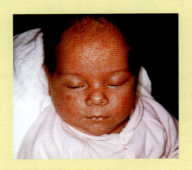

中毒性紅斑
通常，生後2～3日から生じ，中心に点状の小水疱をもつ紅斑性小丘疹で，体全体に散在する．原因は不明で，生後1週間以内に消失する

一過性新生児膿疱性黒皮症
黒人の新生児によくみられる．出生時の発疹は膿疱や鱗屑，色素沈着を伴う斑点などが混在してみられる．膿疱と鱗屑は約2週間前後で消失し，色素沈着を伴う斑点が残るが数カ月後には消失する

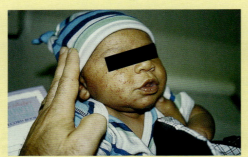

稗粒腫
鼻，および頬，前額部に紅斑を伴わないで生じる点状の白色の真珠様の丘疹で（下の写真では鼻に生じている），脂腺の開口部に皮脂が貯留することにより生じる．出生時から存在することもあるが，通常生後2～3週で出現し，さらに数週続いて消失する

● 良性母斑

眼瞼斑
通常生後1年以内に消失する

サーモンパッチ
コウノトリのくわえた跡，または天使の口づけとも表現されるしみ状のピンク色の斑で，年齢とともに消失する

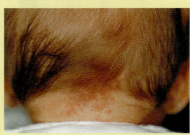

(続く)↗

所見/説明	所見/説明
カフェオレ斑 薄茶色の色素斑で，通常は境界明瞭，10％以上の黒人の児にみられる。むらはなく均一である。**6個以上のカフェオレ斑がある場合は，神経線維腫症の診断を考える**（表25-2「新生児・乳児によくみられる皮疹と皮膚所見」を参照） 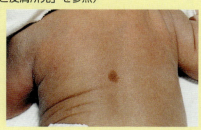	**先天性真皮メラノサイトーシス** 皮膚色の濃い児に比較的多くみられる。打撲などによる打ち身の傷と間違えないように，**この良性の斑の存在を知っておくことは重要である** 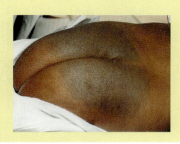

写真出典：黄疸— Chung EK et al. *Visual Diagnosis and Treatment in Pediatrics*. 3rd ed. Wolters Kluwer; 2015, Figure 7-7. より

頭部

出生したばかりの新生児は身体に比べて頭が大きくみえる。事実，新生児の頭は身長の1/4，体重の1/3を占める。この比率は変化し，成人に達すると身長の1/8，体重の1/10となる。

縫合と泉門

生後，新生児の頭蓋骨同士は離れており，その間にある膜様の組織を**縫合 suture** という。頭部の前方と後方で，それらの縫合が交差するところを**泉門 fontanelle** という（前方の大泉門と後方の小泉門がある）。出生時の大泉門は直径4〜6 cmである。**大泉門 anterior fontanelle** は新生児の約80％で生後18カ月までに，約90％で生後22カ月までに閉鎖する[33]。**小泉門 posterior fontanelle** は，出生時には直径1〜2 cmあり，通常2カ月で閉鎖する。出生直後に頭蓋骨が重なっている所見は，いわゆる骨重合 moldingといわれ，児頭が産道を通過する際に生じる。生後2日以内に消失する。

縫合と泉門を注意深く観察する（図25-22）。触診すると縫合は線状の隆起として触れ，泉門は軟らかいへこみとして触れる。

小泉門の拡大は，先天性甲状腺機能低下症にみられる。

大泉門の閉鎖遅延は通常は正常範囲内であることが多いが，甲状腺機能低下症，大頭症，頭蓋内圧亢進，くる病が原因となることもある。

表25-5「頭部の異常」を参照。

膨隆し張った大泉門をみたら，**頭蓋内圧亢進**の所見である。原因として**出血 bleeding，中枢神経系感染症 central nervous system infection，腫瘍性疾患 neoplastic disease，水頭症 hydrocephalus** があげられる。

大泉門の早期閉鎖は**小頭症 microcephaly** や**頭蓋骨癒合症 craniosynostosis**，また何らかの**代謝性疾患 metabolic abnormality** が原因である可能性を示唆する。

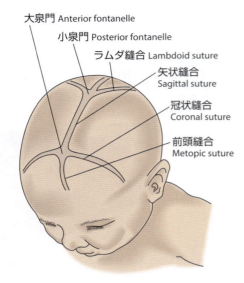

図 25-22　縫合と泉門

泉門の膨隆は**頭蓋内圧 intracranial pressure** を反映するため，注意深く診察すること。児が静かに座っているか，縦に抱っこされた状態でいるときに泉門を触れる。臨床家は，診察の最初でまず泉門を触れていることが多い。正常乳児では，大泉門は軟らかく平坦である。啼泣時や嘔吐時には，**頭蓋内圧亢進 increased intracranial pressure** に伴い大泉門の膨隆所見がみられる。大泉門に拍動を認めるのは末梢血管の脈を反映しており，通常はまったく正常である（両親よりしばしば問われることがある）。

泉門の膨隆は頭蓋内圧亢進の懸念が，陥凹は脱水徴候の可能性があるため，泉門の触診についてはしっかり学ぶこと。

大泉門の陥凹は**脱水 dehydration** の徴候を示唆する。

頭皮静脈の怒張も注意深く観察する。

頭皮静脈の怒張は，長期間に及ぶ**頭蓋内圧亢進**状態を表す。

頭蓋骨の対称性と頭囲

頭蓋骨の対称性 skull symmetry を注意深く評価する（図 25-23）。低出生体重児の頭部は，出生時，前後径（後頭部～前頭部にかけての径）が長く，左右径（左右側頭骨間の径）が短い（長頭症 dolichocephaly）。このような頭蓋骨の形は 1〜2 年で正常化する。

頭皮の限局した腫脹のうち，おもなものとして**頭血腫 cephalohematoma** がある。これは分娩時に生じた骨膜下出血が原因である。頭血腫は縫合を超えて広がることはなく，通常 3 週間以内に消失する。

表 25-5「頭部の異常」を参照。

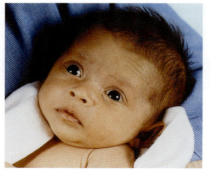

図 25-23　頭蓋骨の形状と対称性を評価する必要がある

診察の技術：乳児

頭蓋骨の非対称はさまざまな原因により生じる。問題とならない良性所見のこともあるが，何らかの疾患を反映している場合もある。頭部に左右非対称の腫脹がないかどうかを観察する。頭頂部からみるとわかりやすい。児を抱き上げ，後ろ側から頭部の形を診察するとよい。

頭蓋冠の非対称（斜頭症）は，児の頭部をいつも同じ側に向けて寝かせていると生じ，下に向けている側の頭頂から後頭部は平坦になり，同側の前頭部は突出してくる。この状態は，児がさらに活発に動いて一側を下にして同じ姿勢をとる時間が少なくなってくると消失し，その後必ず頭の形は対称になる。

興味深いことに，現在，**乳児突然死症候群 sudden infant death syndrome (SIDS)**（訳注）のリスクを低下させるために仰臥位で新生児を眠らせるのが一般的な傾向になったため，頭位による斜頭症の数が増えている（図25-24）。この症状は児の体位を頻繁に変えることで予防できる（例：児が覚醒している間に腹這いにさせる）。

頭囲を測定し（p.974），大きすぎないか（**大頭症 macrocephaly**），小さすぎないか（**小頭症 microcephaly**）を観察する。大頭症・小頭症ともに，脳へ影響を及ぼす基礎疾患が隠れていることがある。

縫合線に沿って触診し，骨性の膨隆を認める場合，頭蓋骨癒合症の可能性がある。

新生児の頭蓋骨はやさしく触診する。通常，軟らかく，しなうのが特徴である。在胎週数が長いほど硬くなる。

訳注：乳児突然死症候群の原因は不明であり，もちろん低出生体重児の遷延性無呼吸や感染による無呼吸とは，厳密な意味では区別される。

異常例

新生児の頭皮には後頭骨から頭頂骨にかけて軟らかい腫脹がみられることがあるが，これを**産瘤 caput succedaneum** という。出生時に羊膜が破れると産道に陰圧がかかり，頭皮の毛細血管が伸展し，血液や漿液成分が血管外に漏出した状態である。産瘤は通常，**縫合線 suture line** を超えて認められ，1～2日で消失する。

図 **25-24** 注意深く診察することで斜頭症がわかることがある

斜頭症 plagiocephaly は分娩時における胸鎖乳突筋損傷による**斜頸 torticollis**（筋性斜頸）や，刺激が少なくて児があまり頭部を動かさないでいることが原因でも生じる。

早期に頭蓋縫合線が閉鎖すると頭蓋骨癒合症を呈する（表25-5「頭部の異常」）。**矢状縫合**早期癒合症は，頭頂骨の発育がないため，細い頭（長頭）となる。

頭蓋癆 craniotabes では，頭蓋骨に弾力があるように感じる。この病態は**水頭症 hydrocephaly** などの頭蓋内圧亢進，くる病などの代謝性疾患，先天性梅毒などの感染症で生じる。

診察の技術：乳児

顎を診察する。異常に小さい顎は，**小顎症 micrognathia** または**下顎骨低形成 mandibular hypoplasia** といわれる。

顔面対称

児の**顔面 face** が対称であることを確認する。

顔面を観察し，全体的に受ける印象を確認する。この場合，親の顔と比べることが役立つ。児の系統的評価の際に顔貌異常を調べることにより，具体的な症候群を同定することができる[34]。Box 25-14 に顔面評価の各ステップを示す。

> **Box 25-14　顔貌異常の可能性のある新生児の評価**
>
> 注意深い病歴聴取。特に：
> - 家族歴
> - 妊娠歴
> - 分娩・周産期歴
>
> 身体診察で顔貌以外の異常に注意する。特に：
> - 成長
> - 発達
> - その他の外表形態異常
>
> 測定し，成長曲線をつける。特に：
> - 頭囲以下を参照しながら，すでにわかっている症候群かどうか確認する
> - 身長
> - 体重
>
> 以下の3つの顔面形態発生異常を考慮する
> - 胎内環境異常による変形
> - 羊膜帯や胎児自身による損傷
> - 顔面・頭蓋・脳などの発生異常による先天奇形
>
> 親と兄弟姉妹の診察：
> - 親と似ている場合は安心させることができる（巨頭など）が，家族性の疾患を示唆する可能性もある
>
> 以下を参照しながら，すでにわかっている症候群かどうか確認する
> - 参考文献（測定法も）と写真など
> - 表やデータベースによる徴候の組み合わせ

Chvostek 徴候

Chvostek（クボステック）徴候を確認するために頬部を打診する。この徴候は，ある種の代謝異常児や，場合により正常新生児にもみられることがある[訳注1]。頬骨直下の頬部の上端を示指または中指にて打診する[訳注2]。

訳注1：一般的にテタニー（硬直）の際の顔面易刺激性の亢進を表し，例えば22q11.2欠失症候群の低カルシウム血症などで新生時期からみられる。

訳注2：顔面神経を外耳道の直前で軽く叩くと眼輪筋と口輪筋が興奮し，一側性の痙攣を生じる。

異常例

Pierre Robin（ピエール・ロバン）症候群などの一型として小顎症がみられることもある。

顔面の非対称は顔面神経麻痺の可能性を示唆している。出生時に認めた場合，先天異常や分娩外傷が原因であり，乳児期に出現した場合は感染症やその他の原因による可能性がある。

顔貌異常を伴う発達遅滞や遺伝症候群は，他の部位の異常も伴うことが多い。

先天性甲状腺機能低下症の乳児では粗野な顔貌やその他の顔貌異常を認める。表25-6「乳幼児における疾患の診断の決め手となる特有の顔貌」を参照。

小児の眼瞼の形状あるいは眼瞼裂の長さの異常としては，以下がある。
- 挙上（**Down 症候群**）
- 下降〔**Noonan（ヌーナン）症候群**〕
- 狭小（胎児アルコール症候群）

表25-6「乳幼児における疾患の診断の決め手となる特有の顔貌」を参照。

Chvostek 徴候は顔面筋の反復性収縮に伴う顔面のひきつりである。**低カルシウム血症性テタニー hypocalcemic tetany** または**過換気症候群 hyperventilation** による**筋痙攣**にみられる。

診察の技術：乳児

異常例

眼

視診

新生児は短い覚醒の時間以外は眼を閉じている。診察者が眼瞼を開こうとすると、さらにかたく眼を閉じる。強く明るい光は新生児を驚かせてしまうので、照度を落とした光を用いて診察する。児をやさしく刺激して起こし座位を保持するようやさしく支えると、多くの場合、眼を開けてくれる。

新生児・乳児・早期幼児の眼を診察するときは、診察に協力してもらうため、さまざまな工夫をしなければならない。音の出ない色のついた小さいおもちゃは、眼の診察で追視させるのに役立つ。

新生児においても、覚醒時であれば、診察者の顔をみつめることができるし、明るい光なら追うことができる。場合によっては診察者の顔を追って左右に90度ずつ頭部を動かすこともできる。

診察者は乳児の**眼の動き eye movement**を診察する。児を立位にして抱き、同時に頭を支える。そのまま一方にゆっくりと児を回転させる。この方法だと児は通常開眼するため、強膜、瞳孔、虹彩、眼球周辺組織（眼瞼など）の動きを観察することができる（図25-25）。児を左右に動かすと児は動かしている方向を注視し、動きを止めると眼振様の動きを数回繰り返した後、動かしている方向と逆の方向をみる。

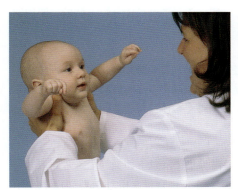

図 25-25 追視と眼球の動きを注意深く観察する

生後10日間ほどは、児の体を動かさずに頭部だけを一方に向けると、眼球は頭を動かした方向と逆方向に向く（**人形の目現象 doll's eye reflex**）。

生後数カ月間は、間欠性交差視（間欠性交代性輻輳斜視、**内斜視 esotropia**）や間欠性外側偏視（間欠性交代性開散斜視、**外斜視 exotropia**）がみられることもある。これらはほとんどの場合改善する。

安静覚醒時の条件のよい状態でも新生児が真に開眼できない場合、**先天性眼瞼下垂 congenital ptosis**の可能性がある。分娩外傷や動眼神経麻痺が原因としてあげられる。

結膜下出血は経腟分娩で出生した新生児でよくみられる。

眼振（遊走性・律動性の眼運動）が生後数日を超えてもみられるか、また写真のような方法で診察したときに出現し遷延した場合、**視力低下 poor vision**あるいは**中枢神経系疾患 central nervous system disease**を考える。

新生児が覚醒時に診察者を注視あるいは追視しない場合、その後の眼の診察を特に注意深く行う必要がある。先天性白内障やその他の異常による**視覚障害 visual impairment**の可能性がある。

交代性輻輳斜視または**開散斜視**が生後3カ月以上に及ぶ場合、あるいはいかなる型のものであっても長時間遷延する斜視は、**外眼筋の脱力 ocular motor weakness**やその他の視覚系異常を示唆する。

診察の技術：乳児

強膜 sclera と **瞳孔 pupil** の先天異常を観察する。眼瞼結膜下出血は新生児でよくみられ，2〜3週間で消失する。新生児の眼球は分娩の過程により浮腫様であることが多い。

瞳孔反射は光に対する反応，あるいは，それぞれの眼を診察者の手で覆い，その後その手を放すことによって確認する。生後まもなくは瞳孔の大きさはいくらか非対称になることもあるが，時間がたつにつれて，その大きさも対光反射も左右で等しくなる。

虹彩の異常がないか注意深く観察する。

結膜 conjunctiva の腫脹と発赤がないか観察する。ほとんどの新生児室では淋菌性結膜炎の予防として眼軟膏の塗布を行っている。これにより，一時的に眼周囲の腫脹が生じることがある。

新生児・乳児の**視力 visual acuity** は測定できない。この時期の視力・視野については反射の観察による間接的な評価を行う。光に対する左右同時の縮瞳，強い光に対する瞬き（瞬目反射），また眼に入る速く動く物体に対する瞬きなどである。

生後最初の1年で焦点を合わせる能力が向上するにつれ，視力が増強してくる（Box 25-15）。乳児の視力に関する発達段階の指標は以下の通りである。示した視力の発達段階の指標に則って視力が発達しない場合は，**視力の成熟の遅れ**が示唆される。

Box 25-15　乳児の視力に関する指標

出生時[35]	瞬きをする，人の顔を注視する
1カ月	ものをみる
1.5〜2カ月	眼球協調運動
3カ月	中心固視，みえるものに手をのばす
12カ月	視力は約 20/60 (0.3)〜20/80 (0.2)

瞬目反射

瞬目反射は，突然の鋭い音に反応して児の眼が瞬くというものである。この反射は耳の近くで診察者が指をならしたり，耳から約30 cmほど離した位置で鈴または音や雑音の出る装置を鳴らしてみても確認できる。このとき，音を鳴らすことで空気の流れができて直接眼を刺激することになり，その結果瞬きする，とい

異常例

コロボーマ coloboma は眼球組織の一部が欠損することである（例：虹彩のみ，または虹彩および網膜）。コロボーマは裸眼で診察者に観察できるものであり，虹彩欠損症に代表され，視力低下を伴うことがある。

Brushfield 斑（検眼鏡でみられる）は虹彩の辺縁に白い斑点がリング状にみられる所見で，正常児で認めることもあるが，Down 症候群に特徴的である。

表25-7「眼，耳，口腔の異常」を参照。

出生時より遷延する眼脂や流涙は，**涙嚢炎 dacryocystitis** あるいは **鼻涙管閉塞 nasolacrimal duct obstruction** を示唆する。

診察の技術：乳児

うことを避けるよう注意したい（Box 25-16）。生後 2〜3 日では，この反射をはっきりと誘発するのは困難である。短時間に何度も誘発させるとこの反射は消失する。この現象は**慣れ**（反復刺激の間に神経系が反応性を減少または抑制すること）として知られる。この方法はあくまでも簡易な聴力検査であり，もちろん正確な診断の代わりにはならない。米国ではほとんどの新生児に聴覚スクリーニング検査が行われており，多くの州で義務づけられている。

Box 25-16　乳児の聴覚徴候

年齢	徴候
0〜2 カ月	突然の音に驚き，瞬く 柔和な声と音で静まる
2〜3 カ月	音に反応して身体を動かす 聴き慣れた音に表情を変える 音のする方向に目を向けたり振り向いたりする
3〜4 カ月	声や会話を聴こうと振り向く
6〜7 カ月	言葉を適切に理解する

検眼鏡検査

早期乳児の詳細な眼底検査は容易ではないが，眼そのもの，または神経学的異常を認めた場合は必要となる。検眼鏡にて，＋20 ジオプトリーで角膜を，＋15 ジオプトリーで水晶体を，0 ジオプトリーで眼底を観察する。

新生児が覚醒して開眼している状況で，検眼鏡を 0 ジオプトリーにセットして約 25 cm の距離から瞳孔を観察する方法で赤色網膜反射を観察する。通常，眼底が赤またはオレンジ色に光るのを瞳孔を通してみることができる。

視神経乳頭部を成人で行うのと同様に観察する。乳児では視神経乳頭部を確認するのは難しいが，色は薄く，黄斑部の色素沈着も少ない。中心窩の反射は観察できないこともある。

小さい網膜出血は正常新生児にも起こる。

異常例

難聴のリスクとなる周産期異常は，1,500 g 未満の出生時体重，低酸素症，耳毒性薬物の使用，先天性感染，高度の高ビリルビン血症，髄膜炎などである。

どの児にも適応できるような聴力検査がないため，**難聴**を有する子どもは 2 歳になるまで診断されないことが多い。難聴を発見する手段としては，聴覚に関する親の心配，言葉の遅れ，聴覚発達の各段階の指標をたどっていないことなどが考えられる。

角膜混濁は先天性緑内障によっても生じる。

光に反射して暗赤色を呈する瞳孔をみた場合は白内障や未熟児網膜症を考える。白色網膜反射（**白色瞳孔 leukokoria**）は異常所見であり，白内障，網膜剥離，脈絡網膜炎，網膜芽腫を疑うべきである。

水晶体が濁って赤色網膜反射がみられない場合は，白内障の可能性がある。

乳児では大泉門が開いていて，また頭蓋縫合線も閉じていないため，頭蓋内圧亢進を緩衝し，視神経に負担がかかりにくいため，乳頭浮腫はまれである。

広範な網膜出血は高度の低酸素症，硬膜下血腫，くも膜下血腫，外傷を疑う^{訳注）}。新生児期以降では，網膜出血が非事故性外傷（児童虐待）の徴候となる可能性がある。

訳注：生後 3 週〜3 カ月に好発する乳児揺さぶられ症候群では，眼底出血と硬膜下血腫が特徴的である。

耳

乳児における耳の診察では，構造上の問題，中耳炎，難聴などの異常が発見できる。**耳の位置，形，全体的な特徴から異常をみつけることができるようになること**が目標である。眼の位置と関連づけて耳の位置をよくみる。

内眼角と外眼角を結んだ想像上の線は，耳介と交差すべきである。耳介上部がこの線より下にある場合は，耳介低位である。 p.985の乳児の写真でこの線をひいてみると，耳介と交差していることがわかる。

小耳介，耳介低形成，耳介低位は，**先天奇形 congenital defect**，特に腎疾患を合併する可能性がある。

耳鏡による診察

生後数日間は外耳道に胎脂がつまっており鼓膜をはっきりみることができないため，耳鏡による診察は外耳道が開いているかどうかの確認しかできない。

小さい皮膚の下垂，裂溝，くぼみなどを耳珠の前方に認めた場合は，**第一鰓溝 first branchial cleft** の遺残を表し，特に問題となることはない。しかし難聴の家族歴がある場合は，腎疾患や先天性難聴を伴う場合もある。

新生児の外耳道は外側からすぐに下降していくため，耳介は上方ではなく，やさしく下方や外側へひっぱると鼓膜がよくみえる。鼓膜がみえたとしても，生後数カ月はその後にみられる典型的な鼓膜の所見ではなく，光錐反射がぼやけており円錐状でないことを知っておくべきである。

p.1033～1034 の「耳鏡による診察」を参照。

急性中耳炎（p.1034 参照）は乳児にも起こりうる。

鼻と副鼻腔

新生児は**強制鼻呼吸 obligate nasal breather** をするので，口で呼吸することはかえって難しい。新生児の鼻の診察で最も重要なのは鼻道が開通しているかどうかである。児の口を閉じ，交互に一方の鼻の穴をやさしく閉塞させて確かめることができる。このように口を閉じた検査をしても，この時期は生理的鼻呼吸であるので正常児にはストレスとはならない。かなりのストレスを強いることになるであろうから，両方の鼻の穴を同時に閉塞させてはならない。

新生児における鼻道の閉塞は**後鼻孔閉鎖 choanal atresia** のことがある。重症例では，栄養チューブ（8番）をそれぞれの鼻の穴から後咽頭に通して評価する。これは通常分娩室にて，後鼻孔閉鎖や他の原因による片側または両側鼻腔閉塞を確認する際に行われる。

鼻中隔がまっすぐかどうか，よく視診する。

出生時の上顎洞と篩骨洞はまだ小さく，時間をかけて**含気化 pneumatization** する。副鼻腔の触診は新生児期には役に立たない。

口腔と咽頭

新生児の口腔と咽頭を診察する場合，舌圧子と懐中電灯を用いて視診と触診を行う（図25-26）。親に児の頭と腕を固定してもらうと診察しやすい。新生児の口腔はみずみずしく，歯槽の粘膜は滑らかで，辺縁は細かいぎざぎざになっている。真珠様の貯留性嚢胞（上皮組織の迷入・貯留といわれる）が歯槽辺縁に沿ってみら

過剰歯がまれに認められる。通常は形態異常があり，数日で抜け落ちる。しかし，誤嚥を避けるため抜歯することがある。

診察の技術：乳児

れることがあり，歯と間違えやすい。これらは1〜2カ月のうちに消失する。生直後は軟口蓋に出血傾向がみられる。

上部の硬口蓋を触診して正常であるかどうかを確認する（口蓋裂，高口蓋などの奇形を発見するため）。**Epstein（エプスタイン）真珠**は，白色あるいは黄色の小球性貯留性嚢胞であり，硬口蓋の後方正中に沿ってみられる。数カ月のうちに消失する。

図25-26 親による介助が口腔内診察の助けとなる

異常例

口蓋中央の線に沿った先天的な裂孔が**口蓋裂 cleft palate** である。

生後3カ月までは唾液の分泌は少ない。乳児期後半に入ると唾液は著明に増加し，流涎が頻回となる。

舌

舌 tongue をよく視診する。舌小帯は児によってさまざまであるが，ときに舌先端までのび，時間がたつにつれ縮んできて，舌を前に出すのが制限される（**舌小帯短縮症 ankyloglossia，tongue tie**）訳注。

著明な舌の前方突出は，先天性甲状腺機能低下症，Down症候群，Beckwith-Wiedemann（ベックウィズ・ウイーデマン）症候群の徴候を示しうる。

低血糖と臍ヘルニアを伴っていて，巨大舌 macroglossia を認める場合は Beckwith-Wiedemann症候群の可能性がある。

舌が白苔で覆われているのをしばしばみかける。これがミルクであれば，擦ったり拭いたりすると容易に除去できる。舌圧子または手袋をした状態で指を使って拭きとってみるとよい。舌圧子を用いる場合は，咽頭反射を誘発しないよう，児の口腔内に深く入れすぎないように注意する。

口腔カンジダ症（**鵞口瘡 thrush**）は新生児・乳児ではよくみられるものである。ミルクと違って擦ってもとれず，紅斑様のみずみずしい基部に白苔がみられる。頬粘膜，口蓋，舌などにみられる。表25-7「眼，耳，口腔の異常」を参照。

嚢胞は舌や口腔内に認められることがある。甲状舌管嚢胞は舌下やより一般的には頸部に開口することがある。

歯

歯の生え方には予想されるパターンがある一方，生えはじめる年齢には大きなばらつきがある。**通常6カ月〜2歳2カ月までに，1月に1本ずつ，最大20本生えそろうまで乳歯が増加していく**。

出生歯とは出生時にすでに新生児に生えている歯牙のことである。通常は正常歯牙の早期萌出であるが，何らかの症候群が併発している場合もある。

児の咽頭を観察する最もよいタイミングは啼泣時である。強い咽頭反射を避けるために，舌圧子は舌の3分の2以上奥へ挿入しないようにする。乳児ではまだリンパ組織の発達が乏しいため扁桃を直接観察することは難しい。扁桃は成長とともに大きくなる。

訳注：原著者は tongue tie と ankyloglossia を同義語で用いているが，後者を前者と比べより重度で機能障害を伴うものと定義する専門家もいる。

診察の技術：乳児

児の啼泣 infant's cry の様子を観察する。正常児は元気で力強く泣く。

> **異常例**
>
> 出生以降に出現する新規の吸気性喘鳴はクループや気道異物，胃食道逆流症などが原因の可能性もある。
>
> 出生したときからのストライダー stridor（吸気時の高調音）は先天異常の存在を示唆する。表 25-8「乳児の異常な啼泣」を参照。

頸部

頸部の**リンパ節 lymph node** を触診するとともに，**先天性囊胞 congenital cyst** などの腫瘤がないかを確かめる（図 25-27）。新生児・乳児の頸部は短いので，仰臥位に寝かせて触診するとよい。一方，年長児は座位で触診するのがよい。甲状腺と気管の位置を確認する。

> 鰓溝性囊胞は，胸鎖乳突筋中央の前方に小さなへこみあるいは開口部を伴っている。瘻孔を伴っている場合もある。
>
> 耳介前囊胞，耳瘻孔はよくみられ，針穴のような小窩であり，通常は耳輪前方に位置する。通常は両側性で聴力障害や腎障害と関連していることもある。
>
> 甲状舌管囊胞は頸部中央，甲状軟骨の直上に位置する。小さく硬く，舌を突き出したり嚥下運動を行うとよく動く。通常，2 歳以降にみつかる。
>
> 先天的な**斜頸**（torticollis，いわゆる wry neck）[訳注]は，分娩時の頸部伸展や子宮内胎位により生じる胸鎖乳突筋内血腫が原因である。生後 2～3 週以内に線維性の硬い腫瘤が筋肉内に触知され，数カ月かけてしだいに消失する。

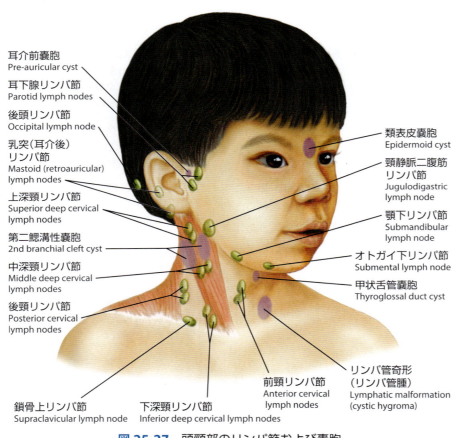

図 25-27 頭頸部のリンパ節および囊胞

新生児では，鎖骨骨折がないかどうか，**鎖骨 clavicle** を必ず触れる。鎖骨骨折がある児では，骨折部の骨を触れたり，圧痛があったり，骨折部で捻髪音（関節摩擦音）を感じたり，また骨折のある側の腕を動かさないなどの徴候がある。

> 鎖骨骨折は分娩時，腕や肩の娩出困難があった際に生じる。

訳注：斜頸＝torticollis が医学用語であるのに対して wry neck は一般的な言い回し。

診察の技術：乳児

れることがあり，歯と間違えやすい。これらは1〜2カ月のうちに消失する。生直後は軟口蓋に出血傾向がみられる。

上部の硬口蓋を触診して正常であるかどうかを確認する（口蓋裂，高口蓋などの奇形を発見するため）。**Epstein（エプスタイン）真珠**は，白色あるいは黄色の小球性貯留性囊胞であり，硬口蓋の後方正中に沿ってみられる。数カ月のうちに消失する。

図 25-26　親による介助が口腔内診察の助けとなる

生後3カ月までは唾液の分泌は少ない。乳児期後半に入ると唾液は著明に増加し，流涎が頻回となる。

舌

舌 tongue をよく視診する。舌小帯は児によってさまざまであるが，ときに舌先端までのび，時間がたつにつれ縮んできて，舌を前に出すのが制限される（**舌小帯短縮症 ankyloglossia, tongue tie**）訳注。

舌が白苔で覆われているのをしばしばみかける。これがミルクであれば，擦ったり拭いたりすると容易に除去できる。舌圧子または手袋をした状態で指を使って拭きとってみるとよい。舌圧子を用いる場合は，咽頭反射を誘発しないよう，児の口腔内に深く入れすぎないように注意する。

歯

歯の生え方には予想されるパターンがある一方，生えはじめる年齢には大きなばらつきがある。通常6カ月〜2歳2カ月までに，1月に1本ずつ，最大20本生えそろうまで乳歯が増加していく。

児の咽頭を観察する最もよいタイミングは啼泣時である。強い咽頭反射を避けるために，舌圧子は舌の3分の2以上奥へ挿入しないようにする。乳児ではまだリンパ組織の発達が乏しいため扁桃を直接観察することは難しい。扁桃は成長とともに大きくなる。

訳注：原著者は tongue tie と ankyloglossia を同義語で用いているが，後者を前者と比べより重度で機能障害を伴うものと定義する専門家もいる。

異常例

口蓋中央の線に沿った先天的な裂孔が**口蓋裂 cleft palate** である。

著明な舌の前方突出は，先天性甲状腺機能低下症，Down症候群，Beckwith-Wiedemann（ベックウィズ・ウイーデマン）症候群の徴候を示しうる。

低血糖と臍ヘルニアを伴っていて，巨大舌 macroglossia を認める場合は Beckwith-Wiedemann 症候群の可能性がある。

口腔カンジダ症（鵞口瘡 thrush）は新生児・乳児ではよくみられるものである。ミルクと違って擦ってもとれず，紅斑様のみずみずしい基部に白苔がみられる。頰粘膜，口蓋，舌などにみられる。表25-7「眼，耳，口腔の異常」を参照。

囊胞は舌や口腔内に認められることがある。甲状舌管囊胞は舌下やより一般的には頸部に開口することがある。

出生歯とは出生時にすでに新生児に生えている歯牙のことである。通常は正常歯牙の早期萌出であるが，何らかの症候群が併発している場合もある。

診察の技術：乳児

児の啼泣 infant's cry の様子を観察する。正常児は元気で力強く泣く。

異常例

出生以降に出現する新規の吸気性喘鳴はクループや気道異物，胃食道逆流症などが原因の可能性もある。

出生したときからのストライダー stridor（吸気時の高調音）は先天異常の存在を示唆する。表 25-8「乳児の異常な啼泣」を参照。

頸部

頸部の**リンパ節 lymph node** を触診するとともに，**先天性嚢胞 congenital cyst** などの腫瘤がないかを確かめる（図 25-27）。新生児・乳児の頸部は短いので，仰臥位に寝かせて触診するとよい。一方，年長児は座位で触診するのがよい。甲状腺と気管の位置を確認する。

鰓溝性嚢胞は，胸鎖乳突筋中央の前方に小さなへこみあるいは開口部を伴っている。瘻孔を伴っている場合もある。

耳介前嚢胞，耳瘻孔はよくみられ，針穴のような小窩であり，通常は耳輪前方に位置する。通常は両側性で聴力障害や腎障害と関連していることもある。

甲状舌管嚢胞は頸部中央，甲状軟骨の直上に位置する。小さく硬く，舌を突き出したり嚥下運動を行うとよく動く。通常，2歳以降にみつかる。

先天的な**斜頸**（torticollis，いわゆる wry neck）訳注）は，分娩時の頸部伸展や子宮内胎位により生じる胸鎖乳突筋内血腫が原因である。生後2〜3週以内に線維性の硬い腫瘤が筋肉内に触知され，数ヵ月かけてしだいに消失する。

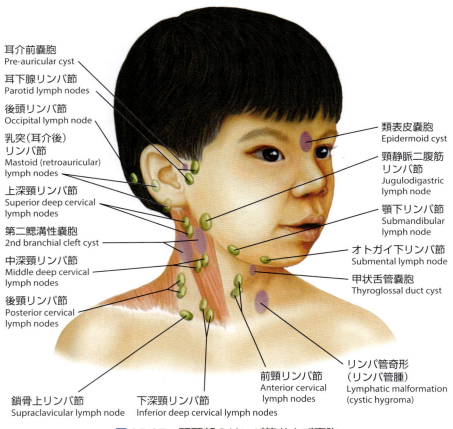

図 25-27 頭頸部のリンパ節および嚢胞

新生児では，鎖骨骨折がないかどうか，**鎖骨 clavicle** を必ず触れる。鎖骨骨折がある児では，骨折部の骨を触れたり，圧痛があったり，骨折部で捻髪音（関節摩擦音）を感じたり，また骨折のある側の腕を動かさないなどの徴候がある。

鎖骨骨折は分娩時，腕や肩の娩出困難があった際に生じる。

訳注：斜頸＝torticollis が医学用語であるのに対して wry neck は一般的な言い回し。

診察の技術：乳児

胸郭と肺

新生児の**胸郭 thorax** は成人に比べて丸くなっている。胸壁は薄く筋組織も少ないため，呼吸音と心音が明瞭に聴取できる。肋骨・肋軟骨は非常に軟らかく，よくしなる。剣状突起の先端は前方に突出していて，皮膚のすぐ下方に透けてみえる。

視診

呼吸数と呼吸の仕方を注意深く観察する。新生児，特に早産児では，正常の呼吸間隔は変動し（1分間に30～40回），5～10秒停止することもある。このように速い呼吸とゆっくりした呼吸を交互に繰り返すパターンを「周期性呼吸」という。新生児の呼吸数は60秒以上かけて測定することが最適とされているのは，周期性呼吸だからである^{訳注)}。

聴診器による聴診を急がないこと。聴診する前に図25-28に示すように乳児の陥没呼吸の部位について注意深く視診する。視診は児が泣いていない状態で行うのが最もやりやすいため，親にも協力してもらい児を落ち着かせるとよい。

異常例

小児期の胸部異常には，漏斗胸と鳩胸がある。

無呼吸 apnea とは20秒以上の呼吸停止のことをいう。しばしば徐脈を伴い，呼吸器疾患や中枢神経系疾患，またまれではあるが，心肺停止を引き起こす状態が存在する可能性を示唆する。

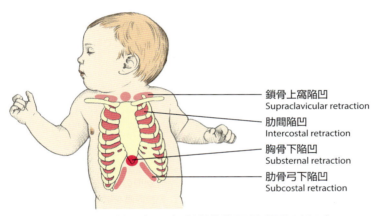

図 25-28 陥没呼吸の解剖学的位置（胸部引き込み）

30～60分間ほど観察し，Box 25-17に示す全身の観察，呼吸数，皮膚色，鼻呼吸，放散して聴取される異常な呼吸音，努力呼吸かどうかなどの情報を得る。新生児・早期乳児は強制鼻呼吸を行っているので，呼吸する際の鼻を観察し（鼻閉塞など），また**鼻翼呼吸 nasal flaring** がないかどうか観察する。児の口が閉じている状態，または母乳や哺乳瓶を吸啜している間に観察することで鼻腔の開通状態が評価できる。呼吸音に耳を傾け，**呻吟 grunting，放散して聴こえてくる雑音 audible wheezing，無呼吸（気道閉塞）lack of breath sound（airway bstruction）**に注意する。

鼻翼呼吸，呻吟，陥没呼吸，喘鳴はすべて呼吸障害の徴候である。

新生児や乳児期早期における鼻翼呼吸は，上気道炎が原因となり，細い鼻腔が閉塞して生じることがあるが，肺炎やその他の重篤な呼吸器感染症によって生じる場合もある。

訳注：周期性呼吸は新生児の生理的な呼吸で，生後2週間ごろまで認める。早産児・低出生体重児ではさらに長く続くことがある。一方，20秒以上続く無呼吸や，チアノーゼや徐脈を伴う無呼吸の場合は速やかな精査が必要である。

診察の技術：乳児

呼吸について3つの点を評価する。**呼吸数**（すなわち**頻呼吸 tachypnea**），聴取できる**異常呼吸音**がないか，そして**努力呼吸**がないかである。これらは呼吸器疾患が上気道にあるのか，下気道にあるのかを見定めることに直結する重要な点である。Box 25-17 に示した異常のいずれも呼吸器疾患を疑わなければならない徴候である。

Box 25-17　呼吸の観察

評価項目	観察される具体的な異常
全身の観察	経口（哺乳）不良，笑顔なし。持続する不機嫌
呼吸数	頻呼吸（p.1029 参照），無呼吸
皮膚色	蒼白あるいはチアノーゼ
鼻呼吸	鼻翼呼吸（吸気時に鼻孔が大きくなる現象）
放散して聴取される呼吸音	呻吟（呼気時に短く，繰り返しうなる） wheezes（高調性連続性副雑音） ストライダー（高調性吸気性喘鳴） 閉塞（呼吸音なし）
努力呼吸	鼻翼呼吸（外鼻孔の過剰な動き） 呻吟（呼気性のうなり） 陥没呼吸（胸部引き込み）： ・鎖骨上（鎖骨上の軟部組織） ・肋間（肋骨の間の皮膚の引き込み） ・胸骨下（剣状突起部） ・肋骨下（肋骨下端の直下）

正常児では，静かに呼吸しているとき，ほとんど肋骨（胸郭）は動かない。外側へ広がるような胸郭の動きは横隔膜が下降することによって生じる。この横隔膜の動きにより腹腔内臓器が下方へ圧排され，下部肋骨が外側へ押し広げられる動きが生じる。

胸部引き込み chest indrawing は吸気時に肋間の皮膚が内方向へ動くことをいう。これは胸部の筋（肋間筋）が呼吸には役立っておらず，横隔膜の動きがおもに有効な換気に寄与している状況である。前述したように，陥没する部位は4カ所ある。鎖骨上，肋間，胸骨下，肋骨下である。

胸郭と腹部の動きが逆となる呼吸や**奇異呼吸 paradoxical breathing**，つまり吸気時に胸郭が内側へ，腹部が外側へ動く呼吸（腹式呼吸）は，新生児では正常の所見である（ただし乳児期後期になると正常ではない）。この呼吸は，児が完全に起きているか，レム睡眠中でも筋緊張が低下して静かに眠っている状態を除いて，いつでも認められる所見である。この呼吸所見は，年齢が進むにつれて筋力が増強し胸郭のコンプライアンスが低下してくると，みられなくなるのが正常であり，引き続きみられる場合は明らかな呼吸障害があることを示している。

訳注：乳児で胸鎖乳突筋をはじめとする呼吸補助筋を使用する努力呼吸のため，頭部が振り子のように吸気のたびに前方に移動する現象。

異常例

鼻翼呼吸に加え，呻吟または頻呼吸などの呼吸器症状を伴う場合，声帯より下部の感染と定義される下気道感染の可能性がある。例として細気管支炎や肺炎がある。

急性のストライダーは喉頭気管支炎（クループ），喉頭蓋炎，細菌性気管炎，異物，血管腫，血管輪などの重篤な疾患の可能性がある。

乳児においては，努力呼吸では聴診所見の異常と合わせて肺炎の可能性をいつも考えること。肺炎を否定できる徴候は，頻呼吸がないことである。

乳幼児の肺疾患は腹式呼吸の原因となり，陥没呼吸を呈する。

重症呼吸障害の乳児ではヘッドボビング[訳注]を認めることがある。

乳児の気道閉塞や下気道疾患では Hoover（フーヴァー）徴候，または胸腹逆呼吸運動（シーソー呼吸）を認めることがある。吸気時に腹部が外側へふくらみ，胸部が内向きへ動く呼吸である。

筋力低下 muscle weakness（神経筋疾患による筋力低下）のみられる児では，生後数年を経ても奇異呼吸がみられることがある。

診察の技術：乳児

触診

乳児では難しいこともあるが，**触診**で触覚震盪音を評価することができる。児が啼泣するか声を発しているときに，診察者の手を児の胸にあてる。手か指先で胸郭の両側を触れ，声音振戦が左右差なく対称的に伝わってくるかどうかを確認する。新生児・乳児では打診はよほどの場合を除き有用ではなく，異常を発見することは難しい。

聴診

乳児呼吸音は成人に比べて大きく粗い。というのは，胸壁が薄いために音源から聴診器までの距離が短いからである。上気道からの放散音と胸部からの音とを区別するのが難しいことが多い（Box 25-18）。上気道からの音は聴診で大きく，また胸のどこで聴いても対称的に等しく聴こえる傾向があり，聴診器を首に向かって胸部の上方へ動かしていくほど大きくなる。上気道の音は通常吸気性である。下気道の音は病変のある場所で最も大きく，しばしば非対称的で，また呼気時に聴こえることが多い。また，聴診器を児の口と鼻のすぐ上で固定すると，上気道と下気道の音を区別することができる。

Box 25-18　呼吸雑音が上気道性か下気道性かの鑑別

方法	上気道	下気道
鼻の音と聴診器での音を比較	同じ音	しばしば異なる音
粗い音を聴取	粗く大きい	さまざま
対称性（左右差）に注意	対称性	しばしば非対称，左右差あり
胸部の上方，下方など場所を変えて比較	胸部上方で大きい	しばしば胸部下方で大きい
吸気性か呼気性か	たいてい吸気性	しばしば呼気性
乳児の口元に聴診器をあてて聴く	吸気音が大きい	しばしば胸部の聴診音よりも小さい

呼気音は胸腔内の音源より生じる。一方，吸気音は気管などの胸腔外気道からも，胸腔内音源からも発生する。呼気時は，吸気時にみられる胸郭内の気道が肺もろとも外から放散性に引きのばされるという機序が働かないために，気道の内径は短縮される訳注)。吸気時に空気の流速が大きいと乱流が生じて，十分に聴きとれる大きな音となる。

肺胞性呼吸音，気管支肺胞音，**間質性の肺音 adventitious lung sound** など，すなわち crackles（断続性副雑音），wheezes（高調性連続性副雑音），rhonchi（低調性連続性副雑音，粘液付着などで狭くなった気道を空気が通るときに生じる粘液の移動を伴う狭窄音）などの**呼吸音**の特徴は成人と同じである。ただし，新生児・乳児ではこれらの区別は難しく，また2つ以上が同時に起こる。

訳注：吸気時は胸腔内が陰圧になり，これにより肺も外側に引きのばされることになり，肺胞が広がると同時に気管支もこの陰圧で外側に広げられ，その内径が拡大する。

異常例

新生児・乳児では胸部の音の伝導が非常によいため，触覚振盪音や打診によって，重篤な病態，例えば大きな肺の炎症巣が疑われることもある。

吸気・呼気の両相で呼吸雑音が聴かれる場合は，胸部内のみの気道狭窄で非常に重篤であるか，胸部外のみの気道狭窄で非常に重篤であるか，いずれの場合もありうる。

新生児で一側の肺音の低下を認めたら，先天性横隔膜ヘルニアや気胸などの片側性の病変を考える。

乳児において上気道感染症は重症にはならないが，吸気時に胸壁に伝わるような大きな呼吸音を生じることがある。

診察の技術：乳児

wheezesとrhonchiは新生児・乳児ではよく聴取される。wheezesは，聴診器がなくてもしばしば聴こえるが，気管気管支樹が絶対的に小さく狭いために，成人よりもかなり高い頻度で起こる。rhonchiはさらに大きな気道，気管支の閉塞を示唆する。cracklesは吸気時終末近くに聴こえる不連続音である（p.493 参照）。新生児や乳児では通常肺の異常により生じ，成人とは違って心不全による所見であることはきわめてまれで，粗い断続性副雑音であることが多い。

異常例

乳児の吸気性喘鳴は喘息によるものが多いが，細気管支炎でも起こりうる。

乳児のrhonchiは上気道感染症に伴って生じる。

cracklesは肺炎や細気管支炎で聴取される。

心臓

視診

心臓の診察の前に，チアノーゼがないかどうか注意深く観察する。特に，四肢に加えて口唇，舌，舌下組織に出現する**中枢性チアノーゼ central cyanosis**を確認する（Box 25-19）。中枢性チアノーゼを診断するには，爪床，口唇，四肢ではなく，舌や口腔内粘膜を観察する。口腔内粘膜には出現しない新生児の**肢端チアノーゼ acrocyanosis**については，p.978，979に述べる。

呼吸器疾患と同様に先天性心疾患の多くがチアノーゼを呈するため，中枢性チアノーゼは常に異常所見である[36]。表 25-10「小児のチアノーゼ」，表 25-11「先天性心疾患による心雑音」を参照。

Box 25-19　小児における中枢性チアノーゼを呈する心疾患

発症時期	考えられる心疾患
出生直後または数日以内	大血管転位症 肺動脈弁閉鎖症 高度肺動脈弁狭窄症 Ebstein（エプスタイン）奇形 その他の病状（しばしば数日以内） ・総肺静脈還流異常 ・左心低形成症候群 ・総動脈幹症（ときに） ・単心室およびその類縁疾患
数週・数カ月・数年	上記のすべてに加えて， ・心房間，心室間，また大血管の間でシャント（右-左シャント）があり，肺血流が比較的保たれている肺血管疾患

舌や口腔内粘膜などの部位がイチゴのようにピンク色なら正常であり，一方，ラズベリーのような暗赤色がかった様子がわずかにでもみられれば酸素飽和度の低下を示唆し，緊急に評価を要する。チアノーゼがあればその分布を評価する。パルスオキシメータで酸素飽和度の低下を確認する。

一般的に，中枢性チアノーゼの原因となる心疾患は右-左シャントだが，その他にもさまざまな先天性心疾患が原因となりうる。

児の**呼吸の状態**をまず観察する。栄養状態，刺激への反応，易刺激性，疲労などは心疾患の評価に有用な手がかりとなる。心疾患が非心臓性の所見をしばしば呈することにも十分注意する（Box 25-20）。

乳児で頻呼吸，頻拍，肝腫大を認めた場合は**心不全 heart failure**を示唆する。

診察の技術：乳児

Box 25-20　心疾患においてよくみられる非心臓性の所見

経口（哺乳）不良	頻呼吸	全身状態不良
体重増加不良	肝腫大	脱力
不機嫌	ばち状指	疲労

呼吸数と呼吸の仕方をよく観察することで，心疾患か呼吸器疾患かを鑑別する手がかりとなる。努力呼吸があれば呼吸器疾患をまず疑うこと。心疾患の場合は頻呼吸を呈するが，心不全が重篤になるまでは努力呼吸を伴わないことがある（穏やかな頻呼吸という）訳注1)。

触診

胸壁を触診することで，心腔の容量の変化が評価できる。前胸部がよく動く場合，収縮時と拡張時での心腔内の容量の変化が著明であることを示唆する訳注2)。

心尖拍動部 point of maximal impulse(PMI) は乳児でいつも触れるとは限らず，呼吸の仕方，胃が食物で満たされているとき，また児の体位によっても影響を受ける。生後数年間は胸郭の中で心臓はやや水平に近い位置にあるため，通常成人より1肋間高い位置にPMIがある訳注3)。

振戦（スリル）thrill は，心臓内や大血管内で生じた血液の乱流が皮膚表面に伝わることで触知される。前胸部の解剖を知っておくと，スリルの正確な発生源を理解するのに役立つ。振戦は指先よりも手掌や指の付け根あたりで触れるとわかりやすく，粗く振動する感じである。図25-29に乳児や幼児における心疾患とそれにより生じる振戦の場所を示す。

異常例

胸骨左縁の波うつ隆起は，**右室負荷の増加**を表す。一方，同じことが心尖部近くで認められた場合は，左室負荷の増加を意味する。

動脈管開存症 patent ductus arteriosus (PDA) は強い胸壁拍動や末梢動脈のバウンディングパルス（反跳脈）を伴う。

心尖拍動が視診および触診によって胸部で確認された場合，代謝亢進状態または**心疾患 cardiac defect** による心拍出量低下が考えられる。

訳注1：チアノーゼ性心疾患に関して，血行動態が安定しているごく早期に発見された場合にのみ，この記述があてはまると考えたほうが妥当である。実際の診療では，チアノーゼ性心疾患が動脈管の閉鎖によって肺血流低下となり，低酸素血症や閉塞性ショック，心原性ショック，また重篤な早発型の心不全に陥って，重度の努力呼吸や呼吸困難を呈することがしばしば観察される。これは心疾患の場合，重篤な状態に進展するまでの時間が生後数日から数週以内ときわめて短いことを表している。

訳注2：動脈管開存症や敗血症の初期のように動静脈シャントがあり，心臓の仕事量が増えている状況である。

訳注3：通常小児のPMIは左乳頭ラインの内側にあるが，それより外側に認める場合は心拡大の可能性がある。

診察の技術：乳児　　　　　　　　　　　　　　　　　　　　　　異常例

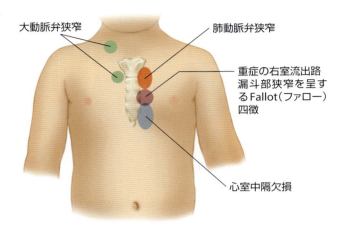

図 25-29　乳幼児の振戦の部位

聴診

新生児・乳児で**心拍のリズム**を評価するには，末梢の脈拍を触知するより心音を聴診したほうがわかりやすい。幼児期以降はどちらでも評価できるようになる（Box 25-18 参照）。

乳幼児では洞性不整脈は正常でもみられる。心拍数が吸気時に上昇して呼気時に低下するが，この所見は突然生じることもある。反復して認めること，呼吸性の変動であることなどから，正常所見であると判断できる[訳注]（Box 25-21）。

乳児で最もよくみられる不整脈は**上室性頻拍 supraventricular tachycardia（SVT）**である。これはどの年齢にも起き，診察でみつかることもある。元気で問題がないようにみえたり，または顔色が良くなかったり，やや具合が悪そうにしていることもある。心拍数は持続的かつ規則的で，1分間に220回前後かそれ以上である。年長児のSVTは真の意味で発作性であり，1回の不整脈の持続時間・発作の頻度ともにまちまちである。

Box 25-21	小児において異常と間違われやすい正常な心拍リズムの特徴	
特徴	心房性および心室性期外収縮	正常な洞性不整脈
よくみられる年齢	新生児（どの年齢でも起こる）	乳児期から小児期全般
呼吸との相関	なし	あり。吸気で増加，呼気で減少
運動による頻脈誘発の効果	運動で消失 運動後にはっきりすることもある	消失
リズムの特徴	脈の結滞が不規則に生じる	吸気で徐々に増加 呼気による突然の減少
心拍数	通常単発の異常な心拍	数拍ずつの繰り返し
重症度	通常良性	良性（定義上では）

心室性期外収縮は，通常それ以外何もない正常児に起こるのが一般的であるが，心筋症や先天性心疾患などの心臓の基礎疾患がある場合もある。また，電解質異常，代謝疾患でも起こる。

新生児の多くや一部の幼児では心房性または心室性の期外収縮がよくみられ，脈が飛ぶと表現される。新生児なら啼泣させたり，幼児ならジャンプさせたりして生理的に心拍数を上げると，通常この所見は消失する。ただし逆に運動後に頻度が増える児もいる。いずれにしても，それ以外にまったく健康な子どもでは良好な経過をたどり，遷延することはまれである。

心音が遠く聴取される場合は**心嚢液の貯留 pericardial effusion** が示唆される。

訳注：いわゆる呼吸性変動であり，よく不整脈と間違われて心電図がとられたり，モニターされることがある。

診察の技術：乳児

心音

乳児の心音は心拍数が速く，呼吸音や雑音により聞き取りにくいことも多いため評価が非常に難しい。それでも，第1心音(S_1)と第2心音(S_2)については注意深く系統的に評価を試みること。両音とも，正常では短く明瞭に聴こえる。心基部（聴診部位は胸骨左縁上部となる）ではS_2は分裂して2つに分かれて聴こえるが，深呼気終末では1つに聴こえる訳注1)。

S_2の分裂は児が完全に眠って静かにしている状態で診察しているときに聴取を試みるとよい。下記に述べる例外はあるが，通常このS_2の分裂は異常ではない。

S_2の分裂を確認するのに加えて，大動脈弁閉鎖音(A_2)と肺動脈弁閉鎖音(P_2)の強さを聴く。A_2（あるいはS_2の第1成分）はP_2（あるいはS_2の第2成分）に比べて，心基部で聴診すると通常大きく聴こえる（図25-30）。

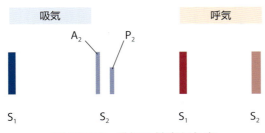

図 25-30 乳児の健康な心音

第3心音(S_3) は低い調子の拡張期早期の音で，胸骨左縁下部から心尖部にかけて最もよく聴取され，心室の急速充満期を反映している。正常児でもしばしば聴取される。**第4心音(S_4)** は小児ではめったに聴かれない。低調で，拡張期終末でS_1の直前に聴かれる訳注2)。

心拍数およびリズムが正常で明らかな**奔馬調律 gallop**（S_2の分裂が大きい場合）が聴取されることがあるが，これは問題のない小児でもよく認められる所見であり，病的でないことが多い。

異常例

小児における病的不整脈は**心臓の解剖学的異常**でも起こりうる。一方，薬物の服用，代謝性疾患，内分泌異常，重篤な感染症，あるいは感染後などでも起こり，さらに心臓に解剖学的異常は認めないが，伝導路障害が認められる場合もある。

S_2のP_2が，A_2より大きく聴こえるときは，肺高血圧や心房中隔欠損症を考える。

S_2の遷延性分裂（固定性分裂という）は右室の容量負荷を示唆する。心房中隔欠損症や肺高血圧に関連する心疾患などが考えられる。

大きなS_3，つまり奔馬調律は異常があることを示す所見である。

S_4は心室コンプライアンスの低下を表し，心不全を示唆する。

（S_2が幅広く分離するために奔馬調律のように聴こえるのとは対照的に）真の奔馬調律，つまり頻拍と顕著なS_3またはS_4，あるいはその両方が聴取される場合は病的であり，心不全（左室機能の低下）を意味する。

訳注1：S_2は，A_2と遅れてP_2の2つに分裂して聴こえるのが正常である。吸気時は胸腔が陰圧となり，静脈還流が増えて右室がより充満するため，それを送り出すのに時間がかかり，肺動脈弁閉鎖が遅れ分裂がはっきりする。呼気時はその逆で2つの成分が近づくので1つに近い状況となる。
訳注2：通常この音が小児で聴かれた場合は異常であり，左室の拡張障害や心不全を考える。

心雑音

乳児の心臓の診察で最も難しいのが**心雑音 heart murmur** の評価である。小児はじっとしていられないことが多く診察に協力してもらうことが難しいため，そのような状況で良性の心雑音と病的心雑音を区別するのは非常に難しい。

乳幼児では心雑音が聴取される特定の部位（例：単に胸骨左縁ではなく胸骨左縁の上部とする），雑音のタイミング，強さ，質などにより区別する必要がある。これらの特徴について完璧に描出できれば通常診断をつけることができる。心電図，胸部X線，心エコーなどの検査所見は，診断を確認し，さらに確証するために用いる。

多く（すべてではないが）の重篤な心奇形をもつ児は心雑音以外に，注意深い病歴聴取と診察によって心臓に関連した症状と徴候があることを確認できる。また重篤な心疾患のある児の多くが，他の遺伝性の欠損奇形の合併など非心臓性の症状と徴候を呈し，それらが診断の一助となることもある。

すべてではないが多くの小児は，成人に達するまでの間に2つ以上の機能性あるいは良性の心雑音を呈する[37-39]。機能性雑音はその雑音の強さではなく，特徴的な音の質で診断することが重要である。乳幼児に多い機能性雑音を認識できるようになれば，ほとんどの場合，精査は必要ない。重要なルールとして，定義上，**良性の心雑音は関連する他の異常所見を伴わず，正常に成長する。**

Box 25-22 に，新生児・乳児における2種類の良性心雑音の部位およびおもな特徴を示す。

乳児で腋窩および背部に，柔らかい駆出性雑音が聴取されることがあるが，これは良性（生理的）末梢性肺動脈狭窄であり，胎内で肺血流がほとんどなく，したがって肺動脈が生理的に十分に発達していないことと，肺動脈が腹側の心臓から出て背側に弯曲していく際の角度が生理的に急峻であることを象徴している。このような心雑音に他の心疾患を疑わせる身体所見が伴っていない場合は，この末梢性肺動脈狭窄音（一般的である）は良性と考えられ，**1歳までには消失する。**

小児において心雑音を聴取した際には，第16章「心血管系」で述べられているすべての心雑音の性質に注意すれば，**良性心雑音と病的心雑音を区別する**ことができる。胸腔内の解剖と生後からはじまる心機能の変化を学び，心雑音の生理的根拠を理解すれば，解剖学的に異常のある心疾患を反映する心雑音が容易に評価できるようになる。このような生理的変化を理解することは，小児における心雑音が良性か病的かを区別するのに大いに役立つであろう（Box 25-23）。

異常例

心疾患をしばしば伴うとされる非心臓性の所見（顔貌異常，外表奇形，その他の内臓異常）が1つでもあった場合は，心雑音も異常音である可能性が高くなる。

先天性心疾患の病的心雑音には出生時から出現するものもある。ただし，疾患の重症度により，生後しばらくしてから出現するものもある。生後肺血管抵抗が低下してきてから出現したり（大きい心室中隔欠損症など），児の成長とともに出現するものである。表25-11「先天性心疾患による心雑音」を参照。

心雑音以外の所見を伴う肺血流音は病的なものである可能性が高い。Williams（ウィリアムス）症候群，先天性風疹症候群，Alagille（アラジル）症候群（顔貌異常，外表奇形など）があげられる。これらは肺動脈狭窄を伴い，良性末梢性肺動脈狭窄とは異なる。

心雑音と中枢性チアノーゼの両方を伴う新生児は，先天性心疾患の可能性が高く，心疾患の精査が至急必要になる。

診察の技術：乳児　　　　　　　　　　　　　　　　　　　　　　　　　異常例

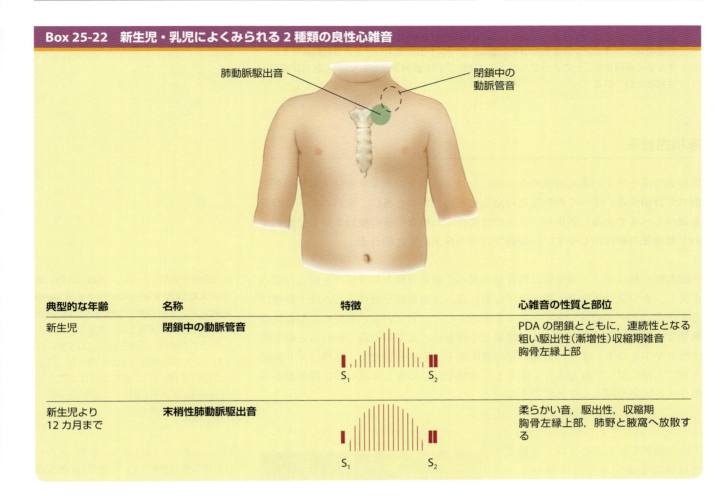

Box 25-22　新生児・乳児によくみられる2種類の良性心雑音

典型的な年齢	名称	特徴	心雑音の性質と部位
新生児	閉鎖中の動脈管音	S₁～S₂ 漸増性	PDAの閉鎖とともに，連続性となる粗い駆出性（漸増性）収縮期雑音 胸骨左縁上部
新生児より12カ月まで	末梢性肺動脈駆出音	S₁～S₂ 漸増漸減性	柔らかい音，駆出性，収縮期 胸骨左縁上部，肺野と腋窩へ放散する

Box 25-23　おもな病的心雑音を考える生理的機序

肺血管抵抗の変化による心雑音
- 圧の高い体循環系から圧の低い肺循環系へ流入する際に乱流が起こることによって生じる心雑音は，肺血管抵抗が生後十分低下するまで聴取されない。低出生体重児を除き，心室中隔欠損症や動脈管開存症の心雑音は生後数日間は聴かれることはない場合があり，通常は生後1週～10日目以降に聴取される

閉塞性病変による心雑音
- 肺動脈弁狭窄症，大動脈弁狭窄症などの閉塞性病変では，正常血流がこれらの狭くなった弁口を通過することによって心雑音が起こる。心雑音は肺血管抵抗の低下に依存しないので，出生時より聴取される

圧較差による心雑音
- 房室弁の閉鎖不全による心雑音は出生時より聴取される。心室-心房間の圧較差はもともとかなり大きいからである

小児の成長に伴う変化
- ある種の心雑音は上記のような特徴を備えておらず，正常な血流が変化することによって聴取されるものがある。大動脈弁狭窄症は，本来は閉塞性病変なので出生時より聴取できるはずであるが，先天的に弁に異常があったとしても児が十分成長するまで，しばしば成人に達するまで聴取されない。同様に，心房中隔欠損症の肺血流雑音（右室容量負荷による相対的肺動脈弁狭窄）は生後1年以上聴取されないことがある。なぜなら，

（続く）

小児の具体的な病的心雑音の特徴については，表25-11「先天性心疾患による心雑音」を参照。

(続き)
> 右室のコンプライアンスは生後徐々に増し，シャント量が増大し，正常な肺動脈弁を血流が多く通過することによって，ついには（相対的肺動脈弁狭窄としての）心雑音が聴取されるためである

末梢血管系

末梢血管系とリンパ系大動脈から分岐した以降の全身の循環状態は，末梢の脈を調べて評価する。すべての新生児の出生後初回診察のときに，末梢のすべての脈を調べるべきである。新生児・乳児では手首での橈骨動脈の触知よりも肘前窩での上腕動脈の触知がしやすい。耳前で両側の側頭動脈に触れる。

大腿動脈を触れる。大腿動脈は腸骨稜前端の上前腸骨棘と恥骨結合を結んだ線の中央で，かつ鼠径部皮膚の皺の直下に触れる。大腿動脈を触れるときは十分時間をかける。というのは，丸々と太って一時もじっとしていない乳児の大腿動脈の触知は容易ではないからである。示指と中指をそろえて指の腹で触れると最も脈が触れやすくなる。まず，最初に児の股関節を十分屈曲させてからゆっくり伸展させて大腿動脈に触れるようにすると，診察をはじめたとき反射的に股関節を屈曲させる反応を抑えることができる。

下肢の動脈を触れるときは，示指または中指を用いるとわかりやすい。足背動脈や後脛骨動脈（図25-31）の触知は，十分な血管内容量がない限り，難しいこともある。正常の脈は立ち上がりも速く，強く，またあるべき場所で容易に触知できるはずである。

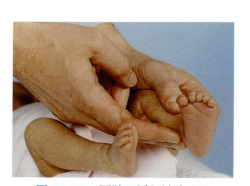

図 25-31　下肢の脈を触診する

p.974でも述べたが，心臓の診察として，乳幼児でも注意深く**血圧 blood pressure**を測定すべきである（乳児用の適切なサイズのカフを使用する）。

乳房

新生児の乳房は，男児も女児も母親のエストロゲンの影響でふくらんでいることが多い。乳房は白色の液体で膨満肥大していることがあり，俗に魔乳といい，1〜2週持続することもある（通常2〜3カ月の間に消失する）。

大腿動脈を触知できない，あるいは弱い場合は**大動脈縮窄症 coarctation of aorta**を考える。大腿動脈を触知できない場合，下肢の片方および両上肢の血圧を測定する。正常では下肢の血圧は上肢よりわずかに高くなる。下肢の血圧が上肢と同じか上肢より低いとき（通常，下肢の血圧は上肢より10 mmHgほど高い）は，大動脈縮窄症の可能性が高い。

弱く，かすかで，触れにくい脈で，とりわけ異常な頻拍を伴っている場合，心機能低下や心不全のことがある。

新生児・乳児の足の脈（足背動脈，後脛骨動脈）は弱いことが多いが，動脈管開存症，総動脈幹症などの疾患では強くはっきりした脈を触れることがある。

早発乳房（症）では，乳房の発育は通常生後6カ月〜2歳で最もよくみられる。他の思春期の徴候やホルモン異常はみられない。

| 診察の技術：乳児 | 異常例 |

腹部

視診

新生児・乳児の腹部は仰臥位（できれば入眠中がよい）にして診察する。腹部の筋肉が十分に発達していないため，膨隆しており，腹壁の血管や腸管運動も容易に観察することができる。

新生児では，**臍帯 umbilical cord** の異常はないかどうかを視診する。正常では臍帯の断端に，2本の壁の厚い臍動脈と，それより大きいが壁の薄い臍静脈を認める。臍静脈は時計の12時の位置に存在する。

単一臍動脈は先天異常と関連している可能性があるが，それのみの単一異常のこともある。

新生児の臍帯に皮膚が長くのびていることがあったり（**臍皮 umbilicus cutis**），臍帯に硬いゼラチン様の羊膜が付着していることがある（**臍羊膜 umbilicus amnioticus**）。羊膜部はしだいに乾燥して2週間で脱落するが，臍皮部は余剰皮膚として腹壁に残る（いわゆる，でべそ）。

臍肉芽腫は臍断端にみられるピンク色の肉芽組織で，治癒過程で認められる。

臍の周囲の発赤，腫脹を確認する。「臍の緒」の自然治癒過程では悪臭を伴い，じゅくじゅくした状態になることがあるが，臍周囲の皮膚は腹部の皮膚と同じ色でなければいけない（発赤を伴わない）。

「臍の緒」の感染（**臍炎 omphalitis**）は臍周囲の腫脹と発赤を伴う。

臍ヘルニアは生後数週にわたって確認される（頻度は高いが1歳までに消失する）。多くは1歳までに，またほとんどが5歳までには消失する。新生児の**臍ヘルニア umbilical hernia** は腹壁欠損によって生じ，腹圧がかかるとかなり前方へ突出することがある（例：啼泣時）。

新生児・乳児ではときに**腹直筋離開 diastasis recti abdominis** がみられるが，これは2つの腹直筋の分かれ目で正中が盛り上がっているためで，腹筋が収縮するとよくわかる。ほとんどの場合は良性の経過をたどり，幼児早期に消失する。

聴診

おとなしい児の聴診は容易である。聴診器をあてると，オーケストラによるにぎやかな音楽のような腸蠕動音が聴取されることだろう。

高音の，またはゴロゴロと頻回に鳴る腸音は胃腸炎によくみられる。腸閉塞ではしばしば蠕動音が消失する。

打診，触診

大人に行うのと同じように乳児の腹部を打診することができるが，この時期は空気嚥下が盛んな時期なので，大人に比べて大きい鼓音がすることに注意する。打診は臓器の大きさと腹部腫瘤を確認するのに役立つ。

腸音が静かな鼓音で，腹部膨満と圧痛を認める場合は腹膜炎の徴候である。

乳児は腹部を触れられるのを好むため，腹部を触診するのは比較的簡単である。児をリラックスさせるには，一方の手で下肢を屈曲させて膝から殿部にかけて支え，もう一方の手で腹部を触診するとよい。

さらにこの姿勢を保ちながら児をおとなしくさせておくために，おしゃぶりを利

診察の技術：乳児

用するのもよい。

まず肝臓を触れるが，児の下腹部からやさしく指を頭側へ動かしていく。この方法によって，骨盤腔に入り込むほど大きくなった著明な肝腫大を見逃さなくて済む。注意深く診察していくと，正常な乳児の多くでは右肋骨下縁1〜3 cmのところに肝臓の下縁を触れる。

新生児・乳児の肝臓の大きさを評価する方法の1つとして，腹部の打診を行い，肝臓とその下方の打診音の変化によって確認する方法もある[40]（Box 25-24）。

Box 25-24　正期産新生児の肝臓の大きさ

触診と打診による診察[41]	平均 5.9±0.7 cm
右肋骨下縁からの突出	平均 2.5±1.0 cm

肝臓と同じく，**脾臓 spleen** も多くの乳児で容易に触れる。肝臓と同じく，脾臓は軟らかく下縁は鋭くなっており，左肋骨下縁に舌のように頭側から下方にのびている。脾臓はよく動き，左肋骨下縁から1〜2 cm以上下方に突出することはない。

その他の**腹部の構造物**を触れる。通常，上腹部に大動脈の拍動を触れる。これは正中線のやや左を，深く触診することで観察できる。まれに，一方の手を腹部前面に，また他方の手を腎臓の後ろ側，すなわち背部にあてて双手診することにより，腎臓にも触れることができる。下行結腸が左側腹部にソーセージ様の腫瘤として触れる。

このように腹部の正常な構造物を確認したら，今度は異常な腹部腫瘤が触れないかどうか触診を進めていく。

男児生殖器

児を仰臥位にして陰茎，精巣，陰嚢の形状を視診する。

包皮 foreskin（prepuce） は完全に**亀頭 glans penis** を覆っている。出生時は包皮を反転することはできず，できたとしても尿道口がやっとみえる程度である。

包皮は数カ月から数年をかけて，しだいに柔らかくのびて反転できるようになる。割礼（環状包皮切除）は北米でもこの数十年で頻度が減少しつつあったが，全世界をみると文化の違いによって，その扱い方はさまざまである。米国小児科学会（AAP），米国疾病対策センター（CDC），および他の専門家は，新生児の割礼における健康上の利益（HIVや他の性感染症の罹患リスクを減少させる）について，

異常例

新生児において，肝腫大は，肝炎，肝内代謝物の異常蓄積，うっ血肝，遅発性の胆道閉塞症などの可能性がある。

巨脾の原因としては，感染症，溶血性貧血，悪性新生物の浸潤，炎症性疾患，自己免疫性疾患，門脈圧亢進症などが考えられる。

乳児における異常な腹部腫瘤は，腎臓（水腎症），膀胱〔尿道閉塞（後部尿道弁など）〕，腸管〔Hirschsprung（ヒルシュスプルング）病に伴う便塊貯留や腸重積〕での異常および腫瘍を考える。

幽門狭窄症は，右上腹部または上腹部中央にオリーブ様で2 cm径の幽門部の腫瘤を深く触診することにより，同定できる。児の哺乳中に腸管の蠕動運動を観察できることもある。生後4〜6週前後の乳児に発症する。

尿道下裂 hypospadia は尿道口が陰茎の亀頭または軸の腹側に沿って異常開口する（表25-13「よくみられる男児泌尿生殖器系の異常」参照）。陰茎の下面での包皮の形成は十分でない。

診察の技術：乳児

手術のリスクを上回るとしているが，AAP はすべての新生児に一律に割礼を推奨するほど健康上の利益は大きくないとし，最終的な判断はやはり両親の宗教的，倫理的，文化的信念にもとづいて委ねられることをすすめている[42]。

陰茎 penis をよく観察して腹側の表面に異常がないかを確認する。また陰茎がまっすぐかどうかも確認する。

妊娠 40 週までにみられるようになる**陰嚢 scrotum** の皺を観察する。母親のエストロゲンの影響で，生後数日は陰嚢に浮腫がみられることがある。

精巣を，外鼠径輪（浅鼠径輪）から陰嚢側へと下方へ進めながら触診する。精巣を鼠径管の中に確認したときは，それを陰嚢の中へしごいて落としこむようにして触診する。新生児の精巣は通常幅 10 mm，長さ 15 mm 程度で，ほとんどの場合，陰嚢の中に位置する。

精巣に腫れがないか，陰嚢と鼠径輪の部分でよく観察する。陰嚢の部分が腫れている場合，精巣なのか水腫なのかを区別しなければならない。児が啼泣し，腹圧が上昇するときに腫れの様子が変わるかどうかを注意してみる。陰嚢の部分でその腫れを触れ，その中に腫瘤が触れるか確認する。その腫瘤をやさしく腹腔側へ押し戻し，小さくなるか確認し，そのときの痛みにも注意する。また，腫瘤に透光性があるかどうかを確認する（図 25-32）。

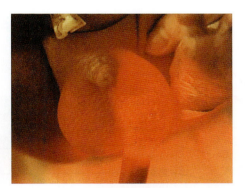

図 25-32　陰嚢水腫における透光性（写真出典：Fletcher M. Physical Diagnosis in Neonatology. Lippincott-Raven; 1998. より）

女児生殖器

新生児・乳児の女児外性器の解剖について，よく知っておく必要がある。外性器の診察は仰臥位にした状態で行うこと。

異常例

陰茎が恒常的に腹側下方への弯曲をみたら，尿道索である。**尿道索 chordee** は尿道下裂を伴うことがある。**小陰茎 micropenis** は陰茎長＜1.9 cm が正常な陰茎である。

停留精巣 cryptorchidism の発生率は早産・未熟児で約 30％，正期産児で約 3％，1 歳までで約 1％である。停留精巣の新生児では，陰嚢がしばしば未発達で縮んでおり，触診で陰嚢の中身を触れない（表 25-13「よくみられる男児泌尿生殖器系の異常」を参照）。

新生児によくみられる陰嚢腫瘤は 2 つあり，陰嚢水腫と鼠径ヘルニアである。両者は合併していることが多く，どちらも右側に多い。陰嚢水腫は精巣と精索に沿って存在し，開通していることも（すなわち還納可能），開通していない（還納不可能の）こともある。これらは透光性を認めることもある（図 25-32）。1 歳半までにほとんどが消失する。ヘルニアは精巣の組織を巻き込まないで別にあり，通常は還納可能で，透光性はない。ヘルニアは自然消失しない。肥厚した精索を触れることがある（**シルクサイン silk sign**）。

診察の技術：乳児

新生児女児の外性器は視診で突出している所見を認めるが，これは母体エストロゲンの影響である（1年以内におさまる）。

大陰唇 labia majora，**小陰唇 labia minora** ともに皮膚色素の少ない乳児ではくすんだピンク色，皮膚が褐色の乳児では色素沈着をきたしている。生後数週間はしばしば乳白色の帯下がみられ，ときに血液が混じることもあるが，母体由来の性ホルモン作用の減少による影響であり，したがって心配する必要はない。

順を追って系統的に外性器の構造である**陰核 clitoris**，大陰唇の色と大きさ，皮疹や挫傷，またその外側の会陰部を診察で確認していく（図25-33）。

つぎに両手の母指で，p.1049の図25-84および図25-86に示すように，大陰唇を真ん中でより分ける。**尿道口 urethral orifice** と小陰唇をよく観察する。腟開口部を覆っている**処女膜 hymen** を診察する。新生児・乳児では処女膜は肥厚し，血管のない構造物としてみられ，中央に**腟口 vaginal opening** がある。処女膜が厚く余剰部分があっても，この腟口はみられるはずである。分泌物がないかどうか注意すること。

異常例

判別不明性器 ambiguous genitalia とは女児外性器の男性化のことであるが，**先天性副腎過形成 congenital adrenal hyperplasia** のような内分泌疾患によって生じるまれな異常所見である。

陰唇癒合はしばしばみられるが，癒合部分は紙のように薄いことが多く，特別な治療を必要とせず自然に消失することがほとんどである。小陰唇が正中で互いに癒合している。

無孔処女膜が出生時に認められることがある。

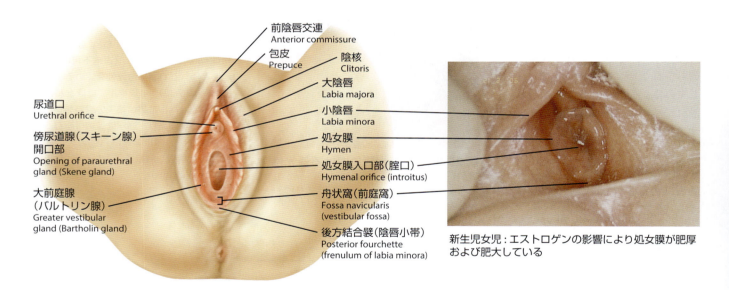

前思春期の女児

新生児女児：エストロゲンの影響により処女膜が肥厚および肥大している

図 25-33 女児の外性器

診察の技術：乳児

直腸および肛門

直腸診は，乳幼児では，肛門の穴が開いているかどうか確認したいとき，また腹部に腫瘤がある場合でなければ，一般的には行われない。これらが疑われる場合には，児の股関節を屈曲させ，下肢も折り曲げて足全体を頭側にもっていき，診察を行う。手袋をはめ，潤滑剤を十分につけて，小指で診察する。

異常例

便に血が混じる一般的な原因として**肛門裂傷（裂肛）anal fissure** があり，これは肉眼で観察できる肛門表面の損傷である。

筋骨格系

乳児期では筋骨格系が著明に変化する。乳児の筋骨格系の診察では，もっぱら先天異常の発見につとめる。特に**手，脊椎，股関節部，下肢，足趾**などの先天異常の発見は重要である。

少し経験を積めば，筋骨格系の診察と神経学的診察，発達評価を組み合わせて行うことができる。筋骨格系評価の記憶法として，IPROMS（"I promise……"）も覚えておくと便利である。すなわち，I（inspection 視診），P（palpation 骨の構造とそれに関連する関節および軟部組織の触診），ROM（range of motion 可動域評価），S（special 特定の動きを評価する特殊手技）である。

第23章「筋骨格系」の「身体診察：一般的なアプローチ」（p.770〜772）を参照。

新生児は手を握りしめている。手掌把握反射（p.1011参照）があるために，新生児の手を開かせるのは手間がかかる。手指を欠損や奇形に注意しながら，詳細に観察する。

視診を行うと，小人症，四肢や手指・足趾の先天異常，羊膜帯による四肢の輪状狭窄などが診断できる。

糸状線維腫（skin tag），痕跡指，**多指（趾）症 polydactyly**（指または趾過剰症），**合指症 syndactyly**（みずかき指）などが，出生時に認められる先天奇形である。

鎖骨に沿って，腫瘤，圧痛，捻髪音（関節摩擦音）に注意しながら触診する。これらは難産の際に生じる鎖骨骨折を示唆する所見である。

脊椎 spine を，特に大きな欠損がないかどうかに注意して視診する。色素沈着や有毛性母斑，深い陥凹などの微妙な異常所見に注意する。

脊髄髄膜瘤など脊椎の大きな欠損は出生前超音波検査でみつかることが多く，正中線から1cm前後の部位にある場合，脊柱管につながる洞管開口部を覆っていることもある。感染症のリスクが増すので，その洞管を器具などで探って調べないほうがよい。

さらに脊椎を，腰仙部の椎骨の変形に注意しながら触診する。

潜在性二分脊椎（椎体の欠損）は脊髄の欠損を伴っていることがあり，重篤な神経障害を生じる可能性がある。

新生児・乳児の**股関節 hip** を脱臼の徴候がないかどうか注意深く診察する[43, 44]。すべての乳児は歩行開始まで定期的な股関節診察を受けるべきである。股関節の不安定性を調べるために，2つの特殊な手技がしばしば行われる。1つは股関節の後方脱臼を確かめるための**Ortolani（オルトラーニ）テスト**，もう1つは脱臼はしていないが股関節が不安定で亜脱臼または脱臼を生じうるかどうかを確認するための**Barlow（バロウ）テスト**である。OrtolaniテストとBarlowテストは通常一緒に行われ，順番はどちらからでもよい。

股関節形成不全 developmental dysplasia of hip の場合，早期治療がよい予後につながるため，見逃さないようにすることが大切である。

これらの手技によって柔らかいクリックが聴こえた場合，直ちに股関節脱臼というわけではないが，油断することなく慎重に診察する必要がある。

Ortolani テスト

この手技を行うにあたり，児を十分リラックスさせる。**Ortolani テスト**では，児を仰臥位にして足を診察者側にする（図 25-34）。左右で示指を大転子に，母指を小転子において，両手で各下肢を股関節と膝関節両方で直角となるように屈曲させる（図 25-35）。そのまま股関節を両側同時に，膝の外側が診察台の面に接触するまで外転させる（図 25-36）。

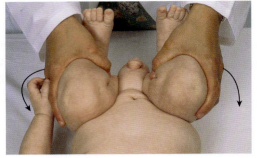

図 25-34　Ortolani テスト，頭側からみたところ

股関節形成不全があると臼蓋の後方に位置する大腿骨頭が臼蓋に戻る際にコツンという感触を感じる。大腿骨頭が整復されたときの動きを触知した場合は，**Ortolani 徴候陽性**とする。

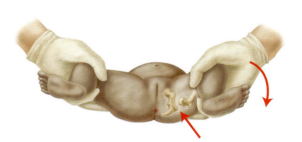

図 25-35　Ortolani テスト，開始時

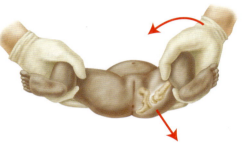

図 25-36　Ortolani テスト，終了時

Barlow テスト

Barlow テストでは，診察者の手を Ortolani テストと同じ位置に置く。下肢を前方へひっぱり（図 25-37），後方へ力を加えながら股関節を内転させる（つまり，母指を診察台に向け Ortolani テストとは逆の下方外側へ押し下げる）（図 25-38）。大腿骨頭が外側に動くかどうかを示指で確認する。正常では大腿骨頭は動かず，股関節は安定している。

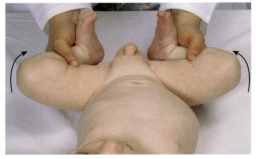

図 25-37　Barlow テスト，頭側からみたところ

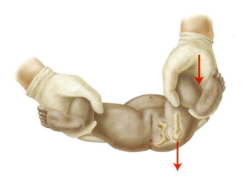

図 25-38　Barlow テスト，力を加える向き

Barlow 徴候陽性は，必ずしも股関節脱臼診断確定ということではないが，股関節の弛緩と潜在的な脱臼が示唆されるため，超音波検査を追加して注意深く経過観察するか，専門医へ紹介する。大腿骨頭が臼蓋の後縁から滑り出るのが感じられた場合は，**Barlow 徴候陽性**とする。明らかにこの脱臼の動きが感じられた場合，示指と中指で大転子を後方から内側に押しながら股関節を外転させ，大腿骨頭が臼蓋に整復されるときの動きを触知する。

3 カ月以上の児では，Ortolani 徴候，Barlow 徴候がともに陰性であっても，先天性の**股関節脱臼 dislocated hip** は否定できない。股関節部の筋肉や腱の短縮による股関節脱臼がありうるからである。このような児に股関節の開排制限を認める場合は，股関節形成不全の可能性がある。

診察の技術：乳児

大腿骨短縮をみるためには **Galeazzi（ガレアッチ）徴候** または **Alice（アリス）徴候** を用いる。足をそろえて床につけ（膝関節を屈曲し仙骨を診察台につけて平らにする），膝の高さの違いを確認する。

新生児・乳児の**下肢と足趾**に発達上の異常がないか確認する。対称性，内反膝（O脚），下肢のねじれなどを評価する。正常児では，下肢長差は通常みられない。正常児でも大腿部の皮膚の皺が非対称であることはよくみかけるが，皮膚の皺の非対称を認めた場合は，先天性股関節脱臼によく合併する所見なので，上記の股関節の不安定性を調べる検査を必ず行っておく。

多くの新生児が**内反膝 bow leg** であるが，これは胎内で丸くなっていたことを反映している。

正常児では，脛骨の長軸方向に対して外側または内側へねじれる，捻転を呈することもある。親が内股歩行や外股歩行を気にする場合もあるが，通常これらは正常である。通常，脛骨捻転は，1〜2歳をすぎて何カ月も加重をかけて歩行するうちに，自然に補正される[43]。

新生児・乳児の足の診察を行う。出生時は，胎内での体位のために足は多くの場合は内側に曲がって変形して（内反して）みえることもある（図25-39）。内反した足を用手的に正常の位置に戻せるか，さらに外側へも外反できるか確認する（図25-40）。足底の外側辺縁に沿って擦ったり叩いたりしてみて，足が正常の位置に戻るかどうかを確認することもできる。

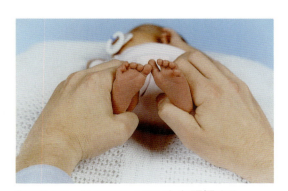

図 **25-39** 足のアライメントを評価する

正常新生児の足は，初診の際に異常ではないかと心配になるような良性の所見を呈する場合がある。正常でも，新生児の足は足底の脂肪層パッドのために扁平にみえる。また，足は内反して外側辺縁がせり上がってみえる（p.1011参照）。足の前方が内反を伴わず内転している場合，これは**内転中足 metatarsus adductus** といい，慎重なフォローアップが必要である。さらに正常でも足全体がかなり内反していることもあ

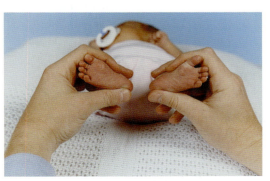

図 **25-40** 過剰矯正した肢位でアライメントを評価する

異常例

重度の内反膝であっても正常のことはあるが，**くる病 rickets** や **Blount（ブラウント）病**のこともあるので注意する。内反膝の最も一般的な原因は脛骨捻転である（以下参照）。

病的な脛骨捻転は，**足あるいは股関節の変形**と関連している場合にのみ生じる。

足の真の**変形 deformity** は，中立位に戻すことすら不可能である。

る。最後に，よちよち歩きの子どもでは，正常でも，歩きはじめの下肢に加重がかかるときに，下肢が外転し，足が回内されるような歩き方をする。

これらはすべて異常にみえても正常範囲内の肢位の変型で，診察者の手で簡単に中立位に戻り整復される。そして，1〜2歳で自然に改善する。

先天性の足部変形のうち一般的に最も重症なのは，**内反尖足 talipes equinovarus** または **内反足 clubfoot** である。

表25-14「幼児によくみられる筋骨格系所見」を参照。

神経系

新生児・乳児の神経系の診察では，この発達段階に適した技術が必要である。成人では多くの神経学的異常が非対称の局所徴候を生じるのに対し，乳児では年齢に応じてできるはずの動作ができないなどの発達異常として現れる。したがって，神経学的診察と発達評価を関連づけて行うべきである。**発達の異常を発見したときには，直ちに神経学的な診察を細心の注意を払って行う。**

乳児の重篤な神経疾患の徴候として，非常な易刺激性（例：かん高い声で泣き続ける），肢位の遷延性の非対称，四肢の遷延性の伸展，頭部をずっと体の一側に向けている，四肢だけでなく頭頸部まで後ろに過伸展して反る〔弓なり反張（**オピストトーヌス opisthotonus**）〕，高度の弛緩〔**筋緊張低下児（floppy infant）**〕，痛み刺激への反応性減弱，ときに痙攣があげられる。

神経学的なスクリーニング検査では，精神発達レベル，粗大運動機能，筋緊張，啼泣，深部腱反射，感覚機能などを調べる。病歴やこのスクリーニング検査で異常を疑った場合は，脳神経の運動機能と感覚機能をさらに詳細に診察する[45]。

新生児に微小振戦，易刺激性，自己制御機能が乏しいなどの微妙な動きを認める場合，ニコチンやオピオイドの **離脱症状 withdrawal** の可能性がある。

神経学的な診察では広範囲の疾患を明らかにすることはできるが，具体的な機能異常や微細な異常部位を同定するといったことは難しい。

精神状態
Box 25-7（p.966）で述べた新生児の活動度を観察することで，児の**精神発達レベル**を評価する。診察は新生児が覚醒している状態で行うこと。発達評価の詳細を以下に示す。

新生児に**遷延性**の**易刺激性 persistent irritability** がみられたら，**神経疾患**あるいは**代謝性疾患，感染症**，その他の**全身疾患**，また薬物からの**離脱**など環境因子による障害の可能性を考える。

運動機能と筋緊張
新生児・乳児の**筋緊張 muscle tone** で**運動機能 motor function** を評価する。最初に児が静かにしているときに注意深い観察を行い，その後の診察で動かしたときに児がいかに抵抗するかをみていく。

診察の技術：乳児

その後，筋緊張を評価する。おもな関節の可動域を確認しながら動かしつつ，痙性，弛緩性に注意する。児を両手で抱き支え（図25-41），筋緊張が正常か，亢進しているか，低下しているかを確認する。正常筋緊張の児では垂直方向への吊り下げに対して正常の反応を示し，図にあるように検者が児の背中を包み込まなくても，手からすり落ちることはない。この方法で筋緊張が亢進または低下しているなら，いずれも脳内病変を示唆する。ただし，脳内病変がある場合は，通常，他の多くの異常徴候を伴うものである。

図 25-41　筋緊張の評価

異常例

筋緊張低下のある新生児は，カエル様肢位 frog-leg position をとり，かつ腕は屈曲させて手を耳もとにもってくる典型的な肢位を呈する。図25-41のようにすると，筋緊張低下がある場合では検者の手をすり落ちそうになる。さまざまな中枢神経系疾患や末梢の運動神経筋疾患を考える。

感覚機能

新生児・乳児の**感覚機能 sensory function** の評価は限られた方法しかない。児の手掌や足底を診察者の指で軽く叩いて，痛覚を評価する。逃避，覚醒，表情の変化を観察する。ピンのような尖ったものを痛覚テストに用いてはならない。

痛み刺激に対して顔をゆがめたり泣いたりする変化があるのに，手足を引っ込めるなどの逃避反応がみられないときは，筋力低下や**麻痺 paralysis** の可能性を考える。

脳神経

新生児・乳児の**脳神経 cranial nerve** を評価する。Box 25-25 にその診察に役立つ方法を示す。

脳神経に異常を認める場合は頭蓋内出血や先天奇形など頭蓋内病変（または末梢神経系の問題）の可能性がある。

深部腱反射

新生児にも深部腱反射を認めるが，皮質脊髄路がまだ未熟であるため，誘発させるのは難しく，反射の程度もさまざまである。腱反射の亢進または消失は，以前に行った結果と異なる場合，極端に過剰な反応を認める場合，または明らかな左右非対称がある場合以外は，診断意義は乏しい。

生後1年の間で深部腱反射が進行性に亢進していく場合は，脳性麻痺などの中枢神経系疾患を示唆する。特に脳性麻痺の場合，四肢の筋緊張の亢進を伴う。他の一般的なパターンとして，中枢性筋緊張低下では四肢の筋緊張が進行性に亢進していくことがあげられる。

Box 25-25　新生児・乳児における脳神経の評価法

脳神経		方法
Ⅰ	嗅覚	非常に難しい
Ⅱ	視覚	検者のほうに向かせるようにし，児の表情でその反応を評価したり，追視するかを観察する
Ⅱ，Ⅲ	光に対する反応	部屋を暗くし，児を抱き上げて座位をとらせ，開眼させる 光を用いて**瞬目反射**（光刺激に眼を瞬くか）を確認する 瞳孔反射の評価には耳鏡のライトを（チップなしで）用いる
Ⅲ，Ⅳ，Ⅵ	外眼筋運動	児が検者の笑顔（または光）をよく追視できるかどうか，同時に眼球の動きも観察する

（続く）↗

（続き）

脳神経		方法
V	咬筋運動	哺乳反射（乳児の口周囲を刺激すると唇をすぼめて刺激方向に向ける反射）を調べる 吸引または吸啜反射（母乳・人工乳・おしゃぶりへの吸いつき）および吸啜の強さを調べる
VII	顔面筋力	啼泣の仕方，笑い方を観察し，顔面の非対称がないかどうかをみる
VIII	聴覚	瞬目反射（大きな音に対して両眼を瞬くか）を調べる 音に反応してその方向に向くかどうかを観察する
IX, X	嚥下	嚥下の際の筋協調運動を観察する
	嘔吐	咽頭反射を調べる
XI	頸筋運動	肩の位置，動きの対称性を観察する
XII	舌筋運動	吸啜，嚥下，舌の突き出し運動などの協調性を観察する 鼻をつまんで，舌の先を正中にもってきて開口する反射があるか観察する

先天性顔面神経麻痺は分娩外傷や神経学的異常の可能性がある。

嚥下困難 dysphagia や嚥下障害を認める場合，第IX，X，XII脳神経損傷の可能性がある。

成人に行うのと同じ方法で深部腱反射の誘発を行う。図25-42のように打腱器の代わりに，示指，中指を用いて行うことも可能である。

成人と同様，反射の非対称は末梢神経または脊髄病変を示唆し，あるいは頭蓋内病変による可能性もある。

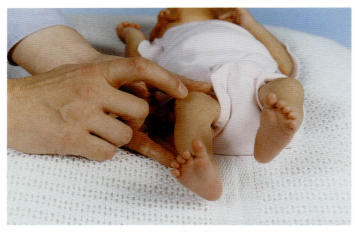

図 25-42　指を用いて深部腱反射を評価する

生後6カ月以前は上腕三頭筋・腕橈骨筋・腹筋の3つの反射を誘発することは難しい。**肛門反射 anal reflex** は出生時から存在し，脊髄の異常が疑われるときは重要となる。この反射は，検者が児の肛門付近の皮膚を触って生じる外肛門括約筋の収縮である。

肛門反射の消失は外肛門括約筋の神経支配の喪失を意味し，先天奇形（二分脊椎など），腫瘍，外傷などの脊髄病変を考える。

新生児では足底刺激による **Babinski（バビンスキー）反応**（足の母指が背屈し他指は開く）は**陽性**になり，この反応は数カ月続くことがある。

診察の技術：乳児

乳児でアキレス腱反射を最も誘発させるには，図 25-43 のように，児の足首を一方の手でもち，他方の手で突然足関節を背屈させてもよい。この手技により，速く律動的に繰り返される足底の屈曲運動（**足クローヌス ankle clonus**）が誘発される。10 回くらいまでの屈曲の速い動きは正常新生児・早期乳児にみられる。すなわち，**非遷延性足クローヌス unsustained ankle clonus** である。

異常例

腓腹筋の筋攣縮が続くとき（**遷延性足クローヌス sustained ankle clonus**）は，中枢神経系疾患を考える。

新生児で易刺激性，神経過敏，震え，筋緊張亢進，反射亢進の症状がみられる場合，妊娠中の母親が内服していた薬物の離脱症状を考える必要がある。**新生児離脱症候群 neonatal abstinence syndrome** は母親による妊娠中のオピオイド使用が原因となる。上述のような症状に加えて，哺乳不良や痙攣，自律神経症状を呈することもある。

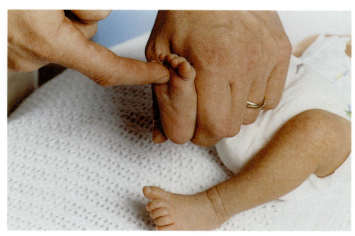

図 25-43 アキレス腱反射の評価

原始反射

新生児・乳児における発達中の神経系は，原始反射と呼ばれる乳児期自動運動を観察することにより評価する。この反射は在胎週数が進むに従って発達し，通常出生時には誘発でき，しかるべき時期に消失する。これらの原始反射の異常は神経疾患の存在を示唆し，さらなる精査を行うきっかけとなる[46]。最も重要な原始反射を Box 25-26 に示す。

原始反射が以下のような特徴をもつときは**神経学的な異常あるいは発達上の異常**を考える。
- 年齢相応の原始反射がない
- 消失すべき時期をすぎても原始反射が残っている
- 非対称である
- 後弓反張や筋攣縮を伴っている

Box 25-26　原始反射

原始反射		手技	月齢
手掌把握反射		診察者の指を児の手掌にあてて軽く押す　児がすべての指を屈曲して診察者の指を握る	生直後から3～4カ月
足底把握反射		足底の趾の根元あたりを触れる　趾が巻くように屈曲する	生直後から6～8カ月

生後 4～6 カ月を超えて手掌把握反射が遷延すれば錐体路障害を疑う。

生後 2 カ月を過ぎても手指を握りしめたままの場合，特に母指を他の指にからませている場合は中枢神経系障害を示唆する。

生後 8 カ月を超えて手掌把握反射が遷延すれば錐体路障害を疑う。

（続く）

診察の技術：乳児　　　　　　　　　　　　　　　　　　　　　　　　　　異常例

↘（続き）

原始反射	手技	月齢
哺乳反射	口周囲の皮膚をつつくと口を開けて刺激された方向を向き，吸いつく	生直後から3〜4カ月
Moro（モロー）反射（驚愕反射）	児を仰臥位にして頭部，背部，下肢を支える。身体全体を約30 cmほど急に下げる 上肢を外転し伸展させ，下肢は屈曲する。啼泣を伴うこともある	生直後から4カ月
非対称性緊張性頸反射	児を仰臥位とし，頭部を一方に回転させて，下顎をその側の肩の上の位置にもってきてそのまま保つ 頭部を回転させた側の上肢も下肢もともに伸展し，対側は逆に屈曲する。逆の方向でも同じであることを確かめる	生直後から2〜3カ月
背反射〔Galant（ガラン）反射〕	児を腹臥位にして一方の手で支え，背部の一側を正中から1 cmのところで肩から殿部までゆっくり擦る 刺激された側に脊柱が弯曲する	生直後から3〜4カ月
Landau（ランドウ）反射	一方の手で児を腹臥位にして水平に保つ 頭部が持ち上がり，脊柱がまっすぐになる	生直後から6カ月
パラシュート反射	腹臥位にして児を水平に保ち，台の面に対して頭部をゆっくり近づけるように傾ける 上下肢ともに伸展し，手足を台にのばして防御しようとする	8カ月で出現し消失しない

（続く）↗

哺乳反射がない場合は，重篤な全身疾患または中枢神経系障害を示唆する。

生後4カ月を超えて遷延すれば，中枢神経系疾患（例：脳性麻痺）の可能性があり，さらに生後6カ月を超える場合はより強く疑われる。

Moro反射の非対称は鎖骨骨折，上腕骨骨折，腕神経叢の障害を示唆する。

3カ月を超えて遷延する場合，中枢神経発達が左右非対称である可能性や，将来的に脳性麻痺となる可能性を示唆する。

背反射がない場合は，脊髄横断性の疾患または外傷を示唆する。

遷延する場合は，発達遅滞を示唆する。

遷延する場合は発達遅滞を考える。

パラシュート反射の発現が遅れている場合，自発的運動の発達遅滞が将来予想される。

診察の技術：乳児

↘(続き)

原始反射		手技	月齢
陽性支持反射	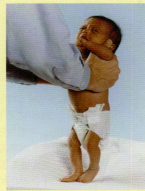	児を体幹部で保持し，足趾が診察台などの平面につくまで位置を下げる　股関節，膝関節，足関節を伸展させ，立って，体重を支えて，歩くようなしぐさを20～30秒する	生直後から2～6カ月
自動歩行反射		陽性支持反射のように児を縦に支える。一方の足底を台につける　足底を台につけたほうの膝が屈曲し，他方の足が前に出る　交互に下肢を曲げのばしする（実際の歩行とは異なる）	生後（生後4日目以降が最適）からみられ，消失する時期に個人差あり

異常例

陽性支持反射がない場合は，筋緊張低下，弛緩性麻痺を示唆する。

下肢の伸展固定と内転（はさみ足）を認める場合，脳性麻痺などの神経疾患による痙性麻痺を示唆する。

自動歩行反射がみられない場合は，麻痺を示唆する。

骨盤位で生まれた新生児は，自動歩行反射が正常でないことがある。

Box 25-27　遊びを観察してみつかる異常

行動異常*
親子のかかわりの少なさ
兄弟姉妹間での対立
不適切なしつけ
感情の起伏の激しさ

発達遅滞
粗大運動遅滞
微細運動遅滞
言葉の遅れ（表現，理解）
社会情緒的発達の遅滞

社会および環境の問題
親のストレスやうつ状態
虐待あるいはネグレクトの危険

神経学的異常
脱力
肢位の異常
痙縮
ぎこちなさ
注意欠陥多動
自閉症的特徴
筋骨格系異常

*診察中の児の振る舞いは典型的ではないかもしれないが，観察することで児に関する気になることを両親と話し合うきっかけとなる。

発達評価

児を観察し，一緒に遊ぶことを通して，その子どもの発達スクリーニング検査と粗大運動および微細運動（月齢の高い乳児の場合）の機能発達の到達点を評価できる（Box 25-27）。また，発達遅滞が神経学的異常を伴って現れることがある。というのは，これらの多くの診察が月齢・年齢に相応する正常所見にもとづいてなされるからである。

具体的にいうと，粗大運動機能発達では，お座り，1人立ち，つたい歩きを観察することによって**筋力低下**がないかどうかを判断できる。座ったり，立ったりするときの姿勢にも注目する。月齢の高い乳児の微細運動の機能発達も同様に，神経学的評価および発達評価を組み合わせて評価する。ものをつまむといった手でものを操作する能力や，積み木を積んだり，殴り書きをするといった細かい動作など，各年齢に対する発達の指標をもとに評価する。微細運動および粗大運動発達は近位から遠位に向かって発達する。

加えて，神経学的異常には知的発達や社会的発達の欠如や遅れにつながるものもあるので，包括的な神経学的診察および発達検査を通して，児の知的発達および社会情緒的発達を評価することができる。

発達段階の指標（Box 25-5, p.963）およびスクリーニング検査の項目を参考に，月齢相当の発達段階であるかを評価する。

> 発達遅滞には多くの原因があるが，はっきりした原因がないことも少なくない。**出生前要因**（遺伝，中枢神経，先天性甲状腺機能低下症），**周産期要因**（早産，仮死，感染症，外傷），**出生後要因**（外傷，感染症，中毒，虐待）のそれぞれが原因となる。

> 2つ以上の領域における発達遅滞は（例：運動発達と知的発達），より重篤な疾患があることを示唆する。

所見の記録

診療記録の記載については小児も成人も同様である。診察の順序が前後することがあっても，所見の記載順は慣習的な文面または電子カルテの形式に合わせて記載してかまわない。

所見を記録する際，最初は文章を用いるかもしれないが，慣れてくれば慣用的な記述を用いるようになる。多くの診療記録によく用いられる表現法をp.1057〜1060に示す。ここに示す例を読み進めると，いくつかの異常所見に気がつくだろう。自己診断しながら読み進めてほしい。これらの所見を解釈できるかどうか確認すること。また，親からの報告をうまく所見の記録に組み込むために，表現の修正が必要と思われる個所も確認するとよい。

新生児や乳児の病歴および診察所見を診療記録に記載するときの構成と順序は，幼児の診療記録と同様であり，p.1057〜1060の例を参考にするとよい。Box 25-4にある病歴の重要項目（p.962）は，診療記録に病歴を記載するときに有用である。

健康増進とカウンセリング：エビデンスと推奨

米国小児科学会およびBright Futures[19]訳注1)では，出生時，生後3〜5日目，生後1，2，4，6，9，12カ月での乳児健診を推奨している（図25-44）。これらは**乳児定期健診 Infant Periodicity Schedule** と呼ばれる。乳児健診は親の疑問に対する回答，子どもの成長発達評価，系統的診察，健康教育を行う場である。児の月齢・年齢に合わせて，健康的な生活習慣や行動，保護者の社会的能力のサポート，子育てのコツ，家族関係，地域との協力関係などについて指導する。

定期健診では児の健康状態と良好な成長発達について記録する。健診を受ける乳幼児は通常健康であるため，健診を行うことで診療技術の質を高めることにもつながる。親は子どもの健康を改善するためなら，アドバイスを積極的に受け入れることが多い。健診で受けるアドバイスはその子どもや家族にとって大きく，かつ長期にわたり影響を与えるものであるため，児の健康について最適な方法を話し合うためには，卓越した問診技術が必要である。以下にあげた各項目を児の月齢・年齢における至適発達段階にあてはめて行うとよい。練習として，Box 25-28の6カ月健診の重要項目を確認してほしい。

図 25-44　定期健診にはさまざまな目的がある

Box 25-28　6カ月健診の構成要素

親との話し合い
- 親の懸念事項，質問事項を聴取する
- アドバイスを与える
- 社会的経歴を確認する
- 発達，栄養状態，睡眠，排泄，安全，口腔衛生，家族関係，ストレス要因，子育ての信念，地域とのかかわりを評価・確認する

発達評価
- 標準化された評価法を用いて，どの発達段階にあるかを評価する
- 親からの情報による発達の評価を行う
- 診察による発達の評価を行う

身体診察
- 年齢における身体計測値のパーセンタイルも含め，注意深く身体所見をとる

スクリーニング検査
- 視力と聴力（検査）
- 社会的発達のスクリーニング

予防接種
- 予防接種スケジュールを確認する。米国小児科学会（AAP）または米国疾病対策センター（CDC）のウェブサイトを参照訳注2)

健康教育：
健康習慣および行動
- 外傷（事故）と疾病の予防
チャイルドシートの装着，転落注意，歩行時の注意，毒物の管理，タバコへの曝露の注意（誤飲など）
- 栄養
母乳栄養または人工栄養，ビタミンDを含む鉄分の補給（必要ならば），固形物摂取の時期，ジュースの制限，窒息の予防，過度な摂取への注意
- 口腔衛生
入眠時は哺乳瓶で授乳しない，フッ素塗布，歯磨きの指導

親子関係
- 発達を促すアドバイス（会話，読み聞かせ，歌，音楽，遊び）

家族関係
- 親の時間の確保，ベビーシッターの活用

地域との関係
- 保育園，その他の社会資源

訳注1：1990年に設立された子どものための健康増進および健康教育や保健活動を行う国立機関であり，米国小児科学会もこれに属する。

訳注2：わが国では日本小児科学会ホームページを参照。

就学前および学童期の子どもの病歴：一般的なアプローチ

子どもは通常，診察室では親かその代わりの保護者に付き添われている（図25-45）。仮に子どもが1人で診察室に入ってきたとしても，それは子ども自身の意思で来たのではなく，親は待合室で待っていて，子どもに診察を受けさせるためにつれてきていることが多い（図25-46）。子どもと面接するときには，子ども自身と親の両者の必要としていることやものの見方を考慮する必要がある。

図25-45　母親に付き添われる男児を診察する小児科医（Lordnより Shutterstockの許可を得て掲載）

図25-46　子どもの喉の診察（Business plusより Shutterstockの許可を得て掲載）

ラポールの確立

まず挨拶をし，診察室に入ってきたすべての人とよい関係を築くようにする（図25-47）。彼，彼女などの代名詞でなく，子どもを名前で呼ぶように心がける。家族にはさまざまな形があり，例えば従来の家族，ひとり親，両親の離別または離婚，連れ子再婚，同性の親，同族家族，里親，養子があるため，すべての成人と子どもの関係および役割を明確にしていく。「あなたはジミーのおばあちゃんですか？」「みなさんとジミーとの関係を教えてくださいませんか？」親に対しては，名前でなく名字で「スミスさん」と話しかけ，「お父さん」とか「お母さん」といった呼び方は避ける。家族構成が明らかでないときは，子どもをつれてきた大人に対し，うかつに他の家族のことをたずねて当惑させるようなことは避けるべきである。以下のような質問はしないこと。「他に一緒に暮らしている方はどなたかいますか？」「ジミーのお父さんはどなたですか？」「あなたがたは一緒に暮らしていますか？」両親が別居しているからといって，父母の一方だけがその子どもの面倒をよくみているなどと安易に考えないこと。

図25-47　ラポールを確立することでより効果的な評価ができる

就学前および学童期の子どもの病歴：一般的なアプローチ

これまでの個人的な子どもとのかかわりを，診察の場でどのように生かすかの参考にする。信頼を得るために，子どもと同じ目の高さで挨拶し，話しかける。子どもと同じ高さで目と目を合わせ，遊びの雰囲気をつくって子どもと接するようにする。子どもの興味を引く話をしたりするのはよい作戦である。熱心にかつやさしく，診察する子どもたちの服やもっているおもちゃについてたずねたり，どのような本やテレビ番組が好きか，また一緒に来た大人についてたずねるのもよい。面接の最初に不安で緊張している子をなだめ，気持ちをときほぐし，よい関係をつくるための時間をとると，子どもだけでなく，親もくつろげるものである。

家族とのやりとり

診察室に複数の人がいる場合に難しいのは，誰に話を聞けばよいかという判断である。**最終的には子どもと大人のどちらからも情報を得なければならないが，子どもからはじめるのがよい。**

例えば，「どこが具合が悪いの？……話してくれないかな？」などと簡単な自由回答方式の質問を行い，引き続き実際の病気に関して詳しく質問をしていくと臨床上多くの情報が得られる。それをもとに，親にその情報が事実かどうかを確かめ，経緯についてより詳細な説明を聞き，診察者が知りたい他の情報を得る。子どもは話を切り出すことをためらうこともあるが，代わって親が話しはじめてしまった場合でも，その内容についてふたたび子どもに直接質問するとよい。以下に例をあげる。成人の場合と同様であるが，症状の特徴を明らかにしていく。

お母さんが，君がおなかを痛がっているといっていたよ。話してくれないかな？ どこが痛いのか指さしてみせてくれないかな？ 痛みはどんな感じなのかな？ 針で刺したように痛いのかな？ それともずーんとくる痛みなのかな？ 同じところが痛いのかな？ それともあちこち痛いところが変わるのかな？ どうしたら痛くなくなるのかな？ どうしたら痛みがひどくなるのかな？ どうしてそうなったと思う？

家族が同席している場合，その家族が子どもにどのようにかかわっているかを観察することができる。じっと座っていられる子どももいるが，なかにはいらいらしたり，そわそわしはじめ落ち着きをなくす子もいる。どのように子どもを制して診察に協力させるのか，子どもを制したほうがよいのにまったく無関心な態度をとっているといった，親の様子も観察できる。

さまざまな診察の進め方

診察室にいる人たち，それは診察者も含めての話であるが，子どもの症状についてそれぞれ違った見方をしており，どうしてほしいか，またどうしたら解決できるかについても異なる考えをもっている（図25-48）。

したがって，それぞれの考え方や解決手順をできる限りたくさん探っていくことも重要である。同席していない家族（診察時に不在の親や祖父母など）も子どもの

図25-48 小児科医，両親，児の意図することが異なる場合もある
〔fizkes（A，C），mangostock（B）よりShutterstockの許可を得て掲載〕

ことを心配している。それについてもたずねるようにする。「スージーのお父さんが来ていたとしたら，何を心配されてどんな質問をされるでしょうか？」「ジョーンズさん（スージーの母親），このことについてあなたのお母様（スージーの祖母），あるいは他の誰かとお話しになりましたか？」「彼女はどのように話していましたか？」

例えば，母親のゴンサレスがメリーアンを腹痛がするためつれてきたとする。母親はメリーアンが胃潰瘍ではないかと心配しており，また娘の食生活の乱れも気にしている。メリーアン自身はお腹の痛みは心配ではないが，体型の変化や太ってきていることを気にしている。父親はメリーアンが学校の勉強に集中できていないと感じている。小児を担当するあなたは，これら両親の心配と，軽度の機能性腹痛があり急激な肥満を心配する思春期早期の健康な12歳女児との間をうまくとりもって対応する必要がある。

最終的にそれぞれの心配事を明らかにし，家族が正常である（問題ない）と実感できるように手助けすることが必要である。

家族の協力を得る

一般に子どもの世話の大部分はその家族が行うので，家族は臨床家が子どもの健康増進を進めるうえでのきわめて自然な協力者となる。親の育児方針に精通してよく理解しておけば，親の協力を得やすくなる。子育てには文化的・社会経済的状況，また家族状況が反映される。育児のやり方にはそれぞれ，非常に大きな違いがあることを認識しておく。**親を育児の専門家と見立てて，臨床家はその相談役として振る舞うのがよい方策と思われる。**このような接し方をすれば，親を尊敬していることを態度で示すことができ，こちらの助言を親が割り引いて聞いたり，無視したりする可能性を最小限にとどめることができる。親は育児において多くの困難に直面しているものである。親を支持し，決して白黒をつけるような態度をとってはならない。「なぜもっと早くつれてこなかったのですか？」「なぜそんなことをしたのですか？」といった言い方では，親の信頼を得ることはできない。

育児に奮闘努力していることを認め，いかなる場合であってもほめる姿勢が親には受け入れられ評価される。「チャンさん，あなたはお父さんとしてブライアンの子育てをよくがんばっていますね。子育ては大変な仕事ですけれど，ブライアンをみるとあなたががんばっていることがよくわかりますよ。この健診の最後には，こちらからいくつか提案をして差し上げたいと思います」あるいは，子どもに向かって「ブライアン，いいお父さんがいてとても幸せだね」などと声をかける。

隠された真実に対する診察の進め方

成人の患者も同様であるが，主訴が，必ずしも親が子どもをつれてくる本当の理由ではないことがある（図25-49）。小児医療従事者にみてもらうのははばかれる

ように思われる心配事が本当はあるのに，それを直接切り出せないために関連する主訴に変えて来院することがある。患者を信頼しようとしている雰囲気を作り出す。患者の本音を引き出すような以下の質問をする。

ランディーについて，何か気がかりな点はありませんか？
何か他に話しておきたいこと，聞いておきたいことはありませんか？

図 25-49　両親を引き込むことで隠された問題を明らかにすることができる

発達評価：幼児期，1〜4歳

身体的発達

乳児期をすぎると，身体発育の速度はそれまでの約半分になる。2歳をすぎると，この時期の幼児は1年に体重が2〜3 kg増え，身長は5 cm程度のびる。身体の変化は顕著で，細くなるがより筋肉質になることが特徴である。

まず粗大運動については，1歳3カ月までに歩くようになり，2歳までには走ることができるようになる。4歳までには三輪車を乗り回し，飛んだり跳ねたりすることもできるようになる。微細運動機能は神経学的な発達や遊びの中で発達していく（図25-50）。1歳半では殴り書きしかできなかった子どもが2歳になると線を描けるようになり，3歳では円をまねて描くことができるようになる。4歳になると体の部分をいくつか組み合わせた，単純ではあるが人物の絵を描くことができたり，複雑ではない大文字を書き写すことができるようになる。

知的発達と言語発達

これまでの感覚と運動による学習（触れる，みることによる学習）から，象徴的に物事を考え，単純な問題を解決し，歌を覚え，ごっこ遊びができるようになる。この時期の言語発達の速さは驚くべき勢いである。1歳半で10〜20の単語がいえるようになったかと思うと，2歳では2，3語の文（「ワンワン来た」「クマさんちょうだい」など）がいえる。3歳ともなると他人との会話が上手になる。4歳の就学前の幼児になると，さらに複雑な文が話せるようになる。ただしこの時期はまだ前操作期（訳注）であり，常に論理的思考ができるわけではないということは理

図 25-50　微細運動機能は知的発達とともに発達していく

発達の遅れがある場合，1種類だけ（例：協調運動や言語発達）の遅れなのか，数種類の遅れを合併する全般的な遅れなのかを区別する。後者の場合はさらに広域の神経疾患，例えば，さまざまな原因による**知的障害**などの病態を反映している可能性が高い。

訳注：スイスの心理学者 Jean Piaget（ジャン・ピアジェ）により提唱された幼児期における発達段階の用語。1歳半〜就学前にかけての時期のことを指す。言語的な象徴化が可能になるが，他者の視点から物事を理解することはまだできず，自己中心的で物事の理論的思考操作が不十分であるという特徴がある。

解しておかなければならない。3歳以上では，絵を描かせたり，ものをまねて描かせ，それらの絵をもとに話をしながら，微細協調運動，知的発達，言語発達を同時に評価することができる。

社会情緒的発達

幼児期では，ごっこ遊びがはじまると，ほとんどが平行遊び（訳注）をし，大人の行動をまね，なりきり想像して遊ぶようになり，児は急速に発達する。新しいことに対する知的好奇心が旺盛で，それにもまして独立心が強くなる（図25-51）。幼児期は衝動的で自己制御力に乏しいため，すぐにかんしゃくを起こすことは珍しくない。自己制御力は重要な発達課題の1つであり，正常範囲が広い（Box 25-29）。

図 25-51　知性が育つと個性が現れてくる

Box 25-29　発達段階：1～5歳

年齢	粗大運動	微細運動	言語	社会情緒的発達
12カ月	独りでたつ 数歩歩きはじめる	お絵かき（殴り書き） クレヨンを持つ 積み木を2つ積み上げる	有意な1語を話す ものを指す ジェスチャーで1つの命令に従う	親にものをみせて共有する
15カ月	しゃがんでおもちゃをとる 家具にのぼる 走れるが下肢の動きはぎこちない	スプーンを使い少しこぼしながら食べる コップに積み木を10個入れる 絵本をめくる	3～5の単語を話す 幼児語を盛んにしゃべる 体の部位を1つ指さす	共感を示す お願いされると抱きしめる
18カ月	階段を這って降りる よく走る	積み木を4つ積み上げる 縦の線をまねて描く	10～25の単語を話す 体の部分を3つ指さす 自分や親しい人を指さす	ごっこ遊びに夢中になる
24カ月	手すりを使って両足で1段ずつ階段を降りる ボールを蹴る	横の線をまねて描く ドアノブを開ける ストローで飲む	2語文を話す 50以上の単語を話す 会話を半分程度理解する 自分を名前で呼ぶ	平行遊び
30カ月	手を引かれながら片足ずつ階段を登る 飛んだり跳ねたりできる	積み木を8つ積み上げる 手を洗う，介助されながら歯を磨く	自分を正しい代名詞で呼ぶ（私，僕など） 動作を表す語を理解する（眠る，食べる，遊ぶ） 前置詞を理解する	大人のまねをする（料理，電話で話す，掃除）
3歳	手を引かずに片足ずつ階段を登る 三輪車に乗る	円をまねて描く 小さいビーズをひもに通す 人物の体部2～3カ所を描く	3語文を話す 会話を75％程度理解する 反対語を理解する（長短，大小など） 性別がわかる	共有する 想像力豊かに遊ぶ 想像上のものを怖がる
4歳	片足で8秒間バランスをとる ボールを上から投げる 弾んだボールをキャッチする	四角をまねて描く 1人でトイレに行く 人物の体部4～6カ所を描く	100％理解して話す 3段階の命令に従うことができる 形容詞を理解する	お気に入りの友達をつくる 感情を伝える 集団で遊ぶ

(続く)

訳注：「平行遊び」とは発達心理学用語で，幼児の発達に伴って現れる遊び方の1つ。同じ場所で複数の幼児が同じような遊びをするが，それぞれの相互関係は伴わず独立して似たような遊びをしている状況のこと。

(続き)

年齢	粗大運動	微細運動	言語	社会情緒的発達
5歳	片方ずつの足で階段を降りる けんけんする スキップする	三角をまねて描く はさみを使って切る 自分の名前を書く	6〜8語文を話す，10数えられる，色がわかる，電話番号がわかる その日の出来事を順序よく話せる 韻を踏んだ言葉を楽しむ	友達のなかで集団をつくる 間違いを謝る

出典：Scharf R et al. *Pediatr Rev*. 2016; 37(1); Gerber RJ et al. *Pediatr Rev*. 2010; 31(7): 267-277; Wilks T et al. *Pediatr Rev*. 2010; 31(9): 364-367; Gerber RJ et al. *Pediatr Rev*. 2011; 32(12): 533-536.

発達評価：学童期，5〜10歳

身体発育および発達が著しく，体力と知恵が身につき（Box 25-30），目標のために探求し，試行錯誤を経て達成することができる時期である。

Box 25-30　学童期における発達項目

発達項目	特徴	健康管理の必要性
身体的発達	体組織・器官の強度と協調性の増進 さまざまな役割・活動をこなす能力の増進	身体的強度のスクリーニング検査と問題点の評価 親のかかわり 身体的障害に対する支援 健康教育：事故予防，適切な運動，栄養管理，睡眠
知的発達	具体的操作期：現在直面していることに対して 知識・技術の習得と自己効力感の確立	過去や未来と現在を関連づける反省や予想などの思考は未熟であると認識して対応 知識・技術および学校生活のスクリーニングを行うことで支援
社会的発達	家庭・友達・学校での存在感の確立 自尊心の維持 自己主体性の芽生え	それぞれの集団における本人のかかわり方を評価，支援，助言 支援，自尊心確立の肯定や強調 理解，助言，支援

身体的発達

発育は進むが，乳幼児期に比べて緩やかになる。いろいろな活動に参加することで筋力や協調運動が劇的に進歩する（図 25-52）。この時期はまた，身体的な障害や慢性疾患がある場合，さまざまな活動の妨げになることが顕著になってくる時期でもある。

図 25-52　幼児期には身体能力が急速に発達する

知的発達と言語発達

具体的操作期 concrete operational^{訳注1)}に入る。ある程度まででではあるが，論理的かつさらに複雑な思考が可能となるが，まだ現在起こっていることに対してのみであり，この後どうなるかや物事の全体像を理解する能力には乏しい。学校生活や家族，周囲の環境から大きく影響を受けるようになる（図25-53）。この時期の発達では，**自己効力感 self-efficacy**^{訳注2)}を得ること，異なる環境でうまくやっていくことができるようになることが重要である。言語発達はかなり進んで，複雑な言語能力を有するようになる。

学童期では，学校生活の様子が最もよい発達の指標となる。高学年児童では成績表や心理検査結果を参考にすることで，臨床家による正式な発達検査を行わずに済む場合もある。幼児期早期に発達遅滞や発達障害を有する児は，学校生活早期の障害や，社会的，行動的，また情緒的問題につながる可能性がある。

社会情緒的発達

保護者の従属から離れ，自分たちで活動し，物事を達成しはじめる。物事を達成するということは，家族，学校，仲間など社会の中で自尊心を確立し，うまくやっていくために非常に重要である。同時に，罪悪感を感じたり自信を失ったりすることも起こる時期である。したがって，家族や周囲の環境が子どもの自己確立に与える影響はきわめて大きい。倫理観も発達してはくるが，まだ単純かつ具体的なもので，善悪のはっきりしていることに対してである。

身体診察：一般的なアプローチ

児の診察で重要なことは，親子のかかわりを観察する格好の機会であるという点である。子どもが年齢相応の行動をとっているかどうかをよく観察する。

親子のかかわり（相性のよさ）を評価する。親子関係が不自然なのは，診察室という慣れない環境のせいであることも考えられるが，親子のふだんのかかわりや触れ合いに問題があることも多い。子どもと親のかかわりや，診察室での自由きままな遊びを注意深く観察することで，**身体的，知的，および社会的発達の異常や親子関係の問題が明らかになり**，丁寧な予防的健康教育を行う機会にもなる。幼児は，正常な状態として，診察者に恐怖を感じることがある。非協力的なこともあるが，それでも最終的には診察者に慣れてくるのがふつうである。このような

図 25-53 子どもの知的発達は家族関係によって形成される

訳注1：Piaget 心理学において，小児が具体的状況について理論づけられるようになる思考の発達段階で，7〜11歳頃に起こる。

訳注2：自己効力感とは「自分が目標を達成するために正しい行動をとることができ，成功を実現できる能力があるということの認知」を表す心理学的概念。カナダの心理学者 Albert Bandura（アルバート・バンデューラ）によって提唱された。

身体診察：一般的なアプローチ

行動が過度に持続したり，年齢相応の発達段階に照らして不適切であった場合は，行動異常や発達異常が根底にある可能性がある。学童期に入るとさらに自己コントロールができるようになり，臨床家の診察を優先してくれるようになり，診察や検査にも協力的であることが多い。

幼児の評価

この年齢層の子どもを診察するうえで難しいのは，診察を避けようと逃げ回る子どもをいかになだめ，泣かせないようにするか，また親の困惑を避けるかということである。これらがうまくできれば，これこそが，小児科診療のまさに匠の技の1つといえるだろう。

診察室に入った瞬間から，この人は危害を加えないという信頼を獲得し，不安を和らげる作業がはじまる。外来でのやり方はさまざまある。例えば，未就学児の外来では，清潔なおもちゃを与えて遊ばせたり，絵本をプレゼントとして渡すことから始めてもよい。健診外来では，具合が悪くなって来院した場合に比べて，当然のことながらラポール（信頼関係）は築きやすい。

問診をしている間は，児に着衣のままでいさせるほうが，不安にさせないで済む。そのほうが診察者にとっても，子どもと自然な形で接することができるし，子どもがどのように遊び，親とかかわるかをみることができる。そして服の着脱の際の自然な様子も観察することができる。

生後9カ月〜1歳3カ月の歩きはじめたばかりの幼児は**人見知り stranger anxiety**，すなわち見知らぬ人を警戒して怖がる。これは発達上，正常なことである。いつもみている親などと違って，他人が自分にとって新しいと認識した芽生えの証である。このような幼児に対しては診察を急いではならず，はじめは直接目を合わせないようにする。一緒に遊ぶことで児も診察者に慣れてくる。診察中は児を両親の膝の上にしっかりと座らせて，診察台に乗せるときは親がすぐそばにいてもらうようにする。

子どもの年齢に合わせた内容で会話するよう心がける。具合の悪いところやおもちゃなどに関する単純な質問をすること。着ている服やあいさつできたことなどを褒め，物語を話してきかせたり一緒に簡単な遊びをするとよい（図25-54）。内気な子どもの場合，親にまず話しかけ，その間に子どもが緊張をとくことができる時間を与えるようにする。また親が不安を感じていることもある。親にリラックスしてもらう，または親が児に読み聞かせをしたり，一緒に遊んだりして診察に協力してもらうと，診察室にいる全員がリラックスできる。

特別な場合を除いて，身体所見をとる場所は必ずしも診察室のベッドである必要はない。親の膝の上で行ってもよい。要は子どもの協力を得られるようにすることである。脱衣を嫌がる子どもには，着衣のままで診察する身体部分だけを出すようにすればよい。兄弟姉妹をみるときは，まず年上の者からみるとよい。協力

図 25-54　遊びに参加する様子も評価の一部にもなる

的であるし，またその後に続く小さい子のお手本になってくれるからである。子どもには愛想よく接するように心がけ，1つ1つの診察のステップを説明すること。家族にも常に話しかけ，子どもの気をうまくそらせるようにする。

診察ではまず最も嫌がられない手技からはじめ，喉や鼓膜のような子どもが最も嫌がる診察を最後に回すような流れで行うようにする。協力が得られる年齢であれば，眼や頸部など子どもが座った状態でできる部位の診察を最初に行う。仰臥位にすると子どもは不安で嫌がることが多いので，配慮して体位を変えるようにする。児が仰臥位になったら，真っ先に腹部の診察を行い，嫌がる喉・耳・外陰部などの診察は最後にする。耳や喉の診察では，子どもが動かないよう親に押さえてもらうことも必要になるが，道具を用いて押さえつけるのは不適切であり，行わないようにする。**忍耐強く，気をそらし，遊びを取り入れながら，臨機応変に柔軟に診察の順序を組み立てていく。やさしくいたわりながらもしっかりと体系的に所見をとっていくことが，幼児の診察を成功させるうえで重要な鍵となる**（図25-55）。

図25-55　診察の器具や手技に慣れさせることで子どもの不安を軽減できる

学童期の評価

学童期に達すると，診察は容易になってくる。なかには過去の診察で不快な経験があった場合，難しい子どももいるが，この時期の子どものほとんどは，診察者が子どもの発達段階に見合った対応をすれば非常に協力的となる。

この時期の子どもは内気である（図25-56）。ガウン（診察着）を着てもらい，下着はできるだけ診察するときに合わせて脱いでもらうようにするとよい。服の着脱を保護者に手伝ってもらい，その間は診察者は部屋を出るといったことも考慮する。なかには，服を着脱する間は，一緒についてきた異性の兄弟姉妹に部屋を出ていってもらいたいと思う子どももいる。男の子も女の子も，父母のどちらかにいてもらうのはかまわないようである。**11歳未満では，親は必ず診察室にいてもらうようにする**。施設ごとの付添人規定を遵守すること。

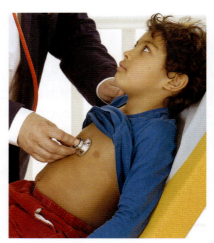

図25-56　年長児では内気になることに気を配る必要がある

診察の技術

幼児時期になると診察の順序は成人のそれと同じである（Box 25-31）。痛みを伴う部位の診察は最後に回し，また今から診察しようとしている部位について，本人に前もって告げるべきである。子どもがある部分の診察を嫌がった場合は，最後にもう一度診察するとよい。

Box 25-31　幼児（1～4歳）の診察のコツ

役に立つ診察法
- 親に診察の協力をしてもらう（例：服を脱がせる，膝に座らせておく）。子どもと同じ目の高さで接する
- 診察の間，安心させるように声をかける
- 診察器具をまず子どもにみせ，触れさせる
- 子どものおもちゃやぬいぐるみ，親の診察（するまね）をしてから，子どもの診察に入る（図A）
- 聴診器を持たせるなど，子どもを診察に参加させてから本来の診察を行う（図B）
- 診察者を押しのけて逃れようとする幼児に診察者の手を握らせ，それから協力してもらうようにする
- 「診察させてくれない？」などと子どもに許可を得ることはしないほうがよい。その答えがたとえ「やだ！」であっても，診察は行うのだから。それよりも，体のどの部分から（左右どちらから）診察されたいかをたずねる
- 診察を遊びまたはゲーム感覚で行う。「どれくらい舌が大きいかみせてくれるかな？」「クマさんが耳の中にいるかもしれない。どれどれ，みてみよう！」
- 幼児はときに診察者が自分の視界に入らなければ，そこにはいないと思いこむ場合がある。そこで，親の膝の上で親と向きあうようにして立たせて診察者が視界に入らないようにして診察するとうまくいく
- 年齢にふさわしい本を渡し，夢中になって読んでいる間に診察する
- 2歳くらいの幼児であれば，両手にもの（舌圧子など）を握らせておけば，診察への抵抗が少なくなる
- 子どもをなだめることができない場合は，少し休ませ間を置く

役に立つおもちゃ，診察器具
- 耳鏡の光をチカチカさせる
- 診察者が聴診器を自分の鼻につけて，びーっと音を立てる
- 舌圧子で，お人形さんごっこをする
- 持参した自分のおもちゃで遊ばせておく
- 診察者の鍵束をちゃらちゃらと鳴らして聴力を確認する
- 耳鏡を指の先（児の指でもよい）にあてて，「光るだけ」で痛くないことをみせ，それから子どもの耳を診察する
- 年齢にふさわしいおもちゃや本を用意して渡す
- 聴診器に面白いおもちゃをつけて怖がらせないようにする

Seventy-Four（A），Ocskay Bence（B）よりShutterstockの許可を得て掲載

注意：おもちゃや聴診器は患者ごとに消毒すること。

親には，診察に抵抗するのは子どもの発達上，当然のことであると伝えるとよい。親によってはいうことを聞かない子どもを恥ずかしく感じ，叱りつけて，余計に診察が難しくなる場合もあるからである。診察では親も一緒に手伝ってもらうようにするとよい。親のやり方から，どんな風に診察したり接したりするのが最もよいのかを教えてもらうことができるからである。

身体の成長

図 25-57 および図 25-58 は子どもの身体発育パターンを示している。

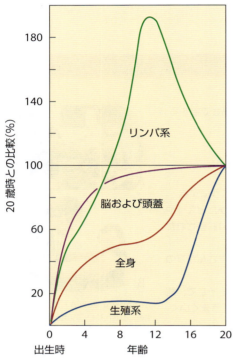

図 25-57　さまざまな器官の発達

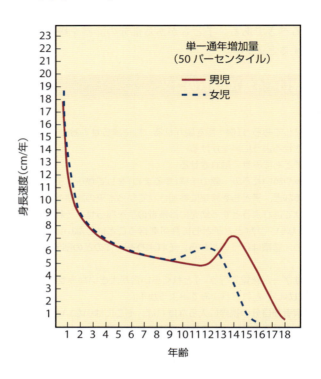

図 25-58　1 年間の観察でみた男女の身長速度曲線
（Lowrey GH. *Growth and Development of Children*. 8th ed. Year Book Medical; 1986. Copyright © 1986 Elsevier より許可を得て掲載）

身長

2 歳以上の子どもでは，立位で，壁に据えつけられた身長計で測定すべきである。壁またはスタジオメーターに，きちんと踵，背中，頭をつけて立たせる。目盛のついた壁を使って測定する場合は，子どもの頭頂部に水平にあてた板が壁に対して直角になっているか繰り返し確認すること。身長と体重の両方を立ったまま同時に測れる器具はあまり正確ではない。**2 歳をすぎると，年平均 5 cm のびる。思春期には成長速度が増す。**

低身長 short stature は 5 パーセンタイル未満の身長と定義され，正常の亜型または内分泌疾患，その他の疾病が原因として考えられる。正常の亜型としては家族性低身長と体質性成長遅延があげられる。慢性疾患として成長ホルモン欠乏症やその他の内分泌疾患，消化器疾患，腎疾患，代謝疾患，遺伝性疾患などがあげられる。

体重

自分で立つことのできる幼児・学童児はガウンを着た（または服を着たまま靴を脱いだ）状態で，立位で体重を測定すべきである。継続的外来では正確な比較ができるように同じ機器で測定すること。

カロリー摂取不足による体重増加不良の原因には精神疾患，消化器疾患，内分泌疾患があげられる。これらの疾患は身長と体重の両方に発育不良を引き起こすことが多い。

診察の技術

頭囲

一般的に、頭囲は24カ月に達するまで計測する。それ以降は、遺伝性疾患や中枢神経系の異常を疑った際に測定すると診断に役立つことがある。

年齢別の肥満指数（BMI）

現在、小児のBMIを評価するための年齢別、また性別の曲線が利用できる（Box 25-32）。小児のBMIは後に肥満の危険因子となる体脂肪と相関している。

Box 25-32　小児におけるBMIの評価	
分類	年齢相応のBMI（パーセンタイル）
やせ	<5
適正値	5〜85
肥満傾向	85〜95
肥満	≧95

BMIの測定は2歳以降の肥満を早期に発見するのに有用である。 BMIの成長曲線は性別と年齢により異なる。小児肥満は著しく増加しており、6〜8歳以前よりはじまる。小児肥満は高血圧、糖尿病、メタボリック症候群、自尊心の喪失につながり、**成人肥満および短命**につながることが多い。親に対しては子どものBMI値を伝える（または成長曲線をみせる）と同時に、健康的な食生活と運動習慣が肥満の予防や改善にいかに有効であるかという知識についても提供するとよい。

バイタルサイン

血圧

小児期高血圧は、以前から考えられていたより実際はさらによくみられるもので、検索して確定診断し、適切に管理すべきものであることがわかってきた。

子どもであっても、運動、啼泣、不安などで血圧が上昇する。血圧測定法はp.974に解説している。ほとんどの小児は血圧測定に協力的である。最初の測定で血圧値が高い場合は、診察の最後にもう一度測定するとよい。血圧測定のカフをしぼませた状態で腕に巻いたまま残しておき、後で測定するやり方である。血圧が高い場合は、再度本当に高いかどうかを確かめる必要がある。

適切な幅のカフを用いることは、小児で正確な血圧を測定するためには不可欠である。成人の場合と同様にカフを選択する。ゴム嚢の長さは児の上腕周囲の80〜100％のものを使用する。カフの幅と上腕周囲長の比が0.45〜0.55のものを使用すること（図25-59）。**幅が過度に狭いカフで測定すると血圧が実際より高**

異常例

外因性肥満の子どもの多くは身長も年齢に比して高い。内分泌性肥満の子どもは低身長になりやすい。

小児肥満は非常に蔓延している。米国小児のBMI値については、32％が85パーセンタイル超、17％が95パーセンタイル以上となっている[30]。

小児肥満の期間が心血管疾患、内分泌疾患、腎疾患、筋骨格系疾患、消化器系疾患、精神疾患など、将来的な罹患へとつながる。予防、早期発見、積極的介入が必要である。

みかけの高血圧は、緊張によるものや白衣高血圧であることが多い。小児高血圧の原因で最も頻度の高いものは、おそらく血圧が正しく測定されなかったことである。**正しく測定されない原因の多くは、適切なサイズのカフを使用していないためであろう。**

く出て，逆に幅が広すぎるカフだと実際より低く出てしまう。また，幅が広すぎるために聴診器の膜部を上腕動脈の真上の正しい位置に置くことができなくなることもある。

成人と同様，**Korotkoff（コロトコフ）音**が最初に聴取されるポイント（第1相）が**収縮期血圧**，Korotkoff音が消失するポイント（第5相）が**拡張期血圧**である。特に体脂肪の多い児ではKorotkoff音は容易に聴取できない場合もある。静かな室内で計測を試みる。どうしても必要な場合は，触診で収縮期血圧を測定することができるが，聴診で得られる血圧より10 mmHgほど低いことを覚えておく。

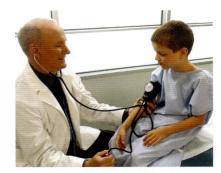

図 25-59 小児の血圧モニタリングは難しい

2017年，米国小児科学会の小児高血圧スクリーニングおよび管理に関する分科会は，少なくとも3回の異なる機会の計測による正常血圧，血圧上昇傾向，高血圧を下記のように定義した（Box 25-33）[29]。

Box 25-33 血圧分類および高血圧ステージの定義改訂版[29]

	1〜13歳未満	13歳以上
正常血圧	<90パーセンタイル	<120/<80 mmHg
血圧上昇傾向 (elevated BP)	≧90〜<95パーセンタイル，または120/80 mmHg <95パーセンタイル（どちらか低いほう）	120/<80 mmHg〜 129/<80 mmHg
高血圧 ステージ1	≧95パーセンタイル〜<95パーセンタイル+ 12 mmHg，または130/80〜139/89 mmHg（どちらか低いほう）	130/80 mmHg〜 139/89 mmHg
高血圧 ステージ2	≧95パーセンタイル+12 mmHg，または ≧140/90 mmHg（どちらか低いほう）	≧140/90 mmHg

小児で高血圧がみられたら，その原因を評価しなければならない。乳児・幼児では，器質的な原因であることが多い。年長児そして思春期・青年期と年齢が上がるにつれ原発性高血圧の頻度が高まってくる。小児患者のすべてにおいて，血圧の上昇が不安と緊張によるものである可能性を少なくするため，繰り返し血圧を測定することが重要である。特に学校などでは血圧を複数回測定して，緊張を緩和させる状況を作り出すことが可能である。小児では高血圧と肥満が同時にみられることも多い。年長児，思春期・青年期の子どもたちを誤って高血圧としてしまうことは絶対に避けなくてはならない。そのような烙印を押してしまうと，そ

訳注：一次性高血圧は乳児・幼児では考えにくく，学童期以上からみられる。

異常例

小児においても，成人と同様，大腿部で血圧を測ると上肢で測ったものよりおよそ10 mmHgほど高い。下肢の血圧が上肢と同じか低ければ大動脈縮窄症を考えなくてはならない。

小児の一過性高血圧は，喘息（プレドニゾロン）や注意欠陥多動障害 attention deficit hyperactivity disorder（ADHD）の治療薬（メチルフェニデート）など薬物が原因であることが多い。

小児肥満の増加は小児期高血圧の有病率増加にもつながる[29]。

小児の**持続性高血圧 sustained hypertension**[29]には一次性高血圧（基礎疾患を有さないもの）訳注，および二次性高血圧（原因となる基礎疾患を有する）がある。二次性高血圧の原因には，肥満，腎性，内分泌性，神経疾患，血管異常，薬物性，精神疾患などが含まれる。

| 診察の技術 | | 異常例 |

の子の活発さを奪ったり，治療を行った場合に副作用を生じる可能性もあるからである。

脈拍数

Box 25-34 に平均心拍数と正常範囲を示す。心拍数は 60 秒かけて測定する。

Box 25-34　安静時の小児の平均心拍数[30]

年齢	平均心拍数（中央値）	範囲（1〜99 パーセンタイル）
1〜2 歳	110〜120	88〜155
2〜6 歳	100〜110	65〜140
6〜10 歳	75〜90	52〜130

洞性徐脈の定義は，乳児・幼児では 100 回/分未満，また 3 歳以上では 60 回/分未満である。

呼吸数

幼児期の呼吸数は 20〜40 回/分が正常範囲であり，成人の正常範囲である 15〜25 回/分に達するのは 15 歳くらいである[30]。

幼児では，聴診などで刺激をする前に，まず胸郭の動きを，30 秒ずつ 2 回，または 1 分程度よく観察する。直接呼吸音を聴診するか，または口の前に聴診器をもっていき呼吸音を聴くことで呼吸数を数えることができる。しかし，子どもが興奮して暴れたりすると異常がなくても呼吸数は上昇してしまう。年長児に対しては成人と同様の方法で呼吸数を数える。

一般的に，1 歳以上の頻呼吸とは 40 回/分を超えている場合とされている。

肺炎を否定できる唯一の，最も有用な身体所見は**頻呼吸がないこと**である。

体温

小児では，耳孔で体温を測定することが望ましい。迅速に測定でき，不快感を伴わないからである。

3 歳未満で，発熱して重症感が強い場合は，敗血症，尿路感染症，肺炎，その他の重篤な感染症を検索しなくてはならない。

皮膚

1 歳をすぎると，皮膚の診察の手技は成人と同じである。

第 10 章「皮膚，毛髪，爪」を参照。表 25-4「小児期によくみられる皮膚病変」も参照のこと。

| 診察の技術 | 異常例 |

頭部

頭頸部の診察にあたっては，子どもの成長・発達の各段階に応じた診察のアプローチを調整する。

子どもに触れる前に，頭部の形，対称性，また顔貌異常はないかなどを注意深く観察する。顔貌異常は児がある程度成長しないと認められないこともある。子どもの頭部をみながら，同時に顔面に異常がないかを注意深く観察するとよい。

表25-6「乳幼児における疾患の診断の決め手となる特有の顔貌」を参照。小児における染色体異常，内分泌疾患，慢性疾患，その他の疾患の診断につながる特徴的顔貌をいくつか示す。

胎児アルコール症候群は発達遅滞，顔貌異常（表25-6「乳幼児における疾患の診断の決め手となる特有の顔貌」），小頭症の原因となる。

眼

幼児の眼の診察で重要なことは2つある。注視において左右の共同性あるいは対称性がみられるかという点，左右の眼の視力がしっかりしているかという点である。

共同注視

第11章「頭部と頸部」で示す成人と同じ方法で，共同注視，自然な状態での眼位と左右の並び，外眼筋の機能を評価する。**角膜表面での対光反射による検査，遮蔽-非遮蔽試験は，幼児では特に有効である**（図25-60，25-61）。

図25-60　角膜光反射検査

図25-61　遮蔽-非遮蔽試験

遮蔽-非遮蔽試験はゲーム感覚で行うことができる。幼児の一方の眼を覆いながら，診察者の鼻をみつめさせるか，診察者が笑った顔をしているかどうか答えてもらうとよい。診察者が児の眼を覆うときに眼球偏位がないかどうかを観察する。もう一方の眼も同様に行う。覆いをとったときにどちらかの眼が動く場合は潜在性斜視が疑われる。

不同視症 anisometropia（両眼の屈折力が有意に異なる）により弱視（正常な眼の感覚器としての機能はあるが，大脳視覚領野の発達障害で視覚障害を起こすこと）に陥る可能性がある。**弱視 amblyopia** は早期に補正されないと，みえているのに認識できない，「なまけ眼」と呼ばれる視覚障害に発展する可能性がある。

小児の**斜視 strabismus**（表25-7「眼，耳，口腔の異常」を参照）は，弱視につながる可能性もあるため，眼科医による治療が必要である。小児の斜視では通常，水平方向の眼球偏位を生じ，鼻側変異（内斜視），耳側変異（外斜視）といわれる。**潜伏斜視 latent strabismus**（斜位）は固視をやめさせると生じ，一方で**顕性斜視 manifest strabismus**（いわゆる斜視）は固視下でもみられる。

視覚

視力 visual acuity については，3歳未満で視力検査表の絵が何であるかを理解できない場合は測定できないことがある。このような場合には，一方の眼を交互に遮蔽しながら，遮蔽していない眼が固視を続けられるかどうか評価する。視力が正常ならば，そのようにしても固視を嫌がることはない。しかし，片方の眼の視力が低下している場合には，視力のよいほうの眼を遮蔽されることを嫌う。重要なこととして，幼児の視力についての診察は感度が低いため，診察者や親が少しでも心配な点があれば眼科医に紹介するほうがよい（Box 25-35）。弱視の危険性があるため，すべての視覚検査において両方の眼が同じ結果になることが重要である。

視力低下 reduced visual acuity は早産児，なかでも神経学的異常，発達障害のある児に多くみられる。

Box 25-35　視覚

年（月）齢	視力
3カ月	輻輳および追視
12カ月	約 20/200（0.1）
4歳未満	20/40（0.5）
4歳以上	20/30（0.6）

5歳までに生じる視力の左右差（例：左眼 20/20，右眼 20/30）はいかなる程度であっても異常である（図 25-62，25-63）。

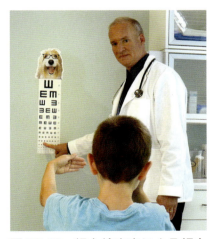

図 25-62　視力検査表による視力検査

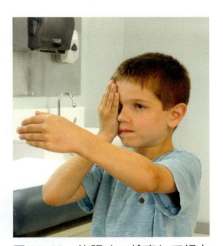

図 25-63　片眼ずつ検査して視力の違いを記録する

近見視力 near vision の発達に異常があると，読字障害，頭痛，学校生活における問題，複視などの原因となる。

4歳以上では，視力検査は，正式には視力表のセットとしてあるさまざまな形（漫画の登場人物や記号）から1つ選んで行われる[47]。文字や数をまだ理解していない幼児では，絵，記号，またはE表を用いて検査することができる。子どもたちの多くはこの試験に協力的で，Eの字がどちらを向いているか診察者に教えてくれる。

小児期に最もよくみられる視覚障害は近視である。**近視 myopia** は，視力表を用いてものをみせる検査によって簡単に発見できる。

視野

視野検査は難しいことが多いが，乳幼児の**視野 visual field** は親の膝の上に座った状態で調べることができる。片方の眼を遮蔽して，片眼ずつ検査すべきである。子どもの頭を正中線上で保持し，子どもの後ろからおもちゃなどをもってきて本人の視野に入れる。検査の流れは成人に行うのとほとんど同じであるが，子どもには遊び感覚で行う点が異なる。

耳

乳幼児では**耳管 ear canal** や**鼓膜 tympanic membrane** の診察は難しい。診察の様子を自分でみることができないために何をされるのかわからず，敏感になり，怖がってしまうからである。しかし，少し練習すれば，実際はこの診察は容易である。この診察は短時間子どもを押さえつけないとできないため，診察の最後にもってくること。

子どもがどのような体位で診察されるのを好むのか，親にたずねてみるのもよい。耳の診察では，子どもを寝かせて押さえる方法，子どもがそんなに怖がっていなければ，親の膝に抱っこさせる方法の2つの体位がある。

子どもを仰臥位にして診察する場合，両腕を頭の上にのばした状態（図 25-64，25-65）で親に押さえてもらうか，両腕を下に降ろした状態で押さえてもらい動きを制限する。一方の手で子どもの頭部を押さえつつ耳介を上方へ引っ張り上げ，他方の手で耳鏡を操作する。

図 25-64　耳鏡診察時には児の腕をやさしく押さえるようにすると児の動きが少なくなる

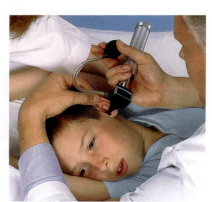

図 25-65　耳鏡診察時の手の位置

外耳炎（中耳炎ではない）の場合は，耳介を動かすと痛みを誘発する。

子どもが親の膝の上にいる場合，子どもの足を親の足ではさんでもらう。そのうえで親に一方の手で子どもの体幹部を，またもう一方の手で子どもの頭部を押さえて保持してもらう（親の手は児の額にあてる）。

診察の技術

耳鏡による診察

耳鏡による診察をゲームに見立てて、「耳の中から何かを探し出してみよう」と遊びながら行ったり、楽しいおしゃべりで不安を和らげたりすると診察しやすくなる（Box 25-36）。耳鏡による診察の前に、耳鏡チップのみをやさしく片方の外耳孔に入れて取り出すというふうにして慣れさせるといった方法も有用である。耳鏡チップを触らせたり耳鏡の光を診察者の指にあてて、それが痛くないことをみせる方法も児を慣れさせるのに役立つ。

> **Box 25-36　耳鏡による診察を上手に行うコツ**
> - 耳鏡を最もよい角度で耳孔に入れる
> - 耳孔に合う一番大きな耳鏡チップを用いる
>   - 大きなチップを用いるほど鼓膜はよくみえるものの、小さなチップほどは奥まで入らないため痛みは少ない
>   - 気密耳鏡検査において、小さいチップは耳孔を密閉できない可能性がある
> - 気密耳鏡検査では大きな圧をかけ過ぎると児が泣いてしまうので注意する。
> - 耳鏡チップを外耳道の 1/4〜1/2 の深さまで挿入する。
> - まず耳道表面と鼓膜を区別する
>   - 外耳道が鼓膜と似ていて区別がつきにくいことがあるため、注意する
> - 鼓膜が異常かどうか注意する
> - 耳垢で奥がみえないときは、以下を用いて除去する
>   - 耳を洗う
>   - 特製プラスチック耳かき
>   - 完全に閉塞していなければ、湿らせて、先細りさせた綿棒
>   - その他の購入可能な特製器具

耳鏡で診察する前または診察中に**耳介**をやさしく引っ張り、それを動かして、耳介後部の乳様突起を注意深く視診する。最近ではティンパノメーターを使って鼓膜の動きやすさを計測する施設も多く、膿や滲出液の貯留があるかどうかの診断もしやすくなっている。

多くの学生にとっては、子どもの鼓膜をみることは難しい。幼児の外耳道は外側から入ると上方、そして後方へ走行しているので、耳介を上方、外側、後方に引っ張らないと鼓膜がきちんとみえない。一方の手で頭を押さえつつ、同じ手で耳介を引っ張る。耳鏡はもう片方の手で持つ。

耳鏡のもち方は2つある。

- **第1の方法**は、通常成人に用いるのと同じである。耳介を引っ張りながら耳鏡の柄を上方、外側に向けて挿入する方法である。耳介を上方へ引っ張り上げ、耳鏡を下方へ進める。一方の手で子どもの頭部を押さえつつ耳介を上方へ引っ張り上げ、他方の手で耳鏡を操作する（図 25-64、25-65 を参照）。

- **第2の方法**は、耳鏡の柄を児の足の方へ向ける方法で、小児の耳道角度に適

異常例

急性乳様突起炎では、耳介が前方や外側に突出して、乳様突起周辺の発赤、腫脹、圧痛がみられる。

診察の技術

図 25-66 多くの小児では耳介を優しく引き上げると耳道がよくみえる

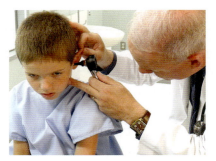

図 25-67 耳介を引き上げ，耳鏡の柄は下に向け，左耳の診察をする

しており，多くの小児科医でこの方法は好まれている（図25-66，25-67）。

気密耳鏡検査

気密耳鏡 pneumatic otoscope を用いることで，小児の中耳炎をさらに正確に診断できる（図25-68）。この装置のゴム球を押すことで外耳道の圧を上げ下げして，鼓膜の動きを評価することができる。

まず，この装置の耳鏡チップの先端を指で押さえて閉鎖し，ゴム球を押してみて空気漏れがないか確認する。ゴム球にかける圧を手で確認しながら，耳鏡チップを挿入する。その際，チップが外耳道をきちんとふさいで密閉していることを確認する。この密閉が非常に重要で，密閉されていないと結果が偽陽性になってしまう（つまり，鼓膜に圧をかけても動かない）。注意点として，この操作は児が動かないときに行う必要がある。

図 25-68 気密耳鏡

正常な外耳道に圧をかけて空気を入れると，鼓膜と光錐が内側へ動く。空気が抜けて圧が下がると，鼓膜は外側へ動いてもとに戻る。鼓膜が迅速かつわずかに内側と外側へ行ったりきたりするこの動きは，船の帆と風の関係のようなものである。

外耳道をこの方法で陽圧または陰圧にしても期待したような鼓膜の動きが得られない場合は，中耳に滲出液が貯留している（または手技が未熟である）**ことを意味する。**

急性中耳炎の子どもは，このように空気で圧をかけると，痛みが生じ，たじろいで身を引くような動作をすることがある。

異常例

急性中耳炎 acute otitis media は小児でよくみられる。症状を伴う子どもの鼓膜は一般的に赤く，盛り上がっており（診察者側に突出している），光錐が消失し，気密耳鏡検査では鼓膜の動きが少ない。鼓膜の奥（中耳）に膿性物質がたまってみえることもある。表25-7「眼，耳，口腔の異常」を参照。耳痛の有無は，上記の徴候と組み合わせると診断に最も有用な症状である[48-50]。

急性中耳炎では鼓膜が破れて外耳道へ膿が流出することがある。このような場合，鼓膜の観察はできないことが多い。

滲出性中耳炎は，重症の**一過性難聴 temporary hearing loss** を数カ月にわたって伴うことがある。

中耳に液体が貯留している場合（滲出性中耳炎）はこの鼓膜の動きは消失する。

診察の技術

聴力検査

囁語検査を用いることで，ある程度までの聴力の評価を行うことができる。子どもの後ろに立ちこちらの唇の動きがみえないようにする。診察者の指を回転させて耳珠を擦るようにしながら，片方の外耳道をしっかり塞ぐ。文字，数字または単語を囁き，子どもが復唱できるかどうかをテストする。この方法は正式な聴力検査と比較しても同等の感度と特異度があるが[51]，検者によって大きく左右される。

幼児の聴力障害を正確に診断するには正式な聴力検査が必要であり，現在では生後6カ月前後の乳児でも聴性行動反応検査が行われる。検査に協力できる年齢になったら正式な聴力検査を行う（Box 25-37）。

米国小児科学会は，4歳以上の小児に対して標準的な機器を用いた全聴覚スクリーニング検査を推奨している（図 25-69，25-70）[19]。生後の聴力スクリーニング検査が正常であったとしても，幼児期に難聴を発症することがあり，言語と発達に大きな影響を与えてしまう。その際，会話音域（500〜8,000 Hz）を含むすべての音域について検査すること。Box 25-37 に聴力の分類を示す。

Box 25-37　正式な聴力検査における聴力

正常聴力	0〜20 dB
軽度難聴	21〜40 dB
中等度難聴	41〜60 dB
重度難聴	61〜90 dB
完全難聴	>90 dB

異常例

早期幼児において，これらの簡単なスクリーニング検査で陽性と判定されたり言語発達の遅れがある場合，聴力検査を行うこと。このような場合，**難聴や中枢性聴覚処理障害**(訳注)の可能性がある。

学童期で少なくとも**軽度の難聴 mild hearing loss** を有する児童が全体の 15％もみられることからも，就学前の聴力スクリーニング検査が重要であることがわかる[51]。

小児では，**伝音性難聴，感音性難聴，混合性難聴**がみられる。

伝音性難聴 conductive hearing loss は先天異常，耳小骨異常，耳垢栓塞，外傷，中耳炎，鼓膜穿孔などが原因となる。

感音性難聴 sensorineural hearing loss は遺伝性，先天性感染症，聴神経毒性のある薬物，外傷，髄膜炎などの感染症が原因となる。

訳注：末梢聴力に問題はないが，中枢神経における情報処理過程に問題があり，難聴と似た症状を呈するといった比較的新しい概念。

図 25-69　標準的機器による聴覚検査を行えばより正確な測定が可能である

図 25-70　子どもは全聴覚スクリーニング検査を楽しんで受けることも多い

鼻と副鼻腔

大きめの耳鏡チップを用いて鼻前部を視診する。色と表面の状態に注意しながら、鼻粘膜を視診する。鼻中隔弯曲または鼻ポリープがないかなども確認する（図25-71）。

副鼻腔の発達は年齢によって異なる（Box 25-38）[52]。年長児の副鼻腔は成人同様、その圧痛の有無を触診や打診で確かめる[53]。幼児における副鼻腔の透光性から副鼻腔炎や骨洞の液貯留を診断する方法は、感度・特異度ともに低い。

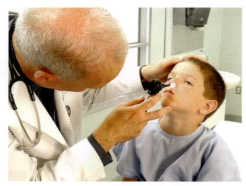

図 25-71　小児の鼻腔診察

慢性（持続性）の**アレルギー性鼻炎 allergic rhinitis** の子どもには、青白く湿った鼻粘膜が観察される。

膿性鼻炎 purulent rhinitis はウイルス感染症の症状として一般的な所見である。

悪臭を伴う膿性で片側性の鼻汁は、鼻腔異物の可能性がある。異物は、どんなものでも体の穴という穴に詰めたがる就学前の幼児期によくみられる。

鼻茸は灰色や黄色を呈しており、鼻腔内で増大する。

以下があてはまる児は、**副鼻腔炎 sinusitis** の可能性がある。（1）10日間以上膿性鼻汁が続く、（2）経過が悪化している、（3）症状が強く、高熱を伴い、膿性鼻汁3日超、など。またこのような小児では頭痛や咽頭痛を伴い、副鼻腔の打診や触診で痛みを感じることもある[54]。

Box 25-38　小児の副鼻腔における含気化年齢

副鼻腔	含気化年齢
篩骨洞	出生時
上顎洞	出生時から生後数年
蝶形骨洞	5〜6歳
前額洞	7〜8歳（思春期まで続く）

口腔と咽頭

怖がっている幼児の口腔と咽頭の診察は，親による児の抑制が必要なため，診察の一番最後にする。多くの場合，まず耳の診察をしてから口腔内診察を行うのが現実的である。幼児でも協力的な子どもの場合は，親の膝に座らせて診察すると安心してくつろぐものである。元気な子どもは，具合の悪い子どもに比べて嫌がらずに口を開けてくれるが，具合の悪い子が舌圧子をみてしまったり，過去にこれを使って咽頭培養をとられた経験があると難しい場合がある。

図 25-72 に，子どもの口を開かせる方法を示す。子どもに「あー」といわせることができれば，短い間であったとしても，咽頭後壁を観察するには十分であり，舌圧子は必要ない（Box 25-39）。

図 25-72　小児は上手に診察者のまねをしながら，口腔内の診察をさせてくれる

Box 25-39　子どもに口を開かせる方法（いわゆる，「あー」といってごらん）

- 遊び感覚で
  - 「お口の中に何があるかな？」
  - 「舌を全部出せるかな？」
  - 「もうお口がそれ以上開かなくなっちゃったよ。大丈夫かな。もっと開けてみようか」
  - 「ちょっと歯をみせて」
  - 「暑くて息をはあはあしているわんちゃんみたいにできるかな？」
- 必要になるときまで舌圧子はみせないこと
- 兄や姉の口の診察を先にしてみせる（場合によっては親を診察する）
- 子どもが少しでも口を開けたらうんとほめ，もっと大きく開くよう励ます

咽頭

舌圧子を使わなければ診察できない場合，子どもに「あー」といわせながら，舌圧子を下方に，そして手前に引き寄せるように押す。この際，舌圧子を奥に入れすぎて咽頭反射を誘発しないように注意する。怖がっている幼児は抑制が必要であるばかりか，場合によっては歯を食いしばって口を閉じてしまうことさえある。このような場合は，舌圧子を歯と頬部の間に垂直にして慎重に歯茎の奥まで滑り入れる。そして舌圧子を舌に向かって水平にして進め舌を押し下げる。この方法だと舌を押し下げるかあるいは咽頭反射を誘発することで，後咽頭と扁桃を簡易的に診察することができる。注意深く診察のタイミングを見計らい，親にも協力してもらう必要がある。

歯

歯 teeth の萌出の時期や順序，数，性質，状態，位置を注意深く観察する。エナメル質の異常は局所あるいは全身の疾患を反映する。

図 25-73 に示すように，上顎の歯を注意深く観察する。この写真で示しているのは**幼児期齲歯 early childhood caries** がよくみられる部位である。図 25-73 に示す方法は，「上口唇持ち上げ法」と呼ばれ，齲歯をよく観察できる。

口を大きく開けて天井のほうを向いてもらい，上顎の歯の内側がみえるようにする。

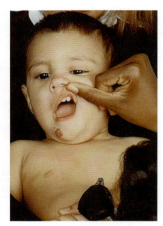

図 25-73 上口唇を持ち上げて齲歯を確認する

Box 25-40 に通常の歯の萌出について示した。一般的には下顎歯が上顎歯より少しだけ早く萌出する。

Box 25-40　歯の種類と萌出時期

歯の種類	萌出すべき時期[47]	
	乳歯（月齢）	永久歯（年齢）
中切歯	5〜8	6〜8
側切歯	5〜11	7〜9
犬歯	24〜30	11〜12
第1小臼歯	−	10〜12
第2小臼歯	−	10〜12
第1大臼歯	16〜20	6〜7
第2大臼歯	24〜30	11〜13
第3大臼歯	−	17〜22

小児の健康問題のうち，**最もよくみられるものが齲歯**である。特に経済的困難の環境にある子どもに多く認められ，短期的・長期的な問題となる[55]。齲歯は高率に予防でき，歯科で治療可能である。

齲歯は口腔内細菌の活動の高まりの結果，生じる。齲歯は長期の哺乳瓶使用から生じることが最も多い（哺乳瓶齲歯）。

齲歯の種類については表 25-9「歯，咽頭，頸部の異常」を参照。

歯の**着色 staining** は内因と外因が考えられる。内因として 8 歳以前のテトラサイクリンの使用があげられる（黄色，灰色，茶色）。他の内因として肝疾患を有する児での緑色の着色，幼児期の過度なフッ素摂取によるフッ素症（白色の着色）がある。外因としては，鉄剤（黒色に着色），フッ素（白色に着色）があげられる。外因による着色は磨いて色を落とすことができるが，内因によるものは落とせない（表 25-9「歯，咽頭，頸部の異常」を参照）。

歯牙萌出の遅れは**頭蓋顔面変形を伴う遺伝子異常**や**全身性疾患**などさまざまな状況で生じうる。

診察の技術

歯の位置の異常を探す。不正咬合，上顎前突（被蓋咬合，**オーバーバイト overbite**），下顎前突（**アンダーバイト underbite**）などである。上顎・下顎前突は，子どもに唇をくっつけないようにして強く歯を噛みあわせてもらうと，はっきりとわかる。正常では下顎の歯は，上顎の歯で形成される歯槽弓の内側に入る。

舌

舌 tongue をその裏側も含めて注意深く観察する（図 25-74）。子どもの多くは喜んで舌を出してくれるので，左右の動きについて観察する。

図 25-74 舌をよく視診する

ときに舌小帯短縮を認めることがある。児の舌を口腔上壁（口蓋）につけるようにさせると診断でき，食事や発声に影響がなければ多くは治療不要である。

扁桃

扁桃 tonsils の大きさ，位置，対称性，外観を観察する。扁桃組織が成長する最も盛んな時期は 2～10 歳である（図 25-57 を参照）。扁桃の大きさは子どもによってかなり違いがある。大きさは中咽頭後壁の幅に対する割合で分類されることが多い（例：25％未満の開通，50％の開通）。子どもの扁桃は実際よりも大きくみえ，気道を閉塞させているようにみえることが多いが，病的なものは少ない。

小児の扁桃には通常その表面に深い陰窩があり，しばしばその奥から白色の凝塊や食物の小粒子が突出していることがある。これは必ずしも病的状態を意味しない。

粘膜下の口蓋裂を示唆するものがないか探す。例えば，硬口蓋の後縁の切れこみや二分された**口蓋垂 uvula** などである。粘膜下口蓋裂は表層の粘膜が正常であるため，その内部にある欠損が見逃されやすいが，耳鼻咽喉科に紹介する必要がある。

異常例

不正咬合や歯列不正は，母指の吸啜，おしゃぶりの使い過ぎ，遺伝性疾患，乳歯の病的早期脱落で生じる。

先天性の**地図状舌 geographic tongue** は良性の疾患だが，舌の地図状所見がある部分は通常と異なりざらざらして粗くなっており，自然治癒することはない。地図状にみえる部分は時間の経過とともに変化することがあり，良性の炎症過程と考えられている。地図状舌は溝状舌を合併することがあり，通常良性で溝が小さいことが特徴である[56]。

よくみられる舌の異常には，ウイルス感染に伴う苔舌（上表面に白色層がある舌），**レンサ球菌性咽頭炎**（下記参照）や猩紅熱における**イチゴ舌 strawberry tongue** などがある。

程度がひどい舌小帯短縮症の場合は構音障害を呈することがある。

典型的な**レンサ球菌性咽頭炎 streptococcal pharyngitis** では，イチゴ舌，扁桃や扁桃周囲咽頭の白色または黄色滲出液，牛肉のような赤みを帯びた口蓋垂，口蓋の点状出血を認める（表 25-9「歯，咽頭，頸部の異常」を参照）[57]。

扁桃周囲膿瘍 peritonsillar abscess では，扁桃の発赤と左右非対称の扁桃突出を認め，痛みで開口困難となり，口蓋垂の外側への偏位がみられる。

| 診察の技術 | 異常例 |

非常にまれではあるが，咽頭痛と嚥下困難があり，気道の通過障害による**三脚肢位 tripod position** で，じっと動かず座っている子どもにでくわすことがある。これは急性喉頭蓋炎やその他の原因による上気道閉塞の症状であり，無理に口腔内を診察しようと開口させてはいけない。口腔内診察によって吐き気（咽頭反射）や喉頭閉塞が誘発される可能性がある。

子どもの声の質に注目する。疾病により，声の高さや質が変化することがある（Box 25-41）。

急性喉頭蓋炎 acute epiglottitis は，米国では**インフルエンザ菌**（*Haemophilus influenzae*）**b 型**のワクチンにより，現在ではきわめてまれな疾患となった。

細菌性気管炎 bacterial tracheitis は気道閉塞の原因となりうる。

扁桃炎 tonsillitis はレンサ球菌やブドウ球菌などの細菌，ウイルスが原因となる。滲出液のある扁桃腫大ではまるで「熱いジャガイモを口に入れた」声と表現される。

小児肥満の蔓延により，いびきをかいたり**閉塞性睡眠時無呼吸 obstructive sleep apnea** を呈する子どもが多くなっている。

Box 25-41　声の変化：異常をみつけるコツ

声の変化	異常の可能性
高度の鼻声	粘膜下口蓋裂
鼻声といびき	アデノイド肥大症
嗄声	ウイルス感染症（クループ）
熱いジャガイモが口に入っているような話し方	扁桃炎

異常な口臭がないかどうかにも注意する。診断に結びつく可能性がある。

小児では上気道，咽頭，口腔内の感染症や，鼻腔内異物，副鼻腔炎，歯科疾患，胃食道逆流症などが**口臭 halitosis**（臭い息）の原因となる。

頸部

乳児期以降での頸部の診察手技は成人と同じである。リンパ節腫脹は乳児ではまれであるが，幼児・学童期ではきわめてよくみられる。小児のリンパ系の発達は12歳で頂点に達し，頸部リンパ節あるいは扁桃腺のリンパ組織は8〜16歳で最も大きくなる（図 25-57 を参照）。

小児期のリンパ節腫脹の大部分の原因は感染症である（ほとんどがウイルス感染症であるが，細菌感染症のこともある）。悪性疾患は，多くの親が心配する疾患ではあるが，実際はまれである。正常なリンパ節と異常なリンパ節や頸部の先天性嚢胞とを区別することが重要である。

図 25-27 に正常なリンパ節の典型的な分布と頸部先天性嚢胞の生じる部位を示した。

頸部の可動域 neck mobility を確認する。頸部が軟らかく，すべての方向によく動くことを確実に調べることが大切である。子どもが非対称性に一方向にばかり頭部を向けてかたまった姿勢をとっている場合，また髄膜炎などの中枢神経系疾患を疑う場合は特に重要である。

リンパ節腫脹 lymphadenopathy は通常，ウイルス性または細菌性の感染症によって起こる（表25-9「歯，咽頭，頸部の異常」を参照）。

悪性疾患はリンパ節の径が2 cm より大きく，硬くて皮膚やそのリンパ節の下部組織に固着して動かず，体重減少などの全身状態の悪化を伴っている。

幼児では**下位後頸部リンパ節**と**鎖骨窩リンパ節**（触れる場合は常に異常で腹部悪性疾患の疑いがある）の区別が難しいことがある。

診察の技術

小児における**項部硬直 nuchal rigidity**は髄膜刺激症状を示す，Brudzinski(ブルジンスキー)徴候，Kernig(ケルニッヒ)徴候などより信頼できる徴候である。年長児で項部硬直を確認する際には，子どもに診察台に下肢をのばして座るように指示する。正常な場合は，子どもは背筋をまっすぐのばしたまま座ることができ，その状態で顎を胸につけることができる。幼児では，小さなおもちゃや光を追視させることで何とか頸を前屈させることができる。また，図25-75のように子どもを仰臥位にして，項部硬直を確認することができる。項部硬直のあるほとんどすべての子どもは非常に具合が悪そうで，不機嫌で，診察するのは容易ではない。多くの国で，細菌性髄膜炎は予防接種のおかげで急速にその数が減少している。

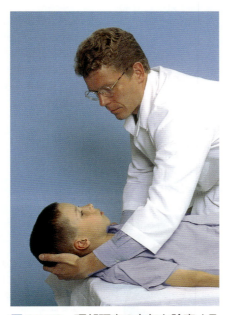

図 25-75　項部硬直の有無を診察する

異常例

項部硬直は，頭をどの方向へ動かそうとしても硬くて抵抗がある状態である。この徴候は髄膜炎，頭蓋内出血，脳腫瘍，その他の原因による髄膜刺激症状を示唆する。このような子どもは非常に不機嫌であやすことが難しく，逆に抱っこなどをしても，いっそう不機嫌になる**逆説的易刺激性 paradoxical irritability**という状況に陥ることがある。

髄膜刺激症状が年長児に生じた場合，**三脚肢位**をとることがある。下肢をのばしたまま上体を垂直に起こすことができず，下顎を胸につけることができない。

表25-15「疾病予防の効力：予防接種によって予防可能な疾患」を参照。

胸郭と肺

小児においても，肺の診察は成人と同様に行うことができる。嫌がらずにうまく診察に協力してもらえるかどうかが重要である。

聴診は子どもがほとんど気づかないうちに行うと容易であることが多い(親の膝に座らせている間)。聴診器を怖がってしまう幼児には，胸にあてる前に聴診器で遊ばせると，怖がらずに聴診できるようになる。

吸気と呼気にかかる時間の比率を評価する。**正常では，1：2である**。吸気または呼気延長はどこに異常があるのかを知る手がかりとなる。延長の程度や努力呼吸の程度により，重症度がわかる。

クループなどの**上気道狭窄 upper airway obstruction**がある場合，吸気が延長してストライダーや咳嗽，rhonchiなどを伴う。

気管支喘息などの**下気道狭窄 lower airway obstruction**がある場合，呼気が延長し，しばしば笛音(呼気性喘鳴)(咳嗽も)を伴う。

診察の技術

幼児の場合「息を深く吸って」と依頼すると吸った後そのまま息を止めてしまうことが多く，肺音の聴診が難しくなってしまう。そのため，ふつうに呼吸をさせたほうが聴診しやすい。学童期以降は診察に適した静かな深い呼吸をこちらが見本としてやってみせるとよい。また，努力呼吸の聴診を行う際にはゲーム感覚で行うとよい。例えば，誕生日ケーキのろうそくを想像してそれを吹き消すようにしてもらったり（図 25-76），風車を使って吹いてもらう方法がある。

図 25-76 児に強制呼気をさせる

通常，年長児は呼吸器系の診察に協力的である。胸に置いた手で肺音を感じる診察や，"E"と発声させて聴診器で"A"と変化して聴こえるかどうかといった声音振盪により，疾患の有無を確認することができる。子どもが大きくなるにつれ，前述したような努力呼吸（例：陥没呼吸），鼻翼呼吸，呻吟などの視診で呼吸器系の病態を評価することはしだいに難しくなる。触診，打診，聴診が，胸郭と肺の注意深い診察ではさらに重要となってくる。

呼吸障害のある幼児では，気道の開通性を確保するため，上体を前に乗り出した**三脚肢位**をとることがある（図 25-77）。咽頭の通過障害がある場合も同様の姿勢をとることがある。

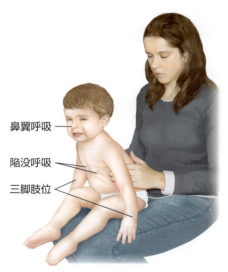

図 25-77 呼吸障害のある小児

異常例

幼児の**肺炎** pneumonia では一般的に発熱，頻呼吸，呼吸困難，呼吸努力増大を伴う。

幼児のウイルス性上気道感染症は成人と同様の症状を呈する。つまり一般的に具合はよく下気道症状を伴わない。

小児喘息 childhood asthma は世界中で非常によくみられる疾患である。気管支喘息の急性発作の重症度はさまざまであるが，努力呼吸の増加を伴っていることが多い。可逆性気管支攣縮による呼気性喘鳴と呼気延長は聴診器においてはもちろんのこと，聴診器なしでも聴取できる。呼気性喘鳴は上気道分泌物による吸気時 rhonchi（低調性連続性副雑音）を伴うことが多い[58]。気管支喘息発作はしばしばウイルス感染をきっかけに生じる。

小児がこれらの呼吸障害の徴候を示す場合は，迅速に対応しなければならない。上気道閉塞（喉頭蓋炎や細菌性気管炎），細菌性またはウイルス性下気道感染，そして異物による気道閉塞などが原因として考えられる。

心臓

乳幼児の心血管系の診察は成人と同様である。しかし子どもは怖がったり診察に協力することができなかったりするので診察が難しいことがある。その一方で遊びを好むことを利用すると診察がより簡単に，実り多いものにもなる（図 25-78）。子どもの発達に関する知識や役に立つ技術を駆使して診察するとよい（Box 25-42）。

全身の（みた目の）異常から，先天性心疾患の存在を疑うべきと判断されることがある。Down 症候群や Turner 症候群などがあげられる。

図 25-78　幼児は親に抱っこしてもらうと診察しやすい。聴診器を前胸部へ回して聴診することもできる

Box 25-42　幼児の心臓診察に役立つテクニック

- 幼児（2〜4 歳）
  - まず子どもまたは親の腕に聴診器をあてる
  - 子どもに聴診器を触らせて少しの間遊ばせる
  - 子どもを親の膝上にいる状態で診察し，親に前を向かせてもらう
  - 子どもの両手それぞれにものを持たせると，手で抵抗しにくくなる
  - 子どもにスマートフォンやタブレットで動画をみせる（音量は小さめにする）
  - 子どもの注意をひくように延々と話しかけ，一時的におしゃべりを止めてそのすきに聴診する（子どもは聴診していることを気にしなくなる）
- 年長児（5〜10 歳）
  - あらかじめ何をするかを説明する
  - 聴診器が冷たいかもしれないことを子どもに伝える
  - 非常に穏やかな笑顔で「しーっ」といい，子どもに静かにするようお願いする
  - 普段のように呼吸するよう子どもにお願いする

良性心雑音

就学直前または学童期には，良性の心雑音がしばしば聴取される（Box 25-43）。最もよく聴かれる **Still（スチル）雑音**は，Ⅰ〜Ⅱ/Ⅵの強度で，楽音様，振動性で上音（高い周波数の複合音）を伴って早期あるいは中期収縮期に，胸骨左縁中央から下方の位置で聴取される。頸動脈の部位でも雑音が聴取される。通常，頸動脈を圧迫するとこの前胸部雑音は消失する。Still 雑音は聴取のされ方にばらつきがあり，発熱や運動で心拍出量が増えると増強される。Still 雑音は児が仰臥位から座位，立位をとる順に小さくなり，逆に診察を児を仰臥位にすると雑音が大きくなることが多い[38]。

Box 25-43「幼児・学童期の良性心雑音」を参照。

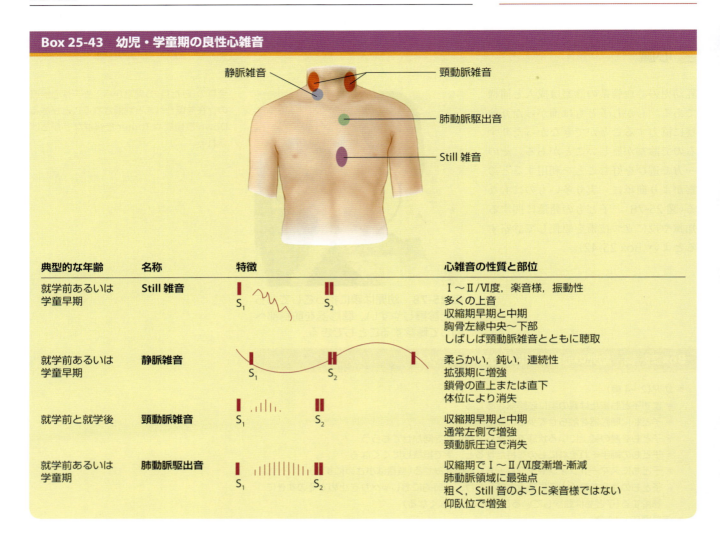

Box 25-43　幼児・学童期の良性心雑音

典型的な年齢	名称	特徴	心雑音の性質と部位
就学前あるいは学童早期	Still 雑音	S_1　S_2	Ⅰ～Ⅱ/Ⅵ度，楽音様，振動性 多くの上音 収縮期早期と中期 胸骨左縁中央～下部 しばしば頸動脈雑音とともに聴取
就学前あるいは学童早期	静脈雑音	S_1　S_2	柔らかい，鈍い，連続性 拡張期に増強 鎖骨の直上または直下 体位により消失
就学前と就学後	頸動脈雑音	S_1　S_2	収縮期早期と中期 通常左側で増強 頸動脈圧迫で消失
就学前あるいは学童期	肺動脈駆出音	S_1　S_2	収縮期でⅠ～Ⅱ/Ⅵ度漸増-漸減 肺動脈領域に最強点 粗く，Still 音のように楽音様ではない 仰臥位で増強

就学直前または学童期の子どもでも，**静脈雑音 venous hum** を聴取することがある。静脈雑音は柔らかく反響する連続性雑音で，拡張期に増強し，鎖骨の直上または直下で聴取される（図 25-79）。この雑音は，静脈還流を妨げるような姿勢，例えば仰臥位になったり，頭部の位置を変えたり，頸静脈を圧迫すると，消失する。呼吸音と非常に似た性質のため，しばしば見逃される[38]。

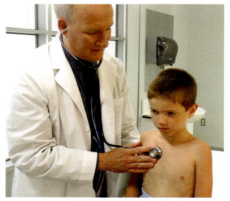

図 25-79　静脈雑音の聴取

幼児期において，一般的な良性雑音で特徴的な所見を伴わない心雑音が聴取される場合，何らかの心疾患の存在が示唆されるため，小児循環器科医による詳細な評価が必要である。

心疾患を示唆する病的心雑音は新生児期をすぎた後や幼児期になって，はじめて聴取されることがある。例えば，**大動脈狭窄 aortic stenosis** や **僧帽弁疾患 mitral valve disease** である。

診察の技術

頸動脈領域または鎖骨直上で聴かれる良性雑音を**頸動脈雑音 carotid bruit**という。収縮期早期あるいは中期雑音であり，少し粗い音がする。通常左側で強く聴かれ，単独あるいは Still 雑音とともに聴取される。頸動脈圧迫によって完全に消失する（図 25-80）。

肺動脈駆出音 pulmonary flow murmur は典型的には胸骨左縁上部で聴取される。Ⅰ～Ⅱ/Ⅵ度の粗い駆出性の漸増・漸減する雑音である。第 2 心音は正常である（つまり通常は大きくない）Still 雑音と同様に，肺動脈駆出音も仰臥位になると雑音が大きくなる。児が座位または立位のとき，息を止めているときは雑音が小さくなる。

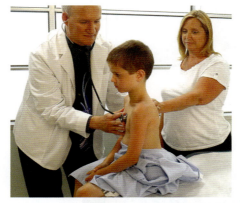

図 25-80　雑音を聴取する間は頸動脈を圧迫する

四肢の血圧

一度は両腕と下肢の血圧を測定し，**大動脈縮窄症 coarctation of aorta** の可能性を調べておく。大動脈縮窄症が否定されたら，右腕の血圧のみ測定する。

腹部

歩きはじめから早期幼児までは，正常でも腹部が突出しており，立位になるとそれがはっきりする。診察は成人と同様の順序で行えるが，診察の間，子どもの気をそらすための方法を工夫する必要がある。

この時期の子どもは，診察者が腹部を**触診**しようと手を置くとくすぐったがるものである。腹部の触診を本格的にはじめる前に少しの間，診察者の手全体を子どもの腹部に置いたまま話をして気をそらすようにするとよい。非常に敏感で，すぐ腹筋を緊張させこわばらせる子どもに対しては，子ども自身の手に診察者の手を添えて腹部を触れるのがよい。すると，子どもは自分の手をはらうので，診察者が腹部を自由に触診できるようになる。成人で打診を用いて行うのと同様に，**肝臓辺縁 liver edge** を触診し季肋部肝臓長を計測する。打診で予測される季肋部肝臓長を Box 25-44 に示す。

図 25-81 に示すように，子どもの股関節と膝を屈曲させて腹壁の緊張を緩めるようにする。まず軽く浅めに腹部全体を触れ，その後深く触れるようにする。病変がありそうな部位は最後に診察すること。

異常例

大動脈縮窄症では，上肢に比べて下肢の血圧が低くなる。

非常に大きな太鼓腹の場合は，セリアック病，嚢胞性線維症，便秘，吸収不良症候群を考えなくてはならない。発展途上国では太鼓腹がクワシオルコルや腸管内寄生虫の徴候である可能性がある。

小児における腹部膨隆の原因として便秘 constipation によるものが多い。打診で鼓腸音を呈し，触診では便塊を触知できることがある。

慢性または反復性の腹痛は小児で比較的多くみられる症状である。腹痛の原因となる機能性の異常には，過敏性腸症候群，機能性消化不良，小児期機能性腹痛症候群があげられる。小児における他の原因として，胃炎，潰瘍，胃食道逆流症，便秘，炎症性腸疾患があげられる。

診察の技術 | 異常例

図 **25-81** 腹部触診時の体位

Box 25-44　幼児・学童期に予想される季肋部肝臓長(訳注)

年齢(歳)	平均値(cm)	
	男児	女児
2	3.5	3.6
3	4.0	4.0
4	4.4	4.3
5	4.8	4.5
6	5.1	4.8
8	5.6	5.1
10	6.1	5.4

肝臓と同じく，**脾臓 spleen** は一部の子どもで容易に触れることができる。脾臓は軟らかく辺縁は鋭角で，左の肋骨下端から舌状に下方へ広がっている。正常な脾臓はよく動き，肋骨下端から 1〜2 cm 以上の下部で触れることはない。

急性胃腸炎 acute gastroenteritis が原因で腹痛を訴える小児は多い。この場合，腹痛があっても腸蠕動音の亢進と軽度の圧痛を認める以外は腹部身体所見に異常を認めない。

小児肥満の蔓延により，腹部の過度な肥満を呈する児が増えている。そのため腹部診察がさらに困難となるが，診察手順は同じである。

幼児の**肝腫大 hepatomegaly** はふつうではみられない。原因として嚢胞性線維症，寄生虫，脂肪肝，肝炎，腫瘍などがある。

肝腫大に巨脾も伴っている場合は，門脈圧亢進症，肝内代謝物の異常蓄積，慢性感染症，そして悪性腫瘍を考える。

巨脾 splenomegaly もさまざまな疾患によって生じる。例えば，感染症，溶血性貧血などの血液学的異常，悪性疾患，炎症性・自己免疫疾患があり，門脈圧亢進症によるうっ血も考えられる。

訳注：肝臓長については，第 19 章「腹部」(p.652〜653)を参照のこと。

| 診察の技術 | 異常例 |

その他の腹部臓器を触れる。通常，心窩部には大動脈の拍動を触れる。大動脈の拍動は正中線のやや左を深く触診すると，最もよく触知できる。

便秘による便塊，拡張した膀胱，腫瘍のような重篤な疾患によっても腹部腫瘤 abdominal mass を触知することがあるので，注意が必要である。

年長児の腹部の圧痛を触診で確かめる方法は成人と同じである。ただし，腹痛の原因については成人と大きく異なっており，広範囲の急性ないし慢性の疾患が多くみられる。圧痛の部位を同定することで，腹腔内のどの器官の痛みなのかを絞りこむことができる。

急性虫垂炎など小児の**急性腹症 acute abdomen** では，腹部の不随意筋硬直，反跳痛，Rovsing（ロブジング）徴候，腸腰筋または閉鎖筋徴候（p.661〜662 参照）の有無を確認する[59]。胃腸炎，便秘，消化管閉塞などが急性腹症の原因となりうる。

男児生殖器

生殖器診察の際は必ず，親など適切な付き添い者がいるもとで行うべきである。陰茎を観察する。前思春期の小児の陰茎は，異常に大きいまたは小さい場合でない限りは，サイズはあまり問題とはならない。肥満児では恥骨結合周辺の脂肪組織が多いために陰茎を覆って，サイズがわかりにくくなっている場合もある。

思春期早発症 precocious puberty では，陰茎と精巣が思春期特有の変化とともに大きくなる。性器以外での思春期発来の変化も生じる。アンドロゲン過剰によるもので，副腎腫瘍や下垂体腫瘍などを含む複数の原因によっても生じる。

幼児の陰嚢および精巣の**触診**を行うと，精巣が鼠径管に引き上げられ（**精巣挙筋反射 cremasteric reflex**），停留精巣のようにみえることがある。不安というだけでも精巣挙筋反射を誘発してしまうため，この部分の診察は子どもがリラックスしているのを確認してから行ったほうがよい。児を寝かせ，**温めた手で，まず下腹部を触診し**，そのままゆっくり下方へ診察を進めて，鼠径管をたどって精巣に到達するようにする。この方法で精巣挙筋反射を最小限に抑えることができる。陰嚢の中に精巣が認められれば，鼠径管の中にとどまっていたものであっても，腹腔外に下降する。反射によって鼠径管に引き上げられた精巣は用手的に陰嚢内に戻すとそこで固定するが，停留精巣の場合は陰嚢内に戻してもすぐに鼠径管に引き戻されてしまう。

停留精巣 cryptorchidism が幼児期にみつかることがある。この時期に発見された場合は手術が必要である。素手で引き下ろせるものは停留精巣ではないので区別を要する。

幼児における**疼痛を伴わない陰嚢腫脹 painless scrotal mass** は，陰嚢水腫（精巣水瘤）または非嵌頓性の鼠径ヘルニアであることが多い。他のまれな原因としては精索静脈瘤や腫瘍があげられる。

精巣の痛みは緊急のコンサルテーションと治療を要する。

精巣の痛み painful testicle の考えられる原因として，精巣上体炎や精巣炎などの感染症，精巣捻転，精巣垂捻転があげられる。

精巣挙筋反射は大腿部内側をやさしく上下にさすると誘発することができる。さすった側の精巣が上部へ持ち上がる。

成人と同様，鼠径管に触れ，鼠径ヘルニアを示唆する腫脹などがないか観察する。必要があれば，児に風船を膨らませるまねをして腹圧をかけてもらったり，唇をすぼめて頬を膨らませ息を吹くことをしてもらい，このような Valsalva（バルサルバ）手技で鼠径管が膨らまないかどうかを確認する。

鼠径ヘルニア inguinal hernia が成人男性と同様に年長男児にもみられることがある。特に鼠径管の腫脹が Valsalva（バルサルバ）手技でみられる。

診察の技術 | 異常例

女児生殖器

診察の際は必ず，親など適切な付き添い者がいるもとで行うべきである。年長児の女児にとって，生殖器の診察は不安を感じるものであり，親もまた同様である。しかしながら異常所見の有無を確認したり，正常所見の場合は親に安心してもらうために施行することが重要である。

子どもの発達段階に応じて，体のどの部分を診察するのか，また性器の診察は通常の身体診察の一部であることをまず説明するとよい。

新生児期をすぎ，乳児期以降では，大陰唇と小陰唇はぺったりとくっつき，処女膜は薄く，透光性を有し，血管に富み，辺縁は容易に同定できるようになる。

乳児期後期から思春期・青年期に至るまで，性器の診察は同様である。各発達段階に応じた説明をしながら，冷静に，丁寧に診察を進めるべきであり，明るい光源が必要である。たいていの子どもは仰臥位でカエル様肢位で診察することが可能である。

子どもが抵抗する場合は，診察台に親子で一緒に座ってもらう。あるいは，子どもが親の膝の上に座った状態で診察することも可能である。子どもが怖がるので内診台は用いないようにする。図25-82は，5歳女児を母親の膝に座らせ，母親が子どもの膝を開脚するように保持しているところである。

外性器は無駄に時間をかけることなく系統立てて診察する。陰毛，陰核の大きさ，大陰唇の色と大きさ，皮疹，皮下出血を伴う挫傷，その他の病変がないかに注意する。

続いて，診察者の指で大陰唇を図25-83のように左右に開く。図25-84に示すように，両手の母指と示指で大陰唇をつかみ，外側からやさしく診察者のほうに引っ張る方法でも内部を確認できる。いわゆる陰唇癒合は，小陰唇癒合のことを指すが，前思春期の子どもにみられる。これらは正常所見であり，もしくは病的意義のない正常変異ともいえる。

図 25-82 背後に母親がいることで子どもは安心する

7歳以前に陰毛が出現する場合，**思春期早発症** precocious adrenarche を考え，原因を検索しなくてはならない。

外性器の発疹は物理的刺激や発汗，カンジダ *Candida* やレンサ球菌といった細菌感染から生じる。

外陰腟瘙痒症や紅斑は，外部の物理的刺激，泡風呂，自慰行為，蟯虫，カンジダや性感染症などのその他の感染症が原因となりうる。

診察の技術

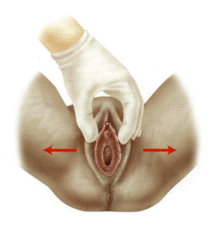

図 25-83　性器を診察するために大陰唇を左右に開く

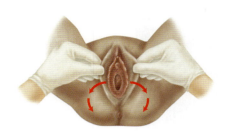

図 25-84　母指と示指を用いて性器内部を診察する

異常例

幼児期早期の**腟分泌物** vaginal discharge は**外陰部への刺激**（例：泡風呂や石鹸），**異物**，**外陰腟炎** vulvovaginitis，**カンジダ** *Candida*，**蟯虫** pinworm や，性的虐待による **STI** などが原因となる。

思春期早発症 precocious puberty によって，幼児に月経が発来することがある。

膿性の，おびただしい，悪臭のある，血液の混じった白帯下は，**感染症，異物，外傷**を考えて評価する。

腟内の出血所見は注意すべき所見であり，さらなる精査が必要である。

小陰唇，尿道，処女膜，腟の近位側を観察する。処女膜の腟口縁がよくみえないときは，子どもに深呼吸させ，腹筋を緩めるようにいう。

その他の方法（経験を積んだ小児科医により行われ，性的虐待などの可能性がある場合などの診察）としては，図 25-85 および図 25-86 にあるように腹臥位で膝胸位をとらせる。このような方法で処女膜の部位を開くことができることが多い。経験のある診察者であれば生理食塩液の滴下を用いて処女膜辺縁の粘着性を弱めることもできる（開きやすくする）。

嘆かわしいことに，**性的虐待** sexual abuse は，もはや世界中で日常的に起こっている問題である。女性の 5 人に 1 人が小児期に何らかの性的虐待を受けたことがあると報告しており，多くはないものの重症の身体外傷を伴う例もある[60]。

図 25-85　より高度なテクニックによる処女膜診察のための体位

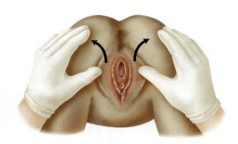

図 25-86　処女膜を広げるために母指を使って陰唇を開く

診察の技術

Box 25-45　前思春期，思春期の処女膜の正常な形状

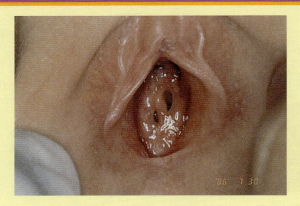

6歳　処女膜が分裂して2個の入口部となっている。入口部を開口させるには陰唇を十分広げる必要がある

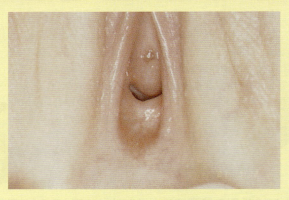

7歳　処女膜入口部は半月状。半月状処女膜は処女膜孔を囲まず，処女膜孔下部を境界として処女膜輪の後ろ側かつ側方へのびている

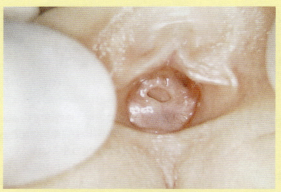

2歳　入口部は輪状を呈し，陰唇を左右に広げると観察できる。輪状とは処女膜が膣口のまわりを囲んでいることを示す

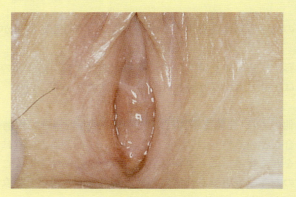

9歳　エストロゲン作用により陰唇が余剰にのびている。さらに陰唇を広げるか，胸膝位でないと正常な入口部が観察できない。入口部が同定できない場合は，処女膜閉鎖の可能性を考える

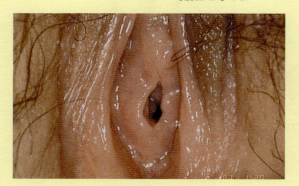

12歳　処女膜は輪状の入口部の形状をとるとともに，思春期の女性ホルモンの影響を受け，陰部組織が厚くなりピンク色を呈している

写真出典：Reece R, Ludwig S, eds. *Child Abuse: Medical Diagnosis and Management*. 2nd ed. Lippincott Williams & Wilkins; 2001.

診察の技術

女性ホルモンによって保護されていないこの時期の処女膜は，触診で非常な痛みを誘発するので，処女膜縁には触れないようにする。分泌物，小陰唇癒合，病変の有無，卵胞ホルモン（女性ホルモン）による変化（思春期の発来を意味する），処女膜の変形（処女膜閉鎖や中隔処女膜があるが，まれ），局所の衛生状態を観察する。薄い分泌物（白帯下）がみられることがある。**前思春期の女児では，重度の外傷や腟内異物などが疑われる場合を除き，腟鏡診による腟や子宮頸部の診察は禁忌であり，専門家が行うべきである。**

乳幼児の正常な処女膜の形状は，Box 25-45 に示すように，児によって異なり，変化に富む。処女膜に盛り上がり，切れこみ，小さな突起などを認めることがあるが，すべて正常範囲内の所見である。処女膜孔（腟孔）の大きさは年齢によってさまざまであり，また診察のアプローチによっても変わってくる。したがって，処女膜孔の大きさと性的暴行を受けたかどうかには関係性が乏しい。

身体診察で**性的虐待**を示唆する徴候が明らかになることもある。病歴でそれを疑わせる手がかりがある場合，特に性器の診察が重要となる。

性的虐待がすでにわかっている場合でさえ，診察ではほとんどといっていいくらいめだった所見がみられない。性器の診察が正常だからといって性的虐待がないとは決していえない。

処女膜孔の辺縁 hymenal edge が滑らかで下方半分（背側半分）に断裂がなければ，おそらく処女膜は正常であろう（しかし処女膜は他の組織と同様に 7～10 日で治癒するため，性的虐待を否定することはできない）。しかし，特定の所見があれば，性的虐待の可能性を疑い，専門医のさらなる周到な評価を必要とする。

直腸と肛門

直腸診はルーチンの診察には含まれないが，腹腔内・骨盤・直腸周囲の病変を疑った場合には行うこと。幼児の直腸診は側臥位あるいは砕石位で行うことができる。多くの幼児は砕石位を怖がることはないので，楽に行えるのがふつうである。子どもを仰臥位とし，膝関節と股関節を屈曲させ，下肢全体は開脚外転させる。腰から下は布で覆う。診察中，何度も声をかけて安心させ，口呼吸で息を吸ったり吐いたりさせて力を抜かせる。殿部を押し広げ，肛門を観察する。幼少児であっても，手袋を着用し潤滑剤を十分塗れば，示指で無理なく診察することができる。他方の手で腹部を触診する。他方の手をこのように使うのは，子どもをなだめながら，2つの手で腹部器官をはさみこむようにして病変部位を確認するためである。幼児期の男児では前立腺は触れない。

異常例

外性器の擦過傷やその他の外傷では，自慰，刺激，不慮の外傷など良性の原因によることもあるが，性的虐待の可能性を常に考えなくてはならない。

表 25-12「性的虐待の身体徴候」を参照。

表 25-12「性的虐待の身体徴候」に示されているように，外陰部の裂傷や斑状出血，治癒早期の創，仰臥位診察時に処女膜の 3 時から 9 時方向の消失や治癒した横断面がみられるなどの場合，**性的虐待**を強く示唆する。膿性分泌物やヘルペス様病変などの所見も同様である。

肛門の皮膚垂 anal skin tag は炎症性腸疾患でもみられるが，正中に位置している場合は正常の偶発的所見であることが多い。

直腸診で圧痛を認めた場合は感染性あるいは炎症性の原因を示唆する。例えば，**膿瘍 abscess** や**虫垂炎 appendicitis** などである。

反射性肛門拡張（肛門反射拡張）は肛門を含む性的虐待の可能性を示唆し，専門家による精査が必要である。

| 診察の技術 | 異常例 |

筋骨格系

年長児では，外傷がない限り上肢の異常はまれである。

歩きはじめの幼児は，牽引による外傷で橈骨頭が亜脱臼を起こす，いわゆる**子守女肘 nursemaid's elbow**（肘内障）を生じることがある。児は肘を曲げた状態で腕を動かさなくなる。

正常の幼児では，成人に比べて腰部の凹状態が強く，胸郭の凸状態が弱いために，腹部がしばしば突出してみえる。

子どもが裸足で立ち，歩くのを観察する。子どもにつま先を触れさせたり，座っている姿勢から立たせてみたり，短い距離を走らせてみたり，床にあるものを拾わせたりする。子どもの前方あるいは後方から注意深く観察することで，ほとんどの異常を把握することができる。

小児期の突然の跛行は外傷や怪我によるものが一般的ではあるが，骨，関節，筋肉の感染症や悪性疾患などの多くの原因が考えられる。肥満の児では，**大腿骨頭すべり症 slipped capital femoral epiphysis** も考慮する。

早期乳児には内反膝（O脚）傾向（図25-87）の下肢の成長はよくみられる正常な現象であり，1歳半をすぎる頃からしだいに消失していく。その過程で今度は逆に一時的ではあるが，外反膝（X脚）傾向になる。

外反膝傾向 knock-knee pattern（図25-88）は通常3歳で一番強くなり，7歳までには自然に矯正される。

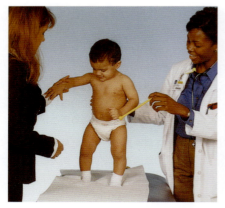

図 25-87 内反膝は幼児では正常である

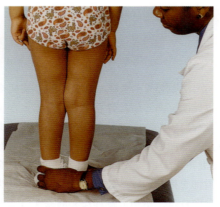

図 25-88 外反膝は小児では必ずしも異常ではない

高度の**内反膝 genu varum** のようにみえても正常のことがよくあり，自然によくなっていく。極端な内反膝あるいは片側性の内反膝は**くる病 rickets** や内反脛骨（Blount病）のことがある。

診察の技術

脛骨捻転は図 25-89 に示すいくつかの方法[43]で評価できる。子どもを腹臥位に寝かせ，膝を 90 度屈曲させる。このときの大腿と足の間の軸を観察する。通常，それぞれの大腿の中線を中心に足部を 0〜10 度まで外転，内転できる。大腿と足の間の軸の角度がマイナスとなれば脛骨捻転が示唆される。内果の位置を確認する。通常は左右対称である。

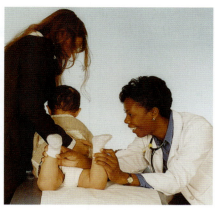

図 25-89　脛骨捻転を確認する

大腿骨内側捻転（または大腿骨前捻転）は大腿骨が内側へねじれた結果，つま先が内側へ向いた状態のことで，3〜4 歳以降に生じる。この状態は 8〜10 歳までに改善する傾向があり，多くの大人にも同様の所見がみられる。

p.1078 で述べる方法を用いて，1 人で立つことのできる幼児，年長児については，側弯がないかどうか観察する。

股関節疾患に伴うこともある**下肢短縮 leg shortening** の有無について確かめる。下肢の上前腸骨棘から内果までの距離を左右で比較する。両股関節が水平で同じ高さかどうかを確認する。子どもの両下肢をやさしく引っ張り，まっすぐにのばし，左右の内果の高さを比較する。左右の内果にインクで小さな印をつけ，それらを合わせて位置を決め，そこからそれぞれの腸骨稜までの距離を直接測定する方法もある。

子どもを直立させ，後ろから両側の腸骨稜に水平に手を置いてみる。腸骨稜の高さに多少の差がみられることがあるが，正常である。脚長差が疑われる場合は，短いと思われるほうの足の下に本を置き，その上に立たせることで，正常かどうか判断できる。これで腸骨稜の高さに差がなくなれば，脚長差があると判断できる。

重篤な股関節の疾患がないか，中殿筋の筋力低下がないかどうかも合わせて評価する。子どもを片方ずつの足で立たせ，そのときに体重を一方の足にかける様子を子どもの背後から観察する（図 25-90，25-91）。一方の足に荷重がかかった際に骨盤の高さが変化せず保たれる所見を **Trendelenburg（トレンデレンブルグ）徴候陰性** という[61]。一方，重篤な股関

異常例

小児における下腿の疾患では，その原因として，事故による怪我が最も多い。幼児の骨折はやや多くみられ，骨と成長板の発達が未熟であり，遊んでいる最中の怪我も多いためである。関節の怪我，捻挫，腱損傷は幼児でよくみられる。

小児における慢性的な跛行は **Blount 病**，大腿骨頭無血管性壊死などの股関節疾患，脚長差，脊椎疾患や，まれに悪性腫瘍などが原因となることがあるので，注意が必要である。

図 25-90　Trendelenburg 徴候陰性

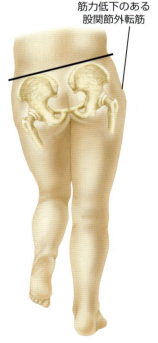

図 25-91　Trendelenburg 徴候陽性

| 診察の技術 | 異常例 |

節疾患では，患側へ荷重をかけると**骨盤が健側へ傾く**（殿部筋肉が股関節を保持できず，荷重のかかっていない脚が下がる）異常所見がみられる（**Trendelenburg 徴候陽性**）。

神経系

乳児期をすぎると，神経学的診察は成人と同様の項目を含めて評価することができるようになる。神経学的評価と発達評価を組み合わせながら，子どもと一緒にゲーム感覚で発達到達度と神経学的評価を行うとよい。

就学前幼児には有効性が確認された発達評価スクリーニング法を用いる。この評価を行うにあたって，通常この時期の子どもは喜んで協力してくれるし，診察者も評価していて楽しいものである。子どもの場合，神経学的徴候の多くが発達の異常に伴って生じる。3歳以上では，絵を描かせたり，ものをまねて描かせたり，それらの絵をもとに話をしたりしながら，微細協調運動，知的発達，言語発達を同時に評価することができる。

痙性両麻痺 spastic diplegia の小児では乳児期にしばしば筋緊張低下がみられ，幼児期に入ると筋攣縮を伴う筋緊張亢進，はさみ足，そして手を握りしめて拳をつくる様子がみられるようになる。

社会的関係性の構築や，言語または非言語コミュニケーションに問題がある場合，興味が偏っていたり，同じ動作を繰り返すなどの特徴がみられる場合は，自閉症の可能性が示唆される。

発達の遅れがある場合，1種類だけ（例：協調運動や言語発達）の遅れなのか，数種類の遅れを合併する全般的な遅れなのかを区別する。後者の場合はさらに広域の神経疾患，例えば，さまざまな原因による**知的障害**などの病態を反映している可能性が高い。

感覚

感覚神経の診察は綿球を用いたり，児をくすぐったりして行う。閉眼させて行うのが最もよい。針で刺したりはしない。

歩行，筋力，協調運動

歩行を観察したり，理想的には走っている様子を観察する。非対称，筋力低下，異常な足どり，ぎこちなさに注意する。

年齢相当の発達到達度に沿って，踵-つま先歩行（図25-92），片足跳び，ジャンプなど適切な方法を用いて評価する。協調運動や上肢筋力の検査にはおもちゃを使う。

足を協調させて歩行できない場合，股関節，膝関節，足関節の変形による肢位異常などの整形外科的な原因と，**脳性麻痺 cerebral palsy，運動失調 ataxia，神経筋接合部の異常 neuromuscular condition** など神経学的異常からくるものとを入念に鑑別しなくてはならない。

診察の技術

診察していて子どもの筋力が気になったときは、その子どもを仰臥位で床に寝かせ、その状態から立たせ、各過程を細かく観察する。通常、多くはまず上体を起こし、その状態から膝を折り、両腕をぴんとのばして、その腕で床を押して立ち上がる。

利き手は2歳までにみられることが多いが、就学前幼児の多くは行う作業によって好んで使う手も変わる。もっと前から利き手がみられる場合は、反対側の上肢の筋力低下がないかどうか確認すること。

図 25-92　踵-つま先歩行は協調運動の指標である

異常例

下肢帯筋（下肢近位筋）の脱力を伴う**筋ジストロフィ muscular dystrophy** のある特定の型では、立とうとするときにまず寝返りをうって腹臥位となり、下肢が伸展している状態で上肢で床を押す動作をする[訳注]〔Gowers（ガワース）徴候〕。

深部腱反射

成人で行うのと同様の方法で評価できる。最初に、打腱器を子どもに握らせて、痛いことはしないと安心させながら、どのように用いるか説明する。子どもは膝蓋腱反射を検査したときに、下肢が跳ね上がるのを面白がるものである。緊張感を与えると検査結果が正確ではなくなってしまうので、診察中は眼を閉じてもらうこと。

軽度の脳性麻痺の児では、筋緊張の亢進と反射亢進の両方を認めることがある。

小脳機能

小脳機能は、指鼻試験や手または指の急速変換運動の観察によって評価できる（図 25-93、25-94）。5歳以上になると左右の違いをいえるようになるので、成人に行うのと同様、左右を識別させるような課題を与えて評価してもよい。

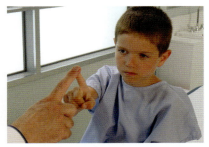

図 25-93　指鼻試験：最初に検者の指を触らせる

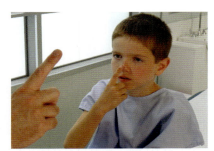

図 25-94　そのつぎに児の鼻を触らせる

ADHD の児では、集中力の欠如のために、神経学的診察、発達の評価に対して非協力的である。これらの子どもたちは、活力の程度が高すぎ、じっとしていられなくなる。学校や決められた課題をこなさなければいけない場でもうまくやれない経験をもっている。その他、不安を感じる状況でも同じような特徴を呈することがあり、十分な病歴聴取と身体診察が必要である。

訳注：さらに下肢を屈曲させ、上腕を下肢近位筋に添えて立ち上がる。

脳神経

Box 25-46 に示すように，各発達段階での評価法を用いることにより，脳神経機能を評価することができる。

Box 25-46　幼児における脳神経の評価法

脳神経		方法
I	嗅覚	年長児では検査可能
II	視覚	3歳以降は Snellen（スネレン）視力表を用いる 成人と同じように視野検査を行う。親に子どもの頭を押さえてもらう必要がある
III, IV, VI	外眼筋運動	光やもの（おもちゃがよい）を追視させる。親に子どもの頭を押さえてもらう必要がある
V	咬筋運動	柔らかい綿球で一緒に遊び，感覚を検査する 歯を食いしばらせたり，食べ物などを噛んだり飲み込ませたりする
VII	顔面筋力	いろいろな表情をさせたり，診察者の表情をまねさせたりして（眉を動かすなど），対称性や顔の動きを観察する
VIII	聴覚	4歳以降は聴力検査を行う 子どもの背後から小さな声で言葉をかけ，反復させる
IX, X	嚥下	舌を思いきり全部出させるか，「あー」と発声させる 口蓋垂の動きを観察する
	嘔吐	咽頭反射を調べる
XI	頸筋運動	診察者が手で子どもの頭を押さえ，子どもにその手を払いのけさせる。「君がどんなに強いかみせてくれないかな」といいながら，診察者が両手で肩を下方に押しながら子どもに肩をすくめさせる
XII	舌筋運動	舌を思いきり外に突き出してもらう

異常例

小児では神経学的に局所徴候を伴うことはまれであるが，外傷，脳腫瘍，頭蓋内出血，感染症などにより生じることがある。**頭蓋内圧亢進 increased intracranial pressure** により脳神経の異常や乳頭浮腫，精神状態の変容などが生じることがある。

髄膜炎，脳炎，脳膿瘍では意識レベルの変容やその他の徴候も認めるが，脳神経に異常をきたすこともある。

顔面神経麻痺 facial nerve palsy は先天性のこともあるが，感染や外傷もしばしば原因となる。

所見の記録

診療記録の記載については小児も成人も同様である。診察の順序が前後することがあっても，所見の記載順は慣習的な文面または電子カルテの形式に合わせて記載してかまわない。

所見を記録する際，最初は文章を用いるかもしれないが，慣れてくれば慣用的な記述を用いるようになる。多くの診療記録によく用いられる表現法を以下に示す。ここに示す例を読み進めると，いくつかの異常所見に気がつくだろう。自己診断しながら読み進めてほしい。これらの所見を解釈できるかどうか確認すること。また，子どもが小さい場合，子ども自身ではなくその親からの報告をうまく所見の記録に組み込むために，表現の修正が必要と思われる個所も確認するとよい。

小児診察の診療記録

2020/04/19
エリは元気な，2歳2カ月の男児で，父親のマシュー・ノーランがこの子の発達と行動を心配してつれてきた

情報源と信頼性：父親

主訴：発達の遅れと手に負えない行動

現病歴：父親によると，エリは姉に比べて発達が遅いようである。彼はいくつかの単語と語句しかいえず，単語を組み合わせた文をいえないし，そのことで意思が通じずいら立ちを覚えているようである。周囲は彼の話していることの4分の1も理解できないでいる。母親からみて身体的発達は正常である。ボールを投げたり，蹴ったりできるし，殴り書きもでき，自分で服を着ることもできる。頭部外傷，慢性疾患，痙攣の既往はなく，発達段階の指標に照らしても，退行はみられない

さらにエリの父親は息子の行動についても心配している。エリは極端に頑固で，しばしばかんしゃくを起こし，怒りっぽく（特に彼の姉に対して），自分の思いどおりにならないとものを投げたり，噛んだり，体あたりなどもする。その行動は父親が近くにいる場合に余計にひどくなるようにみえるが，保育園では問題ないという。彼はじっと座って本を読んだり，みんなとお遊戯するといった1つの行動を持続することができず，すぐに別のことをはじめる。注目すべきことにときに愛情にあふれた愛らしい振る舞いもする。視線を合わせることもできるし，ふつうにおもちゃで遊ぶ。異常な動作もない

食事の好き嫌いが激しく，ジャンクフードを多く食べ，その他はほとんど口にしない。果物や野菜は食べず，ジュースや炭酸飲料を非常に多く摂取する。父親は彼に健康によい食事を与えようとあらゆる努力をしたが，無駄であった

家族はエリの父親が失業して以来1年，相当なストレス下にある。エリはメディケイド（医療扶助）の保険に加入しているが，両親は保険なし

エリは夜を通してよく眠る

服薬歴：総合ビタミン剤を毎日1錠服用

既往歴
妊娠期間：特に問題なし。妊娠中，父親はタバコを1日半箱に減らしていた。ときおり飲酒していた。彼は薬物の使用および感染症の可能性を否定
新生児期：40週で経腟分娩にて出生。2日で退院。出生時体重は2.5 kgであった。父親はどうしてエリが小さく生まれたのか理解していない
既往疾患：軽いもののみ。入院なし
事故：昨年，道で転倒して顔面に裂傷をつくり，縫合処置を必要とした。意識障害は伴わず後遺症もなし

（続く）

(続き)

予防的措置：エリは定期的な疾病予防の健診を受けてきた。6カ月前の前回健診時，かかりつけ医は，エリは発達が少し遅れ気味なので，彼が読んだり，話したり，遊んだりする様子に親がいっそう注意し，親がより刺激を与えるように話し，またその医師が評判がいいと聞いている保育園へ入れることをすすめた。予防接種は受けるべきものはすべて受けている。鉛の血中濃度が昨年は軽度上昇していた。父親は「この子は血が薄い」と表現した。かかりつけ医から鉄剤の服用と鉄分を多く含む食事をすすめられたが，エリは摂取しようとしなかった

家族歴
糖尿病（祖父母に2人，小児糖尿病はなし）と高血圧の家族歴は濃厚である。小児期の発達上の問題，精神医学的問題，慢性疾患の家族歴はなし
発達歴：6カ月でお座り，9カ月で這い這い，13カ月で歩き，最初に喃語（「ママ」や「カー」）がでたのがおよそ1歳であった
個人歴および社会歴：両親は結婚していて2人の子どもと一緒に賃貸アパートに暮らしている。父親はここ1年間失業しているが，ときどきトレーニングジムで働いてきた。母親はエリを保育園に預けて，パートでウェイトレスをしている

母親はエリが生まれて最初の1年間，うつ状態となり，何度かカウンセリングを受けたが，その料金と内服薬の代金を払うことができないために医療機関の受診をやめてしまった。彼女は，車で30分のところに住む自分の母親，多くの友達，また何人かの子守りをしてくれる人たちの援助を受けている

この家族にはいろいろな問題があるにもかかわらず，父親は自分の家族を愛情あふれる正常な家族だといっている。毎日家族そろって夕飯を食べ，テレビをみる時間を制限し，2人の子どもに（エリはじっとしていないが）本を読み聞かせ，定期的に近くの公園で遊ばせるよう心がけているという
生活環境：通常，家の外ではあるが，両親ともに喫煙する
安全環境：父親はつぎのことが大きな心配の種だといっている。エリから目を離せずにいることである。目を離した隙に車の下に走ってもぐりこんでしまうかもしれないと恐れている。家の小さな庭を塀で囲もうかとも考えている。エリは車の中では備えつけのチャイルドシートに座っていることが多い。家の中では煙探知機が作動している。父親の拳銃には安全装置がついている。薬物などは両親の寝室の戸棚にしまってある

システムレビュー
全般：特に問題なし
皮膚：乾燥し，瘙痒感あり。昨年ヒドロコルチゾンを処方された
頭部・眼・耳・鼻・咽喉（HEENT）。頭部：外傷なし。**眼**：視力正常。**耳**：ここ1年で数多くの感染症あり。親のいうことを無視することが多い。彼がわざとそうしているのか，聴こえ方に問題があるのかはわからないという。**鼻**：いつも鼻水を垂らしている。父親はアレルギーではないかと心配している。**咽喉（口腔）**：歯科受診はまだ。歯磨きはときどきする（するしないで，しばしば子どもとけんかになるという）
頸部：腫瘤を触れず，頸部リンパ節は若干大きい
呼吸器：咳嗽と笛音を胸部で聴取。何がきっかけでそうなるのか父親はわからないが，自然によくなる傾向がある。1日中疲れ知らずで走りまわっている（運動で呼吸困難が増すことはない）
心血管系：既往なし。小さいときに心雑音を指摘されたが，自然に消失した

(続く)

消化器系：食欲や食習慣については上述した通り。毎日規則的に排便がある。排尿に関しておむつをとる練習をしていて，夜間寝るときだけおむつをつけている。保育園ではおむつはしていない

尿路系：尿線は正常。尿路感染症の既往なし

生殖器：正常

筋骨格系：いわゆる典型的な男の子で疲れ知らず。軽いたんこぶ，打ち身のあざがあることもある

神経系：歩き方，走り方ともに正常で，年齢相応に協調性あり。四肢の痙性麻痺様の動きなし，痙攣なし，失神なし。父親によると彼の記憶力は優れているが，注意力は持続しないとのこと

精神疾患：基本的に機嫌がよく元気であるが，すぐ泣く。前後にのたうちまわって束縛から逃れようとし，しっかり抱きしめたり，なだめすかしたりする必要がある

身体診察

全身状態：エリは元気で活発な幼児である。彼は深部腱反射をみるハンマーをトラックに見立てて遊んでいる。父親ととても緊密な絆が形成されており，ときおり母親をみては安心している様子である。父親はエリが何か診察室にあるものを壊さないか，心配しているようである。彼の衣服は清潔である

バイタルサイン：身長90 cm（90パーセンタイル）。体重16 kg（＞95パーセンタイル）。BMI 19.8（＞95パーセンタイル）。頭囲50 cm（75パーセンタイル）。血圧108/58 mmHg。心拍数90回/分で整。呼吸数30回/分で活動度により変化する。体温37.5℃。明らかな痛みはなし

皮膚：両下肢の脛骨前面に打ち身の青あざ，両肘関節の伸側に斑状の乾燥部分あり

HEENT：**頭部**：頭蓋は正常大。**眼**：じっとしていないので診察困難。左右対称で眼球運動正常。瞳孔は4〜5 mm径で対光反射あり。検眼鏡にて乳頭部を視診することは困難。眼底出血なし。**耳**：耳介は正常で外表奇形なし。外耳道と鼓膜は正常。**鼻**：外鼻孔正常。鼻中隔は正中。**咽喉**：上顎切歯の内側表面が褐色に変色。上顎右切歯の1つに明らかな齲蝕あり。舌は正常。後咽頭に敷石状変化あり，滲出液なし。口蓋扁桃は大きいが双方の間は十分空いている（1.5 cm）。アレルギーによる眼周囲のくまはない

頸部：軟らかく，気管は正中に位置し，甲状腺は触れない

リンパ節：両側に可動性のある前頸部リンパ節を複数よく触れる（1.5〜2 cm）。両側の鼠径管に小さいリンパ節（0.5 cm大）を複数触れる。触れるリンパ節はすべてよく動き，圧痛はなし

肺：吸気でよくふくらむ。頻呼吸なし，呼吸困難なし。呼吸雑音を聴取するが，上気道由来と思われる（口の近くの前胸部での音が大きく，対称性である）。rhonchiなし，cracklesなし，wheezesなし。聴診上は病的呼吸音なく清明

心血管系：PMIは第4〜5肋間で胸骨中線上。S_1とS_2は正常。心雑音なし，異常心音なし。左右大腿動脈を正常に触知，足背動脈は両側ともよく触れる。毛細血管再充満は迅速

乳房：正常で両側の乳房直下に脂肪あり

腹部：前方へ突出するが軟らかく，腫瘤なし，圧痛なし。肝臓は右肋骨下縁2 cmに触知，圧痛なし。脾臓，腎臓ともに辺縁を触知しない。腸蠕動音が聴取される

生殖器：Tanner分類第1段階であり，割礼ずみ。陰毛なし，病変なし，分泌物なし。精巣は腹腔外に下降しているが，精巣挙筋反射のため触知は困難である。陰嚢は両側とも正常

筋骨格系：両上下肢とその関節はともに運動域は正常。脊柱はまっすぐである。歩行正常

（続く）

(続き)

神経系：精神状態：元気で活発な聞き分けがよい。**発達**：粗大運動―跳んだり，ものを投げたりできる。微細運動―垂直方向の線をまねてかける。言語―単語を組み合わせることはできず，単語のみを発語，診察中に3つ4つはいえる。個人・社会―顔を洗うことができる，歯を磨ける，シャツを着ることができる。全体として―言語発達の遅れがみられることを除いては正常。**脳神経**：確認しにくいものもあるが，多くは正常。**小脳**：よいバランスで正常に歩行。**深部腱反射**：膝蓋腱，アキレス腱ともに正常で対称性。**感覚系**：確認せず，次回受診時に診察予定

健康増進とカウンセリング：エビデンスと推奨

1〜4歳児

米国小児科学会および Bright Futures は生後12，15，18および24カ月，その後3歳と4歳で1年ごとの幼児の定期健診を定めている[30, 34]。また，30カ月（2歳半）での幼児発達評価も推奨されている。

定期健診において，臨床家は親の心配を聞いたうえでの質問への回答，子どもの成長発達評価，系統的診察，健康教育を行う役割を担う。健康的な生活習慣や行動，保護者の社会参加，家族関係，地域との関係などに関する支援がこれに含まれる。**肥満が問題となる子どもの多くは2歳後にその傾向が現れるため，この時期は肥満の予防という点できわめて重要である。**

また発達評価も重要である。しばしば小児医療従事者は，一般的な病歴聴取や診察では問題点を見逃すこともあるため，標準的発達評価スクリーニング法を用いた分野ごとの発達評価が推奨されている（p.963参照）[62]。同様に，子どもの行動が正常か異常か（その判断は難しい），精神発達上の問題を原因とするものなのかを区別することも重要である。

Box 25-47 に示すのは，おもに健康増進に重点をおいた3歳児の定期健診における主要項目である。これらの項目は健診時だけでなく，具合が悪くて医療機関を受診した際においても確認すべきである。

健康増進とカウンセリング：エビデンスと推奨

> **Box 25-47　3歳児の定期健診項目**
>
> **両親との面談**
> - 両親の心配を聞く[18]
> - アドバイスをする
> - 子育て，保育園，社会生活について
> - おもな内容：発達，栄養，事故予防，口腔ケア，家族関係，地域社会について
>
> **発達評価**
> - 発達の到達度評価：粗大運動・微細運動発達，社会的発達，言語発達，知的発達（検証されている発達スクリーニング法を用いて行う）
>
> **身体診察**
> - 注意深い診察，身長体重の年齢におけるパーセンタイルを確認
>
> **スクリーニング検査**
> - 視力（正式な検査は3歳から可能）と聴力（正式な検査は4歳から可能），貧血と鉛中毒（高リスクの場合），社会的な危険因子
>
> **予防接種**
> - 米国小児科学会の予防接種スケジュールの改訂版を参照[訳注]
>
> **健康教育**
> **健康習慣と行動**
> - 怪我と疾病の予防
>
> チャイルドシート，中毒，タバコ，監督
> - 栄養と運動
>
> 肥満の評価：健康的な食事とお菓子
> - 口腔衛生
>
> 歯磨きの習慣
>
> **親子関係**
> - 絵本の読み聞かせや一緒に遊ぶ時間，子どもが主体となる遊び，スクリーンタイムの制限
>
> **家族関係**
> - 家族での活動，ベビーシッターの活用
>
> **地域との関係**
> - 保育園，子育て支援に関する社会資源

5～10歳児

米国小児科学会およびBright Futuresは，この時期における1年ごとの定期健診を定めている[18]。

これより以前の年齢と同様，子どもの身体的健康，健全な精神発達，親子関係，友人関係と学校での成績を評価する機会となる（図25-95）。

訳注：わが国では，日本小児科学会ホームページを参照。

繰り返しになるが，健康増進は子どもや家族とかかわるすべての機会で行われるべきである。この時期の子どもは診察者と会話を楽しむことができるようになるので，健康，事故防止，発達，疾病予防について親と話し合うだけでなく，わかりやすい表現や概念を用いて子どもも会話に参加してもらうようにするとよい。子どもが学校で経験したことや感じたこと，友人関係，またその他の知的・社会的活動について話し合う。

図 25-95　子どもは発達するにつれてメンタルヘルス（精神的健康）や友人関係での重要性が増す

適切な栄養，運動，読書，刺激的な活動，健康的な睡眠衛生，スクリーンタイム，事故防止など，健康的習慣に焦点をしぼること。米国では約20％の子どもが身体や精神発達に何らかの慢性的問題を抱えている[63]。このような子どもにはさらに頻回の観察，疾患管理，予防的ケアが必要である（図25-96）。この時期の生活習慣は肥満や摂食障害などの問題につながったり，悪化させることになるため，注意が必要である。したがって健康によい習慣をすすめ，よくない習慣は最小限に留めるよう健康増進を行うことはきわめて重要である。慢性的な問題のある子どもやその家族が抱える問題に最もうまく対処できるようにサポートすることこそが健康増進の鍵である。

図 25-96　慢性の問題をもつ子どもへのかかわりは，その子の健康を保つのによい影響を及ぼす

すべての子どもにとって，健康増進とは家族全員の健康を評価・促進することでもある。

年長児の定期健診項目も幼児期と同じであるが，適切で安全な運動や遊び，健全な友人関係に加えて，学校生活の内容にも重点を置いて話をする。

思春期・青年期：病歴

診察をうまく行う鍵は，**快適かつ秘密が守られる環境**である。このような環境づくりに留意することで，患者を和ませ，情報を多く得ることが可能となる。

思春期・青年期における精神的・社会的発達の段階を意識しながら，プライバシー，親とのかかわり，守秘義務などをどう扱うか決定すること（図25-97）。

図 25-97　ラポールの構築は思春期・青年期においてきわめて重要である

思春期・青年期の子どもは通常，心から自分たちに関心を示す人にはよい印象をもって答えてくれる。したがって，コミュニケーションを有効に保とうとするなら，かかわりをもった初期から親身になって関心を示し，それを持続させることである。**思春期・青年期では，病気そのものより，むしろ人間としての彼らそのものに焦点を合わせた面接を行うことで心を開いてくれる可能性が高くなる。**

他の年齢での病歴聴取と異なり，この時期の患者とラポールを構築し，また会話を持続させるためには，**具体的な質問からはじめるべきである。**したがって，最初のうちは，いつもと違って多くを語りかけなければならないこともある。形式ばらず話しやすい雰囲気作りに留意しながら，友達，学校，趣味などについておしゃべりをすることである。彼らにしゃべらせようとして，あるいはどのような気分か本人たちから直接述べさせようとして沈黙の時間を置くのは得策とはいえない。

話の途中で要約を入れたり，話を変えるときにはそれを説明し，さらに，診察でどのようなことをしようとしているのかをきちんと説明することが重要である。身体所見をとる際も，思春期・青年期の患者をこのようなコミュニケーションに引き込むよい機会である。**ラポールを確立できたら，もとに戻って今度は自由回答方式の質問を行う。**そのとき，若者が何を心配しているか，何を聞きたがっているのかをしっかりたずねるようにする。

思春期・青年期ではこのような最も重要な質問（ときに敏感な内容のこともある）はしづらいと感じて，なかなか打ち明けてくれない場合がよくあるので，他に聞きたいことや話し合いたいことがないか，こちらからたずねるようにする。「何か他に聞きたいことはないですか？」というフレーズは有効である。他に「あなたと同じくらいの年齢では，よく○○について質問をします」というフレーズも有用である。

思春期・青年期の行動は個々の発達段階に応じたものであり，暦年齢や身体的成熟度によって決まるものではない。彼らのみた目が成熟しているからといって，あたかも彼らが実際に将来をみすえ，現実的な視点で考え，精神的にも機能していると勘違いしないこと。年齢より成熟してみえる，いわゆる「早咲き」という表現はまさにその通りである。逆に，みかけは成熟していないようでも，実際には精神的に成熟していることが多いのも，また事実である。思春期遅発症や慢性疾患の患者などがそれにあてはまる。

守秘義務 confidentiality は思春期・青年期の子どもにとっては重要なことである。この時期の子どもにとって，ある程度の自立と秘密を守ることで最良の健康管理ができるということを，彼ら自身と親に説明すべきである。子どもが11～12歳にもなれば，親に一時的に診察室を離れてもらうようにすると面接はうまくいく。これは親および本人にとって，将来外来の診察室に本人が1人で入れるようになるための準備にもなる。

親が診察室を離れる前に，親から当面の問題と関連がある病歴，例えば既往歴を聴取し，親にわが子を受診させた理由を確認しておくこと。また若者には，診察者との間で話した内容の秘密は守られるということをしっかり理解してもらう必要がある。

しかし，**守秘は際限なく保証すべきものではない**。患者の安全が心配されるときには，診察者は知り得た情報をもとに，患者の安全を守るために行動しなくてはならないこともあると，常に毅然とした態度で若者に説明すべきである。例えば，以下のように説明する。「君から許可をもらわない限り，あるいは君の身が危険にさらされていない限り，君と私の間で話すことはご両親には決して話さない。でも，例えば，もし君が自分や他の誰かに危害を加えるかもしれないと話してくれて，私があなたは本当にそうしてしまう危険があると判断したら，私の心の中だけにそれをしまっておくわけにはいかない。他の人に相談する必要が出てくるよ」。守秘義務，性と生殖や，思春期・青年期の権利に関連する法律についてよく調べ精通しておくこと。

重要な目的は，若者が心配事や戸惑いを親に伝えるのを援助することである。若者が微妙な問題を親と話し合えるよう後押しして，若者の側にいて手を差しのべるべきである。若者は，「親に知られたらひどい目にあう」と思い込む傾向があるが，診察者の導き方しだいで心を開いて話し合うことができるようになる。ときに，接しているのは非常に頑固で厳格な親かもしれない。大切なのは話し合いを進める前にまず親が考えていることを理解し，また若者から明確な同意を得ることが重要である。

■ HEEADSSS アセスメント

思春期・青年期の若者から十分な心理社会的既往について聴取することで，彼ら彼女らの人生の文脈（背景）を解釈することができる。若者の多くにおいて臨床的

思春期・青年期：病歴

問題はわずかであり，医学的問題の根幹のほとんどは危険な行動からくるものである。HEADSS アセスメントは有用な指針である[64]。最近では HEADSS アセスメントが HEEADSSS（または HE²ADS3）に拡大され，これには食事（eating）と安全（safety）に関する質問が含まれる[65]。HEEADSSS は，家庭環境（Home environment），教育と雇用（Education and employment），食事（Eating），行動（Activities），薬物（Drugs），性の問題（Sexuality），自殺/うつ（Suicide/depression），そして怪我や暴力からの安全（Safety from injury and violence），のそれぞれの頭文字を意味する[64-66]。このツールは「システムレビュー review of systems」に類似しており，若者における身体の健康，感情および社会的な幸福度の評価に役立つ（Box 25-48）[66]。集めた情報は患者を適切にサポートするのに活用できる。

Box 25-48　HEEADSSS アセスメント

分類	質問内容の例
家庭環境	誰と一緒に住んでいるか？ どのくらい長く住んでいるか？ 自分の部屋はあるか？ 家族との関係はどのような感じか？ 最近の引っ越しや家出したことは？
教育と雇用	最近学校の成績・評価に変化は？ 停学，解雇，退学は？ 好きな授業・嫌いな授業は？ 学校は安全か？
食事	自分の体で好きなところと嫌いなところはあるか？ 最近体重や食欲に変化はあるか？ 体重について心配事はあるか？ 食べ物が手に入るかどうか心配しているか？
行動	友人や家族との行動は？ 教会，クラブ活動，スポーツは？ テレビゲームはするか？ 逮捕歴，アクティングアウト（訳注），犯罪歴は？
薬物とアルコール	友人・10 代の知人・家族によるタバコ，電子タバコ，薬物，アルコールの使用は？
性の問題	性的指向は？ 誰かとデートをしたか？ 誰かとキスをしたか？ 性的経験や性行為の程度や種類は？ パートナーの数は？ 性感染症，避妊，妊娠・中絶については？
自殺，うつ，自傷行為	これまでに自分や他の人を傷つけようと考えたことはあるか？ それまでとても楽しかったことに興味が持てなくなったことはあるか？
怪我や暴力からの安全	事故，身体的または性的虐待，いじめにあったことは？ SNS 上の活動に不安があるか？ 自宅，学校，近隣での暴力は？ 銃は所持しているか？ シートベルトの使用は？ 酔ったりハイになった人と車に乗ったことは？ 学校で暴力はあるか？ 住んでいる場所は？ いじめにあったことは？ 身を守る必要性を感じたことはあるか？

出典：Copyright Clearance Center, Inc. を通して，Smith GL, McGuinness TM. *J Psychosoc Nurs Ment Health Serv*. 2017; 55(5): 24-27. より SLACK Incorporated の許可を得て引用

訳注：自覚していない衝動・欲求・感情・葛藤が，言葉としてではなく行動として表れること。通常自殺や反社会的行動として現れる。

発達評価：11〜20歳

この時期は早期，中期，後期の3期に分けられる。身体所見をとる場合，それぞれの身体的・精神的・社会情緒的発達段階を十分考慮して柔軟に対応すべきである。

身体的発達

青年期は小児から成人への移行期である。この時期に数年かけて体つきが大人へと変化する。女児は10歳，男児は11歳頃から伸長の加速とともに第二次性徴が出現しはじめ（思春期），平均で女子では14歳，男子では16歳で，ほぼ終息する。第二次性徴は青年期において同じ段階を経て進行していくが，思春期発来の時期に関しては個人差が大きい。青年期の初期ではこのような身体の変化がみられる。

精神発達と言語発達

顕著ではないが，実はこの時期は体格の変化と同じように知的発達に大きな変化がある。思春期・青年期にはそれまでの具体的操作期から形式的操作期[訳注]に移行し，物事を論理的にまた抽象化して推論し，現在行っていることがどのように将来に影響してくるかを考えることができるようになる（図25-98）。

病歴聴取や身体診察のアプローチは大人に接するときと似通ってくる。しかし，思春期・青年期の発達段階には個人差が大きく，単純な問題解決ならまだしも，複雑化してくると，まだまだ一貫性がなく驚くようなものの見方をするなど，処理能力に限界があるということも念頭におく。多くの時間を議論に費やすことで，倫理観は洗練されてくる。最近のエビデンスでは，脳の発達（特に右前頭前皮質）は20代まで続くことが示されている。

図25-98　思春期・青年期の身体は急速に発達し，新たな活動へのまたとない機会を与えてくれる

社会情緒的発達

思春期・青年期は，親から影響を受けるという家族中心の状態から，自主性が高まって家族よりむしろ友人たちからの影響を受けるという状態への移行期にあたり，とにかく激しく動揺する時期である（図25-99）。

自主性，独立心，そしていきつくところとして男女関係などに対する葛藤がストレスを生み，健康上の問題を生み，しばしば問題行動へと発展する。このような葛藤によって苦しみ，結果として医療機関を受診することがある。診察の際は，

図25-99　思春期・青年期では，家族より友達からより多くの影響を受けやすくなる

訳注：Piaget心理学において，小児が抽象的状況について推理できるようになる11〜15歳頃に起こる思考力の発達段階。この段階における推理力はふつうの成人のそれとほぼ同じであるが，あまり複雑ではない。

発達評価：11〜20歳

真剣に向き合ってケアを行い，健康増進につとめる必要がある。

Box 25-49 では思春期・青年期の発達項目や達成度，病歴において注意すべき典型的な特徴，役に立つ医療上のアプローチをあげている。これらの段階に到達する年齢には幅があり，子どもによりまちまちであることに注意する。

Box 25-49　青年期における発達項目

発達項目	特徴	健康管理
青年期早期（10〜14歳）		
身体的発達	思春期発来（女子：10〜14歳，男子：11〜16歳）	守秘，プライバシーを守る
精神発達	具体的操作期	目の前の課題に取り組ませる（推論はできない）
社会的アイデンティティ	自分は正常か？　友達との関係がますます重要となる	自信をもたせ，肯定的な態度で接する
独立性	両価性（家族，自分，友達）の発達	自主性の芽生えを支援する
青年期中期（15〜16歳）		
身体的発達	女子は落ち着き，男子はしばしば扱いにくくなる	正常発達から逸脱すれば支援する
精神発達	移行期：多くの考えをもち，しばしばとても「感情的な思想家」になりうる	問題解決と決断を促す，責任を増やす
社会的アイデンティティ	自分は誰？　内省が多くなる。広い視野で物事を捉える，性の問題	決めつけずに受容する
独立性	一線を超えたがる。実験的行動。異性とつき合う	物事への調和のとれた対処を促す。越えてはいけない一線を設定する
青年期後期（17〜20歳）		
身体的発達	大人の体格・容姿	慢性疾患がなければ特別なアプローチはいらない
精神発達	形式的操作期（すべてに対してではない）	大人として扱う
社会的アイデンティティ	他人に対する役割の認識，性の違いを認識，将来のことを考える	自主性と存在価値を認めて勇気づけ，育てるようにする。安全かつ健康的な意思決定を促す
独立性	家族と別れて生活をはじめる。本当の意味での独立に向けて一歩踏み出す	支援する。健康教育を行う

思春期・青年期におけるジェンダー・アイデンティティ（性自認）とセクシャル・アイデンティティ（性的指向）の形成

自分がどちらの性に魅力を感じるか，思春期や青年期の若者にとって，性の問題やジェンダーについて話し合うのは難しいかもしれない．若者の多くは自分自身の性的魅力や性的指向を形成するまでの課程で思い悩んでいる．臨床家は，若者が自分のなかに湧き上がってくる性的指向や，性行動や性の受け止め方に対する懸念について話がしやすいように歓迎し，支援をし，秘密を守り，決めつけをしないという雰囲気を作らなくてはいけない．2017年，CDC（米国疾病対策センター）が行った青少年危険行動調査によると，高校生11万8,803人のうち，2.4％が自分がゲイ・レズビアン，8％がバイセクシャル（両性愛者）であるとし，4.2％が性的嗜好がはっきりしない（わからない）と認識しているという結果であった．また1.8％がトランスジェンダーと認識していることもわかった[67]．同様に，2016年にミネソタ州で実施された，grade 9（中学3年）とgrade 11（高校2年）の生徒8万929人に対する調査では，2.7％が自分自身をトランスジェンダーまたはジェンダー・ノンコンフォーミング訳注1）と考えていることがわかった[68]．

調査結果によると，レズビアン，ゲイ，バイセクシャル，トランスジェンダー，クィア訳注2）（LGBTQ）の若者は，自分のジェンダーや性的嗜好について主治医と話し合う機会は大切だと考えてはいるが，自分の性的指向についての開示は，主治医が自分との信頼関係を築くまでしばしば先延ばしにすることが多い．ある研究では，LGBTQの若者のうち，自身がLGBTQであることを主治医が知っているのは，わずか35％にすぎなかったという報告がある[69,70]．性に関する話をするときには，守秘義務を強調し実践することが重要で，それによりオープンな話し合いができるようになる．親や保護者にティーンエイジャーの性的指向やジェンダーについて知らせることは臨床家の役割ではなく，もしそのようなことをすれば若者を傷つけてしまうかもしれない[71]．

LGBTQであることは異常なことではなく，危険行動や健康への悪影響を及ぼす本質的リスクではないことを理解することは重要である．多くのLGBTQの若者は不公平な扱いや差別を経験しており，ホモフォビア（同性愛嫌悪），トランスフォビア（トランスジェンダー嫌悪），異性愛主義者からの偏見により悪影響を被っている．これによりLGBTQの若者は新たに出現する自分自身のイメージをひどく傷つけられ，精神的苦痛や危険行動のリスク増加へとつながっている．追放（仲間はずれ），いじめ，親からの拒絶などは依然として多く，身体的・精神的虐待またはホームレスにつながる可能性もある．将来的にこれはしばしば健康格差を生み出し，メンタルヘルス，自殺のリスク，薬物乱用，性感染症などの領

訳注1：自分の性別は従来の男性女性の枠にとらわれない，どちらでもないと考える性の包括的表現・概念．
訳注2：従来の性の枠組みにあてはまらない多様な性的嗜好をもつ人を表す肯定的表現として使われる．

域において健康悪化へとつながりやすい[67]。小児医療従事者はこれらの格差について認識し，いじめの徴候やうつ，自殺のリスクなどについて適切にスクリーニングをしなくてはならない。同時に若者が自分自身を守ることや強さを認識し，有する才能を生かせるよう援助するべきである[18]。研究によれば，LGBTQの若者は必要な支援と指導があれば立ち直る力（回復力，レジリエンス）を十分備えており，性的指向やジェンダー・アイデンティティを持ち合わせた大人へと成長することができ，同世代の他の若者と比較して危険行動はほとんど，あるいはまったく高まることはないことが明らかとなっている[72]。

身体診察：一般的なアプローチ

身体診察の順序や内容は成人の場合と似ている。ただし，この時期の患者に特有の問題（思春期の発来，急激な成長や発達，家族友人との関係や，性に関すること，健全な意思決定の困難，高リスクを伴う行動など）が背後にあることを常に気に留めておく。

年長児のときと同じく，節度をもった対応が大事である。患者には診察がはじまるまで着衣のままでいてもらうべきである（図25-100）。患者が診察のためにガウンに着替える間，診察者は部屋を離れること。すべての思春期・青年期の若者が診察時のガウン着用を望むわけではなく，この時期特有の内向的な側面に配慮して，診察の進行に合わせ

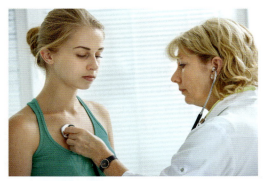

図 25-100　着衣のままでの診察を希望する思春期の若者もいる

ながら部分的に脱衣させることが重要である。13歳をすぎた青年期の子どものほとんどは診察を受ける間，親には部屋の外に出てほしいと思っているが，患者の発達段階，診察者とどの程度慣れ親しんでいるか，親との関係，文化的背景などによっても異なってくる。思春期早期の患者には本人と親にどちらがよいかをたずねるようにするとよい。実際には，患児の性別にかかわらず乳房または外性器の診察では，付添者を同室させるのが最も安全である。第三者としての付添者を同席させる必要性について患児や親と話し合い，意思決定内容を**診療記録に記載する**ことが最良であろう。なお，米国のいくつかの州や多くの組織ではそのように行われている[73]。

診察の技術

身体の成長：身長と体重

思春期・青年記の若者は体重測定の際にガウンを着用するか，靴や重い服は脱がせる。特に，思春期・青年期の若者でやせの問題に関して評価を行う際には重要である。理想的には，いつも同じ体重計（と身長計）で，時期を変えて継続的に体重（と身長）を測定すべきである。

異常例

肥満や摂食障害（**拒食症 anorexia** や **過食症 bulimia**）は公衆衛生上の大きな問題であり，定期的な体重計測，合併症の有無についてのモニタリング，健康的な選択と自己概念の促進が必要である。

バイタルサイン

思春期・青年期の若者には血圧の継続的測定と評価が必要である[63]。10〜14歳の平均心拍数は 85 回/分であり，55〜115 回/分の範囲は正常と考えられる。15歳以上の平均心拍数は 60〜100 回/分の範囲である。血圧のパーセンタイルについては p.1085 を参照。

この年齢層での持続性高血圧の原因として，**原発性高血圧 primary hypertension，腎実質性高血圧 renal parenchymal hypertension，薬物性高血圧**などがあげられる。

皮膚

思春期・青年期における皮膚所見は慎重に診察する。思春期・青年期の子どもの多くは，にきび（痤瘡）やえくぼ，傷，いぼ，ほくろなどといった皮膚所見を気にかけているものである。顔や背中の皮膚所見には特に注意をはらい，痤瘡に関しては再度診察する。肥満が増えるに伴い，皮膚線条は多くみられるようになる。

多くの若者がかなりの時間日光を浴びたり，日焼けサロンで過ごしている。包括的な病歴聴取や，診察で認める日焼けの所見から，そのことに気づくだろう。皮膚所見の診察は，過度の紫外線曝露の危険性や日焼け止めを用いる必要性，日焼けマシンの危険性についてアドバイスするよい機会となる。

p.305 にあるように定期的な皮膚の自己検診をするようすすめる。

痤瘡 acne は思春期・青年期ではよくみられる皮膚所見で，最終的には自然治癒するが，適切な治療介入が効果的な場合もある。思春期の中盤から後半にかけてはじまることが多い。

表 25-3「疣贅（いぼ），疣贅に類似する病変，その他の隆起病変」を参照。思春期にほくろ（黒子）または良性母斑が出現することがある。

頭部・眼・耳・鼻・咽喉・頸部

これらの器官の診察方法は，一般的に成人と同様である。視力検査を含む眼の診察に用いられる方法は，成人と同様である。屈折力異常がよくみられるので，年に 1 回の健診の際など，定期的に片眼ずつ視力検査を繰り返すことが重要である。

耳の診察や聴力検査の手技や容易さは成人と同等になってくる。この年齢層特有の耳，口腔，咽頭，頸部の異常や正常亜型のようなものはない。

思春期・青年期において遷延する発熱，咽頭痛，扁桃腫大，頸部リンパ節腫脹を認める場合は**レンサ球菌性咽頭炎**や**伝染性単核球症 infectious mononucleosis** が疑われる。

診察の技術　　　　　　　　　　　　　　　　　　　　　　　　　　　異常例

胸郭と肺

思春期・青年期での肺の診察手技は成人と同様である。

乳房

女児における乳房の形状変化は，思春期発来の最初の徴候の1つである。他の発達上の変化と同様に，段階を踏んで進行していく。Box 25-50に示すように，通常4歳をすぎると乳房の発達がはじまり，Tanner（タナー）分類，またはTanner性成熟段階と呼ばれる5つの段階を経て進んでいく。前思春期の発育期乳房からはじまり，続いて乳房の増大，輪郭と乳輪の変化という経過で進んでいく。乳輪の色も濃くなっていく。これらの変化とともに写真（p.1077）で示すような陰毛，その他の外陰部の第二次性徴が出現してくる。月経は乳房発達の第3〜4段階ではじまり，その頃までには思春期の成長のピークをすぎる（Box 25-50参照）。

発育開始期の乳房（乳頭下にある豆大の硬い腫瘤をふれる）は思春期直前あるいは思春期早期の女子および男子によく認められる所見である。これらの所見は良性である。

Box 25-50　女児・女子における性成熟段階：乳房

第1段階
前思春期：乳頭部のふくらみのみ

第2段階

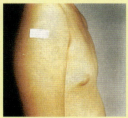

発育開始期：乳房組織と乳首の両方が隆起し，小さな山をつくる。乳輪の径が増大する

第3段階

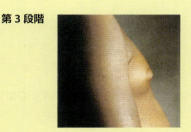

乳房と乳輪がさらに増大するが，まだ両者の境界が鮮明には分離されない

第4段階

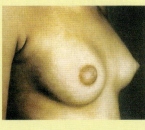

乳輪と乳首が前方に突出して乳房組織の上に第2の山をつくる

第5段階

成熟期：乳首のみ突出。乳輪の突出は乳房組織全体の輪郭の面にまで後退する（しかし，正常でもこの段階で乳輪が第2の山を形成している場合もある）

写真出典：Copyright Clearance Center, Inc. を通して，Bourdony CJ et al. Assessment of Sexual Maturity Stages in Girls. Elk Grove Village: American Academy of Pediatrics, 1995. より American Academy of Pediatrics の許可を得て掲載

診察の技術

長い間，乳房発達の正常な開始年齢は8〜13歳（平均11歳）であり，それより早い時期にはじまるのは異常とされてきたが[75,76]，乳房発育がはじまる正常年齢の下限は白人で7歳，アフリカ系米国人とヒスパニック系で6歳とする研究もみられる。また乳房発育は年齢，人種，民族によって異なることもわかっている[74,76]。通常とは異なる乳房発育も約10%の女児でみられ，左右の大きさが非対称であったりTanner分類が異なることもある。このように異なる発育の経過であっても通常は自然軽快することがわかっており，患者にもそのように説明するとよい。

臨床家により乳房検診の有用性についてのガイドラインは改訂されている。米国癌協会は全年齢の女性における乳房検診による乳癌スクリーニングについて，もはや推奨していない[77]。しかし，女性自身による乳房自己検診を促すよう一貫して推奨している専門団体もある。これらの取り組みは思春期女子から導入することが有効である。診察者が男性の場合，女性の付き添い（母親か看護師）に同席してもらうこと。

男子では，乳房は小さな乳首と乳輪からなる。思春期の男児の約1/3に，2 cmを超える乳房組織が発達するが，通常片側性である。肥満の男児では，乳房組織がかなり発達することがある。

心臓

診察手技と手順は成人と同様である。心雑音は，出生時から一貫して続く心血管系の評価課題である。

良性**肺動脈駆出音 pulmonary flow murmur** はⅠ〜Ⅱ/Ⅵ度の強さで，柔らかく，粗くない雑音で，典型的な駆出性雑音であり，S_1の後からはじまってS_2の前で終わるが，器質的疾患の駆出性雑音のように著明に漸増したり漸減したりしない（Box 25-51）。この雑音を聴取した場合，肺動脈弁閉鎖音（S_2のP_2に相当する）の強さは正常で，呼気時にS_2の分裂が消失することを確認する。思春期の良性肺動脈駆出音は，S_2が通常の大きさであり，その分裂が呼吸とともに変化する。

肺動脈駆出音は，慢性貧血や運動後，その他あらゆる理由による循環血液量の過剰な状態でも聴取される。また正常でも，成人後も聴取され続けることがある。

異常例

思春期・青年期の乳房が左右非対称であることは珍しくなく，特にTanner分類の第2〜4段階の最中によくみられる所見である。通常，ほとんどが良性の所見である。

思春期・青年期女子の乳房の腫瘤や結節を注意深く診察する。これは通常**良性の線維腺腫 benign fibroadenoma**あるいは嚢胞であり，膿瘍や脂肪腫のこともあるがまれである。この時期の乳癌はきわめてまれである。起こるとすれば，多くは濃厚な家族歴を背景に発症する[78]。

思春期・青年期男子の多くで片側または両側の**女性化乳房 gynecomastia**（乳房腫大）が生じる。通常は軽度だが，本人が困惑するほどだつこともある。通常は数年以内に自然軽快することが多い。

S_2の固定性分裂を伴う肺動脈駆出音を聴取した際は，**心房中隔欠損症 atrial septal defect**などによる右室容量負荷を示唆する。

診察の技術　　　　　　　　　　　　　　　　　　　　　　　　　　異常例

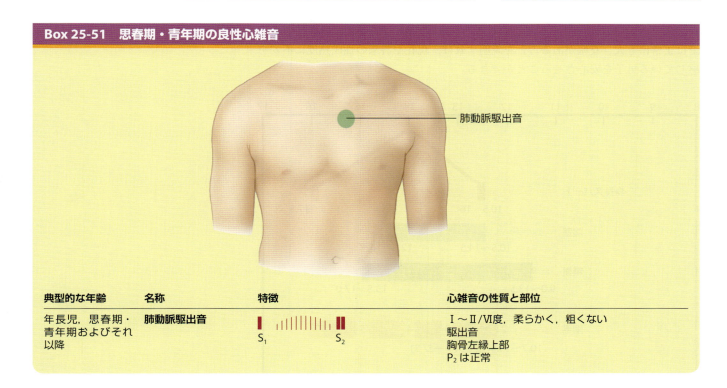

Box 25-51　思春期・青年期の良性心雑音

典型的な年齢	名称	特徴	心雑音の性質と部位
年長児，思春期・青年期およびそれ以降	肺動脈駆出音	S₁ ‖‖‖‖‖ S₂	Ⅰ～Ⅱ/Ⅵ度，柔らかく，粗くない 駆出音 胸骨左縁上部 P₂ は正常

腹部

腹部診察の手技は成人と同じである。肝臓の大きさは思春期が進むにつれて成人と同程度に達し，身長と関連があると考えられている。肝臓の大きさを評価するにはさまざまな方法があり，その有効性ははっきりしていないが，成人の研究結果は特に思春期後半には適応できると考えられている。肝臓を触診すること。触知できない場合，肝腫大の可能性はきわめて低い。下縁が触知できた場合，打診により大きさを評価する。

男性生殖器

思春期・青年期での診察は成人と同様である。注意すべきは，この時期の子どもの多くが性器の診察を恥ずかしがるので十分な配慮が必要なことである。思春期には解剖学的に重要な変化が生じるので，その進行過程で現在どの段階にあるのかを確認する。男性における思春期開始の最初の徴候（図25-101）は精巣の増大であり，通常9～13歳半ではじまる。続いて陰茎が大きくなりはじめるとともに陰毛が発現する。前思春期の状態から成人の構造へ完全に変化を遂げるには3年程度を要する。これにも1.8～5年の正常範囲がある。

思春期におけるこのような変化はきちんと決まった順序で進む。これは性成熟の大原則である。これらの変化がはじまってから完了するまでの年齢には幅がある

10歳代の肝腫大は**肝炎や伝染性単核球症**といった感染症，**炎症性腸疾患**，**腫瘍**などの原因がある。

思春期に脾腫を認め，咽頭痛と発熱があれば，**伝染性単核球症 infectious mononucleosis** の可能性がある。

男子における**思春期遅発症 delayed puberty** は，14歳までに思春期としての発達徴候がみられない場合に示唆される。

が，成熟の順序はどの男子も同じである（図25-101）。このように思春期の発達では正常にも大きな幅があることを説明すれば，現在や将来の性成熟度に不安を感じている男子を安心させることができる。

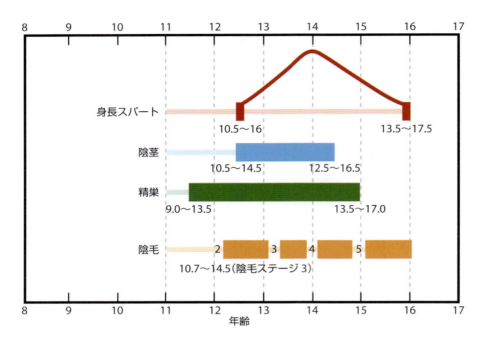

横棒の下の数字はそれぞれの変化が生じる年齢の幅を示す

図 25-101 男子における思春期変化

思春期・青年期男子の診察では，**性成熟段階の評価 sexual maturity rating** を行う。Tanner によりはじめて記載された 5 つの性成熟段階については，Box 25-52 に写真とともにまとめている。性成熟の変化は陰茎，精巣，陰囊に及ぶ。80％の男性で，陰毛は，臍を頂点とした三角形を形成しつつ発育していく。そして，この発育増生は 20 歳代まで続く。

成人での診察と同様に陰茎の痛むところや分泌物についてみていく。

割礼を受けていない男性の場合，思春期までに包皮は容易に反転し亀頭が露出できるようになっている必要がある。診察時にこれを確認することは普段の衛生管理について話し合う機会にもなる。18 歳までの年長男子では精巣の診察についてよく話し合うこと。

男子における思春期遅発症の原因として最もよくみられるのは**体質性成長遅延 constitutional delay** である。体質性成長遅延はしばしば家族性にみられ，骨年齢と身体の成長が遅延するが，内分泌系の異常は呈さないものである。

男子の性成熟段階の第 3 段階において，昼間あるいは夜間の射精は正常であることが多い。一方，病歴や身体所見で陰茎の分泌物が認められる場合は，性感染症（STI）の可能性を考える。

男子の思春期遅発症の原因として体質性の他に，**原発性および二次性の性腺機能低下症 primary or secondary hypogonadism**，また先天性の性腺刺激ホルモン放出ホルモン（GnRH）分泌不全症などがあげられるがまれである[79]。

診察の技術　　　　　　　　　　　　　　　　　　　　　　　　異常例

Box 25-52　男児・男子における性成熟段階

男児における性成熟段階を評価する場合，それぞれ別々の速度で発達するので，以下にあげた3つの特徴について観察する。陰毛と陰部は分けて記録する。陰茎と精巣の成熟段階が異なる場合，両方の平均値を出して陰部として記録する。写真は割礼していない男児における思春期変化を示す。

	陰毛	陰茎	精巣と陰嚢
第1段階	前思春期：細かい体毛（うぶ毛）以外に陰毛はなく，腹部と同様である	前思春期：幼児期，学童早期と同じ大きさ，同じ形	前思春期：幼児期，学童早期と同じ大きさ，同じ形
第2段階	おもに陰茎の基部に，まっすぐ，または少し縮れて長い，薄く色のついた柔らかい毛がまばらに増生	少し，またはほとんど増大のない状態	精巣，陰嚢ともに増大し，赤みを帯び，肌質が変化してくる
第3段階	まばらではあるが，やや褐色で，粗く縮れた毛が恥骨結合のあたりまでのびてくる	増大してくる。特に長さが増す	精巣，陰嚢ともにさらに増大する
第4段階	成人と同様に粗く縮れた毛となる。第3段階よりも発毛域は拡大するが，成人よりは狭く，大腿部には至らない	長さ，太さともに増大し，亀頭部の発達もみられる	さらに増大し，陰嚢の皮膚は褐色となる
第5段階	毛の量と質ともに成人の状態に達し，発毛が大腿部にまで及ぶが，腹部までは達していない	大きさ，形とも成人の状態に達する	大きさ，形とも成人の状態に達する

写真出典：Wales JKH, Wit JM. *Pediatric Endocrinology and Growth*. 2nd ed. W.B. Saunders; 2003. Copyright © 2003 Elsevier より許可を得て掲載

女性生殖器

思春期・青年期での女性生殖器の外側からの診察（成人の診察には腟内診がありこれに対する外側）は，学童期の子どもに対するのと同じ方法で行う。骨盤の診察（内診）が必要な場合，成人女性と同様の手技で行う。思春期女子への内診適応についてはより厳格になっていることに注意する。この時期の子どもは非常に不安感が強いため，骨盤の診察（内診）を行う際には，診察の各段階を十分に説明し，診察器具を示し，やさしく十分に安心させるように声をかけながら行う必要がある。付き添い（親や看護師）が必ず必要である。

思春期・青年期早期の腟分泌物は成人の場合と同様に対処する必要がある。原因として**生理的帯下** physiologic leukorrhea, STI（同意のうえでの性行為，または性的虐待による），細菌性腟症，異物，または外部からの物理的刺激による炎症などがあげられる。

| 診察の技術 | 異常例 |

思春期・青年期でのはじめての内診は，熟練した小児医療従事者が行うこと。この時期にルーチンとして内診を行うことは推奨されていない。

女児の思春期発来の最初の徴候は，実際にはなかなか捉えにくいものではあるが，エストロゲンによる処女膜の肥厚と伸展，骨盤の広がり，身長スパートのはじまりなどである。

最も簡単に外からわかる思春期発来の徴候は乳房発育開始で，場合によっては陰毛発現が先にみられることがある。 陰毛の平均発現年齢は近年低下傾向にあり，現在では7歳が正常下限ということで専門家の見解は一致している。

第二次性徴の発達が通常の年齢よりも早い場合，**思春期早発症 precocious puberty** の可能性がある。さまざまな内分泌的または中枢神経系の原因を考える必要がある。**早発性副腎皮質性思春期徴候 premature adrenarche** 訳注)は通常良性の現象だが，ときに多嚢胞性卵巣症候群，インスリン抵抗性，メタボリック症候群と関連することがある。

特に皮膚色の濃い女児では第二次性徴が早く発現する傾向にある。暦年齢にかかわらず，すべての女子の性成熟段階を確認する。女子の性成熟の評価は，陰毛の増生と乳房の発育の両方で行う[75]。陰毛の増生の性成熟段階を Box 25-53 に示す。この変化の順序と現在の段階を本人に説明，助言する。

乳房の発達評価については p.1071 を参照してほしい。

思春期遅発症 delayed puberty（12歳までに乳房か恥毛の発育がみられない）はおもに，視床下部 GnRH の産生不良による下垂体前葉性腺刺激ホルモンの分泌不全が原因である。一般的な原因として **神経性食欲不振症 anorexia nervosa** がある。

女子の肥満は思春期が通常よりも早くはじまることと関連している。

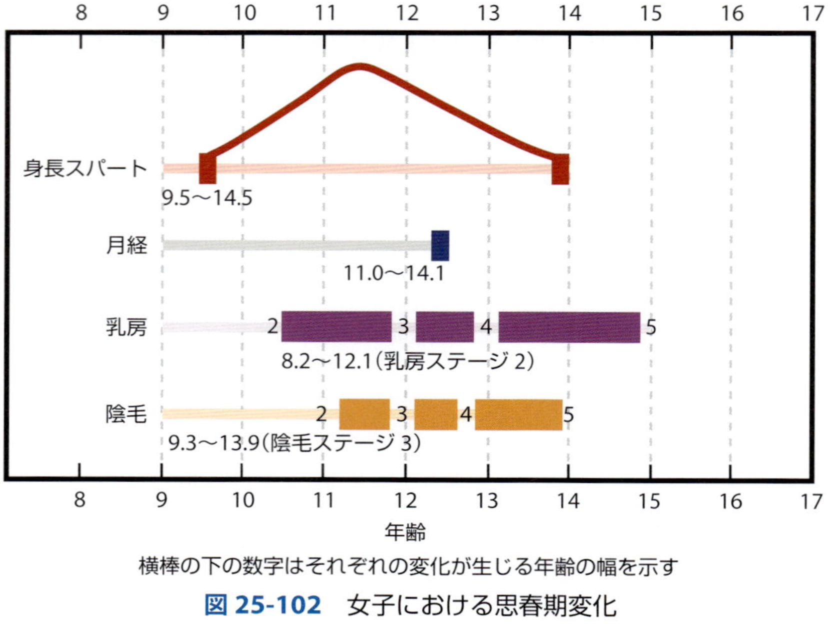

図 25-102　女子における思春期変化

- 身長スパート：9.5〜14.5
- 月経：11.0〜14.1
- 乳房：8.2〜12.1（乳房ステージ2）
- 陰毛：9.3〜13.9（陰毛ステージ3）

横棒の下の数字はそれぞれの変化が生じる年齢の幅を示す

訳注：通常より早い時期（男児9歳以前，女児8歳以前）に恥毛などの副腎皮質性思春期徴候が出現する現象。

診察の技術

Box 25-53　女児・女子における性成熟段階：陰毛

第1段階
前思春期：細かい体毛（うぶ毛）以外に陰毛はみられない。うぶ毛の様子は腹部と同様

第2段階

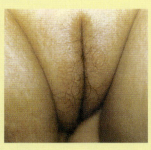

おもに陰唇に沿って，まっすぐ，あるいは少し縮れて長い，薄く色のついた柔らかい毛がまばらに増生

第3段階

まばらではあるが，やや褐色で，粗く，縮れた毛が恥骨結合のあたりまでのびてくる

第4段階

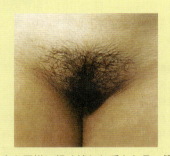

成人と同様に粗く縮れた毛となる。第3段階よりも発毛域は拡大するが，成人よりは狭く，大腿部には至らない

第5段階

毛の量と質ともに成人の状態に達し，発毛が大腿部にまで及ぶが，腹部にまでは達していない

写真出典：Copyright Clearance Center, Inc. を通して，Bourdony CJ et al. *Assessment of Sexual Maturity Stages in Girls*. Elk Grove Village: American Academy of Pediatrics, 1995. より American Academy of Pediatrics の許可を得て掲載

女子についても思春期の開始と終了年齢の正常範囲には幅があるが，図 25-102 に示すように性成熟の各段階は決まった順序に沿って進むことを知っておく必要がある。

異常例

思春期・青年期における**無月経 amenorrhea** には，原発性（16歳までに初経を認めないもの）と続発性（もともとあった月経がなくなるもの）がある。原発性無月経は通常解剖学的異常や遺伝的原因によるが，続発性無月経の原因は**ストレス stress，過剰運動 excessive exercise，摂食障害 eating disorder** などさまざまである。

思春期女子で身長が3パーセンタイル未満でかつ思春期遅発症のある場合，**Turner 症候群**または慢性疾患が原因として考えられる。思春期遅発症に異常なやせを伴っている思春期早期の女子では，**神経性食欲不振症 anorexia nervosa** と**慢性疾患 chronic disease** の2大原因を考える。

直腸と肛門

直腸と肛門の診察方法は，成人と同様である。思春期におけるルーチンでの直腸診は特別な懸念がある場合を除いて推奨されない。

筋骨格系

側弯症とスポーツを行う子どものためのスクリーニング検査（p.1080〜1082）が，思春期・青年期における診察の要点となる。その他の筋骨格系の診察は成人と同様である。

側弯症の評価

まず，立位で患児の肩，肩甲骨，骨盤の左右対称性を確認する。それから，**膝を伸ばし，伸ばした両腕の間で頭をまっすぐ下に垂らした状態で前屈させる〔Adams（アダムス）前屈検査〕**。つぎに，体位の様子で非対称がみられないかを評価する。

側弯症をみつけたら，脊柱側弯計を用いて側弯の程度を明らかにする。児に前述のように前屈してもらう。脊椎が床と平行になっていることを確かめつつ，最も左右差が強く非対称に隆起している部分の椎体付近に脊柱側弯計の中心を図 25-103 に示すようにあてる。必要であれば，脊柱側弯計を脊椎に沿って上下させて隆起の最大点をみつける。脊柱側弯計で計測値が 7 度を超える場合は側湾症の懸念があり，専門医紹介の指標として用いられることが多い。Adams 前屈検査と脊柱側弯計ともに感度，特異度は，検者の技術と経験に大きく左右されることに注意が必要である。

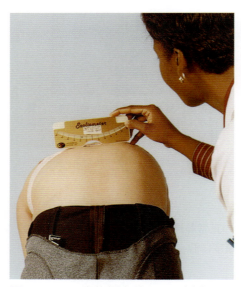

図 25-103 脊柱側弯計により側弯の計測と記録を行う

幼児期の側弯は異常であるが，一方で，思春期小児の 2〜4％に軽度の側弯がみられる。側弯症は，図 25-103 に示すように胸郭または腰部，またはその両方が左右非対称に盛り上がった状態である。

側弯症 scoliosis のいくつかの型は小児期に発症する。そのうちの 75％を占める**特発性側弯症 idiopathic scoliosis** は，おもに女子にみられるが，通常は思春期早期に発見される。図 25-103 に示した思春期女子のように，一般的には右胸部の側弯がより多い。他に神経筋原性側弯症，先天性側弯症などがある。

診察の技術

おもりをつけた**下げ振り糸 plumb line** を用いて背部の対称性を確認することもできる（図25-104）。糸の先をC7（第7頸椎）の位置に置き，子どもに直立してもらう。糸は殿溝のところまで垂らす（写真では殿溝までは示していない）。

筋骨格系診察は，下記に述べるスポーツを行う子どものためのスクリーニングを除けば，成人のそれと同様である。

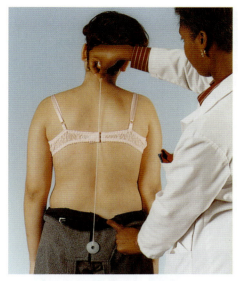

図 25-104　下げ振り糸による側弯の計測

スポーツ参加前の身体検査

何百万人もの年長児や思春期・青年期の子どもが，クラブ活動など組織だったスポーツを行っており，医学的にみてそのスポーツを行ってもよいかどうかの決定をしばしば要求される。心血管系の危険因子，手術の既往，外傷の既往，その他の医学的な問題，家族歴に焦点をあてた病歴聴取からはじめること。

事実，スポーツ参加前の評価における十分な病歴聴取は，危険因子や異常所見のスクリーニングとして感度・特異度ともに最も優れている。さらに健康な思春期・青年期の子どもにとっては，このようなスポーツへの参加準備のための身体診察が，小児医療従事者の診察を受ける唯一の機会であることが多いので，いくつかのスクリーニングのための質問や健康教育もこのときに行うことが重要である（「健康増進とカウンセリング」の項を参照）。最後に，一般状態に加え，特に心臓，肺に注目した診察を行い，視力，聴力のスクリーニング検査を行う。筋力低下，関節などの可動域制限，過去の外傷などに焦点をあてた詳細な筋骨格系の診察を行うこと。

子どもをスポーツに参加させるにあたっての健康診断では，心雑音，肺野での喘鳴を特に注意して評価する。また，頭部外傷や脳振盪を受傷した場合には[80]，特に神経学的所見を中心に注意深い診察を行う[81,82]。

Box 25-54 に示しているが，2分で行うスポーツへの参加準備のための筋骨格系の診察が一部の専門家により推奨されている[81,82]。

異常例

側弯症は神経学的または筋骨格系の異常を有する学童期や思春期・青年期の子どもに多くみられる。

振り糸による検査での異常も含め，**みかけ上の側弯症 apparent scoliosis** は**脚長差 leg-length discrepancy** によって起こることがある（p.1053参照）。

スポーツを行っている最中の心臓性突然死の重大な危険因子として，めまい，動悸，失神の既往があげられ，特に運動と関係があった場合は危険である。若い年齢，あるいは中年での突然死や心筋症の家族歴も危険因子となる。

Box 25-54　スポーツ活動参加にあたっての筋骨格系の診察

体位と患者への指示

ステップ1
まっすぐ，診察者の正面に立ってもらう。左右非対称や関節の腫脹に注意する

ステップ2
頸部を前後左右に動かしてもらう。可動域制限がないかどうかに注意する

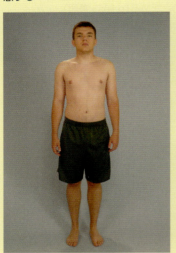
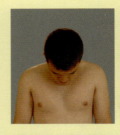
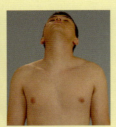
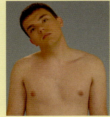
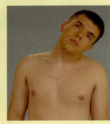

ステップ3
診察者が肩を上から押さえるのに抵抗して肩をすくめてもらう。肩や頸，僧帽筋の筋力低下に注意する

ステップ4
両腕を外側へ広げ，診察者が腕を上から押さえるのに抵抗して腕の位置を保持してもらう。三角筋の筋力低下に注意する

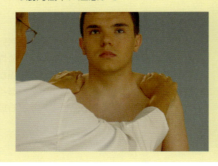

(続く)↗

診察の技術

(続き)↘

体位と患者への指示

ステップ 5
腕を広げ，肘を 90 度曲げて前腕を上げ下げしてもらう。外旋制限や肩甲上腕関節の損傷に注意する

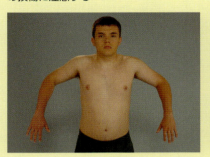

ステップ 6
腕を外側へ広げ，肘関節を完全に屈曲したりのばしたりしてもらう。肘関節の可動域制限に注意する

ステップ 7
腕を垂らして，肘を 90 度前方へ屈曲し，前腕を回内・回外してもらう。前腕，肘，手首の過去の損傷による可動域制限に注意する

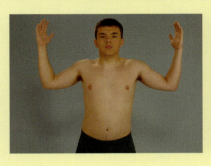

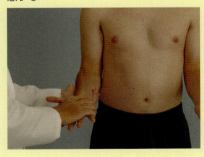

ステップ 8
拳をつくって握りしめ，それから手をぱっと開いてもらう。指関節の隆起や，過去の捻挫や骨折による指の可動域制限に注意する

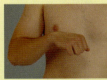

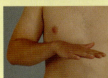

(続く)↗

（続き）

体位と患者への指示

ステップ 9
しゃがみ，アヒル歩行で4歩前に進んでもらう。過去の膝関節・足関節損傷の影響で膝関節を完全に曲げられなかったり，立ち上がるのが難しくないかどうかに注意する

ステップ 10
後ろを向き，両腕を体のわきにつけてまっすぐ立ってもらう。肩，肩甲骨，骨盤が左右均等かどうかを確認する。側弯症による左右非対称や，下肢脚長差，または過去の損傷による筋力低下に注意する

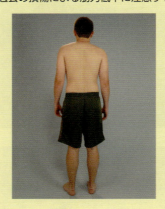

ステップ 11
膝をまっすぐのばした状態で，上体を前に倒してつま先に触れてもらう。側弯症による左右非対称，腰痛による背部のねじれに注意する

ステップ 12
つま先を上げて踵で立ったり，踵を上げてつま先立ちをしてもらう。過去の足関節やアキレス腱損傷による腓腹筋の萎縮に注意する

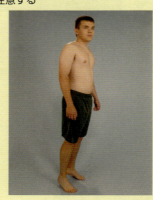

神経系

思春期・青年期と成人の神経学的診察は同じであるが，この時期であってもp.956〜958に示した各年齢の発達段階の指標にもとづく到達度について評価すること。

所見の記録

診療記録の記載については小児も成人も同様である。診察の順序が前後することがあっても，所見の記載順は慣習的な文面または電子カルテの形式に合わせて記載してかまわない。

所見を記録する際，最初は文章を用いるかもしれないが，慣れてくれば慣用的な記述を用いるようになる。多くの診療記録によく用いられる表現法をp.1057〜1060に示す。ここに示す例を読み進めると，いくつかの異常所見に気がつくだろう。自己診断しながら読み進めてほしい。これらの所見を解釈できるかどうか確認すること。また，子どもが小さい場合，子ども自身ではなくその親からの報告をうまく所見の記録に組み込むために，表現の修正が必要と思われる個所も確認するとよい。

思春期・青年期の病歴および身体所見に関する記録は，成人または幼児のそれと同じである（p.1056）。病歴の記載にはHEEADSSS評価法の重要項目を含めるのを忘れないこと。

健康増進とカウンセリング：エビデンスと推奨

米国小児科学会は青年期の子どもにおける年1回の健康診断を推奨している[18]。健康診断のあらゆる機会において，若者の健康増進を行う。慢性的な問題や高いリスクを伴う行動がみられる思春期・青年期の子どもの場合，追加で健康増進や健康教育を行う機会を設けること。

成人期における慢性疾患の多くは，小児期や青年期にさかのぼることができる。例えば，肥満や心血管疾患，中毒（薬物，タバコ，アルコール），うつ病はすべて小児期や青年期の体験や，青年期に確立された行動習慣から影響を受けている。例えば，成人肥満の多くは青年期にすでに肥満であるか，あるいはBMIスコアの上昇傾向がみられる。もう1つの例として，成人の喫煙者のほとんどが18歳以前から喫煙をはじめている。したがって青年期における健康増進の主要項目は，健康的な活動や習慣についてよく話をすることである（図25-105）。有効な健康増進指導を行うことによって健康的な習慣や生活態度を身につけ，さまざまな健康の慢性的問題を防ぐことができる。

図 25-105 思春期の子どもたちに健康的な活動への参加についてたずね，すすめる

健康増進とカウンセリング：エビデンスと推奨

健康増進の内容にはメンタルヘルス，中毒，性行動，摂食障害など，プライバシーにかかわる項目が含まれるため，青年期後期の若者に対しては特に健診時に個人的に話をするよう心がける。健診前に自己回答式のスクリーニング検査を行うことにより，若者の問題行動に対する包括的評価が行いやすくなる。この方法により時間を節約することができ，特定の問題行動に焦点をあてた，よりよい健康増進について健診中に指導することができる。Bright Futures が公表している青年期における予防サービスのガイドラインがある（Box 25-55）[18]。

Box 25-55　青年期における定期健診項目：11〜18 歳

両親との面談
- 両親の心配を聞く
- 子どもを監督していくことについて助言しつつ，責任ある意思決定を促していく
- 学校生活，各種活動，社会との関係
- 子どもの行動，習慣，メンタルヘルス

子どもとの面談
- 社会面，感情面：メンタルヘルス，友達，家族，性同一性（ジェンダーアイデンティティ）
- 身体的発達：思春期，自己概念
- 行動や習慣：栄養状態，運動，スクリーンタイム，薬物・アルコール，タバコ，電子タバコ，睡眠
- 人間関係と性について：交際，性行動，性的指向，セックスの強要
- 家族の役割：両親や兄弟姉妹との関係
- 学校生活：さまざまな活動，体力，目標

身体診察
- 注意深い診察：身長体重の記録，第二次性徴の段階を記録

スクリーニング検査
- 視力，聴力，血圧。ヘマトクリット値も検討（女性では）。情緒面での健康と危険因子の評価（有効なスクリーニング手段を用いる）

予防接種
- 米国小児科学会のスケジュールを参照

健康教育：10 代
- 健康的週間と行動の促進：
  - 怪我と疾病の予防
    - シートベルト着用，飲酒運転，ヘルメット着用，日焼け対策，凶器
  - 栄養
    - 健康によい食事・おやつ。肥満の予防
  - 口腔衛生：歯科受診，歯磨きの習慣
  - 身体活動とスクリーンタイム
- 性の問題：
  - 守秘義務，性行動，安全性の高いセックス，必要があれば避妊法
- 高いリスクを伴う行動：
  - 予防の方法
  - 親と 10 代の子どもの相互関係，仲間との交流
  - コミュニケーション，規則
- 社会における到達度：
  - 活動，学校生活，将来のこと
  - 地域との関係
  - 社会資源，社会参加

健康教育：親
- 良好な関係，援助，安全性の考慮，制限の設定，家族の重要性，模範となる行動，責任の増大

| 表 25-1 | 不整脈と高血圧 |

上室性頻拍

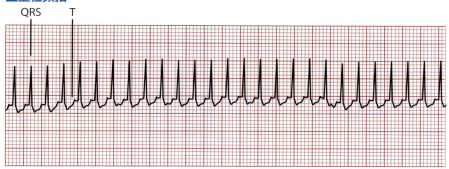

発作性上室性頻拍は，小児の不整脈の中で最もよくみられるものである。上室性頻拍の乳児では心拍数が 220 回/分以上になっていても，まったく元気か，少し頻呼吸で蒼白気味なだけの子どももいる。もちろん重篤で循環虚脱に陥る子どももいる。P 波は通常と異なった形態になっているか，あるいはみられないこともある

乳児の上室性頻拍は通常遷延して，正常の心拍数と波形の状態に戻すのに，臨床的な治療が必要なことが多い。年長児では真の意味で発作性であり，1 回の不整脈の持続時間・発作の頻度ともにまちまちである

小児の高血圧：典型例

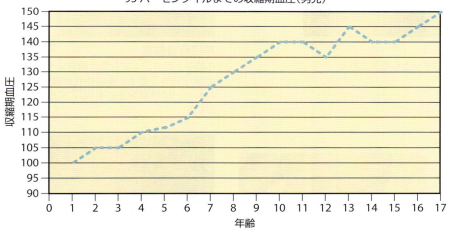

高血圧は小児期からはじまる可能性がある[30]。幼児期早期の高血圧は腎性，心原性，内分泌性の要因によることが多いが，幼児期後期や思春期・青年期の高血圧はほとんどが原発性あるいは本態性高血圧である

本態性高血圧の患児（----）は高血圧を発症し，そのまま成人になっても血圧が高いままである。小児では成長する過程で，その時点でのパーセンタイルの血圧の推移をたどっていく傾向にある。このように小児期の血圧状態が成人まで継続するという事実は，原発性高血圧がしばしば小児期からはじまるという概念を裏付けるものである

無治療の高血圧は結果として重症化し，心臓，腎臓，視覚に後遺症を生じうる

表 25-2 新生児・乳児によくみられる皮疹と皮膚所見

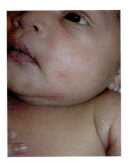

中毒性紅斑
中央に黄色または白色の膿丘疹がよくみられ，周囲に紅斑がある

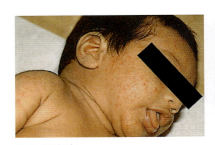

新生児痤瘡
赤い小さな膿丘疹で，主として正常新生児の頬部と鼻によくみられる

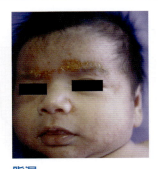

脂漏
サーモンピンク様で落屑を伴う発疹が顔面，頸部，腋窩，おむつをあてる部位，耳の後ろにみられることが多い

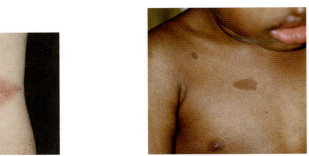

アトピー性皮膚炎（アトピー性湿疹）
紅斑，落屑，乾燥肌，強い瘙痒感が特徴的な所見としてみられる

神経線維腫症
6個以上のカフェオレ斑と腋窩のそばかす様の斑が特徴である。後に神経線維腫とLisch（リッシュ）結節を生じる（ここには示していない）

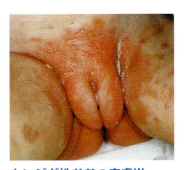

カンジダ性おむつ皮膚炎
鮮紅色の皮疹が間擦部の皮膚の襞を中心に起こり，皮疹の辺縁部に小さな複数の衛星病巣を伴う

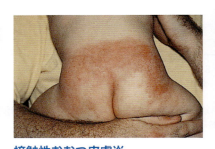

接触性おむつ皮膚炎
下痢便や刺激物（洗剤）の接触によって起こる化学性皮疹（ここではおむつが触れていた部分の変化を示す）

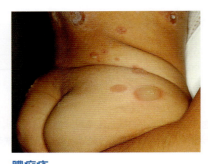

膿痂疹
細菌感染によって生じ，ときに水疱性のものや膿を伴った黄色の痂皮がみられることがある

写真出典：中毒性紅斑— White AJ. *The Washington Manual of Pediatrics*, 2nd ed. Wolters Kluwer; 2017, Fig. 15-1．脂漏— Salimpour RR et al. *Photographic Atlas of Pediatric Disorders and Diagnosis*. Wolters Kluwer; 2014, Fig. 5-8a．アトピー性皮膚炎— *Lippincott's Nursing Advisor* 2011. Wolters Kluwer; 2011, Fig. 48-1; and Goodheart HP, Gonzalez M. *Goodheart's Photoguide of Common Skin Disorders*, 2nd ed. Wolters Kluwer; 2003, Fig. 2-11.

表 25-3　疣贅（いぼ），疣贅に類似する病変，その他の隆起病変

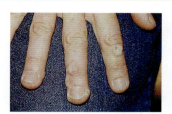

尋常性疣贅
手の乾燥した粗い疣贅

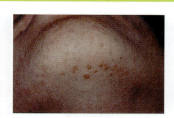

扁平疣贅
小さく平坦な疣贅

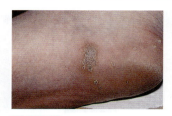

足底疣贅
足の圧痛を伴う疣贅

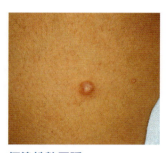

伝染性軟属腫
ドーム型の肥厚した病変で中央に臍がある

思春期痤瘡
思春期の痤瘡には開放性面皰（黒色にきび），閉鎖性面皰（白色にきび，左図），炎症性膿疱（右図）がある

写真出典：伝染性軟属腫— Fleisher GR et al. *Atlas of Pediatric Emergency Medicine.* Lippincott Williams & Wilkins; 2004, Fig. 6-25.

表 25-4　小児期によくみられる皮膚病変

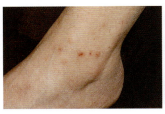

虫刺症
激しい瘙痒感を伴い，赤い，境界明瞭な丘疹が特徴である

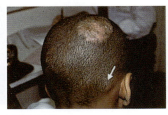

頭部白癬
落屑，痂皮，脱毛，疼痛を伴う肉芽腫性二次感染隆起病変（禿瘡），後頭リンパ節腫脹を伴う（矢印）

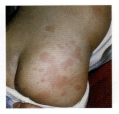

蕁麻疹
瘙痒感を伴う，アレルギー性，過敏性の反応で瞬時に形状が変化する

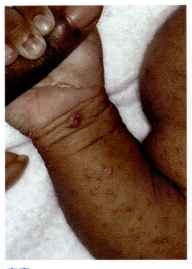

疥癬
激しい瘙痒感を伴う丘疹または小水疱を伴い，ときに疥癬トンネルがみられる。そのほとんどが四肢に生じる

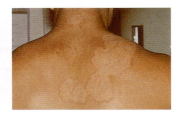

体幹白癬
輪状病変で中心治癒傾向を呈し，辺縁境界は丘疹を形成する

ばら色粃糠疹
体幹にできる楕円形の病変で年長児にみられ，しばしばクリスマスツリー様を呈し，ときにヘラルドパッチ（大きな初発疹）を認める

写真出典：虫刺症，頭部白癬，体幹白癬— Goodheart HP, Gonzalez ME. *Goodheart's Photoguide to Common Pediatric and Adult Skin Disorders*. 4th ed. Wolters Kluwer; 2016, Figs. 9-11, 18-8, and 29-2，蕁麻疹— Chung EK et al. *Visual Diagnosis and Treatment in Pediatrics*. 3rd ed. Wolters Kluwer; 2015, Fig. 64-1，疥癬— Ronald W. Cotliar, MD の厚意による，ばら色粃糠疹— Fleisher GR et al. *Atlas of Pediatric Emergency Medicine*. Lippincott Williams & Wilkins; 2004, Fig. 6-23b.

表 25-5　頭部の異常

頭血腫
生直後にはみられないが，その後 24 時間以内に明らかになってくる。頭蓋骨の 1 つの外板に及ぶ骨膜下出血である。児娩出が困難であった場合に両側性に生じることもあるが，通常は一側性であり，写真内の矢印に示すように腫脹が縫合を超えない。腫脹ははじめは軟らかく，その後数日でカルシウムが沈着するため，その辺縁が骨様に隆起する。そして数週で消失していく

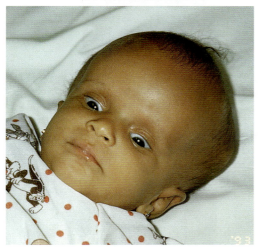

水頭症
水頭症では大泉門が膨隆し，両眼が下方に偏位することがある。その場合，写真のように強膜上部が露呈され，いわゆる**落陽現象**を生じる

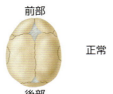

前部

正常

後部

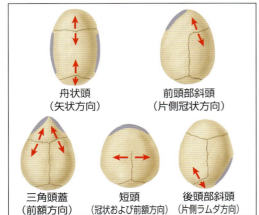

舟状頭（矢状方向）　　前頭部斜頭（片側冠状方向）

三角頭蓋（前額方向）　　短頭（冠状および前額方向）　　後頭部斜頭（片側ラムダ方向）

頭蓋骨癒合症
1 つまたはそれ以上の頭蓋骨縫合の早発閉鎖をいう。これにより，頭蓋骨の成長異常と形の異常が生じる。侵されていない縫合の部分では頭蓋骨は成長するが，侵されている部分での骨成長は止まってしまうからである

図に示すのは，頭蓋骨癒合症によるさまざまな形の頭部である。各図に表示されていない縫合線が，早発閉鎖している縫合を示している。舟状頭と前頭部斜頭が最もよくみられる頭蓋骨癒合症である。**青で影をつけた部分**は最も平坦となる部分を示し，**赤い矢印**は正常な縫合線をはさんで骨が発育する方向を示す

写真出典：頭血腫― Chung EK et al. *Visual Diagnosis and Treatment in Pediatrics*. 3rd ed. Wolters Kluwer; 2015, Fig. 2-6．水頭症― Fleisher GR et al. *Atlas of Pediatric Emergency Medicine*. Lippincott Williams & Wilkins; 2004, Fig. 14.4.

表 25-6　乳幼児における疾患の診断の決め手となる特有の顔貌

胎児アルコール症候群

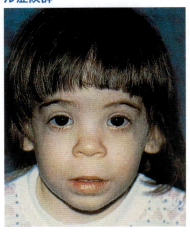

アルコール依存症の母親から出生した児は，成長障害，小頭症，知的障害などの発症のリスクが増加する。特徴的顔貌として，眼瞼裂狭小，人中（口唇上部の垂直方向の溝）が平坦で広い，口唇が薄いなどがあげられる

先天性甲状腺機能低下症（クレチン症）

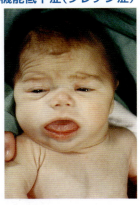

粗野な顔貌，額の髪の生え際の低位，まばらな眉毛，巨大舌などを呈する。さらに合併する異常として嗄声，臍ヘルニア，乾燥した冷たい四肢，粘液水腫，網状皮膚，知的障害などがある。先天性甲状腺機能低下症の児の多くが身体的徴候をもたないため，米国や多くの他の国では，すべての新生児に対してスクリーニング検査を実施している

先天性梅毒

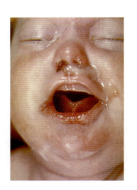

梅毒トレポネーマ *Treponema pallidum* による子宮内感染が通常胎生16週以降に生じた場合，ほぼ確実に胎児の全臓器を侵す。無治療の場合，致死率はきわめて高い。児の徴候は生後1カ月以内に出現する。顔面の徴候として，前頭部の膨隆，鼻柱の陥凹である**鞍鼻**（これらは骨膜炎による所見である），浸潤性鼻粘膜病変からくる鼻炎（**閉塞性鼻呼吸**）が生じる。その他，口周囲の発疹がある。また，ここでは示していないが口腔内・口唇の粘膜皮膚の炎症と裂溝（**亀裂**）も先天性梅毒の所見として生じることがある。また頭蓋癆，脛骨骨膜炎（**剣状脛**），歯の異形成〔**Hutchinson（ハッチンソン）歯**，表14-3「歯肉と歯の所見」，p.448 参照〕なども先天性梅毒の徴候である

顔面神経麻痺

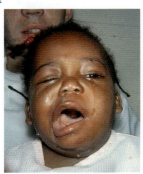

末梢性（下位運動神経）顔面神経麻痺は，（1）出生時の陣痛と分娩に伴う神経の圧損傷，（2）急性および慢性中耳炎による顔面神経の中耳枝の炎症，（3）原因不明〔Bell（ベル）麻痺〕の3つの要因で生じる。写真に示すように，患側である左側の鼻唇溝が平坦化し，同側の眼瞼が閉じていない。この様子は泣くと増強される。ほとんどの患児が完全に回復する

表 25-6　乳幼児における疾患の診断の決め手となる特有の顔貌(続き)

Down 症候群

Down 症候群(21 トリソミー症候群)の児は通常，小さくて丸い頭，鞍鼻，外側につり上がった眼瞼裂，著明な内眼角贅皮，小さく低位で貝のような耳，比較的大きな舌を特徴とする。付随する特徴として全身の筋緊張低下，手掌を横断する襞(サル線)，短く薬指側に弯曲した第 5 指(**弯曲指**)，Brushfield(ブラッシュフィールド)斑(表 25-7「眼，耳，口腔の異常」参照)，精神発達遅滞などがある

非事故性外傷

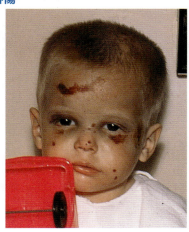

身体的虐待を受けた子どもは，**新旧の混在した打撲痕**を頭部や顔面に認めることがある。その他の徴候としては，通常外傷を起こしやすい骨ばった場所ではない部位(腋窩や鼠径部)に打ち身のあざがあること，頭蓋骨・肋骨・長管骨にさまざまな治癒段階の骨折のＸ線所見がみられること，傷を負わせるのに用いられた器具(例：手，ベルトのバックル，革ひも，縄，ハンガー，タバコの火)に類似した形状の皮膚病変があることなどがあげられる

通年性アレルギー性鼻炎

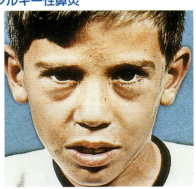

口を開け(鼻閉のため鼻呼吸できない)，下眼瞼溝の浮腫と変色(アレルギー性の目の下のくま)がみられる。また，しばしば手を上下に動かして鼻を拭いたり擦ったりする動作(アレルギーの挨拶)や，鼻の瘙痒感や鼻閉を何とかしようと顔をしかめる(鼻と口をもごもご動かす)様子もしばしば観察される

甲状腺機能亢進症

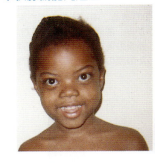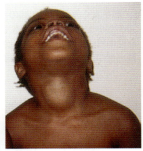

甲状腺中毒症〔**Graves**(グレーブス)**病**〕は 10 歳未満の小児 1,000 人あたりに約 2 人の割合で発症する。頻脈，代謝亢進，伸長の加速を呈することもある。ここに示した 6 歳女児の顔貌の特徴として，注視するような目つき(眼球突出は小児ではまれであり，その目つきも真の眼球突出ではない)と甲状腺の肥大(**甲状腺腫**)があげられる

表 25-7　眼，耳，口腔の異常

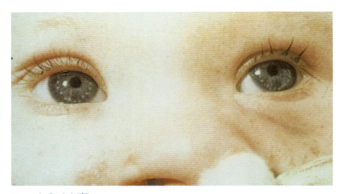

Brushfield 斑
虹彩の表面にみられるこの異常な斑点は，Down 症候群を示唆する

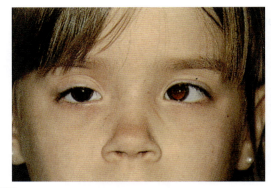

斜視
眼の視軸の平行を欠く現象は，視覚障害への進展につながる。ここに示した内斜視は内側へ輻輳する偏位である

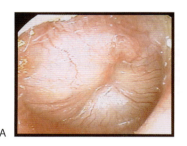
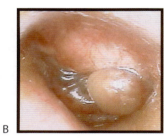
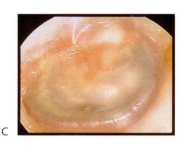

A　　B　　C

中耳炎
幼児に最もよくみられる病態の1つである。中耳炎のさまざまな病態をここに示した
A：重症な小児における，発赤，ゆがみ，膨隆を呈した鼓膜で，典型的な急性中耳炎である
B：急性中耳炎に水疱形成を伴い，鼓膜の後方に液貯留がみられる
C：滲出性中耳炎で，陥凹し肥厚した鼓膜の後方に黄色の液貯留がみられる。光錐やツチ骨柄などの正常な目印はみえないことが多い

口腔カンジダ症（鵞口瘡）
幼児によくみられる感染症である。白い斑状隆起病変は擦っても落ちない

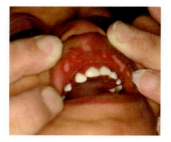

ヘルペス性歯肉口内炎
疼痛を伴う潰瘍性病変で，潰瘍の周囲に発赤を伴う

写真出典：中耳炎― Alejandro Hoberman, Children's Hospital of Pittsburgh, University of Pittsburgh の厚意による，鵞口瘡― Salimpour RR et al. *Photographic Atlas of Pediatric Disorders and Diagnosis*. Wolters Kluwer; 2014, UNImage13C，ヘルペス性歯肉口内炎― Fleisher GR et al. *Atlas of Pediatric Emergency Medicine*. Lippincott Williams & Wilkins; 2004, Fig. 11-7b.

表 25-8　乳児の異常な啼泣（持続する場合）

型	異常の可能性
激しくかん高い泣き声	頭蓋内圧亢進。麻薬常用の母親から出生
嗄声	低カルシウム血症性テタニー，先天性甲状腺機能低下症，あるいは片側性の声帯脱力（片側声帯麻痺）
持続する吸気・呼気性喘鳴	上気道の物理的閉塞（ポリープや血管腫など），喉頭の相対的狭窄（**乳児喉頭クループ**），気管輪の軟骨の発達障害（**気管軟化症**），両側声帯麻痺
声が出ない	非常に具合の悪い状態，声門横隔膜症

表 25-9　歯，咽頭，頸部の異常

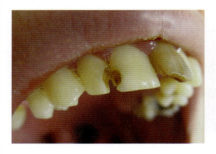

齲歯（幼児期齲歯）

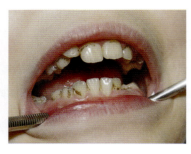

重症の幼児期齲歯

齲歯
齲歯は世界中の小児保健における大きな問題である。歯の白色斑点は初期の齲歯であることが多い。写真では齲歯のさまざまな特徴を示す

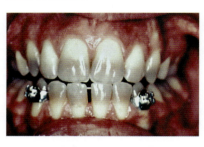

歯の着色
小児における歯の着色はさまざまな原因によって生じるが，テトラサイクリン使用（左の写真）などによる内因性着色と，口腔内衛生状態が悪いことによる外因性着色（前の写真で示したような齲歯病変）がある。外因性着色は除去が可能である

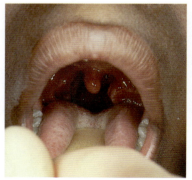

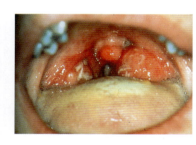

レンサ球菌性咽頭炎
小児期によくみられ，咽頭後壁の発赤と軟口蓋の点状出血を認める。また悪臭のある滲出液も認められる

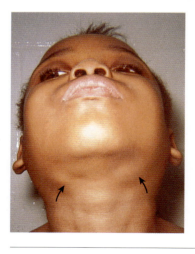

リンパ節腫脹
腫大し，圧痛のあるリンパ節は小児でよく認められる。最も可能性の高いのはウイルス性あるいは細菌性の感染症である。写真のように両側性の場合もある

写真出典：齲歯— Sherman S et al. *Atlas of Clinical Emergency Medicine*. Wolters Kluwer; 2016, Fig. 5-6. より，歯の着色— Maliutina Anna より Shutterstock の許可を得て掲載

| 表 25-10 | 小児のチアノーゼ |

チアノーゼの有無を判断することは重要である。判断するのに最もよいのは粘膜の視診である。通常の粘膜がイチゴ色なのに対して，チアノーゼのある児の粘膜はラズベリー色である。**下記の説明を読む前に，まず写真だけでチアノーゼがどこにどのようにあるか判断してみるとよい。**

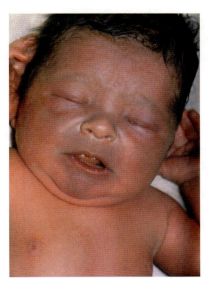

全身チアノーゼ
この児は全肺静脈還流異常であり，酸素飽和度は 80％である

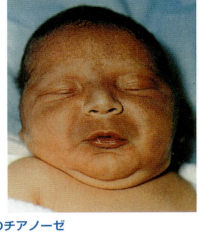

口周囲のチアノーゼ
この児は口唇の上部に軽いチアノーゼを認めるが，粘膜はピンク色である

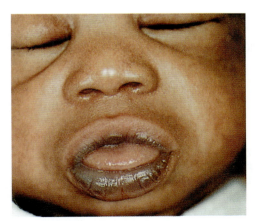

黒みを帯びた口唇がチアノーゼのようにみえる患児
赤唇縁の正常な色素沈着が黒みを帯びた色調を感じさせるが，粘膜はピンク色である

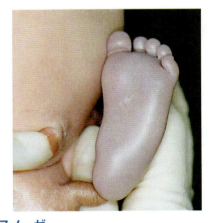

肢端チアノーゼ
生直後の新生児の手足によく出現する。写真は 32 週の早産児である。肢端チアノーゼは心疾患の有無を反映しない

写真出典：（全身チアノーゼを除く）— Fletcher M. *Physical Diagnosis in Neonatology*. Lippincott-Raven; 1998.

表 25-11　先天性心疾患による心雑音

器質的な心疾患の存在を反映する心雑音がある。その病態生理を理解すれば，無害性雑音との区別が容易になる。閉塞性の雑音は血流が，サイズの小さな弁や狭小化した血管を通過するときに生じる。この雑音は生後肺血管抵抗が低下してくることとは関係がなく，出生時から存在することがその特徴である。一方，左-右シャントが生じる欠損奇形では，生後まもなく生じる肺血管抵抗の低下に依存している。心室中隔欠損症，動脈管開存症，総動脈幹症などの圧較差の大きい左-右シャントでは，生後 1 週間以降まで聴取されないことがあり，末梢血管抵抗が低下するに従い雑音が増大する。心房中隔欠損症のような圧較差の小さい左-右シャントでは，1 歳以上になるまでは心雑音が聴取されないこともある。先天性心疾患の患児の多くは，いくつかの異常を合併しており，重症度も多様である。したがって，心臓の診察で必ずしも上記のような典型的徴候をとらないものがある。この表では新生児期に聴取される雑音から順に，よくみられる雑音に限って示す。

先天異常とその機序　　心雑音の特徴　　関連する所見

肺動脈弁狭窄症

通常は弁輪の大きさは正常だが，弁尖のいくつかまたはほとんどが融合しており，弁を通過する血流が制限される

軽度

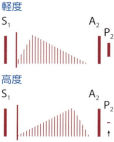

高度

- **位置**：胸骨左縁上部
- **放散**：心雑音は肺動脈の走行に沿って肺野で聴取される（背部などに放散）
- **強さ**：狭窄の程度が強くなるほど，雑音の強度・持続時間とも増える
- **性状**：駆出性。狭窄が強くなるにつれて，収縮期の比較的後半に最強点が移動する

収縮期早期に明らかな駆出時クリック
心基部近辺での P_2 が遅延して，通常より弱い。狭窄の進行とともに消失。吸気で心雑音は増強，呼気でクリックが増強する
成長は通常正常である
重度の狭窄がある新生児は心房間の右-左シャントによるチアノーゼを呈し，動脈管閉鎖により心不全が急速に進行することがある

大動脈弁狭窄症

二尖弁で進行性に狭窄が強くなることが多いが，弁の異形成，リウマチ熱，変性疾患による障害もありうる

- **位置**：胸骨体部，胸骨右縁上部
- **放散**：両頸動脈と頸切痕へ放散する。振戦を触れることもある
- **強さ**：さまざま。高度の狭窄になるほど，雑音は大きくなる
- **性状**：駆出性で，しばしば粗い，収縮期の雑音である

駆出時クリックを伴っている
A_2 は増強していることもある。大動脈弁閉鎖不全の雑音を合併している場合もある（図には示していない）。高度の狭窄を伴う新生児では，脈が微弱あるいはまったく触れず，重症心不全を呈することがある。大動脈弁が先天的に異常であるにもかかわらず，成人になるまで狭窄音が聴取されないこともある

Fallot 四徴

心室中隔欠損，漏斗部あるいは弁性の右室流出路狭窄，大動脈騎乗，心室中隔欠損を介した右-左シャントを生じる複雑な心奇形である

肺動脈狭窄を伴う場合

肺動脈閉鎖を伴う場合

- **一般的事項**：さまざまな程度のチアノーゼがあり，運動で増強する
- **位置**：胸骨左縁の中央から上部。肺動脈閉鎖の場合は，胸骨左縁上部から背部の領域で，動脈管開存症での連続性雑音が聴取される
- **放散**：ほとんどない。胸骨左縁上部，ときに肺野へ放散することもある
- **強さ**：通常，Ⅲ～Ⅳ/Ⅵ度
- **性状**：収縮期駆出性雑音

脈は正常に触れる
P_2 は通常聴取されない。突然チアノーゼが増強し，喘ぎ呼吸，意識レベル低下を生じるチアノーゼ増強性発作（無酸素発作）を生じることがある
遷延性・進行性の高度チアノーゼで，体重増加不良がみられる
長期遷延性チアノーゼで，手足のばち状指形成を伴う
遷延性低酸素血症によって多血症が生じ，それによりさらにチアノーゼが増強する

表 25-11　先天性心疾患による心雑音（続き）

先天異常とその機序	心雑音の特徴	関連する所見
大血管転位症 大血管の回転不全（解剖学的異常）による重篤な心奇形で，大動脈が右室，肺動脈が左室より起始する	**一般的事項**：強い全身チアノーゼが認められる **位置**：本疾患に特徴的な心雑音はない。あるとすれば，合併する心室中隔欠損を反映してのものである **放散と性状**：合併奇形による	前方に位置する大動脈弁の閉鎖による単一で大きい A_2 しばしば急速に心不全が進行する 左記のような合併奇形がしばしばみられる
心室中隔欠損症 高圧の左室から中隔欠損部を介して低圧の右室へ血液が流れ，乱流を形成し，収縮期を通して雑音が聴取される 軽～中等度の欠損 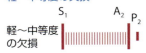	**位置**：胸骨左縁下方 **放散**：ほとんどない **強さ**：さまざまである。シャント量が一部強度に関係しているが，絶対的に比例しているわけではない。欠損孔が小さく圧較差が大きい場合，心雑音が非常に大きいことがある。欠損孔が大きく肺血管抵抗が増大している場合，逆に心雑音は聴取されない。通常 II～IV/VI度の雑音であるが，IV/VI度かそれ以上のこともあり，その場合は振戦が触知される **性状**：全収縮期雑音で，通常粗く，雑音が大きいと S_1 と S_2 がはっきりしなくなることがある	大きいシャントがある場合，僧帽弁狭窄による拡張中期の低調性心雑音が心尖部で聴取されることがある 肺動脈圧が上昇するにつれて，心基部での P_2 の強度が増す。肺動脈圧が大動脈圧と等しくなると心音は消失し，P_2 は非常に大きくなる シャント量が少なければ発達は正常である 大きいシャントがあると，生後 6～8 週で心不全を呈し，体重増加不良や経口（哺乳）不良となる 合併心奇形がしばしばみられる
動脈管開存症 生後動脈管が閉鎖しない場合，高圧の大動脈から低圧の肺動脈への血流が持続するため，連続性の心雑音が収縮期-拡張期の全周期で聴取される 軽～中等度のシャント量 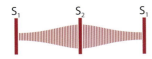	**位置**：胸骨左縁上部とその左方 **放散**：背部へ放散することがある **強さ**：シャント量によりさまざまではあるが，通常 II～III/VI度 **性状**：不明瞭で，ときに機械の作動音のような音で，心臓周期全体にまたがる連続性雑音で，拡張期の終末には聴取できないこともある。原則としてとぎれることがない。収縮期により強くなる	脈はよく触れ，跳躍性となることもある 低出生体重児では出生時に聴取され，場合によっては跳躍性の脈となり，拍動とともに前胸部が過剰に動き，異常な心雑音となる 正期産児では肺血管抵抗の低下後に聴取する シャント量が多いと，生後 4～6 週で心不全を生じる シャント量によっては体重増加不良を呈する 上述したように，肺高血圧により心雑音の大きさが変化する
心房中隔欠損症 心房中隔の欠損孔を介して左-右シャントが生じる。その程度はさまざまである 	**位置**：胸骨左縁上部 **放散**：背部に放散する **強さ**：さまざまだが，通常 II～III/VI度である **性状**：駆出性であるが，粗い心雑音ではない	呼吸相にかかわらず常に S_2 の分裂が著明。強度は正常どおり 通常，1 歳をすぎるまで聴取されない シャント量が増大するにつれ，徐々に体重増加不良が出現する 労作に対する耐性がゆるやかに減少していく 心不全はまれである

表 25-12　性的虐待の身体徴候

示唆する所見
1. 便秘がなく，腟前庭に便がなく(訳注)，二分脊椎のような膀胱直腸障害などの神経学的異常がないにもかかわらず，膝胸位で肛門がすぐに弛緩して開く
2. 処女膜の下方（背側）の部分の半分以上の処女膜孔辺縁に断裂や切れ目がみられる（膝胸位で確証を得ること）
3. 3歳以上の子どもで尖圭コンジローマに罹患している
4. 陰唇，処女膜周辺で組織に皮下出血，擦過傷，裂傷，歯型がみられる
5. 新生児以降で肛門から性器にかけてヘルペス感染症がみられる
6. 幼児の膿性で悪臭を放つ腟分泌物。白帯下はすべて培養が必要であり，性感染症（STI）の証拠をつかむために顕微鏡下の検査を行うこと

確定的な所見
1. 処女膜や小陰唇小帯後部の裂傷，出血斑，できたばかりの瘢痕巣がみられる
2. 処女膜の3時から9時にかけた部位が消失している（さまざまな体位で確証を得ること）
3. 処女膜の3時から9時での完全な横断裂で，治癒している
4. 肛門周辺の裂傷で，外肛門括約筋までのびている

性的虐待を示唆する所見がみられる子どもについては，すべて専門家によって完璧な病歴聴取と身体診察が行われ，評価されなければならない

どのような身体徴候の場合でも，十分な病歴聴取，性器以外の部位の身体診察，さらに検査所見に照らして評価すべきである

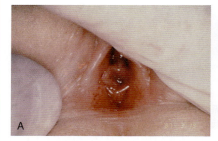
A　陰部組織の急性出血と斑状出血（生後10カ月）

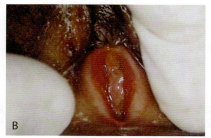
B　小陰唇の紅斑と粘膜の表皮剥離（5歳）

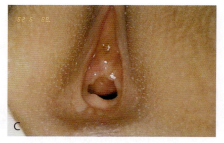
C　9時方向の処女膜離断の治癒後（4歳）

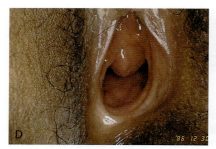
D　処女膜辺縁の下方（背側）が狭くなっており，入口部が腟壁とつながってみえる（12歳）

E　おびただしい白帯下と発赤（9歳）

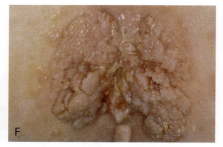
F　肛門周辺の著明なコンジローマ（2歳）

出典：Reece R, Ludwig S, eds. *Child Abuse Medical Diagnosis and Management*. 2nd ed. Lippincott Williams & Wilkins; 2001.

訳注：直腸腟瘻などの泌尿生殖洞奇形がないという意味。

表 25-13　よくみられる男児泌尿生殖器系の異常

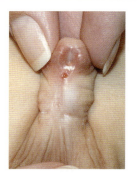

尿道下裂
最も多い陰茎の奇形である。尿道口が陰茎の腹側に異常開口する。写真では尿道下裂の一型を示したが，重症例では尿道開口部がさらに陰茎の下部であったり，陰囊であったりする

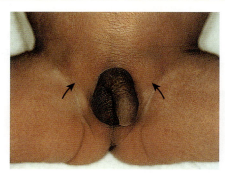

停留精巣
鼠径管にとどまる停留精巣（矢印）と，活発な精巣挙筋反射により精巣が上昇し容易に引き下げることができるものとを鑑別しなければならない

写真出典：尿道下裂— Warren Snodgrass, MD, Hypospadias Specialty Center の厚意による．停留精巣— Fletcher M. *Physical Diagnosis in Neonatology.* Lippincott-Raven; 1998.

表 25-14　幼児によくみられる筋骨格系所見

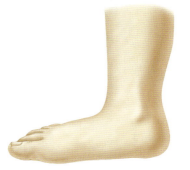
足部の軟部組織構造の弛緩による**扁平足**

足部の内側への転位（**内反足**）

小児における内転中足。前足部は内転しているが内反はしていない

A

B

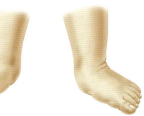

幼児の足の回内。A：児の背後からみると足の外側端が上がっている。B：児を前からみると足部の前面は外反・外転している

表 25-15　疾病予防の効力：予防接種によって予防可能な疾患

予防接種による予防が可能な疾患に罹患した小児を，以下に示す。公衆衛生の観点から，小児に対する予防接種こそが唯一かつ最も重要な臨床的介入である。予防接種が普及することによって，こうした患者に遭遇しなくなることが望ましいが，疾患そのものはよく認識しておかなくてはならない。以下の説明を読む前にどのような疾患かを確認してみるとよい。

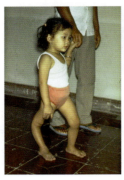

ポリオ
下肢の変形はポリオによる

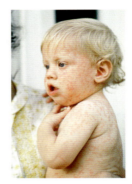

麻疹
麻疹に特徴的な発疹を認める。鼻汁（気道症状），結膜炎，発熱，びまん性発疹を呈している

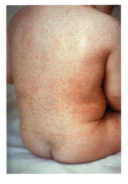

風疹
風疹によって背中の発赤がみられる

破傷風
新生児破傷風にて痙攣発作を生じている新生児を示す

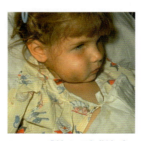

インフルエンザ菌 b 型感染症
組織侵襲性が強く，頬部蜂窩織炎を起こしている

水痘
乳児水痘を示す

表 25-15　疾病予防の効力：予防接種によって予防可能な疾患（続き）

髄膜炎
項部硬直

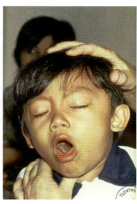

百日咳
最後の吸気で whoop（ヒューという音がする吸気性笛音）を伴う発作性咳嗽

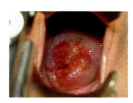

子宮頸癌
多くはヒトパピローマウイルス human papillomavirus（HPV）ワクチン接種により予防できる

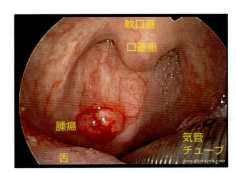

ヒトパピローマウイルス感染の合併症：**中咽頭癌**

写真出典：ポリオ―World Health Organization の厚意による．インフルエンザ菌 b 型感染症―Children's Immunization Project, St. Paul, Minnesota の厚意による．破傷風―Centers for Disease Control and Prevention の厚意による．百日咳―Centers for Disease Control and Prevention の厚意による．水痘―Tagher G, Knapp L. *Pediatric Nursing*. Wolters Kluwer; 2020, Fig. 29-8．子宮頸癌―Berek J. *Berek & Novak's Gynecology*. 16th ed. Wolters Kluwer; 2020, Fig. 38-1．中咽頭癌―http://www.ghorayeb.com/OropharyngealCarcinoma.html より Bechara Y. Ghorayeb, MD. の許可を得て掲載

文献一覧

1. Carey WB. *Developmental-behavioral Pediatrics*. 4th ed. Philadelphia, PA: Saunders/Elsevier; 2009.
2. Levine MD, Carey WB, Crocker AC. *Developmental-behavioral Pediatrics*. 3rd ed. Philadelphia, PA: Saunders; 1999.
3. Voigt RG, Macias MM, Myers SM, et al; American Academy of Pediatrics. Section on developmental and behavioral pediatrics. *Developmental and Behavioral Pediatrics*. 2nd ed. Itasca, IL: American Academy of Pediatrics; 2018.
4. Dixon SD, Stein MT. *Encounters with Children: Pediatric Behavior and Development*. 4th ed. Philadelphia, PA: Mosby Elsevier; 2006.
5. Squires J, Nickel RE, Eisert D. Early detection of developmental problems: strategies for monitoring young children in the practice setting. *J Dev Behav Pediatr*. 1996; 17(6): 420-427.
6. Gilbride KE. Developmental testing. *Pediatr Rev*. 1995; 16(9): 338-345.
7. Rydz D, Shevell MI, Majnemer A, et al. Developmental screening. *J Child Neurol*. 2005; 20(1): 4-21.
8. First LR, Palfrey JS. The infant or young child with developmental delay. *N Engl J Med*. 1994; 330(7): 478-483.
9. Wolraich M. *Disorders of Development and Learning*. 3rd ed. Hamilton, Ontario: BC Decker Inc.; 2003.
10. Council on Children With Disabilities, Section on Developmental Behavioral Pediatric, Bright Futures Steering Committee, Medical Home Initiatives for Children With Special Needs Project Advisory Committee. Identifying infants and young children with developmental disorders in the medical home: an algorithm for developmental surveillance and screening. *Pediatrics*. 2006; 118(1): 405-420.
11. Bricker DD, Squires J, Mounts L, et al. *Ages & Stages Questionnaires: A Parent-completed, Child-monitoring System*. 2nd ed. Baltimore, MD: Paul H. Brookes; 1999.
12. Coplan J, Gleason JR. Test-retest and interobserver reliability of the Early Language Milestone Scale, second edition. *J Pediatr Health Care*. 1993; 7(5): 212-219.
13. Robins DL, Fein D, Barton ML, et al. The modified checklist for autism in toddlers: an initial study investigating the early detection of autism and pervasive developmental disorders. *J Autism Dev Disord*. 2001; 31(2): 131-144.
14. Glascoe FP. *Collaborating with Parents: Using Parents' Evaluation of Developmental Status to Detect and Address Developmental and Behavioral Problems*. Nashville, TN: Ellsworth & Vandermeer; 1998.
15. Perrin EC, Sheldrick C, Visco Z, et al. The Survey of Well-being of Young Children (SWYC) user's manual. *SWYC User's Man*. 2016: 1-157.
16. Sheldrick RC, Merchant S, Perrin EC. Identification of developmental-behavioral problems in primary care: a systematic review. *Pediatrics*. 2011; 128(2): 356-363.
17. Newacheck PW, Strickland B, Shonkoff JP, et al. An epidemiologic profile of children with special health care needs. *Pediatrics*. 1998; 102(1 Pt 1): 117-123.
18. Hagan JF, Shaw JS, Duncan PM. *Bright Futures: Guidelines for Health Supervision of Infants, Children, and Adolescents*. 4th ed. Elk Grove Village, IL: Bright Futures/American Academy of Pediatrics; 2017.
19. Pediatrics AAo. Bright Futures. https://brightfutures.aap.org/Pages/default.aspx. Accessed April 11, 2019.
20. Services USDoHaH.U.S. Preventive Services Task Force (USPSTF). Available at http://www.ahrq.gov/professionals/clinicians-providers/guidelines-recommendations/guide. Published 2014. Accessed April 11, 2019.
21. Pediatrics AAo. Immunization. Available at http://www2.aap.org/immunization/izschedule.html. Published February 2019. Accessed April 11, 2019.
22. Prevention CfDCa. Immunization schedules. Available at https://www.cdc.gov/vaccines/schedules/hcp/imz/child-adolescent.html. Published 2014. Accessed April 11, 2019.
23. Johnson CP, Blasco PA. Infant growth and development. *Pediatr Rev*. 1997; 18(7): 224-242.
24. Colson ER, Dworkin PH. Toddler development. *Pediatr Rev*. 1997; 18(8): 255-259.
25. Coplan J. Normal speech and language development: an overview. *Pediatr Rev*. 1995; 16(3): 91-100.
26. Brazelton TB. Working with families. Opportunities for early intervention. *Pediatr Clin North Am*. 1995; 42(1): 1-9.
27. Grummer-Strawn LM, Reinold C, Krebs NF; Centers for Disease Control and Prevention (CDC). Use of World Health Organization and CDC growth charts for children aged 0-59 months in the United States. *MMWR Recomm Rep*. 2010; 59(RR-9): 1-15.
28. Wright CM, Williams AF, Elliman D, et al. Using the new UK-WHO growth charts. *BMJ*. 2010; 340: c1140.
29. Flynn JT, Kaelber DC, Baker-Smith CM, et al. Clinical practice guideline for screening and management of high blood pressure in children and adolescents. *Pediatrics*. 2017; 140(3): e20171904.
30. Fleming S, Thompson M, Stevens R, et al. Normal ranges of heart rate and respiratory rate in children from birth to 18 years of age: a systematic review of observational studies. *Lancet*. 2011; 377(9770): 1011-1018.
31. Herzog LW, Coyne LJ. What is fever? Normal temperature in infants less than 3 months old. *Clin Pediatr (Phila)*. 1993; 32(3): 142-146.
32. Fleming S, Gill P, Jones C, et al. The diagnostic value of capillary refill time for detecting serious illness in children: a systematic review and meta-analysis. *PLoS One*. 2015; 10(9): e0138155.
33. Pindrik J, Ye X, Ji BG, et al. Anterior fontanelle closure and size in full-term children based on head computed tomography. *Clin Pediatr (Phila)*. 2014; 53(12): 1149-1157.

34. Fong CT. Clinical diagnosis of genetic diseases. *Pediatr Ann*. 1993; 22(5): 277-281.
35. Hyvarinen L, Walthes R, Jacob N, et al. Current understanding of what infants see. *Curr Ophthalmol Rep*. 2014; 2(4): 142-149.
36. Lees MH. Cyanosis of the newborn infant. Recognition and clinical evaluation. *J Pediatr*. 1970; 77(3): 484-498.
37. Callahan CW Jr, Alpert B. Simultaneous percussion auscultation technique for the determination of liver span. *Arch Pediatr Adolesc Med*. 1994; 148(8): 873-875.
38. Frank JE, Jacobe KM. Evaluation and management of heart murmurs in children. *Am Fam Physician*. 2011; 84(7): 793-800.
39. Reiff MI, Osborn LM. Clinical estimation of liver size in newborn infants. *Pediatrics*. 1983; 71(1): 46-48.
40. Burger BJ, Burger JD, Bos CF, et al. Neonatal screening and staggered early treatment for congenital dislocation or dysplasia of the hip. *Lancet*. 1990; 336(8730): 1549-1553.
41. Clinical practice guideline: early detection of developmental dysplasia of the hip. Committee on Quality Improvement, Subcommittee on Developmental Dysplasia of the Hip. American Academy of Pediatrics. *Pediatrics*. 2000; 105(4 Pt 1): 896-905.
42. American Academy of Pediatrics Task Force on Circumcision. Circumcision policy statement. *Pediatrics*. 2012; 130(3): 585-586.
43. Scherl SA. Common lower extremity problems in children. *Pediatr Rev*. 2004; 25(2): 52-62.
44. Zafeiriou DI. Primitive reflexes and postural reactions in the neurodevelopmental examination. *Pediatr Neurol*. 2004; 31(1): 1-8.
45. Luiz DM, Foxcroft CD, Stewart R. The construct validity of the Griffiths scales of mental development. *Child Care Health Dev*. 2001; 27(1): 73-83.
46. Aylward GP. Developmental screening and assessment: what are we thinking? *J Dev Behav Pediatr*. 2009; 30(2): 169-173.
47. Shamis DJ. Collecting the "facts": vision assessment techniques: pearls and pitfalls. *American Orthoptic Journal*. 1996; 46(1): 7-13.
48. Blomgren K, Pitkaranta A. Current challenges in diagnosis of acute otitis media. *Int J Pediatr Otorhinolaryngol*. 2005; 69(3): 295-299.
49. Coker TR, Chan LS, Newberry SJ, et al. Diagnosis, microbial epidemiology, and antibiotic treatment of acute otitis media in children: a systematic review. *JAMA*. 2010; 304(19): 2161-2169.
50. Rothman R, Owens T, Simel DL. Does this child have acute otitis media? *JAMA*. 2003; 290(12): 1633-1640.
51. Pirozzo S, Papinczak T, Glasziou P. Whispered voice test for screening for hearing impairment in adults and children: systematic review. *BMJ*. 2003; 327(7421): 967.
52. American Academy of Pediatrics, Subcommittee on Management of Sinusitis and Committee on Quality Improvement. Clinical practice guideline: management of sinusitis. *Pediatrics*. 2001; 108(3): 798-808.
53. Wolf AMD, Wender RC, Etzioni RB, et al. American Cancer Society guideline for the early detection of prostate cancer: update 2010. *CA Cancer J Clin*. 2010; 60: 70-98.
54. Wald ER, Applegate KE, Bordley C, et al. Clinical practice guideline for the diagnosis and management of acute bacterial sinusitis in children aged 1 to 18 years. *Pediatrics*. 2013; 132(1): e262-e280.
55. Tinanoff N, Reisine S. Update on early childhood caries since the Surgeon General's Report. *Acad Pediatr*. 2009; 9(6): 396-403.
56. Assimakopoulos D, Patrikakos G, Fotika C, et al. Benign migratory glossitis or geographic tongue: an enigmatic oral lesion. *Am J Med*. 2002; 113(9): 751-755.
57. Ebell MH, Smith MA, Barry HC, et al. The rational clinical examination. Does this patient have strep throat? *JAMA*. 2000; 284(22): 2912-2918.
58. Akinbami LJ, Moorman JE, Liu X. Asthma prevalence, health care use, and mortality: United States, 2005-2009. *Natl Health Stat Report*. 2011(32): 1-14.
59. Ashcraft KW. Consultation with the specialist: acute abdominal pain. *Pediatr Rev*. 2000; 21(11): 363-367.
60. Euser S, Alink LR, Stoltenborgh M, et al. A gloomy picture: a meta-analysis of randomized controlled trials reveals disappointing effectiveness of programs aiming at preventing child maltreatment. *BMC Public Health*. 2015; 15: 1068.
61. Bruce RW Jr. Torsional and angular deformities. *Pediatr Clin North Am*. 1996; 43(4): 867-881.
62. Ogden CL, Carroll MD, Kit BK, et al. Prevalence of obesity and trends in body mass index among US children and adolescents, 1999-2010. *JAMA*. 2012; 307(5): 483-490.
63. Ingelfinger JR. The child or adolescent with elevated blood pressure. *N Engl J Med*. 2014; 371(11): 1075.
64. Goldenring JM, Cohen E. Getting into adolescent heads. *Contemporary Pediatrics*. 1988; 5(7): 75-90.
65. Goldenring JM, Rosen DS. Getting into adolescent heads: An essential update. *Contemporary Pediatrics*. 2004; 21: 64-92.
66. Smith GL, McGuinness TM. Adolescent Psychosocial Assessment: The HEEADSSS. *J Psychosoc Nurs Ment Health Serv*. 2017; 55(5): 24-27.
67. Kann L, McManus T, Harris WA, et al. Youth risk behavior surveillance — United States, 2017. *MMWR Surveill Summ*. 2018; 67(8): 1-114.
68. Rider GN, McMorris BJ, Gower AL, et al. Health and care utilization of transgender and gender nonconforming youth: a population-based study. *Pediatrics*. 2018; 141(3): e20171683.
69. Hoffman ND, Freeman K, Swann S. Healthcare preferences of lesbian, gay, bisexual, transgender and questioning youth. *J Adolesc Health*. 2009; 45(3): 222-229.
70. Meckler GD, Elliott MN, Kanouse DE, et al. Nondisclosure of sexual orientation to a physician among a sample of gay, lesbian, and bisexual youth. *Arch Pediatr Adolesc Med*. 2006; 160(12): 1248-1254.

71. Arreola S, Neilands T, Pollack L, et al. Childhood sexual experiences and adult health sequelae among gay and bisexual men: defining childhood sexual abuse. *J Sex Res*. 2008; 45(3): 246-252.
72. Spigarelli MG. Adolescent sexual orientation. *Adolesc Med State Art Rev*. 2007; 18(3): 508-518, vii.
73. Committee on Practice and Ambulatory Medicine. Use of chaperones during the physical examination of the pediatric patient. *Pediatrics*. 2011; 127(5): 991-993.
74. Biro FM, Galvez MP, Greenspan LC, et al. Pubertal assessment method and baseline characteristics in a mixed longitudinal study of girls. *Pediatrics*. 2010; 126(3):e583-e590.
75. Herman-Giddens ME, Slora EJ, Wasserman RC, et al. Secondary sexual characteristics and menses in young girls seen in office practice: a study from the Pediatric Research in Office Settings network. *Pediatrics*. 1997; 99(4): 505-512.
76. Biro FM, Greenspan LC, Galvez MP, et al. Onset of breast development in a longitudinal cohort. *Pediatrics*. 2013; 132(6): 1019-1027.
77. Oeffinger KC, Fontham ET, Etzioni R, et al. Breast cancer screening for women at average risk: 2015 guideline update from the American Cancer Society. *JAMA*. 2015; 314(15): 1599-1614.
78. ACOG Committee on Adolescent Health Care. ACOG committee opinion no. 350, November 2006: breast concerns in the adolescent. *Obstet Gynecol*. 2006; 108(5): 1329-1336.
79. Herman-Giddens ME, Steffes J, Harris D, et al. Secondary sexual characteristics in boys: data from the pediatric research in office settings network. *Pediatrics*. 2012; 130(5):e1058-e1068.
80. McCrory P, Meeuwisse WH, Aubry M, et al. Consensus statement on concussion in sport—the 4th International Conference on Concussion in Sport held in Zurich, November 2012. *PM R*. 2013; 5(4): 255-279.
81. Metzl JD. Preparticipation examination of the adolescent athlete: part 1. *Pediatr Rev*. 2001; 22(6): 199-204.
82. Metzl JD. Preparticipation examination of the adolescent athlete: part 2. *Pediatr Rev*. 2001; 22(7): 227-239.

本章の学習効果を高め，理解を助けるために一連の補助教材がある．
- 『ベイツ診察法ポケットガイド第4版』
- Bates' Visual Guide to Physical Examination
- thePoint® online resources, for students and instructors: http://thepoint.lww.com

第26章 妊娠女性

解剖と生理

生理学的なホルモン変化

正常な妊娠ではさまざまな生理的変化が起こり，その多くは内分泌学的変化によってもたらされる。こうした複雑なホルモンの変化は，正常なものであるが，目にみえる解剖学的な変化をもたらす（図26-1）。妊娠中は基礎代謝率が15～20％上昇し，1日のエネルギー需要は第1三半期には85 kcal，第2三半期には285 kcal，第3三半期には475 kcal 増加すると推定されている[1]。

- **エストロゲン estrogen** は，子宮内膜の成長を促進し，初期の胎芽の発育を支援する。また，下垂体を肥大（最大135％）させて下垂体前葉からのプロラクチン分泌量の増加を促し，乳房組織を授乳に備えさせる[1]。また，エストロゲンは凝固能を亢進するため，妊婦の場合，特に静脈における血栓塞栓症のリスクが非妊婦の4～5倍になる[2]。

- **プロゲステロン progesterone** の分泌が妊娠期間を通して増加することで，1回換気量や分時肺胞換気量が増加するが，呼吸数は変わらないため，呼吸性アルカローシスや自覚的な息切れが生じる[3]。プロゲステロンの増加による消化管運動の低下は，妊娠中の胃食道逆流症，便秘，胆道疾患（胆石症，胆汁うっ滞など）の原因となる。プロゲステロンは尿管および膀胱の緊張を低下させるため，水腎症（右腎で頻度が高い）の原因となり，細菌尿のリスクが上昇する[1]。

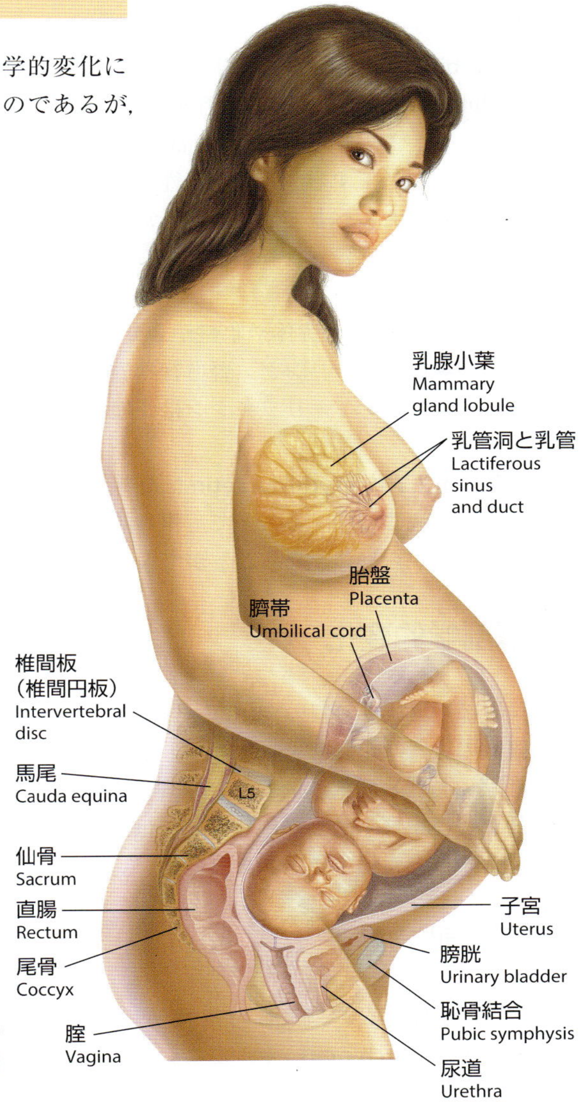

図26-1 妊娠中の乳房と子宮の変化（満期に近い胎児・子宮と周囲組織の解剖学的関係）

- ヒト絨毛性ゴナドトロピン human chorionic gonadotropin(hCG)には5つのアイソフォーム(異性体)がある。そのうち2つは妊娠の維持に重要であり，妊娠初期に黄体によって産生され，子宮内膜を安定させて初期の流産を防ぐためのものと，妊娠期間中に胎盤で産生されプロゲステロンの合成をサポートするものがある。血清および尿中の妊娠検査ではおもに，妊娠に関連するこの2種類のhCGが検査される。他の3つのアイソフォームは，さまざまな癌や下垂体で産生される[4]。

- **胎盤成長ホルモン placental growth hormone** は，胎児の成長と妊娠高血圧腎症の発症に影響を与える[1]。**ヒト胎盤性ラクトーゲン human placental lactogen(hPL)**(胎盤成長ホルモンファミリーに属する)やその他のホルモンは妊娠中のインスリン抵抗性と妊娠糖尿病の発症に寄与し，妊娠糖尿病の妊婦が2型糖尿病に進行する生涯リスクは最大60%に達する[5-7]。

- 甲状腺機能の変化には，エストロゲン濃度の上昇による**甲状腺結合グロブリン thyroid-binding globulin** の増加，β-hCG による**甲状腺刺激ホルモン thyroid-stimulating hormone(TSH)**受容体の交差刺激などがある。この結果，血清中のフリーT_3，フリーT_4濃度は正常範囲内であるがわずかに上昇し，血清TSH濃度は適度に低下する。この一過性でみかけ上の「甲状腺機能亢進症」は生理的なものと考えるべきである[8]。正常な妊娠では，全妊娠期間を通じて甲状腺機能が正常な状態に保たれると考えられている。

- **リラキシン relaxin** は黄体や胎盤から分泌され，分娩を容易にするための生殖系結合組織のリモデリング，腎血行動態の亢進，血清浸透圧の上昇などに関与する。名前に反して，リラキシンは妊娠中の末梢関節の弛緩には影響しない。

- **エリスロポエチン erythropoietin** は妊娠中に増加し，赤血球の容積を増やす。血漿量が大幅に増加することで，相対的な血液の希釈と生理的貧血を生じ，分娩時の失血から母体を守ることができる。

解剖学的変化

乳房，腹部，泌尿生殖器の変化は，目にみえてわかる妊娠の徴候である。妊娠すると複数の臓器系が影響を受け，生理学的に重要な変化をもたらす(表26-1「正常な妊娠における解剖学的および生理学的変化」を参照)。これらの臓器系の解剖学的および生理学的な詳細については，第18章「乳房と腋窩」，第19章「腹部」，第21章「女性生殖器」を参照。

腹部の外観

胎児の発育に応じて腹部の皮膚がのびると，紫がかった**妊娠線 striae gravidarum(stretch mark)**や，皮膚の正中線に沿って茶褐色の**黒線 linea nigra** と呼ばれる縦線が現れることがある(図26-2)。妊娠の進行につれて腹壁の緊張

が増加し，腹直筋が正中線で分離することを腹直筋離開と呼ぶ。特に経産婦では，離開が著しいときには，子宮前壁は皮膚，筋膜，腹膜の層のみで覆われ，腹直筋の間隙から胎児のいる部位に触れることができる。

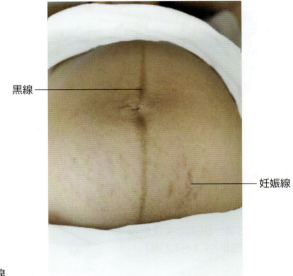

図 26-2　腹部の妊娠線と黒線

子宮

平滑筋細胞の肥大，線維組織および弾性組織の増加，血管やリンパ管の発達は子宮の発育をもたらす。子宮の重さは受胎時には約 70 g であるが分娩時には約 1,100 g となり，容量は 5〜20 L となる[1]。第 1 三半期には，子宮は骨盤内にあり洋梨を逆さまにしたような形状で，前傾，後傾，または後屈している。第 2 三半期（12〜14 週）までには，妊娠子宮は骨盤の縁を越えて球形に増大し外側からでも触知できるようになる。またこの時期には，胎児が成長するにつれ，子宮が前傾の位置に押しやられ，通常は膀胱が存在する部位を占拠するため，頻尿となりやすい。腸管は側方や上方に押しやられる。骨盤左側に S 状結腸が位置するため，子宮はわずかに右方転位する。

子宮の支持靱帯が伸展するため，下腹部に子宮円索痛が生じる。

この右方転位により，右側の不快感および右側の水腎症が増加する[1]。

図 26-3 に，妊娠週数と子宮底の高さの相関関係を明示し，妊娠中の子宮の成長パターンを示す。また図 26-4〜26-6 に，各三半期における腹部の矢状断像を示す。

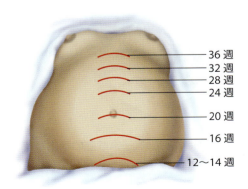

図 26-3　妊娠週数と子宮底の高さ

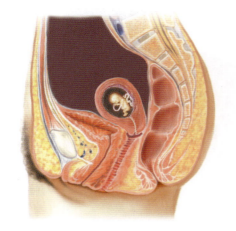
図 26-4 腹部の矢状断像：第1三半期(1〜12週)

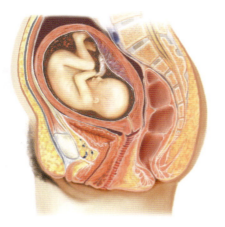
図 26-5 腹部の矢状断像：第2三半期(13〜26週)

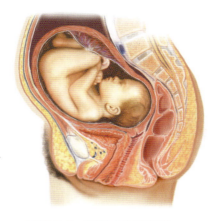
図 26-6 腹部の矢状断像：第3三半期(27〜40週)

腟

骨盤内の血管が増加することで腟および子宮頸部は青みを帯びるが，これは **Chadwick(チャドウィック)徴候** と呼ばれる。腟粘膜が厚くなり，結合組織が弛緩し，平滑筋細胞の肥大が生じるため，腟壁は厚みを帯びて深い皺ができる。腟分泌物が濃く，白く，多量に分泌されることがあり，これは **妊娠性白帯下 leukorrhea of pregnancy** と呼ばれる。腟上皮のグリコーゲン貯留の増加は，乳酸桿菌(*Lactobacillus acidophilus*)の増殖を促進するため，腟のpHが低下する。この酸性化は腟の感染を防御する一方，グリコーゲンの増加が腟カンジダ症の発症率を上昇させる。

子宮頸部

受胎から約1カ月後，子宮頸部全体の血管増生，浮腫，腺過形成を反映して，子宮頸部は軟化し，青みがかりチアノーゼのような色になる[1]。**Hegar(ヘガール)徴候** は触知可能な子宮峡部の軟化である。子宮峡部とは，図 26-7 に示すように，子宮が頸部に向けて狭くなっている部分である。この子宮頸管のリモデリングには，コラーゲン量を低下させ分娩時に **子宮頸管開大 cervical dilation** を促進するような結合組織の変化が含まれる。妊娠するとすぐに大量の子宮頸管分泌物が頸管内に充満し，粘り気のある粘液栓となって外部の病原体から子宮環境を保護し，分娩時には産徴として排出される。

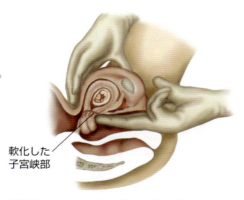
図 26-7 Hegar 徴候(子宮峡部の軟化)

軟化した子宮峡部

子宮付属器

第1三半期に，黄体（卵子を放出した卵胞）は小さな結節として卵巣上で触知できるが，第2三半期になると，胎盤が妊娠をホルモン面から支えるようになるため，消失する。

乳房

乳房は，ホルモンの刺激により血管が増加し，腺の過形成が起こるため，中程度に肥大する（図26-8）。第1三半期の終わりまでには，乳房はさらに結節状となる。乳頭は腫大し，勃起しやすくなる。乳輪はさらに濃い色となり，Montgomery（モントゴメリー）腺がめだってくる。妊娠が進むにつれて，乳房の静脈パターンがめだつようになる。第2三半期と第3三半期に**初乳 colostrum**を分泌することがある。初乳は乳汁に先駆けて分泌され，濃い黄色で栄養に富んでいる。**乳房には圧痛があり，診察時にはいっそう敏感となる。**

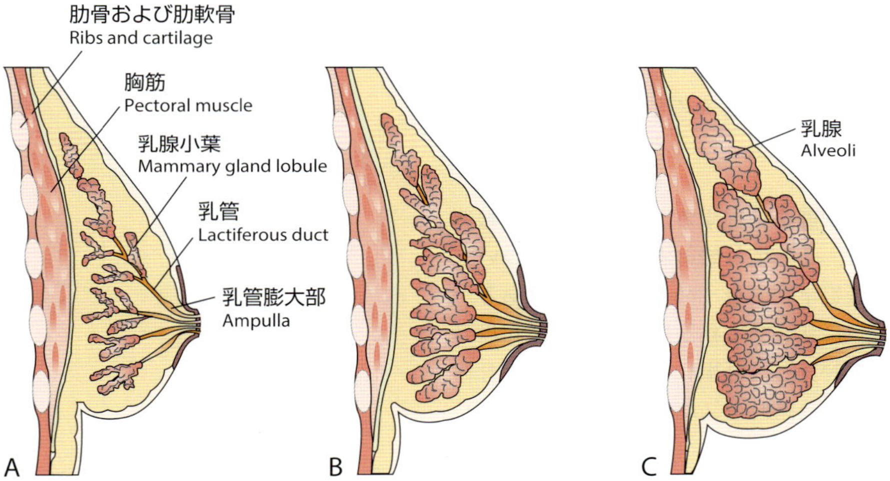

図 26-8 非妊婦，非授乳婦との比較：A．成人の乳房，B．妊娠中の乳房，C．授乳中の乳房。Cでは，乳房全体，乳管，乳腺小葉が大きくなっている (Evans RJ et al. *Canadian Maternity, Newborn & Women's Health Nursing*. 2nd ed. Wolters Kluwer; 2015, Fig. 21-3. より)

病歴：一般的なアプローチ

妊婦健診は，妊婦に定期的な医療ケアを提供し，母体と胎児の両方の妊娠アウトカムを最適化する機会となる。一般的に，妊婦健診では，妊婦の気になる症状を確認し，母体と胎児の健康状態を評価し，次回受診時までの妊娠経過に即した指導を行う必要がある。妊婦の多くは，家族やパートナーと一緒に来院するが，病歴やスクリーニングの内容によっては，妊婦をサポートする同席者に知らせていないこともあるため，妊婦と1対1で面接することを忘れてはならない。特に，過去の産科歴，妊娠に対する考え方，薬物使用，性感染症，親密なパートナーか

らの暴力に関しては気を配る必要がある．初診時には，患者が服を着たままの状態で病歴聴取する．

初回の妊婦健診時の確認内容

- 妊娠の確認
- 妊娠週数と分娩予定日の決定
- 妊娠の症状
- 妊娠に対する不安や心構え
- 現在の健康状態と病歴
- 妊娠・分娩歴
- 母体と胎児の健康に関する危険因子
- 新生児の両親の家族歴
- 遺伝子検査と染色体異数性検査の計画
- 母乳哺育の計画
- 産後の避妊計画

初回の妊婦健診時の病歴

妊婦健診では，母体と胎児に最善の健康管理を行ってリスクを最小化することに焦点をあてる．

最初の妊婦健診の目的は，妊婦と胎児の健康状態を把握すること，妊娠と妊娠週数の確認，継続的なケアの計画を立てること，そして妊婦の希望と不安について相談することにある．最初の妊婦健診は，妊娠早期に行うのがベストではあるが遅れることもあるため，推定される妊娠週数にあわせて病歴聴取する．次回以降の健診では，母体と胎児の健康状態の変化を評価し，妊娠に関連する特定の身体所見について検討したうえで，カウンセリングと適時のスクリーニングを行う必要がある．

妊娠の確認

まず，妊娠を確認するための質問を行う．患者はすでに尿による妊娠反応検査を受けているか？　それはいつか？　最終月経はいつであったか？　妊娠週数を確定するために超音波検査を受けたか？　妊娠を確定するために血清による妊娠反応検査が必要となるのはまれであることを説明する．

妊娠週数と分娩予定日の決定

妊娠の適切な管理につながるため，正確な分娩予定日は早期に確定すべきである（Box 26-1）．妊娠週数の決定により，正常な発育過程を説明して妊婦に安心感を与えたり，父親の確定，スクリーニング時期の決定，胎児発育の追跡，早産または過期産の効果的な判定を行うことが可能になる．

病歴：一般的なアプローチ

> **Box 26-1　妊娠週数と分娩予定日の決定**
>
> - **妊娠週数**：妊娠週数を確定するためには，最終月経の初日を0と起算し週数と日数を計算する。実際の受胎日がわかっている場合（体外受精の場合など）は，最終月経からの週数よりも2週間少ない胎齢を計算に用いて（すなわち，補正または調整された最終月経日），妊娠週数を確定する。**最終月経日と受胎日は生物学上異なるものの，最終月経から妊娠週数を算出するのが標準的な方法であり，平均妊娠期間は40週である**
> - **分娩予定日**：最終月経の初日から数えて40週目を分娩予定日とする。Nägele（ネーゲレ）の法則を用いると，最終月経の初日に7日を加え，3カ月を減じて，1年を加えると分娩予定日が予測できる
>   例：
>   - 最終月経＝2020年11月26日
>   - ＋7日＝2020年12月2日
>   - －3カ月＝2020年9月2日
>   - ＋1年＝2021年9月2日＝分娩予定日
> - **計算ツール**：分娩予定日計算環およびオンライン計算機は分娩予定日を計算するために一般的に用いられている。分娩予定日計算環は品質と正確性に大きなばらつきがある。オンライン計算機はより信頼性が高いかもしれないが，日常的に使用する前に正確性を確認する必要がある
> - **妊娠週数特定の限界**：最終月経に関する本人の記憶にはかなりばらつきがある。日付を正確に記憶していても，最終月経は，ホルモン避妊薬，月経不順，または排卵の変動による周期の乱れによって影響を受けていることがある。最終月経から計算した妊娠週数を，子宮底の高さなどの身体所見に照らして検証し，誤差を超音波検査によって明らかにすべきである。臨床現場では，最終月経の確実性にかかわらず，超音波による決定が広く行われているが，この方法は現在，国内のガイドラインでは推奨されていない[訳注]

妊娠の症状

無月経，乳房の圧痛，悪心・嘔吐，疲労感，頻尿があったか？　Box 26-2を参考に，症状が正常であるかどうかを確認する。

妊娠に対する不安や心構え

妊娠についてどのように感じているかをたずねる。楽しみにしているか，心配しているか，恐がっているか？　妊娠は計画された，望んだものであるか？　望んでいない場合は，妊娠を出産まで継続するか，中絶するか，または養子縁組を考えているか？　パートナーが子どもの父親であるか，何らかの家族支援ネットワークはあるか？　妊婦の視点を引き出す際には，自由回答方式の質問を用い，柔軟で偏見のない態度で臨むようにする。親をはじめとした親族のサポート，ひとり親，パートナーのジェンダーや有無にかかわらず精子提供によって妊娠した場合など，多様な家族構成を尊重する。強要された性行為による妊娠など，想定外の妊娠に関する選択や，妊娠を終わらせたいという希望にも寄り添う。

訳注：原書の刊行当時はガイドラインで推奨されていなかったものの，最新のACOGガイドライン〔Guidelines for perinatal care. 8th ed. (2017)〕では超音波計測値が推奨され，わが国でも産婦人科学会の「産婦人科診療ガイドライン産科編 2020」に超音波計測値を優先するよう記載されている。

Box 26-2　妊娠中によくみられる症状

症状	時期	説明
腹痛（下腹部）	第2三半期	第2三半期における子宮の急速な発育は，子宮円靱帯の緊張や伸展をもたらし，体動または体位の変化による鋭い痙攣性の痛みを引き起こす
腹部の線条	第2三半期または第3三半期	皮膚の伸展と真皮のコラーゲン線維の断裂により，通常ピンク色をした細い線条である，妊娠線を生じる。これらは分娩後も残る場合と，しだいに薄れていく場合がある
無月経（月経停止）	全期間	エストロゲン，プロゲステロン，hCGが増加することで子宮内膜が強化され，月経がなくなり，しばしば妊娠の最初の顕著な徴候である月経停止を引き起こす
背部痛	全期間	ホルモンの作用によって生じた骨盤靱帯の弛緩は筋骨格系における疼痛の原因となる。妊娠子宮のバランスをとるために脊柱が前弯し，腰痛を引き起こす。乳房の肥大により上背部痛が生じることがある
乳房の圧痛・刺痛	第1三半期	妊娠中のホルモンは乳腺組織の発育を刺激する。腫れ，痛み，圧痛，疼きなどの症状を引き起こす。血流が増加すると，皮膚の下にある微細な静脈をみやすくなる
便秘	全期間	便秘は消化管の蠕動が低下することで生じ，その原因としてホルモンの変化，悪心・嘔吐による脱水，妊娠中のビタミン剤からの鉄分補給がある
子宮収縮	第3三半期	不規則で予測できない子宮収縮〔Braxton Hicks（ブラッキストン・ヒックス）収縮〕が分娩に付随することはめったにない。分娩の開始については，収縮が規則的で痛みを伴うものかどうかを評価すべきである
浮腫	第3三半期	静脈還流の低下，リンパ管の閉塞，血漿膠質浸透圧の低下は，一般に下肢における浮腫を引き起こす。しかし，急激な浮腫や高血圧は，妊娠高血圧腎症の前兆である可能性がある
疲労感	第1三半期または第3三半期	疲労感はエネルギーを必要とする急激な変化，プロゲステロンの鎮静効果，妊娠子宮による身体力学的変化，睡眠障害が原因となる。多くの女性が，第2三半期にはエネルギーや健康度が増すと述べる
胸やけ	全期間	プロゲステロンは下部食道括約筋を弛緩し，胃内容物を食道に逆流させる。また，妊娠した子宮は，妊娠期間が長くなるにつれて胃に対して物理的な圧力をかけ，逆流症状の原因となる[1]
痔核	全期間	便秘，骨盤内圧の増加による静脈還流の低下，胎児による圧迫，妊娠中の活動レベルの変化は痔核の原因となる
粘液栓の喪失	第3三半期	粘液栓の通過は陣痛中によくみられるが，陣痛がはじまる前に起こることもある。定期的な収縮，出血，羊水の減少がない限り，粘液栓の通過が陣痛開始のきっかけになることはほぼない
悪心・嘔吐	第1三半期	機序不明な点が多いが，ホルモンの変化，胃腸の蠕動運動の低下，嗅覚や味覚の変化，社会文化的な要因が背景にあるとみられる。妊娠中の女性の最大75%が悪心を経験する[9]。妊娠悪阻では，嘔吐により妊娠前体重の5%を超える体重減少が生じる
頻尿	全期間	血液容量と腎臓による濾過量の増加により，尿の産生が増加する。一方，妊娠子宮からの圧迫は，膀胱の潜在的スペースを減少させる。排尿痛や恥骨上の痛みがあれば，尿路感染症について精査すべきである
腟分泌物	全期間	血管充血とホルモン変化による腟上皮および子宮頸部上皮からの分泌物の増加は，無症候性の乳白色の分泌物である白帯下を生じる。悪臭もしくは瘙痒性のある分泌物が生じたときは精査すべきである

現在の健康状態と病歴

過去または現在の症状を確認する。腹部手術，高血圧，糖尿病，先天性心疾患の小児手術を含む心疾患，喘息，自己免疫疾患，ループス抗凝固因子や抗カルジオリピン抗体による凝固性亢進状態，産後うつ病などの精神疾患，**ヒト免疫不全ウイルス human immunodeficiency virus（HIV）**，**性感染症 sexually transmitted infection（STI）**，子宮頸部細胞診の異常など，妊娠に影響を与える症状には特に注意する。

病歴：一般的なアプローチ

妊娠・分娩歴

以前の妊娠の回数は？　正期産での分娩，早産，流産や中絶は何回で，生児出産は何回であったか？　早産は自然に起こったものか医療的なものか？　過去の妊娠において，糖尿病，高血圧，妊娠高血圧腎症，子宮内発育不全，早産などによる合併症はあったか？　以前の分娩は経腟分娩か，介助による分娩（吸引分娩または鉗子分娩）か，または帝王切開か？　陣痛時や分娩時に，巨大児，胎児ジストレス，緊急的な介入などはあったか？　過去の分娩では，肩甲難産や分娩後出血などの合併症があったか？

妊娠アウトカムに関する用語は，時間をかけて考案・改良されてきた。これらの用語は，妊娠歴に関する口頭または書面でのコミュニケーションの一部となっている。**経妊数 gravidity** とは妊娠した回数のことであり，**経産数 parity** とは，生児出産か死産かにかかわらず，胎児が生存可能な年齢（妊娠24週以上）[訳注]で分娩した回数のことである。例えば，「2妊2産」（G2P2）と記録されている女性は，妊娠と24週以降の分娩を2回ずつ経験しており，「2妊0産」（G2P0）と記録されている女性は，2回の妊娠を経験しているが，いずれも妊娠24週に至っていない[10]。

さらに経産数は，正期産（Term delivery），早産（Preterm delivery），流産（Abortion，自然流産と妊娠中絶を含む），生存児（Living child）に分けられ，この順番に記録する（頭文字を並べて TPAL と記憶するとよい）。妊娠20週以前に2回の自然流産があり，正期産で分娩した3人の子どもが生存しており，現在妊娠している女性は「G6P3023」となる。よくある間違いとして，双子などの多胎妊娠を，経妊数または経産数のいずれかで2回とカウントとしてしまう方法がある。実際には，各妊娠は，胎児の数にかかわらず，それぞれのカテゴリーで1回としてカウントされるが，「生存児」では子どもの人数がカウントされる。したがって，初回妊娠により双子を正期産で出産した場合，正しい記載は「G1P1002」となる。

母体と胎児の健康に関する危険因子

喫煙，アルコール摂取，違法薬物は使用しているか？　処方薬，市販薬（OTC医薬品），漢方薬の使用は？　職場や家庭，その他の環境で有害物質に曝されることはあるか？　栄養摂取は適切であるか，肥満から生じるリスクはあるか？　社会支援のネットワークや収入は十分か？　家庭や職場にきわだったストレスはないか？　今までに身体的虐待や親密なパートナーからの暴力はなかったか？

訳注：日本産科婦人科学会の「妊娠・分娩回数のかぞえかた」（2018）では，妊娠満22週以降で分娩した回数。

新生児の両親の家族歴

妊婦とそのパートナーまたは父親の遺伝歴や家族歴についてたずねる。妊婦と父親の民族的背景は？　鎌状赤血球貧血や囊胞性線維症，筋ジストロフィなどの遺伝性疾患の家族歴はあるか？　家族内に先天性疾患がある児はいるか？

遺伝子検査と染色体異数性検査の計画

21，18，13番染色体異常などの一般的な染色体の**異数性 aneuploidy** を除外するために，すべての妊婦に染色体異数性検査と診断的遺伝子検査の両方を提供すべきである[11,12]訳注。さらに，**Tay-Sachs（テイ・サックス）病**や**脊髄性筋萎縮症 spinal muscular atrophy（SMA）**，**囊胞性線維症 cystic fibrosis（CF）**，**脆弱性 X 症候群 fragile X syndrome** などの特定の常染色体劣性遺伝のキャリアスクリーニングは，ヘモグロビン電気泳動法による異常ヘモグロビン症の検査とともに，スクリーニングの対象として推奨される[12,13]。拡張キャリアスクリーニングを提供している施設では，利用可能であれば患者と相談し，実施すべきである。

母乳哺育の計画

母乳哺育は，さまざまな感染症または非感染症から子どもを守り，乳癌などから母親を守る効果がある[14-16]。妊娠中の教育と医療者からの奨励によって，その後の母乳哺育の割合と期間が増加する。

産後の避妊計画

好ましくない妊娠アウトカムの増加に関連する意図しない妊娠や短間隔での妊娠を減らすために，産後の避妊に関する相談は早めにはじめる[17,18]。避妊計画は，患者の希望や病歴，母乳哺育についての判断によって異なる。

最初の妊婦健診のおわりに

診察の最後に，妊婦の健康と妊娠中の心配事に対してあなたがサポートを続けていくことを伝える。所見を確認し，必要な検査やスクリーニングについて話し合い，質問があるかたずねる。定期的な妊婦健診の必要性を強調し，今後の検診のスケジュールを確認する。出生前記録に所見を記入する。

今後の妊婦検診

妊婦検診の最適な回数は確立されていないが，従来より産科受診はつぎのような決められたスケジュールに沿って行うことが多い。妊娠28週までは月に1回，36週までは隔週ごと，分娩までは毎週というスケジュールである[19]。受診ごと

訳注：わが国ではすべての妊婦には検査を推奨していない。

診察の技術

に，病歴を更新して記録する。特に，妊婦による胎動の知覚，子宮の収縮，羊水の漏出，腟からの出血について記録する。受診ごとに記録すべき身体所見には，バイタルサイン（特に血圧と体重），子宮底の高さ，胎児心音，胎位や胎動が含まれ，「診察の技術」の項に後述するように記録する。診察のたびに，尿検査を行って感染，尿糖，尿蛋白を検査する必要がある。

身体診察：一般的なアプローチ

病歴聴取と同様に，妊娠中の女性の身体診察は，おもに妊婦の抱える問題点に焦点をあてて行われる。ただし最初の妊婦健診は例外で，乳房や内診（骨盤診察）を含む網羅的な身体診察が必要となる。患者は，検査に抵抗感を示すかもしれない。このような抵抗は，個人的な事情（性的暴行など）や文化的背景に起因している可能性があり，それらを確認し，理解する必要がある。

妊娠による生理的変化と検査のデリケートな性質のために，個人的・文化的な配慮をしたうえで，患者の快適さとプライバシーを優先しなければならない。パートナーまたは子どもが一緒にいるときは，身体診察の間に同席してほしいかどうかを患者にたずねるとよい。患者が内診を受けたことがない場合は，時間をかけて診察内容を説明し，各ステップで患者の協力を求める。羞恥心と包括的な診察の必要性とのバランスを考える。

乳房や腹部の診察をしやすいように，前開きのガウンを着用してもらう。器具や診察台は，肥満体型の妊婦にも対応できるようにしておく。また，内診をはじめる前に，患者に膀胱を空にしてもらうよう伝えるとよい。

診察の技術

妊婦健診の重要項目

- 全身の健康状態，精神状態，栄養状態，神経筋の協調性を評価する
- 身長・体重を測定する。BMIを計算する
- 受診のたびに，血圧を測定する
- 頭部と頸部の観察（顔の皮膚の変化や浮腫，毛髪の状態や分布，眼瞼結膜の蒼白，鼻閉や鼻出血，歯や歯肉の健康，甲状腺の腫瘤や結節）
- 胸郭や肺の視診，打診，聴診を行う
- 心尖拍動を触知し，位置を確認する
- 乳房の視診，触診
- 心音〔S_1分裂音，心雑音，静脈雑音（乳房雑音）〕の聴取
- 腹部（線条，瘢痕，大きさ，形，輪郭）を視診する
- 腹部（臓器や腫瘤，胎動，子宮収縮，子宮底の高さ）を触診する
- 胎児心音（部位，心拍数，リズム）を聴診する
- 外性器（陰唇の静脈瘤，膀胱瘤，直腸瘤，病変，びらん，Bartholin腺やSkene腺の圧

（続く）

(続き)

- 痛や嚢胞)を視診する
- 内性器を診察する
  - 腟鏡による診察：子宮頸部(色，形，子宮口)および腟壁(色，弛緩性，襞，および分泌物)を視診する．必要に応じて子宮頸部細胞診を行う
  - 双手診：子宮頸部(頸管長，子宮口)，子宮(形，硬さ，位置)，子宮付属器(腫瘤，圧痛)，骨盤底筋群を触診する
- 肛門(腫瘤，痔核)を視診する
- 四肢(静脈瘤，浮腫)と反射(反射亢進)を診察する
- (適応があれば)Leopold 触診法を行う

体位

妊娠初期は，仰臥位で診察を受けることができる．妊娠後期には，膝を曲げた半座位(図 26-9)か，やや左側を向いた臥位をとるべきである．この姿勢は，快適で，下行大動脈および下大静脈にかかる妊娠子宮の重量を軽減することができる．長時間の仰臥位は避ける．内診以外のほとんどの部位の診察は座位または左側臥位で施行すべきである．

診察中，ふらつきを感じたら，座位になるように促し，立ち上がる必要があるときはゆっくり時間をかけて立ち上がれるようにする．診察はなるべく早く完了させる．

図 26-9　診察中の妊婦の半座位

仰臥位をとることで，妊娠子宮に圧迫され，下肢や骨盤内の血管からの静脈還流が妨げられ，めまいや失神をきたす．これは**仰臥位低血圧**と呼ばれる．

診察器具

妊婦を診察する際は，触診する手の触れ方や動きに注意を払い，患者の快適性に配慮する．手を温め，急に押したり揉んだりせず，しっかりと優しく触診する．可能であれば，指を平らにし，腹部の皮膚に滑らかに連続して触れるようにする．指先の掌側が最も敏感であることに留意する．

診察をはじめる前に，Box 26-3 に示す器具を用意する．

Box 26-3　妊婦の診察器具

- **婦人科用腟鏡と潤滑剤**：妊娠中は腟壁が弛緩するため，経産婦では通常よりも大きな腟鏡が必要になることがある
- **検体採取器具**：腟と子宮頸部の組織の血管分布が増加するため，妊娠中に Papanicolaou（パパニコロー）塗抹標本を採取する際，子宮頸部ブラシでは出血し，検体へ血液が混入しやすい。よって，ほうき（刷毛）状の「ブルーム・ブラシ」などの検体採取器具がよく用いられる。必要に応じて追加のスワブを使用し，性感染症，B 群連鎖球菌のスクリーニングや直接塗抹法（生理食塩水で封入したスライドグラス標本）での腟分泌物のスクリーニングを行う
- **巻尺**：妊娠 20 週以降における子宮の大きさの評価には，プラスチック製または紙製の巻尺が用いられる
- **Doppler（ドプラ）式胎児モニターとジェル**：Doppler 式胎児モニターは，妊娠 10 週以降の胎児心音を評価するために，腹部に外部から装着する携帯型機器である

Doppler 式胎児モニター

全身の診察

患者が診察室に入り診察台に移動する際に，一般的な健康状態や精神状態，栄養状態，神経筋の協調性を評価する。

身長，体重，バイタルサイン

身長・体重を測定する。最初の妊婦健診時に，BMI 19〜25 を正常値としている標準的な表を用いて BMI を算出する。

受診のたびに，毎回血圧を測定する。妊娠中の血圧のパラメータは，第 8 回米国合同委員会 Eighth Joint National Committee（JNC 8）の勧告に従う（p.1167 参照）[20]。妊娠前の測定値は，患者の通常時の血圧範囲を特定するために重要である。第 2 三半期では，血圧は妊娠していないときよりも低いのが一般的である。**高血圧は妊婦の 5〜10％を占め，事実上すべての臓器に影響を及ぼす可能性があるため，血圧の上昇を注意深く観察する必要がある**[21]。

悪心や嘔吐による体重減少が妊娠前体重の 5％を超えると，**妊娠悪阻 hyperemesis gravidarum** であり，妊娠アウトカムに悪影響を及ぼす可能性がある。

妊娠高血圧 gestational hypertension とは，妊娠 20 週以降にはじめて出現した高血圧〔収縮期血圧（SBP）140 mmHg 以上または拡張期血圧（DBP）90 mmHg 以上〕で，蛋白尿や他の妊娠高血圧腎症の症状がなく，産褥 12 週までに治癒するものである。

診察の技術

> **Box 26-4　妊娠高血圧腎症の定義**
>
> 正常血圧の女性では，妊娠 20 週以降に 4 時間以上の間隔をおいて 2 回，SBP 140 mmHg 以上または DBP 90 mmHg 以上，または数分以内の間隔で血圧 160/110 mmHg 以上が確認され，かつ，尿蛋白 300 mg/日以上，尿蛋白/クレアチニン比が 0.3 以上，または尿試験紙法で 1+ であること
>
> **または**
>
> 蛋白尿を伴わない高血圧が新たに出現し，さらに以下のいずれかを満たす場合：血小板減少症（血小板数が 100,000/μL 未満），肝機能障害（肝トランスアミナーゼ値が正常値の 2 倍以上），新たな腎不全（クレアチニン値＞1.1 mg/dL または腎疾患がない場合に 2 倍以上），肺水腫，新たに出現した脳・視野障害[20]

呼吸数を数える。妊娠中は正常のままであるのが望ましい。

頭部と頸部

座っている患者に対面し，以下の特徴に特に注意しながら頭頸部を視診する。

- **顔**：前額部，頬部，鼻梁，顎にみられる不規則な褐色の斑点は妊娠顔貌である**肝斑 chloasma** または**黒皮症 melasma**（"mask of pregnancy" と呼ばれる）として知られているが，妊娠時にみられる正常な皮膚所見である。

- **毛髪**：妊娠中，乾燥して，皮脂によりべたつき，薄くなる。軽度の多毛症がしばしば，顔面，腹部，四肢にみられる。

- **眼**：貧血と黄疸の徴候がないか，眼瞼結膜と眼球結膜を調べる。

- **鼻**：粘膜と鼻中隔を視診する。妊娠中は循環血液量の増加による血管のうっ血のため，鼻閉や鼻出血が起きやすくなる。

- **口腔**：歯と歯肉を診察する。歯肉増殖に伴う出血は妊娠中によくみられる。

- **甲状腺**：視診や触診で，腺の過形成と血管の増加により，左右対称な軽度の腫大がみられるのは病的所見ではない[1]。

胸郭と肺

胸郭を視診して，外観と呼吸のパターンを観察する。打診では，第 1 三半期の初期に横隔膜の挙上がみられることがある。聴診では，副雑音（wheezes, rales, rhonchi）がなく清明な音が聴取できるか確認する。

異常例

高血圧はそれ自体独立した診断名であると同時に，妊娠高血圧腎症の指標となりうる（Box 26-4）。妊娠高血圧腎症の妊婦が妊娠 34 週以前に出産すると，心血管疾患のリスクが 8～9 倍に上昇する[20]。

高血圧合併妊娠 chronic hypertension とは，妊娠前または妊娠 20 週以内に，SBP 140 mmHg 以上または DBP 90 mmHg 以上となる状態を指す。米国内の分娩の約 2% で高血圧合併妊娠が認められる[21]。

呼吸数増加や咳，crackles（断続性副雑音）を伴う呼吸困難は，感染症や喘息，肺塞栓症，周産期心筋症を示唆する。

妊娠 20 週以降の顔面浮腫は妊娠高血圧腎症を示唆するため，診察が必要である。

限局性で斑状の脱毛は，妊娠によるものとは考えにくい（分娩後の脱毛はよくみられる）。

貧血では眼瞼結膜が蒼白になる。

鼻中隔のびらんや穿孔は，コカインの鼻からの吸入が原因の可能性がある。

歯の問題は妊娠アウトカムに悪影響を与えるため，歯や歯茎の痛みや感染がある場合は，速やかに歯科に紹介する。

甲状腺腫大，甲状腺腫，結節は異常所見であり精査が必要である。

診察の技術	異常例

心臓

心尖拍動を触診する。子宮が拡大することで心臓が押し上げられ，心尖拍動は第4肋間に向かって上方かつ左方へ位置することがある。

第16章「心血管系」を参照(p.527〜528)。

心音を聴診する。**静脈雑音**または連続性の**乳房雑音**(puff of air)は妊娠中によく聴取されるが，乳房の血管内の血流が増加するためである。乳房雑音は通常妊娠後期または授乳期に，第2〜3肋間の胸骨左右で最もよく聴取される。一般的には収縮期と拡張期に出現するが，収縮期成分のみ聴取可能なことがある。循環血液量の増加に伴い，S_1の分裂が増強することがあり，90％の患者が聴取可能な収縮期雑音を有する。

特に妊娠後期では，呼吸困難や心不全の徴候があれば，周産期心筋症の可能性について評価すべきである。

心雑音を聴診する。

心雑音は貧血の徴候である可能性がある。しかし，生理的な循環血液量の増加に関連している可能性もある。妊娠中の拡張期雑音は決して正常ではなく，さらに精査する必要がある。

乳房

乳房の診察は，いくつかの顕著な違いを除けば，非妊娠時の場合と同様である。

第18章「乳房と腋窩」を参照(p.609〜615)。

乳房と乳頭の対称性と色を視診する。正常な変化としては，顕著な静脈パターン，黒ずんだ乳頭と乳輪，Montgomery腺の突出などがあり，通常は産後に消失する（図26-10）。

母乳哺育を予定している場合には，出産してから乳頭陥凹に注意が必要である。

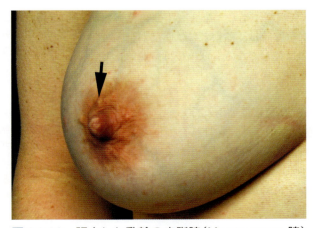

図26-10 肥大した乳輪の皮脂腺(Montgomery腺)。妊婦の最大36％にみられ，通常は分娩後に消失する
(Kroumpouzos G. *Text Atlas of Obstetric Dermatology*. Wolters Kluwer; 2014, Fig. 7-1. より)

| 診察の技術 | 異常例 |

腫瘤や腋窩リンパ節を触診する。妊娠中，乳房には圧痛があり結節状となるが正常である。

病的腫瘤を区別することは難しいが，迅速に対応すべきである。乳腺炎で，紅斑を伴う限局した重度の圧痛がある場合は，迅速な治療を必要とする。

母指と示指ではさんで左右の乳頭を圧迫すると，妊娠後期では乳頭から初乳がにじみ出ることがある。また，第3三半期には，熱いシャワーを浴びたときやオーガズムを感じたときに，乳房が痙攣するような感覚を伴って自然に軽い尿漏れが起こる可能性がある。いずれも正常であることを伝えて患者を安心させるとよい。

血性または膿性の分泌物を妊娠によるものと捉えるべきではない。

■ 腹部

腹部の診察では，患者を手助けし，膝を曲げて半座位の姿勢になってもらう（図26-9参照）。

腹部の線条，瘢痕，大きさ，形，輪郭を視診する。紫がかった**妊娠線**と**黒線**は妊娠中では正常である（図26-2を参照）。

腹部の帝王切開の瘢痕が子宮の瘢痕の向きと一致しないことがあるが，これはつぎの分娩で経腟分娩が適切かどうかを評価する際に重要である。

以下に注意して，腹部を触診する。

- **臓器や腫瘤**：腫大した妊娠子宮が認められる。

- **胎動**：診察者は通常妊娠24週以降になると腹壁より胎動を触知することができる。妊婦は通常18〜24週までに感じることが多い。妊婦による胎動の知覚は伝統的に胎動初感（quickening）と呼ばれる。

妊娠24週以降に胎動が感じられない場合は，妊娠週数の誤算，胎児の死亡や重症疾患，偽妊娠などを考慮する。超音波検査で，胎児の健康状態と妊娠週数を確認すること。

- **子宮収縮**：早ければ12週で不規則な子宮収縮が生じ，第3三半期には外部からの触診に反応して生じることがある。収縮時は，診察者には腹部が緊張して硬く感じられ，胎児の身体を触知するのは難しくなる。収縮後は，触診している指で子宮筋が弛緩するのを感じることができる。

37週以前では，痛みまたは出血の有無にかかわらず規則的な子宮収縮は異常であり，早産を示唆する。

- **子宮底の高さ**：子宮底が臍に達する妊娠20週以降であれば，子宮底の高さを測る。プラスチック製または紙製の巻尺を用いて，恥骨結合の位置を確認し，そこに巻尺のゼロ点をしっかりと置く（図26-11）。巻尺を子宮底の最上部までのばして何センチメートルであるか計測して記録する。16〜36週までの誤差があるが，センチメートル単位で表した子宮底長は妊娠週数におおむね等しくなる。この手法は広く使われているものの，妊娠週数のわりに小さな新生児を見逃す可能性がある[22-24]。

子宮底の高さが予測よりも4cm以上高い場合は，多胎妊娠，巨大児，羊水過多，子宮平滑筋腫が考えられる。子宮底の高さが予測よりも4cm以上低いときは，羊水過少，稽留流産，子宮内発育遅延，または胎児奇形を考慮する。これらの状況では，超音波検査による精査が必要である。

| 診察の技術 | 異常例 |

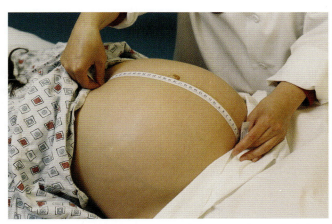

図 26-11 巻尺を用いて，恥骨結合から子宮底の最上部までの高さを測定する

- **胎児心音の聴診**：Doppler 式胎児モニターは，胎児心音を測定するための標準的な装置で，通常，妊娠 10〜12 週には心音が聴取できるようになる。肥満の患者では，胎児心音の検出が若干遅れることがある。

聴取されるはずの胎児心音が欠如している場合は，予測よりも少ない妊娠週数，胎児死亡，偽妊娠，または診察者による誤りを示唆する。胎児心拍を確認できないときは，必ず超音波検査により精査すべきである。

- **部位**：妊娠 10〜18 週では，胎児心音は下腹部の正中線に沿った位置で聴取される。それ以降は，胎児の背部または胸部で最もよく聴取され，胎児の体位によっても変化する。どこで聴診するかを同定するのに Leopold（レオポルド）触診法が有用である〔「特殊な技術」（p.1124〜1127）参照〕。

24 週以後で，2 つ以上の胎児心音が異なる心拍数で異なる位置に聴取されたときは，多胎妊娠を示唆する。

- **心拍数**：胎児心拍数は 110〜160 回/分である。心拍数が 60〜90 回/分であれば一般的に母親の心拍であるが，それと混同せずに胎児心拍数を捉える。

胎児心拍の低下が持続するとき（一過性徐脈），または胎児心拍が減速するときは，広範な鑑別診断が想定されるが，少なくとも胎児心拍数図を用いて，精査しなくてはならない。

- **リズム**：胎児心拍は，特に妊娠後期では，毎秒 10〜15 回変化する。妊娠 32〜34 週以降では，さらに変動しやすくなり胎児の活動につれて増加する。この微妙な変化について Doppler 聴診器で評価するのは難しいが，疑問が浮上した場合には胎児心拍数図を用いて確認する。

携帯型 Doppler 聴診器では心拍変動の欠如を見分けるのは難しいので，この所見は胎児心拍モニタリングを必要とする。

生殖器

生殖器を診察するためには，患者は仰臥位になり足をフットレストに置く必要がある。子宮が腹部の大血管を圧迫することによるめまいや低血圧を避けるため，必要な器具を事前にそろえ，患者がこの体勢で過ごす時間を最小限にする。

外性器

外性器を視診する。腟口の弛緩と陰唇や陰核の拡張は，妊娠における正常な変化

診察の技術	異常例

である。経産婦では，会陰裂傷または会陰切開による瘢痕が認められることがある。

陰唇静脈瘤，膀胱瘤，直腸瘤，病変やびらんがないか視診する。

妊娠中に発生した陰唇の静脈瘤は，蛇行して痛みを伴うことがある。膀胱瘤や直腸瘤は妊娠による筋肉の弛緩が原因で起こるとされる。単純ヘルペスに感染すると，病変やびらんが生じる。

Bartholin（バルトリン）腺およびSkene（スキーン）腺を触診し，圧痛や嚢胞を調べる。

第21章「女性生殖器」（p.722）を参照。

内性器

腟鏡による診察と双手診の準備をする。

腟鏡による診察

妊娠中の会陰や外陰部における弛緩は，腟鏡診による不快感を軽減するが，完全に除去するものではない。腟や子宮頸部における血管増生は脆弱性を高めるため，腟鏡の挿入や開大は，組織の損傷や出血を生じないよう丁寧に行う。第3三半期には，胎児の一部が骨盤内に下降することで診察が非常に不快になるため，必要な場合にのみこの診察を行う。

- 子宮頸部の色，形，外子宮口を視診する。一般的に，未産婦の子宮頸部では外子宮口は円形の点のようにみえ，経産婦の子宮頸部では円弧状またはスリット状にみえる。経産婦の外子宮口は，以前の分娩時の裂傷による瘢痕のため不整にみえることもある（図26-12）。妊娠中は外子宮口の内側にわずかに隆起が生じ，もろい腺上皮の濃いピンク色または赤色の領域が認められる（**外子宮口外反 ectropion**）。

ピンク色の子宮頸部は，非妊娠状態であることを示唆する。子宮頸部のびらん，発赤，分泌物，過敏は子宮頸管炎を示唆し，性感染症の精査を必要とする。

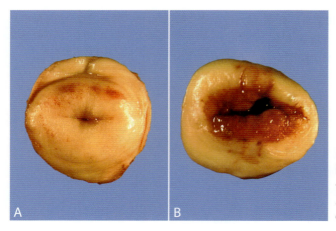

図26-12 一般的に，未産婦の外子宮口は円形の点のようにみえるが(A)，経産婦の子宮口はより広く，スリット状に開大してみえる(B) (Reichert RA. *Diagnostic Gynecologic and Obstetric Pathology.* Wolters Kluwer; 2012, Fig. 3-1. より)

- 必要ならばPapanicolaou塗抹検査や性感染症の原因菌培養，直接塗抹標本あるいはB群連鎖球菌の綿棒での採取を適切に行う。

診察の技術

- 腟鏡を引き抜く際，腟壁を視診する．色，弛緩性，襞，分泌物を調べる．青みがかった色，深い襞，乳白色の分泌物の増加（白帯下）は正常である．

双手診

妊娠中は骨盤底が弛緩しているため，双手診は容易であることが多い．敏感な尿道は避けるようにして，潤滑剤を塗った2本の指を腟口より挿入する．手掌を下に向けて，わずかな圧で下方の会陰部に向けて押し下げる．押し下げたまま，ゆっくりと指を回転させ手掌を上に向ける．

子宮頸部

妊娠による軟化，すなわち Hegar 徴候（図 26-7 を参照）のため，子宮頸部を識別するのは難しいかもしれない．Naboth（ナボット）囊胞や，以前の分娩で生じすでに治癒した裂傷がある場合は，子宮頸部が不規則に感じられることがある．

- 子宮頸管長を推定する．子宮頸部先端の外側表面から腟円蓋まで触診する．妊娠 34〜36 週以前では，子宮頸部は 3 cm またはそれ以上にとどまる．

- 子宮口を触診する．これは，患者の踵をなるべく殿部に近づけて腟を短くし，拳を殿部の下に置いて骨盤を上方に傾け，子宮頸部後面を触診しやすくすることで容易になる．外子宮口は経産婦では開いていて，指先を入れることができる．内子宮口は子宮頸管と子宮内腔の間の狭い導管であるが，出産経験に関係なく妊娠後期まで閉じているものである．内子宮口は胎児の後方に到達しないと触知できない場合がある．

- 腟鏡診と同様に，妊娠後期には，子宮頸部の触診は非常に不快であるため，必要な場合にのみ行う．患者に痙攣痛や圧迫感を感じる可能性があることを伝えておく．

子宮

内診する指を子宮頸部の両側に置き，もう一方の手を外側から患者の腹側に置いて，内診する指で子宮を腹側の手に向けてそっと上方に持ち上げる．両手の間に子宮底を捉えて，子宮の大きさを推定する際には，図 26-3 に示すように，妊娠週数ごとの子宮底の高さを念頭に置き，形，硬さ，位置を調べるために触診する．

子宮付属器

左右の子宮付属器を触診する．黄体は，妊娠初期数週間に変化した卵巣上に小さな結節として触知される．第 1 三半期が過ぎた頃，付属器の腫瘤は触知しにくくなる．

骨盤底

内診している指を引き抜きながら骨盤底の強さを評価する．

異常例

妊娠アウトカムに影響を及ぼすような腟カンジダ症，細菌性腟症を示唆する異常な腟分泌がないか調べる．

妊娠 37 週以前の子宮頸管の開大または短縮（**子宮頸管開大**）は早産を示唆することがある．

子宮の形が不整ならば，子宮筋腫，類線維腫，または隔壁で分けられた 2 つの子宮内腔をもつ双角子宮を示唆する．

妊娠初期における付属器の圧痛や腫瘤は，子宮外妊娠を除外するために超音波検査を必要とする．妊娠中，特に第 1 三半期以降は，付属器が妊娠子宮と粘液腺で保護されることにより，急性**骨盤内炎症性疾患(PID)**が起こることはまれである．

| 特殊な技術 | 異常例 |

■ 肛門（直腸，直腸腟中隔）

外痔核を視診する。外痔核があれば，大きさ，位置，また血栓がないか確認する。

痔核は，妊娠後期になるとうっ血し，痛みや出血，血栓を伴うことがある。

直腸診察は，直腸出血や腫瘍などの気になる症状がある場合や，直腸腟中隔が損なわれている状態でない限り，妊婦健診で標準的には行われない。この診察は，後傾または後屈した子宮の大きさを評価するのに役立つが，経腟超音波検査を行うほうがより多くの情報が得られる。

■ 四肢

患者に座位または左側臥位になってもらう。静脈瘤がないか下肢を視診する。

妊娠中に静脈瘤は出現または悪化する。

浮腫については前脛骨部，足関節部，足を触診する。**浮腫の程度や圧痕の回復時間にもとづいていくつかの尺度があるが，他の皮膚所見と同様に，診察で確認した所見を記録しておくことが重要である。**妊娠が進行すると浮腫は一般的に認められる。特に暑い時期や長時間立ち続けたとき，下肢からの静脈還流が低下するため，生理的浮腫が生じやすい。

ふくらはぎの圧痛を伴う重度の片側浮腫が出現した場合は，すぐに深部静脈血栓症の評価を行う必要がある。妊娠 20 週以降の手や顔の浮腫は妊娠高血圧腎症としては非特異的だが，精査は必要である[25, 26]。

膝蓋腱反射とアキレス腱反射を調べる。

腱反射亢進は妊娠高血圧腎症における大脳皮質の過敏性を示す指標となる可能性があるが，臨床的な精度にはばらつきがある。

特殊な技術

■ Leopold 触診法

Leopold（レオポルド）触診法は第 2 三半期から，妊婦の腹部における胎児の位置を確認するために用いられ，妊娠 36 週以降で最も正確になる（図 26-13）[27]。胎児発育の評価としては不正確だが[28]，以下を評価し経腟分娩の可否を決めるうえでの一助となる。

- 胎児の上極と下極，すなわち胎児の近位部と遠位部
- 胎児の背部がある母体の側腹部
- 胎児の母体骨盤部への下降
- 胎児の頭部が屈曲する範囲
- 胎児の推定サイズおよび推定体重（発展的な技術についてはここで言及しない）

これらの所見が診断を確定するものではないことを理解しておく必要があり，胎位の特定には超音波検査を要する場合がある。

骨盤位 breech presentation（胎児の頭部ではなく殿部または足部などが母体の骨盤出口に存在）や分娩予定日になっても母体骨盤部へ胎児が十分に進入していないのはよくみられる変異である。分娩予定日以前に発見された場合，骨盤位は外回転術により矯正されることがある。

UNIT III 第26章 妊娠女性

特殊な技術

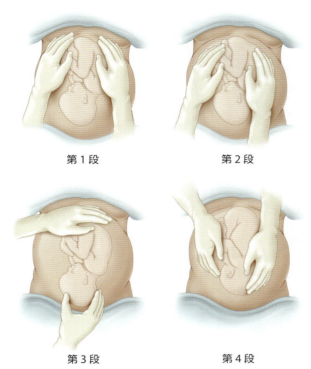

第1段　　　　第2段

第3段　　　　第4段

図 26-13　妊娠36週以降に胎位を把握するためのLeopold触診法（Casanova R. *Beckmann and Ling's Obstetrics and Gynecology*. 8th ed. Wolters Kluwer; 2019, Fig. 9-7. より）

第1段（上極）

診察者は妊婦の横で，頭側を向いて立つ．子宮底を両手の指先で優しく触診し，そこに位置する胎児の部位（それが「上極」となる）が何かを判断する（図26-14）。

上極には通常，胎児の殿部が存在する．殿部は硬く凹凸し，頭部よりも丸みが少ない．頭部は硬く，丸く，滑らかである．ときに，胎児が横位である場合は，胎児のいずれの部分も子宮底にて容易に触知できないことがある．

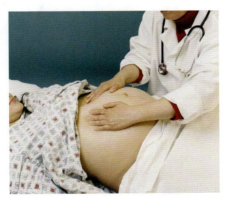

図 26-14　Leopold触診法　第1段：子宮底部の触診（Weber JR, Kelley JH. *Health Assessment in Nursing*. 6th ed. Wolters Kluwer; 2018, Fig. 29-13. より）

第2段（母体の側腹部）

両手の間に胎児の身体を捉えるつもりで，母体の腹部の両側に手を置く（図26-15）。子宮を固定するために一方の手を，胎児の触診のためにもう一方の手を用いて，胎児の背部および四肢を探る。

妊娠32週以降は，胎児の背中は診察者の手と同じかそれ以上の長さであり，表面は滑らかで固い。胎児の腕と脚は不規則な隆起のように感じられる。胎児が起きており活動していれば，子宮を蹴ることもある。

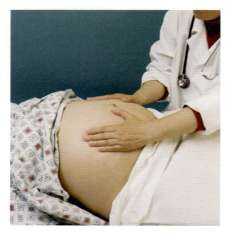

図 26-15 Leopold 触診法 第2段：胎児の背中と四肢の評価 (Weber JR, Kelley JH. *Health Assessment in Nursing*. 6th ed. Wolters Kluwer; 2018, Fig. 29-14. より)

第3段（胎児の下極と胎盤の下降）

手指の掌側表面を，恥骨結合の直上にある胎児の下極に置く（図26-16）。頭部と殿部を区別するために，身体の部位の感触や硬さを触診する。触知できた胎児の身体から，母体の骨盤出口への下降または骨盤内への胎児の進入度合いを判断する。

前述の通り，胎児の頭部は非常に硬く丸く感じられる。殿部は硬く凹凸があり，頭部よりも丸みが少ない。**頭位 cephalic（vertex）presentation** では児頭が下極に位置する。もし下極を触診できない場合は，児頭が骨盤内に進入

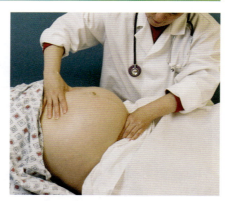

図 26-16 Leopold 触診法 第3段：恥骨結合上方の触診 (Weber JR, Kelley JH. *Health Assessment in Nursing*. 6th ed. Wolters Kluwer; 2018, Fig. 29-15. より)

していることが多い。胎児に触れずに母体の膀胱の上方の組織を押し下げることができるなら，胎児の下極は診察者の手よりも上方にあることを示す。

第4段（胎児の頭部の屈曲）

この手技は，胎児の頭部の屈曲または伸展を評価し，骨盤に位置するのが胎児の頭部であるかどうかを推定する。妊婦の足方を向き，両手を妊娠子宮の両側に置いて胎児の腹側と背側を確認する（図26-17）。その際，片手ずつ，「頭部先進部」に達するまで，胎児の両側で下方に向けて指をずらす。どこに胎児の前額部または後頭部が突き出ているかをみる。

頭部先進部が胎児の背側に突出している場合は，頭部は伸展している。頭部先進部が胎児の腹側に突出している場合は，頭部は屈曲している。

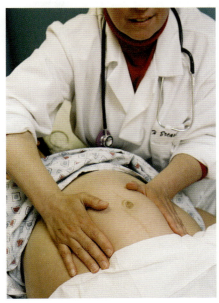

図26-17 Leopold触診法 第4段：頭の向きと屈曲の程度の評価（Weber JR, Kelley JH. *Health Assessment in Nursing*. 6th ed. Wolters Kluwer; 2018, Fig. 29-16. より）

所見の記録

一般的に，妊娠中の患者の情報は，年齢，妊娠分娩歴，妊娠週数，妊娠週数の特定方法（最終月経か超音波検査か），主訴，合併症，病歴，身体所見の順で記録する。以下に，2つの記録を提示する。

妊娠アウトカムに関する用語を参照（p.1113）。

妊婦の診察の記録

> 32歳，G3P1102，妊娠18週（最終月経により特定）の女性が妊婦健診のために受診。妊娠高血圧腎症のため人工早産，帝王切開の既往があり，その後短い間隔での妊娠である。胎動の自覚はまだなく，子宮収縮や子宮出血，破水感の自覚もない。診察にて，下腹部に横切開による帝王切開の手術痕あり。臍部直下に子宮底部を触知。内診では，外子宮口が開いていることを指先で確認でき，内子宮口は閉じている。子宮頸管は3cm。子宮は妊娠18週様の増大を示す。腟鏡診では，Chadwick徴候陽性を伴う白帯下を認める。Doppler聴診器による胎児心拍数は140〜145回/分である
>
> または
>
> 21歳，G1P0，妊娠33週（妊娠19週で超音波検査により特定）。胎動低下を主訴として受診。これまで妊婦健診受診がほとんどなく，また生活はホームレス状態である。直近の24時間の胎動の自覚はほとんどない。子宮収縮，子宮出血，破水感の自覚はない。診察

これらの所見は妊娠18週の正常な診察所見である。

これらの所見は妊娠33週のより複雑な診察所見である。

（続く）↗

> (続き)
>
> では，腹部に圧痛はなく瘢痕も認めない。子宮底長は 32 cm。胎児は頭位であるが，Leopold 触診法での骨盤内進入はみられない。内診では，子宮頸部は閉じて，長く，高い位置にある。腟鏡診では，クルーセル（糸玉状細胞）を伴う薄い灰色の分泌物が直接塗抹標本で確認された。Doppler 聴診器による胎児心拍数は 155〜160 回/分である

健康増進とカウンセリング：エビデンスと推奨

健康増進とカウンセリングの重要事項

- 栄養
- 体重増加
- 運動と身体活動
- タバコ，アルコール，違法薬物などの使用
- パートナーからの暴力のスクリーニング
- 周産期うつ病のスクリーニング
- 予防接種
- 出生前のスクリーニング検査
- 遺伝子検査と染色体異数性検査
- 出生前のサプリメント（薬物など）
- 意図しない妊娠

栄養

最初の妊婦健診において妊婦の栄養状態を評価する。肥満の有無とあわせて，適正に摂取されていない栄養を評価する。

- 食事歴を聴取する。毎食よく摂取するものは？ 何回食事をするか？ 食事を制限するような悪心があるか？ 糖尿病，摂食障害，過去の肥満手術など，食事量に影響を与える疾患の既往歴はあるか？

- BMI や検査結果を確認する。身長と体重を測定して BMI を計算する。妊娠後期になると，BMI は妊娠中の子宮を反映することに注意する必要がある。ヘマトクリット測定は貧血のスクリーニングであり，栄養不足，基礎疾患，妊娠後期にみられる血液希釈を反映する可能性がある。

- 避けるべき食品について指導する。妊娠中の女性は特に，リステリア感染症に罹患しやすい。これを予防するために，米国産婦人科学会 American College of Obstetricians and Gynecologists（ACOG）[29]は，妊婦に以下のような食品を避けるよう呼びかけている。

健康増進とカウンセリング：エビデンスと推奨

- 加熱殺菌されていない牛乳およびそれを使用した食品
- 生や加熱不足の魚介類，卵，肉類
- 冷蔵のパテ，ミートスプレッド，スモークサーモン
- 食べる直前まで湯気が出るほど熱い状態で提供されたものを除く，ホットドッグ，ランチョンミート，コールドカット

- 魚介類については，オメガ3脂肪酸やデヒドロエピアンドロステロン（DHEA）などの栄養素が，胎児の脳の発達を促進する可能性がある。ACOGでは，妊娠中および授乳中の女性に対して，魚介類を週に2〜3回摂取することを推奨している。サケ，エビ，スケトウダラ，ツナ（ライト缶），ティラピア，ナマズ，タラなどの水銀含有量の少ない魚を週に227〜340g摂取するべきである。白マグロ（ビンナガ）訳注は週に170gまでとする。妊娠中の女性は，アマダイ，サメ，メカジキ，キングサバなどの水銀を多く含む魚を避けるべきである[30,31]。

栄養計画を立てる。女性のBMIにあわせて，体重増加の目標を見直す。**米国農務省のウェブサイト"Pregnancy Weight Gain Calculator"で，推奨される体重増加目標を容易に計算できる（https://www.myplate.gov/node/5390）**。この計算機は，各三半期における5つの食品群それぞれの1日における推奨摂取量を示す[32]。摂取量の計算は，女性の身長，妊娠前の体重，分娩予定日，および毎週の運動レベルにもとづいて行われる。軽度の悪心には，少量頻回の食事が有用である。妊娠糖尿病や摂食障害などの複雑なケースでは，栄養士や行動療法の専門家を交えたチームによるアプローチを検討する。

体重増加

妊娠中の過剰または不十分な体重増加の両方が出生時の有害事象に関連しているため，妊娠中は体重増加を注意深く観察する必要がある。理想的には，患者は可能な限り適正範囲に近いBMIで妊娠を開始すべきである。BMIが正常な女性は，妊娠中に11〜16kgの体重増加が必要となる。2013年，ACOGは米国医学研究所 Institute of Medicine（IOM）による2009年に改訂された体重増加勧告を支持した（Box 26-5）[33,34]。

毎回，体重を測定し，その結果をグラフにすることで，患者と打ち解けた関係を築くことができ，一緒に確認したり，話し合ったりしやすくなる。

訳注：米国で"white tuna"と呼ばれるのは，わが国ではビンナガと呼ばれる魚。わが国で白マグロと呼ばれる魚はアブラソコムツのことで，人体に有害であるため国内では食用として流通していない。

Box 26-5　妊娠前のBMIにもとづく妊娠中の体重増加の総量と増加率についての勧告（2009年）[34]

妊娠前のBMI*	体重増加（kg）	第2・第3三半期における体重増加率（kg/週）	平均範囲
低体重（BMI＜18.5）	12.5〜18	0.45	0.45〜0.6
適正体重（BMI 18.5〜24.9）	11.5〜16	0.45	0.36〜0.45
過体重（BMI 25.0〜29.9）	7.0〜11.5	0.27	0.23〜0.32
肥満（BMI＞30.0）	5〜9	0.23	0.18〜0.27

*BMIを計算するには，米国国立心臓・肺・血液研究所 National Heart, Lung, and Blood Institute の Calculate Your Body Mass Index を使用する（http://www.nhlbi.nih.gov/health/educational/lose_wt/BMI/bmicalc.htm）。

運動と身体活動

妊娠中の身体活動には，多くの心理的メリットがあり，過度の妊娠体重増加，妊娠糖尿病，妊娠高血圧腎症，早産，静脈瘤，および深部静脈血栓症のリスクを低減する[35]。また，陣痛の長さや分娩時の合併症を軽減する可能性もある。一方で，過剰な活動は低出生体重児と関連するため，推奨ガイドラインについて患者へ教育することが重要である。米国の妊婦の身体活動レベルは比較的低いことを示すエビデンスがある[36]。

ACOGは，禁忌事項がない限り，妊婦が週のほとんど毎日において30分以上の適度な運動を行うことを推奨している[37]。

妊娠中に運動をはじめるときは，妊婦向けに特別に開発されたプログラムを慎重に考慮すべきである。水中の運動は一時的に筋骨格系の疼痛を軽減するのを助けるが，熱い湯に全身を浸すのは避けるべきである。第1三半期以後は，妊婦は仰臥位での運動は避けるべきである。これは，下大静脈を圧迫し，めまいや胎盤の血流低下を引き起こす可能性があるためである。第3三半期には，重心が変化するため，バランスを崩す可能性のある運動を避けるよう忠告する。妊娠中は，他の選手と接触するスポーツや腹部を傷つける恐れのある活動は禁忌とされる。妊婦は，過度の興奮，脱水，また，著明な疲労や苦痛を生じるいかなる作業も避けるべきである。

タバコ，アルコール，違法薬物などの物質使用

妊娠中は，物質乱用を控えるべきである。これらの微妙な問題を発見することができる一般的なスクリーニングを行い，中立的かつ建設的な方法でこれらの話題を取り上げる。薬物乱用による監禁，諍い，犯罪は，いずれも妊婦とその子どもの妊娠アウトカムに悪影響を与える。

健康増進とカウンセリング：エビデンスと推奨

タバコ

喫煙は，自然流産，胎児の死亡，胎児の指数異常のリスクを高める。目標は禁煙であるが，できないときには減量することが望ましい。タバコの使用は，全低出生体重児の13〜19%に関与しており，前置胎盤，胎盤早期剥離，早産のリスクが2倍になるなど，その他多くの妊娠アウトカムへの悪影響につながる[38,39]。

アルコール

アルコールの安全な摂取量は確立されていない。ACOGは，女性が妊娠中に禁酒することを強く推奨している[40]。禁酒を促進するために，ACOGや米国疾病対策センター Centers for Disease Control and Prevention (CDC)の数多くのリソース[41]や，専門家によるカウンセリング，入院治療，Alcoholics Anonymous（アルコール中毒者更生会）などを活用する。胎児性アルコール症候群は，発育中の胎児がアルコールに曝露した際の神経発育の後遺症であり，米国における予防可能な知的障害の原因の首位を占めている。

違法薬物

違法薬物は胎児の発育に重大な悪影響を及ぼす。依存症の妊婦には直ちに治療を紹介し，HIVやC型肝炎の感染の有無をスクリーニングする必要がある。

処方薬の乱用
麻薬，刺激薬，ベンゾジアゼピン系薬の不適切な使用，その他乱用されることが多い処方薬の使用についてもたずねる。

ハーブや未規制のサプリメント
妊娠中のハーブ系サプリメントは，発育中の胎児に害を与える可能性がある。未規制のサプリメントやビタミン剤で，特に米国外で製造されたものは，鉛やその他の毒素を含んでいる可能性がある。サプリメントの摂取について確認を行い，胎児の曝露の程度（特に鉛）を調べるために妊娠中の薬毒物検査を検討する[42]。

■ パートナーからの暴力のスクリーニング

妊娠中は，親密なパートナーからの暴力のリスクが高まる。これまでの虐待のパターンが，言葉から身体的虐待へ，または軽度から高度な身体的虐待へと強まる可能性がある。女性の最大5人に1人が妊娠中に何らかの虐待を経験する。虐待は，妊婦健診の遅延，低出生体重児，さらに母体と胎児の死亡と関連する[43]。

ACOGは，社会経済的地位に関係なく，パートナーからの暴力についてすべての女性に最初の妊婦健診時および少なくとも各三半期に1回のスクリーニングを行うことを推奨している[43]。直接的で偏見のないアプローチを行うため，ACOGはBox 26-6に示す定型の前置きと簡単な質問を行うことを推奨している。

> **Box 26-6　ACOGによる親密なパートナーからの暴力のスクリーニング[45]**
>
> **前置き**
> 「暴力は多くの女性の生活の中で非常に一般的なものであり，虐待を受けている女性への援助が行われているため，今ではすべての患者にパートナーからの暴力についてたずねるようにしています」
>
> **スクリーニング質問**
> - 「過去1年以内，または妊娠してから，誰かに殴られたり，叩かれたり，蹴られたり，その他身体的に傷つけられたことがありますか？」
> - 「あなたを脅したり，身体的に傷つけたりする人とのかかわりがありますか？」
> - 「誰かに無理やり性行為をされて，不快な思いをしたことはありますか？」

直前になって頻繁に予約を変更する，診察中にいつもと違う行動をとる，診察中に患者を1人にしないパートナーがいる，あざやその他の傷があるなど，虐待の非言語的な手がかりに注意する。安全性や報復に対する恐れから，患者が虐待を受けていることを認めるまでに数回の面会が必要な場合もある。

患者が虐待を認めたら，あなたが患者を助けるための最善の方法をたずねる。患者は情報の共有に制限を設けることができる。子どもがかかわってくる場合には，有害な行動をあなたが当局に報告することを条件に，自分の状況を安全に処理する方法についての患者自身の決定を受け入れる。シェルター，カウンセリングセンター，ホットラインの電話番号やその他信頼できる地域の関連機関のリストを更新しておく(Box 26-7)。次回以降の予約を短い間隔で計画する。最後に，患者が許す限り十分な身体診察を施行し，すべての傷害部位を身体図に記録する。

> **Box 26-7　米国の家庭内暴力ホットライン**
>
> ウェブサイト（訳注）：www.thehotline.org
> ＋1-800-799-SAFE(7233)
> 聴覚障害者のためのTTY(Teletype)：＋1-800-787-3224

周産期うつ病のスクリーニング

2015年には，妊婦の10.5%が出生前に，11.5%が産後にうつ病と診断されたと報告されている[44]。ACOGは，周産期に少なくとも1回，標準化された検証済みのツールを用いて，うつ病や不安症状のスクリーニングを行うことを推奨している[45]。さらに，米国予防医療専門委員会 U.S. Preventive Services Task Force (USPSTF)は，周産期うつ病のリスクが高い妊娠中および産後の患者に対して，医療者がカウンセリング介入を提供または紹介することを推奨している(グレードB)[42]。妊娠中または周産期の成人に対する一般的なうつ病スクリーニングツール

訳注：わが国では，男女共同参画局のホームページの「配偶者からの暴力被害者支援情報」(https://www.gender.go.jp/policy/no_violence/e-vaw/index.html)から各種相談窓口を調べることができる。

健康増進とカウンセリング：エビデンスと推奨

には，Edinburgh Postnatal Depression Scale (EPDS)[46,47]または Patient Health Questionnaire-9 (PHQ-9)[48]がある。

EPDSは，10の自己申告項目で構成されており，5分以内で記入でき，50カ国語に翻訳されており，平易な文章で書かれ，採点が容易である。EPDSは，周産期の気分障害に顕著な特徴である不安症状を含み，妊娠中や産後によくみられる睡眠パターンの変化など，うつ病の身体的な症状は除外される。EPDSは，感度・特異度ともに比較的良好である。産前・産後うつ病のスクリーニングに関する研究では，スクリーニングを実施すると，ほとんどの女性が認知行動療法による治療に紹介され，うつ病が減少することが示されている[45,49]。PHQ-9は，『精神疾患の診断・統計マニュアル第4版 (DSM-IV)』の depressive disorder の9つの診断基準に焦点をあてた，9項目からなる簡潔な質問票である。PHQ-9は，メンタルヘルス分野で最も検証されたツールの1つであり，診察者がうつ病を診断し，治療効果をモニタリングするための強力なツールとなる[45]。

予防接種

米国では百日咳の感染が持続的に増加していることから，CDCの予防接種実施に関する諮問委員会 Advisory Committee on Immunization Practices (ACIP) および ACOG は，過去の予防接種歴にかかわらず，妊娠のたびに Tdap（破傷風・ジフテリア・百日咳三種混合ワクチン）(訳注)を，理想的には妊娠27〜36週目に投与することを推奨している[50]。乳児と直接接触し，世話をする人も Tdap を受けるべきである。不活化インフルエンザワクチンは，インフルエンザシーズン中にはいずれの妊娠期でも接種する必要がある[51]。なお，肺炎球菌，髄膜炎菌，B型肝炎のワクチンは妊娠中に安全に接種できる。A型肝炎，髄膜炎菌多糖体および結合型ワクチン，肺炎球菌多糖体の各ワクチンは，必要に応じて接種することができる[52]。麻疹，流行性耳下腺炎（ムンプス），風疹，弱毒性生インフルエンザ，ポリオ，帯状疱疹，水痘のワクチンは生ワクチンであるため，妊娠中には安全ではない。すべての女性は妊娠中に風疹の力価を測定し，免疫がないことが判明した場合には出生後に予防接種を受けるべきである。

出生前のスクリーニング検査

母体の健康や妊娠アウトカムに影響を及ぼす可能性のある疾患を特定するため，妊娠初期に定期的な検査を行うことが推奨されている[53]。

訳注：わが国では，ポリオのワクチンが生ワクチンから不活化ワクチンへ変更されたため，Tdapではなく DPT-IPV（破傷風・ジフテリア・百日咳・ポリオ四種混合ワクチン）が導入されている。

異常例

第9章「認知，行動，精神状態」も参照（p.271〜272）。

Rh(D)不適合スクリーニング

ABO式血液型およびRh(D)式血液型の測定は，すべての妊婦に推奨される。ABO式血液型は，妊娠後期や分娩に伴って緊急に輸血が必要になった場合に重要になることがある。また，母体と新生児の間にABO式血液型不適合のリスクがある場合には，小児科医に伝えることも重要になる。Rh(D)スクリーニングは，Rh陰性の妊婦が同種免疫を発症するリスクがあるため推奨されている。Rh陰性による同種免疫は，胎児貧血，胎児水腫，胎児死亡のリスクを高める。

タイプアンドスクリーン(T＆S)は最初の妊婦健診時に行うべきである。抗体検査が陽性の場合には抗体を特定し，力価を測定する必要がある。Rh(D)スクリーニングは通常，最初の妊婦検診時，28週目，および分娩時に実施される。Rh陰性の女性は，(児がRh陽性の場合)同種免疫を防ぐために妊娠28週目に抗D免疫グロブリンを投与し，分娩後3日以内に再度投与する必要がある[54,55]。

梅毒のスクリーニング

米国では**梅毒 syphilis**の感染率が上昇しており，生殖可能年齢女性の感染率は2013〜17年にかけて2倍以上に上昇している[56]。先天性梅毒は，スピロヘータ科である梅毒トレポネーマ(*Treponema pallidum*)が子宮内の胎児に感染することで発症する。毎年世界全体で，約100万例の妊娠で先天性梅毒への感染がみられる[57]。ACOG[58]およびCDC[59]では，感染を特定して適切な治療を行うことで母子ともに予後が改善するとして，全妊婦へのスクリーニングを推奨している。妊娠中に梅毒に感染すると胎児死亡のリスクがあるため，死産歴のある妊婦は梅毒の検査を受けるべきである[55]。

ACOGでは，Venereal Disease Research Laboratory(VDRL)検査やRapid Plasma Reagin(RPR)検査などの非トレポネーマ系検査を推奨している。VDRLまたはRPR検査で陽性の場合，妊娠中のスクリーニングでは偽陽性が比較的多いため，梅毒の診断を確定するために梅毒トレポネーマ蛍光抗体吸収検査fluorescent treponemal antibody absorption(FTA-ABS)などのトレポネーマ系検査でフォローアップする必要がある。すべての妊婦は最初の妊婦健診時にスクリーニングを受けるべきである。感染のリスクが高い女性(風俗店勤務，薬物使用，複数の性的パートナー，または妊娠中の性感染症診断)は，妊娠28週目と分娩時に再スクリーニングを行うべきである。

細菌尿のスクリーニング

ACOGと米国感染症学会Infectious Diseases Society of Americaは，すべての妊婦の**無症候性細菌尿 asymptomatic bacteriuria**をスクリーニングするために，最初の妊婦検診時に尿培養を行うことを推奨している[60]。妊娠中の尿路感染症(UTI)，尿路異常，糖尿病，ヘモグロビンS，または早産の既往がある患者が高リスクに含まれる。

健康増進とカウンセリング：エビデンスと推奨

妊娠初期のスクリーニング検査として，清潔なカップで採取した尿の培養を行うべきである．スクリーニング検査で尿培養が陽性となった患者は，3〜7日間，抗菌薬で治療する必要がある．低リスクの患者の場合，最初のスクリーニング尿培養が陰性であれば，通常再検査は推奨されない．高リスクの患者は妊娠後期に再検査を行ってもよいが，ACOGは再検査までの最適な期間を規定していない．妊娠初期に無症候性細菌尿の治療を受けた患者には，通常，抗菌薬治療が終了してから1週間後に治癒したかどうか確認する検査を行う必要がある．

B型肝炎のスクリーニング

B型肝炎 hepatitis B の免疫状態を判定することは，妊娠中にB型肝炎に感染するリスクのある女性を特定するために重要である．B型肝炎に対する免疫がない場合は，妊娠中にワクチンを接種する必要がある[61]．妊娠中にB型肝炎に感染した既往がある患者は，肝機能障害，肝硬変，肝細胞癌などの母体の健康リスクについてカウンセリングを受ける必要がある．母子感染リスクは，能動免疫もしくは受動免疫によるワクチン接種が行われない場合，90％に達する．妊娠中に活動性のB型肝炎に感染した患者には，ウイルス量を減少させる治療を行うことで子宮内での母子感染のリスクを下げる[62]．なお，妊娠中にB型肝炎に感染した場合は，新生児への垂直感染を防ぐためにB型肝炎ワクチンとB型肝炎免疫グロブリン（HBIG）を投与する必要があるため，小児医療チームに分娩前に伝えておく．

B型肝炎表面（HBs）抗原検査は，過去にワクチン接種や検査を受けたことがあっても，すべての妊婦に対して最初の妊婦健診で行うべきである．スクリーニング陽性の女性は，B型肝炎e抗原（HBeAg），B型肝炎e抗体（anti-HBe），HBV-DNA，およびトランスアミナーゼ値の追加検査を受けるべきであり，これは妊娠中のさらなるケアと治療の指針となる．高リスクの患者（複数の性的パートナー，妊娠中の性感染症治療，注射薬の使用，慢性B型肝炎ウイルスへの性的または家庭内曝露）は，分娩時に再検査を受けるべきである．

HIVのスクリーニング

HIVスクリーニングは，HIV感染が重篤な健康障害であること，診断や治療が容易であること，スクリーニングにかかる費用が低いことから，CDCが推奨している．妊娠中の女性に対する普遍的なスクリーニングは，リスクに応じたスクリーニングよりも，リスクの低い母親のHIVを検出し垂直感染を防ぐのに有効である．注射薬を使用している女性，金銭や薬物のために性行為を行う女性，妊娠中に性感染症と診断された女性，複数の性的パートナーがいる女性，HIV感染率の高い特定の集団に属する女性，またはHIVに感染したパートナーをもつ女性などがハイリスク集団に含まれ，これを特定する必要がある．抗レトロウイルス療法（ART）は周産期の感染率を大幅に低下させており，普遍的なスクリーニングと予防的なARTの組み合わせにより母子感染率は現在2％未満となっている[63]．**妊娠中の未治療のHIVによる母子感染のリスクを考慮して，ACOG，**

USPSTF（グレード A），CDC，および米国保健福祉省は，過去の妊娠時のスクリーニングにかかわらず，すべての女性に妊娠中の HIV スクリーニングを行うことを推奨している。

第 4 世代の HIV-1/HIV-2 免疫測定法による HIV 抗体検査は，地域や州の規制に従って行うべきである（州によっては HIV スクリーニングに口頭での同意が必要）。スクリーニングが陽性の場合は，HIV-1/HIV-2 抗体分化免疫測定法による確認検査を行い，血漿中の HIV-RNA 量を測定する[64]。HIV スクリーニングは，最初の妊婦健診で実施するべきであり，患者が拒否した場合はそれを記録しておく（すなわち「オプトアウト」アプローチ）。高リスクの妊婦に対しては ACOG のガイドラインに従って，第 3 三半期，理想的には妊娠 36 週以前に再スクリーニングを行うことが理想的である。妊娠中にスクリーニングを受けなかった女性は，分娩時の入院の際に迅速な HIV スクリーニングを行うことが推奨される。

鉄欠乏症スクリーニング

鉄欠乏症 iron deficiency は妊娠中の貧血の原因として 2 番目に多く，世界中の妊婦の最大 50％ が罹患している[65]。赤血球産生の増加や胎盤の成長に伴い鉄の代謝が亢進すると，妊娠中の鉄欠乏症が悪化する可能性がある。鉄欠乏症は小球性貧血であり，妊娠中に胎児の発育不全，早産，低出生体重児などの深刻な影響を及ぼす可能性がある。母親の鉄欠乏症により，胎児の鉄貯蔵量が減少する[66]。周産期の鉄欠乏，特に第 3 三半期の鉄欠乏は，胎児の神経発生，発達，髄鞘形成に影響を与えることが示されている[67]。

ACOG は，すべての妊婦に貧血のスクリーニングを行うことを推奨しているが，USPSTF は，鉄欠乏性貧血の症状がない妊婦にスクリーニングを行うにはエビデンスが不十分であるとしている（グレード I）[68,69]。鉄欠乏症は第 3 三半期までに発見され治療されることが理想的であり，それによって鉄貯蔵量を十分に補充し新生児の鉄欠乏症のリスクを減らす時間が確保できる。

平均赤血球容積（MCV）を含め全血算（CBC）を測定する。貧血（ヘモグロビンが 11 g/dL 未満またはヘマトクリットが 33％ 未満）で MCV が低い患者では，鉄分検査を行って鉄欠乏症を評価すべきである。一般的には非妊婦の成人では，血清フェリチン値（30 ng/mL 未満で鉄欠乏症の診断が確定）でスクリーニングを行う。しかし，妊婦，慢性疾患のある人，フェリチン値がボーダーラインの人は，さらに血清鉄，総鉄結合能（TIBC），およびトランスフェリン飽和度を検査する必要がある。鉄欠乏症でない小球性貧血の患者には，鎌状赤血球症やサラセミア症を除外するために，ヘモグロビン電気泳動検査を行うべきである。ACOG では，最初の妊婦健診時に CBC を検査することを推奨している。貧血の再スクリーニングは 24～28 週の間に検討され，その結果とガイドラインにもとづいてさらなる評価と治療を行う。

健康増進とカウンセリング：エビデンスと推奨

妊娠糖尿病スクリーニング

妊娠糖尿病 gestational diabetes（GDM）は妊娠中の耐糖能異常で，胎盤から分泌される糖尿病誘発性ホルモンが関与する。妊娠糖尿病は米国において妊婦の6〜7％が罹患するが，罹患率は年々上昇している[70]。妊娠糖尿病は帝王切開分娩，妊娠高血圧腎症，分娩後出血，高度会陰裂傷などの母体リスクと関連している。妊娠糖尿病による胎児・新生児リスクには，胎児発育過多，羊水過多症，死産，肩甲難産，出生時損傷，NICU入室，新生児低血糖，新生児高ビリルビン血症などがある。妊娠中の耐糖能異常や妊娠糖尿病に関連する疾患の罹患率は高く，妊娠糖尿病を診断し治療することが母体と胎児の転帰を改善することが示されているため，ACOG はすべての妊婦に糖尿病スクリーニングを推奨している[71]。

米国で最も一般的な糖尿病スクリーニング検査は，2段階のスクリーニングである。50 g の**経口ブドウ糖負荷試験（OGTT）**を実施し，ブドウ糖負荷後1時間後に血糖値を確認する。スクリーニングの基準値は130〜140 mg/dL で，さまざまな機関で使用されている。陽性の患者には，100 g，3時間で行う OGTT で診断を確定する。この 100 g，3時間の OGTT で2つ以上の値が異常となった場合，妊娠糖尿病と診断される(訳注)。妊娠糖尿病のスクリーニングは，すべての妊婦に対して 24〜28 週の間に行うことが推奨されている。ACOG では BMI＞25 の妊婦で，さらに高リスクの民族性，前回妊娠での妊娠糖尿病，高血圧，高コレステロール血症，または第1度近親者に糖尿病患者がいるなど1つ以上の危険因子がある場合には，早期のスクリーニングを推奨している[71]。

遺伝子検査と染色体異数性検査

ACOG は，年齢にかかわらずすべての妊婦に染色体異数性検査および診断検査（絨毛生検または羊水穿刺）を実施することを推奨している[10,11]。必要に応じて，Tay-Sachs 病やその他の遺伝性疾患のスクリーニングなど，妊婦の危険因子に関連した追加検査を行う。

出生前のサプリメント

マルチビタミンおよびミネラルのサプリメント

出生前のビタミンとミネラルのサプリメントには，600 IU のビタミン D と少なくとも 1,000 mg のカルシウムを含むべきである[29]。ヨウ素欠乏症の妊婦が多いため，出生前のサプリメントに含まれていない場合は，妊娠中および授乳中の女性には1日150〜290 μg のヨウ素摂取を推奨する[72]。また，ビタミン A，D，E，K といった脂溶性のビタミンは過剰摂取すると中毒を引き起こす可能性があ

訳注：わが国では，100 g ではなく 75 g の OGTT を実施し，空腹時，1時間後，2時間後の3回血糖値を測定する。3回のうち1回以上で値が異常となる場合，妊娠糖尿病と判断する。

葉酸のサプリメント

妊娠中の葉酸欠乏は**神経管奇形 neural tube defect(NTD)** との関連性が十分に立証されており，複数の研究により葉酸の補給が神経管奇形の再発リスクを低減することが示されている[68,73]。妊娠中は，葉酸の必要摂取量が1日当たり50〜400μg増加する[68]。葉酸は葉物野菜，豆類，肉類などから摂取することができる。米国では強化食品(food fortification)からも摂取可能だが，補充された葉酸の量は神経管奇形を予防するのに十分でない可能性がある[74]。

ACOGは，妊娠を考えているすべての女性に，葉酸を多く含む食事に加えて400μgの葉酸のサプリメントを摂取することを推奨しており[73]，これはUSPSTFも支持している(グレードA)[75]。過去に神経管奇形の児を妊娠したことがあるなど，神経管奇形のリスクが高い女性には4mg(4,000μg)の摂取が推奨される。葉酸摂取は妊娠の3カ月前に開始し，第1三半期の終わりまで継続すべきである。

鉄分のサプリメント

鉄分の必要量は，母体の赤血球産生，胎児の赤血球産生，胎児の成長をサポートするために，妊娠期間が進むにつれて劇的に増加する。母体の赤血球産生をサポートするためには，累積で500mgの鉄分が必要となり，胎児の成長にはさらに300〜350mgが必要となる。鉄分の補給が母体や胎児・新生児の健康に有益であることを直接証明した研究はないが[76]，妊娠中の鉄分欠乏のリスクが報告されている(鉄欠乏症スクリーニング，p.1136参照)。

CDCは，鉄分を含むビタミン剤で一般的に摂取できる量である30mg/日の鉄分を，最初の妊婦検診時から経口摂取することを推奨している。さらに，鉄分を多く含む食品を摂取することが推奨される。貧血の患者は，経口鉄分補給量を60〜120mg/日に増やすべきである。重度の鉄欠乏性貧血，経口摂取に反応しない，または妊娠年齢が高い患者には，鉄分の静脈内補給が必要となる場合がある。

意図しない妊娠

米国の妊娠のほぼ半分は意図しないものである(610万例のうち280万例)[77]。将来的には妊娠を望んでいた場合でも妊娠した時点ではそれを望んでいなかった場合，その妊娠は**意図しない妊娠**とみなされる(全妊娠の27％)。また妊娠した当時も将来的にも妊娠を望んでいなかった場合は，**望まない妊娠**とみなされる(妊娠の18％)。15〜19歳までの思春期と15歳未満の妊娠では，意図しない妊娠の割合はそれぞれ80％以上，98％以上に達する。

CDCは米国の思春期および10代の妊娠率は着実に低下していると指摘してい

健康増進とカウンセリング：エビデンスと推奨

るが，それでも他の先進国に比べて大幅に高く[78]，人種・民族や地域による格差も顕著である。2015年の非ヒスパニック系黒人，ヒスパニック系，アメリカ先住民/アラスカ先住民の10代の出生率は，非ヒスパニック系白人の10代の出生率と比較して，依然として1.5～2倍高い。

月経周期における排卵の時期や，妊娠を計画したり避妊したりする方法について，妊娠可能な年齢の少女や女性の相談にのることは重要なことである。Box 26-8に示す数多くの避妊方法とその有効性について把握しておくこと[79]。

避妊失敗率は，皮下埋え込み型避妊薬(訳注)，子宮内避妊具(IUD)，女性の避妊手術，精管切除術では年間0.8％以下(妊娠1例未満/100人/年)と最も低く，男性用・女性用コンドーム，膣外射精，避妊用スポンジ，周期法，殺精子薬では年間18％以上(または18例以上の妊娠/100人/年)と最も高くなっている。注射薬，経口避妊薬，避妊パッチ，膣リング，ペッサリーの失敗率は，年間6～12％(または6～12例の妊娠/100人/年)である。

Box 26-8　避妊方法と種類[79]

方法	種類
自然周期	周期法/周期的な禁欲，膣外射精，授乳
バリア法	男性用コンドーム，女性用コンドーム，ペッサリー，子宮頸管キャップ，避妊用スポンジ
埋め込み型	IUD，レボノルゲストレルの皮下埋め込み
薬理学的，内分泌学的	殺精子薬，経口避妊薬(エストロゲンとプロゲステロン，プロゲスチンのみ)，エストロゲンとプロゲステロンの注射薬およびパッチ，黄体ホルモン付加膣内リング，緊急避妊薬
手術(永久的)	卵管結紮術，経頸管的避妊手術，精管切除術

患者またはカップルの関心や意向を理解するために時間をとり，可能な限り彼らの意向を尊重する。有効ではあるが実行しづらいものよりも，彼らの望む方法を継続してもらうほうがよい。青年期の若者の場合，秘密を守れる場所だと，個人的で聞き出しにくい話題についても話しやすくなるものである。

訳注：わが国では使用されていない。

表 26-1　正常な妊娠における解剖学的および生理学的変化[1]

臓器系	各臓器	正常妊娠時の変化	臨床的な影響
バイタルサイン	心拍数	↑（妊娠期間を通して増加）	
	血圧	↓（第2三半期に最低値）	
	呼吸数	←→	
	酸素飽和度	←→	
皮膚	皮膚	皮膚の血流増加	代謝亢進に伴う余剰な熱の放散
		色素沈着	
		くも状血管腫および手掌紅斑	臨床的意義は不明だが高エストロゲン血症との関連が示唆される
	毛髪	頭髪が濃くなる	
		多毛症	臨床的意義は不明。男性化徴候を伴う重度の多毛症は精査を要する
呼吸器系	肺	↑酸素消費量 20% ↓動脈血中 pCO_2 ↑換気量 ↓TLC，RV，FRC ↑TV，分時換気量 ↓肺血管抵抗 ←→肺コンプライアンス	胎児から母体循環への CO_2 の移行 動脈血液ガスは呼吸性アルカローシスを示す CO_2 排出を助ける
	横隔膜	横隔膜は 4 cm 上昇	横隔膜の上昇と分時換気量の増加が妊娠中の呼吸困難感の原因となる
心血管系	心臓	↑心拍出量が 50%	脈拍と1回心拍出量増加の両方に関連する
			多胎妊娠ではさらに約 20%増加する
		心臓が左上に変位	画像上での心肥大の出現
		S_1 分裂の亢進	収縮期雑音は一般的で，妊婦の最大 90%にみられる
		左室機能の亢進	
	末梢血管系	↓全身の血管抵抗	↑静脈血のうっ滞と姿勢性低血圧（仰臥位低血圧）
		↓血圧（拡張期＞収縮期）	
		↓妊娠子宮の圧迫に伴う下肢静脈血流量	↑従属性浮腫と静脈瘤 血栓症が生じやすくなる
消化器系	胃	↓胃内容排泄機能	悪心，胃酸逆流の原因となる
		↓食道括約筋の緊張	
	腸管，大腸と小腸	上方・側方への変位	虫垂炎は非典型的症状を呈しうる
		↓運動機能	痔核，便秘の原因となる

表 26-1　正常な妊娠における解剖学的および生理学的変化[1]（続き）

臓器系	各臓器	正常妊娠時の変化	臨床的な影響
	肝・胆道系	←→肝臓の大きさ	
		↑肝血流量	
		↓血清アルブミン濃度	
		↓胆嚢の運動性	↑胆汁うっ滞とコレステロール胆石，胆嚢炎の発生率，↑胆汁うっ滞のリスク
血液系	血漿	↑循環血液量 40〜50%	胎児・胎盤への栄養供給，静脈還流量減少からの保護
	血液	↑赤血球産生と量	分娩時の出血からの保護
		↑網状赤血球数	臨床的意義は不明。血液希釈と消費の増大に関連する
		↑鉄代謝量	鉄欠乏性貧血，異食症の原因となる
		↓ヘモグロビン，ヘマトクリット	
		↑白血球数	
		↓血小板数	鼻出血，鼻閉のリスクの上昇
		↑炎症マーカー（CRP，ESR）	炎症のマーカーとしての信頼性が低い
	凝固系	↑凝固因子（XI，XIII因子を除く）	
		↑フィブリノゲン	凝固と線溶のバランスを保つ。全体としては凝固性亢進状態になる
		↓プロテイン C，総プロテイン S	
		↑線溶および↑D ダイマー	D ダイマーは血栓症リスクのマーカーとしては信頼性が低い
尿路系	膀胱	膀胱の筋肉および結合組織の過形成	↑頻尿および失禁
		膀胱三角部の挙上	
		↑膀胱内圧	
	尿管	側方変位および圧迫	水腎症の原因となる。特に右側が多い
		↑膨張と弛緩	
	腎臓	↑レニン-アンジオテンシン-アルドステロン系	第 1 三半期の血圧を維持する。妊娠が進むにつれてアンジオテンシン II が不応になるため，正常な妊娠では高血圧にならない 頻尿の原因となる
		↑腎臓の大きさ	
		↑ GFR と腎血漿流量	
		↓血清クレアチニン	クレアチニン＞0.9 mg/dL は精査が必要
		↑クレアチニンクリアランス 30%	

表 26-1　正常な妊娠における解剖学的および生理学的変化[1]（続き）

臓器系	各臓器	正常妊娠時の変化	臨床的な影響
筋骨格系	脊柱	腰椎の前弯	妊娠中の子宮にあわせて重心が移動する。腰痛の原因となる
		骨盤関節の弛緩（恥骨結合，仙腸関節，仙尾骨結合の弛緩）	恥骨結合が1cm以上離れていると，重大な痛みや歩行障害を引き起こす可能性あり

CRP：c-reactive protein（c反応性タンパク），ESR：erythrocyte sedimentation rate（赤血球沈降速度），FRC：functional residual capacity（機能的残気量），GFR：glomerular filtration rate（糸球体濾過量），RV：residual volume（残気量），TLC：total lung capacity（全肺気量），TV：tidal volume（1回換気量）

文献一覧

1. Cunningham FG, Leveno KL, Bloom SL, et al., eds. Chapter 2: Maternal anatomy, Chapter 4: Maternal physiology. In: *Williams Obstetrics*. 25th ed. New York: McGraw-Hill, Medical Publishers Division; 2018.
2. American College of Obstetricians and Gynecologists. ACOG Practice Bulletin No. 196 Summary: Thromboembolism in Pregnancy. *Obstet Gynecol*. 2018; 132(1):243-248.
3. McCormack MC, Wise RA. Respiratory physiology in pregnancy. *Respir Med*. 2009; 1: 1. Available at http://www.libreriauniverso.it/pdf/9781934115121.pdf. Accessed November 9, 2018.
4. Nwabuobi C, Arlier S, Schatz F, et al. hCG: biological functions and clinical applications. *Int J Mol Sci*. 2017; 18: E2037.
5. Noctor E, Dunne FP. Type 2 diabetes after gestational diabetes: The influence of changing diagnostic criteria. *World J Diabetes*. 2015; 6: 234-244.
6. Kim C, Newton KM, Knopp RH. Gestational diabetes and the incidence of type II diabetes: a systematic review. *Diabetes Care*. 2002; 25: 1862-1888.
7. American Diabetes Association. 13. Management of diabetes in pregnancy: standards of medical care in diabetes — 2018. *Diabetes Care*. 2018; 41(Suppl 1): S137-S143.
8. Patton PE, Samuels MH, Trinidad R, et al. Controversies in the management of hypothyroidism during pregnancy. *Obstet Gynecol Surv*. 2014; 69: 346-358.
9. American College of Obstetricians and Gynecologists. ACOG Practice Bulletin No. 189. Nausea and vomiting of pregnancy. *Obstet Gynecol*. 2018; 131: e15-e30.
10. Creinin MD, Simhan HN. Can we communicate gravidity and parity better? *Obstet Gynecol*. 2009; 113(3): 709-711.
11. American College of Obstetricians and Gynecologists. Practice bulletin No. 162: prenatal diagnostic testing for genetic disorders. *Obstet Gynecol*. 2016; 127: e108-e122.
12. American College of Obstetricians and Gynecologists. Practice Bulletin No. 163: Screening for Fetal Aneuploidy. *Obstet Gynecol*. 2016; 127: e123-e137.
13. American College of Obstetricians and Gynecologists. Frequently asked questions — FAQ179. Carrier screening, April 2017. Available at https://www.acog.org/Patients/FAQs/Carrier-Screening. Accessed November 9, 2018.
14. Lord SJ, Bernstein L, Johnson KA, et al. Breast cancer risk and hormone receptor status in older women by parity, age of first birth, and breastfeeding: a case-control study. *Cancer Epidemiol Biomarkers Prev*. 2008; 17: 1723-1730.
15. Ursin G, Bernstein L, Lord SJ, et al. Reproductive factors and subtypes of breast cancer defined by hormone receptor and histology. *Br J Cancer*. 2005; 93: 364-371.
16. U.S. Preventive Services Task Force. Final Recommendation Statement: Breastfeeding: Primary Care Interventions. October 2016. Available at https://www.uspreventiveservicestaskforce.org/Page/Document/Recommendation-StatementFinal/breastfeeding-primary-care-interventions. Accessed November 9, 2018.
17. DeFranco EA, Ehrlich S, Muglia LJ. Influence of interpregnancy interval on birth timing. *BJOG*. 2014; 121; 1633-1640.
18. Thiel de Bocanegra H, Chang R, Howell M, et al. Interpregnancy intervals: impact of postpartum contraceptive effectiveness and coverage. *Am J Obstet Gynecol*. 2014; 210; 311.e1-311.e8.
19. American College of Obstetricians and Gynecologists, American Academy of Pediatrics. *Guidelines for Perinatal Care*. 8th ed. Available at http://www.acog.org/About-ACOG/ACOG-Departments/Breastfeeding/ACOG-Clinical-Guidelines. Accessed November 9, 2018.
20. American College of Obstetricians and Gynecologists; Task Force on Hypertension in Pregnancy. Hypertension in pregnancy. Report of the American College of Obstetricians and Gynecologists' Task Force on Hypertension in Pregnancy. *Obstet Gynecol*. 2013; 122: 1122-1131.
21. Cunningham FG, Leveno KL, Bloom SL, et al., eds. Chapter 40: Hypertensive disorders, Chapter 50: Chronic hypertension. In: *Williams Obstetrics*. 25th ed. New York: McGraw-Hill, Medical Publishers Division; 2018.
22. Pay AS, Wiik J, Backe B, et al. Symphysis-fundus height measurement to predict small-for-gestational-age status at birth: a systematic review. *BMC Pregnancy Childbirth*. 2015; 15: 22.
23. White LJ, Lee SJ, Stepniewska K, et al. Estimation of gestational age from fundal height: a solution for resource-poor settings. *J R Soc Interface*. 2012; 9: 503-510.
24. Robert Peter J, Ho JJ, Valliapan J, et al. Symphysial fundal height (SFH) measurement in pregnancy for detecting abnormal fetal growth. *Cochrane Database Syst Rev*. 2015; (9): CD008136.
25. Powe CE, Levine RJ, Karumanchi SA. Preeclampsia, a disease of the maternal endothelium: the role of antiangiogenic factors and implications for later cardiovascular disease. *Circulation*. 2011; 123: 2856-2869.
26. Chen CW, Jaffe IZ, Karumanchi SA. Pre-eclampsia and cardiovascular disease. *Cardiovasc Res*. 2014; 101: 579-586.
27. Kirkham C, Harris S, Grzybowski S. Evidence-based prenatal care: part I. General prenatal care and counseling issues. *Am Fam Physician*. 2005; 71: 1307-1316.
28. Goetzinger KR, Odibo AO, Shanks AL, et al. Clinical accuracy of estimated fetal weight in term pregnancies in a teaching hospital. *J Matern Fetal Neonatal Med*. 2014; 27: 89-93.
29. American College of Obstetricians and Gynecologists. Frequently asked questions — FAQ001. Nutrition during pregnancy. February 2018. Available at http://www.acog.org/Patients/FAQs/Nutrition-During-Pregnancy. Accessed November 9, 2018.
30. American College of Obstetricians and Gynecologists.

ACOG Practice Advisory: Update on seafood consumption during pregnancy. 2017. Available at http://www.acog.org/About-ACOG/News-Room/Practice-Advisories/ACOG-Practice-Advisory-Seafood-Consumption-During-Pregnancy. Accessed November 9, 2018.

31. U.S. Food and Drug Administration. Eating fish: what pregnant women and parents should know. Updated November 29, 2017. Available at https://www.fda.gov/Food/ResourcesFor You/Consumers/ucm393070.htm. Accessed November 9, 2018.

32. U.S. Department of Agriculture. Pregnancy Weight Gain Calculator. ChooseMyPlate.gov. Available at http://www.choosemyplate.gov/pregnancy-weight-gain-calculator. Accessed November 9, 2018.

33. American College of Obstetricians and Gynecologists. ACOG Committee Opinion No. 548. Weight gain during pregnancy. *Obstet Gynecol.* 2013; 121: 210-212.

34. Rasmussen KM, Yaktine AL, eds., and Institute of Medicine. *Committee to Reexamine IOM Pregnancy Weight Guidelines. Weight Gain During Pregnancy: Re-Examining The Guidelines.* Washington, DC: National Academies Press; 2009. Available at http://www.ncbi.nlm.nih.gov/books/NBK32813/. Accessed April 30, 2018.

35. Evenson KR, Barakat R, Brown WJ, et al. Guidelines for physical activity during pregnancy: comparisons from around the world. *Am J Lifestyle Med.* 2014; 8: 102-121.

36. Evenson KR, Wen F. National trends in self-reported physical activity and sedentary behaviors among pregnant women: NHANES 1999-2006. *Prev Med.* 2010; 50: 123-128.

37. American College of Obstetricians and Gynecologists. ACOG Committee Opinion No. 650: Physical Activity and Exercise During Pregnancy and the Postpartum Period. *Obstet Gynecol.* 2015; 126: e135-e142.

38. Cunningham FG, Leveno KL, Bloom SL, et al., eds. Chapter 9: Prenatal care. In: *Williams Obstetrics.* 25th ed. New York: McGraw-Hill, Medical Publishers Division; 2018.

39. American College of Obstetricians and Gynecologists. Smoking cessation during pregnancy. Committee Opinion No. 721. *Obstet Gynecol.* 2017; 130: e200-e204.

40. American College of Obstetricians and Gynecologists. Committee opinion no. 496: At-risk drinking and alcohol dependence: obstetric and gynecologic implications. *Obstet Gynecol.* 2011; 118: 383-388.

41. Centers for Disease Control and Prevention. Alcohol Use in Pregnancy. Available at https://www.cdc.gov/ncbddd/fasd/documents/fasd_alcoholuse.pdf. Accessed November 18, 2018.

42. Centers for Disease Control and Prevention. Guidelines For The Identification And Management Of Lead Exposure In Pregnant And Lactating Women. Available at: https://www.cdc.gov/nceh/lead/publications/leadandpregnancy2010.pdf. Accessed November 18, 2019.

43. US Preventive Services Task Force, Curry SJ, Krist AH. Interventions to prevent perinatal depression: US Preventive Services Task Force recommendation statement. *JAMA.* 2019; 321(6): 580-587.

44. Centers for Disease Control and Prevention. Prevalence of Selected Maternal and Child Health Indicators* for all PRAMS sites, Pregnancy Risk Assessment Monitoring System (PRAMS), 2012-2015. Available at https://www.cdc.gov/prams/prams-data/mch-indicators.html. Accessed November 18, 2018.

45. American College of Obstetricians and Gynecologists. ACOG Committee Opinion No. 757. Screening for perinatal depression. *Obstet Gynecol.* 2018; 132: e208-e212.

46. Cox JL, Holden JM, Sagovsky R. Detection of postnatal depression. Development of the 10-item Edinburgh Postnatal Depression Scale. *Br J Psychiatry.* 1987; 150: 782-786.

47. O'Connor E, Rossom RC, Henninger M, et al. *Screening for Depression in Adults: An Updated Systematic Evidence Review for the U.S. Preventive Services Task Force. Evidence Synthesis No. 128. AHRQ Publication No. 14-05208-EF-1.* Rockville, MD: Agency for Healthcare Research and Quality; 2016.

48. Kroenke K, Spitzer RL, Williams JB. The PHQ-9: validity of a brief depression severity measure. *J Gen Intern Med.* 2001; 16: 606-613.

49. U.S. Preventive Services Task Force. Final Recommendation Statement: Depression in Adults: Screening. January 2016. Available at https://www.uspreventiveservicestaskforce.org/Page/Document/RecommendationStatementFinal/depression-in-adults-screening1#citation32. Accessed November 5, 2018.

50. American College of Obstetricians and Gynecologists. Committee opinion No. 718: update on immunization and pregnancy: tetanus, diphtheria, and pertussis vaccination. *Obstet Gynecol.* 2017; 130: e153-e157.

51. American College of Obstetricians and Gynecologists. ACOG Committee Opinion No. 732: Influenza Vaccination During Pregnancy. *Obstet Gynecol.* 2018; 131: e109-e114.

52. Centers for Disease Control and Prevention. Maternal Vaccination. September 2016. Available at https://www.cdc.gov/vaccines/pregnancy/downloads/immunizations-preg-chart.pdf. Accessed April 30, 2018.

53. American College of Obstetricians and Gynecologists. ACOG Practice Bulletin No. 192. Management of alloimmunization during pregnancy. *Obstet Gynecol.* 2018; 131: e82-e90.

54. American College of Obstetricians and Gynecologists. Practice Bulletin No. 181. Prevention of Rh D alloimmunization. *Obstet Gynecol.* 2017; 130: e57-e70.

55. American Academy of Pediatrics and the American College of Obstetricians and Gynecologists. Guidelines for Perinatal Care, Eighth Edition. September 2017. Guidelines on antenatal care. Available at https://www.acog.org/Clinical-Guidance-and-Publications/Guidelines-for-Perinatal-Care. Accessed November 5, 2018.

56. Centers for Disease Control and Prevention. Sexually Transmitted Disease Surveillance 2017. STDs in Women

文献一覧

and Infants. Updated July 24, 2018. Available at https://www.cdc.gov/std/stats17/womenandinf.htm. Accessed November 6, 2018.
57. Walker DG, Walker GJ. Prevention of congenital syphilis — time for action. *Bull World Health Organ.* 2004; 82: 401.
58. Clinical Practice: Syphilis Resurgence Reminds Us of the Importance of STD Screening and Treatment during Prenatal Care. Available at https://www.acog.org/About-ACOG/ACOG-Departments/ACOG-Rounds/May-2017/Syphilis-Resurgence. Accessed November 18, 2018.
59. Centers for Disease Control and Prevention. Syphilis During Pregnancy. Available at https://www.cdc.gov/std/tg2015/syphilis-pregnancy.htm. Accessed November 6, 2018.
60. Nicolle LE, Bradley S, Colgan R, et al. Infectious Diseases Society of America guidelines for the diagnosis and treatment of asymptomatic bacteriuria in adults. *Clin Infect Dis.* 2005; 40: 643-654.
61. Terrault NA, Lok ASF, McMahon BJ, et al. Update on prevention, diagnosis, and treatment of chronic hepatitis B: AASLD 2018 hepatitis B guidance. *Hepatology.* 2018; 67: 1560-1599.
62. Stevens CE, Beasley RP, Tsui J, et al. Vertical transmission of hepatitis B antigen in Taiwan. *N Engl J Med.* 1975; 292: 771-774.
63. Panel on Treatment of Pregnant Women with HIV Infection and Prevention of Perinatal Transmission. Recommendations for Use of Antiretroviral Drugs in Transmission in the United States. Available at http://aidsinfo.nih.gov/contentfiles/lvguidelines/PerinatalGL.pdf. Accessed November 6, 2018.
64. Centers for Disease Control and Prevention (CDC). Laboratory Testing for the Diagnosis of HIV Infection: Updated Recommendations. https://www.cdc.gov/mmwr/preview/mmwrhtml/rr5514a1.htm. Accessed November 6, 2018.
65. McLean E, Cogswell M, Egli I, et al. Worldwide prevalence of anaemia, WHO vitamin and mineral nutrition information system, 1993-2005. *Public Health Nutr.* 2009; 12: 444-454.
66. Rao R, Georgieff MK. Iron in fetal and neonatal nutrition. *Semin Fetal Neonatal Med.* 2007; 12: 54-63.
67. Radlowski EC, Johnson RW. Perinatal iron deficiency and neurocognitive development. *Front Hum Neurosci.* 2013; 7: 585.
68. American College of Obstetricians and Gynecologists. ACOG Practice Bulletin No. 95. Anemia in pregnancy. *Obstet Gynecol.* 2008; 112: 201-207.
69. Siu AL, U.S. Preventive Services Task Force. Screening for iron deficiency anemia and iron supplementation in pregnant women to improve maternal health and birth outcomes: U.S. Preventive Services Task Force recommendation statement. *Ann Intern Med.* 2015; 163: 529-536.
70. Ferrara A. Increasing prevalence of gestational diabetes mellitus: a public health perspective. *Diabetes Care.* 2007; 30 Suppl 2: S141-S146.
71. American College of Obstetricians and Gynecologists. ACOG Practice Bulletin No. 190: Gestational Diabetes Mellitus. *Obstet Gynecol.* 2018; 131: e49-e64.
72. American Academy of Pediatrics. Pregnant and breastfeeding women may be deficient in iodine; AAP recommends supplements. May 26, 2014. Available at https://www.aap.org/en-us/about-the-aap/aap-press-room/Pages/Pregnant-and-Breastfeeding-Women-May-Be-.aspx. Accessed November 9, 2018.
73. American College of Obstetricians and Gynecologists. ACOG Practice Bulletin No. 187. Neural tube defects. *Obstet Gynecol.* 2017; 130: e279-e290.
74. Tinker SC, Cogswell ME, Devine O, et al. Folic acid intake among U.S. women aged 15-44 years, National Health and Nutrition Examination Survey, 2003-2006. *Am J Prev Med.* 2010; 38: 534-542.
75. Bibbins-Domingo K, Grossman DC, et al. Folic Acid supplementation for the prevention of neural tube defects: US Preventive Services Task Force recommendation statement. *JAMA.* 2017; 317: 183-189.
76. Peña-Rosas JP, De-Regil LM, Garcia-Casal MN, et al. Daily oral iron supplementation during pregnancy. *Cochrane Database Syst Rev.* 2015; (7): CD004736.
77. Guttmacher Institute. Unintended Pregnancy in the United States. Available at https://www.guttmacher.org/fact-sheet/unintended-pregnancy-united-states. Accessed November 18, 2018.
78. Centers for Disease Control and Prevention. Reproductive health. Teen pregnancy — About teen pregnancy. Updated May 19, 2015. Available at http://www.cdc.gov/teenpregnancy/about/index.htm. See also Unintended pregnancy prevention. Available at http://www.cdc.gov/reproductivehealth/UnintendedPregnancy/index.htm. Accessed November 8, 2018.
79. Centers for Disease Control and Prevention. Reproductive health. Contraception. Updated April 22, 2015. Available at http://www.cdc.gov/reproductivehealth/UnintendedPregnancy/Contraception.htm. Accessed November 8, 2018.

本章の学習効果を高め，理解を助けるために一連の補助教材がある。

- 『ベイツ診察法ポケットガイド第4版』
  Bates' Visual Guide to Physical Examination
- thePoint® online resources, for students and instructors:
  http://thepoint.lww.com

第27章 老年

世界保健機関（WHO）は世界の数多くの国で進む人口の高齢化を，21世紀における最大の課題の1つと認識している。60歳以上の人口は2050年までに全世界で20億人を超えることが予想されている[1]。現在米国の高齢者は，4,600万人を超え，2060年までに全人口の約24％に相当する9,800万人に達する見通しである。米国で最も急速に増加している年齢層は最高齢層（＞85歳）であり，2060年に2,000万人に達することが予想されている[2,3]。なお，米国における平均寿命は，女性で81歳，男性で76歳である[1,2]訳注。アジア・欧州の数カ国において平均寿命はすでに80歳を超えており，この傾向は特に女性において顕著である。世界中のどの社会にも共通する人口統計学的な緊急課題は，高齢者が全機能を維持し，家と地域において豊かで活発な生活をできるだけ長期間楽しめるよう，寿命だけではなく「健康寿命」を極限までのばすことである（図27-1）。

図 27-1 健康寿命を最大化することで，高齢期に充実した，活発な生活を送ることができる（Shutterstockより許可を得て引用。WitthayaP撮影）

統計上は10年単位で年齢層が分けられる一方，高齢化は必ずしも年数で測れる時系列的なものではなく，健康と疾病の複雑な相互関係を反映するものである。健康的な高齢化または高齢化における「成功」は臨床的な要素に限定されず，良好な認識力やメンタルヘルス，身体活動性，交友関係など複数の変数に影響されることが研究で示されている[4]。健康的な高齢化を促すことは臨床での患者と医師の関係にかかわる目標にもつながる。すなわち，さまざまな情報を得た能動的な患者が，先を見越した対応ができる医療チームと協力し合うことによってこそ，質の高い十分な治療と良好な転帰が実現されるのである。そのためには，これまでとは異なる考え方と技術が必要となる[5-7]。この手法により意思決定は個別化され，患者は「どのような健康状態を重要視するか」，またそれらの「相対的な優先順位」に関する希望を述べることが可能となる（Box 27-1）[8,9]。

本章では，65歳以上の人を表す用語として「シニア世代」「年寄り」などではなくおもに「高齢者」や「老年」を用いる[10]。社会における用語の選択は頻繁に，また恣意的に変化するため特定の用語の使用を推奨することは困難である[11]。高齢の患者がどのような用語を好むか，直接問う機会を設けることが望ましい。

訳注：日本人の平均寿命は，2020年度で女性87.74歳，男性81.64歳である（厚生労働省 平成25年簡易生命表より）。

解剖と生理　　　　　　　　　　　　　　　　　　　　　　　　　　　　　　　　　　　　　　異常例

> **Box 27-1　プライマリケアにおける高齢者診療の重要ポイント[12]**
>
> - プライマリケアにおいて老年症候群やおもに高齢者に生じる多元的な病態を認識することが重要
> - プライマリケアにおける最も重要な老年症候群は，転倒，尿失禁，フレイル，認知機能障害である
> - 理想的な老年プライマリケアの要素の例：機能低下の評価，頻回の内服薬評価・見直し，新規検査・治療の利益と負担の慎重な検討，頻回の治療目標や予後の評価
> - 革新的な医療提供システム：総合的ケア，専門家での評価，急性疾患に対する病棟と同等レベルの在宅ケアはいずれも老年プライマリケアを改善させる。高齢者の診療における高付加価値要素の例として24時間365日の医療アクセスの担保，処方確認に対するチーム医療，総合的な高齢者評価，治療計画における緩和ケアの導入があげられる

解剖と生理

一次的な老化は経時的な生理的予備力の変化を反映し，疾病による変化と独立して生じる。一方，これらの変化は複数の障害の発症，身体機能全体の低下，死亡，疾病につながり得る[13]。このような大きな生理的変化は体温の急激な変動，脱水，場合によってはショックを含むストレス下において最も重大な影響を及ぼす傾向にある。例えば，皮膚血管収縮の低下と汗産生の減少は，熱に対する反応を障害する。また喉の渇きを感じにくくなり，脱水からの回復が遅れることがある。そして，最大心拍出量，左心室（左室）充満と最大心拍数の生理的低下は，ショックに対する反応を障害することがある。

表27-1「加齢に伴う正常な解剖学的・生理学的変化と関連する疾患の転帰」を参照。

バイタルサイン

血圧

特に欧州，または先祖が欧州人であった北南米各国の人では，老化とともに**収縮期血圧 systolic blood pressure（SBP）**が上昇する傾向がある[14]。大動脈と大血管は硬化して，**アテローム性動脈硬化症 atherosclerosis**になる。大動脈の拡張能が低下するにつれて，1回拍出量が同じでも収縮期血圧はさらに上昇する。**拡張期血圧 diastolic blood pressure（DBP）**は，50歳代で上昇が止まる。

拡張期血圧より収縮期血圧のほうが上昇するため，脈圧較差の大きい収縮期高血圧がしばしば起こる。

逆に**起立性低血圧**（起立時における急激な血圧低下）を発症する高齢者も多い。

第16章「心血管系」の表16-3「失神および類似疾患」（p.552～553）を参照。

解剖と生理

心拍数と心拍リズム

高齢者においては安静時心拍数に変化はない一方，洞結節のペースメーカ細胞の減少と最大心拍数の低下が生じ，運動や生理的ストレスに対する反応に影響がでる[15]。高齢者は，心房性あるいは心室性の期外収縮などの不整脈を起こしやすい。

呼吸数と体温

呼吸数と体温は不変である。しかし，体温調節能の変化によって低体温になりやすい。

皮膚，爪，毛髪

加齢とともに，皮膚は皺がよって，たるみ，ツルゴール（緊張）turgor を失う。真皮の血管分布は減少し，色の薄い皮膚ではさらに青白く，くすんでみえる原因となる。手の甲と前腕の皮膚は薄く脆弱になってたるみ，透けているようにみえる。時間とともに色あせる日光紫斑 actinic purpura と呼ばれる紫色の斑が生じることがある。これらの斑は，血液がもろくなった毛細血管から漏れでて，真皮内で広がったものである（図 27-2）。

異常例

無症候性不整脈は，一般に良性である。一方，一部の不整脈は失神 syncope（一過性の意識消失）を起こすこともある。

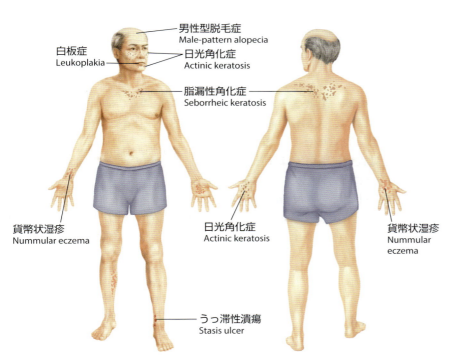

図 27-2　老年における皮膚・毛髪の変化

解剖と生理

爪は年齢とともに光沢を失い，特に足趾で黄変し，厚くなる．毛髪には，一連の変化が起こる．頭髪はその色素を失い，灰色に変化する．頭皮の**脱毛 hair loss (alopecia)**は，遺伝的に決定される．20歳という早期から，男性の頭髪の生え際はこめかみから後退しはじめることがある．頭頂の脱毛がはじまるのはその後である．女性では，脱毛は男性に類似するが，重症にはならないことが多い．男女ともに，頭髪の数は決まったパターンで減少し，細くなる．その他の部位（体幹，陰部，腋窩，四肢）においても生理的な脱毛が生じる．55歳以上の女性の顎や上唇に粗い毛が生じることもある．

このような変化の多くは肌の色が薄い患者に多く，肌の色の濃い患者には生じないものもある．例えば，アメリカ先住民の男性はより肌の色の薄い男性と比べ，顔の毛と体毛が少ない．それぞれの人種の基準に従って評価していく必要がある．

■ 眼

眼，耳，口はより明確な老年変化を示す．眼窩のなかで眼を囲み保護している脂肪は，萎縮し，眼球はくぼんでみえる．眼瞼の皮膚に皺が生じ，より緩い襞として垂れ下がる．脂肪は眼瞼の筋膜を前に押し出す．特に下眼瞼と上眼瞼内側1/3で，軟らかい腫脹が生じる．涙液分泌が少なくなるので，高齢の患者は眼の乾燥を訴えることがある．角膜は，光沢をいくらか失う．

瞳孔が小さくなるため，眼底を調べるのが難しくなる．瞳孔がわずかに不整になることもあるが，対光反射や近見反射は保たれるはずである（図12-18，p.379参照）．

視力は，20～50歳では多くが一定のまま保たれる．その後，70歳まではゆっくり減弱し，それからは急速に減弱する．とはいっても実際は，大部分の高齢者は良好で十分な視力〔標準視力検査表によって正確に計ったものとして20/20～20/70（0.3～1.0相当）〕を保持している．**しかし，近見視力についてはほとんど全員が顕著にぼやけはじめる**．水晶体は小児期から徐々に弾力性を失い，眼球の調節機能や近いものに焦点を合わせる機能が進行性に失われる．**老視 presbyopia**は，通常40歳代で顕著になる（図27-3）．水晶体の肥厚と黄変によって，網膜に光が通りにくくなる．そのため高齢者は，読んだり，細かい仕事をするのに，かなり明るい光を必要とする．

異常例

第10章「皮膚，毛髪，爪」の表10-4「表面粗造な病変：日光角化症，扁平上皮癌および類似疾患」（p.321），および表10-8「脱毛」（p.330～332）を参照．

老化は白内障，緑内障，黄斑変性の発症リスクを上昇させる．

白内障の有病率は60代で10％，80代で30％以上である．

老化とともに水晶体は拡張し続ける．虹彩を前方に押し，そして虹彩と角膜間の角度が狭くなるため，**狭（閉塞）隅角緑内障**のリスクが高まる．

第12章「眼」の表12-3「眼瞼の変化と異常」（p.395），表12-5「角膜と水晶体の混濁」（p.397）を参照．

解剖と生理

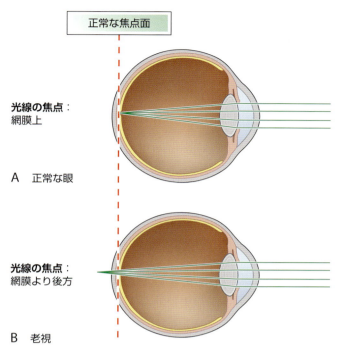

図 27-3　老化に伴う屈折の変化：A．正常，B．老視。加齢とともに水晶体が硬くなり，近くのものの光線を網膜に収束できなくなる。光線は網膜の後ろで収束する (McConnell TH. *The Nature of Disease: Pathology for the Health Professions.* 2nd ed. Jones & Bartlett Learning; 2014, Fig. 25-5 より)

耳

聴力は原則として，老化とともに低下する。青年期にはじまる早期聴力低下は，主としてヒトの会話の範囲を越えた高音で起こり，機能的には問題にはならないことが多い。その後，聴力低下はしだいに中音域と低音域にまで及ぶ。**老人性難聴 presbycusis** として知られる加齢に伴う難聴は，一般的に 50 歳以降にしだいに顕著になる。

鼻，口，歯，リンパ節

加齢とともに唾液分泌が減少し，味覚が低下するが，これらの変化は常用薬や数多くの疾患により悪化し得る。嗅覚の低下，苦味や塩辛さに対する感覚過敏もまた味覚に影響を及ぼす。歯は擦り減り，摩耗され，または齲蝕や歯周病により抜けてしまうことがある。歯のない患者では，顔面の下部は口から広がる「巾着皺」がめだつようになり，口もとが小さく，沈んでみえる。歯槽を囲んでいた顎の骨性隆起は，特に下顎において，徐々に再吸収される。頸部リンパ節は加齢とともに触知しにくくなる。逆に，顎下腺は触知しやすくなる。

異常例

オーバークロージャー（低位咬合）により，口角炎（皮膚の浸軟化）を引き起こす可能性がある。

第 14 章「咽喉と口腔」(p.431〜434) 参照。

胸郭と肺

加齢とともに運動時の肺活量が失われる[16]。胸壁は硬くなって，動きにくくなり，呼吸筋は弱くなる。肺の弾性反跳はいくらか低下する。肺質量とガス交換の

解剖と生理

ための表面積は減少し，肺胞が増大するにつれて残気量が増加する。末梢気道に影響を受けるクロージングボリュームが増えることによって，無気肺になりやすくなり，肺炎のリスクともなる。横隔膜の筋力は低下する。最大努力での呼気速度はしだいに減少し，咳の生理学的効果は低下する。動脈血酸素分圧は低下するが，酸素飽和度は通常，90％以上に保たれる。

骨格変化により胸椎の後弯が強調されることがある。

異常例

骨粗鬆性の椎体圧潰により**脊柱後弯 kyphosis** が生じ，胸郭の前後径を拡大させる。結果として**樽状胸 barrel chest** となるが，呼吸機能にはほとんど影響を及ぼさない。

心血管系

変化の多くは，頸部血管，心拍出量，心音，心雑音で生じる。

年齢による血圧と心拍数の変化に関しては第16章「心血管系」の「加齢に伴う変化」(p.511)を参照。

頸部血管

大動脈とその分枝はのびて蛇行し，特に頸部右側で，頸動脈下部がねじ曲がってしまうことがある。その結果，拍動性腫瘤が，主として高血圧の女性に起こり，動脈の真の拡張である頸動脈の動脈瘤と間違えられることがある。蛇行した大動脈は，ときに胸郭内で静脈の流れを障害することによって，頸部左側で頸静脈圧を上昇させる。

高齢者において，頸動脈の中部または上部における収縮期雑音は，動脈の粥状硬化による狭窄を示唆する。若年者における頸部血管雑音は通常問題はない。

第16章「心血管系」(p.521)の頸部血管雑音に関する記載を参照。

心拍出量

心筋が収縮すると，βアドレナリン作動性カテコールアミンからの刺激に対する反応が弱まる。安静時心拍数はわずかに低下する一方，運動時の最大心拍数は大幅に低下する。心拍数は低下するが，1回拍出量は増加するため，心拍出量は保たれる。拡張期機能不全は，拡張期早期充満が減少し，心房収縮により依存するようになることで生じる。特に左室において心筋の硬化が進み，左室肥大もみられる。

心室充満の低下により，心房収縮が消失したり，心房細動が発症すると，心不全の発症リスクが上昇する。

過剰心音：第3心音(S_3)と第4心音(S_4)

加齢とともに心室コンプライアンスの低下と心室充満障害により S_4 が生じ，健康な高齢者において聴取されることが多い。一方，S_3 が聴取される場合は心不全や弁膜症(**僧帽弁閉鎖不全症 mitral regurgitation** など)による左室用量過負荷にもとづく心不全を強く示唆する。

S_4 はよく鍛えられた運動選手以外の若年成人では，聴取されることはまれである。

生理的な S_3 は，通常，小児で聴取され，特に女性においては40歳くらいまで存続する場合がある。

第16章「心血管系」の表16-9「拡張期過剰心音」(p.559)を参照。

解剖と生理 | 異常例

心雑音

中高年では，一般的に大動脈弁収縮期雑音が存在する。この雑音は，60歳の患者の約1/3で，85歳に達している患者では半数以上で認められる[17]。加齢に伴う線維性変化により大動脈弁尖の基部が肥厚する。その後，石灰化が起こり，振動が聴取可能になる。拡張した大動脈へ流入する血流によって生じる乱流は，この雑音をさらに増大させる。多くの高齢者では，**大動脈弁硬化症 aortic sclerosis**として知られている線維化と石灰化により血流が妨げられることはない。

大動脈弁尖が石灰化して可動性が低下すると，**大動脈弁狭窄症 aortic stenosis**や流出障害が生じる。大動脈弁硬化症と大動脈弁狭窄症を臨床的に区別することは困難である。両者ともに，心血管疾患の合併症発症率と死亡率のリスクを上昇させる[17]。

第16章「心血管系」の表16-10「収縮中期雑音」(p.560〜561)を参照。

大動脈弁より約10年遅れて，僧帽弁にも似た変化が生じる。僧帽弁輪の石灰化は，収縮期の正常な弁閉鎖を障害し，僧帽弁閉鎖不全症による収縮期雑音を引き起こす。

左室の容量負荷が増大したとき，僧帽弁に病的な変化が生じる場合がある。

末梢血管系

末梢血管はのび，蛇行し，硬くなって弾力を失う。動脈の剛性が増し，内皮機能は低下する[16]。

動静脈疾患，特に動脈硬化症は高齢者でより多くみられるものの，これらは正常の老化現象ではない。動脈拍動の消失は典型的な症状とはいえず，注意深い評価を必要とする。

高齢者，特に65歳以上の男性喫煙者における腹痛や背部痛は**腹部大動脈瘤 abdominal aortic aneurysm**を示唆する可能性があり，注意を要する。

まれに50歳から，そして特に70歳以上では**側頭動脈炎 temporal arteritis**（**巨細胞性動脈炎 giant cell arteritis**）が生じる場合があり，頭痛や顎跛行のほか患者の15%に視力低下が生じる。

乳房と腋窩

正常な成人女性の乳房は軟らかいが，顆粒状，結節状，または凹凸をみることがある。この不均一な感触は生理的な結節性を反映し，乳房の全体または一部のみで触知されることがある。女性の乳房は加齢とともに腺組織の萎縮が進み，脂肪に置き換えられ，より小さくなり，たるみ，下垂しやすい傾向となる。乳頭を囲んでいる管は，硬い線維状の組織として触れることができる。腋毛は減少する。男性は肥満やホルモンの変化により**女性化乳房 gynecomastia**や乳房の膨満を経験することがある。

| 解剖と生理 | 異常例 |

腹部

腹部の筋肉は中高年において弱くなる傾向にある。リポ蛋白質リパーゼの活性が低下し，体重変化がなくても腹部や殿部に脂肪が蓄積する場合がある。腹部がより軟らかく，より突出するため，患者がこれらの変化を液体貯留や疾病徴候と誤認することもある。

腹部脂肪分布の変化により心血管疾患のリスクが上昇する。

加齢は，急性腹部疾患の徴候を鈍らせることがある。痛みはあまりひどくならず，熱も高くならないことが多い。腹壁防御と反跳痛などの腹膜炎徴候は減弱するか，みられないことさえある。

第19章「腹部」(p.661〜662)の急性腹痛に関する記載を参照。

男性および女性泌尿器系，前立腺

男性は老化しても性的興味が維持される一方，性交渉の頻度は75歳以降に低下するようである。生理学的変化のいくつかは，テストステロン濃度の低下に伴うものである[16]。勃起は触覚の刺激に依存するようになり，性欲をかきたてる雰囲気には反応しにくくなる。陰茎は小さくなり，精巣は陰嚢の中でさらに垂れ下がる。陰毛は減少し，白髪が混じる。

長期疾患は，加齢変化以上の精巣の縮小を招く。

勃起障害 erectile dysfunction(ED)，または勃起不全は高齢男性の約半数にみられ，大部分は脈管によるもので，アテローム性動脈硬化性動脈閉塞疾患と陰茎海綿体静脈漏出の両方が原因となる。

薬物による副作用と同様，糖尿病，高血圧，脂質異常症などの慢性疾患や喫煙はすべて，勃起障害の原因となる。

女性の卵巣機能は通常40歳代に低下しはじめる。閉経はほぼ45〜52歳で起こる。エストロゲン(卵胞刺激ホルモン)の刺激が低下するにつれて，多くの女性は**のぼせ hot flash**(顔面潮紅)を経験し，5年程度続くこともある。更年期症状は，潮紅，発汗，動悸，悪寒，不安などさまざまである。睡眠障害と気分変調もよくみられる。腟乾燥，切迫性尿失禁，性交時痛を呈する場合もある。いくつかの外陰・腟変化が起こる。陰毛は減少し，白髪が交じる。陰唇と陰核は小さくなる。腟は狭く，短くなる。そして，腟分泌液が減少し，腟粘膜は薄く，乾いて白くなる。子宮と卵巣は小さくなる。通常，閉経後10年以内に卵巣は触れなくなる。子宮付属器・子宮・膀胱提靱帯は弛緩する。特にパートナーとの問題，パートナーの死亡，または過剰な仕事あるいは生活上のストレスなどがない場合，性欲と性的な関心は変わらないことが多い[18]。

泌尿器系における加齢性変化として排尿筋の神経支配障害と収縮力の低下，膀胱容量と尿流速度の低下，排尿を我慢する能力の低下があげられる。

尿失禁の有病率は加齢性変化により，年齢と比例して上昇する。65歳以上の一般女性の55％と一般男性の30％に尿失禁を認め，長期介護施設入所者においては70％と高率にみられる[19]。

解剖と生理

男性では**良性前立腺肥大症 benign prostatic hyperplasia（BPH）**と称されるアンドロゲン依存性の前立腺上皮と間質組織の増殖が20代ではじまり，60代まで進行したあと安定する傾向にある。

筋骨格系

男女ともに成人期を通じて骨の皮質と小柱の質量が失われるが，男性では女性より緩徐であり，女性では閉経後に加速する。

加齢とともに副甲状腺ホルモンが増加し，食事より骨からのカルシウム再吸収が増加する。成人後まもなく身長は少しずつ減少しはじめるが，高齢期には顕著なものとなる。身長の低下はおもに椎間板が薄くなるため体幹で生じ，**脊柱後弯**および胸郭前後径の増加が生じる（図27-4）。膝と股関節の屈曲によっても身長が減少する。このような変化により，高齢者の四肢は体幹に比して長くみえやすい。

加齢とともに男女問わず，体重比で30〜50％の筋質量が低下し，靱帯もその伸張強度の一部を失う。**サルコペニア sarcopenia** とは，加齢に伴う除脂肪体重と筋力の喪失をいう[21]。筋力低下の原因は多岐にわたり，座りがちな生活による生活活動強度の低下に加えて炎症性や内分泌性の変化があげられる。

関節可動域が減少するが，これは**骨関節症 osteoarthritis** が原因となっていることがある。

異常例

臨床的に有意な肥大は男性の半数のみでみられ，そのうち半数が排尿困難，尿滴下，残尿感といった症状を訴える。これらの症状は併存疾患，常用薬，または下部尿路障害によって生じることも多い[20]。

これらの変化により骨折リスクが上昇する。

脊柱後弯は，**骨粗鬆症 osteoporosis** による椎体短縮または圧潰により増悪し，より強調される場合もある。

高齢者の筋力トレーニングによりこの進行の鈍化や逆転が可能であるとの相当なエビデンスが存在する。

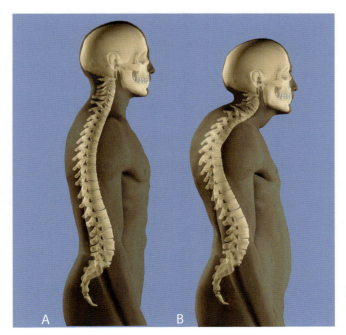

図27-4 脊柱の加齢性変化：A．正常脊柱，B．脊柱後弯症（LifeART image copyright ©2019 Lippincott Williams & Wilkins. All rights reserved.）

解剖と生理 | 異常例

神経系

認知機能から運動機能，感覚機能，反射まで，加齢は神経系のすべての側面に影響を及ぼす。脳体積，大脳皮質細胞および内因性局所接続回路は減少する。そして，組織学的変化と生化学的変化が同時に起こる[22]。にもかかわらず，大半の高齢者は自尊心を保ち，変化する自身の能力や状況にうまく適応する。

認知機能

一般的に高齢者は認知機能に関する検査で良好な結果を出せるが，特に高齢な患者では限定的な障害がみられる場合もある。具体的には，多くの高齢者が記憶の問題を訴えることであろう。何歳でも起こりうる「**良性の高齢化現象としての物忘れ**」がおもな原因である。このよくある現象はおもに人や物の名前，特定の出来事の詳細に関する健忘として現れることが多い。

> 良性の老化現象としての物忘れを指摘することにより，Alzheimer（アルツハイマー）病に関する不安を払拭することができる。

高齢者はデータ認識・処理が遅くなり，新しい情報を学ぶのにも時間を要する。また，運動反応は鈍り，複雑な作業を行う能力が低下する。気分障害と認知機能の変化はいずれも患者の症状認識力や伝達能力の低下につながることがあるため，診断が困難であることが多い。このような状態をいち早く把握し，機能低下を遅らせることが重要である。**高齢者は一過性の混乱や注意散漫が生じるせん妄にもなりやすいが，せん妄は感染症，薬物に関する問題や背景にある認知障害についての最初の徴候である場合もある**。

> うつ病や認知症など，老年によくみられる認知障害や精神疾患の徴候と高齢化現象を区別することを心がけるべきである。

> 第9章「認知，行動，精神状態」の「認知機能低下の範囲」（p.274），および表9-3「神経認知障害：せん妄と認知症」（p.279）を復習。

気分

高齢者は，生理的変化や身体能力の低下に加えて，愛する人や友人の死，価値ある仕事からの引退，収入の減少，社会からの隔離を経験する。このような重要なライフイベントをふまえて気分の評価を行い，課題に対処することで患者の生活の質が向上する可能性がある。

> 第9章「認知，行動，精神状態」の「うつ病スクリーニング：Geriatric Depression Scale（Short Form）」（p.281）を復習。

運動系

運動系の変化は，頻繁に認められる。年齢とともに反応が遅くなり，敏捷性を失う。骨格筋量も減少する。高齢者の手は骨間筋萎縮による陥凹や溝により細く骨張ってみえることが多い。筋萎縮はまず母指と示指の間（第1・2**中手骨筋 metacarpal**）に生じ，他の中手骨筋に順次生じることが多い（p.887～888参照）。手掌の**母指球 thenar** と**小指球 hypothenar** が平坦化することもある。上下肢の筋肉も萎縮徴候を示し，近傍の関節が実際よりも大きくみえる。筋力は低下がみられるものの，比較的よく維持される。

病歴：一般的なアプローチ

高齢者は，頭部，顎，口唇や手に良性本態性振戦を呈することがある。これらの良性の振戦は速く，安静時には消失し，筋硬直はみられない。

異常例

良性本態性振戦がParkinson（パーキンソン）病と誤認されることがある。Parkinson病による振戦はやや遅く，安静時にも続き，筋硬直を伴う。

第24章「神経系」の表24-8「振戦と不随意運動」（p.940〜941）を参照。

振動覚と位置覚，反射

加齢は**振動覚 vibratory sense**，**位置覚 position sense** と**反射 reflex** に影響を及ぼす。高齢者ではしばしば，足と足首（足趾と脛は除く）の一部またはすべての振動覚が消失する。まれであるが，位置覚が減弱したり，消失したりすることがある。咽頭反射は減弱あるいは消失する。腹壁反射も減弱するか，消失する。アキレス腱反射は増強法を用いたとしても対称性に減弱あるいは消失する。まれではあるが，増強法を用いても膝蓋腱反射が同じように影響を受けることもある。足の筋骨格系の変化などにより，足底反射は減弱し，解釈がさらに困難になることがある。

異常神経学的所見を伴う場合，あるいは萎縮と反射の変化が非対称性の場合は，加齢以外の原因を探す。

病歴：一般的なアプローチ

高齢者との医療面接では病歴聴取を行うための通常の方法を修正する必要がある。より高度な面接技術を要し，若年者では強調・議論されない内容にも注意を払う必要がある。他の患者と同様に，尊敬の念を持ち，忍耐強く，文化的要素も加味しながら接するべきである。**呼び方の希望についても確認することが望ましい。**

第1章「診察へのアプローチ」（p.5〜12）を参照。

高齢者との効果的なコミュニケーション

最初に，患者が安心できるよう，診察室，病院，介護施設などその場の環境を調整するための時間をとる。体温調節における生理的変化を念頭におき，環境が寒くも暑くもない適当な温度であることを確認する。明るい照明は水晶体の蛋白質の変化（視力の低下）を補うのに役に立ち，あなたの表情やしぐさをより明瞭にする効果がある。高齢者は若年者と同等の視力を発揮するために通常の30%増しの光量を要し，読書や作業においては5倍もの明るさを要する[23]。一方，特に光沢のある素材から光の反射が生じて眩しすぎないことも確認する必要がある。可能であれば室外から室内に入る際に，段階的に光の量を調整することが望ましい。**同じ目線になるように座り，直接患者と向き合うようにする**（図27-5）。電子機器に集中せず，電子カルテで検索・記載する際に患者に背を向ける時間を最小限に留める。大腿四頭筋に脱力がみられる患者では，台座の高い椅子，診察台にのぼる手すりつきの幅の広い踏み台が必要である。

高齢者の半数以上は特に高音域の聴覚障害（老人性難聴）を有するため，騒音などのない静かな部屋を選択する。館内放送の使用は極力避ける。事前にラジオ・テレビなど背景の騒音を最小限とする。必要に応じてあなたの声を増幅する小さな携帯用マイクと，患者の耳に装着するイヤーピースにつながったスピーカーにより構成される聴力増幅器も検討する。低音で話すようにし，患者がコミュニケーションの補助として眼鏡，補聴器，義歯を使用しているかを確認する（Box 27-2）。

図 27-5　同じ目線になるように座り，直接患者と向き合う

> **Box 27-2　効果的に高齢者と情報交換するための工夫**
>
> - 周りの雑音を最小限にした，適度な照明の，暖かい環境で，肘掛けつきの椅子と手すりつきの診察台を用意する
> - 患者と向き合い，低音で話すようにする。必要に応じて患者が，眼鏡，補聴器，義歯を使用していることを確認する
> - 面接を行う際の頻度と内容を患者の気力や体力に合わせる。最初の評価を 2 回の診察に分けて行うことも検討する
> - 自由回答方式の質問を行い，患者が思い出す時間を十分にとる。特に患者が認知障害を呈する場合，必要ならば家族と介護人を交えるようにする
> - スクリーニングツールやカルテ記載およびその他医療者からの報告を利用する
> - 指示を文書で渡し，大きな文字で読みやすく書くなど配慮する
> - 薬品名，用法用量，処方理由を含む最新の常用薬リストを必ず手渡す

診察の内容と頻度を決める

高齢者を診察する場合，典型的な面接形式を見直す。高齢者は今まで過ごした年数より余命を基準に考えることが多い。過去の経験を回想する場合もある。このような振り返りに傾聴することにより，高齢者がつらい気持ちを乗り越えたり，過去の喜びや達成感を思い返したりする過程を理解・支援するための洞察が得られる。同時に，複雑な問題を評価する必要性と患者の持久力や疲労を天秤にかけて検討する意識が重要である。

傾聴の時間を増やしつつ疲労を抑えるために，簡潔で有効なスクリーニングツール[24]や往診とカルテからの情報，そして，家族，介護人，およびその他医療者からの報告を存分に活用するとよい。最初の評価は 2 回の診察に分けて行うことを検討する。説明がゆっくりで長くなりがちであるため，患者が質問に答える際により時間をとれるよう，2 回以上の短い外来診察のほうが生産性が高くなる場合もある。

Box 27-6「10 分間老年病スクリーニング」を参照。

症状を聞き出す

実際に病歴を聞き出すには，洞察力が必要である。患者は，症状を偶然に，または意図的に過少報告することがある。さらに，急性疾患の症状が若年患者にみられるものとは異なっていたり，一般的によくみられる症状だということで老年症候群に思い至らないことがあったり，患者が認知機能障害をもっていたりする場合がある。必要な情報を聞き出すには，文字や絵を用いながら，簡単な文を使用する。重度の認知障害患者では，患者の承諾と同席のうえで家族または介護人とともに鍵となる症状を確認していく。不適切な仮定を避けるために，患者がどのように自分と自分が置かれている状況を捉えているかを確認する。さらに患者にとっての優先事項や問題への対処法を聞き取るようにする。このような洞察は，あなたが治療計画を立案・修正するなかで患者およびその家族との関係性を強めてくれる。

過少報告

高齢者は若年者と比べ，疾病や障害の影響がある場合でも，全体の健康状態についてより高く自己評価する傾向がある。症状を報告したがらないケースもある。その理由には，おそれや羞恥，また，医療費の心配や診断と治療による苦痛への忌避などがあげられる。さらに，年をとったために生じた症状であると気にとめていないことや，伝えるべき症状のことを単に忘れていることもある。診断や治療の遅延を最小限に抑えるためには直接的な質問を心がけ，検証済みの老年スクリーニングツールを活用し，家族や介護人とも相談すべきである。

疾患の非典型的な症状

急性疾患の場合，高齢者では若年の患者と症状が異なる。例えば，感染症にかかった高齢者では，発熱がみられないことがある。心筋梗塞を発症する高齢者が胸痛を訴えることはむしろ少なく，呼吸困難，動悸，失神，意識変容など非典型的な症状を訴えることが最も多い[25]。高齢者の甲状腺機能亢進症の1/3において初発症状は典型的な高熱不耐，発汗，反射亢進ではなく，倦怠感，体重減少，頻脈である[26]。さらに，最大35%の患者に新規発症の心房細動がみられる。

高齢者における甲状腺機能亢進症の有病率は0.5〜4%であり，甲状腺機能低下症は男性で約10%，女性で16%である[26]。

甲状腺機能亢進症は骨粗鬆症の危険因子であり，女性における骨盤や椎体骨折のリスクは通常の3倍となる。

高齢者における甲状腺機能低下症の原因としては自己免疫性甲状腺炎(**橋本病 Hashimoto thyroiditis**)が最も多い。倦怠感，脆弱性，便秘，皮膚乾燥，寒冷不耐症の大半は他疾患，薬物の副作用，または加齢性変化による。

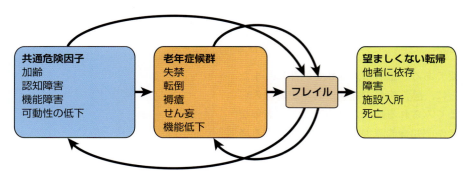

図 27-6　老年症候群と望ましくない転帰につながる年齢関連危険因子の関係

老年症候群

密接な関連のある複数の病態を同時に管理するには，症状をグループ分けし，それぞれ別の老年症候群として捉える必要がある。老年症候群とは図 27-6 に示す通り，「特定可能で状況特異的なストレス要因と背景にある年齢関連危険因子の相互関係が関与する多因子的な病態であり，複数の臓器系統に障害を及ぼす症候群」である[12]。老年症候群は機能低下と密に関連する。老年症候群がもたらす機能低下の例として**機能障害，フレイル，せん妄，うつ病，認知機能低下，転倒，失禁**があげられる。

専門家によると「機能状態，フレイル，その他老年症候群を評価しつつ，同時に個別疾患に対応することがプライマリケアにおける老年医療の真髄である」。患者がこれまで経験してこなかった形で複数の症状が生じ得るため，医療者が老年症候群を見極めることは特に重要である[27]。

高齢者の文化的側面に配慮する

米国人口全体の過去数十年間における人口動態的変化を反映して，今後高齢人口が増えるにつれてその多様性も増す（Box 27-3）。文化的側面に関する知識・技術を身に着けることが，幅広い人種の高齢者が急増する状況で医療の質を向上させるうえで中心的な役割を果たす。実際のところ，高齢者における人口動態的な課題は「人種老年原則（ethnogeriatric imperative）」と捉えることもできる。というのも，「今世紀半ばには，米国人高齢者のうち 3 人に 1 人以上は，マイノリティと呼ばれる 4 つの集団のうちの 1 つに属することになる」からである[29]。

Box 27-3　高齢者の多様性：2060 年予想[2]

- 2014 年における非ヒスパニック系単一人種白人，黒人，アジア人はそれぞれ米国高齢者人口の 78％，9％，4％を占めていた。ヒスパニック系（人種を問わず）は高齢者の 8％を占めた

（続く）

老年症候群は 65 歳以上の半数以上にみられ，若年患者における従来の単一疾患に向けたスクリーニングとは対照的である[28]。

病歴：一般的なアプローチ

> (続き)
> - 2060年には高齢者人口の55%が非ヒスパニック系白人，12%が非ヒスパニック系黒人，9%が非ヒスパニック系アジア人となり，ヒスパニック系が高齢者人口の22%を占める見通しとなっている
> - 高齢者は全人種・民族で増加するが，高齢ヒスパニック系人口が2014年の360万人から2060年の2,150万人まで，最も急速に増大する見通しである。2060年では高齢非ヒスパニック系黒人人口を上回る見通しとなっている
> - 高齢非ヒスパニック系アジア人口も急速に増大する見通しである。2014年の米国における高齢単一人種非ヒスパニック系アジア人は約200万人であったが，2060年には約850万人に増大する見通しとなっている

高齢者人口の人口動態的変化は異なるバックグラウンドをもつ患者が，苦しみ，疾病，そして医療に関する判断をどのように捉えるかについて考えるヒントになる。文化的，社会経済的な属性は，疾患とメンタルヘルスの疫学，それぞれの家族における文化的適応，老化に対する個々の考え方，治療提供者の選択や症状の持続期間，誤診の可能性，健康に関する転帰の格差などに影響を与える[30]。文化は，人生のあらゆる年代で直面する出来事との向き合い方に影響をあたえる。ざっとあげるだけでも，就業および退職，健康と疾患に関する認識，薬物の有用性，医療委任状の使用，死の迎え方などがあげられる。**転帰の改善に向けて，多種多様な高齢者のケアに関する能力を向上させることが重要な一歩となる。**

専門家は，医療面接において4つの重要領域を追求することで，患者の文化的アイデンティティの確立を促すことを推奨している。

- 個人の文化的アイデンティティ
- それぞれの疾患に関する文化的な捉え方
- 心理社会学的環境に関連した文化的な要因と機能のレベル
- 医師患者関係の文化的要素

各文化特有の非言語的コミュニケーションを通じて高齢者への尊敬を示すことを学ぶ。例えば，相手の目をまっすぐ見たり握手したりすることは，文化的に適切でない場合もある。患者の価値観や心理に影響を及ぼす出身国での重要な人生経験または移民歴を特定する。家族の意思決定，精神的なアドバイザー，伝統的な心霊治療家や慣習についてもたずねてみる。**文化的な価値観は，特に人生の終わりに関する決定に影響してくる。**

高齢者やその家族，さらに地域集団といった多くの人々が，高齢者とともに，または，彼らの代理で意思決定する。このようなグループによる意思決定は，現代の医療現場で中心的役割を果たす個人の自主性やインフォームド・コンセントと大きく異なる概念である。移住や文化変容に関するストレスを聴取し，医療通訳を効果的に活用し，家族や地域から「患者ナビゲーター」としての協力を求め，文化面から検証されている評価ツールを活用することは高齢者に対する共感的なケアの一助となる。

異常例

高齢化する少数民族・人種における心血管疾患，糖尿病，癌，喘息，ヒト免疫不全ウイルス（HIV）・後天性免疫不全症候群（AIDS）の転帰は芳しくなく，寿命も短い傾向にある[31]。

表27-2「高齢者の医療面接：文化的に適切な医療をめざして」を参照。

第1章「診察へのアプローチ」のラポールに関する記述(p.8〜13)を参照。

第2章「面接，コミュニケーション，対人関係スキル」の「医療通訳者との連携」(p.57〜58)参照。

高齢者評価において特に注意すべき領域

- 日常生活動作や手段的日常生活動作の機能障害
- 薬物管理
- 喫煙
- アルコール
- 栄養

高齢者について注意すべきその他の領域の詳細については以下の章を参照
- 急性疼痛と慢性疼痛（第8章「全身の観察，バイタルサイン，疼痛」，p.239）
- 認知障害（第9章「認知，行動，精神状態」，p.257）
- 尿失禁（第19章「腹部」，p.645）
- 転倒の予防（第23章「筋骨格系」，p.840）

老年症候群でみられるように，高齢者の症状には多くの意味があり，相互に関連し合っている。高齢者の症状は，患者が常に最適な機能と健康を維持できるよう支援することを目標として，特に徹底的かつ慎重に評価すべきである。

Box 27-6「10分間老年病スクリーニング」を参照。

日常生活動作や手段的日常生活動作の機能障害

高齢者，とりわけ慢性疾患を有する高齢者の現在の日常生活は，将来の評価の重要な基準となる。まず，6つの自己管理能力（入浴，着替え，整容，移動，排泄，食事）により構成される**日常生活動作 activities of daily living（ADL）**をどの程度行えているのかを聴取する。つぎにより高次の機能である**手段的日常生活動作 instrumental activities of daily living（IADL）**，すなわち電話の使用，買い物，食事の準備，家事，洗濯，交通機関による移動，常用薬の内服，金銭の管理，についても同様に聴取する。

ADLとIADLに関しては，第3章「病歴」（p.110）を参照。

患者自身でこれらの活動や動作を行うことができるか？　部分的に手助けを必要とするか？　または，完全に他の人の手助けが必要か？

面接は「普段の生活について話してください」「昨日1日のことを話してください」など，自由回答方式の質問ではじめる。その後より詳細に追及する。「午前8時に起きたのですか？」「起床したときの気分はどうでしたか？」「起きてからつぎに何をしましたか？」活動性に変化があるか，手伝ってくれる人はいるか，ヘルパーや介護者は具体的に何をしてくれているのかも聴取する。**患者の安全性について評価することは臨床における優先事項であることに留意する。**

薬物管理

薬物有害事象は入院や不良な転帰にもつながるため，詳細な薬物歴の聴取が重要である（**Box 27-4**）。65歳以上の成人に対する処方が，全処方の約30%を占めている[32,33]。そのうちの40%弱が毎日5種類以上の常用薬を内服している。薬物有害事象が原因で入院していると報告されている患者の半数以上は高齢者である。このことは，高齢者において薬理学的な分布，代謝，排泄が変化しているために，

病歴：一般的なアプローチ

リスクが上昇していることを反映しているといえよう。**薬物は，転倒と関連する単独で最も頻度の高い修正可能な危険因子である**。

多剤投与 polypharmacy を避けるための方策を検討する[33, 34]。処方薬の数を最小限に抑え，投薬に関しては「はじめは低用量で，ゆっくり進める」こと。薬物相互作用について学習し，医療従事者・教育者・政策立案者に広く使われている **2019 AGS Beers Criteria** を確認する。この新たな基準には，高齢者にとって有害な薬物に加え，腎機能にもとづいて回避・減量されるべき薬物や高齢者にとって有害と報告されている薬物相互作用の一覧も掲載されている[35, 36]。

> **Box 27-4　高齢者の薬物安全性を高める**[37]
>
> - 各薬物名，用法用量，**患者が考える**処方理由を含む網羅的な**薬歴聴取**を行う。すべての薬物ボトルや市販薬を持参してもらい，正確な薬物リストを作成する
> - 来院の都度，特に治療内容が変わったときには**処方確認 medication reconciliation** を行う
> - 高頻度で合併症の原因となる**多剤投与**のすべての要因を検討する（最適ではない処方内容，複数薬物の併用，用量不足，不適切使用，アドヒアランス不良など）
> - 市販薬，ビタミンやサプリメント，オピオイド・ベンゾジアゼピン系薬・快楽のための麻薬を含む精神安定剤などについては具体的に聴取する[38]
> - 各薬物の相互作用について評価すること

喫煙

喫煙は，あらゆる年齢において有害である。診療のたびに喫煙者（高齢者の約9.5％）に禁煙するようアドバイスすること[39]。禁煙するには時間がかかるかもしれない。しかし，禁煙は心疾患，肺疾患，悪性腫瘍，そして日常生活における機能障害のリスクを下げるのに重要である。

アルコール

65歳以上の推奨飲酒上限はアルコール代謝に影響する生理的変化，併存症の発症しやすさ，薬物相互作用リスクなどのため若年者より低く設定されている。**高齢者は1日あたり2杯まで，または週7杯までとすべきである**[40]。しかし，65歳以上の成人の40％以上が飲酒し，約4.5％はビンジ飲酒（過飲酒），2〜4％が乱用または依存している可能性がある[41, 42]。また，高齢者の14％以上が推奨飲酒上限を上回る飲酒を行っている[43]。健康状態を考慮すると，53％以上が有害または危険な飲酒を行っている。さらに，プライマリケアにおける高齢者の10〜15％と，入院している高齢者の最大38％が問題のある飲酒を行っていると報告されている[44]。このように，アルコール関連問題の有病率が高いにもかかわらず，それが診断されて治療される割合は低い。**高齢者の有害飲酒スクリーニングは，大半の薬物との相互作用があることや，肝硬変・上部消化管出血・逆流性食道炎・痛風・高血圧・糖尿病・不眠・歩行障害・うつ病を含む併存症の増悪が高**

齢者の最大30%にみられることから特に重要である[42]。

特に最近の死別や喪失，疼痛，障害やうつ病の既往，あるいはアルコール障害の家族歴をもつ患者において，過剰なアルコール摂取に関するヒントに注意する（Box 27-5）。

喫煙や飲酒習慣に関する情報収集のアプローチについては，第3章「病歴」（p.97〜98）を参照。

Box 27-5　高齢者におけるアルコール乱用のヒント[42]

- 記憶喪失，認知障害
- うつ病，不安
- 衛生，容姿に関する無頓着な態度
- 食欲低下，栄養障害
- 睡眠障害
- 難治性高血圧
- 血糖コントロールが困難
- 治療抵抗性痙攣発作
- 転倒を含む，バランスや歩行の障害
- 再発性胃炎，再発性食道炎
- ワルファリン投薬管理の困難
- 鎮静薬やオピオイド系鎮痛薬，違法薬物，ニコチンなど，依存の原因となりうるその他物質の使用

栄養

食事摂取歴を聴取し，栄養スクリーニングツールを活用することにより栄養不良が発見されることは多い。栄養不良は年齢とともに増加し，介護施設入所者の最大10%と病院退院時の高齢者の最大50%に影響を及ぼす[45]。最近のデータによると，果物・野菜の推奨1日摂取量のガイドラインを満たすのは30〜40%程度にすぎない[46]。慢性疾患を有する高齢者は影響を受けやすく，特に歯の状態が不良である場合，口腔内・消化管疾患やうつ病その他精神疾患を有する場合，食欲や口腔内分泌に影響する薬物療法を受けている場合はリスクが高い。

第6章「健康維持とスクリーニング」の「健康的な食事」（p.178〜179）を参照。

高齢者ケア特有のトピックス

フレイル（虚弱）

フレイル frailty は高齢者特有の症候群をいい，多因子性である。同定可能な疾患がない場合でさえ起こることがあり，加齢に伴い生理的な調整能力が欠乏することが特徴的である。フレイルは一般的に筋肉量の低下，エネルギー低下や運動不耐および生理的予備力の低下を伴い，生理的ストレス要因に影響を受けやすい状態である。研究ではおもに2つの定義が用いられる。狭義の定義は体重減少，

疲労，緩慢な動作，身体活動の低下など身体状態のみにもとづき，広義では気分，認知，失禁なども含む。一般高齢者におけるフレイルの有病率は約10％であるが，定義や測定法によっては4〜59％と報告されている[47-49]。

事前指示書と緩和ケア

高齢者の多くは終末期の意思決定について相談したいと希望しており，医療提供者から重病にかかる前に声かけをしてほしいと考えている[50]。**アドバンス・ケア・プランニング advance care planning** にはいくつかの作業が必要である。すなわち，患者に情報を提供し，希望を明確にし，代理となる意思決定者を特定する，といった作業である。1つの選択肢として，これらの決定について現在の疾病や親戚・友人との経験とからめて相談しはじめてもよい。「心肺停止，あるいはそれに近い状態であった場合」の生命維持処置を指定する「**蘇生禁止 Do Not Resuscitate（DNR）**」に関して患者にたずねる。また，「あなたが決断できない場合，または緊急時に，自分の希望を反映した決断を下すことができる人」として代理意思決定者を選定し，**医療に関する永続的委任状 durable power of attorney for health care** を書くよう患者にすすめる。

入院した高齢者の約半数は入院48時間以内に代理による意思決定を要する。おもな内容は延命措置，手術その他処置，退院計画などである[51]。終末期ケアの選択肢に関して対話することで，患者とその家族があらかじめ安らかな死に備えられるようになる。このような対話は救急外来や集中治療室などの高ストレス環境ではなく，外来診療で行われるのが望ましい。

専門家により，ケアに関する**事前指示書 advance care directive** は状況によってより柔軟なツールとなりうることが指摘されている。指示書は「価値観に関する総論的な内容から蘇生禁止（DNR），挿管禁止（DNI），入院禁止，人工的補液や栄養禁止，抗菌薬禁止などの具体的な内容までさまざまである。健康や疾病における段階や状況に応じた事前指示書が求められ，それぞれの段階で必要になる対話と対話をリードするための研修を要する[52]。」さらに，判断能力のある患者の決定は，事前の書面による指示より優先されるため，現時点での選択肢について患者と常に相談する必要がある。

進行もしくは末期の状態の患者では，事前指示書の内容を**緩和ケア palliative care** 全体の計画に含める。緩和ケアは疼痛や苦痛の軽減と最適な生活の質の促進を，根治的治療からリハビリテーションまで治療の全段階で追及する（図27-7）。その目的は，重症疾患を有する患者や終末期にホスピスケアを検討する患者の両方に対して「患者およびその家族の身体的・精神的・宗教的・社会的な幸福を追求し，希望を保ちつつ患者の尊厳を確保し，自律性を尊重する」ことである[53]。患者および家族の苦痛を緩和する際，効果的なコミュニケーション技術を活用する。そこには，適切にアイコンタクトを保つこと，自由回答方式の質問でたずねること，不安やうつ病あるいは患者の情動の変化に対してしっかり対処すること，共感を示すこと，介護人に相談すること，が含まれる。

第2章「面接，コミュニケーション，対人関係スキル」の「事前指示書」(p.58)，「終末期にある患者や死期が近い患者」(p.71)も参照。

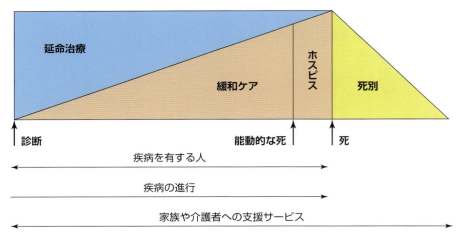

図27-7 病気の経過における緩和ケアの位置づけ (Burggraf V et al. *Healthy Aging: Principles and Clinical Practice for Clinicians*. Wolters Kluwer; 2015, Fig. 29-1 より)

身体診察：一般的なアプローチ

ここまでの説明でわかる通り，高齢者の評価には通常の病歴聴取法と異なる複数の独特な要素がある。機能評価は高齢者の健康にとって重要であり，身体診察において注力すべきである。そのため，診察の技術の項ではまず機能評価について解説する。その後は高齢者向けに修正された「頭のてっぺんからつま先まで」の全身評価をみていく。

診察の技術

機能評価

診察の場は，患者の自立と機能レベルを増進させるよい機会となる。診察の具体的な目標は患者ごとに異なるが，機能状態の維持は最優先事項である。機能とは，日常生活全体にかかわる広範囲で複雑な作業を遂行し，社会的役割をなしとげる能力をいう。**把握された機能状態は，患者の機能レベルの最適化に向けた処置や，治療や進行を遅らせることのできる老年症候群の発見のための基準となる。**

患者が診察室に入ってきた瞬間から機能評価ははじまっている。**10分間老年病スクリーニング**は検証された，時間効率の高い，機能にもとづく評価ツールの1つである（Box 27-6）。簡素であり，評価者間の一致率が高く，外来スタッフが簡単に使用することができる[54]。この評価には3つの重要な領域が含まれている。すなわち，認知機能，社会心理的機能，身体的機能である。表面化しにくい社会的孤立や苦痛の源となる，視力・聴力・尿失禁に関する質問も含まれている。

| 診察の技術 | 異常例 |

全身の観察

患者は入室の際に,どのように椅子まで歩いているか? 診察台への移動はどうか? 姿勢の異常や不随意運動があるか? 患者の身だしなみや服装にも注目する。患者の見た目上の健康状態,活力,気分や感情を評価する。患者と会話しながら,認知変化のスクリーニングの必要性についても評価する。

低栄養,運動機能の鈍化,筋肉量の減少,脱力は,フレイルを示唆する。

脊柱後弯または異常歩行は,平衡性を障害し,転倒のリスクを高める可能性がある。

平坦で乏しい情動は,うつ病,Parkinson病,Alzheimer病でみられる。

バイタルサイン

推奨された方法(p.226〜235を参照)を用いて血圧を測定する。収縮期血圧の上昇がないかを確認し,**脈圧の増大**を調べる(これは収縮期血圧から拡張期血圧を引いたものと定義される)。加齢により収縮期血圧と末梢血管抵抗は増大するが,拡張期血圧は低下する。第8回米国合同委員会(JNC 8)は60歳以上の成人の血圧目標として150/90以下を推奨しているが,収縮期血圧140未満が達成されていて,「健康や生活の質に影響がなく耐容性が良好である場合,治療の調整は必要ない」としている[57]。

一方,80歳以上の高齢者における一部の研究では,脳梗塞,心血管イベントの発生率と全死亡率の優位な低下を得るには血圧目標を140〜150/70〜80とすることが最適であることが示唆されている[58-61]。

50歳以上の**孤立性収縮期高血圧**(収縮期血圧≧140 mmHgかつ拡張期血圧<90 mmHg)および脈圧≧60は脳梗塞・腎障害・心疾患のリスクを上昇させる[62]。

Box 27-6 10分間老年病スクリーニング[54]

問題	スクリーニング方法	スクリーニング陽性
視力	●2段階 質問:「視覚障害によって,運転したり,テレビをみたり,文字を読んだりすることや,その他の日常活動を行ううえで困難と感じることはありますか?」 「はい」ならば: 必要なら,矯正レンズ(眼鏡など)を着用している状態で,各眼をSnellen(スネレン)視力表で調べる	質問に対し「はい」と答え,Snellen視力表で20/40(0.5)以上を読むことができない
聴力	聴力検査計を40 dBに設定する。1,000および2,000 Hzにおける聴力を測定する	両耳で1,000 Hzあるいは2,000 Hzの音をどちらも聴取できない,あるいは片耳でどちらかの音を聴取できない
下肢の可動性: Timed Get Up and Go (TUG) Test	つぎの依頼をし,その時間を計る:「椅子から立ちあがって,すばやく3 m歩いて,向きを変え,椅子まで戻り,座ってください」	10秒以内で作業を完了することができない

(続く)

問題	スクリーニング方法	スクリーニング陽性
尿失禁	●2段階 質問：「昨年，失禁し，下着を濡らしたことがありますか？」 「はい」ならば： 「少なくとも6回別々の日に起こりましたか？」	両方の質問に対し「はい」
栄養/体重減少	●2段階 質問：「意図していないのに，過去6カ月に体重が4.5 kg以上減りましたか？」 体重を測定する	質問に対し「はい」または体重が45 kg未満
記憶	3つの項目を覚えてもらう	1分後には3つの項目を記憶していない
うつ病	質問：「しばしば悲しい，または憂うつであると感じますか？」	質問に対し「はい」
身体障害	6つの質問： 「早歩きやサイクリングのような激しい運動ができますか？」 「窓，壁，床を拭くといった重労働の家事ができますか？」 「食料雑貨や衣類を買いに行けますか？」 「徒歩圏外の場所へ行けますか？」 「入浴したり，スポンジで体を洗ったり，シャワーを浴びたりできますか？」 「服を着ることができますか？（シャツを着る，ボタンをとめる，ジッパーを閉める，靴をはくなど）」	いずれかの質問に対し「いいえ」

一過性の失禁の原因特定において，DIAPPERSの語呂が有用である。
- Delirium：せん妄
- Infection：感染（尿路感染症など）
- Atrophic urethritis or vaginitis：萎縮性尿道炎・腟炎
- Pharmaceutical：薬物（利尿薬，抗コリン薬，カルシウムチャネル阻害薬，オピオイド，鎮静薬，アルコールなど）
- Psychological disorder：精神疾患（うつ病など）
- Excessive urine output：多尿（心不全，コントロール不良な糖尿病など）
- Restricted mobility：移動制限（股関節骨折，環境における障害物，拘束など）
- Stool impaction：宿便[55, 56]

起立性低血圧 orthostatic (postural) hypotension の評価を行う。起立性低血圧は，3分以内の立位による20 mmHg以上の収縮期血圧の低下または10 mmHg以上の拡張期血圧の低下と定義される。最大で10分間の仰臥位安静後と，立位後3分以内の2つの体位で血圧と心拍数を測定する。

起立性低血圧は，高齢者の20%，フレイル状態にある介護施設入所者の最大50%で，特に起床時に起こる。めまい感，脱力，不安定感，視覚障害を伴い，20～30%の患者に失神がみられる。原因として，薬物，自律神経疾患，糖尿病，長期間にわたる床上安静，体液量減少，アミロイドーシス，食後，心血管疾患があげられる[63-66]。

心拍数，呼吸数，体温を測定する。高齢者においては，橈骨動脈の脈拍よりも心尖拍動の聴取が不整脈の検出により有用であることが多い。低体温の計測には適切な体温計を用いる。パルスオキシメータを用いて酸素飽和度を調べる。

呼吸数25回/分以上は，下気道感染症，心不全，**慢性閉塞性肺疾患** chronic obstructive pulmonary disease (COPD)の増悪を示す。

低体温は，高齢者では高頻度に認められる。

診察の技術

体重と身長は，特に高齢者にとっては重要で，BMI 算出のために必要とされる。体重は心不全や慢性腎障害患者にとっても重要な臨床的意味をもつ。受診の都度，可能な限り履き物を脱いだ状態で測定すべきである。

皮膚，爪，毛髪

加齢の生理的変化（例：菲薄化，弾性組織の減少とツルゴールの低下，皺）に注意する。皮膚は乾燥し，もろく，粗く，しばしば瘙痒感（**皮脂欠乏 asteatosis**）を伴う。特に脚では，小さいモザイクのような浅いひびによる格子模様が現れる。

いかなる色の斑状変化も観察する。白い脱色斑（**仮性瘢痕 pseudoscar**）および境界明瞭な紫色で数週間で消退する斑（**日光紫斑**）がないか，手背と前腕伸側面を調べる（図 27-8）。

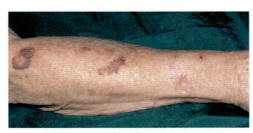

図 27-8　前腕の日光紫斑

日光曝露による変化を探す。皮膚のさまざまな領域に，日焼け，肥厚，黄変，深い皺がみられることがある。さらに，**日光黒子 actinic lentigine** または**肝斑 liver spot**，そして**日光角化症 actinic keratosis**（乾燥した鱗屑によって覆われる表面の平坦な丘疹）がある可能性もある（図 27-9）。

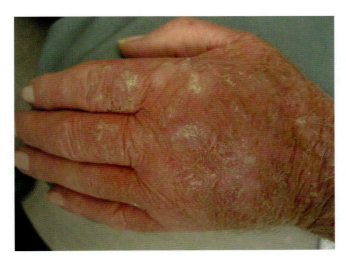

図 27-9　手背の日光角化症（写真は Stedman's より提供）

異常例

低体重は栄養不良の重要指標であり，うつ病，アルコール依存，認知機能障害，悪性腫瘍，慢性臓器不全（心臓・腎臓・肺），薬物使用，社会的隔離，不良な歯の状態，貧困でみられる。体液過剰により，体重が日々急速に増加する場合がある。

このような病変を，**基底細胞癌 basal cell carcinoma**（半透明の結節で，硬く盛り上がった辺縁をもち，中心がくぼむ）や**有棘細胞癌 squamous cell carcinoma**（日光に曝露された領域にしばしば現れる硬い赤みがかった病変）から鑑別する。不整な辺縁をもち黒ずんで隆起した左右非対称性の病変は，**メラノーマ（黒色腫）melanoma**の可能性がある。

第 10 章「皮膚，毛髪，爪」の表 10-4「表面粗造な病変：日光角化症，扁平上皮癌および類似病変」(p.321)，表 10-5「ピンク色の病変：基底細胞癌と類似病変」(p.322～323)，表 10-6「褐色病変：メラノーマと類似病変」(p.324～327)を参照。

診察の技術	異常例
頬や目の周りに，**面皰 comedone** または黒にきびと呼ばれる加齢による良性病変がないか確認する。成人初期にしばしば現れる**チェリー血管腫（老人性血管腫）cherry angioma**，また**脂漏性角化症 seborrheic keratosis**（脂肪性で，軟らかい，いぼ状の隆起した黄色がかった病変）がないか調べる。	分布がデルマトームと一致する囊胞性病変があれば後根神経節に潜伏する帯状疱疹ウイルスの再活性化を疑う。そのリスクは加齢，細胞性免疫不全によって上昇する[67,68]。
寝たきりの高齢者は，特にるいそうや神経学的障害を有する場合，褥瘡が生じやすい仙骨部・肛門周囲，腰背部，踵，肘などの皮膚を観察する。	褥瘡は，皮膚への細動脈および毛細血管の血流閉塞，動作時のシーツとのこすれ，または体位変換によるせん断応力によって生じる。
	第10章「皮膚，毛髪，爪」の表10-13「褥瘡」（p.339～340）。
毛髪や頭皮を観察する。毛髪の生えている場所，質感，量に注目する。爪の色や肥厚にも注目する。	**脱毛**にはびまん性，局所性，または完全脱毛がある。加齢とともに生じる男性・女性型の脱毛は正常な加齢現象である。

眼

眼瞼，眼窩骨部，眼を診察する。眼は，周囲組織である脂肪の萎縮によりくぼんでみえることがある。眼瞼挙筋の弱まり，皮膚の弛緩，上眼瞼の重量増加から生じる**老人性眼瞼下垂 senile ptosis** がないか観察すること。下眼瞼の睫毛が眼に向いているかを確認する（**内反 entropion**）。内反により睫毛や眼瞼の皮膚と角膜や結膜との摩擦が生じ，炎症を起こす。下眼瞼と睫毛が下垂し，外に向く（**外反 ectropion**）と過剰流涙，眼瞼の痂皮，粘液性の眼脂および眼の炎症を起こす[69,70]。強膜の黄色変化や**老人環 arcus senilis**（角膜輪部の周辺における良性の灰白色輪）に注意すること。

第12章「眼」の表12-3「眼瞼の変化と異常」（p.395），表12-5「角膜と水晶体の混濁」（p.397）を参照。

小型の Snellen 視力表または壁かけ視力検査表を用いて左右の眼の最良矯正視力を調べる。**老視**（加齢に関連した水晶体の弾性低下から起こる近見視力の低下）にも注意する。

3人に1人の成人が65歳までに何らかの形で視力低下を経験する[71]。

光に対する瞳孔収縮について，直接反応と共感反応および近見反応中に評価する。その後光線を左右の眼の間に複数回往復させる。6方向の注視を評価する。上方注視障害でなければ，外眼筋運動は維持されているはずである。

光があたるときに瞳孔散大があれば相対的求心性瞳孔障害があり，視神経障害が疑われる。その場合は眼科に紹介する。

検眼鏡を用いて，注意深く水晶体と眼底を診察する。

白内障，緑内障，黄斑変性はいずれも加齢とともに有病率が上がる。

検眼鏡ビームを用いて赤色反射を30～60cmから確認。検眼鏡を＋10ジオプターに設定し，眼の近くに寄って両眼の水晶体の不透明性を評価する。水晶体の表面はきれいにみえる場合があるので，懐中電灯の光だけで判断してはいけない。

第12章「眼」の表12-5「角膜と水晶体の混濁」（p.397）を参照。

網膜微小血管疾患は，脳の微小血管の変化と認知障害と関連がある[72,73]。

診察の技術

高齢者では，眼底は若年期の光沢と光反射を失い，動脈は狭小化し，蒼白でまっすぐになり，くすんでみえる。陥凹/乳頭径比を評価する（通常≦1：2）。

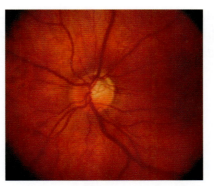

図 27-10　緑内障による眼底の陥凹/乳頭径比の増加（乳頭陥凹）

ドルーゼン drusen と呼ばれる色素沈着し変性しているコロイド小体がないか，眼底を詳しく診察する。ドルーゼンは，硬性で境界明瞭であったり，変性した色素沈着を伴って軟性で網膜と融合していることもある。

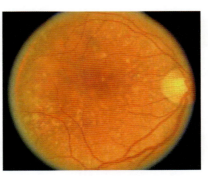

図 27-11　加齢性黄斑変性の眼底（中央のドルーゼンに注目）

耳

一方の耳をふさぎ，囁語または**聴力検査計 audioscope** を用いて，聴力を調べる。耳垢はないか耳道を詳しく調べるようにする。耳垢を除去するだけで聴力は即座に改善するからである。聴力に問題があるかどうかについて質問することが有効なスクリーニング法となる。あると答えた場合には聴覚検査に進む。ないと答えた場合は，囁語に対する聞き取りの明瞭度を調べる[77]。

異常例

陥凹/乳頭径比の増加は，原発開放隅角緑内障（不可逆性視神経症に起因して，末梢および中心視力の低下と失明に至る）を示唆する（図 27-10）。原発開放隅角緑内障の有病率はアフリカ系・ラテン系に 4〜5 倍高い。アジア系では閉塞隅角緑内障または正常眼圧緑内障を発症しやすい[74, 75]。

黄斑変性によって，中心視力の低下と失明が起きる（図 27-11）[76]。黄斑変性の型には，乾燥（萎縮）型（頻度は高いが重症ではない），および浸潤（滲出）型または新生血管型がある。第 12 章「眼」の表 12-12「眼底の明るい色の斑」（p.404）を参照。

聴力検査については第 13 章「耳と鼻」（p.417〜419）を参照。

| 診察の技術 | 異常例 |

口と歯

口腔内を診察し，口臭，歯肉粘膜の外観，齲歯，歯の可動性，唾液の適切性について調べる。粘膜表面のいかなる病変も詳しく診察する。診察の際，義歯をはずしてもらうよう指示し，義歯によってできた歯ぐきの傷がないか調べる。

口臭は口腔衛生不良，歯周病または齲歯を示唆する。歯肉炎は歯周病の原因となる。歯垢と歯の内部の空洞形成は，齲歯の原因となる。膿瘍や進行した齲歯により歯の可動性が生じた場合，誤嚥予防のために抜歯を検討する。唾液の減少は，薬物の影響，放射線照射，Sjögren（シェーグレン）症候群，脱水から生じる。口腔内腫瘍は舌の外側や口腔底に生じることが多い[78, 79]。

頸部

甲状腺とリンパ節について通常の診察を行う。

高齢者における甲状腺機能亢進症のおもな原因として Graves（グレーブス）病や中毒性多結節性甲状腺腫があげられる。甲状腺機能低下症の原因としては自己免疫性甲状腺炎の他，薬物性，頸部の放射線治療，甲状腺摘出，放射性ヨード焼灼がある[26]。

胸郭と肺

通常の評価を行い，肺機能変化のわずかな徴候に注意する。

胸郭前後径の増加，口すぼめ呼吸，会話や最小限の労作による呼吸困難は，慢性閉塞性肺疾患を示唆する[80]。

心血管系

血圧と心拍数の測定値をもとに，所見を検討する。

収縮期高血圧と脈圧の増大は，心疾患の危険因子であり，左室肥大の検索を促す。

頸静脈圧を測定することからはじめる。頸動脈の触診を行い，頸動脈雑音を聴取する。

アテローム性動脈硬化症の蛇行した大動脈は，右房への流入障害を招き，左頸静脈圧が上昇する。また蛇行した大動脈は，おもに高血圧女性で，右頸部下部で頸動脈捻転を引き起こし，頸動脈瘤と間違えられることがある。

大動脈弁狭窄症で頸動脈雑音が生じることがある。頸動脈狭窄症により頸動脈雑音が生じている場合，同側性の脳梗塞のリスクが上昇する。

診察の技術	異常例

最強拍動点 point of maximal impulse(PMI)を触診し，その後，S_1 と S_2 を聴診する。また，S_3，S_4 などの過剰心音にも注意する。

左室肥大では持続する PMI が，心不全や心筋症による左室拡張ではびまん性の PMI や S_3 が確認される(p.1152～1153 参照)[80]。S_4 は，しばしば高血圧を伴う。

右第 2 肋間で聴診をはじめ，全領域で慎重に心雑音を聴取する(p.1153 参照)。心雑音のタイミング，波形，最も大きく聴取できる位置，放散，強度，高音か低音かといった特徴を記録する。

右第 2 肋間の収縮期漸増-漸減型雑音は，大動脈弁硬化症または大動脈弁狭窄症(それぞれ，最大 40% と 2～3% の在宅高齢者にみられる)を示唆する。いずれも心血管疾患と死亡のリスク上昇と関連する[81,82]。

腋窩に放散する心尖部の強い全収縮期雑音は，高齢者で最も多く認められる心雑音であり，僧帽弁閉鎖不全症を示唆する。

乳房と腋窩

しこりや腫瘤がないか注意深く乳房を触診する。腋窩に広がる乳房の組織（スペンスの尾 tail of Spence）の触診を含める。腋窩にリンパ節腫脹がないか診察すること。乳頭やその近くにある落屑性，小胞性の潰瘍病変に注意する。

高齢女性，まれに高齢男性における乳房のしこりや腫瘤は，乳癌の可能性があるため，できる限り精査する。

末梢血管系

上腕・橈骨・大腿・膝窩・足底動脈を注意深く触診する。拍動低下・消失を認めた場合は足関節上腕血圧比 ankle-brachial index(ABI)で確認する。

末梢動脈疾患 peripheral arterial disease(PAD)で ABI が 0.9 未満の場合に脈拍の減弱または消失を認める。ABI の感度は 70%，特異度は 90% である。PAD 患者の 30～60% は下肢症状を訴えない[83]。

第 17 章「末梢血管系とリンパ系」の「足関節上腕血圧比」(p.590)を参照。

腹部

視診で腹部腫瘤や視認可能な拍動の有無を確認する。大動脈，腎動脈，大腿動脈を聴診し，血管雑音の有無を評価する。大動脈拍動の確認のために正中線の左右も触診する。両外側縁をさらに深く圧迫することにより大動脈の幅を推測する(p.659 参照)。

腹部血管雑音はアテローム性動脈硬化症を疑わせる。

大動脈の拡張(≥3 cm)と拍動性腫瘤は腹部大動脈瘤で認められ，高齢男性喫煙者に多い。

女性生殖器と内診

診察の計画について入念に説明し，注意深く患者の姿勢を調整する[84]。高齢女性を診察台に移動させ，砕石位をとらせるために介助者の介助が必要となることもある。診察台の頭側を上げることで比較的楽になる。股関節や膝を曲げることができない関節炎の女性や脊椎の変形した女性では，介助者が患者の脚をやさし

診察の技術	異常例
く上げて支えるか，患者が左側臥位になるのを手助けする。	
皮膚の菲薄化，陰毛の減少，腟口の伸展性の減少など閉経に関連した変化をみるために外陰部を視診する。いかなる陰唇腫瘤もチェックする。	青みがかった腫脹は静脈瘤様腫脹である。尿道より下で腟前壁が膨隆する場合，尿道脱や尿道憩室の可能性がある。
	良性の腫瘤には，コンジローマ，線維腫，平滑筋腫，皮脂嚢胞が含まれる。第21章「女性生殖器」の表21-2「外陰，腟，尿道の隆起と腫脹」(p.734)を参照。
外陰部の紅斑について視診する。	衛星病変を伴う紅斑はカンジダ Candida 感染症から生じ，潰瘍や中心壊死を伴う紅斑は外陰癌を疑わせる。鱗状の白斑を伴う多病巣性赤色病変は，上皮内腺癌の一種である乳房外 Paget（パジェット）病でみられる。
尿道小丘または尿道口の肉質の紅斑性粘膜組織の脱出を視診する。陰核のいかなる腫脹にも注意すること。	陰核の腫脹は，アンドロゲン産生腫瘍や，アンドロゲンクリームの使用に伴い起こる可能性がある。
陰唇を広げて，挙筋を弛緩させるために下方へ腟口を圧迫し，温水または水溶潤滑剤で湿らせた腟鏡を丁寧に挿入する。エストロゲン低下による重症の腟萎縮，腟口の開大，腟前庭部狭窄がみられるなら，腟鏡の大きさを変える必要がある。	**硬化性苔癬 lichen sclerosus** の薄い斑状の萎縮性白苔は閉経後女性により多くみられ，前癌病変であることもある[85]。
萎縮している可能性がある腟壁，そして子宮頸管を視診する。わずかな子宮頸管粘液や，腟あるいは頸管分泌物にも注意する。	シダ状結晶形成を伴うエストロゲン刺激性子宮頸管粘液は，ホルモン補充療法，子宮内膜増殖症，エストロゲン産生腫瘍にみられる。
	分泌物は，腟炎または子宮頸管炎に伴ってみられることがある。第21章「女性生殖器」の表21-3「腟分泌物」(p.735)を参照。
適応があれば，Papanicolaou（パパニコロー）塗抹検査に必要な子宮頸管細胞を採取するために，子宮頸管ブラシ（またはあまり一般的でないが，木製へら）を用いる。腟萎縮が進んでいる場合は盲目的な綿棒の使用を考慮する。	
腟鏡をとりはずした後に，子宮脱，膀胱瘤，尿道脱，直腸脱がないか調べるために患者に息むよう指示する。	第21章「女性生殖器」の表21-7「子宮の位置」(p.738)，表21-8「子宮の異常」(p.739)を参照。

| 診察の技術 | 異常例 |

双手診を行う。子宮頸部の動きを調べ，子宮または付属器に腫瘍がないか触診で確認する。

子宮頸部の可動性は，炎症，悪性腫瘍，手術による癒着によって制限される。

増大する**子宮筋腫 uterine fibroid**（**平滑筋腫 leiomyoma**）は良性または悪性平滑筋肉腫であることがある。卵巣癌で卵巣腫瘍や腫大がみられることがある。

適応があれば，直腸腟診を行う。前直腸壁を通して，子宮および付属器の不整がないか評価し，直腸腫瘤がないか確認する。便検体を採取するときに手袋に血液がついていないよう，双手診後に手袋を交換する。

腫大した，固定された，または不整な子宮は癒着，もしくは悪性腫瘍が存在する可能性がある。直腸腫瘤は，大腸癌でみられる。

男性生殖器と前立腺

陰茎を（包皮に覆われている場合は露出させて）調べる。陰嚢，精巣，精巣上体を調べる。

恥垢，陰茎癌，陰嚢水腫（陰嚢水瘤）などの所見がみられることがある。

直腸診を行う。括約筋緊張を評価する。触診で直腸腫瘍，結節や前立腺腫瘍を探す。前立腺の前葉・中心葉は触診できないため，前立腺肥大や前立腺癌の発見率は制限される。

括約筋緊張の低下は便失禁の原因となる。直腸腫瘤は，大腸癌でみられる。

結節や腫瘍を認める場合は前立腺癌を除外する。前立腺癌スクリーニングに関しては第22章「肛門，直腸，前立腺」(p.752〜753)を参照。

筋骨格系

診察の冒頭で行った10分間老年病スクリーニング（Box 27-6）における下肢の可動性評価から筋骨格系の評価がはじまっている。下肢の可動性評価には転倒リスク評価に最適な，歩行・バランスを評価する **Timed Get Up and Go（TUG）Test** を用いることが原則である（Box 27-7）。

第23章「筋骨格系」の表23-1「関節とその周囲の痛み」(p.842〜843)を参照。

Box 27-7 Timed Get Up and Go Test[86, 87]

普段通りの履物を履き，必要に応じて普段用いる補助具を使用して，肘掛けのない椅子に座った状態で，検査を行う。検査方法を説明した後，患者は「はじめ」の号令とともに以下を行う
1. 肘掛けのない椅子から立ちあがる
2. 3m（線に沿って）歩く
3. 後ろに向きを変える
4. 椅子に歩いて戻る
5. 座る

同じ検査を2回行い，2回目の時間を測定。体位安定性，鶏歩，歩幅長，ゆれを観察
評価：
- 正常：作業完了＜10秒
- 異常：作業完了＞20秒

| 所見の記録 | 異常例 |

関節の変形，可動性の障害，運動時の疼痛がみられたり，Timed Get Up and Go Test で遅れがみられて手間取る場合，各関節のより詳細な評価を行い，より網羅的な神経学的診察を行う。

変形性関節症 osteoarthritis における変形性の関節変化，**関節リウマチ rheumatoid arthritis** や**痛風性関節炎 gouty arthritis** による関節の炎症を探す。

低スコアは，良好な機能的自立と相関する。高スコアは機能的自立に乏しく転倒の高リスクと相関する。

神経系

筋骨格系の診察と同様に，10分間老年病スクリーニング（Box 27-6 参照）から評価がはじまっている。記憶や感情を注意深く評価する。

第9章「認知，行動，精神状態」で，せん妄とうつ病や認知症との鑑別を復習すること。表9-3「神経認知障害：せん妄と認知症」(p.279)，表9-7「認知症スクリーニング：Mini-Cog」(p.284)，表9-8「認知症スクリーニング：Montreal Cognitive Assessment(MoCA)」(p.285)を参照。

歩行とバランス（特に立位時のバランス），約3mの歩行に要する時間，歩隔・歩調・歩幅など歩行の特徴，そして，方向転換時の慎重さなどに注意して診察する。歩行障害を認める場合，より詳細な神経学的診察を行う[88, 89]。

歩行とバランスの異常（特に歩隔の広がり，歩調の緩徐化と延長，方向転換の困難）は，転倒のリスクと相関している[90, 91]。

振戦 **T**remor・拘縮 **R**igidity・無動 **A**kinesia・姿勢の不安定 **P**ostural instability (**TRAP**) の徴候について評価する。

これらは Parkinson 病で最も頻繁にみられる所見である[92]。Parkinson 病の振戦は振動数が少なく，安静時に起こり，丸薬まるめ様(pill-rolling)運動がみられる。Parkinson 病は，ストレスによって悪化し，睡眠中や活動時には症状は起こらない。

最も特徴的な臨床徴候である動作緩慢に加えて，小字症，引きずり歩行（すくみ足），椅子からの立ち上がりにくさも観察する。

所見の記録

所見を記録する際，最初は文章を用いるかもしれないが，慣れてくれば慣用的な記述を用いるようになる。多くの診療記録によく用いられる表現法を以下に示す。下記の身体診察の記録を通読していくと，いくつかの非典型的な所見に気づくであろう。自分自身で気づけるかどうかテストしてみるとよい。高齢者の診察に関してすべてを学んだ後で，これらの所見を解釈できるかどうか確かめてみるとよい。

所見の記録 | 異常例

高齢者の診察の記録

J氏は，筋肉の量も緊張度も良好で，健康そうにみえるが，過体重の高齢者である。彼は自分の生活歴に関して優れた記憶力をもち，意識清明で意思疎通が可能である。診察には彼の息子が付き添っている

- **バイタルサイン**：血圧 145/88 mmHg（右腕，仰臥位），154/94 mmHg（左腕，仰臥位），心拍数 98 回/分で整，呼吸数 18 回/分，体温（口腔温）37℃，身長（靴を脱いで）178 cm，体重（衣服込み）88 kg，BMI 28

- **10 分間老年病スクリーニング**
視力：患者は，読むのが難しいと訴える。視力は Snellen 視力表で両目とも 20/60
聴力：両耳ともに囁語が聞き取れない。両耳とも聴力検査計で 1,000 または 2,000 Hz の音が聴取できない
下肢の可動性：9 秒以内に，すばやく 3 m 歩き，向きを変え，戻ってきて，椅子に座ることができる
尿失禁：別々の日に 20 回尿失禁により下着を濡らしたことがある

眼鏡と補聴器を用いたさらなる評価を必要とする。

"DIAPPERS"の評価（p.1168），前立腺の診察，残尿測定〔ブラッダースキャン（超音波検査）またはカテーテル挿入を要する〕を含む，尿失禁のさらなる評価を必要とする。

栄養/体重減少：意図せず過去 6 カ月で約 7 kg の体重減少
記憶：1 分後に 3 つの項目を記憶している
うつ病：いつも悲しかったり，憂うつなわけではない
身体障害：早歩きはできるが，サイクリングはできない。中等度の家事はできるが，重労働の作業はできない。食料雑貨や衣類を買いに行ける。徒歩圏外の場所へ行ける。難なく毎日入浴できる。ボタンをとめ，ジッパーを閉め，服を着ることができ，靴をはける

体重減少を評価・監視する。栄養の評価を必要とする（p.1169）。

筋力トレーニングとともに運動療法を考慮する。

- **身体診察**
皮膚：
温かく湿潤。指先にばち状変化またはチアノーゼなし。頭頂の頭髪が薄い
頭部・眼・耳・鼻・咽喉（HEENT）：
　頭部：頭皮病変なし。頭蓋骨 NC/AT（外表上正常/非外傷性）
　眼：結膜はピンク色，強膜は混濁。瞳孔は 2 mm から 1 mm に縮小，正円，径は左右対称，対光反射，輻輳反射ともに正常。眼球運動正常。眼底は，出血や滲出物なし，乳頭辺縁明瞭。軽度の細動脈狭窄あり
　耳：鼓膜の光錐正常。Weber（ウェーバー）試験正中。気導（AC）≧骨導（BC）
　鼻：鼻粘膜はピンク色。副鼻腔の圧痛なし
　咽喉：口腔粘膜はピンク色。歯並び良好。齲歯あり。舌正中位，やや強い赤色。咽頭滲出物なし
頸部：
軟らかい。気管正中位。甲状腺はわずかに腫大，結節なし
リンパ節：
頸部，腋窩，肘内側上顆，鼠径リンパ節腫脹なし
胸郭と肺：
対称性の胸郭。脊柱後弯あり。両肺とも拡張し，打診にて共鳴音。呼吸音は肺胞音。横隔膜は両側性に 4 cm 下がる

（続く）↗

↘(続き)

> **心血管系**：
> 頸静脈拍動は右房より 6 cm 上。頸動脈は，速脈で血管雑音の聴取なし。最強拍動点（PMI）は，第 5 肋間の胸骨中線上から 9 cm 外側。心尖部に粗い II/VI の全収縮期雑音が聴取され，腋窩に放散。その他雑音なし。S_3 なし。わずかな S_4 を聴取
> **腹部**：
> 平坦，腸音は正常。軟らかく，圧痛なし。腫瘤または肝脾腫なし。季肋部肝臓長は右鎖骨中線上で 7 cm，辺縁は滑らかで右肋骨縁で触知可。肋骨脊柱角の圧痛なし
> **泌尿生殖器**：
> 割礼（環状包皮切除）あり。陰茎病変なし。精巣は両側性に下垂，滑らか，腫瘤なし，圧痛なし
> **直腸**：
> 肛門括約筋機能は良好。腫瘤のない直腸円蓋。茶色の便で，便潜血反応陰性
> **四肢**：
> 温かく浮腫なし。ふくらはぎは柔軟
> **末梢血管系**：
> 拍動は，2+ で左右対称
> **筋骨格系**：
> 両膝関節に軽度の変形あり，大腿四頭筋の萎縮を伴う。両膝に捻髪音を自覚。すべての関節において可動域良好
> **神経系**：
> 人物，場所，時間における見当識正常。MoCA：29 点。第 II〜XII 脳神経正常
> **運動**：大腿四頭筋萎縮。筋のトーヌスは正常。筋力はすべて 4/5。急速変換運動，指鼻試験正常。歩隔の広い歩行。痛覚，触覚，位置覚，振動覚とも正常。Romberg（ロンベルグ）試験陰性。腱反射は 2+，左右対称で，足底反射では母趾は足底側に屈曲

健康増進とカウンセリング：エビデンスと推奨

健康増進とカウンセリングの重要事項

- いつスクリーニングを行うか
- 視覚・聴覚障害のスクリーニング
- 運動と身体活動
- 家庭内の安全と転倒予防
- 予防接種
- 癌スクリーニング
- 「3 つの D」の発見（せん妄，認知症，うつ病）
- 高齢者虐待

いつスクリーニングを行うか

80 歳以上まで生きる成人が増えるにつれて，スクリーニングに関する判断はより複雑となり，判断材料となるエビデンスもより限られる[93,94]。高齢者はそれぞれ生理学的に異なる特徴をもっており，多くの高齢者は数多くの慢性疾患を有

健康増進とカウンセリング：エビデンスと推奨

する一方，障害が遅れて生じるか，障害を有しない高齢者もまた多くいる。さらに，「老化の成功例」における機能水準は必ずしも慢性疾患の数と相関せず，予防的サービスの提供・活用は地域によって大きく異なる[95]。ワクチン推奨や転倒予防に関してはある程度コンセンサスが得られているが，個別疾患のスクリーニングに関しては議論が絶えない。**原則として，各高齢者にどのスクリーニングを実施するかの判断は，年齢だけでなく，併存疾患の有無を含む健康や機能状態にもとづくべきである**[96,97]。このアプローチは図 27-12 において図示されている。縦軸は 65 歳以上人口の健康状態分布を，横軸が個別指標の重要性の変化を表す。

米国老年医学会はスクリーニングに関する判断において 5 段階のアプローチを推奨している[98]。

1. 患者の希望を評価
2. 既存のエビデンスを解釈
3. 予後予測
4. 治療の実現可能性を検討
5. 治療法やケア計画を最適化

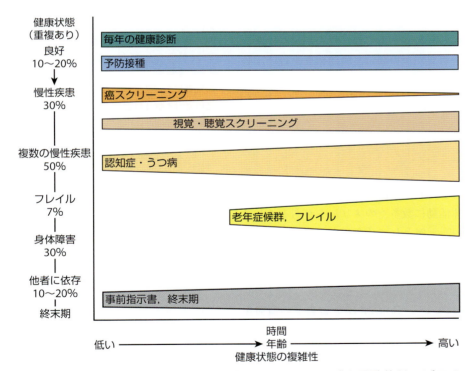

図 27-12 高齢者の機能状態にもとづくスクリーニングや予防的サービスの役割[94]

患者の余命が短い場合は，残っている時間に効果がみられる治療を優先する。複数の臨床問題，短い余命または認知症を有する高齢者の負担を過度に増やすようなスクリーニングは回避することを検討する。患者が治療を希望しない場合でも，予後予測や計画を支援する検査は正当と考えられる場合もある。

視覚・聴覚障害のスクリーニング

65～69歳の成人のうち1%が視覚障害を有し，80歳以上では17%に上昇する。65歳以上の成人の約1/3が難聴を有し，80歳以上では80%に上昇する。米国国勢調査局の米国地域調査によると，65歳以上の成人の7%が視覚障害，15%が難聴による問題を報告している[99]。

米国予防医療専門委員会(USPSTF)は高齢者の難聴[100]または視力低下[101]のスクリーニングに関するエビデンスが不十分(グレードI)と発表している一方，視力や聴力が日常生活に不可欠であることから，これらのスクリーニングを推奨する老年病専門医もいる。これらは**10分間老年病スクリーニング**の重要な要素である。

- 視力検査表を用いて客観的に視力を検査すること。

- 患者に聴力低下を自覚しているかたずねる。自覚があるか，返答が曖昧である場合は聴力検査の適応とすべきである。自覚がない場合，囁語検査を行い，必要に応じてより正式な検査に進む。

視力低下と緑内障に関する高齢者スクリーニングについては，第12章「眼」のp.390を参照。
高齢者における難聴スクリーニングについては第13章「耳と鼻」(p.417～419)を参照。

運動と身体活動

運動は健康的な老化を促進する最も効果的な方法の1つである。フレイル状態にある高齢者を含め，高齢者における身体活動に数多くのメリットがあることは豊富なエビデンスで立証されている[93, 102-105]。例として「全死亡，機能または役割制限・転倒・高血圧・糖尿病・大腸癌・乳癌リスクの低下，認知機能・身体機能・生活の質・歩行速度・バランス感・日常生活動作の改善」および認知機能の維持があげられる[93]。推奨では有酸素運動と主要筋肉群の強化に向けた段階的抵抗運動トレーニングの重要性が強調されている(Box 27-8)。監督下の個別化された運動計画のメリットは，多くの場合，関節痛，転倒，心血管イベントなどのリスクを上回る。

第6章「健康維持とスクリーニング」の「健康的な食事と身体活動」(p.178～180)を参照。

健康増進とカウンセリング：エビデンスと推奨　　　　　　　　　　　　　　　異常例

Box 27-8　高齢者の運動に関する米国疾病対策センター（CDC）の推奨[106]

成人は最低でも以下の運動を要する
- 毎週2時間半（150分）以上の中等度負荷の有酸素運動（例：早歩き），**かつ**
- 週2日以上の，すべての主要筋肉群（下肢，殿部，背部，腹部，胸部，肩，上肢）を用いる筋力増加活動

または
- 毎週1時間15分（75分）以上の高負荷の有酸素運動（例：ジョギング），**かつ**
- 週2日以上の，すべての主要筋肉群（下肢，殿部，背部，腹部，胸部，肩，上肢）を用いる筋力増加活動

または
- 同等の中等度負荷と高負荷の有酸素運動の組み合わせ，**かつ**
- 週2日以上の，すべての主要筋肉群（下肢，殿部，背部，腹部，胸部，肩，上肢）を用いる筋力増加活動

家庭内の安全と転倒予防

毎年，65歳以上の成人の約30％が転倒しており，その直接臨床費用は500億ドルにのぼる[107]。その多くは日常生活や自立性に影響を及ぼす股関節骨折や外傷性脳損傷を経験する。救急室に運ばれて死亡する原因として最も可能性が高いのは，庭や園芸器材，はしごや脚立，ヘアドライヤーや引火性の衣類のような家庭用品による外傷，そして浴室およびスポーツ外傷であるとされる。薄暗い照明，不便な高さの椅子，滑りやすかったり凹凸のある床など，危険な環境があれば改善するよう高齢者にすすめる（Box 27-9）。

> 多因子リスク評価と転倒防止の詳細については第23章「筋骨格系」（p.840〜841）を参照。

Box 27-9　高齢者が家庭内で安全に過ごすための秘訣[108]

- 明るい照明を設置し，カーテンやシェードは軽くする
- すべての階段に手すりと照明を設置する。通路の照明は明るくする
- 階段や通路に紙，本，服，靴などつまずく原因となる物を置かない
- 敷物や絨毯は取り除くか，両面テープで固定する
- 室内外を問わず靴を履く。裸足やスリッパを避ける
- 薬剤は安全に保管
- 頻繁に使う物は踏み台を使わずに容易に取り出せる引き出しなどに収納する
- 浴槽とシャワー室には手すりや滑らないマット，滑り止めシールを取りつける
- 損傷した電気プラグやコードを修理する
- 発煙時の警報器具を取りつけ，火災時の避難計画を立てる
- すべての銃器の安全を確保する
- 119番など一般的な緊急時の連絡先または緊急連絡先に連絡するためのアラート機器・システムを設置する

予防接種

米国では高齢者に対していくつかのワクチンがルーチンで推奨されている（Box 27-10）。最新の推奨に関しては米国疾病対策センター（CDC）が毎年更新するガイドラインや禁忌を参照（http://www.cdc.gov/vaccines）[109, 110]。

> 第6章「健康維持とスクリーニング」の「成人に対する予防接種のガイドライン」（p.187〜192）を参照。

Box 27-10　高齢者予防接種（2018年）[111]

- **インフルエンザワクチン**：年1回の高用量ワクチン
- **破傷風・ジフテリア・無細胞性百日咳（Tdap）ワクチン**
  成人期または小児期に破傷風トキソイド，減量ジフテリアトキソイド・無細胞性百日咳（Tdap）ワクチンの接種歴のない高齢者に単回投与
- **破傷風・ジフテリアトキソイド（Td）**：10年ごとにTdブースター投与
- **水痘ワクチン**：水痘に対する免疫が証明されない高齢者に対して4〜8週空けて2回投与
- **帯状疱疹ワクチン**：50歳以上の成人に，過去の帯状疱疹歴や帯状疱疹生ワクチン（ZVL）の接種歴を問わず，組換え帯状疱疹ワクチン（RZV）を2〜6カ月空けて2回投与
- **肺炎球菌ワクチン**：免疫が保たれている高齢者に**13価肺炎球菌結合型ワクチン**（PCV13，プレベナー13）を65歳以上で単回投与し，その1年以上後に**23価肺炎球菌莢膜多糖体ワクチン**（PPSV23，ニューモバックス23）を単回投与。65歳以上でPPSV23が投与された後，PPSV23の追加投与は行うべきではない

癌スクリーニング

高齢者における癌スクリーニング推奨に関する議論に決着はついていない。米国老年医学会は2015年に「余命や検査，過剰診断，過剰治療のリスクを考慮せずに乳癌，大腸癌，前立腺癌，肺癌のスクリーニングを推奨すべきではない」と発表した[112]。「老化または健康状態低下や身体障害により各種ガイドラインにあてはめにくくなり，エビデンスレベルも下がる」ため，前述の「いつスクリーニングを行うか」（p.1178）にもとづいた個別の判断が望ましい[94]。

年齢のみにもとづいて設定されたUSPSTFの推奨の概要についてはBox 27-11を参照。

Box 27-11　高齢者に対して推奨されるスクリーニング：USPSTF[113-118]

- **乳癌（2016年）**：50〜74歳の女性に2年ごとのマンモグラフィを推奨（グレードB）。75歳以上に関してはエビデンスが不十分（グレードⅠ）
- **子宮頸癌（2018年）**：通常のPapanicolaou塗抹検査で適切なスクリーニングを最近受け，正当なエビデンスにもとづく子宮頸癌のリスクが高くない場合，65歳以上の女性ではスクリーニングは**推奨されない**（グレードD）
- **大腸癌（2016年）**：50〜75歳の成人に対するスクリーニングを推奨（グレードA）。各スクリーニング手法を直接比較した研究がないことから，USPSTFは2016年の推奨に

（続く）

おいて，個別のスクリーニング手法より，死亡率低下に関するエビデンスを強調既存のスクリーニング戦略とその頻度として，10年ごとの大腸内視鏡検査，5年ごとのCTコロノグラフィ，1年ごとの免疫学的便潜血検査，1年ごとの高感度便潜血検査(FOBT)，1〜3年ごとの便DNA検査，5年ごとのS状結腸内視鏡検査があげられる。76〜85歳に対する定期的なスクリーニングは，純便益が限定的である可能性が中等度であることから，全身状態や過去のスクリーニング歴を考慮して個別に判断することを推奨（グレードC）

- **前立腺癌（2018年）**：55〜69歳男性に対する前立腺特異抗原(PSA)検査に関する判断は，純便益が限定的である可能性が中等度であることから，患者の価値観や希望を考慮して個別に行うことを推奨（グレードC）。患者と医療従事者はスクリーニングの施行判断の前に，その有益性や有害性について相談すべきである。70歳以上の男性においては予想される有害性が予想される有益性を上回るため，PSAによる検査は**推奨されない**
- **肺癌（2013年）**：喫煙歴(30 pack-years)を有する55〜80歳，および現喫煙者または過去15年以内に禁煙した患者に対しては，年1回の低用量CTスクリーニングを推奨する（グレードB）。禁煙期間が15年を超えた場合，予後を著しく制限する健康問題が生じた場合，または侵襲的な診断処置や根治的治療を受ける能力または意思が失われた場合には**スクリーニングを中止すべきである**
- **皮膚癌（2016年）**：医療者による全身皮膚診察に関して，有益性と有害性のバランスを評価するためのエビデンスは不十分である（グレードⅠ）

最近公表されているより複雑な枠組みでは「癌死リスクやスクリーニングにより有益・有害な結果につながる確率などの定量的情報と，各患者の価値観や希望などの定性的情報を総合的に判断する」と明記している[119]。米国内科学会は健康上の有益性，スクリーニング頻度，有害性や費用を考慮する高価値・低価値スクリーニング戦略を作成した（Box 27-12）[120]。

Box 27-12　65歳以上の成人における5種類の癌に対する低価値スクリーニング[120]

癌の種類	スクリーニング戦略	価値が低い（推奨しない）
乳癌	すべてのスクリーニング方法	75歳以上の高齢女性または65歳以上の全身状態不良で余命10年未満の高齢女性
子宮頸癌	すべてのスクリーニング方法	直近のスクリーニングで陰性だった65歳以上の高齢女性
大腸癌	すべてのスクリーニング方法	75歳以上の高齢者または65歳以上の全身状態不良で余命10年未満の高齢者
	大腸内視鏡検査	過去10年間以内の大腸内視鏡検査または5年間以内のS状結腸内視鏡検査で異常がなかった（腺腫がなかった）65〜74歳の高齢男性
前立腺癌	前立腺特異抗原(PSA)検査	検査の有益性や有害性に関する詳細な説明を受けておらず，または説明後検査を明確に希望していない65〜69歳の高齢男性 69歳以上の高齢男性または65〜69歳の全身状態不良で余命10年未満の高齢男性

皮膚癌スクリーニングの詳細は第10章「皮膚，毛髪，爪」(p.311)，乳癌は第18章「乳房と腋窩」(p.618〜621)，大腸癌は第19章「腹部」(p.665〜667)，子宮頸癌は第21章「女性生殖器」(p.730〜731)，前立腺癌は第22章「肛門，直腸，前立腺」(p.752〜754)を参照。

「3つのD」の発見（せん妄，認知症，うつ病）

せん妄と認知症は臨床の場で以前より頻繁にみられるようになっており，わずかな徴候が認められることもある。認知機能や精神状態の評価において注意すべきである。うつ病，認知機能低下，意識変容の鑑別は困難であることも少なくない。

せん妄

せん妄 delirium は急性の錯乱状態であり，急性発症で経過中に変動がみられ，注意散漫やときに意識変容も生じる。入院時に約11〜25％の高齢者はせん妄状態にあり，入院時にせん妄がない高齢者のうちさらに29〜31％が入院中に発症する[121]。せん妄の発症リスクは，背景疾患と直近の増悪因子の両方に影響される。リスクを有する患者のスクリーニングツールとして **Confusion Assessment Method(CAM)** が推奨される。認知機能低下が一貫して最もよく認められる危険因子であることは覚えておくべきである。

臨床の場でせん妄に対処し，望ましくない転帰を避けるために，米国国立衛生研究所(NIH)は重要増悪因子に対する多職種チームによる多様な介入を提案するせん妄予防ガイドラインを発行している[122]。

> 第9章「認知，行動，精神状態」のBox 9-11「CAM診断アルゴリズム」(p.275)を参照。

認知症

認知症 dementia は日常生活動作を妨げる記憶力や認知機能の低下である[123]。DSM-5 ではせん妄と同じく **神経認知障害 neurocognitive disorder** という新分類に含まれる。この再分類の目的の1つは，認知症に対する先入観を減らすことである。最も頻度が高いのは Alzheimer 病(65歳以上の米国高齢者500万人に影響を及ぼす)，Lewy(レビー)小体型認知症，前頭側頭型認知症である[123]。認知症の診断にはせん妄とうつ病の除外を要する。軽度の神経認知疾患(軽度認知障害とも呼ばれる)と認知機能の正常加齢性変化を鑑別することも難しい。認知症患者のうち甲状腺機能低下症，薬物の副作用，正常圧水頭症，うつ病など可逆的要素を有するのは2％未満と非常に少ない。

メタ分析において Alzheimer 病発症の修正可能な危険因子として運動不足，うつ病，喫煙，中年時の高血圧または肥満，知的活動の低下，低い教育水準，糖尿病があげられている[124]。一方，NIHによる2011年のレビューでは「Alzheimer 病発症リスクの低下と修正可能因子との関連性について，中等度以上の科学的根拠を有するエビデンスは現時点で存在しない」としている[125]。

> 第9章「認知，行動，精神状態」のBox 9-10「認知機能低下の範囲」(p.274)参照。
>
> 表 9-3「神経認知障害：せん妄と認知症」(p.279)，表 9-7「認知症スクリーニング：Mini-Cog」(p.284)，表 9-8「認知症スクリーニング：Montreal Cognitive Assessment(MoCA)」(p.285)を参照。

健康増進とカウンセリング：エビデンスと推奨

認知機能の変化を発見した場合，今後の患者ケアを計画するにあたっていくつかのステップを踏むことが有用である（Box 27-13）。

Box 27-13　認知機能変化を有する患者に対するケア

- **追加の情報**：家族や介護人から追加の情報を得る
- **神経心理学テスト**：公式な神経心理学テストを考慮する
- **要因**：薬物，代謝異常，うつ病，せん妄，薬物乱用，糖尿病や高血圧による血管リスクを含むその他臨床的問題や精神疾患による寄与についても精査する
- **介護人**：介護人の抱える課題について家族と協議する。National Institute on Aging のウェブサイト（https://www.nia.nih.gov/health/topics/caregiver-health/）は特に「Alzheimer 病におけるケア」に有用である[126]。自宅での安全対策を復習する
- **認知症の運転者**：州それぞれが制定している認知症の運転者の届け出に関する法律を学ぶ。運転をする認知症患者に関しては 2010 年に更新された米国神経学会 American Academy of Neurology のエビデンスにもとづく指針や，米国医師会 American Medical Association をはじめとする数多くの専門機構が発行するガイドラインを参照する。認知機能評価を交通安全と結びつける定量的なエビデンスが不足していることに留意すべきである[127]。2013 年のコクランレビューでは認知機能低下患者の運転を禁止することの弊害を詳細に取り上げ，拙速な免許停止判断はうつ病や社会的離脱につながる可能性を示唆している[128, 129]。このレビューでは運転する認知症患者に関して，神経心理学評価や路上評価が運動能力の維持や安全性の向上につながることを示す良好なエビデンスはないと結論づけている。検証された検査法が確立されていないことから「危険な運転をする認知症患者を外来で効果的に特定する」評価ツールの開発に向けた研究を行い，免許停止基準となりうる機能の変化を見極めることが必要であるとも述べている
- **事前指示書**：患者が活発な意思決定を行えるうちに，医療代理人の指名，代理権・医療代理権，事前指示書に関して患者・家族間で検討するよう促す

うつ病

うつ病 depression は健康な在宅高齢者の 5〜7％，高齢男性の約 10％，高齢女性の 18％でみられる一方，診断または治療がなされない，または治療が不十分であることが多い[130]。複数の併存疾患を有する患者または入院患者において有病率はより高くなる。65 歳以上のうつ病男性では自殺のリスクが高まるため，特に注意して評価する必要がある。運動，支援・グループ療法，薬物などで高齢者を適切に治療することにより死亡率が低下し，余命が延長される[131]。USPSTF は一般成人人口のスクリーニングを推奨（グレード B）[132] している。正確な診断，有効な治療，適切なフォローアップを担保する十分な体制を整えたうえで実行すべきである。よく使われるうつ病スクリーニングのツールとして **Patient Health Questionnaire（PHQ）**や高齢者向けの **Geriatric Depression Scale** などがある。

異常例

第 2 章「面接，コミュニケーション，対人関係スキル」の「精神状態または認知能力に変化がある患者」（p.65〜66）を参照。

第 9 章「認知，行動，精神状態」の「うつ病のスクリーニング」（p.271〜272）参照。

高齢者虐待

予想されうるあらゆる**高齢者虐待**の可能性〔暴力（身体的に危害を加える），無視，搾取，放棄など〕がないかどうかスクリーニングを行う。高齢者虐待は対象となる集団によって異なるが，高齢者の5〜10％に及んでおり，うつ病と認知症の高齢者ではさらに高い[133,134]。報復の怖れ，虐待を報告するために要する身体的能力または認知能力の不足，虐待者（そのうち9割は家族）をさらしたくないという意思などにより発見されないことが多い。「自身の健康や安全を脅かす高齢者の行動」を指す**セルフネグレクト（自己放任）**は全国規模の問題に発展しており，成人保護サービス相談の半数以上を占める。

USPSTFは2018年のレビューにおいて，高齢または脆弱な成人への徴候や症状がみつからない虐待をプライマリケアにおいて特定するための有効かつ信頼できるスクリーニングツールはなく，スクリーニングを推奨するにはエビデンスが不十分であるとした（グレードⅠ）[135]。そのため，注意深い病歴聴取と常に虐待の可能性を念頭に置いた診療が重要である。

表 27-1　加齢に伴う正常な解剖学的・生理学的変化と関連する疾患の転帰[135]

正常な解剖学的・生理学的変化	臨床徴候と転帰
心血管系 ● 心筋細胞肥大とこれらの代謝低下によるコラーゲン沈着を伴う左室壁肥厚[1,2] ● 心筋肥厚およびリポフスチン沈着，脂肪浸潤，線維化[2] ● 左房の拡張[3] ● 10年ごとにペースメーカ細胞が約10％減少[4] ● 線維化の増加，心筋細胞の肥大，カルシウム沈着[5] ● 動脈壁の拡張，弾性，硬化の増加および受容体を介する薬物への感受性低下[6-8] ● 末梢抵抗の増加と中心動脈コンプライアンスの低下[6-8]	1. 拡張早期の心臓充満の低下，心臓充満圧の増加，呼吸困難の閾値低下 2. 左室壁の硬化とそれに伴う S_4 3. 孤立性心房細動 4. 洞静止または頻脈徐脈症候群 5. PR間隔の延長，QRSの延長，右脚ブロック 6. アテローム性動脈硬化症 7. 収縮期高血圧 8. 脳卒中
呼吸器系 ● 実質内の弾性線維の数と弾力性の低下（後者はコラーゲン量の低下によるものも含む）[1,2,4] ● 絨毛活動の効果の低下[3] ● 胸郭の硬化とコンプライアンス低下[3] ● 呼吸筋と横隔膜の減弱，うち後者は約25％減弱[3,5,7] ● 努力呼気肺活量と努力肺活量の減少（80歳までに30％）[6,7] ● 残気量が毎年約20 mL増加[6,7]	1. 肺の弾性収縮力が徐々に低下 2. 気道の縮小，下肺野における気道虚脱 3. 呼吸器感染症への脆弱性の進行 4. 安静呼吸（非努力性）の低下 5. 努力呼吸（努力性）の低下 6. 換気/血流不均衡による PaO_2 の低下〔許容される $PaO_2 = 100 - (0.32 \times 年齢)$〕 7. 肺予備能と運動耐容能の低下
消化器系 ● 舌の静脈瘤の増加[1] ● 唾液産生の減少[1] ● 食道の非蠕動性自発収縮の増加[2] ● 胃酸産生の減少[3,4] ● 胃酸クリアランスの低下[5] ● 脂肪分が多い食事摂取後の胃内容排泄の遅延により，腹部膨満感が延長[6] ● 腸管関連リンパ組織の減少[7] ● 大腸粘膜の萎縮[8] ● 腸管平滑筋の伸張強度の低下[8] ● 腸収縮の効果と直腸壁の感応度の低下[9] ● カルシウム吸収の低下[10] ● 大腸血管のアテローム形成[11] ● 肝臓の縮小と肝血流の低下[12] ● 膵質量と酵素貯蓄量の減少[13] ● 膵管の過形成[13] ● 膵嚢胞形成および腺房細胞への脂肪とリポフスチン顆粒の沈着の増加[13]	1. 口腔内感染と歯肉疾患の増加 2. 嚥下困難 3. 萎縮性胃炎（70歳以上における有病率は16％） 4. ビタミン B_{12} と鉄の吸収能低下 5. 胃食道逆流症 6. 食事による満腹感の増強 7. 胃粘膜障害に対する反応の減少。そのため胃潰瘍・十二指腸潰瘍のいずれのリスクも上昇 8. 憩室の増加 9. 頻回の便秘 10. 骨質量の減少 11. 慢性的腸管虚血 12. 代謝に第Ⅰ相反応を要する薬物のクリアランス低下 13. インスリン分泌の低下，インスリン抵抗性の増加
尿路系 ● 機能する尿細管の数と長さの低下[1] ● 尿細管憩室の増加と基底膜の肥厚[1] ● 血管パターンの変化，粥状硬化性変化，細動脈糸球体血流の変化，巣状の虚血性病変[2] ● クレアチニンクリアランスと糸球体濾過率の低下（後者は10年ごとに約10 mL減少）[3] ● 腎臓の濃縮・希釈能の低下[4] ● 血清レニンとアルドステロンが約30～50％減少[4] ● ビタミンD活性化の低下[5]	1. 浸透性と糖再吸収能の低下 2. 腎血流量低下と腎皮質血管の選択的な減少 3. 薬毒物排泄の低下（高齢者における薬物の腎排泄低下を考慮し，処方を注意深く検討する必要がある。代謝に第Ⅰ相反応を要する薬物の肝代謝も同時に低下している場合，特に注意深い用量調整を要する） 4. 体液・電解質異常による体液量減少・脱水，高カリウム血症，ナトリウム・カリウムの排泄や保持能の低下 5. ビタミンD欠乏症

表 27-1　加齢に伴う正常な解剖学的・生理学的変化と関連する疾患の転帰[135]（続き）

正常な解剖学的・生理学的変化	臨床徴候と転帰
免疫系・血液系 ● 活性化のためにより多くの刺激と時間を要するなど，機能の平均的な低下[1] ● T 細胞機能の低下[1] ● ナイーブ T 細胞の減少とメモリ T 細胞の増加[2] ● B 細胞機能の緩徐な低下[3] ● 新規抗原に対するナイーブ B 細胞の反応の低下[2] ● 胸腺の萎縮[4-6] ● 造血幹細胞の自己複製能力の消失[7] ● 赤血球産生と赤血球への鉄取り込み速度の減少[8]	1. 感染に対する一次・二次反応の低下 2. 新規病原体に対する免疫反応を惹起する能力の低下 3. 異常抗体の産生 4. T リンパ球の産生と機能の低下 5. ナチュラルキラー細胞の増殖低下 6. B 細胞の成熟化に必要なサイトカインの産生低下 7. 免疫系の機能不全 8. 平均ヘモグロビン値とヘマトクリット値の軽度低下
感覚器 **視覚** ● 眼窩周囲の脂肪組織の減少[1-3] ● 眼瞼の弛緩[1-3] ● 水晶体の肥厚・黄変と脂質浸潤の蓄積（角膜老人環）[4] ● 虹彩の線維化の増加[5] ● 水晶体の前に中心上皮細胞が常に形成されることによる水晶体の肥大と硬化[6] ● 水晶体の環状層の進行性増加[7] ● 中心領域の圧迫による硬化と不透明化[7] ● 流涙の減少 **聴覚** ● 鼓膜の肥厚と弾力性低下，これに伴う耳小骨の構音効率の低下[9] ● 弾力性低下，これに伴う耳小骨の構音効率の低下[10] ● 中心処理能力障害の進行[11, 12] **嗅覚と口渇** ● 嗅覚が約 50% 減弱[13] ● 口渇の低下[14] ● エンドルフィンによる口渇管理の障害[14]	1. 眼球の陥没 2. 老人性眼瞼内外反 3. 結膜の脆弱性の増強 4. 角膜の透明性の低下 5. 眼の調節と暗順応の遅延（暗順応が年齢とともに低下するため，少ない光の中で物を認識するには 13 年ごとに倍の光量を要する） 6. 老視 7. 白内障形成の加速 8. ドライアイ症候群 9. 低周波音域に影響する伝音性難聴 10. 高周波音域の感音性難聴 11. 音源を特定する能力の低下 12. 標的音と騒音とを区別する能力の低下 13. 食べ物を楽しむ能力と食欲の低下 14. 脱水
皮膚 ● 皮膚の弾力性の低下[1] ● バリア機能の低下[2] ● 細胞置き換えの減速[3] ● 無効な DNA 修復[4] ● 機械的刺激からの保護の変化と知覚低下[5] ● 免疫と炎症反応の減少[6] ● 発汗と体温調整機能の低下[7] ● ビタミン D 産生の低下[8] ● 毛根のメラニン細胞の減少[9] ● 爪の成長の鈍化[10]	1. 皮膚の弛緩 2. 乾皮症 3. 粗造な皮膚と治癒の遅延 4. 光発癌の加速 5. 傷害に対する脆弱性の進行 6. 慢性的な軽度の感染，創傷治癒力の低下，およびこれに伴う外傷の遷延と脆弱な瘢痕形成 7. 異常高熱傾向と温冷への脆弱性の進行 8. 骨軟化症 9. 白髪 10. 爪がより厚く，割れやすく，不透明で黄色となり，爪甲縦条が生じる

表 27-1　加齢に伴う正常な解剖学的・生理学的変化と関連する疾患の転帰[135]（続き）

正常な解剖学的・生理学的変化	臨床徴候と転帰
神経系 **中枢神経系**[1-3] ● 脳の重量低下と脳血流の減少（約 20％）[1-3] ● 神経細胞の減少と機能低下[1-3] ● 脳神経細胞の水分減少と細胞膜の硬化[1-3] ● 細胞内膜構造の不規則化[1-3] ● リポフスチンと神経原線維変化の蓄積[1-3] ● ニューロンによる軸索と樹状突起の分枝形成能力の低下[4] **末梢神経系** ● 体性運動機能の加齢性変化[5] ● 活動電位と筋細胞収縮伝播の減速[6, 7] ● 筋収縮の最大出力の低下と弛緩の減速[7]	1. 70 歳以降，語彙が緩徐に減少し，言葉の意味の誤りや異常な韻律（prosody）が増加 2. 機能や重要記憶の想起に影響しない，重要でない領域の物忘れの増加 3. 80 歳以降，中央処理の減速により作業完了までにより多くの時間を要する 4. 運動制御の低下 5. 刺激可能な細胞の減少と筋収縮の最大出力の低下 6. 刺激到達，筋細胞収縮および動作開始までの時間がすべて延長 7. 速い動作時の最大筋力の低下
筋骨格系 **筋肉** ● 筋線維の減少（おもに II 型速筋）[1] ● 筋組織が失われ，硬い線維性組織に置き換えられる[2] **骨** ● ビタミン D 吸収の低下による骨芽細胞の減少[3] ● 骨芽細胞と破骨細胞による骨形成とモデリングの低下により，骨の微細構造が障害される[3-6] **関節** ● 関節軟骨の厚み低下（非関節軟骨では生じない）[8] ● コラーゲンの硬化に伴う軟骨マトリックスの不規則性[7]	1. 筋質量の低下（サルコペニア）による除脂肪体重の低下 2. 手が細く骨張ってみえる 3. 骨がもろくなる 4. 骨折しやすくなり，治癒も遅い 5. 骨粗鬆症 6. 亀背 7. 力学的ストレスへの対応力の低下 8. 炎症，疼痛，固縮，変形を含む関節破綻 9. 全体的な動作の制限と低下 10. 腕のふり幅と歩行の安定性の低下
内分泌系 **下垂体** ● ほとんど変化はないが，平均的にみるとプロラクチンの夜間拍動性分泌を含む拍動性分泌パターンが低下[1, 2] **松果体** ● 日内メラトニンリズムの低下[3, 4] **甲状腺** ● 線維化の増加と結節形成を伴う萎縮[5] ● 特に高齢な患者における T4 産生の低下（正常の老化では，T4 産生が減っても血中サイロキシン濃度は一定）[5] **副甲状腺** ● 40 歳以上の女性では副甲状腺ホルモンが増加し代謝が低下するため，活性型ビタミン D が低下し，骨塩の恒常性に変化が生じる[6] **副腎** ● アルドステロン分泌に中等度の低下[7] ● 閉経後女性におけるアンドロゲン分泌の増加[8] **胸腺** ● 免疫機能の低下[9] **男性生殖腺** ● エストロゲンとプロゲステロンの大幅低下[11] ● 70 歳以降は，レプチンの低下[12]	1. 多数の構造の縮小 2. 除脂肪体重対脂肪比率の低下 3. 不眠症 4. フリーラジカルに対する防御能の欠乏 5. 甲状腺機能亢進症・低下症の増加 6. ビタミン D 欠乏症 7. 起立性低血圧 8. 閉経後女性の男性化 9. 免疫機能低下による感染や癌発症リスクの上昇 10. 皮膚・毛髪・筋肉・骨の変化およびレプチン増加にもかかわらず体脂肪が低下 11. 皮膚の変化，LDL コレステロールの増加，骨塩の低下 12. 体脂肪の低下

表 27-2　高齢者の医療面接：文化的に適切な医療をめざして[136, 137]

文化的側面	面接例
個人の文化的アイデンティティ	あなたやあなたの家族の出身はどこですか？ あなたの祖先（ルーツ）はどこにつながりますか？ あなたとあなたの両親の間，またはあなたとあなたの大切な人との間に文化的な違いがありますか？ 特定のルーツの人に対して強いつながりを感じますか？　そうであるなら，それはどのような人ですか？ どんな食べ物を食べますか？ どの休みについて祝いますか？ どんな言語で話しますか？ 誰とその言語で話しますか？ 私とどの言語で話したいですか？ どんな活動を楽しんでいますか？ ニュースや娯楽は何から得ていますか？ それは時間とともに変わってきましたか？
それぞれの疾患に関する文化的な説明	今あなたが抱えている問題は何であるかを，あなた自身が，あるいは誰かが知っていますか？ なぜ，それがあなたに起こっていると思いますか？ それをよりよくしたり悪くしたりするものは何だと思いますか？ それはいつはじまりましたか，またいつよくなると思いますか？ あなたが知っている人で，同じ問題が起こったことがありましたか？ その問題によって，あなたやあなたの家族，友人がやりたいと希望していたどのような活動が妨げられましたか？ この問題について助けてもらうために，他に誰に会いましたか？ この問題についてあなたが信頼して手助けしてもらっている誰かと，私は話したほうがいいですか？
心理学的環境に関連した文化的な要素と機能のレベル	あなたと一緒に住んでいるのは誰ですか？ 彼らはあなたの問題について助けることができますか？ 誰か他にあなたを助けてくれる人はいますか？ その問題をよくしたり悪くしたりしている原因が何かありますか？ この問題はあなたの人生にどんな影響を与えてきましたか？ それによってあなたは働けなくなっていますか？ 移動，身だしなみ，食事，睡眠について困ったことはありませんか？ あなたと親しい人々はあなたがどう感じているか理解してくれていますか？
医師患者関係の文化的要素	あなたがその問題について私に話した場合，あなたの友人または家族が気分を害すると思いますか？ あなたにより安心していただけるために，私に何かできることがありますか？ どのくらいの頻度で受診することができますか？ 治療に対する希望や心配な点はありますか？ 薬物治療について何か考えがありますか？ あなたが答えてくださったことをあなたが信用する他の誰かと共有してもいいですか？

文献一覧

1. World Health Organization. *World report on ageing and health*. Geneva, Switzerland; 2015. Available at www.who.org. Accessed November 10, 2018.
2. Older Americans 2016: Key Indicators of Well-Being. Available at https://agingstats.gov/docs/LatestReport/Older-Americans-2016-Key-Indicators-of-WellBeing.pdf. Accessed November 9, 2018.
3. Centers for Disease Control and Prevention, U.S. Department of Health and Human Services. Health, United States, 2013. DHHS Publication No. 2014-1232, 2013. Available at http://www.cdc.gov/nchs/data/hus/hus13.pdf#018. Accessed November 10, 2018.
4. Sabia S, Singh-Manoux A, Hagger-Johnson G, et al. Influence of individual and combined healthy behaviours on successful aging. *CMAJ*. 2012; 184: 1985-1992.
5. Davy C, Bleasel J, Liu H, et al. Effectiveness of chronic care models: opportunities for improving healthcare practice and health outcomes: a systematic review. *BMC Health Serv Res*. 2015; 15: 194.
6. Partnership for Health in Aging Workgroup on Interdisciplinary Team Training in Geriatrics. Position statement on interdisciplinary team training in geriatrics: an essential component of quality health care for older adults. *J Am Geriatr Soc*. 2014; 62: 961-965.
7. Bodenheimer T, Wagner EH, Grumbach K. Improving primary care for patients with chronic illness. *JAMA*. 2002; 288: 1775-1779.
8. Institute of Medicine. *Crossing The Quality Chasm: A New Health System For The 21st Century*. Washington, DC: National Academy Press; 2011.
9. Reuben DB, Tinetti ME. Goal-oriented patient care — an alternative health outcome paradigm. *N Engl J Med*. 2012; 366: 777-779.
10. Quinlan N, O'Neill D. "Older" or "elderly" — are medical journals sensitive to the wishes of older people? *J Am Geriatr Soc*. 2008; 56(10): 1983-1984.
11. Cozma, Raluca. Media Takes: on Aging. International Longevity Center — USA. 2009. Available at http://www.ilc-alliance.org/images/uploads/publication-pdfs/Media_Takes_On_Aging.pdf. Accessed November 10, 2018.
12. Carlson C, Merel SE, Yukawa M. Geriatric syndromes and geriatric assessment for the generalist. *Med Clin North Am*. 2015: 99: 263-279.
13. Frontera WR. Physiologic changes of the musculoskeletal system with aging: a brief review. *Phys Med Rehabil Clin N Am*. 2017; 28(4): 705-711.
14. Smith WCS. Hypertension in the elderly: an opportunity to improve health. *Proc R Coll Physicians Edinb*. 1999; 29: 211-213.
15. Kane EL, Ouslander JG, Abrass IB, et al. Chapter 3: Evaluating the geriatric patient. In: *Essentials of Clinical Geriatrics*. 7th ed. New York: McGraw-Hill Medical; 2013.
16. Morley JE, Tolsen DT. Chapter 3: The physiology of aging. In: Vellas BJ, Pathy MS, Sinclair A, et al., eds. *Pathy's Principles and Practice of Geriatric Medicine*. 5th ed. Oxford: John Wiley & Sons, Inc.; 2012: 33.
17. Otto CM, Lind BK, Kitzman DW, et al. Association of aortic-valve sclerosis with cardiovascular mortality and morbidity in the elderly. *N Engl J Med*. 1999; 341(3): 142-147.
18. Morley JE, Tolsen DT. Chapter 9: Sexuality and aging. In: Vellas BJ, Pathy MS, Sinclair A, et al., eds. *Pathy's Principles and Practice of Geriatric Medicine*. 5th ed. Oxford: John Wiley & Sons, Inc.; 2012: 93.
19. Gorina Y, Schappert S, Bercovitz A, et al. Prevalence of incontinence among older Americans. National Center for Health Statistics. *Vital Health Stat*. 2014; (36): 1-33. Available at http://www.cdc.gov/nchs/data/series/sr_03/sr03_036.pdf. Accessed November 10, 2018.
20. Hollingsworth JM, Wilt TJ. Lower urinary tract symptoms in men. *BMJ*. 2014; 349: g4474.
21. Evans WJ. Sarcopenia should reflect the contribution of ageassociated changes in skeletal muscle to risk of morbidity and mortality in elderly people. *J Am Med Dir Assoc*. 2015; 16: 546-547.
22. Demonet JF, Celsis P. Chapter 5: Aging of the brain. In: Vellas BJ, ed. *Pathy's Principles and Practice of Geriatric Medicine*. 5th ed. John Wiley & Sons, Inc.; 2012: 49.
23. O'Keefe J. Creating a Senior Friendly Physical Environment in our Hospitals. The Regional Geriatric Assessment Program of Ottawa. Available at http://www.rgpeo.com. Accessed October 28, 2018.
24. Rosen SL, Reuben DB. Geriatric assessment tools. *Mt Sinai J Med*. 2011; 78: 489-497.
25. Bhatia LC, Naik RH. Clinical profile of acute myocardial infarction in elderly patients. *Cardiovasc Dis Res*. 2013; 4: 107-111.
26. Papaleontiou M, Haymart MR. Approach to and treatment of thyroid disorders in the elderly. *Med Clin North Am*. 2012; 96: 297-310.
27. Koroukian SM, Warner DF, Owusu C, et al. Multimorbidity redefined: prospective health outcomes and the cumulative effect of co-occurring conditions. *Prev Chronic Dis*. 2015; 12: E55.
28. Strandberg TE, Pitkälä KH, Tilvis RS, et al. Geriatric syndromes — vascular disorders? *Ann Med*. 2013; 45: 265-273.
29. Yeo G. How will the U.S. healthcare system meet the challenge of the ethnogeriatric imperative? *J Am Geriatr Soc*. 2009; 57: 1278-1285.
30. Jackson CS, Gracia JN. Addressing health and health-care disparities: the role of a diverse workforce and the social determinants of health. *Public Health Rep*. 2014; 129: 57-61.
31. Ng JH, Bierman AS, Elliott MN, et al. Beyond black and white: race/ethnicity and health status among older adults.

Am J Manag Care. 2014; 20: 239-248.

32. Centers for Disease Control and Prevention, U.S. Department of Health and Human Services. Percent of U.S. adults 55 and over with chronic conditions. 2009. Available at http://www.cdc.gov/nchs/health_policy/adult_chronic_conditions.htm. Accessed November 8, 2018.

33. Wooten JM. Rules for improving pharmacotherapy in older adult patients: part 1 (rules 1-5). *South Med J.* 2015; 108: 97-104.

34. Wooten JM. Rules for improving pharmacotherapy in older adult patients: part 2 (rules 6-10). *South Med J.* 2015; 108: 145-150.

35. American Geriatrics Society 2015 Beers Criteria Update Expert Panel. American Geriatrics Society 2015 updated beers criteria for potentially inappropriate medication use in older adults. *J Am Geriatr Soc.* 2015; 63(11): 2227-2246.

36. By the 2019 American Geriatrics Society Beers Criteria® Update Expert Panel. American Geriatrics Society 2019 Updated AGS Beers Criteria® for Potentially Inappropriate Medication Use in Older Adults. *J Am Geriatr Soc.* 2019; 67(4): 674-694.

37. Redmond P, Grimes TC, McDonnell R, et al. Impact of medication reconciliation for improving transitions of care. *Cochrane Database Syst Rev.* 2018; 8: CD010791.

38. Wang YP, Andrade LH. Epidemiology of alcohol and drug use in the elderly. *Curr Opin Psychiatry.* 2013; 26: 343-348.

39. Centers for Disease Control and Prevention. Cigarette Smoking — United States, 2006-2008 and 2009-2010, Table 1. Prevalence of current smoking among persons aged 12-17 years, by selected characteristics — National Survey on Drug Use and Health, United States, 2006-2010, in CDC Health Disparities and Inequalities Report — United States, 2013. *MMWR Suppl.* 62(3): 82. Available at http://www.cdc.gov/mmwr/pdf/other/su6203.pdf. Accessed October 28, 2018.

40. National Institute on Aging. Older Adults and Alcohol. Available at https://order.nia.nih.gov/sites/default/files/2018-01/older-adults-and-alcohol.pdf. Accessed October 28, 2018.

41. Esser MB, Hedden SL, Kanny D, et al. Prevalence of alcohol dependence among US adult drinkers, 2009-2011. *Prev Chronic Dis.* 2014; 11: E206.

42. American Geriatrics Society. Alcohol use disorders in older adults. AGS clinical practice guidelines screening recommendation. *Ann Long Term Care.* 2006; 14. Available at http://www.annalsoflongtermcare.com/article/5143. Accessed November 10, 2018.

43. Wilson SR, Knowles SB, Huang Q, et al. The prevalence of harmful and hazardous alcohol consumption in older U.S. adults: data from the 2005-2008 National Health and Nutrition Examination Survey (NHANES). *J Gen Intern Med.* 2014; 29: 312-319.

44. Bommersbach TJ, Lapid MI, Rummans TA, et al. Geriatric alcohol use disorder: a review for primary care physicians. *Mayo Clin Proc.* 2015; 90: 659-666.

45. Morley JE. Undernutrition in older adults. *Fam Pract.* 2012; 29(Suppl 1): i89-i93.

46. National Center for Chronic Disease Prevention and Health Promotion. *Centers for Disease Control and Prevention. Table 1, The national report card on healthy aging. How healthy are older adults in the United States.* Atlanta: Centers for Disease Control and Prevention, U.S. Department of Health and Human Services; 2013: 15. Available at http://www.cdc.gov/aging/pdf/state-aging-health-in-america-2013.pdf. Accessed November 10, 2018.

47. Collard RM, Boter H, Schoevers RA, et al. Prevalence of frailty in community-dwelling older persons: a systematic review. *J Am Geriatri Soc.* 2012; 60; 1487-1492.

48. Song X, Mitnitski A, Rockwood K. Prevalence and 10-year outcomes of frailty in older adults in relation to deficit accumulation. *J Am Geriatr Soc.* 2010; 58: 681-687.

49. Clegg A, Rogers L, Young J. Diagnostic test accuracy of simple instruments for identifying frailty in community-dwelling older people: a systematic review. *Age Ageing.* 2015; 44: 148-152.

50. O'Sullivan R, Mailo K, Angeles R, et al. Advance directives: survey of primary care patients. *Can Fam Physician.* 2015; 61: 353-356.

51. Torke AM, Sachs GA, Helft PR, et al. Scope and outcomes of surrogate decision making among hospitalized older adults. *JAMA Intern Med.* 2014; 174: 370-377.

52. Billings JA. The need for safeguards in advance care planning. *J Gen Intern Med.* 2012; 27: 595-600.

53. Swetz KM, Kamal AH. In the clinic. Palliative care. *Ann Intern Med.* 2012; 156: ITC2-1.

54. Moore AA, Siu AL. Screening for common problems in ambulatory elderly: clinical confirmation of a screening instrument. *Am J Med.* 1996; 100: 438-443.

55. Resnick NM, Yalla SV. Management of urinary incontinence in the elderly. *NEJM.* 1985; 313: 800-805.

56. Abrams P, Andersson KE, Apostolidis A, et al. 6th International Consultation on Incontinence. Recommendations of the International Scientific Committee: Evaluation and Treatment of Urinary Incontinence, Pelvic Organ Prolapse and Faecal Incontinence. *Neurourol Urodyn.* 2018; 37(7): 2271-2272.

57. Gillespie LD, Robertson MC, Gillespie WJ, et al. Interventions for preventing falls in older people living in the community. *Cochrane Database Syst Rev.* 2012; 9: CD007146.

58. James PA, Oparil S, Carter BL, et al. 2014 Evidence-based guidelines for the management of high blood pressure in adults: report from the panel members appointed to the eighth joint national committee (JNC8). *JAMA.* 2014; 311: 507-520.

59. Krakoff LR, Gillespie RL, Ferdinand KC, et al. 2014 hypertension recommendations from the eighth joint national committee panel members raise concerns for elderly black and female populations. *J Am Coll Cardiol.* 2014; 64: 394-402.

60. Benetos A, Rossignol P, Cherubini A, et al. Polypharmacy in the aging patient: management of hypertension in octogenarians. *JAMA*. 2015; 314: 170-180.
61. Bangalore S, Gong Y, Cooper-DeHoff RM, et al. 2014 Eighth Joint National Committee panel recommendation for blood pressure targets revisited: results from the INVEST study. *J Am Coll Cardiol*. 2014; 64: 784-793.
62. Weber MA, Bakris GL, Hester A, et al. Systolic blood pressure and cardiovascular outcomes during treatment of hypertension. *Am J Med*. 2013; 126: 501-508.
63. Kitzman DW, Taffet G. Kitzman DW, et al. Chapter 74: Effects of aging on cardiovascular structure and function. In: Halter JB, Ouslander JG, Tinetti ME, et al., eds. *Hazzard's Geriatric Medicine and Gerontology*. 6th ed. New York: McGraw-Hill; 2009.
64. Freeman R, Wieling W, Axelrod FB, et al. Consensus statement on the definition of orthostatic hypotension, neutrally mediated syncope and the postural tachycardia syndrome. *Clin Auton Res*. 2011; 21: 69-72.
65. Vijayan J, Sharma VK. Neurogenic orthostatic hypotension — management update and role of droxidopa. *Ther Clin Risk Manag*. 2015; 8: 915-923.
66. Sathyapalan T, Aye MM, Atkin SL. Postural hypotension. *BMJ*. 2011: 342: d3128.
67. Lal H, Cunningham AL, Godeaux O, et al. Efficacy of an adjuvant herpes zoster subunit vaccine in older adults. *N Engl J Med*. 2015; 372: 2087-2096.
68. Wilson JF. In the clinic. Herpes zoster. *Ann Intern Med*. 2011; 154: ITC31-15; quiz ITC316.
69. Perlmuter LC, Sarda G, Casavant V, et al. A review of the etiology, associated comorbidities, and treatment of orthostatic hypotension. *Am J Ther*. 2013; 20: 279-291.
70. National Eye Institute. Eyelid Disorders-Entropion and Ectropion. Available at https://nei.nih.gov/faqs/eyelid-disordersentropion-and-ectropion. Accessed November 8, 2018.
71. Addis VM, DeVore HK, Summerfield ME. Acute visual changes in the elderly. *Clin Geriatr Med*. 2013; 29: 165-180.
72. Borooah S, Dhillon A, Dhillon B. Gradual loss of vision in adults. *BMJ*. 2015; 350: h2093.
73. Liew G, Baker ML, Wong TY, et al. Differing associations of white matter lesions and lacunar infarction with retinal microvascular signs. *Int J Stroke*. 2014; 9: 921-925.
74. Wang JJ, Baker ML, Hand PJ, et al. Transient ischemic attack and acute ischemic stroke: associations with retinal microvascular signs. *Stroke*. 2011; 42: 404-408.
75. Vajaranant TS, Wu S, Torres M, et al. The changing face of primary open-angle glaucoma in the United States: demographic and geographic changes from 2011 to 2050. *Am J Ophthalmol*. 2012; 154: 303-314.e3.
76. Ratnapriya R, Chew EY. Age-related macular degeneration — clinical review and genetics update. *Clin Genet*. 2013; 84: 160-166.
77. Bagai A, Thavendiranathan P, Detsky AS. Does this patient have hearing impairment? *JAMA*. 2006; 295: 416-428.
78. Friedman PK, Kaufman LB, Karpas SL. Oral health disparity in older adults: dental decay and tooth loss. *Dent Clin North Am*. 2014; 58: 757-770.
79. Yellowitz JA, Schneiderman MT. Elder's oral health crisis. *J Evid Based Dent Pract*. 2014; 14(Suppl): 191-200.
80. Gibson PG, McDonald VM, Marks GB. Asthma in older adults. *Lancet*. 2010; 376: 803-813.
81. Coffey S, Cox B, Williams MJ. The prevalence, incidence, progression, and risks of aortic valve sclerosis: a systematic review and meta-analysis. *J Am Coll Cardil*. 2014; 63: 2852-2861.
82. Manning MJ. Asymptomatic aortic stenosis in the elderly: a clinical review. *JAMA*. 2013; 310: 1490-1497.
83. McDermott MM. Lower extremity manifestations of peripheral artery disease: the pathophysiologic and functional implications of leg ischemia. *Circ Res*. 2015; 116; 1540-1550.
84. Miller KL, Baraldi CA. Geriatric gynecology: promoting health and avoiding harm. *Am J Obstet Gynecol*. 2012; 207: 355-367.
85. Zendell K, Edwards L. Lichen sclerosus with vaginal involvement: report of 2 cases and review of the literature. *JAMA Dermatol*. 2013; 149: 1199-1202.
86. Mathias S, Nayak USL, Isaacs B. Balance in elderly patient: the "get up and go" test. *Arch Phys Med Rehabil*. 1986; 67: 387-389.
87. Podsiadlo D, Richardson S. The timed "up and go": a test of basic functional mobility for frail elderly persons. *J Am Geriatr Soc*. 1991; 39: 142-148.
88. Jankovic J. Gait disorders. *Neurol Clin*. 2015; 33: 249-268.
89. Lam R. Office management of gait disorders in the elderly. *Can Fam Physician*. 2011; 57: 765-770.
90. Panel on Prevention of Falls in Older Persons, American Geriatrics Society and British Geriatrics Society. Summary of the updated American Geriatrics Society/British Geriatrics Society clinical practice guideline for prevention of falls in older persons, 2010. *J Am Geriatr Soc*. 2011; 59: 148-157.
91. Moyer VA; U.S. Preventive Services Task Force. Prevention of falls in community-dwelling older adults: U.S. Preventive Services Task Force recommendation statement. *Ann Intern Med*. 2012; 157: 197-204.
92. Frank C, Pari G, Rossiter JP. Approach to diagnosis of Parkinson disease. *Can Fam Physician*. 2006; 52: 862-868.
93. Gestuvo MK. Health maintenance in older adults: combining evidence and individual preferences. *Mt Sinai J Med*. 2012; 79: 560-578.
94. Nicholas JA, Hall WJ. Screening and preventive services for older adults. *Mt Sinai J Med*. 2011; 78: 498-508.
95. Centers for Disease Control and Prevention. *Administration on Aging, Agency for Healthcare Research and Quality, Centers for Medicare and Medicaid Services. Enhancing Use of Clinical Preventive Services Among Older Adults*. Washington, DC: AARP; 2011. Available at http://www.cdc.gov/aging/pdf/Clinical_Preventive_Services_Closing_the_Gap_Report.pdf. Accessed November 10,

2018.
96. Eckstrom K, Feeny DH, Walter LC, et al. Individualizing cancer screening in older adults: a narrative review and framework for future research. *J Gen Intern Med*. 2013; 28: 292-298.
97. Leipzig RM, Whitlock EP, Wolff TA, et al. Reconsidering the approach to prevention recommendations for older adults. *Ann Intern Med*. 2010; 153: 809-814.
98. American Geriatrics Society Expert Panel on the Care of Older Adults with Multimorbidity. Patient-centered care for older adults with multiple chronic conditions: a stepwise approach from the American Geriatrics Society: American Geriatrics Society Expert Panel on the Care of Older Adults with Multimorbidity. *J Am Geriatr Soc*. 2012; 60: 1957-1968.
99. Administration on Aging. A profile of older Americans: 2017. Available at https://acl.gov/sites/default/files/Aging%20and%20Disability%20in%20America/2017OlderAmericans-Profile.pdf. Accessed November 10, 2018.
100. Moyer VA; U.S. Preventive Services Task Force. Screening for hearing loss in older adults: U.S. Preventive Services Task Force recommendation statement. *Ann Intern Med*. 2012; 157: 655-661.
101. U.S. Preventive Services Task Force. Draft Recommendation Statement Impaired Visual Acuity in Older Adults: Screening. 2015. Available at http://www.uspreventiveservicestaskforce.org/Page/Document/draft-recommendation-statement161/impaired-visual-acuityin-older-adults-screening. Accessed November 10, 2018.
102. Hötting K, Röder B. Beneficial effects of physical exercise on neuroplasticity and cognition. *Neurosci Biobehav Rev*. 2013; 37(9 Pt B): 2243-2257.
103. Buchman AS, Boyle PA, Yu L, et al. Total daily physical activity and the risk of AD and cognitive decline in older adults. *Neurology*. 2012; 78: 1323-1329.
104. Lee L, Heckman G, Mohar FJ. Frailty: Identifying elderly patients at high risk of poor outcomes. *Can Fam Physician*. 2015; 61: 227-231.
105. Chou CH, Hwang CL, Wu YT. Effect of exercise on physical function, daily living activities, and quality of life in the frail older adults: a meta-analysis. *Arch Phys Med Rehabil*. 2012; 93: 237-244.
106. Centers for Disease Control and Prevention. How much physical activity do older adults need? Physical activity is essential to healthy aging. Updated June 4, 2015. Available at http://www.cdc.gov/physicalactivity/basics/older_adults/index.htm. Accessed November 10, 2018.
107. Bergen G, Stevens M., Burns E. Falls and fall injuries among adults aged ≥ 65 years — United States, 2014. *MMWR Morb Mortal Wkly Rep*. 2016; 65: 993-998.
108. Health in Aging. Home Safety Tips for Older Adults: Tools and Tips. Updated September 23, 2013. Available at http://www.healthinaging.org/resources/resource:home-safetytips-for-older-adults/. Accessed November 8, 2018.
109. Centers for Disease Control and Prevention. Vaccine information statements. Available at http://www.cdc.gov/vaccines/hcp/vis/. Accessed November 10, 2018.
110. Kim DK, Bridges CB, Harriman KH. Advisory Committee on Immunization Practices recommended immunization schedule for adults aged 19 years or older: United States, 2015. *Ann Intern Med*. 2015; 162: 214.
111. Advisory Committee on Immunization Practices (ACIP). Recommended Immunization Schedule for Adults Aged 19 Years or Older, United States 2018. Available at https://www.cdc.gov/vaccines/schedules/hcp/adult.html. Accessed November 10, 2018.
112. American Geriatrics Society. Ten things physicians and patients should question — Choosing wisely, American Board of Internal Medicine, 2015. Available at http://www.choosingwisely.org/societies/american-geriatrics-society/. Accessed October 28, 2018.
113. U.S. Preventive Services Task Force. Recommendations for Breast Cancer: Screening. Available at https://www.uspreventiveservicestaskforce.org/Page/Document/RecommendationStatementFinal/breast-cancer-screening1. Accessed November 10, 2018.
114. U.S. Preventive Services Task Force. Recommendations for Cervical Cancer: Screening. Available at https://www.uspreventiveservicestaskforce.org/Page/Document/UpdateSummaryFinal/cervical-cancer-screening2. Accessed November 10, 2018.
115. U.S. Preventive Services Task Force. Recommendations for Colorectal Cancer: Screening. Available at https://www.uspreventiveservicestaskforce.org/Page/Document/UpdateSummaryFinal/colorectal-cancer-screening2. Accessed November 10, 2018.
116. U.S. Preventive Services Task Force. Recommendations for Prostate Cancer: Screening. Available at https://www.uspreventiveservicestaskforce.org/Page/Document/UpdateSummaryFinal/prostate-cancer-screening1. Accessed November 10, 2018.
117. U.S. Preventive Services Task Force. Recommendations for Lung Cancer: Screening. Available at https://www.uspreventiveservicestaskforce.org/Page/Document/Update-SummaryFinal/lung-cancer-screening. Accessed November 10, 2018.
118. U.S. Preventive Services Task Force. Recommendations for Skin Cancer: Screening. Available at https://www.uspreventiveservicestaskforce.org/Page/Document/UpdateSummaryFinal/skin-cancer-screening2. Accessed November 10, 2018.
119. Walter LC, Covinsky KE. Cancer screening in elderly patients — a framework for individualized decision making. *JAMA*. 2011; 285: 2750-2756.
120. Wilt TJ, Harris RP, Qaseem A. Screening for cancer: advice for high value care from the American college of physicians. *Ann Intern Med*. 2015; 162: 718-725.
121. Vasilevskis EE, Han JH, Hughes CG, et al. "Epidemiology and risk factors for delirium across hospital settings" Best practice & research. *Clinical Anaesthesiology*. 2012; 26(3): 277-287.

122. O'Mahony R, Murthy L, Akunne A, et al.; Guideline Development Group. Synopsis of the National Institute for Health and Clinical Excellence guideline for prevention of delirium. *Ann Intern Med*. 2011; 154: 746-751.
123. Centers for Disease Control and Prevention. What is dementia? Available at https://www.cdc.gov/aging/dementia/. Accessed January 23, 2020.
124. Barnes DE, Yaffe K. The projected effect of risk factor reduction on Alzheimer's disease prevalence. *Lancet Neurol*. 2011; 10: 819-828.
125. Daviglus ML, Bell CC, Berrettini W, et al. National Institutes of Health State-of-the-Science Conference statement: preventing Alzheimer disease and cognitive decline. *Ann Intern Med*. 2010; 153: 176-181.
126. National Institute on Aging. Alzheimer's Caregiving. Available at https://www.nia.nih.gov/health/alzheimers/caregiving. Accessed on November 8, 2018.
127. Rizzo M. Impaired driving from medical conditions: a 70-year-old man trying to decide if he should continue driving. *JAMA*. 2011; 305: 1018-1026.
128. Iverson DJ, Gronseth GS, Reger MA, et al. Practice Parameter update: evaluation and management of driving risk in dementia. Report of the Quality Standards Subcommittee of the American Academy of Neurology. *Neurology*. 2010; 74: 1316-1324.
129. Martin AJ, Marottoli R, O'Neill D. Driving assessment for maintaining mobility and safety in drivers with dementia. *Cochrane Database Syst Rev*. 2013; 8: CD006222.
130. Park M, Unützer J. Geriatric depression in primary care. *Psych Clin North Am*. 2011; 34: 469-487, ix-x.
131. Arean PA, Niu G. Choosing treatment for depression in older adults and evaluating response. *Clin Geriatr Med*. 2014; 30: 535-551.
132. Siu AL, Bibbins-Domingo K, Grossman DC, et al; U.S. Preventive Services Task Force (USPSTF). Screening for depression in adults US Preventive Services Task Force recommendation statement. *JAMA*. 2016; 315(4): 380-387.
133. Wang XM, Brisbin S, Loo T, et al. Elder abuse: an approach to identification, assessment and intervention. *CMAJ*. 2015; 187: 575-581.
134. Acierno R, Hernandez MA, Amstadter AB, et al. Prevalence and correlates of emotional, physical, sexual, and financial abuse and potential neglect in the United States: The National Elder Mistreatment Study. *Am J Public Health*. 2010; 100: 292-297.
135. U.S. Preventive Services Task Force, Curry SJ, Krist AH, et al. Screening for intimate partner violence, elder abuse, and abuse of vulnerable adults US Preventive Services Task Force final recommendation statement. *JAMA*. 2018; 320(16): 1678-1687.
136. Rughwani N. Normal anatomic and physiologic changes with aging and related disease outcomes: a refresher. *Mt Sinai J Med*. 2011; 78(4): 509-514.
137. Aggarwal NK. Reassessing cultural evaluations in geriatrics: insights from cultural psychiatry. *J Am Geriatr Soc*. 2010; 58(11): 2191-2196.

索引

欧文(数字,アルファベット),和文の順に収載。太字は詳述ページ,fは図,tは表を表す。

欧文索引

数字
1回拍出量 508
2点間の運動 899
5A,共同意思決定 212
6カ月健診,小児 1015
7の引き算,認知機能検査 267
10分間老年病スクリーニング 1166

A
A₂ 506, 532, 557t
ABC(Airway, Breathing, Circulation) 919
ABCDE-EFG法 305, **312**
abdomen **627**
abdominal mass 1047
abducens nerve 369
abscess 1051
absent reflex 907
absolute risk difference 210
acanthosis nigricans 615
acne 1070
acne vulgaris 337t
acquired immune deficiency syndrome (AIDS) 54, 143, 445t
acrocyanosis 978, 994
acromioclavicular joint 776
actinic keratosis 1169
actinic lentigine 1169
actinic purpura 1149
active listening **46**
activities of daily living(ADL) 110, 258, 770, 1162
acute abdomen 1047
acute arterial occlusion 588
acute epiglottitis 1040
acute gastroenteritis 1046
acute narrow-angle glaucoma 379
acute otitis media 1034
Adams前屈検査 1078
Addison病 335t
Adie瞳孔 398t
adnexa 711
advance care directive 1165
advance care planning 1165
advance directive **58**

adventitious lung sound 993
adventitious sound 473
adverse drug reaction 93
aerophagia 640
affect 261, 262
afferent fiber 864
afferent pupillary defect 388
afterload 509
age-related macular degeneration 390
air conduction(AC) 409, 885
Alagille症候群 998
alexithymia 262
Allenテスト 592
allergic reaction 93
allergic rhinitis 1036
allow natural death status 59
alopecia 301, 1150
alveolar mucosa 431
alveolus 459
Alzheimer病 273, 274, 1156
ambiguous genitalia 1004
amblyopia 1030
ambulatory blood pressure monitoring(ABPM) 233
ambulatory care clinic **109**
amenorrhea 716, 1077
American Sign Language(ASL) 68
amyotrophic lateral sclerosis(ALS) 874
anal condyloma 748
anal fissure 746, 1005
anal fistula 748
anal reflex 1010
anal skin tag 1051
analgesia 902
anesthesia 902
aneuploidy 1114
anhedonia 271
anisometropia 1030
ankle-brachial index(ABI) 579, 590
────の計算 591
ankle clonus 1011
ankle joint 828
ankyloglossia 989
ankylosis 772
annulus fibrosis 800
anorexia 639, 1070
anorexia nervosa 1076, 1077
anterior axillary line 456

anterior fontanelle 981
anterior horn 861
anterior horn cell 865
anticipatory grief 71
antihelix 407
anus 709, 743
anxiety disorder **253**
aorta 573
aortic regurgitation 231
aortic sclerosis 1153
aortic stenosis 1044
aortic valve 500
Apgarスコア 968, 969
aphasia 931t
aphonia 931t
aphthous ulcer 435
Apleyスクラッチテスト 784
apnea 464, 991
appendicitis 1051
appropriate for gestational age(AGA) 970
────児 972f
aqueous humor 365
arcus senilis 1170
Argyll Robertson瞳孔 398t
arousal 918
arrhythmia 233
arteriole 572
arthralgia 765
articular cartilage 761
asteatosis 1169
astereognosis 904
astigmatism 373
asymptomatic 166
asymptomatic bacteriuria 1134
ataxia 898, 1054
atrial septal defect 1072
atrioventricular(AV)valve 500
atrophy 867, 887
attention 267
attention deficit hyperactivity disorder(ADHD) 1055
attentive listening **46**
auricle 407
auscultatory gap 229
Austin Flint雑音 563t
autism 965
autonomic nervous system 863

axon 859
A型肝炎 663
A型肝炎ワクチン **191**
a波 511

B

Babinski反射 913
Babinski反応 1010
Bacillus cereus 671t
Barlowテスト 1006
barrel chest 466
Barrett食道 636
Bartholin腺 710, 722, 734t
basal cell carcinoma(BCC) 294
basal ganglia 860, 867
Beau線 334t
Beckwith-Wiedemann症候群 989
Bell麻痺 884
beneficience 27
benign fibroadenoma 1072
bereavement 71
bias **21**, 24, 209
Biot呼吸 490t
bisphosphonate 840
blind spot 366
Blount病 1007, 1052
body mass index(BMI) 173, 218, 224, 1027
——の分類 226
bone conduction(BC) 409, 885
borborygmi 649
Bouchard結節 792, 794, 851t
bow leg 821, 1007
brachial artery 229, 573
bradykinesia 867
brain 249
brainstem 860
Braxton Hicks収縮 1112
breast cancer 622t
breech presentation 970, 1124
bridging vein 575
Broca失語（症） 262, 931t
bronchial sound 472
bronchophony 475
bronchovesicular sound 472
Brudzinski徴候 915, 1041
bruit 356, 521
Brushfield斑 986, 1092t
buccal mucosa 434
Buerger病 591, 596t
bulbar conjunctiva 364
bulbar symptom 875

bulimia 1070
bulla 297
bullous myringitis 415
bursa **764**
B型肝炎 664, 1135
　　スクリーニング 1135
B型肝炎ワクチン **192**, 664

C

café-au-lait spot 977
CAGE質問法 97
calcium 838
Calgary-Cambridge Guides改訂版 5f
Campylobacter 671t
Candida 724
capillary 572
capillary refill time(CRT) 976
caput succedaneum 983
cardiac cycle **502**
cardiopulmonary resuscitation(CPR) 59
carotid artery 346
carotid bruit 1045
carpal tunnel syndrome 798
cartilaginous joint 763
cataract 383
cauda equina 863
cauda equina syndrome 769
Centor criteria 435
central cyanosis 978, 994
central nervous system(CNS) 249, **859**
central nervous system disease 985
cephalohematoma 982
cerebellar ataxia 900
cerebellum 860, 867
cerebral hemisphere 859
cerebral palsy 965, 1054
cerebrum 859
cerumen 407
cerval spine 799
cervical 862
cervical dilation 1108
cervix 710
Chadwick徴候 1108
Chagas病 335t
chemosis 378
cherry angioma 1170
Cheyne-Stokes呼吸 465, 490t
chief complaint(CC) 13, 85
childhood asthma 1042
Chlamydia trachomatis 723
chlamydial urethritis 692
chloasma 1118

choanal atresia 988
cholinergic diffuse modulatory system 250
chondromalacia 823
chordee 1003
chronic hypertension 1118
chronic obstructive pulmonary disease(COPD) 461
chronic venous insufficiency 586
Chvostek徴候 984
circuit 252
cleft palate 989
clitoris 709
clonus 912
Clostridioides difficile 640, 671t
Clostridium perfringens 671t
clubfoot 1008
coarctation of aorta 1000, 1045
coccygeal 862
coccyx spine 799
cochlea 409
coefficient of variation 208
cognition **266**
cognitive development **957**
Colles骨折 793
coloboma 986
colorectal cancer **665**
colostrum 1109
columnar epithelium 711, 736t
coma 918
comedone 1170
competence 28
comprehensive assessment 82
comprehensive examination 118
comprehensive health history 82
compulsion 254
concrete operational 1022
conductive hearing loss 409, 885, 1035
conductive phase 409
condylar joint 763
cone of light 408
confidentiality 27, 1064
Confusion Assessment Method(CAM) 275, 1184
congenital adrenal hyperplasia 1004
congenital anomaly 965
congenital cyst 990
congenital defect 988
congenital dermal melanocytosis 977
congenital ptosis 985
conjunctiva 364
constipation **641**, 1045

constitutional delay 1074
cornea 363
corneal reflex 922
corneal ulcer 371
corona of glans 689
corpus 711
Corrigan 脈 563t
corticobulbar tract 865
corticospinal system 865
corticospinal tract 860, 865
Corynebacterium diphtheriae 445t
costovertebral angle(CVA) 630
cough **462**
Cozen テスト 789
crackles 465, 473, 493t, 994
cranial nerve 863, 1009
craniotabes 983
cremasteric reflex 1047
crepitus 771
CREST 症候群 335t
Crohn 病 335t, 672t
crossed body adduction テスト 784
crossover テスト 784
crown 432
cryptorchidism 696, 1003, 1047
Cryptosporidium 属原虫 671t
CT コロノグラフィー 666
cultural humility **23**
Cushing 症候群 223, 360t, 648
Cushing 病 335t
cutis marmorata 977
cyanosis 292, 461, 976
cyst 622t
cystic fibrosis(CF) 421, 462, 1114
C 型肝炎 665

D

dacryocystitis 986
de Quervain 病 793
decisional capacity 28
deep tendon reflex 869
deep vein thrombosis(DVT) **580**
defining feature 145
dehydration 982
delayed puberty 1073, 1076
delirium 273, 1184
dementia **272**, 1184
dentine 432
denture stomatitis 437
depression 1185
dermatome 869, 905
dermis 292

dermoscopy **300**
developmental dysplasia of hip 1005
diabetic retinopathy 390
diaphragmatic excursion 467
diarrhea 640
diastasis recti abdominis 1001
diastole 502
diastolic blood pressure(DBP) 231, 517
diencephalon 860
differential diagnosis 87, 139, 198
digital breast tomosynthesis(DBT) 620
diplopia 369, **372**, 882
direct inguinal hernia 698
discriminating feature 145
disease 4
dislocated hip 1006
distal interphalangeal(DIP) joint 790, 902
distal radioulnar joint 789
dizziness **413**, 424t
Do Not Resuscitate(DNR) 59, 1165
doll's eye movement 921
doll's eye reflex 985
dominant mass 613
dopaminergic diffuse modulatory system 250
Doppler 式胎児モニター 1121
dorsal root ganglia 868
dorsalis pedis(DP) artery 574
Douglas 窩 712
Down 症候群 377, 973, 984, 1043, 1091t
drop arm テスト 783
drusen 1171
Duchenne 型筋ジストロフィ 887
dullness 650
Dupuytren 拘縮 771, 793, 795, 796, 852t
durable power of attorney for health care 1165
Duroziez 徴候 563t
dysarthria 886, 931t
dysdiadochokinesis 898
dysesthesia 875
dysmenorrhea 715
dysmetria 899
dyspepsia 635
dysphagia **639**, 1010
dysplasia 711
dyspnea **461**, 514
dysuria 644

E

early childhood caries 1038

early systolic ejection sound 504
ecchymosis 298
ectocervix 711
ectropion 1122, 1170
edema **515**, 577, 977
efferent fiber 864
egophony 474
ejaculatory duct 690
ejection fraction(EF) 508
elbow joint **787**
electronic health record(EHR) 34, 72
emergency department **109**
empathy 49
empty can テスト 783
endometriosis 717
Entamoeba histolytica 671t
entrapment neuropathy 798
entropion 1170
epidermis 292
epididymis 690
epilepsy **877**
episcleritis 371
epispadias 695
epistaxis 411, **414**
Epstein 真珠 989
Epworth 眠気尺度 481
erosion 298
erythema 299
erythematous 976
erythroplakia 438
erythropoietin 1106
Escherichia coli 671t
esotropia 376, 985
essential tremor 877
estrogen 1105
eustachian tube 409
exostosis 409
exotropia 376, 985
expressive aphasia 262
external ear 407
external jugular vein 346
extraocular movement 882
extraocular muscle 369

F

FABER テスト 816
facial nerve palsy 1056
FADIR テスト 846t
Fagan のノモグラム **204**
failure to thrive 974
FAIR テスト 846t
fallopius tube 711

Fallot 四徴　1096t
familial megaloencephaly　974
family history　**94**
fasciculation　779, 867, 886
fatigue　**217**
fecal immunochemical test(FIT)　666
femoral aneurysm　587
femoral artery　574
femoral canal　690
femoral hernias　690
fever　**218**, 976
fibroadenoma　622t
fibrocartilage　763
fibroid　717
fibrous joint　763
FIFE(Feeling, Idea, effect on Function, and Expectation)　15
fine motor　**957**
finger-to-nose test　899
Finkelstein テスト　797
first branchial cleft　988
fissure　457
flatus　640
flexor retinaculum　791
flexor tenosynovitis　792
floating ribs　455
floppy infant　1008
focused assessment　82
focused examination　118
focused history　82
fontanelle　981
forced expiratory time　478
Fordyce 顆粒　446t
Fordyce 斑　446t
fornix　710
fovea centralis　366
fragile X syndrome　1114
frailty　**1164**
FRAMES, 共同意思決定　212
framing effect　149
frank breech presentation　970
frenulum of tongue　433
friction rub　650
frog-leg position　1009
frontotemporal dementia　274

G
Gail モデル　619
galactorrhea　608
Galant 反射　1012
gallop　997
ganglion cyst　792

gangrene　580
gastroesophageal reflex disease(GERD)　635, 668t
gel phenomenon　767
gender identification　95
genu varum　1052
geographic tongue　1039
Geriatric Depression Scale　281t, 1185
gestational diabetes(GDM)　1137
gestational hypertension　1117
Giardia lamblia　671t
Gibert バラ色粃糠疹　316t
gingiva　431
gingival margin　431
gingival sulcus　431
gingivitis　435, 437
glans penis　689
Glasgow Coma Scale(GCS)　947t
glenohumeral joint　776
globus sensation　639
gluteal cleft　804
Goodpasture 症候群　463
Gowers 徴候　1055
GRADE システム　**168**
Graefe 徴候　380
graphesthesia　904
Graves 鏡　719
Graves 病　1091t, 1172
gravidity　1113
gray matter　859
great saphenous vein　575
groin　**690**
gross motor　**957**
grunting　991
gynecomastia　607, 1153

H
hair cell　409
hair loss　1150
halitosis　**436**, 1040
Hamman 徴候　493t
hamstring muscle　818
harlequin dyschromia　978
Hashimoto thyroiditis　1159
Hawkins テスト　783
head, eyes, ears, nose, throat (HEENT)　**130**
health supervision visit　959
healthcare power of attorney　58
healthcare proxy　56, 58
hearing loss　412, 1035
heart failure　994

heart murmur　**506**, 998
heart rate　517
heartburn　636
heave　527
Heberden 結節　792, 794, 851t
HEEADSSS アセスメント　1065
Hegar 徴候　1108
helix　407
hematemesis　414, 638
hematochezia　641, 745
hematuria　646, 745
hemiparesis　875, 890
hemiplegia　890
hemoptysis　414, **463**
hemorrhoid　748
hepatitis A　663, 1133
hepatitis A virus(HAV)　663
hepatitis B　664, 1135
hepatitis B virus(HBV)　664
hepatitis C virus(HCV)　665
hepatomegaly　1046
heuristic　140
hilum of lung　459
hinge joint　762
hip joint　**807**
Hirschsprung 病　1002
hirsutism　351
history of present illness(HPI)　84
hives　297
Homans 徴候　590
home blood pressure monitoring (HBPM)　233
homonymous hemianopsia　375, 882
Hoover 徴候　992
horizontal fissure　458
hormone replacement therapy(HRT)　**731**
Horner 症候群　379, 398t, 882
hot flash　1154
housemaid's knee　821
Houston 弁　745
human chorionic gonadotropin(hCG)　1106
human immunodeficiency virus(HIV)
　感染　693
　スクリーニング　185, 1135
human papillomavirus(HPV) ワクチン　730
human placental lactogen(hPL)　1106
humeroulnar joint　787
Huntington 病　941t
Hutchinson 歯　449t
hyaline cartilage　763

hydrocele 690
hydrocephaly 983
hymen 709
hypalgesia 902
hyperactive reflex 907
hyperalgesia 902
hyperemesis gravidarum 1117
hyperesthesia 902
hyperopia 370, 373, 384
hyperpyrexia 236
hyperreflexia 907
hypertension 243
hypesthesia 902
hyphema 370
hypoactive reflex 907
hypocalcemic tetany 984
hypogonadism 1074
hypokinesis 867
hypospadia 695, 1002
hypothalamus 860
hypothermia 218, 236
hypotheticodeductive system 140
hypothyroidism 911

I

idiopathic scoliosis 1078
illness 4
illness script 146
immunization 173
implicit bias 21
incarcerated hernia 699
increased intracranial pressure 982, 1056
incus 408
indigestion 638
indirect inguinal hernia 698
Infant Periodicity Schedule 1015
infant's cry 990
infectious mononucleosis 1070, 1073
inferior vena cava 574
inflammatory bowel disease(IBD) 672t
informed consent **56**
inguinal area 690
inguinal canal 690
inguinal hernia 1047
inguinal ligament 690
insight 266
institutional bias 21
instrumental activities of daily living(IADL) 110, 1162
intensive care unit(ICU) **110**
intention tremor 899
intercarpal joint 789

interdental papilla 431
interferon-gamma release assay(IGRA) 480
intermittent claudication 579
internal capsule 860
internal jugular vein 346
INTERPRET 57
interstitial cystitis 721
intervertebral disc 763, 800
intracranial pressure 982
introitus 709
intuitive system 140
IPROMS, 筋骨格系の診察 770, 1005
IPV(intimate partner violence) 175
iris 363
iron deficiency 1136
irritable bowel syndrome(IBS) 671t, 674t
isthmus 711

J

Jackson 発作 938t
jaundice 292, **642**
joint capsule 762
joint pain **765**
jolt accentuation of headache(JAH) 916
judgment 266
jugular venous pressure(JVP) **510**
jugular venous pulsation 511

K

κ score 207
Kaposi 肉腫 445t
Kayser-Fleischer 輪 397t
Kendall テスト 817
Kernig 徴候 916, 1041
Klinefelter 症候群 701
knee joint **817**
knock knee 821
Know BRCA Tool 619
Koplik 斑 446t
Korotkoff 音 230, 517, 539, 1028
Korsakoff 症候群 264
Kussmaul 呼吸 490t

L

labia majora 709
labia minora 709
labial frenulum 431
labial mucosa 431
labyrinth 409
Lachman テスト 825
lagophthalmos 377

Landau 反射 1012
language development **957**
lanugo 977
large for gestational age(LGA) 970
——児 972f
latent strabismus 1030
lateral epicondylitis 788
latissimus dorsi 801
lead-time bias 170
leg shortening 1053
length-time bias 170
lens 365
Leopold 触診法 1121, **1124**
leukokoria 987
leukoplakia 438
leukorrhea of pregnancy 1108
levator palpebrae superioris 364
Levine 徴候 464
Lewy 小体型認知症 257, 274
LGBTQ 12, 1068
——LGBT の健康 13
lichen sclerosus 1174
lid lag 380
ligament 764
ligamentous laxity 772
lightheadedness 413
likelihood ratio(LR) 202
linea nigra 1106
lips 431
liver spot 1169
lobe 457
lobule of auricle 407
lower airway obstruction 1041
lower motor neuron 865
lumbar 862
lumbar spine 799
lung 457
lung abscess 462
lung cancer **479**
lymphadenopathy 577, 1040
lymphatic plexus 576
lymphedema 577

M

macrocephaly 974, 983
macula 366
macule 296, 314t
main bronchus 459
major neurocognitive disorder 273
malleus 408
Mallory-Weiss 症候群 638
Mallory-Weiss 裂創 675t

malnutrition 219
mandibular hypoplasia 984
manifest strabismus 1030
Marcus Gunn 瞳孔 388
Marfan 症候群 223
masked hypertension 233
mastalgia **608**
mastodynia **608**
mastoid process 408
maternal depression 968
Maudsley テスト 789
McBurney 点 661
McMurray テスト 824
medial epicondylitis 788
mediastinal crunch 493t
medical ethics **27**
Medical Orders for Life-Sustaining Treatment(MOLST) 59
medication reconciliation 1163
medulla 860, 861
Meibom 腺 364, 396t
melanin 292
melanoma 294
melasma 1118
melena 641, 745
memory 268
menarche 714
Ménière 病 413, 424t, 885
menopause 714, **716**
menstruation 714
mental disorder 252
metabolic syndrome 548
metacarpophalangeal(MCP) joint 790, 903
metatarsophalangeal(MTP) joint 831
metatarsus adductus 1007
Meynert 基底核 250
microcephaly 974, 983
micrognathia 984
micropenis 1003
midaxillary line 456
midbrain 860
midclavicular line 456
midsternal line 456
mild neurocognitive disorder 257
Mill テスト 789
mindfulness 19
Mini-Cog 273, 284t
miosis 379
mitral regurgitation 1152
mitral valve 500
mitral valve disease 1044

mittelschmerz 717
monoparesis 875
monosynaptic reflex 869
mons pubis 709
Montgomery 腺 1109, 1119f
Montreal Cognitive Assessment(MoCA) 273, 285t
mood **262**
Moro 反射 1012
Morton 神経腫 831, 854t
motivational interviewing **172**
motor function 1008
Müller 筋 364
Murphy 徴候 662
muscle of mastication 774
muscle stretch reflex 869, 906
muscle tone 867, 1008
muscle weakness 992
muscular dystrophy 779, 1055
myalgia 765
mydriasis 379
myelin sheath 859
myocardial contractility 508
myoclonus 871
myopathy 888
myopia 370, 373, 384, 1031

N

Naboth 嚢胞 736t, 1123
nares 410
nasal concha 410
nasal congestion **413**
nasal flaring 991
nasal polyp 421
nasal septum 410
nasolacrimal duct 410
nasolacrimal duct obstruction 986
nasopharynx 410
natural frequency **206**
nausea 638
NAVEL, 股関節の触診 813
near vision 1031
neck mobility 1040
Neer テスト 783
negative predictive value(NPV) 201
Neisseria gonorrhoeae 723
neonatal abstinence syndrome 1011
neural tube defect(NTD) 1138
neurocognitive disorder **257**
neuron 249, 859
neurotransmitter 249
New Ballard スコア 971f

nocturia 645
nodule 297
non-ST elevation myocardial infarction(NSTEMI) 513
nonmaleficence 27
nonpuerperal galactorrhea 614
Noonan 症候群 984
norepinephrine 250
norepinephrine diffuse modulatory system 250
nuchal rigidity 915, 1041
nucleus 249
nucleus pulposus 763, 800
number needed to harm(NNH) 210
number needed to treat(NNT) 210
NURSE, 感情のサイン 16
nursemaid's elbow 1052
nursing home **110**
nystagmus 380, 413, 882

O

objective information 83
obligate nasal breather 988
oblique fissure 458
obsession 254
obstipation 641
obstructive sleep apnea(OSA) **481**, 1040
oculomotor nerve 369
oculovestibular reflex 922
odynophagia **639**
OLD CARTS 87
oliguria 645
omphalitis 1001
open-angle glaucoma 379
opening snap(OS) 504
opisthotonus 1008
OPQRST 87
optic disc 366
optic fundus 366
optic nerve 367
optic radiation 367
optic tract 367
oral candidiasis 435
oral presentation **157**
orbit 363
orbital tumor 382
orientation 267
orthopnea 464, 512, 515
orthostatic hypotension 232, 1168
Ortolani テスト 1006
Osler-Weber-Rendu 症候群 443t
ossicle 408

osteoarthritis 1155
osteoma 409
osteopenia 837
osteoporosis **836**
otalgia 411
otitis externa 409, 412
otitis media 409, 412
otorrhea 411
Ottawa ankle rules 830
Ottawa Charter for Health Promotion 165
ovarian cancer **732**
ovary 711
overbite 1039

P

P_2 506, 532, 557t
pack-years 98
Paget 病 610, 615, 623t
pain **220**
pain sensation 884
painful arc テスト 783
palliative care 1165
pallor 292, 466
palpebral conjunctiva 364
palpebral fissure 363
palpitation **514**
Papanicolaou 塗抹標本 711, 724, 731
papilla 433
papule 296
paradoxical breathing 992
paradoxical irritability 1041
paradoxical pulse 523
paralysis 890, 1009
paranasal sinuses 411
paraparesis 875
paraphimosis 695
paraplegia 890
parasympathetic nervous system 863
parathyroid hormone(PTH) 839
paresis 890
paresthesia 462, 768, 875
parietal pain peritonitis 633
parity 1113
Parkinson 病 360t, 877, 887
Parkinson 歩行 932t
parotid duct 434
parotid gland 343
paroxysmal nocturnal dyspnea(PND) 464, 515
past medical history(PMH) 84
patch 296, 315t

patellofemoral joint 818
patellofemoral pain syndrome 823
patent ductus arteriosus(PDA) 564t, 995
Patient Health Questionnaire(PHQ) 282t, 1185
patient problem list 156
Patrick テスト 816
pectoriloquy 475
Pedersen 鏡 719
pediculosis pubis 721
pelvic floor **712**
pelvic inflammatory disease(PID) 740t
penis 689
people-first language 11
perception **265**
perforating vein 575
pericardial effusion 996
pericardial friction rub 564t
perimenopause 716
perineum 709
peripheral arterial disease(PAD) **579**, 593
peripheral edema 512
peripheral nervous system(PNS) 859
peritonsillar abscess 1039
personal history **94**
pertinent negative 90
pertinent positive 90
petechiae 298
Peutz-Jeghers 症候群 443t
Peyronie 病 695, 703t
Phalen 徴候 799
pharyngitis 435
phimosis 695
physical development **957**
Physician Orders for Life Sustaining Treatment(POLST) 59
physiologic leukorrhea 1075
Pierre Robin 症候群 984
pigmentation 977
pitting edema 577
placental growth hormone 1106
plagiocephaly 983
plantar fascia 829
plaque 296
plegia 890
pleural friction rub 474
pneumatic otoscope 1034
pneumatization 988
pneumonia 1042
poikilothermia 589
point-of-care ultrasound 516
point of maximal impulse(PMI) 500,

527, 995
polydactyly 1005
polyneuropathy 901
polypharmacy 1163
polysynaptic reflex 869
polyuria 645
pons 860
poor vision 985
popliteal artery 574
portal vein 574
positive predictive value(PPV) 200
posterior axillary line 456
posterior column 868
posterior fontanelle 981
posterior horn 861
posterior pharynx 433
posterior tibial(PT)artery 574
postmenopausal bleeding 717
post-test disease probability 202
postural hypotension 232, 1168
POUND, 片頭痛 872
pre-test disease probability 202
precision 208
precocious adrenarche 1048
precocious puberty 1047, 1076
predictive value **200**
preload 508
premature adrenarche 1076
premature ovarian failure 717
premenstrual syndrome(PMS) 715
prepuce 709
presbycusis 418, 1151
presbyopia 370, 374, 1150
presenting complaint 85
pressure injury 306
pressure ulcer 306
presyncope 876
prevalence of disease 201
primary amenorrhea 716
primary headache 871
primary hypertension 1070
primary open-angle glaucoma(POAG) 390
problem list 151, 156
problem-oriented assessment 82
problem-oriented history 82
problem representation 140
Prochaska モデル 548
proctitis 746
progesterone 1105
proptosis 376
prostate 744

prostate specific antigen(PSA) 752
proximal interphalangeal(PIP) joint 790
pruritus **294**
pruritus ani 748
pseudogynecomastia 607
pseudoscar 1169
psoas 801
ptosis 883
pubic tubercle 690
puff of air 1119
pulmonary edema 512
pulmonary flow murmur 1045, 1072
pulmonic valve 500
pulp canal 432
pulp chamber 432
pulse pressure **509**
pulsus alternans 523
pulsus paradoxus 461, 523
pulsus parvus 582
pulsus tardus 582
pupil 363
purpura 298
purulent rhinitis 1036
pustule 297
pyramidal system 865
pyramidal tract 865
P波 551t

Q

quadriceps femoris 818
quadriplegia 890
quality of life(QOL) 258, 390
quickening 1120
Quincke 拍動 563t

R

radial artery 229, 573
radiocarpal joint 789
radiohumeral joint 787
radioulnar joint 787
range of motion(ROM) 762
rapport 6, 49
rash **294**
Raynaud 現象 596t
Raynaud 病 583
receptive aphasia 262
rectouterine pouch 712
rectum 743
reduced visual acuity 1031
referred pain 634
reflex 869
refractive error 384

regurgitation 638
relative risk 210
relative risk difference 210
relaxin 1106
religion 25
renal parenchymal hypertension 1070
reproducibility **206**
respect for autonomy 28
retching 638
reticular activating system 860
retina 365
retrobulbar hemorrhage 382
review of systems **104**
Rh(D) 不適合
　　スクリーニング 1134
rhinorrhea 411, **413**
rhinosinusitis 414
rhonchi 465, 473, 493t, 994
rickets 1007, 1052
Riedel 葉 684t
rigidity 889
Rinne 試験 419, 428t
Romberg 試験 900
Romberg 徴候 847t
Rovsing 徴候 661

S

S₁ 506, 527, 531, 534, 556t
S₂ 506, 527, 531, 534, 557t
S₃ 527, 559t
S₄ 505f, 527, 559t
sacral 862
sacroiliac joint 804
sacrum spine 799
Salmonella 671t
sarcopenia 1155
SBAR(Situation-Background-
　　Assessment-Recommendation) 62, 76t
scanning 104
scapula 455
scapular line 456
scapular winging 779
Schatzki 輪 639
Schlemm 管 365
sciatica 769
sclera 363
scoliosis 779, 802, 1078
scrotal mass 1047
scrotum 690
seborrheic keratosis 1170
secondary amenorrhea 716
secondary headache 871

seizure **876**
selection bias 170
selective estrogen-receptor
　　modulator(SERM) 619, 840
self-efficacy 1022
semantic qualifier 150
semilunar valve 500
seminal vesicle 690
senile ptosis 1170
sensitivity 200
sensorineural hearing loss 409, 885, 1035
sensorineural phase 409
sensory ataxia 899
sensory function 1009
serotonergic diffuse modulatory system 249
serotonin 249
serous effusion 417
sexual abuse 1049
sexually transmitted infection(STI) 184, 702t
sexual maturity rating 1074
sexual orientation 95
sexual orientation and gender
　　identification(SOGI) 95
shared decision making 60, **754**
Shigella 671t
short stature 1026
shortness of breath **461, 514**
show-me 18
side effect 93
sigmoid colon 743
sign 141
silent gap 472
simple anisocoria 379
sinusitis 1036
Sjögren 症候群 377, 1172
Skene 腺 710
skin tag 315t
skull symmetry 982
slipped capital femoral epiphysis 1052
small for gestational age(SGA) 970
　── 児 972f
small saphenous vein 575
Snellen 視力表 121f, 373
snuffbox 793
SOAP 形式, 経過記録 155
social and emotional development **957**
social determinant of health(SDOH) 20
social history **94**
soft palate 433
somatic nervous system 863

somatic pain 633
sore tongue 435
spastic diplegia 1054
spasticity 889
specificity 200
Speed テスト 849t
Spence の尾 604
spermatic cord 690
spheroidal joint 762
sphygmomanometer 226
SPIKES プロトコル 60
spinal cord 249, 861, 862
spinal muscular atrophy(SMA) 1114
spine **799**
spinothalamic tract 868
spinous process 455
spirituality **25**
splenomegaly 1046
spondylolisthesis 801
Sprengel 変形 803
Spurling テスト 807
squamous cell carcinoma(SCC) 294
squamous epithelium 711, 736t
ST elevation myocardial infarction(STEMI) 513
staining 1038
standardized patient(SP) **73**
stapes 408
Staphylococcus aureus 396t, 671t
static finger wiggle test 374
Stensen 管 343, 434
stereognosis 903
sternoclavicular joint 776
stiff neck 915
stigma 53
Still 雑音 1043
STOP-Bang テスト 483
strabismus 380, 1030
stranger anxiety 1023
strangulated hernia 699
strawberry tongue 1039
streptococcal pharyngitis 1039
stress incontinence 727
striae gravidarum 1106
stridor 353, 466
stroke volume 508
Sturge-Weber 症候群 979
subacromial subdeltoid bursa 778
subconjunctival hemorrhage 371
subcutaneous fatty tissue 292
subjective information 83
submandibular duct 433

submandibular gland 343
subtalar joint 828
sudden infant death syndrome(SIDS) 983
summary statement 140, **150**
sun protection factor(SPF) 310
superior vena cava 574
supraventricular tachycardia(SVT) 996
sustained ankle clonus 1011
sustained hypertension 1028
suture 981
suture line 983
Sydenham 舞踏病 941t
sympathetic nervous system 863
symphysis pubis 709
symptom 141
syncope **515**
syndactyly 1005
synovial cavity 761
synovial fluid 762
synovial joint 761
synovial membrane 761
syphilis 1134
systole 502
systolic blood pressure(SBP) 230, 517
S 状結腸 743
S 状結腸癌 671t, 674t
S 状結腸内視鏡検査 666

T

tachypnea 465, 975, 992
tactile fremitus 468
talar tilt test 832
talipes equinovarus 1008
talocalcaneal joint 828
Tanner 分類 609
tarsal plate 364
Tay-Sachs 病 1114
teach back 17, 53
teeth 431
telogen effluvium 306
temperature sensation 884
temporary hearing loss 1034
temporomandibular joint(TMJ) **773**
  ── dislocation 775
  ── disorder 774
tendon 764
tenesmus 640
Terry 爪 334t
testicular torsion 696
testis 690
thalamus 860

thoracic 862
thoracic duct 576
thoracic spine 799
thorax 453
thrill 523, 527, 995
thrush 989
thyroid-binding globulin 1106
thyroid-stimulating hormone(TSH) 1106
tibiofemoral joint 818
tibiotalar joint 828
Timed Get Up and Go(TUG)Test 1175
Tinel 徴候 798
tinnitus 411
tongue tie 989
tonsillar fossa 434
torticollis 802, 983, 990
TPAL, 経産数 1113
trachea 459
tracheal sound 472
tragus 407
transient ischemic attack(TIA) 871
transmitted voice sound 474
trapezins 801
Traube 半月部 655
tremor **877**
Trendelenburg 徴候 1053
Trendelenburg 歩行 811
Treponema pallidum 1090t
Trichomonas vaginalis 724
tricuspid valve 500
trigger finger 792
trigger point 769
tripod position 223, 464, 1040
trochlear groove 818
trochlear nerve 369
true syncope 876
tuberculosis 480
tuberculin skin test(TST) 480
tubo-ovarian abscess 717
tunica vaginalis 690
tunnitus **413**
turgor 1149
Turner 症候群 223, 973, 979, 1043, 1077
tympanic membrane 407
tympanosclerosis 409
tympany 650

U

ulcer 298
ulnar artery 573
umbilical cord 1001

umbilical hernia　1001
umbilicus amnioticus　1001
umbilicus cutis　1001
unconscious bias　21
underbite　1039
unsustained ankle clonus　1011
upper airway obstruction　1041
upper motor neuron　865
urethral meatus　690, 709
urethral orifice　690
urinary frequency　645
urinary incontinence　645
urinary urgency　645
urticaria　297
uvula　433, 1039

V

vagina　**710**
vaginal discharge　1049
validity　**199**
Valsalva 手技　472, **538**, 662, 727
valvular heart disease　512
varicocele　699
varicose vein　586
varicosity　585
vas deferens　690

vascular dementia　274
venous hum　564t, 1044
venule　574
vernix caseosa　977
vertebral column　**799**, 862
vertebral line　456
vertigo　411, **413**, 424t
vesicle　297
vesicular sound　472
vestibule　409, 709
vestibulocochlear nerve　409
Vibrio cholerae　671t
VINDICATE　145
Virchow 結節　352
visceral pain　633
visual acuity　986
visual field　**366**
visual field defect　882
visual impairment　985
vital sign　**226**
vitamin D　838
vitreous floater　386
vomiting　638
von Recklinghausen 病　335t
vulva　**709**
v 波　511

W

weakness　**218**
Weber 試験　418, 428t
Wegener 肉芽腫症　463
weight loss　219
Wernicke 失語（症）　262, 931t
Wharton 管　433
wheal　297
wheezes　462, 465, 473, 493t, 994
whispered pectoriloquy　475
white coat hypertension　233
white matter　859
wrist joint　789

X

x 谷　511

Y

Yersinia　671t
y 谷　511

Z

Zenker 憩室　638

和文索引

あ

アカラシア 639, 670t
アキレス腱反射 911
握力 797
足
　可動域 831
　——の関節 827
足クローヌス 912, 1011
アジソン病 335t
アセスメント 151
アダムス前屈検査 1078
圧痕浮腫 577, 595t
　——スケール 589
圧迫性潰瘍 306
アテトーシス 941t
アテトーゼ 941t
アドバンス・ケア・プランニング 1165
アドヒアランス 70
アトピー性湿疹 1086t
アトピー性皮膚炎 316t, 1086t
アネロイド式血圧計 121f, 227
あひる歩行 811
アフタ性潰瘍 435, 451t
アブミ骨 408
アプレイスクラッチテスト 784
アメリカ手話 68
アメリカトリパノソーマ症 335t
アラジル症候群 998
アルコール
　カウンセリング 181
　高齢者 1163
　スクリーニング 180
　妊娠女性 1130
アルツハイマー病 1156
アレルギー 93
アレルギー性接触皮膚炎 317t
アレルギー性鼻炎 1036
アレルギー反応 93
アレンテスト 592
アンダーバイト 1039

い

胃癌 668t
息切れ **461, 514**
異形成 711
異形成母斑 325t
意識状態 221
意識レベル 259
意思決定能力 28, 56

意思決定プロセス 149
萎縮性舌炎 450t
異常高熱 236
胃食道逆流症 486t, 488t, 635, 668t
　警告症状 636
異数性 1114
イチゴ舌 1039
一次性高血圧 545
一次性頭痛 871, 933t
一時的動脈圧迫 **539**
一過性新生児膿疱性黒皮症 980
一過性難聴 1034
一過性脳虚血発作 871
溢血斑 298
溢流性尿失禁 645, 677t
遺伝子検査 **1137**
遺伝性出血性毛細血管拡張症 443t
違法薬物
　——使用歴 98
　妊娠女性 **1130**
医療委任状 58
医療格差 **20**
医療者 4
医療代理人 56
医療通訳者 **57**
医療倫理 **27**
　基本的価値観 **27**
陰核 709
陰茎 689
陰茎癌 703t
陰茎亀頭 689
飲酒歴 97
陰性適中度 201
陰性尤度比 203
インターフェロンγ遊離試験 480
咽頭 439
咽頭炎 435, 444t
咽頭癌 **441**
咽頭痛 **435**
咽頭反射 923, 1037
院内下痢症 640
陰嚢 690
陰嚢腫脹 1047
陰嚢腫瘤 699
陰嚢水腫 690, 699, 703t, 1003f
陰嚢浮腫 703t
陰嚢ヘルニア 703t
インフォームド・コンセント **27, 56**
インフルエンザ菌b型感染症 1100t
インフルエンザワクチン **187**

う

ウイルス性肝炎 **663**
ウイルス性肺炎 486t
ウィルヒョウ結節 352
ウェーバー試験 418
ウェゲナー肉芽腫症 463
ウェルシュ菌 671t
ウェルニッケ失語 262
うおのめ 855t
右眼盲 394t
齲歯 1094t
右室拍動 529, 555t
うつ病 **255**
　高齢者 1185
　スクリーニング 255, **271**, 281t, 282t, 1185
うぶ毛 977
ウルシ皮膚炎 317t
運動
　高齢者 **1180**
　妊娠女性 **1130**
運動緩慢 867
運動機能
　新生児・乳児 1008
　幼児 1019
運動失調 898, 1054

え

永久歯 432, 1038
衛生意識 260
衛生状態 222
永続的委任状 1165
栄養
　高齢者 **1164**
　妊娠女性 **1128**
栄養失調 219
会陰 709
腋窩 131, **605**
　高齢者 **1153, 1173**
　視診 615
　触診 615
腋窩温 236
腋窩リンパ節 606
えくぼ形成, 乳房 610, 623t
エストロゲン 1105
壊疽 580
壊疽性膿皮症 335t
エビデンス
　——の評価 **197**
　批判的吟味 **208**
エビデンスピラミッド 170f
エプスタイン真珠 989

エプワース眠気尺度　481
エリスロポエチン　1106
エルシニア属　671t
遠位指節間関節　790, 902
遠位趾節間関節　828
遠隔記憶　268
嚥下　354
円形脱毛症　331t
嚥下困難　**639**, 670t, 1010
嚥下痛　**639**
遠視　370, 373, 384
炎症性腸疾患　672t
遠心性線維　864
延髄　860, 861
円柱上皮　711, 736t

お

横隔膜　460
　　可動域　467, 471
黄色板症　396t
黄色ブドウ球菌　396t, 671t
黄疸　292, **642**, 978, 979
嘔吐　638
黄斑　366
オースチン・フリント雑音　563t
オーバーバイト　1039
悪寒　**218**
悪寒戦慄　218
悪心　638
オスラー・ウェーバー・ランデュ症候群　443t
オピストトーヌス　1008
音叉　121f
　　──検査　**418**
音声障害　261
温度覚　884
温度眼振試験　922

か

外陰　**709**
外陰癌　733t
下位運動ニューロン　865
外眼筋　369, **380**
外眼筋運動　**368**, 882
外頸静脈　346
外肛門括約筋　749
介護施設　**110**
外骨腫　409, 416f
カイザー・フライシャー輪　397t
外耳　407
外耳炎　409, 412, 1032
外痔核　756t, 1124

外子宮口外反　1122
外斜視　376, 399t, 985
外傷性動揺胸郭　491t
外性器
　　妊娠女性　1121
　　──の診察　721
疥癬　319t, 1088t
回旋筋腱板炎　848t
回旋筋腱板断裂　848t
外旋抵抗テスト　783
疥癬トンネル　319t
外旋ラグテスト　783
咳嗽　**462**, 486t
咳嗽失神　552t
外側上顆炎　850t
外鼠径ヘルニア　698
外転神経　369, 882
回転性めまい　**413**, 424t
　　中枢性──　424t
　　末梢性──　424t
回内試験　889
灰白質　859
外反(症)　386, 395t, 1170
外反膝　821, 1052
外反ストレステスト　824
外反母趾　854t
回避　254
外鼻孔　410
害必要数　210
開放音, 心音　559t
解剖学的嗅ぎタバコ入れ　793
開放隅角緑内障　379
外毛根鞘性嚢腫　319t, 320t
潰瘍　298, 580
　　足首と足　599t
潰瘍型基底細胞癌　323t
潰瘍性大腸炎　672t
外来診療所(科)　**109**
解離性障害　280t
カエル様肢位　1009
顔　**351**
下顎骨低形成　984
下顎前突　1039
下顎隆起　451t
踵-つま先歩行　900, 1055f
踵膝試験　899
過換気　490t
下気道狭窄　1041
蝸牛　409
架橋静脈　575
核　249
角化性鱗屑　321t

顎下腺　343
顎下腺管　433
顎関節　**773**
　　可動域　775
顎関節症　774
顎関節脱臼　775
覚醒　918
　　検査法　920f
核性白内障　397t
拡張期, 心臓　502, 531
拡張期血圧　231
　　測定　517
拡張期雑音　535, 563t
　　評価　537
学童期
　　評価　**1024**
　　ラポール　10, 1016
角膜　363
角膜潰瘍　371
角膜感染　393t
角膜光反射検査　1030
角膜損傷　393t
角膜瘢痕　397t
角膜反射　922
鵞口瘡　445t, 989, 1092t
過呼吸　490t
下肢　**132**
下肢伸展挙上テスト　**917**
下肢短縮　1053
下斜視　376
過剰歯　988
過剰心音
　　拡張期──　559t
　　収縮期──　558t
過食症　1070
仮性瘢痕　1169
仮説演繹法　140
家族性巨脳症　974
家族歴　**94**, 107
過体重　218
下大静脈　574
肩関節　**775**, 776
　　可動域　782
滑液　762
滑液包　**764**
滑液包炎　767
喀血　414, **463**, 486t
滑車溝　818
滑車神経　369, 882
カッパ値　207
滑膜　761
滑膜腔　761

滑膜性関節　761
寡動　867
可動域
　　足　831
　　横隔膜　471
　　顎関節　775
　　肩関節　782
　　胸椎　805
　　頸椎　805
　　股関節　813
　　膝関節　824
　　手関節　795
　　手指　796
　　仙椎　805
　　肘関節　789
　　腰椎　805
可動域制限　834
下橈尺関節　789
化膿性肉芽腫　448t
過敏性腸症候群　671t, 674t
カフェオレ斑　803, 977, 981
下腹部痛　637
下腹部不快感　637
貨幣状湿疹　316t
カポジ肉腫　445t
ガラス体温計　236
ガラン反射　1012
カルシウム　838
カルブンケル　318t
加齢　1149
　　変化と関連疾患の転帰　1187t
加齢黄斑変性　390
カロリック試験　922
ガワース徴候　1055
川崎病　335t
癌, スクリーニング（高齢者）
　1182
眼位　921
肝炎
　　A型——　663
　　B型——　664
　　C型——　665
感音性難聴　409, 418, 428t, 885, 923, 1035
感音相　409
眼窩　363
感覚異常　462, 768, 875
感覚過敏　902
感覚機能
　　新生児・乳児　1009
感覚消去　904
感覚消失　902

感覚性運動失調　899, 900, 932t
感覚低下　875
感覚鈍麻　902
眼窩腫瘍　382
含気化　988
眼球運動　921
眼球結膜　364
眼球突出　376, **386**, 395t
ガングリオン　792, 852t
間欠跛行　579
眼瞼炎　396t
眼瞼下垂　395t, 883
眼瞼結膜　364
眼瞼後退　395t
眼瞼遅動　380
眼瞼斑　980
眼瞼裂　363
カンジダ　724
カンジダ症　450t
カンジダ性おむつ皮膚炎　1086t
カンジダ腟炎　735t
肝疾患　335t
　　危険因子　643
間質性肺音　993
間質性膀胱炎　721
患者
　　車椅子の使用　**134**
　　外科処置後の——　**134**
　　障害がある——　**11**
　　体位とドレーピング　**123**
　　疼痛のある——　**135**
　　寝たきりの——　**134**
　　肥満——　**135**
　　プライバシーと快適さ　**122**
　　——へのアプローチ　**119**
患者アセスメント　**82**
患者情報　141
　　要約と問題提示　143
患者の問題, 仮説の検証　147
肝腫大　654, 684t, 1046
感情　261, 262
眼障害, 紫外線による——　**391**
緩徐呼吸　490t
眼振　380, 413, 882, 942t
関節位置覚　903
関節炎
　　急性痛風性——　854t
　　手　851t
　　肘　850t
間節鼠径ヘルニア　698
関節痛　**765**, 842t
関節軟骨　761

関節の種類　**761**
関節包　**762**
関節摩擦音　771
関節リウマチ　842t, 851t
汗腺　293
乾癬　316t
眼前暗黒感　**876**
感染症
　　インフルエンザ菌b型——　1100t
　　腱鞘　853t
　　手指　853t
　　手掌間隙　853t
　　性——　184, 702t
　　——予防策　135
感染性心内膜炎　335t
眼前庭反射　922
完全麻痺　890
肝臓　**652**
　　触診　653
　　打診　652
　　引っかけ法　655
肝濁音界　652
貫通静脈　575
眼底　366
眼底検査　**382**
感度　200
冠動脈疾患　543
嵌頓ヘルニア　699
嵌頓包茎　695
陥入爪　855t
間脳　860
肝斑　1118, 1169
乾皮症　321t
カンピロバクター属　671t
鑑別診断　87, 139, 198
眼房水　365
陥没呼吸　991
顔面神経　884
顔面神経麻痺　944t, 1056, 1090t
顔面潮紅　1154
関連痛　634
緩和ケア　1165

き

奇異呼吸　992
既往歴　84, **91**
　　記録　93
記憶　268
期外収縮
　　上室性——　551t
　　心室性——　551t
気管　353, 459

気管音　472
気管支炎
　　急性——　486t
　　慢性——　484t, 486t, 494t
気管支音　472
気管支拡張症　486t
気管支声　475, 492t
気管支肺胞音　472
気胸　495t
起座呼吸　464, 512, 515
義歯性口内炎　437
器質性昏睡　948t
疑性女性化乳房　607
喫煙　**182**
　　高齢者　**1163**
　　——指数　98
　　——歴　98
基底核　867
基底細胞癌　294, 315t, 322t, 323t, 425t
亀頭　689
気導　409, 885
亀頭冠　689
企図時振戦　899, 940t
キヌタ骨　408
機能性尿失禁　645, 678t
気分　**262**
気密耳鏡　1034
奇脈　461, 523, 554t
逆説的易刺激性　1041
虐待
　　高齢者——　175, 1186
　　性的——　1049, 1051, 1098t
　　手がかり　97
客観的情報　**83**
球感覚　639
球関節　762
救急外来　**109**
球後出血　382
休止期脱毛症　306, 330t
吸収不良症候群　672t
球症状　875
丘疹　296, 315t
嗅神経　881
求心性線維　864
求心性瞳孔障害　388
急性胃腸炎　1046
急性壊死性潰瘍性歯肉炎　448t
急性外耳炎　416f
急性冠症候群　513
急性気管支炎　486t
急性胸膜炎　682t
急性憩室炎　668t, 683t

急性腱鞘炎　853t
急性腱鞘滑膜炎　853t
急性虹彩炎　393t
急性喉頭蓋炎　1040
急性細菌性前立腺炎　758t
急性膵炎　668t, 683t
急性ストレス障害　253
急性精巣炎　704t
急性精巣上体炎　705t
急性胆嚢炎　**662**, 668t, 683t
急性中耳炎　1034
　　化膿性滲出液を伴った——　427t
急性虫垂炎　668t, 683t
急性腸閉塞　668t
急性痛風　842t
急性疼痛　**239**
急性動脈閉塞　588
急性乳様突起炎　1033
急性肺塞栓症　484t
急性腹症　1047
急性閉塞隅角緑内障　379, 393t
急性卵管炎　682t
急性リンパ管炎　596t
急速変換運動　898
橋　860
仰臥位低血圧　1116
胸郭　453
　　高齢者　**1151, 1172**
　　変形　491t
胸郭と肺　**130, 131**
　　妊娠女性　1118
共感　49
胸管　576
胸骨中線　456
胸鎖関節　776
狭心症　488t
胸水　495t
胸髄　862
胸声　475
強制鼻呼吸　988
協調運動　897
強直　772
胸椎　799
　　可動域　805
胸椎後側弯症　491t
胸痛　463, 488t, **512**
共同意思決定　18, 60, **754**
共同注視　1030
共同注視障害　399t
頰粘膜　434
強迫観念　254
強迫行為　254

強迫性障害　254
強皮症　670t
胸壁
　　視診　525
　　触診　526
強膜　363
胸膜　460
胸膜痛　488t
胸膜摩擦音　474, 493t
虚偽性疾患　280t
局所感覚　904
局所的身体診察　118
棘突起　455
局面　296, 316t
局面型乾癬　316t
距骨下関節　828
距骨傾斜テスト　832
距踵関節　828
拒食症　1070
巨脾　655, 1046
起立性低血圧　232, 552t, 1168
記録
　　問題提示　**150**
　　臨床推論　**149**
季肋部肝臓長　1046
近位指節間関節　790
近位趾節間関節　828
筋萎縮性側索硬化症　874
禁煙，ブリーフインターベンションモデル
　　183
筋強剛　889
筋緊張　867, 888, 946t
　　新生児・乳児　1008
筋緊張低下　946t
近見視力　1031
近見反応　367, 380
筋硬直　651
筋骨格系
　　高齢者　**1155, 1175**
　　疾患　844t
近視　370, 373, 384, 1031
近時記憶　268
筋ジストロフィ　779, 1055
　　デュシャンヌ型——　887
筋伸張反射　869, 906
筋性防御　651
緊張性瞳孔　398t
筋トーヌス　888
筋肉痛　765
筋力　783, 874
　　評価スケール　890
筋力低下　992

遠位　875
近位　875

く

クィア　4, 12, 1068
クインケ拍動　563t
駆出率　508
クスマウル呼吸　490t
具体的操作期　1022
口　431
　　高齢者　**1151**
　　――周囲のチアノーゼ　1095t
屈筋腱腱鞘炎　792
屈筋支帯　791
クッシング症候群　223, 360t, 648
クッシング病　335t
屈折異常　373f, 384
グッドパスチャー症候群　463
クボステック徴候　984
くも状血管腫　328t
くもの巣状静脈瘤　328t
くも膜下出血　872
クラインフェルター症候群　701
クラミジア感染症，スクリーニング
　184
クラミジア・トラコマティス　723
クラミジア尿道炎　692
くる病　1007, 1052
グレーフェ徴候　380
グレーブス鏡　719
グレーブス病　1091t, 1172
クレチン症　1090t
クローヌス　912
クローン病　335t
クロストリディオイデス・ディフィシル
　640

け

計画　**151**
　　――の立案　148
脛距関節　828
経産数　1113
計算能力　269
痙縮　889, 946t
頸静脈　356
　　――拍動　**511**
頸静脈圧　**510**
　　循環血液量　521
　　測定　518
　　特定　518
頸髄　862
頸髄症　845t

痙性片麻痺　932t
痙性両麻痺　1054
頸椎　799
　　可動域　805
頸椎症性神経根症　845t
頸椎捻挫　845t
頸動脈　346, 356
　　触診　522
　　聴診　521
頸動脈雑音　1045
頸動脈拍動　520
軽度認知障害　257, 274
経妊数　1113
頸部　**130**, 345
　　可動域　1040
　　高齢者　**1172**
頸部腫瘤　349
頸部痛　768, 845t
頸部リンパ節　351
鶏歩　932t
経毛細血管液交換　**577**
ゲイルモデル　619
ケジラミ寄生症　721
血圧　226, 509
血圧計　226
血圧上昇　231
血圧測定　**517**
　　24時間自由行動下――　233
　　家庭――　233
結核　480
結核性精巣上体炎　705t
血管緊張低下性失神　552t
血管雑音　356, 521, 681t
血管新生　403t
血管性認知症　274
血管性浮腫　442t
血管病変，皮膚の――　328t
血管迷走神経性失神　552t
月経　714
月経困難症　715
月経前症候群　715
月経前不快気分障害　255
結節　297, 318t, **350**
結節型基底細胞癌　322t
血痰　486t
血尿　646, 745
血便　641, 675t, 745
結膜　364
結膜炎　392t
結膜下出血　371, 392t
結膜浮腫　378
下痢　640, 671t

　　急性――　640
　　持続性――　640
　　浸透圧性――　673t
　　分泌性――　673t
　　慢性――　640
ゲル化現象　767
ケルニッヒ徴候　916, 1041
ケロイド　318t, 320t, 425t
腱　764
腱炎　767
検眼鏡　121f
検眼鏡検査　**382**
　　乳児　987
限局性回腸炎　672t
権限　28
健康
　　――的な食事　178
　　――の社会的決定要因　**20**
肩甲骨　455
肩甲線　456
言語障害　931t
言語発達　**957**, 964, 1019, 1022, 1066
肩鎖関節　776
肩鎖関節炎　849t
検査後確率　202
検査前確率　202
原始反射　1011
腱鞘炎　767
健診外来　959
懸垂性線維腫　315t, 324t
顕性斜視　1030
顕性腫瘤　613
ケンダルテスト　817
肩痛　848t
限定的アセスメント　82
限定的病歴　82
見当識　267
原発開放隅角緑内障　390, 1171
原発性高血圧　1070
原発性無月経　716
瞼板　364
現病歴　84, **86**
　　記録　88
　　テンプレート　112t
肩峰下インピンジメント　848t
肩峰下滑液包　778
肩峰下滑液包炎　778
瞼裂斑　396

こ

語彙　269
高LDLコレステロール血症　226

抗 RANKL 抗体製剤，骨粗鬆症　840
後咽頭　433
後腋窩線　456
構音障害　261, 886, 931t
口蓋　**438**
口蓋垂　433, 1039
口蓋隆起　438, 446t
口蓋裂　989
後角　861
口角炎　442t
硬化性苔癬　1174
交感神経系　863
高感度グアヤック法　666
口顔面ジスキネジア　940t
口腔　431
　　── 衛生　**440**
　　── 高齢者　**1172**
口腔温　236
口腔癌　439, **441**
口腔カンジダ症　435, 445t, 989, 1092t
口腔底　**438**
口腔底癌　451t
口腔粘膜　**437**
口腔毛様白板症　450t
後脛骨動脈　574
高血圧　243, 545
　　仮面──　233
　　原発性──　1070
　　食事変更の推奨　245t
　　腎実質性──　1070
　　スクリーニング　**243**
　　ステージ 1 ──　231
　　ステージ 2 ──　231
　　二次性──　243
　　白衣──　233
　　本態性──　243
　　薬物性──　1070
高血圧合併妊娠　1118
高血圧性網膜動脈　402t
交互対光反射試験　**388**
交互脈　523, 554t
後根神経節　868
虹彩　363
後索　868
合指症　1005
高次認知機能　**268**
口臭　222, **436**, 1040
溝状舌　450t
甲状腺　347, 354
甲状腺癌　358
甲状腺機能亢進症　335t, 359t, 1091t
甲状腺機能障害　357

甲状腺機能低下症　335t, 359t, 911
甲状腺結合グロブリン　1106
甲状腺刺激ホルモン　1106
甲状腺腫　**350**, 354f
甲状腺腫瘤　**350**
紅色汗疹　980
口唇　431, **437**
口唇癌　443t
口唇小帯　431
口唇粘膜　431
口唇ヘルペス　442t
光錐　408
硬性ドルーゼン　386f
構成能力，高次認知機能　270
硬性白斑　404t
高調性連続性副雑音　462, 465, 473, 493t
後天性免疫不全症候群　335t
喉頭炎　486t
行動カウンセリング　**171**
行動変容段階モデル　171
口内びらん　451t
更年期　716
広背筋　801
紅斑　299, 438, 976
広範型肺塞栓症　552t
後鼻孔閉鎖　988
後鼻漏　486t
後負荷　509
項部硬直　915, 1041
項部菱形皮膚　338t
後方引き出しテスト　825
肛門　709, **743**
　　妊娠女性　**1124**
　　── の皮膚垂　1051
肛門コンジローマ　748
肛門瘙痒症　748
肛門直腸瘻　757t
肛門反射　915, 1010
肛門裂傷　1005
肛門瘻　748
絞扼性ニューロパチー　798
絞扼性ヘルニア　699
高齢者　1147
　　運動　**1180**
　　栄養　**1164**
　　虐待　175, 1186
　　筋骨格系　**1155, 1175**
　　神経系　1156, **1176**
　　心血管系　**1152, 1172**
　　ラポール　11
高齢者虐待　175, 1186
コーゼンテスト　789

鼓音　650
股関節　**807**
　　可動域　813
股関節形成不全　1005
股関節脱臼　1006
小刻み指運動検査　374
呼吸　**460**
呼吸音　471, 477, 492t
呼吸困難　**461**, 484t, 514
呼吸数　235, 490t
呼吸リズム　235, 490t
黒色腫　294
黒色表皮腫　615
黒色便　675t
黒線　1106
黒皮症　1118
黒毛舌　450t
鼓室硬化　426t
固縮　946t
個人防護具　125
個人歴　**94**
子育てガイダンス　960
骨関節症　1155
骨吸収抑制薬　840
骨減少症　837
骨腫　409
骨折のリスク評価　838
骨粗鬆症　**836**
　　危険因子　837
骨導　409, 885
骨盤位　970, 1124
骨盤腔　**630**
骨盤痛　**717**
骨盤底　**712**
骨盤内炎症性疾患　740t
骨密度　837
固定姿勢保持困難　918
股部白癬　315t
コプリック斑　446t
鼓膜　407
鼓膜温　238
鼓膜硬化　409
鼓膜穿孔　426t
子守女肘　1052
固有感覚　903
コリガン脈　563t
コリン作動性広汎性調節系　250
コリン神経系　250
コルサコフ症候群　264
ゴルフ肘　788, 850t
コレス骨折　793
コレラ菌　671t

コロトコフ音　230, 517, 1028
コロボーマ　986
混合性尿失禁　645
コンジローマ
　　肛門――　748
　　尖圭――　702t, 733t
昏睡　918
　　器質性――　948t
　　代謝性――　948t
　　瞳孔　949t
コントラスト感度　376
コンパートメント症候群　596t

さ

サーモンパッチ　980
臍炎　1001
最強拍動点　500, 527
細菌性前立腺炎　758t
細菌性腟症　735t
細菌性肺炎　486t
細菌性毛包炎　318t
細菌尿　1134
再現性　**206**
細静脈　574
臍帯　1001
在胎週数　968
細動脈　572
再発，トランスセオレティカルモデル　171
臍皮　1001
臍ヘルニア　679t, 1001
臍羊膜　1001
サイレントチェスト　474
作為症　280t
鎖骨骨折　990
坐骨神経痛　769, 846t
鎖骨中線　456
左心不全　484t, 487t, 494t
嗄声　**435**
痤瘡　1070
サプリメント　1137
サルコイドーシス　335t
サルコペニア　1155
三脚肢位　223, 464, 1040, 1042
三叉神経　883
三叉神経痛　934t
三尖弁　500
三尖弁閉鎖不全症　562t
散瞳　379
　　片側性　949t
　　両側性　949t
産瘤　983

霰粒腫　396t

し

シェーグレン症候群　377, 1172
ジエチルスチルベストロール，胎内曝露　737t
ジェンダー・アイデンティティ　**1068**
ジェンダー代名詞　8
ジオプトリー　383
耳介　407
紫外線による眼障害　391
紫外線防御指数　310
痔核　748
視覚障害　69, **390**, 985
　　スクリーニング（高齢者）　**1180**
耳下腺　343
耳下腺管　343, 434
耳下腺腫脹　360t
弛緩　946t
歯冠　432
耳管　409
歯間乳頭　431
色覚　376
磁気共鳴画像　620
色素性母斑　314t
色素沈着　977
識別覚　903
子宮　711, 1107
子宮外妊娠　740t
子宮峡部　711
子宮筋腫　717, 739t
子宮頸癌　**729**, 737t, 1101t
子宮頸管開大　1108
子宮頸管ポリープ　736t
子宮頸部　710, 1108
子宮後屈　738t
子宮後傾　738t
子宮体部　711
子宮脱　739t
子宮腟部　711
子宮内膜症　717
耳鏡　121f, 415
　　小児　1033
軸索　859
刺激伝導系　**508**
耳垢　407
思考過程の異常　264
思考内容の異常　265
囁語胸声　475, 492t
囁語検査　417, 418, 1035
自己検診
　　精巣　700

皮膚　313
自己効力感　961, 1022
歯根管　432
視索　367
自殺リスク　**272**
四肢，妊娠女性　**1124**
脂質異常症　335t, 546
四肢麻痺　890
耳珠　407
思春期・青年期
　　病歴　**1063**
　　ラポール　10
思春期痤瘡　1087t
思春期早発症　1047, 1048, 1076
思春期遅発症　1073, 1076
思春期発来　**1066**, 1071
視床　860
視床下部　860
耳小骨　408
視触診　620
視神経　367, 881, 882
視神経萎縮　401t
視神経乳頭　366, 384
耳垂　407
歯髄腔　432
システムレビュー　**104**
ジストニア　941t
姿勢　223, 260
姿勢時振戦　940t
脂腺　293
自然気胸　484t
事前指示書　**58**, 1165
自然死の容認　59
脂腺増殖症　322t
自然頻度　**206**
歯槽粘膜　431
持続性高血圧　1028
持続性抑うつ障害　255
舌　**438**
　　――の突出　438
自宅での診察　**110**
肢端チアノーゼ　978, 979, 994, 1095t
耳痛　411, **412**
膝蓋腱反射　910
膝蓋上囊　823
膝蓋大腿関節　818
膝蓋大腿グラインディングテスト　823
膝蓋大腿疼痛症候群　823
膝蓋跳動　827
膝窩動脈　574
疾患　4
失感情症　262

疾患スクリプト　146
膝関節　**817**
　　　可動域　824
失語症　261, 931t
失神　**515**, 552t, **876**
失声　931t
失調呼吸　490t
自動式血圧計　227
自動歩行反射　1013
歯肉　431, **437**
　　　——の後退　449t
歯肉炎　435, 437
歯肉縁　431
歯肉溝　431
歯肉腫　448t
歯肉腫脹　**435**
歯肉出血　**435**
歯肉増殖　448t
紫斑　298
しびれ感　875
ジフテリア　**190**, 445t
ジフテリア菌　445t
自閉症　965
死別　71
ジベルバラ色粃糠疹　316t
脂肪腫　319t, 320t, 679t
視放線　367
脂肪便　640
耳鳴　411, **413**
視野　**366**, **374**
シャーガス病　335t
社会情緒的発達　**957**, 964, 1020, 1022, 1066
社会的弱者　176
社会歴　**94**, 102
弱視　1030
ジャクソン発作　938t
弱脈　554t
斜頸　802, 983, 990
視野欠損　374, 375, 394t, 882
社交不安障害　253
斜視　380, 985, 1030, 1092t
射精管　690
シャッキー輪　639
尺骨動脈　573
斜頭症　983
遮蔽-非遮蔽試験　399t, 1030
斜裂　458
自由回答方式の質問　14, 47
習慣性チック　333t
周期性呼吸　991

宗教　25
周産期うつ病
　　スクリーニング　**1132**
収縮期, 心臓　502, 531
収縮期クリック　558t
収縮期血圧　230
　　測定　517
収縮期雑音
　　収縮後期雑音　535
　　収縮中期雑音　535, 560t
　　診察手技　538
　　全収縮期雑音　535
　　評価　537
収縮早期駆出音　504, 558t
集中治療室　**110**
重篤気分調節症　255
周辺白内障　397t
終末期　71
手関節　789
　　可動域　795
主観的情報　**83**
主気管支　459
縮瞳　379
　　針先瞳孔　949t
宿便　674t
手根間関節　789
手根管症候群　798
手指, 可動域　796
手指衛生　126
手掌把握反射　1011
主訴　13, **85**
　　関連する所見　90
　　追加関連情報　90
手段的日常生活動作　110
　　高齢者　1162
出生時体重　968
出生時評価　**968**
出生前スクリーニング検査　**1133**
出生前のサプリメント　**1137**
手動式血圧計　227
守秘義務　27, 1064
シュプレンゲル変形　803
受容性失語　262
腫瘤
　　陰囊　699, 1003
　　頸部　349
　　乳房　607, 622
　　腹部　651, 1047
シュレム管　366
瞬目反射　986
上位運動ニューロン　865
小陰茎　1003

小陰唇　709
漿液性滲出液　417, 427t
障害がある患者　11
消化器症状　**638**
小顎症　984
上顎前突　1039
消化性潰瘍　668t
消化不良　638, 668t
上眼瞼挙筋　364
上気道狭窄　1041
上強膜炎　371, 396t
小指球萎縮　852t
硝子体浮遊物　386
上室性期外収縮　551t
上室性頻拍　996, 1085t
上斜視　376
症状　141
　　特徴を記憶する略語　87
　　——を表す特徴　86
小水疱　297
小泉門　981
上大静脈　574
焦点発作　938t
上橈尺関節　787
小頭症　974, 983
小児　**955**
　　——の高血圧　1085t
　　発達の4原則　956
　　発達評価　**963**
小児喘息　1042
小脳　860, 867
小脳性運動失調　932t
小脳性失調　900
小伏在静脈　575
上腹部痛　634
上腹部不快感　634
上腹部ヘルニア　679t
ショウ・ミー　18
小脈　582
静脈雑音　564t, 681t, 1044, 1119
静脈瘤　451t, 586
静脈瘤様腫脹　585
照明や環境　119
上腕骨外側上顆炎　788
上腕骨前方脱臼　849t
上腕骨内側上顆炎　788
上腕三頭筋反射　909
上腕動脈　229, 573
上腕動脈圧　590
上腕二頭筋腱炎　849t
上腕二頭筋反射　908
初期情報　**85**

褥瘡　306, 339t
　　　病期分類　307
食道ウェブ　670t
食道癌　670t
食道狭窄　670t
食道攣縮　670t
食欲不振　639
初経　714
所見の記録　**155**
女児生殖器　1003
処女膜　709
女性化乳房　607, 616
　　　疑性——　607
　　　高齢者　1153
女性生殖器　**709**
　　　高齢者　**1173**
女性乳房　**603**
　　　視診　609
女中膝　821
触覚振盪音　468, 476, 492t
初乳　1109
除脳硬直　945t
除皮質硬直　945t
処方確認　1163
自律神経系　863
自律性の尊重　28
視力　374
　　　新生児・乳児　986
　　　——低下　985, 1031
耳輪　407
耳輪軟骨皮膚炎　425t
脂漏　1086t
耳漏　411, **412**
脂漏性角化症　320t, 321t, 325t, 326t, 1170
脂漏性皮膚炎　315t, 321t
心音
　　　加齢　**511**
　　　聴診　507, 530
　　　発生源　507
　　　分裂　**505**
侵害受容性疼痛　**239**
呻吟　991
心筋梗塞　488t, 552t
　　　ST上昇型——　513
　　　非ST上昇型——　513
神経因性疼痛　**239**
神経回路　252, 278t
神経管奇形　1138
神経系　**132**
　　　高齢者　1156, **1176**
神経根性腰痛　846t

神経細胞　249
神経障害性潰瘍　599t
神経性食欲不振症　1076, 1077
神経線維腫症　1086t
　　　——1型　335t
神経伝達物質　249
神経認知障害　**257**, 279t
神経反射用ハンマー　122f
心血管系　**131**
　　　高齢者　1152, 1172
心血管疾患　540
　　　家族歴　548
　　　危険因子への対応　545
　　　喫煙　548
　　　健康因子　542
　　　健康格差　**542**
　　　行動変容　548
　　　女性　542
　　　スクリーニング　**544**
　　　肥満　548
　　　保健行動　542
　　　——予防　**541**
　　　リスク計算　544
心雑音　**506**
　　　加齢　**511**
　　　鑑別　533
　　　最強点　537
　　　性質　537
　　　漸減型雑音　536
　　　漸増-漸減型雑音　536
　　　漸増型雑音　536
　　　タイミング　534
　　　高さ　537
　　　聴診　507, 530
　　　強さ　536
　　　乳児　998
　　　波形　536
　　　発生源　507
　　　プラトー雑音　536
　　　放散　537
診察器具
　　　妊娠女性　**1116**
　　　——の確認　120
腎実質性高血圧　1070
心室性期外収縮　551t
心室中隔欠損症　562t, 1097t
心室拍動　555t
心周期　**502**
心収縮力　508
滲出性扁桃炎　444t
尋常性痤瘡　318t, 337t
尋常性疣贅　1087t

新生児
　　　——外来における病歴　962
　　　診察のコツ　966
　　　——の分類　970
　　　ラポール　10
新生児痤瘡　1086t
新生児離脱症候群　1011
振戦　523, 527, **877**, 940t, 995
　　　企図時——　940t
　　　姿勢時——　940t
　　　静止時——　940t
心尖拍動　527, 995
心臓
　　　拡張期　502, 531
　　　収縮期　502, 531
　　　診察　524
　　　妊娠女性　**1119**
腎臓　**658**
　　　打診　658
心臓弁膜症　512
靱帯　764
　　　弛緩　772
身体活動　179
　　　妊娠女性　**1130**
身体醜形障害　280t
身体症状症　280t
身体診察　**117**
　　　頭からつま先まで　**129**
　　　局所的——　118
　　　手順と体位　129
　　　特定の患者　133
　　　包括的——　118
身体的発達　**957**, 1019, 1021, 1066
身体発育パターン　1026
診断のための記憶補助ツール　144
身長　223
　　　——測定　223, 225
心的外傷後ストレス障害　253
浸透圧性下痢　673t
心嚢液の貯留　996
心配　**253**, 254
心肺蘇生　59
心拍数　235, 550t
　　　測定　**517**
心拍リズム　235, 550t
真皮　292
真皮内母斑　324t
深部腱反射　869, 1009
深部静脈血栓症　**580**
心不全　994
心房中隔欠損症　1072, 1097t
心膜炎　488t

心膜摩擦音　564t
蕁麻疹　297, 319t, 1088t
親密なパートナーからの暴力　175
　　妊娠女性　**1131**
信頼関係　6
診療記録　7
　　——の例　36

す

膵炎　335t
髄核　763, 800
膵癌　335t, 668t
水銀式血圧計　227
髄鞘　859
水晶体　365
錐体路系　865
水痘　1100t
水頭症　983, 1089t
水痘ワクチン　**189**
水平性欠損　394t
水平裂　458
水疱　297, 317t
　　小——　317t
水疱型固定薬疹　317t
水疱性鼓膜炎　415, 427t
髄膜炎　1101t
髄膜炎菌血症　335t
髄膜徴候　915
数字記憶範囲検査　267
スキーン腺　710
スキャニング　104
スクリーニング　**168**
　　うつ病　**271**, 1185
　　癌　**1182**
　　出生前検査　**1133**
　　糖尿病　173
　　認知症　**272**
　　皮膚癌　311
　　メラノーマ　312
　　緑内障　390
　　淋病　184
スタージ・ウェーバー症候群　979
スタチン治療　546
スチル雑音　1043
頭痛　**871**
　　一次性——　871, 933t
　　危険な徴候　873
　　緊張型——　933t
　　群発——　933t
　　二次性——　871, 934t
　　片——　933t
スティグマ　53

ステンセン管　343, 434
ストライダー　353, 466, 493t, 992
スネレン視力表　121f
スパーリングテスト　807
スピードテスト　849t
スピリチュアリティ　**25**
スピリチュアル歴　101
スペンスの尾　605
スポーツ参加，小児　1079
スワンネック変形　851t

せ

精液水瘤　705t
声音振盪　474, 477, 492t
精管　690
性感染症
　　カウンセリング　185
　　スクリーニング　**184**
　　男性生殖器　**693**, 702t
性器ヘルペス　702t, 733t
性器疣贅　702t, 733t
性行動歴　98
　　5つのPと追加質問　100
精索　690
精索静脈瘤　699, 705t
静止時振戦　940t
性自認　**1068**
脆弱性X症候群　1114
生殖器
　　女性　**709**
　　男性　**689**
　　妊娠女性　**1121**
成人
　　カウンセリングのガイドライン　**176**
　　スクリーニングのガイドライン　**173**
　　予防接種のガイドライン　**187**
精神疾患　252
　　説明のつかない症状　258
　　話し方と言語　**261**
　　プライマリケア　252
精神発達　**1066**
性成熟段階　1071
　　女児・女子　1077
　　男児・男子　1075
　　——の評価　1074
性腺機能低下症　1074
精巣　690
精巣癌　**701**, 704t
精巣挙筋反射　1047
精巣自己検診　**700**
精巣上体　690
精巣上体嚢胞　705t

精巣鞘膜　690
精巣水瘤　703t
精巣捻転　696, 705t
成長期脱毛症　330t
成長曲線　973
性的虐待　1049, 1051, 1098t
性的指向　**1068**
　　——と性自認　95
性的発達と機能，男性　**691**
精度　208
精嚢　690
性別代名詞　8
生理的帯下　1075
生理的乳頭陥凹　400t
脊髄　249, 861, 862
脊髄視床路　868
脊髄性筋萎縮症　1114
脊柱　**799**
脊柱管　862
脊柱後弯，高齢者　1155
（脊柱）側弯（症）　779, 802, 1053, 1078
脊椎　**799**
脊椎すべり症　801
脊椎線　456
赤痢アメーバ　671t
赤痢菌　671t
赤緑色覚異常　376
セクシャル・アイデンティティ　**1068**
セクシャルマイノリティ　12
せつ　318t
舌咽神経　885
石灰沈着性腱炎　848t
舌下神経　886
舌癌　439
積極的傾聴　**46**
舌小帯　433
舌小帯短縮症　989
摂食恐怖感　580
接触性おむつ皮膚炎　1086t
絶対的不整　233, 551t
絶対リスク差　210
舌痛　435
切迫性尿失禁　645, 677t
セマンティック・クオリファイア　150
セルフネグレクト　1186
セレウス菌　671t
セロトニン　249
セロトニン作動性広汎性調節系　249
セロトニン神経系　249
線維筋痛症候群　842t
線維性関節　763
線維腺腫　622t

索引

線維束性収縮　867, 886
線維束性攣縮　779
線維軟骨　763
線維輪　800
前腋窩線　456
前角　861
前角細胞　865
尖圭コンジローマ　702t, 733t
全収縮期雑音　562t
染色体異数性検査　**1137**
全身性エリテマトーデス　335t
全身チアノーゼ　1095t
全身の観察　**129, 221**
全身の診察，妊娠女性　**1117**
仙髄　862
喘息　484t, 486t, 495t
　　　小児――　1042
選択的エストロゲン受容体調整薬　619, 840
選択バイアス　170
先端巨大症　360t
仙腸関節　804
仙椎　799
　　　可動域　805
前庭　409
前庭蝸牛神経　409
先天異常　965
先天奇形　988
先天性眼瞼下垂　985
先天性甲状腺機能低下症　1090t
先天性真皮メラノサイトーシス　977, 981
先天性囊胞　990
先天性梅毒　1090t
　　　Hutchinson 歯　449t
先天性副腎過形成　1004
前頭側頭型認知症　274
全般性不安障害　253
全般てんかん　939t
前負荷　508
潜伏斜視　1030
前房出血　370
前方引き出しテスト　825
喘鳴　462
せん妄　273, 279t
　　　高齢者　1184
　　　――スクリーニングツール　1184
泉門　981
前立腺　**743**, 744
　　　高齢者　**1154**, **1175**
　　　触診　750
前立腺炎　758t
　　　急性細菌性――　758t

　　　慢性細菌性――　758t
前立腺癌　**752**, 758t
前立腺特異抗原　752
前立腺肥大症状スコア　755t

そ

爪囲炎　333t
早期満腹感　639
双極性障害　255
早期卵巣不全　717
ゾウゲ質　432
爪甲色素線条　333t
爪甲損傷癖　333t
爪甲剝離症　334t
双手診，妊娠女性　1123
爪真菌症　334t
相対リスク　210
相対リスク差　210
蒼白　292, 466
早発性副腎皮質性思春期徴候　1076
僧帽筋　801
僧帽弁　500
　　　――の開放音　504
僧帽弁狭窄症　487t, 563t
僧帽弁疾患　1044
僧帽弁閉鎖不全症　562t
　　　高齢者　1152
瘙痒　**294**
足関節　828
足関節上腕血圧比　579, 590
足関節反射　911
測定異常　899
足底筋膜　829
足底把握反射　1011
足底反射　913
足底疣贅　855t, 1087t
側頭動脈温　238
足背動脈　574
続発性無月経　716
側腹部痛　646
側弯（症）　779, 802, 1053, 1078
鼠径管　690
鼠径靱帯　690
鼠径部　**690**
鼠径ヘルニア　697, 706t, 1047
　　　外――　698
　　　間接――　698
　　　直接――　698
　　　内――　698
鼠径リンパ肉芽腫　335t
咀嚼筋　774
蘇生拒否　59

蘇生禁止　1165
粗大運動　**957**
粗大運動発達指数　959

た

ターナー症候群　223, 973
ダーモスコピー　122f, **300**
第1期梅毒　702t
　　　――の硬性下疳　443t
第1心音　997
第Ⅰ脳神経（嗅神経）　881
第2期梅毒　733t
第2心音　997
第Ⅱ脳神経（視神経）　881, 882
第3心音　997
第Ⅲ脳神経（動眼神経）　882
第4心音　997
第Ⅳ脳神経（滑車神経）　882
第Ⅴ脳神経（三叉神経）　883
第Ⅵ脳神経（外転神経）　882
第Ⅶ脳神経（顔面神経）　884
　　　中枢性障害　944t
　　　末梢性障害　944t
第Ⅷ脳神経（聴神経）　885
第Ⅸ脳神経（舌咽神経）　885
第Ⅹ脳神経（迷走神経）　885
第Ⅹ脳神経麻痺　439
第Ⅺ脳神経（副神経）　886
第Ⅻ脳神経（舌下神経）　886
　　　――の病変　438
体位，身体診察や手技　123
体位性低血圧　232
第一鰓溝　988
大陰唇　709
大うつ病性障害　255
対応が難しい患者　**63**
体温計　121f
体幹白癬　1088t
大血管転位症　1097t
対光反射　367, 379
胎脂　977
胎児アルコール症候群　1090t
体質性成長遅延　1074
代謝性昏睡　948t
体臭　222
体重　223
　　　スクリーニング　**173**
　　　――測定　223, 225
　　　――の減量　**176**
体重減少　219
体重増加　218
　　　妊娠女性　**1129**

1217

──不良　974
体重変化　**218**
帯状疱疹　317t
帯状疱疹ワクチン　**190**
体性神経系　863
体性痛　239, 633
大前庭腺　710
大泉門　981
　　　早期閉鎖　981
大腿管　690
大腿脛骨関節　818
大腿骨頭すべり症　1052
大腿四頭筋　818
大腿四頭筋反射　910
大腿動脈　574
大腿動脈瘤　587
大腿ヘルニア　690, 697, 706t
大腸癌　**665**
　　死亡率　665
　　スクリーニング　666
　　予防　666
　　罹患率　665
大腸内視鏡検査　666
大頭症　974, 983
胎動初感　1120
大動脈　573, **659**
　　触診　659
大動脈解離　488t
大動脈狭窄　1044
大動脈駆出音　558t
大動脈縮窄症　1000, 1045
大動脈弁　500
大動脈弁狭窄症　552t, 561t, 1096t
大動脈弁硬化症, 高齢者　1153
大動脈弁閉鎖不全症　231, 563t
大動脈瘤
　　スクリーニング　594
　　腹部──　659
大動脈流出路, 拍動　530
胎内成長曲線　972f
第二次性徴　1066
大脳　859
大脳基底核　860
大脳半球　859
胎盤成長ホルモン　1106
大伏在静脈　575
大葉性肺炎　494t
大理石様皮膚　977
対輪　407
ダウン症候群　377
唾液腺　343
楕円関節　763

濁音　650
ダグラス窩　712
多形皮膚萎縮　338t
多結節性甲状腺腫　361t
打腱器　122f
多剤投与　1163
多指(趾)症　1005
多シナプス反射　869
多職種コミュニケーション　**62**
打診音　469
立ちくらみ　413
脱水　979, 982
脱毛(症)　**295**, 301, 330t, 1150
　　円形──　331t
　　休止期──　330t
　　診察　**306**
　　成長期──　330t
　　全身性──　330t
　　びまん性──　330t
脱力　**218**, 874
妥当性　**199**
タナー分類　609
多尿　645, 676t
　　夜間──　645, 676t
タバコ
　　カウンセリング　183
　　スクリーニング　182
　　妊娠女性　**1130**
多発ニューロパチー　901
ため息呼吸　490t
多毛症　351
樽状胸　466, 491t
単結節　361t
男児生殖器　1002
単シナプス反射　869
単純瞳孔不同　379
単純ヘルペス　317t, 442t
男性生殖器　**689**
　　高齢者　**1175**
　　性感染症　**693**, 702t
男性乳癌　**621**
男性乳房　**607**
　　診察　**616**
男性の性的発達と機能　**691**
胆石仙痛　668t
断続性副雑音　473, 493t
単殿位　970
単麻痺　875

ち

チアノーゼ　292, 461, 466, 976, 978
チェーン・ストークス呼吸　465, 490t

チェリー血管腫　1170
知覚　**265**
　　異常　266
恥丘　709
恥骨結合　709
恥骨結節　690
地図状舌　450t, 1039
腟　**710**, 1108
腟円蓋　710
腟鏡　122f, 722, 1122
チック　941t
腟口　709
腟前庭　709
腟トリコモナス　724
腟分泌物　735t, 1049
知的障害　69, 1019
知的発達　**957**, 964, 1019, 1022
遅脈　582
チャドウィック徴候　1108
中腋窩線　456
中核体温　236
中血管炎　335t
中耳　408
中耳炎　409, 412, 1092t
虫刺症　317t, 1088t
中手指節関節　790, 903
抽象的思考　269
中心窩　366
中心静脈カテーテルの使用　581
虫垂炎　**661**, 1051
中枢神経系　249, **859**
　　構造と精神疾患　276t
　　ネットワーク　252
中枢神経系疾患　985
中枢神経系障害　929t
中枢性回転性めまい　424t
中枢性チアノーゼ　978, 994
中足趾節関節　828
肘頭部滑液包炎　850t
中毒性紅斑　980, 1086t
肘内障　1052
中脳　860
聴覚　409f
聴覚障害　68
　　スクリーニング(高齢者)　**1180**
腸管　1002
腸間膜虚血　668t
腸機能　**640**
徴候　141
聴診
　　蹲踞　**538**
　　立位　**538**

聴診間隙　229
聴診器　120f, 230
聴神経　885
聴神経腫瘍　923
腸蠕動音　649, 681t
ちょうつがい関節　762
腸腰筋徴候　661
聴力検査　**417**
直接鼠径ヘルニア　698
直腸　**743**
直腸炎　746
直腸温　237, 976
直腸癌　674t, 750f, 757t
直腸子宮窩　712
直腸診
　　女性　751
　　男性　748, 749f
直腸脱　756t
直腸棚　757t
直腸ポリープ　757t
直腸瘤　734t
直感的推論　140
治療必要数　210

つ

椎間板　763, 800
追視　985
対麻痺　875, 890
痛覚　884
痛覚過敏　902
痛覚消失　902
痛覚鈍麻　902
通年性アレルギー性鼻炎　1091t
痛風　764, 766, 831
　　——性関節炎　842t
　　慢性結節性——　851t
痛風結節　425t
痛風性関節炎　842t
ツェンカー憩室　638
ツチ骨　408
ツチ骨短突起　408
ツチ骨柄　408
槌状足趾　855t
ツベルクリン検査　480
爪　**292**
　　高齢者　**1149, 1169**
　　変化　**295**
　　——変形　333t
ツルゴール　979, 1149

て

手　789

腫脹と変形　852t
低HDLコレステロール血症　226
テイ・サックス病　1114
ティーチ・バック　17, 53
低音性連続性副雑音　465, 473, 493t
低カルシウム血症性テタニー　984, 1093t
定期健診
　　新生児　960
　　青年期　1084
　　幼児　1060
啼泣　990, 1093t
低血圧　232
低血糖　552t
低身長　1026
ディストラクション　974
ディスペプシア　635
低体温　218, 236
低二酸化炭素血症　552t
ティネル徴候　798
停留精巣　696, 704t, 1003, 1047, 1099t
適応障害　256
滴状乾癬　316t
適正体重　177
適中度　169, **200**
　　陰性——　201
　　陽性——　200
デジタル式血圧計　227
デジタル乳房トモシンセシス　620
鉄欠乏症　1136
　　スクリーニング　1136
鉄分　1138
テニス肘　788, 850t
テネスムス　640
デュシャンヌ型筋ジストロフィ　887
デュピュイトラン拘縮　771
デュロチー徴候　563t
テリー爪　334t
伝音性難聴　409, 418, 428t, 885, 1035
伝音相　409
てんかん　**877**
　　——発作　**876**, 938t
転換性障害　280t, 552t
電子健康記録　34, 72, **155**
　　経過記録の例　160t
電子体温計　236
点状出血　298, 447t
伝染性単核球症　1070, 1073
伝染性軟属腫　316t, 1087t
転倒予防　840, **1181**
テント状皮膚　979
癜風　314t
殿裂　804

電話通訳　58

と

ド・ケルヴァン病　793
頭位変換眼球反射　921
頭蓋骨　**351**
　　——の対称性　982
頭蓋骨癒合症　1089t
頭蓋内圧　982
頭蓋内圧亢進　981, 982, 1056
頭蓋癆　983
同化薬，骨粗鬆症　840
動眼神経　369, 882
動眼神経麻痺　398t
動悸　**514**
動機づけ面接　**61, 75t, 172**
道化師様皮膚異常　978
凍結肩　849t
頭血腫　982, 1089t
瞳孔　363, **379**
　　昏睡患者　949t
　　中間位固定　949t
　　針先——　949t
瞳孔対光反射　921
瞳孔不同　398t
橈骨手根関節　789
橈骨動脈　229, 573
動作　223
等尺性掌握　**539**
動静脈交差　402t
洞性徐脈　1029
洞性不整脈　551t, 996
疼痛　**220**
　　急性——　**239**
　　侵害受容性——　**239**
　　神経因性——　**239**
　　評価スケール　**239**, 240
導入文，病歴　88
糖尿病　336t, 546
　　スクリーニング　**173**
糖尿病性末梢神経障害　**928**
糖尿病性網膜症　390
頭皮　**351**
頭部　**343**
頭部・眼・耳・鼻・咽喉　**130**
頭部と頸部　**343**
　　妊娠女性　**1118**
頭部白癬　331t, 1088t
動脈圧波形　554t
動脈管開存症　564t, 995, 1097t
動脈機能不全　599t
動脈硬化　571

動脈硬化性プラーク　571
　　　　形成　572
動脈硬化性末梢動脈疾患　593
動脈拍動　554t
同名半盲　375, 882
動揺性歩行　811
兎眼症　377
特異度　200
毒素産生性大腸菌　671t
特発性側弯症　1078
吐血　414, 638
怒張　585
ドパミン作動性広汎性調節系　250
ドパミン神経系　250
トラウベ半月部　655
トランスセオレティカルモデル　171
トリガーポイント　769
トリコモナス腟炎　735t
努力呼気時間　478
努力呼吸　235
ドルーゼン　386, 404t, 1171
ドレーピング　124
トレンデレンブルグ徴候　1053
トレンデレンブルグ歩行　811
呑気症　640

な

内頸静脈　346
　　──拍動　520
内耳　409
内痔核　756t
内耳神経　885
内斜視　376, 399t, 985
内性器, 妊娠女性　1122
内旋ラグテスト　783
内臓痛　633
内側上顆炎　850t
内鼠径ヘルニア　698
内転中足　1007
内反（症）　395t, 1170
内反脛骨　1052
内反膝　821, 1007, 1052
内反ストレステスト　825
内反尖足　1008
内反足　1008, 1099t
内包　860
ナトリウム摂取　244
ナボット嚢胞　736t, 1123
軟口蓋　433
軟骨性関節　763
軟骨軟化症　823
軟性下疳　702t

軟性白斑　404t
難聴　412, 987, 1035
　　感音性──　428t
　　種類　428t
　　スクリーニング　423
　　伝音性──　428t

に

ニアーテスト　783
肉芽腫性大腸炎　672t
二次性高血圧　243, 546
二次性頭痛　871, 934t
二次性尿失禁　678t
二段脈　554t
日常生活動作　110, 258, 770
　　高齢者　1162
日光角化症　321t, 322t, 1169
日光口唇炎　442t
日光黒子　320t, 325t, 338t, 1169
日光紫斑　1149, 1169
日光弾性線維症　338t
二峰性脈　554t
乳癌　622t, 623t
　　危険因子　618
　　検診　620
　　女性　618
　　男性　621
　　発症率　618
　　予防　619
　　──リスク評価ツール　619
乳管内乳頭腫　615f
乳児
　　診察のコツ　967
　　定期健診　1015
乳児突然死症候群　983
乳汁漏出症　608
乳頭　433
　　分泌物　608
乳頭陥凹　610f, 623t
乳頭浮腫　385, 401t
乳糖不耐症　673t
乳房　131, 1109
　　高齢者　1153, 1173
　　自己検診　620
　　しこり　607
　　触診　612
　　妊娠女性　1119
乳房再建術　617
乳房雑音　1119
乳房腫瘤　622t
乳房切除術　617
乳房超音波検査　620

乳房痛　608
乳様突起　408
ニューロパチー性潰瘍　855t
ニューロン　249, 859
尿意切迫　645
尿管仙痛　646
尿失禁　645, 677t
　　溢流性──　645, 677t
　　機能性──　645, 678t
　　混合性──　645
　　切迫性──　645, 677t
　　二次性──　678t
　　腹圧性──　645, 677t
尿道炎　728
尿道カルンクル　734t
尿道下裂　695, 703t, 1002, 1099t
尿道口　690, 709
尿道索　1003
尿道上裂　695
尿道粘膜の脱出　734t
尿道閉塞　1002
尿路系症状　643
人形の目現象　921, 985
妊娠　1105
　　意図しない──　1138
　　──の確認　1110
　　よくみられる症状　1112
妊娠悪阻　1117
妊娠高血圧　1117
妊娠高血圧腎症　1118
妊娠週数　1110
妊娠女性　1105, 1118
　　栄養　1128
　　外性器　1121
　　診察器具　1116
　　全身の診察　1117
妊娠性エプーリス　448t
妊娠性白帯下　1108
妊娠線　1106
妊娠糖尿病　1137
　　スクリーニング　1137
認知　266
認知エラー　148
認知機能低下　274
認知症　279t
　　高齢者　1184
　　スクリーニング　272, 284t, 285t
認知障害　257
認知発達　957
妊婦健診　1110
　　重要項目　1115

ぬ

ヌーナン症候群　984

ね

寝汗　**218**
熱性疱疹　442t
ネフローゼ症候群　360t
粘液水腫　360t
粘液膿性子宮頸管炎　737t
捻髪音　771
粘膜輪　670t

の

脳　249, 859
膿痂疹　1086t
脳幹　860
脳幹反射　920
脳血管障害，予防　926
脳梗塞　923
脳神経　863, **881**
　　　新生児・乳児　1009
脳神経痛　934t
膿性鼻炎　1036
脳性麻痺　965, 1054
脳卒中　926
　　　危険因子　927
　　　分類　936t
嚢胞　622t
膿疱　297, 318t
嚢胞性線維症　421, 462, 1114
膿瘍　1051
のび上がり歩行　811
のぼせ　1154
ノルアドレナリン　250
ノルアドレナリン作動性広汎性調節系　250
ノルアドレナリン神経系　250

は

歯　431, **437**
　　　高齢者　**1151**
　　　――の侵食　449t
　　　――の着色　1094t
　　　――の摩耗　449t
パーキンソン病　360t, 877
バージャー病　591
肺
　　　高齢者　**1172**
バイアス　**21**, 24, 170, 209
　　　暗黙の――　21
　　　制度的――　21
　　　無意識の――　21

肺炎　484t, 1029, 1042
肺炎球菌ワクチン　**188**
肺癌　**479**, 487t
肺結核　486t
肺水腫　512
肺塞栓症　487t
バイタルサイン　**130, 226**
　　　高齢者　**1148, 1167**
　　　妊娠女性　**1117**
肺動脈温　236
肺動脈駆出音　558t, 1045, 1072
肺動脈拍動　530
肺動脈弁　500
肺動脈弁狭窄症　561t, 1096t
梅毒
　　　スクリーニング　184, 1134
　　　――の粘膜斑　451t
梅毒性下疳　733t
梅毒トレポネーマ　1090
排尿困難　644
排尿失神　552t
肺膿瘍　462, 486t
背部　**130**
排便反射　674t
肺胞　459
肺胞音　472
肺門　459
肺葉　457
排卵痛　717
肺裂　457
吐き気　638
白質　859
白色瞳孔　987
白内障　383, 390, 397t
　　　核性――　397t
　　　周辺――　397t
白斑　315t, 438
白板症　447t, 451t
麦粒腫　396t
はさみ脚歩行　932t
パジェット病　610
橋本病　1159
播種性血管内凝固　336t
破傷風　**190**, 1100t
ばち状指　333t
白血球破砕性血管炎　336t
白血病　336t
発達指数　**958**
発達評価　**957**
発熱　**218**, 976
鳩胸　491t
パトリックテスト　816

鼻　410
　　　高齢者　**1151**
鼻ポリープ　421
パニック障害　253, 488t
ばね指　792, 852t
羽ばたき振戦　918
パパニコロー塗抹標本　711
馬尾　863
馬尾症候群　769, 846t
バビンスキー反応　1010
ハマン徴候　493t
ハムストリングス　814, 818
ばら色粃糠疹　1088t
パラシュート反射　1012
パラトニー　946t
針先瞳孔　949t
バルーン徴候
　　　膝関節　827
バルサルバ手技　472, **538**, 662, 727
バルトリン腺　710
バレット食道　636
半月弁　500
瘢痕性脱毛症　331t
反射　869
　　　評価スケール　907
斑状出血　298
判断　266
反跳脈　554t
ハンチントン病　941t
晩発性皮膚ポルフィリン症　336t
反復拮抗動作不能　898
判別不明性器　1004

ひ

非ST上昇型心筋梗塞　513
ヒアリン軟骨　763
鼻咽頭　410
ピエール・ロバン症候群　984
ビオー呼吸　490t
皮角　321t
皮下脂肪組織　292
皮下腫瘤　319t
皮下嚢胞　319t
鼻甲介　410
微細運動　**957**
微細運動発達指数　959
非産褥性乳汁漏出　614
肘，腫脹と圧痛　850t
肘関節　**787**
　　　可動域　789
皮脂欠乏　1169
非事故性外傷　1091t

1221

皮脂腺　293
皮質延髄路系　865
皮質脊髄路　860, 865
皮質脊髄路系　865
脾腫　655
鼻汁　411, **413**
鼻出血　411, **414**, 421
微小動脈瘤　403t
尾髄　862
ビスホスホネート　840
非遷延性足クローヌス　1011
脾臓　**655**
　　触診　656
　　打診　655
肥大型心筋症　552t, 561t
ビタミンD　838
非チフス性サルモネラ　671t
鼻中隔　410, **421**
尾椎　799
ピッチャー肘　788, 850t
非てんかん発作　939t
ヒト絨毛性ゴナドトロピン　1106
ヒト胎盤性ラクトーゲン　1106
ヒトパピローマウイルスワクチン　**191**
人見知り　1023
泌尿器系　692, 745
　　高齢者　**1154**
避妊方法　1139
皮膚　130, 222, **291**, 351
　　血管病変　328t
　　高齢者　**1149**, 1169
　　自己検診　305, 313
　　主病変　296, 314t
　　良性病変　320t
皮膚癌　309
　　スクリーニング　311
　　予防　310
皮膚筋炎　336t
鼻副鼻腔炎　414
皮膚書字覚　904
皮膚診察　301〜303
皮膚脆弱性疾患　317t
皮膚線維腫　318t, 320t
鼻部線維性丘疹　323t
皮膚嚢胞　425t
皮膚病変　**295**
皮膚分節　869, 905
鼻閉　**413**
肥満　218
肥満指数　173, 218, 1027
びまん性間質性肺疾患　484t
びまん性腫脹　361t

びまん性食道痙攣　488t
びまん性脱毛症　330t
びまん性特発性骨増殖症　847t
百日咳　1101t
百日咳ワクチン　**190**
ヒューストン弁　745
ヒューリスティック　29, 140
病気　4
病気不安症　280t
病原性大腸菌　671t
表在性基底細胞癌　322t
病識　266
表出性失語　262
標準模擬患者　**73**
標準予防策　125
表情　222, 260
ひょう疽　853t
表皮　292
表皮嚢腫　319t, 320t
病歴　**81**
　　導入文　88
病歴聴取　81
　　小児　956, 1063
　　成人期の――　**84**
鼻翼呼吸　991
びらん　298
稗粒腫　980
ビリルビン　642
鼻涙管　410
鼻涙管閉塞　**387**, 986
ヒルシュスプルング病　1002
鼻漏　411
疲労感　**217**
頻呼吸　465, 490t, 975, 992, 1029
ビンジ飲酒家　180
頻尿　645, 676t

ふ

ファーレン徴候　799
不安　488t
不安障害　**253**, 484t
　　スクリーニング　253
フィンケルシュタインテスト　797
フーヴァー徴候　992
風疹　1100t
フェイガンのノモグラム　**204**
フェーバーテスト　816
フォーダイス斑　446t
フォン・レックリングハウゼン病　335t
腹圧性尿失禁　645, 677t, 727
腹腔　**628**
副交感神経系　863

副甲状腺ホルモン　839
副雑音　473, 477, 493t
複視　369, **372**, 874, 882
副神経　886
腹水　**660**
服装　222, 260
輻輳　380, 882
　　眼球運動の検査　382
腹直筋離開　679t, 1001
腹痛　**633**, 668
　　面接　633
副鼻腔　410, 411, **421**
　　圧痛の触診　421
副鼻腔炎　1036
腹部　**131**, 627
　　4領域　628
　　圧痛　682t
　　音　681t
　　高齢者　**1154**, 1173
　　視診　647
　　触診　650
　　打診　650
　　聴診　649
　　妊娠女性　**1120**
　　隆起　680t
腹部腫瘤　1047
腹部大動脈瘤　659
　　スクリーニング　594
腹壁の隆起　679t
腹壁腫瘤　662
腹壁瘢痕ヘルニア　679t
腹壁反射　913
腹壁ヘルニア　**662**, 679t
腹膜炎　633, 651, 683t
腹鳴　649
不健康な飲酒　**180**
ブシャール結節　792
浮腫　**515**, 577, 977
不随意運動　**877**, 887, 940t
不正咬合　1039
不正性器出血　**716**
不整脈　233, 552t
不全対麻痺　875
不全片麻痺　875, 890
物質使用障害　174, **275**
舞踏運動　941t
不同視症　1030
浮動性めまい　**413**, 424t
浮動肋骨　455
普遍的予防策　126
プライマリケア　82
　　精神疾患　252

ブラウント病　1007
ふらつき　**874**
ブラッキストン・ヒックス収縮　1112
ブルジンスキー徴候　915, 1041
フルンケル　318t
フレイル　**1164**
フレーミング効果　149
プレゼンテーション　**157**
　　フレームワーク　158
ブローカ失語　262
プロゲステロン　1105
プロチャスカモデル　548
プロブレムリスト　7, 156
文化的謙虚さ　**23**
　　5R　25
分泌性下痢　673t
分娩予定日　1110
分回し歩行　811

へ

平滑舌　450t
閉経　714, **716**, **731**
閉経後出血　717
閉経周辺期　716
平衡感覚　410
閉鎖筋徴候　662
閉塞性血栓血管炎　591, 596t
閉塞性呼吸　490t
閉塞性睡眠時無呼吸　**481**, 1040
ペイロニー病　695
ヘガール徴候　1108
ペダーセン鏡　719
ベックウィズ・ウイーデマン症候群　989
ヘバーデン結節　792
ヘモクロマトーシス　336t
ヘルニア
　　陰嚢――　703t
　　嵌頓――　699
　　絞扼性――　699
　　鼠径――　697, 698, 706t, 1047
　　大腿――　690, 697, 706t
　　腹壁――　**662**, 679t
ヘルペス性歯肉口内炎　1092t
ベル麻痺　884
便DNA検査　666
辺縁性歯肉炎　448t
変換症　280t, 552t
変形性関節症　842t, 851t
変性関節疾患　842t, 851t
片側性散瞳　949t
胼胝　855t
扁桃窩　434

変動係数　208
扁桃周囲膿瘍　1039
便秘　**641**, 674t, 1045
扁平コンジローマ　733t
扁平上皮　711, 736t
扁平上皮癌　294, 321t, 323t
扁平足　854t, 1099t
扁平疣贅　1087t
片麻痺　875, 890, 945t

ほ

ポイツ・ジェガース症候群　443t
ポイントオブケア心エコー　515
包括的アセスメント　82
包括的身体診察　118
包括的病歴　82
包茎　695
縫合　981
膀胱　**658**, 1002
　　打診　658
膀胱炎　644
縫合線　983
膀胱尿道瘤　734t
膀胱瘤　734t
房室弁　500
乏尿　645
傍尿道腺　710
包皮　709
放屁　640
膨隆徴候, 膝関節　826
ホーキンズテスト　783
ボー線　334t
ポートワイン母斑　803
ホーマンズ徴候　590
歩行　223, 811
歩行検査　477
母指球萎縮　852t
母指球間隙障害　853t
ボタン穴変形　851t
発作性夜間呼吸困難　515
発疹　**294**
哺乳反射　1012
ポリオ　1100t
ホルネル症候群　379, 882
ホルモン補充療法　**731**
本態性高血圧　243
本態性振戦　877
奔馬調律　997
　　重合――　559t
　　心室性――　559t
　　心房性――　559t

ま

マーカス・ガン瞳孔　388
マーフィ徴候　662
マイコプラズマ肺炎　486t
マイネルト基底核　250
マイボーム腺　364
マインドフルネス　19
マクバーニー点　661
マクマリーテスト　824
摩擦音　650, 681t
麻疹　1100t
末梢血管系　132
　　高齢者　**1153**, **1173**
末梢静脈疾患　**580**
末梢神経系　859, **863**
末梢神経系障害　929t
末梢性回転性めまい　424t
末梢性浮腫　512
　　種類　595t
末梢動脈疾患　**579**
麻痺　875, 1009
マルファン症候群　223
マロリー・ワイス症候群　638
マロリー・ワイス裂創　675t
慢性気管支炎　484t, 486t, 494t
慢性結節性痛風　842t, 851t
慢性骨盤痛症候群　758t
慢性細菌性前立腺炎　758t
慢性静脈機能不全　586, 595t, 598t, 599t
慢性腎疾患　336t
慢性膵炎　668t
慢性疼痛　**239**
慢性動脈機能不全　598t
慢性閉塞性肺疾患　461, 484t, 495t
マンモグラフィ　620

み

ミオクローヌス　871
ミオパチー　888
身だしなみ　222, 260
耳　**407**
　　高齢者　**1151**, **1171**
脈圧　**509**
脈拍　235
ミュラー筋　364
ミルテスト　789

む

無音間隙　472
無快感症　271
無危害　27
無気肺　494t

無月経　716, 1077
無呼吸　464, 991
無症候性頸動脈狭窄，スクリーニング　928
無症候性細菌尿　1134
むち打ち症　845t
胸やけ　634, 636

め

眼　363
　高齢者　**1150, 1170**
　充血　392t
　自律神経支配　**368**
迷走神経　885
迷路　409
メタボリック症候群　548
めまい　411
　回転性——　413, 424t
　浮動性——　413, 424t
めまい感　**874**
メラニン　292
メラノーマ　294, 295, 314t, 324t
　危険因子　309
　スクリーニング　312
　表皮内——　325t
　無色素性——　324t
メレナ　641, 675t, 745
免疫化　173
綿花様白斑　404t
面接　45, 81
　環境の調整　**109**
　高齢者　1157, 1190t
メンタルヘルス　92, 258
　思春期・青年期　1084
面皰　1170

も

毛細血管　572
毛細血管後小静脈　336t
毛細血管再充満時間　976
毛細血管漏出症候群　595t
毛巣洞　756t
毛巣囊胞　756t
盲点　366
毛髪　**292**, 350
　高齢者　1149, 1169
網膜　365
網膜深層出血　403t
網膜前出血　403t
網膜浅層出血　403t
網膜動静脈狭窄　402t
網様体賦活系　860

モーズレイテスト　789
モートン神経腫　831
モロー反射　1012
問診　45
問題指向型アセスメント　82
問題指向型病歴　82
問題提示　140, 143
　記録　**150**
問題リスト　151, 156
モントゴメリー腺　1109
門脈　574

や

夜間多尿　645, 676t
夜間発作性呼吸困難　464
ヤギ声　474, 492t
薬疹　314t
薬物管理，高齢者　**1162**
薬物性高血圧　1070

ゆ

有害薬物反応　93
遊脚相　810
有髄神経線維　400t
疣贅　321t
尤度比　202, 203
有病率　201
有毛細胞　409
癒着性関節包炎　849t
指鼻試験　899, 1055f

よ

よう　318t
腰筋　801
葉酸　1138
幼児
　——期齲歯　1038
　診察のコツ　1025
幼児期
　評価　1023
　——ラポール　10
陽性尤度比　202
腰椎　799
　可動域　805
腰痛　768, **836**, 846t
腰部脊椎管狭窄　847t
要約文
　診療記録　140, **150**
予期的悲嘆　71
翼状肩甲　779
翼状片　397t
予測値　169

予防医療　**165**
予防接種　**173**
　高齢者　**1182**
　小児　960
　成人のガイドライン　187
　妊娠女性　**1133**
　予防可能な小児疾患　1100t

ら

落陽現象　1089t
ラックマンテスト　825
ラポール　6, 49
　高齢者　11
　障害がある患者　11
　小児　10, **1016**
卵管　711
卵管卵巣膿瘍　717
乱視　373
卵巣　711
卵巣癌　**732**, 740t
卵巣囊腫　740t
ランドウ反射　1012
ランブル鞭毛虫　671t

り

リーデル葉　684t
リード・タイム・バイアス　170
リウマチ性多発筋痛症　842t
リウマトイド結節　425t, 850t
利益　27
梨状筋症候群　846t
立脚相　810
立体認知　903, 904
　不能　904
リトルリーグ肘　788, 850t
隆起　527
良性陰嚢類表皮囊胞　696f
良性色素性母斑　320t
良性心雑音，小児　999, 1043, 1073
良性線維腺腫　1072
良性前立腺過形成　758t
良性母斑　980
両側性散瞳　949t
緑内障　390
　開放隅角——　379
　急性閉塞隅角——　379, 393t
　原発開放隅角——　390
　スクリーニング　390
緑内障性陥凹　401t
リラキシン　1106
淋菌　723
淋菌感染症　336t

臨床技能　3
臨床記録，チェックリスト　33
臨床推論　**140**
　　記録　**149**
　　認知エラー　**148**
リンネ試験　419
リンパ管
　　女性生殖器　713
　　男性生殖器　**691**
リンパ管叢　576
リンパ腫　336t
リンパ節
　　頸部　348
　　高齢者　**1151**
　　頭部　348
リンパ節腫脹　577, 1040, 1094t
リンパ浮腫　577, 595t
淋病，スクリーニング　184
倫理的な症例分析　31

る

涙嚢炎　986
類表皮嚢胞　733t

れ

レイノー病　583
レオポルド触診法　1121
レストレスレッグス症候群　877
裂肛　746, 757t, 1005
レバイン徴候　464
レビー小体型認知症　257
レングス・タイム・バイアス　170
レンサ球菌性咽頭炎　1039, 1070, 1094t
連続性雑音　536

ろ

老視　370, 374, 1150, 1170
老人環　397t, 1170
老人性眼瞼下垂　1170
老人性血管腫　320t, 328t, 1170
老人性紫斑　338t
老人性難聴　418, 1151
漏斗胸　491t
老年症候群　1160
肋軟骨炎　488t
ロタウイルス　671t
ロッキー山紅斑熱　336t
肋骨骨折　478
肋骨脊柱角　629
肋骨脊柱角叩打痛　658
ロブジング徴候　661
ロンベルグ試験　900
ロンベルグ徴候　847t

わ

ワルトン管　433
腕尺関節　787
腕橈関節　787
腕橈骨筋反射　909

ベイツ診察法 第3版	定価:本体11,000円+税

2008年1月25日発行　第1版第1刷
2015年2月20日発行　第2版第1刷
2022年9月28日発行　第3版第1刷Ⓒ

著　者　　リン S. ビックリー
　　　　　ピーター G. シラギ
　　　　　リチャード M. ホフマン

日本語版　有岡　宏子
監修者　　井部　俊子
　　　　　山内　豊明

発行者　　株式会社 メディカル・サイエンス・インターナショナル
　　　　　代表取締役　金子　浩平
　　　　　東京都文京区本郷1-28-36
　　　　　郵便番号113-0033　電話(03)5804-6050
　　　　　印刷:アイワード／装丁・本文デザイン:岩崎邦好デザイン事務所

ISBN 978-4-8157-3056-7　C3047

本書の複製権・翻訳権・上映権・譲渡権・貸与権・公衆送信権(送信可能化権を含む)は(株)メディカル・サイエンス・インターナショナルが保有します。
本書を無断で複製する行為(複写, スキャン, デジタルデータ化など)は, 「私的使用のための複製」など著作権法上の限られた例外を除き禁じられています。大学, 病院, 診療所, 企業などにおいて, 業務上使用する目的(診療, 研究活動を含む)で上記の行為を行うことは, その使用範囲が内部的であっても, 私的使用には該当せず, 違法です。また私的使用に該当する場合であっても, 代行業者等の第三者に依頼して上記の行為を行うことは違法となります。

JCOPY〈出版者著作権管理機構　委託出版物〉
本書の無断複製は著作権法上での例外を除き禁じられています。複製される場合は, そのつど事前に, 出版者著作権管理機構(電話 03-5244-5088, FAX 03-5244-5089, info@jcopy.or.jp)の許諾を得てください。